D1538953

LE DICTIONNAIRE PLUS

DE L'IDÉE AUX MOTS

PARIS • BRUXELLES • MONTRÉAL • ZURICH

LE DICTIONNAIRE PLUS
est une réalisation de
Sélection du Reader's Digest

Nous remercions tous ceux qui ont contribué à la préparation et à la réalisation de ce livre.

Consultante générale de l'ouvrage

Anne-Marie SIEBENALER
(Conseil en terminologie et en multilinguisme)

Rédacteurs

Patricia BARTOLI-BERTI, Céline DUMONT, Caroline LOZANO, Patricia PASQUIOU, Serge ROSENBERG, Véronique VALDANT, Cécile VEILLARD

Conseillère de la rédaction

Françoise ATLANI
(docteur ès lettres, maître de conférences à l'université de Paris-VII)

Équipe éditoriale de Sélection du Reader's Digest

Direction éditoriale : Gérard CHENUET

Responsable du projet : Rémy COTON-PÉLAGIE assisté de Véronique VALDANT *(secrétariat d'édition)* et de Jean-Marie JOSSE *(informatique)*

Direction artistique : Claude RAMADIER

Responsable de la maquette : Didier PAVOIS

Lecture-correction : Béatrice OMER *(responsable de l'équipe de correction),* Catherine DECAYEUX, Emmanuelle DUNOYER

Fabrication : Louis ARNÉODO, Gilbert BÉCHARD, Marie-Pierre DE SCEY

Nous remercions également pour leur collaboration : Caroline LOZANO *(secrétariat d'édition),* Dominique CARLIER, Denis MARESCAUX, Miriam PALISSON *(lecture-correction)*

PREMIÈRE ÉDITION

ISBN : 2-7098-0370-4

TABLE DES MATIÈRES

TABLEAUX ET ILLUSTRATIONS

Les numéros de page en **gras** renvoient à des tableaux ; les numéros de page en *italique* renvoient à des illustrations.

DE L'IDÉE AUX MOTS

LE DICTIONNAIRE PLUS et son fonctionnement

Nous connaissons tous le sentiment de frustration que l'on éprouve lorsque l'on cherche un mot précis. Nous savons ce que nous voulons dire, nous savons qu'il existe un mot pour le dire et nous savons que nous connaissons ce mot... mais lorsque nous en avons besoin, il nous échappe. Notre mémoire, quelle que soit la richesse de notre vocabulaire, nous fait parfois défaut, et plus nous fouillons dans le grenier de notre esprit pour rechercher un mot, plus celui-ci nous apparaît lointain, inaccessible. Les efforts déployés en vain ne font alors qu'augmenter notre impuissance et notre exaspération.

Les psychologues qui étudient ce phénomène le comparent à une forte envie d'éternuer, qu'aucun éternuement ne viendrait soulager. Ce qu'il faudrait, en quelque sorte, c'est une pincée de tabac à priser. Voilà ce qu'est LE DICTIONNAIRE PLUS : une véritable tabatière linguistique, pour déclencher l'éternuement récalcitrant.

LE DICTIONNAIRE PLUS permet avant tout de trouver le mot juste. Il vous aide à identifier le terme précis qui correspond à l'idée que vous avez en tête mais que vous ne parvenez pas à exprimer. Vous avez l'idée, le livre fournit le mot. Comment ? En vous conduisant, à partir d'un mot simple, « mot source », au mot que vous cherchez, « mot cible ».

Le mot simple est la clef qui vous permet d'accéder au mot qui se dérobe, et cela de trois manières différentes :

1. Au moyen de courtes et simples définitions, ou de textes forgés pour la circonstance. Le mot source sera, tel un éventail, déployé dans ses diverses acceptions, sans toutefois viser à l'exhaustivité :

mot source	**CONDAMNATION**		
contexte	*Condamnation infligée à quelqu'un*	*Condamnation juridique*	*Condamnation politique*
mots cibles	**châtiment** **jugement**	**arrêt** **verdict** **sentence**	**exil** **bannissement** **relégation** **ostracisme** **proscription**

Ainsi LE DICTIONNAIRE PLUS n'est pas simplement une grande collection de mots groupés en fonction de leur voisinage par le sens, la mise en situation (textes) va créer un contexte pour que le mot ne soit pas isolé, et donc impuissant à bien rendre compte de l'idée.

2. En vous renvoyant à un tableau de termes concernant un sujet particulier, parmi lesquels figure le mot cible.

3. En vous renvoyant à une illustration où le mot cible apparaît clairement.

Supposons que vous essayiez de vous rappeler ou de découvrir le nom d'une sculpture de femme qui tient lieu de colonne soutenant un édifice, dans l'Antiquité grecque. Plusieurs mots, qui sont autant d'indices, vous viennent à l'esprit : *statue,* ou *colonne.* Reportez-vous à ces mots dans le dictionnaire, ils vous conduiront au mot cible **cariatide.** *Statue* vous y amène avec un texte explicatif. À l'entrée *colonne,* un dessin représente une cariatide.

Remarquez ce que cette approche a d'original : au lieu de partir d'un mot précis pour en lire ensuite la définition, comme dans un dictionnaire traditionnel, LE DICTIONNAIRE PLUS part de la définition ou de la signification pour aboutir au mot.

Comment atteindre la cible

Les chemins conduisant à la plupart des mots cibles sont multiples. Ce sont souvent les synonymes qui viennent d'abord à l'esprit. Si vous essayez, par exemple, de vous souvenir du mot **trajet,** vous le trouverez en cherchant à *itinéraire.* Mais vous pouvez procéder par analogies : un trajet étant un espace entre un point (le départ) et un autre point (l'arrivée), si vous cherchez à *espace* vous atteindrez aussi le mot cible. Et puisqu'une course ne peut exister sans trajet, en suivant le mot source *course* vous parviendrez encore à la cible.

Vous pouvez donc atteindre un mot cible par association d'idées, par déductions logiques, mais aussi en vous aidant de ses différentes occurrences, c'est-à-dire de locutions dans lesquelles il est fréquemment employé, comme *inspecteur divisionnaire* par exemple. En cherchant au mot source *inspecteur,* vous trouverez le mot cible **divisionnaire.**

Vous pouvez également atteindre votre mot cible par son contraire, c'est-à-dire par un antonyme, si le sens du mot est mieux appréhendé négativement. Ainsi vous pourrez trouver **outsider** à *favori.* Enfin, le mot cible peut être découvert à partir d'indices apparemment contradictoires. **Belzébuth** est-il *ange* ou *démon ?* Ces deux indices vous conduiront auprès de l'intéressé, dans notre dictionnaire s'entend...

Bien sûr, il serait impossible de donner toutes les voies pour atteindre un mot cible. Seules celles qui paraissent le plus directes et le plus rapides ont été sélectionnées. Si vous ne trouvez pas le bon indice dès la première tentative, essayez encore. « Comment s'appellent donc ces minuscules arbres japonais... ? » Vous ne trouverez pas la réponse à *minuscule* (cet adjectif s'applique à beaucoup trop de choses). Mais si vous cherchez à *nain,* ou simplement à *arbre,* ou encore à *japonais,* vous ferez mouche à chaque fois : **bonsaï.**

S'il arrivait que les indices auxquels vous pensez ne soient pas dans le dictionnaire et qu'aucun autre indice ne vous vienne à l'esprit, comment rechercher le mot cible fugueur ? En consultant le « Répertoire analogique des mots cibles », page 487. En effet, dans ce cas, les mots indices que vous avez en tête (et qui auraient dû vous permettre de découvrir le mot cible) existent certainement, mais en tant que mots cibles eux aussi. En vous reportant alors au « Répertoire analogique des mots cibles », riche de plus de 59 000 entrées, vous êtes quasiment assuré de rencontrer vos mots sources qui vous livreront les entrées auxquelles vous n'aviez pas pensé. Sous l'une (ou plusieurs) d'entre elles s'est probablement caché votre mot cible.

Pour enrichir votre vocabulaire

LE DICTIONNAIRE PLUS se propose aussi d'augmenter votre maîtrise de la langue en élargissant votre vocabulaire usuel. Vous parviendrez grâce à lui à assimiler des mots nouveaux, incompris ou utilisés par d'autres dans leur jargon. Dans cet ouvrage, les mots sont expliqués sommairement, clairement et simplement. Plus encore, LE DICTIONNAIRE PLUS vous entraînera, au-delà de territoires connus, dans l'arrière-pays de la langue française.

La plupart des mots cibles présentent une difficulté moyenne. Des mots comme *éclectique, euthanasie, exubérant, panacée, parcimonieux...* ne vous sont pas étrangers. Mais les mots *rétiaire, autotomie, stylobate, coruscant,* par exemple, vous sont peut-être tout à fait inconnus, ou il vous semble seulement connaître les « idées » qu'ils expriment. Un *rétiaire* était, dans l'Antiquité romaine, un gladiateur qui entrait dans l'arène armé... d'un filet et d'un trident. La mutilation réflexe de la queue, chez un lézard qui tente d'échapper à un danger, s'appelle *autotomie.* Le soubassement d'une colonnade a pour nom *stylobate. Coruscant,* dont l'emploi est littéraire, désigne ce qui est brillant, éclatant.

Parfois même, l'idée, et pas seulement le mot, peut vous être inconnue : le *moxa,* par exemple, qui désigne une pratique de la médecine traditionnelle chinoise, consistant à brûler des herbes placées au contact de la peau du patient.

Ces mots, dont l'identité vous est révélée par les textes, piqueront votre curiosité.

Des mots amusants

Certains mots – s'ils sont difficiles à glisser dans une conversation courante ou peuvent paraître désuets, même dans un style écrit – valent la peine d'être connus... parce qu'ils sont amusants. Or divertir le lecteur est le troisième objectif du DICTIONNAIRE PLUS. En parcourant les textes, le lecteur prendra plaisir à découvrir des termes énigmatiques semés çà et là uniquement pour le bonheur de les prononcer, de s'en moquer, de les comprendre.

Jamais à court de mots

Enfin, LE DICTIONNAIRE PLUS vous offre la possibilité d'exercer votre propre créativité en matière linguistique. Des centaines de mots cibles (préfixes et suffixes, principalement issus du grec et du latin) vous permettront de former des mots. Vous découvrirez des termes connus comme *ULTRA- (au-delà)* et *PSEUDO- (faux),* ou moins familiers comme *-DENDRO- (arbre),* qui entre dans la composition de **rhododendron.** À la recherche d'un terme qui vous échappe, vous pouvez devenir artisan du mot en vous aidant de ces matériaux.

Ainsi, LE DICTIONNAIRE PLUS sera pour vous autant un instrument d'innovation qu'une source de référence. Il vous amusera en même temps qu'il vous éclairera. Vous vous en servirez comme d'une tabatière de mots ou d'une malle aux trésors. En parcourant ses pages, vous aurez, de temps à autre, la joie de découvrir quelques-uns des plus coruscants joyaux de la langue française.

L'Éditeur

Première partie

DICTIONNAIRE DE L'IDÉE AUX MOTS

Les mots qui suivent immédiatement certaines entrées sont des synonymes ou des analogues proches qui n'ont pas besoin d'explication. Les mots soulignés sont plus amplement développés dans la seconde partie. Enfin, les chiffres entre parenthèses permettent de distinguer la nature des homographes.

ABAISSER
– Abaisser un individu **mortifier, humilier, dégrader, avilir, outrager**
– S'abaisser **déchoir**
– S'abaisser à faire quelque chose **condescendre à, consentir à**
– Abaisser un niveau **déniveler**
ABANDON
– Abandon des traditions **acculturation, déculturation, intégration**
– Abandon d'un combat **reddition, capitulation**
– Abandon d'un poste **désertion**
– Abandon d'un emploi **démission**
ABANDONNER
– Abandonner quelqu'un **délaisser**
– Abandonner quelque chose **concéder, se dessaisir de**
– Abandonner le pouvoir **abdiquer, démissionner**
– Abandonner une religion **renier, abjurer, apostasier**
– Abandonner la lutte **capituler, déclarer forfait**
– Abandonner un lieu **évacuer, déserter**
ABATS
– Abats préparés pour être consommés **tripes, gras-double**
– Commerçant qui vend des abats **tripier**
– Abats de volaille **abattis**
ABATTRE
– Abattre une maison **démolir, raser**
– Être abattu moralement **accablé, consterné**
– Être abattu physiquement **terrassé, anéanti, exténué**
– S'abattre sur une proie **fondre sur**
ABBÉ
– Monastère dont le supérieur est un abbé **abbaye**
– Abbé vivant dans le monde **séculier**
– Abbé qui a en charge la gestion d'un patrimoine ecclésiastique **commendataire**
ABC
– L'ABC d'une technique **b.a. ba, rudiments, apprentissage**
ABCÈS **anthrax, bubon, phlegmon, furoncle, panaris**
– Abcès froid d'origine tuberculeuse **écrouelles, scrofule**
– Acte consistant à crever un abcès **incision**
ABDOMEN
– Partie de l'abdomen **épigastre, hypogastre, péritoine, plexus solaire**
ABEILLE
– Ancien nom de l'abeille **avette**
– Abeille femelle stérile **ouvrière**
– Abeille femelle reproductrice **reine**
– Lèvre supérieure de l'abeille **labre**
– Maladie des abeilles **varroase**
– Élevage d'abeilles **apiculture**
– Œufs d'abeilles **couvain**
ABÎMER **détériorer, endommager**
– S'abîmer de jour en jour **se dégrader, se délabrer**
– S'abîmer en mer **sombrer**
– Remise en état des objets abîmés **réfection, réhabilitation, conservation, restauration, rénovation**
ABLATION
– Ablation d'une partie du corps **amputation, mutilation, exérèse, excision**
– Ablation des testicules **castration, émasculation**
– Personne ayant subi l'ablation d'un membre **manchot, unijambiste**
– Appareil remplaçant un membre qui a fait l'objet d'une ablation **prothèse**
ABOMINABLE
– Acte abominable **affreux, horrible, monstrueux, atroce**
– Sentiment suscité par un acte abominable **répulsion, horreur**
– Vision abominable **insoutenable, terrifiante**
ABONDANCE
– Abondance de biens **profusion, pléthore, opulence**
– Abondance de paroles **logorrhée, loquacité, prolixité, volubilité**
– Donner en abondance **combler, prodiguer**
– Avoir en abondance **à profusion, à foison**
– Qui pousse et produit en abondance **fécond, luxuriant, florissant, fertile**
– Terre d'abondance **pays de cocagne**
– Emblème de l'abondance **corne d'abondance**
ABONDANT
– Un repas abondant **copieux, plantureux, gargantuesque**
– Une chevelure abondante **fournie, touffue**
– Une poitrine abondante **généreuse**
ABONNEMENT
– Forme d'abonnement **souscription, forfait**
– Abonnement à un service **contrat de maintenance, redevance**
ABORDABLE
– Un texte abordable **intelligible, accessible**
– Une personne abordable **amène, bienveillante**
ABORDER
– Aborder une personne de façon cavalière **héler, racoler, accoster**
– Aborder un navire pour l'attaquer **abordage**
– Aborder la ligne droite **entamer, amorcer**
– Aborder une question **soulever, traiter, évoquer**
ABOYER **glapir, hurler**
– Aboyer un ordre **éructer**
– Chien de chasse dont le rôle est d'aboyer **aboyeur, clabaud**
ABRASIF
– Matière abrasive **émeri, ponce**
– User à l'aide d'une matière abrasive **abraser, poncer, polir**
ABRÉGER
– Abréger un texte **écourter, contracter, condenser, synthétiser**
– Œuvre abrégée **bréviaire, compendium, épitomé, mémento**
– Forme abrégée **esquisse, sommaire, synopsis**
– Écriture abrégée **sténographie, sténotypie**

– Usage d'un procédé mortel pour abréger les souffrances **euthanasie**
ABRÉVIATION
– Type d'abréviation **sigle, monogramme, symbole**
ABRI
– Abri rudimentaire et occasionnel **refuge, gîte**
– Abri couvert **auvent, préau, véranda**
– Abri placé aux arrêts d'autobus **Abribus**
– Abri militaire fortifié **casemate, guérite, fortin, bunker, blockhaus**
– Abri utilisé en temps de guerre **tranchée, boyaux**
– Abri marin **havre, rade, baie, anse**
– Abri réservé aux animaux **terrier, repaire, tanière**
– Abri utilisé pour le matériel et les marchandises **entrepôt, hangar, remise, resserre**
– Abri utilisé pour la conservation des matières comestibles **cellier, fruitier, fromagerie, silo**
– Abri prévu pour les plantes **serre, abrivent, brise-vent, châssis**
– Abri de verdure **tonnelle, feuillée, gloriette**
– Construire un abri de branches pour les vers à soie **cabaner**
ABRICOT
– Marbre ayant une couleur d'abricot **abricotine**
ABRITER
– Abriter en un lieu **héberger**
– Un musée abrite des œuvres d'art **recèle**
– S'abriter d'un danger **se prémunir, se préserver**
– S'abriter derrière **se retrancher, se dérober**
ABSENCE
– Absence fréquente d'un salarié **absentéisme**
– Absence à un procès **contumace, défaut de comparution**
– Absence de ce qui est nécessaire **pénurie, disette, carence**
ABSOLU (1)
– L'absolu au sens philosophique **substance, infini**
ABSOLU (2)
– Un pouvoir absolu **absolutiste, despotique, totalitaire, tyrannique, hégémonique**
– Une nécessité absolue **impérieuse**
– Un caractère absolu **intransigeant, sectaire, irréductible, rigoriste**
ABSORBER
– Absorber un liquide **s'imbiber de, s'imprégner de**
– Absorber de la nourriture **ingérer, engloutir**
– S'absorber dans la contemplation **s'abîmer**
ABSTENIR (S')
– S'abstenir d'un vote **abstention**
– S'abstenir de nourriture **jeûne, sobriété, diète**
– Période pendant laquelle les croyants s'abstiennent de nourriture **carême, ramadan, Yom Kippour**
– S'abstenir des plaisirs **abstinence, continence, ascèse, chasteté, austérité, mortification**
ABSTRACTION
– Mise en œuvre de la faculté d'abstraction **généralisation, formalisation, conceptualisation**
– Résultat de l'abstraction **concept, catégorie, entité, axiome**
– Faire abstraction de quelque chose **exclure, omettre, négliger**
ABSTRAIT
– Art abstrait **non figuratif**
– Un raisonnement abstrait et difficile à comprendre **obscur, abscons, abstrus**
– Science abstraite **philosophie, métaphysique, logique, mathématiques**
ABSURDE (1)
– Raisonnement par l'absurde **apagogie**
– Philosophie de l'absurde **existentialisme**
ABSURDE (2)
– Une réflexion absurde **grotesque, insane, inepte**
ABUS
– Abus de confiance **escroquerie, tromperie, dissimulation**
– Abus d'aliments **excès, boulimie, intempérance**
– Abus de plaisirs **débauche**
– Abus de langage **impropriété, barbarisme, solécisme, pléonasme, pataquès**
ABUSER
– Abuser de quelqu'un **contraindre, violer**
– Abuser quelqu'un **duper, leurrer, mystifier, égarer**
ACADÉMIE
– Un siège à l'Académie française **fauteuil**
– Lieu qui abrite l'Académie française **Coupole**
– Membre de l'Académie française **récipiendaire, immortel**
– Attribut des membres de l'Académie française **habit vert, bicorne, épée**
– Composition du bureau qui dirige l'Académie française **directeur, chancelier, secrétaire perpétuel**
– Élève d'une académie **académiste**
ACADÉMIQUE
– Style académique **compassé, guindé, conventionnel, conformiste**
ACCABLANT
– Un témoignage accablant **irréfutable, confondant**
ACCABLER
– Accabler de dettes **obérer**
– Accabler d'injures **abreuver, agonir**
– Être accablé de fatigue **harassé, exténué**
– Être accablé de travail **submergé**
ACCÉDER
– Accéder à un lieu **parvenir**
– Accéder au désir de quelqu'un **consentir à, satisfaire, acquiescer à, autoriser**
ACCÉLÉRATEUR
– Accélérateur de particules **bévatron, cyclotron**
ACCÉLÉRATION
– L'accélération requiert **promptitude, célérité, vélocité**
ACCÉLÉRER
– Accélérer le mouvement **hâter, précipiter**
ACCEPTABLE
– Une proposition acceptable **recevable, admissible**
ACCEPTATION
– Acceptation contrainte **soumission, résignation, servilité, fatalisme**
ACCEPTER
– Accepter une opinion **se ranger à, souscrire à, adhérer à**
– Accepter une épreuve **se résigner, endurer**
– Accepter une demande **agréer**
ACCÈS
– Accès à un lieu **abord, approche**
– Accès au paradis **purgatoire**
– Permet un accès privilégié **mot de passe, laissez-passer, coupe-file**
– Accès à une autoroute **bretelle**
– Permet un accès illicite **passe-droit, bakchich**
– Accès, en termes de médecine **ictus**
– Accès de fièvre **poussée**
– Accès de toux **quinte**
ACCESSOIRE
– Accessoire vestimentaire **chapeau, gants, voilette, cravate, foulard, sac à main**
ACCIDENT
– Accident mineur **contretemps, mésaventure, péripétie, incident**
– Accident malheureux **revers, vicissitudes, adversité, calamité**

– Accident de terrain **plissement, aspérité, crevasse, éboulement**
– Accident musical **altération, dièse, bémol, bécarre**
– Accident au sens philosophique **phénomène, contingence**
– Par accident **fortuitement, inopinément**

ACCLAMATION
– Acclamation triomphale **ovation, vivat**

ACCLAMER voir aussi **applaudir**
– Personnes rétribuées pour acclamer des comédiens **claque**

ACCOMPAGNATEUR
– Accompagnatrice d'une jeune fille ou d'une jeune femme **suivante, chaperon, duègne, confidente**
– Accompagnateur galant **chevalier, sigisbée, soupirant, prétendant**
– Accompagnateur professionnel **gorille, cicérone, guide**

ACCOMPAGNER
– Accompagner quelqu'un pour le protéger **escorter, convoyer, encadrer**
– Accompagner quelqu'un pour le surveiller **chaperonner**
– Accompagner quelqu'un dans une épreuve **soutenir, assister, encourager**
– Accompagner quelque chose **assortir, agrémenter, émailler**

ACCOMPLIR
– Accomplir une tâche, un devoir **s'acquitter de**
– Accomplir une mauvaise action **commettre, perpétrer**

ACCORD
– Accord entre des individus **communion, affinité, convenance, complémentarité, conciliation, intelligence**
– Passer un accord **négocier, arrêter, ratifier, conclure**
– Accord commercial **transaction, contrat, bail, partenariat**
– Être d'accord **approuver, abonder dans le sens de, opiner**
– Accord à l'amiable **de gré à gré, modus vivendi, compromis, consensus**
– Accord secret **collusion, conjuration, sédition, conspiration, connivence**
– Accord entre des puissances, des États **convention, alliance, protocole**
– Accord entre des nuances, des motifs **compatibilité, unisson, symétrie, harmonie, homogénéité**
– Accord musical **naturel, renversé, plaqué, parfait, consonant, dissonant**
– Exécution d'un accord **arpège**
– Accord dans le domaine linguistique **grammaire, concordance des temps, accord en genre et en nombre**
– D'un commun accord **unanimement, conjointement**

ACCORDER
– Accorder des choses entre elles **agencer, apparier, assortir**
– Accorder quelque chose à quelqu'un **adjuger, allouer, impartir, octroyer**
– Accorder une querelle **apaiser, réconcilier**
– Son de référence choisi pour accorder un instrument **diapason**
– Accorder de la valeur à quelqu'un **valoriser, louer, encenser**
– S'accorder pour **faire cause commune, agir de concert**

ACCOUCHEMENT **parturition, enfantement, gésine**
– Accouchement difficile **dystocie**
– Phase de l'accouchement **engagement, descente, dégagement**
– Accouchement des esprits **maïeutique**

ACCOUCHER **engendrer, enfanter**
– Femme qui accouche pour la première fois **primipare**
– Femme ayant accouché plusieurs fois **multipare**
– Personne qui aide les femmes à accoucher **obstétricien, gynécologue, sage-femme**

ACCOUPLEMENT
– Accouplement d'animaux **copulation, appareillade, saillie, bouquinage**
– Accouplement de mots **assemblage, mot-valise**
– Accouplement d'objets **ajustement, jointoiement, combinaison**
– Forme d'accouplement artificiel **croisement, sélection, hybridation, insémination**

ACCOURIR
– Le fait d'accourir dénote **hâte, empressement, précipitation, confusion**

ACCROCHER
– Accrocher un objet **suspendre**
– Objet servant à accrocher **esse, patère, potence**
– Accrocher un véhicule **heurter, érafler, endommager**
– Accrocher une personne **aborder, importuner**
– S'accrocher **persister, s'obstiner, s'acharner**

ACCROISSEMENT
– Accroissement de la population **croissance**
– Accroissement d'une ville **extension**
– Accroissement des prix **flambée, inflation**
– Accroissement d'une fortune **profit, fructification, thésaurisation**
– Accroissement de la douleur **aggravation, recrudescence**

ACCROÎTRE **développer, amplifier, augmenter**
– Accroître un sentiment **aiguiser, exacerber, exalter**
– Accroître les forces **fortifier, décupler, galvaniser**
– Un avantage accroît à une personne **échoit à, incombe à**

ACCUEIL **réception, admission**
– Accueil d'un nouvel étudiant **bizutage**

ACCUEILLIR
– Accueillir une personne **héberger, accorder l'hospitalité**
– Personne que l'on accueille **hôte, convive**

ACCUMULATION
– Accumulation d'objets **entassement, fatras, salmigondis**
– Accumulation de particules **accrétion, agrégat**
– Accumulation naturelle **sédimentation, congère, stratification, concrétion**
– Accumulation financière **épargne, thésaurisation**

ACCUMULER
– Accumuler des objets **amonceler, collectionner**
– Accumuler les prix, les récompenses **rafler, ravir, décrocher**

ACCUSATION **grief, imputation, anathème**
– Individu toujours en butte aux accusations **bouc émissaire**
– Discours d'accusation contre le prévenu lors d'un procès **réquisitoire**
– Accusation désobligeante et mensongère **diffamation, calomnie, médisance, détraction**
– Motif d'accusation **chef**

ACCUSER
– Accuser une personne **charger, incriminer, vilipender**
– Accuser devant la justice **impliquer, citer, assigner, déférer, inculper, poursuivre**
– Un visage accuse la fatigue **révèle, témoigne, trahit**
– La lumière accuse les contours **accentue, dessine, souligne**

ACHARNEMENT
– Lutter avec acharnement **fougue, détermination, ténacité, opiniâtreté**

ACHARNER (S')
– S'acharner dans une épreuve **persister, persévérer, s'obstiner**
– S'acharner contre quelqu'un **harceler, tourmenter, martyriser, persécuter**
ACHAT acquisition, emplette
– Personne qui réalise des achats **acquéreur, chaland, enchérisseur, adjudicataire**
– Faire les brocantes à la recherche d'un bon achat **chiner**
ACHETER
– Manière d'acheter **au prix fort, au rabais, à réméré**
– Acheter afin de faire du profit **spéculer, monopoliser, boursicoter**
– Acheter les services d'une personne **soudoyer, stipendier, corrompre, dévoyer**
ACHÈVEMENT accomplissement, terme, cessation
– Achèvement du jour **crépuscule, déclin**
ACHEVER
– Achever un travail **mener à terme, parfaire, couronner**
– Achever un discours **conclure**
– Achever un animal **porter le coup de grâce**
– Période qui s'est achevée **révolue**
ACIDE (1) voir aussi encadré p. 12
– Acide sulfurique **vitriol, oléum**
– Réaction provoquée par l'acide **fermentation, acidose, acescence**
– Type d'acide utilisé en gravure **eau-forte, eau régale**
– Propriétés de l'acide **ronger, décaper, entamer, mordre**
ACIDE (2)
– Tenir des propos acides **ironiques, caustiques, acerbes, sarcastiques**
– Sensation produite par des fruits acides **agacement**
ACIER
– Secteur de l'industrie qui traite l'acier **sidérurgie, métallurgie**
– Transformation à chaud de l'acier **austénitisation**
– Constituant de l'acier **ferrite, cémentite, austénite, martensite**
– Travailler l'acier **raffiner, couler, laminer, tréfiler, forger, marteler**
– Traitement thermique des aciers **recuit, trempe**
– Réservoir dans lequel on coule l'acier **poche, cubilot, lingotière**
ACQUÉRIR
– Acquérir des objets **se procurer, troquer, hériter**
– Acquérir un titre **conquérir**
– Acquérir frauduleusement **dérober, soustraire, usurper, spolier, détourner, extorquer**
– Acquérir les faveurs d'une personne **se concilier**
ACQUITTER
– Acquitter un droit **souscrire, régler, cotiser**
– Acquitter un prévenu **absoudre, relaxer, disculper**
ACTE
– Acte réflexe **stimulus, réponse**
– Acte manqué **lapsus**
– Passage à l'acte **compulsion, raptus**
– Un acte de foi **contrition, communion, confirmation, pénitence**
– Un acte d'état civil **document, enregistrement, certificat, attestation**
– Acte officiel **notarié, juridique, conservatoire, exécutoire, administratif, législatif**
– Un acte médical **prescription, intervention**
– Prendre acte d'une chose **constater**
ACTEUR interprète, comédien
– Acteur peu fameux **histrion, cabotin**
– Acteur japonais tenant des rôles de femme **onagata**
– Être le principal acteur d'un événement **protagoniste, héros**
ACTIF productif, effectif
– Un remède actif **efficace, drastique**
– Une personne active **dynamique, entreprenante, diligente, zélée**
ACTION besogne, tâche voir aussi **valeur**
– Action sociale ou politique **démarche, intervention, mobilisation**
– Action d'éclat **prouesse, exploit, performance**
– Actions menées secrètement **agissements, menées, manigances**
– Action répréhensible **méfait, forfait, exaction**
– Action dans la littérature ou le cinéma **intrigue, péripétie**
ACTIVITÉ
– Activité professionnelle **secteur, domaine**
– Activité débordante **dynamisme, entrain, vivacité, vitalité**
– Activité ludique **distraction, divertissement, hobby, violon d'Ingres**
– Pratiquer une activité **exercer, se livrer à, vaquer à**
– Volcan en activité **éruption**
ACTUALITÉ
– Traitent de l'actualité **médias, flash, scoop**
ACTUEL contemporain, effectif
ADAPTATION
– Adaptation à une situation **accoutumance, accommodation**
– Adaptation à un milieu **assimilation, mutation, mimétisme, évolution, intégration**
– Adaptation d'une œuvre musicale **transcription**
– Adaptation cinématographique **doublage, sous-titrage**
– Animal réputé pour ses facultés d'adaptation **caméléon**
ADAPTER ajuster, conformer, moderniser
– Qualité requise pour adapter entre eux des matériaux **adéquation, convenance, flexibilité, souplesse, mobilité**
– S'adapter à un pays **s'acclimater à, s'accoutumer à, se familiariser avec**
ADDITION adjonction, admixtion, amalgame, accrétion voir aussi **calcul**
– Addition faite à un écrit **addenda, annexe, codicille, appendice, post-scriptum, apostille**
– Addition faite à un mot **préfixe, affixe, suffixe, désinence**
– Addition faite à un salaire ou à une somme d'argent **appoint, majoration, prime, pourcentage**
ADDITIONNER totaliser
– Additionner une chose à une autre **adjoindre, compléter**
– Additionner de l'eau et du vin **couper, mouiller, diluer, frelater, dénaturer**
ADÉQUAT approprié, conforme, ajusté, convenable, adapté
– Un moment adéquat **opportun, propice, favorable**
– Une remarque adéquate **judicieuse, pertinente**
ADÉQUATION
– Locution exprimant l'adéquation **ad hoc**
ADHÉRER
– Adhérer à une opinion ou à une idéologie **souscrire à**
– Adhérer à une secte, à un parti **s'affilier à, rallier**
– Individu adhérant à une doctrine **partisan, adepte, sectateur, séide**
ADIEU
– Circonstances d'un adieu **éloignement, exil, rupture**
– Discours d'adieu prononcé lors de funérailles **oraison, éloge**
ADIPEUX
– Tissu adipeux **graisseux**
– Conséquences du surcroît adipeux dans le corps humain **cellulite, obésité, adipose, adipopexie, adipolyse**

ACIDES	
acide acétique	C'est l'acide du vinaigre.
acide ascorbique	Constituant de la vitamine C.
acide chlorhydrique	Il attaque les métaux, sauf l'or et le platine, et agit sur les bases et les alcools. Il sert notamment à décaper les métaux et à extraire l'osséine des os.
acide citrique	Triacide-alcool. Il se trouve dans les agrumes, essentiellement le citron. Il est utilisé en teinture, dans l'impression et dans la fabrication de la limonade.
acide désoxyribonucléique (A.D.N.)	Constituant du noyau cellulaire, de la chromatine et des chromosomes, il sert à la transmission des caractères génétiques.
acide formique	Il se rencontre dans les fourmis, les orties, les aiguilles de pin, la sueur, etc. Il possède des propriétés réductrices. Il peut être utilisé dans la préparation du camphre. L'aldéhyde formique donne le formol, utilisé comme conservateur et comme désinfectant.
acide lactique	Il se trouve dans le lait suri, le vin, l'opium...
acide malique	Il est présent dans les pommes vertes, le sureau, les groseilles, le tabac, la rhubarbe, les pommes de terre, etc.
acide nitrique ou **azotique**	Il possède un grand pouvoir de corrosion. Son action sur le cuivre est exploitée en gravure, où il est utilisé sous le nom d'eau-forte. Les dérivés nitrés sont des explosifs puissants.
acide nitrique et acide chlorhydrique	Ce mélange, appelé « eau régale », a le pouvoir de dissoudre l'or et le platine.
acide nucléique	Celui que l'on extrait de la levure de bière est utilisé en pharmacologie.
acide prussique ou **cyanhydrique**	Extrait à l'origine du bleu de Prusse, d'où son ancien nom. On le trouve dans les feuilles de certaines plantes (laurier-cerise, pêcher) et dans les amandes de certains fruits. C'est un poison violent. Les cyanures sont des sels de l'acide cyanhydrique.
acide ribonucléique (A.R.N.)	Il intervient dans la synthèse des protéines.
acide salicylique ou **orthohydroxybenzoïque**	Il est présent dans diverses huiles essentielles et intervient dans la fabrication de colorants et de parfums, ainsi que dans celle de l'aspirine.
acide sulfurique	Mélangé à l'eau, il produit un grand dégagement de chaleur. Pour éviter des projections dangereuses, il faut toujours verser l'acide dans l'eau et non l'inverse. Il agit sur les sels, sur le bois, le sucre comme déshydratant et attaque tous les métaux, sauf l'or et le platine. Très important dans l'industrie, il intervient dans la fabrication d'un nombre considérable de produits, tels que les colorants, les parfums, etc. L'acide sulfurique concentré donne le vitriol.
acide tartrique	Il se trouve dans de nombreux végétaux et dans la lie de vin. Il est utilisé dans la fabrication des eaux gazeuses et des sels effervescents.
acide urique	Il se rencontre dans les aliments animaux et végétaux. Excrété par les reins, il se trouve dans le sang et l'urine. L'augmentation du taux d'acide urique dans le sang peut provoquer la goutte.
acides gras	Les acides gras saturés, mono-insaturés et polyinsaturés se trouvent dans les corps gras de notre alimentation. Les acides gras saturés élèvent le taux de cholestérol. Les acides gras polyinsaturés, eux, ont un effet préventif et réparateur vis-à-vis de l'hypercholestérolémie. Les acides gras mono-insaturés sont neutres.

ADJECTIF
– Qualité d'un adjectif **épithète, attribut, apposé**
– Nature de l'adjectif **démonstratif, possessif, indéfini, interrogatif, exclamatif, verbal**
– Adjectif numéral **cardinal, ordinal**

ADJOINT
vice-, co-

ADJOINT aide, assistant, collaborateur, auxiliaire, suppléant
– Adjoint exerçant une fonction religieuse **vicaire**

ADMETTRE
– Admettre une suggestion, une opinion ou un avis **reconnaître**
– Admettre une critique **supporter, tolérer, souffrir**
– Admettre une personne dans un lieu **accueillir, introduire**

ADMINISTRATEUR
– Administrateur d'un domaine, d'une grande propriété **gérant,**

régisseur, intendant, majordome
– Administrateur des biens d'un mineur **tuteur**
– Administrateur d'un musée **conservateur**
ADMINISTRER
– Administrer un pays **gérer, diriger, gouverner**
– Administrer un sacrement **conférer**
– Administrer une correction **infliger**
ADMIRABLE
– Un comportement admirable **remarquable, surprenant, héroïque**
– Une œuvre admirable **singulière, magistrale, sublime**
– Un spectacle admirable **grandiose, accompli, total, éblouissant**
– Un repas admirable **succulent, exquis, excellent**
ADMIRATEUR
– Admirateur d'une femme **galant, soupirant, prétendant**
– Admirateur d'une œuvre ou d'un artiste **amateur, disciple, fanatique, idolâtre, thuriféraire**
ADMIRATION émerveillement, ravissement
– Admiration ressentie à l'égard d'une personne **dévotion, engouement, fascination**
– Avoir une admiration sans bornes **porter aux nues, porter au pinacle, vénérer**
ADMIRER
– Admirer avec réserve **apprécier, priser, goûter, estimer**
– Admirer vivement **se pâmer, s'extasier, révérer, aduler**
ADMISSION voir aussi **accès**
– Admission dans un établissement médical **hospitalisation, internement**
– Admission dans un établissement pénitentiaire **incarcération**
– Admission à un rang honorifique **cooptation, intronisation**
ADOLESCENCE transition, évolution, initiation
– Phénomène inhérent à l'adolescence **mue, puberté, menstruation, nubilité**
ADOLESCENT mineur, cadet voir aussi **apprenti**
– Adolescent remarqué pour sa beauté **adonis, éphèbe**
– Adolescent engagé dans la vie active **apprenti, commis, arpète, mitron, groom**
ADOPTER
– Adopter une loi **sanctionner, entériner, ratifier**
– Adopter une mode, un comportement **faire sien, opter pour, préférer, afficher**
ADOPTION
– Mode d'adoption **adoption simple, adoption plénière**
ADORATION
– Adoration religieuse **culte, latrie**
– Adoration des anges et des saints **dulie**
– Adoration pour une personne **attachement, vénération, adulation, idolâtrie**
– L'adoration d'un dieu ou d'une divinité est le fait du **mystique, dévot, fétichiste, animiste**
ADOUCIR
– Adoucir le goût trop vif d'un aliment **édulcorer, dulcifier**
– Adoucir une douleur **atténuer, soulager, lénifier, apaiser**
– Adoucir un caractère **modérer, tempérer, mitiger**
– Adoucir un son **assourdir, mettre en sourdine**
ADOUCISSANT
– Type d'adoucissant **baume, émollient, onguent, liniment, embrocation, analgésique**
ADRESSE
– Adresse manifestée dans le domaine pratique **dextérité, agilité, doigté, savoir-faire**
– Personne qui réalise des tours d'adresse **illusionniste, prestidigitateur, escamoteur, jongleur**
– Adresse psychologique **sagacité, tact, circonspection, diplomatie**
– Adresse oratoire **verve, brio, éloquence**
– Adresse nominative **indication, suscription, coordonnées**
– À l'adresse de **à l'attention de, à l'endroit de, à l'égard de, à l'intention de**
ADRESSER
– Adresser un objet **expédier, transmettre, destiner, envoyer**
– Adresser une personne à une autre **confier, recommander, remettre aux soins de**
– S'adresser à quelqu'un **interpeller, apostropher, héler**
ADROIT
– Un enfant adroit **dégourdi, leste, preste**
– Une manœuvre adroite **judicieuse, ingénieuse, astucieuse, prudente**
ADULTE
– État adulte **maturité, vigueur, plénitude, épanouissement**
ADULTÈRE infidélité, trahison, tromperie
– Enfant né d'un adultère **illégitime, adultérin, bâtard**
ADULTÉRER dénaturer, pervertir, vicier, altérer
– Adultérer une monnaie **falsifier, contrefaire**
– Adultérer un texte, des propos **tronquer, édulcorer, travestir**
ADVERBE
– Degré de signification des adverbes **quantité, comparaison, affirmation, doute, négation, interrogation**
– Adverbe issu du latin **a priori, gratis, de visu, grosso modo, in extremis, intra muros**
ADVERSAIRE
– Adversaire dans un conflit armé **assaillant, belligérant**
– Adversaire dans une épreuve sportive **concurrent, rival, antagoniste, émule**
– Adversaire lors d'un débat **contradicteur, détracteur**
– Adversaire d'un pouvoir **opposant, rebelle, insurgé, dissident, guérillero**
AÉROPORT voir aussi **avion**
– Structure d'un aéroport **aérodrome, aérogare, ateliers**
– Lieu d'arrivée et de départ dans un aéroport **terminal**
– Voie de circulation d'un aéroport **chemin de roulement**
– Aéroport réservé aux hélicoptères **héliport**
– Aéroport destiné aux engins spatiaux **astroport**
AÉROSOL atomiseur, vaporisateur, nébulisateur
– Utilisation médicale des aérosols **aérosolthérapie**
– Aérosol en physique **brouillard**
AFFABILITÉ
– Recevoir avec affabilité **courtoisie, amabilité, civilité, urbanité**
AFFABLE
– Une personne affable **amène, avenante, accueillante, bienveillante, accorte**
AFFAIBLIR amoindrir, amenuiser, émousser, débiliter, atténuer, édulcorer
– La moquette affaiblit les bruits de pas **assourdit**
– Une personne s'affaiblit **s'étiole, languit, décline, dépérit**
AFFECTATION
– Un comportement empreint d'affectation **artifice, maniérisme, préciosité, afféterie**
– Recevoir son affectation **assignation, nomination, promotion, désignation, mutation, attribution**

AFFECTÉ
– Un ton affecté **étudié, guindé, contraint, composé, grandiloquent**
– Un style affecté **ampoulé, alambiqué, compassé, pompeux, maniéré**
AFFECTER
– Il a été affecté par cet événement, **ému, peiné, touché, chagriné, affligé, bouleversé**
AFFECTION
– Éprouver de l'affection **attachement, inclination, penchant, prédilection**
– Affection manifestée envers les parents **piété filiale**
– Souffrir d'une affection **mal, altération**
– Nature d'une affection **chronique, aiguë**
– Affection cutanée **dermatose**
AFFECTUEUX
– Un enfant affectueux **tendre, caressant, câlin, enjôleur**
– Propos exprimant une intention affectueuse **hypocoristique**
AFFICHE
– Type d'affiche **avis, placard, proclamation, manifeste, dazibao**
– Texte accompagnant une affiche **slogan**
– Technique utilisée pour l'illustration des affiches **chromolithographie**
– Crée des affiches **affichiste**
– Personne qui appose les affiches **afficheur, colleur**
AFFICHER
– Afficher un décret **publier**
– Afficher un air de mépris **arborer, affecter, faire montre de**
– Afficher son succès, sa fortune **exhiber, étaler, parader**
AFFIRMATION **propos, assertion, allégation**
– Une affirmation peut être **tranchante, péremptoire, dogmatique, lapidaire, percutante**
AFFIRMER
– Affirmer une opinion **avancer, prétendre, soutenir, maintenir, proclamer**
– Affirmer la véracité d'un événement dont on a été témoin **garantir, certifier, attester**
– Affirmer solennellement **jurer, prêter serment**
– Affirmer sans détour **sans ambages, sans ambiguïté**
AFFLIGEANT
– Une situation affligeante **fâcheuse, funeste, désolante, pitoyable, effroyable**
– Un spectacle affligeant **navrant, consternant, lamentable, déplorable, pénible, désespérant**
AFFLIGER **attrister, contrister, chagriner, peiner**
– Les maux qui affligent l'humanité **accablent, tourmentent, frappent**
– S'affliger **déplorer, regretter**
AFFRANCHIR **délivrer, libérer**
– S'affranchir **se dégager, s'émanciper**
AFFRANCHISSEMENT
– Affranchissement d'un esclave à Rome **manumission**
– Mode d'affranchissement en vigueur à Rome **vindicte, cens, testament**
AFFREUX
– Une vision affreuse **effroyable, épouvantable, détestable, horrible**
– Un visage affreux **hideux, repoussant, difforme, monstrueux, simiesque**
– Une personne affreuse **laideron**
– Un affreux personnage **ignoble, vil, cruel, vicieux, cynique, atroce**
– Une représentation affreuse **gargouille**
– Des vêtements affreux **oripeaux, loques**
AFFRONTER
– Affronter un danger **braver, défier, s'exposer à**
– S'affronter **se heurter, rivaliser, s'opposer, se quereller**
AGACER **irriter, exaspérer, excéder, horripiler**
– Agacer une femme **lutiner**
– Agacer un animal **exciter**
ÂGE
– L'âge tendre **enfance**
– L'âge de se marier **nubilité**
– Âge à partir duquel un citoyen peut exercer ses droits civiques **majorité**
– Avoir un âge respectable **canonique**
– Retour d'âge **ménopause, andropause**
– Âge de la Lune **épacte**
– Âges de la Terre **ères**
– Âge de la pierre taillée **paléolithique**
– Âge des cavernes **mésolithique**
– Âge de la pierre polie **néolithique**
AGENCE
– Agence commerciale **succursale, filiale**
– Agence d'un établissement colonial **comptoir, factorerie**
– Agence notariale **étude**
– Fonction d'une agence **intendance, gérance**
AGENDA **mémento, mémorandum**
AGENOUILLER (S') **se prosterner, s'incliner**
– Objet d'église conçu pour s'agenouiller **prie-dieu, agenouilloir**
AGENT
– Un agent peut être **factotum, intendant, régisseur, gérant, mandataire, fondé de pouvoir**
– Agent financier **agent de change, courtier, coulissier**
– Agent de commerce **représentant, démarcheur, commissionnaire**
– Agent dont la mission est politique **délégué, émissaire**
– Agent de nature obscure **suppôt**
– Agent secret **espion, taupe**
AGGRAVATION
– Aggravation du mal **complication, recrudescence, paroxysme**
AGGRAVER
– La situation s'aggrave **empire, dégénère, se dégrade, se détériore, s'envenime**
– Une douleur s'aggrave **s'avive, s'intensifie, s'exacerbe**
AGILE
– Une personne agile **leste, preste, vive**
AGIR **se conduire, se comporter**
– Un remède agit **opère**
– Agir auprès de quelqu'un **intercéder, influer sur**
AGITATION
– Agitation de l'âme **émoi, tracas, tourment, tumulte, inquiétude**
– Agitation à caractère pathologique **convulsion, chorée**
– Agitation politique **effervescence, insurrection, rébellion, soulèvement, sédition**
– Agitation maritime **turbulence, remous, houle**
– Agitation urbaine **précipitation, affairement, trépidation, frénésie, confusion**
AGITER
– Agiter un objet en le levant **brandir**
– Agiter un liquide **brasser**
– Agiter la fécule pour l'épurer **touiller**
– Agiter d'un mouvement semblable au tremblement **trémuler**
– S'agiter **gesticuler, se trémousser, se dandiner, gigoter, se démener**
AGONIE
– Personne à l'agonie **moribond, expirant, agonisant**
– Douleurs, angoisses propres à l'agonie **affres**
– Sacrement conféré à une personne à l'agonie **extrême-onction**
– Agonie d'une civilisation **déca-**

dence, déclin, anéantissement, effondrement, dépérissement
AGRANDIR
– Agrandir une surface **accroître, amplifier, étendre**
– Agrandir démesurément les yeux **écarquiller**
– S'agrandir **se développer, prospérer, fructifier**
AGRANDISSEMENT **extension, élargissement, distension, dilatation**
– Technique d'agrandissement utilisée en photographie **macrophotographie**
– Instrument propre à l'agrandissement **compte-fils, loupe, microscope**
– Agrandissement pathologique **hypertrophie, gigantisme**
AGRÉABLE voir aussi **affable**
– Une personne agréable **amène, accommodante, avenante, cordiale, affable**
– Un physique agréable **plaisant, séduisant, attrayant, gracieux**
– Un spectacle agréable **captivant, enchanteur**
AGRÉER
– Agréer à quelqu'un **convenir**
AGRÉMENT
– Donner son agrément **assentiment, consentement**
– Un lieu plein d'agrément **charme, attrait, grâce**
AGRESSIF
– Un individu agressif **belliqueux, hostile, offensif, hargneux, querelleur**
– Des propos agressifs **menaçants, vindicatifs, provocants, acrimonieux**
– Un animal agressif **féroce, sanguinaire**
– Des couleurs agressives **violentes, criardes, clinquantes, tapageuses**
AGRICOLE
– Le monde agricole **rural**
– Terre agricole **arable**
– Communauté agricole **coopérative, kibboutz, kolkhoze**
– Grande exploitation agricole **hacienda, latifundium**
– Pratique agricole **jachère, assolement, monoculture**
– Étude des problèmes agricoles **agronomie**
AGRICULTEUR **paysan, cultivateur, planteur**
– Sobriquet donné autrefois aux agriculteurs **jacques**
– Agriculteur peu fortuné **péon, journalier**
AGRUME
– Type d'agrume **cédrat, bergamote, bigarade**
– Variété d'arbres produisant les agrumes **citrus**
– Culture des agrumes **agrumiculture**
AIDE **concours, collaboration, soutien, protection, patronage**
– Personne susceptible d'apporter une aide **auxiliaire, bénévole, volontaire, bienfaiteur**
– Aide financière **allocation, subvention, subside**
AIDER
– Aider à la réalisation d'une entreprise **contribuer à, concourir à, coopérer à**
– Aider moralement une personne **soutenir, patronner, assister, réconforter**
– Aider financièrement une personne **subvenir à, pourvoir à**
– Procédé qui aide à se souvenir **mnémotechnique**
AIGLE voir aussi **rapace**
– Famille à laquelle se rattache l'aigle **aquilidés**
– Ordre auquel se rattache l'aigle **rapaces**
– Espèce d'aigle **circaète, pygargue, balbuzard**
– Nid de l'aigle **aire**
– Un nez en forme de bec d'aigle **aquilin**
AIGRE
– Un goût aigre **âcre, acide, mordant**
– Une cerise aigre **griotte**
– Un aliment devenu aigre **ranci, suri**
– Une voix, un ton aigre **criard, aigu, perçant, glapissant**
AIGREUR
– Avoir des aigreurs d'estomac **dyspepsie**
AIGRI
– Une personne aigrie **acariâtre, revêche, amère, désabusée, blasée, désenchantée**
AIGU
– Un bruit aigu **crissement, stridulation**
– Un cri aigu **perçant, déchirant, strident**
– Une douleur aiguë **vive, cuisante, lancinante, térébrante, taraudante**
– Un esprit aigu **pénétrant, subtil, perspicace, sagace, mordant, incisif**
– Triangle dont les trois angles sont aigus **acutangle**
– Plante dont l'extrémité forme une pointe aiguë **acuminée, subulée**
AIGUILLE
– Aiguille d'une boussole **index**
– Aiguille d'un cadran solaire **style**
– Aiguille utilisée pour graver **poinçon, stylet**
– Médecine utilisant les aiguilles **acupuncture**
– Sorte d'aiguille **broche**
AIGUILLON
– Insecte porteur d'un aiguillon **aculéate**
AIGUISER **affiler, affûter, émoudre, émorfiler, épointer**
– Personne dont le métier est d'aiguiser **rémouleur, repasseur**
– Matériel utilisé pour aiguiser **meule, coticule, queux, potée d'émeri, tourne-fil**
– Aiguiser une sensation **accentuer, exacerber, stimuler**
AIL
– Famille de l'ail **liliacées**
– Partie d'une tête d'ail **gousse, caïeu**
– Préparation à base d'ail **aillade, aïoli**
– Piquer une viande avec de l'ail **ailler**
AILE
– Aile de moulin à vent **volant**
– Aile d'insecte **élytre**
– Insecte à deux ailes **diptère**
– Grande plume des ailes d'oiseaux **penne, rémige**
AILÉ
– Cheval ailé **Pégase**
– Homme ailé **Icare**
AILLEURS
– Nom latin du mot ailleurs **alibi**
– Par ailleurs **du reste, en outre**
AIMABLE
– Un voisin aimable **affable, avenant, amène, obligeant, prévenant, complaisant**
– Personne foncièrement aimable **altruiste, philanthrope**
AIMANT
– Action de l'aimant **attraction, magnétisme**
AIMER
-phile
AIMER
– Aimer une personne **choyer, chérir, être épris de**
– Aimer faire quelque chose **apprécier, goûter, se plaire à**
AINE
– Région de l'aine **inguinale**
AÎNÉ
– Aîné d'une famille **premier-né**
– Aîné d'un groupe **doyen**
AIR
aéro-
AIR
– Masse d'air entourant le globe **atmosphère**

– Nom poétique de l'air **éther**
– Appareil de mesure du taux d'humidité de l'air **hygromètre**
– Instrument de mesure de la pression de l'air **baromètre**
– Être microscopique qui ne vit qu'en présence d'air **aérobie**
– Présence d'air dans l'estomac **aérophagie, aérogastrie**
– Donner de l'air **aérer, ventiler**
– Air conditionné **climatisation**
– Outil fonctionnant à l'air comprimé **pneumatique**
– Un air musical **mélodie**
– Un air d'opéra **aria**

AJOUTER
– Ajouter un élément à un ensemble déjà constitué **adjoindre, additionner**
– Ajouter quelque chose à un texte **insérer, intercaler**
– Qui s'ajoute accessoirement **adventice, extrinsèque**
– Qui s'ajoute inutilement **superflu, superfétatoire**
– Produit que l'on ajoute **adjuvant**
– Ajouter de l'alcool au moût **muter, viner**
– Ajouter de l'eau dans un vin **couper**

ALARME
– Donner l'alarme **alerte**
– Sonnerie donnant l'alarme **tocsin**

ALCALI
– Alcali fixe **potasse, soude**
– Alcali volatil **ammoniaque**

ALCALIN
– Corps possédant ou prennant les propriétés alcalines **alcalescent**

ALCHIMIE
– Objet d'étude de l'alchimie **transmutation**
– Nom donné en alchimie à la production d'or **chrysopée**
– Nom donné en alchimie à la production d'argent **argyropée**

ALCHIMISTE
– Objets de recherche des alchimistes **panacée, pierre philosophale**
– Alchimistes célèbres **Zosime le Panopolitain, Bacon, Lulle, Paracelse**

ALCOOL
– procédé de fabrication de l'alcool **distillation, fermentation**
– Alcool absolu **anhydre**
– Alcool naturel **eau-de-vie**
– Alcool méthylique **esprit-de-bois**
– Remède fait d'alcool et de plantes **alcoolat, eau de mélisse**
– Liqueur forte en alcool **spiritueux**
– Présence d'alcool dans le sang **alcoolémie**
– Personne distillant elle-même l'alcool **bouilleur de cru**

ALCOOLISME **éthylisme, dipsomanie, œnolisme**
– Conséquence possible de l'alcoolisme **cirrhose, délirium tremens**

ALERTE (1) voir aussi **alarme**
– Motif d'une alerte **danger, péril**
– Être en état d'alerte **attentif, vigilant, sur la défensive**
– Matelot qui donne l'alerte **vigie**

ALERTE (2)
– Une personne encore alerte **leste, vive, agile, ingambe**

ALGÈBRE
– Procédé de calcul utilisé en algèbre **algorithme**
– Valeur des nombres utilisés en algèbre **positif, négatif**
– Mathématicien qui se consacre à l'algèbre **algébriste**

ALGUE
– Algue marine **varech, goémon, fucus**
– Étude des algues **phycologie**
– Produit minéral extrait des algues **potasse, soude, iode**

ALIGNER
– Aligner sa conduite sur un modèle **se conformer à**

ALIMENT **denrées, vivres, victuailles, provisions de bouche, nourriture**
– Faiblesse due à la privation d'aliments **inanition**

ALIMENTATION
– Une alimentation peut être **carnivore, végétarienne, végétalienne**
– Relatif à l'alimentation **diététique**
– Science de l'alimentation **trophologie**

ALIMENTER
– Alimenter une maison en électricité **fournir, approvisionner**
– S'alimenter **se sustenter**

ALLÉCHER
– Allécher quelqu'un avec des douceurs **attirer, appâter, affrioler, affriander**
– Allécher quelqu'un par une proposition **tenter, séduire**

ALLÉE
– Une allée en archéologie **alignement, couloir**
– Allée d'une église **nef, bas-côté, collatéral**

ALLÉGER
– Alléger un poids **diminuer, restreindre**
– Alléger une charge fiscale **dégrever, exonérer**
– Alléger les souffrances **adoucir, soulager, atténuer, apaiser**

ALLER
– Aller sans but précis **déambuler, baguenauder, vagabonder, errer, flâner**
– S'en aller au plus vite **filer, détaler, décamper**

ALLERGIE **anaphylaxie, hypersensibilité**
– Substance qui détermine l'allergie **allergène**
– Étude des allergies **allergologie**
– Disparition d'une allergie **anergie**
– Médecin spécialiste des allergies **allergologue**

ALLIAGE voir aussi **métal**
– Procédé de fabrication des alliages **fusion**
– Alliage de fer et de carbone **acier**
– Alliage de cuivre et de nickel **cupronickel**
– Alliage de cuivre et d'étain **bronze, airain**

ALLIANCE
– Alliance entre des puissances ou des États **coalition, ligue, confédération**
– Convention attestant l'alliance **pacte, traité**
– Symbole de l'alliance entre le peuple juif et son dieu **arche d'alliance**

ALLIÉ **compagnon, complice, acolyte, auxiliaire**
– Un pays allié **ami**

ALLOCATION
– Recevoir une allocation **subside, pension, subvention**
– Allocation versée en cas de divorce **prestation compensatoire**
– Personne qui bénéficie d'une allocation **allocataire**

ALLONGER **étendre, déployer**
– Allonger un muscle **étirer, élonger, distendre**
– Allonger une rue, un chemin **prolonger**
– Allonger la durée d'une loi **proroger**
– Allonger une sauce **liquéfier**

ALLUMAGE
– Allumage d'une charge de mines **mise à feu**
– Allumage d'un feu **embrasement**

ALLUMER
– Allumer un bûcher **enflammer**
– Allumer le désir **éveiller, susciter, provoquer, exciter**

ALLUMETTE
– Fabrique d'allumettes **allumière**

ALLURE
– Avoir belle allure **apparence, prestance, maintien, distinction**

– Avoir une drôle d'allure **comportement, conduite**
– Allure maritime **vent arrière, grand largue, petit largue, largue, au près**
ALLUSION
– Faire allusion à un événement **évoquer, rappeler**
– Faire allusion à une possibilité **insinuer, laisser entendre, suggérer**
– Allusion désobligeante **sous-entendu, soupçon**
– Du registre de l'allusion **implicite, tacite**
ALOUETTE
– Famille de l'alouette **alaudidés**
– Nom de l'alouette en ornithologie **cravate jaune**
– Filet pour attraper les alouettes **ridée**
– Alouette de mer **bécasse**
– Alouette à huppe **cochevis**
– Alouette du sud de l'Europe **calandre**
– Alouette engraissée pour être consommée **mauviette**
– Alouette sans tête **paupiette**
– L'alouette chante **grisolle**
ALPHABET voir aussi tableau et **morse**
– Alphabet utilisé en France **latin**
– Petit livre pour apprendre l'alphabet **abécédaire**
– Alphabet slave **cyrillique**
– Alphabet destiné aux personnes non voyantes **braille**
– Alphabet manuel utilisé par les sourds-muets **dactylologique**
– Transcription d'un alphabet dans un autre **translittération**
ALPINISME voir aussi **montagne**
– Pratique de l'alpinisme **escalade, ascension, varappe**
ALTERNATIF
– Un choc alternatif **périodique, successif, régulier**
– Instrument fonctionnant grâce au mouvement alternatif **piston, pendule**
– Mouvements alternatifs du cœur **systole, diastole**
ALTERNATIVE
– Être placé devant une alternative **choix, option, dilemme**
– L'alternative dans le domaine de la logique **principe d'exclusion**
ALTERNER
– Les saisons alternent **se succèdent, varient**
– Les coureurs alternent **se relaient, se remplacent**
– Procédé consistant à faire alterner des cultures **assolement**

ALPHABET GREC

CARACTÈRE	APPELLATION	VALEUR
Αα	alpha	a
Ββ	bêta	b
Γγ	gamma	g
Δδ	delta	d
Εε	epsilon	e
Ζζ	dzêta	dz
Ηη	êta	ê
Θθ	thêta	th
Ιι	iota	i
Κκ	kappa	k
Λλ	lambda	l
Μμ	mu	m
Νν	nu	n
Ξξ	ksi *ou* xi	ks *ou* x
Οο	omicron	o
Ππ	pi	p
Ρρ	rhô	r
Σσς	sigma	s
Ττ	tau	t
Υυ	upsilon	u
Φφ	phi	ph
Χχ	khi	kh
Ψψ	psi	ps
Ωω	oméga	ô

ALTIER
– Afficher un air altier **hautain, fier, orgueilleux, méprisant, dédaigneux**
– Un port altier **noble, royal, racé**
ALTITUDE
– Appareil de mesure de l'altitude **altimètre, barographe**
– Méthode de mesure de l'altitude **altimétrie, hypsométrie**
– Sport pratiqué en altitude **alpinisme, ski, vol à voile, parachutisme, parapente**
– Trouble de l'altitude **anoxémie**
ALUMINIUM
– Roche dont on extrait l'aluminium **bauxite**
– Propriété de l'aluminium **conductibilité**
– Oxyde d'aluminium **alumine**
– Sulfate d'aluminium et de potassium **alun**
– Protection du fer par de l'aluminium **aluminiage**
AMAIGRISSEMENT
– Amaigrissement extrême **émaciation**
– Amaigrissement pathologique **dépérissement, consomption, cachexie**
– Amaigrissement morbide des nouveau-nés **athrepsie**
– Trouble du comportement alimentaire provoquant l'amaigrissement **anorexie**
AMALGAME
– Amalgame de métaux, de minéraux **combinaison, composé, alliage**
– Amalgame naturel **mercure argental**
– Amalgame utilisé pour les obturations dentaires **eugénate**
– Réaliser l'amalgame de troupes armées **fusion**
– Faire un amalgame d'idées, de souvenirs **mélange, confusion**
AMANDE
– Arbre produisant les amandes **amandier**
– Substance contenue dans les amandes **amandine**
– Sirop fait à base d'amandes **orgeat**
– Qui est composé d'amandes **amygdalin**
– En forme d'amande **oblong**
– Glande en forme d'amande **amygdale**
AMANDIER
– Lieu planté d'amandiers **amandaie**
AMANT **soupirant, galant, conquérant, don Juan** voir aussi **adultère**
– Amant fameux **Casanova**
– Couples d'amants célèbres **Héloïse et Abélard, Tristan et Yseult**
– Insecte qui dévore ses amants **mante religieuse**
AMASSER
– Amasser des objets hétéroclites **entasser, accumuler, amonceler, collectionner**
– Amasser une fortune **capitaliser, thésauriser**
– Amasser des témoignages **récolter, recueillir, rassembler**
– La foule s'amasse **se groupe, s'agglutine**
AMATEUR
-phile
AMATEUR **connaisseur**
– Amateur de musique **mélomane**
– Amateur de belles choses **esthète**

– Amateur de bonne chère **gourmet, gastronome**
– Travailler en amateur **en dilettante**
AMBASSADE chancellerie
– Fonction d'une ambassade **diplomatie, représentation, assistance**
– Envoyer en ambassade **mission, députation, délégation**
AMBASSADEUR diplomate, envoyé, plénipotentiaire, émissaire
– Ambassadeur du Saint-Siège **légat, nonce**
AMBIANCE
– Une bonne ambiance **atmosphère, climat**
– Vivre dans une ambiance favorable **environnement, milieu**
AMBIGU
– Tenir un discours ambigu **équivoque, amphibologique, évasif**
– Propos délibérément ambigus **oracle**
– une attitude ambiguë **incertaine, indécise, ambivalente**
– Se comporter de manière ambiguë **louvoyer, biaiser, tergiverser**
AMBITIEUX
– Une personne ambitieuse peut être **prétentieuse, présomptueuse, outrecuidante**
– Un politicien ambitieux **déterminé, résolu, tenace, persévérant**
AMBITION envie, désir, convoitise
– Avoir des ambitions **idéal, vues, visées, aspirations, prétentions**
– Une ambition hors de toutes limites **mégalomanie**
ÂME
– L'âme d'un peuple **esprit, conscience**
– Être l'âme d'une révolution **inspirateur, animateur**
– Rendre l'âme **mourir, expirer**
– L'âme d'une sculpture **noyau, armature**
– Nom donné autrefois à l'âme **psyché, anima**
– Croyance en l'existence d'une âme dans les éléments naturels **animisme**
– Qualité première de l'âme selon les dogmes religieux **immortalité**
– Doctrine fondée sur l'immortalité de l'âme **transmigration, métempsycose, résurrection, palingénésie**
– Doctrine niant l'existence de l'âme **matérialisme**
– Doctrine philosophique qui fait de l'âme un principe immatériel **spiritualisme**
– Distinction métaphysique de l'âme et du corps **dualisme**
AMÉLIORATION
– Entreprendre des améliorations dans une maison **réparations, restauration, rénovation, embellissement**
– Dépenses consacrées par un locataire à l'amélioration d'une maison **impenses**
– Amélioration des conditions de vie **progrès, réforme**
– Amélioration du vin **bonification**
AMÉLIORER
– Améliorer la vue **corriger, rectifier**
– Son caractère a fini par s'améliorer **s'amender**
– Améliorer la qualité d'un texte **remanier, retoucher, rehausser**
AMÉNAGEMENT
– Aménagement d'une ville **urbanisme**
AMÉNAGER
– Aménager un lieu **agencer, arranger, équiper**
– Personne qui aménage des espaces **décorateur, paysagiste, designer**
AMENDE
– Infliger une amende **punition, peine**
– Amende pour infraction au Code de la route **contravention**
– Amende donnée à un joueur **gage**
– Amende relative au sport **pénalisation, coup franc, penalty, carton**
AMENER
– Amener des marchandises à destination **acheminer**
– Amener quelqu'un dans un lieu **conduire, entraîner**
– Amener une conclusion **ménager, préparer**
– Amener les voiles **abaisser**
– Être amené à la faillite **acculé, contraint**
– Recevoir un mandat d'amener **ordre de comparution**
AMER
– Substance particulièrement amère **bile, fiel, aloès, quinine**
– Subir une amère défaite **cuisante, douloureuse, pénible**
– Une personne amère **aigrie, désabusée**
– L'onde amère **saumâtre, salée**
AMERTUME
– Éprouver de l'amertume **affliction, acrimonie, rancœur, lassitude, mélancolie**
AMI
– Ami d'enfance **camarade, condisciple, compagnon**
– Les amis de notre pays **alliés**
– Ami de la vertu **défenseur, partisan**
AMICAL cordial, chaleureux, affectueux
AMICALE
– Fonder une amicale **association, société, fédération, club**
AMIDON
– Substance composée d'amidon **fécule, farine**
– Emploi domestique de l'amidon **empesage**
AMITIÉ
– Fondement de l'amitié **affinité, accointance**
– Éprouver de l'amitié **affection, inclination, sympathie, tendresse**
– Relation engendrée par l'amitié **camaraderie, fraternité, intimité**
– Vivre en bonne amitié **entente, accord, intelligence**
AMNISTIE
– Accorder l'amnistie **grâce, faveur**
– Bénéficier d'une amnistie **exemption, impunité, immunité**
AMOUR passion, feu
– Breuvage destiné à inspirer l'amour **philtre**
– Amour de soi-même **narcissisme**
– Amour mystique **dévotion, adoration, piété, ferveur**
– Amour du genre humain **altruisme, philanthropie**
– Amour entre deux femmes **saphisme**
– Amour pour les servantes **ancillaire**
– Amour de son pays **patriotisme**
– Déesse de l'amour **Aphrodite, Vénus**
– Petit amour **amourette, bagatelle, caprice, fantaisie, liaison, béguin, passade, idylle**
– Amour-en-cage **alkékenge, coqueret**
– Dire du plâtre qu'il a de l'amour **onctuosité**
AMOUREUX
– Tomber amoureux **s'éprendre, s'enticher, s'enamourer**
– Un tempérament amoureux **ardent, fougueux, voluptueux, lascif**
– Ébats amoureux **oaristys**
– Jeunes gens amoureux **tourtereaux**
– Un drap amoureux **soyeux**
– Un pinceau amoureux **moelleux**
– Une terre amoureuse **meuble**
– Le muscle amoureux **muscle oculaire**
AMOUR-PROPRE
– Être blessé dans son amour-propre **orgueil, fierté**

AMPOULE
– Ampoule électrique **globe, tube, néon**
– Ampoule apparaissant sur la peau **cloque, vésicule, bulle, pustule, phlyctène**
– Liquide contenu dans les ampoules **sérosité, lymphe**

AMPUTER
– Amputer un membre **mutiler**
– Amputer un texte **retrancher, tronquer, estropier, censurer**

AMUSANT
– Un spectacle amusant **réjouissant, divertissant, comique, distrayant**
– Très amusant **désopilant, hilarant**
– Personnage amusant **bouffon, pitre, clown**

ANALOGIE association, parenté, correspondance, relation, connotation
– Analogie de goût **affinité, accointance**
– Élément d'une analogie **analogon**
– Analogie mathématique **rapport, proportion**
– Raisonnement par analogie **induction, inférence, a pari**
– Une analogie physique ou physiologique **ressemblance, similitude**

ANALOGUE
– Une situation analogue **comparable, semblable, proche, similaire**
– Trouver le mot analogue **équivalent**

ANALYSE
– Analyse d'une substance **décomposition, examen, étude**
– Analyse d'un cadavre **autopsie, dissection**
– Analyse de soi-même **introspection**
– Analyse des textes sacrés **exégèse, glose, commentaire**

ANARCHIE
– Anarchie au sein d'une maison ou d'une entreprise **confusion, désordre, chaos**
– Emblème de l'anarchie **drapeau noir**

ANARCHISTE (1)
– Aphorisme résumant la philosophie d'un anarchiste **ni dieu ni maître**

ANARCHISTE (2)
– Mouvement anarchiste **libertaire**

ANATOMIE
– Procéder à l'anatomie d'un corps **dissection, vivisection**
– Anatomie de la structure externe **morphologie**
– Anatomie des muscles **myologie**
– Anatomie des tissus **histologie**
– Anatomie des artères et des veines **angiologie**
– Anatomie des viscères **splanchnologie**
– Personne qui s'occupe d'anatomie **anatomiste**
– Préparateur des travaux d'anatomie à la faculté **prosecteur**
– Instrument utilisé pour une anatomie **scalpel**

ANCÊTRE aïeul, ascendant, devancier, prédécesseur
– Établir une suite d'ancêtres **filiation, généalogie**

ANCIEN
archéo-, paléo-

ANCIEN (1)
– Les anciens **aînés, doyens**

ANCIEN (2)
– Des temps très anciens **reculés, immémoriaux**
– Une coutume ancienne **séculaire, archaïque, ancestrale**
– Objets anciens **vestiges, reliques, antiquités**
– Mot ancien **suranné, désuet, obsolète**
– Ancien Testament **Bible**
– Science des choses anciennes **archéologie**
– Science des écritures anciennes **paléographie**
– Relatif aux fossiles les plus anciens **paléozoïque**

ANCRE
– Jeter l'ancre **mouiller**
– Lever l'ancre **déraper**
– Mouiller sur deux ancres **affourcher**
– Petite ancre **grappin, chatte**
– Symbolisme de l'ancre **fermeté, tranquillité, espérance**

ÂNE voir aussi tableau des animaux
– Ordre auquel appartient l'âne **solipèdes**
– Âne sauvage **hémione, onagre**
– Croisement d'un âne et d'une jument **mulet**
– Croisement d'une ânesse et d'un cheval **bardot**

ANÉANTIR
– Anéantir des forces ennemies **détruire, écraser, massacrer**
– Anéantir les espoirs de quelqu'un **annihiler, ruiner**
– S'anéantir dans les flots **sombrer, disparaître**
– S'anéantir devant Dieu **s'humilier**

ANÉANTISSEMENT
– Anéantissement d'une population **ethnocide, génocide, extermination**

ANÉMONE
– Famille de l'anémone **renonculacées**
– Anémone des bois **sylvie**
– Anémone de mer **actinie**

ANESTHÉSIE
– Subir une anesthésie **analgésie, insensibilisation**
– État d'une personne sous anesthésie **narcose**
– Anesthésie régionale du bassin **péridurale**
– Substance employée lors d'une anesthésie **chloroforme, éther, cocaïne, penthiobarbital, protoxyde d'azote, procaïne**

ANGE archange
– Ange de la première hiérarchie **séraphin, chérubin**
– Ange représenté avec trois paires d'ailes **séraphin**
– Ange déchu **Belzébuth, Satan, Lucifer**
– Théorie de l'origine des anges **angélogonie**
– Traité sur les anges **angélographie**
– Culte rendu aux anges **dulie**
– Petit ange représenté dans l'art religieux **angelot**
– Nom donné à la peau du poisson appelé ange **galuchat**

ANGLAIS
– Pays de langue anglaise **anglophone**
– Spécialiste de la langue anglaise **angliciste**
– Locution propre à la langue anglaise **anglicisme**

ANGLE
-gone, gonio-

ANGLE
– Angle en architecture **arête, coin, encoignure**
– Angle formé par un astre et par le méridien du point d'observation **azimut**
– Figure à angles égaux **isogone**
– Domaine d'étude des angles **géométrie, trigonométrie**
– Mesure des angles **goniométrie**
– Instrument de mesure des angles **sextant, équerre, alidade, théodolite**

ANGOISSE
– Éprouver de l'angoisse **anxiété, inquiétude, tourment, transes**
– Angoisse propre au mourant **affres**

ANGUILLE
– Anguille de mer **congre**
– Anguille électrique **gymnote**
– Larve d'anguille **leptocéphale**
– Jeune anguille **pibale, civelle**
– Vivier à anguilles **anguillière**

ANIMAL voir aussi tableau p. 20-21 et **phobie**

TERMES PROPRES AUX ANIMAUX

ANIMAL	GROUPE	MÂLE	FEMELLE	PETIT	ADJECTIF	HABITATION	CRI
abeille	essaim colonie	faux-bourdon	reine, ouvrière	larve, couvain	apiaire, abeiller, apicole	ruche, nid, rayon, alvéole, abeiller, couvain	bourdonner
aigle				aiglon		aire, nid	glatir
âne	troupeau troupe	âne	ânesse	ânon	asinien	écurie	braire
araignée				larve	aranéeux, arachnéen	toile, cocon	
baleine	bande			baleineau			mugir
bœuf	troupeau	bœuf, taureau	vache, génisse, taure	veau, taurillon	bovin, taurin	étable, pré, pâturage	beugler, meugler
buffle	troupeau, troupe	buffle	bufflonne, bufflesse	bufflon, buffletin		pâturage	beugler, souffler
canard, halbran, col-vert		canard, malart, malard	cane, canette	caneton, canardeau, halbran		mare, canardière, barbotière	cancaner, nasiller
castor	colonie					abri, terrier	
cerf	troupeau, harde, troupe, harpail, harpaille	cerf	biche	faon, hère (6 mois) brocard (1 an) daguet (1-2 ans)	cervin	forêt	bramer, raire, râler (faon)
chameau, dromadaire, méhari	caravane	chameau	chamelle	chamélon chamelet	camelin	désert	blatérer
chat, chat haret		chat matou	chatte	chaton	félin		miauler ronronner
cheval	troupeau, manade, écurie	cheval, hongre, étalon	jument, pouliche	poulain	chevalin, équin	écurie, box, stalle	hennir
chèvre	troupeau	bouc	chèvre	chevreau, cabri, biquet, bicot	caprin, hircin		bégueter, bêler, chevroter
chevreuil	troupe	chevreuil	chevrette	chevrotin, brocard (1 an) faon, daguet (1-2 ans)			bramer, raire, réer
chien	meute, harde	chien	chienne, lice	chiot	canin	niche, chenil	aboyer, hurler, clabauder, gronder, glapir, japper
cigogne				cigogneau, cigognat, cigonneau	cigonien	nid	claqueter, craqueter, glottorer
cochon, porc, pourceau		cochon, verrat	truie, coche	cochon de lait, porcelet, goret	porcin	bauge, souille	grogner
corbeau				corbillat			croasser

ANIMAL	GROUPE	MÂLE	FEMELLE	PETIT	ADJECTIF	HABITATION	CRI
corneille				corneillard			crailler
crocodile, alligator, caïman							vagir, lamenter, ancouler
daim	troupe	daim	daine	daneau, daguet		forêt	bramer
dindon	troupeau	dindon	dinde	dindonneau			glouglouter
éléphant	troupeau	éléphant	éléphante	éléphanteau	éléphantin		barrir
fourmi	société		reine, ouvrière	larve	formique	fourmilière	
girafe				girafeau, girafon			
grenouille				têtard			coasser
hibou							huer, ululer
hirondelle				hirondeau arondelat			gazouiller, trisser
jars		jars	oie	oison			jargonner, criailler (fem.), siffler (fem.)
lapin		bouquet, bouquin	lapine	lapereau		gîte, terrier, rabouillère, clapier	couiner, glapir, clapir
lièvre		bouquet, bouquin	hase	levraut, lièvreteau		gîte, forme	vagir, couiner
lion			lionne	lionceau	léonin	antre	rugir
loup	bande	loup	louve	louveteau, louvart (6 mois-1 an)		liteau, tanière, gîte	hurler
mouton	troupeau	mouton, bélier	brebis	agneau, agnelet	ovin	bergerie	bêler blatérer (bélier)
ours		ours	ourse	ourson			grogner
rat			rate, ratte	raton			chicoter
renard		renard	renarde	renardeau	vulpin	terrier, renardière	glapir, japper
rhinocéros							barrir
sanglier	harde		laie	marcassin		bauge, souille	grogner, grommeler
singe			guenon, singesse	guenuche (fem.)	simiesque		
taupe						galerie, taupinière	
tigre		tigre	tigresse				feuler, râler, rauquer

– Animal microscopique **animalcule, protozoaire**
– Ensemble des animaux d'une région **faune**
– Étude des animaux **zoologie**
– Étude du comportement des animaux **éthologie**
– Amour pervers des animaux **zoophilie**
– Adoration d'animaux divinisés **zoolâtrie**
– Peur de certains animaux **zoophobie**
– Maladie transmissible par les animaux **zoonose**
– Figure représentant un animal **zoomorphe**
– Peintre ou sculpteur d'animaux **animalier**

ANIMATEUR
– Exercer la fonction d'animateur dans un groupe **moniteur, organisateur**
– Être l'animateur d'un mouvement **inspirateur, meneur, instigateur, leader, agitateur**

ANIMER
– Animer une réunion **diriger, conduire**
– Animer la conversation **égayer, entretenir**
– Le vin anime les esprits **avive, échauffe, enflamme, exalte**
– Animer un bœuf **aiguillonner, exciter, stimuler**

ANIMISME
– Fondateur de la doctrine de l'animisme **Stahl**
– Animisme religieux **culte des esprits, fétichisme, sorcellerie, magie**

ANIS
– Famille à laquelle appartient l'anis **ombellifères**
– Anis étoilé **badiane**
– Faux anis **cumin**
– Anis bâtard **carvi**

ANNEAU
– Anneau d'une ancre **organeau**
– Anneau de renforcement **bague, virole, frette**
– Anneau reliant deux chaînes **manille**
– Matériel de gymnastique comportant des anneaux **agrès**
– Anneau d'une chaîne **maillon, chaînon**
– Moulure en forme d'anneaux **armilles**
– Anneau nasal **mouchette**
– Passer un anneau dans le groin d'un porc **anneler, boucler**
– Anneau en plomberie **bague, collier, manchon, bride**

ANNÉE
– Année lunaire **synodique**
– Année de congé **sabbatique**
– Année de fabrication d'un vin **millésime**
– Ouvrage relatant les événements année par année **annales**

ANNEXE (1)
– Annexe d'une demeure **dépendances, communs**
– Annexe d'un établissement **filiale, succursale**
– Annexe embryonnaire **amnios, placenta**

ANNEXE (2)
– Un élément annexe **accessoire, secondaire, auxiliaire, complémentaire**

ANNEXION
– Annexion d'un territoire **incorporation, rattachement, conquête**
– Annexion de l'Autriche par l'Allemagne **Anschluss**

ANNIVERSAIRE voir aussi tableau
– Anniversaire d'une victoire **célébration, commémoration**
– Anniversaire couronnant cinquante années d'exercice dans une fonction **jubilé**

ANNONCE
– Annonce d'une vente **avis, communication, proclamation**
– Annonce de presse **message, communiqué, révélation**
– Annonce officielle d'un mariage **bans, publication**
– Annonce écrite d'un décès **faire-part**
– L'annonce d'un dénouement **prémisse, signe, présage, indice**

ANNONCER
– Annoncer officiellement une décision **proclamer, édicter, promulguer, notifier**
– Annoncer ses intentions **divulguer, révéler, découvrir, manifester**

ANNULER
– Annuler une loi, un décret **abroger, abolir**
– Annuler un jugement **infirmer, invalider, casser**
– Annuler un contrat **résilier**
– Annuler une dette **éteindre**
– Faire s'annuler deux forces **neutraliser**

ANONYME
– Un auteur anonyme **inconnu**
– Un décor anonyme **impersonnel, neutre, banal**
– Auteur de lettres anonymes **corbeau**
– Pratique des lettres anonymes **délation, chantage**

ANORMAL
– Un comportement anormal **aberrant, insolite, inaccoutumé, singulier**
– Un fonctionnement anormal **défectueux, irrégulier**
– Un bruit anormal **suspect, bizarre**
– Un fait anormal **anomalie**
– Une chaleur anormale **inhabituelle, exceptionnelle**

ANTÉRIORITÉ
– Faire valoir l'antériorité d'un droit **priorité, droit de préemption**
– Permet de déterminer l'antériorité d'un événement **chronologie**

ANTIBIOTIQUE
– Action des antibiotiques **bactéricide**
– Premier antibiotique découvert **pénicilline**

ANNIVERSAIRES DE MARIAGE

1 an	**coton**
2 ans	**papier**
5 ans	**bois**
7 ans	**laine**
10 ans	**étain**
12 ans	**soie**
15 ans	**porcelaine**
20 ans	**cristal**
25 ans	**argent**
30 ans	**perle**
35 ans	**rubis**
40 ans	**émeraude**
45 ans	**vermeil**
50 ans	**or**
60 ans	**diamant**
70 ans	**platine**
75 ans	**albâtre**
80 ans	**chêne**

ANTICORPS agglutinine, antitoxine
– Substance provoquant la formation d'anticorps **antigène**

– Rôle des anticorps **défense, immunité**

ANUS rectum
– Muscle de l'anus **sphincter**
– Douleur relative à l'anus **proctalgie**
– Tumeur douloureuse dans la région de l'anus **hémorroïde**
– Partie de la médecine qui traite des maladies de l'anus **proctologie**
– Relatif à l'anus **anal**
– Pratique du coït *per anus* **sodomie**

ANXIÉTÉ
– Qui provoque l'anxiété **anxiogène**
– Médicament destiné à combattre l'anxiété **anxiolytique**

ANXIEUX
– Un être anxieux **inquiet, tourmenté, angoissé**

APAISANT
– Propos apaisant **lénifiant, rassurant, réconfortant**

APAISEMENT
– Remède procurant l'apaisement **émollient, baume, analgésique**
– Apaisement d'une douleur **rémission**
– Apaisement qui survient après une tempête **accalmie**

APAISER
– Apaiser une querelle **calmer, pacifier**
– Apaiser un mal **adoucir, assoupir, endormir**
– Apaiser sa faim **assouvir**
– Apaiser sa soif **étancher, éteindre**

APERCEVOIR
– Apercevoir un objet peu visible **deviner, distinguer, repérer**
– Apercevoir les finesses d'un raisonnement **découvrir, saisir, percevoir, sentir, déceler**
– Apercevoir fugitivement **entrevoir, entrapercevoir**
– S'apercevoir d'une réalité **constater, remarquer, réaliser**

APLANIR
– Aplanir un terrain **niveler, égaliser**
– Aplanir les difficultés **réduire, lever, supprimer**

APLATIR
– Aplatir un ourlet **écraser**
– Aplatir la pâte **biller**
– Aplatir une barre de métal **laminer, compresser, comprimer**
– Aplatir des cheveux rebelles **plaquer**

APLOMB
– Manifester un aplomb sans bornes **assurance, sang-froid, sûreté, hardiesse, audace, toupet, impudence, effronterie**

APOLOGIE voir aussi **louange**
– Faire l'apologie d'une œuvre **défense, justification, louange**
– Apologie de la religion chrétienne **apologétique**
– Faire l'apologie du crime **glorification**

APOSTROPHE
– Apostrophe dans un discours **figure de rhétorique**
– Apostrophe résultant d'une loi phonétique **élision**

APOSTROPHER
– Apostropher quelqu'un **interpeller, héler**

APÔTRE
– Mission d'un apôtre **prédication, évangélisation, prosélytisme**
– Ministère des apôtres **apostolat**
– Lettre des Apôtres **épître**
– Relatif aux apôtres **apostolique**

APPARAÎTRE se manifester, survenir, surgir
– Apparaître au grand jour **se révéler, se découvrir, se dévoiler, émerger**
– Apparaître à travers quelque chose **transparaître**

APPAREIL
– Appareil digestif **système**
– Appareil destiné à remplacer un membre manquant **prothèse**
– Appareil électrique **instrument, engin**
– Appareil d'État **dispositif, machine, structure**
– En grand appareil **apparat**

APPARENCE
– Raisonnement qui, sous des apparences de vérité, tend à tromper **captieux, fallacieux, spécieux, insidieux**
– Avoir belle apparence **allure, mine**
– Apparence destinée à masquer une réalité **façade, vernis, faux-semblant, simulacre**
– Apparence simulant le réel **trompe-l'œil**
– Préserver les apparences **convenances, bienséance**
– Apparence trompeuse **illusion, mirage, vision, hallucination**
– Apparences de la Lune **phases, aspects**

APPARENT
– Un écart apparent **manifeste, visible, évident**
– Témoigner une apparente politesse **superficielle, illusoire, trompeuse, fausse, feinte**

APPARITION
– Apparition d'un phénomène **manifestation**
– Apparition de boutons sur le corps **éruption, poussée, efflorescence**
– Apparition de l'Enfant Jésus aux rois mages **Épiphanie**
– Avoir des apparitions **visions, révélations**
– Apparition effrayante d'un mort **spectre, fantôme, revenant**

APPARTEMENT habitation, logement
– Appartement sur deux étages **duplex**
– Appartement constitué d'une seule pièce **studio**
– Appartement qui ne sert qu'occasionnellement **pied-à-terre, garçonnière**
– Pièce ouverte d'un appartement ou enfoncement qui forme une sorte de balcon **loggia**
– Appartement d'hôtel **suite**
– Appartement autrefois réservé aux femmes **gynécée**
– Regagner ses appartements **pénates**

APPARTENIR
– Appartenir à un groupe **se rattacher à**
– La décision appartient à **incombe à, revient à, échoit à**
– Appartenir à un domaine d'idées, de réflexions **relever de, concerner**
– Qui appartient par essence à un être **inhérent, intrinsèque, immanent**

APPÂT
– Appât destiné au poisson ou au gibier **amorce, esche, boëte**
– Appât muni de plusieurs hameçons **devon**
– Œufs de poisson utilisés comme appât **rogue**
– Appât factice muni d'un hameçon **leurre**
– Pêcher à l'aide d'appâts vivants **au vif**

APPEL cri, interjection
– Appel du regard **clin d'œil, œillade**
– Appel de détresse **S.O.S.**
– Appel sous les drapeaux **recrutement, incorporation, conscription**
– Appel aux armes **mobilisation**
– Publication d'un appel **déclaration, proclamation**
– Appel au calme **incitation, invitation, exhortation**
– Appel du plaisir **impulsion**
– Appel de la foi **aspiration, vocation**

– Religieux musulman qui a en charge l'appel à la prière **muezzin**
– Faire l'appel **recenser, dénombrer**
– Faire appel **recours, pourvoi, requête**
– Sans appel **définitif, rédhibitoire**
– Appel de fonds **souscription**

APPELER
– Appeler quelqu'un en criant **héler, apostropher**
– Appeler à l'aide par des supplications, des prières **invoquer, implorer**
– Appeler quelqu'un auprès de soi **mander, convoquer**
– Appeler à une fonction **désigner, choisir, élire**
– Appeler en justice **citer, assigner**
– Appeler les chiens en sonnant du cor **grailler**
– Appeler un animal en le sifflant **hucher**
– Instrument utilisé pour appeler les oiseaux **appeau**
– S'appeler **se nommer**

APPÉTIT
– Appétit humain **inclination, aspiration, curiosité, désir, appétence**
– Appétit animal **besoin, instinct**
– Appétit sexuel **concupiscence**
– Appétit démesuré **voracité, avidité, gloutonnerie**
– Appétit insatiable et maladif **boulimie**
– Trouble de l'appétit **anorexie**
– Substance destinée à diminuer l'appétit **anorexigène**
– Boisson propre à ouvrir l'appétit **apéritif**
– Appétit pathologique pour des substances non comestibles **pica**

APPLAUDIR **ovationner, bisser,** voir aussi **acclamer**
– Applaudir une décision **approuver, louer, encourager**

APPLICATION
– Application d'un matériau sur une surface plane **pose, mise, placage**
– Application d'une somme à un usage **destination, affectation, utilisation**
– Application d'une théorie **mise en pratique, réalisation, concrétisation**
– Travailler avec application **sérieux, assiduité, attention, minutie, contention**

APPLIQUER
– Appliquer un cachet **apposer**
– Appliquer un enduit **étendre, étaler**
– S'appliquer à **convenir, concerner, intéresser**
– S'appliquer à faire quelque chose **s'attacher à, s'évertuer à, s'efforcer de**

APPRÉCIER
– Apprécier la valeur d'un objet **estimer, évaluer**
– Apprécier des distances **appréhender**
– Apprécier les subtilités d'une théorie **discerner, saisir**
– Apprécier la saveur d'un plat **goûter, priser, se délecter de**

APPRÉHENSION
– Appréhension intellectuelle **perception**
– Éprouver une vive appréhension **crainte, anxiété, angoisse, inquiétude**

APPRENDRE **s'instruire**
– Apprendre à faire quelque chose **s'exercer à**
– Apprendre les éléments d'une science à une personne **transmettre, enseigner, inculquer**
– Apprendre une nouvelle à quelqu'un **aviser, avertir, informer, communiquer à**
– Qui est destiné à faire apprendre plus aisément **didactique**
– Personne qui apprend par elle-même **autodidacte**
– Apprendre par hasard **découvrir**
– Apprendre une langue, une technique **s'initier à, acquérir, étudier**

APPRENTI
– Apprenti boulanger **mitron**
– Apprenti marin **mousse**
– Apprenti soldat **bleu, conscrit**
– Apprenti dans un atelier de peinture **rapin**
– Apprentie couturière **arpète, cousette, midinette**

APPRENTISSAGE **formation, instruction, initiation**
– Diplôme sanctionnant la fin d'un apprentissage **C.A.P. (certificat d'aptitude professionnelle)**
– Faire l'apprentissage de la vie **expérience**

APPROBATION
– Donner son approbation **consentement, acquiescement, assentiment, autorisation, adhésion**
– Approbation très favorable **éloge, félicitations**

APPROCHE
– Les approches d'une ville **abords, parages**
– Redouter l'approche d'un événement **proximité, apparition, venue**

APPROCHER
– Approcher une personne **côtoyer, fréquenter**
– Approcher de très près **friser, frôler, raser**
– S'approcher de la terre **serrer, accoster**
– Approcher des sacrements **se confesser, communier**

APPROPRIÉ
– Une remarque, un jugement approprié **pertinent, juste, adéquat**
– Une solution appropriée **idoine, adaptée, convenable**
– Un moment approprié **opportun, favorable**

APPROUVER
– Approuver juridiquement un texte, un décret **ratifier, entériner, valider, confirmer, homologuer, sanctionner**
– Approuver une demande **consentir, autoriser, agréer**
– Approuver sans trop de réflexion **opiner**
– Approuver un contrat **souscrire, parapher**
– Sur un ouvrage approuvé par les instances religieuses ou universitaires **imprimatur**

APPUI
– Appui pour s'accouder **accoudoir, accotoir**
– Appui d'une voûte, d'un mur **étai, éperon, arc-boutant**
– Mur d'appui **mur de soutènement**
– Appui utilisé pour les charpentes **étançon, contrefort, étrésillon**
– Appui utilisé en architecture **base, console, modillon**
– Appui des stalles d'église **miséricorde**
– Pièce de bois servant d'appui lors de la construction des navires **tin, billot**
– Appui utilisé en menuiserie **tasseau, équerre**
– Appui moral **réconfort, soutien, protection**
– Appui financier **subvention, subside**

APPUYER
– Appuyer un mur **maintenir, consolider, étayer, étançonner**
– Appuyer sur un bouton, un mécanisme **peser sur, presser, enfoncer**
– Appuyer une personne dans une épreuve **épauler, soutenir, encourager**
– Appuyer une affirmation sur un argument **bâtir, fonder, baser**
– Appuyer les dires d'une personne **confirmer, corroborer**

APRÈS-MIDI
– Représentation théâtrale donnée l'après-midi **matinée**

– Repos pris l'après-midi **sieste, méridienne**
– Division de l'après-midi appelée heure dans les ordres monastiques **none, vêpres**

APTITUDE
– Aptitude naturelle **disposition, penchant, prédisposition, tendance, faculté, propension**
– Aptitude pratique ou intellectuelle **habileté, adresse, capacité**

AQUARIUM
– Éleveur de poissons d'aquarium **aquariophile**
– Nourriture pour poissons d'aquarium **daphnies**

ARABE
– Écriture arabe ancienne **coufique**
– Religion dominante des peuples arabes **islam**
– Lieu de culte dans les pays arabes **mosquée**
– Nom donné au Moyen Âge aux populations arabes **Sarrasins, Maures**
– Citadelle d'un souverain arabe **casbah**
– Souverain ou dignitaire arabe **calife, émir**
– Chef de tribu arabe **cheik**
– Paysan arabe **fellah**
– Marché arabe **souk**

ARAIGNÉE
– Groupe auquel se rattache l'araignée **arachnides, aranéides**
– Toile d'araignée **arantèle**
– Araignée aquatique **argyronète**
– Araignée commune **épeire**
– Araignée venimeuse des régions chaudes **tarentule**
– Araignée fouisseuse très velue **mygale**
– Araignée de mer **maïa**

ARBITRAGE
– Arbitrage d'un match **contrôle, surveillance**
– Effectuer des arbitrages **opérations boursières, spéculations**
– Spécialiste des arbitrages en Bourse **arbitragiste**
– Instance d'arbitrage pour les différends professionnels **conseil de prud'hommes**

ARBITRAIRE
– Une valeur arbitraire **relative, contingente, extrinsèque, conventionnelle**
– Être l'objet d'une décision arbitraire **abusive, injustifiée, irraisonnée**
– Individu pour lequel le mode de gouvernement est arbitraire **tyran, despote, dictateur**

ARBITRE
– Jugement prononcé par un arbitre **arbitral**
– Démission d'un arbitre **déport**
– Assumer le rôle d'arbitre dans un conflit **conciliateur, médiateur**

ARBRE
dendro-, -dendron

ARBRE voir aussi dessins p. 25, 26
– Arbre fossile **dendrite, sigillaire**
– Nymphe des arbres **Hamadryade**
– Culture des arbres **arboriculture, sylviculture**
– Professionnel des arbres **pépiniériste, horticulteur**
– Jeune arbre greffé en pied **scion**
– Apparition des feuilles sur les arbres **frondaison**
– Petite branche d'arbre **rameau**
– Ensemble des branches d'un arbre **ramure, feuillage**
– Sommet d'un arbre **cime, faîte**
– Excroissance poussant sur certains arbres **loupe, broussin, nodosité**
– Couper les branches supérieures d'un arbre **écimer, étêter**
– Faire éclater le tronc d'un arbre **écuisser**
– Arbre préservé lors d'une coupe **lais, marmenteau, baliveau**
– Arbre nain cultivé au Japon **bonsaï**
– Animal vivant dans les arbres **arboricole**
– Structure en forme d'arbre **arborescence**
– Arbre mécanique **vilebrequin**
– Établir l'arbre généalogique d'une famille **lignée, ascendance, filiation**

ARBUSTE **bourdaine, buis, genêt, groseillier, prunellier, rhododendron**

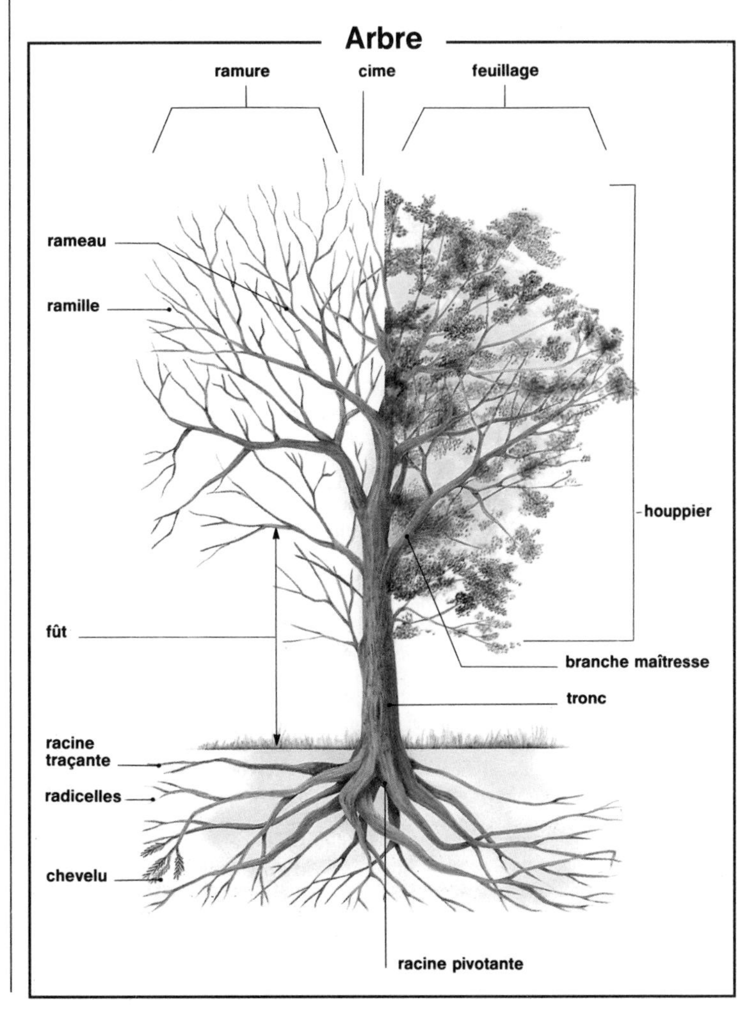

Arbre à cames

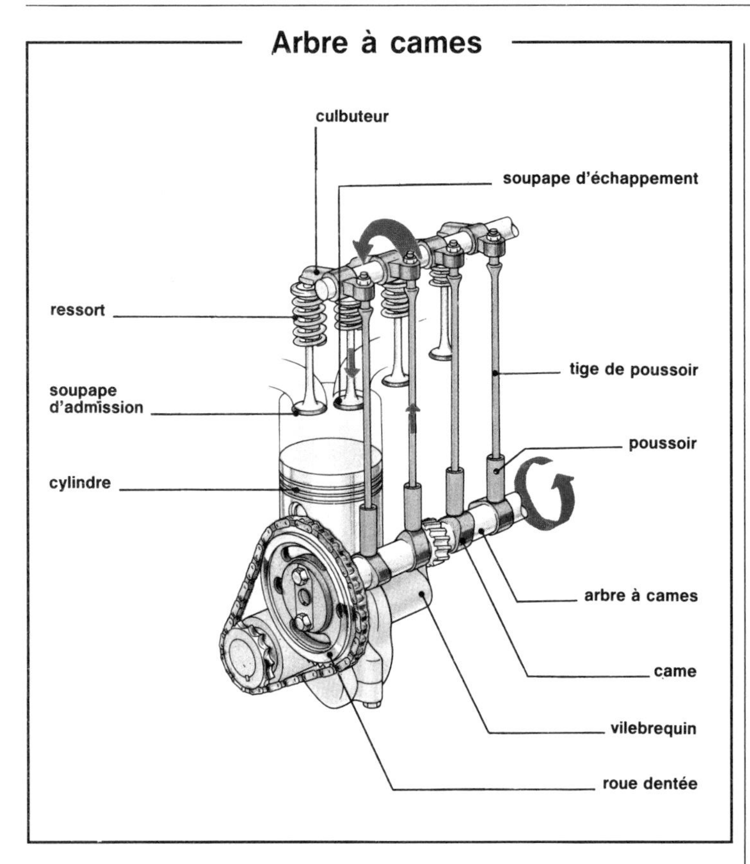

ARC voir aussi dessin
– Tendre l'arc **bander**
– Mettre la flèche à l'arc **encocher**
– Lancer un trait à l'arc **décocher**
– Détendre l'arc **débander**
– Portée d'un arc **archée**
– Divin archer à l'arc d'amour **Éros, Cupidon**
– Oiseau en carton servant de cible pour le tir à l'arc **papegai**
– Tir à l'arc japonais **kyudo**
– Signe du zodiaque qui représente un centaure armé d'un arc **sagittaire**
– Objet en forme de petit arc **arceau**
– Courbure en forme d'arc **arcure**
– Ouverture en arc **arcade**
– Voûte en forme d'arc **arche**
– Arc en forme de demi-ellipse **anse**

ARC-EN-CIEL **prisme, spectre**
– Cause de l'arc-en-ciel **réfraction, réflexion**

ARCHE
– L'arche d'un pont **voûte**
– L'arche de Noé **Déluge**
– L'arche d'alliance **judaïsme**

ARCHÉOLOGIE
– Domaine d'étude de l'archéologie **paléographie, sigillographie, iconographie, épigraphie, stratigraphie, numismatique**
– Recherche en archéologie **fouilles, excavations**
– Terrain d'étude en archéologie **chantier**
– Archéologie égyptienne **égyptologie**
– Restauration des édifices antiques en archéologie **anastylose**

ARCHEVÊQUE
– Insigne d'un archevêque **pallium**
– Fonction d'un archevêque **archiépiscopat**
– Domaine d'autorité d'un archevêque **archevêché**
– Diocèse d'un archevêque **archidiocèse**

ARCHITECTE
– Architecte d'une grande œuvre du passé **bâtisseur, constructeur, maître d'œuvre**
– Architecte contemporain **concepteur, ingénieur**
– Étude réalisée par un architecte **épure, plan, projet, devis**
– Grand architecte de l'univers **démiurge**

ARCHITECTURE voir aussi tableau p. 28-29-30
– Style d'architecture **roman, gothique**
– Architecture militaire **fortifications**
– Conforme aux normes de l'architecture **architectonique**
– Admirer l'architecture d'une œuvre **structure, charpente**

ARCHIVES
– Préposé aux archives **archiviste, documentaliste**
– Autrefois, rédacteur des archives **chroniqueur, historiographe**
– Archives civiles **état civil**
– Recueil d'archives concernant les affaires religieuses **cartulaire**
– Lieu où sont conservées les archives **cabinet, dépôt, bibliothèque, Bibliothèque nationale**
– Archives sur pellicule **microfilm**

ARCHIVISTE
– École formant les archivistes **École des chartes**

ARDOISE **schiste**
– Carrière d'ardoise **ardoisière**
– Personne qui exploite une carrière d'ardoise ou y travaille **ardoisier**
– Point de division de l'ardoise en feuilles **feuilletis**
– Plaque d'ardoise **tuile**
– Partie d'une ardoise qui n'est pas recouverte **pureau**
– Avoir une ardoise chez un commerçant **crédit, dette**

ARDU
– Une entreprise ardue **pénible, malaisée, rude, laborieuse**

ARÈNE **cirque, amphithéâtre, carrière, lice,** voir aussi **corrida, course de taureaux**
– Combattant dans les arènes à Rome **gladiateur**
– Art qui se déroule aujourd'hui dans les arènes **tauromachie**

ARGENT
– Minerai d'argent supérieur **argyrose, argentite**
– Alliage imitant l'argent **argentan**
– Argent recouvert d'une dorure **vermeil**
– Ustensiles en argent **argenterie**
– Meuble destiné aux ustensiles en argent **argentier**
– Substance contenant de l'argent **argentifère**
– Métal recouvert d'argent **ruolz**
– Incruster des filets d'argent dans un métal **damasquiner**

– Affection due aux sels d'argent **argyrisme**
– Ancienne monnaie allemande en argent **thaler**
– Le grand argentier gère l'argent public **ministre des Finances**
– Argent public **fonds, deniers**
– Titre donnant droit au paiement d'une somme d'argent **effet de commerce, traite, lettre de change**
– Argent gagné sur un placement **intérêt**
– Intérêt perçu sur un prêt d'argent **usure**
– Perte sèche d'argent **déficit**
– Occupation rapportant de l'argent **lucrative, rémunératrice**
– Soucis d'argent **pécuniaires**
– Dépenser son argent sans compter **dilapider**
– Individu qui se laisse acheter avec de l'argent **vénal**
– Acheter les services d'une personne avec de l'argent **corrompre, soudoyer, stipendier**
– Soldat qui s'engage pour de l'argent **mercenaire**
– Désir effréné d'argent **cupidité, avarice, âpreté**

ARGILE **glaise**
– Argile blanche **kaolin, calamite**
– Argile rougeâtre **sil, ocre**
– Combinaison d'argile et de calcaire **marne**
– Combinaison d'argile, de sable et de cailloux **boulbène**
– Argile utilisée pour la préparation des tissus **terre à foulon, argile smectique**
– Emploi de l'argile **poterie, céramique, modelage**
– Argile supportant une température élevée **réfractaire**

ARGUMENT **preuve, motif, raison, justification**
– Argument conforme à la logique **syllogisme**
– Argument faux, spécieux, qui présente une apparence de vérité **sophisme**
– Argument en mathématiques **variable**
– Argument d'un essai, d'un discours **exposé, sommaire**
– Argument d'une œuvre théâtrale **prologue**

ARISTOCRATIE **noblesse**
– Aristocratie dans l'Antiquité romaine **patriciat**
– Aristocratie des sentiments **distinction, raffinement, élégance**
– Aristocratie d'une corporation **élite, fleur**

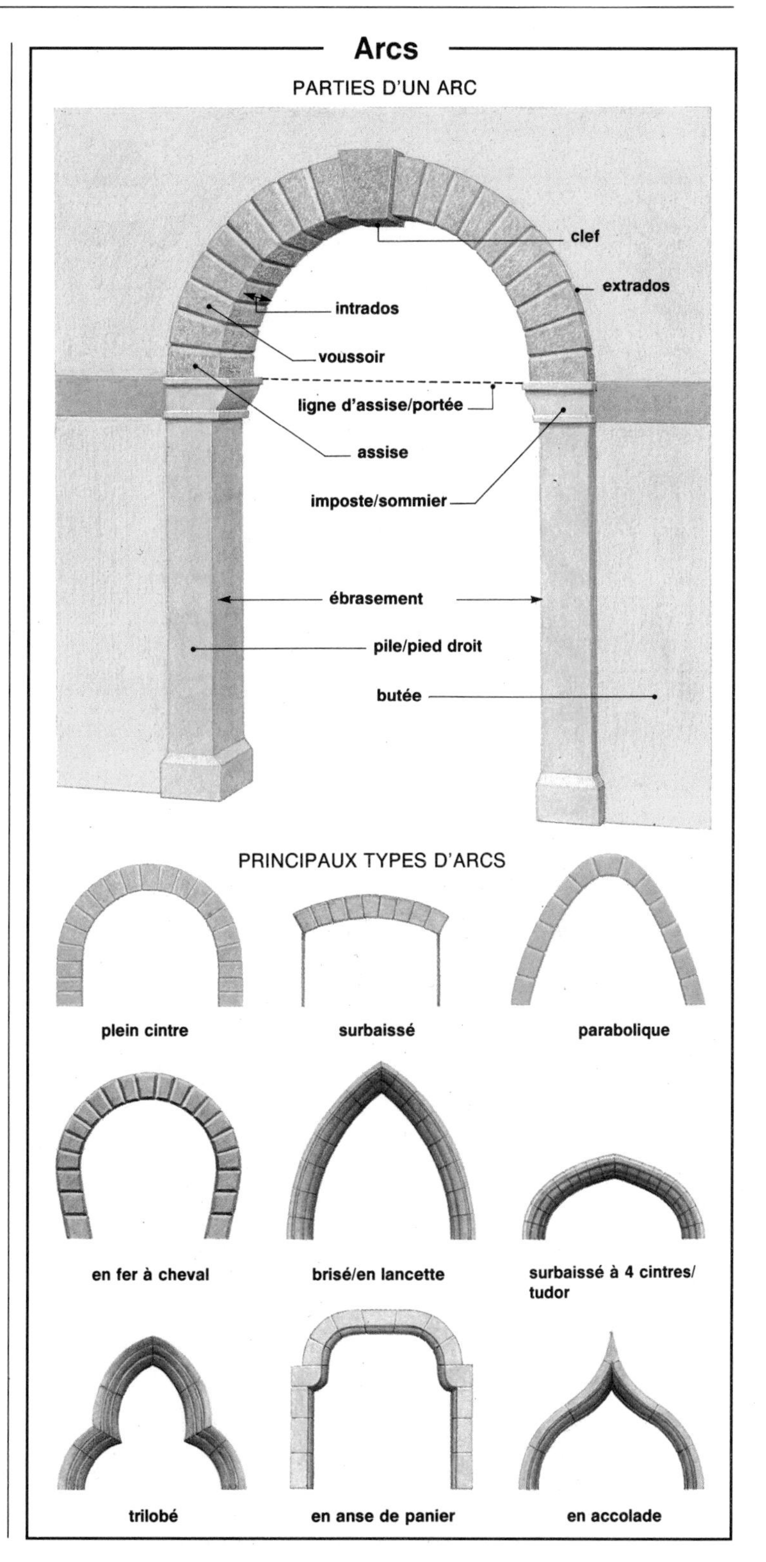

VOCABULAIRE DE L'ARCHITECTURE

COUVREMENT

architrave	Partie inférieure de l'entablement, reposant directement sur l'abaque du chapiteau.
coupole	Face intérieure de la voûte hémisphérique d'un dôme.
entablement	Partie de l'édifice classique au-dessus des colonnes. L'entablement complet comprend l'architrave, la frise et la corniche ; ces éléments varient selon les ordres. Dans le cas où deux étages d'ordre sont superposés, l'entablement ne comprend que l'architrave et la frise.
linteau	Traverse de bois, de pierre ou de métal soutenant la construction au-dessus d'une ouverture. Le linteau de pierre peut être fait de plusieurs claveaux disposés en plate-bande, ou établi d'une seule portée ; dans ce cas, si la porte est large, le linteau est soutenu par un trumeau.
plate-bande	Couronnement d'une ouverture rectangulaire, construit en pierres taillées de façon à s'appuyer les unes sur les autres, la clef du centre bloquant le tout.
trompe	Petite voûte tronquée, établie en porte à faux à l'angle d'un bâtiment.
voussure	Épaisseur de l'intrados de plusieurs arcs accolés en voûte au-dessus d'un portail.
voûte	Maçonnerie en forme de cintre couvrant un édifice et constituée d'arcs de pierre s'appuyant les uns sur les autres.

CLAVEAU

clef	Claveau central d'un arc, parfois plus grand que les autres et décoré.
clef de voûte	Point de rencontre des sections de voûtes. Plus l'ogive s'élèvera, plus la clef devra faire contrepoids. Les clefs pendantes, outre leur fonction architectonique, deviennent un élément décoratif très soigné du gothique flamboyant.
sommier	Pierre saillante qui reçoit la retombée d'un arc, d'une voûte.

DÉCOR D'ARCHITECTURE

acrotère	Socle pour des ornements en pierre ou en terre cuite décorant les extrémités ou le sommet des frontons. En architecture moderne, la partie du mur de façade qui dépasse le niveau d'un toit en terrasse.
archivolte	Moulure ornementée des voussures d'une arcade.
attique	Construction (balustrade ou faux étage) établie au-dessus de la corniche de l'entablement pour masquer le toit.
bandeau	Saillie de pierre horizontale courant autour d'un édifice. Destiné d'abord à protéger les façades des eaux de pluie, il marque ensuite le rythme horizontal entre deux étages.
corniche	Moulures saillantes couronnant un édifice pour le protéger du ruissellement des eaux de pluie.
frise	Partie de l'entablement située entre la corniche et l'architecture. La frise change d'aspect selon les ordres.
fronton	Couronnement d'un édifice ou d'une ouverture (porte ou fenêtre). Dans l'architecture antique, les frontons triangulaires sont placés aux deux extrémités du temple, soulignant la pente du toit ; ils sont sculptés de hauts-reliefs. Au Moyen Âge, les frontons très pointus et décorés s'appellent gables. À la Renaissance, le fronton est souvent brisé ou entrecoupé. Au XVIIe et au XVIIIe s., les frontons couronnant les ouvertures sont fréquemment circulaires.
gable	Petit fronton de pierre, ajouré et décoré de crochets ou de fleurons, servant dans l'architecture gothique à masquer les combles et à terminer les arcs d'ogive surmontant les ouvertures.
gargouille	Extrémité de gouttière dépassant de l'édifice gothique afin d'écarter du mur l'écoulement des eaux et figurant la tête d'un animal ou d'un monstre.
glacis	Couleur rendue transparente par une adjonction d'huile décolorée afin de laisser jouer les couleurs qu'elle recouvre.

lambris	Revêtement de pierre ou de bois des parois d'une pièce. Le lambris peut monter jusqu'à la corniche du plafond ou s'arrêter à la hauteur de la cimaise.
lobe	Découpure d'un arc en forme semi-circulaire ou ogivale. Trois lobes constituent un arc tréflé, quatre lobes un arc quatre-feuilles ou quadrilobé, plus de quatre lobes un arc polylobé.
soffite	Plafond à caissons ornés de rosaces.
tympan	Dans l'architecture antique et classique, partie plate et sculptée, de forme triangulaire, comprise entre les deux rampants du fronton. Dans l'architecture médiévale, partie plate et sculptée d'un portail, comprise entre le linteau et les voussures. Si le tympan est de grande dimension, il peut être à registres.
ÉLÉMENTS DU SUPPORT VERTICAL D'UNE COLONNE	
abaque ou **tailloir**	Partie supérieure du chapiteau. Sa proportion, sa forme et son décor varient selon les ordres : simple et carré pour le dorique, mouluré pour l'ionique, incurvé pour le corinthien. Sa hauteur s'étant accrue au Moyen Âge, elle égale parfois celle de la corbeille ; pour cette époque, on parle plus volontiers de tailloir.
astragale	À la partie inférieure du chapiteau, bourrelet intermédiaire entre la corbeille et le fût de la colonne.
chapiteau	Partie supérieure de la colonne ou du pilastre supportant l'entablement ou le départ d'un arc. Il est composé de l'abaque, de la corniche (ou l'échine pour l'ordre dorique) et de l'astragale.
corbeille	Partie du chapiteau comprise entre l'abaque (ou tailloir) et l'astragale. Ce mot s'applique surtout au chapiteau corinthien ou au chapiteau à motifs végétaux.
échine	Renflement du chapiteau dorique sous le tailloir.
fût	Partie de la colonne comprise entre la base et le chapiteau. Son rayon, calculé à la base de la colonne, sert de module. Le fût peut être, selon les ordres, lisse ou cannelé, annelé, sculpté, etc.
stylobate	Soubassement mouluré supportant des colonnes.
MOTIFS D'ORNEMENT	
acanthe	Plante sauvage dont la feuille, molle ou épineuse, a servi de modèle pour un élément décoratif en architecture. Spécifique de l'ordre corinthien, l'acanthe a aussi été utilisée à l'époque gothique.
godron	Motif d'ornementation de forme ovale et rebondie.
gouttes	Motif décoratif de l'ordre dorique, placé à la base des triglyphes.
ove	Motif ornemental ayant la forme d'un œuf. Les oves sont souvent séparés par des feuilles pointues.
postes	Motif ornemental en forme de vagues continues.
rinceau	Motif ornemental, peint ou sculpté, qui emprunte sa forme aux tiges des plantes s'enroulant en volutes.
rocaille	Motif décoratif rappelant les coquillages qui décoraient les fausses grottes depuis la Renaissance. Ce motif, animé de courbes, remporta un tel succès au début du XVIIIe s. qu'on a pu parler d'un style rocaille (jusqu'en 1760 environ).
triglyphe	Élément décoratif de la frise dorique, formé de trois cannelures verticales alternant avec les métopes.
MOULURES	
cimaise	Moulure à hauteur d'appui, appliquée sur un mur. C'est aussi un emplacement à cette hauteur des tableaux présentés dans une exposition, un musée.
listel ou **liston**	Petite moulure à section carrée sans décor.
scotie	Moulure creusée en forme de gorge, prise entre deux parties plates, le réglet inférieur étant plus long que le réglet supérieur. Elle s'oppose aux tores pour former la base des colonnes ioniques et corinthiennes.
tore	Moulure saillante qui entoure les bases des colonnes ioniques et corinthiennes.

(suite p. 30)

VOCABULAIRE DE L'ARCHITECTURE *(suite)*

NERVURE DE VOÛTE	
arc doubleau	Arc en saillie soutenant une voûte.
formeret	Arc parallèle à l'axe de la voûte.
lierne	Nervure de la voûte dite « en étoile », du gothique flamboyant, joignant le tierceron à la clef.
nervure	Membre saillant à l'intrados d'une voûte.
tierceron	Nervure supplémentaire des voûtes gothiques flamboyantes, dites « en étoile ».
OUVRAGES DE COUVREMENT	
arasement	Face supérieure horizontale d'un linteau ou d'une plate-bande.
douelle	Partie intérieure ou extérieure d'une voussure. Les douelles intérieures forment l'intrados ; les douelles extérieures, l'extrados.
écoinçon	Partie de maçonnerie comprise entre deux arcs tangents et limitée en haut par un bandeau plat.
extrados	Face supérieure d'un arc ou d'une voûte.
front	Face verticale d'un linteau, d'une plate-bande ou d'un arc.
intrados	Face inférieure d'un arc ou d'une voûte.
SUPPORTS EN SURPLOMB ET ÉLÉMENTS DE STABILITÉ	
arc-boutant	Arc enjambant le bas-côté, destiné, dans la construction gothique, à reporter sur la culée la poussée de la voûte.
corbeau	Élément de pierre ou de bois soutenant les corniches, les poutres et les encorbellements. Au Moyen Âge, les corbeaux étaient souvent sculptés de personnages humoristiques ou d'animaux fabuleux.
cul-de-lampe	Petit support en encorbellement destiné à recevoir la retombée d'un arc ou à soutenir une statue ; les culs-de-lampe sont sculptés de feuillages ou de motifs allégoriques.
culée	Massif de maçonnerie contenant la poussée d'un arc.
modillon	Ornement en forme de console aplatie, disposé à intervalles réguliers sous le larmier d'une corniche.
pinacle	Clocheton pointu, très décoré à l'époque gothique, servant d'amortissement au contrefort ou à la butée d'un arc-boutant.

ARME voir aussi **feu**
– Collection d'armes **panoplie, trophée**
– Lieu où sont entreposées des armes **arsenal**
– Commerce ou fabrique d'armes **armurerie**
– Accomplir un fait d'armes **exploit, performance**
– Passer par les armes **fusiller, exécuter**
– Les armes se taisent **trêve, cessez-le-feu, armistice**
– Déposer les armes **reddition, capitulation**
– Armes d'une ville **armoiries, blason, emblème**

ARMÉE voir aussi **défense, militaire**
– Femme qui sert dans l'armée de terre **afat**
– Corps d'armée **infanterie, cavalerie, artillerie**
– Unité de corps d'armée **escouade, section, peloton, compagnie, escadron, bataillon**
– Mouvements d'une armée en temps de paix **manœuvres**
– Loi qui permet à l'armée d'assurer le maintien de l'ordre **loi martiale**
– Art de diriger et d'entretenir une armée **logistique**
– Armée régulière **nationale**
– Voir s'abattre une armée de criquets **nuée, multitude**

ARMEMENT voir aussi **guerre**
– Armement d'une troupe **armes, munitions, équipement, matériel**
– Armement stratégique **nucléaire**
– Armement conventionnel **classique**

ARMURE voir dessin

AROMATE condiments, épices voir aussi **herbes**
– Utilisation des aromates **cuisine, cosmétologie, pharmacie**
– Thérapie fondée sur l'emploi des aromates **aromathérapie**

ARRACHER ôter, enlever
– Arracher de son socle **desceller**
– Arracher une souche **déraciner, essoucher**

– Arracher des mauvaises herbes **sarcler, essarter, défricher**
– Arracher une dent **extraire**
– Arracher des confidences à quelqu'un **soutirer, extorquer**
– Arracher une personne à un danger **soustraire**
– Arracher les racines d'un mal **extirper, éradiquer**

ARRANGEMENT
– Arrangement musical **orchestration, adaptation**

ARRANGER disposer, ordonner
– Arranger un bouquet **composer**
– Arranger une maison **agencer, aménager, installer**
– Arranger un texte **retoucher, remanier**
– Arranger une soirée **organiser**
– Arranger une rencontre **ménager**
– S'arranger d'une situation **s'accommoder de, se contenter de**

ARRESTATION inculpation
– Ordre d'arrestation donné à la force publique **mandat d'arrêt**
– Arrestation illégale **séquestration**
– Conséquence d'une arrestation **détention, garde à vue, incarcération, réclusion**

ARRÊT
– Marquer un temps d'arrêt **pause, répit, intervalle**
– Arrêt d'une séance **suspension, ajournement**
– Arrêt effectué au cours d'un voyage **étape, halte, escale**

Armures

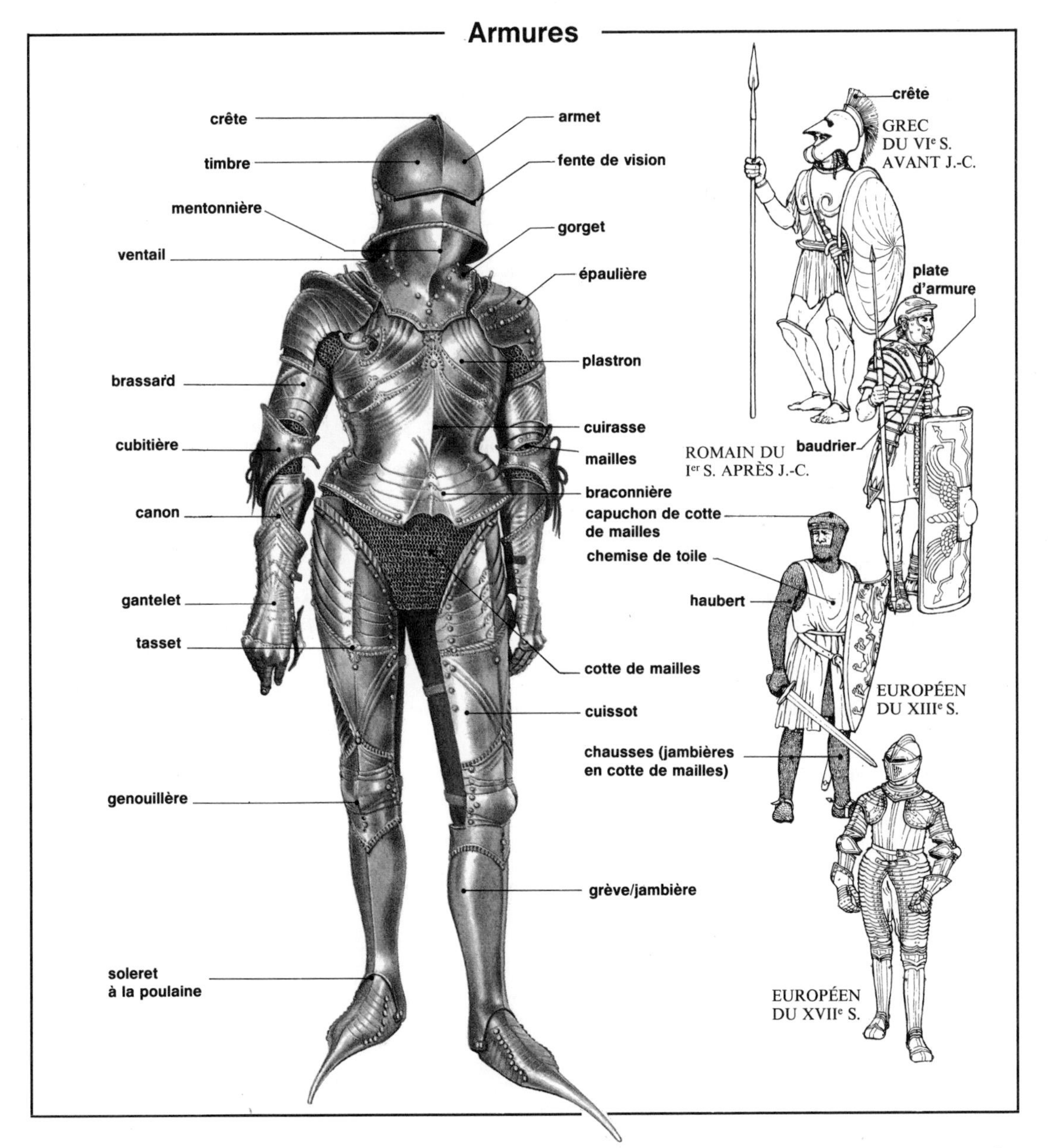

– Arrêt d'un développement **stagnation**
– Arrêt cardiaque **syncope**
– Arrêt circulatoire **stase**
– Arrêt des fonctions cérébrales **apoplexie**
– Arrêt juridique **jugement, sentence, verdict**
– Mettre aux arrêts **consigner**

ARRÊTER
– Arrêter du courrier **intercepter**
– Arrêter un processus **entraver, interrompre**
– Arrêter un courant trop violent **freiner, endiguer**
– Arrêter un incendie **circonscrire**
– Arrêter l'évolution d'un mal **enrayer, juguler**
– Arrêter son choix **décider**
– Arrêter une personne **interpeller, appréhender**
– Arrêter un marché **conclure**

ARRIVÉE
– L'arrivée de l'hiver **commencement, début**
– Arrivée d'un parcours **fin, terme**
– Arrivée de marchandises **arrivage**
– Arrivée d'eau, de gaz **alimentation**

ARSENIC **anhydride arsénieux**
– Arsenic rouge **réalgar**
– Arsenic jaune utilisé en peinture **orpiment**

ART
– Amateur d'art **connaisseur, esthète**
– Protecteur des arts **mécène**
– Déesse des arts **muse**
– Lieu d'exposition consacré à l'art **musée, galerie, pinacothèque, glyptothèque**
– Manifestation d'art **exposition, salon, festival, happening**
– Professionnel de l'art **marchand, galeriste, conservateur, critique, imprésario**
– Individu qui détruit ou saccage à dessein des œuvres d'art **iconoclaste**
– Manière dont est réalisée une œuvre d'art **facture**
– Philosophie de l'art **esthétique**
– Art d'agrément **broderie, tapisserie, céramique**
– Art du temps **musique, danse, cinéma**
– Art du spectacle **théâtre, opéra**
– Art du langage **rhétorique**
– Art martial pratiqué en France **aïkido, jiu-jitsu, judo, karaté, kendo, kyudo**
– Salle réservée aux arts martiaux **dojo**
– Tapis utilisé pour les arts martiaux **tatami**

ARTÈRE voir aussi **cœur**
– Étude des artères **artériologie**
– Paroi des artères **tunique**
– Artère principale **aorte**
– Artère permettant l'irrigation vers la tête **carotide**
– Petite artère **artériole**
– Maladie affectant les artères **artériopathie**
– Obturation d'une artère **embolie**
– Altération des artères **anévrisme**
– Incision pratiquée sur une artère **artériotomie**

ARTICULATION **jointure, attache**
– Tissu permettant l'articulation de deux os ou de deux organes **ligament**
– Articulation mobile **diarthrose**
– Articulation peu mobile **amphiarthrose**
– Articulation immobile **synarthrose**
– Maladie des articulations **goutte, rhumatisme, arthrite, coxalgie**
– Accident possible des articulations **entorse, luxation, déboîtement, ankylose**
– Liquide lubrifiant les articulations **synovie**
– Réaliser l'articulation de deux phénomènes **combinaison**
– Articulation linguistique **prononciation**
– Discipline visant à corriger une mauvaise articulation ou tout autre défaut d'élocution **orthophonie**

ARTIFICIEL **fabriqué, factice**
– Fibre artificielle **synthétique**
– Colorant artificiel **chimique**
– Membre artificiel **prothèse**
– Pièce artificielle démontable **clastique**
– Phénomène artificiel **artefact**
– Chevelure artificielle **postiche, perruque**
– Un ton très artificiel **feint, affecté**

ARTILLERIE voir aussi **canon**
– Tir d'artillerie **canonnade, pilonnage, bombardement**
– Projectile meurtrier employé dans l'artillerie **obus, missile, roquette, shrapnell**
– Soldat servant dans l'artillerie **artilleur, artificier**

ARTISAN **manuel, compagnon, ouvrier**
– Artisan chargé d'exécuter un travail sans fournir le matériau **façonnier**
– Être l'artisan d'une réforme **auteur, responsable**

ASSAILLIR **attaquer, agresser**
– Assaillir de récriminations **harceler, presser**
– Être assailli par les soucis **accablé, tourmenté, submergé**

ASSAINIR **purifier, épurer**
– Assainir une région insalubre **assécher, drainer**
– Assainir une blessure **désinfecter, stériliser, aseptiser**
– Assainir l'eau **filtrer, décanter**
– Assainir un marché financier **équilibrer, stabiliser**

ASSEMBLÉE **assistance, auditoire, public**
– Assemblée de prêtres et de docteurs dans la Palestine ancienne **sanhédrin**
– Assemblée d'érudits **aréopage**
– Assemblée de personnalités religieuses **synode, consistoire, concile, conclave, congrégation**
– Assemblée politique **plénum, assises, congrès**
– Assemblée réunie pour un débat, pour résoudre une question **forum, colloque, séminaire, symposium**
– Membre d'une assemblée législative **député, parlementaire**

ASSEMBLER **réunir**
– Assembler des chiens de chasse en bon ordre **ameuter, rallier**
– Assembler des tons, des couleurs **marier, assortir**
– Assembler du mobilier **monter**
– Assembler les cahiers d'un livre **brocher, relier**
– Assembler bout à bout deux pièces de bois **enter, abouter**
– Assembler des cordages en les tressant **épisser**
– Jeu consistant à assembler des éléments épars **puzzle**
– S'assembler **s'attrouper, se concentrer, s'agglutiner**

ASSEOIR
– Asseoir son autorité **renforcer, affermir, fortifier**
– Asseoir un raisonnement **fonder, baser**

ASSIÉGER
– Assiéger un bâtiment **assaillir, cerner, investir**
– Être assiégé par le remords **obsédé**

ASSIETTE **vaisselle**
– Bord interne d'une assiette **marli**
– Terme désignant autrefois l'assiette **écuelle, gamelle**
– À cheval, avoir une bonne assiette **assise**
– Assiette d'un navire **stabilité, équilibre**

ASSIGNER
– Assigner une tâche à quelqu'un **attribuer, confier**
– Assigner un prévenu **citer, convoquer**
ASSIMILATION identification
– Assimilation d'aliments **ingestion**
– Phénomène physiologique d'assimilation **anabolisme**
– Assimilation chlorophyllienne **photosynthèse**
– Assimilation en rhétorique **paradiastole**
– Assimilation en linguistique **modification, phonème**
– Assimilation culturelle **adaptation, intégration, acculturation**
ASSISTANCE assemblée, public
– Assistance portée à une personne **aide, soutien, secours**
– Assistance technique **collaboration, coopération**
ASSISTER
– Assister quelqu'un dans ses fonctions **seconder**
– Assister un mourant **accompagner**
– Assister à un cours **suivre**
– Assister à un événement **être témoin de, être spectateur de**
ASSOCIATION
– Association d'idées **analogie**
ASSURANCE aisance, sûreté voir aussi tableau et **aplomb**
– Avoir l'assurance d'un événement **certitude, conviction**
– Contrat d'assurance **police**
– Ajout fait à un contrat d'assurance **avenant**
– Compagnie d'assurances maritimes **Lloyd**
– Résiliation d'une police d'assurance maritime **ristourne**
– Réduction-majoration de la prime d'assurance automobile **bonus-malus**
– Agent d'assurance **assureur, courtier, actuaire, expert**
ASSURER
– Assurer un édifice **étayer, consolider, assujettir**
– Assurer quelqu'un de la véracité d'un fait **attester, certifier, soutenir**
– Assurer quelqu'un de ses sentiments **affirmer, promettre**
– Assurer des biens **protéger, préserver, garantir**
– Assurer un oiseau **apprivoiser**
– S'assurer d'un fait **examiner, vérifier, contrôler**
– S'assurer contre un danger **se prémunir**
ASTHME
– Manifestation visible de l'asthme **dyspnée, étouffement, suffocation**
– Personne souffrant d'asthme **asthmatique**

VOCABULAIRE DE L'ASSURANCE

accident	Événement qui entraîne des dommages corporels, matériels ou immatériels.
agent général d'assurance	Personne qui représente une société d'assurance dans une région donnée.
aliénation	Transfert de la propriété d'un bien : par exemple, une donation, une vente.
avenant	Partie complémentaire d'un contrat d'assurance contenant les modifications apportées au contrat.
bénéficiaire	Personne à qui la compagnie d'assurance verse l'indemnité ou le capital.
bonus	Réduction de la prime d'assurance automobile.
coassurance	Plusieurs compagnies d'assurance garantissent un risque par un même contrat.
cotisation ou **prime**	Somme versée par le preneur d'assurance en contrepartie des garanties accordées par la compagnie d'assurance.
courtier d'assurance	Personne qui propose des contrats d'assurance de différentes sociétés.
déchéance	Perte du droit d'indemnisation pour, par exemple, conduite en état d'ivresse.
dommage	Il correspond à une destruction, une perte, une atteinte corporelle, un manque à gagner.
échéance	Date à laquelle la prime doit être payée. Il faut distinguer l'avis d'échéance (document qui indique le montant de la prime et la date à partir de laquelle la prime est due) et l'échéance du contrat en assurance vie (fin de l'engagement pris par l'assureur et l'assuré).
exclusion	Tout ce qui n'est pas couvert par le contrat d'assurance.
expertise	On distingue expertise avant sinistre, expertise après sinistre, expertise amiable, expertise contradictoire et expertise judiciaire.
fonds de garantie	Fonds destiné à indemniser des victimes d'accidents corporels causés par des véhicules, en cas de défaillance de l'auteur ou de son assureur.
franchise	Somme qui, à l'occasion du règlement d'un sinistre, reste à la charge de l'assuré.
incapacité permanente ou invalidité	Tout état physique ou mental d'une personne résultant d'une atteinte corporelle et mettant cette personne dans l'impossibilité d'exercer normalement une activité. Le taux d'invalidité est établi par référence à un barème annexé au contrat.

(suite p. 34)

VOCABULAIRE DE L'ASSURANCE *(suite)*	
indexation	Réajustement automatique des garanties et des cotisations.
individuelle-accident	Contrat qui prévoit le versement de prestations pour des dommages corporels survenus à l'occasion d'un accident.
malus	Majoration de la prime d'assurance.
mixte	En assurance vie, l'assurance mixte comprend une garantie en cas de décès et une autre en cas de vie de l'assuré.
multirisque	Contrat qui regroupe plusieurs garanties couvrant plusieurs risques.
note de couverture	Document qui confirme une garantie provisoire en attendant que la police d'assurance soit établie.
nullité du contrat	À la suite d'une faute grave, le contrat peut être considéré comme n'ayant jamais existé.
pertes indirectes	Frais accessoires garantis dans la limite d'un certain pourcentage.
police	Document matérialisant le contrat d'assurance.
prescription	L'assuré perd ses droits envers l'assureur.
provisions techniques	Provisions constituées à la fin de chaque exercice et permettant à l'assureur de régler le paiement d'un sinistre par les primes payées pour l'année où le sinistre a eu lieu.
réassurance	Une partie du risque est transférée d'un assureur à un autre, appelé « réassureur », la compagnie qui cède les risques étant appelée la « cédante ».
recours	Réclamation d'une personne ayant subi un dommage auprès du responsable du dommage.
responsabilité civile	Obligation selon le droit civil pour toute personne de réparer les dommages causés à autrui.
revalorisation	Mesure prise pour éviter les effets de l'inflation sur le capital ou la rente.
risque	Événement contre lequel une personne désire s'assurer.
sinistre	Événement qui fait jouer les garanties. Un sinistre doit être déclaré dans les cinq jours ouvrés, dans les deux jours ouvrés dans le cas d'un vol.
souscripteur	Personne qui signe le contrat d'assurance et paie les primes.
subrogation	voir **recours**
valeur agréée	Valeur garantie dans le contrat.
valeur de réduction ou **de rachat**	En assurance vie, valeur d'un contrat d'assurance pour lequel le souscripteur cesse de payer les primes.
vétusté	Conséquence de l'ancienneté et de l'usure d'un bien.

ASTRE **étoile, planète, comète, astéroïde, satellite**
– Bord d'un astre **limbe**
– Coordonnée équatoriale d'un astre **ascension, déclinaison**
– Phase de proximité ou d'éloignement des astres entre eux **conjonction, opposition**
– Dissimulation d'un astre par un autre **occultation, éclipse**
– Trajectoire décrite par un astre autour d'un autre astre **orbite**
– Mouvement qu'effectue un astre sur lui-même **rotation**
– Trajet périodique effectué par un astre **révolution**
– L'astre du jour **Soleil**
– L'astre de la nuit **Lune**
– Culte des astres **astrolâtrie, sabéisme**

ASTROLOGIE **astromancie** voir aussi tableau
– Les bases de l'astrologie **signes zodiacaux, planètes, maisons, aspects majeurs**

ASTRONAUTIQUE
– Domaine d'étude de l'astronautique **espace**
– Science collaborant aux progrès de l'astronautique **astronomie, astrophysique, cosmonautique**
– Engin utilisé dans l'astronautique **fusée, satellite, sonde, vaisseau, astronef**
– Application technique de l'astronautique **télécommunication, météorologie**

ASTRONOMIE voir tableau p. 36-37 et **espace**

ASTUCIEUX
– Un gamin astucieux **rusé, fin, malin, espiègle, malicieux**

ASTROLOGIE

VOCABULAIRE DE L'ASTROLOGIE

ascendant	Signe se trouvant à l'horizon à l'est au moment de la naissance.
aspect zodiacal	Rapport angulaire entre deux planètes. Aspects principaux : conjonction : 0,5° ; opposition : 180° ; trigone : 120° ; carré : 90° ; sextile : 60°. Aspects secondaires : sesqui-carré : 135° ; semi-carré : 45° ; semi-sextile : 30°.
décan	Division faite à l'intérieur même d'un signe du zodiaque (division de chaque signe en trois parties).
généthliaque	Relatif à l'horoscope.
horoscope	Étude astrologique d'un thème astral.
lune noire	Point fictif représenté par le second foyer de l'orbite lunaire. Elle fait le tour du zodiaque en 8 ans 311 jours et demi. Le point opposé à la lune noire est appelé « priape ».
maison	Les 12 maisons sont représentées par des fuseaux qui divisent la voûte céleste en fonction de l'heure et du lieu de naissance.
signe	Figure représentant la partie de l'écliptique traversée par le Soleil au moment de la naissance (chaque signe commence entre le 20 et le 24 du mois).
thème	Établissement des données célestes existant au moment de la naissance.
transit	Passage zodiacal d'une planète à un moment donné sur un point sensible du ciel natal (planète, angle ou en aspect de ce point).
zodiaque	Bande circulaire partagée en son milieu par l'écliptique. Toutes les planètes de notre système solaire sont censées se déplacer sur cette bande. Elle est divisée en 12 parties égales, qui correspondent aux 12 signes du zodiaque.

THÉMATIQUE DES SIGNES DU ZODIAQUE

bélier	signe de feu, impulsivité, initiative, vitalité
taureau	signe de terre, persévérance, solidité
gémeaux	signe d'air, dualité, souplesse, légèreté
cancer	signe d'eau, sensibilité, émotivité, rêve, fantaisie
lion	signe de feu, ardeur, autorité, caractère, rayonnement
vierge	signe de terre, raison, logique, rationalisme
balance	signe d'air, charme, séduction, sens artistique
scorpion	signe d'eau, activité, combativité, individualisme
sagittaire	signe de feu, idéalisme, religion, voyages
capricorne	signe de terre, méditation, lenteur, profondeur
verseau	signe d'air, originalité, inspiration, invention
poissons	signe d'eau, bonté, indécision, évasion, philanthropie

SIGNIFICATION DES MAISONS

maison I	Le Moi, le sujet tel qu'en lui-même, face à lui-même, la disposition de l'âme (personnalité, caractère).
maison II	L'avoir (biens, richesses, propriétés, inspiration).
maison III	Les contacts immédiats, les relations.
maison IV	La vie familiale.
maison V	La création, les jeux, les plaisirs, les amours, la procréation.
maison VI	L'activité diurne (travail, problèmes domestiques).
maison VII	L'Autre (union, collaborations, associations de cœur ou d'intérêt, rivaux).
maison VIII	Les crises, la mort, les destructions, la tristesse, les biens associatifs, matrimoniaux, les héritages des morts.
maison IX	Les longs voyages, les acquisitions de l'esprit et de l'âme (religion, foi, sagesse, philosophie, songes, sciences divinatoires).
maison X	La vie en société (profession, carrière, position, honneurs).
maison XI	Moi et les autres (affinités, amitiés, fidélité, désirs, projets).
maison XII	Les épreuves (afflictions, embûches, maladies, inimitiés cachées).

SYMBOLIQUE DES PLANÈTES

Soleil	énergie
Lune	instinctivité
Mercure	mobilité, adaptation, échange
Vénus	beauté et amour
Mars	violence et passion
Jupiter	ampleur et autorité
Saturne	gravité, épreuve
Uranus	feu, explosion
Neptune	extensivité, différenciation, intégration
Pluton	ténèbres intérieures

VOCABULAIRE DE L'ASTRONOMIE

aberration de la lumière	Déplacement apparent d'un astre dans le ciel dû au mouvement de la Terre autour du Soleil et à la vitesse de la lumière.
aberration des instruments d'optique	Dans la réalité, tous les instruments transmettent les faisceaux issus des divers points d'un objet avec des déformations diverses appelées « aberrations ».
antapex	Point opposé à l'apex.
apex	Point de l'espace vers lequel semble se diriger l'ensemble du système solaire. Ce mouvement se fait à une vitesse voisine de 20 km/s.
aphélie	Point de l'orbite d'une planète ou d'une comète où celle-ci est le plus éloignée du Soleil.
armillaire (sphère)	Sorte de globe formé d'anneaux de diamètres voisins, disposés de façon à matérialiser les cercles fondamentaux de la sphère céleste.
astrographe	Instrument destiné à l'observation des astres par la photographie en vue de déterminer leurs coordonnées.
aurore polaire	Phénomène lumineux qui se produit dans les plus hautes couches de l'atmosphère, visible surtout dans les régions polaires.
azimut	L'un des angles du système de coordonnées horizontales. Il sépare le cercle vertical sud du cercle vertical passant par l'astre.
Baily (grains de)	Lors d'une éclipse totale de Soleil, le bord lunaire s'inscrit à l'intérieur du bord solaire. Celui-ci paraît alors découpé en une succession de points distincts, appelés « grains de Baily ».
binaire	Étoile double.
calendrier julien	Calendrier instauré par Jules César à titre de réforme du calendrier romain et qui introduit les années bissextiles. Il est à l'origine du calendrier grégorien actuel, issu d'une réforme ordonnée par le pape Grégoire XIII.
cercle méridien	Instrument permettant de déterminer l'heure de passage d'astres au méridien et leur position.
chevelure d'une comète	Partie de la tête d'une comète qui entoure le noyau.
conjonction	Alignement de deux astres par rapport à un point donné de la Terre ou du Soleil.
cosmogonie	Science étudiant l'origine et l'évolution de l'Univers.
couche renversante	Couche extérieure du Soleil composée de vapeurs.
courant d'étoiles	Groupe d'étoiles sur la sphère céleste dont les mouvements sont à peu près de même grandeur.
couronne solaire	Couche lumineuse qui entoure le Soleil, visible en particulier lors d'une éclipse totale.
déclinaison	Distance angulaire entre un astre et le plan de l'équateur, comptée à partir de celui-ci avec le signe – vers le pôle Sud et le signe + vers le pôle Nord.
éclipse	Disparition passagère totale ou partielle d'un corps céleste dans l'ombre ou la pénombre d'un autre.
émersion	Réapparition d'un astre après une éclipse.
équateur céleste	Grand cercle de la sphère céleste perpendiculaire à la ligne des pôles, c'est-à-dire à l'axe de rotation de la Terre.
équinoxe	Date de l'année où le Soleil traverse l'équateur céleste et qui ramène le jour et la nuit à égalité sur toute la Terre en même temps.
éruption solaire	Phénomène actif qui se produit à partir d'une tache ou d'un groupe de taches solaires.
étoile du berger	Planète Vénus.
étoile filante	Météore.

galaxie	Système stellaire.
géoïde	Surface théorique qui correspond au niveau zéro géographique, c'est-à-dire au niveau moyen des mers au repos.
gnomon	Cadran solaire.
halo	Couronne lumineuse qui apparaît autour d'un astre important (Lune ou Soleil) et qui est due à la présence de glace en suspension dans l'atmosphère (loi de la réfraction).
inclinaison	Plan d'une orbite.
index catalogue	Catalogue d'objets célestes présenté sous forme de liste.
ionisation	Processus par lequel un atome cesse d'être neutre.
jour sidéral	Temps que met la Terre à tourner sur elle-même par rapport aux étoiles fixes.
latitude	Distance angulaire au nord ou au sud de l'équateur.
libration	Mouvement de balancement de la Lune par rapport à son axe, c'est-à-dire par rapport à sa position moyenne.
longitude	Distance angulaire à l'est ou à l'ouest du méridien de Greenwich.
lumière cendrée	Nom donné à la partie de la Lune éclairée par la Terre et non par le Soleil.
magnitude	Chiffre qui caractérise l'importance d'un séisme et qui va jusqu'à un maximum un peu supérieur à 8 pour les plus destructeurs. Échelle introduite par Gutenberg et Richter.
méridien	Cercle qui passe par les deux pôles.
météore	Particule qui traverse rapidement le ciel avec un trait lumineux, portée à haute température en raison du frottement de l'air.
météorite	Petit corps massif qui survit à l'entrée dans l'atmosphère de la Terre et qui atteint le sol.
nadir	Point de la sphère céleste opposé au zénith. C'est le prolongement de la verticale vers le bas.
nébuleuse	Nuage de poussière et de gaz aux contours diffus où sont créées les nouvelles étoiles.
nova	Étoile jusqu'alors invisible à l'œil nu et qui apparaît pendant quelques heures. On dit aussi « étoile temporaire ».
parhélie	Image du Soleil due à un phénomène d'optique atmosphérique qui se manifeste par des taches laiteuses. C'est le pendant de la parasélène pour la Lune.
périgée	Point de l'orbite d'un satellite terrestre où il est le plus près de la Terre.
périhélie	Point de l'orbite d'une planète ou d'une comète où celle-ci se trouve le plus près du Soleil.
point vernal	Intersection de l'équateur et de l'écliptique. Le passage du Soleil de l'hémisphère austral à l'hémisphère boréal par ce point correspond à l'équinoxe de printemps.
rayon vert	Phénomène atmosphérique qui se produit en mer et en haute montagne au coucher ou au lever du Soleil.
solstices	Les deux époques de l'année où le Soleil passe par sa plus forte déclinaison boréale ou australe, où il est le plus éloigné de l'équateur.
syzygie	Position de la Lune où la Terre, la Lune et le Soleil se retrouvent à peu près sur une même ligne. Elle influence considérablement la hauteur des marées.
T.M.G. ou temps moyen de Greenwich	Heure solaire civile sur le méridien de Greenwich que l'on considère comme l'heure légale dans tout le premier fuseau horaire.
trou noir	Objet que nous ne voyons pas, aucune lumière ne pouvant sortir de son champ gravitationnel.

– Un procédé astucieux **ingénieux, subtil**

ATELIER
– Atelier de charité **ouvroir**
– Atelier de photographe **studio**
– Groupe d'ateliers **fabrique, manufacture**

ATHÉE incroyant, impie, irréligieux, mécréant
– Nom donné par l'Église aux athées **matérialistes**
– Athée dont l'incroyance est notoire **libertin, libre-penseur, sceptique**

ATHLÉTISME voir aussi **sport**
– Épreuve disputée en athlétisme **sprint, marathon, relais, course de haies, lancer, saut**
– Compétitions en athlétisme **pentathlon, heptathlon, décathlon**

ATMOSPHÈRE voir aussi tableau et dessin
– Phénomène se produisant dans l'atmosphère **météore**
– Ensemble des êtres vivant dans l'atmosphère **biosphère**
– Région de l'atmosphère où prédomine l'ozone **stratosphère**

ATMOSPHÉRIQUE
– Étude des phénomènes atmosphériques **météorologie**
– Mouvements atmosphériques **vents**
– Instrument mesurant la pression atmosphérique **baromètre**
– Unité de mesure de la pression atmosphérique **pascal, bar**
– Éléments d'une égale pression atmosphérique **isobares**

ATOME particule
– Forment l'atome **noyau, électrons**
– Élément formant le noyau de l'atome **neutron, proton**
– Ensemble d'atomes **molécule**
– Combinaison d'atomes opérée grâce à une température très élevée **fusion**
– Fractionnement d'un noyau d'atome **fission**
– Domaine d'étude de l'atome **physique, chimie**
– Théorie fondée sur l'existence des atomes **atomistique**
– Philosophie selon laquelle l'univers est composé d'atomes **atomisme**

ATOMIQUE
– Éléments de même nombre atomique **isotopes**
– Énergie produite à partir de la réaction atomique **nucléaire**
– Spécialiste de physique atomique **atomiste**
– Structure dans laquelle sont produites des réactions atomiques **réacteur**
– Bombe utilisant la fusion atomique **bombe H**
– Bombe utilisant la fission atomique **bombe A**
– Conséquence d'une explosion atomique **radioactivité, irradiation**
– Ville anéantie par l'arme atomique **Hiroshima, Nagasaki**

ATTACHE lien, chaîne, ruban, lacet, sangle, courroie
– Attache réunissant des feuillets **trombone, agrafe**
– Attache du corps **cou, épaule, poignet, cheville**
– Attache d'une plante **crampon, vrille, cirre**
– Avoir des attaches dans une ville, un pays **relations, racines**

ATMOSPHÈRE

COUCHES DE L'ATMOSPHÈRE CONSIDÉRÉES SELON LA TEMPÉRATURE

troposphère	Jusqu'à 6 km aux pôles et 17 km à l'équateur. Première couche de l'atmosphère, siège des phénomènes atmosphériques. La température y décroît en fonction de l'altitude.
tropopause	Limite de la troposphère.
stratosphère	De 18 à 50 km. Deuxième couche de l'atmosphère. La température y est constante.
stratopause	Limite de la stratosphère.
mésosphère	Troisième couche de l'atmosphère. La température y croît puis y décroît.
mésopause	Limite de la mésosphère.
thermosphère	Quatrième couche de l'atmosphère, qui s'étend de 80 à 100 km à 500 km environ. La température y croît en fonction de l'altitude et atteint 1200 K à 200 km.

COUCHES DE L'ATMOSPHÈRE CONSIDÉRÉES DU POINT DE VUE DES RADIOPHYSICIENS

neutrosphère	Couche où la concentration des électrons est peu importante.
neutropause	Limite de la neutrosphère.
ionosphère	Couche située à plus de 70 km. Forte ionisation et importante conductivité.
couche E, couches F1 et F2	Couches situées vers 100 km (couche E), 180 km (couche F1) et 350 km (couche F2), où la densité électronique passe par plusieurs maxima.
exosphère	Couche située au-delà de 750 km. Cette couche correspond à la limite théorique de l'atmosphère. Les lois de la physique des gaz ne s'y appliquent plus.
magnétosphère	Région la plus éloignée de la surface du globe, au-delà de 2 000 km.
protosphère	Région composée essentiellement de protons.
ceintures de Van Allen	Ceintures de radiation où on a pu observer un phénomène de piégeage des particules.

COUCHES DE L'ATMOSPHÈRE CONSIDÉRÉES SELON LEUR COMPOSITION GAZEUSE

homosphère	Jusqu'à une altitude de 100 km. Comprend la troposphère, la stratosphère et la mésosphère. Couche de l'atmosphère où les principaux constituants (oxygène, azote) restent en proportions constantes.
hétérosphère	Au-delà de 100 km. Couche où prédominent les gaz légers.

Atmosphère

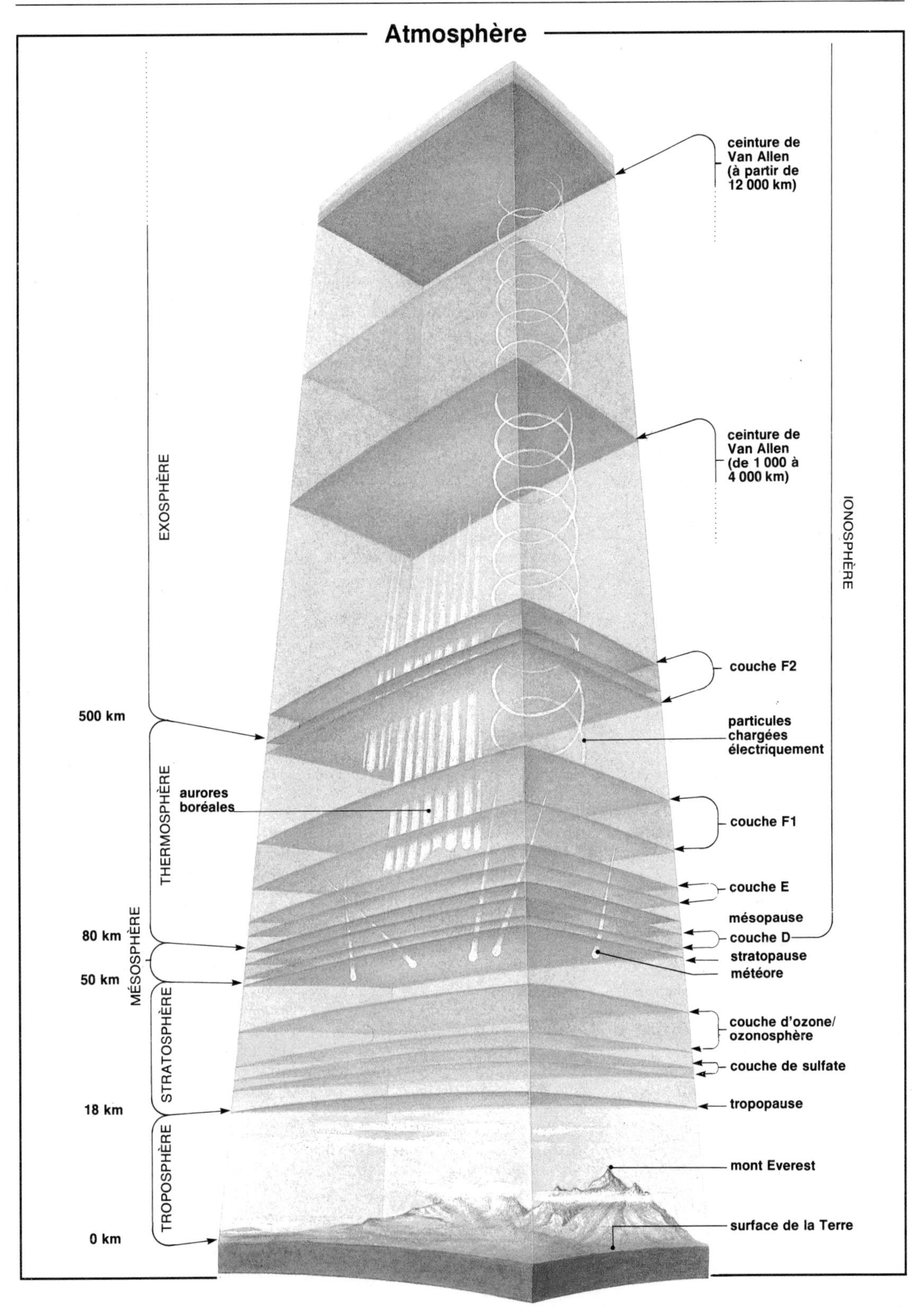
ceinture de Van Allen (à partir de 12 000 km)
ceinture de Van Allen (de 1 000 à 4 000 km)
IONOSPHÈRE
EXOSPHÈRE
couche F2
500 km
particules chargées électriquement
THERMOSPHÈRE
aurores boréales
couche F1
couche E
MÉSOSPHÈRE
mésopause
80 km
couche D
stratopause
50 km
météore
STRATOSPHÈRE
couche d'ozone/ ozonosphère
couche de sulfate
18 km
tropopause
TROPOSPHÈRE
mont Everest
0 km
surface de la Terre

ATTACHER **fixer, maintenir, assembler**
– Attacher une embarcation **amarrer**
– Attacher solidement une personne, un objet **ligoter, arrimer**
– S'attacher à faire quelque chose **s'appliquer à, s'efforcer de**
ATTAQUE **agression**
– Attaque militaire **offensive, assaut, charge**
– Phase d'attaque d'un combat **assaut, offensive, abordage, charge**
– Attaque sournoise et préméditée **guet-apens, embuscade, attentat**
– Attaque aérienne **raid**
– Attaque navale **abordage**
– Mener des attaques répétées **harceler**
– Attaque menée contre une communauté juive **pogrom**
– Attaque dont le motif est la vengeance **riposte, représailles**
– Attaque verbale **sortie, invective, insulte, accusation, diatribe**
– Attaque par voie de plume **pamphlet, factum, libelle, épigramme**
– Attaque morbide **accès, crise**
ATTAQUER **combattre, assaillir, fondre sur**
– Attaquer une décision, une politique **critiquer, contester, condamner**
– Un matériau est attaqué **altéré, entamé, rongé, corrodé**
– S'attaquer à une activité **aborder, entreprendre**
ATTEINDRE **parvenir, arriver**
– Être atteint par un projectile **touché, blessé**
– Être atteint d'un mal **frappé**
– Être moralement atteint **affecté, choqué, bouleversé**
ATTENDRE
– Attendre la venue d'une personne, d'un animal **guetter**
– Attendre impatiemment **languir, se morfondre**
– Attendre le moment opportun pour agir **temporiser, différer, surseoir, atermoyer**
– S'attendre à quelque chose **prévoir, pressentir, escompter**
ATTENTAT **agression, attaque**
– Statut juridique d'un attentat **délit, crime**
– Attentat commis contre un représentant du pouvoir **complot**
– Attentat commis par des militaires pour s'emparer du pouvoir **coup d'État, putsch, pronunciamiento**
– Attentat à la pudeur **offense, outrage**
– Attentat à l'explosif **plasticage**

ATTENTE **délai, pause**
– Symbole de l'attente fidèle **Pénélope**
– Attente incertaine **expectative**
– Période d'attente pour une femme enceinte **gestation, grossesse**
– Lieu d'attente **vestibule, hall, antichambre**
– Solution d'attente **pis-aller**
– Satisfaire l'attente d'une personne **souhait, espoir, désir**
– Période d'attente infligée à un prévenu avant le procès **détention préventive**
– Individu faisant de l'attente une manière d'agir **attentiste**
ATTENTIF
– Un enfant attentif **sérieux, studieux, appliqué**
– Être attentif à un danger **prudent, vigilant**
ATTENTION
– Attention portée à une personne **prévenance, sollicitude, égards**
– Faire preuve d'une attention soutenue **contention, concentration**
– Manque d'attention **distraction, étourderie**
– Trouble neurologique induisant une difficulté d'attention **obtusion**
– Retenir l'attention **captiver**
ATTÉNUER **amoindrir, diminuer, réduire**
– Atténuer une passion **modérer, tempérer**
– Atténuer la saveur d'un plat **adoucir**
– Atténuer la violence d'un choc **amortir**
– Des sensations atténuées **affaiblies, émoussées**
ATTERRISSAGE voir aussi **avion**
– Dispositif permettant l'atterrissage **train d'atterrissage**
– Repères disposés sur la piste d'atterrissage **balises**
– Atterrissage forcé **crash**
– Atterrissage sur un porte-avions **appontage**
ATTIRER
– Attirer un liquide **aspirer, pomper**
– Attirer un animal grâce à un appât **amorcer**
– Attirer une personne en la hélant **racoler**
– Attirer une personne au moyen d'un subterfuge **enjôler, leurrer, abuser**
– S'attirer les bonnes grâces de quelqu'un **gagner, se concilier**
– S'attirer la colère **déclencher, susciter, provoquer, exciter**

ATTITUDE **tenue, maintien, position, posture**
– Attitude en chorégraphie **pose**
– Avoir une attitude face à un discours **opinion, point de vue**
– Attitude psychologique **comportement, conduite**
ATTRACTION
– Attraction universelle **gravitation, pesanteur**
– Corps dont la propriété première est l'attraction **aimant**
– Attraction exercée sur une personne **attirance, séduction, fascination, magnétisme**
– Parc d'attractions **jeux, loisirs, divertissements**
ATTRAPER **saisir**
– Attraper violemment **happer**
– Attraper un malfaiteur **appréhender, capturer**
– Attraper une maladie **contracter**
– Se faire attraper par son instituteur **gronder, réprimander**
– Se faire attraper par un bonimenteur **tromper, abuser, leurrer, duper, enjôler, séduire**
ATTRIBUER
– Attribuer une prime, une bourse **allouer, octroyer**
– Attribuer un prix, une récompense **décerner, adjuger**
– Attribuer à quelqu'un la responsabilité d'un événement **accuser, imputer, incriminer, gratifier**
– S'attribuer illicitement des prérogatives **usurper, s'arroger**
ATTRIBUT **propriété, qualité, particularité**
– Attribut de la justice **glaive, balance**
– Attribut en iconographie **accessoire**
– Attribut en architecture **emblème**
– Attribut en logique **prédicat**
AUDACE **assurance, hardiesse, bravoure, courage**
– Audace démesurée **témérité**
– Avoir une audace certaine **aplomb, toupet, insolence, impudence**
AUDACIEUX **impétueux, fougueux, aventureux, risque-tout**
– Un style audacieux **novateur, original, révolutionnaire**
AUDITEUR
– Auditeur d'une société **contrôleur**
AUDITION
– Sens de l'audition **ouïe**
– Trouble de l'audition **surdité**
– Appareil destiné à améliorer l'audition **audiophone**
– Passer une audition **essai, test**

– Lieu réservé aux auditions **auditorium**

AUGMENTATION
– Augmentation de la population **accroissement**
– Augmentation d'une douleur **intensification, accentuation, exacerbation, redoublement**
– Augmentation d'un tarif **majoration**
– Augmentation massive des prix **inflation**
– Augmentation du volume d'un corps **dilatation, distension**
– Augmentation de l'intensité musicale **crescendo**

AUSTÈRE
– Un lieu austère **sobre, dépouillé**
– Une morale austère **rigide, rigoureuse, draconienne**

AUSTÉRITÉ
– Individu dont l'idéal était l'austérité **Spartiate, stoïcien, puritain**
– Pratique de l'austérité **ascèse, abstinence, mortification, pénitence**

AUTEL
– Autel romain **laraire**
– Autel chez les Perses **Pyrée**
– Partie basse d'un autel **prédelle**
– Élément orné situé à l'arrière d'un autel **retable**
– Autel principal d'un lieu de culte catholique **maître-autel**
– Sacrement de l'autel **eucharistie**
– Autel utilisé lors des processions **reposoir**
– Petite armoire près de l'autel renfermant le ciboire **tabernacle**
– Dais placé au-dessus d'un autel **baldaquin**
– Étoffe sacrée sur l'autel qui reçoit l'hostie et le calice **corporal**
– Conduire une personne à l'autel **épouser**

AUTEUR **créateur, écrivain**
– Auteur de nouvelles **nouvelliste**
– Auteur de récits en prose **romancier, essayiste, dramaturge**
– Auteur qui travaille pour le compte d'un autre **nègre**
– Droits d'auteur **copyright**
– Être l'auteur d'un morceau de musique **compositeur**
– Être l'auteur de textes de chansons **parolier**
– Être l'auteur d'une découverte **inventeur**
– Être l'auteur d'un méfait **responsable, coupable**

AUTHENTIQUE **véritable**
– Produire un document authentique **certifié, notarié, solennel, officiel**
– Un fait authentique **avéré, véridique, attesté, indubitable**

AUTOCHTONE **natif, indigène**
– Population autochtone d'Australie **aborigènes**
– Population autochtone des États-Unis **Indiens, Amérindiens**
– Langue « autochtone » **vernaculaire**

AUTOMATIQUE **mécanique**
– Un réflexe automatique **involontaire, spontané, machinal**
– Arme automatique **mitrailleuse**
– Une traduction automatique **informatisée, programmée**
– Science qui étudie les traitements automatiques de l'information **cybernétique**
– Technique permettant la mise en œuvre des processus automatiques **automation, automatisation**

AUTOMNE **arrière-saison**
– Chute des feuilles de nombreuses plantes en automne **défloraison, défoliation**
– Couleur d'automne **automnale**

AUTOMOBILE **véhicule, voiture**
– Automobile décapotable **cabriolet, torpédo**
– Totalité des automobiles d'un pays **parc**
– Cote des automobiles **Argus**

AUTONOMIE **indépendance, liberté**
– Autonomie d'un État **souveraineté**
– Partisan de l'autonomie d'un territoire **séparatiste, nationaliste, sécessionniste**

AUTOPSIE **dissection, nécropsie**
– Objet d'une autopsie **cadavre**
– Stade d'une autopsie **ouverture, examen histologique, étude toxicologique**
– Médecin spécialiste des autopsies **légiste**
– Autopsie en philosophie **vision, révélation**

AUTORISATION **accord, consentement**
– Autorisation de sortie **permission, laissez-passer**
– Autorisation d'exercer **droit**
– Autorisation d'exploiter un bien public **concession**
– Autorisation exceptionnelle de ne pas faire quelque chose **dispense, dérogation, exemption**

AUTORISER
– Autoriser légalement une personne à remplir une fonction **habiliter**

AUTORITAIRE **impérieux, intransigeant**
– Un gouvernement autoritaire **absolutiste, despotique, totalitaire**

AUTORITÉ
– Autorité suprême d'un monarque **souveraineté**
– Exercer son autorité sur un pays **puissance, empire, domination**
– Vivre sous l'autorité de quelqu'un **loi, férule**
– Diriger avec une autorité abusive **régenter, opprimer, tyranniser**
– Avoir de l'autorité sur quelqu'un **influence, ascendant, pouvoir**
– Un texte qui fait autorité **règle, référence, norme**

AUTRUCHE
– Sous-classe à laquelle appartient l'autruche **ratites**
– Autruche d'Amérique **nandou**
– Progéniture de l'autruche **autruchon**
– Lieu d'élevage des autruches **autrucherie**
– Pratique de la politique de l'autruche **lâcheté**

AUXILIAIRE (1) **aide, assistant, collaborateur, vacataire**
– Jouer un rôle d'auxiliaire **adjoint, annexe, second**
– Auxiliaire qui accède à un poste en titre **titulaire**
– Auxiliaires qui venaient grossir les troupes romaines **auxilia, barbares**

AUXILIAIRE (2)
– Troupes auxiliaires **renfort**

AVALER **déglutir**
– Avaler des aliments **ingérer**
– Avaler goulûment **engloutir, ingurgiter**

AVANCE
– Avance d'une troupe **progression**
– Avance versée pour une commande **arrhes**
– Avance sur salaire **acompte**
– Avance donnée à un homme de loi **provision**
– Avance consentie avec intérêts **prêt, crédit, escompte**
– Faire des avances à une personne **approches, propositions**

AVANCER
– Avancer la date d'un départ **anticiper, précipiter, brusquer**
– Avancer des arguments **invoquer, alléguer**
– Avancer au sein d'une hiérarchie **monter en grade, progresser**
– Avancer par rapport à un alignement **saillir, déborder**

AVANTAGE **atout, supériorité**
– Avantage financier accordé à un veuf ou à une veuve **préciput**
– Jouir d'avantages certains **privilèges, prérogatives, prééminences**

AVANTAGEUX **utile, précieux**
– Trouver un compromis avantageux **intéressant, bénéfique, profitable, salutaire**
– Brosser un portrait avantageux **favorable, flatteur**

AVANT-GARDE
– Composition d'une avant-garde militaire **extrême pointe, pointe, tête**
– Mener un combat d'avant-garde **révolutionnaire**
– Être l'avant-garde d'un courant artistique **novateur, précurseur**

AVARE **cupide, chiche, pingre**
– Avare particulièrement mesquin **ladre, avaricieux**
– Se montrer avare de compliments **économe, parcimonieux**
– Modèle de l'avare **Harpagon**
– Activité favorite d'un avare **lésiner, grappiller, amasser, écornifler, rogner**

AVENIR **futur**
– Travailler pour l'avenir **postérité**
– Art de prédire l'avenir **divination, chiromancie**
– Signe précurseur de l'avenir **présage, augure, auspice**
– Conscience de ce qui arrivera dans l'avenir **prémonition, prescience**

AVENTURE
– Livre d'aventures **récits, histoires**
– Aventure amoureuse **intrigue, liaison, aventure galante, rencontre**
– Aventure malheureuse **mésaventure, incident**
– Tenter l'aventure **risquer, se hasarder**

AVENTUREUX **audacieux, téméraire, imprudent**

AVERTIR
– Avertir d'un danger **prévenir**
– Avertir d'une décision **informer, aviser**

AVERTISSEMENT
– Suivre les avertissements d'une personne **conseils, recommandations**
– Un avertissement réprobateur **réprimande, semonce, admonestation**
– Infliger un avertissement **sanction, blâme**
– Avertissement ouvrant un film, un livre **avis**
– Avertissement de départ adressé par un salarié à son employeur **préavis**

AVEUGLE (1)
– Écriture conçue pour les aveugles **braille**
– Mal dont les aveugles sont frappés **cécité, amaurose**

AVEUGLE (2)
– Une fenêtre aveugle **murée**
– Accorder une confiance aveugle **totale, absolue, illimitée**
– Rendu aveugle par la passion **égaré**

AVIATEUR **avion, pilote, navigant**
– Aviateur chargé de larguer les bombes **bombardier**

AVIDE
– Avide d'argent **cupide**
– Avide de nourriture **vorace**
– Avide de gloire **ambitieux**
– Avide de connaître **impatient, anxieux**
– Porter des regards avides sur quelqu'un **concupiscents, libidineux**

AVION **aéronef, aéroplane** voir aussi dessin
– Avion à réaction **jet**
– Avion conçu pour décoller et se poser sur l'eau **hydravion**
– Avion qui rappelle l'hélicoptère par son aspect **autogire**
– Avion destiné au transport des marchandises **avion-cargo**
– Avion utilisé pour la lutte contre l'incendie **Canadair**
– Avion loué à une compagnie **charter**
– Affréter un avion **noliser**
– Inscription des passagers et des bagages avant de monter à bord d'un avion **enregistrement**
– Prendre l'avion pour la première fois **baptême de l'air**
– Carburant utilisé pour les avions **kérosène**

Avion

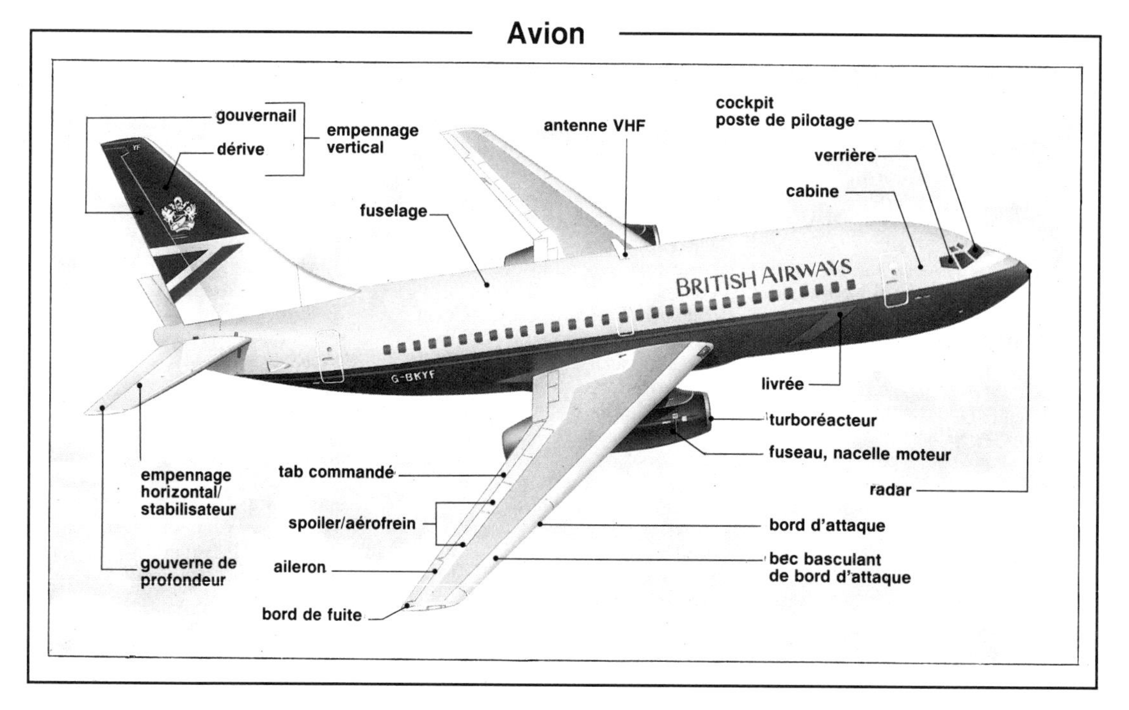

– Alimenter un avion en carburant **avitailler**
– Avion-suicide japonais **kamikaze**
– Avion militaire télécommandé **drone**
– Avion équipé de radars électroniques **AWACS**
– Groupe d'avions de combat **escadrille, flottille, formation**
– Avion dont la vitesse est supérieure à la vitesse du son **supersonique**
– Avion dont la vitesse est inférieure à la vitesse du son **subsonique**
– Constructeur d'avions **avionneur**
– Application de l'électronique à la construction des avions **avionique**
– Figure de voltige effectuée par un avion **piqué, vrille, renversement, looping, retournement, tonneau**

AVIRON **rame**
– Aviron situé à l'arrière d'une embarcation **godille**
– Point d'appui d'un aviron **portage**
– Bateau utilisant l'aviron **outrigger, périssoire, yole**
– Aviron de petite dimension **pagaie**
– Canot mû par un aviron court **canoë, kayak, pirogue**

AVIS
– Avis adressé à plusieurs personnes **circulaire**
– Avis officiel **communiqué**
– Avis exposé sur la voie publique **placard, affiche**
– Avis adressé à un groupe **circulaire**
– Donner son avis sur une question **point de vue, opinion, sentiment, jugement**

AVOCAT **défenseur, intercesseur**
– Discours prononcé par un avocat **plaidoirie, plaidoyer**
– Exposition des chefs d'accusation par l'avocat général **réquisitoire**
– Ordre des avocats **barreau**
– Représentant de l'ordre des avocats **bâtonnier**

AVORTEMENT **I.V.G., fausse-couche**
– Substance provoquant l'avortement **abortive**
– Avortement observé sur les arbres fruitiers **coulure**
– Avortement observé sur les pieds de vigne **millerandage**
– Avortement d'un projet **échec, insuccès, faillite**

AVOUER **reconnaître, admettre, concéder, confesser**

AXE
– Axe en mécanique **pivot, essieu, arbre**
– Axe cérébro-spinal **névraxe**
– Vertèbre du cou jouant pour la tête le rôle d'un axe **axis**
– Éléments végétaux formant un axe **axiles**
– Axe d'une recherche **direction, orientation**

AZOTE **nitrogène**
– Élément vital principalement composé d'azote **air**
– Quantité d'azote contenue dans le sang **azotémie**
– Avec l'azote, constituant universel de la matière vivante **carbone, hydrogène, oxygène**
– Application industrielle de l'azote **engrais, explosif, colorant**
– Durcissement des alliages ferreux par l'azote **nitruration**

B

BABYLONIEN (1)
– Babylonien sémite **Amorrite, Assyrien**
– Écriture utilisée par les Babyloniens **cunéiforme**
– Langue parlée par les Babyloniens **akkadien, sumérien**
BABYLONIEN (2)
– Temple babylonien **ziggourat**
– Stèle babylonienne **koudourrou**
– Tour babylonienne mythique **tour de Babel**
– Nouvel an babylonien **Akitou**
– Reine légendaire babylonienne **Sémiramis**
– Déesse babylonienne **Ishtar**
BAC
– Conducteur d'un bac **passeur, batelier**
– Bac à une voile **toue**
– Bac de petites dimensions **bachot**
– Bac qui glisse le long d'un câble **pont volant, traille**
– Bac qui va alternativement d'une rive à l'autre **va-et-vient, traversier, ferry-boat**
– Droit payé à un conducteur de bac **batelage**
– Bac de grandes dimensions en bois ou en métal **baquet, cuve, auge, seille**
– Bac utilisé pour dessaler le poisson **cuvier**
– Bac employé pour la vendange **comporte**
– Grand bac servant à transporter du poisson **bachotte**
– Bac utilisé dans la marine **baille**
– Ensemble de bacs **batterie**
BACCALAURÉAT
– Il a le baccalauréat **bachelier**
– Préparation intensive au baccalauréat **bachotage**
BADAUD **passant, curieux, flâneur, promeneur, gobe-mouches**
– Caractère ou comportement propre au badaud **badauderie**
– Ce que fait le badaud **musarder, muser, baguenauder**
BADMINTON
– Équipement de badminton **raquette, filet, volant**
BAFOUER
– Bafouer quelqu'un **ridiculiser, se jouer de, railler, se gausser de**
– Bafouer la loi, l'honneur, l'autorité **faire fi de, fouler aux pieds, faire litière de**
– Bafouer publiquement quelqu'un en manifestant bruyamment **conspuer, huer**
BAGAGE
– Sorte de bagage **sac, malle, valise, mallette**
– Bagage de soldat **équipement, paquetage, cantine, fourniment**
– Bagage de commis voyageur **marmotte**
– Bagages encombrants d'une armée **impedimenta**
– Employé affecté aux bagages **bagagiste, porteur**
– Plier bagages **se retirer, déguerpir**
– Bagage intellectuel **connaissances, savoir, instruction**
BAGARRE
– Bagarre générale **mêlée, échauffourée, empoignade**
– Bagarre violente **rixe, pugilat**
– Qui aime la bagarre **belliqueux**
– Bagarre verbale **altercation, querelle, polémique**
BAGUE
– Tête d'une bague **chaton**
– Bague nuptiale **alliance**
– Bague à chaton allongé **marquise**
– Bague à large chaton plat **chevalière**
– Bague sans chaton **jonc**
– Bague à sept anneaux **semaine**
– Diamant monté seul sur une bague **solitaire**
– Bague de l'évêque **anneau épiscopal**
– Mettre une pierre dans le chaton d'une bague **sertir, monter, enchâsser, enchatonner**
– Partie de la bague qui maintient la pierre **sertissure**
– Meuble, coffret ou coupe à bagues **baguier**
BAGUETTE
– Baguette qui sert de canne **badine, jonc, stick**
– Baguette flexible en houx **houssine**
– Baguette utilisée pour frapper **cravache, verge, gaule**
– Baguette ornée servant d'attribut à un dieu dans l'Antiquité **caducée, thyrse**
– Baguette servant de support à une plante **tuteur**
– Personne qui utilise une baguette comme moyen divinatoire **sourcier, baguettisant**
– Divination au moyen d'une baguette **rhabdomancie, radiesthésie**
– En forme de baguette **rhabdoïde**
– Frapper avec une baguette **cingler, fustiger**
– Baguette en verre utilisée en laboratoire **agitateur**
– Baguette utilisée en architecture ou en menuiserie **listel, liteau, membron, frette**
BAIE voir aussi **littoral**
– Petite baie **anse, crique**
– Petite baie en Méditerranée **calanque**
– Large baie **golfe, fjord**
– Baie dans la région de Saintonge **conche**
– Large baie où les bateaux peuvent mouiller **rade**
– Baie vitrée **bow-window, oriel**
– En forme de baie **bacciforme**
BAIGNER voir aussi **bain**
– Baigner quelque chose **plonger, tremper, immerger**
– Baigner au sens figuré **être imprégné, être pénétré, être enveloppé**
BAIL
– Bail à long terme **emphytéose**
– Bail rural **à ferme**
– Fin de bail **terme, expiration**
– Personne qui cède à bail **bailleur, loueur**
– Personne qui prend à bail **preneur, locataire, fermier, métayer, colon**
– Céder à bail un bien rural **affermer**
– Rupture de bail **résiliation**
BÂILLER
– Acte de bâiller **bâillement**
– Porte qui bâille **entrouverte**

– Vêtement qui bâille **non ajusté**
BÂILLONNER
– Objet servant à bâillonner une personne **bandeau, tampon, bâillon**
– Bâillonner l'opinion publique, la presse, l'opposition **ôter la liberté d'expression, étouffer, censurer, garrotter, museler**
BAIN
– Bains publics **bains-douches, thermes**
– Large bac où l'on prend un bain **baignoire, sabot, tub**
– Bain cérémoniel **baptême, ablutions**
– Bain local **bain de siège, gargarisme, manuluve, pédiluve**
– Bain de bouse **bousage**
– Bain de boue **illutation**
– Bain à la farine de moutarde **sinapisé**
– Partie des bains romains **frigidarium, tepidarium, caldarium, sudatorium**
– Aux Antilles, bain destiné à délivrer des sortilèges **démarré**
– Lieu où l'on prend un bain de vapeur **étuve, hammam, sauna**
– Emploi thérapeutique des bains **thalassothérapie, balnéothérapie, hydrothérapie, balnéation, crénothérapie**
– Traitement médical par les bains de soleil **héliothérapie**
– Se soigner par des bains dans un établissement spécialisé **prendre les eaux**
– Dans l'Antiquité, fourneau souterrain pour chauffer les bains **hypocauste**
BAISER
– Couvrir de baisers **manger, dévorer**
– Prendre un baiser **cueillir, dérober, voler**
– Baiser de politesse sur la main d'une femme **baisemain**
– Baiser de traître **baiser de Judas**
– Baiser en termes familiers **bise, bisou, bécot**
– Baiser donné à un objet sacré **baisement**
BAISSE **diminution, décroissance, déclin**
– Baisse du niveau des eaux **décrue, étiage**
– Baisse de température **chute**
– Baisse de la pression atmosphérique **dépression**
– Baisse sur un prix **réduction, rabais, remise, ristourne**
– Baisse de la vitesse **décélération**
– Baisse de l'activité économique **récession, stagflation**
– Baisse brutale des valeurs boursières **effondrement, krach**
– Spéculateur qui joue à la baisse **baissier**
– Baisse progressive de l'intensité d'un son **decrescendo**
BAISSER voir **abaisser**
BAL
– Bal populaire **bal musette, bal champêtre, guinche**
– Lieu où se tiennent les bals populaires **guinguette**
– Bal où l'on est déguisé **masqué, costumé, travesti**
– Bal où l'on porte des masques de personnages célèbres **bal de têtes**
– Accessoire de bal masqué **domino, loup, cotillon**
– Bal de jeunes filles **bal blanc**
– Ancien bal **redoute**
– Bal du samedi soir en Louisiane **fais-dodo**
– Danser les premiers dans un bal **ouvrir le bal**
– Liste de ses cavaliers au bal **carnet de bal**
BALAI
– Petit balai de plumes **plumeau**
– Balai de houx **houssoir**
– Balai employé dans la marine **faubert, goret, vadrouille, guipon**
– Balai de boulanger **écouvillon**
– Balai pour le plafond **tête-de-loup**
– Balai métallique utilisé pour le ramonage des cheminées **hérisson**
– Coup de balai dans une entreprise **licenciement**
– Rôtir le balai **dilapider sa fortune**
BALANCE
– Sorte de balance **Roberval, peson, bascule**
– Petite balance d'orfèvre ou de changeur **pesette, trébuchet**
– Ancienne balance à monnaie **ajustoir**
– Balance scientifique **baroscope**
– Partie d'une balance **fléau, couteau, plateau, bassin, tablier, bras**
– Balance comptable **bilan**
– Mettre en balance **comparer**
BALANCEMENT
– Balancement ininterrompu de la tête **nutation**
– Balancement d'un navire **tangage, roulis**
BALANCER
– Balancer la tête **hocher, dodeliner de, branler**
– Balancer doucement pour endormir ou calmer **bercer, adodoler**
– Se balancer d'un pied sur l'autre **se dandiner**
– Siège sur lequel on se balance **balancelle, rocking-chair, escarpolette**
– Balancer entre deux sentiments **vaciller, osciller**
BALBUTIER
– Balbutier en lisant à haute voix **ânonner**
– Balbutier un remerciement, une excuse **bredouiller, bafouiller**
BALCON
– Partie d'un balcon **balustrade, encorbellement, appui**
– Balcon couvert **loggia**
– Balcon grillagé dans les pays arabes **moucharabieh**
– Balcon de salle de spectacle **galerie, mezzanine, corbeille, paradis**
BALEINE **cachalot**, voir aussi **cétacé, dauphin**
– Monstre biblique semblable à la baleine **Léviathan**
– Classe des baleines **mammifères**
– Ordre des baleines **cétacés**
– Sous-ordre des baleines à fanons **mysticètes**
– Sous-ordre des baleines à dents **odontocètes**
– Crustacés se fixant sur le dos des baleines **bernacles**
– Nourriture des baleines à fanons **krill, plancton**
– Lames cornées fixées sur la mâchoire de certaines baleines **fanons**
– Célèbres ports de pêche à la baleine **New Bedfort, Nantucket**
– La plus illustre des baleines de par le monde **Moby Dick**
BALLE
– Petite balle de paume **éteuf**
– Balle de certaines graines ou fleurs **glume, glumelle, périanthe**
BALLET
– Partie d'un ballet **entrée, adage, coda, final**
– Compositeur de ballets **chorégraphe**
– Danseur de ballet **ballerine, coryphée, étoile**
– Ensemble des danseurs d'un ballet **corps de ballet**
– Personne qui dirige un corps de ballet **maître de ballet**
– Enfant qui apprend l'art du ballet à l'Opéra **petit rat**
– Amateur de ballet **balletomane**
BALLON
– Jeu de ballon **rugby, football, handball, basket-ball, volley-ball**
– Ballon en aéronautique **aérostat, montgolfière, dirigeable, zeppelin**
– Pilote d'un ballon dirigeable **aéronaute**

BAMBOU
– Plantation de bambous **bambuseraie**
– Flûte en bambou **pipeau**

BANAL **courant, ordinaire**
– Un individu banal **insignifiant, quelconque**
– Solution banale en mathématiques **triviale**

BANALITÉ **lieu commun, platitude**
– Banalité dans l'expression littéraire **redite, cliché, poncif**

BANANE
– Sorte de banane **banane douce, banane plantain**
– Plante qui produit les bananes **bananier**
– Grappe de bananes **régime**
– Cargo affecté au transport des bananes **bananier**

BANANIER
– Plantation de bananiers **bananeraie**

BANC
– Banc rembourré **banquette**
– Banc à trois pieds **escabelle**
– Ancien banc long et étroit **bancelle**
– Banc d'un amphithéâtre **gradin**
– Banc de roches **récif**
– Banc de glace **banquise**
– Banc en géologie **assise, lit, strate, couche**

BANDAGE
– Bandage du menton **mentonnière**
– Bandage soutenant le scrotum **suspensoir**
– Bandage pour les plaies à la tête **mitre d'Hippocrate**

BANDE voir aussi **troupe**
– Bande de tissu ou de cuir **ruban, lé, ceinture, courroie, lanière, obi**
– Large bande de toile, de cuir **sangle**
– Bande de laine portée autour du mollet **molletière**
– Bande d'étoffe pourpre que portaient les sénateurs romains **laticlave**
– Bande portée en écharpe et soutenant une épée **baudrier**
– Bande de cuir supportant le battant d'une cloche **brayer**
– Bande organisée de criminels **mafia, gang**

BANDEAU
– Bandeau servant de coiffure **turban**
– Bandeau de laine utilisé lors de cérémonies sacrificielles **infule**
– Bandeau royal **diadème**
– Bandeau en architecture **frise, moulure**

BANDIT **malfaiteur**
– Bandit prêt à tout **desperado**
– Bandit de grands chemins **brigand, détrousseur, bandoulier**
– Bandit de la mer **pirate, flibustier, forban, écumeur, boucanier**
– Troupe de bandits du Moyen Âge **malandrins, routiers, cotereaux, brabançons**
– Lieu où se réunissent les bandits **repaire**

BANNI **proscrit**
– Individu banni par une communauté **paria**

BANNIR
– Bannir un individu **exiler, expulser, exclure**
– Procédure appliquée pour bannir dans l'Antiquité **xénélasie, ostracisme, pétalisme**
– Bannir un souvenir, une idée **chasser, écarter**

BANQUE voir aussi tableau
– Responsable au sein d'une banque **banquier, financier**
– Service offert par la banque **dépôt, coffre-fort, transfert, change, émission de chéquiers, financement**
– Opération de banque **encaissement, crédit, placement, prélèvement, virement**
– Commission qui peut être perçue par la banque **intérêt, agio, majoration, escompte**
– Billet de banque **coupure, monnaie fiduciaire, bank-note, assignat**
– Banque de conservation d'éléments organiques **banque d'organes, banque des yeux, banque du sperme, banque du sang**
– Banque d'informations **banque de données**
– Banque de mots **banque terminologique**

BANQUET **festin, bombance**
– Banquet d'autrefois **frairie, agape**
– Invité à un banquet **convive, hôte**
– Personne qui organise un banquet **amphitryon, architriclin**
– Personne qui découpait les viandes dans les banquets médiévaux **écuyer tranchant**
– Participer à un banquet **festoyer**

BAPTÊME
– Baptême sans cérémonie **ondoiement**
– Rite lors d'un baptême **onction, chrismation**
– Huile consacrée du baptême **chrême**
– Chapelle où l'on administre le baptême **baptistère**
– Extrait du registre où est consignée la date du baptême **baptistaire**
– Bonnet de baptême **chrémeau**
– Personne qui se prépare au baptême **catéchumène**
– Personne qui présente un enfant au baptême **marraine, parrain**
– Saint dont le nom est choisi pour le baptême **patron**
– Doctrine qui condamne le baptême des enfants **anabaptisme**
– Séjour de l'âme des enfants morts

BANQUE

QUELQUES TYPES DE BANQUES	
banques de dépôts	Elles effectuent des opérations de crédit et reçoivent du public des dépôts de fonds à vue ou à terme.
banques d'affaires	Elles prennent et gèrent des participations dans les entreprises existantes ou en formation.
banques de crédit à long et moyen terme	Elles ouvrent des crédits dont le terme est au moins égal à deux ans.
banques à statut spécial	Crédit hypothécaire.

QUELQUES TYPES DE DÉPÔTS	
dépôts à vue	Remboursables à tout moment sur simple demande du déposant.
dépôts avec préavis	Remboursables après que le déposant a prévenu sa banque.
dépôts à terme	Remboursables à échéance fixe.

sans avoir reçu de baptême **limbes**
– Baptême du sang **martyre**
BAPTISER
– Baptiser un bateau **bénir**
– Manière de baptiser **immersion, affusion, aspersion**
– Vin baptisé **coupé**
BAR
– Ordre des bars **perciformes**
– Famille des bars **percidés**
– Autre nom du bar **loup, lubin**
– Petit bar modeste **estaminet**
– Petit bar **buvette**
– Bar du Far West **saloon**
– Bar anglais **pub**
– Bar de bas étage **gargote, assommoir**
– Bar en termes populaires **bistrot, caboulot, zinc**
– Tenancier de bar **limonadier, mastroquet, cafetier**
– Habitué d'un bar **pilier**
BARAQUE **masure, bicoque, cassine** voir aussi **cabane**
– Baraque servant d'entrepôt **appentis, hangar, remise**
– Baraque foraine **stand**
– Groupement de baraques pour loger les troupes de l'armée **baraquement**
BARBARE
– Individu barbare **sanguinaire, bestial**
– Barbare par sa lourdeur et par ses goûts **béotien, rustre**
– Manière barbare **grossière, brutale, rude**
– Peuples des grandes invasions barbares **Teutons, Huns, Vandales, Saxons, Cimbres**
– Syntaxe barbare **solécisme**
– Terme barbare **incorrection, impropriété, barbarisme**
BARBARIE **sauvagerie, cruauté, férocité, inhumanité, bestialité**
– Barbarie perverse **sadisme**
– Barbarie qui consiste à détruire des œuvres d'art **vandalisme**
– Acte de barbarie **sévices, torture**
– Personne qui fait acte de barbarie **bourreau, tortionnaire, tyran**
BARBE
– Barbe naissante **duvet**
– Barbe en pointe **bouc, barbiche**
– Barbe courte **collier**
– Touffe de barbe étroite de chaque côté du visage **pattes de lapin, côtelettes, favoris**
– Petite touffe de barbe sous la lèvre inférieure **mouche, impériale, royale**
– Sans barbe **imberbe, glabre**
– Barbe de certains mollusques aquatiques **byssus**
– Barbe-de-bouc **clavaire coralloïde**
– Parler dans sa barbe **grommeler, marmonner, marmotter**
BARBELÉ
– Câble en fil de fer barbelé **ronce artificielle**
– Pièce barbelée de fer servant aux fortifications **cheval de frise**
BAROMÈTRE
– Sorte de baromètre **anéroïde, baromètre à cadran, baromètre à cuvette, baromètre à siphon**
– Élément d'un baromètre **cadran, aiguille, mercure**
– Unité de mesure du baromètre **bar, millibar**
– Baromètre qui note la courbe des altitudes d'un aéronef **barographe**
BARQUE voir aussi **bac**
– Barque vénitienne **gondole**
– Longue barque étroite dirigée à la pagaie **périssoire, pirogue**
– Barque égyptienne **cange**
– Barque utilisée pour relever les filets **couralin**
– Barque pour la chasse au gibier d'eau **nègue-chien**
– Barque régionale **bisquine, gribane, picoteux, taureau, tillole**
BARRAGE
– Barrage sur la mer **estacade, jetée, digue, brise-lames**
– Sorte de barrage sur un canal aménagé pour la navigation fluviale **écluse**
– Petit barrage provisoire **batardeau**
– Barrage rudimentaire en pierres servant à retenir le poisson **duit**
– Panneau mobile sur les vannes d'un barrage **hausse**
– Assemblage de bois soutenant un barrage mobile **fermette**
– Barrage dressé dans une rue **barricade**
– Barrage de police **cordon**
– Barrage psychologique **blocage, inhibition**
– Faire barrage au téléphone **filtrer, sélectionner, faire obstacle**
BARRE **trait**
– Barre métallique servant à suspendre quelque chose **tringle**
– Barre de bois ou de métal destinée à fermer une porte **bâcle, épar**
– Barre servant à consolider un ouvrage **traverse, barlotière**
– En menuiserie, barre de fer qui sert à tenir les pièces de bois **davier**
– Barre de fer servant à attiser le feu **tisonnier, ringard**
– Barre d'or **lingot**
– Barre d'un gouvernail **timon**
BARREAU voir aussi **avocat**
– Barreau d'une échelle **échelon**
– Assemblage de barreaux **grille**
– Barreau utilisé en serrurerie **arc-boutant**
BARRER
– Barrer une route **couper, bloquer, interdire**
– Barrer un mot **biffer**
BARRIÈRE **haie, palissade, échalier** voir aussi **clôture**
– Barrière pour contenir les eaux de la mer ou d'un fleuve **digue, barrage**
– Barrière de chaque côté d'un pont ou le long d'un quai **garde-fou, parapet, balustrade**
– Lieu fermé ou protégé par une barrière **enclos, passage à niveau, poste frontalier, douane**
– Barrière surgissant entre les individus **obstacle, incompréhension**
BAS (1)
– Bas de cuir ou de toile sur le haut de la chaussure **guêtre**
– Bas de protection des sportifs **jambière**
– Partie du bas **pied, semelle, bout, talonnette**
– Lingerie féminine permettant de fixer les bas **porte-jarretelles, gaine, corset, jarretière**
– Bas de laine **épargne, économie**
– Femme qui répare les bas **remailleuse**
– Bas-bleu **femme pédante**
BAS (2)
– Un comportement bas **mesquin, vil, abject, odieux, ignominieux**
– Tomber très bas **déchoir**
– Monter un coup bas **manigancer, intriguer**
– Parler à voix basse **chuchoter**
– Mise bas **parturition**
BASCULE
– Siège à bascule **rocking-chair, bercelonnette**
BASCULER **tomber, culbuter, se renverser**
– Faire basculer une voiture **capoter**
– L'admiration a fait basculer cette personne **chavirer, craquer**
BASE **support**
– Base d'un édifice **fondations, assise, soubassement, socle, plate-forme**
– Base d'un raisonnement **pivot, principe**
– Base sur laquelle repose l'impôt **assiette**
– Base d'un raisonnement scientifique **axiome, postulat, prémisses**
– Base chimique qui est soluble

dans l'eau, **soude, chaux, potasse**
– Base d'une organisation syndicale ou politique **militants, adhérents**
– Base militaire **camp, ligne, quartier général**

BASKET-BALL voir aussi **ballon, sport**
– Joueur de basket-ball **basketteur**
– Partie de basket entre deux équipes opposées **match, tournoi**
– Filet de basket **panier**

BASSET
– Sorte de basset **teckel**
– Cor de basset en musique **clarinette recourbée**

BASSIN **cuvette, vase, récipient** voir aussi **bac, bain**
– Bassin servant à expectorer **crachoir**
– Bassin hygiénique **urinal**
– Bassin d'une balance **plateau**
– Bassin de fontaine **vasque**
– Bassin artificiel dans un port **darse**
– Bassin de radoub **cale, dock**
– Bassin osseux de l'homme **ceinture pelvienne**
– Os du bassin **coccyx, os iliaques, sacrum, lombes**
– Bassin minier **gisement**
– Bassin entouré de montagnes **dépression**

BATAILLE **combat, conflit, mêlée** voir aussi **armée**
– Bataille entre deux armées **terrestre, aérienne, navale, sous-marine**
– Dispositions pour préparer une bataille **plan, ordre, stratégie**
– Bataille électorale **campagne**
– Cheval de bataille **marotte**
– Bataille de fleurs **carnaval**

BÂTARD
– Un chien bâtard **croisé**
– Plante bâtarde **hybride**
– Enfant bâtard **naturel, illégitime, adultérin, champi**

BATEAU voir aussi tableau et **bac, bâtiment, embarcation, voilier**
– Bateau de marchandises **cargo, chaland, péniche**
– Bateau transportant des passagers **paquebot, transatlantique**
– Bateau de guerre **navire, vaisseau, bâtiment**
– Bateau de pêche **chalutier, baleinier, thonier**
– Bateau de plaisance **yacht**
– Compétition de bateaux **régate, course off-shore**
– Bateau de sauvetage **chaloupe, canot, radeau**
– Bateau à moteur **hors-bord, vedette**
– Mauvais bateau **rafiot**
– Bateau à vapeur **steamer**
– Bateau à deux, trois rangs de paires de rames, dans l'Antiquité **birème, trirème**
– Bateau de guerre à rames utilisé jusqu'au XVIIIe siècle **galère, galiote**
– Bateau de pêche en peau en usage au Groenland **kayak**
– Bateau vénitien à un aviron **gondole**
– Bateau à voiles d'Extrême-Orient **jonque**
– Bateau léger avançant à la pagaie **canoë, pirogue, esquif**
– Bateau à moteur circulant sur un fleuve ou un canal **bateau-mouche, vaporetto**
– Bateau aménagé pour le transport des liquides **bateau-citerne, pétrolier, méthanier**
– Bateau avec mât surmonté d'un phare **bateau-feu**
– Personne qui conduit un bateau sur une rivière **batelier, marinier**

BÂTIMENT **construction, édifice, bâtisse, maison, immeuble, monument**
– Différentes parties d'un bâtiment **corps, ailes, annexes, communs**
– Métier du bâtiment **maçon, charpentier, menuisier, couvreur, plombier**
– Bâtiment d'une ferme **hangar, grange, bergerie, étable, écurie**
– Ensemble des bâtiments d'une ferme sous le système du métayage **métairie**
– Bâtiment flottant **navire, vaisseau, bateau, cuirassé, canonnière**

BÂTIR
– Bâtir un immeuble **construire, ériger, édifier**
– Maison qui a été bâtie sur le roc **inébranlable**
– Celui qui fait bâtir un édifice **bâtisseur**
– Bâtir une cathédrale **fonder, créer**
– Bâtir un discours **assembler, agencer, façonner**
– Bâtir une théorie **établir, échafauder, fonder, élever**

BÂTON voir aussi **baguette, canne**
– Gros bâton utilisé pour frapper **gourdin, matraque, épieu, trique**
– Bâton de berger **houlette**
– Bâton ferré d'alpiniste **alpenstock**
– Bâton de cricket ou de base-ball **batte**
– Longs bâtons chaussés pour marcher dans les terrains marécageux **échasses**
– Bâton de bannière **hampe**
– Bâton de pèlerin avec ornement en forme de pomme **bourdon**
– Bâton symbolisant l'autorité royale **sceptre**
– Bâton symbolisant l'autorité d'un évêque **crosse**
– Bâton à lèvres **stick**

BATRACIEN **grenouille, crapaud**
– Ordre des batraciens **anoures, apodes, urodèles**
– Type de batraciens **rainette, triton, salamandre**
– Œufs de batracien **frai**
– Larve de batracien **têtard**
– Respiration pulmonaire et cutanée des batraciens **amphibie**

BATTEMENT
– Battement de tambour **roulement**
– Battements de mains **applaudissements**
– Bruit de battements d'ailes **bruissement, ébrouement**
– Battement de cils et de paupières **cillement, clignement**
– Saut de danseuse avec battement de jambes **battu**
– Battements du pouls **pulsations**
– Battements de cœur fréquents ou irréguliers **palpitations**
– Accélération du rythme des battements du cœur **tachycardie**
– Battement de temps entre deux horaires **intervalle, pause**
– Battement sur une porte ou une fenêtre **couvre-joint**

BATTERIE **ensemble d'objets**
– Batterie de cuisine **ustensiles, appareils**
– Batterie de voiture **accus**
– Ensemble des instruments de la batterie d'un orchestre **percussion**
– Élément de batterie dans un orchestre **caisse, cymbale, timbale, gong, tambour**
– Les batteries de quelqu'un **plans, combinaisons, machinations**

BATTOIR
– Battoir de jeu de paume **batte, raquette, triquet**

BATTRE **frapper**
– Battre l'ennemi **défaire, bouter, culbuter**
– Battre quelqu'un **étriller, échiner, cogner, dérouiller**
– Battre les cartes **mêler**
– Battre le blanc des œufs en neige **monter**
– Battre la crème **fouetter**
– Battre les buissons **parcourir, explorer**
– Battre la campagne **extravaguer, divaguer**
– Battre le pavé **errer**
– Battre un argument en brèche

attaquer, renverser, démolir, ruiner
– Battre en retraite **reculer**
– Battre son plein **culminer, être à l'apogée**
– Battre un tapis **épousseter, houssiner**
– Battre quelqu'un à mort **lyncher**

BAVARD
– Individu bavard **babillard, loquace, volubile, prolixe**
– Il est bavard **parleur, phraseur, jaseur**
– Une femme bavarde **commère, péronnelle**

BATEAUX

BATEAUX À RAMES, AVIRON(S), GODILLE, PAGAIE OU À PÉDALES

birème, Bucentaure, canadienne, canoë, coracle, couralin, dinghy, dromon, gondole, kayak, kouffa, liburne, nacelle, oumiak, pédalo, périssoire, quadrirème, quinquérème, radeau, raft, ramberge, sampan, skiff, yole

BATEAUX À RAMES OU À MOTEUR

acon/accon, bac, bachot, barcasse, barque, canot, chaloupe, flette, gig, toue

BATEAUX À RAMES ET/OU À VOILE(S)

baleinière, barge, barque, barquentine, bélandre, brigantin, caïque, chébec, drakkar, felouque, gabare, galéasse, galée, galère, galiote, norvégienne, pamphile, pindjapap, pirogue, plate, réale, trière, trirème, youyou

BATEAUX TRACTÉS OU POUSSÉS

acon/accon, barge, bélandre, chaland, gribane, traille

BATEAUX À VOILE(S)

baggala, bélandre, bisquine, boutre, brick, bugalet, cange, cap-hornier, caraque, caravelle, catamaran, chasse-marée, cogghe, corvette, cotre/cutter, dindet, dinghy, filadière, flûte, frégate, galion, ganjas, goélette, heu, houri, hourque/hougre, jonque, ketch, knarr, marsillane, nef/nave, patache, picoteux, pinasse, pink, pinque, prao, sambouk, sardinier, sinagot, sloop, taride, tartane, terre-neuvas, trimaran, yawl, zarug

BATEAUX À MOTEUR

aéroglisseur navi-plane, baleinier, bateau-mouche, bateau-pilote, bélandre, car-ferry, cargo, chalutier, charbonnier, crevettier, dinghy, doris, drague, ferry-boat, hors-bord, hydroglisseur, hydroptère, langoustier, liberty-ship, marie-salope, minéralier, morutier, paquebot, patache, péniche, pétrolier, pinasse, porte-conteneurs, pousseur, remorqueur, sardinier, steamer, supertanker, thonier, torpilleur, transatlantique, transbordeur, vaporetto, vedette, vraquier, Zodiac

BATEAUX DE GUERRE

aviso, canonnière, contre-torpilleur, croiseur, cuirassé, destroyer, dragueur de mines, frégate, mouilleur de mines, porte-avions, sous-marin, torpilleur, vedette lance-missiles

BAVARDAGE
– Bavardage patent **bagou, caquet, parlote, papotage, clabaudage**
– Bavardage dénué d'intérêt **jacasserie, verbiage, jaspin**
– Bavardage calomnieux **cancan, potin, ragot, médisance**

BAYER béer
– Bayer aux corneilles **rêvasser**

BAZAR marché
– Bazar au Moyen-Orient **souk**
– Bazar en Europe **droguerie, quincaillerie**
– Mettre le bazar **désordre, confusion**
– Emporter un vrai bazar **bric-à-brac, barda, bastringue**

BÉATITUDE
– Il est plongé dans la béatitude **satisfaction, contentement, bien-être, bonheur, euphorie, extase**
– Béatitude éternelle des saints au paradis **félicité, gloire**

BEAU (1)
– Un vieux beau **galant âgé**

BEAU (2) agréable, parfait, régulier
– Une belle santé **prospère**
– Une belle occasion **propice**
– Le bel âge **jeunesse**
– Beau mais niais **bellâtre**
– Le beau sexe **les femmes**
– Un beau jour **inopinément**
– Quand le temps se met au beau **embellie**
– Il y a beau temps qu'il est venu **longtemps**

BEAUCOUP
– Beaucoup de personnes **plusieurs, maintes**
– Boire beaucoup **à tire-larigot**

BEAUTÉ
– Grain de beauté **mouche**
– Vanter les beautés d'une personne ou d'un objet attirant **charmes, appas**
– Beauté des sentiments **noblesse**
– Déesse de la beauté **Aphrodite, Vénus**
– Critères de beauté d'une statue **canons**
– Étude historique ou philosophique de la beauté **esthétique**
– Salon de soins de beauté pour le visage et le corps **institut de beauté**

BÉBÉ
– Bébé qui vient de naître **nouveau-né**
– Bébé qui est encore allaité par sa mère **nourrisson**
– Pour nommer affectueusement le bébé **poupon, petit**
– Pour coucher le bébé **couffin, nacelle, berceau, berceuse, moïse**

– Cri du bébé **vagissement, gazouillis, babil, piaillement, braillement**
– Médecin qui s'occupe des enfants et particulièrement des bébés **pédiatre**
– Connaissances et techniques de soins pour assurer la croissance des bébés **puériculture**

BEC voir aussi tableau
– Bec des oiseaux en zoologie **rostre**
– Nourriture que l'on met dans le bec **becquée**
– Jeune oiseau dont le bec garde une membrane jaune **béjaune**
– Ouvrir le bec **parler**
– Prise de bec **altercation**
– Bec d'instrument à vent en musique **embouchure**
– Outil en forme de bec d'oiseau **bec-de-corbeau, bec-de-corbin**
– Bec de gaz **réverbère**

Becs

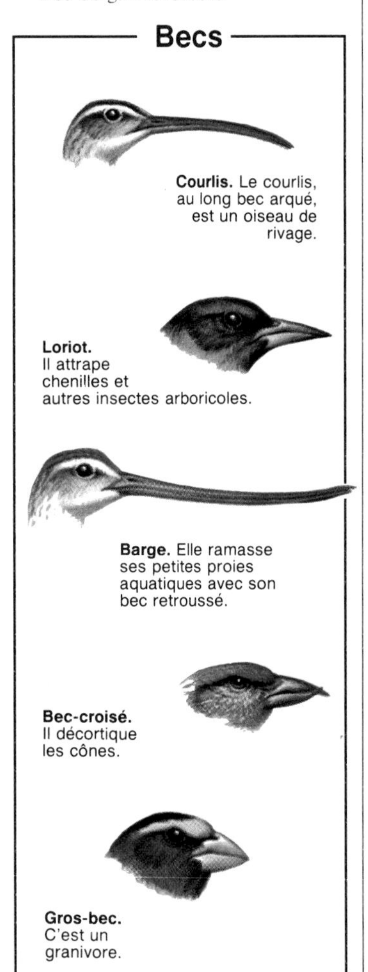

Courlis. Le courlis, au long bec arqué, est un oiseau de rivage.

Loriot. Il attrape chenilles et autres insectes arboricoles.

Barge. Elle ramasse ses petites proies aquatiques avec son bec retroussé.

Bec-croisé. Il décortique les cônes.

Gros-bec. C'est un granivore.

BÉCASSE
– Ordre d'oiseaux des marais auquel appartient la bécasse **échassiers, charadriiformes**
– Famille d'oiseaux à laquelle appartient la bécasse **scolopacidés**
– Passage des bécasses sortant du bois vers la campagne **passée**
– Le petit de la bécasse **bécasseau, béchot**
– Oiseau de la famille de la bécasse qui se plaît dans les marais **bécassine**
– Poisson dont le bec ressemble à celui de la bécasse **orphie**

BÊCHE
– Sorte de bêche pour remuer et aérer la terre **binette, houe, pelle**
– Bêche à lame étroite **louchet**
– Bêche utilisée par les tourbiers **palot**
– Bêche fourchue **trident**
– Petite culture à la bêche **mésoyage**
– Bêche d'un affût de canon **soc**

BEIGNET
– Beignet soufflé **pet-de-nonne**
– Beignet de morue des Antilles **acra**
– Beignet tunisien de semoule et de dattes **makroud**
– Beignet de pomme de terre en Équateur **tortilla**

BÉNÉFICE voir aussi **revenu**
– Bénéfice réalisé par une entreprise **gain, rapport, excédent, boni**
– Travail qui procure des bénéfices **lucratif**
– Au bénéfice d'une œuvre sociale **profit**
– Avoir le bénéfice de l'âge **privilège, prérogative, avantage, faveur**
– Accepter une succession sous bénéfice d'inventaire **conditionnellement, sous réserve**
– Bénéfice ecclésiastique **régulier, séculier, à charge d'âmes**
– Destination des bénéfices ecclésiastiques majeurs **abbaye, évêché**
– Destination des bénéfices ecclésiastiques mineurs **canonicat, chapellenie, prieuré, cure**
– Jouissance de bénéfice ecclésiastique **récréance**
– Revenu que payaient au pape ceux qui avaient fait un bénéfice **annate**
– Échange de bénéfices ecclésiastiques **copermutation**
– Collation d'un bénéfice ecclésiastique **obtention, impétration, indult, investiture**
– Bénéfice ecclésiastique confié temporairement **commende**
– Juridiction d'un bénéfice ecclésiastique **temporalité**
– Titulaire d'un bénéfice ecclésiastique **nominataire, impétrant**

BÉNIR voir aussi **liturgie, prière**
– Bénir quelqu'un qui a rendu un grand service **remercier, louer, glorifier, exalter**
– Le prêtre bénit un lieu saint ou un individu **consacre, sacre, oint**
– Prière pour bénir le repas **bénédicité**
– Bénir un mourant **extrême-onction, sacrement des malades**
– Que Dieu bénisse les hommes de bonne volonté ! **protège, aide, soutienne, récompense**

BÉNIT
– Vasque d'eau bénite dans une église **bénitier**
– Offrande du pain bénit aux fidèles après consécration **communion, eucharistie**
– Prendre de l'eau bénite avec ses doigts avant de **se signer**
– Médaille bénite **consacrée**
– Le buis bénit est distribué aux fidèles **buis des Rameaux**
– Le cierge bénit **cierge de Pâques**

BENZÈNE **benzine**
– Caractère des corps de la série du benzène **benzoïque**
– Substance aromatique dont est extrait l'acide qui donne le benzène **benjoin**
– Mélange de benzène, de toluène et de xylène **benzol**
– Radical de plusieurs corps de la série du benzène **benzoate**
– Dérivé du benzène **phénol**

BERCEAU
– Berceau léger sur deux pieds en croissant **bercelonnette**
– Corbeille servant de berceau **moïse**
– Arc qui renforce une voûte en forme de berceau **arc-doubleau, doubleau**
– Pavillon de jardin en berceau **brandebourg**
– Berceau de poutres sur lequel se construit un bateau **ber**

BERCER
– Nourrice chargée de bercer un enfant **remueuse**
– Chanson pour endormir un enfant que l'on berce **berceuse**
– Bercer quelqu'un d'illusions **leurrer, flatter**

BÉRET **coiffe** voir aussi **coiffure**
– Béret d'étudiant **faluche**
– Compagne du béret français **baguette**

BERGER **pasteur**
– Bâton de berger **houlette**
– Sac à pain de berger **panetière**
– Instrument de musique du berger **pipeau, musette, cornemuse**
– Dieu des bergers dans la mythologie grecque **Pan**
– Poésie qui met en scène la vie des bergers **bucolique, pastorale**
– Chanson médiévale où dialoguent une bergère et un chevalier **pastourelle**
BESOIN **appétence** voir aussi **assistance, envie**
– Besoin ressenti comme une souffrance **manque, insatisfaction**
– Besoin essentiellement humain **désir, aspiration**
– Besoin qui fait nécessité **dépendance, accoutumance, assuétude**
– Être dans le besoin **misère, indigence**
– Au besoin **le cas échéant**
BÉTAIL voir aussi **troupeau**
– Bétail possédé par un pays ou un particulier **cheptel, bestiaux**
– Gros bétail **bovins, chevaux, aumaille**
– Petit bétail **ovins, porcins**
– Alimentation du bétail en fourrage **affenage, affouragement**
– Mélange de son et de farine donné en breuvage au bétail **buvée**
– Endroit où l'on met le fourrage pour nourrir le bétail à l'étable **râtelier**
– Lieu où l'on engraisse le bétail **nourricerie**
– Engraissement du bétail à l'étable **pouture**
– Engraissement du bétail dans le pré **herbage, pâture, pré d'embouche**
– Lieu où l'on fait paître le bétail **pacage**
– Terre inculte sur laquelle on met paître le bétail **pâtis**
– Changement de pâturage du bétail **transhumance**
– Marchand de bétail **maquignon**
– Clochette attachée au cou du bétail **clarine, sonnaille**
BÊTE voir aussi **animal**
– Petite bête **bestiole**
– Bête sauvage **féroce, sanguinaire**
– Bête sauvage au pelage roux **fauve**
– Bête apprivoisée par les hommes et qui vit près d'eux **domestique**
– Une bête de somme **bât, charge**
– Bête de trait **bœuf, cheval, mulet, âne**
– La bête à bon Dieu **coccinelle**
– Soigne les bêtes **vétérinaire**
– Gladiateur qui combattait les bêtes féroces dans les jeux du cirque **belluaire, bestiaire**
– Reprendre du poil de la bête **se ressaisir**
– Chercher la petite bête **ergoter, pinailler**
– La bête noire de quelqu'un **obsession, horreur**
BÊTISE
– Faire preuve de bêtise **niaiserie, naïveté**
– Dire des bêtises **inepties, âneries, sottises, bourdes**
– Faire des bêtises **maladresses, gaffes**
– Des bêtises pour rire **farces, plaisanteries**
BEUGLEMENT **meuglement, mugissement** voir aussi **vache**
– Faire entendre un beuglement **hurlement, braillement**
BEURRE
– Instrument à battre le lait pour en extraire le beurre **baratte**
– Levure pathogène qui rancit le beurre **torula**
– Reste de lait dans la préparation du beurre **babeurre, petit-lait**
– Phase de fabrication du beurre **écrémage, délaitage, malaxage**
– Semblable au beurre **butyreux**
BIBLE
– Bible des musulmans qui est le fondement de leur civilisation **Coran**
– Partie de la Bible commune aux juifs et aux chrétiens **Ancien Testament**
– Bible des juifs **Thora**
– Livre composant la Bible des chrétiens **Ancien Testament, Nouveau Testament**
– Statut accordé par les chrétiens à la Bible **Livre révélé, Écriture sainte**
– Un commentaire de la Bible **exégèse**
– Traduction de la Bible **vulgate**
BIBLIOTHÈQUE voir aussi **livre**
– Pour ranger les livres dans la bibliothèque **armoire, rayonnage**
– Secrétaire surmonté d'un élément de bibliothèque **scriban**
– Posséder une riche bibliothèque **collection**
– Bibliothèque ambulante **bibliobus**
– Personnel de la Bibliothèque nationale **administrateur, conservateur, trésorier, archiviste, bibliothécaire**
– Enseignement de la gestion des bibliothèques **bibliothéconomie**
– Bibliothèque informatique **banque de données**
– À la bibliothèque, lieu où sont entreposés les ouvrages interdits **enfer**
BICHE voir aussi tableau **animaux** p. 20-21
– Famille à laquelle se rattache la biche **cervidés**
– Troupe de biches accompagnées des faons **harpail, harde**
– Style des meubles à pieds-de-biche **Louis XV**
BICYCLETTE **vélo** voir aussi dessin p. 52-53
– Ancêtre de la bicyclette **draisienne, vélocipède, célérifère**
– Bicyclette à deux places **tandem**
– Bicyclette équipée d'un moteur **cyclomoteur, vélomoteur**
– Bicyclette tout terrain **bicross**
– Piste réservée aux courses de bicyclettes **vélodrome**
BIEN
– Faire fructifier un bien **capital, héritage, patrimoine**
– Dilapider son bien **fortune, richesse**
– Veiller au bien commun **intérêt**
– Bien de la terre **fruit**
– Bien n'appartenant qu'à l'épouse **paraphernal**
– Bien abandonné par son propriétaire **vacant**
– Bien mobile au regard de la loi **meuble**
– Bien inamovible **immeuble**
– Être homme de bien **juste, vertueux**
BIENFAISANCE **bienveillance, bonté, générosité, altruisme**
– Faire acte de bienfaisance **charité, assistance, entraide**
– Œuvre de bienfaisance **ouvroir, patronage, foyer, asile**
BIENFAIT
– Prodiguer un bienfait **libéralité, largesse, faveur**
– Apprécier les bienfaits du progrès **avantages, bénéfices**
BIEN-ÊTRE
– Un état de bien-être **sérénité, quiétude, euphorie, plaisir**
– Revendiquer le bien-être matériel **aisance, confort**
BIÈRE voir aussi **cercueil**
– Bière belge **lambic, faro**
– Bière anglaise **ale, porter, stout**
– Bière de riz **saké**
– Ancienne bière sans houblon **cervoise**
– Bière des anciens Égyptiens **zython**
– Plante utilisée pour la fabrication de la bière **orge, houblon**

– Résidu dans la préparation de la bière **drêche**
– Verre à bière **chope**
– Lieu de fabrication de la bière **brasserie**
BIFTECK steak, rumsteck
– Bifteck haché accompagné d'ingrédients divers **hamburger**
– Bifteck épais taillé dans le filet **tournedos, châteaubriant**
– Bifteck haché servi cru avec divers assaisonnements **steak tartare**
BIGOT cagot, cafard, hypocrite, pharisien
– Activité privilégiée du bigot **bondieuserie**
BIJOU voir aussi **bague, boucle, pierre**
– Métier du bijou **lapidaire, orfèvre, joaillier, diamantaire, bijoutier**
– Petit bijou agrafé à un vêtement comme parure **affiquet**
– Bijou très précieux **joyau**
– Marque appliquée sur un bijou, en attestant la valeur **poinçon**
– Bijou de peu de valeur **breloque**
– Bijoux assortis **parure**
– Boîte à bijoux **écrin, coffret, cassette, baguier**
BIKINI maillot de bain, deux-pièces
BILE
– Organe sécrétant la bile **foie**
– Composant de la bile **bilirubine, cholestérine, sel**
– Bile contenue dans la vésicule biliaire **cystique**

Bicyclette

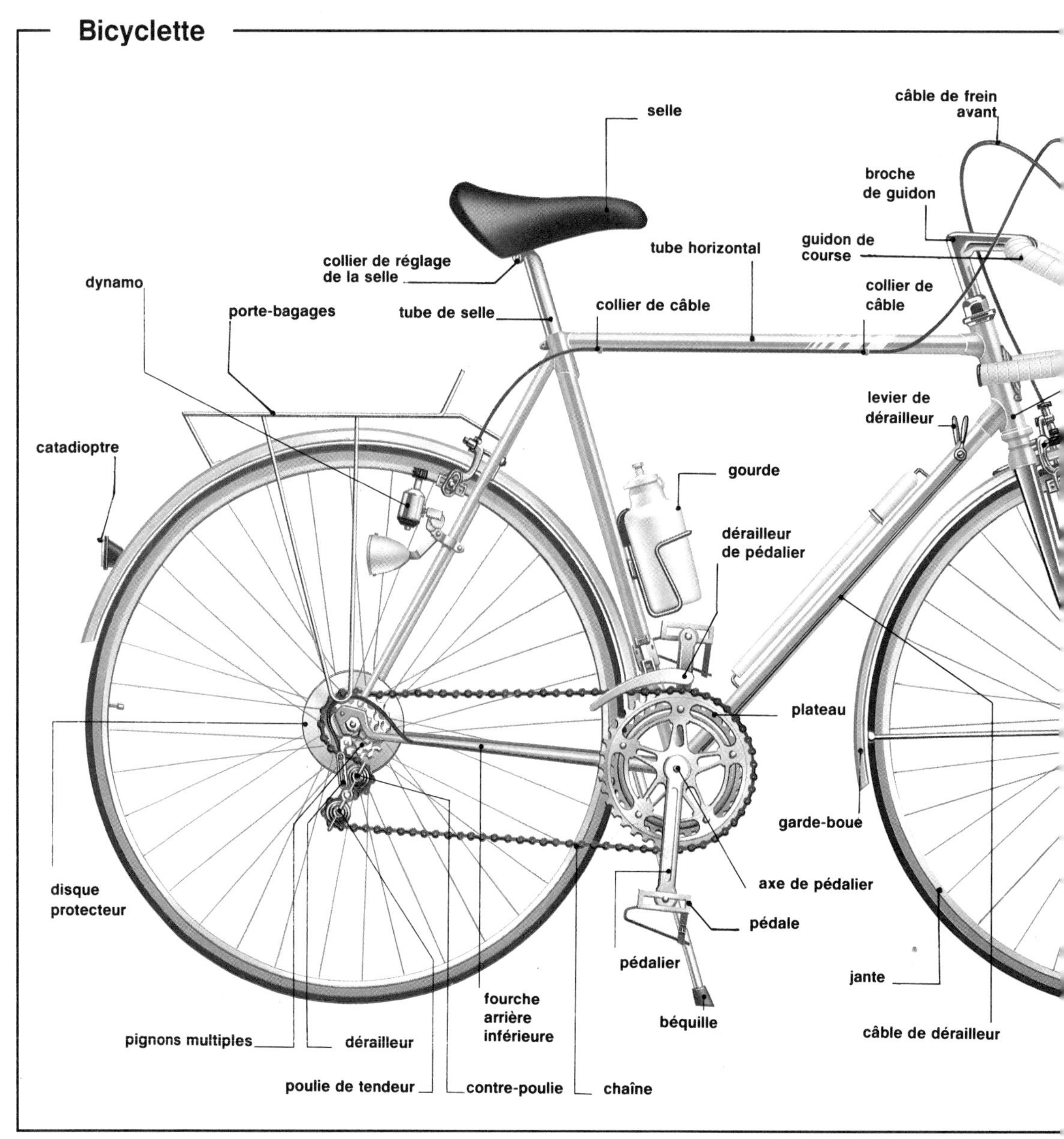

– Sécrétion de la bile **biligenèse**
– Diminution de la sécrétion de la bile **acholie**
– Maladie due à une sécrétion excessive de la bile **ictère**
– Remède élaboré pour évacuer la bile **cholagogue**
– Substance destinée à augmenter la sécrétion de la bile **cholérétique**
– Bile animale **fiel**

BILLARD
– Pour jouer au billard **bille, queue**

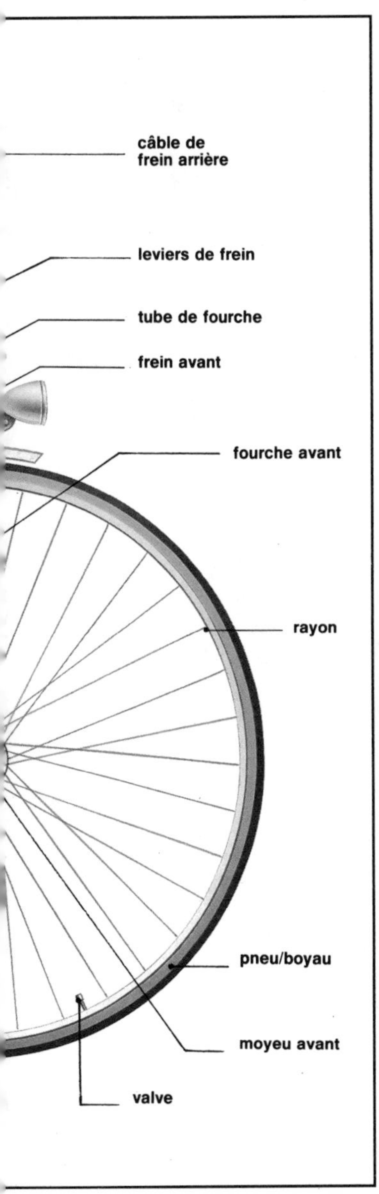

– Trou de la table de billard **blouse, poche**
– Coup de billard **blouser, bricoler, caramboler, queuter**
– Salle de billard **académie**
– Fabricant de billard **billardier**
– Billard de terre **croquet**
– Billard électrique **flipper**

BILLE boule
– Jeu de billes **bloquette, pot, pyramide, triangle**
– Grosse bille utilisée dans les jeux **calot**
– Bille de bois **billot**
– Bille de chocolat **barre**
– Reprendre ses billes **se retirer, se désister**

BILLET lettre, missive
– Billet amoureux **poulet**
– Billet de mariage, de décès **faire-part**
– Billet de banque **coupure, papier-monnaie, monnaie fiduciaire**
– Distributeur de billets de banque **billetterie**
– Billet de spectacle **ticket, coupon**
– Billet à ordre **lettre de change**
– Billet littéraire **chronique**

BIOCHIMIE
– Objet d'étude de la biochimie **métabolisme humain**
– Substance permettant les réactions en biochimie **enzyme**
– Biochimie animale **zoochimie**

BIOGRAPHIE récit
– Composer sa propre biographie **Mémoires, autobiographie**
– Auteur de biographies **biographe**
– Biographie des saints **hagiographie**
– Biographie de personnages historiques **historiographie**

BISCUIT boudoir, craquelin, croquignole, sablé, macaron, gimblette
– Biscuit de mer **os de seiche**

BISEXUÉ ambisexué, hermaphrodite, androgyne
– Plante bisexuée **monoïque, polygame**
– Mode de reproduction des végétaux bisexués **autogamie**

BIZARRE
– Personnage bizarre **excentrique, fantasque, lunatique, farfelu**
– Idée bizarre **saugrenue, extravagante, baroque, funambulesque**
– Fait bizarre **anormal, singulier, curieux, insolite**
– Histoire bizarre **loufoque, rocambolesque, abracadabrante**

BLÂME voir aussi **réprobation, reproche**
– Blâme infligé à un élève ou à un fonctionnaire **sanction, avertissement, réprimande**
– Blâme adressé verbalement **remontrance, admonestation, semonce**
– Infliger un blâme public **stigmatiser**

BLANC
leuc(o) -, alb-

BLANC (1)
– Blanc de l'œuf **albumen**
– Un blanc en typographie **espace, intervalle**
– Nuance de blanc **ivoirin, opalin, lactescent**

BLANC (2)
– Peau très blanche **laiteuse, d'albâtre, liliale**
– Teint blanc et terne **blême, blafard, hâve, livide**
– Barbe ou tête blanche **chenue**
– Globules blancs **leucocytes**
– Tache blanche des ongles ou de la cornée **albugo**
– État congénital qui donne une peau et un système pileux totalement blancs **albinisme**
– Blanc comme neige **innocent**

BLANC-BEC présompteux, béjaune

BLANCHIR
– Blanchir un tissu **décolorer**
– Blanchir un mur **chauler**
– État des cheveux qui blanchissent avec l'âge **canitie**
– Blanchir des os pour des travaux scientifiques **déalbation**
– Blanchir quelqu'un **innocenter, disculper**

BLASON voir aussi **héraldique, écu**
– Qui a trait au blason **héraldique**
– Ensemble des symboles sur un blason **armes**
– Élément d'un blason **écu, tenant, manteau, devise, cartouche**
– Couleur d'un blason **argent, or, azur, gueules, sinople, sable**
– Fourrure d'un blason **vair, hermine**

BLASPHÈME imprécation, outrage
– Qui prononce des blasphèmes **sacrilège, impie, irréligieux**

BLÉ froment
– Blé noir **sarrasin**
– Blé dur **épeautre**
– Blé sans barbes **touselle**
– Hybride de seigle et de blé **triticale**
– Ensemencer en blé **emblaver**
– Maladie du blé **carie, nielle**
– Épi de blé fossile **triticite**

BLÊME voir aussi **pâle**
– Visage blême **blafard, livide**
– Teint blême **hâve, plombé**
– Lèvres blêmes **exsangues**

BLESSER
– Blesser superficiellement **égratigner, érafler, écorcher, excorier**
– Blesser grièvement **mutiler, estropier**
– Blesser avec une arme tranchante **taillader, balafrer, écharper**
– Blesser un organe en termes de médecine **léser**
– Se blesser une articulation **se fouler, se luxer**
– Blesser sans faire saigner **contusionner, meurtrir**
– Cheval qui s'est blessé au genou à la suite d'une chute **couronné**
– Être blessé par une ronce **déchiré**
– Blesser quelqu'un dans son amour-propre **froisser, offenser, mortifier, ulcérer**
BLESSURE
– Blessure ouverte **plaie**
– Blessure produite par un coup **contusion, ecchymose**
– Blessure avec écoulement de sang **entaille, écorchure, estafilade**
– Blessure au niveau d'une articulation **entorse, luxation, élongation**
– Blessure locale en termes de médecine **trauma, lésion**
– Bords d'une blessure **lèvres**
– Plante que l'on utilisait pour soigner les blessures **vulnéraire**
– Blessure morale **pique, trait, atteinte**
BLETTE
– Autre nom de la blette **bette**
– Famille à laquelle appartient la blette **chénopodiacées**
– Variété de blette **poirée**
BLEU (1)
– Nuance de bleu clair **azur, céruléen, lavande, outremer, lapis**
– Nuance de bleu foncé **marine, nuit, turquin**
– Nuance de bleu vif **roi, saphir, barbeau**
– Un bleu sur la peau **ecchymose**
– Truite au bleu **au court-bouillon**
– Bleu de Prusse **cyanure de fer**
BLEU (2)
– Des yeux bleu-vert **pers**
– Fleur bleue **myosotis, pervenche, centaurée**
– Maladie bleue **cyanose**
– Être fleur bleue **sentimental**
BLINDÉ bardé
– Véhicule de combat blindé **automitrailleuse, char, tank**
– Navire blindé **cuirassé**
– Abri blindé **tourelle, casemate**
BLOC masse
– Bloc de bois **bille**
– Bloc de bois ou de pierre destiné au revêtement des sols **pavé**
– Bloc de glace flottante **iceberg**
– Bloc de terrain en géologie **graben, horst**
– Qui est taillé dans un seul bloc de pierre **monolithe**
– Bloc politique **coalition**
– En bloc **en totalité, globalement**
BLOCUS investissement, siège
– Blocus économique infligé à un pays **boycottage, embargo**
BLOND
– Blond-roux **fauve, vénitien**
– Blond-gris **cendré**
– Blond tirant sur le blanc **platiné**
BLOQUER
– Bloquer un passage **boucher, barrer, encombrer, obstruer**

Découpe du bœuf

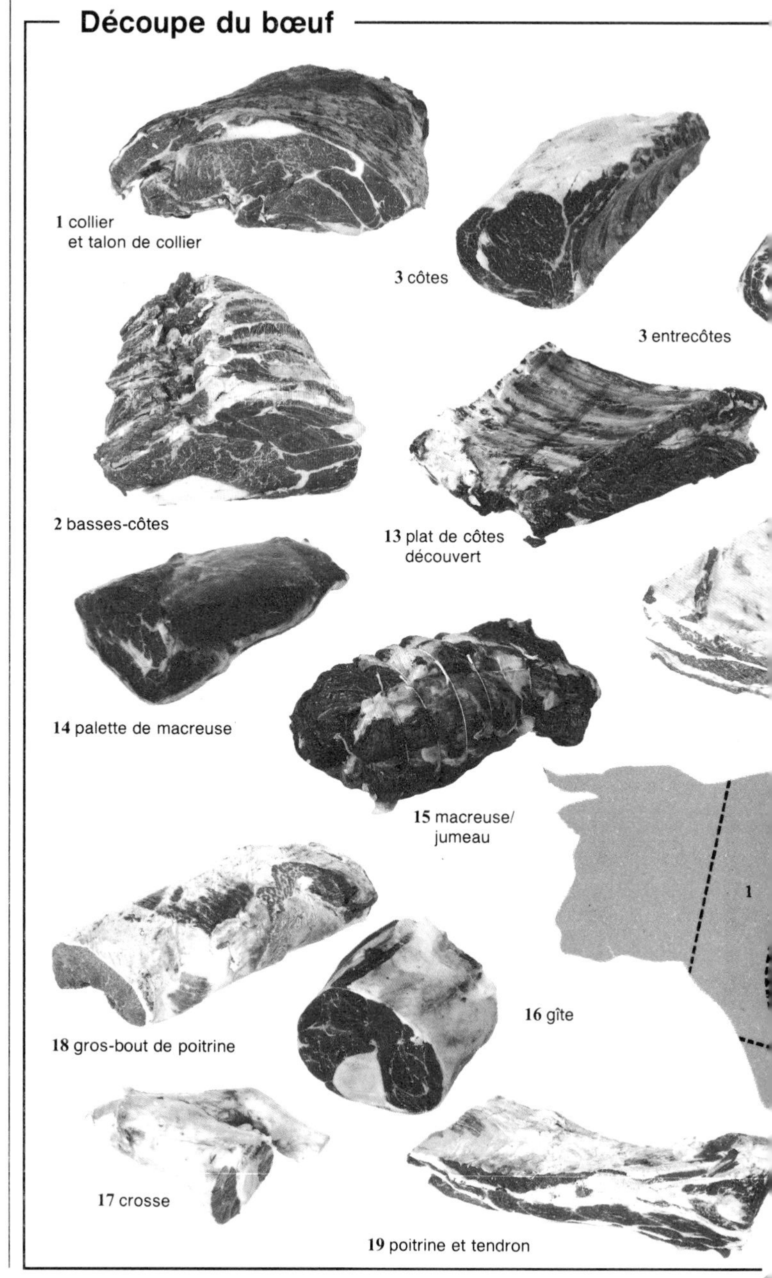

– Bloquer une porte **coincer, caler**
– Bloquer une ville **assiéger**
– Bloquer un compte **geler**
BLOUSE voir aussi **tablier**
– Blouse de travail **sarrau**
– Blouse de marin **vareuse**
– Blouse de cocher **souquenille**
– Ample blouse de femme **marinière, caraco**
BOBINE
– Bobine de fil à coudre **fusette**
– Bobine pour le fil de trame **canette**
– Bobine utilisée pour la soie **rochet, roquetin**
– Bobine de métier à tisser **cannelle**
– Bobine utilisée dans le travail de la dentelle **bloquet**
– Enrouler du fil sur une bobine **envider**
– Bobine de fil électrique qui a les propriétés d'un aimant **solénoïde**
– Bobine d'un manche de manivelle **nille**
BŒUF voir aussi dessin, et tableau **animaux** p. 20-21
– Qui a trait au bœuf **bovin**

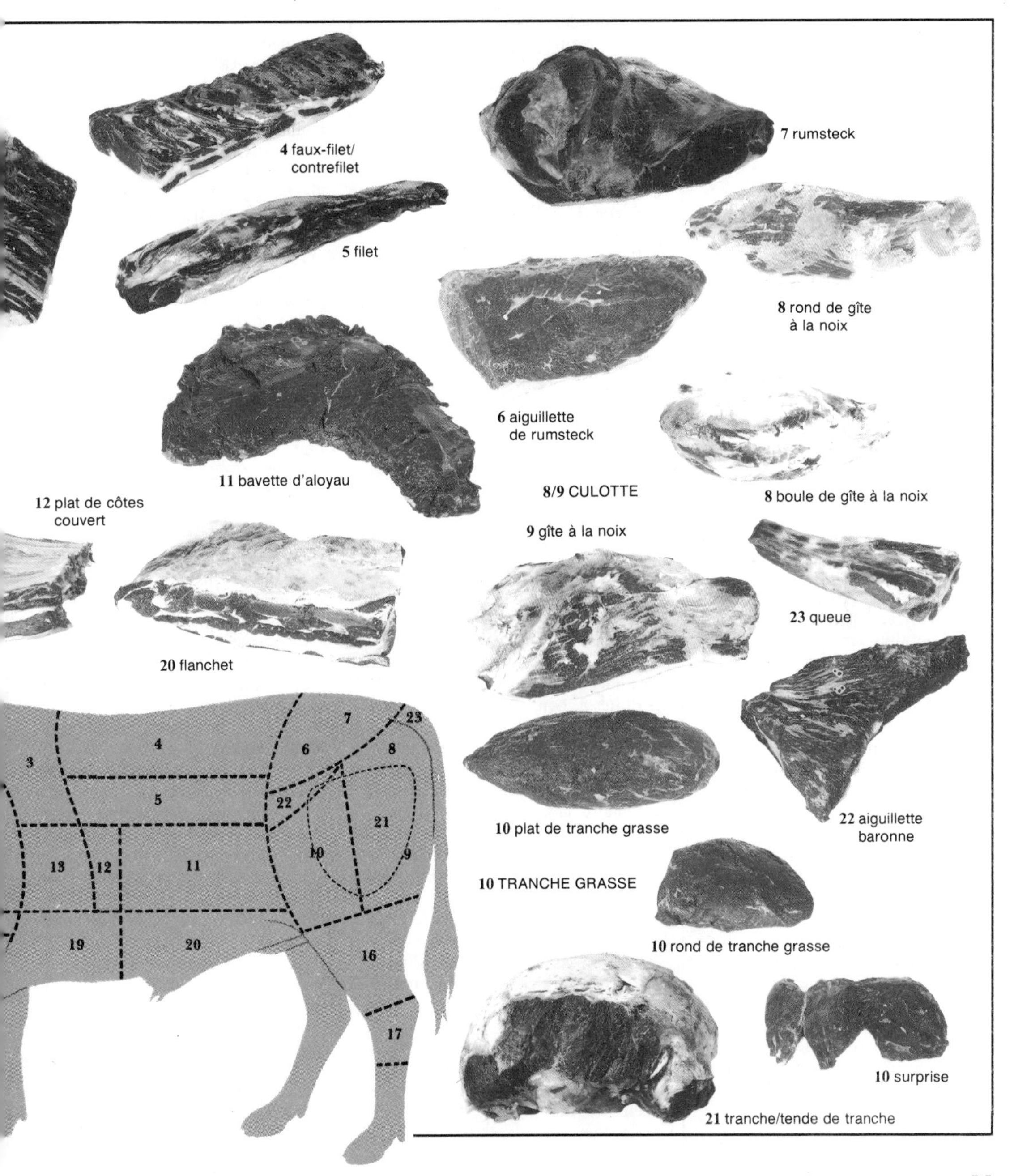

– Famille du bœuf **bovidés**
– Jeune bœuf **bouvillon**
– Étable à bœufs **bouverie**
– Personne qui garde les bœufs **bouvier**
– Cri du bœuf **meuglement, beuglement, mugissement**
– Estomac du bœuf **rumen, bonnet, feuillet, caillette**
– Pellicule provenant du gros intestin du bœuf **baudruche**
– Livre généalogique des races de bœufs **herd-book**
– Bœuf musqué **ovibos**
– Ornement de l'architecture antique représentant un crâne de bœuf **bucrane**

BOHÉMIEN
– Bohémien espagnol **gitan**
– Bohémien vivant essentiellement en Europe centrale **Tsigane**
– Nom donné à un bohémien d'Angleterre ou des États-Unis **gipsy**

BOIRE voir aussi **absorber, alcoolisme, boisson**
– Boire pour étancher sa soif **se désaltérer**
– Boire à longs traits **lamper**
– Boire en dégustant **siroter**
– Boire avec la langue **laper**
– Boire en l'honneur de quelqu'un **porter un toast**
– Boire le champagne **sabler**
– Boire copieusement **faire des libations**
– Choquer le verre de quelqu'un avant de boire **trinquer**
– Faire boire trop d'alcool à quelqu'un **enivrer, griser**
– Officier d'une maison seigneuriale qui servait à boire à table **échanson**
– Besoin morbide de boire de grandes quantités d'alcool **dipsomanie**
– Personne qui s'interdit de boire de l'alcool **abstème**
– Eau bonne à boire **potable**
– Faire boire des animaux **abreuver**

BOIS
lign(i)-, xyl(o)-, dendro-

BOIS voir aussi **arbre, branche, forêt**
– Petit bois **bosquet, bocage**
– Bordure d'un bois **orée, lisière**
– Endroit sans arbres à l'intérieur d'un bois **clairière**
– Partie d'un bois constituée d'arbustes et de broussailles **fourré**
– Bois composé d'arbrisseaux que l'on coupe fréquemment **taillis**
– Au Moyen Âge, bois clôturé où étaient parqués les animaux à chasser **breuil**
– Bois que l'on ne peut pas couper **marmenteau**
– Droit de ramasser du bois **affouage**
– Bois possédé en commun **ségrairie**
– Préparation du bois pour l'exploitation industrielle **débitage, équarrissage**
– Bois débité **bûche, bille, rondin**
– Expression régionale pour désigner le fagot de bois **brande, margotin, falourde, bourrée**
– Insecte qui se nourrit de bois **xylophage**
– Insecte qui se trouve dans le bois **lignicole**
– Insecte qui occasionne d'importants dégâts dans les pièces de bois **capricorne des maisons, lyctus, vrillette, termite**
– Partie du bois **cœur, aubier, nœud, écorce**
– Bois blanc **aulne, bouleau, saule, peuplier, tremble**
– Bois exotique **acajou, ébène, calambac, okoumé**
– Science du bois **xylologie**
– Bois des cervidés **dague, ramure, andouiller, merrain, cor, époi**

BOISSON voir aussi **alcool, bière, vin**
– Boisson qui a une propriété particulière **breuvage**
– Boisson médicamenteuse **potion, élixir, julep**
– Boisson infusée **tisane, décoction**
– Boisson stimulante **cordial, hydromel**
– Boisson magique **philtre**
– Boisson des dieux **nectar, ambroisie**

BOÎTE **étui**
– Boîte à bijoux **écrin, coffret, baguier**
– Boîte à confiseries **bonbonnière, drageoir**
– Boîte où l'on dépose de l'argent **cagnotte, tronc**
– Boîte où l'on conserve des reliques **reliquaire, châsse**
– Boîte où l'on place l'hostie consacrée **custode**
– Boîte où l'on dépose les bulletins de vote **urne**
– Boîte servant de chauffe-pieds **chancelière, chaufferette**
– Collectionneur d'étiquettes apposées sur les boîtes de fromage **tyrosémiophile**

BOITER
– Boiter légèrement **clopiner**
– Boiter en termes de médecine **claudiquer**
– Un homme qui boite **boiteux**
– Un cheval qui boite **feint**
– Soutient une personne qui boite **béquille**

BOITEUX
– Meuble boiteux **bancal, branlant, bringuebalant**
– Dieu boiteux de la mythologie romaine **Vulcain**

BOL
– Bol à pied **coupe**
– Grand bol très évasé **écuelle, jatte**
– Petit bol pouvant aller au four **ramequin**

BOMBARDEMENT **canonnade, pilonnage** voir aussi **artillerie**
– Arme destinée au bombardement **bombarde, crapaud, obusier, crapouillot, mortier**
– Avion de bombardement **bombardier**

BOMBE voir aussi **atomique, explosif, obus**
– Type de bombe **bombe A, bombe H, bombe au cobalt, à l'uranium, au phosphore, au napalm, à neutrons**
– Bombe de forme oblongue **torpille**
– Bombe artisanale **cocktail Molotov**
– Bombe servant à vaporiser un parfum **atomiseur**

BON
– Un homme bon **bienveillant, clément, magnanime, altruiste**
– Individu excessivement bon **débonnaire, paterne**
– Un bon employé **consciencieux, exemplaire, efficient**
– Une bonne situation **enviable, avantageuse, lucrative**
– Une bonne action **généreuse, louable**
– Un bon conseil **avisé, éclairé, judicieux**
– Un bon argument **plausible, recevable, efficace**
– Un bon livre **instructif, remarquable, captivant**
– Un bon repas **délicat, fin, savoureux, délectable, succulent, exquis**
– Une bonne terre **fertile**
– Le bon moment **favorable, opportun, propice**

BONBON **sucrerie, douceur** voir aussi **confiserie**
– Sorte de bonbon **berlingot, guimauve, dragée, fondant, praline, nougat, réglisse, caramel**
– Bonbons régionaux **calissons, bêtises**
– Bonbon de Noël enrobé de papier brillant **papillote**
– Boîte à bonbons **bonbonnière, drageoir**

BONDIR voir aussi **gambade, sauter**
– Bondir à la manière d'un cheval **caracoler**
– Bondir intérieurement **tressaillir, tressauter**
BONHEUR voir aussi **plaisir**
– Bonheur matériel **prospérité**
– Bonheur très vif **enchantement, ravissement**
– Bonheur total **béatitude, félicité, extase**
– Vœu de bonheur **bénédiction**
– Recherche du bonheur **eudémonisme**
– Porte-bonheur **fétiche, talisman, amulette, mascotte**
BONNE voir aussi **domestique**
– Bonne d'enfants **gouvernante, nurse**
BONNET voir aussi **coiffure**
– Bonnet de bébé **béguin**
– Bonnet de douche **charlotte**
– Sorte de bonnet couvrant uniquement le sommet de la tête **calotte**
– Sorte de bonnet enveloppant toute la tête à l'exclusion du visage **passe-montagne**
– Bonnet canadien en laine **tuque**
– Sorte de bonnet plat sur le dessus **toque**
– Bonnet des révolutionnaires **phrygien**
– Bonnet de militaire **calot**
– Sorte de bonnet que portent des magistrats de la Cour de cassation **mortier**
– Sorte de bonnet triangulaire des évêques **mitre**
– Bonnet de baptême **chrémeau**
BONTÉ voir aussi **bon**
– Bonté à l'égard d'autrui **humanité**
– Bonté accompagnée de simplicité **bonhomie**
– Bonté infinie **mansuétude**
– Avoir la bonté de faire quelque chose **gentillesse, amabilité, obligeance, bienveillance**
BORD voir aussi **contour**
– Bord de la mer **rivage, littoral**
– Bord d'un cours d'eau **rive, berge**
– Bord d'un bois **lisière, orée**
– Bord d'un astre **limbe**
– Bord d'un puits **margelle**
– Bord d'une gouttière **ourlet**
– Bord d'une médaille formé de petits grains en relief **grènetis**
– Bord intérieur d'un plat **marli**
– Bords d'une plaie **lèvres**
– Bord droit d'un navire **tribord**
– Bord gauche d'une navire **bâbord**
BORGNE voir aussi **œil**
– Se rendre dans un endroit borgne **obscur, sinistre, louche, malfamé**
BORNE limite, terme
– Borne d'un circuit électrique **pôle**
– Borne d'incendie **hydrant**
– Borne de l'humaine condition **finitude**
– Borne protégeant une porte ou un mur **chasse-roue, boute-roue**
BORNÉ
– Se montrer particulièrement borné **étroit, étriqué, mesquin, obtus**
BORNER
– Borner un champ **délimiter, marquer, circonscrire**
– Borner ses ambitions **restreindre, refréner, modérer**
BOSSE ecchymose, protubérance, proéminence
– Bosse déformant la colonne vertébrale **cyphose, gibbosité**
– Étude des bosses crâniennes **phrénologie**
– Un terrain plein de bosses **relief, monticule**
– Travailler un métal en faisant des bosses **bosseler**
– Déformer malencontreusement un objet par des bosses **bossuer, cabosser**
– Bosse d'amarrage **cordage**
– Bouffon fameux portant une bosse **polichinelle**
BOTANIQUE voir aussi **flore, plante**
– Objet d'étude de la botanique **végétaux**
– Recherche et ramassage des plantes en botanique **herborisation**
– Collection de plantes en botanique **herbier**
– Classification botanique **phytographie, taxinomie**
– Étude des monstruosités en botanique **tératologie végétale**
– Étude des maladies en botanique **phytopathologie**
– Partie de la botanique qui étudie les fossiles **paléobotanique**
– Laboratoire de botanique **phytotron, arboretum**
– Précurseur de la botanique scientifique **Buffon, Linné**
BOTTE chaussure
– Botte à revers **à l'anglaise**
– Botte enfermant la cuisse **cuissarde**
– Botte de fleurs **bouquet**
– Botte de céréales **faisceau, gerbe**
– Botte de feuilles de tabac **manoque**
– Porter une botte en escrime **coup**
BOUC voir aussi tableau **animaux** p. 20-21
– Sous-famille des bovidés à laquelle appartient le bouc **caprinés**
– Bouc menant le troupeau **menon**
– Vieux bouc **bouquin**
– Cri du bouc **béguètement**
– Qualité attribuée au bouc **puanteur, lascivité**
– Une odeur de bouc **hircine**
– Récipient en peau de bouc utilisé pour la conservation de l'eau **outre**
– Personnage mythique mi-homme, mi-bouc **satyre**
BOUCHE orifice, ouverture voir aussi dessin p. 58
– Provisions de bouche **vivres, victuailles**
– Nerf de la bouche **buccal**
– Affection de la bouche **stomatite**
– Développement anormal de la bouche **macrostomie**
– Spécialiste des maladies de la bouche **stomatologiste**
– Instrument permettant l'examen de la bouche **stomatoscope**
– Absorbé par la bouche **per os**
– Stade de l'enfance où la bouche est le lieu principal du plaisir **oral**
– Bouche des volatiles **bec**
– Bouche des animaux carnassiers **gueule**
– Bouche de certains insectes ou vers **trompe, suçoir**
– Bouche d'un fleuve **embouchure, estuaire**
BOUCHER (1) voir aussi **viande**
– Boucher en gros, demi-gros **chevillard**
– Apprenti boucher **garçon boucher**
– Morceau livré au boucher pour la vente au détail **quartier**
– Plan de travail d'un boucher **étal**
– Instrument de boucher **crochet, hachoir, couperet, fusil**
BOUCHER (2) obstruer, fermer
– Boucher un flacon, une bouteille **capsuler, luter, cacheter**
– Boucher les brèches d'un mur **colmater**
– Boucher un trou fait dans le sol **combler, remblayer**
– Boucher une porte **condamner, murer**
– Boucher les trous d'un navire **étouper, calfater**
– Boucher une conduite d'eau **aveugler**
– Boucher les interstices d'une fenêtre **calfeutrer**
BOUCHERIE
– Boucherie chevaline **hippophagique**
– Boucherie juive respectant le rituel d'abattage **kasher**
– Boucherie musulmane respectant le rituel d'abattage **hallal**
– Se livrer à une véritable boucherie

Bouche, nez, gorge

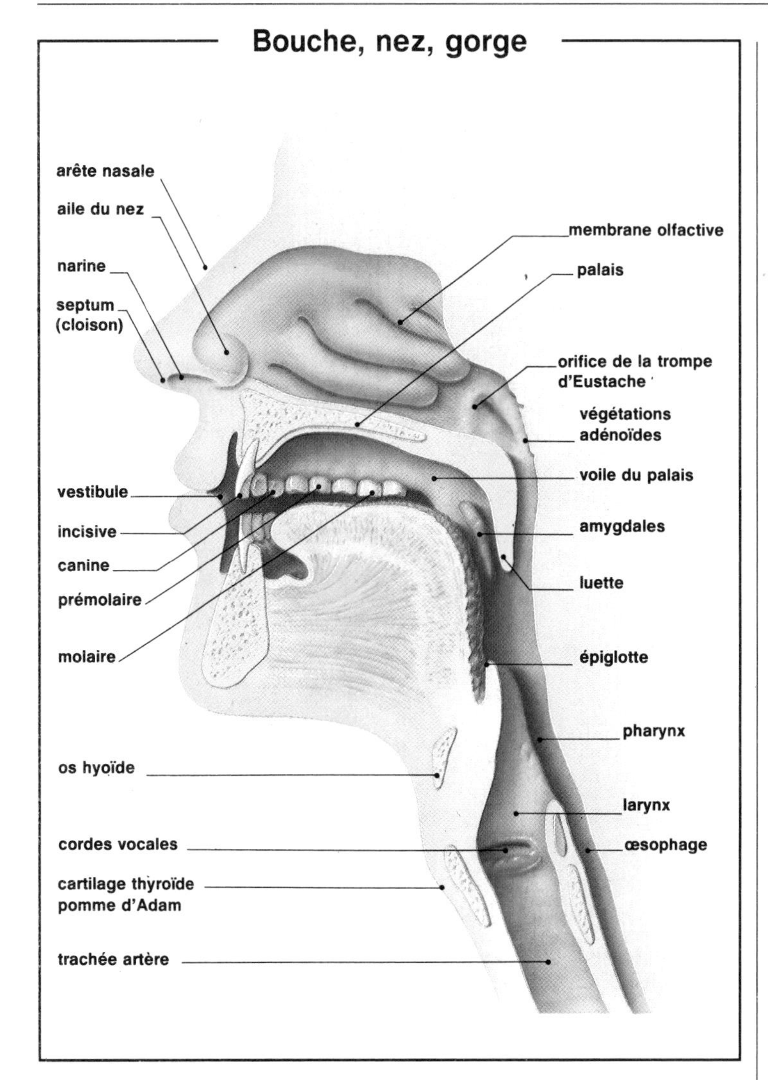

massacre, carnage, tuerie, hécatombe

BOUCHON
– Bouchon de pêche **flotteur**
– Bouchon utilisé pour fermer les tonneaux **bondon**
– Bouchon d'écubier **tape**
– Roulé en bouchon **en tapon**
– Bouchon survenant sur un axe routier **engorgement, encombrement**
– Bouchon de pétanque **cochonnet**

BOUCLE voir aussi **ceinture**
– Boucle de cheveux **ondulation, bouclette, frisette, anglaise, accroche-cœur**
– Pointe d'une boucle de ceinture **ardillon**
– Boucle d'oreille **créole, clip, pendant**
– Boucle que fait l'avion dans le ciel **looping**
– Boucle d'un fleuve **méandre, sinuosité**
– Boucle de circuit automobile **anneau, spirale, cercle**
– Boucle que l'on fait à un lacet de chaussure **rosette**
– Boucle complète avec retour à l'état initial **cycle**

BOUCLIER
– Bouclier grec **pelte**
– Bouclier romain ***clypeus,* scutum**
– Bouclier des hommes d'armes au Moyen Âge **écu**
– Petit bouclier au Moyen Âge **targe**
– Grand bouclier en usage à la fin du Moyen Âge **pavois**
– Poignées pour tenir le bouclier **anses**
– Fond gravé d'un bouclier **champ**
– Bouclier circulaire tenu à bout de bras **rondache**
– Bordure étroite qui fait le tour d'un bouclier **orle**
– Courroie pour suspendre ou porter un bouclier **guiche, enguichure**
– Bouclier métallique pour isoler un réacteur nucléaire **thermique**
– Levée de boucliers **tollé**

BOUDDHISME voir tableau

BOUE gadoue, fange
– Boue au fond des eaux stagnantes **bourbe, vase**
– Boue fine déposée sur le lit et les rives d'un fleuve **limon**
– Boue mêlée d'ordures **margouillis**
– Dans un chemin défoncé, trou rempli d'eau et de boue **fondrière**
– Lieu où la boue et l'eau stagnante se mêlent à une flore particulière **marécage**
– Dans les régions tropicales, bras mort d'un fleuve rempli de boue **marigot**
– Boue dont on enduit le fond et les parois d'un bassin **braye**
– Soins par application de boue chaude **fangothérapie**
– Employé chargé d'enlever la boue et les ordures de la voie publique **boueux, boueur, éboueur**

BOUEUX
– Endroit boueux **fangeux, bourbeux**
– Impression typographique boueuse **baveuse, charbonneuse**

BOUFFI
– Individu bouffi de manière disgracieuse **boursouflé, enflé, gonflé, gras**
– Un visage bouffi **mafflu, vultueux**
– Individu bouffi de manière plaisante **joufflu, rebondi, rond**

BOUFFON (1)
– Bouffon qui amuse par ses facéties **farceur, plaisantin, pitre, pantin, clown, guignol**
– Bouffon de cour chargé de divertir le roi **fou**
– Bouffon de théâtre dont le rôle était de faire rire le parterre **arlequin, paillasse, polichinelle, histrion**

BOUFFON (2)
– Petite pièce à caractère bouffon du théâtre de la Rome ancienne **atellane**
– Scène ou histoire bouffonne **cocasse, grotesque, burlesque, ridicule**

BOUGEOIR chandelier voir aussi **bougie**
– Disque en creux adapté aux bou-

geoirs pour recueillir la cire **bobèche**

BOUGER
– Bouger d'un lieu à un autre plus ou moins éloigné **se déplacer, se mouvoir, partir**
– Un pays se met à bouger **se soulève, passe à l'action, se révolte**
– Un tissu qui bouge au lavage **change, s'altère**

BOUGIE chandelle voir aussi **cierge, cire**
– Boîte ajourée où l'on abrite une bougie **lanterne**
– Lanterne en papier plissé et coloré où est allumée une bougie **lampion**
– Dernier morceau d'une bougie en train d'être consumée **lumignon**
– Plus gros qu'une bougie et en matière inflammable **torche, brandon, flambeau**
– Support recevant les bougies **bougeoir, chandelier, candélabre**
– Tige conductrice par laquelle circule le courant dans la bougie du moteur **électrode**
– Instrument de mécanicien pour les bougies d'un moteur **clé à bougies**
– Pièce assurant l'allumage du moteur avec les bougies **allumeur, bobine transformatrice, batterie**

BOUILLIE
– Pour faire une bouillie de bébé **farine, lait en poudre**
– Bouillie de farine de maïs d'origine italienne **polenta**
– Réduire en bouillie **écraser, écrabouiller, démolir**
– Bouillie de sulfate de cuivre pour protéger la vigne **bordelaise, bourguignonne**
– Bouillie servant à la préparation du papier **bouillie de chiffons**
– De la bouillie pour chats **gâchis**
– Bouillie alimentaire modifiée par la salive et le suc gastrique **chyme**
– Bouillie épaisse résultant de l'expression du liquide d'une substance **magma**
– Bouillie épaisse, résidu de certains végétaux traités dans les sucreries **pulpe**

BOUILLIR
– Faire bouillir un biberon **stériliser**
– Faire bouillir une substance pour en extraire les principes solubles **décoction**
– Celui qui fait bouillir le vin pour obtenir de l'eau-de-vie **bouilleur**
– Ces hésitations le font bouillir d'impatience **s'agiter, s'échauffer, s'impatienter, bouillonner**

BOUILLON bouillon de culture
– Bouillon de légumes **potage**
– Il donne un excellent bouillon **pot-au-feu**
– Bouillon assaisonné d'épices pour cuire le poisson **court-bouillon**
– Bouillon de viande concentré **consommé**
– Bouillon chaud **chaudeau**
– Les bouillons d'une jupe **fronces**
– Journal qui a de nombreux bouillons **invendus**
– Bouillon de plantes pharmaceutiques **médicinal**

BOUILLONNEMENT
– Bouillonnement d'une source **agitation, mouvement**
– Bouillonnement du cœur **ardeur**
– Bouillonnement des idées **effervescence, ébullition**

BOULANGER voir aussi **pain**
– Apprenti boulanger **mitron**
– Ouvrier boulanger qui pétrit le pain **gindre**
– Local où est placé le four du boulanger **fournil**
– Coffre où le boulanger pétrit la pâte **pétrin, huche, maie**

BOUDDHISME

Arhant, Bouddha	Noms donnés à Gautama.
Asie	Continent où le bouddhisme est pratiqué aujourd'hui.
bhikshü	Nom donné aux moines du bouddhisme.
bodhisattva	Nom donné par les bouddhistes du mãhãyãna aux êtres qui œuvrent pour le bien de l'humanité et qui ne parviendront au nirvãna que lorsque leur mission sera accomplie.
bonze	Nom donné aujourd'hui aux moines du bouddhisme.
Çakyamuni ou Siddharta Gautama	Fondateur du bouddhisme.
dalaï-lama	Titre donné au chef du bouddhisme au Tibet et en Mongolie.
hînayâna	(= Petit véhicule.) Courant du bouddhisme.
Inde	Pays où est né Bouddha.
jataka	Récits des vies antérieures de Bouddha.
lama	Moine bouddhiste au Tibet ou en Mongolie.
mãhãyãna	(= Grand véhicule.) Courant du bouddhisme.
naissance du bouddhisme	VIe s. avant Jésus-Christ.
nirvãna (délivrance)	État de connaissance parfaite selon le bouddhisme.
panchen-lama	Au Tibet, second du dalaï-lama.
rippal	Arbre sous lequel Bouddha eut l'illumination.
samsara	Cycle infini des naissances et des morts.
Sangha	Communauté bouddhique.
Stũpa	Monument commémoratif de la mort de Bouddha (parfois reliquaire).
sutra	Textes exposant la doctrine du bouddhisme.
zen	Secte bouddhique venue de Chine qui s'est répandue au Japon.

BOULE
– Petite boule de viande hachée et épicée au Moyen-Orient **kefta**
– Petite boule de pâte trempée dans l'œuf et frite **croquette**
– Boule de fil, de ficelle ou de laine roulés sur eux-mêmes **pelote**
– Boule à l'extrémité d'une rampe d'escalier **pomme**
– Boule pour repriser bas et chaussettes **œuf**
– Le chat s'est roulé en boule **s'est pelotonné**
– On y joue avec des boules **billard, pétanque, bowling, croquet**
– Celui qui joue aux boules **bouliste**
– Lieu où l'on joue aux boules **boulodrome**
– Petite boule qui sert de but dans certains jeux de boules **cochonnet**
– À la pétanque, chercher à rapprocher sa boule au maximum du cochonnet **pointer**
– Tenter de prendre la place de la boule de l'adversaire dans un lancer vif **tirer**
– Chercher à jeter sa boule haut en l'air au lieu de la faire rouler **plomber, poquer**

BOULEVARD
– Boulevard formant une première voie de circulation en bordure d'une ville **boulevard extérieur, ceinture**
– Boulevard qui permet de contourner une ville sans y pénétrer **périphérique**
– Boulevard majestueux qui sert de promenade **cours**
– Boulevard bordé d'arbres avec une contre-allée **mail**

BOULEVERSEMENT
– Bouleversement physique léger ou aigu **altération, convulsion, crise**
– Bouleversement politique ou économique **perturbation, renversement, désordre**

BOULEVERSER
– Bouleverser une situation **altérer, déranger, chambouler**
– Bouleverser quelqu'un par une émotion **troubler, émouvoir, secouer**

BOUQUET **gerbe** voir aussi **couronne**
– Bouquet d'arbres **boqueteau, bosquet**
– Bouquet de fleurs et de feuillage aux tiges bien régulières **botte**
– Bouquet de thym et de laurier pour sauces et assaisonnements **bouquet garni**
– Bouquet mortuaire **couronne**
– Marchande de bouquets de fleurs dans les lieux publics **bouquetière**
– Art de composer les bouquets à la manière japonaise **ikebana**
– Dernier bouquet d'un feu d'artifice **bouquet final**
– Bouquet d'un vin ou d'une liqueur **arôme**

BOURDONNEMENT
– Insecte qui, en volant, fait entendre un bourdonnement **mouche, bourdon, guêpe**
– Bourdonnement d'un moteur d'avion **vrombissement**
– Bourdonnement intense qui empêche d'entendre **assourdissant**
– Bourdonnement de la rue **rumeur**
– Bourdonnement d'oreilles **acouphène**

BOURGEOIS (1)
– Bourgeois qui fait autorité dans une ville de province **notable**

BOURSE

VALEURS MOBILIÈRES	
action	Titre représentant une part de propriété dans le patrimoine social d'une entreprise. L'actionnaire est un associé. L'action donne droit à une quote-part dans les bénéfices, ou dividende.
bon	Titre qui représente les mêmes caractéristiques que l'obligation, mais remboursable à court ou moyen terme.
coupon	Partie d'un titre au porteur détachée au moment du paiement des dividendes (actions ou parts) ou des intérêts (obligations). Aujourd'hui, le coupon n'est plus matérialisé et signifie le droit à paiement.
obligation	Titre de créance représentant une fraction d'un emprunt contracté par une collectivité publique ou société privée et remboursable à long terme. L'obligataire est un créancier. L'obligation donne droit à des intérêts fixes, quels que soient les résultats de la société.
FONDS D'ÉTAT	
dette publique	Elle est formée par les fonds d'État, c'est-à-dire les titres émis par un État en représentation des emprunts qu'il contracte.
LA BOURSE	
admission de valeur à la cote	Demande d'admission à la cote.
agent de change	Officier ministériel nommé par le ministre des Finances. Il a le droit de faire les négociations des effets, publics et autres, susceptibles d'être cotés. Il traite les opérations de Bourse pour le compte de ses clients mais en son nom propre et sous sa responsabilité.
Bourse de marchandise ou Bourse de commerce	On y négocie les marchandises par l'intermédiaire des courtiers.
Bourse de valeurs ou « la Bourse »	Elle est réservée aux transactions sur valeurs mobilières réalisées par l'intermédiaire d'agents de change.
broker	Courtier intermédiaire aux États-Unis et sur les places financières anglo-saxonnes.
commission des opérations de Bourse (C.O.B.)	Organisme chargé de contrôler l'information fournie aux porteurs de valeurs mobilières et au public sur les sociétés qui font publiquement appel à l'épargne et sur des valeurs émises par ces sociétés. Elle veille également au bon fonctionnement des Bourses de valeurs.

– Bourgeois qui vit de ses revenus **rentier**
– Au XVIIIe siècle, classe qui comprenait bourgeois, artisans et paysans **tiers état**

BOURGEOIS (2)
– Aspire à la vie bourgeoise sans en avoir les moyens **petit-bourgeois**
– Idées dites bourgeoises **conservatrices, dépassées, surannées**

BOURGEON
– Bourgeon naissant de l'arbre ou de la graine **pousse, jet**
– Nouveau bourgeon d'une plante, nouvelle branche d'un arbre **rejet, rejeton**
– Jeune bourgeon de printemps **brout**
– Bourgeon d'une plante vivace, à fleur de terre ou souterrain **turion**

cote	Cours de négociation des différentes valeurs mobilières.
filière	Instrument de liquidation des marchés à terme.
marché hors-cote	Il est ouvert aux valeurs non admises au marché officiel.
mercuriale	Cote officielle des marchandises.
OPÉRATIONS DE BOURSE	
opérations à terme	Opérations dans lesquelles la livraison des titres et le règlement du prix sont différés jusqu'à une date déterminée qui représente le terme du marché.
ordres	Ils sont passés d'une manière précise et sont donnés « au mieux » ou « à cours limité ».
remisier	Intermédiaire entre le public et les agents de change.
transactions au comptant	Elles se traitent selon trois procédés : *cotation à la criée,* procédé par lequel se traitent les négociations et consistant en une libre discussion des cours par les commis du groupe et l'inscription du cours par un coteur, *cotation par opposition* et *cotation par boîte.*
LA BOURSE DES VALEURS DE LONDRES **(Stock Exchange)**	
jobber* ou *dealer	Marchand de titres. Généralement, une firme de jobbers se spécialise dans un marché spécifique.
market	Groupe formé par les jobbers à la Bourse.
LA BOURSE DES VALEURS DE NEW YORK **(Wall Street)**	
indice Dow Jones	Indice établi sur la moyenne des cours de trente valeurs industrielles sélectionnées minutieusement. Il constitue en quelque sorte le baromètre de la tendance boursière à Wall Street.
indice Standard and Porr	Indice comparable au Dow Jones, mais établi sur la base du cours de cinq cents valeurs choisies dans tous les secteurs d'activité.
***member firm* (membre participant)**	Membre de la Bourse des valeurs.
Trading Floor	Parquet où les actions sont inscrites et où les obligations sont traitées (Bond Crowd).
LA BOURSE DES VALEURS DE TOKYO **(Kabuto-Cho)**	
regular members* et *Saitori members	Ils constituent les membres de la Bourse des valeurs.

– Touffe de jeunes tiges d'arbre, bourgeons d'une même souche **cépée**
– Bourgeon sur une souche et qui produit des racines adventives **surgeon, drageon**
– Reproduction d'un bourgeon par division simple de l'organisme **scissiparité**

BOURREAU voir aussi **supplice**
– Bourreau chargé de torturer les condamnés **tortionnaire**
– Bourreau qui exécute les arrêts condamnant à une peine corporelle **exécuteur des hautes œuvres, exécuteur des basses œuvres**

BOURSE voir aussi tableau et **banque, sac**
– Petite bourse ancienne portée sous l'aisselle ou à la ceinture **gousset**
– Bourse à coulant portée autrefois à la ceinture **aumônière**
– Petite bourse **boursicaut**
– Grande bourse autrefois portée à la ceinture **escarcelle**
– Désignation de la valeur des actions en Bourse **cours, cote, cotation**
– Montée rapide des valeurs en Bourse **boom**
– Chute rapide et violente des valeurs en Bourse **krach**
– Tirer profit des fluctuations naturelles du marché en Bourse **spéculer**
– Diverses opérations traitées en Bourse **ordre, négociation, souscription, liquidation, transaction, compensation**
– Spéculation malhonnête ou illicite en Bourse **agiotage, tripotage, délit d'initié**
– Officier ministériel chargé des valeurs mobilières en Bourse **agent de change**
– Courtier chargé de certaines transactions en Bourse **coulissier**
– Spéculateur en Bourse qui tire profit du marché des valeurs mobilières **baissier, haussier**

BOUSCULER
– Bousculer en mettant du désordre **déranger, secouer, culbuter, renverser**
– Être bousculé par le temps **pressé**
– Bousculer quelqu'un **importuner, gourmander, brusquer, rudoyer, maltraiter**

BOUSSOLE voir aussi **orientation**
– Ce qui permet à la boussole de fonctionner **aimant**
– Dans la boussole, elle indique le nord ou le sud **aiguille**

– Ce à quoi sert la boussole **s'orienter**
– Boussole de marine **compas**
– Perdre la boussole **le nord**
BOUT part, portion, morceau
– Atteindre le bout de l'île **extrémité, pointe, limite**
– Garniture qui se met au bout d'une canne ou d'un parapluie **embout, virole**
– Mettre bout à bout **abouter, rabouter**
– Un bout de pain **tranche**
– Le bout d'une cigarette qui a été fumée **mégot**
– Bougeoir sur lequel finit de brûler le bout d'une bougie **brûle-tout**
– Bout recourbé du fer à cheval **crampon**
– Bout d'un instrument de musique à vent **embouchoir**
– Bout de sein **bouton, mamelon**
– Bout de la langue ou d'un autre organe **apex**
– Montrer le bout de l'oreille **se trahir**
– Être à bout de course, à bout de souffle **épuisé**
– Venir à bout de quelque chose **accomplir, réussir, triompher, surmonter**
– Au bout d'un certain temps **après un moment**
– Mettre les bouts **s'enfuir**
BOUTEILLE carafe voir aussi tableau
– Partie étroite en haut de la bouteille **col, goulot**
– La partie large de la bouteille **ventre, panse**
– Le bas de la bouteille **fond, cul**
– Débris d'une bouteille cassée **tesson**
– Bouteille de bière **canette**
– Bouteille spéciale en métal, en cuir ou en plastique **gourde**
– Grosse bouteille enveloppée de paille ou d'osier **bonbonne, dame-jeanne, tourie, fiasque**
– Petite bouteille de verre **fiole, flacon**
– Enveloppe de paille pour protéger les bouteilles **paillon**
– Mettre du vin en bouteille **embouteiller**
– Boucher une bouteille dans laquelle on a mis le vin **bouchage**
– Instrument employé pour enfoncer le bouchon dans la bouteille **serre-bouchon**
– Les dernières gouttes d'une bouteille **égoutture**
– Ustensile pour laver les bouteilles **goupillon, hérisson**
– Bouteille vide **cadavre**

BOUTEILLES

NOM	EN NOMBRE DE BOUTEILLES TRADITIONNELLES
magnum	× 2
jéroboam	× 4
mathusalem	× 8
impériale	× 10
salmanazar	× 12
balthazar	× 16
nabuchodonosor	× 20

BOUTIQUE magasin
– Petite boutique adossée à un mur **échoppe**
– Boutique en toile dressée dans une foire ou un marché ouvert **stand**
– Très souvent, pièce de travail jouxtant la boutique d'artisan **atelier**
– Boutique du marchand de tabac **bureau de tabac, débit de tabac**
– Boutique où l'on vend toutes sortes d'objets disparates **bazar**
– Petite boutique de produits alimentaires **commerce, négoce**
– Façade de la boutique où l'on expose des objets à vendre **étalage, vitrine, devanture**
– Dans la boutique, il sépare le client du vendeur **comptoir**
– L'arrière-salle d'une boutique **arrière-boutique**
– Garnir une boutique de marchandises à vendre **achalander**
– Garçon de boutique **commis**
– Terme vieilli pour désigner une boutique de produits spéciaux **officine**
BOUTON voir aussi **abcès, tumeur**
– Boutons nombreux sur la peau des adolescents **acné**
– Maladie qui se manifeste surtout par des boutons **variole, varicelle, rougeole, urticaire, zona, petite vérole**
– Bouton de la peau à contenu purulent **pustule**
– Bouton en éruption sur la peau ou sur une muqueuse **vésicule**
– Éruption de petits boutons groupés provoqués par un virus **herpès**
– Bouton au bord de l'œil, sur la paupière **orgelet**
– Gros bouton de la peau causé par un staphylocoque **furoncle, anthrax**
– Sorte de bouton de vêtement qui en assemble deux parties **attache, agrafe**
– Où se glisse le bouton pour retenir l'autre partie du vêtement **boutonnière, bride**
– Ornement autour de la boutonnière et du bouton **brandebourg**
– Bouton de porte qui fait levier **clenche, poignée**
– Bouton d'un poste de radio **poussoir**
– Bouton électrique **commutateur, interrupteur, olive**
– Bouton de sonnette **poire**
BOUTURE voir aussi **bourgeon**
– Partie d'une plante servant de bouture **racine, rameau, tige, feuille**
– Transplantation d'une bouture **greffe, marcotte**
– Bouture de vigne **crossette**
– Bouture de saule **plançon, plantard**
– Bouture de l'année **mailleton**
BOXE voir aussi **sport**
– Dans la boxe antique, courroie garnie de plomb pour entourer les mains **ceste**
– Combat de boxe, les poings gantés de cestes **pugilat**
– Boxe où l'on peut donner des coups de pied **boxe française, savate**
– Plus proche de la lutte que de la boxe **catch**
– En boxe anglaise, catégorie de poids léger **mouche, coq, plume, léger, mi-welter**
– En boxe anglaise, poids léger à moyen **welter, super welter, moyen**
– En boxe anglaise, poids lourd **mi-lourd, lourd, super-lourd**
– Estrade entourée de cordes où ont lieu les matches de boxe **ring**
– Reprise ou partie dans un combat de boxe **round**
– Coup droit donné dans un combat de boxe **direct**
– En boxe, coup où le bras frappe vers l'intérieur en se pliant **crochet**
– En boxe, coup où le bras est ramené horizontalement vers l'intérieur **swing**
– En boxe, coup porté de bas en haut **uppercut**
– Corps à corps dans un combat de boxe **clinch**
– Dans un match de boxe, combat de près **infighting**
– Coup rapide donné après l'attaque adverse dans un combat de boxe **contre**

– Dans un match de boxe, combattant à terre plus de dix secondes **knock-out**

BRACELET voir aussi **bijou, colonne**
– Bracelet dont le cercle est partout de la même grosseur **jonc**
– Bracelet en forme de chaîne aux maillons de métal aplatis **gourmette**
– Bracelet de sept anneaux **semainier**
– Bracelet antique pour le cou, les bras ou les jambes des femmes **psellion**
– Bracelet en anneau autour des chapiteaux doriques **armille**
– Petit morceau de corail pour faire des bracelets **puntarelle**

BRANCHE voir aussi **architecture, bourgeon, famille**
– Ensemble de branches d'un arbre avec leurs feuilles **branchage, feuillage, ramée, ramure**
– Petite branche **branchette, brindille, rameau, ramille**
– Branche de vigne **sarment**
– Mot régional pour désigner une petite branche flexible **rouette**
– Branche verticale **flèche**
– Branche d'arbre fruitier taillée court pour que la sève s'y concentre **courçon**
– Branche dont le développement excessif nuit aux rameaux fruitiers **gourmand**
– Jeune branche qui ne porte que des boutons à fleurs **branche chiffonne**
– Base d'une branche coupée dans un arbre fruitier **ergot**
– Opération consistant à implanter une branche sur une autre **greffe**
– Branche nouvelle **brout, brouture, pousse, rejeton**
– Jeune branche taillée en forme de crosse **crossette**
– Jeune branche droite qui est une pousse de l'année **scion**
– Branche que l'on prend à un arbre pour faire une greffe **ente**
– Branche d'une plante qui a pris racine **marcotte**
– Branche, surtout de saule ou d'osier, utilisée comme bouture **plançon**
– Courber une branche pour la faire fructifier **arcure, arçon**
– Branches coupées et liées ensemble en forme de claie **clayonnage, croisillon**
– Petites branches qui accrochent les bois du cerf **branches hardées**
– Dépouiller un arbre de ses branches **tailler, ravaler, ébrancher, élaguer, émonder**

BRANCHER
– Brancher une installation électrique ou une canalisation **rattacher**
– Brancher une voie ferrée sur une autre voie **aiguillage, bifurcation**
– Brancher deux personnes entre elles **mettre en relation**
– Les oiseaux branchent sur l'arbre **se perchent**

BRANDIR
– Brandir un objet d'un air agressif **agiter**
– Brandir un objet qu'on recherchait et qu'on a retrouvé **lever**
– Brandir sa démission **menacer**
– Brandir ses lettres de noblesse **arborer**

BRAS voir aussi **corps**
– Articulation qui attache le bras au tronc **épaule**
– Articulation entre l'avant-bras et la main **poignet**
– Dépression entre le haut du bras et le côté du thorax **aisselle**
– L'os le plus gros de l'avant-bras **cubitus**
– L'os de la partie externe de l'avant-bras **radius**
– L'os du bras, qui va de l'épaule au coude **humérus**
– Muscle du bras **biceps, triceps, muscle brachial**
– Muscle du bras qui relie l'humérus à la clavicule **deltoïde**
– Pli entre le bras et l'avant-bras **saignée**
– Il se croise les bras **paresseux, inactif**
– C'est à vous couper bras et jambes **décourager, anéantir**
– Ouvrir grand les bras **accueillir**
– Dans les bras de Morphée chaque nuit **dormir**
– L'enfant dans les bras de sa mère **giron, sein**
– Avoir quelqu'un sur les bras **à charge**
– Il a le bras long **de l'influence, du crédit**
– Les bras du fauteuil **accoudoirs**
– Un bras de mer **détroit**
– L'agriculture réclame des bras **travailleurs, agents, main-d'œuvre**

BRÈCHE voir aussi **fente**
– Faire une brèche dans une clôture **accès, trou, passage**
– Une brèche dans une muraille de montagne **trouée, pertuis, percée, échappée**
– Faire une brèche dans une ligne fortifiée **ouverture**
– Battre en brèche **attaquer, tirer, ébranler, détruire, miner, nuire**
– Faire une brèche à un gâteau **entamer**
– Il a fait une brèche à sa bibliothèque **écorné**
– L'usure a fait des brèches à la vaisselle **ébréché**
– Une brèche dans le bois de la porte **orifice, interstice, jour**
– Faire une brèche dans ses principes **exception à, entorse à**

BREF
– Un ton bref **brusque, sec, impératif, coupant**
– Être bref dans ses interventions **concis, laconique**
– Un épisode de brève durée **court, rapide**
– Un discours bref **succinct**
– Rendre bref **abréger, raccourcir**
– Pour être bref... **enfin, pour finir, en résumé**

BREVET **diplôme, commission**
– Brevet en droit **capacité**
– Sanctionne un brevet d'études **examen**
– Brevet délivré à l'auteur d'une découverte **licence**
– Délivrer à quelqu'un un brevet d'intelligence, de sottise, de travail **certifier, assurer**

BRICOLER
– Il a bricolé lui-même cette installation **réparé, dépanné, arrangé, révisé, rénové**
– Ce chômeur bricole ici et là **travaille**
– Bricoler au billard **jouer de bricole**
– Bricoler un cheval **mettre la bricole**

BRILLANT (1)
– Un brillant **diamant**
– Le brillant d'une cérémonie **faste, magnificence**

BRILLANT (2) **étincelant, coruscant**
– Une étoffe brillante **chatoyante, satinée, soyeuse**
– Une mer brillante **brasillante**
– Une entreprise brillante dans ses résultats **florissante, prospère**
– Un brillant parti **enviable**
– Une brillante réputation **illustre, célèbre, fameuse**
– Faire un brillant mariage **riche, distingué**
– Être d'un brillant esprit **spirituel, doué, fin**
– Pensées brillantes et affectées **concetti**

BRILLER
– Briller d'une lumière intense comme le soleil **éblouir, étinceler, luire**

– Briller d'un vif éclat **flamboyer, scintiller, irradier**
– Cet objet brille au soleil **miroite, chatoie, rayonne**
– Ce bijou brille comme de l'or **rutile**
– Elle brille par sa beauté et son intelligence **resplendit, charme, ensorcelle, impressionne, frappe, se distingue**
– La joie fait briller ce visage **illumine, fait pétiller**
– Briller en société **faire florès**
– Briller à un examen **exceller**
– Faire briller les avantages de la situation aux yeux de l'intéressé **appâter, séduire**
– Faire briller ses propres avantages dans un groupe **étaler**
– Faire briller quelqu'un **faire valoir**
– Faire briller le parquet ou des chaussures **astiquer, faire reluire**

BRIN
– Un brin d'herbe **brindille**
– Un brin de paille **fétu**
– Plusieurs brins assemblés en cordelette **filament**
– Brin de fil liant un écheveau **centaine**
– Un brin de fil ou de laine **bout, morceau**
– Brin d'une antenne **fil**
– Un brin de folie **grain**
– Donnez-moi un brin de... **un peu de**

BRIQUE voir aussi dessin et **fondation, mur**
– Usine où l'on fabrique des briques **briqueterie**
– Maçonnerie de brique **briquetage**
– Maçonnerie de brique légère pour garnir un colombage **hourdis**
– Cloison de briques posées de chant **galandage**
– Brique carrée posée de chant **carreau**
– Outil pour couper des briques **ciseau, massette**
– Matériel nécessaire pour réaliser un bon alignement d'un mur de brique **cordeau, chevillettes**
– Brique de demi-épaisseur pour paver les âtres **chantignole**
– Débris de briques pour remplir les vides entre deux parements d'un mur **briqueton, blocaille**
– La couleur brique est **rougeâtre**
– Peindre une paroi en imitant la brique **briqueter**
– Brique plâtrière **à galandages**

Appareillages de briques

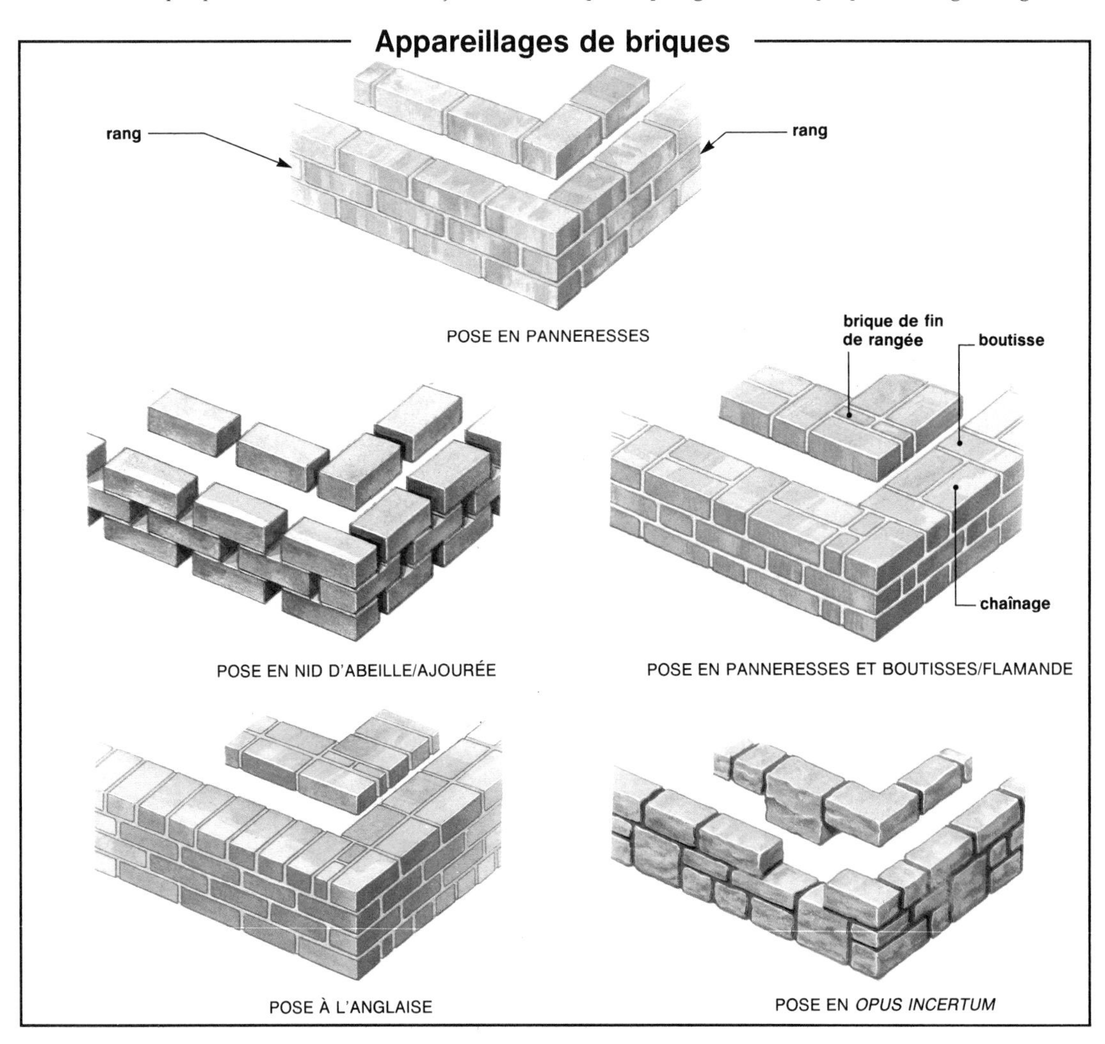

– Manger des briques **ne rien manger**
– Et si cela coûte une brique ? **dix mille francs, un million de centimes**
BRISER
– Briser une porte, une serrure **enfoncer, défoncer, forcer, fracturer**
– Briser avec violence pour ne rien laisser intact **démolir, fracasser, saccager, ruiner**
– Briser par compression **aplatir, effondrer**
– Briser en menus morceaux **pulvériser, broyer**
– Briser un sceau **desceller**
– Briser les bords d'une assiette **ébrécher**
– Il brise tout ce qu'il touche **brise-tout**
– Arc-boutant pour briser les glaces **brise-glace, avant-bec**
– Cylindre pour briser les mottes de terre **brise-motte, croskill, rouleau**
– Pour briser la laine, le lin, le chanvre **brisoir, broie**
– Action de briser **bris, effraction, brisement**
– Briser les oreilles de quelqu'un **harceler**
– Briser un discours **interrompre**
– Briser l'élan, le courage de quelqu'un **affaiblir, détruire, anéantir**
– Celui qui brise les images **iconoclaste**
– Cette aventure l'a brisé **accablé, éreinté, harassé**
BROCHE voir aussi **bijou, chirurgie**
– Petite broche **épinglette, pin's**
– Broche pour retenir et orner un vêtement de femme **affiquet, attache, fibule**
– Mouton rôti à la broche **méchoui**
– Petite broche utilisée pour rôtir des morceaux de viande **brochette, hâtelet**
– Appareil de cuisson équipé d'une broche **barbecue**
– Grand chenet de cuisine qui sert d'appui aux broches **hâtier**
– Récipient sous la broche pour recueillir la graisse de la viande **lèchefrite**
– Mettre à la broche **embrocher, brocheter**
– Mécanisme qui fait tourner une broche **tournebroche**
– Fabrique où l'on utilise des bancs à broches **filature**
– Broche conique sur laquelle on envide un textile **fuseau**
BROCHURE
– Brochure explicative **plaquette, opuscule, mémoire**
– Brochure satirique contre une institution ou un personnage connu **diatribe, libelle, pamphlet**
– La brochure du livre demande encore un peu de temps **brochage**
– Une brochure de tissu enrichi en fil d'argent **broché**
BRODERIE **feston, nervure, picot, plumetis** voir aussi dessin p. 66-67 et **passementerie, point**
– Tissu réversible avec broderie en satin et taffetas **damas**
– Dentelle avec broderie à l'aiguille ou à la machine **guipure**
– Broderie en forme d'alvéole de ruche **nid-d'abeilles, smocks**
– Fil pouvant être utilisé pour la broderie **cannetille**
– Instrument utilisé pour la broderie à la main ou à la machine **aiguille, crochet, poinçon**
– Broderie de faux or ou argent **oripeau**
– Bande de broderie qui coupe un tissu **entre-deux**
– Point de broderie sur linge et lingerie **jour, échelle, bourdon, chaînette, croix**
– Grosse toile à jours qui sert de fond aux broderies et tapisseries **canevas**
– Carton avec fils d'or pour les points en relief des broderies **cartisane**
– Ces broderies sont mièvres **fioritures**
– Ce récit est faussé par de trop nombreuses broderies **amplifications, exagérations, digressions**
BRONCHE
– Organe dans la poitrine d'où partent les bronches **trachée**
– Bronches secondaires **bronchioles**
– Affection des bronches **bronchite**
– Ouverture chirurgicale d'une bronche **bronchotomie**
BRONZE **airain**
– Les ouvrages de bronze dans leur ensemble **bronzerie, bronze d'art**
– Ouvrier qui travaille le bronze d'art **bronzeur**
– Artiste en bronze d'art **bronzier**
– Se dépose sur les objets en bronze exposés à l'air et à l'humidité **patine, vert-de-gris**
– Poudre de bronze **bronzine**
– Un cœur de bronze **pierre, fer**
BROSSE voir aussi **balai, pinceau**
– Petite brosse de bruyère pour épousseter **époussette**
– Brosse à frotter **frottoir**
– Brosse à reluire **polissoire**
– Objet qui décrotte mieux qu'une brosse **décrottoir**
– Élément d'une brosse **monture, manche, patte, dos, garniture, poil**
– Brosse en chiendent **fermière**
– Brosse pour ramasser les miettes sur une table après un repas **ramasse-miettes**
– Brosse à étriller les chevaux **étrille**
– Brosse à barbe pour faire mousser le savon **blaireau**
– Brosse de boulanger pour enlever la farine du pain **passe-partout**
– Les poils d'une brosse sont de **chiendent, crin, sanglier, ligneul, soie de porc, tampico**
– Brosse à long manche pour laver le dos **lave-dos**
– Brosse pour nettoyer des pots, des bouteilles **goupillon, écouvillon**
– Brosse métallique à l'extrémité d'un câble pour déboucher les canalisations **furet**
– Brosse faite de plusieurs lames pour le ramonage des cheminées **hérisson**
– Brosse à long manche et à tête ronde pour le nettoyage des plafonds **tête-de-loup**
– Brosse dure pour le lavage des planchers et des sols **lave-pont**
BROUILLARD voir aussi **nuage**
– Brouillard léger **brume**
– Brouillard qui se condense en pluie **bruine, crachin, brouillasse**
– Brouillard froid formant des dépôts de givre **frimas, gelée blanche**
– Brouillard avec amas de fines gouttelettes d'eau **vapeur, nuage**
– Brouillard de gouttelettes d'eau formées par les vagues qui se brisent **embrun**
– Être dans le brouillard **obscurité, confusion**
– Temps assombri par le brouillard **bouché, embrumé**
– Dispositif pour garder une visibilité minimale malgré le brouillard **antibrouillard**
– Vaporisateur qui diffuse un brouillard de gouttelettes d'eau **brumisateur**
BROUILLER
– Brouiller des papiers **emmêler, enchevêtrer**
– Brouiller en écrasant **broyer**
– Brouiller les données d'une opération **embrouiller, jeter la confusion**
– Brouiller l'esprit de quelqu'un **troubler**
– Brouiller des dates **mélanger, confondre**
– Se brouiller **se fâcher, se désunir, se séparer**

– La vue se brouille, quand les années passent **diminue, s'affaiblit, s'altère, se gâte**
– Brouiller du vin **rendre trouble**
– Brouiller des œufs **remuer, battre, fouetter**

BROUSSE voir aussi **forêt**
– Celui qui aime aller en brousse **broussard**
– Brousse de lait de chèvre ou de brebis **caillé**

BROYER
– Broyer un aliment à belles dents **croquer, déchiqueter, mâcher**
– Broyer des grains avec un pilon **piler**
– Récipient pour broyer **mortier**
– Broyer des plantes dans un mortier **triturer**
– Broyer des pierres **concasser**
– Instrument pour broyer **marteau, meule, pilon**
– La fatigue a broyé cet homme **affaibli, détruit, abattu**

BRUIT voir aussi **son, voix**
– Bruit doux, faible, continu **bruissement, frémissement, murmure**
– Bruit assez fort pour couvrir toute conversation **brouhaha, chahut, hourvari, tohu-bohu, ramdam, tumulte**
– Lorsqu'un bruit est répercuté par un obstacle **écho**
– Mots qui imitent les bruits de la réalité **onomatopées**
– Bruits du corps humain **gargouillis, borborygme, hoquet, rot, râle**
– Bruit intense et discordant de musique et de voix mêlées **cacophonie, tapage, vacarme, charivari, tintamarre**
– Agitation, émotion vive, accompagnée de bruit **bouillonnement, effervescence**
– Bruit de l'eau agitée à sa surface **clapotis, clapotage, clapotement**
– Le faible bruit du vent **souffle**
– Bruit sourd et continu de moteur ou de machine **bourdonnement, vrombissement**
– Bruit de voix du bébé ou du tout petit enfant **vagissement, gazouillis, babil, lallation**
– Bruit que l'on perçoit d'une conversation très discrète **chuchotement, susurrement**

BRÛLER **flamber, consumer, incendier** voir aussi **feu**
– Celui qui fait brûler une maison ou une forêt **incendiaire, pyromane**
– Quand un matériau brûle **combustion, ignition, calcination**
– Faire brûler le corps après la mort au lieu de l'ensevelir **incinération, crémation**
– Supplice qui consiste à brûler vif un condamné **bûcher, autodafé**
– Brûler les tissus organiques **cautériser, scarifier**
– Brûler les grains de café **torréfier**
– En cuisine, faire brûler très

Broderie

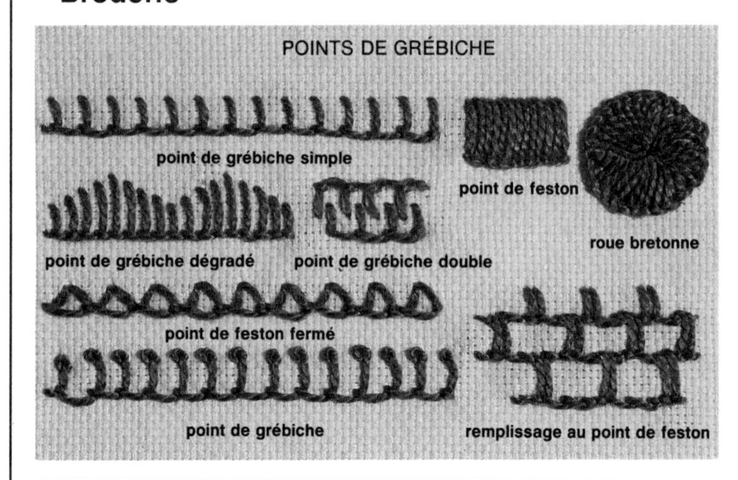

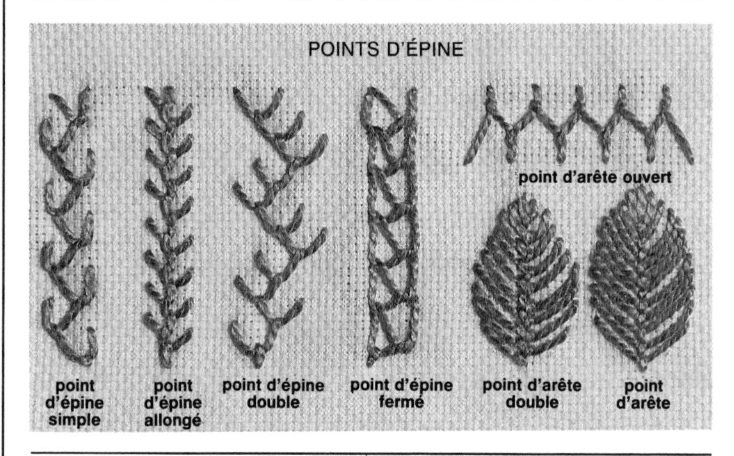

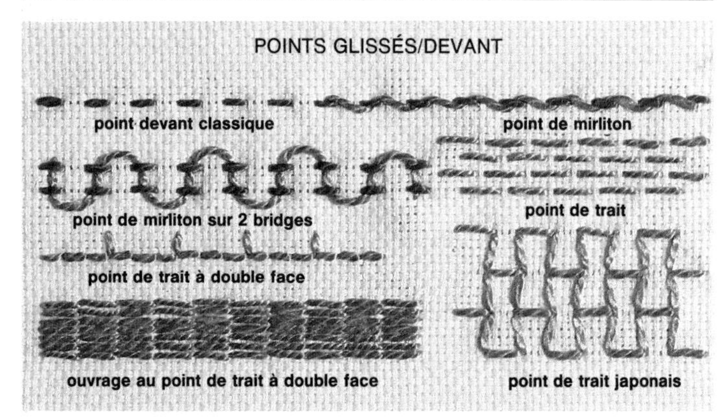

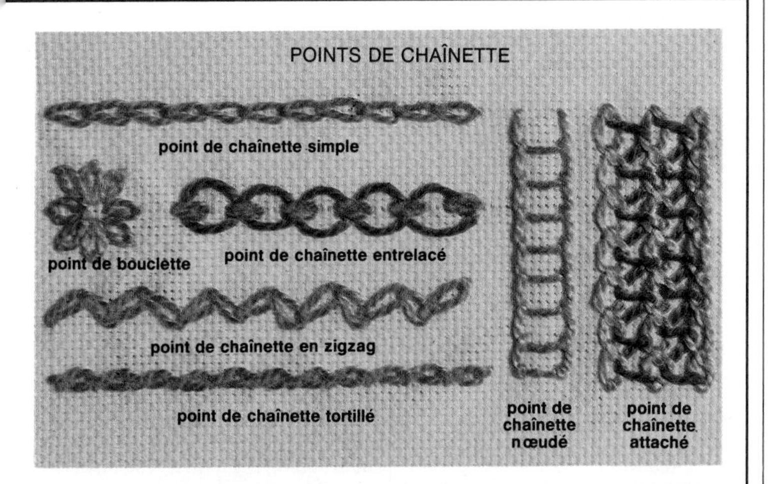

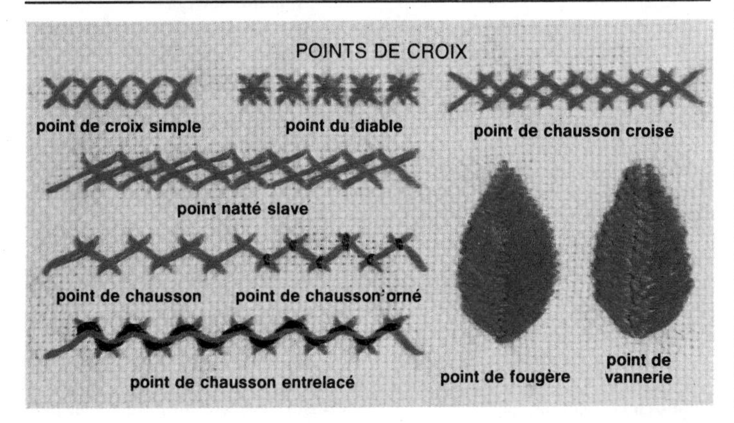

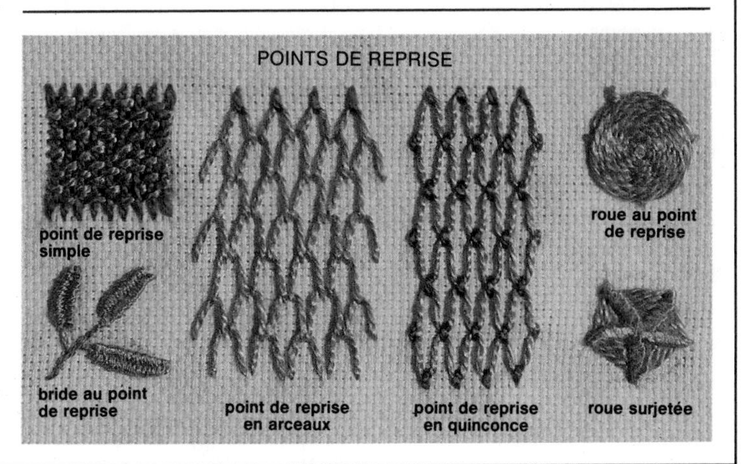

légèrement un oignon **roussir**
– On a laissé brûler le rôti **griller, carboniser**
– Rester au soleil et brûler jusqu'à en être malade **insolation**
– La gelée a brûlé les jeunes pousses **calciné**
– Réchaud sur lequel on brûle des aromates **brûle-parfum, cassolette**
– Récipient pour brûler des parfums dans un lieu de culte **encensoir**
– Brûler d'un idéal **s'enflammer pour, s'embraser pour, être dévoré par**

BRÛLURE
– Brûlure au premier degré **rougeur**
– Brûlure au second degré **phlyctène**
– Brûlure au troisième degré **escarre**
– Signe de la brûlure sur la peau **cloque, ampoule**
– Brûlure dans la gorge **irritation**
– Brûlure d'estomac **aigreur**

BRUME voir aussi **brouillard**
– Formation épaisse de brume qui gêne la visibilité **banc, flocon, rideau**
– Signal sonore de bateau dans la brume **trompe, sirène, corne de brume**
– Mois du calendrier républicain qui doit son nom aux brumes d'automne **brumaire**
– Temps de brume **brumaille**
– Discours obscur, comme recouvert de brume **nébuleux, flou, brumeux**
– Espace clair dans un ciel chargé de brume **éclaircie, embellie**
– Plante d'hiver de la saison des brumes **brumale**

BRUN (1)
– Brun sombre qui tire vers le noir **brunâtre, chocolat, maure, marron, terreux, bistre**
– Brun qui vire au roux **brique, tabac, auburn, acajou**
– Brun minéral **terre d'ombre**

BRUN (2) bis, mordoré
– Cheveux brun clair **châtains**
– Teint brun dû à une exposition au vent ou au soleil **bronzé, hâlé, basané**
– Uniforme brun jaunâtre **kaki**
– Teinture brune **brou de noix**
– Étoffe de laine brune **bure**
– Cheval brun-roux **bai**

BRUNE
– À la brune **le soir**

BRUSQUE
– Individu brusque et violent dans ses actes **brutal, impétueux, nerveux, vif**
– De comportement ou de caractère brusque **raide, bourru, cassant, rébarbatif**
– Imprimer un mouvement brusque à un objet **soubresaut, secousse, à-coup, saccade, choc**
– Événement brusque et imprévu **soudain, inattendu, précipité, subit**
– Arrivée brusque **irruption, en trombe**

– Changement brusque dans une situation politique ou économique **révolution**
– Donner une réponse brusque à quelqu'un **rabrouer, rembarrer**

BRUT
– À l'état brut **naturel, pur, sauvage, originel, primitif**
– Coton brut **écru**
– Soie brute **grège**
– Champagne brut **sec**
– Terrain brut **en friche, inculte**
– Or brut **natif**
– Idées et manières brutes **simples, barbares, incultes, grossières, vulgaires**
– Personnage à l'esprit brut **fruste, lourd, stupide**
– Dégrossir le diamant brut **ébruter**

BRUTAL
– Individu brutal **dur, irascible, cruel, violent**
– Un gardien brutal **cerbère**
– Parler d'un ton brutal **cru, franc, entier, bourru, rude, âpre**
– Pillard aux méthodes brutales **pandour**

BRUTALITÉ
– Individu d'une grande brutalité **impolitesse, dureté, férocité, rudesse, grossièreté**
– Il a la brutalité d'un soudard **animalité, barbarie, sauvagerie, violence**

BUDGET
– Poste d'un budget **crédit, débit, dépenses, recettes**
– Division d'un budget **poste, ligne, chapitre, article**
– Excédent dans un budget **bénéfice**
– Inscrire une dépense dans un budget **imputer**
– Dépenses allant au-delà de ce que prévoit le budget **dépassement**
– Le budget de l'État **finances**
– Fraction du budget de l'État dont le gouvernement peut disposer **douzième provisoire**
– Poste très coûteux dans le budget de l'État **budgétivore**

BUFFET voir aussi **armoire**
– Buffet de forme ancienne **bahut, armoire**
– Buffet où l'on range la vaisselle **vaisselier, desserte, dressoir, crédence**
– Buffet où l'on range l'argenterie **argentier**
– Buffet à plusieurs compartiments **cabinet**
– Partie d'un buffet **corps, dessus, étagère, boiseries, porte pleine, vantail**
– Corniche de buffet **chapiteau**
– Garnit un buffet dans une fête **apéritif, amuse-gueule, cocktail**
– Petit buffet de gare **buvette, cafétéria**

BUISSON
– Endroit où poussent les buissons **garrigue, lande, épinaie**
– Fourré de buissons serrés et touffus **hallier**
– Buisson où le gibier se met à l'abri **breuil**
– Arbre fruitier en buisson **arbre nain**
– Battre les buissons **chasser, rabattre**
– Trouver buisson creux **vide**

BULLE
– Petites bulles sur une eau savonneuse **mousse**
– Bulles à la surface de l'eau qui bout et s'évapore **vapeur**
– Bulle qui signale une lésion de l'épiderme **ampoule, vésicule, bouton**
– Papier bulle **grossier**
– Bulle du pape signalée par ses premiers mots **encyclique, bref, rescrit**
– Recueil de bulles émises par le Vatican **bullaire**
– Officier du Vatican qui écrit les bulles **scripteur**
– Bulle d'un seigneur au Moyen Âge **sceau**

BULLETIN
– Autour des bulletins utilisés par les électeurs pour voter **urne, enveloppe, dépouillement, comptage**
– Bulletin n'exprimant aucun choix électoral **blanc**
– Ne pas remettre de bulletin de vote **abstention**
– Bulletin de vote irrégulier **nul**
– Bulletin de la Météorologie nationale **communiqué, information**
– Bulletin délivré à un usager dans une administration **certificat, attestation, reçu, récépissé, bordereau**
– Bulletin de salaire **feuille de paie, fiche de paie**
– Dans le bulletin trimestriel de l'élève au collège et au lycée **notation, conduite, appréciations**
– Bulletin de santé du président de la République **rapport, annonce**
– Bulletin des lois **recueil, Journal officiel**
– Bulletin de la Bourse **cote**
– Bulletin scientifique, littéraire ou politique **article, journal, revue**

BUREAU
– Bureau du P.-D.G. d'une entreprise **cabinet, pièce, salle**
– Bureau d'une société **direction, secrétariat, caisse, comptabilité**
– Personnel de bureau **chef, commis, dactylo, employé, huissier, agent**
– Se rendre à son bureau **agence, étude, comptoir, administration**
– Meuble de bureau **table, fauteuil, tabouret, bibliothèque, secrétaire, armoire**
– Fourniture de bureau **casier, classeur, dossier, chemise, agenda, éphéméride**
– Bureau des P.T.T. **poste**
– Bureau de tabac **débit**
– Bureau de location de places de spectacle **guichet**
– Bureau de placement pour les chômeurs **Agence nationale pour l'emploi**

BUREAUCRATE **greffier, commis** voir aussi **fonctionnaire, employé**
– Nom que l'on donne parfois au bureaucrate **rond-de-cuir, paperassier, scribouillard, gratte-papier, plumitif, col-blanc**

BURIN **pointe, pointe-sèche** voir aussi **sculpture**
– Outil qui, comme le burin, perce un matériau dur **drille, foret, trépan, fraise**
– Burin pour graver dans le cuivre et le bois **guilloche**
– Burin des orfèvres, muni d'une pointe pour ciseler **échoppe**
– Petit burin des graveurs de médailles **onglette, ognette**

BUSTE
– Buste de l'être humain **torse, poitrine**
– Buste de femme **seins, gorge**
– Redresser le buste **bomber**
– Buste à la proue d'un bateau **figure de proue**
– Sous-vêtement féminin qui recouvre le buste **bustier**
– Vêtement qui habille le buste des femmes **corsage, blouse, caraco, casaquin, guimpe**

BUT
– Viser le but avec une arme **objectif, cible, point de mire, blanc**
– Atteindre le but **faire mouche, mettre dans le mille, marquer**
– Lancer vers le but **abuter**
– Le but qu'il faut atteindre après un parcours **terme, arrivée**
– Le but envisagé, imaginé ou décidé **fin, visée, dessein, intention**
– Donner un but à la vie **sens, raison**
– Au football, périmètre autour du but où le gardien peut saisir le ballon **surface de réparation**

C

CABANE bicoque, **cahute** voir aussi **abri**
– Cabane de berger **buron**
– Cabane de bûcheron **loge**
– Cabane où l'on fabrique le sirop d'érable **cabane à sucre, sucrerie**
CABINE
– Cabine de pilotage d'un avion **cockpit**
– Cabine spatiale **capsule**
– Cabine d'une voiture de chemin de fer **compartiment**
– Cabine électorale **isoloir**
– Cabine étanche **sas**
CABINET
– Cabinet très étroit servant de chambre **réduit**
– Cabinet utilisé comme débarras **cagibi**
– Cabinet de jardin **appentis, remise**
– Cabinet des estampes **collection**
– Cabinet d'État **ministère**
CABRIOLE gambade, pirouette, culbute
– Se sortir d'une situation difficile par une cabriole **échappatoire, dérobade**
CACAO voir aussi **chocolat**
– Arbre à cacao **cacaoyer**
– Cosse dans laquelle se trouvent les graines de cacao **amande, fève, cabosse**
– Alcaloïde contenu dans le cacao **théobromine**
CACAOYER
– Une plantation de cacaoyers **cacaoyère**
CACHALOT voir aussi **cétacé**
– Sous-ordre auquel appartient le cachalot **odontocètes**
– Famille à laquelle appartient le cachalot **physétéridés**
– Désignation de la tête du cachalot **melon**
– Liquide blanchâtre et onctueux contenu dans le melon du cachalot **spermaceti**
– Concrétion formée dans l'intestin du cachalot **ambre gris**
– Aliment du cachalot **poulpe, calmar**
– Surnom donné au cachalot géniteur **pacha**
CACHER
crypto-
CACHER dissimuler
– Cacher un astre **éclipser, occulter**
– Se cacher derrière un arbre **se réfugier**
– Cacher quelque chose ou quelqu'un en en modifiant l'aspect **crypter, maquiller, déguiser**
– Cacher un trésor **receler, celer**
– Cacher la vérité **taire**
– Personne qui cache et déguise son caractère ou ses opinions **fourbe, hypocrite, tartufe**
CACHET comprimé
– Cachet officiel **sceau**
– Marque apposée par un cachet **estampille, oblitération**
– Médicament qui s'absorbe comme un cachet **gélule, capsule**
CACHETTE voir aussi **abri**
– En cachette **en catimini, à la barbe de, à la dérobée, en tapinois**
CACTUS
– Famille à laquelle appartient le cactus **cactacées**
– Colorant rouge issu du cactus **cactin**
– Semblable au cactus **cactiforme**
– Colonne centrale d'un cactus **raquette**
– Fruit du cactus **baie**
CADAVRE voir aussi **cimetière**
– Cadavre humain **dépouille**
– Cadavre d'animal **carcasse, charogne**
– Lieu où l'on incinère les cadavres **crématorium**
– Restes d'un cadavre **ossements**
– Restes consacrés d'un cadavre **reliques, cendres**
– Conservation d'un cadavre **embaumement, momification**
– Conservation du cadavre d'un animal **empaillage, taxidermie**
– Lieu où l'on expose les cadavres **morgue, gémonies**
– Destruction d'un cadavre par le feu **crémation, incinération**
– Mettre un cadavre en terre **inhumer, ensevelir**
– Coffre dans lequel est déposé un cadavre **cercueil, bière, sarcophage**
– Dissection d'un cadavre **autopsie**
– Manger des cadavres **nécrophagie**
– Déterrer un cadavre **exhumer**
– Fosse où l'on ensevelit un grand nombre de cadavres **charnier**
– Qui tient du cadavre, qui ressemble à un cadavre **cadavéreux**
– Cadavre en décomposition **putréfié, putrescent**
CADEAU
– Somme d'argent remise en cadeau **étrennes, don, gratification**
– Cadeau offert à une divinité **offrande, sacrifice, libations, potlatch**
CADRAN
– Cadran solaire **gnomon, cadran sciathérique**
– Tige d'un cadran solaire dont l'ombre indique l'heure **style**
CADRE
– Cadre d'un tableau **bordure, baguette**
– Cadre pouvant servir à différentes gravures **passe-partout**
– Cadre destiné à faire tenir une chose en place **châssis**
– Cadre d'une porte dont les bâtis sont posés sur le nu d'un mur **chambranle**
– Élaborer le cadre d'une œuvre, d'un ouvrage **plan, structure, canevas**
– Cadre très contraignant pour la réalisation d'un objectif **carcan**
– Sortir du cadre des conventions **transgresser**
– Cadre d'une entreprise **ingénieur, commercial, agent de maîtrise**
– Cadre d'une pièce **décor**
– Cadre de vie **ambiance, milieu, atmosphère, environnement**
– Changer de cadre **s'évader**
CAFÉ voir aussi **bar**
– Café où l'on assiste à un spectacle **café-concert, cabaret, music-hall**
– Petit café populaire, dans le Nord **estaminet**
– Patron de café **cafetier, tenancier, mastroquet**
– Arbuste qui produit le café **caféier**

- Balle ou ballot de café **farde**
- Substance stimulante du café **caféine**
- Machine servant à préparer le café **percolateur**
- Griller le café **torréfier**
- Méthode consistant à déshydrater le café **lyophilisation**
- Verre épais dans lequel on sert le café **mazagran**
- Café arrosé d'eau-de-vie **bistouille, gloria**

CAGE
- Grande cage à oiseaux **volière**
- Cage où on enferme les volailles pour les engraisser **épinette**
- Cage à lapins **clapier, mue**

CAHIER
- Cahier de notes **brouillon**
- Petit cahier **carnet, calepin**
- Cahier de rendez-vous **agenda, répertoire**
- Cahier de comptes **livre**
- Cahier destiné à recevoir des photos, des cartes **album**
- Cahier explicatif d'un opéra **livret**
- Cahier où sont consignés différents actes juridiques **registre, rôle, écrou**

CAILLER **coaguler, figer**
- Masse de lait caillé **grumeau, caillot, caillebotte**
- Substance servant à cailler le lait **présure**
- Plante herbacée qui fait cailler le lait **gaillet**

CAILLOT
thromb(o)-

CAILLOT **grumeau**
- Maladie résultant de la formation d'un caillot dans un vaisseau sanguin **thrombose, embolie**

CAILLOU **gravier** voir aussi **pierre, roche**
- Caillou des bords de mer **galet**
- Revêtement du sol fait avec des cailloux **rudération**
- Il est préposé aux cailloux **cantonnier, bagnard, forçat**
- Beau caillou **diamant**

CAISSE voir aussi **coffre**
- Caisse pour les légumes **cageot**
- Caisse d'emballage des objets fragiles **harasse**
- Grande caisse à pain **huche, maie**
- Caisse percée, propre à la conservation des poissons dans l'eau **banneton**
- Grande caisse de voyage **malle, cantine**
- Caisse d'orgue **buffet**
- Caisse qui renferme le mécanisme d'une horloge **gaine**
- Caisse adaptée et utilisée pour les travaux sous-marins **caisson**
- Caisse musicale **tambour, grosse caisse**
- Fabricant de caisses **layetier**

CALCAIRE voir aussi **chaux**
- Relief calcaire **karstique**
- Pierre calcaire **castine, liais**
- Concrétion calcaire **stalagmite, stalactite**
- Roche calcaire **travertin, tuf**
- Croûte calcaire **tartre**
- Dépôt de sels calcaires dans les os **calcification, ossification**

CALCIUM **phosphate**
- Famille de métaux à laquelle appartient le calcium **alcalino-terreux**
- Oxyde de calcium **chaux**
- Sulfate de calcium **plâtre, gypse**
- Carbonate de calcium **calcaire, aragonite**

CALCUL
- Calcul rénal **concrétion**
- Formation de calculs dans l'organisme **lithiase**
- Petit calcul dans les canaux urinaires **gravelle**
- Substance destinée à empêcher l'apparition de calculs **antilithique**
- Nom courant du calcul rénal **gravier, pierre, sable**
- Évaluation faite à partir d'un calcul **prévision, spéculation, supputation, computation**
- Calcul qui consiste à fixer un objectif **dessein, projet**
- Dispositions déterminées par un calcul pour atteindre un but **plan, stratégie**

CALCULER **chiffrer, compter**
- Perte pathologique de la possibilité de calculer **acalculie**
- Machine qui servait à calculer **arithmographe**
- Calculer ses chances de succès **évaluer, estimer, supputer, apprécier**
- Calculer un mauvais coup **préméditer**

CALÈCHE
- Calèche de louage **fiacre, sapin, milord**
- Calèche de voyage **coche, diligence, briska**
- Calèche dont la capote a deux soufflets **landau**
- Calèche napolitaine **corricolo**

CALENDRIER voir aussi **mois**
- Calendrier dont on détache les feuilles **éphéméride**
- Division du calendrier romain **calendes, ides, nones**
- Calendrier comportant des informations, des prévisions et des conseils pratiques **almanach**
- Calendrier établi en fonction d'un programme **planning**

CALME (1)
- État de calme où se trouve quelqu'un qui ne trahit aucune émotion **impassibilité, impavidité**
- Calme après la tempête **accalmie, embellie, bonace**
- Moment de calme au cours d'une maladie **rémission, rémittence**
- En philosophie, calme total de l'âme **ataraxie**
- Il garde son calme en toute circonstance **flegmatique, imperturbable, inébranlable, placide, pondéré**
- Pour arriver à un calme intérieur **relaxation, détente**

CALME (2) **imperturbable, impassible, placide, pondéré**

CALMER **assoupir, pacifier, lénifier**
- Calmer un enfant **consoler, rasséréner**
- Calmer une émotion violente **contenir, dompter, maîtriser, réprimer**
- Calmer une douleur **apaiser, assourdir, endormir**
- Qui calme la douleur **sédatif, analgésique, lénifiant, élixir parégorique, laudanum, antipyrine**
- Raisonner les protagonistes pour calmer une querelle **amadouer, tempérer, réfréner, neutraliser**
- Calmer sa faim **assouvir**
- Calmer sa soif **étancher**

CALQUE
- Reproduire un motif grâce à un calque **décalquer**

CAMBRIOLER
- Personne qui cambriole **casseur, monte-en-l'air**
- Personne qui cambriole dans un hôtel **souris d'hôtel, rat d'hôtel**

CAMBRIOLEUR
- Outil dont se sert le cambrioleur **fausse clef, pince-monseigneur, rossignol**

CAMELOTE
- Marchandise qui ressemble à de la camelote **pacotille, toc, rossignol**

CAMION
- Transport par camion **roulage**
- Camion fermé **fourgon**
- Camion avec remorque **semi-remorque**

CAMP
- Camp de vacances pour les enfants **colonie, centre aéré**
- Camp militaire **bivouac, cantonnement**
- Art d'établir un camp **castramétation**

– Camp disciplinaire en U.R.S.S. **goulag**
– Camp de prisonniers établi par les Allemands **oflag, stalag**
– Choisir son camp **groupe, parti**
CAMPAGNE voir aussi **champ, terre**
– Un air de campagne **bucolique, champêtre, agreste**
– Population vivant à la campagne **rurale**
– Partir en campagne **expédition militaire**
CAMPER camping
– Pas inutile lorsque l'on campe **tente, canadienne**
– Il campe sa vie durant **nomade, bohémien, forain**
– Se camper devant quelqu'un **se dresser, se poser, se planter**
CANAL
– Canal maritime **chenal, détroit, robine, pertuis**
– Canal entre deux écluses **bief**
– Dans les pays tropicaux, canal qui relie deux cours d'eau **arroyo**
– Entrer et sortir d'un canal **embouquer, débouquer**
– Opération d'entretien d'un canal **curage, dragage, désenvasement**
– Bateau à fond plat qui circule sur un canal **péniche, chaland**
– Canal sanguin **vaisseau, veine, artère**
– Canal urinaire **urètre, uretère**
– Canal hépatique **canalicule**
CANALISATION voir aussi **conduit**
– Canalisation d'évacuation **buse, tuyauterie, drain, colonne**
– Canalisation des eaux usées **égout, émissaire, caniveau**
– Canalisation d'eau potable **borne, griffon**
– Canalisation des eaux pluviales **chéneau, gouttière**
CANARD voir aussi tableau **animaux** p. 20-21
– Famille à laquelle appartient le canard **anatidés**
– Petit canard **canardeau**
– Canard sauvage **pilet, colvert**
– Mâle du canard sauvage ou domestique **malard**
– Canard migrateur **tadorne, souchet**
– Canard métissé **mulard**
– Canard plongeur **milouin, morillon**
– Mare où barbotent les canards **barbotière**
– Canard dont les plumes servent à confectionner les couettes **eider**
– Canard musical **fausse note, couac, cacophonie**

CANCER
– Substance induisant ou facilitant l'apparition d'un cancer **cancérigène**
– Virus ou gène responsable de l'évolution d'un cancer **oncogenèse**
– Processus de formation du cancer **cancérogenèse, carcinogenèse**
– Développement d'un cancer **cancérisation**
– Cellules porteuses du cancer mais détachées de la tumeur **métastases**
– Cancer du tissu épithélial **épithélioma, carcinome, squirrhe**
– Cancer du tissu conjonctif **sarcome**
– Cancer des os **ostéosarcome**
– Cancer du sang **leucémie**
– Cancer de la rétine affectant les jeunes enfants **rétinoblastome**
– Traitement du cancer **chimiothérapie, radiothérapie, hormonothérapie, immunothérapie**
– Étude du cancer **cancérologie, carcinologie, oncologie**
CANDIDAT aspirant
– Candidat qui participe à un concours **concurrent, compétiteur**
– Se porter candidat à un emploi **postuler, briguer, prétendre à**
CANEVAS broderie
– Canevas d'une œuvre littéraire **plan, trame, schéma, ébauche**
– Canevas cinématographique **scénario, script**
CANNE voir aussi **bâton, sucre**
– Canne flexible **jonc, badine**
– Canne à pêche **gaule, lance**
– Canne de l'alpiniste **alpenstock, piolet**
– Petite boule située au sommet d'une canne **pommeau**
– Canne anglaise **béquille**
– Canne de golf **club**
CANON mortier, obusier voir aussi dessin p. 72 et **artillerie**
– Petit canon de tranchée utilisé lors de la Première Guerre mondiale **crapouillot**
– Ancien canon **aspic, basilic, couleuvrine, veuglaire**
– Ancien canon de la marine **caronade**
– Tube du canon **bouche à feu**
– Socle sur lequel repose le canon **affût**
– Intérieur du canon **âme**
– Projectile du canon **boulet, obus, mitraille**
– Servant du canon **artilleur, canonnier, pourvoyeur**
– Se conformer aux canons esthétiques **idéaux, normes**

CAOUTCHOUC
– Arbre ou plante à caoutchouc **hévéa, euphorbe, ficus, vahé**
– Extrait naturel du caoutchouc **gomme, latex, scrap, slab**
– Caoutchouc de synthèse **élastomère, Néoprène**
– Traitement visant à accroître la résistance du caoutchouc **vulcanisation**
CAP pointe, bec
– Cap dominant la mer **promontoire**
– Passer un mauvais cap **difficulté**
– Changer de cap **direction, orientation, voie**
CAPACITÉ voir aussi **volume**
– Capacité d'un moteur **cylindrée**
– Instrument de mesure des capacités électriques **capacimètre**
– Avoir des capacités manuelles **habileté, adresse, aptitude**
– Avoir des capacités intellectuelles **faculté, aisance, talent, don**
– Capacité de résistance **pouvoir**
– Puiser dans ses capacités physiques **ressources, force**
– Capacité professionnelle **compétence**
CAPITAL (1) voir aussi **Bourse, finance**
– Capital culturel d'une région, d'un pays **patrimoine**
– Posséder un capital **fortune, avoir**
– Capital physique **bien, terre, domaine**
– Valeur constituant un capital **argent, fonds, liquidités**
– Faire travailler son capital **spéculer, placer, investir**
– Augmenter son capital **thésauriser, capitaliser**
CAPITAL (2)
– Un fait capital **décisif, essentiel, fondamental**
– Pièce capitale d'une charpente, d'un ensemble **pièce maîtresse, clef de voûte**
CAPITALE métropole, cité voir aussi **ville**
– La capitale et sa banlieue **agglomération parisienne**
– Opération qui consiste à diminuer le pouvoir d'une capitale **décentralisation**
– Capitale de l'enfer **pandémonium**
CAPITALISME voir aussi **économie**
– Origine du capitalisme **mercantilisme, industrialisation**
– Principe du capitalisme industriel **libéralisme, concurrence**
– Moyen financier du capitalisme **monopole, trust**

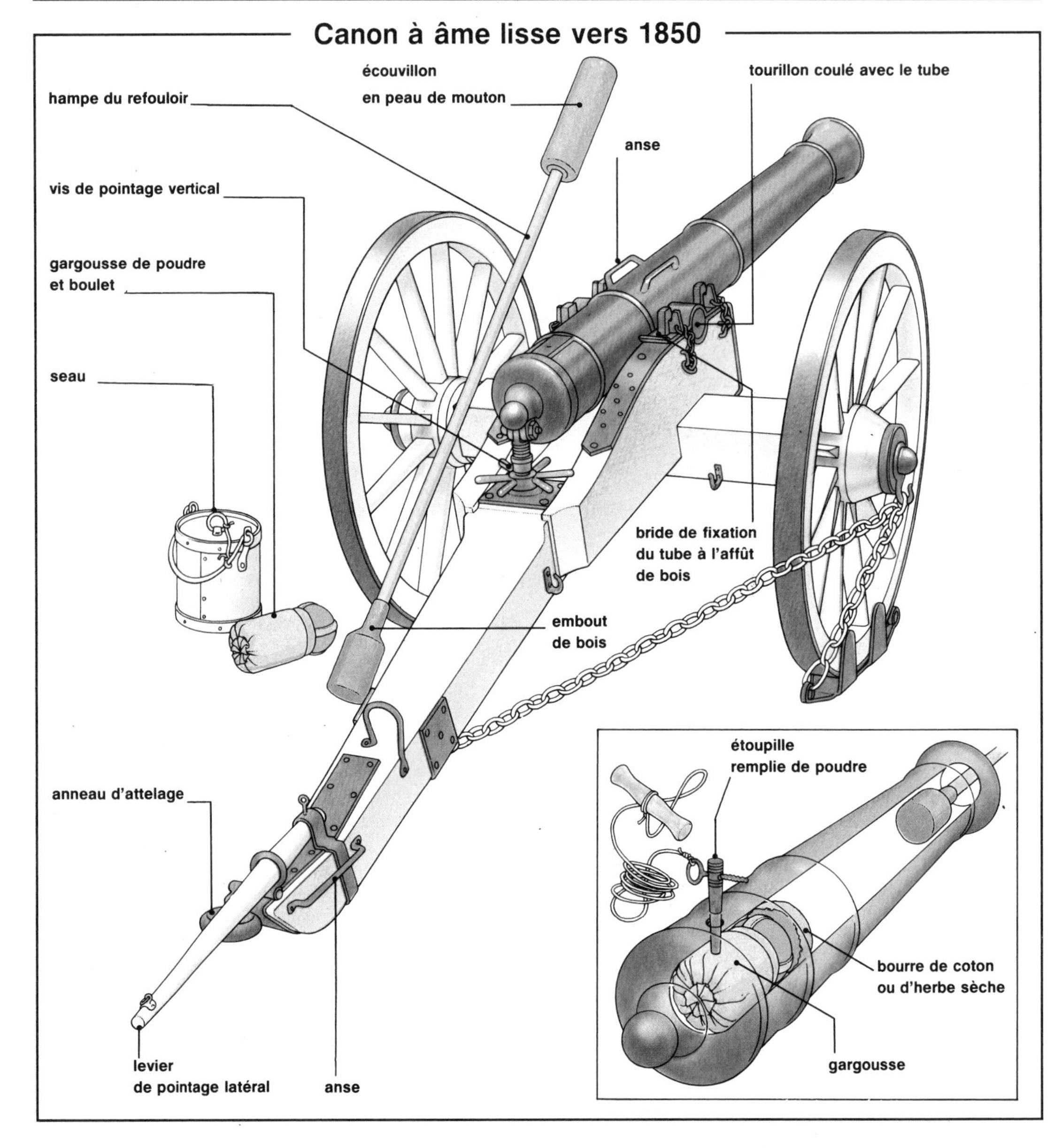

– Motif avoué du capitalisme **profit**
– Capitalisme d'État **étatisme**

CAPITULATION reddition
– Convention ratifiant une capitulation **traité**
– Symbole de capitulation qui en fait servait pour ouvrir des pourparlers **drapeau blanc**

CAPITULER s'incliner, se soumettre
– Capituler lors d'un match de boxe **jeter l'éponge**
– Capituler pour sauver sa vie **demander l'aman**

CAPRICE
– Caprice d'un enfant **envie, désir, exigence**
– Se laisser aller à des caprices **fantaisies, foucades, toquades, lubies**
– Suivre les caprices de la mode **variations, changements**
– Caprice amoureux **passade**

CAPSULE enveloppe
– Capsule d'une bouteille **calotte, bouchon**
– Capsule utilisée en chimie **godet**
– Capsule d'un explosif **détonateur**
– Capsule d'une arme **amorce**
– Capsule des plantes cryptogames **sporange**

CAPTIF prisonnier, détenu, otage

CAPTIVITÉ incarcération, détention, réclusion
– Captivité arbitraire **séquestration**

CAPTURER
– Capturer un voleur **arrêter, appréhender**
– Capturer des animaux **chasser, braconner, piéger**
– Capturer un enfant dans l'espoir

d'obtenir une rançon **kidnapper**
– Capturer la poésie d'un instant **saisir**
CARACTÈRE personnalité, tempérament voir aussi tableau et **alphabet, écriture, imprimerie**
– Étude du caractère **caractérologie**
– Trouble du caractère **névrose, psychose**
– Caractère d'appréciation d'un objet d'art **critère**
– Caractère propre à un artiste **griffe**
– Cette peinture possède un caractère certain **identité, singularité, originalité**
CARACTÉRISTIQUE (1) trait, marque, particularité, spécificité
CARACTÉRISTIQUE (2)
– Un passage caractéristique dans un roman **déterminant, essentiel, typique**
– Un style caractéristique d'une époque **révélateur**
CARAVANE voir aussi **conducteur**
– Caravane de nomades **troupe, convoi**
– Conducteur des animaux composant la caravane **caravanier**
– En Orient, abri destiné à accueillir les caravanes **caravansérail**
– Caravane équipée pour camper sous la neige **caravaneige**
– Tourisme pratiqué en caravane **caravaning**
CARBURANT voir aussi **pétrole**
– Carburant d'origine minérale **supercarburant, benzol, pétrole**
– Carburant gazeux **propane, butane**
– Carburant des moteurs Diesel **gazole**
– Carburant pour petits moteurs à deux temps **mélange**
– Carburant des avions **kérosène**
CARDINAL (1)
– Assemblée de cardinaux **conclave, consistoire**
– Titre donné à un cardinal **éminence**
– Dignité de cardinal **cardinalat**
– Ordre de cardinal **cardinal-prêtre, cardinal-diacre, cardinal-évêque**
– Nomination d'un cardinal **création**
– Ensemble des cardinaux chargés d'élire le pape **Sacré Collège**
– Personne qui sert un cardinal au conclave **conclaviste**
– Cardinal administrateur des biens pontificaux **camerlingue**
– Tenue d'apparat du cardinal **cappa magna**
– Couleur des vêtements des cardinaux **pourpre**
– Calotte rouge du cardinal **barrette**
– Propre à un cardinal **cardinalice**
CARDINAL (2)
– Une théorie cardinale **capitale, essentielle, primordiale**
– Les quatre vertus cardinales **force, prudence, tempérance, justice**
CARESSE
– Caresse faite à un enfant **câlin, chatouille**
– Caresse amoureuse **étreinte, effleurement, enlacement, cajolerie**
– Un regard tendre qui vaut toutes les caresses **langoureux**
– Goût des caresses **sensualité**
CARGAISON marchandise
– Cargaison d'un bateau **fret, chargement**
– Répartition de la cargaison dans la cale d'un bateau **arrimage**
– Détérioration causée à la cargaison d'un bateau **dommage, avarie**
– Posséder une cargaison de bibelots **collection**
CARGO
– Cargo affecté à un parcours régulier **cargo-liner**
– Cargo n'ayant pas de parcours fixe **tramp**
– Cargo citerne **méthanier, pétrolier, tanker**
– Cargo de marchandises **fruitier, charbonnier**
CARICATURE croquis, satire, parodie
– Faire une caricature **croquer**
– Effet d'une caricature **comique, burlesque, grotesque**
– Artiste qui s'adonne à la caricature **caricaturiste, chansonnier**
CARNAVAL fête, mascarade
– Principe du carnaval **déguisement, travestissement**
– Accessoire vestimentaire du carnaval **loup, domino**

Caractères d'imprimerie

	EMPATTEMENT	SANS EMPATTEMENT	EMPATTEMENT QUADRANGULAIRE
romain	A	A	A
italique	*A*	*A*	*A*
gras	**A**	**A**	**A**
maigre	A	A	A

capitales italiques ornées: *ABCD*
capitales: ABCD
bas-de-casse: abcde

montantes — œil — badge — descendante

QUELQUES FAMILLES DE CARACTÈRES EN CORPS 11

Baskerville	Candida	Gill Sans	Plantin
Bembo	Clarion	Helvetica	Times
Bodoni	Garamond	Perpetua	Rockwell

– Ensemble des voitures du carnaval **corso fleuri**
– Marquait à l'origine le début du carnaval **fête de l'Épiphanie**

CARNET **agenda, mémento, mémorandum**
– Carnet intime **journal**
– Carnet scolaire **bulletin**
– Carnet de route servant au passage de marchandises en douane **triptyque**

CARRÉ (1) **quadrilatère** voir aussi **géométrie**
– Carré d'un escalier **palier**
– Division d'un dessin en carrés **quadrillage, carroyage, graticulation**
– Carré de jardin **parterre, massif**

CARRÉ (2)
– Espace carré dans une ville **square, place**
– Donner une forme carrée **équarrir**

CARREAU
– Sol recouvert de carreaux **dallage, pavement**
– Carreau d'une fenêtre **vitre**
– Une feuille à carreaux **quadrillée**
– Faire des carreaux pour reproduire une carte **carroyer**
– Cisaille à carreaux **carrette**

CARROSSERIE
– Carrosserie d'un véhicule **caisse, bâti**
– Support de la carrosserie d'une voiture **châssis**
– Carrosserie aérodynamique **carénage**
– Spécialiste de la carrosserie **carrossier, tôlier**

CARTE voir aussi tableau et dessin
– Côté figure d'une carte à jouer **pardevant**
– Dos d'une carte à jouer **tarot**
– Feuille centrale d'une carte à jouer **étresse, main-brune**
– Une carte truquée **biseautée**
– Éventuellement, la carte de la chance **joker**
– Coordonnée d'une carte géographique **latitude, longitude**
– Fraction d'une carte indiquant le rapport des distances **échelle**
– Travaux préalables à l'établissement d'une carte **topométrie**
– Carte du globe terrestre **mappemonde, planisphère, géorama**
– La carte des reliefs **orographique, altimétrique, topographique**
– Carte des fonds sous-marins **bathymétrique**
– Ancienne carte marine des navigateurs **portulan**
– Recueil de cartes géographiques **atlas**

CARTES À JOUER

COULEUR	ROI	REINE	VALET
trèfle	Alexandre	Argine	Lancelot
carreau	César	Rachel	Hector
cœur	Charles	Judith	Lahire
pique	David	Pallas	Ogier

CARTON
– Carton issu de vieux papiers **carton-pâte**
– Carton issu du bois **carton cuir**
– Carton imperméabilisé utilisé pour les toitures **bitumé, goudronné**
– Usine où est fabriqué le carton **cartonnerie**
– Semblable au carton **cartonneux**
– Carton d'un peintre **croquis, dessin, étude**

CARTOUCHE **balle, obus, projectile, munition**
– Partie d'une cartouche **culot, étui, ceinture**
– Sommet d'une cartouche **chemise, fusée**
– Contenu d'une cartouche **bourre, poudre, plombs**
– Éprouvette servant à doser une cartouche **chargette**
– Fabrique ou lieu où sont entreposées des cartouches **cartoucherie**
– Porte-cartouches **cartouchière, giberne**
– Étui à cartouches d'un pistolet **chargeur**
– Cartouche photographique **bobine**
– Cartouche vidéo **cassette**
– Cartouche d'encre **réservoir, recharge**

CAS **événement, fait**
– Exposer un cas **situation, circonstance**
– Envisager un cas **éventualité, hypothèse, conjoncture**
– Porter un cas devant les tribunaux **procès, affaire**
– Cas défini par le droit pénal **délit, crime**
– Cas non prévu **hasard, accident**
– Cas pouvant provoquer une guerre **casus belli**
– Faire cas d'une personne **estimer, considérer, respecter**
– Cas d'espèce **modèle, type, spécimen**
– Cas flexionnel d'un mot en grammaire **désinence, déclinaison**

CASE **chaumière**
– Case africaine **hutte, paillote**
– Case d'une ruche **alvéole, cellule**

CASQUE
– Partie d'un casque de motocycliste **coquille, jugulaire, visière**
– Casque de jockey **bombe**
– Ancien casque militaire **heaume, armet, bourguignotte**
– Parure qui ornait le haut d'un casque antique **cimier**

CASSER **briser, détruire**
– Casser les bords d'un objet **ébrécher, écorner, égueuler**
– Casser la pointe d'une lame de couteau **épointer**
– Casser avec la mâchoire **broyer**
– Casser du bois **fendre**
– Casser légèrement **fendiller**
– Casser les fibres d'une plante **macquer**
– Casser un lien **rompre**
– Casser un officier **dégrader**
– Casser un jugement, une loi **abroger, rescinder**
– Se casser une jambe **se fracturer**

CASSEROLE **poêlon**
– Représente le volume d'une casserole **casserolée**

CASSURE **fracture, rupture, fragmentation**
– Cassure d'un terrain **crevasse, faille, fissure**
– Cassure dans la couche d'un sous-sol **diaclase**
– Cassure survenant dans une rime **césure**

CASTE **corporation, catégorie**
– Principe sur lequel repose la caste en Inde **hérédité, endogamie, hiérarchie**
– Nom donné par Gandhi aux hors-castes **harijan**
– Faire montre d'un esprit de caste **clan, chapelle, coterie**

CASTOR
– Famille à laquelle appartient le castor **castoridés**
– Castor d'Europe ***fiber***

– Castor d'Amérique du Nord ***canadensis***
– Substance sécrétée par le castor **castoréum**
– Arbre du castor **magnolia**

CASTRATION **ovariectomie** voir aussi **ablation**
– Castration d'un mâle **émasculation**
– Castration d'un animal par torsion des vaisseaux testiculaires **bistournage**

CASTRER
– Castrer un cheval **châtrer, hongrer**
– Castrer un jeune coq **chaponner**

CATALOGUE **liste, mémoire, recueil, répertoire**
– Catalogue d'une exposition **inventaire**
– Cátalogue rétrospectif des chapitres ou des thèmes d'un livre **table, index, sommaire**
– Petit catalogue explicatif **lexique, glossaire**
– Catalogue des saints de l'Église grecque **ménologe**
– Catalogue des saints de l'Église romaine **martyrologe**
– Catalogue de la pharmacopée **codex, formulaire**

CATASTROPHE **désastre, calamité, fléau** voir aussi **malheur**
– Catastrophe naturelle **séisme, cataclysme, cyclone, typhon**
– Catastrophe impliquant des êtres humains **drame, tragédie**

CATÉCHISME **catéchèse**
– Personne qui enseigne le catéchisme **catéchiste**

CATÉGORIE **genre, matière, groupe, série**
– Catégorie animale **ordre, espèce, famille**
– Catégorie de personnes détestables **engeance**

CATÉGORIQUE
– Un propos catégorique **absolu, indiscutable, percutant, tranchant**
– Prendre une position catégorique **radicale, définitive**
– Un ton catégorique **impératif, péremptoire, cassant**
– Un non catégorique **formel**

CATHÉDRALE **abbaye, basilique, église** voir aussi dessin p. 76-77
– Place ménagée devant une cathédrale **parvis**
– Grand vitrail circulaire ornant une cathédrale **rose**
– Avant-corps d'une cathédrale **porche**
– Gouttière sculptée d'une cathédrale **gargouille**
– Représentation du tracé des cathédrales françaises **constellation de la Vierge**
– Ecclésiastique officiant dans une cathédrale **évêque**

Cartes géographiques

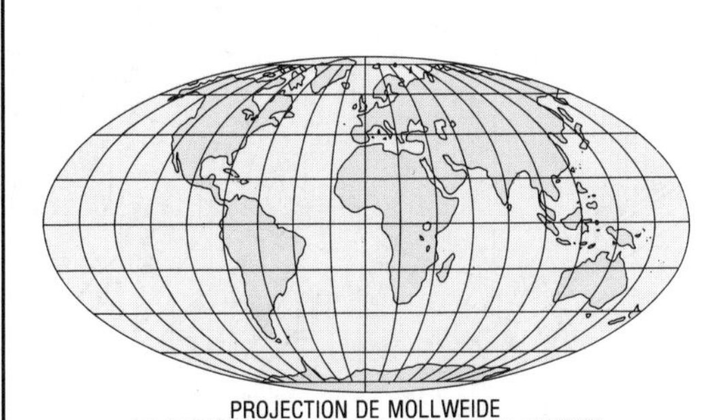

PROJECTION DE MOLLWEIDE
OU PROJECTION HOMALOGRAPHIQUE DE BABINET
pour la recherche d'équivalence : les surfaces sont respectées mais déformées

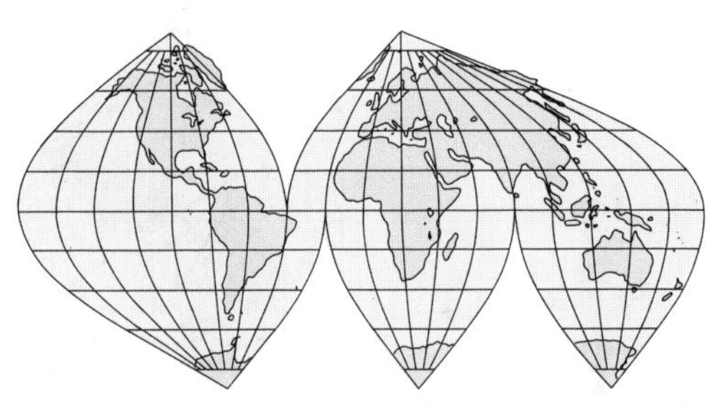

PROJECTION INTERROMPUE OU DISCONTINUE
la segmentation évite les grandes déformations

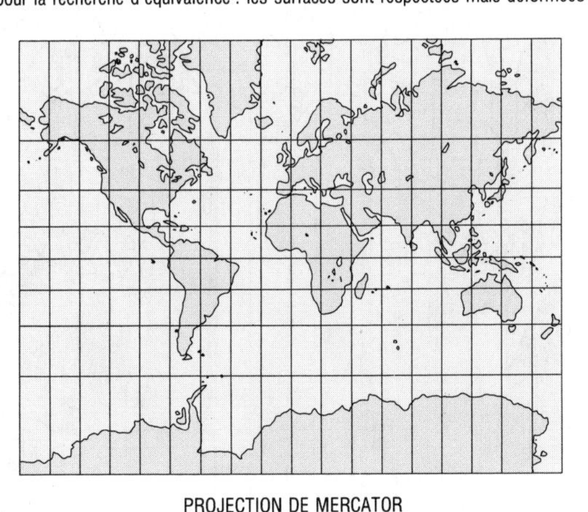

PROJECTION DE MERCATOR
représentation correcte pour les basses latitudes ; la distorsion est de plus en plus grande pour les hautes latitudes

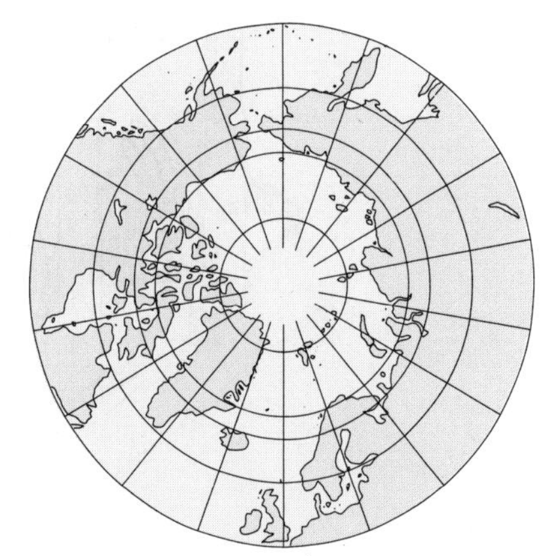

PROJECTION AZIMUTALE, ZÉNITHALE OU POLAIRE
les directions sont conservées à partir d'un point

Cathédrale Notre-Dame de Paris

1 portail de la Vierge (1210-1220)

2 portail du Jugement dernier (1220-1230)

3 portail de Sainte-Anne (1230-1240)

4 statue de l'évêque Marcel

5 statue de la Synagogue vaincue

6 statue de l'Église triomphante

7 statue du diacre Étienne

8 galerie des Rois (1200-1220)

9 statue d'Adam

10 statue de la Vierge entre deux anges

11 statue d'Ève

12 rose occidentale

13 écoinçons de trèfles couronnés

14 grande galerie (1225-1250)

15 chimères

16 tour nord (1225-1250)

17 tour sud (1225-1250) contenant le bourdon de Notre-Dame

18 entrée de l'escalier des tours

19 fenêtres du vaisseau central (1220-1230)

20 tabernacles de Viollet-le-Duc

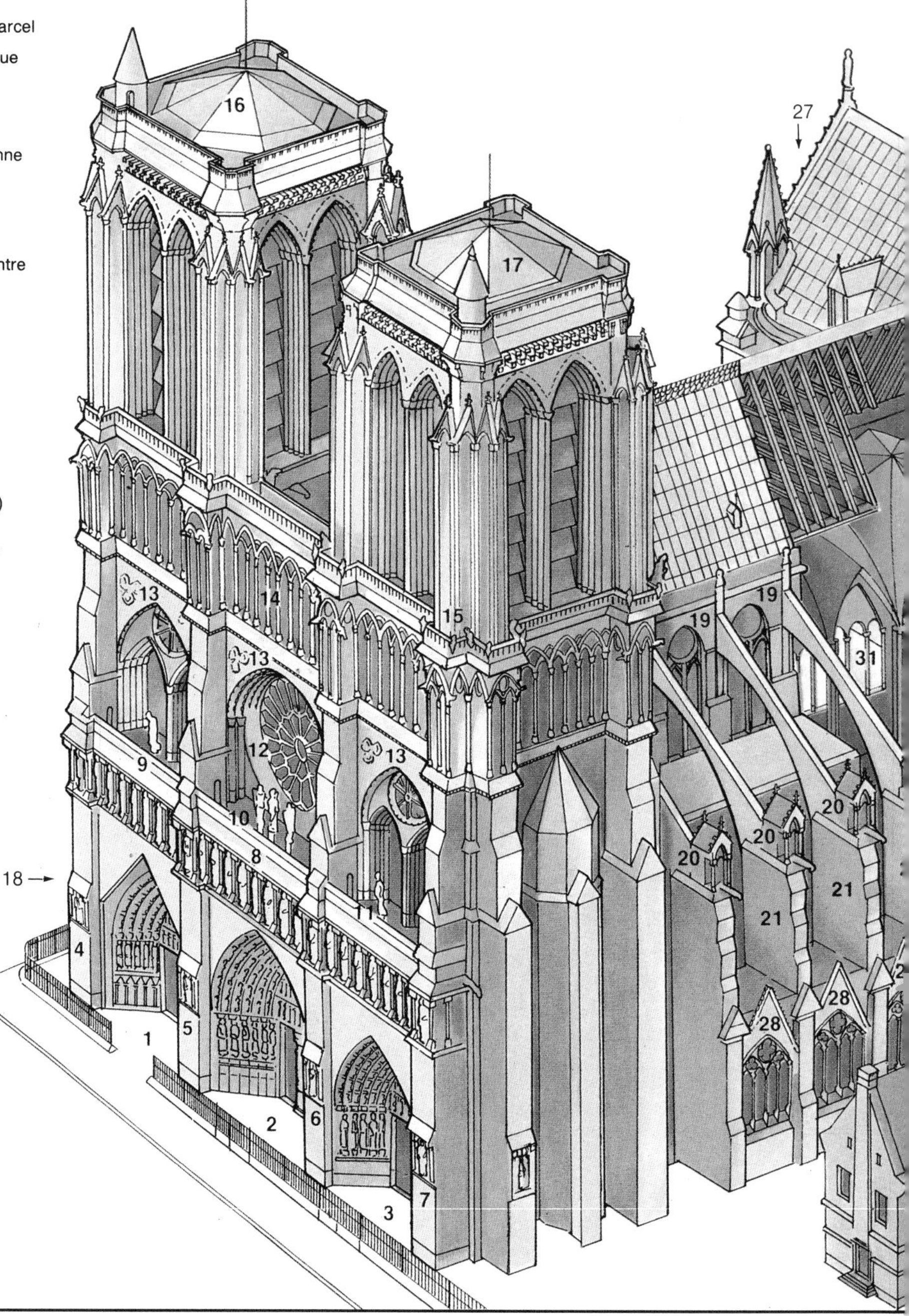

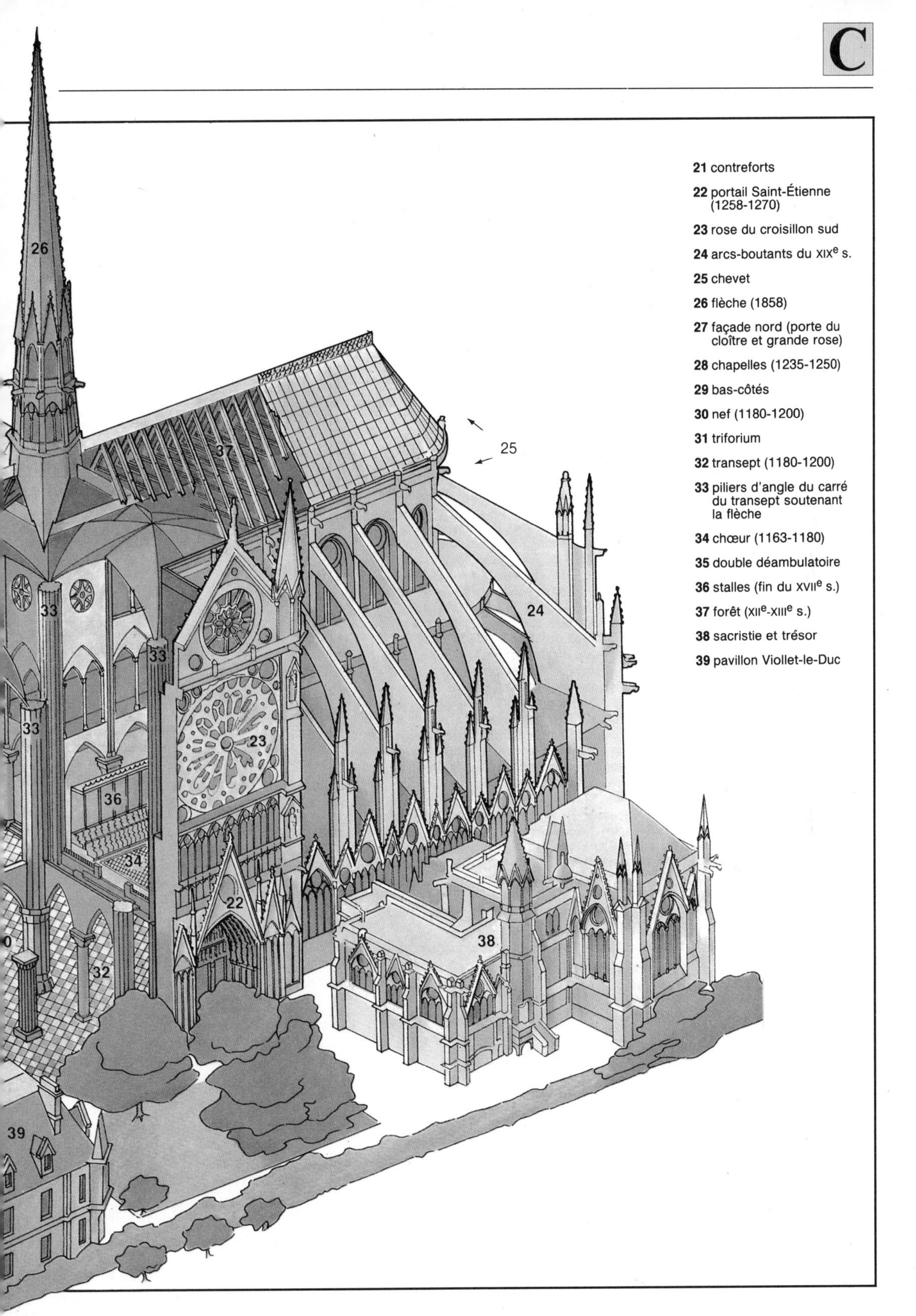
26
37
25
33
33
33
24
23
36
34
22
38
32
39
21 contreforts
22 portail Saint-Étienne (1258-1270)
23 rose du croisillon sud
24 arcs-boutants du XIXe s.
25 chevet
26 flèche (1858)
27 façade nord (porte du cloître et grande rose)
28 chapelles (1235-1250)
29 bas-côtés
30 nef (1180-1200)
31 triforium
32 transept (1180-1200)
33 piliers d'angle du carré du transept soutenant la flèche
34 chœur (1163-1180)
35 double déambulatoire
36 stalles (fin du XVIIe s.)
37 forêt (XIIe-XIIIe s.)
38 sacristie et trésor
39 pavillon Viollet-le-Duc

CATHOLICISME voir aussi **Bible, chrétien**
– Catholicisme majoritairement pratiqué en France **catholicisme romain**
– Autorité suprême du catholicisme romain **pape**
– Dogmes du catholicisme **trinité, incarnation, rédemption, résurrection**
– Principaux rites du catholicisme romain **baptême, eucharistie**
– Membre de la hiérarchie instaurée au sein du catholicisme **pape, évêque, prêtre, fidèle**
– Catholicisme traditionaliste **intégrisme**
CATHOLIQUE voir tableau
CAUSE **source, origine**
– Cause première **principe, fondement, base**
– Rapport de cause à effet **causalité**
– Recherche sur les causes des maladies **étiologie**
– Cause d'une action **intention, motivation, raison**
– Invoquer une cause **prétexte, mobile**
– Cause première en théologie **Dieu**
– Caractère essentiel de la cause première **aséité**
– Théorie de l'influence nécessaire des causes **déterminisme**
CAVALERIE
– Dans l'Antiquité, division de cavalerie grecque **hipparchie**
– Sonnerie de cavalerie **boute-selle**
– Formation de cavalerie **division, brigade, régiment, escadron**
– Composent la cavalerie lourde **cuirassiers, carabiniers**
– Composent la cavalerie légère **hussards, chasseurs, spahis, chevau-légers**
– Composent la cavalerie de ligne **dragons**
– Ancien étendard d'une cavalerie **cornette, guidon**
CAVALIER (1) **écuyer, jockey** voir aussi **équitation, soldat**
– Fameuses cavalières dans l'Antiquité **Amazones**
– Officier commandant les cavaliers grecs dans l'Antiquité **hipparque**
– Cavaliers romains **célères**
– Cavalier égyptien **mameluk**
– Cavalier algérien **goumier**
– Cavalier d'Europe centrale **uhlan**
– Cavalier russe **cosaque**
– Saint patron des cavaliers **Benoît, Georges**
– Cavalier pratiquant le tourisme équestre **cavalier randonneur**

VOCABULAIRE CATHOLIQUE ROMAIN

aggiornamento	Modernisation des idées et de l'administration de l'Église.
avocat du diable	Officiel chargé de contester les mérites d'une personne dont la béatification ou la canonisation est proposée.
béatification	Reconnaissance et proclamation officielle de l'accession d'une personne défunte au rang des bienheureux.
bréviaire	Livre de l'office religieux contenant les hymnes, psaumes et prières dits par le clergé chaque jour.
bulle	Édit du pape souvent scellé d'une bulle (boule de métal attachée à un sceau) ou d'un sceau de plomb.
canonisation	Reconnaissance et proclamation officielle de l'accession d'une personne défunte au rang des saints.
Codex juris canonici **(Code du droit canonique)**	Code de la loi gouvernant l'Église depuis 1917.
conclave	« Chambre fermée à clef » : lieu où s'assemblent les cardinaux pour élire un nouveau pape ; cette assemblée elle-même.
confrérie	Association pieuse de laïques se vouant à des dévotions ou à des actes de charité.
consistoire	Assemblée de cardinaux convoqués par le pape pour organiser les affaires de l'Église.
curie	Ensemble des administrations qui forment la cour de Rome, le gouvernement pontifical.
décret	Décret du pape concernant un point du droit canonique.
de fide	Se réfère à une doctrine qui est un article de foi.
dom	Titre donné aux moines de certains ordres, en particulier aux bénédictins.
encyclique	Lettre envoyée par le pape aux évêques de tous les pays pour définir la position de l'Église à propos d'un problème d'actualité.
eucharistie	Sacrement au cours duquel le pain et le vin contenant substantiellement le corps, le sang, l'âme et la divinité de Jésus-Christ sont consommés lors de la messe.
extrême-onction	Sacrement de l'Église administré par un prêtre à un fidèle agonisant.
Index librorum	Liste officielle des ouvrages condamnés par l'Église pour des motifs de doctrine ou de morale.

CAVALIER (2)
– Avoir des façons cavalières **hardies, lestes, désinvoltes**
CAVE **cellier**
– Cave d'un négociant en vins **chai, cuverie**
– Personne chargée des soins d'une cave **caviste**
– Lieu situé dans une cave où sont interprétés des spectacles **cabaret, caveau**
CAVEAU
– Sorte de caveau **crypte, hypogée**
CÉDER
– Céder un objet à quelqu'un **abandonner**

indulgence	Rémission par l'Église des peines temporelles punissant les péchés.
infaillibilité	Dogme proclamé au concile Vatican I, en 1870, selon lequel le pape est infaillible lorsqu'il définit une doctrine de l'Église universelle.
limbes	Séjour des âmes des justes morts avant la venue du Rédempteur ou des enfants morts sans baptême.
messe tridentine	Messe telle qu'elle a été pratiquée de 1570 à Vatican II.
métropolitain	Archevêque à la tête d'une province ecclésiastique.
monseigneur	Titre honorifique donné aux cardinaux, archevêques, évêques et prélats.
neuvaine	Série d'exercices et de prières que l'on fait pendant neuf jours consécutifs.
nihil obstat	Approbation d'un livre par le censeur ecclésiastique, certifiant qu'il ne déroge pas à la doctrine.
ordo	Calendrier comprenant les différentes parties de l'année liturgique de l'Église.
péchés capitaux	Ils sont à l'origine de tous les autres péchés. Au nombre de sept : avarice, colère, envie, gourmandise, luxure, orgueil, paresse.
péché véniel	Péché digne de pardon (opposé à péché mortel), ne faisant pas perdre l'absolution.
Propaganda fide	Département du Vatican chargé de l'éducation, de l'affectation et de la direction des missionnaires.
purgatoire	« Qui purifie » : lieu où les âmes des justes expient leurs péchés avant d'accéder à la félicité éternelle.
requiem	Premier mot latin de la prière *Requiem aeternam dona eis*, « Donnez-leur le repos éternel » : messe pour le repos de l'âme d'un mort ; prière, chant pour les morts.
rota	Cour ecclésiastique suprême.
transsubstantiation	Transformation de la substance du pain et du vin en celle du corps et du sang de Jésus-Christ.
vénérable	Titre donné à celui qui obtient le premier degré dans la procédure de canonisation (avant d'accéder au rang de bienheureux, puis de saint).
Vulgate	Version répandue : nom de la traduction latine de la Bible, due à saint Jérôme (v. 347-420) et adoptée par le concile de Trente.

– Céder un droit, un titre **transférer**
– Céder une affaire commerciale **vendre**
– Céder un bien acquis à un tiers **rétrocéder**
– Céder un point de discussion à un adversaire **acquiescer, consentir, concéder**
– Céder lors d'un combat **capituler**
– Céder au charme d'une personne **succomber**
– Céder moralement à une pression **se soumettre, se résigner**
– Céder sous une charge très lourde **s'écrouler**
– Le barrage cède **rompt**

CEINTURE voir aussi **bandage, bande**
– Ceinture des chasseurs **cartouchière**
– Ceinture du moine **cordelière**
– Ceinture de pénitence **cilice**
– Large ceinture des femmes japonaises **obi**
– Ceinture de soutien **gaine, corset**
– Élément d'une ceinture **agrafe, boucle**
– Pointe métallique d'une boucle de ceinture **ardillon**
– Ceinture d'une colonne **moulure, filet**
– Ceinture d'un bateau **bauquière**

CÉLÈBRE illustre, notoire
– Une ville célèbre **réputée, renommée**
– Une victoire célèbre **fameuse, mémorable**
– Un amour célèbre **légendaire**
– Une action célèbre **glorieuse**
– Roman célèbre et recherché **best-seller**

CÉLÉBRER fêter, commémorer, solenniser
– Célébrer les mérites, l'œuvre d'une personne **vanter, louer, prôner**
– Célébrer un baptême, un mariage **procéder à**
– Célébrer un culte au moyen de rites **officier**
– Célébrer la gloire de Dieu **exalter, glorifier**

CELLULE voir aussi **cancer**
– Substance constituant le corps d'une cellule **protoplasme**
– Cœur de la cellule **noyau**
– Masse cellulaire entourant le noyau d'une cellule **cytoplasme**
– Cellule à noyau différencié **eucaryote**
– Stade de mort du noyau de la cellule **caryolyse**
– Division directe de la cellule **amitose**
– Division indirecte de la cellule **mitose**
– Espace limité par une membrane au sein d'une cellule **vacuole**
– Cellule du système nerveux **neuronale, gliale**
– Cellule sanguine **globule**
– Cellule reproductrice mâle ou femelle **gamète**
– Cellule qui a pour fonction d'absorber des éléments usés du sang et des tissus **phagocyte**
– Traite de la structure des cellules **histologie, biologie, cytologie**

CELTIQUE
– Poète celtique **barde**
– Prêtre celtique **druide**

– Collier en métal de la civilisation celtique **torque**
– Harpe celtique **crouth**
– Bière celtique **cervoise**

CENDRE
– Fragment de houille dans la cendre qui n'a pas complètement brûlé **escarbille**
– Cendre de charbon pas complètement brûlée **fraisil**
– Cendre végétale utilisée comme engrais **soude, charrée**
– Couche de cendres volcaniques **cinérite**
– Réduction en cendres **incinération**
– Vase où l'on recueille les cendres d'un mort **urne**

CENSURE
– Censure religieuse s'appliquant à certains écrits **interdit, Index**
– Lettre d'avertissement avant la prononciation d'une censure **monition**
– Censure infligée à un ecclésiastique **suspense**

CENT
hecto-, centi-

CENT
– Cent kilogrammes **quintal**
– Division en cent **centième**
– Cent fois plus **centuple**
– Un arbre de cent ans **centenaire, séculaire**
– Cent années **siècle**
– Tous les cent ans **centenal**
– Dans l'Antiquité, sacrifice de cent bœufs **hécatombe**
– Chef romain qui commandait un groupe de cent hommes **centenier, centurion**

CENTRALE NUCLÉAIRE
– Combustible utilisé dans une centrale nucléaire **uranium, plutonium, thorium**
– Principe de production d'énergie d'une centrale nucléaire **fission de l'uranium**
– Réacteur d'une centrale nucléaire **pile atomique**
– Type de réacteur d'une centrale nucléaire **convertisseur, surgénérateur**
– Modérateur employé dans les centrales nucléaires **eau, eau lourde, graphite**
– Fluide recueillant l'énergie d'une centrale nucléaire **caloporteur**

CENTRE noyau, axe, foyer
– Centre urbain **agglomération, ville**
– Centre commercial **complexe, groupement**
– Centre d'une réflexion **base, fondement, nœud, cœur, pivot**
– Centre de la Terre **abîme**
– Force qui s'éloigne du centre **centrifuge**
– Force qui tend vers le centre **centripète**

CERCLE disque
– Élément de mesure d'un cercle **diamètre, rayon, aire**
– Forme architecturale en demi-cercle **arc, dôme**
– Cercle lumineux entourant la Lune **halo, limbe, parasélène**
– Cercle imaginaire qui scinde la Terre en deux hémisphères **équateur**
– Cercle imaginaire traversant les deux pôles terrestres **méridien**
– Désignation des deux cercles parallèles à l'équateur **tropiques**
– Petit cercle entourant le mamelon du sein **aréole**

CERCUEIL
– Estrade prévue pour recevoir un cercueil **catafalque**
– Véhicule transportant le cercueil **corbillard**

CÉRÉALE
– Famille à laquelle appartiennent les céréales **graminées**
– Céréale des régions chaudes **riz, maïs, sorgho**
– Céréale des régions tempérées **blé, orge, avoine, froment**
– Coupe et récolte de certaines céréales **moisson**
– Enveloppe corticale des graines de céréales **son, balle, glume, seigle, sarrasin**
– Réduction des céréales en farine **mouture**
– Plante herbacée néfaste aux céréales **ivraie**

CÉRÉMONIE rituel
– Cérémonie d'anniversaire **commémoration**
– Cérémonie offerte à un hôte de marque **réception, gala**
– Ensemble de règles de préséance dans les cérémonies officielles **étiquette, protocole, décorum**
– Faire des cérémonies **simagrées**

CERF voir aussi tableau **animaux** p. 20-21
– Famille à laquelle appartient le cerf **cervidés**
– Femelle du cerf **biche**
– Jeune cerf **brocard, hère**
– Cerf âgé de deux années **daguet**
– Animal faisant partie de la famille du cerf **élan, orignal, renne, caribou**
– Cerf d'Écosse **sika**
– Cerf aboyeur d'Asie **muntjac**
– Troupeau de cerfs **harde, harpail**
– Traces du cerf **erres**
– Époque où le cerf est très gras **cervaison**
– Rechercher une biche, pour le cerf en rut **muser**
– Cri du cerf **bramer, raire**
– Lieu de pâture du cerf **viandis, gagnage**
– Partie du corps du cerf **cimier, hampe, folilet, numbles**
– Bois du cerf **ramure, dague, andouiller**
– Tête de cerf à la ramure anormale **bizarde**
– Ébauche des bois du jeune cerf **bouton, broche**
– Voir repousser ses nouveaux bois, pour un cerf **faire sa tête**
– Le cerf frotte ses bois neufs contre les arbres pour enlever le velours **fraye**
– Écorchures faites aux arbres par le cerf **essais, frayoir**
– Empaumure du cerf **chandelier, bouquet**
– Cerf portant cinq andouillers **dix-cors**
– Fiente de cerf **bousard**
– Testicules du cerf **daintiers**
– Jeune animal accompagnant un vieux cerf **écuyer**

CERISE drupe
– Cerise acidulée **marasque, griotte**
– Cerise douce **cœuret, bigarreau, guigne, reverchon**
– Cerise sauvage **merise**
– Boisson alcoolisée à base de cerises **marasquin, guignolet, kirsch**

CERISIER
– Gomme du cerisier **cérasine**

CERTITUDE voir aussi **conviction, évident**
– Base d'une certitude mathématique **axiome, principe**
– Personne empreinte de certitudes **adepte, partisan, sectateur**

CERVEAU
encéphal(o)-, -encéphale

CERVEAU névraxe, encéphale voir aussi dessin
– Sillon qui divise le cerveau en deux parties **scissure interhémisphérique**
– Nom de chacune des deux parties du cerveau **hémisphère**
– Surface des hémisphères du cerveau **cortex, écorce cérébrale**
– Enveloppe membraneuse de protection du cerveau **méninges**
– Organe situé en arrière et au-dessous du cerveau **cervelet**
– Partie arrondie du cerveau **lobe**
– Les quatre lobes du cerveau **fron-**

Cerveau

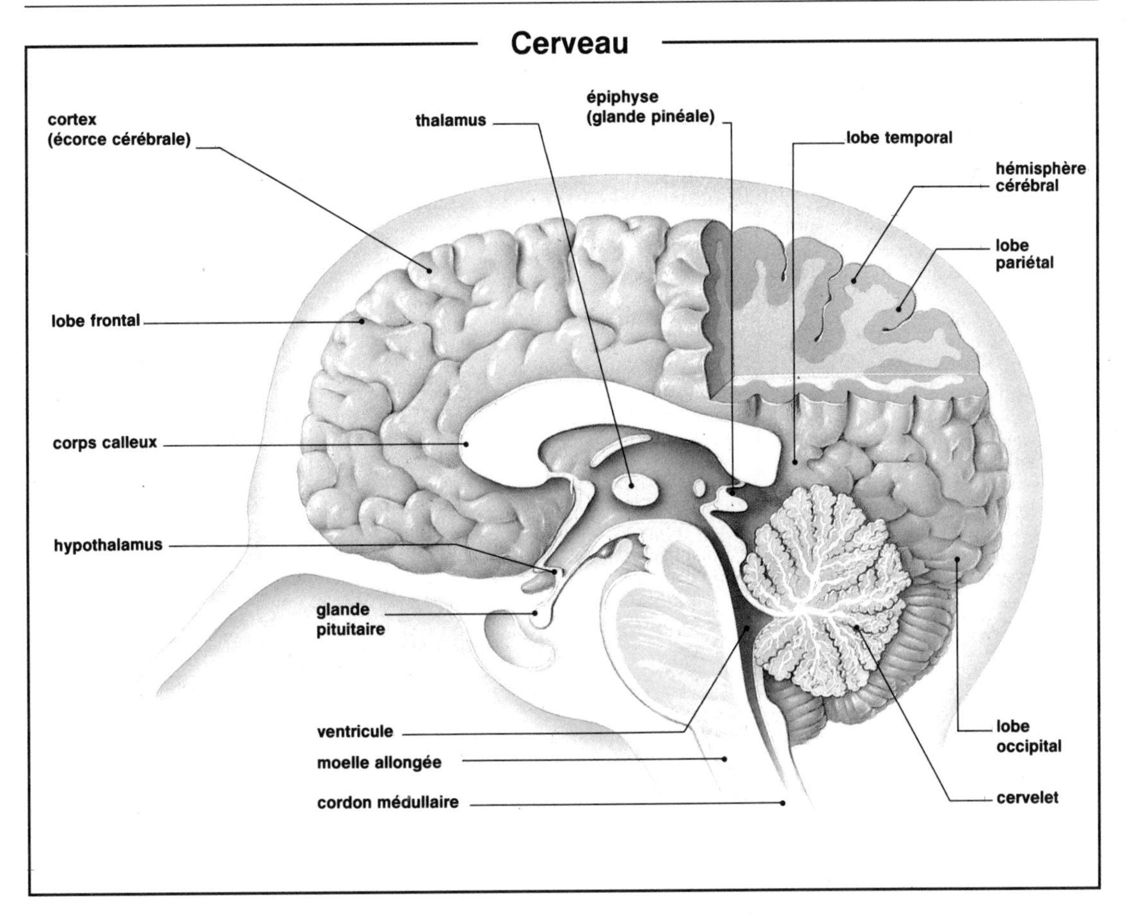

tal, pariétal, occipital, temporal
– Cavité du cerveau **ventricule**
– Glande supérieure située à la pointe du ventricule moyen du cerveau **épiphyse, glande pinéale**
– Glande inférieure située à la base du ventricule moyen du cerveau **hypophyse, glande pituitaire**
– Examen du cerveau **cérébroscopie**
– En chirurgie, ouverture dans le crâne pour une intervention sur le cerveau **trépanation**
– Opération chirurgicale pratiquée sur le cerveau **lobotomie, lobectomie**

CESSER **finir, s'interrompre, s'arrêter**
– La douleur cesse **s'efface, s'estompe, s'atténue**
– La tempête cesse **tombe, se calme, se dissipe**
– La peur cesse **s'enfuit, s'évanouit**
– Les larmes cessent **se tarissent**
– Cesser de vivre **trépasser, expirer, s'éteindre**
– Cesser momentanément **suspendre, proroger, discontinuer**
– Faire cesser un interdit **lever**
– Faire cesser un malentendu **éclaircir, supprimer**

CESSION
– Cession d'un droit à une personne **transmission, transfert, translation**
– Cession d'une créance commerciale **transport**
– Cession gratuite d'un bien **aliénation, donation, legs**
– Cession volontaire ou forcée d'une propriété **délaissement, renonciation, déguerpissement**

CÉTACÉ voir tableau p. 82

CHAÎNE voir aussi **collier**
– Chaîne qui pare le cou **jaseran**
– Longue chaîne qui orne la poitrine **sautoir**
– Chaîne qui entoure la tête **ferronnière**
– Chaîne de ceinture **châtelaine**
– Maillon d'une chaîne **manille, émerillon**
– Chaîne d'une voiture attelée **mancelle**
– Chaîne des prisonniers **alganon**
– Reliés à la chaîne, ils enserrent les poignets, les bras **fers**
– Il accompagnait les chaînes des forçats **boulet**
– Fixation de la chaîne d'ancre d'un navire **étalingure**
– Chaîne de production **montage, assemblage, usinage**
– Fabricant de chaînes en bijouterie **chaînetier, chaîniste**
– Forgeron qui fabrique des chaînes **chaînier**

CHAIR voir aussi **viande**
– Une personne bien en chair **dodue, potelée, charnue, grassouillette, replète**
– Un corps sans chair **décharné, étique, squelettique**
– Teinte de la chair **dorée, satinée, nacrée**
– Gonflement des chairs **intumescence, tuméfaction**
– Petite excroissance de chair **caroncule**
– Altération d'un tissu devenant semblable à la chair **carnification**

– Individu, animal mangeur de chair **carnivore, créophage**
– Animal avide de chair **carnassier**
– Être humain qui mange de la chair humaine **anthropophage**
– Chair d'un fruit **pulpe, péricarpe, mésocarpe**
– Le plaisir de la chair **sensualité**

CHAISE
– Réparateur de chaises **rempailleur**
– Garnir une chaise en cannes de jonc **canner, joncer**
– Chaise réservée au clergé dans une église **stalle**
– Chaise de magistrat dans l'Antiquité romaine **curule**
– Chaise à porteurs **filanzane, manchy, vinaigrette, palanquin**
– Loueuse ou vendeuse de chaises **chaisière**

CHALEUR
calor(i)-, -therme

CHALEUR
– Appareil qui répand de la chaleur **calorifère**
– Qui donne de la chaleur **calorifique, thermogène, thermique, calorique**
– Étude des relations entre mécanique et chaleur **thermodynamique**
– Il empêche la déperdition de chaleur **calorifuge**
– Unité de mesure de la chaleur **degré Celsius, degré Fahrenheit**
– Production de la chaleur dans les organismes vivants **calorification**
– Engourdissement de certains animaux pendant les fortes chaleurs de l'été **estivation**
– Femelle en chaleur **en rut**
– Défendre quelque chose avec chaleur **ardeur, enthousiasme, conviction, foi, ferveur, fougue, exaltation, véhémence**

CHAMBRE
– Chambre d'amour **alcôve**
– Chambre d'enfants **nursery**
– Chambre de moine **cellule**
– Chambre de soldats **dortoir, chambrée**
– Petite chambre sous les toits **mansarde, galetas**
– Femme de chambre **domestique, chambrière**
– Femme de chambre d'une princesse **camériste**
– Officier chargé de la chambre du roi **chambellan, chambrier**
– Officier de la chambre papale **camérier**
– Chambre d'un hôpital où sont déposées les dépouilles mortelles **morgue**
– Chambre des députés **Assemblée nationale**
– Chambre de sûreté **prison**

CÉTACÉS

SOUS-ORDRE : ODONTOCÈTES (à dents)

FAMILLE DES PLATANISTIDÉS (dauphins d'eau douce)

Identification	bec, nageoire caudale sans encoche, 2 sillons sur la gorge, petite dorsale
Espèces	**dauphin de l'Amazone** **susu/dauphin du Gange**

FAMILLE DES ZIPHIIDÉS

Identification	bec, 1 ou 2 paires de dents fonctionnelles à la mandibule, 2 à 4 sillons sur la gorge, petite dorsale
Espèces	**baleine de Cuvier** **hy**

FAMILLE DES PHYSÉTÉRIDÉS

Identification	mâchoire inférieure étroite et seule porteuse de dents, tête cubique
Espèces	**grand cachalot** **cachalot pygmée**

FAMILLE DES MONODONTIDÉS

Identification	absence de nageoire dorsale
Espèces	**bélouga/baleine blanche** **narval**

FAMILLE DES DELPHINIDÉS

Identification	absence de sillons sur la gorge, dents aux 2 mâchoires
Espèces	**orque/épaulard** **dauphin souffleur**

FAMILLE DES PHOCŒNIDÉS

Identification	plus de 60 dents
Espèces	**marsouins**

SOUS-ORDRE : MYSTICÈTES (à fanons)

FAMILLE DES ESCHRICHTIIDÉS

Identification	bouche large, longs sillons profonds sur la poitrine, absence de nageoire dorsale, faibles protubérances près de la queue
Espèce	**baleine grise de Californie**

FAMILLE DES BALÉNOPTÉRIDÉS

Identification	nageoire dorsale, nombreux sillons ventraux, mâchoires peu incurvées
Espèces	**mégaptère/jubarte/baleine à bosse** **rorqual (ou baleine) de Bryde** **rorqual commun** **rorqual bleu** **petit rorqual** **rorqual boréal ou de Rudolphi**

FAMILLE DES BALÉNIDÉS

Identification	bouche allongée, absence de sillons sur la gorge, absence de nageoire dorsale
Espèces	**baleine de Biscaye** **baleine du Groenland** **baleine franche naine**

– Chambre froide d'une boucherie **armoire frigorifique**
– Chambre forte **coffre-fort**

CHAMEAU
– De la famille du chameau **dromadaire, méhari**
– Qui se rapporte au chameau **camélien, camelin**
– Personne qui s'occupe des chameaux **chamelier**

CHAMP
– Discipline concernant la culture des champs **agriculture, agrologie, agronomie**
– À propos des champs et de la campagne **bucolique, champêtre, rural, rustique, agreste**
– Tige de blé dans les champs après la moisson **chaume**
– Champ de connaissances **discipline, spécialité**
– Champ de courses **hippodrome, cynodrome**

CHAMPAGNE
– Transformation du vin en champagne **champagnisation**
– Cave à champagne construite dans la craie **crayère**
– Champagne à caractère particulier **crémant, tocane, tisane**
– Bouteille utilisée pour le champagne **champenoise**
– Verre de champagne glacé **soyer**
– Boire du champagne pour fêter un événement **sabler**

CHAMPÊTRE
– Divinité champêtre **faune, satyre, nymphe**
– Un paysage champêtre **bucolique, agreste**

CHAMPIGNON
myc(o)-, mycéto-, -mycète

CHAMPIGNON voir aussi dessins ci-contre et p. 84
– Étude scientifique des champignons **mycologie**
– Description des champignons **mycographie**
– Appareil végétatif du champignon **mycélium**
– Lieu où l'on cultive les champignons de couche **champignonnière**
– Champignon dangereux **vénéneux**
– Affection provoquée par des champignons **mycose, muguet, rouille, mildiou, ergot**
– Produit qui détruit les champignons, combat les affections **antifongique, antimycosique**
– Objet qui a la forme d'un champignon **fongiforme**
– Hybridation du champignon et de l'algue **lichen**

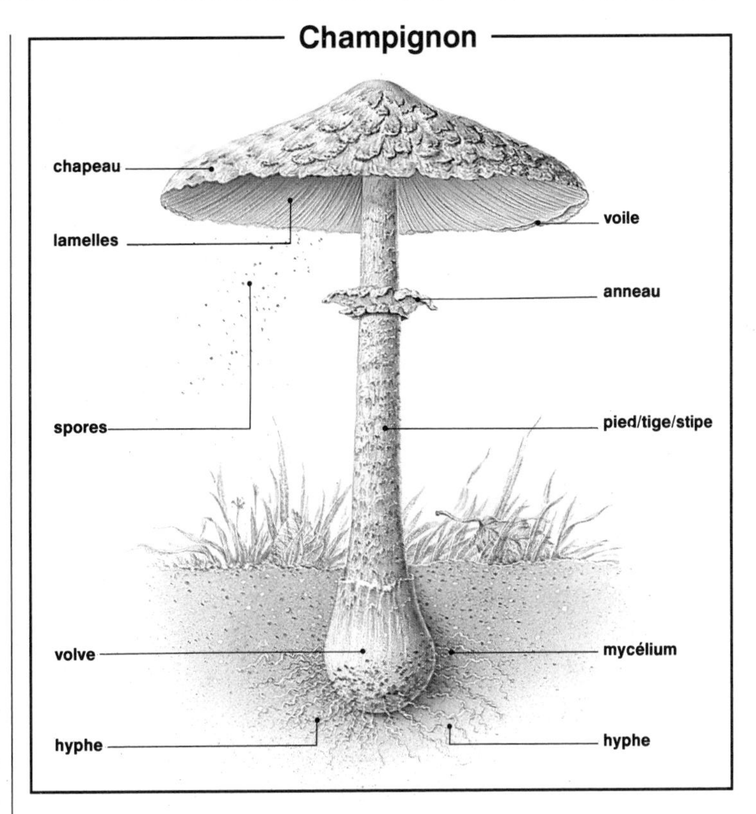

CHAMPION **as, vainqueur**
– Champion sportif détenteur d'un record **recordman**
– Personne qui défie un champion **challenger**
– Se faire le champion d'une grande cause **adepte, défenseur, partisan, zélateur**
– Être le champion dans un domaine **crack, maître, virtuose**

CHANCE **fortune**
– Croire à la chance **hasard, sort, destin**
– Une sacrée chance **aubaine**
– Mettre les chances de son côté **atouts**
– Estimer ses chances de réussite **possibilités, probabilités**
– Objet qui porte chance **mascotte, fétiche, amulette**

CHANGE **troc** voir aussi **Bourse**
– Opération de change **arbitrage**
– Opération de change délictueuse **agiotage**
– Change interbancaire **échange, compensation, contrepartie**
– Lettre de change **traite, effet, billet à ordre**
– Change d'une monnaie **conversion**
– Agent de change **courtier, coulissier, cambiste**

CHANGEMENT
trans-

CHANGEMENT voir aussi **adaptation**
– Vie décousue faite de changements **vicissitudes, tribulations**
– Changement radical **mutation, métamorphose**
– Changement d'opinion, de croyance **conversion, palinodie**
– Changement de pays **émigration, immigration, expatriation, rapatriement, transmigration, exil**
– Changement dans l'ordre **permutation, intervention**
– Absence de changement **immobilisme, marasme, stagnation**
– Changement brusque **volte-face**
– Peur du changement **kaïnophobie**
– Changement des métaux en or **transmutation**
– Changement de couleur **chatoiement**

CHANGER
– Changer de peau **muer**
– Changer d'apparence **se travestir, se déguiser**
– Changer une condamnation, une peine **commuer**

Quelques champignons mortels

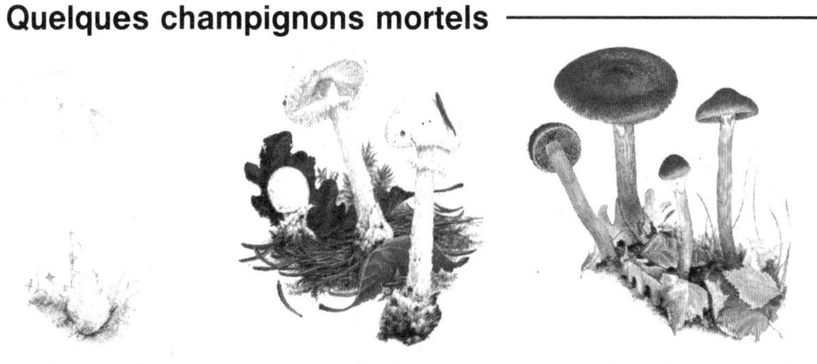

amanite phalloïde *(Amanita phalloides)*

amanite printanière *(Amanita verna)*

amanite vireuse *(Amanita virosa)*

cortinaire couleur de cannelle *(Dermocybe cinnamomeolutea)*

cortinaire couleur de rocou *(Cortinarius orellanus)*

cortinaire superbe *(Cortinarius speciosissimus)*

galère marginée *(Galerina marginata)*

paxille enroulé *(Paxillus involutus)*

– Changer des faits **transformer, défigurer**
– Changer une matière, une substance en une autre **transmuer, transmuter**
– Qui change souvent **versatile**
– Changer un état de fait **réformer, rénover**
– Changer successivement **alterner**
– Changer en mieux **amender**
– Changer négativement **altérer, dénaturer, détériorer**
– Changer la place d'un mot dans une phrase **permuter, intervertir, inverser**
– Changer un texte **remanier, refondre**
– Changer radicalement **se métamorphoser**
– Changer le ton d'une partition musicale **transposer**

CHANSON
– Chanson populaire **goualante, complainte**
– Petit film accompagnant une chanson **clip**
– Chanson tendre **romance**
– Chanson pour endormir les enfants **berceuse**
– Chanson des gondoliers **barcarolle**
– Chanson de chevalerie **chanson de geste, épopée**
– Chanson villageoise **villanelle**
– Strophe d'une chanson terminée par un refrain **couplet**
– Personne qui compose ou qui interprète une chanson satirique **chansonnier**

CHANT
mélo-

CHANT voir aussi **chœur, voix**
– Chant funèbre dans l'Antiquité **nénies, thrène**
– Exercice de chant sans paroles **vocalise**
– Chant spécifiquement germanique **lied**
– Chant monocorde **mélopée**
– Chant à caractère plaintif **élégie**
– Chant guerrier **péan**
– Chant en l'honneur de jeunes mariés **épithalame**
– Chant des bergers **bucoliasme**
– Chant initial du chœur lors d'une tragédie grecque **parados**
– Chant en vers **poème, madrigal, triolet**
– Chant religieux **cantique, psaume, chant grégorien, chant ambrosien**
– Chant de prière **litanie**
– Chant collectif **canon**
– Chant de messe solennelle **hymne, prose**
– Chant à la gloire de Dieu **cantique, Te Deum**
– Chant de louange de la Vierge Marie **magnificat**
– Chant à l'adresse des morts **requiem**
– Chant funèbre corse **vocero**
– Chant exécuté par un chœur **motet**
– Air de chant **aria, ariette, arioso**
– Air de chant proche de la voix parlée **récitatif**
– Chant composé sur un poème **mélodie**
– Chant mélancolique **cantabile, cantilène**
– Chant interprété par une seule voix **monodie**
– Chant sans accompagnement musical **a cappella**
– Chant d'oiseau **pépiement, gazouillis, ramage**

CHANTAGE
– Personne qui exerce un chantage **maître chanteur**

CHANTER voir aussi **voix**
– Chanter doucement **fredonner**
– Chanter des notes en les liant **couler**

– S'exercer à chanter **vocaliser, triller, solfier**
– Chanter faux **détonner**
– Chanter à la façon des Tyroliens **yodler**
– Commencer à chanter **entonner**
– Personne qui chante lors du service religieux **chantre**

CHANTEUR
– Chanteur du Moyen Âge **barde, ménestrel, troubadour, trouvère, minnesinger, scalde**
– Chanteur dans l'Antiquité **aède, rhapsode**
– Chanteuse d'opéra **cantatrice, prima donna, diva**

CHAPEAU voir aussi **coiffure**
– Chapeau de paille **canotier**
– Chapeau haut de forme à ressorts **gibus**
– Chapeau bombé en feutre **melon**
– Chapeau à cornes **barrette, bicorne, tricorne**
– Chapeau des prélats **mitre**
– Chapeau de cow-boy **Stetson**
– Femme qui confectionne des chapeaux **modiste**

CHAPELET
– Long chapelet **rosaire**

CHAPELLE
– Prêtre qui dessert une chapelle privée **chapelain**
– Sorte de chapelle **absidiole, baptistère, martyrium, oratoire**
– Groupe d'individus faisant preuve d'un esprit de chapelle **clan, tribu, coterie, cénacle**

CHAPELURE
– Chapelure qui sert à paner **panure**

CHAPITRE
– Dessin placé à la fin d'un chapitre **cul-de-lampe**
– Lettre qui commençait un chapitre dans les manuscrits **lettre capitulaire**
– Lettre ornée ou non qui commence un chapitre **lettrine**
– Relatif à un chapitre de religieux **capitulaire**

CHAR **tank**
– Char antique **bige, quadrige**
– Arène où se tenaient les courses de chars **carrière**
– Conducteur de char dans l'Antiquité **aurige**
– Char funèbre **corbillard**

CHARBON voir aussi **mineur**
– Sorte de charbon **houille, lignite, tourbe, anthracite, coke**
– Marchand de charbon **bougnat**
– Transformation d'un corps en charbon **carbonisation**
– Aggloméré de charbon **briquette**
– Petit morceau de charbon **gaillette**
– Qui contient du charbon **carbonifère**
– Transformation du bois en charbon **cuisage**
– Maladie due à l'inhalation de la poussière de charbon **anthracose**
– Maladie des plantes appelée « charbon » **rouille, nielle, anthracnose**
– Charbon utilisé pour le dessin **fusain**

CHARCUTERIE **cochonnaille**
– Étape de fabrication de la charcuterie **découpage, salage, hachage, cuisson, fumage**
– Ustensile utilisé en charcuterie **tranche-lard, hachoir, boudinière**

CHARDON
– Chardon à foulon **cardère**
– Chardon des terres sèches **carline**
– Chardon à fleurs jaunes **kentrophyle**
– Chardon argenté **silybe**
– Chardon aux ânes **onopordon**
– Chardon béni **centaurée**
– Chardon bleu des Alpes **panicaut**
– Chardon étoilé **chausse-trappe**
– Un chardon sans tige **acaule**
– Arracher les chardons d'un champ **échardonner**
– Oiseau friand des graines de chardons **chardonneret**

CHARGE **faix** voir aussi **fardeau, mesure, poids, volume**
– Charge d'un âne **ânée**
– Harnais conçu pour recevoir des charges **bât**
– Charge assurant la stabilité d'un navire **lest, estive**
– Charge d'un bateau **batelée**
– Un bateau dont la charge est incomplète **lège**
– Possibilité de charge d'un avion **emport**
– Charge désagréable **corvée**
– Charge fiscale **imposition, redevance**
– Charges sociales **cotisations**
– En charge d'un dossier **responsabilité, suivi**
– Accumuler les charges contre une personne **preuves**
– Remplir sa charge **mission, mandat**
– Occuper une charge **emploi, fonction, poste**
– Se voir assigner la charge **dignité, titre**

CHARGER **garnir, remplir, disposer**
– Charger d'impôts **grever, taxer**
– Charger de lourdes dettes **obérer**
– Charger à tort **calomnier, diffamer**
– Charger quelqu'un de la responsabilité d'un acte **incriminer, imputer à**

CHARIOT
– Long chariot servant pour le transport des récoltes **guimbarde**
– Chariot agricole **fourragère**
– Chariot couvert des pionniers de l'Ouest américain **fourgon**
– Chariot de guerre sur lequel étaient montées des pièces d'artillerie **ribaudequin**
– Chariot à plate-forme du chemin de fer **truck**
– Chariot des mines de charbon **benne, berline**
– Chariot utilisé pour transporter des marchandises **diable**
– Chariot servant au transport des fardeaux **éfourceau**

CHARITÉ voir aussi **bonté**
– Comportement empreint de charité **bonté, bienveillance, miséricorde, altruisme**
– Relatif à la charité **caritatif**
– Action de charité **secours, assistance, bienfaisance**
– Geste de charité **obole, aumône, don**
– Personne qui appartient à une confrérie de charité **chariton**
– Atelier de charité où des femmes réalisent des travaux de couture **ouvroir**
– Individu bienfaisant qui pratique la charité **altruiste, philanthrope**

CHARMANT
– Un décor charmant **plaisant**
– Un homme charmant **agréable, prévenant, courtois, galant, séduisant**
– Une jeune fille charmante **délicieuse, ravissante**

CHARME
– Exercer son charme sur quelqu'un **fasciner, séduire, enjôler**
– Charme magique **ensorcellement, enchantement, envoûtement, sort**
– Charmes d'une femme **appas, attributs, vénusté**

CHARNIÈRE
– Charnière d'une porte ou d'une fenêtre **gond, penture, paumelle, fiche, ferrure**

CHARPENTE
– Espace dans la charpente compris sous les versants d'un toit **comble**
– Charpente faite de deux arbalétriers, d'un poinçon, d'un entrait **ferme**
– Charpente du corps humain **squelette, ossature**

– Charpente d'un ouvrage littéraire **canevas, intrigue**

CHARRETTE

– Bras d'une charrette **timon, brancard**
– Pan d'une charrette formé de panneaux en bois ajourés **ridelle**
– Petite charrette couverte **carriole**
– Charrette étroite et longue **haquet**
– Charrette agricole **gerbière**
– Charrette légère utilisée pour le port des bagages **surtout**
– Charrette servant au transport de matériaux **tombereau, banne**
– Charrette réservée au transport des pierres de taille **binard**
– Charrette utilisée pour le transport des troncs d'arbres **fardier, triqueballe**
– Cordage maintenant la charge d'une charrette **liure**
– Bâton utilisé pour tendre la liure d'une charrette **tortoir**
– Petit treuil placé à l'arrière d'une charrette **pouliot**
– Fabricant de charrettes **charron**

CHARRUE voir aussi dessin

– Bâti de la charrue **âge, sep, étançon, talon**
– Grande lame de la charrue **soc**
– Pièce attachée au soc de la charrue **versoir, coutre, rasette**
– Bras de la charrue **mancheron**
– Type de charrue **araire, brabant**
– Barre d'une charrue à laquelle on attelle les chevaux **palonnier, timon**
– Charrue à main employée dans l'horticulture **binot, sarcloir**
– Trace du premier sillon ouvert par une charrue **enrayure**
– Bande de terre laissée par la charrue entre deux ceps **cavaillon**
– Petit monticule de terre fait par la charrue entre deux sillons **billon**

CHASSE voir aussi tableau p. 88-89

– Terrain de chasse où des pièges sont tendus **tenderie**
– Chasse avec des chiens **vénerie, chasse à courre**
– Art de la chasse **cynégétique**
– Cris ou sonneries rythmant une chasse à courre **hallali, taïaut**
– Chasse utilisant des oiseaux de proie **fauconnerie, volerie**
– Présentation du gibier tué pendant la chasse **tableau de chasse**
– Tête de l'animal tué au cours de la chasse **trophée**
– Action de battre les bois à la chasse pour en faire sortir le gibier **battue, traque**
– Chasse illicite **braconnage**
– Artifice employé à la chasse pour attirer le gibier **appât, appeau, chanterelle, pipeau, pipée, leurre**
– Piège utilisé à la chasse pour attraper le gibier **collet, gluau, trappe, traquet, lacs, tirasse**
– Déesse de la chasse dans la mythologie antique **Artémis, Diane**

CHASSER

– Chasser un animal de son refuge **débusquer**
– Chasser quelqu'un de son pays, de sa patrie **bannir, proscrire, exiler, mettre au ban**

CHASSEUR (1)

– Chasseur biblique **Nemrod**
– Tribu de chasseuses guerrières dans l'Antiquité **Amazones**
– Chasseur de gibier **giboyeur**
– Chasseur en volerie **fauconnier**
– Chasseur de bœufs sauvages **boucanier**
– Chasseur hors la loi **braconnier**
– Saint patron des chasseurs **Hubert**
– Chasseur d'un hôtel **groom**

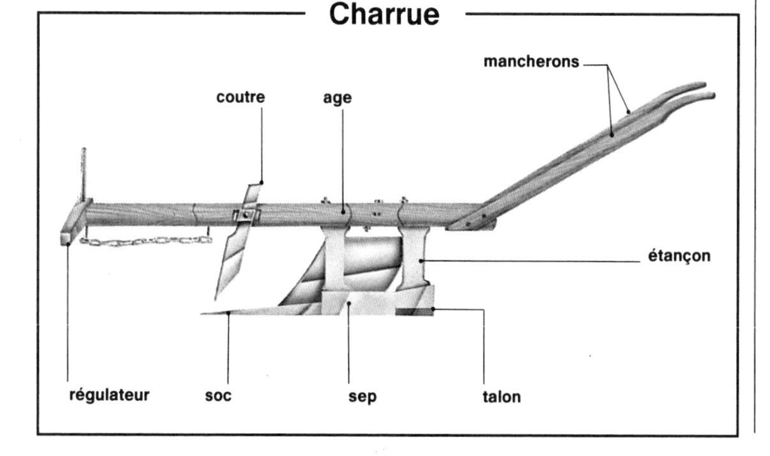

CHASSEUR (2)

– Déesse chasseresse grecque **Artémis**
– Déesse chasseresse romaine **Diane**

CHASTETÉ ascétisme, continence, abstinence

– Conforme à la chasteté **innocent, pur, prude, vertueux**

CHAT voir aussi tableau **animaux** p. 20-21

– Chat retourné à l'état sauvage **haret**
– Plante dont l'odeur attire les chats **cataire**
– Passage réservé aux chats **chatière**
– Relatif au chat **félin**

CHÂTAIGNE

– Enveloppe de la châtaigne **bogue**
– Qui a la couleur de la châtaigne **auburn, châtain, marron**
– Châtaigne de mer **oursin**
– Donner une châtaigne à quelqu'un **beigne, gnon**

CHÂTEAU voir aussi dessin et **fort**

– Enceinte fortifiée d'un château **fortification, muraille, palissade, rempart**
– Petit château fort qui défendait l'accès d'une route, d'un pont **châtelet**
– Manoir ressemblant à un château **castel**
– Château imprenable **inexpugnable**
– Champ au pied des remparts du château utilisé pour les tournois **lice**
– Seigneur d'un château **châtelain**

CHATOYANT

– Rendre chatoyant **moirer**

CHATOYER briller, miroiter

– Des yeux qui chatoient **étincellent, luisent, pétillent**
– Chatoyer comme un diamant **rutiler, scintiller**

CHÂTRER

– Individu mâle qui a été châtré **castrat, eunuque**

CHAUD

– Un temps extrêmement chaud **torride, caniculaire**
– Une boisson très chaude **bouillante, brûlante**
– Pièce particulièrement chaude **étuve, fournaise**
– Un climat chaud **tropical, équatorial, désertique**
– Le combat fut chaud **âpre**

CHAUFFAGE caléfaction

– Chauffage à circulation d'eau ou d'air **calorifère, thermosiphon, hypocauste**
– Appareil de chauffage **poêle,**

Château fort

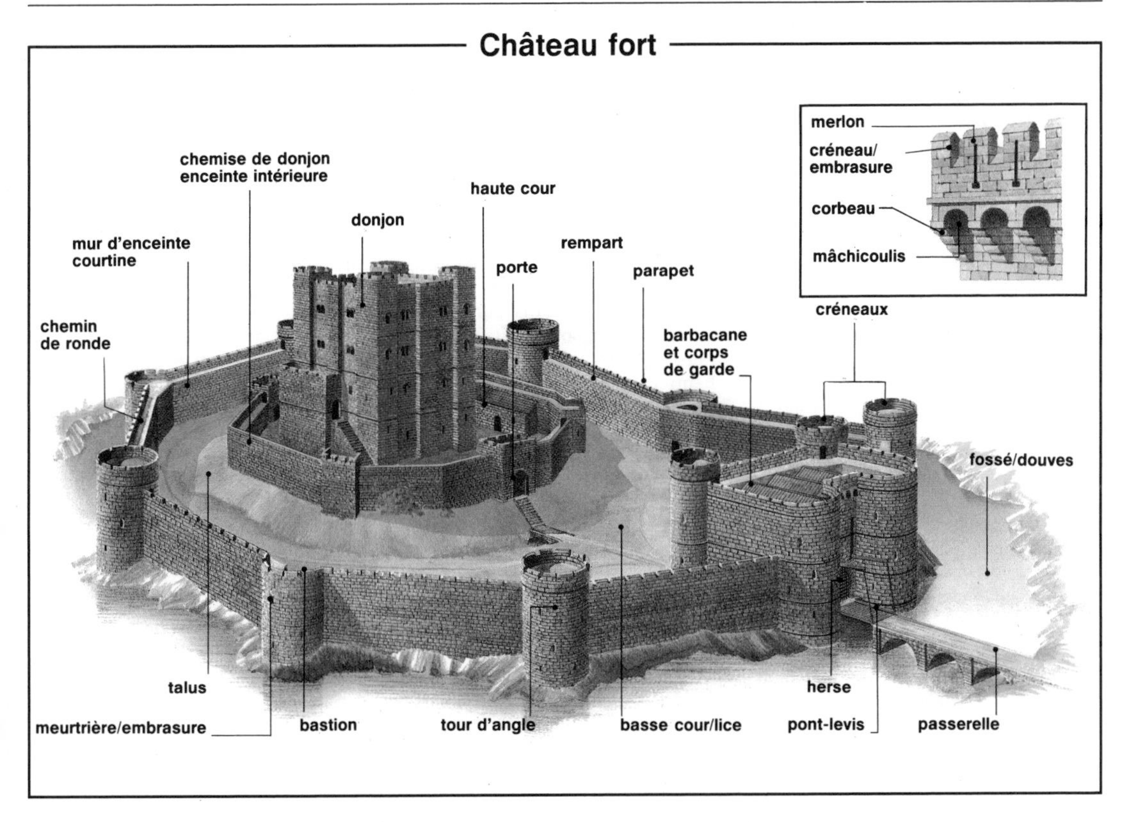

chaudière, fourneau, brasero
– Petit ustensile de chauffage pour les pieds **chaufferette**
– Appareil de chauffage électrique **convecteur, panneau radiant, trame chauffante**
– Appareil de chauffage au bois **insert**
– Appareil de régulation du chauffage **thermostat**

CHAUFFER
– Chauffer un métal **porter au rouge, chauffer à blanc**
– Chauffer trop fort **brûler, calciner**
– Ustensile servant à chauffer un lit **bassinoire, bouillotte, moine**

CHAUFFEUR pilote voir aussi **conducteur**
– Chauffeur imprudent **chauffard**
– Chauffeur d'un fiacre **cocher, automédon**

CHAUSSURE soulier voir aussi dessin
– Chaussure basse de ville **mocassin, richelieu**
– Chaussure à semelle mince **ballerine, escarpin**
– Chaussure de sport **basket**
– Chaussure de bois **sabot**
– Chaussure de neige **snow-boot**
– Chaussure de marche **brodequin**
– Chaussure à longue lanière de cuir **sandale, spartiate**
– Chaussure orientale **babouche**
– Chaussure des acteurs comiques dans l'Antiquité **socque**
– Chaussure des tragédiens dans l'Antiquité **cothurne**
– Chaussure moyenâgeuse dont la pointe était relevée **poulaine**
– Partie d'une chaussure **tige, empeigne, quartier, claque, glissoir**
– Fabricant de chaussures **cordonnier, savetier, bottier**
– Instrument utilisé pour conserver le maintien des chaussures **embauchoir, forme**

CHAUVE voir aussi **cheveu**
– Crâne chauve **calvitie**
– Maladie qui rend chauve **pelade, teigne**

Chaussure

CHAUVE-SOURIS voir aussi dessin
– Ordre auquel appartient la chauve-souris **chiroptères**
– Grande chauve-souris frugivore de l'Inde **roussette, chien volant**
– Chauve-souris d'Europe et d'Asie **noctule**
– Petite chauve-souris aux oreilles pointues **pipistrelle**
– Petite chauve-souris ayant de grandes oreilles **oreillard**
– Chauve-souris commune en France **vespertilion, sérotine**
– Chauve-souris du nord de l'Afrique **rhinopome**
– Chauve-souris carnivore **rhinolophe**
CHAUX
– Four à chaux **chaufour**
– Mélange de sable et de chaux **mortier, crépi**
CHEF
-arque
CHEF
– Chef de famille dans l'Ancien Testament **patriarche**
– Chef arabe **cheik**
– Chef indien **cacique, sachem**
– Chef de bataillon ou d'escadrons **commandant**
– Chef de section dans l'armée de terre **lieutenant, sous-lieutenant, aspirant, adjudant**
– Femme qui est le chef d'un groupe de scouts **cheftaine**
– Chef cuisinier **coq, maître queux**
– Chef d'entreprise **P.-D.G.**
– Chef d'orchestre **maestro**
– Chef situé sur le petit côté d'une ardoise **culée**
CHEF-D'ŒUVRE voir **art**
CHEMIN **voie, allée, passage, sentier** voir aussi **route**
– Chemin étroit **sente**
– Chemin dans le désert **piste**
– Chemin creux **cavée**
– Chemin déboisé percé dans une forêt **laie, layon**
– Chemin dans le nord de la France **drève**
– Chemin de halage **berme**
– Largeur d'un chemin de halage **lé**
– Chemin abrupt **raidillon, rampe**
– Chemin allant en se rétrécissant **boyau**
– Chemin de traverse **raccourci**
– Chemin de transhumance qu'em-

TERMES DE CHASSE

LA CHASSE

abri	Poste d'affût du chasseur en plaine. Synonymes : claie ou paillasson.
affaîter	Dresser un rapace pour la chasse au vol.
appelant	Oiseau captif chargé d'attirer le gibier par ses cris. L'ensemble des appelants constitue l'attelage.
bande-abri	Pièce de terrain qu'on laisse plantée d'arbustes pour servir d'abri et de lieu de nichage au gibier en plaine.
billebaude (à la)	Procédé de chasse consistant à rechercher le gibier au hasard.
biotope	Milieu naturel d'un animal.
blinker	Se dit d'un chien qui fait semblant de ne pas voir le gibier qu'il doit arrêter ou rapporter.
bourrer	Se dit d'un chien d'arrêt qui se saisit d'un gibier ou le poursuit.
carnassière	Sacoche à gibier.
cervaison	Période pendant laquelle le cerf est le plus gras et la venaison la meilleure.
chien de rouge ou **chien de sang**	Chien destiné à la recherche du gibier mort ou blessé.
choupille	Chien de chasse qui prévient son maître de la présence du gibier.
clapette	Instrument utilisé par les rabatteurs.
couler	Se dit d'un chien d'arrêt qui suit prudemment le gibier.
coup du roi	Tir à la verticale d'un gibier passant au-dessus de la tête du chasseur.
créance	Chien qui chasse comme il convient un gibier précis.
curée	Abats de cerf que l'on donne aux chiens.
dardière	Piège à chevreuil.
décousure	Blessure faite à un chien par un sanglier ou un cerf.
fouaille	Abats de sanglier que l'on donne aux chiens.
gabion	Construction en bordure d'une mare dans laquelle se cache le chasseur.
gagnage	Terrain où le gibier va chercher sa nourriture à la tombée de la nuit.
hou (à la)	Cri des rabatteurs annonçant qu'ils ont levé ou rencontré des sangliers.
hutteau	Installation en toile utilisée au bord de l'eau.
manquer	Tirer du gibier en avant pour le toucher.
meneur	Se dit d'un chien qui suit bien la trace du gibier.
parchasser	Se dit des chiens qui hésitent.
plan de chasse	Plan d'abattage du gibier établi par une commission départementale.
porchaison	Période pendant laquelle le sanglier est le plus gras.

Chauve-souris

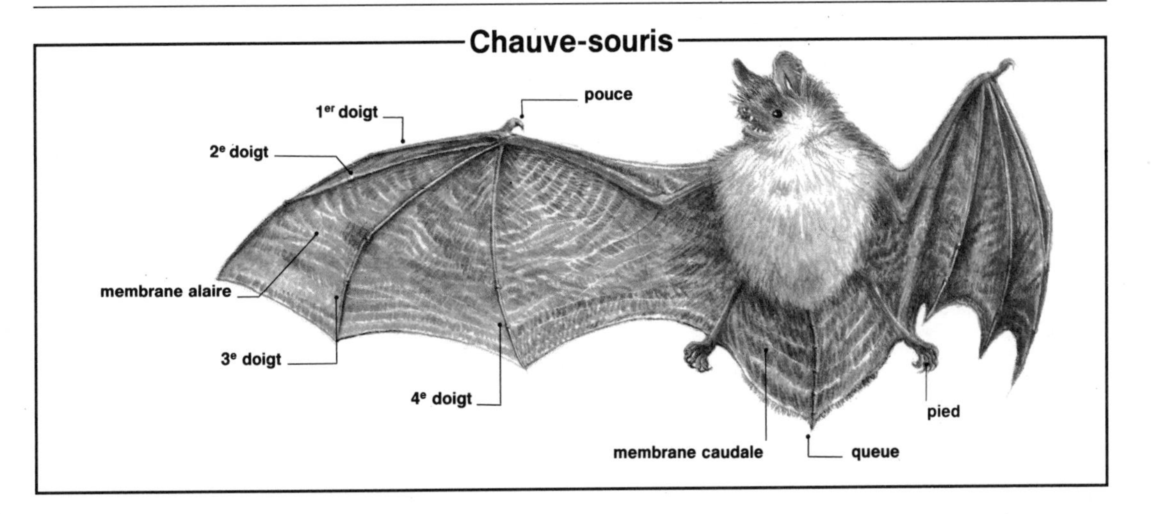

prélèvement	Nombre d'animaux qui peuvent être abattus sans pour autant mettre une espèce en péril.
réclamer	Rappeler les chiens.
rembuché	Se dit d'un animal qui a quitté le gagnage et est rentré dans une enceinte.
rouler un animal	Faire culbuter un gibier à poil en le tuant.
sauvagine	Ensemble du gibier d'eau.
travail	Traces laissées par le cerf et le sanglier en se nourrissant.
vautre	Chien pour la chasse à la bête noire.
venaison	Chair du gibier.
voie	Ensemble des traces qui marquent le passage du gibier.

LA CHASSE À COURRE

TERMES SE RAPPORTANT AUX CHASSEURS

forhu	Appel des chiens avec la trompe.
forhuer	Sonner le forhu.
forlancer	Débusquer une bête de son gîte.
hallali	Cri annonçant que la bête est aux abois.
hallali par terre	Animal porté bas ou mort.
hucher	Appeler par des cris, des sifflets.
huchet	Petit cor.
quêter	Être à la recherche du gibier.
rebaudir	Inciter le chien à la poursuite en le caressant.
taïaut !	Cri lancé par les veneurs pour signaler un chevreuil, un cerf ou un daim.
vloo !	Cri employé par les veneurs pour signaler un sanglier.

TERMES SE RAPPORTANT AUX CHIENS

contre-pied	Mauvaise direction prise par les chiens.
meute	Ensemble de chiens.
outrepasser	Dépasser les marques et les traces laissées par le gibier.
relais	Chiens postés sur le parcours et qui vont remplacer les autres.

TERMES SE RAPPORTANT AU GIBIER

débucher	Sortir la tête du taillis.
forlonger	Pour la bête, avoir une avance importante sur les chiens.
fort/repaire	Lieu de retraite de l'animal.
refuite	Ruse de l'animal qui revient sur ses pas. Lieu de passage de l'animal.
rembucher	Pénétrer à nouveau dans le bois.
reposée	Espace de repos de la bête pendant le jour.
ressui	Endroit où l'animal se sèche après la pluie.
retour	Ruse employée par le chevreuil et le cerf pour égarer les chiens.
voie	Ensemble des traces qui trahissent le passage du gibier.

pruntent les troupeaux de moutons **draille**
– Individu parcourant les chemins **chemineau**
– Le chemin de Saint-Jacques-de-Compostelle **Voie lactée**
– Chemin parcouru par un projectile **trajectoire, courbe**

CHEMINÉE voir aussi dessin
– Accessoire de cheminée **chenet, pelle, tisonnier, soufflet**
– Conduit coudé de cheminée **dévoiement**
– Instrument servant à ramoner les cheminées **hérisson**
– Chandelle disposée sur une cheminée **oribus**

CHEMINOT
– Cheminot s'occupant de l'éclairage **lampiste**
– Cheminot qui participe à la manœuvre **wagonnier**

CHEMISE corsage, tunique, blouse
– Longue chemise grecque dans l'Antiquité **chiton**
– Ample chemise des empereurs romains **dalmatique**
– Chemise de pénitence **haire, cilice**
– Chemise de mailles au Moyen Âge **jaseran, haubert**
– Chemise utilisée en psychiatrie **camisole**
– Pan de chemise **bannière**
– Étoffe employée pour faire des chemises **batiste, popeline, madapolam, nansouk, shirting, soie**
– Entretien d'un col de chemise **empesage, amidonnage**
– Accessoire des chemises d'homme **boutons de manchette, cravate, nœud papillon, barrette, épingle**
– Petite chemise des nouveau-nés **brassière**

CHÊNE
– Famille à laquelle appartient le chêne **cupulifères**
– Chêne des forêts **rouvre**
– Chêne vert des garrigues **yeuse**
– Chêne du Sud-Ouest français **tauzin**
– Chêne dont les fruits sont utilisés en teinturerie **vélani**
– Chêne exotique d'Afrique du Nord **zéen**
– Chêne d'Amérique du Nord à écorce jaune **quercitron**
– Forêt de chênes **chênaie**
– Petit chêne **chêneau**
– Fruit du chêne **gland**
– Enveloppe du fruit du chêne **cupule, vélanède, induvie**
– Maladie du chêne **galle, cécidie**

Cheminée

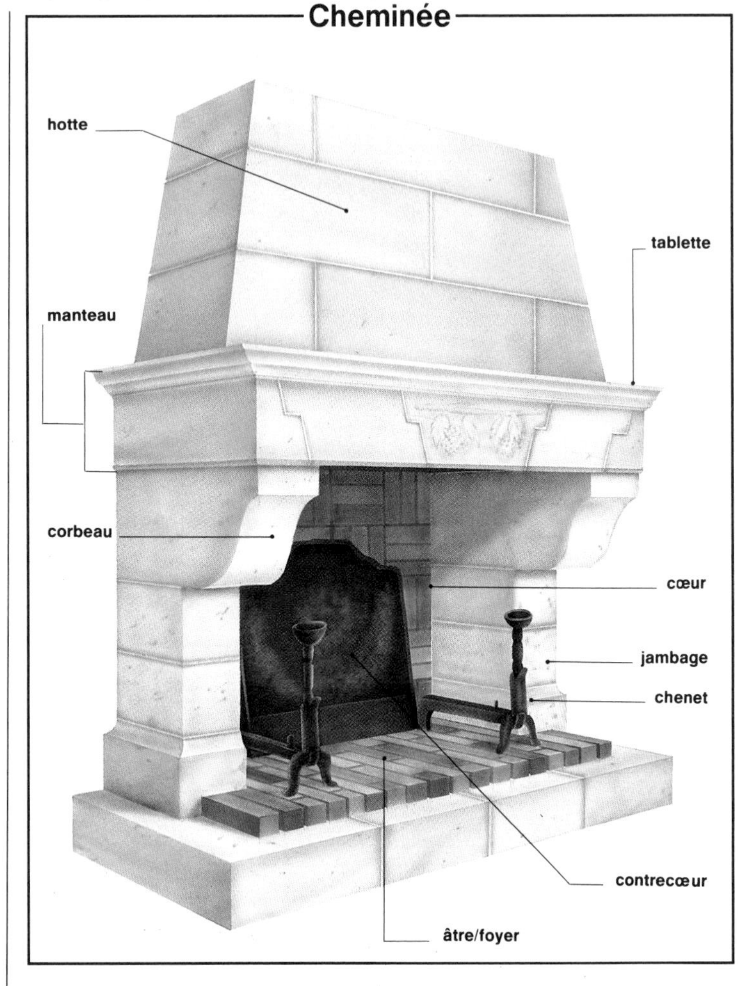

– Champignon et insecte parasites du chêne **langue-de-bœuf, kermès**
– Plante parasite du chêne **gui**
– Bois de chêne employé pour la fabrication de tonneaux **douvain, merrain, bourdillon**
– Poudre d'écorce de chêne utilisée en corroyage **tan**
– Écorce du chêne qui produit le tan **regros**

CHENET
– Petit chenet sur lequel on pose les casseroles **chevrette**
– Chenet dont l'extrémité est ornée d'une figurine grotesque **marmouset**
– Long chenet de cuisine muni de crans **hâtier, landier**

CHENILLE larve voir aussi **soie**
– Enveloppe dans laquelle se forme la chenille **cocon**
– Stade de développement de la chenille **larve, chrysalide**
– Chenille des mûriers **ver à soie**
– Chenille de la phalène **arpenteuse, géomètre**
– Insecte détruisant les chenilles **carabe, ammophile**

CHÈQUE
– Couverture d'un compte permettant de tirer des chèques **provision**
– Encaisser un chèque **endosser**
– Chèque de voyage **traveller's check**

CHER
– Une personne chère **aimée, adorée, chérie**
– Un objet cher **précieux, rare**

CHERCHER voir aussi **explorer**
– Chercher un animal **pister, traquer**
– Chercher méthodiquement dans un secteur **ratisser**
– Chercher en tous sens **fouiller, fourrager, fureter**

– Chercher un objet rare **chiner, fouiner**
– Chercher du regard **scruter**
– Chercher à savoir **sonder, s'enquérir de**
– Chercher à atteindre un objectif **s'efforcer de, s'évertuer à, tendre à**
– Où allez-vous chercher cela ? **imaginer, inventer**

CHEVAL voir aussi tableau et dessins ci-contre et p. 92
– Cheval destiné à la reproduction **étalon**
– Cheval châtré **hongre**
– Cheval sauvage **mustang, tarpan**
– Hybride d'un cheval et d'une ânesse, d'une jument et d'un âne **bardot, mulet**
– Cheval pur sang d'un an **yearling**
– Mauvais cheval **haridelle, rosse, bidet, bourrin, canasson**
– Cheval de cérémonie **palefroi**
– Cheval de bataille au Moyen Âge **destrier**
– Cheval d'allure douce allant l'amble que montaient les dames **haquenée**
– Cheval monté par les pages au Moyen Âge **roncin, roussin**
– Cheval de bât au Moyen Âge **bidet, sommier**
– Qui a trait au cheval **hippique, chevalin**
– Personne qui soigne les chevaux **palefrenier, lad**
– Enceinte où l'on promène les chevaux en main **paddock**
– Lieu destiné à la reproduction des chevaux de course et à l'amélioration des races **haras**

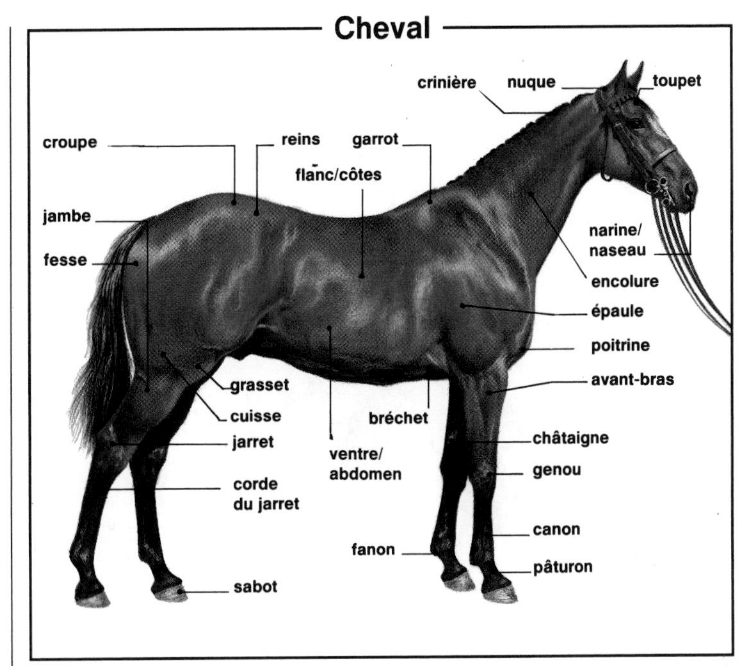

– Science de l'élevage et du dressage du cheval **hippotechnie**
– Lieu où se pratiquent le dressage du cheval et l'équitation **manège**
– Allure caractéristique du cheval islandais (poney), proche du trot **tölt**
– Cheval ailé **Pégase**
– Être fabuleux, moitié homme et moitié cheval **centaure**
– Véhicule tiré par un ou plusieurs chevaux **hippomobile**
– Marchand de chevaux **maquignon**
– Livre généalogique d'un cheval **stud-book**
– Personne qui monte à cheval **écuyer, amazone, jockey, cavalier**
– Course de chevaux **turf**
– Un amateur de viande de cheval **hippophage**

CHEVALERIE noblesse, féodalité
– Règle de la chevalerie **bravoure, courtoisie, loyauté, protection des faibles**

ROBES DES CHEVAUX

ROBES SIMPLES	
UNE COULEUR	
blanc	poils, crins et extrémités blancs
alezan	poils, crins et extrémités marron ou fauves
noir	poils„crins et extrémités noirs
café-au-lait	poils, crins et extrémités café-au-lait
ROBES COMPOSÉES	
DEUX COULEURS SÉPARÉES	
bai	poils alezans, crins et extrémités noirs
isabelle	poils café-au-lait, crins et extrémités noirs
souris	poils gris uni, crins et extrémités noirs
DEUX COULEURS MÉLANGÉES	
gris	poils, crins, extrémités blancs et noirs
aubère	poils, crins, extrémités blancs et alezans
louvet	poils, crins, extrémités alezans et noirs
TROIS COULEURS	
rouan	poils, crins, extrémités blancs, alezans et noirs
DEUX ROBES	
pie	robe blanche avec des taches de couleur alezane, noire ou baie

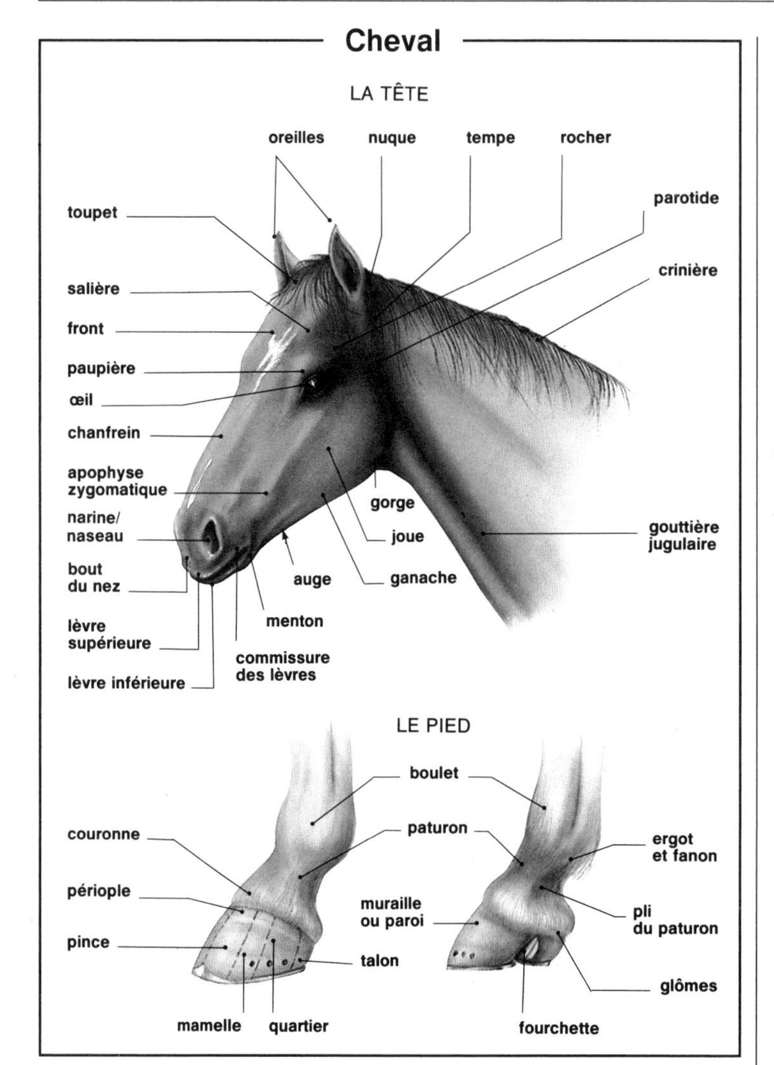

– Poème relatant des exploits de chevalerie **chanson de geste**

CHEVALIER

– Jeune homme qui aspirait à devenir chevalier **bachelier**

– Chevalier errant **paladin**

– Chevalier faisant preuve de vaillance **hardi**

– Cérémonie par laquelle un jeune homme était fait chevalier **armement, adoubement**

– Coup du plat de l'épée donné sur l'épaule d'un chevalier **accolade**

– Jeune noble aspirant chevalier **damoiseau**

– Chevalier d'honneur étroitement attaché à la personne royale **chevalier de l'hôtel, chevalier du roi, chevalier du corps**

– Cor en ivoire du chevalier **olifant**

– Chevalier fidèle à son serment **féal**

– Combat de chevaliers se déroulant dans la lice **tournoi, joute**

– Chevalier qui combattait lors d'un tournoi **champion**

– Défi d'un chevalier à l'égard d'un autre **cartel**

– Chevalier qui adresse un cartel **tenant**

– Troupe des chevaliers de Charlemagne **preux**

– Attribut du chevalier romain **anneau d'or, trabée, angusticlave**

CHEVEU

– Un vieil homme aux cheveux blancs **chenu**

– Blanchiment des cheveux **canitie**

– Touffe de cheveux sur le haut de la tête **toupet, houppe**

– Espace sur le sommet de la tête d'un moine où les cheveux ont été rasés **tonsure**

– Perte des cheveux **alopécie**

– Procédé qui consiste à faire des mèches colorées dans les cheveux **balayage**

– Lotion pour les cheveux **capillaire**

– Filet à cheveux **résille, réticule**

– Avoir un cheveu sur la langue **zézayer, bléser**

– Un raisonnement tiré par les cheveux **illogique, décousu, fantaisiste, boiteux, incohérent**

CHÈVRE **bique** voir aussi tableau **animaux** p. 20-21

– Sous-famille de ruminants à laquelle appartient la chèvre **caprinés**

– Famille des chèvres **capridés**

– Relatif à la chèvre **caprin**

– Mâle de la chèvre **bouc**

– Petit de la chèvre **chevreau, cabri, biquet**

– Mettre bas pour une chèvre **biqueter**

– Saut de la chèvre **cabriole**

– Cri de la chèvre **béguètement, bêlement, chevrotement**

– Odeur de la chèvre **hircine**

– Fromage de chèvre **chabichou, chevreton, cendré, crottin de Chavignol**

– Personne qui garde les chèvres **chevrier**

– Tissu ou laine en poil de chèvre **mohair, cachemire, cilice, camelot**

– Couverture en peau de chèvre dont on recouvrait les chevaux **chabraque**

– Chèvre à cornes creuses **cavicorne**

– Chèvre sauvage **bouquetin**

– Chèvre du Levant **menon**

– Divinité champêtre à pieds de chèvre **Pan, satyre, Ægipan**

CHICANE **altercation, controverse, polémique, bisbille**

– Se livrer à des chicanes **ergoteries, arguties**

– User de chicanes lors d'un procès **avocasseries**

CHICANER

– Individu qui chicane sur des riens **ergoteur, pinailleur**

CHIEN

cyn(o)-

CHIEN

– Chien de garde dans la mythologie grecque **Cerbère**

– Relatif au chien **canin**

– Généalogie d'un chien de race **pedigree**

– Cri du chien **glapissement, jappement, aboiement**
– Abri du chien **chenil, niche**
– Gros chien de chasse **limier**
– Chien croisé **mâtiné**
– Femelle d'un chien de chasse **lice**

CHIFFON voir aussi **papier**
– Chiffon employé pour la fabrication du papier **peille, pilot**
– Vieux chiffons dont on remplit les coussins **bourre**
– N'avoir que des chiffons sur le dos **haillons, guenilles, hardes**
– Morceau de chiffon usagé **loque, lambeau, oripeaux**
– Personne qui ramasse les vieux chiffons **biffin**

CHIFFRE nombre, numéro
– Science des chiffres **arithmétique**
– Chiffre de référence **indice**
– Écriture en chiffres **code, signe**
– Série de chiffres permettant d'ouvrir un coffre-fort **combinaison**
– Chiffre gravé sur un sceau **marque, monogramme**

CHIMIE voir aussi tableau
– Méthode employée en chimie **analyse, synthèse**
– Notation utilisée en chimie **symbole, formule**
– Réaction en chimie **catalyse**

CHINOIS
– Étude du monde chinois **sinologie**
– Élément de la cosmologie chinoise **yin, yang**
– Philosophie métaphysique chinoise **taoïsme**
– Philosophie chinoise fondée sur l'intégrité morale **confucianisme**
– Bouddhisme chinois **chan**
– Médecine chinoise **acupuncture, moxa**
– Caractère constituant l'écriture chinoise **idéogramme, sinogramme**
– Style de calligraphie chinoise **sigillaire, régulière, en herbe, cursive**
– Transcription latine des caractères chinois **pinyin, wade**
– Ancien fonctionnaire chinois **mandarin**
– Ancienne monnaie chinoise **sapèque, taël**
– Mesure chinoise équivalant à 576 mètres **li**
– Boxe traditionnelle chinoise ou exercice de santé **tai chi chuan**
– Empire chinois **Empire du Milieu**
– Jeu chinois **go, mah-jong, tangram, cerf-volant**
– Invention chinoise **imprimerie, boussole, sablier, feux d'artifice, examens scolaires, nouilles**
– Pratique de divination chinoise **achilléomancie, Yi-king, Yijing**
– Langue non chinoise parlée en Chine **thaï, ouigour, lolo, miao**

TERMES DE CHIMIE

alcali	Hydroxyde pouvant neutraliser les acides.
alliage	Produit de caractère métallique d'aspect homogène résultant de l'incorporation d'un ou de plusieurs éléments à un métal.
allotropie	Propriété qu'ont certains corps de se présenter sous des formes qui diffèrent par leurs propriétés physiques (par exemple : diamant et graphite pour le carbone).
amalgame	Alliage du mercure et d'un autre métal.
base	Corps capable de neutraliser les acides en se combinant à eux pour donner un sel et de l'eau.
catalyse	Modification de la vitesse d'une réaction chimique produite par certaines substances qui se retrouvent intactes à la fin de la réaction.
colloïde	Substance à masse moléculaire élevée, incristallisable (colle, amidon).
efflorescence	Transformation de sels hydratés qui perdent une partie de leur eau de cristallisation au contact de l'air.
électrolyse	Décomposition d'un corps chimique par le courant électrique.
enzyme	Substance organique de nature protéinique agissant comme un catalyseur dans une réaction biochimique déterminée qui exige des conditions favorables (température, milieu...).
ester	Corps résultant de l'action d'un acide carboxydé sur un alcool.
eudiomètre	Instrument permettant, à partir d'un mélange gazeux, de synthétiser un corps donné et d'en mesurer ses constituants volumétriquement.
fermentation	Transformation de certaines substances organiques sous l'action d'enzymes sécrétées par des micro-organismes.
floculation	Transformation réversible que subissent les suspensions colloïdales par association des particules constituantes.
halogène	Se dit des cinq éléments suivants : chlore, fluor, brome, iode, astate qui possèdent sept électrons sur la couche électronique externe et sont les plus électronégatifs des éléments.
hydrocarbure	Composé de carbone et d'hydrogène (pétrole, gaz naturel).
hydrolyse	Action de l'eau sur un ester.
inorganique	En chimie minérale, relatif aux composés non carboniques.
ion	Atome ou groupe d'atomes qui, ayant capté ou perdu un ou plusieurs électrons, est devenu une particule instable et électrisée.
isomère	Formés d'éléments identiques, dont seule la disposition diffère, ces composés organiques ont des propriétés différentes.
isotope	Atomes qui ont le même nombre atomique, c'est-à-dire le même nombre d'électrons, mais qui diffèrent par le nombre de neutrons.

(suite p. 94)

TERMES DE CHIMIE *(suite)*

lévigation	Séparation, par entraînement dans un courant d'eau, des constituants d'un minerai préalablement réduit en poudre.
matras	Récipient de verre à long col, de forme sphérique ou ovoïde, jaugé, utilisé dans les laboratoires de chimie pour mesurer un volume déterminé.
mercaptan	Composé d'odeur fétide dérivant d'un alcool dans lequel l'oxygène est remplacé par du soufre.
neutron	Particule élémentaire électriquement neutre constituant le noyau des atomes.
nitrification	Transformation de l'ammoniac et de ses sels en nitrates.
organique	Relatif aux composés du carbone.
osmose	Transfert du solvant d'une solution à travers une membrane semi-perméable pour la concentrer.
oxydation	Réaction libérant des électrons.
polymérisation	Union de plusieurs molécules identiques d'un composé pour former une grosse molécule.
précipitation	Phénomène par lequel un corps insoluble se forme dans un liquide et se dépose au fond du récipient.
proton	Particule élémentaire électriquement positive constituant le noyau des atomes, ou encore noyau d'hydrogène.
radioactivité	Phénomène atomique et spontané caractéristique de substances pouvant se transformer en émettant des rayonnements alpha, bêta et gamma radioactifs.
réduction	Réaction captant des électrons.
suspension	Solution aqueuse contenant un solide aux fines particules insolubles.
synérèse	Séparation du liquide d'un gel.
valence	Nombre de liaisons qui unissent un atome à d'autres atomes dans une molécule.

CHIRURGICAL voir aussi tableau
– Précède l'intervention chirurgicale **anesthésie, insensibilisation**
– Prélèvement chirurgical en vue d'analyse **biopsie**
CHIRURGIE
– Acte de chirurgie **incision, ablation**
– Type de chirurgie **chirurgie expérimentale, chirurgie opératoire, chirurgie cardiaque, chirurgie osseuse, chirurgie digestive, chirurgie crânienne, neurochirurgie**
– Chirurgie utilisant le froid **cryochirurgie**
CHIRURGIEN praticien, opérateur voir aussi **médecin**
– Personne qui aide le chirurgien pendant une invervention **assistant, frater, instrumentiste**
– Étudiant en chirurgie **carabin**
– Titre, rang d'un chirurgien **chirurgien-major**
CHOC percussion, heurt voir aussi **coup**
– Choc des épées **cliquetis**
– Choc d'un marteau **martellement**
– Élément d'un véhicule servant à amortir les chocs **butoir, amortisseur, tampon**
– Conséquence d'un choc **commotion, traumatisme**
CHOCOLAT voir aussi **cacao**
– Étape de fabrication du chocolat **criblage, torréfaction, décorticage, broyage, raffinage**
– Présentation du chocolat **bille, pastille, truffe, poudre, rocher**
– Fabricant de chocolat **chocolatier**
CHŒUR chorale, polyphonie
– Membre d'un chœur **choriste**
– Maître de chœur d'un service religieux **grand chantre**
– Chant religieux exécuté par un soliste et répété par le chœur **répons**
– Refrain liturgique repris par le chœur **antienne**
– Chant liturgique exécuté par un chœur **motet, cantate**
– Reprise en chœur **chorus**
– Chef de chœur du théâtre antique **coryphée**
– Citoyen organisant à ses frais un chœur de danse dans l'Antiquité **chorège**
– Individu appartenant au chœur antique **choreute**
– École formant les enfants de chœur **manécanterie, psallette**
– Galerie située autour du chœur d'une église **déambulatoire**
– Partie de l'église située derrière le chœur **abside, choréa**
CHOISI
– Compagnie de personnes choisies **sélecte, élégante**
– Lire un recueil de morceaux choisis **anthologie, chrestomathie**
CHOISIR préférer, adopter, élire
– Choisir une profession **embrasser**
– Choisir les membres d'une équipe **sélectionner**
– Choisir un collaborateur **nommer, désigner, distinguer**
– Choisir entre deux ou plusieurs partis **s'engager, opter**
– Choisir radicalement **trancher, prendre parti**
– Un individu qui choisit **sélectif, électif**
– Choisir parmi ses pairs **coopter**
CHOIX résolution, décision, détermination
– Choix entre deux options, deux possibilités **alternative**
– Choix difficile **dilemme**
– Élimination à la suite d'un choix **exclusion, rejet, expulsion**
– Choix d'objets **collection, assortiment, éventail, sélection**
– Un choix équitable **impartial, objectif**
– Faire un choix très personnel **subjectif, arbitraire**
CHÔMAGE
– Mettre au chômage **mettre à pied, licencier**
CHOQUER buter contre
– Choquer des verres **trinquer**
– Choquer la sensibilité d'une personne **blesser, offenser, offusquer,**

froisser, heurter, contrarier, vexer
– Choquer les convictions de quelqu'un **écorcher, ébranler**
– Choquer par son apparence **rebuter, repousser, effaroucher**
– Choquer par ses idées **scandaliser**
– Des sons qui choquent les oreilles **écorchent**

CHOSE (1) objet
– Petite chose sans intérêt **truc, bricole, gadget, babiole, bagatelle**
– Chose consomptible **aliment, denrée**
– Chose sans gravité **incident**
– Se tenir informé des choses **actualité, situation**

CHOSE (2)
– Se sentir tout chose **décontenancé**

CHOUETTE strix
– Ordre auquel appartient la chouette **strigiformes**
– Famille à laquelle appartient la chouette **strigidés**
– Cri de la chouette **chuintement**
– Petite chouette des bois **chevêche**
– Chouette nichant dans les clochers **effraie**
– Chouette commune des bois **hulotte, chat-huant**
– Chouette des neiges **harfang**
– Déesse grecque dont l'animal fétiche est la chouette **Athéna**
– Symbolisme de la chouette **sagesse**

CHRÉTIEN (1) voir aussi **dieu, église, religion**
– Nom donné à un chrétien par les musulmans **roumi**
– Nom donné à un chrétien par les juifs **goy**
– Nom que donnent les juifs et les chrétiens à un païen **gentil**
– Chrétien d'Espagne pratiquant sous la domination musulmane **mozarabe**

CHRÉTIEN (2)
– Religion chrétienne **christianisme**

CHROMOSOME
– Aspect du chromosome **bâtonnet**
– Dédoublement des chromosomes **caryocinèse, mitose**
– Arrangement des chromosomes d'une cellule d'être vivant **caryotype**
– Cellule possédant le nombre normal de chromosomes **diploïde**
– Chromosome ayant une action sur la détermination du sexe **hétérochromosome, allosome, gonosome**
– Chromosome sans action sur la détermination du sexe **autosome, euchromosome**

CHRONIQUE annales, mémoires, récit
– Livre des Chroniques dans l'Ancien Testament **Paralipomènes**
– Chronique mondaine **potins, ragots**

CHRONOLOGIE histoire
– Ouvrage rapportant la chronologie des événements **annales, éphéméride**
– Table des chronologies journalières dans l'Antiquité romaine **fastes, calendrier**
– Début de la chronologie musulmane **hégire**
– Chronologie erronée **anachronisme, parachronisme**

CHUTE cabriole, culbute, bûche voir aussi tableau p. 96
– Chute de pierres **éboulement, effondrement**
– Chute de neige **avalanche**
– Chute des feuilles **défoliation**
– Chute en lamelles de l'écorce d'un arbre **exfoliation**
– Chute des cheveux ou des poils **alopécie**
– Chute du jour **crépuscule, brune**
– Période annonçant la chute d'un empire **déclin**
– Chute importante des valeurs boursières **krach**

OPÉRATIONS CHIRURGICALES

adénomectomie	Ablation d'un adénome.
apicectomie	Ablation d'une partie de la racine d'une dent.
appendicectomie	Ablation de l'appendice iléo-cæcal.
artérioctomie	Incision d'une artère.
cholécystectomie	Ablation de la vésicule biliaire.
cholédochotomie	Extraction de calculs biliaires.
colostomie	Abouchement du côlon à la peau.
cystectomie	Ablation de la vessie.
embryotomie	Opération consistant à écraser un fœtus mort.
épisiotomie	Incision du périnée pratiquée au cours d'un accouchement.
gastrectomie	Ablation de l'estomac (ou d'une partie).
hystérectomie	Ablation de l'utérus.
iléostomie	Opération consistant à créer un anus artificiel.
iridectomie	Résection partielle de l'iris.
laparotomie	Ouverture de l'abdomen.
laryngectomie	Ablation du larynx.
lithotritie	Trituration des calculs.
lobotomie/ leucotomie	Section de fibres nerveuses à l'intérieur du cerveau.
néphrectomie	Ablation d'un rein, en partie ou en totalité.
neurotomie/ névrotomie	Ablation d'un nerf.
ostéotomie	Section d'un os.
phlébotomie	Incision d'une veine.
thoracotomie	Ouverture du thorax.
trachéotomie	Ouverture de la trachée.
vasectomie	Résection du canal déférent.
vasotomie	Section du canal déférent ou ligature pratiquée sur les canaux déférents.

– Chute d'étoffe, de bois, de métal **peau**
– Loi de la chute des corps **pesanteur**

CIBLE
– Manquer la cible **but, objectif**
– Se donner pour cible **visée, terme**
– Cible mobile des fêtes foraines **figurine, pipe**
– Cible de tir au fusil **carton**
– Appareil utilisé pour lancer les cibles **ball-trap**
– Cible de tir à l'arc imitant un oiseau **papegai**
– Mannequin mobile employé comme cible **quintaine**
– Cible du jeu de boules **cochonnet**

CICATRICE voir aussi **marque**
– Cicatrice résultant d'une blessure provoquée par une arme **balafre**

CIDRE
– Relatif au cidre **cidricole**
– Étape de fabrication du cidre **lavage, broyage, pressurage, remiage, bouillaison**
– Machine utilisée pour l'extraction du cidre **pressoir**
– Dépôt du cidre **lie, fèces**
– Principaux défauts altérant le goût du cidre **graisse, framboisé, amertume, acescence**
– Résidu des pommes à cidre après le pressage **marc**
– Maladie du cidre **casse**
– Bol de cidre **bolée**
– Eau-de-vie de cidre **calvados**
– Cidre de poire **poiré**
– Cidre de pomme et de poire **halbi**
– Un cidre très agréable **gouleyant**

CIEL voir aussi **astrologie, astronomie, dieu, paradis**
– Ciel, dans le langage poétique **nue, éther**
– Voûte constituée par le ciel au-dessus de nos têtes **firmament**
– Ciel qui accueille les bienheureux **paradis**
– Partie la plus élevée dans le ciel habitée par les dieux **empyrée**
– Sur la plus haute cime d'un massif se confond avec le ciel le séjour des dieux **Olympe**
– Relatif au ciel **céleste**
– Bleu du ciel **azur**
– Ciel de lit **baldaquin, dais**

CIERGE bougie, chandelle
– Cierge d'une église **luminaire**
– Cierge postiche **souche**
– Porte-cierge **chandelier, candélabre, torchère, herse**
– Instrument servant à confectionner les cierges **rouloir**

LES PLUS GRANDES CHUTES D'EAU DU MONDE

CHUTES	PAYS	HAUTEUR (en mètres)
Salto de Angel	Venezuela	980
Tugela (hauteur totale)	Afrique du Sud	848
Yosemite (hauteur totale)	États-Unis	739
Mardalsfoss	Norvège	655
Utigård	Norvège	600
Sutherland	Nouvelle-Zélande	580
Gavarnie	France	422
Trummelbach	Suisse	400
Krimml	Autriche	396

– Ustensile utilisé pour éteindre les cierges **éteignoir**

CIGARE
– Sorte de cigare **havane, londrès, trabuco, panatela**
– Petit cigare **cigarillo, ninas**
– Ouvrière qui travaille à la confection des cigares **cigarière**
– Feuille de tabac constituant l'enveloppe du cigare **cape, robe**
– Partie du cigare **poupée, tripe, sous-cape**

CIMENT voir aussi **chaux**
– Mélange de ciment, de sable et de cailloux **béton**
– Mélange de ciment et d'amiante **fibrociment**

CIMETIÈRE
– Dans un cimetière, lieu où l'on dépose un mort **sépulture, caveau**
– Lieu souvent proche d'un cimetière où l'on conserve les ossements **ossuaire**
– Sorte de cimetière sans tombes **fosse, charnier**
– Cimetière souterrain **catacombe, crypte**
– Vaste cimetière orné de monuments funéraires **nécropole**
– Individu qui saccage les tombes d'un cimetière **profanateur, violateur**

CINÉMA voir aussi **film**
– Amateur de cinéma **cinéphile**
– Personnel d'un cinéma **projectionniste, ouvreuse**
– Distribution des rôles au cinéma **casting**
– Acteur jouant un rôle muet au cinéma **figurant, comparse**
– Trophée du cinéma **oscar, palme, césar, lion, ours**
– Cinéma sur grand écran **CinémaScope**
– Au cinéma, principe optique donnant une image beaucoup plus large que haute **anamorphose**
– Procédé de cinéma sur plusieurs écrans **cinérama**
– Procédé de cinéma en relief **vidiréal**
– Ancêtre du cinéma **lanterne magique, thaumatrope, phénakistiscope, stroboscope, zootrope, chronophotographe**
– Cinéma conçu dans l'esprit du reportage ou du roman **caméra-stylo**

CINQ
pent(a)-, quinqu(a)-

CINQ
– Prévu pour cinq ans **quinquennal**
– Intervalle de cinq degrés en musique **quinte**
– Cinq fois plus grand **quintuple**
– Polygone à cinq angles **pentagone**
– Vers de cinq pieds **pentamètre**

CIRCONFÉRENCE voir aussi **cercle**
– Segment d'une circonférence **arc**
– Élément permettant le calcul d'une circonférence **rayon, diamètre**
– Ligne droite ayant un seul point commun avec la circonférence **tangente**
– Ligne droite ayant deux points communs avec la circonférence **sécante**
– Chiffre nécessaire au calcul de la circonférence **pi (3,14)**
– Circonférence d'une surface ronde **tour, pourtour**

CIRCULAIRE
– Un mouvement circulaire **giratoire, rotatoire**
– Un tracé circulaire **ceinture, circuit**
– Édifice circulaire **coupole, rotonde, cirque, arène, colisée**
– Une folie circulaire **cyclique, intermittente**

CIRCULATION
– Circulation automobile **trafic**
– Circulation de marchandises **débit, écoulement**
– Circulation commerciale **transaction, échange**
– Mettre un produit en circulation **lancer, diffuser**
– Monnaie en circulation **ayant cours**
– Étude de la circulation sanguine **angiologie**

CIRE
– Arbre de la Lousiane produisant de la cire **myrica**
– Gâteau de cire du cadre des ruches **gaufre, rayon**
– Ôter le miel de la cire **démieller**
– Pain de cire vierge **marquette**
– Cire ménagère **encaustique, cirage**
– Médicament constitué de cire et d'huile **cérat**
– Mélange de cire avec une autre matière **incération**
– Composition de sculpture en cire **céroplastie**
– Médaille en cire **agnus-Dei**
– Cire formée dans le conduit externe de l'oreille **cérumen**

CIRQUE
– Structure du cirque **chapiteau, gradins, piste**
– Artiste du cirque **clown, acrobate, trapéziste, dompteur, illusionniste, écuyer**
– Ensemble des animaux d'un cirque **ménagerie**
– Cirque antique **arène, carrière**
– Cirque romain aménagé pour les courses de chars **hippodrome**
– Porte de sortie du cirque antique **vomitoire**
– Jeu du cirque antique **sylve, naumachie, combat de gladiateurs**

CISAILLE
– Cisaille d'horticulture **sécateur**
– Cisailles employées en chaudronnerie **cisoires**
– Cisaille servant à couper les fruits haut placés **cueilloir**
– Support de cisaille d'un établi **bourriquet**

CISEAU
– Partie d'une paire de ciseaux **branche, anneau, tranchant, entablure**
– Grands ciseaux employés pour tondre les moutons **forces**
– Élément du ciseau à bois **lame, biseau, chanfrein, collet, embase, manche**
– Ciseau de marbrier **hougnette**
– Ciseau de sculpteur **riflard, gradine, dent-de-chien**
– Ciseau d'ébéniste **bédane, gouge, ébauchoir, poinçon**
– Ciseau de ciseleur, de graveur **ciselet, burin, matoir, godronnoir**
– Petit ciseau d'orfèvre **cisoir, ovoir**
– Ciseaux employés pour éteindre les chandelles **mouchette**
– Travailler une matière avec un ciseau **buriner, graver, ciseler**
– Art de ciseler avec le ciseau **toreutique**

CITADELLE **forteresse, fortin, casemate, bastide**
– Citadelle antique **oppidum**
– Palissade qui protégeait une citadelle **vallum**
– Citadelle arabe **casbah, ksar**
– Citadelle établie lors des croisades **krak**

CITER
– Citer un auteur **mentionner**
– Citer quelque chose à quelqu'un **signaler**
– Citer un souvenir **évoquer**
– Citer un texte de loi pour sa défense **invoquer, alléguer**
– Citer une personne en justice **ajourner, assigner**
– Citer un fait par écrit **consigner**

CITOYEN
– Relatif au citoyen **civique**
– Qualité du citoyen **citoyenneté**
– Citoyen d'un pays à l'étranger **ressortissant**

CITOYENNETÉ voir **nationalité**

CITRON **limon**
– Arbre sur lequel poussent les citrons **citronnier, citrus**
– Catégorie de fruits à laquelle appartient le citron **agrumes**
– Citron parfumé **poncire**
– Écorce superficielle du citron **zeste**
– Fine tranche de citron **rouelle, tailladin**
– Presser un citron **épreindre**

CIVILISATION **société, culture**
– Champ d'étude d'une civilisation ancienne **esthétique, scientifique, religieux**
– Période d'influence d'une civilisation **ère**

CLAIR
– Clair et transparent comme de l'eau **limpide**
– Une eau très claire **cristalline**
– Rendre clair **clarifier, élucider, démêler**
– Un son clair **argentin**
– Un verre clair **translucide, diaphane**
– Vin clair **clairet, paillet**
– Qui a l'esprit et les idées clairs **clairvoyant**
– Un regard clair **lumineux**
– Une explication peu claire **inintelligible, confuse, absconse**
– Personne qui a les idées claires **lucide, perspicace**
– Un pantalon clair à un genou **usé, râpé**
– Une étoffe claire **lâche**
– Parler clair **sans ambiguïté, sans équivoque**
– Un ciel clair **serein**

CLANDESTIN
– Une activité clandestine **illicite, prohibée, interlope**
– Manœuvre clandestine **cabale, complot, conjuration, conspiration**
– Une action clandestine **occulte, subreptice**

CLARTÉ **nitescence**
– Clarté aveuglante **embrasement, éblouissement**
– Faible clarté **lueur**
– Clarté des idées **perspicuité**

CLASSER **ordonner, répertorier, sérier**
– Classer par thème **trier, différencier, répartir**
– Division servant à classer **branche, catégorie, espèce, famille, genre, groupe**
– Classer une personne **étiqueter, cataloguer**

CLEF
– Clef ouvrant plusieurs portes **passe-partout**
– Partie de la clef qui entre dans la serrure **panneton**

CLERGÉ
– Propre au clergé **clérical**
– Membre du clergé rattaché à un ordre **régulier**
– Membre du clergé régulier **moine, abbé, religieux**
– Membre du clergé non encore admis à la prêtrise **diacre**
– Membre du clergé séculier **archevêque, évêque, curé, vicaire**
– Confisquer les biens du clergé **séculariser**

CLICHÉ **épreuve, image**
– Reproduction d'un cliché **polycopie, stéréotype**
– Cliché d'impression typographique **galvanotype**
– Cliché photographique **négatif**

CLIENT **acquéreur**
– Client d'une compagnie de transport **passager, usager**
– Client d'un médecin **patient**
– Client d'un astrologue **consultant**
– Client d'un avocat **accusé, plaignant**
– Client d'un épicier **chaland**
– Client d'un théâtre **spectateur**
CLIMAT **atmosphère, ambiance** voir aussi **météorologie**
– Étude des climats **climatologie**
– Type de climat **continental, équatorial, tropical**
– Climat spécifique à une zone **microclimat**
– Traitement médical par le climat **climatothérapie**
CLOCHE
– Grosse cloche **bourdon**
– Ensemble de cloches produisant chacune un son différent **carillon**
– Tour abritant des cloches **campanile, beffroi, clocher**
– Cloche annonçant une mort **glas**
– Cloche donnant l'alarme **tocsin**
– Pièce métallique qui vient frapper les parois de la cloche **battant**
CLOCHER **beffroi**
– Clocher distinct de l'église **campanile**
– Petit clocher **clocheton**
– Lames inclinées des baies du clocher **abat-son**
CLOCHETTE
– Clochette attachée au cou d'un animal **sonnaille, campane, clarine**
– Clochette d'un bélier **bélière**
– Sorte de clochette **grelot**
– Clochette de table **sonnette**
– Fleur à clochettes **jacinthe, perce-neige, campanule**
CLOQUE **ampoule, boursouflure**
– Éruption de cloques **bulles, vésicules, phlyctènes**
– Liquide renfermé dans une cloque **sérosité**
CLÔTURE
– Clôture en treillis de fils de fer **grillage, barbelés, claie**
– Clôture végétale protégeant un jardin ou un champ **haie**
– Clôture de perches ou de planches **palissade**
– Clôture qui sépare le chœur d'une église **balustre, cancel**
– Tribune formant clôture entre le chœur et la nef d'une église **jubé**
CLOU
– Clou de tapissier **semence**
– Clou en forme de U **cavalier, crampillon, crampon**
– Clou formant un L **crochet**
– Clou dont la tête forme un anneau **piton**
– Clou utilisé en cordonnerie **caboche**
– Clou à tête **pointe, broquette**
– Clou ou vis dont la tête est décorée **cabochon**
– Clou à deux pointes **goujon**
CLOWN voir aussi **bouffon, comique**
– Personnage de clown **clown blanc, auguste**
COCHON **porc, pourceau**
– Famille à laquelle appartient le cochon **suidés**
– Cochon non châtré **verrat**
– Femelle du cochon **truie, coche**
– Jeune cochon **porcelet, goret**
– Mangeoire du cochon **auge**
– Antre du cochon **porcherie, soue**
– Cochon sauvage **sanglier**
– Graisse de cochon **lard, panne, saindoux, axonge**
– Peau du cochon **couenne**
– Poil du cochon **soie**
– Brosse en soies de cochon employée en orfèvrerie **saie**
CODE **loi, règle, précepte**
– Élément d'un code secret **clef, grille, chiffre, signe**
– Écrire en code **coder, encoder**
– Déchiffrer un code **décrypter**
– Code secret **cryptographie**
CŒUR
-carde, cardi-
CŒUR **charité, sentiment** voir aussi dessin
– Contraction du cœur **systole**
– Dilatation du cœur **diastole**
– Battements du cœur **palpitation, pulsation**
– Contraction supplémentaire du cœur **extrasystole**
– Enregistrement des mouvements du cœur **cardiogramme**
– Troubles du cœur **arythmie, cardialgie, tachycardie, dyspnée**
– Lésions du cœur **infarctus du myocarde, cardite, endocardite, péricardite, coronarite**
– Terme qui désigne une affection du cœur **cardiopathie**
– Maladie des orifices du cœur **valvulopathie**
– Arrêt du cœur dû au manque d'oxygène provenant des cellules **anoxie du myocarde**
– Personne qui souffre d'une maladie de cœur **cardiaque**
– Appareil qui stimule les mouvements du cœur **pacemaker**
– Type d'opération dite à cœur fermé **commissurotomie, valvulotomie**
– Placer un cœur artificiel **implanter, greffer**
– Une peine de cœur **déception amoureuse, désillusion, déconvenue**
– Briser le cœur **crever, fendre, percer**
– Passer pour un bourreau des cœurs **séducteur, conquérant, don Juan, charmeur**

Cœur

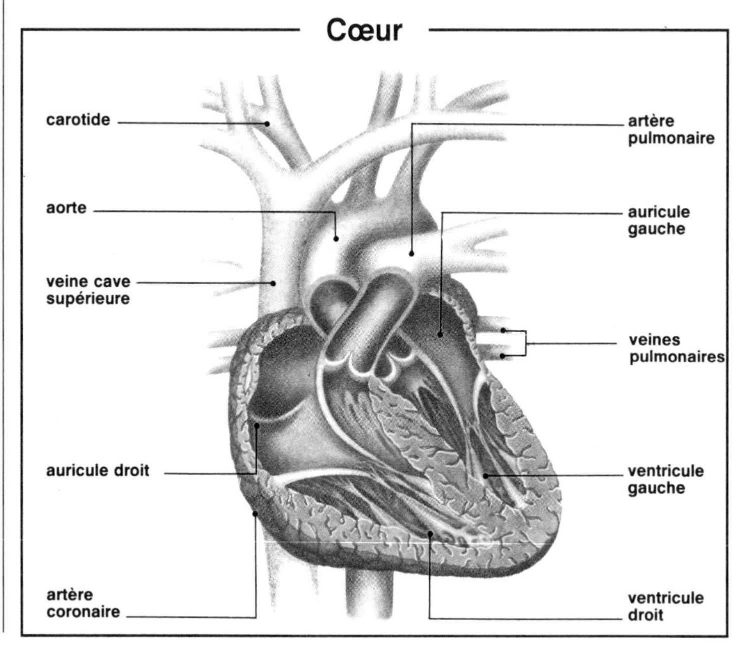

– Faire quelque chose de bon cœur **avec enthousiasme, avec entrain, avec intérêt, avec zèle**
– Qui a bon cœur **généreux, bienveillant, altruiste**

COFFRE
– Coffre à pain **huche, maie**
– Coffre de boulanger **pétrin**
– Coffre à vêtements **bahut**
– Coffre à sel **saloir**
– Petit coffre léger **layette**
– Terme archéologique désignant un petit coffre à bijoux **pyxide**
– Coffre bombé à compartiments **chapelière**

COIFFER
– Coiffer une organisation **chapeauter**

COIFFURE voir aussi dessin, tableau ci-contre et p. 100
– Coiffure que portent les hommes d'Église **calotte, mitre, tiare**

COIFFURES

COIFFURES D'HOMMES

AVEC UN BORD	DE PAILLE	SANS BORD
chapeau claque	**bangkok**	**béret**
haut-de-forme/gibus	**bolivar**	**bonnet**
melon/cape	**manille**	**calotte**
	panama	**casquette**

COIFFURES DE FEMMES

attifet	**capote**	**escoffion**
béguin	**capuchon**	**hennin**
breton	**chaperon**	**madras**
cabriolet	**charlotte**	**marquis**
capeline	**cloche**	**quichenotte**

COIFFURES D'ECCLÉSIASTIQUES

barrette	**tricone**	**cornette (femme)**

COIFFURES MILITAIRES
armet
calot
casque
chapska
haubert
heaume
képi
shako

COIFFURES DE MAGISTRATS
mortier
toque

(suite p. 100)

COIFFURES *(suite)*

COIFFURE D'UN	NOM DE LA COIFFURE
cavalier	**bombe/toque, colbac/kalpack**
chasseur	**cape**
cuisinier	**toque**
étudiant	**faluche**
évêque	**mitre**
Oriental	**chéchia, fez, turban**
pape	**tiare**
pêcheur	**suroît, bousingot**

COIN
– Meuble destiné à être placé dans un coin **encoignure**
– Écriture en forme de coin **cunéiforme**
– Coin de la bouche **commissure**
COÏNCIDENCE
– Coïncidence de deux événements **simultanéité, concomitance**
– Une heureuse coïncidence **hasard, circonstance**
COL
– Col d'une chemise **collet**
– Col plissé **fraise**
– Col de dentelle **collerette, gorgerette**
– Ornement fixé à un col **jabot**
– Col d'une bouteille **goulot**
– Col de montagne **défilé, grau, port, brèche de Roland**
COLÈRE
– Colère violente **ire, courroux, acrimonie**
– Caractère porté à la colère **atrabilaire, irascible, irritable, impétueux**
– Colère verbale **blasphème, injure, invective**
– Être en colère **pester, trépigner, débagouler, fulminer, gronder, rager, éclater**
– Acte testamentaire établi sous l'empire de la colère ***ab irato***
COLIBRI oiseau-mouche
– Jeune colibri **cravate dorée**
– Famille à laquelle appartient le colibri **trochilidés**
COLIQUE diarrhée, ténesme, épreintes
– Colique intestinale **colite, entérite, dysenterie**
– Colique rénale **néphrétique**
– Symptôme de colique néphrétique **anurie, dysurie, hématurie**
– Colique provoquée par le plomb **saturnisme**
– Gaz accompagnant une colique **flatuosité**
COLLABORATION association, coopération
– Travailler en collaboration **en équipe, en commun**
– Prêter sa collaboration à un projet **concours, contribution**
COLLANT adhésif
– Une matière collante **gluante, visqueuse, poisseuse, sirupeuse**
– Bande collante utilisée en médecine **sparadrap**
– Un vêtement collant **moulant**
COLLATION en-cas
COLLE sparadrap, diachylon
– Colle d'origine végétale **poix, empois, glu**
– Colle de vitrier **mastic**
– Colle utilisée en maçonnerie **ciment, mortier**
– Colle de poisson **gélatine, ichtyocolle**
– Mélange pictural constitué de colle et de pigment **détrempe, tempera**
COLLECTION assortiment, éventail, compilation voir aussi collectionneur
– Collection de plantes **herbier**
– Collection d'armes **panoplie**
– Collection de tableaux **galerie**
– Lieu d'exposition d'une collection de tableaux **pinacothèque**
– Collection de livres **bibliothèque**
– Collection de disques **discothèque**
– Collection de faits sonores et de bruits insolites **sonothèque**
– Collection sonore du langage parlé **phonothèque**
– Collection de photos d'archives **photothèque**
COLLECTIONNEUR voir tableau
COLLER
– Coller quelque chose **fixer, souder, agglutiner**
– Qualité de ce qui colle **viscosité**
– Œuvre réalisée à partir d'éléments collés **collage**
– Prévu pour coller à l'application **adhésif**
COLLIER voir aussi **chaîne**
– Collier de diamants **rivière**
– Collier de pierres précieuses **carcan, campana**
– Long collier de perles **sautoir**
– Collier en métal de l'époque gauloise **torque**
COLLUSION connivence, complicité, manigance, conspiration
COLOMBE ramier, palombe voir aussi **pigeon**
– Famille à laquelle appartient la colombe **colombidés**
– Symbolisée par la colombe **douceur, tendresse, pureté, paix**
– Cousine de la colombe **tourterelle**
– Abri de la colombe **colombier, fuie**
COLON
– Colon partiaire **métayer, fermier, planteur**
– Premier colon d'Amérique du Nord **pionnier**
COLONIE
– Ensemble de colonies **empire, union**
– État possédant des colonies **impérialiste, expansionniste**
– Ensemble des colonies anglaises **Commonwealth**
– Type de régime juridique d'un État occupant une colonie **protectorat, mandat, tutelle**
– Exploitation d'une colonie **colonisation, impérialisme**
– Fonctionnaire d'une colonie **gouverneur, résident**
– Entreprise commerciale d'une colonie **comptoir, factorerie**
– Colonie pénitentiaire **bagne**
COLONISATEUR
– Colonisateur espagnol **conquistador**
– Colonisateur ayant fait fortune aux Indes **nabab**
– Colonisateur grec **clérouque**
COLONISATION
– Aspects éducatifs que peut comporter la colonisation **évangélisation, scolarisation**
– Colonisation d'un pays **occupation, exploitation**
– Danger de la colonisation **apartheid, ségrégation, racisme**
COLONISÉ
– Individu occupant un pays colonisé **colon, colonisateur**
COLONNE voir aussi dessin p. 102-103
– Colonne d'appui ou de soutien **pilier, pilastre, colonnade, pilotis**
– Tronc d'une colonne **fût**
– Élément supérieur d'une colonne **abaque, échine**
– Élément inférieur d'une colonne formant la base **stylobate, plinthe, scotie, tore**
– Colonne sculptée représentant une femme **cariatide**
– Colonne sculptée représentant un homme **télamon, atlante**
– Monument constitué d'une seule colonne **cippe, stèle, obélisque**

– Alignement de colonnes dans l'Antiquité **péristyle, prostyle**
– Édifice dont le plafond est soutenu par des colonnes **hypostyle**
– Édifice entouré d'une ou plusieurs rangées de colonnes **monoptère, diptère, périptère**
– Colonne sur laquelle sont affichés des spectacles **colonne Morris**

COLONNE VERTÉBRALE **échine, épine dorsale, rachis**
– Déviation de la colonne vertébrale **cyphose, lordose, scoliose**
– Spécifique à la colonne vertébrale **spinal**

COLORANT
– Substance utilisée comme colorant **pigment**
– Colorant capillaire des femmes orientales **henné**
– Colorant bleu **guède**

COLORATION
– Degré de coloration **nuance, ton**
– Coloration de la peau **carnation, pigmentation**
– Coloration de la voix **timbre, coloratur**
– Coloration des métaux **métallochromie**
– Appareil mesurant l'intensité de coloration **colorimètre**

COLORER **teindre, teinter** voir aussi **maquiller**
– Colorer une surface **enluminer, diaprer, colorier**
– Colorer une apparence, un aspect **farder, orner, grimer**
– Colorer un sentiment **empreindre, marquer**
– Matière qui sert à colorer **pastel, fusain, craie, graphite**
– Personne qui colore **coloriste**

COMBAT
– Combat armé **conflit, guerre**
– Issue négative d'un combat **déroute, repli, reddition, capitulation**
– Convention mettant fin à un combat **armistice, traité, pacte, alliance**
– Pause dans un combat **trêve**
– Combat entre des individus **duel, pugilat**
– Petit combat **escarmouche, échauffourée**
– Combat d'idées **joute, polémique, confrontation**
– Combat non violent **satyagraha**
– Combat spécifique **gigantomachie, théomachie, tauromachie, logomachie, naumachie**
– Dans l'Antiquité, combat de gladiateurs **hoplomachie**
– Au Moyen Âge, combat entre deux chevaliers **tournoi**

COLLECTIONNEURS

COLLECTIONS DE	NOMS
actions, obligations, titres	**sripophile**
bagues de cigares	**vitolphiliste**
balles de frondes	**glandophile**
blasons	**héraldiste**
boîtes d'allumettes	**philuméniste**
boutons	**fibulanomiste**
cartes maximum	**maximaphile**
cartes postales	**cartophile**
cartouches	**pyrothécophile**
chemins de fer	**ferrovipathe**
coquillages	**conchyophile**
coquilles d'œuf	**oologiste**
cordes de pendus	**schoïnopentxatophile**
drapeaux	**vexillophiliste**
emballages de sucre	**glycophile**
étiquettes de flacons, de bouteilles de vins et liqueurs	**étylabélophile**
étiquettes des boîtes de fromage	**tyrosémiophile**
étiquettes des bouteilles	**œnosémiophiliste/ éthylabélophile**
fers à repasser	**sidérophile**
fers à repasser anciens	**pressophile**
jetons	**jetonophile**
livres	**bibliophile**
marques postales	**marcophile**
minéraux	**minéralophile**
monnaies	**numismate**
papiers timbrés	**scripophile**
papillons	**lépidoptériste**
paquets de cigarettes	**nicophile**
pierres	**lithophile**
plombs fiscaux, de douane...	**plombophile**
porte-clés	**copocléphile**
pots de yaourt	**glacophile/yaourtphile**
sceaux	**sigillophiliste**
sous-bocks de bière	**tégestologue**
timbres	**philatéliste**
timbres de poste aérienne	**aérophilatéliste**
vignettes non postales, timbres commémoratifs	**érinnophile**

Colonnes

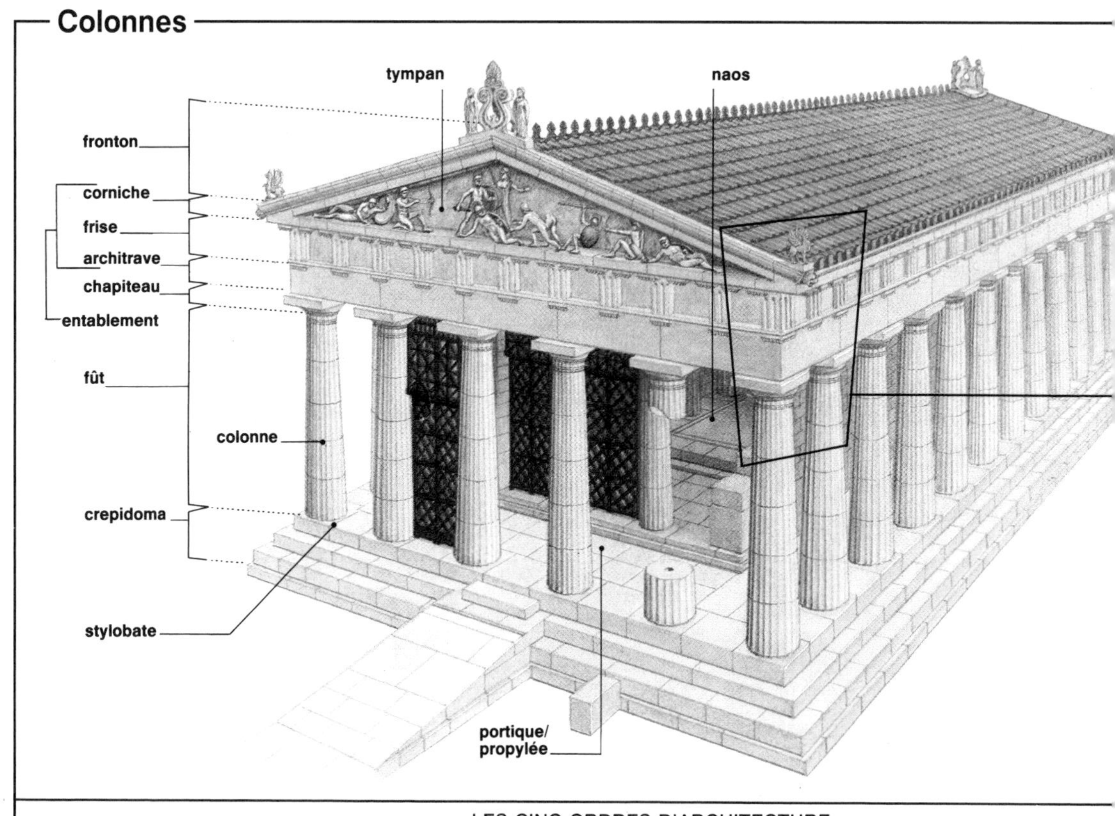

tympan
naos
fronton
corniche
frise
architrave
chapiteau
entablement
fût
colonne
crepidoma
stylobate
portique/
propylée

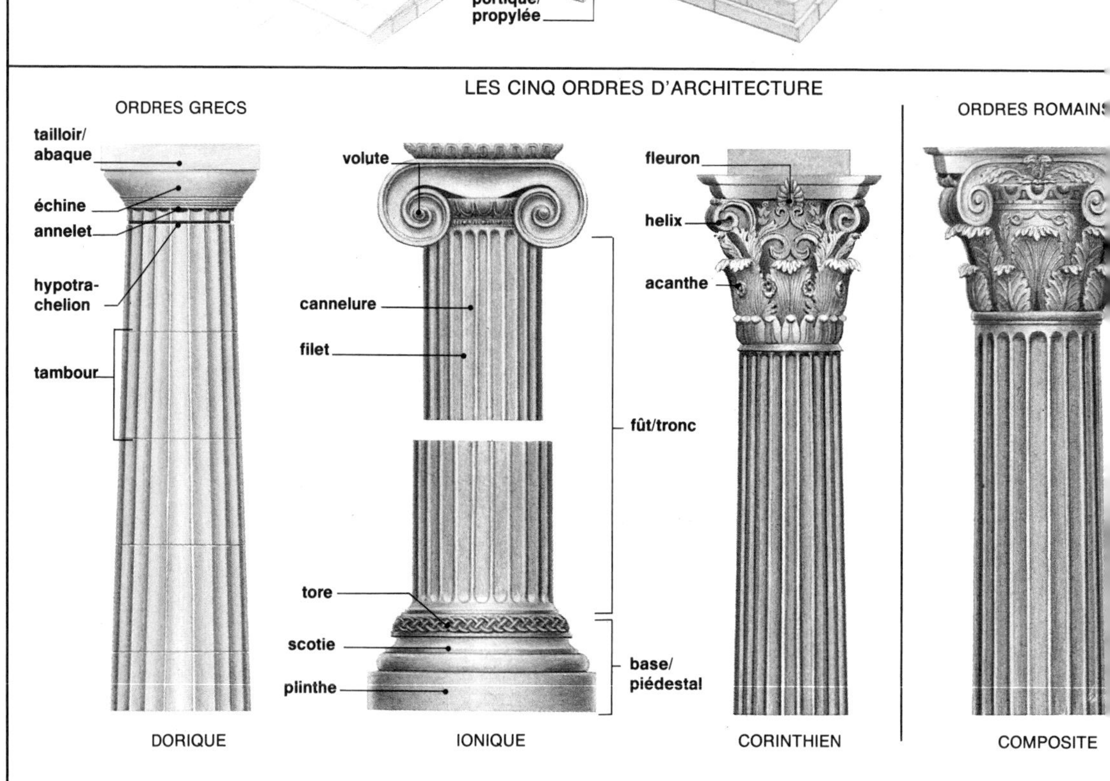

LES CINQ ORDRES D'ARCHITECTURE
ORDRES GRECS
ORDRES ROMAINS
tailloir/
abaque
échine
annelet
hypotra-
chelion
tambour
volute
cannelure
filet
fût/tronc
tore
scotie
plinthe
base/
piédestal
fleuron
helix
acanthe
DORIQUE
IONIQUE
CORINTHIEN
COMPOSITE

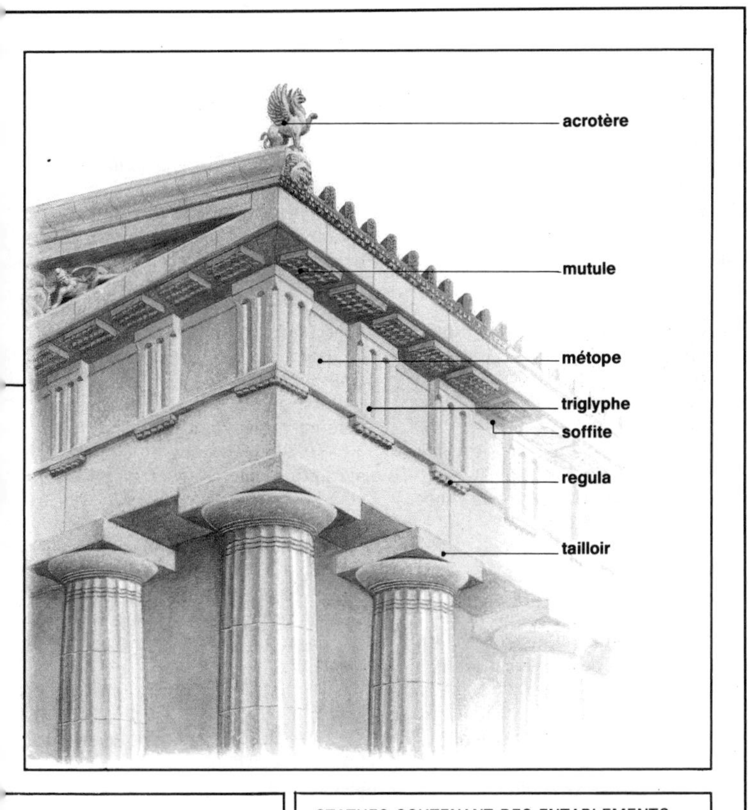

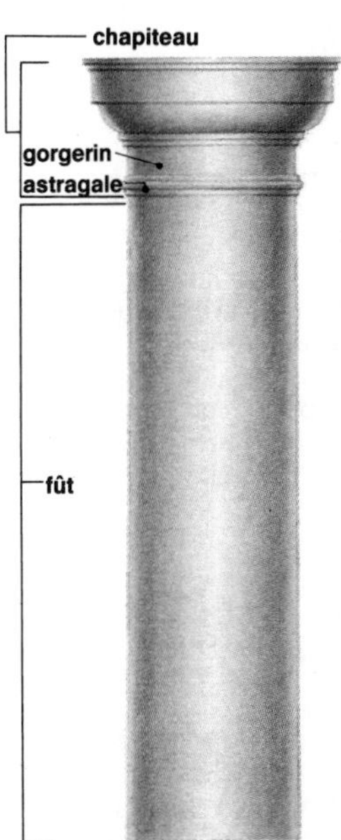

TOSCAN

STATUES SOUTENANT DES ENTABLEMENTS

– Véhicule de combat **char, V.T.T.**
– Adversaire dans un combat **antagoniste, rival**

COMBATTANT
– Combattant militaire **assaillant**
– Groupe de combattants **corps, force, commando, phalange, milice**

COMBINAISON
– Combinaison d'éléments **agencement, agrégat, mosaïque, composition, arrangement**
– Combinaison de métaux **fusion, alliage, amalgame**
– Combinaison de sons **harmonie, accord, contrepoint**
– Calcul des combinaisons **combinatoire, probabilités**
– Combinaison chimique **synthèse**
– Combinaison financière ou politique **calcul, stratagème, manigance, machination**
– Jeu de combinaisons **puzzle, tangram chinois, mots croisés, Scrabble**
– Combinaison de travail **salopette, cotte**
– Combinaison de combat **cotte de mailles, armure, haubert**
– Combinaison de danse **justaucorps**

COMBINER **composer, assortir, harmoniser**
– Combiner un mauvais coup **intriguer, ourdir, tramer, manigancer**

COMÉDIE
– Comédie théâtrale **divertissement, vaudeville, saynète, parodie**
– Comédie de mœurs **marivaudage, satire, commedia dell'arte**
– Comédie musicale **opéra bouffe**
– Lieu où se joue la comédie **tréteaux, amphithéâtre**
– Membre de la Comédie-Française **sociétaire, pensionnaire**
– Élément d'une comédie **intrigue, dénouement, tableau**
– Muse de la comédie dans l'Antiquité grecque **Thalie**
– Jouer la comédie **simuler, composer, feindre, trépigner, affecter**

COMÉDIEN voir aussi **acteur, interprète**
– Jeu du comédien **monologue, réplique, tirade**
– Comédien comique **pitre, paillasse**
– Comédien jouant un rôle muet **comparse, figurant**
– C'est un comédien **simulateur**

COMÈTE **astre, nébuleuse** voir aussi **astronomie**
– Élément constitutif d'une comète **chevelure, tête, queue, noyau**

– Mouvement de la comète **orbite parabolique, orbe**
– Point d'orbite d'une comète le plus éloigné du Soleil **aphélie**
– Point d'orbite d'une comète le plus proche du Soleil **périhélie**
– Grand axe de l'orbite d'une comète **apside**
– Comète périodique **Halley, Encke, Biela, Brooks**
– Comète passée en avril 1990 **Austin**
– Étude des comètes **cométographie**
– Tirer des plans sur la comète **projeter, rêver**

COMIQUE
– Qui a un effet comique **burlesque, cocasse, hilarant**
– Acteur qui joue des rôles comiques **bouffon, mime, pitre**
– Personnage comique **arlequin, guignol, polichinelle**
– Individu comique **boute-en-train**

COMITÉ
– Un comité auquel on demande un avis **consultatif**
– Un comité auquel on demande une action **exécutif**
– Comité socio-professionnel **comité de conciliation, comité paritaire**
– Comité chargé de lire les textes proposés à l'édition **comité de lecture**

COMMANDANT voir aussi **grade**
– Commandant d'un navire dans l'Antiquité **navarque**

COMMANDE
– Travailler sur commande **exécuter**
– Somme versée lors d'une commande **arrhes**
– Commande à distance **télécommande, émetteur infrarouge**
– Commande introduite dans une machine **instruction**

COMMANDEMENT
– Commandement d'une autorité **consigne, injonction, prescription**
– Commandement d'un huissier **sommation**
– Commandement écrit du roi **jussion**
– Commandement législatif **arrêt, décret, instruction**
– Commandement de l'Église **précepte, loi**
– Dix commandements **décalogue**
– Commandement militaire **état-major, P.C. (poste de commandement)**

COMMANDER
– Commander avec une autorité excessive **régenter**
– Commander quelqu'un **sommer**
– Commander à quelqu'un de faire quelque chose **enjoindre, édicter, intimer**
– Commander à ses passions **maîtriser, réprimer, dominer, refouler**
– Se commander **se contenir, se contraindre**

COMMANDO
– Commando paramilitaire **milice**

COMMENCEMENT **préliminaires**
– Le commencement de la vie **prémices**
– Le commencement du monde **genèse, big-bang**
– Commencement de la vie intra-utérine **fécondation, embryon, fœtus, ab ovo**
– Commencement de la vie extra-utérine **naissance**
– Commencement du jour **aube, aurore**
– Commencement de la vie végétale **bourgeon, germe**
– Commencement d'une œuvre musicale **attaque, prélude, ouverture**
– Commencement d'une œuvre littéraire **avant-propos, préface, prolégomènes**
– Commencement d'une œuvre picturale **ébauche, esquisse, croquis**
– Commencement d'un discours **exorde, préambule, prologue**
– Ce qui est au commencement d'un raisonnement **axiome, prémisse, postulat**
– Commencement d'une maladie **incubation**

COMMENCER
– Commencer quelque chose **amorcer, instaurer, ébaucher**
– Commencer un chant **entonner**

COMMENTAIRE
– Commentaire d'un texte **exégèse, glose, scolie**
– Commentaire en marge ou en bas de page **annotation, apostille, nota bene**
– Commentaire journalistique **analyse, critique, entrefilet**
– Commentaire dépréciatif **commérage, médisance**
– Personne qui rédige des commentaires **glossateur, éditorialiste, scoliaste**
– Premières formes de commentaire dans l'Antiquité **recueil de notes, aide-mémoire**

COMMÉRAGE **cancan, potin, ragot, médisance, calomnie**
– Colporter des commérages **jaser, dauber**
– Personne qui répand des commérages **commère, mégère, concierge, cancanière**
– Commérage diffusé dans le but de nuire à une personne **rumeur, on-dit**

COMMERÇANT
– Commerçant itinérant **colporteur, camelot, forain**
– Commerçant avide **mercanti**
– Commerçant en vêtements qui ont déjà été portés **fripier**

COMMERCE
– Personne qui fait du commerce **négociant, grossiste**
– Opération de commerce **négoce, transaction, trafic**
– Doctrine économique relative au commerce **mercantilisme**
– Nouvelle technique du commerce **marketing, mercatique, merchandising**
– Intermédiaire de commerce **courtier, commissionnaire, placier, dépositaire**
– Agence d'un établissement de commerce **comptoir, factorerie**
– Commerce sous forme d'échange direct **troc**
– Emblème de commerce **enseigne, logo**
– Commerce répréhensible **usure, fraude, contrebande**

COMMERCIAL
– Rupture des relations commerciales **embargo, blocus, boycott, séquestre, mainmise**
– Politique commerciale **libre-échange, protectionnisme**

COMMÈRE
– Saint patron des commères **Babile**

COMMETTRE
– Commettre un crime **perpétrer**
– Se commettre **s'avilir, se déshonorer, s'afficher**

COMMISSION **commettant**
– Commission perçue par un commissionnaire **ducroire**
– Commission perçue par un courtier **courtage**
– Commission perçue par un placier **remise**
– Commission secrète **pot-de-vin, bakchich, dessous-de-table**
– Commission bancaire sur les débits **agio**
– Personne qui transmet des commissions **coursier, chasseur**
– Commission adressée par un tribunal à un autre **commission rogatoire**

COMMODE
– Type de commode **chiffonnier, semainier, console**

COMMODITÉ
– Les commodités **lieux d'aisances, latrines, feuillées**
– Commodités d'un lieu **confort, agrément**
– Commodité d'utilisation d'un programme informatique **convivialité**
COMMUN
– Commun à tous **universel**
– Caractère commun **comparable, identique, semblable**
– Qui est fait en commun **collectif**
– Commun à deux propriétés **mitoyen**
– En commun, parce que possédé par plusieurs personnes **indivis**
– Maison commune **hôtel de ville, M.J.C. (Maison des jeunes et de la culture)**
– Trait de caractère commun **similitude, analogie**
– Nom commun **substantif**
– Souveraineté territoriale commune à plusieurs États **condominium**
– Trop commun, **banal, trivial**
– Expression commune, lieu commun **cliché, stéréotype, poncif**
COMMUNAUTÉ
– Communauté unie par des liens ou des intérêts communs **clan, tribu, caste, chefferie**
– Communauté de biens **copropriété**
– Communauté religieuse de même obédience **congrégation, ordre, confrérie, secte**
– Lieu d'une communauté religieuse **couvent, monastère, temple, synagogue, mosquée, ashram**
– Communauté politique **formation, ligue, parti**
– Communauté professionnelle **corporation, guilde, société**
– Communauté sportive **amicale, fédération**
– Communauté de travailleurs unis par un même idéal **phalanstère**
– Communauté linguistique **dialecte, patois, argot**
– Communauté d'esprit **affinité, concorde, intelligence, connivence**
COMMUNE **municipalité**
– Siège administratif de la commune **hôtel de ville, mairie**
– Administrateur de certaines communes du Midi au Moyen Âge **consul, capitoul**
– Symbole de l'autonomie de la commune au Moyen Âge **beffroi, cloche, sceau, fourches patibulaires**
COMMUNICATION
– Une communication écrite ou orale **divulgation, mention, publication rapport note, mémorandum**
– Moyen technique de communication **télétransmission, satellite, télécopie, télex**
– Théorie relative aux communications et à la régulation **cybernétique**
– Communication extrasensorielle **télépathie**
– Communication entre deux conduits ou deux nerfs **anastomose**
– Repli sur soi pathologique qui rend impossible la communication avec les autres **autisme**
– Dans l'armée française, arme chargée d'assurer l'établissement ou le rétablissement des voies de communication **génie**
COMMUNION
– Communion propre au rituel chrétien **eucharistie, cène, transsubstantiation, consubstantiation**
– Objet relatif à la communion **calice, ciboire, hostie, pavillon**
– Communion donnée à un mourant **viatique, extrême-onction**
– Être en communion avec quelqu'un **symbiose, harmonie**
COMMUNIQUER
– Communiquer quelque chose à quelqu'un **divulguer, livrer, transmettre, révéler, publier**
– Communiquer un arrêté **notifier, mander**
– Communiquer ses sentiments **exprimer, s'épancher, manifester, extérioriser**
– Communiquer une maladie **contaminer, inoculer, infecter**
– Communiquer avec quelqu'un **correspondre, échanger**
– Personne qui communique facilement **expansive, exubérante**
COMMUNISME voir aussi **socialisme**
– Doctrine sociale et politique propre au communisme **collectivisme, étatisme, internationale**
– Étape du communisme **collectivisation, socialisation**
– Communisme soviétique **marxisme, léninisme, stalinisme, trotskisme**
– Communisme yougoslave **titisme**
– Communisme chinois **maoïsme**
– Communisme cubain **castrisme**
– Doctrine qui tendait vers une sorte de communisme égalitaire **babouvisme**
– Qualificatif attribué aux personnes s'écartant du communisme officiel **révisionniste, déviationniste, droitier, contre-révolutionnaire**
– Tentative de sauvetage du communisme en U.R.S.S. **glasnost**
COMPAGNIE voir aussi **troupe**
– Personne de compagnie **chaperon, duègne, confidente**
– Fausser compagnie **quitter, s'éclipser, décamper**
– Compagnie regroupant plusieurs personnes **collège, cercle, société, club**
– Compagnie dans un régiment de cavalerie **escadron**
– Forces de police regroupées en compagnies **C.R.S. (Compagnie républicaine de sécurité)**
– Compagnie commerciale **comptoir, cartel, consortium, corporation, mutuelle, conglomérat**
– Compagnie artistique **troupe, ensemble**
– Untel et compagnie **et consorts**
COMPAGNON **compère, partenaire**
– Compagnon de table **hôte, convive, commensal**
– Compagnon de travail **collaborateur, condisciple, collègue**
– Compagnon du devoir **devoirant**
– Cérémonie qui donne le départ du tour de France d'un compagnon **adoption**
– Cérémonie au cours de laquelle l'aspirant devient compagnon **réception**
– Cérémonie d'adieu à un compagnon **conduite**
– Conduire un compagnon hors d'une ville du tour de France **mettre aux champs**
– Nom du passeport secret des compagnons **cheval, arriat**
COMPARAISON
– Comparaison de plusieurs individus ou choses **rapprochement, analogie, similitude, parallèle**
– Comparaison de textes **recension, collation**
– Introduit une comparaison **autant, comme, même, pareil, semblablement**
– Procédé littéraire utilisant la comparaison **figure, allusion, parabole, allégorie**
– Instrument de comparaison **modèle, parangon**
COMPARER **évaluer, différencier**
– Comparer des textes, des idées **confronter, vidimer, conférer**
COMPARTIMENT **division, catégorie, cloisonnement, secteur**
– Compartiment architectural d'un plafond **caisson**
COMPASSION **affliction, commisération, miséricorde, sollicitude**
COMPATIR
– Compatir à **s'affliger de, s'émouvoir de, s'apitoyer sur, être affecté par**

COMPATRIOTE **concitoyen, métropolitain**

COMPENSER **équilibrer, contrebalancer, neutraliser, rétablir, remédier à**
– Compenser un compte **contrepasser**
– Compenser une faute **expier, racheter**
– Compenser une perte, des dégâts **dédommager, indemniser, réparer**
– Qui compense **compensatoire**

COMPÉTENT
– Personne compétente **expert, érudit, lettré**
– Un tribunal compétent **requis**

COMPÉTITION
– Compétition entre individus **rivalité**
– Compétition d'idées **joute, débat, dispute**
– Compétition sportive **critérium, poule, open, challenge, épreuve**
– Personne en compétition **émule, challenger, partenaire**

COMPLÉMENT
– Complément qui s'additionne à une chose **adjonction, ajout**
– Complément d'information **addenda, annexe, appendice, codicille, P.-S. (post-scriptum), nota bene**
– Complément financier **appoint, allocation, subside, subvention, rallonge**
– Proposition qui joue le rôle d'un complément **complétive**

COMPLET
– Une collection complète d'œuvres d'art **intacte**
– Une citation complète **in extenso**
– Un rapport complet **exhaustif**
– Une semaine complète **révolue, accomplie**
– Approbation complète **unanimité, acquiescement, agrément, assentiment, adhésion**
– Caractère de ce qui est complet **complétude, plénitude, intégralité, entièreté**

COMPLÉTER
– Compléter un manque, une information **ajouter, combler, apporter**
– Compléter ses connaissances ou sa pratique **affiner, approfondir, parfaire, cultiver, perfectionner**
– Compléter un travail, un ouvrage **boucler, conclure, parachever**

COMPLEXE
– De caractère complexe **rébus, énigme**

COMPLICATION **entrave, imbroglio, obstacle, embarras, difficulté** voir aussi **confusion**
– Une complication inextricable **enchevêtrement, dédale, labyrinthe**

COMPLICE **comparse, compère, larron, acolyte, affidé**
– Complice dans une action **allié, auxiliaire, partenaire**

COMPLICITÉ **collusion, connivence**

COMPLIMENT
– Compliment verbal **congratulation, louange, encensement**
– Qualité d'un compliment **sincère, mielleux, emphatique, pompeux, dithyrambique, grandiloquent**
– Émaillé de compliments élogieux **laudatif**
– Lors d'un discours, compliment adressé à une personne illustre **panégyrique, apologie**
– Bibliographie truffée de compliments **hagiographie**
– Faux compliment **flatterie, blandice**

COMPLIQUÉ
– Un assemblage compliqué **alambiqué, contourné, entortillé**
– Un problème compliqué **ardu, obscur, inextricable, insoluble**

COMPLOT **conjuration, conspiration, sédition, cabale, brigue, manigance**
– Complot armé **putsch**
– Complot dans la Grèce antique **hétairie**

COMPLOTER **ourdir, fomenter, tramer**
– Individu qui complote **intrigant, conspirateur**

COMPORTEMENT voir aussi **conduite**
– Comportement physique **attitude, gestuelle, maintien, aisance**
– Psychologie du comportement **béhaviorisme**
– Comportement désagréable **cynisme, irrespect, irrévérence**

COMPOSER
– Composer un ensemble **agencer, arranger, élaborer, constituer, former**
– Composer une œuvre **créer**
– Composer un plat **confectionner, accommoder**
– Composer une attitude **affecter, feindre, simuler**
– Composer avec quelqu'un **convenir, pactiser, transiger**
– Machine d'imprimerie utilisée pour composer **composeuse, Linotype, Monotype**
– Technicien qui compose en imprimerie **compositeur, typographe**

COMPOSITION voir aussi **art**
– Composition d'éléments **assemblage, agencement, constitution, série**
– Composition musicale **harmonie, concerto, sonate, symphonie**
– Composition vestimentaire **apparence, look**
– Composition florale **gerbe, massif**
– Composition florale japonaise **ikebana**
– Composition pharmaceutique **décoction, formule, préparation, onguent, baume**
– Composition scolaire **dissertation**
– Composition relative à l'imprimerie **linotypie, monotypie, photocomposition**

COMPRÉHENSIBLE
– Une idée, une chose compréhensible **concevable, intelligible, accessible, cohérente**

COMPRÉHENSION **appréhension, entendement, intellection, clairvoyance**
– Compréhension humaine **mansuétude, indulgence**
– Compréhension entre individus **connivence, entente tacite**

COMPRENDRE
– Comprendre dans un tout **englober, inclure, insérer**
– Comprendre en soi **comporter, renfermer, embrasser, receler**
– Comprendre le sens d'une chose, d'une idée **appréhender, assimiler, entendre**
– Comprendre un raisonnement, une structure **discerner, pénétrer**
– Perte ou trouble de la capacité de se faire comprendre **aphasie**
– Parvenir à se comprendre **s'accorder, s'entendre**

COMPRIMÉ (1)
– Un comprimé pharmaceutique **granule, cachet, gélule**

COMPRIMÉ (2)
– Une matière pouvant être comprimée par pression **réductible, compressible, coercible**
– Qui fonctionne à l'air comprimé **pneumatique**

COMPROMIS
– Compromis entre individus **accommodement, concession, consensus, temporisation**
– Compromis juridique **concordat, convention, tractation, transaction, modus vivendi**

COMPTABILITÉ
– Élément constitutif d'une comptabilité **actif, passif, bilan, pertes et profits, compte d'exploitation**
– Type de comptabilité **comptabilité analytique, comptabilité générale**
– Livre de comptabilité **brouillard, registre, grand livre, journal, sommier**

COMPTABLE (1) **expert, audit, vérificateur aux comptes, gestionnaire, commissaire aux comptes**

COMPTABLE (2)
– Pièce comptable **bordereau, écriture, plan comptable**
COMPTANT
– Payer comptant **immédiatement, sur-le-champ**
– Argent comptant **espèces, numéraire, liquide, cash**
– Prendre pour argent comptant **accréditer, gober**
COMPTE énumération, inventaire, calcul voir aussi **banque**
– Établissement d'un compte **relevé, mémoire, facture**
– S'en tirer à bon compte **sans dommage, indemne, sain et sauf**
– Mettre sur le compte de **imputer à, incriminer**
– Prendre en compte **considérer**
– Demander des comptes **justification**
– Donner son compte **congédier, démissionner**
– Se rendre compte **réaliser**
– Être loin du compte **se méprendre, ignorer**
– Compte rendu **exposé, synthèse, relation, récit**
COMPTER chiffrer, recenser, estimer, évaluer, dénombrer
– Instrument servant à compter **boulier, abaque**
– Compter parmi **faire figurer, englober**
– Action de compter **recensement, énumération, inventoriage**
– Compter les heures **égrener**
– Dépenser sans compter **être prodigue**
– Compter chaque sou, rechigner à la dépense **lésiner, liarder**
– À force de compter, on risque de devenir **pingre, chiche, ladre, cupide**
CONCÉDER convenir, reconnaître, avouer, accorder
CONCENTRATION réserve, ghetto, agglomération, conurbation
– Le calme de cet endroit permet la concentration **réflexion, contention**
CONCENTRÉ
– Extrait concentré **essence, substance, parfum, élixir, quintessence**
– Produit concentré **aggloméré**
CONCENTRER
– Concentrer son attention **méditer, se focaliser**
– Concentrer une population **agglutiner, agréger, entasser**
CONCEPTION voir aussi **fécondation**
– Cellule nécessaire à la conception **gamète, spermatozoïde, ovule, anthérozoïde, oosphère**
– Organisme au début de la conception **embryon, germe**
– Conception artificielle **in vitro, fivete**
– Conception industrielle **maquette, projet, design, étude**
– Profession concernant la conception **publicitaire, concepteur, styliste, stylicien, designer**
CONCERNER
– Tâche qui concerne une personne **s'applique à, échoit à, incombe à**
– Qui concerne **relève de, rentre dans les attributions de, est du ressort de, regarde**
CONCERT symphonie, concerto, duo, trio, quatuor, quintette
– Concert public **récital, audition**
– Lieu où l'on donne un concert **auditorium, salon, kiosque**
– Concert spirituel **messe, requiem, cantate, ode, chant grégorien**
– Concert de voix discordantes **clameur, cacophonie**
CONCESSION désistement, renoncement, dessaisissement, déprise
– Concession juridique **don, octroi, charte, legs, rétrocession**
– Se faire mutuellement des concessions **composer, transiger**
– Procédé littéraire relatif à la concession **paromologie, épitrope**
CONCEVOIR
– Concevoir un projet **projeter**
– Concevoir un plan **imaginer, élaborer, échafauder**
– Concevoir la vie **procréer, engendrer**
– Concevoir une idée **penser**
CONCIERGE portier, gardien
– Terme imagé se rapportant au concierge **bignole, pipelet**
– Concierge faisant preuve d'une extrême sévérité **cerbère**
– Concierge d'un hôtel particulier **suisse**
– Concierge d'une église **bedeau**
CONCILE consistoire, synode, session, tenue
– Type de concile **synodal, diocésain, national**
– Concile qui réaffirma la doctrine du catholicisme face au protestantisme **concile de Trente**
CONCILIER
– Concilier des personnes d'opinion contraire **accorder**
– Se concilier les faveurs de quelqu'un **s'attirer, gagner**
CONCIS
– Un discours concis **compendieux, dense, lapidaire, sobre, elliptique, succinct**
– Une phrase concise **incisive, laconique, ramassée**
– Texte concis **précis, sommaire, condensé, compendium**
CONCLURE épiloguer
– Conclure une affaire **résoudre, sanctionner, réaliser**
– Conclure un travail **clore, couronner**
– Conclure quelque chose d'un raisonnement **déduire, inférer, arguer**
CONCLUSION aboutissement, achèvement, règlement, consécration
– Conclusion d'une œuvre littéraire **épilogue, dénouement, happy end, morale**
– Conclusion d'un discours **péroraison**
– Conclusion musicale **cadence, coda, final**
– Tirer la conclusion d'une situation **enseignement, leçon, constatation**
CONCOMBRE
– Famille à laquelle appartient le concombre **cucurbitacées**
– Fruit du concombre **pépon, péponide**
– Concombre de mer **holothurie**
CONCOURS
– Il compte sur le concours de tous ses collègues **participation, collaboration, coopération**
– Participant à un concours **émule, compétiteur, rival, candidat**
– Résultat d'un concours **admission, disqualification**
– Récompense ou grade obtenu à un concours **accessit, mention, major**
– Candidat reçu premier à un concours **cacique**
– Concours littéraire ou artistique **Goncourt, Fémina, Médicis, Renaudot, Rome, Nobel**
– Un concours de circonstances **coïncidence, conjoncture**
CONCRET (1)
– Manifestation du concret **substance, matière, phénomène**
CONCRET (2) perceptible, tangible, audible, effectif
– Un esprit concret **pragmatique**
– Rendre concret **matérialiser, réaliser, formuler**
– Constitution concrète d'un corps **concrétion, condensation, solidification**
CONCURRENCE
– Théorie de la libre concurrence **libéralisme**
– Refus de la concurrence économique **protectionnisme**
– Concurrence déloyale **dumping, fraude, détournement**

– Relatif à la concurrence **ciblage, marketing, affichage**
– Nerf de la concurrence **émulation**
– Concurrence professionnelle, sportive **rivalité, joute**
– Jusqu'à concurrence de **à hauteur de**

CONDAMNATION
– Condamnation infligée à quelqu'un **châtiment, jugement**
– Condamnation juridique **arrêt, verdict, sentence**
– Condamnation politique **exil, bannissement, relégation, ostracisme, proscription**
– Condamnation religieuse **anathématisation, Inquisition, excommunication, mise à l'Index, censure**
– Condamnation divine **damnation**
– Lieu où l'on purge une condamnation **pénitencier, cellule, Q.H.S. (Quartier de haute sécurité)**
– Relevé des condamnations **casier judiciaire**

CONDAMNÉ (1)
– Condamné qui subit une peine **détenu, repris de justice, bagnard**

CONDAMNÉ (2)
– Être condamné par la maladie **incurable**

CONDAMNER
– Condamner à une peine **châtier, sanctionner, inculper**
– Condamner les actes ou la conduite de quelqu'un **blâmer, désapprouver, réprouver**

CONDENSÉ **concis, abrégé, épure, résumé, synopsis**

CONDENSER
– Condenser une matière, une substance **comprimer, épaissir, saturer**
– Condenser sa pensée **synthétiser**

CONDITION
– Condition de départ d'un raisonnement **axiome, prolégomènes, prémisse, élément, fondement**
– La condition humaine **destinée, fatalité, karma, prédestination**
– Condition sociale **caste, rang**
– Individus de même condition **sphère, extraction, souche**
– Condition favorable pour l'entreprise d'une action **climat, modalité, atmosphère**
– Condition impérieuse et sans appel **ultimatum**
– Condition d'un traité, d'un contrat **clause, stipulation**
– Poser ses conditions **dicter, signifier**

CONDITIONNEL
– Un événement conditionnel **hypothétique, contingent, casuel, éventuel, fortuit, accidentel, occasionnel**
– Mode conditionnel en grammaire **optatif**

CONDITIONNEMENT
– Conditionnement politique **propagande, intoxication**
– Conditionnement climatique d'ambiance **climatisation**

CONDITIONNER **influer, induire, commander, découler**
– Conditionner moralement des individus **influencer, endoctriner, intoxiquer, décerveler, ensecter**
– Conditionner des produits **traiter, emballer, empaqueter**
– Conditionner un espace **climatiser**

CONDUCTEUR
– Conducteur d'une voiture attelée **roulier, automédon**
– Conducteur de calèche **postillon, cocher**
– Illustre conducteur de char dans l'Antiquité romaine **Ben-Hur**
– Conducteur d'un navire, d'une péniche **nautonier, batelier**
– Conducteur d'un train **mécanicien**
– Conducteur d'une caravane **nomade, Touareg, forain**
– Conducteur d'un troupeau **cow-boy, bouvier, muletier, gardian**
– Conducteur de chameaux **chamelier**
– Conducteur d'éléphants **cornac**
– Conducteur d'une armée **stratège**
– Conducteur d'un parti **leader**
– Conducteur spirituel **guide, gourou, brahmane, ayatollah, curé**
– Conducteur des âmes des morts **psychopompe**

CONDUIRE
– Conduire une entreprise **diriger, gérer, administrer**
– Conduire un véhicule de course **piloter**
– Conduire un bateau **barrer, gouverner, godiller**
– Conduire un arbre **tailler, tuteurer**
– Conduire un cours d'eau **canaliser, drainer**
– Conduire des travaux sur un chantier **superviser**
– Conduire la chaleur **transmettre**
– Propriété d'un corps qui conduit la chaleur **conductibilité, conduction**
– Conduire une personne **escorter, guider**
– Conduire quelqu'un à la faillite **acculer, réduire**
– Être conduit par un sentiment **animé, inspiré, mû**

CONDUITE
-duc

CONDUITE **acte, attitude, comportement, agissement, manière**
– Écart de conduite **frasque, incartade, extravagance, fredaine**
– Règle de conduite **loi, précepte, méthode, procédé, morale**
– Conduite pour acheminer un liquide ou un gaz **aqueduc, viaduc, canalisation, pipeline, oléoduc**

CONFECTION
– Confection d'un objet, d'une marchandise **fabrication, élaboration, préparation, façon**
– Lieu de confection **atelier, manufacture**
– Confection vestimentaire **prêt-à-porter**

CONFÉRENCE **conseil, colloque, exposé, sommet**
– Conférence à caractère secret **conciliabule**
– Conférence artistique, littéraire **causerie**

CONFESSER
– Confesser ses fautes **avouer, déclarer, convenir de, battre sa coulpe**
– Confesser publiquement sa foi, sa conviction **proclamer, afficher, témoigner**

CONFESSION **aveu, déclaration, autocritique**
– Concerne la confession catholique **attrition, contrition, pénitence, repentir, absolution, rémission**
– Appartenir à une confession **foi, croyance, religion, obédience**

CONFIANCE
– Confiance éprouvée à l'égard d'une personne **foi, conviction**
– Confiance prêtée à autrui **créance, crédit**
– Preuve de confiance en soi **audace, hardiesse, aplomb, témérité**
– Confiance excessive en soi **fatuité, outrecuidance, présomption, effronterie**
– Confiance aveugle **crédulité, candeur, naïveté, ingénuité**
– Homme de confiance **bras droit, conseiller**

CONFIER
– Confier quelque chose à quelqu'un **donner, léguer, abandonner, livrer**
– Confier une mission **déléguer, mandater, députer**
– Confier un secret **révéler**
– Se confier à quelqu'un **s'épancher, s'ouvrir**

CONFIRMER
– Confirmer la véracité d'un propos **corroborer**

– Confirmer la validité d'une loi, d'une décision **entériner, ratifier**
– Confirmer la justesse d'un résultat, d'une hypothèse **vérifier, attester, authentifier, homologuer, prouver, avérer**

CONFISERIE **friandise, douceur, fondant**
– Technique relative à la confiserie **pastillage, pralinage**

CONFISQUER
– Confisquer des biens appartenant à une personne **saisir, soustraire, prélever**
– Action de confisquer **mainmise**
– Confisquer quelque chose pour son profit **accaparer, absorber, détourner**
– Confisquer l'élu de son cœur **enlever, ravir**

CONFITURE **marmelade, gelée, compote**
– Confiture de coings **cotignac**
– Confiture de jus de raisin **raisiné**

CONFLIT
– Conflit entre individus **heurt**
– Conflit émanant de sentiments, d'intérêts contraires **antagonisme, discorde, dissonance, dissension, dissentiment**
– Conflit entre les lois de la raison **antinomie**

CONFONDRE
– Confondre des éléments **amalgamer, fusionner, mêler**
– Confondre quelqu'un par ses propos **déconcerter, stupéfier**
– Confondre une personne qui s'est rendue coupable d'une mauvaise action **démasquer, désarçonner**
– Confondre un projet **déjouer, contrecarrer**

CONFORME
– Conforme à un modèle **analogue, identique, équivalent**
– Conforme à une norme, à une règle **orthodoxe, académique, systématique, canonial**
– Copie conforme **vidimus, ampliation**

CONFORMER
– Se conformer à **s'adapter à, se modeler sur, s'aligner sur, se plier à**

CONFORMITÉ **concordance, similitude, parité, adéquation**
– Conformité de goûts, de sentiments **affinité**
– Locution latine exprimant une conformité de mauvais aloi ***ejusdem farinae***

CONFORT
– Rechercher le confort matériel **aisance, standing**

CONFUS
– Un individu confus **piteux, penaud, quinaud**
– Style, langage confus **amphigourique, nébuleux, incohérent, ambigu, alambiqué**
– Un assemblage confus **disparate, hétéroclite, composite**
– Discours confus **galimatias**

CONFUSION
– Confusion d'objets **capharnaüm, fatras, salmigondis**
– Confusion de voies **dédale, labyrinthe, lacis**
– Fait d'entretenir volontairement la confusion dans les esprits **confusionnisme**
– Relatif à la confusion mentale **confusionnel, confuso-onirique**
– Confusion visuelle des couleurs **daltonisme**
– Trouble engendré par la confusion linguistique **dyslexie, aphasie**

CONGÉ
– Congé hebdomadaire **sabbat**
– Congé scolaire **campos**
– Congé militaire **permission**
– Donner congé **congédier, expédier, licencier**

CONGESTION
– Congestion des tissus **hypérémie, pléthore, turgescence**
– Congestion pulmonaire **fluxion, pneumonie**
– Congestion cérébrale **apoplexie**
– Congestion cutanée **érythème**
– Ancien traitement d'une congestion **saignée, scarification**

CONGRÈS
– Congrès scientifique, intellectuel **séminaire, symposium, session**
– Congrès ecclésiastique **chapitre, synode, conclave**

CONIFÈRE
– Fruit du conifère **cône, strobile, galbule**
– Sécrétion des conifères **résine, galipot, gemme, gomme**

CONJECTURE
– Se perdre en conjectures **hypothèses, suppositions, supputations, projections**

CONJONCTION
– Conjonction d'éléments **union, assemblage, rencontre**
– Conjonction des astres, des planètes en astronomie **aspect, situation**
– Conjonction de plusieurs lettres en un seul caractère **ligature, liaison**

CONJUGAISON
– Une conjugaison d'éléments différents **conjonction, combinaison, association**
– Marque de la conjugaison **désinence**

CONJUGUER
– Conjuguer les forces en présence **allier, unir, joindre**

CONNAISSANCE
– Connaissance subjective **sentiment, conscience, intuition, sensation, perception**
– Connaissance objective **savoir, science**
– Connaissance antérieure à l'expérience **a priori**
– Connaissance postérieure à l'expérience **a posteriori**
– Connaissance par l'expérience **empirisme**
– Connaissance superficielle **vernis, notion, rudiments, aperçu**
– Connaissance profonde due à l'apprentissage théorique **érudition, compétence**
– Connaissances acquises par l'expérience ou la pratique **culture**
– Acte intellectuel par lequel on acquiert la connaissance **cognition**
– Qui concerne la connaissance **cognitif**
– Ouvrage englobant les connaissances scientifiques et artistiques **encyclopédie**
– Avoir des connaissances **fréquentations, relations**

CONNAÎTRE **voir, percevoir, apprendre, découvrir, expérimenter**
– Connaître exactement **savoir, distinguer, discerner**
– Faire connaître ses sentiments à quelqu'un **extérioriser, exprimer, témoigner, déclarer**
– Faire connaître un fait **informer, propager, divulguer, vulgariser**
– Connaître par avance **prévoir, deviner, pressentir, subodorer**
– Connais-toi toi-même (Socrate) : **« Gnôthi seauton »**

CONNU
– Bien connu **notoire, évident, proverbial**

CONQUÉRANT (1)
– Conquérant espagnol **conquistador**

CONQUÉRANT (2)
– État conquérant **expansionniste, colonialiste, impérialiste**
– Un air conquérant **pédant, prétentieux, fat, suffisant**

CONQUÉRIR
– Conquérir un pays **annexer, vaincre, soumettre, assujettir, conquêter**
– Conquérir une personne par sa beauté **séduire, subjuguer, captiver, fasciner, envoûter**
– Conquérir le pouvoir **prendre,**

acquérir, s'approprier, extorquer
– Il a conquis sur les marais une partie de son domaine **gagné**

CONQUÊTE
– Conquête d'un territoire **appropriation, annexion, domination**
– Partir à la conquête du monde **découverte, exploration**
– Conquête sociale **acquis, apport**
– Conquête d'un animal **apprivoisement, domestication**

CONSCIENCE
– Conscience de la réalité extérieure **sentiment, notion, perception**
– Conscience aiguë **lucidité, acuité**
– Conscience immédiate **pressentiment, intuition, sensation**
– Ce qui émane de la conscience **image, pensée, idée**
– Conscience des sensations internes **cénesthésie**
– Conscience morale **probité, intégrité**
– Examen de conscience **introspection**
– Prendre conscience de quelque chose **réaliser, saisir, découvrir**
– Inférieur au seuil de la conscience **subliminal, subconscient**

CONSCIENCIEUX
– Une personne consciencieuse d'un point de vue moral **intègre, scrupuleuse, probe**
– Un travailleur consciencieux **méticuleux, minutieux, soigneux, zélé**
– Faire une étude, une enquête consciencieuse **détaillée, approfondie**

CONSEIL **suggestion, invite, exhortation, admonition**
– Qualité d'un conseil **sagace, judicieux, avisé**
– Personne de bon conseil **mentor, égérie, éminence grise**
– Membre du conseil de fabrique d'une église **fabricien, marguillier**

CONSEILLER (1)
– Conseiller de la République **sénateur**
– Conseiller technique **expert, spécialiste**

CONSEILLER (2)
– Conseiller un individu **aviser, diriger, inspirer, exhorter, dissuader**

CONSENTIR
– Consentir à une chose **acquiescer à, souscrire à, adhérer à**
– Consentir malgré soi **céder, se soumettre, condescendre**
– Consentir à la demande d'un enfant **permettre, autoriser, accepter**

CONSÉQUENCE
– Conséquence d'un événement **impact, répercussion, rejaillissement, ricochet, séquelles, souvenir**
– Conséquence dérivant d'une proposition ou d'un théorème **corollaire**
– Conséquence d'un principe **déduction, inférence, conclusion**

CONSÉQUENT
– Un individu conséquent **cohérent, logique**
– Une somme conséquente **rondelette, importante, considérable**

CONSERVATEUR **conformiste, traditionaliste, passéiste, réactionnaire, rétrograde**
– Attitude des conservateurs **conservatisme**
– Avoir une fonction de conservateur **administrateur, gardien, gestionnaire**
– Domaine d'exercice d'un conservateur **musée, bibliothèque, collections publiques, collections privées**
– Conservateur alimentaire **additif, antioxygène, émulsifiant, stabilisant**

CONSERVATION
– Procédé de conservation des aliments **lyophilisation, dessiccation, déshydratation, appertisation**
– Substance utilisée pour la conservation des momies **natron**

CONSERVE
– Récipient utilisé pour la stérilisation des conserves **autoclave**
– Maladie causée par l'emploi excessif de conserves **scorbut**
– Intoxication due à des conserves avariées **botulisme**

CONSERVER **garantir, préserver, entretenir, protéger**
– Conserver le patrimoine national **soigner, restaurer, sauvegarder, réhabiliter**
– Conserver la mémoire, le souvenir **perpétuer, immortaliser**

CONSIDÉRABLE
– Des richesses considérables **immenses, innombrables, incommensurables**
– Une personne considérable **éminente, notable**
– Un événement considérable **majeur, exceptionnel, capital, décisif**

CONSIDÉRER
– Considérer avec bienveillance **estimer, vénérer, révérer**
– Considérer d'un œil critique **toiser, jauger, juger**
– Considérer une œuvre picturale **admirer, contempler, examiner, évaluer**
– Considérer un fait d'un point de vue critique **approfondir, analyser, apprécier**

CONSIGNE
– Consigne impérative donnée à un militaire **ordre, règlement, injonction, ultimatum**
– Consigne infligée à un soldat, un élève **interdiction, retenue, punition, colle**

CONSOLATION
– Consolation d'une douleur **adoucissement, allégement, soulagement, réconfort**
– Propre à la consolation **remède, baume, dictame**

CONSOLER
– Consoler un enfant **apaiser, rasséréner, réconforter**
– Consoler la douleur d'une personne **atténuer, assoupir**

CONSOLIDER
– Consolider la stabilité d'une construction, d'un édifice **affermir, enforcir, étayer, stabiliser**
– Consolider une alliance, un pacte **cimenter, ancrer, sceller**
– Consolider sa position **asseoir, enraciner, fortifier**

CONSOMMATEUR **acheteur, client, chaland**
– Défense des consommateurs **consumérisme**
– Être un consommateur effréné **boulimique, insatiable**
– Consommateur d'images **publivore**

CONSOMMER
– Consommer de la nourriture **s'alimenter, se restaurer, se sustenter**
– Consommer les programmes de télévision **absorber, avaler, ingurgiter, engouffrer**
– Consommer un crime **perpétrer, exécuter, accomplir**
– Consommer des matières combustibles **consumer, user**
– Produit qu'on ne peut absolument pas consommer sans le détruire **consomptible**

CONSONNE
– Relatif au système des consonnes **consonantique**
– Consonne qui est redoublée à l'écrit **géminée**

CONSTANT
– Phénomène constant **régulier, immuable, permanent**
– Constant dans l'adversité **ferme, inébranlable, inflexible**
– Constant dans ses efforts **assidu, persévérant, obstiné, opiniâtre, tenace**

CONSTATATION
– Constatation d'un fait **observation**

– Constatation d'état civil **acte, bulletin, attestation, certificat**
– Constatation écrite **consignée, enregistrée**
– Constatation des dégâts **expertise**
CONSTATER
– Constater la véracité d'un fait **éprouver, établir**
– Constater au terme d'un procès-verbal **authentifier, légaliser**
– Officier de justice chargé de constater **huissier**
CONSTELLATION voir aussi **astronomie**
– Savant grec ayant établi le nom des premières constellations **Aratos, Ptolémée**
CONSTITUER
– Constituer un gouvernement **instituer, établir, légaliser**
– Constituer une société **fonder, monter, organiser**
CONSTITUTION
– Constitution d'un individu **complexion, conformation**
– Constitution physique déficiente **cacochymie, cachexie**
– Individu souffrant d'une constitution maladive **valétudinaire, égrotant, rachitique**
– Constitution d'un corps, d'une matière **composition, organisation, structure, texture**
– Établissement de la constitution d'un État **charte**
– Constitution politique d'un pays **régime, gouvernement**
– Promulgation des constitutions papales **bulle, encyclique**
CONSTRUCTION
– Construction d'un bâtiment **édification, érection, élévation**
– Règles de construction architecturale **architectonique**
– Construction grammaticale **syntaxe**
– Construction grammaticale erronée **cacologie**
CONSTRUIRE
– Construire un édifice **ériger, édifier**
– Construire un pont **jeter**
– Construire des objets **fabriquer, produire**
– Construire un raisonnement **articuler, élaborer, forger, échafauder, bâtir**
– Construire un poème **disposer, combiner**
CONSULTATION
– Consultation de l'opinion publique **enquête, sondage**
– Consultation électorale **plébiscite, référendum**
– Consultation d'un dossier, d'un livret **examen**
– Consultation entre membres d'un syndicat **délibération**
– Consultation médicale **visite**
– Consultation psychanalytique **séance**
– Consultation des astres **astrologie**
– Consultation des cartes pour prédire l'avenir **cartomancie**
– Consultation des lignes de la main **chiromancie**
– Consultation des morts **nécromancie, spiritisme**
– Consultation des oracles **divination**
– Sanctuaire dédié à la consultation des morts **nekromanteion**
CONTACT **rapport, relation**
– Contact entre deux corps **adhérence, contiguïté**
– Point de contact en géométrie **tangence**
– Contact physique entre deux personnes **effleurement, frôlement, caresse, attouchement**
– Prise de contact **rencontre, communication**
CONTAGIEUX
– Une maladie contagieuse **transmissible**
– Substrat qui véhicule un agent contagieux **contage**
– Période d'isolement d'une personne contagieuse **quarantaine**
– Lieu où sont regroupés des malades contagieux **lazaret**
– Avoir un rire contagieux **communicatif**
CONTAGION **contamination, transmission, propagation**
– Méfait de la contagion **épidémie, pandémie**
– Traitement destiné à prévenir ou à enrayer la contagion **prophylaxie, vaccination**
CONTE **histoire, récit, fiction** voir aussi **fable**
– Domaine de prédilection des contes **merveilleux, imaginaire**
– Personnages de contes **fées, ogres, sorcières, gnomes, elfes, génies**
– Contes héroïques **épopée, saga**
– Héroïne des contes des ***Mille et Une Nuits*** **Schéhérazade**
– Contes de Boccace ***Décaméron***
– Conte à dormir debout **baliverne, fadaise, sornette**
CONTEMPORAIN
– Étude de faits contemporains **synchronie**
– Auteur contemporain **actuel, moderne**
CONTENIR
– Contenir en soi **renfermer, receler, inclure**
– Contenir une terre, un fleuve dans un périmètre **borner, endiguer, enserrer**
– Contenir une foule **refréner, réprimer**
– Se contenir **se dominer, se modérer, se contraindre**
– Mouvement impossible à contenir **incoercible, irrépressible**
CONTENT (1)
– Boire tout son content **soûl**
CONTENT (2) **joyeux, radieux, ravi, comblé, satisfait**
– Content de soi **suffisant, vaniteux, fat**
CONTENU
– Calcul d'un contenu **capacité, volume**
– Contenu d'un véhicule de transport **tonnage, cargaison, fret, charge**
– Contenu d'une hotte **hottée**
– Descriptif d'un contenu **étiquette, menu, table des matières, programme**
– Contenu d'un discours **teneur, substance, sens**
CONTESTER
– Contester un point de vue **controverser, nier, contredire, réfuter, infirmer**
– Contester le droit d'une personne **dénier**
– Contester l'autorité d'un tribunal **récuser**
– Contester l'ordre établi **regimber, protester, se révolter**
CONTINU
– Un mouvement continu **perpétuel, constant, permanent, uniforme**
– Des récriminations continues **sempiternelles, incessantes**
– Un bruit continu **persistant, ininterrompu**
– Une attention continue **indéfectible, assidue, soutenue**
– Basse continue en musique **continuo**
– Un phénomène continu **continuum**
CONTINUER **durer**
– Continuer un entretien **poursuivre, prolonger**
– Continuer des rituels, des traditions **maintenir, perpétuer**
– Continuer à faire quelque chose **persévérer, persister, s'obstiner à**
CONTOUR **délinéament**
– Contour d'une agglomération **périphérie, ceinture**
– Contour d'un chemin, d'une route

sinuosité, lacet, zigzag, détour
– Contour d'un ruisseau **méandre**
– Contour d'un pays **frontière**
– Contour d'une propriété **enceinte, clôture**
– Contour d'un visage **ovale, profil**
– Contour d'un corps **silhouette, galbe**
– Tracer les contours d'un paysage **esquisse, ébauche**

CONTRACEPTIF (1)
– Contraceptif féminin **pilule, stérilet, diaphragme**
– Contraceptif masculin **préservatif, condom**
– Relatif au contraceptif **anticonceptionnel**

CONTRACEPTIF (2)
– Substance contraceptive **spermicide**

CONTRACTION
– Contraction musculaire ou organique **contracture, rétraction, crampe, spasme, constriction**
– Contraction des muscles faciaux **rictus, trismus**
– Contraction permanente d'un muscle **tétanos**
– Succession de contractions **clonus**
– Forme de contraction musculaire **isotonique, isométrique**
– Contraction du muscle cardiaque **systole**
– Contraction des vaisseaux sanguins **angiospasme**
– Contraction des mâchoires **trisme**
– Appareil enregistrant les contractions musculaires **myographe**
– Contraction de texte **résumé**
– Contraction phonétique **crase, synérèse**

CONTRADICTION
– Contradiction formelle à une déclaration **réfutation, objection, démenti**
– Contradiction entre deux propositions **antinomie, antilogie, paradoxe**
– Braver les contradictions **entraves, difficultés**

CONTRAINDRE **forcer, violenter, tyranniser**
– Contraindre une personne à **acculer à**
– Contraindre l'aisance naturelle du corps **entraver, gêner, contenir**
– Se contraindre à faire quelque chose **s'astreindre à, s'obliger à**
– Se contraindre à ne pas faire **se réfréner, se réprimer, s'empêcher de, refouler**

CONTRAINTE **obligation, exigence**
– Contrainte exercée sur une personne **pression, coercition, astreinte**
– Être sous la contrainte de quelqu'un **asservissement, soumission, servitude, sujétion, tutelle**
– Contrainte sociale **loi, règlement, discipline**

CONTRAIRE (1)
– Faire le contraire de ce qu'il faut faire **inverse**
– Mot exprimant le contraire d'un autre **antonyme**

CONTRAIRE (2)
– Aller en sens contraire **opposé**
– Un point de vue contraire **divergent, inconciliable, incompatible, distinct**
– Commettre une action contraire à la liberté d'autrui **attentatoire, préjudiciable, nuisible**
– Comportement contraire à une norme établie **transgression, infraction, dérogation**
– Un parti contraire **adverse, antagoniste**
– Thèse contraire à une thèse exposée **antinomique, antithétique**

CONTRARIER
– Contrarier le désir d'une personne **contrer, barrer, entraver, contrecarrer, freiner**
– Contrarier quelqu'un par son attitude, ses propos **agacer, irriter, blesser, mécontenter**
– Contrarier le cours d'un ruisseau **dévier, détourner, forcer**

CONTRASTE **opposition, antithèse**
– Couleur qui établit un contraste **détonne, tranche**
– Effet de contraste qui émane des jeux de lumières et d'ombres **clair-obscur**
– Contraste entre deux caractères, deux êtres **dissemblance**
– Contraste musical **discordance**

CONTRAT **accord, convention, pacte, traité, alliance, acte**
– Type de contrat juridique **synallagmatique, commutatif, consensuel, pignoratif, mohatra**
– Contrat de bail d'une ferme, d'un cheptel **louage**
– Contrat donnant l'usufruit à un créancier pour payer une dette **nantissement, antichrèse**
– Clause d'un contrat **stipulation, condition**
– Parties qui signent un contrat **contractants**
– Rompre un contrat **résilier, révoquer**
– Vice annulant la validité d'un contrat **dol, captation, lésion**
– Annulation d'un contrat pour cause de lésion **rescision**

CONTRAVENTION
– Motif d'une contravention **infraction, entorse au règlement, délit**

CONTREBANDE **fraude, trafic**
– Une activité de contrebande **interlope, clandestine**
– Contrebande du sel **faux-saunage**

CONTREBANDIER **bandolier**
– Contrebandier d'alcool **bootlegger**

CONTREFAÇON
– Contrefaçon d'un produit industriel **falsification, copie, imitation**
– Contrefaçon artistique **plagiat, pastiche, parodie**
– Contrefaçon monétaire **contrefaction, adultération**
– Personne qui réalise une contrefaçon **contrefacteur, faussaire, falsificateur, pasticheur**

CONTREMAÎTRE
– Contremaître dans les mines de charbon **porion**
– Contremaître dans un atelier d'imprimerie **prote**

CONTRE
anti-, contra-, contro-, para-

CONTRIBUTION
– Contribution financière **cotisation, écot, quote-part**
– Contribution fiscale **taxe, patente**
– Contribution de guerre **tribut**
– Jadis, contribution due à l'Église sur la récolte annuelle **dîme**
– Jadis, contribution prélevée sur le sel **gabelle**
– Jadis, contribution prélevée sur la récolte d'un créancier **champart, terrage**
– Apporter sa contribution à une entreprise **concours, participation**

CONTRÔLE
– Contrôle des billets **vérification, pointage**
– Contrôle des connaissances **examen, épreuve**
– Contrôle médical **check-up, bilan**
– Contrôle stratégique des forces armées **observation, surveillance**
– Contrôle des troupes **revue, inspection**
– Être rayé des contrôles **radié, réformé**
– Contrôle des naissances **malthusianisme**
– Garder le contrôle de soi **self-control, sang-froid, maîtrise**
– Marque de contrôle attestant la qualité d'un produit **label, cachet, estampille**
– Marque de contrôle en orfèvrerie **poinçon**
– Appareil enregistreur qui permet le contrôle **contrôlographe**

– Appareil de contrôle médical **monitoring**
CONTRÔLER inspecter, vérifier
– Contrôler un texte en regard du manuscrit original **collationner**
– Contrôler les médias **censurer**
– Contrôler les faits et gestes d'une personne **épier, espionner, surveiller**
– Se contrôler **se contraindre**
CONTROVERSE critique, polémique
– Engager une controverse **débat, discussion, joute**
– Art de la controverse **éristique**
CONVAINCRE persuader
– Tenter de convaincre un auditoire **plaider, prêcher**
– Convaincre quelqu'un de ne pas faire quelque chose **dissuader**
– Prière adressée à quelqu'un pour le convaincre de ne pas faire quelque chose **objurgation**
– Art de convaincre **rhétorique, sophistique, dialectique**
CONVAINCU
– Être un défenseur convaincu **résolu, farouche**
CONVENIR
– Convenir à une personne **agréer à, plaire à, seoir à**
– Convenir d'un rendez-vous **décider, arranger, fixer, prendre langue**
– Convenir d'une erreur **avouer, confesser, concéder**
CONVENTIONNEL arbitraire, convenu
– Se vêtir d'une façon conventionnelle **traditionnelle, classique**
– Parler de façon conventionnelle **académique**
– Adopter une attitude conventionnelle **pédante, guindée**
– Un style précieux trop conventionnel **compassé, ampoulé**
CONVERSATION
– Conversation entre intimes **causerie, confabulation, jaserie**
– Conversation à deux **dialogue, entretien**
– Conversation futile **badinage, babillage, palabre, bavette**
– Conversation secrète **aparté, conciliabule**
– Conversation visant à établir un accord **pourparlers, tractation, consultation, négociation**
– Paroles échangées au cours d'une conversation **propos**
– Lieu réservé à la conversation **salon, parloir**
– Salle réservée à la conversation dans l'Antiquité **exèdre**
CONVERSION
– Conversion des métaux en or **alchimie, transmutation**
– Conversion à une religion **adhésion**
– À l'origine d'une conversion religieuse **grâce, révélation, illumination**
– Toute conversion religieuse contrainte peut impliquer **reniement, apostasie, abjuration**
– Conversion de valeurs monétaires **change**
– Conversion de valeurs **consolidation**
– Conversion professionnelle **recyclage, réorientation, reconversion**
– Conversion de la Terre et des planètes **rotation, révolution**
CONVERTI
– Personne convertie à une religion ou à une doctrine **adepte, prosélyte**
CONVERTIR
– Convertir quelqu'un à ses idées **amener à, gagner à, rallier à**
– Convertir un groupe d'individus **évangéliser, prêcher, catéchiser**
– Personne chargée de convertir **missionnaire, apôtre, évangéliste**
– Se convertir à une opinion **souscrire à, se rallier à**
CONVICTION croyance
– Témoigner d'une forte conviction **assurance, certitude**
– Conviction religieuse **foi**
– Pièce à conviction **preuve**
CONVOCATION
– Recevoir une convocation pour comparaître en justice **citation, assignation, ajournement**
– Convocation d'un concile, d'un synode **indiction**
– Convocation militaire **appel, incorporation, mobilisation**
– Convocation à un examen scolaire, universitaire **collante**
CONVOI
– Tout ce qui accompagne le convoi **équipage**
– Assure la protection d'un convoi **escorte**
– Convoi de chariot **charroi**
– Convoi de nomades **caravane**
– Convoi de prisonniers **transfert**
– Convoi funéraire **funérailles, obsèques**
CONVOQUER mander, appeler
– Convoquer une personne devant un tribunal **intimer**
CONVULSION spasme, soubresaut, crispation, tressaillement, clonie
– Convulsion puerpérale **éclampsie**
– Convulsion musculaire persistante **tonique**
– Convulsion musculaire alternée **clonique**
– Maladie nerveuse se manifestant par de violentes convulsions **épilepsie, haut mal**
– Convulsion d'une passion **exaltation, excitation, agitation**
COPIE
– Copie fidèle **reproduction, calque, fac-similé, photocopie**
– Copie humoristique d'un auteur **imitation, pastiche**
– Copie faite par un artiste de son propre tableau **réplique**
– Copie d'une œuvre **plagiat**
– Copie réalisée dans le but de tromper **faux**
– Copie authentifiée d'un acte **ampliation, duplicata, expédition, grosse**
– Copie par reproduction mécanique **polycopie**
– Copie de billets de banque **contrefaçon, falsification**
COPIER
– Copier un texte **transcrire**
– Copier peu élégamment les manières d'une personne **mimer, singer**
– Copier un acte notarié en gros caractères **grossoyer**
– Personne employée à copier **scribe, copiste, clerc**
– Personne qui copie sans vergogne **plagiaire, pasticheur**
COQ
– Ordre auquel appartient le coq **gallinacés**
– Coq châtré **chapon, coquâtre**
– Coq de bruyère **tétras, grouse**
– Coq de roche **rupicole**
– Coq des marais **gélinotte**
– Coq des champs ou coq héron **huppe**
– Partie du plumage d'un coq **camail, rémiges, lancettes, faucilles, bouffant**
– Coq d'un clocher **girouette**
COQUE coquille, enveloppe
– Coque d'un bateau **carcasse, carène**
COQUILLAGE mollusque, fruit de mer
– Élevage de coquillages **conchyliculture**
– Science qui étudie les coquillages **conchyliologie**
– Composant d'un coquillage **acétabule, byssus, columelle**
– Coquillage conique servant de trompe d'appel **conque**
– Autrefois, coquillage utilisé en Afrique comme monnaie **cauri**
COQUILLE carapace, écaille
– Coquille rigide, couverte de piquants, de l'oursin **test**
– Marbre renfermant des débris de coquilles fossiles **lumachelle**

– Terrain contenant des coquilles **conchylien**
– Semblable à une coquille **conchoïdal**
– Ciment de coquille **chimoine**
– Coquille en typographie **faute, lettre substituée**

CORAIL
– Ordre des coraux **alcyonaires**
– Banc de corail **polypier, madrépore, cœlentérés**
– Récif de corail **atoll**
– Épaves de corail **herpes**
– Morceau de corail utilisé en bijouterie **puntarelle**
– Commerce de corail **coraillerie**
– Serpent corail d'Amérique tropicale **élaps**

CORDE
– Corde en chanvre **larderasse**
– Corde en métal **câble, câblot, filin**
– Corde utilisée pour les animaux **longe, licol, licou, laisse**
– Corde d'alignement du jardinier **cordeau**
– Corde utilisée par le charpentier **simbleau**
– Lieu où sont fabriquées les cordes **corderie, câblerie**
– Corde d'emballage **seizaine**
– Corde de potence **cravate de chanvre**
– Danseur sur corde **funambule, fildeferiste**
– Moyen de transport fonctionnant à l'aide de cordes, de câbles **funiculaire, téléphérique**
– Instrument à cordes **luth, théorbe, alto, violon, violoncelle, contrebasse**
– Corde la plus mince du violon **chanterelle**
– Corde la plus épaisse du violon **bourdon**
– Cordes nouées utilisées par les Incas en guise d'écriture **quipu**

CORDIAL (1)
– Un cordial **réconfortant, fortifiant, remontant**

CORDIAL (2)
– Faire montre d'une attitude cordiale à l'égard de quelqu'un **chaleureuse, amène, franche, enthousiaste**

CORNE
– Corne des cervidés **bois, cors, ramure, andouiller, trochure**
– Vache n'ayant plus qu'une corne **dagorne**
– Animal unicorne **licorne, narval**
– Corne musicale **cornet à bouquin, bugle, trompe, cornet, olifant**
– Corne de bélier utilisée dans le rituel juif **schofar**
– Vase en forme de corne dans lequel on servait le vin **rhyton**

CORNEMUSE
– Cornemuse bretonne **biniou**
– Cornemuse auvergnate **cabrette**
– Cornemuse écossaise **pibrock**
– Autre type de cornemuse **bedondaine, bousine**
– Joueur de cornemuse **cornemuseur, cornemuseux, sonneur**

CORPS **organisme** voir aussi **astre**
– Science ayant pour objet le corps **anatomie, anthropobiologie, anthropométrie, physiologie**
– Corps d'un individu bien en chair et gras **embonpoint, rotondité**
– Concernant le corps **somatique**
– Substance agissant sur le corps **somatotrope**
– Ensemble de processus régissant la vie du corps **métabolisme**
– Sensation des mouvements du corps **kinesthésie**
– Perte de la sensibilité d'une partie du corps **anesthésie**
– Malformation du corps **difformité, handicap**
– Évolution du corps **croissance**
– Taille, ampleur du corps **corpulence**
– Trouble affectant le corps **maladie, diathèse**
– Prendre corps **s'incarner**
– Jouissance du corps **volupté, délices**
– Contrainte volontaire du corps **ascèse, mortification, austérité**
– Présence du corps du Christ dans l'hostie **consubstantiation**
– Corps d'une extrême petitesse **atome, molécule, corpuscule**
– Propriété des corps **dilatation, fusion, solidification, condensation, liquéfaction**
– Chaleur d'un corps **température**
– Mouvement propre aux corps **dynamique, mécanique**
– Propriété des corps **densité, masse, poids**
– Pesanteur des corps **attraction, gravitation, gravité**
– Corps céleste **planète, astre, galaxie**

CORRECT
– Faire une interprétation correcte d'un texte **exacte, fidèle, juste, pertinente**
– Avoir un langage correct **châtié, soutenu**
– Une conduite, une tenue correcte **décente, élégante**

CORRECTION
– Correction apportée à un ouvrage avant qu'il soit imprimé **rectification, refonte, remaniement**
– Correction apportée à un manuscrit **biffure, rature**
– Correction proustienne **paperoles, collage**
– Étude des corrections effectuées par les écrivains **manuscriptologie**
– Technicien chargé de la correction des épreuves dans l'imprimerie **correcteur**

CORRESPONDANCE **corrélation**
– Correspondance journalistique **chronique, reportage**
– Correspondance d'opinions **accord, affinité**
– Correspondance des temps verbaux **concordance**
– Une correspondance réciproque **bijective, biunivoque**
– Correspondance temporelle de deux situations **simultanéité, synchronie**
– Figure littéraire fondée sur la correspondance **métonymie, métaphore, analogie, symbole**
– Type de correspondance écrite **épistole, missive, billet, poulet, pli**
– Un échange régulier de correspondance écrite **épistolaire**
– Acheminement de la correspondance diplomatique **valise diplomatique**

CORRIDA
– Espace fermé où se déroule une corrida **arènes, plaza**
– Défilé ouvrant une corrida **paseo**
– Nom donné au jeune torero lors de sa première corrida **novillero**
– Coup d'épée mortel porté au taureau au terme d'une corrida **estocade**

CORRIGER
– Corriger avec sévérité un enfant **morigéner, réprimander, châtier, fustiger**
– Se corriger **s'amender, se polir**
– Corriger les mœurs, l'attitude d'une personne **policer, civiliser, tempérer**
– Corriger un excès **dulcifier, neutraliser, atténuer, compenser**
– Corriger un tableau **retoucher**
– Corriger les effets du temps sur un objet **restaurer, réparer**

CORROMPRE
– Corrompre une personne en la payant **stipendier, soudoyer, suborner**

CORROMPU **vicié, gâté**
– Une personne corrompue **dépravée, perverse, vile**
– Un individu corrompu par l'argent **vénal**

– Un comportement corrompu **dissolu**
– Un lait corrompu **suri, aigri**
– Un aliment corrompu **pourri, avarié**

CORRUPTION
– Délit de corruption **concussion, prévarication, forfaiture**
– Grave corruption boursière **délit d'initiés**
– Corruption des mœurs **débauche, dépravation, dégradation**

CORSET **corselet, gaine, ceinture**
– Élément d'un corset **baleine, busc, lacet**
– Maladie dite « du corset » **ptôse**
– Corset médical **bandage, coquille**
– Personne qui fabrique ou vend des corsets **corsetier**
– Mettre un corset **corseter**

CÔTE voir aussi **littoral**
– Côte d'une colline **coteau**
– Côte abrupte **pente, montée, raidillon**
– Côte maritime **littoral, rivage, grève**
– Côte escarpée en bordure de mer **falaise**

CÔTÉ
– Situé sur le côté **latéralement**
– Côté du corps **flanc**
– Côté d'un édifice **aile, pan, face**
– Côté droit d'un navire **tribord**
– Côté gauche d'un navire **bâbord**
– Du bon côté **à l'endroit**
– Côté d'une médaille **avers, revers, obvers**
– Côté d'une feuille de papier **recto, verso**
– Côté d'un polygone **segment**
– Se ranger du bon côté **camp, parti**
– Voir la vie du bon côté **aspect**
– Prééminence de l'un des deux côtés dans le corps humain **latéralité**
– Mettre de côté **écarter, délaisser**

COTON
– Cueillette du coton **picker**
– Plante qui produit le coton **cotonnier**
– Culture du coton **cotonnerie**
– Maladie due au coton **byssinose**
– Velours de coton **moleskine, velvet**
– Voile de coton léger **tarlatane**
– Étoffe de coton **coutil, cretonne, madapolam**
– Machine servant à filer le coton **jenny**
– Qui a l'aspect du coton, d'un duvet **tomenteux**

COU
– Partie du cou **nuque, gorge, pomme d'Adam**
– Glande du cou **thymus, thyroïde**
– Artère du cou **carotide**
– Veine du cou **jugulaire**
– Vertèbres du cou **atlas, axis**
– Blocage du cou **torticolis**
– Augmentation importante du volume du cou **goitre**
– Appareil orthopédique autour du cou qui maintient la tête **minerve**
– Tordre le cou **étrangler, stranguler**
– Couper le cou **décollation, décapitation**
– Bijou qui orne le cou **sautoir, collier, chaîne, rivière, châtelaine**

COUCHE **strate, pellicule, croûte**
– Couche de l'atmosphère **troposphère, stratosphère, mésosphère**
– Champignon de couche **agaric, psalliote**
– Couche de sédiments **alluvion**
– Couche de gypse **cliquart**
– Scinder une pierre dans le sens de ses couches **déliter, cliver**
– Couche rudimentaire **galetas, paillasse, grabat**
– Femme en couches **gésine, parturition**
– Couche du nouveau-né **change, lange**

COUDE
cubito-

COUDE
– Propre au coude **cubital**
– Appui d'un siège sur lequel reposent les coudes **accoudoir, accotoir**
– Élément d'une armure préservant le coude **cubitière**
– Coude d'un fleuve **courbe, détour, méandre, sinuosité**

COUDRE **surfiler, faufiler, surjeter**
– Coudre une pièce sur un vêtement **rapetasser**
– Coudre une étoffe usagée **repriser, raccommoder, ravauder**
– Coudre les cahiers d'un livre **brocher**
– Instrument en bois servant à coudre un livre **cousoir**
– Coudre une plaie **suturer**
– Poinçon utilisé pour coudre le cuir **alène**
– Coudre à l'aide d'une paumelle **paumoyer**

COULER
– Couler violemment **jaillir, gicler**
– Couler d'une source **sourdre**
– Couler avec lenteur **se répandre, s'étaler, s'infiltrer, s'insinuer**
– Couler le long d'une paroi **ruisseler, dégouliner**
– Couler hors d'un corps ou hors d'un élément **s'épancher, suinter, se déverser, exsuder, s'extravaser**
– Faire couler goutte à goutte **instiller, distiller**
– Couler goutte à goutte **dégoutter**
– Couler une matière en fusion **mouler, fondre**
– Couler du béton **bancher**
– Couler par l'avant en termes maritimes **sancir**
– En typographie, couler une matière dans l'empreinte d'une forme **clicher, stéréotyper**

COULEUR
chromo-, -chrome, -colore

COULEUR **chromatisme, coloris, carnation, teinte, ton**
– Cellules de la rétine qui perçoivent les couleurs **cônes**
– Jeu sur une couleur **camaïeu**
– Motif de couleurs variées **polychrome, diapré, chamarré, chiné, jaspé, bigarré**
– Impossibilité à percevoir les couleurs **achromatopsie, dyschromatopsie**
– Confusion des couleurs **daltonisme**
– Couleur d'un visage **cramoisi, rubicond, livide, blafard, terreux, mordoré**
– Animal qui change de couleur **caméléon**

COULOIR **corridor, galerie, coursive**
– Couloir ou passage souterrain **tunnel**
– Couloir maritime **détroit**
– Couloir d'une montagne **gorge, cheminée**

COUP
– Coup donné à quelqu'un **bourrade, horion, anguillade**
– Trace de coups sur le corps **contusion, mâchure, ecchymose, lésion**
– Coup brutal dû à la rencontre de deux corps **heurt, choc**
– Coups de canon **salve**
– Coup de foudre **éclair, débordement, passion**

COUPABLE
– Une attitude, une action coupable **répréhensible, délictueuse, blâmable**
– Coupable d'un délit **délinquant**
– Enfant coupable d'une mauvaise action **sacripant, chenapan, fripon**

COUP D'ÉTAT **renversement, révolution, putsch, pronunciamiento**

COUPER
-tomie, -cis-, séca-, -sect-, -séqu-

COUPER **sectionner, trancher**
– Couper en morceaux **émincer, dépecer, tronçonner, débiter**
– Couper peu soigneusement **déchiqueter**

– Couper un objet en deux **scinder**
– En médecine, couper un organe malade **réséquer, mutiler, amputer**
– Couper les branches d'un arbre **ébrancher, élaguer, émonder**
– Couper la tête d'un arbre **écimer, étêter**
– Couper les oreilles d'un chien **essoriller**
– Couper des passages dans un film, un livre **tronquer, censurer**
– Couper du vin avec de l'eau **tempérer, mouiller**
– Couper les cheveux en quatre **ergoter, chicaner, pinailler, ratiociner**

COUPOLE **voûte, dôme**

COUR
– Cour intérieure dans l'Antiquité romaine **atrium, aula**
– Cour intérieure espagnole **patio**
– Cour intérieure d'un monastère **cloître**
– Cour intérieure d'un hôpital **préau**

COURAGE **bravoure**
– Lutter avec courage **hardiesse, héroïsme**
– Renforcer le courage des troupes **exalter, galvaniser**

COURAGEUX **audacieux, intrépide, valeureux, vaillant**
– Se montrer courageux devant la douleur **stoïque**
– Courageux mais inconscient **téméraire**

COURANT (1) voir aussi **électricité**
– Propriété des courants électriques **induction**
– Unité de mesure d'intensité du courant **ampère**
– Appareil mesurant l'intensité du courant **ampèremètre, électrodynamomètre**
– Courants atmosphériques **alizés, contre-alizés**
– Instrument de mesure des courants marins **courantomètre**
– Se tenir au courant **s'informer, se renseigner**

COURANT (2) **fréquent, habituel**
– Langue courante **usuelle**

COURBE (1)
– Courbe représentant une évolution, une variation **graphique, diagramme**
– Courbe ornementale **arabesque, feston, volute, hélice**
– Courbe d'un corps, d'un objet **galbe**
– Courbe des reins **cambrure, chute**
– Instrument utilisé pour tracer des courbes **curvigraphe**
– Instrument de mesure de la longueur des courbes **curvimètre**

COURBE (2)
– Une surface courbe **incurvée, convexe, concave**
– Une forme courbe **curviligne**

COURBER
– Courber un objet, une matière **busquer, gauchir, cintrer**
– Se courber sous un poids **ployer**
– Courber la tête, le corps devant une personne **s'abaisser, se résigner, céder, s'humilier**
– Se courber en signe de respect, de dévotion **saluer, s'incliner, se prosterner**

COUREUR **course, sprinter stayer** voir aussi **athlétisme**
– Coureur héroïque qui effectua le trajet Marathon-Athènes **Philippidès**
– Coureur de demi-fond **miler**
– Oiseaux appartenant à l'ordre des coureurs **autruche, émeu, casoar**

COURIR
– Un bruit court **circule, se répand, se propage**
– Courir à un rendez-vous **se hâter, se précipiter**
– Courir après une personne **poursuivre, pourchasser**
– Courir loin d'un danger **s'enfuir, se sauver, déguerpir, détaler**
– Courir les bas quartiers **hanter, fréquenter**
– Esclaves qui couraient devant un cortège pour ouvrir la voie **cursores**

COURONNE **diadème, bandeau**
– Se couvrir la tête d'une couronne **ceindre, coiffer**
– Déposer la couronne **abdiquer**
– Couronne pontificale **tiare, trirègne**
– Couronne lumineuse des saints, des anges **auréole, halo, nimbe**
– Couronne de fleurs, de papier **guirlande, tresse**

COURONNEMENT
– Cérémonie de couronnement d'un roi **sacre, intronisation**
– Cérémonie de couronnement d'un évêque **consécration**
– Couronnement d'un mur **entablement**
– Couronnement d'une colonne **chapiteau**

COURSE **parcours, trajet** voir aussi **sport**
– Type de course à pied **vitesse, en plat, demi-fond, fond**
– Ensemble des couloirs aménagés pour la course à pied **anneau, piste**
– Appareil assurant l'appui des coureurs au départ d'une course **starting-block**
– Personne donnant le départ d'une course à pied **starter**
– Course de fond effectuée sur une distance d'environ 42 kilomètres **marathon**
– Course à travers la campagne **cross-country**
– Distance de course à pied dans la Grèce antique **stade, diaule, dolique**
– Course aux flambeaux dans la Grèce antique **lampadédromie**
– Héroïne de la mythologie grecque qui excellait à la course à pied **Atalante**
– Course en montagne **ascension, trekking**

COURSE CYCLISTE
– Épreuve de course cycliste sur route **par étapes, contre la montre, critérium**
– Épreuve de course cycliste sur piste **vitesse, omnium, poursuite, demi-fond**
– Course cycliste nationale **tour de France, tour d'Italie**
– Piste de course cycliste **vélodrome**
– Course cycliste tout-terrain **cyclo-cross**

COURSE DE BATEAUX voir aussi **bateau**
– Au départ de différentes courses de bâteaux **voilier, dériveur, quillard, multicoque, monocoque, offshore**

COURSE DE TAUREAUX
– Passionné de courses de taureaux **aficionado**
– Course de jeunes taureaux dans les rues d'un village **becerrada, capea**
– Course de taureaux réservée aux jeunes toreros **novillada**

COURSE HIPPIQUE **réunion** voir aussi **cheval**
– Course hippique en argot **courtines**
– Type de course hippique menée au galop **plat, obstacles, haies, steeple-chase**
– Type de course hippique menée au trop **attelé, monté**
– Champ de courses hippiques **hippodrome, turf**
– Lieu dans lequel se trouvent les chevaux au départ d'une course hippique **stalles**
– Barrière relevée au départ d'une course hippique **starting-gate**
– Ensemble des chevaux disputant une course hippique **champ**

COURT
brachy-

COURT **petit** voir aussi **concis**
– Un nez court et plat **camus**
– Personne dont les membres sont courts **bréviligne**

– Une main aux doigts courts **brachydactyle**
– De courte durée **momentané, transitoire, temporaire, provisoire**
– Une courte passion **éphémère, fugitive, fugace**
COURTOIS
– Une personne courtoise **gracieuse, raffinée, affable, civile**
– Amour courtois **fin'amor**
– Poète de l'amour courtois **troubadour**
COUSSIN pouf
– Coussin de forme carrée **carreau**
– Petit coussin de paille **coussinet**
– Coussin de méditation **zafu**
COÛT valeur, tarif voir aussi **prix**
– Coût calculé dans un devis **montant, estimation, évaluation**
– Une marchandise dont le coût est très élevé **onéreuse, dispendieuse**
COUTEAU voir aussi **épée**
– Couteau à usage domestique **canif**
– Large couteau utilisé en cuisine **couperet**
– Dans l'Ouest, couteau ou hachoir à viande **hansart**
– Couteau employé comme arme **poignard, coutelas, dague**
– Étui en cuir servant à ranger les couteaux de table **coutelière**
– Fabricant ou vendeur de couteaux **coutelier**
– Couteau dont se sert le peintre pour mélanger les couleurs **amassette**
– Couteau de l'apiculteur **désoperculateur**
– Officiant qui sacrifiait une victime avec un couteau **cultraire**
COÛTER valoir, revenir à, s'élever à voir aussi **prix**
COUTUME usage, mœurs, tradition voir aussi **culte**
– Coutume religieuse **rite, culte**
– Coutume momentanée **mode, vogue**
COUTURE voir aussi tableau et **tissu**
– Présentation saisonnière des nouveaux modèles de haute couture **défilé**
– Ensemble des nouveaux modèles de la haute couture **collection, création**
– Prix annuel de la haute couture **dé d'or**
COUTURIER culottière, corsetière, modiste, tailleur, giletier
– Couturière débutante **cousette, midinette, petite main**
– Apprentie couturière **arpète**
– Jeune employée d'une couturière, qui effectuait les courses **trottin**
– Aller chez un grand couturier **styliste, créateur**
COUVENT monastère, cloître, communauté voir aussi **religieux**
– Période de probation dans un couvent **noviciat**
– Cérémonie marquant l'entrée définitive au couvent **prise de voile**
– Norme régissant la vie d'un couvent **règle, observance**
– Religieuse dirigeant un couvent **supérieure, prieure**
– Religieuse vivant au couvent **couventine**

COUTURE

aisance	Souplesse nécessaire pour qu'un vêtement soit agréable à porter.
alpaga	Tissu mixte de soie et de laine.
amidonner	Passer à l'amidon. Il s'agit d'empeser le tissu ou le vêtement.
appesantir	Alourdir.
appliqué	Pièce décorative que l'on fixe sur un objet de tissu ou un vêtement.
ardillon	Pointe de métal située sur une boucle qui s'engage dans un trou de ceinture.
basque	Partie d'un vêtement qui, partant de la taille, tombe librement sur les hanches.
bâti	Faufil, piqûre provisoire.
battoir de tailleur	Bloc de bois arrondi utilisé par les tailleurs pour former les plis profonds et écraser les bords.
bengaline	Mélange de soie (chaîne) et de coton ou de laine (trame).
biais	Bande de tissu coupée dans la diagonale (par rapport au droit fil), permettant de border n'importe quelle ligne, droite ou courbe.
bougran	Toile de lin très apprêtée, servant de tissu de soutien (parementures, entoilages).
bouillonné	Bande de tissu comportant deux ou plusieurs rangs de fronces (des deux côtés).
broquette	Petit clou muni d'une tête.
bure	Grosse étoffe de laine de couleur brune.
combinaison	Sous-vêtement féminin tout d'une pièce, comprenant un haut et un jupon.
corolle	Décoration ressemblant à la tête d'une fleur.
coulisse	Ourlet creux assez large pour qu'on puisse y passer une tringle, un élastique ou un ruban.
couture gansée	Couture dans laquelle on a pris une ganse.
couture rabattue	Couture qui permet de dissimuler les ressources de couture.
croisée	Point de rencontre.
croquet	Galon décoratif dentelé des deux côtés.

(suite p. 118)

COUTURE *(suite)*

damassé	Tissu dans lequel fils de trame et fils de chaîne sont opposés pour former des dessins brillants contrastant avec un fond mat.
décatir	Soumettre un tissu à l'action de la vapeur pour lui enlever son brillant et son apprêt.
découpe	Empiècement qui sert à agrémenter un vêtement.
doublure	Tissu léger qui sert à dissimuler les détails de confection à l'intérieur d'un vêtement.
drapé	Effet obtenu en formant des plis non cousus.
embu	Dans un assemblage, excédent de l'un des morceaux de tissu par rapport à l'autre pour donner de l'aisance.
entredoublure	Étoffe que l'on fixe à l'intérieur d'un vêtement pour assurer chaleur et isolation ; se pose avant la doublure.
érailler (s')	S'effilocher ou s'effranger.
façon tailleur	Méthode de confection des grands couturiers et des tailleurs.
faille	Tissu à gros grain.
feston	Bordure ou dessin fait d'une succession d'arcs.
finette	Tissu chaud en coton, pelucheux sur l'envers.
floche (soie)	Fil de soie légèrement tordu.
fourche	Couture arrondie de l'entrejambe du pantalon.
ganse	Cordonnet plat ou rond servant pour les bordures ou les brides.
grigner	Faire de faux plis.
indémaillable	Se dit d'un tricot dont les mailles ne peuvent se défaire.
kapok	Duvet végétal utilisé principalement pour bourrer les coussins.
liséré	Ruban étroit servant à border les vêtements.
navette	Petite boîte qui renferme la canette dans la machine à coudre.
nervure	Petit pli décoratif très fin maintenu en place par une surpiqûre ou le repassage.
ourlet coquillé ou **cocotte**	Ourlet décoratif dont le bord est replié en double et fixé à espaces réguliers par une bride (à la main) ou au point invisible (à la machine), formant ainsi des coquilles.
ourlet rouleauté	Ourlet convenant particulièrement aux tissus diaphanes délicats. Le bord est roulé puis fixé à points roulés.
parementure ou **parmenture**	Rabat intérieur fait dans le même tissu que le vêtement, qui double le bord de celui-ci.
passepoil	Bande de tissu prise en double dans une couture, pour former une garniture en relief.
pattemouille	Linge mouillé que l'on étend sur un tissu avant de le repasser.
peluché	Tissu à poil long ou court, plus ou moins fourni.
percale	Étoffe de coton fixe.
pied-de-biche	Pièce de la machine à coudre qui maintient le tissu et dans laquelle l'aiguille passe. Plus souvent appelée « pied presseur ».
piqûre-nervure	Piqûre exécutée tout au bord d'un pli, à distance d'une largeur d'aiguille.
pli debout	Nervure ; petit pli très étroit qui n'est pas nécessairement repassé à plat.
plumetis	Broderie au point de bourdon très serré rappelant des plumes d'oiseau. Tissu comportant ce genre de broderie.
poignet français ou poignet mousquetaire	Poignet muni d'un revers dont les bords, au lieu de se superposer, se juxtaposent et s'attachent avec des boutons de manchette.
points lancés	Points de broderie ; ce sont des points devant qui partent toujours du même endroit.
points levés	Sorte de bride utilisée pour former des coquilles.
rentré	Pli exécuté pour amener le bord vif du tissu sur l'envers ou à l'intérieur.
ressources de couture	Marge ou excédent qu'il faut prévoir pour les coutures.
surfiler	Exécuter une rangée de points chevauchant un bord vif pour empêcher le tissu de s'effilocher.
tricot deux fontures	Tricot dont l'endroit et l'envers sont montés sur des aiguilles différentes.

COUVERTURE courtepointe, couvre-lit
– Petite couverture de voyage **plaid**
– Couverture protégeant un meuble ou un objet **enveloppe, housse**
– Couverture employée pour les chevaux **couverte, chabraque**
– Couverture d'une maison **toiture**
– Événement faisant la couverture des journaux **une, manchette, gros titre**
– Mettre quelqu'un dans la couverture **berner**

COUVRIR
– Couvrir une viande avec une sauce **napper**
– Couvrir ou envelopper les pieds des arbres **pailler**
– Couvrir une personne d'injures **accabler, abreuver**
– Couvrir quelqu'un d'éloges **féliciter, encenser**
– Couvrir le sol de confettis **joncher, parsemer**
– Des petits boutons couvrent tout son front **criblent**
– Se couvrir **se vêtir, se parer**
– Se couvrir chaudement **s'emmitoufler**

COW-BOY gardien, vaquero, gaucho
– Ferme où travaille le cow-boy **ranch**
– Bar des cow-boys **saloon**
– Film relatant les aventures des cow-boys **western, film du Far West**

CRABE
– Ordre auquel appartient le crabe **décapodes**
– Crabe de l'Atlantique **tourteau, houvet, poupart**
– Petit crabe comestible **étrille, portune**
– Crabe des cocotiers **birgue**
– Crabe araignée **maïa**
– Petit crabe des tropiques **dromie**

CRACHER expectorer
– Cracher sur une personne **calomnier, outrager**
– Cracher sur quelque chose **mépriser, dédaigner**
– Cracher des bordées d'injures **proférer, débagouler, éructer**

CRAIE calcaire
– Mélange composé de la craie **carbonate de calcium**
– Craie argileuse **marneuse**
– Couche du sous-sol constituée de craie **crétacée**
– Mélange composé de craie et d'huile **mastic**
– Un teint de craie **crayeux**

CRAINDRE appréhender, redouter
– Craindre pour sa propre vie **frémir, trembler**

CRAINTE anxiété, angoisse, effroi voir aussi **phobie**
– Être saisi de crainte **épouvante, frayeur, terreur**
– Crainte obsessionnelle **phobie**
– Effet de la crainte **catalepsie, paralysie**
– Susciter la crainte **intimider, terroriser**

CRÂNE (1)
– Étude comparative des crânes humains **craniologie**
– Radio du crâne **craniographie**
– Individu dont le crâne est très allongé **dolichocéphale**
– Individu au crâne anormalement développé **hydrocéphale**

CRÂNE (2)
– Une personne crâne **brave, audacieuse**

CRAQUER
– Le plancher craque sous les pieds **grince, crisse**
– Le sel craque dans le feu **crépite**
– Tissu craqué **déchiré**
– Un bus plein à craquer **bondé**

CRAVATE
– Ancien nom de la cravate **régate**
– Nom attribué à la cravate chez les Romains **focale**
– Cravate portée par les avocats **rabat, bavette**
– Large cravate en étoffe souple, nouée comme un lacet **lavallière**
– Partie du vêtement sur laquelle repose la cravate **plastron**
– Accessoire de cravate **épingle, pince**
– Cravate de couleur **arc-en-ciel**

CRAYON mine, stylomine, feutre
– Crayon à dessin constitué de divers minerais **fusain, graphite, plombagine**
– Crayon de couleur constitué de pigment **pastel, sanguine**
– Crayon utilisé pour l'estompe **sauce**
– Crayon calque **calquoir**
– Crayon servant à cautériser une plaie **infernal**

CRÉATION invention, conception
– Création originale **découverte, trouvaille**
– Posséder un grand pouvoir de création **créativité, imagination**

CRÉER produire, réaliser, fabriquer voir aussi **conception, fécondation**
– Créer une musique **composer, écrire**
– Créer une entreprise **monter, établir, instituer, fonder**
– Créer des ennuis à quelqu'un **causer, occasionner, provoquer**

CRÈME voir aussi **beurre, lait**
– Crème fluide du lait **fleurette**
– Battre la crème **baratter**
– Crème médicinale **pommade, pâte, onguent**
– Crème adoucissante à base de blanc de baleine **cold-cream**
– Crème de beauté **cosmétique**
– Crème des crooners **brillantine, Gomina**

CRÊTE sommet, arête, cime
– Il a une crête sur le sommet du crâne **coq**
– Pâté composé de crêtes de coq **béatilles**
– Relief caractérisé par une succession de crêtes **appalachien**

CREUSER excaver
– Creuser un sous-sol **piocher, terrasser**
– Creuser dans son jardin **bêcher, labourer**
– Creuser un tunnel **percer**
– Sol creusé par les eaux **affouillé, raviné**
– Creuser un tronc d'arbre **évider**
– Creuser une pièce métallique **champlever**
– Creuser une pierre précieuse **chever**
– Creuser une question **approfondir, réfléchir à**
– Insectes ou mammifères qui creusent la terre **fouisseurs**

CREUX (1) ouverture, cavité, brèche
– Creux très profond **abîme, anfractuosité, cratère, abysse**
– Creux souterrain **caverne, gouffre, antre, excavation**
– Creux d'un ruisseau, d'un torrent **gorge, ravin, rigole**

CREUX (2)
– Joues creuses **caves**

CREVER éclater, percer
– Crever un animal à la tâche **épuiser**
– Crever un œil **éborgner**
– Cela crève les yeux **évident, manifeste, flagrant**
– Crève l'écran **grand effet, bonne prestation**
– Crever l'abcès **assainir une situation**

CREVETTE
– Crevette grise **boucaud**
– Crevette rose **bouquet, palémon, salicoque**
– Grosse crevette de la Méditerranée **gamba, scampi**
– Crevette d'eau douce **caridine, gammare**
– Filet à crevettes **crevettier, haveneau, bourraque, pousseux**

CRI
– Cri du nouveau-né **vagissement**
– Cri de colère **hurlement, vocifération**
– Cri de détresse **lamentation, gémissement**
– Cri de douleur **plainte**
– Cri de ralliement **devise, slogan**
– Cri de louange **hosanna**
– Cri d'allégresse **alléluia**
– Cri d'acclamation **hourra, vivat, ovation**
– Cris de mécontentement **clameur, tumulte, tollé**
– En vénerie, cri désignant la bête **taïaut**
– En vénerie, cri signalant la bête aux abois **hallali**
– En vénerie, cri rappelant les chiens **hourvari**
– Cri des Bacchantes à l'adresse de Dionysos **évoé**
– Dernier cri **à la mode, en vogue**
– À cor et à cri **avec insistance**

CRIER
– Crier de toutes ses forces **brailler, s'égosiller, tonitruer, beugler**
– Crier sa réprobation **huer, conspuer, invectiver**
– Crier son innocence **clamer**
– Crier à tort et à travers **clabauder**
– Sans crier gare **brusquement, sans avertissement**

CRIME
– Crime perpétré contre un individu **meurtre, assassinat, viol, homicide**
– Crime commis contre la sûreté de l'État **attentat, espionnage, trahison, terrorisme**
– Crime commis contre le bien public **forfaiture, malversation, détournement**
– Crime contre des biens privés **vol, fraude, pillage**
– Cour chargée de juger les crimes **cour d'assises**

CRIMINEL (1) voir aussi **meurtrier**
– Tribunal chargé de juger les criminels de la Seconde Guerre mondiale **tribunal de Nuremberg**

CRIMINEL (2)
– Acte criminel **infraction, délit**
– Spécialiste de droit criminel **criminaliste**
– Ensemble des faits criminels propres à une ville, un pays **criminalité**
– Étude des actes criminels **criminologie**

CRISE **accès, attaque**
– Crise de toux **quinte**
– Phase aiguë d'une crise **paroxysme**
– Crise religieuse ou morale **doute**
– Crise de mélancolie **spleen, blues**
– Crise économique **stagflation, récession, marasme**
– Crise internationale **conflit, tension**

CRISTAL
– Cristal de roche **quartz**
– Cristal d'Islande **spath**
– Fabrique d'objets en cristal **cristallerie**
– Son pareil à celui du cristal **cristallin**
– Bijou en cristal artificiel **strass**

CRITÈRE
– Critère de mesure **étalon**
– Critère esthétique ou moral **règle, canon, norme**
– Partie de la philosophie qui traite du critère de la vérité **critériologie**

CRITIQUE (1) **remarque, objection, reproche, attaque**
– Critique favorable **appréciation, impression**
– Critique violente **diatribe, satire, factum, libelle, pamphlet**
– Critique d'une œuvre artistique **examen, étude, analyse**
– Critique journalistique **compte rendu, billet d'humeur**
– Un critique très éclairé **aristarque**
– Un critique sévère et envieux **détracteur, zoïle**
– Un critique méprisant **contempteur**

CRITIQUE (2)
– Posséder un bon sens critique **discernement, perspicacité**

CRITIQUER
– Critiquer l'attitude d'une personne **juger, blâmer, réprouver**
– Critiquer très vivement **dénigrer, décrier**

CROIRE
– Croire une personne sincère **estimer, penser**
– Croire en quelqu'un **avoir confiance en, se fier à**
– Croire les propos d'une personne **apporter crédit à, apporter créance à**
– Croire sur parole **admettre**
– Croire à une idéologie, à une cause **adhérer à, se rallier à**
– Une joie impossible à croire **apprécier, imaginer**

CROISEMENT
– Croisement de plusieurs chemins **intersection, carrefour, étoile, patte-d'oie**
– Croisement d'espèces végétales ou animales **hybridation, mendélisme**
– Croisement de peuples **métissage**
– Chien né d'un croisement **mâtiné**

CROISER
– Croiser une route **couper, traverser, franchir**
– Croiser le fer **se battre à l'épée**
– Se croiser **se rencontrer**

CROISSANCE **développement, accroissement**
– Croissance des prix **augmentation, montée**
– Croissance économique **essor, progression**
– Croissance démographique **poussée**
– Croissance située au sommet d'une feuille **basifuge**
– Croissance située à la base d'une feuille **basipète**

CROIX voir aussi dessin
– Arrêt du chemin de croix **station**
– Croix représentant Jésus crucifié **crucifix, sainte Croix**
– Inscription portée sur la croix **I.N.R.I.** (***Iesus Nazarenus Rex Iudaeorum***)
– Représentation picturale de Jésus après la descente de croix **déposition de croix**
– Édifice surmonté d'une croix **crucifère**
– En forme de croix **cruciforme**
– Porter sa croix **subir des épreuves**
– Croix de mer **huître marteau**

CROYANCE **opinion, certitude** voir aussi **foi**
– Croyance en Dieu **foi**
– Croyance religieuse **doctrine, dogme**

CROYANT voir aussi **église, religion**
– Croyant inspiré **mystique**
– Croyant attaché à une Église **fidèle**
– Croyant observant les rites religieux **pratiquant, dévot**
– Croyant vivant sa foi avec une ostentation extrême **bigot**
– Ce n'est pas un croyant **athée**

CRU (1) voir aussi **vin**
– Vin du cru **du terroir, de pays**

CRU (2)
– Tenir des propos crus **graveleux, grivois, lestes, salaces**
– Une lumière crue **intense, vive, violente**

CRUCIFIXION **crucifiement**
– Représentation architecturale ou picturale de la crucifixion **calvaire**
– Nom de la colline où eut lieu la crucifixion **Golgotha**
– Traces de la crucifixion de Jésus **stigmates**

CRUEL voir aussi **barbare**
– Un individu cruel **dur, insensible, féroce, sadique**

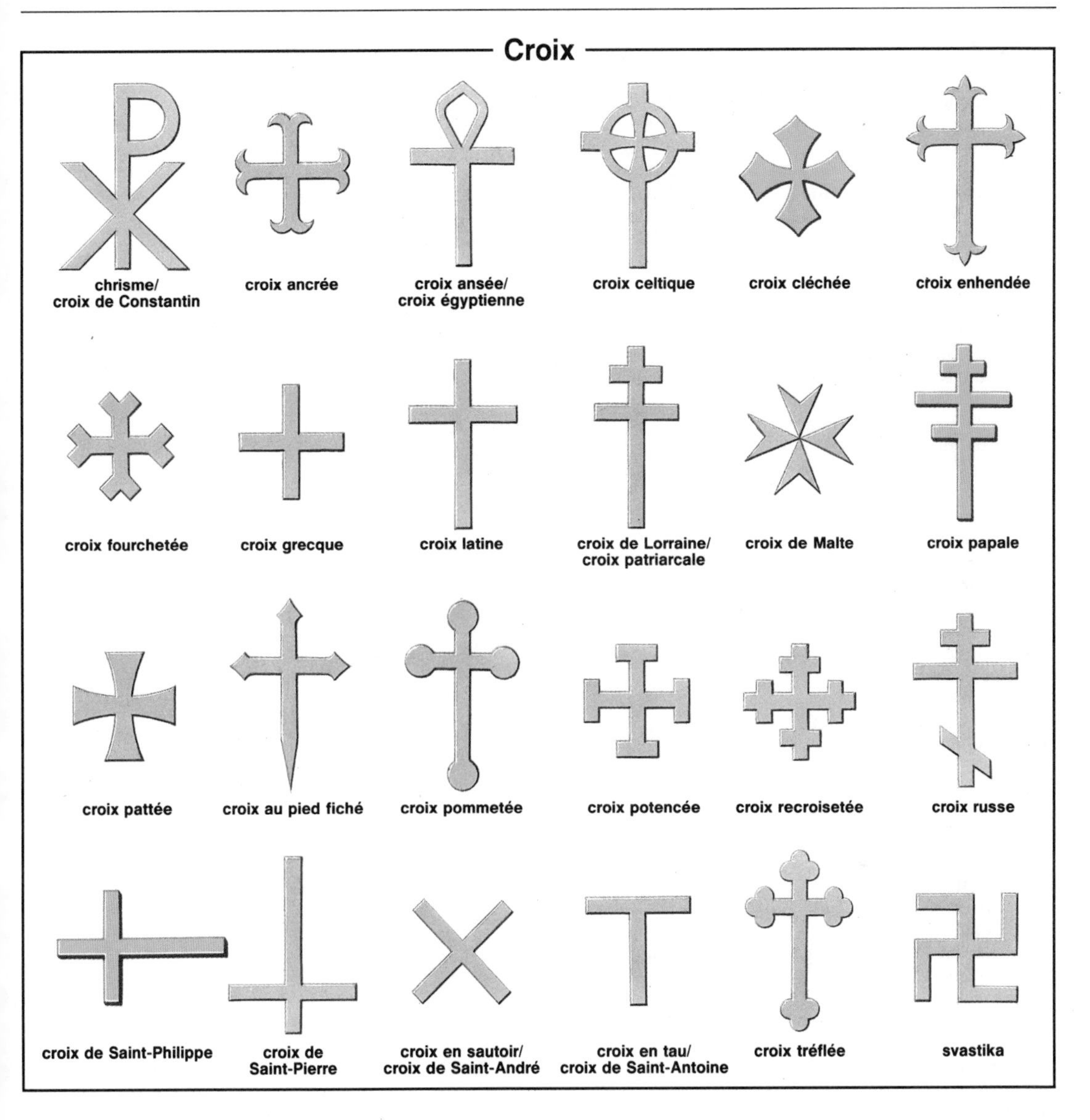

– Un jugement cruel **implacable, impitoyable, inexorable**
– Souverain cruel **despote, tyran**
– Un règlement cruel **draconien**
– Un comportement cruel **brutal, violent**
– Une cruelle défaite **amère, âpre, cuisante**
– Un sort cruel **hostile**
– Un sentiment cruel **affligeant, pénible**

CRUSTACÉ langouste, homard, palémon, lilule, voir aussi **crabe, crevette**
– Classe des crustacés à carapace articulée **arthropodes**
– Sous-classe des crustacés dits inférieurs **entomostracés**
– Sous-classe des crustacés dits supérieurs **malacostracés**
– Forme larvaire des crustacés au sortir de l'œuf **nauplius, zoé**
– Compose la carapace des crustacés **chitine, calcaire**
– Pièces buccales des crustacés **mandibules, maxilles**
– Tête, thorax et abdomen des crustacés **céphalon, péréion, pléon**
– Étude des crustacés **carcinologie, crustacéologie**
– Crustacé fossile **trilobite**
– Filet utilisé lors de la pêche aux crustacés **drague, tramail, bourraque**

CRYPTE grotte, caveau
– Autrefois, crypte souterraine destinée à recevoir les sépultures **hypogée**
– Crypte voûtée **chapelle**
– Crypte amygdalienne **follicule**

CUBE hexaèdre
– Évaluation d'un volume en mètres cubes **cubage**
– Pareil à un cube **cubique**

CUEILLIR récolter, ramasser
– Cueillir le raisin **vendanger**
– Secouer un noyer pour cueillir des noix **gauler**
– Cueillir un premier prix **obtenir, rafler**

CUILLER couvert
– Cuiller à pot à long manche utilisée en cuisine **louche, poche**
– Grande cuiller utilisée pour le raffinage du sucre **pucheux**
– Cuiller large et plate sur laquelle on sert le poisson **truelle, spatule**
– Cuiller à très long manche employée en fonderie **casse**
CUIR **peau** voir aussi **tannage, vache, veau**
– Cuir d'agneau ou de chèvre **parchemin**
– Cuir de veau **vélin**
– Cuir épais de bouc ou de chèvre **maroquin**
– Cuir d'âne, de mulet **chagrin**
– Cuir de mouton **basane**
– Peau de certains poissons traitée comme le cuir **galuchat**
– Travail du cuir **tannage**
– Cuir artificiel **similicuir, Skaï, moleskine**
– Semblable au cuir **alutacé**
– Métier du cuir **bourrellerie, sellerie, maroquinerie**
CUIRE voir aussi **griller**
– Cuire doucement et longtemps **mijoter, mitonner**
– Cuire à feu vif **griller, rôtir, rissoler, blondir**
– Cuire à la vapeur **à l'étuvée**
– Cuire brièvement en trempant dans l'eau bouillante **blanchir**
– Cuire des objets de porcelaine **biscuiter**
CUISINE voir aussi tableau
– Art de la dégustation en cuisine **gastronomie**
– Grand amateur de cuisine **gourmet, gastrolâtre**
– Propre à la cuisine **culinaire**
– Coin cuisine d'un bateau **coquerie**
– Petite cuisine dans un appartement **kitchenette**
– Pièce attenante à la cuisine **office**
CUISINIER
– Excellent cuisinier **cordon-bleu**
– Titre donné à un cuisinier **chef, maître queux**
– Cuisinier d'un bateau **maître coq**
– Distinction annuelle décernée à un cuisinier **toque**
– Apprenti cuisinier **marmiton, gâte-sauce, casserolier**
CUIVRE
chalco-
CUIVRE
– Âge du cuivre **chalcolithique**
– Terrain recelant du cuivre **cuprifère**
– Objet contenant du cuivre **cuprique**
– Gravure réalisée sur le cuivre **chalcographie**
– Alliage de cuivre et d'étain **bronze, airain**
– Alliage de cuivre et de zinc **laiton, cuivre jaune**
– Alliage de cuivre jaune et de nickel **maillechort**
CULOTTE **slip, caleçon** voir aussi **pantalon, vêtement**
– Culotte longue **pantalon**
– Culotte courte **short, bermuda**
– Culotte d'alpiniste **knickerbockers**
CULTE **office, service, liturgie, rite, cérémonial** voir aussi **tradition, rite**
– Lieu de pratique du culte **mosquée, temple, église, synagogue**
– Officiant du culte juif **rabbin**
– Officiant du culte chrétien **pasteur, prêtre, pope**
– Officiant du culte musulman **imam**
– Culte rendu à Dieu **latrie**
– Culte rendu aux anges, aux saints **dulie**
– Vouer un culte à **adorer, vénérer**

VOCABULAIRE DE LA CUISINE

aiguillettes	Filets minces prélevés sur le blanc d'une volaille.
appareil	Mélange de diverses substances.
braiser	Cuire longuement à feu doux, dans un récipient couvert.
brider	Attacher avec une aiguille à brider les pattes et les ailes d'une volaille pour les maintenir pendant la cuisson.
cassonade	Sucre roux qui n'a été raffiné qu'une seule fois.
chemiser	Tapisser de gelée les parois et le fond d'un moule.
chiffonnade	Mélange d'oseille, de laitue et de cerfeuil, émincé et fondu au beurre.
dessécher	Travailler une pâte sur un feu doux pour en extraire toute humidité.
dorer	Enduire une pâte d'œuf battu à l'aide d'un pinceau.
émincer ou **escaloper**	Couper en tranches fines une viande, un légume ou un poisson.
étamine	Tissu très fin, qui est utilisé pour passer les liquides, les sauces, etc.
fraiser	Travailler une pâte sur une planche ou sur une table avec la paume de la main.
julienne	Manière de couper les légumes en petits dés ou en fines lanières.
larder	Introduire à l'aide d'un lardoir des bâtonnets de lard ou de toute autre denrée à l'intérieur d'une viande.
lardoir	Aiguille spéciale destinée à larder.
liaison	Opération destinée à épaissir un mets pour le rendre plus onctueux.
monder	Retirer la peau des amandes, des noix, des fèves.
trousser	Ficeler les membres d'un gibier ou d'une volaille à l'aide de l'aiguille à brider.
vanner	Faire refroidir une crème ou une sauce en la remuant avec une spatule pour éviter qu'une pellicule ne se forme à la surface.

– Aire du culte dans l'Antiquité romaine **fanum**
– Culte des idoles **idolâtrie**
– Culte de l'homme **androlâtrie**
– Le culte d'un héros **admiration, adoration, vénération**

CULTIVATEUR **éleveur, exploitant** voir aussi **agriculteur**

CULTIVER **défricher, labourer, entretenir, exploiter**
– Cultiver sa mémoire **développer, perfectionner, aiguiser**
– Se cultiver **étudier, s'instruire**

CULTURE voir aussi tableau et **agricole, élevage, terre**
– Culture de céréales **céréaliculture**
– Culture transmise à un enfant **éducation**
– Personne d'une vaste culture **érudite, lettrée, omnisciente**
– N'a aucune culture **béotien**
– Culture d'un peuple **civilisation, tradition**
– Étudie les différentes cultures **éthnologue**
– Culture physique **culturisme**

CUPIDITÉ **envie, convoitise, avidité**
– Faire preuve de cupidité dans les affaires **mercantilisme**

CURÉ **prêtre, abbé** voir aussi **clergé, église**
– Lieu de résidence d'un curé **presbytère, cure**
– Personne chargée de suppléer le curé **vicaire**
– Apprenti curé **séminariste**
– Curé ou prêtre s'occupant d'une cure ou d'une paroisse **desservant**
– Sommes perçues par le curé lors des mariages, des baptêmes... **revenu casuel**
– Paroissiens du curé **ouailles**

CULTURES

ACTIVITÉ	CULTURE
agrumiculture	agrumes
arboriculture	arbres
bulbiculture	bulbes (tulipes)
caféiculture	caféiers
floriculture	fleurs
fraisiculture	fraisiers
hévéaculture	hévéas
horticulture	jardins
maïsiculture	maïs
mycoculture	champignons
napiculture	navets
oléiculture	oliviers
osiériculture	osier
pomoculture	fruits à pépins
pruniculture	pruniers
rosiériculture	rosiers
tabaculture	tabac
trufficulture	truffes
viticulture	vigne

CURIEUX (1)
– Un groupe de curieux **badauds, fureteurs, flâneurs**

CURIEUX (2)
– Être curieux de voir, d'apprendre **désireux, anxieux**
– Individu curieux dans un domaine **amateur, passionné**
– Un curieux personnage **original, singulier**
– Un livre curieux **étrange, bizarre**
– Elle est rémunérée pour être curieuse **concierge**

CURIOSITÉ **intérêt, désir, appétit**
– Curiosité très vive **soif, avidité**
– Curiosité déplacée **indiscrétion, sans-gêne**
– Une curiosité **rareté, nouveauté**
– Piquer la curiosité de quelqu'un **intriguer**
– Sa curiosité l'enrichit **autodidacte**

CYCLE **période, fréquence** voir aussi **bicyclette, chronologie**
– Cycle annuel des astres **révolution**
– Cycle journalier des astres **rotation**
– Cycle d'événements successifs **suite, série**
– Un cycle de dix années **décennie, décade**
– Cycle féminin **menstrues, règles**
– Cycle universitaire **cursus**

CYCLONE **ouragan, tempête, tornade**
– Cyclone tropical **trombe, typhon, hurricane**

CYLINDRE
– Cylindre en pierre utilisé pour écraser les grains **meule, broyeur**
– Grand cylindre de fonte servant à aplanir une route **rouleau compresseur**
– Diamètre d'un cylindre **calibre**

D

DAME voir aussi **femme**
– Dame occupant les pensées d'un amoureux **dulcinée**
– Dame anglaise **lady**
– Dame italienne **donna**
– Dame espagnole **doña**
– Dame du jeu d'échecs **reine**
– Dame pour paver **hie**
DAMNÉ maudit, réprouvé
– Peine infligée aux damnés **supplice, châtiment, dam**
– Lieu réservé aux damnés **enfer, géhenne, Tartare**
DANDY élégant, raffiné
– Désignation péjorative du dandy **gandin, muscadin, muguet, petit-maître**
DANGER piège, écueil
– Estimer le danger **risque**
– Pressentir un danger **menace**
– Être en danger **détresse**
– Aller au-devant d'un danger **s'exposer à, affronter, braver**
DANGEREUX
– Un acte dangereux **périlleux, hasardeux**
– Une épidémie dangereuse **grave, mortelle**
– Un aliment dangereux **nuisible, toxique**
– Une situation fort dangereuse **scabreuse, douteuse**
– Une installation dangereuse **insalubre**
– Un propos dangereux **perfide**
– Un individu dangereux **redoutable, malfaisant**
DANSE
– Thème des danses primitives **chasse, combat, fécondité, culture**
– Danse antique sacrée **cariatide, thiase, geranos**
– Danse antique profane **kormos, apokinos, emmélie**
– Danse antique guerrière **enoplion, pyrrhique**
– Danse antique orgiaque **sicinnis, bacchanales**
– Art de la danse dans l'Antiquité romaine **saltation**
– Danse de salon **polka, quadrille, mazurka**
– Saut de danse classique **assemblé, ballonné, saut battu, jeté, entrechat, sissonne**
– Pas de danse classique **chassé, pas de basque, pas de bourrée**
– Pose de danse classique **arabesque, attitude**
– Mouvement de danse classique avec une série de pivotements **déboulé**
– Exercices d'assouplissement au début d'un cours de danse classique **à la barre**
– Danse religieuse traditionnelle de l'Inde du Sud **bharata-natyam**
– Danse traditionnelle de l'Inde du Nord **kathak**
– Danse religieuse traditionnelle utilisant le masque et le mime **kathakali**
– Danse dévotionnelle indienne dédiée à Krishna **manipuri**
DANSEUR cavalier, partenaire
– Premier danseur à l'Opéra **étoile**
– Danseur d'un niveau inférieur à l'étoile **coryphée**
– Danseuse de ballet **ballerine**
– Jeune danseur ou danseuse de l'école de danse de l'Opéra de Paris **petit rat**
– Danseur, danseuse d'une revue de music-hall **boy, girl**
– Danseuse égyptienne **almée**
– Danseuse indienne **bayadère**
– Danseur de corde **funambule, fildeferiste**
– Troupe de danseurs professionnels **corps de ballet, compagnie**
DATE
– Date au-delà de laquelle un produit ne doit plus être utilisé **de péremption**
– Dans une date, chiffre du jour **quantième**
– Désignation de l'année d'une date **millésime**
– Indication d'une date sur un document **datation**
– Annulation d'une réunion sans fixer une autre date **sine die**
– Date d'expiration d'un loyer **échéance, terme**
– Prendre date pour une sortie **fixer un rendez-vous**
– De fraîche date **récemment**
– Indiquer sur un document une date antérieure à celle où il a été rédigé **antidater**
– Indiquer sur un document une date postérieure à celle où il a été rédigé **postdater**
DATER
– Substance chimique permettant de dater certains vestiges **carbone 14**
DAUPHIN voir aussi **cétacés**
– Famille à laquelle appartient le dauphin **delphinidés**
– Espèce de dauphin de la famille des delphinidés **blanc, souffleur**
– Famille des dauphins d'eau douce **platanistidés**
– Dauphin d'un homme politique **poulain, successeur**
DÉ
– Dé dont une seule face est chiffrée **farinet**
– Dé à douze faces **cochonnet**
– Petit gobelet utilisé pour secouer les dés **cornet**
– Coup de dés dont deux faces sont identiques **rafle**
– Coup de dés dont trois faces sont identiques **brelan**
– Jet de dés amenant deux as **bezet, ambesas**
– Jet de deux dés amenant chacun un trois **terne**
– Jet de dés amenant deux six **sonnez**
– Jeu de dés **trictrac, jaquet, poker d'as, quatre-cent-vingt-et-un**
DÉBARBOUILLER
– Débarbouiller un enfant **laver, nettoyer, baigner**
– Se débarbouiller d'une mauvaise affaire **se débrouiller, se dépêtrer, se dépatouiller**
DÉBARQUER
– Zone portuaire où l'on débarque **débarcadère, embarcadère**
– Débarquer des marchandises **décharger**
– Débarquer une charge de bois **débarder**

– Débarquer une personne gênante **écarter, congédier, limoger, destituer**
DÉBARRASSER déblayer, désencombrer, désobstruer
– Débarrasser une table **desservir**
– Débarrasser un liquide de ses impuretés **filtrer, purger, purifier**
– Se débarrasser de vieilleries **abandonner, jeter, se défaire de**
DÉBAUCHE luxure, licence, libertinage, vice, intempérance
– Débauche festive **bacchanale, saturnale, orgie**
– Débauche de la table **goinfrerie, ripaille, beuverie**
– Débauche de couleurs **prodigalité, profusion, étalage**
– Débauche de médicaments **excès, abus**
DÉBITER
– Débiter de la viande en morceaux **découper, trancher, diviser**
– Débiter des marchandises **écouler, vendre**
– Débiter un sermon **prêcher, catéchiser, morigéner**
– Débiter des idioties **dégoiser, débagouler**
– Débiter des ragots, des médisances **déblatérer**
DÉBORDEMENT
– Débordement d'une rivière **crue, inondation**
– Débordement d'injures **bordée, déluge**
– Débordement de sentiments **effusion, épanchement**
– Débordement d'énergie **vitalité, vigueur, dynamisme**
– Débordement de paroles **exubérance, volubilité, loquacité, faconde, logorrhée**
DÉBOUCHER
– Déboucher une canalisation **désengorger, désobstruer**
– Déboucher une canette de bière **décapsuler**
– Ustensile utilisé pour déboucher **débouchoir, ventouse**
– Le chemin débouche sur le lac **mène à, donne sur, aboutit à**
– Voir déboucher une personne **surgir, sortir**
– En vénerie, bête qui débouche des bois **débuche**
DÉBRIS fragment, bribe voir aussi **déchet**
– Débris de métal **limaille, ferraille, battitures**
– Débris de bois **copeau, sciure**
– Débris de verre **tesson, casson**
– Débris d'étoffe **lambeau, loque**
– Débris d'une voiture **épave, carcasse**
– Débris de matériaux **gravats, décombres, déblais**
DÉBROUILLARD astucieux, ingénieux
– Un enfant débrouillard **malin, futé, habile**
– Premier recours d'un individu débrouillard **système D**
DÉBROUILLER démêler, distinguer, trier
– Débrouiller une énigme **éclaircir, élucider, dénouer, résoudre, expliquer**
– Se débrouiller **s'arranger, se dépatouiller, se dépêtrer**
DÉBUTANT novice, néophyte, apprenti
DÉCADENCE dégradation, dégénérescence
– Décadence d'une civilisation **décomposition, déliquescence**
– Signe de décadence **déclin**
DÉCÉDER mourir, trépasser, expirer, s'éteindre
DÉCELER indiquer
– Déceler un complot **découvrir, dévoiler, révéler, percer**
– Déceler la présence de quelqu'un **détecter**
– Cette empreinte de pas décèle une présence humaine **signale, prouve, manifeste, démontre**
DÉCENT convenable, bienséant, séant
– Une attitude décente **discrète, modeste, retenue, digne**
– Porter une tenue décente **correcte, pudique**
DÉCEPTION
– Éprouver une déception **désenchantement, désillusion, déconvenue, dépit, désappointement**
– Sentiment émanant d'une déception **tristesse, amertume, ressentiment**
– Cause une déception **trahison, tromperie, indélicatesse, déboire, échec**
DÉCEVOIR dépiter, désappointer
– Décevoir l'attente de quelqu'un **tromper, trahir**
DÉCHAÎNER
– Déchaîner la colère d'une personne **causer, occasionner, provoquer**
– Déchaîner les passions **exciter, déclencher**
– Déchaîner l'opinion publique **ameuter, soulever**
– Se déchaîner contre quelqu'un **s'emporter, se fâcher, s'en prendre à**
DÉCHAUSSER
– Déchausser un arbre **mettre à nu, déraciner**
– Instrument employé pour déchausser les arbres **déchaussoir**
– L'eau a déchaussé ce mur **dégravoyé**
– Se déchausser **se débotter**
DÉCHET ordure, détritus, résidu voir aussi **débris**
– Déchet alimentaire **épluchure, pelure**
– Déchets d'un repas **restes, rogatons**
– Déchet d'acier **riblon**
– Déchet textile **bourre, blousse, freinte**
– Déchet de viande animale **rognure**
– Déchet de minerai **scorie, mâchefer, laitier**
– Déchet de feuille dans l'imprimerie **défet**
DÉCHIRER
– Déchirer un tissu **lacérer**
– Déchirer des papiers **déchiqueter, dilacérer**
– Se déchirer la peau **s'égratigner, s'écorcher, s'érafler**
– Le hurlement d'une sirène déchire le silence **rompt, perce, trouble**
DÉCIDÉ
– Un individu décidé **résolu, catégorique, déterminé, ferme**
– Une allure décidée **énergique, volontaire**
DÉCIDER fixer, arrêter, choisir, opter
– Décider d'une loi **statuer, décréter**
– Décider d'une sanction **juger**
– Décider une personne à faire quelque chose **persuader, convaincre**
– Se décider à une action **se déterminer à, se résoudre à**
– Avoir des difficultés à se décider **hésiter, tergiverser, barguigner**
DÉCISIF
– Un argument décisif **irréfutable, probant, concluant, convaincant**
– Une révélation décisive **capitale, prépondérante, cruciale**
DÉCLARATION
– Faire une déclaration **révélation, annonce**
– Déclaration de presse **communiqué**
– Déclaration écrite et largement diffusée **manifeste**
– Déclaration d'assurance **attestation**
– Déclaration de vol **déposition**
– Déclaration faite par un jury **verdict**
DÉCLARER
– Déclarer publiquement **proclamer, publier**

– Déclarer ses projets **indiquer, dévoiler**
– Déclarer un individu coupable **accuser**
– Déclarer un changement **informer de, signaler, signifier**
– Se déclarer pour **se prononcer**
– La tempête allait se déclarer subitement **se déclencher, survenir**

DÉCOLORATION
– Décoloration de la peau **albinisme, achromie**
– Décoloration des plantes **étiolement, chlorose**
– Décoloration de la chevelure **canitie**

DÉCOMPOSER **diviser, dissocier**
– Décomposer un fragment musical **analyser, disséquer**
– Minéraux qui se décomposent **se désagrègent**
– Vin, parfum qui se décompose **s'altère**
– Laisser se décomposer une viande de gibier **se mortifier, se faisander**

DÉCOMPOSITION
– Décomposition d'une argumentation **analyse**
– Décomposition d'un corps chimique **division, séparation**
– Décomposition de la lumière **diffraction, spectre**
– Substance en décomposition **putréfaction, putrescence**
– Première marque de décomposition **moisissure**
– Décomposition d'un parfum **corruption**
– Décomposition des fruits **blettissement**

DÉCOMPRESSION **dilatation, expansion, détente**
– Chambre de décompression **caisson, sas**
– Trouble dû à une décompression brutale **dysbarisme, aéroembolisme**

DÉCONCERTÉ **décontenancé, dérouté, interloqué**
– Un air déconcerté **désorienté, désemparé**
– Un individu déconcerté **troublé, ébahi, déconfit, pantois**

DÉCOR
– Professionnel du décor d'intérieur **ensemblier, tapissier**
– Spécialiste de la conception de décors paysagers **architecte paysagiste**
– Technicien qui s'occupe du matériel de décor d'un théâtre **machiniste, accessoiriste**
– Spécialiste du décor sculpté ou peint **ornemaniste**
– Personne qui crée le décor d'une vitrine **étalagiste**
– Décor en ébénisterie **marqueterie, incrustation**
– Décor textile **tapisserie, tenture, draperie**
– Changement de décor **ambiance, atmosphère**

DÉCORATION **ornement, fioriture** voir aussi **peinture**
– Décoration brodée **feston, jour, smock**
– Décoration picturale de livre ou de manuscrit ancien **enluminure, miniature**
– Décoration honorifique **distinction**

DÉCORER **parer, orner**
– Décorer un gâteau **agrémenter, garnir**
– Décorer un vêtement **enjoliver, embellir, passementer**
– Décorer un sportif **médailler**
– Décorer une personnalité **citer, honorer**

DÉCORTIQUER **éplucher**
– Décortiquer une noix **écaler**
– Décortiquer un dossier **examiner**

DÉCOUPER
– Découper une viande **débiter, trancher**
– Découper une volaille **démembrer, dépecer**
– Découper équitablement **diviser, partager**
– Planche de bois employée pour découper **tailloir, tranchoir**
– Voir se découper une silhouette à l'horizon **se détacher, se profiler**

DÉCOURAGEMENT **accablement, abattement, écœurement**
– Profond découragement **lassitude, consternation, désespérance**

DÉCOURAGER **démoraliser, déconforter**
– Décourager une personne de réaliser un projet **déconseiller à, détourner, dissuader**
– Décourager quelqu'un dans ses espérances **désenchanter**
– Un apprentissage qui décourage **rebute**
– Se décourager **se lasser, se désespérer**

DÉCOUVERTE **exploration**
– Faire une découverte **trouvaille, invention**
– Découverte d'un sentiment inconnu jusque-là **révélation**

DÉCOUVRIR **dégager, démasquer, enlever, exposer**
– Découvrir un secret **déceler, percer, détecter**
– Découvrir l'intention de quelqu'un **discerner, distinguer, percevoir, deviner**
– Découvrir la solution d'un problème **trouver**
– Découvrir son jeu **dévoiler, révéler**
– Découvrir une maladie **diagnostiquer**
– Découvrir ses épaules **dénuder, dévêtir**

DÉCRET
– Décret gouvernemental **arrêté, ordonnance, règlement**
– Décret papal **bulle, encyclique**

DÉCRIRE
– Décrire une situation **dépeindre, retracer, exposer**
– Décrire une personne **brosser le portrait de**
– Décrire avec minutie **détailler**

DÉDAIN **mépris, orgueil, suffisance, arrogance**
– Un geste empreint de dédain **altier, impérieux**
– Un comportement empreint de dédain **hautain, distant, insolent, condescendant**
– Regarder quelqu'un avec dédain **toiser**

DÉDUCTION **défalcation, décompte, réduction**
– Déduction en mathématiques **conséquence, démonstration**
– Déduction dans les sciences expérimentales **vérification**
– Déduction immédiate en logique **inférence**
– Modèle de déduction **syllogisme**
– Tirer des déductions **conclusions**
– Déduction d'impôt **dégrèvement**

DÉESSE **divinité, déité**
– Déesses qui étaient classées parmi les dieux d'un ordre supérieur **grandes déesses**
– Déesses qui présidaient à la fécondité **déesses mères**
– Déesse de rang inférieur, associée à un dieu **parèdre**
– Déesse de la nature **nymphe, ondine, nixe**
– Déesse celtique **fée**
– Déesse de l'Inde **apsara**
– Déesse guerrière de la mythologie scandinave **walkyrie**
– Déesses de la destinée humaine **kères, Parques, Moires**
– Déesses des enfers **Érinyes, Furies**
– Récit relatant la naissance des déesses et des dieux ***Théogonie***

DÉFAILLIR **s'évanouir, se pâmer**
– Sentir ses forces défaillir **décliner, s'affaiblir, manquer**

– Sa vue commence à défaillir **baisser, faiblir**
– Ne peut pas défaillir **indéfectible**
DÉFAIRE
– Défaire le toit, les murs d'une maison **abattre, démolir, déconstruire**
– Défaire un décor **démonter**
– Défaire le sceau d'une enveloppe **desceller**
– Défaire un cadeau **déballer**
– Défaire un lien **rompre**
– Se défaire d'un bien **vendre, troquer, donner**
– Se défaire d'une autorité **s'affranchir, s'émanciper**
– Se défaire d'un adversaire lors d'une compétition **dépasser, distancer, éliminer**
– Se défaire d'une étreinte **se désenlacer, se dégager**
DÉFAUT
– Défaut d'un diamant **impureté, crapaud**
– Défaut d'une planche de bois **gerce**
– Défaut d'une pièce métallique **paille**
– Défaut de fabrication **vice, malfaçon, défectuosité**
– Défaut d'application d'un système **inconvénient**
– Défaut de vitamines dans l'organisme **insuffisance, absence, carence, déficience**
– Défaut d'attention **distraction, étourderie, négligence**
– Défaut d'entente **disharmonie, discordance**
– Faire défaut à l'appel **manquer, faillir à**
– Défaut de comparution lors d'un procès **contumace**
– Le défaut d'une cuirasse **faiblesse**
– Les défauts de tout individu **imperfections, travers, manies**
– Corriger les défauts d'un dessin **retoucher, reprendre**
DÉFAVORABLE
– Une remarque défavorable **hostile**
– Un parti défavorable **adverse, contraire**
– Un signe défavorable **funeste, néfaste**
– Des conditions défavorables **désavantageuses, dommageables**
DÉFENDRE secourir, assister
– Défendre quelqu'un **excuser, justifier**
– Défendre provisoirement la parution d'un journal **suspendre**
– Défendre de fumer dans un lieu **interdire**
– Défendre la vente d'alcool **prohiber**
– Défendre la lecture de certains livres **condamner, censurer, proscrire**
– Se défendre d'une calomnie **réfuter, se disculper de**
– Se défendre de **s'empêcher de**
– Se défendre d'un jugement hâtif **se garder de**
DÉFENSE protection, secours, aide
– Geste de défense **réaction, parade, riposte**
– Discours de défense **plaidoirie, plaidoyer**
– Comité de défense d'un site **sauvegarde, préservation**
– Prendre la défense d'une cause **faire l'apologie de, glorifier**
– Chargé de la défense des intérêts d'un mineur **tuteur, curateur**
– Personne qui prend la défense d'autrui **intercesseur, intermédiaire**
– Organisation de défense contre l'ennemi **résistance, maquis**
– Défense de l'organisme **anticorps, antitoxine**
– Défense passive de certains animaux **séclusion**
– Objet de défense contre le mauvais sort **talisman, amulette, gri-gri**
DÉFI bravade, provocation
– Défi sportif **challenge, compétition**
DÉFILÉ couloir, passage
– Défilé montagneux **cluse**
– Défilé étroit et sinueux **gorge, ravin, canyon**
– Défilé maritime **détroit, chenal, grau**
– Défilé d'admirateurs **flot, succession**
– Défilé mortuaire, funèbre **procession, cortège**
DÉFINIR signifier, spécifier
– Définir un point de vue **exposer, expliquer, préciser**
– Définir un point de doctrine **déterminer**
– Définir les clauses d'un contrat **fixer, formuler**
– Définir un espace **circonscrire, délimiter**
DÉFINITION
– Définition mathématique **règle, théorème, axiome**
– Définition d'un mot **signification, sens**
– Définition d'un ensemble d'éléments **description**
– Définition approximative **indication**
– Par définition **par convention**
DÉFORMATION transformation, altération
– Déformation d'une planche de bois **gauchissement, gondolage**
– Déformation d'un vêtement **avachissement**
– Déformation de la colonne vertébrale **scoliose, gibbosité**
– Déformation physique **difformité, malformation**
– Déformation d'une image par un dispositif optique **anamorphose**
– Déformation phonique **distorsion**
DÉGAGER retirer, délivrer, déblayer, désencombrer
– Dégager les voies respiratoires **décongestionner, désobstruer**
– Dégager une phrase de son contexte **extraire, isoler**
– Dégager une forte impression **produire**
– Dégager un parfum **émettre, diffuser, répandre, exhaler**
– Douceur qui se dégage d'un regard **émane de**
– Point de vue qui se dégage d'une théorie **ressort de, résulte de**
DÉGÂT dommage, ravage
– Dégâts résultant d'un pillage **déprédations, dévastations**
– Dégâts subis par un édifice au cours des ans **dégradation, délabrement**
– Dégât dû aux intempéries **détérioration, destruction**
DÉGEL réchauffement
– Dégel des plaques glaciaires **fonte**
– Dégel subit d'une rivière **débâcle**
– Dégel des prix **déblocage**
– Dégel après une brouille **détente**
DÉGÉNÉRER s'abâtardir, s'appauvrir, se dégrader
– Espèce végétale qui dégénère **décline, s'étiole**
– Discussion qui dégénère en rixe **tourne mal**
– Vin qui dégénère **s'altère**
DÉGOÛT aversion, répulsion, répugnance
– Dégoût alimentaire **inappétence**
– Éprouver du dégoût à faire quelque chose **répugner à, exécrer, abhorrer**
– Dégoût de soi-même **honte, mépris**
– Dégoût moral **amertume, lassitude, accablement, rancœur**
DÉGOÛTANT écœurant, repoussant
– Un plat dégoûtant **peu ragoûtant, infect, immangeable**
– Une odeur dégoûtante **nauséabonde, fétide, putride**
– Un lieu dégoûtant **sordide, immonde**

– Un acte dégoûtant **odieux, ignoble, abject**
DEGRÉ échelon, niveau, rang voir aussi **grade**
– Degré d'un cirque **gradin**
– Degré d'un thermomètre **graduation**
– Degré intermédiaire d'une couleur **gradation, nuance**
– Progresser par degrés **étapes, paliers**
– Atteindre le plus haut degré de célébrité **apogée, faîte**
– Degré maximal du bonheur **summum, paroxysme**
– Degré d'un sentiment **amplitude, intensité**
– Pourcentage indiquant le degré d'alcool d'un vin **titre**
– Degré de l'échelle musicale **dominante, médiante, sensible, tonique**
DÉGUISEMENT travestissement
– Accessoire de déguisement **masque, loup, domino**
– Dissimulation sous un déguisement **camouflage, couverture**
– Parler sans déguisement **fard, artifice**
DÉGUISER costumer, maquiller
– Déguiser un sentiment **feindre, voiler, masquer**
– Déguiser sa peine **dissimuler**
– Déguiser son écriture **falsifier, contrefaire**
DÉJEUNER
– Peut remplacer le déjeuner **collation, brunch**
– Déjeuner de plein air **pique-nique**
– Déjeuner froid offert lors d'une réception **buffet**
– Le déjeuner des Anglais **lunch**
DÉLAI
– Fin d'un délai **échéance, terme, expiration**
– S'accorder un court délai **sursis, répit**
– Obtenir la prolongation d'un délai **prorogation**
– Sentence accordant un délai **moratoire, atermoiement**
– Opération visant à gagner du temps par l'octroi de délais successifs **dilatoire**
– Fixation juridique d'un délai **préfixion**
– Délai de paiement **crédit**
– Partir sans délai **préavis**
– Faire une chose sans délai **séance tenante**
DÉLÉGUÉ envoyé, agent, représentant
– Délégué d'un gouvernement, d'un État **émissaire, mandataire, ambassadeur, consul**
– Délégué à qui sont conférés les pleins pouvoirs pour une mission **plénipotentiaire**
– Délégué chargé d'une annonce **messager, héraut**
– Délégué du Saint-Siège auprès d'un État **légat, nonce**
DÉLÉGUER
– Déléguer une personne **mandater**
– Déléguer des élus **députer**
– Déléguer une responsabilité **transmettre, confier**
DÉLIBÉRATION discussion, débat, conseil
– Une délibération approfondie **examen, étude, réflexion**
– Demander la délibération d'une instance **consultation**
– Résultat de la délibération d'un jury **sentence, verdict**
– Décision prise lors d'une délibération **résolution**
– Proposition faite en délibération **motion**
DÉLIBÉRER conférer
– Personnes réunies pour délibérer **se consulter, se concerter, débattre**
– Délibérer avec soi-même **penser, réfléchir**
– Délibérer très longuement **tergiverser**
DÉLICAT
– Une étoffe délicate **fine, raffinée, soyeuse, vaporeuse**
– Un corps délicat **gracieux**
– Un homme délicat **courtois, prévenant**
– Un enfant délicat **chétif, frêle, malingre**
– Un travail délicat **minutieux**
– Un cas délicat **complexe, scabreux**
– Un humour délicat **subtil, pénétrant**
DÉLICATESSE raffinement, recherche
– Un profil plein de délicatesse **grâce, élégance**
– Délicatesse de sentiment **finesse, sensibilité**
– Faire preuve de délicatesse **courtoisie, prévenance, tact**
– Délicatesse d'une saveur **suavité, succulence**
DÉLICE
– Vivre en plein délice **félicité, ravissement**
– Délices de l'esprit **plaisir, charme, délectation**
– Déguster avec délices **savourer**
– Lieu de délices **paradis, éden, eldorado**
DÉLICIEUX
– Une sensation délicieuse **merveilleuse, divine, voluptueuse**
– Une personne délicieuse **exquise, charmante**
– Un mets délicieux **savoureux, délicat, délectable**
DÉLINQUANT contrevenant, criminel
– Délinquant qui n'a jamais été condamné **primaire**
– Délinquant qui commet une nouvelle infraction **récidiviste**
DÉLIRE agitation, égarement, divagation
– Image, sensation accompagnant le délire **hallucination**
– Délire aigu **confusion, folie**
– Délire de persécution ou de dissociation **paranoïa, schizophrénie**
– Délire alcoolique **délirium tremens**
– Délire amoureux **passion, aveuglement**
– Délire d'une foule **frénésie, surexcitation, exultation**
DÉLIT forfait, infraction, fraude
– Distinction des délits selon la loi **délit de commission, délit d'omission, délit intentionnel, délit d'imprudence**
– Délit de droit commun ou pénal **meurtre, vol, recel, enlèvement, séquestration**
– Constatation d'un délit au moment où il s'accomplit **flagrant délit**
– Délit commis sans intention **quasi-délit**
– Délit commis par un fonctionnaire **exaction, concussion, péculat, malversation**
– Délit réitéré **récidive**
DÉLIVRER libérer
– Délivrer des décombres **dégager, sauver, secourir**
– Délivrer un message **transmettre, remettre, communiquer**
– Délivrer quelqu'un d'une crainte **soulager, apaiser**
– Se délivrer d'une habitude **se défaire de, se débarrasser de**
DELTAPLANE
– Élément d'un deltaplane **voile, mât, harnais, câblerie**
DÉLUGE inondation, cataclysme
– Pluie semblable au Déluge **torrentielle**
– D'avant le Déluge **antédiluvien**
– Remonter au Déluge **dater, être archaïque**
– Un déluge d'applaudissements **avalanche, déferlement**
– Passer au déluge **abréger**
– Être de déluge **destructeur**
DEMANDE désir, souhait, exigence
– Demande d'une faveur **prière, supplique, requête**

– Demande faisant appel au sentiment religieux **adjuration**
– Demande faite à une autorité **sollicitation**
– Demande à caractère impératif **injonction, sommation**
– Demande fondée sur une insatisfaction **réclamation**
– Demande écrite et signée par plusieurs personnes **pétition**
– Demande d'explications à l'adresse du gouvernement **interpellation**
DEMANDER **interroger, questionner, vouloir**
– Demander quelque chose à une personne **commander, exiger, enjoindre, prescrire**
– Demander avec insistance **réclamer, harceler**
– Demander l'avis d'une autorité **consulter**
– Demander un renseignement **s'enquérir de**
– Demander grâce **implorer**
– Cette étude demande du temps **nécessite, exige, requiert**
– Demander un emploi **postuler, briguer**
– Se demander **réfléchir, délibérer**
DÉMANGEAISON **picotement, irritation, grattement**
– Démangeaison due à une affection **prurit**
– Démangeaison allergique **urticaire**
– Démangeaison d'agir **envie, désir**
– Démangeaison sensuelle **chatouillement, titillation**
DÉMARCHE **allure, port, air**
– Démarche en état d'ivresse **titubation**
– Une démarche peu assurée **chancelante, vacillante**
– Faire une démarche pour obtenir quelque chose **demande, requête**
– Démarche spécifique **méthode, parcours, cheminement**
– Faire une démarche auprès de quelqu'un **approche, tentative**
– Démarche secrète **intrigue, brigue**
– Démarche maladroite **gaffe, bévue, bourde**
DÉMARCHEUR **vendeur, représentant, commis voyageur, V.R.P. (voyageur représentant placier)**
– Activité du démarcheur **démarchage, porte à porte**
DÉMARRER **commencer, entreprendre**
– Démarrer, en termes maritimes **désamarrer, larguer les amarres**
– Démarrer au quart de tour **sans hésitation, immédiatement**
DÉMÉNAGER **transporter, changer de place**
– Obliger quelqu'un à déménager **chasser, déloger, expulser**
– Déménager en toute hâte **déguerpir, décamper, lever le camp**
– Déménager à la cloche de bois **partir en catimini**
– Avoir la raison qui déménage **divaguer, dérailler, déraisonner**
DÉMENTIR
– Démentir un propos **dédire, désavouer, contredire**
– Démentir un fait **s'opposer à, nier, contester**
– Démentir une théorie **infirmer**
– Démentir une promesse **trahir**
– Son intérêt pour la zoologie jamais ne se dément **cesse, s'arrête**
DEMEURE **domicile, home**
– À demeure **en permanence, constamment**
– Mise en demeure **ultimatum, sommation**
– Être en demeure de **dans l'obligation de**
– Mettre une personne en demeure **contraindre**
DEMEURER
– Demeurer en province **résider, séjourner, habiter**
– Demeurer devant un tableau **s'arrêter, s'attarder, se figer**
– Demeurer longtemps au téléphone **s'éterniser**
– Il ne demeure plus rien des souvenirs **subsiste, existe**
– Les fleurs demeurent malgré l'hiver **persistent**
DEMI
hémi-, mi-, semi-
DEMI (1)
– Commander un demi **bière**
DEMI (2)
– Être à demi guéri **partiellement**
– Un travail fait à demi **imparfaitement**
– Dire à demi-mot **insinuer**
DÉMISSION **abdication, renonciation**
– Démission d'office d'un fonctionnaire **révocation**
– Démission devant une difficulté **fuite, abandon**
DÉMOCRATIE voir aussi **république**
– Fondement de la démocratie française **Révolution française**
– Principe de la démocratie française **liberté, égalité, fraternité**
– Démocratie dans laquelle les citoyens votent les lois **directe**
– Démocratie où les citoyens délèguent certains pouvoirs à des membres élus **indirecte**
– Démocratie où les ministres sont responsables devant un parlement **parlementaire**
– Répartition des pouvoirs dans une démocratie **pouvoir exécutif, pouvoir législatif**
DÉMODÉ **dépassé**
– Employer des méthodes démodées **arriérées, périmées, archaïques, antédiluviennes**
– Avoir des goûts démodés **surannés, vieillots, vieux jeu**
– Langage démodé **désuet, obsolète**
DÉMOGRAPHIE
– Objet d'étude de la démographie **population**
– Domaine étudié par la démographie **natalité, fécondité, nuptialité, mortalité, migration**
DÉMOLIR **détruire, abattre**
– Démolir un édifice **raser, renverser, démanteler**
– Démolir un jouet **casser, détraquer, détériorer, esquinter**
– Démolir quelqu'un **perdre, ruiner, briser**
– Démolir un film, un roman **éreinter, échiner**
– Démolir le moral d'une personne **saper**
DÉMONIAQUE **diabolique**
– Un rire démoniaque **satanique, sardonique, méphistophélique**
– Un rite démoniaque **infernal**
– Un individu démoniaque **machiavélique**
DÉMONSTRATIF **expansif, exubérant, extraverti**
– Une attitude démonstrative **expressive, significative, éloquente**
– Un argument démonstratif **convaincant**
DÉMONSTRATION
– Démonstration issue d'un raisonnement **déduction**
– Principe de démonstration mathématique **axiome, postulat, hypothèse**
– Élément d'une démonstration **argument, preuve, justification**
– Démonstration d'un sentiment **témoignage, manifestation, expression**
– Démonstration de sincérité à l'égard d'une personne **protestation**
– Démonstration ostentatoire **parade, étalage, affectation**
DÉMONTER **défaire, désassembler, disjoindre**
– Le cheval a démonté son cavalier **désarçonné, renversé**
– Démonter l'aplomb de quelqu'un **déconcerter, décontenancer**

– Être démonté par un événement **interloqué**

DÉMONTRER prouver, établir

– Démontrer le bien-fondé de quelque chose **révéler, indiquer**

– Démontrer le fonctionnement d'un mécanisme **expliquer**

DÉMORALISER décourager, abattre, dégoûter

– Démoraliser un interlocuteur **désorienter, noyer**

DÉNIGRER

– Dénigrer une personne **critiquer, rabaisser, calomnier, décrier**

– Dénigrer la valeur d'une œuvre **discréditer, déconsidérer, dépriser, déprécier**

DÉNONCER rapporter, proclamer

– Dénoncer une personne à la police **livrer, moucharder**

– Dénoncer un coupable **accuser**

– Dénoncer un ami, un complice **vendre, trahir**

– Dans l'Antiquité, personne qui dénonçait les voleurs de figues **sycophante**

– Individu qui dénonce quelqu'un **délateur, indicateur**

– Dénoncer un livre intéressant mais peu connu **signaler**

– Sa prestation dénonce une grande maîtrise **dénote, indique, révèle, manifeste**

– Dénoncer un contrat **rompre, annuler**

DENSE compact, condensé, tassé

– Une forêt dense **drue, touffue, impénétrable**

– Une expression dense **concise, sobre**

– Une vie dense **intense**

DENSITÉ

– Densité d'une matière **concentration, épaisseur, compacité**

– Densité d'un sentiment **richesse, force, intensité**

– Instrument de mesure de densité des liquides **alcoomètre, aréomètre, pèse-acide, pèse-lait**

– Mesure des densités **densimétrie**

DENT voir aussi dessin

– Dent d'un jeune enfant **quenotte**

– Lieu d'implantation des dents **mâchoire**

– Cavité où est implantée une dent **alvéole**

– Ensemble des dents **dentition, denture**

– Dents constituant la première dentition **de lait**

– Dents constituant la seconde dentition **définitives**

– Soins et chirurgie des dents et des mâchoires **stomatologie**

Dent

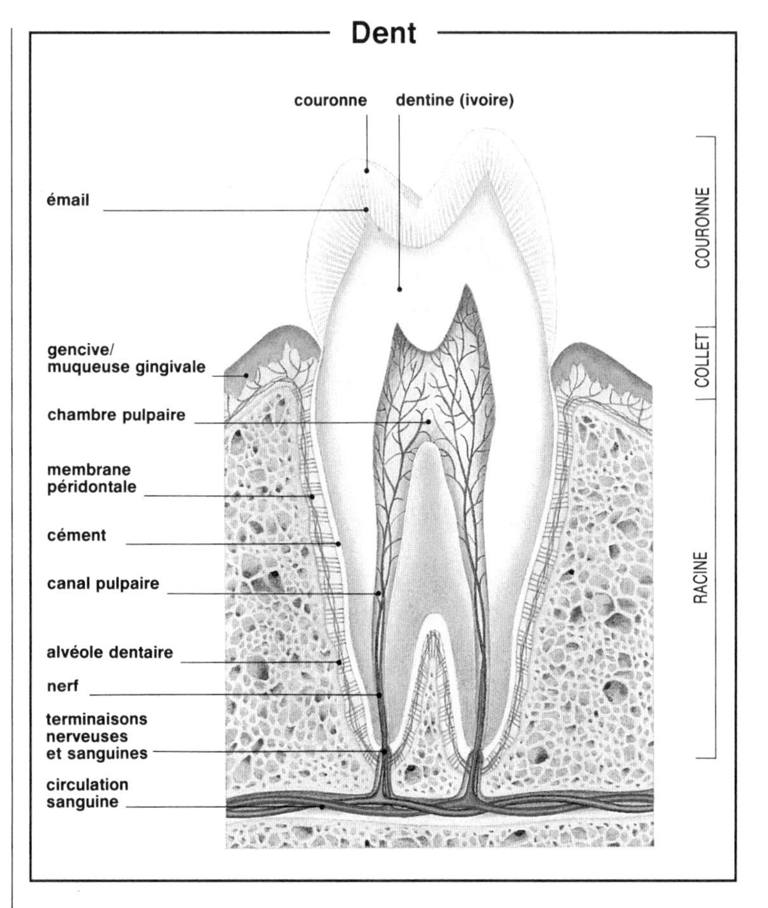

– Composition d'une dent **ivoire, émail, cément, pulpe**

– Maladie des dents **carie, kyste, pulpite, nécrose, pyorrhée, parodontose**

– Un individu sans dents **édenté, anodonte**

– Semblable à une dent **dentiforme**

– Dent incisive centrale du cheval **pince**

– Dent canine inférieure du sanglier **défense, broche**

– Dent incisive supérieure de l'éléphant **défense**

– Un reptile dont les dents sont dépourvues de sillon pour le venin **aglyphe**

DENTAIRE

– Ensemble des soins dentaires **dentisterie**

– Reconstitution dentaire **coiffe, faux moignon, inlay, onlay, pins**

– Soin dentaire d'une carie **plombage, facette collée, aurification, résine**

– Antiseptique dentaire **eau oxygénée, hypochlorite de sodium, eugénol, créosote**

– Orthopédie dentaire **prothèse fixe ou mobile, dent à tenon ou pivot, couronne, bridge, jacket**

– Insensibilisation dentaire **anesthésie, dévitalisation**

DENTELLE broderie

– Type d'ornement d'une dentelle **animal, floral, végétal, géométrique**

– Instrument de travail de la dentelle **aiguille, fuseau, crochet, navette, métier**

– Métier à dentelle **carreau, tambour**

– Former une dentelle sur un drap **striquer**

– Point de dentelle à l'aiguille **rose, Colbert, Venise, d'Argentan**

– Dentelle aux fuseaux **Chantilly, Valenciennes, Malines, Puy, Cluny, Paris, Gênes, Lille, Bruges**

– Dentelle au crochet **point d'Irlande**

– Dentelle à la navette **frivolité**

– Dentelle en cordage **macramé**

– Fond de dentelle **réseau**

– Dentelle sans fond **guipure**

– Vêtement en dentelle **col, jabot, voile, lingerie**
DENTIFRICE pâte, poudre, savon
– Substance ou parfum parfois utilisé dans un dentifrice **fluor, sel, menthol, anis, fraise**
DENTISTE stomatologue, odontologiste
– Dentiste spécialiste des malformations dentaires **orthodontiste**
– Instrument du dentiste **précelle, lancette, fraise, spatule, davier, bistouri**
DÉPART
– Départ d'un avion **décollage, envol**
– Départ d'une fusée **lancement**
– Préparatifs de départ d'un bateau **appareillage**
– Être au départ d'une action **au commencement, à l'origine**
– Être en instance de départ **en partance**
– Départ contraint d'un haut fonctionnaire **limogeage**
– Départ pour cause économique **licenciement**
– Départ pour raison politique **exil**
DÉPARTEMENT circonscription
– Division d'un département **canton, commune**
– Chef-lieu d'un département **préfecture**
– Représentant de l'État dans un département **préfet**
– Assemblée élue qui a en charge l'administration d'un département **conseil régional**
– Regroupement administratif de plusieurs départements **région**
– Départements et territoires d'outre-mer **D.O.M.-T.O.M.**
– Département d'un gouvernement **ministère**
DÉPASSER
– Dépasser un concurrent lors d'une compétition **distancer, devancer, surclasser**
– Dépasser un bateau **trémater**
– Dépasser l'alignement lors d'une construction **déborder, forjeter**
– Antenne qui dépasse **saille**
– Dépasser un droit **outrepasser, excéder**
– Dépasser les bornes **franchir, transgresser**
– Être dépassé par les événements **déconcerté, dérouté, éberlué**
DÉPECER débiter, découper
– Dépecer un animal **démembrer, morceler**
– Dépecer minutieusement pour étudier l'anatomie organique **disséquer**
– Dépecer un discours **analyser, éplucher**
DÉPÊCHER (SE) se presser, se hâter, s'empresser, faire diligence
DÉPENDANCE
– Dépendance existant entre deux choses **rapport, relation, liaison**
– Dépendance logique **conséquence, corrélation, causalité**
– État de dépendance **servitude, soumission**
– Vivre sous la dépendance d'une personne **empire, domination, coupe, joug**
– Travailler sous la dépendance d'une autorité **sujétion, subordination**
– Dépendance amoureuse **attachement**
– Dépendance médicamenteuse **asservissement, pharmacodépendance**
– État de grande dépendance toxicologique **accoutumance, assuétude**
– Dépendance attenante à une propriété **annexe, communs, appentis**
DÉPENDRE décrocher, détacher
– Dépendre d'une autorité **relever de, être du ressort de, incomber à**
– Cette plante dépend d'un croisement **dérive de, émane de, procède de**
– Le succès dépend du travail **découle de, résulte de, provient de**
DÉPENSE frais, charge, débours
– Contribution à une dépense **cotisation, quote-part, écot**
– Dépense consacrée à l'amélioration d'un immeuble **impense**
– Une dépense exceptionnelle **extra**
– Une dépense pour le luxe **voluptuaire**
– Dépense excessive **prodigalité**
– Régler les dépenses d'un cadre **défrayer**
– Regarder à la dépense **lésiner, mégoter, liarder**
DÉPENSER débourser, acheter
– Dépenser l'héritage familial **dissiper, dilapider, engloutir**
– Dépenser en tous sens **gaspiller**
– Se dépenser pour une cause **se démener pour, se dévouer à**
DÉPÉRIR s'affaiblir, diminuer
– Sa santé dépérit **s'altère, se délabre, se détériore**
– Dépérir par manque d'air **s'anémier**
– Une plante dépérit **se fane, s'étiole**
– Dépérir de chagrin **languir, se consumer**
– Un commerce qui dépérit **périclite, décline**
DÉPEUPLÉ
– Un village dépeuplé **inhabité, désert**
– Une région dépeuplée **abandonnée**
– Une forêt dépeuplée **éclaircie, déboisée**
DÉPIT amertume, désappointement, rancœur
– Avoir du dépit **ressentiment**
– Éprouver du dépit **rager, pester**
– Causer du dépit à quelqu'un **chagriner, décevoir, froisser**
– Dépit amoureux **déception, jalousie**
– Dépit d'amour-propre **vexation, humiliation**
– En dépit de **malgré, nonobstant**
DÉPLACEMENT mouvement
– Déplacement professionnel **mission**
– Déplacement des animaux **migration**
– Déplacement d'un point à un autre **transfert, translation**
– Déplacement des électrons **transit**
– Déplacement osseux **déboîtement**
– Peuple dont le déplacement constitue le mode de vie **nomade, tsigane, touareg**
– Mot obtenu par le déplacement d'une ou plusieurs lettres **anagramme**
– En phonétique, déplacement de phonèmes **métathèse**
DÉPLACER bouger, déranger, chambouler
– Déplacer l'ordre d'une série **permuter, inverser, intervertir**
– Déplacer quelqu'un **muter**
– Déplacer un rendez-vous **remettre, reporter, ajourner**
– Se déplacer **se mouvoir**
– Se déplacer sans but **déambuler, errer**
DÉPLAIRE choquer, offusquer, indisposer
– Déplaire profondément **répugner, rebuter**
– Déplaire par son attitude, ses remarques **contrarier, froisser**
– Déplaire par des demandes intempestives **importuner, indisposer**
– Travail qui déplaît **irrite, lasse, ennuie**
DÉPORTATION
– Déportation pour cause criminelle **bannissement, relégation**
– Déportation aux travaux forcés **transportation**
– Déportation pour cause politique **exil**
– Déportation effectuée lors de la

Seconde Guerre mondiale **internement**
– Lieu de déportation pendant la Seconde Guerre mondiale **camp de concentration**
– Camp de déportation en Union soviétique **goulag**

DÉPORTER
– Déporter un prisonnier **condamner, exiler**
– La balle est déportée par le vent **déviée**
– Arbitre, juge qui se déporte **démissionne**
– Se déporter lors d'un procès **s'abstenir, se récuser**

DÉPOSER **mettre, placer**
– Déposer un paquet chez la gardienne **confier, remettre**
– Déposer des objets dans un entrepôt **emmagasiner, stocker**
– Déposer des fonds sur son compte bancaire **alimenter, approvisionner**
– Déposer des voilages **enlever, ôter**
– Déposer la couronne **abdiquer**
– Déposer un roi **destituer**
– Déposer devant un tribunal **témoigner**
– Déposer ses initiales au bas d'un document **parapher**
– Cidre qui se dépose **se décante**

DÉPOSSÉDER **dépouiller, enlever**
– Déposséder un enfant d'un jouet **priver, frustrer**
– Déposséder quelqu'un d'un dossier **dessaisir**
– Déposséder un rival de sa place **évincer, éliminer, supplanter, blackbouler**

DÉPÔT
– Dépôt d'espèces sur un compte bancaire **versement**
– Dépôt de garantie **couverture, provision, cautionnement**
– Dépôt financier fait lors d'une commande **acompte, arrhes**
– Espace réservé au dépôt d'objets, de marchandises **réserve, entrepôt, consigne**
– Bureau de dépôt des actes de procédure d'un tribunal **greffe**
– Dépôt d'ordures **décharge, dépotoir**
– Dépôt d'une tisane, d'un bouillon **effondrilles**
– Dépôt d'un vin **lie**
– Dépôt charrié par un fleuve **alluvion, sédiment, limon, allaise**
– Dépôt marin employé comme engrais **falun**
– Dépôt laissé par un glacier **drift**
– Île constituée par un dépôt de limon **javeau**

DÉPOUILLER **dégarnir**
– Dépouiller un lapin **dépiauter, écorcher**
– Dépouiller quelqu'un de ses biens **déposséder, démunir, spolier**
– Dépouiller du nécessaire **dépourvoir, priver**
– Se dépouiller de ses vêtements **quitter, retirer, ôter**
– Se dépouiller **s'affiner, muer**

DÉPRÉCIATIF **dévalorisant, péjoratif, avilissant**
– Émettre un jugement dépréciatif **discréditer, dépriser, mépriser**

DÉPRESSION **affaissement, enfoncement**
– Dépression géographique **bassin, cuvette**
– Dépression topographique **fosse, géosynclinal**
– Dépression formée par une rivière **vallée**
– Dépression à la surface d'une matière **flache**
– Dépression météorologique **cyclone**
– Dépression économique **crise, marasme, pénurie, récession**
– Dépression nerveuse **mélancolie, neurasthénie**
– État de dépression extrême **apathie, léthargie, asthénie**

DÉPUTÉ **mandataire, parlementaire**
– Charge d'un député **mission, mandat**
– Chambre des députés **Assemblée nationale**
– Siège de l'assemblée des députés **palais Bourbon**
– Protection juridique d'un député **immunité parlementaire**

DÉRANGER **déplacer, défaire**
– Déranger l'ordre d'une série **déclasser, disloquer**
– Déranger des habitudes **troubler, bouleverser, perturber**
– Déranger les plans d'une personne **contrarier, contrecarrer**
– Déranger quelqu'un dans ses occupations **distraire, importuner, gêner, interrompre**
– Se déranger **se déplacer**

DÉRÉGLÉ **dérangé, désorganisé, désordonné**

DÉRÉGLER
– Dérégler une mécanique **détraquer**
– Dérégler un fonctionnement **altérer**

DERNIER
– Dernier-né **benjamin**
– Dernier mouvement d'une symphonie **final**
– Dernier film **précédent, nouveau**
– Dernier essai **ultime**
– L'instant dernier **suprême**
– Avant-dernier **pénultième**
– Avant l'avant-dernier **antépénultième**
– Étude théologique des fins dernières de l'homme et de l'Univers **eschatologie**
– On y dicte ses dernières volontés **testament**

DÉROULEMENT
– Déroulement d'un coupon de tissu **développement**
– Déroulement d'une affaire **évolution, cours**
– Déroulement du temps **écoulement**
– Déroulement de faits **enchaînement, succession, suite**

DERRIÈRE (1) **revers, envers, dos, verso**

DERRIÈRE (2)
– Avoir une idée derrière la tête **arrière-pensée**

DERRIÈRE (3)
– Fort utile pour regarder derrière **rétroviseur**

DÉSACCORD **discorde, division, conflit, différend**
– Petit désaccord **brouille, fâcherie, froid**
– Profond désaccord **dissension, dissentiment**
– Désaccord musical **discordance, cacophonie**
– Un langage en désaccord avec les actes **contradiction, opposition**

DÉSAGRÉABLE
– Un propos désagréable **blessant, insolent, offensant**
– Un comportement désagréable **odieux, arrogant**
– Un physique désagréable **ingrat, disgracieux**
– Un goût désagréable **âpre, saumâtre, âcre**
– Un individu désagréable **antipathique, exécrable**

DÉSAGRÉGATION **morcellement, destruction**
– La désagrégation d'une roche **désintégration, dissolution, pulvérisation**
– La désagrégation d'une équipe **séparation, dislocation**

DÉSAPPROBATION **blâme, semonce, reproche, objurgation, réprobation**

DÉSARMEMENT
– Désarmement graduel **réduction de l'armement, suppression de l'armement**
– Le désarmement d'un navire **cessation d'exploitation**

DÉSARMER démilitariser
– Désarmer la colère de quelqu'un **calmer, apaiser**
– Désarmer par sa candeur **toucher**
– Ne pas désarmer **renoncer, céder, fléchir**
DÉSASTRE
– Cette tempête a été un désastre **calamité, cataclysme**
– Désastre subi par une armée **déroute**
– Cette épidémie est un véritable désastre **fléau**
– Désastre financier **banqueroute**
DÉSASTREUX funeste, catastrophique
– Une action désastreuse **déplorable**
– Une situation désastreuse **fâcheuse, consternante**
DÉSAVOUER renier
– Désavouer un comportement **condamner, réprouver, blâmer**
– Désavouer un projet **désapprouver, refuser**
– Désavouer ses propos, ses convictions **se rétracter, se dédire**
DESCENDANCE filiation, généalogie
– Une nombreuse descendance **progéniture, postérité**
DESCENDANT enfant, héritier
– L'ensemble des descendants d'une famille **lignée, génération**
– Parents des descendants **ascendants, ancêtres, aïeux**
– Droit juridique reconnu à l'aîné des descendants **primogéniture**
– Dans le droit romain, descendant issu d'une même souche féminine **cognat**
– Dans le droit romain, descendant issu d'une même souche masculine **agnat**
DESCENDRE
– Descendre d'avion, de bateau **débarquer**
– Descendre à l'hôtel **loger, résider**
– Voir descendre le niveau de l'eau **décroître**
– Descendre très rapidement **dévaler, dégringoler**
– Descendre bien bas **déchoir**
DESCENTE pente, déclivité
– Descente de police **vérification d'identité, perquisition**
– Descente de troupes armées **incursion, raid, invasion**
– Représentation du corps du Christ après la descente de Croix **déposition**
– Descente d'organe **prolapsus, ptôse**
DESCRIPTION
– Description d'une personne recherchée **portrait-robot, signalement**
– Description d'un contenu **énumération, inventaire, sommaire, étiquette**
– Description d'un mécanisme **explication, détail**
– Description d'un fait **narration, récit, scène, exposé**
– Description de l'Univers et du système solaire **cosmographie**
– Description de l'organisation des différents peuples **ethnographie**
– Description et classification des maladies **nosographie**
DÉSÉQUILIBRE
– État de déséquilibre **instabilité**
– Un déséquilibre entre des éléments **dissemblance, disparité, hétérogénéité, disharmonie**
– Un déséquilibre entre une sentence et le délit commis **disproportion**
– Déséquilibre psychique **névrose, dépression, cyclothymie**
DÉSERT voir tableau ci-dessous et dessin p. 134
– Désert rocheux **reg**
– Partie du désert constituée de dunes **erg**
– Plateau pierreux dans le désert saharien **hamada**
– Désert sibérien **toundra**
– Grande plaine inculte semblable au désert **steppe**
– Vent du désert **sirocco, simoun, khamsin**
– Herbe drue du désert **drinn**
– Végétation buissonneuse du désert **rtem**
– Plante du désert **cactus**
– Le paradis en plein désert **oasis**
– L'absence de voiles ne l'empêche pas d'être le vaisseau du désert **chameau, dromadaire**
– Illusion dans le désert **mirage**
DÉSESPÉRER
– Une attitude qui désespère **consterne, accable, navre, décourage**
– Désespérer de l'existence de Dieu **douter**
– Se désespérer **se désoler, s'attrister**
DÉSESPOIR désespérance
– Être plongé dans le désespoir **détresse, affliction**
– Manifestation possible du désespoir **prostration, violence, suicide**
– Désespoir des peintres **saxifrage**
DÉSHABILLÉ
– Un déshabillé en soie **saut-de-lit, robe d'intérieur**
DÉSHABILLER dévêtir, dénuder
– Personne payée pour se déshabiller **strip-teaseuse, effeuilleuse**
DÉSHONNEUR déconsidération
– Souffrir un grand déshonneur **honte, infamie, ignominie**
– Subir un déshonneur public **affront, humiliation, outrage, opprobre**
DÉSHONORER
– Déshonorer une personne **déprécier, discréditer, diffamer**
– Déshonorer la mémoire d'un défunt **flétrir, salir, entacher, souiller**
– Une construction qui déshonore un site **dépare, défigure, dégrade**
– Déshonorer une œuvre lors de sa restauration **abîmer, détériorer**
DESIGN création, conception, stylique
– Thème du design **mobilier, architecture, graphisme**
– Domaine de recherche du design **forme, volume, matériau**
– Matériau employé dans le design **bois, acier, verre, plastique**
– Créateur de design **designer, stylicien**

LES PLUS GRANDS DÉSERTS

DÉSERT	LOCALISATION	SUPERFICIE (km²)
Sahara	Afrique	9 100 000
Grand Désert de Victoria	Australie	3 830 000
Gobi	Asie	1 295 000
Rub'al-Khali	Arabie Saoudite	650 000
Kalahari	Afrique du Sud	520 000
Karakoum	U.R.S.S.	340 000
Takla Makan	Chine	327 000

Les formes de relief dans les déserts

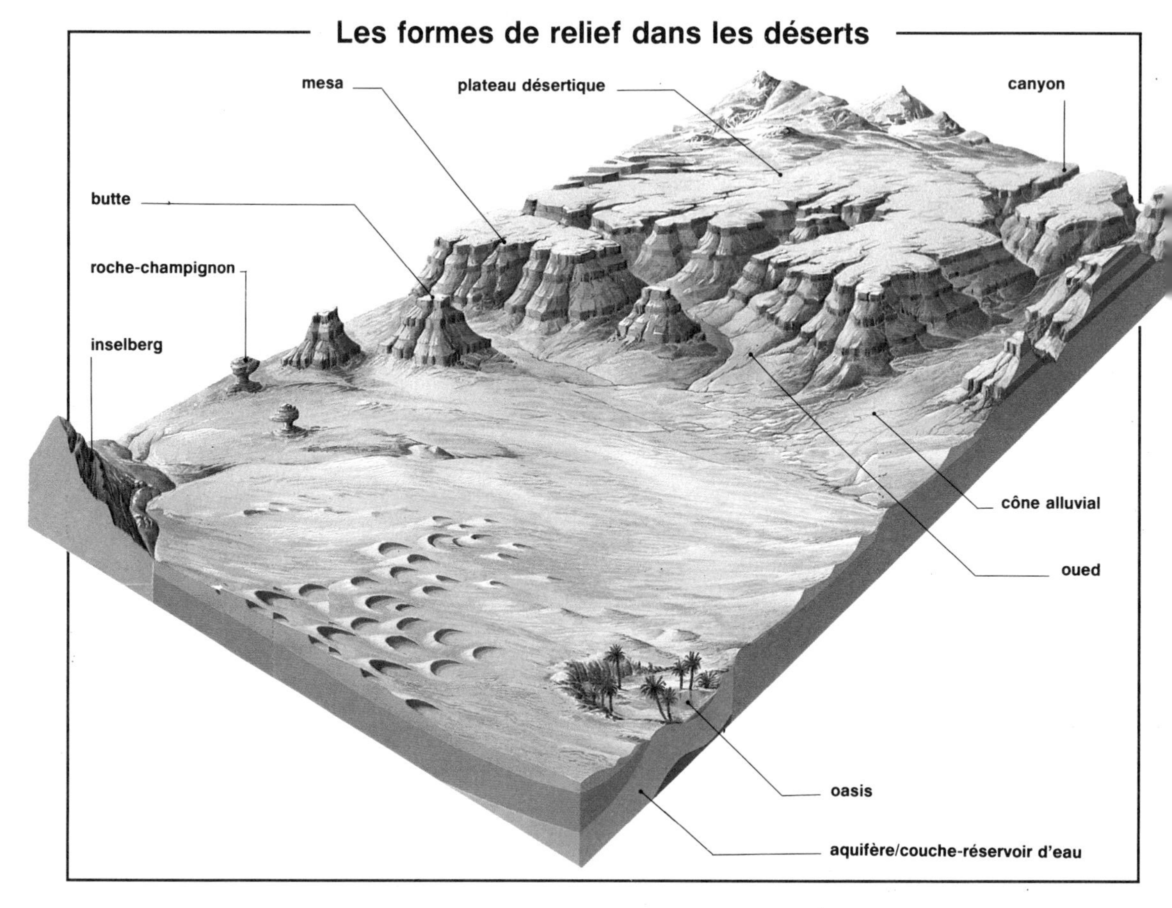

– Professionnel du design **dessinateur, concepteur, architecte**
DÉSIGNER indiquer, montrer, signaler
– Désigner une personne parmi d'autres **choisir, élire**
– Désigner un objet en lui attribuant un nom **dénommer, étiqueter, qualifier**
– Désigner à la façon d'un pictogramme **matérialiser, symboliser**
DÉSILLUSION désenchantement, déception
– Désillusion éprouvée lors d'une entreprise **déboire, déconvenue**
– Sentiment engendré par une désillusion **aigreur, rancœur, amertume**
DÉSINFECTION
– Motive la désinfection des locaux **hygiène, salubrité**
– Désinfection d'une plaie **aseptisation**
– Désinfection des instruments chirurgicaux **stérilisation**
– Désinfection de la chambre d'un malade **assainissement, purification**
– Moyen de désinfection **fumigation, filtration, charbon, passage de la chaux**
DÉSINTÉRESSÉ
– Une personne désintéressée **généreuse, altruiste**
– Un geste désintéressé **gratuit, spontané**
– Donner un conseil désintéressé **impartial**
DÉSINVOLTE
– Une façon désinvolte **inconvenante, cavalière, impertinente**
– Un comportement désinvolte **familier, provocant, sans-gêne**
– Un geste désinvolte **dégagé, leste**
– Propos désinvolte **libre**
DÉSIR attrait, passion, feu
– Désir de connaître **soif**
– Désir de possession **avidité, voracité**
– Désir d'avoir des richesses **convoitise, tentation**
– Désir spirituel **aspiration, exigence**
– Désir fugace **velléité, foucade**
– Musique du désir **impatience**
DÉSIRER vouloir, souhaiter, espérer
– Désirer le bien d'autrui **convoiter, guigner, lorgner**
– Désirer une fonction **ambitionner, briguer, aspirer à**
DÉSOBÉIR
– Désobéir à un ordre **contrevenir à, enfreindre, ne pas obtempérer à**
– Désobéir à quelqu'un **résister à**
– Désobéir à la loi **transgresser, violer**
– Désobéir et se dresser contre une autorité **s'insurger contre, se rebeller contre, se révolter contre, se mutiner contre**
– Désobéir à une prescription **déroger à**
– Ne pas être d'accord sans pour autant désobéir **objecter, contester**
DÉSOBÉISSANCE indiscipline, refus
– Désobéissance à une autorité **insoumission, insubordination**
– Désobéissance face à l'ordre parental **opposition, révolte**
– Désobéissance des troupes **rébellion, sédition**

DÉSOLÉ
– Être profondément désolé **consterné, accablé**
DÉSOLER
– Un résultat qui désole **navre, contrarie, peine, attriste, afflige**
DÉSORDRE chambardement, chaos, enchevêtrement
– Désordre causé par des écoliers **chahut, vacarme, tumulte, chambard**
– Un sacré désordre **pagaille, margaille**
– Choses en désordre **bric-à-brac, fourbi, fatras**
– Lieu en désordre **capharnaüm**
– Retraite en désordre **débandade, déroute**
– Désordre administratif **désorganisation, gabegie**
– Semer le désordre **panique, trouble**
DESSERT
– Dessert à base de fruits **compote, gelée, macédoine, marmelade**
– Dessert pâtissier **tarte, charlotte, biscuit, pudding**
– Dessert glacé **sorbet, plombière, cassate**
– Dessert à base d'œufs **crème, flan, mousse, soufflé, omelette, île flottante**
– Dessert de Noël **bûche**
– Boisson accompagnant certains desserts **asti, champagne, vin blanc, mousseux, crémant**
DESSIN image, représentation
– Dessin d'enfant **gribouillage, bariolage**
– Procédé par lequel on reporte des dessins sur une surface **décalcomanie**
– Ébauche d'un dessin **esquisse, croquis, étude, épure**
– Crayon à dessin **fusain, sanguine, sauce, pastel**
– Matériel à dessin **carton, planche**
– Dessin ornemental **motif, arabesque, grecque, volute**
– Dessin de rue **graffiti, tag**
– Professionnel du dessin **illustrateur, affichiste, ornemaniste, paysagiste**
DESTIN fatum, destinée, sort
– Imprévu du destin **aléa, hasard**
– Loi du destin **fatalité**
– Un événement marqué par le destin **fatidique**
– Divinités du destin dans la mythologie **kères, Moires, Parques**
DESTINATAIRE cible
– Destinataire d'un discours **auditoire, assistance, public**
– Destinataire d'un échange linguistique **interlocuteur, allocutaire**
– Destinataire d'une création artistique **spectateur**
DESTINATION finalité
– Destination d'un matériel **utilisation, emploi, usage**
– Destination d'un budget **affectation, imputation**
– Destination d'un avion **direction, orientation, but**
DESTINER
– Destiner un objet à une personne **garder, réserver, conserver**
– Ses dons le destinent à une brillante carrière **prédestinent à, promettent**
– Destiner irrévocablement **vouer, consacrer**
– Destiner un emploi à quelqu'un **assigner**
– Destiner un enfant à une carrière déterminée **orienter, diriger**
– Destiner ses économies à un voyage **attribuer, affecter**
DESTRUCTION démolition, démantèlement
– Destruction provoquée par un phénomène naturel ou une guerre **anéantissement, dévastation, ruine**
– Destruction d'un peuple **massacre, extermination, ethnocide, génocide**
– Destruction organique **décomposition, putréfaction**
– Destruction d'une substance **désintégration**
– Destruction totale **annihilation**
DÉTACHEMENT renoncement, désaffection
– Détachement de la tutelle parentale **autonomie**
– Détachement d'un fonctionnaire **affectation, mutation**
– Détachement militaire **patrouille, commando, éclaireurs**
DÉTACHER délier, délacer
– Détacher une remorque **décrocher**
– Détacher deux motrices **désaccoupler, désunir**
– Détacher un lustre du plafond **dépendre**
– Détacher un cheval de sa voiture **dételer**
– Détacher les pétales d'une fleur **effeuiller**
– Détacher un sous-vêtement **déboutonner, dégrafer**
– Détacher le regard d'une scène **détourner, distraire**
– Se détacher en raison d'un caractère d'exception **ressortir, trancher, se distinguer**
– Se détacher d'une occupation **s'éloigner de, délaisser, renoncer à**
– Se détacher d'une personne **se désaffectionner de, se séparer de**
DÉTAIL
– Un détail d'une fresque **partie, élément**
– Soigner les détails d'un travail **fignoler**
– Détail de peu d'importance **vétille, bagatelle**
– Donner des détails **précisions, explications**
DÉTECTIVE privé, inspecteur
– Un détective très perspicace dans ses enquêtes **fin limier**
DÉTENTION recel
DÉTENU prisonnier, captif
– Détenu contestant le régime de son pays **prisonnier politique**
– Détenu étant l'enjeu d'une tractation **otage**
– Détenu ayant commis un délit **prisonnier de droit commun**
– Avant d'être un détenu **inculpé, prévenu**
DÉTERMINATION décision, résolution, intention
– La détermination d'une frontière **délimitation, fixation**
– La détermination d'une distance **évaluation, estimation**
– La détermination d'une valeur **spécification, caractérisation**
– Détermination du destin politique d'un pays par ses habitants **autodétermination**
DÉTERMINER
– Déterminer le sens d'un mot **définir, caractériser, spécifier**
– Déterminer la position d'un astre **localiser, identifier**
– Déterminer une personne à agir **décider, engager, persuader, inciter, convaincre**
– Déterminer un rendez-vous **fixer, arrêter**
– Difficile à déterminer **apprécier, estimer**
– Se déterminer à **se résoudre à**
DÉTESTER
– Détester profondément **exécrer, abhorrer, abominer, haïr, éprouver de l'aversion**
DÉTOURNER
– Détourner un bateau, un avion **dévier, dérouter**
– Détourner le mauvais sort **conjurer**
– Détourner de l'argent **soustraire, dérober**
– Détourner le cours d'une conversation **rompre les chiens**
DÉTROMPER démystifier, démythifier
– Détromper quelqu'un **désabuser, désillusionner, dessiller les yeux de**

DETTE **débit, créance**
– Somme constituant une dette **capital, principal**
– Dette publique à court terme **flottante**
– Dette publique à long terme **consolidée**
– Dette non garantie **chirographaire**
– Accord stipulant une remise partielle sur une dette lors d'une faillite **concordat**
– Dette contractée envers l'État **débet**
– Ne pas pouvoir rembourser une dette **être insolvable**
– Avoir une dette chez l'épicier **ardoise**
DEUIL **perte**
– Couleur du deuil **noir, blanc, gris, mauve**
– Accessoire porté en signe de deuil **voile, crêpe, brassard**
– Marque de deuil d'un État **drapeaux en berne**
– Chant de deuil dans l'Antiquité **nénies**
– Œuvre musicale exprimant le deuil **complainte, requiem**
– Travail du deuil en psychanalyse **désinvestissement**
DEUX
ambi-, amph(i)-, bi-, bis-, di-, dupli-
DEUX
– Allant par deux **paire, couple, siamois**
– La naissance de deux enfants **jumeaux**
– Enfant issu de deux races **métis**
– Partition écrite pour deux instruments **duo**
– Personne utilisant indifféremment ses deux mains **ambidextre**
– Présence de deux aspects contraires chez une même personne **ambivalence**
– Personne mariée à deux personnes en même temps **bigame**
– Un animal possédant deux têtes **bicéphale**
– Animal possédant les deux sexes **hermaphrodite**
– Serpent à deux têtes **amphisbène**
– Présence de deux sens possibles dans une proposition **amphibologie**
– Division en deux parties **dichotomie**
DÉVALUATION
– Dévaluation destinée à permettre une opération de stabilisation **dévaluation-constat**
– Dévaluation provoquée par une dévaluation dans un autre pays **défensive**
– Dévaluation employée comme moyen de stimuler les exportations **offensive**
DÉVELOPPER
– Développer une entreprise **agrandir, étendre**
– Développer une production **augmenter, accroître**
– Développer un tissu **déployer, étaler, dérouler**
– Développer un sujet **exposer, décrire**
– Organe s'étant anormalement développé **hypertrophié**
– Se développer **croître, progresser**
DEVENIR (1)
– Le devenir de la planète **futur**
– L'humanité est en devenir **mouvement, évolution**
DEVENIR (2) **changer, muter**
DÉVIATION
– Déviation d'un bateau sous l'action du vent ou du courant **dérivation**
– Déviation d'un cours d'eau **détournement**
– Déviation dans un trajet, une orientation **inflexion**
– Déviation de la colonne vertébrale **cyphose, lordose, scoliose**
– Déviation par rapport à une ligne politique **dissidence**
– Déviation par rapport à un dogme religieux **hérésie**
– Déviation d'une onde lumineuse rencontrant un obstacle **réfraction, diffraction**
DEVINER **découvrir**
– Deviner un mensonge **pressentir, soupçonner, subodorer**
– Deviner la vérité **entrevoir**
– Deviner l'avenir **prophétiser**
DEVISE **sentence, maxime**
– Devise politique ou publicitaire **slogan**
– Devise de rattachement à un groupe **cri de ralliement**
DEVOIR **responsabilité, obligation, astreinte**
– Code des devoirs des médecins **déontologie**
– L'homme de devoir est **intègre, probe, rigoureux, droit, scrupuleux, vertueux**
– Devoir de courtoisie **politesse, bienséance, civilité**
DÉVOT **bigot, bondieusard, béguine**
– Dévot très attaché au rituel religieux **dévotieux**
– Faux dévot **hypocrite, cagot, calotin, papelard**
– Maison où résident des dévots **capucinière**
DÉVOUÉ **complaisant, serviable, obligeant**
– Un mari dévoué **empressé, prévenant, fidèle**
– Un serviteur dévoué **zélé**
– Un ami dévoué **loyal**
DIABÈTE
– Manifestation du diabète **hyperglycémie, glycosurie**
– Facteur pouvant provoquer l'apparition du diabète **diabétogène**
– Étude du diabète **diabétologie**
– Hormone administrée lors d'un traitement du diabète **insuline**
DIABLE **démon** voir aussi **enfer**
– Nom attribué au diable **Satan, Lucifer**
– L'une des désignations du diable dans l'Ancien Testament **Bélial**
– L'une des désignations du diable dans le Nouveau Testament **Belzébuth**
– Diable de l'amour impur, dans le livre de Tobie **Asmodée**
– Diable dans la légende de Faust **Méphistophélès**
– Diable s'incarnant en homme pour abuser d'une femme pendant son sommeil **incube**
– Diable s'incarnant en femme pour abuser d'un homme pendant son sommeil **succube**
– Petit diable **diablotin, diabloteau**
– Royaume du diable **enfer**
– Rituel pour chasser le diable **exorcisme**
– Réunion nocturne de sorciers présidée par le diable **sabbat**
– Sorte de diable des légendes bretonnes, incarné en nain **korrigan**
– Activité privilégiée du diable **tentation**
– Fidèle compagne du diable, plus d'un séant connaît ses pointes **fourche**
– Les tables du diable **dolmens**
– C'est un pauvre diable **hère**
– Se faire l'avocat du diable **défendre l'indéfendable**
– Diable, quelle nouvelle ! **diantre**
– Un sacré diable **lutin, garnement**
DIACRE **clerc**
– Ordre des diacres **diaconat**
– Supérieur du collège des diacres **archidiacre**
DIAGNOSTIC **identification, détermination**
– Faire le diagnostic d'une maladie **trouver, connaître**
– Signe sur lequel se fonde un diagnostic **symptôme**
– Faire un diagnostic sur l'avenir **prévision, hypothèse, supputation**

DIALECTE voir aussi **langue**
– Catégorie linguistique des dialectes régionaux français **oïl, oc**
– Dialecte local **patois**
– Dialecte secret créé par un groupe social **argot**
– Dialecte technique **jargon**
– Dialecte argotique espagnol **calo**
– Dialecte argotique anglais **slang**
DIALECTIQUE voir aussi **philosophie**
– Objet de la dialectique **raisonnement, argumentation**
– Explication de l'histoire par la dialectique **matérialisme historique**
– Mouvement de la dialectique **thèse, antithèse, synthèse**
DIALOGUE
– Un dialogue amical **échange, conversation, entretien**
– Dialogue à caractère intime **tête-à-tête**
– Personne s'exprimant lors d'un dialogue **locuteur, interlocuteur**
– Dialogue mené par un journaliste **interview**
DIAMANT carbone
– Diamant transparent utilisé en joaillerie **bort**
– Diamant de teinte noire utilisé dans l'industrie **carbonado**
– Tache ou défaut dans un diamant **glace, crapaud, gendarme, jardinage**
– Poudre de diamant employée pour la taille **égrisée**
– Travailler un diamant **cliver, brillanter, facetter, tailler**
– Méthodes de taille d'un diamant **en brillant, en rose**
– Diamant monté seul sur une bague **solitaire**
– Tailleur ou vendeur de diamants **lapidaire, joaillier**
– Sol contenant du diamant **diamantifère**
– Substance ayant la dureté du diamant **adamantin, diamantin**
– Unité de poids utilisée pour le diamant **carat**
– Éclat d'un diamant **feu**
– Fêlure dans un diamant **étonnement**
DIARRHÉE lienterie voir aussi **colique**
– Une personne atteinte de diarrhée **diarrhéique**
– Affection accompagnée de diarrhée **dysenterie**
– Remède appliqué en cas de diarrhée **élixir parégorique**
DICTATEUR oppresseur, despote, autocrate, potentat, tyran
DICTATURE absolutisme, totalitarisme
– Dictature exercée par des vieillards **gérontocratie**
– Dictature s'appuyant sur le peuple **césarisme**
– Caractère d'une dictature **autoritarisme**
DICTÉE
– Visée d'une dictée **orthographe**
– Elles coûtent des points dans une dictée **fautes**
– Écrire sous la dictée **transcrire, sténographier**
DICTER
– Dicter les termes d'un accord **stipuler**
– Dicter un remède **prescrire**
– Dicter son attitude à autrui **imposer, commander**
– Dicter ses réponses à quelqu'un **suggérer**
– Chose qui est dictée de façon catégorique et péremptoire **diktat**
DICTIONNAIRE
– Dictionnaire spécialisé **lexique, vocabulaire**
– Dictionnaire définissant les mots anciens **glossaire**
– Répertoire des termes contenus dans un dictionnaire **nomenclature**
– Dictionnaire de prosodie latine **gradus**
– Dictionnaire de termes techniques **thésaurus**
– Dictionnaire thématique de culture générale **encyclopédie**
– Éléments constituant un dictionnaire **articles, entrées**
– Personne qui élabore un dictionnaire **lexicographe**
DIEU
théo-, -thée, -théisme, -théiste
DIEU
– Attributs de Dieu **aséité, immutabilité, éternité, immensité**
– Nom de Dieu dans la religion juive **Élohim, Jéhovah, Adonaï, Yahvé**
– Lettres formant le nom imprononçable de Dieu **tétragramme (YHVH)**
– Verbe de Dieu **logos**
– Dieu de l'Islam **Allah**
– Individu proclamant la loi de Dieu **prophète**
– Image d'un dieu **idole**
– Les Fous de Dieu **mystiques**
– Prière glorifiant Dieu **doxologie**
– Manifestation surnaturelle de Dieu **révélation**
– Croyance en un dieu unique **monothéisme**
– Croyance en un dieu, sans exclure l'existence de plusieurs dieux **hénothéisme**
– Croyance en plusieurs dieux **polythéisme**
– Croyance en un dieu personnel, transcendant et principe de l'Univers **théisme**
– Doctrine affirmant l'existence d'un dieu créateur, mais niant toute révélation **déisme**
– Croyance en l'existence d'un dieu impersonnel et immanent au monde **panthéisme**
– Généalogie des dieux dans les religions polythéistes **théogonie**
– Manifestation, sous une forme matérielle, d'un dieu aux hommes **théophanie**
– Étude de Dieu et des caractères divins, fondée sur la Révélation **théologie**
– Partie de la philosophie traitant de Dieu et de ses attributs **théodicée**
– Gouvernement exerçant son autorité au nom de Dieu **théocratie**
– Doctrine niant l'existence de Dieu **athéisme**
– Ensemble des dieux propres à une religion **panthéon**
– Lieu de séjour des dieux en Grèce antique **Olympe**
– Histoire fabuleuse des dieux, des demi-dieux, des héros de l'Antiquité païenne de la Grèce antique **mythologie**
– Élévation au rang des dieux **apothéose**
DIFFÉRENCE
dis-, hétéro-
DIFFÉRENCE dissemblance, dissimilitude
– Différence de point de vue **divergence, dissentiment, désaccord**
– Différence sensible entre deux objets **distinction, disproportion**
– Faire la différence entre divers mouvements de pensée **discrimination, discernement**
– Une différence imperceptible **nuance**
– Modalité qui crée la différence d'un être, d'une chose **spécificité, particularité**
– Un sentiment de différence éprouvé au contact d'autrui **altérité**
DIFFÉRENT distinct, autre
– Un ensemble formé d'éléments différents **composite, disparate, hétéroclite, hétérogène**
– Population de souche différente récemment implantée **allogène**
– Un individu totalement différent **méconnaissable, transformé, métamorphosé**
DIFFICILE ardu, laborieux, complexe
– Être difficile en affaires **exigeant, intraitable**

– Un texte difficile à saisir **abscons, abstrus**
– Un langage difficile **obscur, codé, énigmatique, ésotérique**
– Nœuds difficiles à démêler **enchevêtrés, inextricables**
– Un chemin difficile **escarpé, abrupt, impraticable, inaccessible**
– Une écriture difficile à lire **illisible, indéchiffrable**
– Une personne dont le caractère est jugé difficile **irritable, irascible, ombrageuse, acariâtre**
– Accouchement difficile et douloureux **dystocie**
– Digestion difficile **dyspepsie**
DIFFICULTÉ
dys-
DIFFICULTÉ peine, gêne, embarras
– Difficulté insurmontable **nœud gordien**
– Difficulté bénigne **anicroche, avaro, aria**
– Rencontrer une difficulté **obstacle, écueil**
– Faire des difficultés **contester, argumenter contre, plaider contre**
– Avoir une difficulté avec un ami **différend, démêlé**
– Difficulté d'audition **dysacousie**
– Difficulté à tenir debout **dystasie**
– Difficulté d'acquisition de l'orthographe **dysorthographie**
– Difficulté d'élocution **dysarthrie**
– Difficulté dans l'apprentissage de l'écriture **dysgraphie**
– Difficulté d'ordre rationnel **aporie**
DIFFUSER répandre, propager
– Diffuser ses travaux **publier, divulguer**
– Diffuser une nouvelle **colporter**
– Diffuser un message par radio **émettre, transmettre**
DIFFUSION
– Diffusion destinée à un public non spécialiste **vulgarisation**
– Diffusion de la chaleur, des ondes, de la lumière **expansion, propagation**
– Diffusion d'un programme radiophonique **radiodiffusion, transmission**
– Diffusion d'une pétition **distribution**
– Diffusion de cellules cancéreuses **invasion**
– Phénomène de diffusion entre deux liquides séparés par une membrane **osmose**
DIGÉRER assimiler
– Facile à digérer **digeste, digestible, léger**
– Difficulté à digérer **apepsie, dyspepsie**
– Plante aidant à digérer **anis, fenouil, coriandre, badiane, menthe, mélisse**
– Une substance qui aide à digérer **eupeptique**
DIGESTIF (SYSTÈME) voir dessin
DIGESTION assimilation, nutrition
– Substances essentielles à la digestion **enzymes**
– Mouvements de l'intestin concourant à la digestion **péristaltiques**
– Produit ultime de la digestion **chyle**
– Substance facilitant la digestion **eupeptique**
– Digestion lente et difficile **bradypepsie**
– Mauvaise digestion **apepsie, dyspepsie**
– Digestion, en termes de chimie **décoction, macération**
DIGNE
– Être digne de **mériter**
– Une attitude digne **sérieuse, respectable, grave, responsable**
– Une occupation digne de son âge **appropriée à, conforme à**
– Un air faussement digne **compassé, affecté**
DILATATION grossissement, extension
– Dilatation d'un volume **augmentation**
– Dilatation d'un fluide **expansion, décompression**
– Dilatation du col de l'utérus **élargissement**
– Dilatation du cœur et des artères **diastole**
– Dilatation permanente d'un vaisseau **ectasie**
DILEMME choix
– Fondement d'un dilemme **alternative**
DIMANCHE
– Expression qui désigne dimanche dans la religion chrétienne **jour du repos, jour du Seigneur**
– Fête chrétienne se célébrant un dimanche **Rameaux, Pâques, Pentecôte**
– Le repos du dimanche **dominical**
– Troisième dimanche du carême dans la liturgie romaine **oculi**
DIMENSION grandeur, étendue, grosseur
– Prendre les dimensions d'une personne **mensurations**
– Dimensions d'un objet **longueur, largeur, épaisseur, hauteur, profondeur**
– Dimensions d'un livre **format**
– Dimension d'une chaussure **pointure**
– Espace à une dimension **ligne droite**
– Espace à deux dimensions **plan**
– Espace à trois dimensions **volume**
– Quatrième dimension selon la théorie de la relativité **temps**
– Donner une dimension considérable à un événement **importance, ampleur**
DIMINUER réduire, rétrécir, raccourcir, abaisser, restreindre
– Diminuer le cours d'une monnaie **dévaluer**
– Diminuer exagérément le prix d'une chose **déprécier, dépriser**
– Diminuer l'intensité sonore **atténuer, modérer, assourdir**
– Diminuer rapidement **s'effondrer**
– Diminuer un volume **contracter, comprimer**
– Diminuer l'épaisseur d'un objet **amenuiser, élégir**
– Diminuer la durée d'un entretien **écourter, abréger**
– Diminuer progressivement **décroître, décliner**
DIMINUTIF surnom, sobriquet
DIMINUTION
hyp(o)-
DIMINUTION décroissance, décroissement, abrègement
– Diminution effectuée sur un prix d'achat **réduction, escompte, discount, ristourne, réfaction**
– Diminution d'impôt **allégement, dégrèvement, abattement**
– Diminution d'une douleur **soulagement, apaisement**
– Diminution d'une tumeur **dégonflement, détumescence**
– Signe musical indiquant une diminution progressive **decrescendo, diminuendo**
– Une diminution des forces électriques **déperdition**
– Diminution d'une quantité **déplétion**
– Diminution de la valeur d'un produit, d'un immeuble **moins-value**
– Diminution des forces physiques **affaiblissement, alanguissement, asthénie**
– Diminution de l'audition **hypoacousie**
– Diminution de l'odorat **anosmie**
DINOSAURE dinosauriens voir aussi dessin p. 140
– Ordre du groupe des dinosaures **saurischiens, ornithischiens**
– Période de disparition du dinosaure **fin de l'ère secondaire**

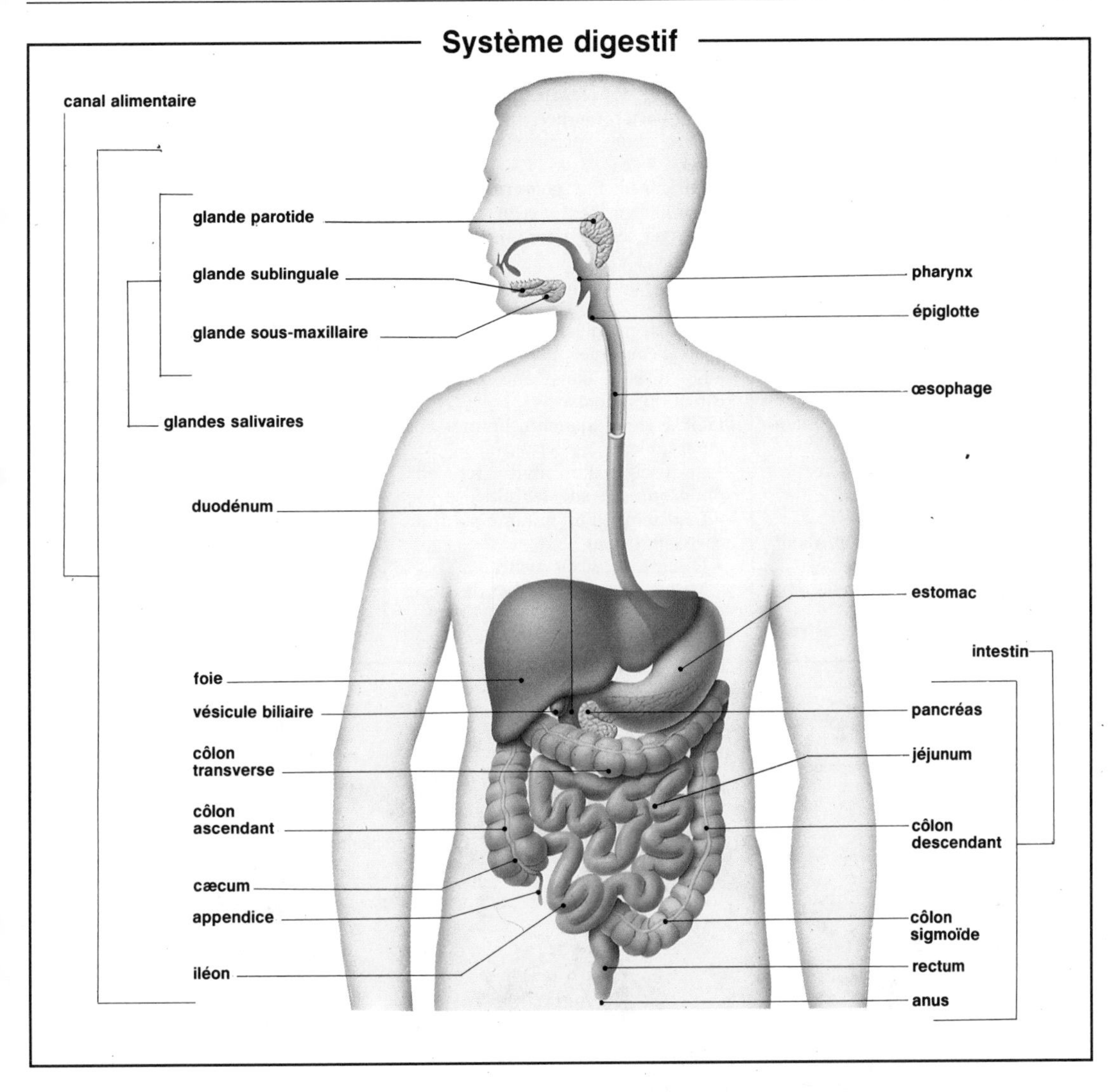

– Premier dinosaure identifié, en 1824 **mégalosaure**
– Le plus célèbre des dinosaures **diplodocus**

DIOXYDE chimie
– Phénomène induit par la présence de dioxyde d'azote dans l'atmosphère **smog photochimique**
– Dioxyde de carbone CO_2
– Dioxyde d'azote NO_2

DIPLOMATIE
– Objet de la diplomatie **relations internationales**
– Personnel de la diplomatie **corps diplomatique**
– Lieu où s'exerce la diplomatie **chancellerie, ambassade, mission, consulat**
– Agir avec diplomatie **adresse, tact, circonspection, finesse, habileté**

DIPLÔME
– Diplôme du primaire **certificat d'études primaires**
– Diplôme de fin d'études du secondaire **brevet, baccalauréat**
– Diplôme universitaire de premier cycle **D.E.U.G. (diplôme d'études universitaires générales)**
– Diplôme universitaire de deuxième cycle **licence, maîtrise**
– Diplôme universitaire de troisième cycle **D.E.A. (diplôme d'études approfondies), D.E.S.S. (diplôme d'études supérieures spécialisées), doctorat**
– Diplôme technique **C.A.P. (certificat d'aptitude professionnelle), B.T.S. (brevet de technicien supérieur), D.U.T. (diplôme universitaire de technologie)**
– Personne venant d'obtenir un diplôme **impétrant, récipiendaire**
– Diplôme de peu de valeur **peau d'âne, parchemin**

DIRE déclarer, énoncer
– Dire à voix basse **susurrer**
– Dire des injures **proférer, dégoiser, vomir**
– Exprimer sa pensée sans la dire expressément **insinuer**
– Dire avec certitude en faisant référence à **alléguer**
– Avoir beau dire **protester**
– Un sentiment impossible à dire **inexprimable, indicible, ineffable**

DIRECTION **destination, orientation, but**
– Direction suivie régulièrement par des avions **ligne aérienne**
– Choisir une direction **chemin, route**
– Pièce de direction d'un bateau **gouvernail, timon**
– Groupe constituant une direction militaire **état-major**
– La direction centrale d'une société **siège**
– Elle a été chargée de la direction financière de l'entreprise **gestion**
– S'occuper de la direction d'un travail **organisation**
– Direction administrative **intendance, régie**
– Action de viser dans une direction précise **collimation**

DIRIGER
– Diriger un train, un avion **aiguiller**
– Le voilier se dirige vers le port **cingle, vogue**
– Diriger une marchandise vers une destination **envoyer, expédier**
– Diriger son regard vers quelque chose **porter, tourner**
– Diriger une entreprise **administrer, gérer**
– Diriger un État **gouverner**
– Diriger un théâtre **régir**
– Diriger son tir **viser, ajuster, axer, orienter**
– Diriger son arme sur une personne **braquer**
– Se diriger à plusieurs vers un point central **converger**
– Se diriger dans une mauvaise direction **se fourvoyer**

DISCIPLE **élève, apprenti, héritier** voir aussi tableau
– Le disciple d'un maître religieux, philosophique **adepte, initié**
– Le disciple d'un homme politique **partisan, tenant**
– Disciple de Jésus **apôtre**
– Mission des disciples de Jésus **évangélisation**

DISCOURS **conférence, allocution**
– Discours politique **proclamation, harangue**
– Discours de louange **panégyrique, apologie**
– Discours religieux **sermon, prêche, prédication, homélie, prône**
– Discours prononcé lors d'un enterrement **oraison funèbre**
– Discours hostile, accusateur **réquisitoire, philippique, catilinaire, diatribe**

DISCRÉDITER **calomnier, décréditer, dénigrer, diffamer, déconsidérer**
– Discréditer quelqu'un en se moquant de lui **dauber**
– Discréditer la valeur d'un spectacle **décrier**
– Discréditer publiquement **tympaniser**

DISCRIMINATION **distinction, séparation**
– Discrimination raciale **ségrégation, apartheid**
– Lieu d'habitation d'un groupe

Dinosaures

résultant d'une discrimination **ghetto**
– Discrimination intellectuelle **discernement**
DISCUTER
– Discuter d'un contrat **négocier**
– Discuter âprement **contester, ferrailler**
– Discuter avec un adversaire **parlementer**
– Discuter d'une question **débattre, délibérer**
DISPARAÎTRE
– Disparaître furtivement **fuir, se sauver**
– Disparaître en mer **couler, sombrer, s'abîmer**
– La douleur a disparu **s'est dissipée**
– Faire disparaître un individu **enlever, tuer, supprimer**
– Faire disparaître des tâches **ôter, effacer**
– Faire disparaître des maux **chasser, éloigner**
– Faire disparaître un objet **cacher, dissimuler, escamoter**
DISPARITION absence
– Disparition d'une civilisation **extinction, fin**
– Déplorer la disparition d'un ami **mort, perte**
– Célébrer la disparition des privilèges **suppression, abolition**
– Disparition d'un astre **éclipse, occultation**
– Disparition d'une tumeur **résorption**
DISPENSE autorisation, permission
– Dispense fiscale **exonération, franchise, exemption**
– Obtenir une dispense **dérogation**
– Dispense accordée à certaines personnes **immunité**
DISPONIBILITÉ
– Disponibilités financières d'une entreprise **fonds, trésorerie, liquidités**
– Il ne faut pas confondre disponibilité et **inactivité, désœuvrement, oisiveté**
DISPONIBLE libre, vacant
DISPOSER placer, mettre, installer, agencer, répartir
– Disposer d'un revenu confortable **posséder**
– Pouvoir disposer de ses biens **jouir de**
– Pouvoir disposer de la voiture d'un ami **emprunter, utiliser, se servir de**
– Se disposer à faire quelque chose **se préparer à, s'apprêter à**
– Vous pouvez disposer **vous retirer, partir**

DISCIPLES

Pierre	**Thomas**
André	**Matthieu**
Jacques (fils de Zébédée)	**Jacques** (fils d'Alphée)
Jean	**Thaddée**
Philippe	**Simon**
Barthélemy	**Judas Iscariote**

DISPUTE brouille, fâcherie
– Une dispute d'enfants **chamaillerie**
– Une grave dispute **altercation, querelle**
DISSIMULER cacher, feindre, taire, voiler
– Dissimuler aux regards extérieurs **soustraire, dérober**
– Dissimuler une douleur **masquer**
– Se dissimuler sous une fausse identité **s'abriter**
DISSIPER faire cesser
– Dissiper ses camarades **amuser, distraire, divertir**
– Dissiper un doute **chasser, ôter, effacer**
– Faire se dissiper un mauvais rêve **oublier, refouler**
– Dissiper sa fortune **gaspiller, dilapider**
– Se dissiper **s'éparpiller, se disperser**
DISSOLUTION
– Assister à la dissolution d'un empire **ruine, effondrement, anéantissement, disparition**
– Condamner la dissolution des mœurs **corruption, débauche, immoralité**
– Acte enregistrant la dissolution d'un mariage **divorce**
– Employer une dissolution pour réparer une chambre à air **colle**
DISSOUDRE décomposer, désagréger
– L'eau dissout le sucre **absorbe**
– Substance se laissant dissoudre **soluble**
– Dissoudre un mariage **annuler, rompre**
– Produit utilisé pour dissoudre **dissolvant**
DISTANCE
– Distance entre deux points **intervalle, espacement**
– Distance entre les deux yeux **écart**
– Habiter à faible distance d'un village **à proximité**
– Distance verticale **élévation**
– Distance atteinte par le projectile d'une arme à feu **portée**
– Distance effectuée par un avion sans ravitaillement **autonomie, capacité**
DISTILLATION
– Appareil utilisé pour la distillation **alambic, athanor**
– Distillation répétée afin d'obtenir une concentration **cohobation**
– Eau parfumée obtenue par la distillation de substances végétales **hydrolat**
– Huile obtenue par la distillation de goudron de bois **créosote**
– Substance obtenue par la distillation de plantes **essence**
– Résidu aqueux provenant de la distillation de végétaux **drêche**
– Résidu provenant de la distillation de liquides alcooliques **vinasse, flegme**
– Distillation du pétrole brut **raffinage**
DISTINCTION
– Faire preuve de distinction **raffinement, élégance, noblesse**
– Établir des distinctions **différences, préférences**
– Distinction scientifique **séparation, différenciation**
– Distinction raciale **discrimination**
– Marque de distinction **prérogative, privilège**
– Décerner une distinction **décoration**
DISTRACTION
– Commettre une erreur par distraction **étourderie, inattention**
– Trouver une distraction à l'ennui **dérivatif**
– S'octroyer des moments de distraction **divertissement, agrément, récréation**
– Distraction privilégiée **dada, violon d'Ingres, hobby**
DISTRAIRE dissiper, divertir
– Distraire une personne en plein travail **déranger, importuner, interrompre**
– Distraire une somme d'un héritage **soustraire, retrancher, détourner**
– Distraire un tableau de l'ensemble d'une œuvre **détacher, séparer**
– Se distraire **s'égayer**
DISTRAIT étourdi
– Avoir un air distrait **absent, rêveur, absorbé**
– Écouter d'une oreille distraite **être inattentif**

DISTRIBUTION **répartition, partage, attribution**
– Distribution à un large public **diffusion**
– Une distribution généreuse **largesse**
– La distribution d'un appartement **agencement, aménagement, disposition**
– La distribution méthodique **classement, ordonnance**
– Distribution prestigieuse lors d'une manifestation musicale ou théâtrale **affiche, palette d'acteurs**

DIVERS
– S'adresser à un public divers **disparate, composite, hétérogène**
– Entendre des avis divers **distincts, variés, multiples, partagés**
– Trouver diverses possibilités **plusieurs, différentes**

DIVINATION
-mancie

DIVINATION **prédiction, prophétie, augure, auspices, présage** voir aussi **consultation**
– Divination par l'interprétation des rêves **oniromancie**
– Divination par consultation des nombres **arithmomancie**
– Divination par les baguettes **rhabdomancie**
– Divination chinoise par les tiges d'achillée **achilléomancie**
– Divination chinoise par les écailles de tortue **chéloniomancie**
– Personne douée d'un pouvoir de divination **devin, haruspice, pythonisse**

DIVISER **fractionner, fragmenter, parceller, segmenter, séparer**
– Diviser en coupant **sectionner, tronçonner**
– Diviser un ensemble **démembrer, décomposer, disjoindre**
– L'ardoise se divise en lamelles **se fend, se clive, s'exfolie**
– Se diviser **se répartir, se scinder**
– Diviser un livre en tomes **tomer**
– Diviser un dessin en carrés **graticuler**

DIVISION
dis-

DIVISION
– Division administrative **région, province, département, commune, circonscription, canton**
– Division sociale **classe, clan, tribu, caste**
– Division d'une région, d'une ville **régionalisation, arrondissement**
– Division d'un texte **paragraphe, chapitre**
– Division d'un poème **strophe, chant, couplet**
– Division d'un livre sacré **verset, surate**
– Division d'un feuilleton **épisode**
– Division cinématographique **séquence, plan, découpage**
– Division de l'atome **fission, scission**
– Division par dix, cent, mille **déci-, centi-, milli-**

DIVORCE **rupture, séparation**
– Prononcer un divorce **cessation, dissolution**
– Procédure pouvant être effective avant un divorce **séparation de corps**
– Délai devant être observé par une femme entre le divorce et un remariage **délai de viduité**
– Acte de divorce dans la religion juive **guet**
– Forme de divorce dans le droit romain antique **par consentement mutuel, divorce-répudiation**

DIX
déca-, déci-, décem-

DIX
– Période de dix ans **décennie**
– Période de dix jours **décade**
– Dix fois plus **décuple**
– Instrument antique à dix cordes **décachorde**
– Les Dix Commandements **le Décalogue**
– Récit raconté pendant dix jours **le *Décaméron***
– Division astrologique en trois fois dix degrés **décan**
– Dans l'Antiquité romaine, mise à mort d'une personne sur dix **décimation**
– Groupe composé de dix soldats dans la Rome antique **décurie**
– Membre d'un collège de dix personnes dans l'Antiquité romaine **décemvir**

DIXIÈME
– Dixième mois du calendrier romain **décembre**

DOCTEUR voir aussi **médecin**
– Femme docteur en médecine **doctoresse**
– Terme péjoratif appliqué aux mauvais docteurs en médecine **charlatan, médicastre**
– Diplôme décernant le titre de docteur **doctorat**
– Formation d'un docteur dans un domaine précis **spécialisation**
– Particule indiquant la spécialisation d'un docteur **ès**
– Grade de docteur qui est décerné à titre honorifique **honoris causa**
– Docteur de l'Église **Père, théologien**

DOCTRINE
– Professer une doctrine **enseignement**
– Doctrine à caractère scientifique **théorie, système, thèse**
– Doctrine religieuse **dogme**
– Doctrine chrétienne **congrégation**
– Religieux chargés de l'enseignement de la doctrine chrétienne **ignorantins**
– Doctrine littéraire **école**
– Contester une doctrine **opinion**

DOCUMENT
– Type de document **écrit, sonore, visuel, audiovisuel, informatique, télématique, graphique, iconographique**
– Document écrit **papier, dossier, titre, affiche, journal**
– Document utilisé en justice **pièce**
– Document relatant les événements d'une époque **annales, chronique, Mémoires**
– Ensemble de documents anciens concernant un État, une société, une famille **archives**
– Film constitué de documents authentiques **documentaire**
– Ensemble de documents conservés pour être consultés **documentation**

DOGMATIQUE
– Un ton dogmatique **doctoral, sentencieux, autoritaire**
– Des propos dogmatiques **catégoriques, péremptoires, tranchants**
– Corollaire d'une attitude dogmatique **intransigeance, intolérance, fanatisme**
– Philosophie à caractère dogmatique **scolastique**

DOIGT
dactyl-, dactylo-, digiti-

DOIGT
– Doigt de la main **pouce, index, majeur/médius, annulaire, auriculaire**
– Doigt du pied **orteil**
– Os du doigt **phalange, phalangine, phalangette**
– Main constituée de doigts courts **brachydactyle**
– Main constituée de doigts longs **macrodactyle**
– Technique de communication au moyen des doigts **dactylologie**
– Semblable ou propre au doigt **digiforme, digital**
– Espace entre deux doigts, le pouce et l'auriculaire, servant de mesure **empan**

– Maladie des doigts **goutte, panaris, tourniole**
– Objet protégeant le doigt **dé, doigtier, délot, poucier**
– Mammifères ongulés possédant un nombre de doigts pair **artiodactyles**
– Animal marchant sur les doigts **digitigrade**
– Artiste aux doigts agiles **prestidigitateur**
DOMAINE
– Domaine immobilier **propriété, terre, patrimoine**
– Domaine circonscrit par un animal **territoire**
– Le domaine des arts, de la science **monde**
– Le domaine des connaissances **étendue, champ**
– Un domaine de la recherche **branche, secteur**
– Domaine de compétence **spécialité, matière, partie**
– Domaine agricole dans la pampa **estancia, hacienda**
– Domaine agricole au Brésil **fazenda**
– Domaine agricole très étendu **latifundium**
– Parcelle du domaine royal attribué à un prince exclu de la couronne **apanage**
DOMESTIQUE (1) serviteur, femme de chambre, caméristé
– Domestique s'occupant exclusivement des enfants **nurse, gouvernante**
– Domestique d'une grande maison **maître d'hôtel, majordome**
– Domestique d'un hôtel particulier **chasseur, groom, liftier**
– Domestique à qui est confiée l'administration d'un domaine **intendant, régisseur, factotum**
– Rémunération d'un domestique **gages**
– Ensemble des domestiques **domesticité, valetaille**
– Domestique au théâtre **valet, soubrette**
DOMESTIQUE (2)
– Dieux domestiques de la mythologie **lares, pénates**
– Une querelle domestique **intérieure, intestine**
DOMICILE foyer, habitation, résidence
voir aussi **maison**
– Personne sans domicile fixe **itinérant, voyageur, nomade, forain, colporteur, vagabond**
DOMINER diriger, gouverner, régenter, avoir barre sur
– La ville domine le lac **surplombe**
– Dominer ses rivaux lors d'une course **surclasser, surpasser**
– Dominer sa gourmandise **réprimer, surmonter**
– Se dominer **se maîtriser**
DOMMAGE dégât, ravage, détérioration
– Dommage subi par des marchandises **avarie**
– Dommage causé par une tempête à un espace forestier **vimaire**
– Causer un dommage à quelqu'un **préjudice, tort**
– C'est dommage ! **ennuyeux, fâcheux, contrariant, regrettable**
DON cadeau, présent, gratification
– Don modeste **obole**
– Don fait par charité **aumône**
– Don annuel **étrennes**
– Don offert à Dieu **offrande, sacrifice, oblation**
– Don fait dans le cadre d'une aide financière **subvention, allocation, subside**
– Don fait dans le cadre juridique **legs, donation**
– Don fait par les héritiers d'un artiste et réglant les frais de succession **dation**
– C'est un don de Dieu ! **grâce, bénédiction**
– Don financier fait à une personne pour la corrompre **pot-de-vin, bakchich, épices, matabiche**
– Don en nature ou en argent dans l'Antiquité romaine **sportule**
– Don rituel constituant un défi qui doit être relevé par un contre-don **potlatch**
DONNER offrir, attribuer
– Donner les cartes **distribuer**
– Donner les moyens de **procurer, octroyer**
– Donner de l'argent **rémunérer, rétribuer**
– Donner un spectacle **représenter**
– Donner une interview **accorder**
– Donner un temps de réflexion **concéder**
– Donner un pourboire **laisser, verser, gratifier de**
– Donner un blâme **infliger**
– Donner des coups **assener**
– Donner l'envie **susciter, éveiller**
– Donner une qualité à quelqu'un **prêter, imputer**
– Se donner à une cause **se vouer à, se consacrer à, se sacrifier pour**
– Se donner régulièrement à **s'adonner à**
– Se donner du temps **s'accorder**
DORÉ
– Un teint doré **cuivré, bruni**
– Un aspect doré **ambré**
– Une robe dorée **lamée, pailletée**
– Argent doré **vermeil**
– Cresson doré **dorine**
DORÉE
– Dorée des mers d'Europe **saint-pierre, poule de mer, jean-doré, poisson de saint Christophe**
– Dorée de l'étang **tanche**
DORMIR
– Commencer à dormir **s'assoupir**
– Dormir d'un sommeil léger **sommeiller, somnoler**
– Dormir dans l'après-midi **sieste, somme, méridienne**
– Substance aidant à dormir **somnifère, soporifique**
– Besoin pathologique de dormir **narcolepsie**
– Laisser dormir des capitaux **inactifs, inemployés**
– Une eau qui dort **stagnante**
DOS
noto-
DOS échine
– Élément de l'anatomie du dos **colonne vertébrale, omoplates, lombes, sacrum, coccyx**
– Muscle du dos **grand dorsal, long dorsal**
– Le dos de la main **revers**
– Dos du lapin **râble**
– Dos d'une feuille **verso**
– Signature apposée au dos d'un chèque, d'un effet **endos**
– S'appuyer sur le dos **s'adosser**
– Propre au dos **dorsal**
– Douleur au dos **lumbago, courbature, dorsalgie**
– Courber le dos **se résigner**
– Avoir, être le dos au mur **être acculé**
– Punaise d'eau nageant sur le dos **notonecte**
– Monstre possédant un ou deux membres sur le dos **notomèle**
DOSSIER support
– Elle peut recouvrir un dossier **garniture**
– Élément de décoration d'un dossier **étoffe, clou, frange**
– Un dossier délicat **affaire, cas**
– Examiner les pièces d'un dossier **consulter, compulser**
DOUANE
– Mouvement commercial relevant de la douane **importation, exportation**
– Bureaux de douane établis à la frontière d'un pays **ligne des douanes**
– Personnel des douanes **inspecteur, receveur, vérificateur, douanier**
– Carnet de passage en douane d'un véhicule automobile **triptyque**

– Droits de douane calculés selon le volume des marchandises **spécifiques**
– Droits de douane calculés selon la valeur des marchandises **ad valorem**
– Restitution des droits de douane **drawback**
– Document d'acquit des frais de douane **passavant**
– Suspension des frais de douane **transit, entrepôt**
– Loi spécifiant le relèvement des droits de douane **loi du cadenas**

DOUBLE (1) voir aussi **copie**
– Expression du double **dualité, duplicité**
– Un double d'une œuvre **réplique, copie**
– Rencontrer son double **alter ego, sosie**

DOUBLE (2)
– Doctrine à double principe **dualisme**
– Sens double d'une expression, d'un mot **amphibologie**
– Avoir un langage double **équivoque, ambigu**
– Double consonne **géminée**
– Fièvre double **intermittente**

DOUBLER
– Doubler une dose **augmenter**
– Doubler un véhicule **dépasser**
– Doubler un concurrent **devancer**
– Doubler un acteur **remplacer**
– Doubler la bande son d'un film **postsynchroniser**
– Cet artiste se double d'un conteur **s'accompagne de**

DOUBLURE
– Doublure d'un vêtement **fourrure, ouate, soie**
– Liséré dépassant d'une doublure **débord, passepoil**
– Ouverture aux manches d'un vêtement laissant voir la doublure **crevé**
– Doublure d'un acteur de cinéma **cascadeur**

DOUCEUR **suavité**
– Une extrême douceur **délicatesse, grâce, légèreté**
– Atmosphère de douceur **sérénité, quiétude**
– La douceur de la peau **satiné, velouté**
– Individu affectant une fausse douceur **mielleux, benoît, patelin, melliflue**
– Avoir un faux air de douceur pour tromper quelqu'un **faire la chattemite**

DOULEUR
dolor-, alg(o)-, -algésie, -algie

DOULEUR **souffrance, mal, algie** voir aussi tableau
– Douleur d'enfant **bobo**
– La douleur peut être **aiguë, anodine, bénigne, irradiante, lancinante, erratique, pongitive, tensive, pulsative**
– Sensibilité à la douleur **algésie**
– Une cause provoquant une douleur **algésiogène**
– Goût et recherche de la douleur **algophilie**
– Recherche du plaisir sexuel dans la douleur physique **masochisme, algomanie**
– Absence congénitale de la sensation de douleur **analgie**
– Médicament qui calme, diminue la douleur **analgésique, antalgique**
– Douleur morale **affliction, tristesse, deuil, détresse, déréliction**
– Doctrine fondée sur la douleur **dolorisme**

DOUTE
– Doute émanant de la raison **hésitation, incertitude, irrésolution**
– Être plongé dans le doute **perplexité**
– Air, attitude exprimant le doute **dubitatif**

DOULEURS

	SIÈGE DE LA DOULEUR
arthralgie	articulation
cardialgie	cœur
céphalalgie	tête
cervicalgie	cou
coxalgie	hanche
dorsalgie	dos
entéralgie	intestins
gastralgie	estomac
hépatalgie	foie
névralgie	nerf
odontalgie	dent
ostéalgie	os
otalgie	oreille
rhinalgie	nez

– Raisonnement dont le doute est exempt **indubitable**
– Doute métaphysique **scepticisme**
– Doute éprouvé à l'égard d'un individu **méfiance, soupçon, suspicion**

DOUX **soyeux, onctueux, moelleux**
– Trop doux **douceâtre, doucereux, fade, sirupeux**
– Une lumière douce **tamisée, voilée**
– Rendre plus doux **édulcorer**
– Une personne douce **affable, amène, débonnaire, tendre**

DOUZAINE
– Douze douzaines **grosse**

DOUZE
dodéc(a)-

DOUZE voir aussi **disciple**
– Douze est leur nombre **apôtres, mois du calendrier républicain, signes du zodiaque, travaux d'Hercule**
– Un cristal à douze faces **dodécaèdre**
– Une fleur à douze pistils **dodécagyne**
– Un temple à douze colonnes **dodécastyle**
– Musique contemporaine n'employant qu'une série de douze sons **dodécaphonisme**
– Intestin d'une longueur de douze doigts **duodénum**
– Système numérique qui est en base douze **duodécimal**
– Vers de douze syllabes **dodécasyllabe, alexandrin**

DRAGON **chimère**
– Dragon des légendes provençales **tarasque**
– Symbolisme du dragon **démon**
– Se comporter en véritable dragon **cerbère**
– Dragon des temps modernes **missile**
– Autrefois, corps des dragons **cavalerie**
– Expédition punitive menée par les dragons chez les protestants **dragonnade**

DRAMATIQUE
– Composition dramatique **comédie, drame, tragédie**
– Une représentation dramatique **théâtrale, scénique**
– Art de la composition dramatique **dramaturgie**
– Un accident dramatique **terrible, tragique**
– Un épilogue dramatique **saisissant, poignant**
– Auteur dramatique **dramaturge**

DRAME
-drame

DRAME
– Type de drame théâtral **bourgeois, romantique, naturaliste**
– Drame populaire dont l'accompagnement musical souligne le tragique **mélodrame**
– Drame sacré espagnol **auto**
– Drame mimé **mimodrame**
– Psychothérapie travaillant sur le drame personnel de chaque patient **psychodrame, sociodrame**

DRAP
– Un drap amoureux **soyeux**

DRAPEAU voir aussi tableau
– Long manche sur lequel est fixé un drapeau **hampe, espar**
– Étoffe d'un drapeau **étamine**
– Hauteur de l'étoffe d'un drapeau **guindant**
– Longueur de l'étoffe d'un drapeau **ballant**
– Division d'un drapeau multicolore **canton**
– Morceau d'étoffe long, orné d'une frange d'or et attaché à un drapeau **cravate**
– Drapeau de marine **pavillon, pavois, guidon**
– Drapeau de l'époque féodale **bannière, enseigne, oriflamme**
– Drapeau de guerre au Moyen Âge **gonfalon**
– Porte-drapeau **enseigne, cornette**
– Étude des drapeaux **vexillologie**
– Drapeau des armées romaines dans l'Antiquité **vexille**

DRESSER **élever, ériger, monter**
– Dresser une planche de bois **aplanir, dégauchir**
– Dresser une pierre **équarrir**
– Dresser un procès-verbal **rédiger**
– Dresser deux personnes l'une contre l'autre **braquer, exciter**
– Dresser une liste **établir, composer**
– Dresser un animal **domestiquer, dompter**
– Dresser un cheval **débourrer**
– Dresser un faucon **affaiter**
– Se dresser contre **s'opposer à, s'insurger contre, se révolter contre**

DROGUE **stimulant, euphorisant, stupéfiant**
– État d'intoxication engendré par l'absorption régulière d'une drogue **toxicomanie**
– État résultant d'une prise de drogue continuelle **accoutumance, pharmacodépendance, assuétude**
– Drogue analgésique **opium, morphine, codéine, péthidine, héroïne, méthadone**
– Drogue issue du cannabis, ou chanvre indien **marijuana, haschisch, kif**
– Drogue issue des feuilles du coca **cocaïne**
– Drogue hallucinogène **mescaline, psilocybine, L.S.D.**
– Nouvelle drogue de synthèse **crack, black tar**
– Vendeur de drogue **dealer**
– Proposer de la drogue **came**
– Drogue utilisée par les sportifs **amphétamine**
– Drogue pharmaceutique **remède, orviétan**
– Drogue falsifiée, en termes de pharmacie **goure**
– Médicament agissant comme une drogue **antidépresseur, somnifère, narcotique, psychotrope**

DROIT
ortho-, dextro-

DROIT (1) voir aussi tableau p. 146
– Distinction du droit juridique **public, privé**
– Domaine du droit public **constitutionnel, administratif, pénal, international public**
– Domaine du droit privé **civil, commercial, international privé, pénal, maritime**
– Champ concerné par le droit constitutionnel **nation, peuple, libertés publique et individuelle, élections**
– Champ concerné par le droit administratif **État, hiérarchie des fonctionnaires, police, finances publiques**
– Champ concerné par le droit pénal **délit, crime, tribunaux, amnistie**
– Champ concerné par le droit international public **coutumes internationales, territoires sous tutelle, O.N.U., organismes européens, conflits internationaux**
– Champ concerné par le droit civil **personnes, état civil, patrimoine**
– Champ concerné par le droit commercial **actes de commerce, Bourse de commerce, effets de commerce, faillites, sociétés**
– Champ concerné par le droit du travail **conventions collectives, syndicats, arbitrage, réglementation du travail**
– Champ concerné par le droit international privé **situation des étrangers, nationalité, naturalisation, expulsion, immigration**
– Champ concerné par le droit rural **remembrement**

Drapeaux

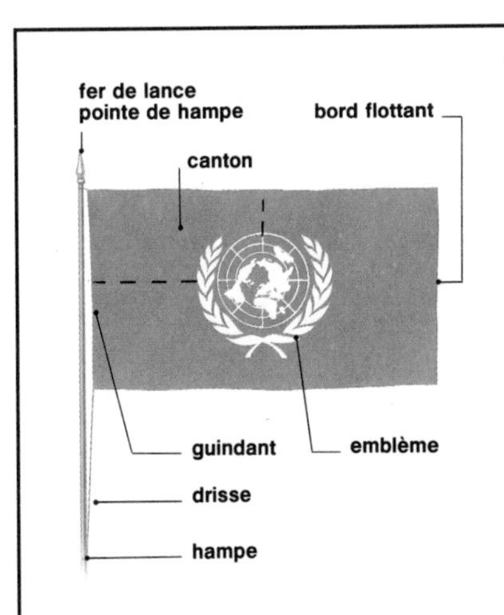

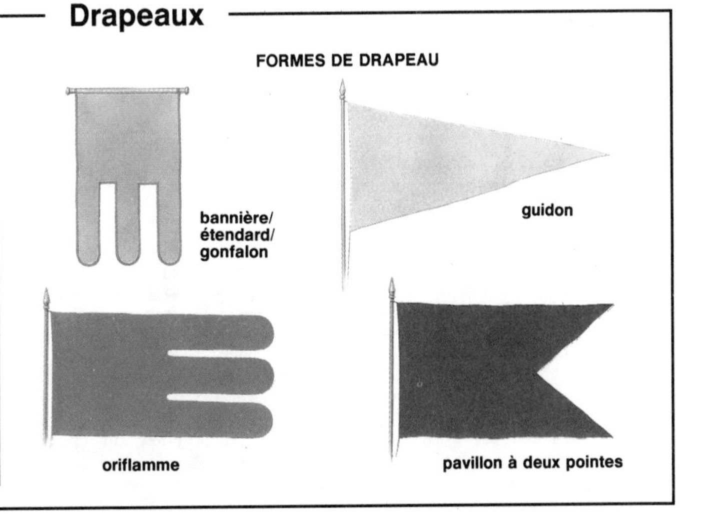

TERMES DE DROIT

administration légale	Régime normal d'administration des biens des enfants mineurs.
assignation ou citation	Termes à peu près synonymes. Il s'agit de l'acte d'huissier remis au défendeur ou au prévenu pour l'aviser qu'il doit comparaître devant un tribunal déterminé, dans un délai ou à une date fixés, pour une raison précisée dans l'acte.
astreinte	Condamnation prononcée par un tribunal contre un débiteur de mauvaise volonté.
avant dire droit	Un jugement « avant dire droit » est celui qui renvoie l'examen du litige à un homme de l'art, par exemple, sans prendre aucune décision qui puisse nuire à l'une ou à l'autre partie. Dans ce cas, le jugement ne tranche pas les problèmes de droit qui pourraient éventuellement être posés.
ayant droit	Personne ayant les droits d'une autre personne, et pouvant les exercer comme cette dernière le ferait.
concordat	Accord intervenu entre les créanciers et le commerçant débiteur pour éviter que le commerce ou la société ne soit mis en liquidation de biens (nouveau nom de la faillite), et précisant la durée et le pourcentage du remboursement des dettes du commerçant.
concussion	Fait pour un fonctionnaire de percevoir des sommes qu'il sait ne pas être dues.
confusion	En matière de créance, il peut arriver que le débiteur d'une personne devienne son créancier. On dit qu'il y a « confusion ».
curatelle	Institution permettant qu'un majeur hors d'état d'agir lui-même soit conseillé dans les actes de la vie civile.
dol	Manœuvre frauduleuse pour tromper quelqu'un et l'amener à conclure un contrat.
information	Ensemble des recherches faites pour établir si un fait constitue bien une infraction et pour recueillir les éléments nécessaires à l'identification du ou des coupables.
mainlevée	Acte par lequel une personne déclare renoncer aux mesures qu'elle avait prises à l'encontre d'une autre personne.
mesure conservatoire	Moyen permettant soit d'être payé avant les autres créanciers (hypothèque par exemple), soit d'empêcher son débiteur de dilapider ses biens ou de les faire disparaître pour ne pas payer.
minute	Original d'un acte authentique. Celui qui l'a rédigée ou l'a reçue en dépôt ne peut s'en dessaisir.
nantissement	Contrat par lequel un débiteur remet une chose à son créancier pour lui garantir le paiement de sa dette.
préciput (clause de)	Clause d'un contrat de mariage par laquelle, au décès du conjoint et sans attendre le partage, l'époux survivant a le droit de prélever sur la communauté certains biens ou une somme d'argent déterminés dans le contrat.
préemption (droit de)	A pour effet que le propriétaire d'un bien ne peut le vendre à un tiers qu'après l'avoir offert à l'exploitant.
protêt	Constatation par huissier ou notaire du non-paiement d'un chèque ou d'un effet de commerce.
recours de plein contentieux	Recours qui vise à obtenir la condamnation d'une administration au paiement d'une indemnité lorsqu'elle a causé un préjudice.
résolutoire (clause)	Clause du bail qui prévoit que faute de paiement du loyer ou d'exécution d'une obligation prévue par le bail, celui-ci sera résilié de plein droit.
sauvegarde de justice	Ensemble de mesures judiciaires applicables à ceux dont la santé mentale donne des inquiétudes en raison d'une maladie, d'une infirmité ou d'un affaiblissement dû à l'âge.
soulte	Somme que doit payer aux copartageants celui qui, dans le cadre d'un partage, a reçu plus que sa part.
usufruit	Démembrement de la propriété : une personne est nue-propriétaire de la chose, une autre, l'usufruitier, en a l'usage et la jouissance, mais ne peut ni la donner ni la vendre.

– Champ concerné par le droit maritime **affrètement**
– Donner un droit **autorisation, permission**
– Exercer son droit **pouvoir, qualité**
– Fait de percevoir un droit **taxe, imposition, redevance, péage**
– Droit accordé spécifiquement **prérogative, privilège, usage**
DROIT (2) vertical, rectiligne, perpendiculaire
– Le côté droit d'un navire en regardant vers l'avant **tribord**
– Main droite **dextre**
– Déplacement du cœur vers le côté droit **dextrocardie**
– Une personne droite **honnête, probe, loyale, intègre**
– Un plan à angle droit **orthogonal**
– Insecte aux ailes droites **orthoptère**
DRÔLE (1)
– C'est un sacré drôle **maraud**
DRÔLE (2) amusant, gai, cocasse, facétieux voir aussi **comique**
– Un drôle d'objet **curieux, étonnant, étrange, insolite**
– Une drôle d'aventure **rocambolesque, fantastique, abracadabrante**
– Une drôle de personne **bizarre, extravagante**
DUEL combat, lutte
– Combattre en duel **brétailler, ferrailler**
– Provocation en duel d'un chevalier **cartel**
– Type de duel judiciaire au Moyen Âge **ordalie**
– Ancien duel au sabre des étudiants allemands **mensur**
– Autrefois, manière de provoquer en duel **jeter le gant**
– Duel télévisé **face-à-face, joute, débat**
– Motif d'un duel **laver son honneur**
DUR ferme, rigide, solide
– Dur comme le diamant **adamantin**
– Dur au toucher **rêche, rugueux**
– Un emploi très dur **pénible, éreintant**
– Un comportement dur **brutal, austère, sauvage**
– Un ton dur **glacial, sévère**
– Du pain dur **rassis**
DURCIR
– Durcir l'acier **tremper**
– Durcir une substance **épaissir, concréter, solidifier**
– Tissu des artères qui se durcit **se sclérose, s'indure**
– Se durcir **s'endurcir, s'affermir, se cuirasser, s'aguerrir**
DURÉE période, laps de temps, espace voir aussi **temps**
– Durée déterminée d'un phénomène **phase, stade**
– Durée d'un pouvoir royal **règne**
– D'une durée illimitée **pérennité, perpétuité**
– D'une durée brève **instant, moment**
– Durée d'un son musical **valeur**
DURER continuer, demeurer
– Durer malgré des assauts destructeurs **résister, persister, subsister**
– Faire durer une fête **prolonger**
– Faire durer une tradition **maintenir**
– Faire durer une loi **proroger**
– Faire durer indéfiniment **éterniser, perpétuer, immortaliser**
DURETÉ résistance, rigidité
– Dureté d'un jugement **sévérité, intransigeance, inclémence**
– Propos pleins de dureté **méchanceté, cruauté, perfidie**
– Dureté d'une région **inhospitalité**
– La dureté hivernale **âpreté, rigueur, rudesse**
DYNAMIQUE
– Objet d'étude de la physique dynamique **forces**
– Principe fondamental de la physique dynamique **principe d'inertie**
– Précurseur de la physique dynamique **Leibniz**
– Électricité dynamique **courant électrique**
– Une personne dynamique **active, énergique, entreprenante**
DYNASTIE succession

E

EAU voir aussi **chute**
– Composition chimique de l'eau **hydrogène, oxygène**
– Transformation de l'eau en vapeur **évaporation**
– Animal dont le milieu naturel est l'eau **aquatique**
– Substance s'imprégnant aisément d'eau **hydrophile**
– Énergie fournie par l'eau **hydraulique**
– Terre renfermant de l'eau **aquifère**
– Réserve souterraine d'eau **nappe phréatique**
– Absorption d'eau par l'organisme **hydratation**
– Présence anormale d'eau dans le sang **hydrémie**
– Thérapie fondée sur les propriétés curatives de l'eau **hydrothérapie**
– Procédé d'élimination de l'eau **déshydratation, dessiccation**
– Peur maladive de l'eau **hydrophobie**
– Corps dépourvu d'eau **anhydre**
ÉBAHI étonné, stupéfait, médusé, sidéré, ahuri
– Être ébahi à l'annonce d'une nouvelle **interdit, abasourdi, interloqué**
ÉBAUCHE commencement
– Ébauche d'un tableau **esquisse, croquis, projet**
– Ébauche d'une œuvre littéraire **plan, canevas**
– Rester à l'état d'ébauche **embryon**
ÉBAUCHER
– Ébaucher un mouvement **entamer, amorcer**
– Ébaucher un bloc de marbre **dégrossir, épanneler**
ÉBÈNE
– Arbre à ébène **ébénier**
– Utilisation de l'ébène **marqueterie, ébénisterie, tabletterie**
ÉBÉNISTERIE marqueterie voir aussi **bois, meuble**
– Technique d'ébénisterie **déroulage, placage, tranchage, contreplacage**
– Ouvrage d'ébénisterie **meuble, moulure, parquet**
ÉBLOUISSANT
– Une lumière éblouissante **aveuglante**
– Une prestation éblouissante **remarquable, sublime, fascinante**
– Une éloquence éblouissante **impressionnante, séduisante**
ÉBLOUISSEMENT vertige, malaise, étourdissement
– Éblouissement affectant le champ visuel **scotome**
– Éblouissement d'une rencontre, d'un voyage **émerveillement, enchantement**
ÉBOUILLANTER
– Ébouillanter des légumes **blanchir**
– Ébouillanter une théière **échauder**
– S'ébouillanter **se brûler**
ÉBOURIFFÉ échevelé, hirsute
– Une coiffure ébouriffée **hérissée, désordonnée**
ÉBRANLER remuer, secouer
– Ébranler les certitudes **entamer, affaiblir, fléchir, saper**
– Être moralement ébranlé **ému, affecté, touché, bouleversé**
– Être physiquement ébranlé **commotionné, choqué, traumatisé**
– S'ébranler **démarrer, se mettre en marche**
ÉBRÉCHER endommager, abîmer
– Partie ébréchée d'un objet **ébréchure**
– Un héritage bien ébréché **entamé, réduit, écorné**
ÉCAILLE
– Animal à écailles **squamifère**
– Insecte antennifère à écailles **lépidoptère**
– Écailles recouvrant les ailes du papillon **poussières**
– Écaille de très petite dimension **squamule**
– Peau ressemblant à l'écaille **squameuse**
– Écaille d'huître **coquille, valve**
– Débarrasser un poisson de ses écailles **écailler**
– Tortue très recherchée pour son écaille **caret**
– Écaille de plâtre **fragment, lambeau, parcelle**
ÉCART distance, intervalle, éloignement
– Écart de température **variation**
– Écart de conduite **incartade, frasque, fredaine**
– Écart de langage **grossièreté, injure**
– Écart de raisonnement **digression**
– Faire un écart en voiture **embardée**
– Écart de l'épaule chez le cheval **entorse**
– Se parler à l'écart **en aparté**
– Mise à l'écart d'une personne malade **quarantaine**
– Individu vivant à l'écart des normes sociales **marginal**
ÉCARTER
– Écarter un rival **évincer, éliminer**
– Écarter les doigts **desserrer, disjoindre**
– Écarter les lèvres d'une plaie **séparer, élargir**
– Écarter un sentiment douloureux **refouler, bannir**
– Écarter les soupçons **dissiper**
– Écarter les obstacles **supprimer, balayer**
– Écarter une solution **rejeter, repousser, exclure**
– S'écarter du droit chemin **se fourvoyer, s'égarer**
– S'écarter de son devoir **dévier de, se détourner de**
– S'écarter afin de laisser le passage **s'effacer**
ÉCHAFAUDAGE
– Élément d'un échafaudage **boulin, écoperche, plancher, pylône, baliveau**
– Échafaudage de livres **amas, pile, pyramide**
– Échafaudage d'une théorie **construction, édification, élaboration**
ÉCHANGE troc, commerce, circulation
– Somme d'argent versée à titre de compensation dans un échange **soulte**
– Échanges internationaux **commerce extérieur**
– Politique de restriction des échanges **protectionnisme**

– Politique de liberté des échanges **libre-échange**
– Propriété des cellules permettant l'échange **perméabilité**
– Échange simultané et égal **réciproque, mutuel**
– Échange de vues **conversation**
– Personne portée aux échanges **communicative, extravertie, sociable**
– Un échange de mots **querelle, altercation**
– Échange de coups **rixe, pugilat, échauffourée**
– Recevoir en échange **en retour, en compensation**
– En échange de **pour prix de**

ÉCHANTILLON type, spécimen, modèle
– Présenter un échantillon de son talent **exemple, aperçu**
– Collection d'échantillons **échantillonnage**

ÉCHAPPER
– Échapper à une contrainte **éviter, se dérober à, se soustraire à**
– Échapper à un péril **réchapper de**
– Échapper à une situation embarrassante **éluder, esquiver**
– Laisser échapper un objet **glisser, tomber**
– Des odeurs s'échappent **s'exhalent**
– S'échapper d'une prison **se sauver, s'évader**
– S'échapper discrètement **s'éclipser, s'évanouir**

ÉCHEC insuccès, déconfiture, déboires, défaite, revers
– Échec financier **faillite**
– Échec d'une œuvre cinématographique ou théâtrale **four, fiasco**
– Faire échec aux projets d'une personne **entraver, gêner, contrecarrer, contrarier**

ÉCHELLE
– Traverse d'une échelle **échelon**
– Petite échelle pliante **escabeau**
– Échelle à un seul montant **échelier**
– Échelle sociale **hiérarchie**
– Appliquer l'échelle mobile des salaires **indexation**
– Échelle de sons **gamme**
– Échelle métrique **graduation**
– S'inscrire dans l'échelle des êtres **série, suite, succession**
– Échelle portée sur une carte géographique **rapport**
– À l'échelle de **à la mesure de**

ÉCHO résonance
– Phénomène induit par l'écho **réflexion, répercussion, réverbération**
– Appareil fonctionnant sur le principe de l'écho **radar**
– Se faire l'écho d'une rumeur **propager, répandre**
– Un appel resté sans écho **réponse**
– Lire les échos d'un journal **rubrique mondaine**
– Journaliste chargé des échos **échotier**

ÉCHOUER
– L'entreprise a échoué **avorté, raté**
– Faire échouer un complot **déjouer**
– Un navire s'échoue **s'engrave, s'ensable, s'envase**

ÉCLAIR foudre, orage
– Éclair de chaleur **fulguration**
– Éclair de génie **trait, étincelle**
– Éclair de tendresse **lueur, éclat**
– Diffuser une nouvelle éclair **flash d'information**

ÉCLAIRAGE
– Appareil d'éclairage **luminaire**
– Éclairage d'un monument, d'une ville à l'occasion de festivités **illumination**
– Instrument permettant l'éclairage des cavités de l'organisme **endoscope**
– Appareil d'éclairage utilisé en salle de chirurgie **Scialytique**
– Considérer une question sous un certain éclairage **angle, aspect, point de vue**

ÉCLAIRCIR
– Éclaircir un semis de betteraves **démarier**
– Éclaircir du verre **polir**
– Éclaircir une sauce **allonger**
– Éclaircir une affaire **débrouiller, démêler, élucider**
– Le ciel s'éclaircit **se dégage**

ÉCLAIRER
– Éclairer une personne sur ses intentions **instruire, informer, s'expliquer, renseigner**

ÉCLAT fragment, brisure, morceau
– Éclat de bois **éclisse**
– Éclat de pierre **écornure, recoupe, épaufrure**
– Éclat d'os **esquille**
– Éclats de métal **battitures**
– Mesure de l'éclat des étoiles **magnitude**
– Éclat d'un objet brillant **lustre**
– Éclat d'un diamant **feu**
– Éclat du soleil **flamboiement**
– Éclat du regard **luminosité**
– Admirer l'éclat d'une société, d'une époque **faste, splendeur, magnificence**
– Éclat de voix **cris**

ÉCLATANT étincelant, éblouissant
– Un son éclatant **puissant**
– Une pierre éclatante **rutilante, chatoyante**
– Une éclatante beauté **radieuse, resplendissante, triomphante**
– Une vérité éclatante **évidente, manifeste**
– Une victoire éclatante **retentissante, spectaculaire**

ÉCLATER
– Faire éclater une bombe **exploser, sauter**
– Faire éclater un pneu **crever**
– Éclater sous l'effet d'une trop forte pression **se casser, se briser, se rompre**
– Faire éclater le tronc d'un arbre **écuisser**
– Éclater de rire **pouffer, s'esclaffer**
– Éclater en reproches **tempêter, jurer, fulminer**

ÉCLIPSE occultation voir aussi **astronomie**
– Éclipse de soleil durant laquelle la partie visible a la forme d'un anneau **annulaire**
– Éclipse durant laquelle l'astre éclipsé n'est pas privé de lumière **apparente**
– Éclipse durant laquelle l'astre éclipsé est privé de lumière **vraie**
– Cycle d'apparition des éclipses **saros**
– Être sujet à des éclipses **défaillances**
– Un mouvement à éclipses **intermittent**

ÉCLUSE barrage, canal
– Bassin d'une écluse **sas**
– Paroi d'une chambre d'écluse **bajoyer**
– Partie du canal de navigation entre deux écluses **bief**
– Quantité d'eau lâchée par l'ouverture d'un poste d'écluse **éclusée**

ÉCŒURANT
– Des relents écœurants **dégoûtants, fétides, nauséabonds, infects**
– Une attitude écœurante **révoltante, choquante, répugnante**

ÉCOLE éducation
– Enseignant de l'école primaire **instituteur, maître**
– Enseignant de l'école secondaire **professeur**
– École de danse **académie**
– École de musique et de théâtre **conservatoire**
– École privée **cours, institution, pension**
– École destinée aux enfants de militaires **prytanée**
– École nationale d'administration **E.N.A.**
– École nationale d'ingénieurs des travaux agricoles **E.N.I.T.A.**

– École nationale supérieure agronomique **E.N.S.A.**
– École nationale supérieure d'ingénieurs **E.N.S.I.**
– École polytechnique **l'X**
– École de peinture **style, courant**
– Se réclamer d'une école **mouvement, clan, chapelle**

ÉCOLIER **élève**
– Fourniture de l'écolier **cahier, cartable, trousse, ardoise**
– Blouse d'écolier **tablier**
– Il n'est encore qu'un écolier **apprenti, débutant, novice**

ÉCOLOGIQUE voir aussi **environnement**
– Facteur agissant sur le milieu écologique **écobiotique**
– Ensemble écologique réduit **écosystème**

ÉCONOME (1)
– Occuper la fonction d'économe **gestionnaire, administrateur**

ÉCONOME (2)
– Une personne économe à l'excès **chiche, avare, parcimonieuse**

ÉCONOMIE voir aussi tableau
– Réaliser une économie de temps **gain**
– Dilapider ses économies **pécule, épargne, réserves**
– Travailler à l'économie d'un roman **organisation, structure, plan**
– Traitement mathématique appliqué à l'économie **économétrie**

ÉCONOMISER **amasser, capitaliser, thésauriser**
– Économiser ses efforts **ménager**

ÉCORCE
– Bois débité sur lequel on a laissé l'écorce **grume**
– Ôter l'écorce d'un arbre **écorcer, décortiquer**
– Opération consistant à supprimer la première écorce du chêne-liège **démasclage**
– L'écorce d'un fruit **peau, pelure**
– Écorce terrestre **croûte**
– Écorce de la tige de chanvre **teille**
– Écorce cérébrale **cortex**

ÉCORCHER
– Écorcher un animal **dépouiller, dépiauter**
– Des genoux écorchés **éraflés, griffés, égratignés, excoriés**
– Écorcher une langue **déformer, estropier**
– Écorcher les oreilles **heurter**

ÉCOULEMENT
– Écoulement de bile **dégorgement**
– Écoulement d'un liquide organique **flux, excrétion, épanchement**
– Écoulement des eaux usées **évacuation, déversement**
– Écoulement nasal purulent survenant chez un animal **jetage**
– Branche de la mécanique étudiant l'écoulement de la matière **rhéologie**
– Appareil mesurant l'écoulement **rhéomètre**
– Écoulement d'un stock **vente**

ÉCOUTER voir aussi **entendre, audition**
– Écouter sa colère **céder à, obéir à**

ÉCRAN
– Écran cinématographique **toile**
– Écran de visualisation en informatique **moniteur**
– Petit écran **télévision, téléviseur**
– Écran en photographie **filtre**
– Écran en acoustique **baffle**
– Écran de cheminée **pare-étincelles**
– Procédé d'impression à travers un écran de soie **sérigraphie**
– Faire écran **s'interposer**

ÉCRASER **aplatir**
– Écraser le raisin **fouler, presser**
– Écraser du poivre **égruger, pulvériser, broyer, concasser**
– Écraser des épices, du grain **piler, triturer**
– Écraser une révolte **briser, anéantir, étouffer**
– Écraser d'impôts **accabler**
– Écraser de travail **surcharger**
– Être écrasé par une autorité, un pouvoir **dominé, opprimé**
– Un nez écrasé **camus**

ÉCREVISSE
– Famille à laquelle appartient l'écrevisse **astacidés**
– Ordre auquel se rattache l'écrevisse **décapodes**
– Élevage d'écrevisses **astaciculture**
– Instrument utilisé pour la pêche à l'écrevisse **balance, nasse**

ÉCRIRE **inscrire, noter, marquer**
– Écrire avec beaucoup de soin **calligraphier**
– Écrire sans grande application **gribouiller, griffonner**
– Écrire une musique **composer**
– Écrire un essai **rédiger**
– Écrire correctement un mot **orthographier**
– Impossibilité pathologique d'écrire **agraphie**

ÉCRIT (1)
– Écrit enregistrant un acte juridique **certificat, minute, titre, pièce**
– Écrit polémique ou satirique **pamphlet, libelle, diatribe, satire, facture**
– Écrit scientifique **publication, article**
– Écrit littéraire **ouvrage, œuvre**
– Écrit dont l'authenticité n'est pas reconnue **apocryphe**

ÉCRIT (2)
– Texte écrit à la main **manuscrit**
– Manuscrit écrit recto verso **opisthographe**
– Langue écrite **littéraire**
– Testament écrit à la main **olographe**

ÉCRITURE **graphie**
– Écriture faite de dessins représentant des objets **pictographie**
– Écriture qui utilise des idéogrammes **idéographie**
– Écriture où chaque syllabe est représentée par un signe unique **syllabique**
– Écriture cursive des anciens Égyptiens **démotique**
– Écriture secrète **cryptographie**
– Étude des écritures anciennes **paléographie**
– Étude psychologique de l'écriture **graphologie**
– Unité distinctive de l'écriture en linguistique **graphème**
– Tenir les écritures d'une maison **comptabilité**
– Les Saintes Écritures **la Bible**
– Écriture propre à un écrivain **style**
– Difficultés dans l'apprentissage de l'écriture **dysgraphie**

ÉCRIVAIN **auteur, prosateur, romancier, poète, dramaturge, essayiste** voir aussi **littérature**
– Mauvais écrivain **plumitif, écrivailleur, écrivaillon**
– Écrivain composant sur des sujets variés **polygraphe**

ÉCROULEMENT **affaissement, éboulement, effondrement**
– Écroulement d'une civilisation **ruine, anéantissement, destruction, chute**

ÉCU **bouclier, panonceau** voir aussi **blason, héraldique**
– Petit écu figurant sur des armoiries **écusson**
– Fond de l'écu **champ**
– Centre de l'écu **abîme, cœur**
– Bordure de l'écu placée à distance du bord même **orle**
– Coin de l'écu **canton**
– Objets divers représentés sur un écu **meuble**
– Ornement d'armoirie placé au-dessus de l'écu **cimier, timbre**

ÉCUEIL **récif, brisant**
– Écueil de forme allongée **chaussée**
– Affronter les écueils de la création **dangers, pièges**
– Rencontrer un écueil **achopper**

VOCABULAIRE DE L'ÉCONOMIE

autarcie	Économie fermée.
autofinancement	Réinvestissement constant d'une grande part des profits.
balance des paiements	Comptabilité des échanges internationaux.
banque d'émission	Banque détentrice du privilège d'émettre la monnaie fiduciaire.
blocs monétaires	Zone d'échanges internationaux avec contrôle des changes.
budget	Prévision des recettes et des dépenses d'un État pour une année.
capital	Masse productive d'argent.
cartel	Entente entre grands producteurs.
clearing	Compensation.
conjoncture	Situation économique à un moment donné.
déflation	Diminution de l'inflation.
dépression	Installation d'une crise économique et augmentation du chômage et des faillites.
dévaluation	Acte législatif qui consiste à donner une nouvelle définition-or de la monnaie, en baisse par rapport à la précédente.
D.G.F.	Dotation globale de fonctionnement.
économie mixte	Association de capitaux publics et privés.
F.M.I.	Fonds monétaire international.
inflation	Augmentation du coût de la vie.
I.N.S.E.E.	Institut national de la statistique et des études économiques.
investissement	Placement ou acquisition de biens de production.
monétarisme	Doctrine insistant sur l'importance d'une politique monétaire dans la régulation de la vie économique.
monopole	Privilège exclusif de vente, de production ou d'exploitation.
parité monétaire	Rapport des poids respectifs de métal précieux contenu dans les diverses unités monétaires.
plus-value	1) Partie du prix de vente d'un produit ne servant ni à la couverture des matériaux ni à la rémunération des agents et revenant à l'entreprise. 2) Augmentation de la valeur d'un bien.
spéculation	Opération profitant de la fluctuation et fondée sur la recherche d'un profit maximal.
stagflation	Baisse de l'activité économique qui s'accompagne d'une forte inflation.
technopole	Zone d'activités économiques visant à rapprocher la recherche et l'industrie.

ÉCUME **mousse**
– Écume des animaux **bave, sueur**
– Écume d'un métal en fusion **scorie, crasse**
– Écume de mer en minéralogie **magnésite, sépiolite**
– Élément contenant de l'écume **spumeux**
– Substance semblable à de l'écume **spumescente**
– Ôter l'écume à la surface d'un bouillon **écumer**
– Couvert d'écume **écumeux**
– Être l'écume de la société **lie, rebut**

ÉCUREUIL
– Famille à laquelle appartient l'écureuil **sciuridés**
– Écureuil de terre **tamia, suisse**
– Écureuil volant **polatouche**
– Écureuil de Russie **petit-gris**
– Sorte d'écureuil d'Afrique et d'Asie **xérus**

ÉCURIE
– Compartiment qui est destiné aux chevaux dans une écurie **stalle, box**
– Garçon, valet d'écurie **lad, palefrenier**

ÉDIFIER **bâtir, construire**
– Édifier une statue sur une place **élever, ériger**
– Édifier un empire **fonder, établir, constituer**

ÉDITION **impression, tirage, publication**
– Édition réalisée aux frais de l'auteur **à compte d'auteur**
– Édition électronique à tirage restreint **microédition**
– Première édition d'un ouvrage inédit **originale**
– Première édition d'un texte ancien et rare **princeps**

ÉDUCATEUR **pédagogue, enseignant, précepteur** voir aussi **école**
– Éducateur ayant en charge des enfants handicapés **spécialisé**

ÉDUCATION
– Éducation physique **gymnastique, sport**
– Éducation socio-professionnelle **formation, initiation, apprentissage**
– Science de l'éducation **pédagogie**
– Avoir de l'éducation **politesse, savoir-vivre, distinction**

EFFACÉ
– Une personne effacée **timide, modeste, réservée**

EFFACER **supprimer, détruire**
– Effacer les péchés **absoudre**
– Effacer un souvenir **bannir, abolir, refouler**
– S'effacer devant une autorité **s'incliner**
– S'effacer afin de laisser le passage **s'écarter**

EFFARÉ **effarouché, effrayé**
– Un regard effaré **égaré, hagard**

EFFECTIF
– Une présence effective **réelle, active, certaine**
– Des résultats effectifs **concrets, tangibles, positifs**
– Valeurs effectives **espèces**

EFFICACE
– Un remède efficace **actif, opérant**

EFFICACITÉ
– Efficacité manifestée dans le travail **capacité, rendement**
– Admirer l'efficacité d'un style **puissance**

EFFONDRER
– Effondrer un champ **défoncer, labourer**
– S'effondrer **s'affaisser, s'écrouler**
– Être moralement effondré **abattu, accablé, anéanti, prostré**

EFFORCER (S') **tenter, tâcher**
– S'efforcer sans grand résultat **s'évertuer, s'escrimer**
– S'efforcer de ne plus faire quelque chose **se contraindre à**

EFFRAYER voir aussi **effaré**
– Être effrayé par un danger **apeuré, épouvanté**
– Être effrayé par l'ampleur d'une tâche **découragé, rebuté**
– S'effrayer **s'affoler, s'alarmer**

EFFROYABLE
– Un crime effroyable **atroce, horrible, abominable**
– Une pauvreté effroyable **immense**
– Des dépenses effroyables **excessives, exorbitantes**
– Un bruit effroyable **assourdissant**

ÉGAL
– Un rythme égal **régulier, uniforme, constant, soutenu, invariable**
– À égale distance **équidistant**
– À valeur égale **équivalent, semblable, identique**
– Surface égale **plate, unie, lisse**
– Triangle qui a deux côtés égaux **isocèle**
– Figure dont les côtés sont égaux entre eux **équilatérale**
– Une répartition égale **équitable, impartiale**
– D'égale profondeur **isobathe**
– D'égales dimensions **isométrique**
– Période de l'année où les jours ont une durée égale à celle des nuits **équinoxe**
– Une beauté sans égal **incomparable, unique**

ÉGALITÉ **parité, similitude**
– Égalité de force entre deux éléments **équilibre**
– Égalité de durée **isochronisme**
– Égalité d'âme **sérénité, équanimité, ataraxie**
– Doctrine professant l'égalité absolue des hommes **égalitarisme**
– Loi instituant une stricte égalité entre la faute et le châtiment **loi du talion**

ÉGLISE voir aussi tableau et **cathédrale, catholique, chrétien**
– Accord entre l'État et l'Église **concordat**
– Autorité suprême de l'Église catholique **pape**
– Assemblée régulière de membres de l'Église catholique **concile**
– Siège de l'Église catholique **Saint-Siège, Vatican**
– Principaux caractères de l'Église catholique **unité, sainteté, catholicité, apostolicité**
– Exclure un fidèle de l'Église **excommunier**
– Les gens d'Église **clergé**
– La consécration d'une église **dédicace**
– Type d'église **cathédrale, collégiale, paroissiale, conventuelle**

ÉGOÏSTE **égocentrique, individualiste, personnel**

ÉGOUTTOIR
– Égouttoir à bouteilles **hérisson**
– Égouttoir à fromage **cagerotte, clayon, clisse, faisselle**

ÉGRATIGNURE **blessure, écorchure, éraflure, griffure**

ÉJECTER **rejeter, projeter, propulser**
– La lave éjectée par un volcan **crachée**

ÉLAN **mouvement, impulsion**
– Arrêter une personne dans son élan **course**

ÉLARGIR
– Élargir le col de l'utérus **dilater**
– En couture, élargir une encolure **évaser**
– Élargir un terrain d'action **amplifier, étendre**
– Élargir un détenu **relâcher, libérer, relaxer**

ÉLASTICITÉ **extensibilité, flexibilité**
– Élasticité des gaz **compressibilité, coercibilité**
– Élasticité d'un marché financier **variation, fluctuation**
– Élasticité d'une démarche **souplesse, vigueur**
– Un esprit dépourvu d'élasticité **souplesse, plasticité**

ÉLECTION
– Modalités d'une élection **scrutin**
– Vote apporté lors d'une élection **suffrage**
– Ensemble des habitants d'une circonscription appelés à une élection **collège électoral**
– Élections administratives **régionales, départementales, municipales**
– Élections politiques **sénatoriales, législatives, présidentielles**

ÉLECTRICITÉ **courant, énergie** voir aussi tableau
– Électricité atmosphérique **éclair, foudre**
– Pourvoir un réseau en électricité **électrifier**
– Tuer au moyen de l'électricité **électrocuter**
– Structure produisant de l'électricité **électrogène**
– Emploi thérapeutique de l'électricité **électrothérapie, diathermie**
– Particule élémentaire possédant la plus petite charge en électricité **électron**
– Application de l'électricité en biologie **électrobiologie**
– Domaine de la physique étudiant les phénomènes relatifs à l'électricité **électrologie**
– Unité de mesure en électricité **ampère, coulomb, hertz, ohm, volt, watt**

LES ÉGLISES

Église anglicane	Église officielle d'Angleterre tenant du catholicisme et du protestantisme.
Église évangélique	Fusion des Églises luthérienne et calviniste.
Église gallicane	Église de France qui contestait au pape sa toute-puissance.
Église orthodoxe	Église chrétienne d'Orient séparée de Rome.
Église presbytérienne	Église calviniste d'Écosse, d'Angleterre et des États-Unis.
Église romaine	Église catholique, soumise à l'autorité du pape.

ÉLECTRICITÉ

accumulateur	Dispositif permettant d'emmagasiner de l'énergie électrique sous forme d'énergie chimique.
alternateur	Générateur de courant électrique alternatif dont les bornes s'inversent périodiquement. Il est constitué d'un stator et d'un rotor.
alternatif (courant)	Courant qui change de sens périodiquement au rythme d'un alternateur.
ampère	Unité SI d'intensité de courant (symb. A).
ampèremètre	Instrument permettant de mesurer l'intensité du courant électrique.
anode	Électrode positive ou électrode d'entrée du courant.
cathode	Électrode négative ou électrode de sortie du courant.
circuit	Suite ininterrompue de conducteurs électriques.
commutateur	Dispositif permettant de modifier un circuit électrique ou les connections entre circuits.
condensateur	Ensemble formé par deux conducteurs électriques (armatures) séparés par un isolant (diélectrique).
diélectrique	Corps qui ne conduit pas le courant électrique (syn. isolant).
électrolyse	Opération de décomposition d'une substance (électrolyte) par un courant électrique.
farad	Unité SI de capacité électrique (symb. F).
Faraday (cage de)	Écran destiné à protéger des appareils sensibles de l'influence d'un champ électrostatique extérieur.
fusible	Fil de plomb ou d'aluminium intercalé sur les circuits électriques afin de remédier au danger de court-circuit.
galvanique ou voltaïque	Ancienne dénomination du courant électrique continu d'après Galvani et Volta.
galvanomètre	Instrument destiné à déceler le passage d'un courant électrique et à en mesurer l'intensité. Les galvanomètres furent imaginés par Ampère.
générateur	Appareil producteur d'électricité. Les piles, accumulateurs, dynamos sont des générateurs de courant continu. Les alternateurs sont des générateurs de courant alternatif.
henry	Unité SI d'inductance.
induction électromagnétique	Production d'un courant électrique sous l'influence d'un champ magnétique (inducteur). Le circuit dans lequel ce courant apparaît est dit induit, et le coefficient d'induction, inductance.
joule	Unité SI de mesure de travail et d'énergie.
joule (effet)	Propriété calorifique du courant électrique qui échauffe les conducteurs dans lesquels il passe.
monophasé	Courant alternatif simple à une phase.
ohm	Unité SI de résistance électrique.
pile	Générateur qui transforme de l'énergie chimique en énergie électrique.
pôle	Chacune des deux extrémités d'un circuit électrique.
polyphasé	Courant alternatif à plusieurs phases.
résistance	Conducteur immobile ou passif dans lequel le courant électrique se transforme en chaleur.
résistivité	Expression de la résistance. C'est l'inverse de la conductivité électrique. On l'évalue en ohm-mètre.
rhéostat	Appareil employé comme résistance variable. Il est destiné à absorber l'énergie électrique ou à modifier l'intensité d'un courant.
rotor	Élément d'un alternateur tournant à l'intérieur d'un stator.
SI	Système international d'unités.
siemens	Unité SI de conductance électrique.
solénoïde	Fil conducteur enroulé autour d'un cylindre de révolution.
stator	Élément fixe d'un alternateur.
volt	Unité SI d'évaluation des tensions électriques ou différence de potentiel (d.d.p.) (symb. V). La tension dangereuse pouvant entraîner la mort est de l'ordre de 25 volts.
voltmètre	Instrument servant à mesurer les différences de potentiel.
watt	Unité SI de puissance (symb. W).
wattmètre	Instrument destiné à mesurer une puissance électrique.

ÉLECTRIQUE
– Science étudiant les charges électriques au repos **électrostatique**
– Science étudiant les effets des courants électriques **électrocinétique**
– Instrument permettant de repérer les charges électriques **électroscope**
– Appareil de mesure des grandeurs électriques **électromètre**
– Graphique des courants électriques émis par le cerveau **électroencéphalogramme**
– Mauvais conducteur électrique **diélectrique, isolant**
– Corps permettant le passage d'un courant électrique **conducteur**

ÉLÉGANCE
– Élégance d'un décor **beauté, harmonie**
– Élégance d'une démarche **grâce**
– Élégance d'une parure **chic, classe, distinction**
– Une attitude dénuée d'élégance **finesse, raffinement, délicatesse**
– Élégance recherchée **dandysme**

ÉLÉMENT **partie, portion, morceau, composant** voir aussi tableau et **chimie**
– Éléments d'une enquête **données, informations, renseignements**
– Éléments d'une doctrine **principes, notions, rudiments**
– Isoler un élément d'une communauté **sujet, individu**
– Être aux prises avec les éléments **forces naturelles**
– Structure formée d'éléments divers **hétérogène, hétéroclite, disparate, composite**

ÉLÉMENTAIRE
– Des connaissances élémentaires **fondamentales**
– Un problème élémentaire **facile, enfantin**
– Une installation très élémentaire **rudimentaire, sommaire**
– Observer les précautions élémentaires **minimales, essentielles**

ÉLÉPHANT **pachyderme**
– Ordre auquel se rattache l'éléphant **proboscidiens**
– Incisive supérieure d'un éléphant **défense**
– Cri de l'éléphant **barrissement**
– Éleveur et conducteur d'un éléphant **cornac**
– Éléphant de mer **macrorhine**
– Éléphant fossile de l'ère quaternaire **mammouth**

ÉLEVAGE voir aussi tableau et **bétail**
– Élevage des faisans **faisanderie**
– Élevage des pigeons voyageurs **colombophilie**

SYMBOLES DES ÉLÉMENTS CHIMIQUES

NOM	SYMB.	NOM	SYMB.	NOM	SYMB.
actinium	**Ac**	gadolinium	**Gd**	potassium	**K**
aluminium	**Al**	gallium	**Ga**	praséodyme	**Pr**
américium	**Am**	germanium	**Ge**	prométhium	**Pm**
antimoine	**Sb**	hafnium	**Hf**	protoactinium	**Pa**
argent	**Ag**	hélium	**He**	radium	**Ra**
argon	**Ar**	holmium	**Ho**	radon	**Rn**
arsenic	**As**	hydrogène	**H**	rhénium	**Re**
astate	**At**	indium	**In**	rhodium	**Rh**
azote	**N**	iode	**I**	rubidium	**Rb**
baryum	**Ba**	iridium	**Ir**	ruthénium	**Ru**
berkélium	**Bk**	krypton	**Kr**	samarium	**Sm**
béryllium	**Be**	lanthane	**La**	scandium	**Sc**
bismuth	**Bi**	lawrencium	**Lr**	sélénium	**Se**
bore	**B**	lithium	**Li**	silicium	**Si**
brome	**Br**	lutétium	**Lu**	sodium	**Na**
cadmium	**Cd**	magnésium	**Mg**	soufre	**S**
calcium	**Ca**	manganèse	**Mn**	strontium	**Sr**
californium	**Cf**	mendélévium	**Md**	tantale	**Ta**
carbone	**C**	mercure	**Hg**	technétium	**Tc**
cérium	**Ce**	molybdène	**Mo**	tellure	**Te**
césium	**Cs**	néodyme	**Nd**	terbium	**Tb**
chlore	**Cl**	néon	**Ne**	thallium	**Tl**
chrome	**Cr**	neptunium	**Np**	thorium	**Th**
cobalt	**Co**	nickel	**Ni**	thulium	**Tm**
cuivre	**Cu**	niobium	**Nb**	titane	**Ti**
curium	**Cm**	nobélium	**No**	tungstène	**W**
dysprosium	**Dy**	or	**Au**	uranium	**U**
einsteinium	**Es**	osmium	**Os**	vanadium	**V**
erbium	**Er**	oxygène	**O**	xénon	**Xe**
étain	**Sn**	palladium	**Pd**	ytterbium	**Yb**
europium	**Eu**	phosphore	**P**	yttrium	**Y**
fer	**Fe**	platine	**Pt**	zinc	**Zn**
fermium	**Fm**	plomb	**Pb**	zirconium	**Zr**
fluor	**F**	plutonium	**Pu**		
francium	**Fr**	polonium	**Po**		

– Personne chargée de l'élevage des bovins **herbager**

ÉLEVER
– Élever un mât **hisser**
– Élever un mur **bâtir, construire, ériger**
– Élever un bâtiment d'un ou de plusieurs niveaux **exhausser, surélever**
– Élever la voix **hausser**
– Élever la voix contre quelque chose **protester, s'opposer à**
– Élever un tarif **augmenter, relever, majorer**
– Élever une personne à un grade supérieur **promouvoir**
– Élever un enfant **éduquer**
– La fumée s'élève **monte**
– S'élever au-dessus du niveau des eaux **émerger**
– Un cri s'élève **jaillit, fuse, éclate**

ÉLIMINER
– Éliminer un adversaire **écarter, évincer**

– Éliminer une hypothèse **exclure**
– Éliminer des déchets organiques **rejeter, évacuer, expulser, excréter**
– Éliminer un obstacle **supprimer**
ÉLIRE voir aussi **élection**
– Élire un représentant **nommer, choisir**
– Élire un individu à une très forte majorité **plébisciter**
ÉLOGE louange
– Éloge d'un saint **panégyrique**
– Recevoir les éloges du jury **compliments, félicitations**
– Éloge outré **dithyrambe**
ÉLOIGNER déplacer, reculer
– Éloigner des importuns **repousser, chasser**
– Éloigner un enfant de ses parents **séparer**
– S'éloigner d'une norme **s'écarter, se détourner**
– S'éloigner du sujet lors d'un discours **faire une digression**
ÉLOQUENCE verve voir aussi **discours**
– Art de l'éloquence **rhétorique**
– Éloquence spécieuse **faconde, loquacité**
ÉLOQUENT
– Un orateur éloquent **disert**
– Une mimique éloquente **expressive, parlante, significative**
ÉMAIL fondant, enduit voir aussi **blason**
– Émail appliqué sur la porcelaine **couverte**
– Émail appliqué sur la faïence fine **glaçure**
– Émail appliqué sur les poteries communes **vernis**
– Émail noir incrusté sur du métal **nielle**
– Les émaux peuvent être **champlevés, cloisonnés, cloisonnés à jour, translucides, mixtes, peints**
EMBALLER
– Emballer des marchandises **empaqueter, conditionner, ensacher**
– Le moteur s'emballe **accélère**
– Être emballé par une proposition **enthousiasmé, séduit**
EMBARCATION barque, bateau, canot
– Embarcation légère **esquif, tignole**
– Embarcation de pêche **pinasse, baleinière**
– Embarcation réservée au transport de marchandises **gabare, allège**
– Embarcation faisant la navette entre le bateau et le port **youyou**
– Embarcation utilisant la pagaie ou l'aviron **périssoire, yole**
– Embarcation équipée d'un moteur **vedette**
– Embarcation chinoise à une voile **sampan**
– Embarcation de secours d'un navire **chaloupe**
– Totalité des embarcations attachées à un navire **drome**
EMBARRAS
– Provoquer l'embarras **gêne, confusion, trouble, malaise**
– Être plongé dans l'embarras **doute, incertitude, perplexité, irrésolution**
– Embarras gastrique **dyspepsie**
– Embarras respiratoire **enchifrènement**
EMBARRASSER contrarier, importuner, incommoder
– Embarrasser quelqu'un par une demande **déconcerter, dérouter, désorienter**
– S'embarrasser de bagages inutiles **s'encombrer**
– S'embarrasser dans un vêtement **s'empêtrer**
EMBAUCHER engager, louer les services de
– Embaucher des mercenaires **recruter, enrôler**
EMBELLIR
– Embellir un visage peu agréable **avantager, flatter**
– Embellir un tableau **enrichir, rehausser**
– Embellir une réalité à seule fin de séduire **enjoliver, agrémenter, parer**
– Embellir en imagination une situation **idéaliser**
EMBOBINER
– Embobiner un câble, un tuyau **enrouler**
– Embobiner une personne **tromper, abuser, duper, jobarder**
EMBOÎTER ajuster, assembler, joindre
– Emboîter bout à bout **aboucher**
– Emboîter des pièces de charpente **encastrer, embrever**
– Emboîter une pierre, un diamant dans un support **enchâsser, sertir**
– Faire s'emboîter des tuiles **imbriquer, embroncher**
– Emboîter un pignon dans une roue dentée **engrener**
– Emboîter en force **clipser**
– Emboîter le pas **suivre, filer**
EMBRASSER voir aussi **baiser**
– Embrasser avec effusion **étreindre, enlacer**
– Embrasser lors d'une cérémonie officielle **donner l'accolade**
– Embrasser une chose **ceindre, entourer, environner**
– Embrasser du regard **saisir, appréhender**
– Embrasser des domaines variés **englober**
– Embrasser une profession **choisir, se consacrer à**
– Embrasser une cause **adopter, épouser**
EMBROUILLER
– Embrouiller des fils **mêler, enchevêtrer**
– Embrouiller une situation **compliquer, obscurcir**
– Embrouiller les voiles **relever, ferler**

ÉLEVAGES

ÉLEVAGES	ANIMAUX	ÉLEVAGES	ANIMAUX
apiculture	abeilles	**mytiliculture**	moules
aquiculture	animaux aquatiques	**nacroculture**	coquillages à nacre
astaciculture	écrevisses	**ostréiculture**	huîtres
aviculture	oiseaux, volailles	**oviculture**	moutons
conchyliculture	coquillages	**pisciculture**	poissons
cuniculiculture	lapins	**salmoniculture**	saumons
ésociculture	brochets	**sériciculture**	vers à soie
héliciculture	escargots	**spongiculture**	éponges
hirudiniculture	sangsues	**tructiculture**	truites
méléagriculture	pintades	**vituliculture**	veaux

– Embrouiller l'esprit **rendre obscur, brouiller, troubler**
EMBRYON **œuf, germe, commencement**
– Formation et évolution de l'embryon **embryogenèse**
– Stade de développement de l'embryon **blastula, gastrula, morula**
– Annexe de l'embryon **allantoïde, amnios, chorion, placenta, membrane vitelline**
– Nom donné à l'embryon humain à partir de trois mois **fœtus**
– Examen pratiqué au cours du développement de l'embryon ou du fœtus **échographie, amniocentèse**
– Embryon végétal **graine, plantule**
EMBÛCHE **piège, traquenard, guet-apens, embuscade**
– Surmonter les embûches de la vie **difficultés, obstacles**
ÉMERAUDE **béryl, smaragd**
– Émeraude orientale **corindon**
– Petite émeraude brute **morillon**
– Substance ou objet couleur d'émeraude **smaragdin**
ÉMÉRITE
– Un pianiste émérite **éminent**
– Un joueur émérite **chevronné**
ÉMETTRE
– Émettre une opinion **exprimer**
– Émettre des réserves **formuler**
– Émettre des billets **mettre en circulation**
– Émettre des rayons **lancer, darder**
– Émettre un programme quotidien **diffuser**
ÉMEUTE **trouble, agitation**
– Émeute populaire **sédition, insurrection, révolte**
– Émeute survenant dans un milieu carcéral **soulèvement, rébellion, mutinerie**
ÉMIETTER **désagréger**
– Hériter d'un domaine très émietté **morcelé, démembré**
ÉMIGRATION **expatriation**
– Émigration massive **exode**
– Émigration en nombre des intellectuels d'un pays **fuite des cerveaux, brain-drain**
ÉMOTIF
– Un enfant émotif **sensible, nerveux, impressionnable**
ÉMOTION voir aussi **trouble**
– Émotion violente et soudaine **choc, saisissement**
– Émotion des sens **émoi**
ÉMOUVANT
– Un geste émouvant **touchant, attendrissant**
– Un spectacle émouvant **bouleversant, poignant, déchirant**
– Un récit émouvant **pathétique, tragique, dramatique**
ÉMOUVOIR **affecter, toucher, remuer**
– Émouvoir très fortement **bouleverser**
– Demeurer sans s'émouvoir **se troubler**
– Tenter d'émouvoir une personne **attendrir, apitoyer**
EMPAILLER
– Art d'empailler les animaux **taxidermie**
EMPARER (S') **se saisir, s'approprier**
– S'emparer d'un pays **conquérir, annexer**
– S'emparer d'un bien à son profit exclusif **accaparer, confisquer, détourner, spolier quelqu'un de**
– S'emparer d'une personne dans le but d'obtenir une rançon **enlever, kidnapper**
– S'emparer illégalement d'un droit **usurper**
– Sentir la fatigue s'emparer du corps **gagner, envahir**
EMPÊCHER **s'opposer à**
– Empêcher un coup d'État **déjouer**
– Empêcher une maladie **prévenir**
– Empêcher le déroulement d'une activité **gêner, déranger**
– Empêcher l'accès à un lieu **interdire, prohiber**
– Empêcher la venue à la conscience **refouler, inhiber**
– S'empêcher de **se défendre de, s'abstenir de**
EMPEREUR **souverain**
– Nom donné à l'empereur à Rome **imperator**
– Empereur ottoman **sultan, padichah**
– Empereur de Russie **tsar**
– Empereur d'Allemagne **kaiser**
– Empereur du Japon **mikado, tenno**
EMPÊTRER
– Empêtrer un animal **lier, entraver**
– S'empêtrer dans une situation difficile **s'enfoncer, s'embourber**
– S'empêtrer dans des explications **s'embrouiller, s'enliser**
– S'empêtrer dans un objet traînant à terre **s'encoubler**
EMPHATIQUE **exagéré, excessif**
– Éloge emphatique **dithyrambe, panégyrique**
– Un ton emphatique **ampoulé, affecté, grandiloquent**
EMPIERREMENT **cailloutage, pavage, rudération**
– Empierrement et aplanissement d'une voie **macadamisage**
– Empierrement agricole **drainage**
EMPILAGE **entassement, amoncellement**
– Empilage du bois **enstérage**
– Empilage d'un hameçon **fixage**
EMPIRE
– Empire du Milieu **Chine**
– Empire du Soleil levant **Japon**
– Empire financier, commercial **monopole, trust**
– Exercer un empire sur quelqu'un **domination, pouvoir, ascendant, emprise**
– Agir sous l'empire d'une drogue **influence**
– Avoir de l'empire sur soi-même **maîtrise**
EMPLIR
– Emplir une volaille **farcir, garnir, bourrer**
– Emplir jusqu'à ras bord **saturer**
EMPLOI **usage**
– Emploi d'une somme d'argent **affectation**
– Postuler un emploi **charge, fonction, travail, situation**
– Emploi fort peu contraignant **sinécure**
– Emploi du temps **programme, timing, planning**
– Emploi au théâtre **rôle**
EMPLOYER **utiliser, se servir de**
– Employer un procédé **mettre en pratique, mettre en œuvre**
– Employer intelligemment **mettre à profit**
– Employer pour la première fois **étrenner, inaugurer**
– Employer la force **recourir à**
– S'employer à faire quelque chose **s'appliquer à, se vouer à**
– N'est plus employé **inusité, désuet, suranné, obsolète**
EMPOISONNEMENT **intoxication**
– Empoisonnement alimentaire dû à une salmonelle **salmonellose**
– Empoisonnement dû à des conserves périmées **botulisme**
– Empoisonnement provoqué par une viande avariée **trichinose**
– Étude des empoisonnements **toxicologie**
EMPOISONNER
– Empoisonner une atmosphère **empuantir, empester, polluer**
– Empoisonner l'existence d'une personne **gâcher, gâter**
– Tenir des propos empoisonnés **mauvais, perfides, sournois, venimeux, fielleux**
EMPORTER **enlever**
– Emporter illégalement **dérober, soustraire, ravir**
– Emporté par les flots **entraîné,**

arraché, balayé, transporté, charrié
– Un sentiment l'emporte sur un autre **prévaut**
– L'emporter sur un adversaire **dominer, vaincre, triompher de**
– S'emporter **éclater, exploser, fulminer, tempêter**
– Un tempérament prompt à s'emporter **fougueux, impétueux, irritable, irascible, violent**
EMPREINTE trace, impression
– Empreinte d'une serrure **moulage**
– Empreinte d'une monnaie, d'une médaille **effigie**
– Empreinte en géologie **fossile**
– Empreinte d'un animal **pas**
– Procédé permettant de reproduire l'empreinte d'un objet par électrolyse **galvanoplastie**
– Technique d'identification fondée sur les empreintes digitales **dactyloscopie**
– Confection d'une d'empreinte en typographie **clichage**
EMPRESSEMENT zèle, célérité, ardeur
– Empressement manifesté à l'égard d'une personne **attention, bienveillance, prévenance**
EMPRISONNER écrouer, incarcérer, interner, embastiller
– Emprisonner illégalement une personne **séquestrer, claustrer**
– Emprisonner le corps dans un vêtement étroit **enfermer, enserrer**
EMPRUNT dette, crédit
– Lancer un emprunt **souscription**
– Emprunt de l'État **dette à long terme, dette flottante**
– Type d'emprunt **consolidé, amortissable, indexé**
– Emprunt fait par des sociétés **obligation**
– Emprunt malhonnête fait à un auteur **plagiat**
– Une beauté d'emprunt **factice, artificielle**
– Nom d'emprunt **pseudonyme**
EMPRUNTÉ
– Un air emprunté **gauche, embarrassé, guindé**
ÉMULATION
– Susciter un sentiment d'émulation **concurrence, rivalité**
ENCADRER entourer, border
– Encadrer une équipe, un groupe **contrôler, diriger**
– Encadrer un convoi, un prisonnier **protéger, escorter, accompagner**
ENCENS résine
– Encens de Java **benjoin**
– Encens indien **oliban**
– Récipient dans lequel on brûle l'encens **cassolette, encensoir**
– Membre du clergé chargé de répandre l'encens **thuriféraire**
ENCENSER
– Encenser une idole, un objet de culte **honorer**
– Encenser une personne **louer, flatter, flagorner**
ENCERCLER entourer, ceindre, environner
– Encercler une position ennemie **assiéger**
– Être encerclé par les flammes **cerné**
ENCHANTER
– Cette nouvelle l'enchante **ravit, transporte**
– Enchanter une personne **charmer, envoûter, ensorceler**
ENCLUME voir aussi **forge**
– Enclume destinée aux gros travaux **enclume maréchale**
– Petite enclume utilisée en orfèvrerie **bigorne**
ENCOMBRER
– Encombrer un passage **gêner, obstruer**
ENCOURAGER stimuler, enhardir
– Encourager un animal **aiguillonner, exciter**
– Encourager une personne dans ses efforts **soutenir**
– Encourager quelqu'un à travailler **pousser, inciter, exhorter**
– Encourager la bêtise **approuver, flatter, favoriser**
ENCRE
– Encre utilisée en lithographie **autographique**
– Encre invisible **sympathique**
– Encre autrefois sacrée en Chine **encre rouge**
– Encre utilisée pour le dessin à la plume **sépia**
– Produit détruisant les traces d'encre **encrivore**
– Tache d'encre **pâté**
– Papier absorbant les taches d'encre **buvard**
– Animal marin qui sécrète de l'encre **calmar, seiche**
ENDOMMAGER abîmer, détériorer, altérer
– Des denrées endommagées **gâtées, avariées**
ENDORMIR
– Endormir artificiellement **anesthésier, hypnotiser**
– Endormir une douleur **soulager, apaiser**
– Endormir la méfiance d'une personne **dissiper**
– S'endormir **s'assoupir**
– Difficulté à s'endormir **insomnie**
ENDURER
– Endurer des vexations **subir, souffrir**
– Endurer la faim **supporter**
ÉNERGIE voir aussi **électricité, centrale nucléaire**
– Énergie musculaire **puissance, force**
– Être plein d'énergie **dynamisme, vitalité, ressort, vivacité**
– Manque d'énergie **atonie, langueur, mollesse**
– Énergie psychique **libido**
– Énergie thermique **chaleur**
– Science de la production de l'énergie **énergétique**
– Type d'énergie **thermique, chimique, solaire, hydraulique, éolienne, nucléaire**
– Unité de mesure de l'énergie **joule**
ÉNERGIQUE
– Émettre une protestation énergique **vigoureuse, véhémente, violente**
– Un remède énergique **actif, efficace, puissant**
– Prendre des mesures énergiques **fermes, rigoureuses**
ÉNERVER irriter, agacer
– Il m'a vivement énervé **exaspéré, excédé**
– Les voyageurs s'énervent **s'impatientent**
ENFANCE début, commencement
– Métier ayant rapport à l'enfance **nurse, puéricultrice, pédiatre, instituteur**
– Maladie de l'enfance **coqueluche, oreillons, rougeole, rubéole, scarlatine, varicelle**
– Personnage appartenant au monde de l'enfance **fée, gnome, elfe**
– Retour en enfance **sénilité**
ENFANT voir aussi **bébé**
– Attitude d'enfant **enfantillage, puérilité, gaminerie**
– Enfant trouvé dans les champs **champi**
– Dessin d'enfant **gribouillage, barbouillage**
– Voiture d'enfant **landau, poussette**
– Lit du petit enfant **berceau, couffin**
– Bruit de petit enfant **vagissement, gazouillis, balbutiement, babillage**
– Chanson pour enfant **berceuse, comptine**
– Spectacle pour enfant **guignol, cirque**
– Personnage redoutable qui fascine l'enfant **loup, ogre, sorcière, croquemitaine, père Fouettard**

– Enfants d'une même famille **progéniture**
– Femme mariée au père d'un enfant **marâtre**
– Homme marié à la mère d'un enfant **parâtre**
– Meurtre d'enfant **infanticide**

ENFER
– Capitale de l'enfer dans la mythologie grecque **pandémonium**
– Dieu de l'enfer dans la mythologie grecque **Hadès**
– Voie menant aux Enfers **Champs Élysées**
– Fleuve des Enfers **Styx, Cocyte, Achéron, Phlégéthon, Léthé**
– Chien gardant les Enfers **Cerbère**
– Dieu de l'enfer dans la mythologie bouddhiste **Yama**
– Enfer dans la théologie chrétienne **limbes, géhenne**
– Maître de l'enfer selon la théologie **Satan**
– Peine infligée en enfer **dam, sens**
– Soutenir un rythme d'enfer **violent, excessif**
– Vivre un enfer **tourment, supplice**

ENFERMER
– Enfermer une personne contre son gré **séquestrer, cloîtrer, confiner**
– Enfermer dans une prison **coffrer, incarcérer**
– Enfermer dans un établissement psychiatrique **interner**
– Enfermer un adversaire en cyclisme **coincer**
– S'enfermer dans le silence **se cantonner, se murer**

ENFLURE **gonflement, bouffissure, boursouflure, intumescence**
– Enflure anormale d'un tissu ou d'un organe **œdème, tuméfaction, emphysème**
– Enflure d'un style **emphase, pompe**

ENFONCEMENT **creux, cavité**
– Enfoncement de la boîte crânienne **fracture**
– Enfoncement d'un tableau **profondeur**
– Enfoncement d'une côte **échancrure**

ENFONCER **ficher, planter, plonger**
– Enfoncer en terre **enfouir**
– Enfoncer une porte **briser, forcer, défoncer**
– Enfoncer une troupe ennemie **faire une brèche dans, culbuter, défaire**
– S'enfoncer dans la forêt **pénétrer**
– S'enfoncer dans la boue **s'enliser, s'embourber**
– S'enfoncer dans la mer **s'engloutir, sombrer, couler**
– Sentir la terre s'enfoncer sous ses pas **s'affaisser**
– S'enfoncer dans une réflexion abyssale **s'abîmer, s'absorber**

ENFUIR (S') **déguerpir, s'esquiver, s'éclipser**
– S'enfuir d'une prison **s'échapper, s'évader**
– S'enfuir de son pays **s'exiler, s'expatrier**
– Le chagrin, la douleur s'enfuit **se dissipe, s'évanouit, disparaît**

ENGAGEMENT **promesse**
– Engagement solennel **serment**
– Avoir un engagement à l'égard d'une personne **obligation, dette**
– Ne pas respecter ses engagements **rompre, violer**
– Prendre un engagement pour une compétition sportive **inscription**
– Engagement entre deux armées **escarmouche, accrochage**

ENGAGER
– Engager un bien **mettre en gage**
– Engager des capitaux **investir, placer**
– Engager du personnel **embaucher, recruter**
– Engager un combat **livrer**
– Engager des démarches **entamer, entreprendre**
– Engager une action en justice **intenter**
– Engager quelqu'un à faire quelque chose **inviter, convier, inciter, déterminer, exhorter**

ENGENDRER **procréer, concevoir**
– Engendrer des phénomènes **produire, provoquer, générer**
– Engendrer la frayeur **susciter**

ENGLOUTIR
– Engloutir des aliments **dévorer, engouffrer**
– Engloutir une fortune au jeu **dissiper, dilapider**
– Un budget vite englouti **dépensé**
– Un navire s'engloutit **sombre**

ENGOURDI
– Un doigt engourdi **gourd**
– Un corps engourdi **transi**
– Un filin engourdi **raide**
– Un esprit engourdi **lent, lourd, endormi, apathique**

ENGOURDISSEMENT **ankylose, paralysie**
– Engourdissement des doigts **onglée**
– Engourdissement des sens **torpeur, léthargie**
– Engourdissement en zoologie **hibernation**

ENGRAIS **amendement, fertilisant**
– Engrais fait de déchets végétaux **compost**
– Engrais organique **fumier, guano, tourteau, gadoue, terramare**
– Engrais minéral **chimique**

ENGRAISSER
– Engraisser des volailles **gaver, gorger, appâter, engrener**
– Engraisser une terre **fumer, marner, écobuer, faluner**
– Voir engraisser une personne **grossir, forcir, épaissir, prospérer**

ENGRENAGE
– Type d'engrenage en mécanique **cylindrique, conique, hyperboloïde, hélicoïdal, à chaîne, différentiel**
– Principe de l'engrenage **transmission**
– Dans l'engrenage **roue, pignon**

ÉNIGMATIQUE
– Tenir des propos énigmatiques **équivoques, obscurs, sibyllins**
– Une attitude énigmatique **étrange, insolite**

ÉNIGME
– Jeux d'énigme **rébus, charade, devinette, logogriphe, métagramme**
– Énigme policière **affaire**
– Tenter de résoudre l'énigme de la Création **mystère, secret**

ENJÔLER
– Enjôler une personne **séduire, captiver, charmer**
– Se laisser enjôler **abuser, tromper, duper, subjuguer**

ENJOLIVER **orner, décorer, parer, embellir**
– Enjoliver un récit **broder, émailler, agrémenter**

ENLEVER **ôter, retirer, supprimer**
– Enlever une dent **arracher, extraire**
– Enlever un œil **énucléer**
– Enlever le couvert **desservir**
– Enlever un auditoire **séduire, captiver, conquérir**
– Enlever une personne **kidnapper**

ENNEMI **rival, adversaire, antagoniste**
– Ennemi de la nouveauté **misonéiste**
– Ennemi d'une morale, d'une doctrine **détracteur**
– Passer à l'ennemi **déserter, trahir**

ENNUI **désœuvrement, lassitude, langueur**
– Ennui de vivre **spleen, mélancolie**
– Avoir des ennuis **désagréments, soucis, tracas, arias**

ENNUYER
– Ennuyer une personne **gêner, importuner, tarabuster, embarrasser**
– S'ennuyer **se morfondre**

ENNUYEUX
– Un travail ennuyeux **monotone, fastidieux, rébarbatif, rebutant**
– Un livre ennuyeux **assommant, soporifique**
– Un problème ennuyeux **préoccupant, inquiétant, contrariant**
ÉNONCER **exprimer, dire, formuler, exposer**
– Énoncer une clause d'obligation dans un contrat **stipuler, mentionner**
– Acte d'énoncer **énonciation**
ÉNORME
– Un énorme appétit **démesuré, excessif, gargantuesque**
– Une énorme construction **gigantesque, colossale, immense**
– Un talent énorme **inouï, extraordinaire**
– Une entreprise impliquant un énorme labeur **titanesque**
ENQUÊTE **recherche, examen, investigation**
– Enquête judiciaire **instruction, information, interrogatoire**
– Enquête menée auprès d'une population **étude, sondage**
– Enquête demandée par le défendeur lors d'un procès **contre-enquête**
ENREGISTREMENT
– Appareil d'enregistrement dans un avion **boîte noire**
ENREGISTRER
– Enregistrer la déposition d'un témoin **recueillir, consigner**
– Enregistrer une hausse des prix **constater, observer**
– Enregistrer à l'aide de moyens techniques **transcrire, fixer, représenter**
– Faire enregistrer des bagages **peser, étiqueter**
– Enregistrer méthodiquement et systématiquement des données **répertorier, inventorier**
– Enregistrer un impôt **percevoir**
ENREGISTREUR
– Enregistreur des pulsations cardiaques **électrocardiogramme**
– Enregistreur de la tension artérielle **sphygmomanomètre**
– Enregistreur de la pression atmosphérique **baromètre**
– Enregistreur de vitesse **compteur**
– Enregistreur de vitesse de rotation d'un moteur **compte-tours, tachymètre**
– Enregistreur de sons **magnétophone**
– Enregistreur de sons et d'images **magnétoscope**

ENRICHIR
– Enrichir une collection **augmenter, développer**
– Enrichir une pièce **décorer, embellir**
– Enrichir une robe **orner, broder**
– Enrichir son esprit **nourrir, cultiver**
– Enrichir une terre **fertiliser, amender**
ENSEIGNE **panneau, panonceau**
– Enseigne militaire **drapeau, étendard**
– Enseigne d'un bureau de tabac **carotte**
– Enseigne d'une étude de notaire **écu, blason**
ENSEIGNEMENT voir aussi **école, instituteur, université**
– Enseignement religieux **catéchisme**
– Enseignement destiné à des initiés **ésotérique**
– Enseignement destiné à un vaste public **exotérique**
– Méthode d'enseignement **pédagogie, didactique**
– Suivre les enseignements de l'Église **règles, instructions, préceptes**
ENSEIGNER **apprendre, transmettre, inculquer**
– Enseigner à une personne les rudiments d'une technique **former, initier**
ENSEMBLE **tout, système**
– Ensemble d'individus réunis par des intérêts communs **communauté, collectivité, corporation**
– Ensemble théâtral **troupe, groupe**
– Ensemble vocal **chœur**
– Ensemble instrumental **orchestre**
– Ensemble de bijoux **parure**
– Ensemble d'ustensiles **batterie**
– Ensemble de tableaux **collection**
– Créateur d'ensembles décoratifs **ensemblier**
– Ensemble de couleurs **assortiment**
– Réaliser un bel ensemble **harmonie**
– Symbole de l'ensemble en mathématiques **patate**
ENSORCELER **envoûter, jeter un sort** voir aussi **magique**
– Ulysse fut ensorcelé par Circée **séduit, captivé, subjugué**
ENTAILLE
– Entaille faite sur une pièce de bois **encoche, rainure, cran, mortaise**
– Petite entaille faite sur la peau **entamure**
– Entaille peu profonde pratiquée sur un corps humain ou faite sur un arbre **incision, scarification**
– Entaille faite au visage **coupure, estafilade, balafre, taillade**
ENTAMER
– Entamer un discours **commencer, débuter**
– Entamer un débat **ouvrir**
– Entamer la chair **écorcher, égratigner**
– Entamer un métal au moyen d'un acide **attaquer, mordre, ronger, corroder**
– Entamer la détermination d'une personne **ébranler, affaiblir, saper**
ENTASSER **amasser, empiler, amonceler**
– Entasser les lieux communs **accumuler, multiplier**
– S'entasser dans un lieu trop étroit **se serrer, s'agglutiner, s'agglomérer**
ENTENDRE voir aussi **audition**
– Entendre des sons **distinguer, discerner, percevoir**
– Impossible à entendre **inaudible**
– Difficulté à entendre **surdité**
– Faire entendre une parole **énoncer, émettre, prononcer**
– N'entendre rien à la musique **ne pas connaître, ne pas apprécier**
– Entendre la teneur d'un raisonnement **saisir, comprendre**
– Vouloir s'entendre sur la base d'un projet **se concerter, s'accorder**
ENTENTE
– Vivre en bonne entente **union, concorde, harmonie**
– Entente secrète **connivence, complicité, collusion**
– Entente visant à nuire à un individu ou à un groupe **cabale, conspiration, ligue**
– Entente commerciale **accord, convention**
– Entente politique **pacte, traité, alliance, coalition**
ENTÉRINER
– Entériner une décision **confirmer, approuver, valider, ratifier, homologuer**
ENTERREMENT **inhumation, ensevelissement** voir aussi **cadavre, caveau, cimetière**
– Cérémonie accompagnant l'enterrement **funérailles, obsèques**
– Une figure d'enterrement **sombre, sinistre, lugubre**
ENTERRER **enfouir, cacher**
– Enterrer un projet **oublier, abandonner, renoncer à**
– Enterrer une affaire louche **étouffer**
– Être enterré sous des décombres **englouti**

– S'enterrer dans un endroit désert **se retirer, s'isoler, se cloîtrer**
ENTÊTEMENT **obstination, ténacité, opiniâtreté**
ENTHOUSIASME
– Enthousiasme créateur **inspiration, exaltation, transport**
– Se montrer plein d'enthousiasme **zèle, entrain, ardeur**
– Déchaîner l'enthousiasme des foules **passion, frénésie, délire**
– Parler d'une personne avec enthousiasme **chaleur, emballement**
– Accueillir une nouvelle avec enthousiasme **joie, jubilation, allégresse**
– Enthousiasme extrême pour un individu, une idéologie **ferveur, fanatisme**
ENTHOUSIASMER
– Enthousiasmer un auditoire **électriser, galvaniser**
– S'enthousiasmer pour une cause **s'animer, s'enflammer**
ENTHOUSIASTE
– Éloge enthousiaste **dithyrambe**
– Un public enthousiaste **admiratif, émerveillé, ravi, conquis**
ENTIER **total, complet, intact**
– Un entier dévouement **sans réserve, sans restriction**
– Posséder la collection entière des œuvres d'un écrivain **intégrale**
– Un caractère entier **absolu, intransigeant, intraitable**
ENTORSE **distension, élongation, rupture**
– Entorse légère **foulure**
– Faire une entorse à la règle **déroger à, contrevenir à, enfreindre, transgresser**
ENTOURÉ
– Un village entouré de lacs **environné**
– Un astre entouré de lumière **auréolé**
– Un enfant très entouré **choyé, couvé**
ENTOURER **enclaver**
– Entourer une ville de remparts **ceindre**
– Entourer d'une haie **clôturer, fermer**
– Entourer d'un lien **ligoter, enserrer**
– Entourer d'un tissu, d'un papier **enrouler, envelopper**
– Entourer de ses bras **enlacer, étreindre**
– Entourer de manière à protéger ou à masquer **enrober**
– S'entourer de personnes compétentes **réunir, rassembler**

ENTRACTE **pause, répit, intervalle, intermède, interlude**
– Entracte d'une compétition sportive **mi-temps**
ENTRAÎNEMENT
– Entraînement sportif, artistique **exercice, préparation, répétition**
– Système mécanique d'entraînement **courroie, engrenage**
– Réfréner ses entraînements **élans, impulsions, mouvements**
ENTRAÎNER
– Entraîner une personne à faire quelque chose **conduire, convaincre, pousser, inciter**
– Être entraîné de manière inexorable **acculé**
– Entraîner un navire vers le rivage **drosser**
– Entraîné par un courant **emporté, charrié**
– Entraîner des frais **occasionner, provoquer**
ENTRÉE
– Entrée des temples dans l'Antiquité grecque **propylée**
– Entrée d'une maison **hall, vestibule, antichambre**
– Droit d'entrée payé pour certaines marchandises **octroi**
– Entrée au collège **accès, admission**
– Entrée de données en informatique **saisie**
– Faire une entrée en matière **introduction, exorde, préambule**
– À l'entrée de l'été **commencement**
ENTREMISE
– Par l'entremise de **intermédiaire, truchement**
– Proposer son entremise **médiation, arbitrage, intervention**
– Grâce à son entremise **bons offices, bons soins**
ENTREPRENDRE **commencer**
– Entreprendre des démarches **entamer, engager**
– Entreprendre une guerre **déclencher, provoquer**
– Entreprendre un procès **intenter**
– Entreprendre de faire quelque chose **tenter de, s'efforcer de**
ENTREPRISE
– Une entreprise très ardue **tâche, travail**
– Échouer dans une entreprise **tentative**
– Entreprise hasardeuse **aventure**
– Posséder une entreprise **affaire, commerce, négoce, exploitation, industrie**
– Concentration d'entreprises **cartel, trust, consortium, combinat**

ENTRER **pénétrer, s'introduire**
– Entrer violemment **faire irruption, s'engouffrer**
– Entrer subrepticement **se faufiler, s'insinuer, s'infiltrer**
– Entrer en force dans une ville **envahir, investir**
– Entrer dans une querelle **intervenir, se mêler à, s'immiscer dans**
– Entrer dans un parti **adhérer à, s'affilier à**
– Entrer dans les vues de quelqu'un **adopter, partager**
ENTRETENIR
– Entretenir une conversation **alimenter**
– Entretenir des liens d'amitié **cultiver**
– Entretenir sa mémoire **exercer**
– S'entretenir d'illusions **se bercer, se nourrir**
– S'entretenir avec une personne **discuter, converser, deviser**
ENTREVOIR **apercevoir, discerner, distinguer**
– Entrevoir un dénouement **prévoir, pressentir, soupçonner, conjecturer**
ENTREVUE **rencontre, entretien**
– Solliciter une entrevue **rendez-vous**
ENVAHIR
– Envahir un pays **investir, occuper, conquérir**
– Une terre envahie par les eaux **inondée, submergée**
– Un champ envahi d'insectes **infesté**
– Être envahi par le doute **gagné, assailli**
ENVELOPPE
– Enveloppe du globe terrestre **atmosphère**
– Enveloppe du corps humain **peau, épiderme**
– Enveloppe d'un organe **membrane, tissu, tunique**
– Enveloppe du cœur **endocarde, péricarde**
– Enveloppe des poumons **plèvre**
– Enveloppe d'un os **périoste**
– Enveloppe des fleurs **périanthe, tégument**
– Enveloppe de certains arbres **liège**
– Enveloppe du jeune champignon **volve**
– Enveloppe de la châtaigne **bogue**
– Enveloppe de l'oignon **robe**
– Enveloppe de certaines légumineuses **cosse**
– Enveloppe d'une munition **chemise**
– Enveloppe d'un câble **gaine**

– Accepter une enveloppe lors d'une transaction **pot-de-vin, dessous de table**
– Enveloppe affectée à un ministère **budget**
ENVIE désir, souhait
– Envie pressante **besoin**
– Envie du bien d'autrui **convoitise, jalousie**
– Envie brusque et irréfléchie **lubie, caprice**
– Envie insatiable de richesse, d'argent **cupidité**
– Envie de réussite sociale **ambition**
– Être affublé d'une envie **tache, nævus, angiome**
ENVIRONNEMENT
– Environnement social **milieu, entourage**
– Créer un environnement favorable **atmosphère, ambiance**
– Défense de l'environnement **écologie**
– Étude de l'évolution de l'environnement **écographie**
– Spécialiste des problèmes de l'environnement **environnementaliste**
– Problèmes de l'environnement **pollution, déforestation, désertification, bruit**
ENVISAGER
– Envisager une demande **examiner, considérer**
– Envisager de faire **prévoir, projeter**
ENVOLER (S')
– Voir s'envoler un avion **décoller**
– Les voleurs se sont envolés **enfuis, éclipsés, volatilisés**
– Les feuilles s'envolent **se dispersent, s'éparpillent**
– Sentir ses craintes s'envoler **se dissiper, s'évanouir, disparaître**
ENVOÛTEMENT voir aussi **magique, sorcellerie**
– Subir l'envoûtement d'une personne **attraction, charme, fascination, pouvoir**
ENVOYER
– Envoyer un colis **expédier**
– Envoyer un message **transmettre**
– Envoyer un projectile **lancer, tirer**
– Envoyer un émissaire **dépêcher, déléguer, députer, mandater**
ÉPAIS
– Un corps épais **lourd, massif**
– Un esprit épais **pesant, obtus, grossier**
– Une herbe épaisse **serrée, drue, touffue**
– Une chevelure épaisse **fournie, abondante**
– Une épaisse fumée **dense**
– Une soupe épaisse **pâteuse, consistante**
– Un cuir épais **fort, solide**
ÉPANOUI
– Un visage épanoui **radieux, rayonnant, réjoui**
– Une fleur épanouie **ouverte, éclose**
ÉPARGNER économiser, thésauriser
– Épargner un ennemi défait **grâcier, laisser la vie sauve à**
– Épargner la fragilité d'une personne **ménager, respecter**
– Épargner une épreuve, une contrainte à une personne **éviter, dispenser de**
ÉPARPILLER
– Éparpiller des graines **semer, disséminer**
– Éparpiller des cendres **répandre**
– Éparpiller ses forces, son talent **gaspiller, dilapider**
– S'éparpiller de tous côtés **s'égailler, se débander**
– S'éparpiller intellectuellement **se disperser, papillonner**
– Tenter de ne pas s'éparpiller **se concentrer**
ÉPAULE voir aussi **mouton, muscle, os porc, veau**
– Os de l'épaule **clavicule, omoplate**
– Muscle de l'épaule **deltoïde, sus-épineux, grand dorsal, sous-scapulaire, petit rond, grand rond**
– Largeur d'épaules **carrure**
ÉPAVE naufrage, accident
– Épave de navire ou de voiture **carcasse**
– Récupérateur d'épaves automobiles **épaviste, ferrailleur**
– N'être plus qu'une épave **loque**
ÉPÉE voir aussi dessin et **escrime**
– Tranchant d'une épée **fil, taille**
– Pointe d'une épée **estoc**

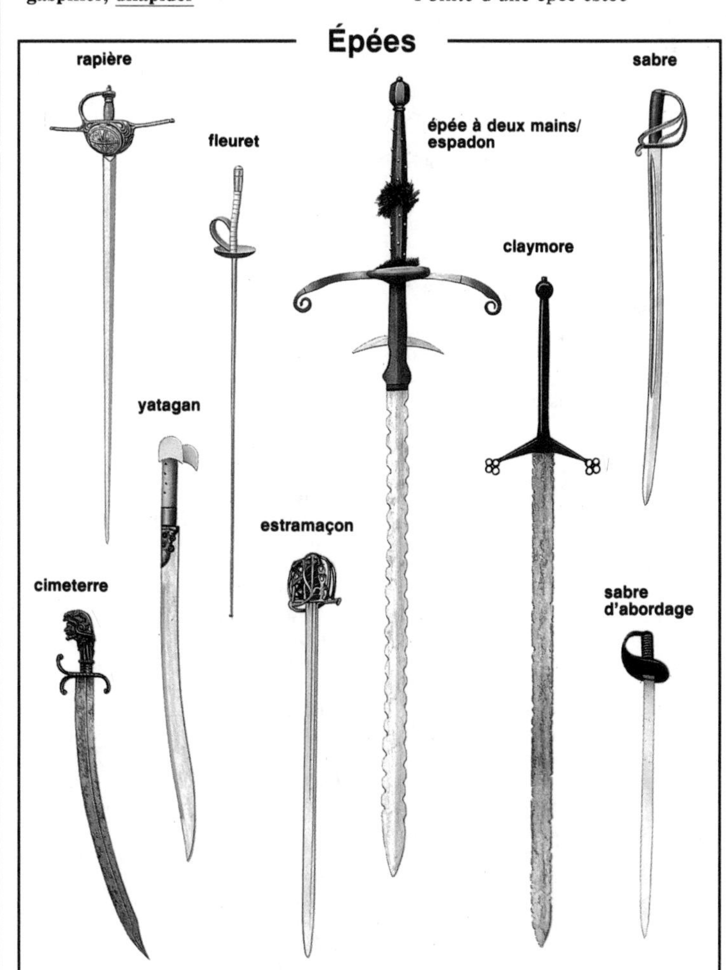

– Bande d'étoffe ou de cuir soutenant l'épée **baudrier**
– Épée utilisée lors des duels **flamberge, rapière**
– Épée servant pour l'exercice en escrime **fleuret**
– Épée écossaise à longue et large lame **claymore**
– Épée de Damoclès **menace, danger**
– Épée de mer **espadon**

ÉPERON aiguillon
– Roue fixée à l'éperon **molette**
– Éperon en zoologie **ergot**
– Éperon des navires dans l'Antiquité **rostre**
– Éperon rocheux **saillie, avancée**
– Éperon d'une pile de pont **arrière-bec, avant-bec**

ÉPERVIER rapace
– Famille à laquelle appartient l'épervier **falconidés**
– Emploi de l'épervier **fauconnerie**
– Dressage de l'épervier **éperverie**

ÉPI
– Enveloppe d'un épi **balle, glume**
– Pointe effilée de certains épis **barbe**
– Petits épis formant l'épi principal **épillets**
– Disposition des grains en épi **panicule**
– Axe central de l'épi **rachis**
– Formation de l'épi dans les céréales **épiage**
– Monter en épi **épier**
– Ramassage des épis après la moisson **glanage**
– Égrener les épis des céréales **dépiquer, battre**
– Instrument utilisé pour battre les épis **fléau**
– Structure en forme d'épi **spiciforme**

ÉPICÉ
– Un plat très épicé **relevé, poivré, pimenté**
– Des propos épicés **osés, égrillards, lestes, grivois**

ÉPIDÉMIE contagion
– Épidémie sévissant de manière constante dans un pays **endémie**
– Épidémie s'étendant sur une très vaste zone **pandémie**
– Micro-organisme susceptible de provoquer une épidémie **virus**
– Branche de la médecine qui étudie les épidémies **épidémiologie**
– Épidémie affectant les animaux **enzootie, épizootie**
– Épidémie affectant les plantes d'une même espèce, dans une même région **épiphytie**

ÉPIDERME épithélium voir aussi **peau**
– Couche de l'épiderme **basale, de Malpighi, granuleuse, claire, cornée**
– Productions visibles de l'épiderme **phanères**
– Affection de l'épiderme **cutanée**
– Ressemble à l'épiderme **épidermoïde**
– Avoir l'épiderme sensible **être susceptible**

ÉPIER
– Épier une personne **observer, surveiller, espionner, filer, pister**
– Épier une proie **guetter**

ÉPINE pointe, piquant, aiguille
– Épine blanche **aubépine**
– Épine noire **prunellier**
– Épine du Christ **jujubier, paliure**
– Épine d'Espagne **azerolier**
– Épine de cerf **nerprun**
– Épine de rat **fragon**
– Plante dépourvue d'épines **inerme**
– Épine dorsale **colonne vertébrale, rachis, échine**
– Épine d'un os **crête**
– Un chemin parsemé d'épines **difficultés, ennuis, embûches**

ÉPINGLE attache
– Épingle à linge **pince**
– Très petite épingle **camion**
– Fabrique d'épingles **épinglerie**
– Coussin à épingles **pelote**
– Étui à épingles **épinglier**
– Un virage en épingle à cheveux **serré, brusque**

ÉPISODE
– Épisode critique d'une maladie **phase**
– Roman ou film à épisodes **feuilleton**
– Épisodes d'une vie **moments, événements**
– Suivre les différents épisodes d'un conflit **incidents, péripéties**

ÉPONGE
– Éponge végétale **luffa**
– Culture de l'éponge en parc **spongiculture**
– Éponge d'églantier **bédégar**
– Jeter l'éponge **abandonner, déclarer forfait**
– Accepter de passer l'éponge **oublier, pardonner**

ÉPOQUE voir aussi **temps**
– Époque des grandes glaciations **ère**
– Une époque de troubles **période, moment**
– Les époques de la vie **âges, étapes**
– Époque des cerises **saison**
– Meuble d'époque **authentique**
– Faire époque **marquer**
– La Belle Époque **début du XXe siècle**

ÉPOUVANTABLE
– Une humeur épouvantable **exécrable, massacrante, détestable, infernale**
– Un crime épouvantable **atroce, affreux, monstrueux**
– Une vision épouvantable **terrifiante, effroyable, horrible**

ÉPREUVE
– Épreuve sportive **compétition, match, challenge, critérium, rencontre**
– Faire subir une épreuve **test, essai, expérience, vérification**
– Un optimisme à toute épreuve **solide, inébranlable**
– Endurer des épreuves **chagrins, adversité, malheur, tribulations**
– Épreuve vexatoire **brimade**
– Temps d'épreuve avant la prise de voile **probation**
– Dernière épreuve d'une page de journal **morasse**
– Épreuve en colonnes **placard**
– Épreuve de tournage **rush**
– Épreuve judiciaire par le feu, le fer, ou l'eau **ordalie**
– Épreuve décisive permettant de juger de la capacité d'une personne **schibboleth**

ÉPROUVER
– Éprouver de la joie **sentir, ressentir**
– Éprouver des difficultés **rencontrer, se heurter à**
– Éprouver des dommages **subir**
– Être éprouvé par la disparition d'un ami **frappé, touché, atteint**
– Éprouver les difficultés d'une entreprise **réaliser, constater**
– Éprouver la résistance d'un matériau **expérimenter**

ÉPUISEMENT
– Signe précurseur de l'épuisement **fatigue, abattement, affaiblissement**
– État d'épuisement extrême **anéantissement, exténuation, étiolement, consomption, langueur**
– Épuisement d'un sol **appauvrissement**
– Épuisement des ressources **raréfaction, tarissement, pénurie**
– Épuisement des eaux d'infiltration **asséchement, exhaure**

ÉPUISER
– Épuiser un pays **ruiner**
– Épuiser un patrimoine **absorber, dévorer, dilapider**
– Épuiser un stock **écouler, vendre**
– Épuiser la générosité d'une personne **lasser, décourager**

– Épuise toutes les hypothèses d'un problème **exhaustion**
– S'épuiser à faire quelque chose **s'échiner à, s'éreinter à, s'évertuer à**
ÉPUISETTE filet
– Filet à crevettes en forme d'épuisette **haveneau**
– Épuisette utilisée sur une barque **écope**
ÉQUATEUR
– Équateur terrestre **ligne équatoriale**
– Cercle parallèle à l'équateur **parallèle**
– Demi-cercle perpendiculaire à l'équateur **méridien**
– Distance angulaire d'un point à l'équateur **latitude**
– Parties du globe déterminées par l'équateur **hémisphères**
– Phénomène se produisant lorsque le Soleil passe à l'équateur **équinoxe**
– Climat de l'équateur **équatorial**
ÉQUERRE
– Équerre portant un rebord saillant **à onglet**
– Équerre à coulisse **pied à coulisse**
– Double équerre **té**
– Équerre d'arpenteur **graphomètre**
– Fausse équerre **biveau, sauterelle**
– Pièce en équerre servant de renfort **cornière**
– À l'équerre **à angle droit**
ÉQUILIBRE
– Équilibre psychologique **calme, mesure, pondération**
– Équilibre du corps **assiette, aplomb**
– Perdre l'équilibre **trébucher, chanceler, tituber, vaciller**
– Reconnaître l'équilibre d'une composition **harmonie, symétrie, proportion, eurythmie**
– Exercice d'équilibre **acrobatie**
– Rétablir un équilibre **compenser, contrebalancer, stabiliser**
– Équilibre des forces **statique**
– Équilibre des liquides **hydrostatique**
– Symbole de l'équilibre **balance**
– L'équilibre d'un mur **aplomb**
ÉQUIPAGE navigation, marine
– Équipage d'un navire **personnel de service, personnel de manœuvre**
– Équipage affecté à un même bord sur un navire **bordée**
– Doter d'un équipage un navire saisi **amariner**
– Équipage de lunette **oculaire**
ÉQUIPE groupe, pool
– Équipe de parachutistes d'un même avion **stick**
– Équipe d'experts secondant une direction **brain-trust**
– Équipe d'ouvriers **brigade, escouade**
– Chef d'équipe d'un atelier **contremaître**
– Chef d'équipe dans les mines de charbon **porion**
– Chef d'équipe dans une imprimerie **prote**
– Équipe de cyclistes roulant pour une même marque **écurie**
– Esprit d'équipe **solidarité**
– Faire équipe **s'associer**
ÉQUIPER
– Équiper un local **aménager, arranger, installer**
– Équiper un atelier **outiller**
– Équiper un objet, une machine **munir, doter**
– Équiper un pays, une région **industrialiser**
– Équiper un navire **armer, fréter, appareiller**
– Équiper un voilier **gréer**
– Équiper un cheval **harnacher**
– Bien s'équiper **se vêtir**
ÉQUITATION voir aussi **cheval, selle, harnais**
– Équipement requis pour l'équitation **veste, culotte, bombe, bottes**
– Lieu réservé à l'équitation **manège**
– Professeur d'équitation **écuyer, instructeur**
– École d'équitation **haute école, basse école**
– Équitation acrobatique **voltige**
– Équitation de compétition **hippisme**
– Obstacles utilisés sur un parcours en équitation **haie, rivière, obstacle droit, obstacle en largeur**
– Monte longue en termes d'équitation **à l'américaine**
– Monte sportive en termes d'équitation **à l'obstacle**
– Groupe de cavaliers pratiquant ensemble l'équitation **reprise**
– Fameuse école d'équitation **Saumur**
ÉRECTION
– Érection d'un organe **tumescence, turgescence**
– Érection d'une statue **construction, élévation**
ERRER flâner, déambuler
– Laisser errer son imagination **divaguer, vagabonder**
– Laisser errer son regard **traîner**
ERREUR
– Erreur des sens **illusion, mirage, hallucination**
– Erreur de conduite **bévue, impair, maladresse**
– Erreur de compréhension **confusion, méprise, malentendu, quiproquo**
– Erreur de raisonnement **absurdité**
– Erreur d'appréciation **fourvoiement**
– Erreur d'interprétation **faux-sens, contresens**
– Erreur de calcul **faute, inexactitude, mécompte**
– Erreur typographique **coquille, mastic, doublon, bourdon**
– Liste des erreurs d'impression **errata**
– Erreur de datation **anachronisme**
ÉRUPTION
– Éruption dentaire **dentition**
– Éruption de lave **émission, expulsion**
– Éruption cutanée **efflorescence, exanthème, poussée, acné**
ESCALADE varappe
– Faire l'escalade de l'Himalaya **ascension**
– Escalade des prix **hausse, flambée**
– Escalade de la violence **augmentation, aggravation, intensification**
ESCALIER voir dessin p. 164
ESCAPADE
– Raconter ses escapades **équipées, fredaines, frasques**
– Faire une escapade **fugue**
ESCARGOT colimaçon
– Embranchement auquel appartient l'escargot **mollusques**
– Plat à escargots **escargotière**
– Élevage des escargots **héliciculture**
– Langue de l'escargot **radula**
– Coquillage qui rappelle l'escargot **bigorneau**
ESCARMOUCHE
– Escarmouche survenant entre deux armées **accrochage, échauffourée, engagement**
– Assister à une petite escarmouche **querelle, dispute**
ESCLAVAGE servitude, asservissement, captivité
– Libérer de l'esclavage **affranchir, émanciper**
– Réduire en esclavage **enchaîner, aliéner, assujettir**
– Vivre l'esclavage de la drogue **dépendance, accoutumance, assuétude**
ESCLAVE
– Esclave à Sparte **ilote**
– Esclave de harem en Orient **odalisque**
– Au Moyen Âge, personne attachée

Escalier

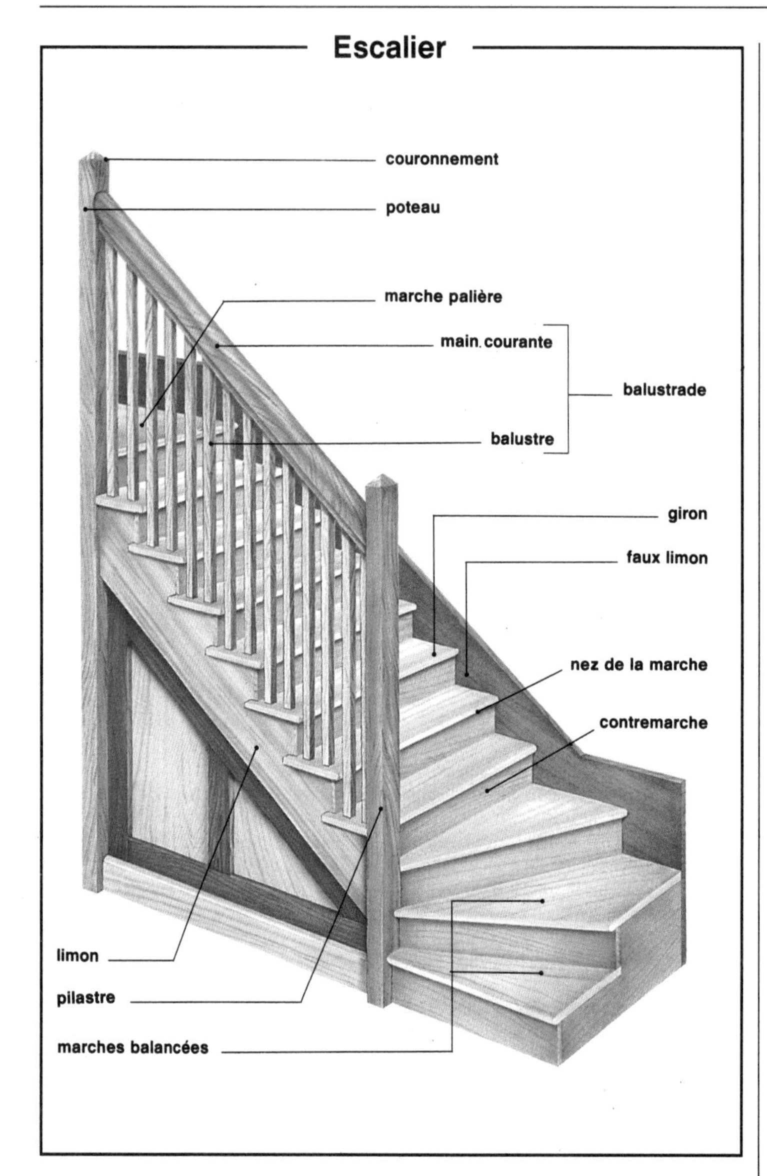

à la terre dont la condition n'était guère plus enviable que celle d'un esclave **serf**
– Affranchissement d'un esclave **manumission**
– Commerce d'esclaves **traite**
– Un comportement d'esclave **obséquieux, servile**

ESCRIME
– Arme utilisée en escrime **fleuret, épée, sabre**
– Professeur d'escrime **maître d'armes, prévôt d'armes**
– Amateur d'escrime qui pratique ce sport **bretteur**
– En escrime, attaque visant à écarter la lame adverse **battement, pression, froissement**
– En escrime, attaque menée pour s'emparer de la lame adverse **liement, enveloppement, croisé**
– Geste préparatoire d'une attaque, en escrime **feinte**
– Attaquer en se projetant vers l'avant, en escrime **se fendre**
– En escrime, coup défensif **parade**

ESCROC voir **trafiquant**

ESCROQUER dérober, soustraire, soutirer, extorquer
– Se faire escroquer **abuser, duper**

ESPACE étendue, superficie, lieu voir aussi **astronautique**
– Nom donné à l'espace en poésie **éther**
– Voyager dans l'espace **cosmos**
– Science des voyages dans l'espace **astronautique**
– Espace à plus de trois dimensions **hyperespace**
– Parcourir un espace **trajet, distance, chemin**
– Espace qui sépare deux pays belligérants **no man's land**
– Espace entre des lattes **interstice, fente, écart**
– Espace de temps **laps, intervalle**
– Espace laissé entre les mots d'un texte **blanc**
– Espace laissé entre les lignes d'un texte **interligne**
– Espace laissé au bord d'une page **marge**

ESPAGNOL
– Péninsule espagnole **Ibérique**
– Peuple espagnol **hispanique**
– Langue espagnole officielle **castillan**
– Noble espagnol **hidalgo**
– Premier magistrat d'une cité espagnole **corregidor**
– Maire espagnol **alcade**
– Monnaie espagnole **peseta**

ESPION
– Espion travaillant pour un pays étranger **agent secret**
– Espion travaillant pour les services de police **indicateur, mouchard, affidé**
– Espion chargé d'infiltrer un milieu **taupe**

ESPIONNER
– Espionner un suspect **épier, filer, surveiller**
– Dispositif permettant d'espionner les conversations téléphoniques **table d'écoute**

ESPOIR
– Ne plus avoir d'espoir **assurance, conviction, certitude, confiance**
– Combler les espoirs **attentes, souhaits, espérances**
– Espoir peu réalisable **illusion, rêve, utopie**

ESPRIT
– Esprit divin **souffle, inspiration, grâce**
– Esprit suprême **Dieu**
– Esprits célestes **anges**
– Esprit des ténèbres **Satan**
– Esprit-Saint **Paraclet, Sanctificateur**
– Descente de l'Esprit-Saint sur les apôtres **Pentecôte**

– Aiguiser son esprit **entendement, raison, intelligence**
– Science ayant pour objet le monde de l'esprit **noologie**
– Trait d'esprit **boutade, calembour, saillie**
– Avoir de l'esprit **faire de l'humour, manier l'ironie**
– Faire le mauvais esprit **railler, ironiser, persifler**
– Vue de l'esprit **illusion, chimère, utopie**
– Présence d'esprit **promptitude, vivacité**
– État d'esprit **mentalité**
– Perdre l'esprit **raison**
– Évocation des esprits **spiritisme, nécromancie**
– Individu doué du pouvoir de communiquer avec les esprits **médium**
– Esprit d'un mort **fantôme, revenant, mânes**
– Esprit follet **lutin, farfadet**
– Esprit de l'air des contes gaulois **elfe, sylphe**
– Esprit malfaisant des légendes bretonnes **korrigan**
– Esprit dans les contes juifs **dibbouk**
– Esprit aérien des contes arabes **djinn**
– Esprit familier de la littérature germanique **kobold**
– Esprit protecteur du foyer dans l'Antiquité romaine **lare**
– Esprit en chimie **alcoolat**

ESQUIMAUX Inuit
– Demeure des Esquimaux **igloo, hutte**
– Embarcation des Esquimaux **umiak, kayak**
– Langue parlée par les Esquimaux **inupik, yupik**

ESSAI tentative, effort
– Essai fait en laboratoire **expérimentation, analyse, épreuve, test**
– Essai d'une voiture de course **vérification**
– Modèle servant pour les essais **prototype**
– Tube à essai **éprouvette**
– Période d'essai dans un couvent **probation**

ESSAYER
– Essayer un moteur **contrôler**
– Essayer un vin **goûter, déguster**
– Essayer de faire quelque chose **chercher à, s'appliquer à**
– S'essayer à une technique **s'exercer à, s'initier à**

ESSENCE voir aussi tableau et **carburant**
– Essence d'une chose en philosophie **nature, substance, quiddité**
– Par essence **intrinsèquement**
– Essence aromatique **extrait, huile**
– Essence la plus subtile **quintessence, élixir**
– Essences d'arbres **espèces**

ESSENTIEL
– Des qualités essentielles **inhérentes, constitutives**
– Un argument essentiel **capital, primordial, fondamental**
– Une discipline essentielle **nécessaire, indispensable**
– Condition essentielle **sine qua non**
– Mal essentiel en médecine **idiopathie**

ESSOR élan, envol
– Prendre son essor **autonomie, indépendance**
– Contribuer à l'essor d'une entreprise **croissance, expansion**
– Essor d'une civilisation **progrès, développement**

ESSOUFFLER (S') haleter, ahaner, suffoquer
– S'essouffler à force de crier **s'époumoner**
– S'essouffler à suivre un rythme trop rapide **peiner**
– L'inspiration s'essouffle **s'amenuise, s'épuise**

ESSUYER éponger, nettoyer, épousseter
– Essuyer un cheval **bouchonner**
– Essuyer des revers de fortune **éprouver, subir, endurer**

QUELQUES ESSENCES UTILISÉES EN ÉBÉNISTERIE ET EN MENUISERIE

ESSENCES	PARTICULARITÉS
acajou d'Amérique	Coûteux, peu importé, remplacé par l'acajou d'Afrique.
ako	Pour le contreplaqué et le placage.
amarante	Difficile à travailler, aspect soyeux, utilisé en particulier dans la fabrication des queues de billard.
aningre	En imitation d'essences coûteuses.
araribe	En particulier pour les travaux de sculpture.
bois de rose	Ébénisterie (reproduction de meubles) et marqueterie.
bois de violette	Fabrication de meubles de style.
cèdre d'Amérique	Placage des meubles et fabrication des boîtes de cigares.
citronnier de Ceylan	Bois dur et lourd, difficile à travailler. Placage de meubles de style et marqueterie.
courbaril	Bois très dur qui désaffûte les outils.
ébène de Macassar	Bois de grande valeur. Meubles de style, instruments de musique, décoration de luxe.
érable	Marqueterie, lutherie (pour les manches et les fonds de violon).
if	Meubles de style anglais. Peu commercialisé.
madrona	Meubles de valeur.
myrte	Marqueterie.
noyer	Le noyer noir d'Amérique est très décoratif.
okoumé	Essentiellement pour la fabrication du contreplaqué.
orme	Ébénisterie massive.
palissandre	Très décoratif.

EST levant, orient
– Célèbres trains roulant vers l'est **Transsibérien, Trans-Europe-Express, Orient-Express**
ESTIMER
– Estimer un tableau **évaluer, expertiser**
– Estimer le cours d'une marchandise **coter**
– Estimer ses chances de succès **supputer, conjecturer**
– Estimer une personne **apprécier**
ESTOMAC voir aussi **digestion**
– Bord supérieur de l'estomac le reliant à l'œsophage **cardia**
– Bord inférieur de l'estomac le reliant au duodénum **pylore**
– Creux de l'estomac **épigastre**
– Trouble de l'estomac **ulcère, gastralgie, dyspepsie, pyrosis, hypochlorhydrie, hyperchlorhydrie**
– Hernie de l'estomac **gastrocèle**
– Inflammation de la paroi de l'estomac **gastrite**
– Examen visuel de l'estomac **gastroscopie**
– Ablation de l'estomac **gastrectomie**
– Partie de l'estomac d'un ruminant **panse, bonnet, feuillet, caillette**
– Poche de l'estomac d'un oiseau **gésier, ventricule succenturié, jabot**
ESTOMPER
– Estomper un dessin **ombrer**
– Estomper des détails trop vifs **adoucir, voiler**
– Voir ses souvenirs s'estomper **s'effacer**
– Sentir la douleur s'estomper **s'atténuer, se dissiper**
ESTURGEON
– Œufs d'esturgeon **caviar**
– Famille à laquelle appartient l'esturgeon **acipenséridés**
– Esturgeon d'Europe de l'Est **sterlet**
ÉTABLE
– Étable à bœufs **bouverie**
– Étable à cochons **soue**
– Étable à vaches **vacherie**
– Éléments d'une étable **auge, crèche, râtelier, litière**
– Mettre des animaux à l'étable **établer**
– Séjour en étable **stabulation**
ÉTABLIR
– Établir sa demeure **fixer, installer**
– Établir une société **monter, fonder, créer**
– Établir des règles **instaurer, instituer**
– Établir une personne dans une fonction **constituer**
– Établir des soldats **poster**
– Établir sa réputation **asseoir, édifier**
– Établir la culpabilité d'une personne **prouver, démontrer**
– Établir un compte **dresser, arrêter**
– Établir un texte **éditer**
– Le fait fut établi **avéré, certifié, reconnu**
ÉTAIN métal
– Minerai contenant de l'étain **stannifère**
– Oxyde d'étain naturel **cassitérite**
– Bisulfure d'étain **mussif**
– Alliage d'étain **bronze, chrysocale**
– Bioxyde d'étain **potée d'étain**
– Potier travaillant l'étain **étainier**
– Utilisation de l'étain **tain, étamage**
ÉTALER
– Étaler des marchandises **déballer, exposer**
– Étaler un tissu **déplier, dérouler**
– Étaler un journal **déployer**
– Étaler ses jambes **allonger**
– Étaler son jeu **abattre**
– Étaler du fumier dans un champ **épandre**
– Étaler des paiements **répartir, échelonner**
– Étaler ses richesses **afficher, exhiber, arborer**
ÉTANG bassin, mare, lac
– Étang d'eau salée entre la terre et la mer **lagune**
– Pièce de bois retenant l'eau d'un étang **bonde**
– Déversoir dans lequel s'écoulent les eaux d'un étang **daraise**
– Bord d'un étang **chaussée**
– Étang destiné à la pisciculture **vivier, alevinier**
– Part d'un étang réservée à la capture des canards sauvages **canardière**
ÉTAPE
– Une longue étape **distance, route, trajet**
– Étape de la vie **époque, période, phase**
– Faire une étape **halte, escale**
– Par étapes **progressivement, graduellement**
ÉTAT communauté, société, nation, république
– Service d'État **public**
– Forêt appartenant à l'État **domaniale**
– Intervention de l'État dans l'économie **dirigisme, interventionnisme, étatisme**
– Prise en charge par l'État de la gestion d'une entreprise **étatisation, nationalisation**
– Employé au service de l'État **fonctionnaire**
– Tentative de déstabilisation d'un État **putsch, pronunciamiento**
– Division territoriale d'un État **province, région, comté**
– État de la Confédération helvétique **canton**
– Division territoriale de l'État allemand **land**
– Modalités politiques d'un État **fédéral, cantonal, provincial**
– Domaine privilégié des relations entre les États **diplomatie**
– Remettre en état **réparer, restaurer**
– États dépressifs **phases, moments**
– État de choc **traumatisme**
– État d'âme **humeur, disposition**
– État de conscience **sensation, sentiment, volition**
– Vérifier l'état des finances **situation, position**
– Condamner l'état d'esprit d'une personne **mentalité**
– Il n'est pas en état de conduire **capable de, en mesure de**
– Faire état de **citer, mentionner**
– Publier un état des frais **bilan, facture, statistique, bordereau**
– État des lieux **inventaire, descriptif**
– Rédiger un état de service **note, rapport, exposé, compte rendu**
– Exiger un état pour les marchandises transportées par bateau **reçu, connaissement**
ÉTAU tenaille
– Mâchoires d'un étau **mors**
– Sous l'étau des regards **cercle, étreinte**
– Contrainte morale ressentie comme un étau **coercition**
ÉTEINDRE étouffer
– Éteindre une chandelle **moucher**
– Éteindre un incendie **maîtriser**
– Éteindre l'ardeur **saper, détruire, anéantir**
– Éteindre la soif **apaiser, étancher**
– Rire impossible à éteindre **inextinguible**
– Éteindre une dette **amortir, s'acquitter de**
– Éteindre un droit **annuler**
– S'éteindre **mourir, décéder**
– S'éteindre, pour des couleurs **s'affaiblir, ternir, passer**
ÉTEINT
– Un regard éteint **morne, vide, terne**
ÉTENDRE
– Étendre ses ailes **déplier, déployer**

– Étendre un métal **étirer, laminer, tréfiler**
– Corps doué de la propriété de s'étendre **ductile**
– Étendre une sauce **allonger, diluer, délayer, mouiller**
– Étendre une pâte **étaler, abaisser**
– Étendre ses connaissances **approfondir, augmenter**
– Étendre son champ d'action **élargir, agrandir**
– Une épidémie s'étend **se répand, se propage**

ÉTENDUE espace, surface, dimension
– Étendue des sons parcourue par une voix ou un instrument **registre, diapason**
– Évaluer l'étendue d'une catastrophe **ampleur, importance, envergure**
– Étendue d'un tir, d'un lancer **portée**
– Étendue d'un discours **longueur, développement**
– Mesurer l'étendue d'un objet **grandeur, taille, largeur, longueur, volume**

ÉTERNEL intemporel, absolu
– Des regrets éternels **immortels, impérissables**
– Une reconnaissance éternelle **infinie, indestructible, indéfectible, durable**
– D'éternels reproches **constants, continuels, incessants, sempiternels, perpétuels**
– Flanqué de son éternel compagnon **inséparable**
– La justice éternelle **divine**

ÉTERNUER
– Action d'éternuer **sternutation**
– Substance qui fait éternuer **sternutatoire**

ÉTHER
– Utilisation commune de l'éther **solvant, antiseptique, anesthésiant**
– Anesthésie provoquée par l'inhalation d'éther **éthérisation**
– Accoutumance à l'éther **éthéromanie**
– Intoxication à l'éther **éthérisme**

ÉTHIQUE morale voir aussi **philosophie**
– Éthique médicale **bioéthique, déontologie**

ÉTINCELLE feu, silex
– Étincelle survenant dans un milieu isolant **disruptive**
– Instrument prodiguant des étincelles **fusil, briquet**
– Une étincelle passa dans son regard **lueur, éclair**
– Une étincelle de bon sens **parcelle, once**

ÉTIRAGE
– Étirage d'un métal **laminage, tréfilage, filetage**
– Instrument utilisé pour l'étirage **filière**
– Étirage des peaux **corroyage**
– Étirage de la peau du visage à des fins esthétiques **lifting, lissage**

ÉTOFFE tissu, textile
– Apprécier l'étoffe d'un roman **matière, sujet**
– N'avoir pas l'étoffe pour une telle entreprise **valeur, aptitude, qualité**

ÉTONNANT
– Une saveur étonnante **étrange**
– Une attitude étonnante **stupéfiante, ahurissante, déconcertante, incroyable, inattendue**
– Un spectacle étonnant **saisissant, extraordinaire, fantastique**
– Un courage étonnant **rare, remarquable, formidable, épatant**
– Une construction étonnante **curieuse, bizarre, surprenante, singulière, originale, insolite**

ÉTONNÉ
– Très étonné **abasourdi, sidéré, stupéfait**

ÉTONNEMENT ébahissement, surprise
– Étonnement profond **stupeur, stupéfaction**
– Étonnement survenant dans un édifice **ébranlement, lézarde**
– Étonnement apparaissant sur un diamant **fêlure**

ÉTOUFFEMENT suffocation, dyspnée, étranglement, asphyxie
– Étouffement d'un scandale **dissimulation**
– Étouffement de la contestation **répression**

ÉTOUFFER éteindre
– La fumée m'étouffe **gêne, oppresse**
– Étouffer des sons **amortir, assourdir**
– Étouffer des pulsions **réprimer, juguler, refréner, contraindre, refouler**
– Étouffer un cri **contenir, retenir**
– S'étouffer de rage **s'étrangler**

ÉTOURDERIE
– Commettre des étourderies **erreurs, oublis, bévues**
– Agir avec étourderie **inattention, irréflexion, distraction, imprudence**
– Par étourderie **par mégarde, par inadvertance**

ÉTOURDIR
– Étourdir un adversaire **assommer**
– L'alcool étourdit **grise, enivre**
– Sa volubilité étourdit **fatigue, importune**
– S'étourdir dans la vie mondaine **s'évader, se distraire**

ÉTOURNEAU
– Ordre auquel se rattache l'étourneau **passereaux**
– Famille à laquelle appartient l'étourneau **sturnidés**
– Étourneau commun **sansonnet**

ÉTRANGER (1) touriste, immigré, résident, réfugié
– Ville ou région où se côtoient des étrangers de tous pays **cosmopolite**
– Étranger dépourvu de toute nationalité **apatride, heimatlos**
– Statut d'étranger **extranéité**
– Accorder aux étrangers la nationalité du pays d'accueil **naturaliser**
– Refus et haine des étrangers **racisme, chauvinisme, xénophobie**
– Droit pour un État en guerre d'expulser les étrangers du pays ennemi **xénélasie**

ÉTRANGER (2) voir aussi tableau p. 168-169
– Être tout à fait étranger au monde des arts **ignorant, profane**
– Ce sentiment m'est étranger **inconnu**
– Se sentir très étranger à une situation **éloigné**

ÉTRANGLER
– Étrangler un homme **assassiner**
– Supplice consistant à étrangler un condamné **garrotage**
– Étrangler la taille **serrer, comprimer**
– Étrangler une voie, un passage **resserrer, rétrécir**
– Étrangler une voile **coincer, carguer**
– S'étrangler de rire **s'étouffer**

ÉTRIER voir aussi **équitation, selle**
– Courroie soutenant les étriers **étrivière**
– Pied de l'étrier en équitation **pied gauche**
– Étrier utilisé en escalade **échelle**
– Étrier de l'oreille moyenne **osselet**

ÉTROIT
– Un espace étroit **petit, exigu**
– Un vêtement étroit **juste, étriqué**
– Un esprit étroit **borné, mesquin, obtus, intolérant**
– Entretenir d'étroites relations **serrées, intimes**
– Considérer un mot dans son sens étroit **restreint, stricto sensu**
– Face étroite d'un parallélépipède **chant**
– Passage étroit **boyau, couloir, chatière, défilé, gorge, goulet**
– Marge de manœuvre étroite **réduite**

MOTS ÉTRANGERS

MOT AFRIKAANS

apartheid	ségrégation raciale

MOTS ALLEMANDS

Anschluss	annexion
Blitzkrieg	guerre-éclair
blockhaus	fortin
bunker	casemate
diktat	exigence absolue
ersatz	succédané, pis-aller
führer	conducteur, guide, chef
gestalt	forme, structure
Kaiser	empereur
kaput	cassé, fichu, inutilisable
kitsch	de mauvais goût
Land	province, région, pays
leitmotiv	motif conducteur
lied	chanson populaire, ballade, romance
panzer	char allemand
putsch	soulèvement, coup de force
Reich	empire

MOTS ANGLAIS ET AMÉRICAINS

baby-sitter	garde d'enfants
bazooka	lance-roquette antichar
best-seller	succès de librairie
blackout	silence, mystère, obscurité, occultation
boom	hausse soudaine
boss	patron
bowling	jeu de quilles mécanique
bow-window	oriel, fenêtre à encorbellement
boycott	mise en quarantaine
brainstorming	réunion de créativité, remue-méninges
brunch	repas pris dans la matinée
building	immeuble
car-ferry	navire transbordeur, traversier
cash	comptant
casting	attribution des rôles, distribution artistique
charter	vol affrété
check-up	bilan de santé, examen de santé
copyright	droit d'exploitation
corn flakes	pétales de maïs grillés
crash	action de s'écraser, choc violent
cross-country	course à pied en terrain accidenté
curling	palet sur glace
data bank	banque de données, en informatique
dealer	revendeur de drogue
digest	résumé, condensé
dinghy	canot pneumatique
disc-jokey	animateur musical
discount	rabais, réduction, ristourne
drugstore	magasin multiple
dry-farming	culture sur sol semi-aride
duty free shop	boutique franche
establishment	système en place, groupe au pouvoir
eye-liner	fard qui souligne le regard
fair-play	loyal, beau joueur
fast-food	restauration rapide
feed-back	rétroaction
feeling	sensibilité, émotion
fifty-fifty	moitié-moitié
flash-back	retour en arrière
flipper	billard électrique
flop	échec
globe-trotter	grand voyageur
groggy	étourdi, assommé
happy end	dénouement heureux
happy few	petit cercle de privilégiés
hardware	matériel, en informatique
has been	artiste dont la notoriété appartient au passé
hobby	passe-temps, loisir favori, violon d'Ingres
hold-up	attaque à main armée
hovercraft	aéroglisseur
interview	entrevue, conversation, entretien
jet	avion à réaction
jingle	sonal, indicatif musical
juke-box	tourne-disque automatique
jumping	concours hippique de saut d'obstacles
kidnapping	enlèvement
label	étiquette, marque, estampille, emblème
lobby	groupe de pression
mailing	publipostage
marketing	étude de marché, mercatique
melting-pot	creuset de peuples et de cultures
new-look	nouveau style, nouvel aspect
no man's land	zone inhabitée ou désertée
one-man-show	spectacle solo
outsider	concurrent non favori
pacemaker	stimulateur cardiaque
patchwork	mosaïque de tissus
pedigree	généalogie
peeling	exfoliation
play-back	présonorisation
pop-corn	grains de maïs éclatés
press-book	dossier de presse
racket	extorsion de fonds
remake	remaniement, refonte, adaptation
revolving	renouvelable
rewriting	réécriture
roller-skate	chaussure à roulettes
royalties	redevance
rush	ruée, assaut
scoop	nouvelle sensationnelle, exclusivité, primeur
self-control	maîtrise de soi
sex-appeal	charme sensuel
show-business	métier du spectacle
sit-in	manifestation assise dans la rue
skateboard	planche à roulettes
skipper	barreur d'un voilier
software	logiciel
speaker	animateur, commentateur, présentateur
speech	petit discours
sponsor	commanditaire, mécène
spot	petit projecteur ou message publicitaire
sprint	accélération en fin de course
squatter	personne qui occupe illégalement un logement
standing	niveau de vie, classe
star-system	vedettariat
steward	garçon de bord
sweat-shirt	pull léger et ample
talkie-walkie	émetteur-récepteur portatif
tanker	pétrolier, navire-citerne
teen-ager	adolescent

thriller	spectacle ou livre à suspense
tilt	déclic
tour-opérator	voyagiste, tour-opérateur
training	entraînement ou survêtement
trek	longue randonnée, raid
tuner	récepteur radiophonique, syntoniseur
vanity-case	coffret de toilette
very important person (V.I.P.)	personnalité
Walkman	baladeur
zoom	objectif à focale variable

MOTS ARABES

baraka	chance, faveur divine
bézef	beaucoup
caïd	chef
caoua	café
chouïa	un peu
fedayin	guérillero palestinien
fissa	vite
flouze	argent
hammam	établissement de bains
kif-kif	pareil, la même chose
moudjahid	combattant
nouba	fête, noce
souk	marché, bazar

MOTS CHINOIS

chop suey	légumes et viande en lamelles
dazibao	affiche manuscrite

MOTS ESPAGNOLS

aficionado	amateur de corridas
alcazar	forteresse ou palais construit par les Maures
banderillero	poseur de banderilles
caballero	gentilhomme
corrida	course de taureaux
fiesta	fête
guérilla	guerre d'embuscade et de harcèlement
hacienda	grande ferme sud-américaine
hidalgo	noble de rang inférieur
matador	toréro qui tue le taureau
patio	cour intérieure
pronunciamiento	coup d'État
romancero	recueil de romances espagnols
sierra	chaîne de montagnes

MOTS GRECS

diaspora	dispersion d'un peuple
eurêka !	j'ai trouvé !

MOTS ITALIENS

a cappella	sans accompagnement instrumental
aggiornamento	modernisation, réforme, révision, actualisation
al dente	ferme sous la dent
basta !	cela suffit !
bel canto	chant de virtuose
carbonaro	membre d'une société secrète
ciao !	au revoir ! salut !
condottiere	chef de mercenaires
crescendo	en augmentant progressivement
decrescendo	en diminuant progressivement
dolce vita	vie facile
duce	chef
jettatura	mauvais sort
mafioso	membre de la Mafia
paparazzi	photographe-traqueur indiscret
presto	vite
prima donna	première chanteuse d'un opéra
sotto voce	à mi-voix
tempo	rythme
tutti frutti	parfumé avec toutes sortes de fruits
zingaro	Tsigane

MOTS JAPONAIS

bonsaï	arbre miniature
geisha	danseuse et chanteuse japonaise
hara-kiri	suicide qui consiste à s'ouvrir le ventre
ikebana	art japonais de la composition florale
kabuki	genre théâtral japonais
kamikaze	avion-suicide ou son pilote
nô	drame lyrique japonais
tsunami	raz de marée

MOTS PORTUGAIS

favela	bidonville, quartier misérable
fazenda	grande propriété

MOTS RUSSES

apparatchik	personnage du régime, de l'état-major
balalaïka	luth à cordes pincées
blini	petite crêpe de sarrasin épaisse
borchtch	soupe à base de chou, de betteraves et de crème aigre
boyard	ancien noble
cosaque	cavalier de l'armée russe
datcha	maison de campagne
glasnost	politique de transparence du gouvernement
goulag	camp de travail forcé
intelligentsia	classe des intellectuels
kolkhoze	exploitation agricole collective
Komsomol	organisation de la jeunesse communiste
kopeck	plus petite unité monétaire
matriochka	poupées russes s'emboîtant les unes dans les autres
perestroïka	politique de restructuration du système soviétique
pirojki	petit pâté chaud farci
pogrom	soulèvement meurtrier organisé contre des juifs
samizdat	littérature souterraine et clandestine
samovar	bouilloire qui fournit en permanence de l'eau bouillante pour le thé
sovkhoze	exploitation agricole d'État
troïka	grand traîneau à trois chevaux attelés de front

MOT SUÉDOIS

ombudsman	médiateur, intercesseur

ÉTUDE
-logie, -nomie
ÉTUDE école, enseignement
– Temps d'études prévu par la loi **scolarité obligatoire**
– Cycle d'études dans une discipline donnée **cursus**
– Maître d'études dans les collèges et les lycées **pion, surveillant**
– Préparer une étude sur un auteur **essai**
– Études d'un peintre **esquisses, croquis**
– Études pour piano de Chopin **exercices**
– Entreprendre une étude de marché **prospection, investigation**
– Étude d'avocat **charge, cabinet**
ÉTUDIANT voir aussi **école, université, diplôme**
– Étudiant en médecine **carabin**
– Étudiant préparant l'École normale supérieure **hypokhâgneux, khâgneux**
– Étudiant en mathématiques supérieures **hypotaupin**
– Étudiant en mathématiques spéciales **taupin**
– Vie d'étudiant **estudiantine**
ÉTUDIER apprendre, s'instruire
– Étudier un texte **analyser, commenter**
– Étudier un rôle **préparer, répéter**
– Étudier une partition **s'exercer**
– Étudier une question **considérer, examiner**
– Étudier les réactions d'une personne **observer**
ÉVACUER rejeter, éliminer
– Évacuer des matières organiques **uriner, déféquer, expectorer, vomir**
– Évacuer un pays occupé **abandonner, quitter, se retirer de**
– Évacuer l'eau d'un puits **vider, déverser, vidanger**
– Faire évacuer un lieu **expulser**
ÉVADER (S') s'échapper, s'enfuir, se sauver
– S'évader d'une réalité insupportable **se soustraire à, se libérer de, fuir**
– S'évader dans les plaisirs **se distraire, s'étourdir**
ÉVALUATION
– Évaluation pratiquée par un expert **prisée, estimation, appréciation, expertise**
– Évaluation rapide **approximation**
ÉVALUER
– Procédure consistant à évaluer le coût d'un travail **devis**
– Évaluer une fortune **chiffrer, calculer, supputer**
– Évaluer le débit d'un fleuve **jauger**
– Évaluer le cours de valeurs ou de monnaies **coter**
– Évaluer chaque élément d'un ensemble vendu d'un seul tenant **ventiler**
ÉVANOUIR (S') défaillir, perdre connaissance, tomber en syncope, se pâmer
– La douleur s'évanouit **se dissipe, s'efface**
– Ses espoirs s'évanouissent **s'envolent**
– Impression qui très vite s'évanouit **fugitive, fugace, évanescente**
ÉVAPORATION vaporisation
– Évaporation végétale **transpiration**
– Évaporation d'un liquide au contact d'une surface très chaude **caléfaction**
– Évaporation des produits volatils par la peau **exhalation**
ÉVEILLER
– Éveiller l'intelligence d'un enfant **stimuler, développer, aiguiser**
– Éveiller des sentiments **provoquer, susciter**
– Éveiller la curiosité **piquer, animer, exciter**
– Éveiller des souvenirs **évoquer**
ÉVÉNEMENT fait
– Événement fortuit **incident, péripétie, complication, ennui, contretemps**
– Événement heureux **chance, bonheur, succès**
– Événement malheureux **drame, désastre, calamité, accident, tragédie**
– Événement à caractère politique ou social **affaire**
– Isoler un événement d'un processus **épisode, moment**
– Ouvrage rapportant les événements année par année **annales**
ÉVENTAIL
– Élément d'un éventail **feuille, monture**
– Agiter l'éventail **s'éventer**
– Structure en éventail **flabellée, flabelliforme**
– Fabrique d'éventails **éventaillerie**
– Éventail des salaires **échelle**
– Proposer un éventail de parfums **choix, gamme, assortiment**
ÉVENTUEL possible, incertain
– Bénéficier d'un revenu éventuel **contingent, casuel, occasionnel**
– Attendre d'éventuels secours **hypothétiques**
ÉVÊQUE prélat voir aussi **chrétien**
– Insigne que l'on remet à un évêque lors de son ordination **crosse, anneau, croix, pectorale, mitre**
– Temps de fonction d'un évêque **épiscopat**
– Juridiction d'un évêque **évêché**
– Collectivité d'évêques assistant le pape **collège d'évêques**
– Réunion convoquée par un évêque **synode**
– Revenu autrefois affecté à la table d'un évêque **mense**
– Siège liturgique d'un évêque **faldistoire**
– Pierre d'évêque **améthyste**
ÉVIDENT assuré, clair, manifeste, patent
– Un talent évident **certain, indéniable, incontestable**
– Une culpabilité évidente **criante, éclatante**
– Une vérité évidente au regard de tous **connue, notoire**
– Propos évident **lapalissade, truisme**
ÉVITER
– Éviter un coup **esquiver, parer, détourner**
– Éviter une maladie **prévenir**
– Éviter des questions gênantes **éluder, escamoter, se dérober à**
– Éviter de faire quelque chose **s'abstenir de, se garder de**
– Éviter à quelqu'un une corvée **épargner, délivrer, dispenser**
– Éviter un danger **écarter, conjurer, obvier à**
– Éviter un châtiment **échapper à**
ÉVOLUER devenir, changer, se modifier, se transformer
– Évoluer vers un mieux-être **s'améliorer, progresser**
– Ne pas évoluer **stagner**
ÉVOLUTION mouvement, passage, processus
– Évolution d'une maladie **cours, développement**
– Évolution d'un événement **marche**
– Évolution militaire **manœuvre**
– Description de l'évolution de l'humanité **histoire**
– Théorie de l'évolution **évolutionnisme**
– Doctrine de l'évolution des espèces **darwinisme, lamarckisme, mutationnisme**
– Principe fondamental de la doctrine darwinienne de l'évolution des espèces **continuité**
– Domaine de la biologie traitant de l'évolution des espèces **phylogenèse**
ÉVOQUER
– Évoquer les mânes, les ancêtres **invoquer, apostropher, interpeller**

– Évoquer des rencontres passées **remémorer**
– Évoquer une situation, un lieu **décrire, représenter**
– Ne faire qu'évoquer une question **aborder, effleurer**
– Cette vision ne m'évoque rien **suggère, suscite, éveille**
– Procédé littéraire consistant à faire parler un personnage que l'on évoque **prosopopée**
– Évoquer une affaire juridique **se saisir de**

EXACT
– Faire le récit exact d'un événement **réel, véridique, sincère**
– Procéder à une exacte répartition **juste, rigoureuse, équitable**
– Une reproduction exacte **fidèle, authentique**
– Une exacte traduction **littérale, textuelle**
– Une personne exacte **ponctuelle**
– Science exacte **mathématiques, physique, astronomie, chimie, biologie**

EXAGÉRÉ
– Pratiquer des tarifs exagérés **excessifs, abusifs**

EXAGÉRER
– Exagérer les détails d'un récit **amplifier, broder**
– Exagérer le nombre de participants **enfler, grossir**
– Exagérer un danger **dramatiser**
– Exagérer un trait de caractère **forcer, outrer**
– Exagérer l'intensité d'une douleur **simuler**
– Exagérer son importance **se vanter, fanfaronner**

EXAMEN
– Examen d'un texte **analyse, étude, commentaire**
– Examen comparatif de documents **collation, recension**
– Examen collectif d'une question **débat, discussion, délibération**
– Examen d'un site **reconnaissance, exploration, fouilles**
– Se livrer à l'examen de ses propres sentiments **introspection**
– Examen pratiqué sur un patient **auscultation**
– Examen tactile du corps **palpation**
– Examen microscopique d'un tissu organique **biopsie**
– Examen d'un cadavre **dissection, autopsie**
– Examen scolaire ou universitaire **épreuve, interrogation, contrôle**
– Personnes participant à l'encadrement d'un examen **examinateur, jury**
– Science de l'organisation des examens **docimologie**

EXAMINER
– Examiner attentivement **observer, scruter**
– Examiner un lieu dans le but d'en tirer profit **prospecter**
– Examiner des archives **dépouiller, consulter, compulser**
– Examiner la valeur d'un objet **évaluer, expertiser**
– Examiner une personne avec curiosité **dévisager, fixer**
– Examiner une personne avec mépris **toiser**

EXASPÉRER
– Être exaspéré par l'attitude d'une personne **irrité, courroucé, énervé, fâché, excédé**
– Exaspérer une douleur **aviver, aiguiser, exacerber**

EXCÉDENT **reste, surcroît**
– Excédent financier **boni, bénéfice**
– Excédent de bagages **surcharge**
– Excédent agricole **surplus**

EXCEPTION
– Mesures n'admettant aucune exception **restriction, dérogation**
– Invoquer une exception en justice **exciper de**
– Exception de prescription en droit **dilatoire**
– Exception grammaticale **irrégularité, anomalie**
– Un régime d'exception **spécial, particulier, privilégié**
– Un être d'exception **singulier, étonnant, extraordinaire**
– Domaine de la morale traitant des cas d'exception **casuistique**
– À l'exception de **hormis**

EXCEPTIONNEL
– Une fermeture exceptionnelle **occasionnelle**
– Une chance exceptionnelle **inouïe, inattendue, prodigieuse**
– Une intelligence exceptionnelle **supérieure, remarquable, rare**

EXCÈS **surplus, excédent**
– Excès de poids **obésité**
– Excès de plaisirs **intempérance, débauche**
– Excès de paroles **logorrhée**
– Excès de langage **grossièreté, injure**
– Excès de travail **surmenage**
– Excès de sucre dans le sang **hyperglycémie**

EXCESSIF
– Afficher des prix excessifs **exagérés, exorbitants**
– Une chaleur excessive **torride, caniculaire**
– Des proportions excessives **énormes, démesurées, monstrueuses, incommensurables**
– Un usage excessif **abusif, effréné, immodéré**
– Un tempérament excessif **extrême**
– Quantité excessive d'objets **pléthore, surabondance**
– Habitude excessive **manie**
– Peur excessive **phobie**
– Tenir des propos excessifs **outrés, outranciers**
– Armement excessif **surarmement**

EXCITATION
– Vivre l'excitation du départ **fièvre, agitation, effervescence**
– Excitation de l'esprit **emportement, exaltation, enthousiasme, éréthisme**
– Excitation à la violence **encouragement, exhortation, incitation**
– Excitation sexuelle **émoi, désir**

EXCITER
– Exciter un cheval **éperonner, aiguillonner**
– Exciter l'appétit **aiguiser**
– Exciter le rire **provoquer, déchaîner**
– Exciter un muscle **stimuler**
– Exciter la colère **attiser, aviver, exacerber**

EXCLAMATION **interjection**
– Exclamation de colère **cri, juron, tollé**
– Exclamation de joie, d'admiration **vivat, bravo**
– En rhétorique, exclamation sentencieuse concluant un discours **épiphonème**

EXCLURE
– Exclure un individu d'un pays **bannir, expulser**
– Exclure une hypothèse **éliminer, rejeter, abandonner**
– Exclure de l'Église chrétienne **excommunier**
– Être exclu d'un établissement scolaire **renvoyé**
– Être exclu d'une négociation **écarté, repoussé, blackboulé, évincé**
– S'exclure mutuellement **s'annuler, se neutraliser**

EXCLUSIVITÉ
– Exclusivité journalistique **scoop**
– Avoir l'exclusivité d'une information **primeur**
– Détenir l'exclusivité d'un produit, d'un service **monopole**

EXCOMMUNICATION
– Sentence d'excommunication **anathème**

– Prononcer l'excommunication **lancer, fulminer**
– Lettre du pape contenant l'ordre d'excommunication **bulle**
– Chrétien qui, professant une doctrine contraire à la foi catholique, est frappé d'excommunication **hérétique**

EXCRÉMENT
– Excréments humains **déjections, fèces, selles**
– Évacuation des excréments **défécation**
– Premiers excréments du nouveau-né **méconium**
– Analyse des excréments **coprologie**
– Plaisanterie qui a pour motif les excréments **scatologique**
– Bactérie vivant dans les excréments **coprophile**
– Animal se nourrissant d'excréments **coprophage**
– Relatif aux excréments **stercoral**
– Excréments des animaux domestiques **crottes**
– Excrément de vache **bouse**
– Excrément de cheval **crottin**
– Excrément d'oiseau **fiente**
– Excrément de pigeon **colombine**
– Excrément d'oiseau de mer **guano**
– Excréments de cerf et de sanglier **fumées, laissées**
– Excrément de mouche **chiure**
– Excrément de ver à soie **litière**

EXCURSION promenade, tournée, voyage
– Excursion scientifique **expédition**
– Excursion en montagne **course, randonnée**
– Excursion en haute montagne **ascension, trekking**

EXCUSE
– Invoquer une excuse **raison, motif, prétexte**
– Présenter ses excuses **regrets**
– Excuses en termes de droit **circonstances atténuantes**

EXCUSER
– S'excuser **se justifier, se disculper**
– Être excusé **dispensé, exempté**
– Excuser une personne manifestement coupable **blanchir, couvrir**

EXÉCRABLE
– Une couleur exécrable **affreuse, horrible**
– Une attitude exécrable **détestable, odieuse, déplorable**
– Une odeur exécrable **épouvantable, pestilentielle, abominable**
– Une nourriture exécrable **infecte, infâme**

EXÉCUTER effectuer, réaliser, accomplir
– Exécuter une pièce pour piano **interpréter**
– Exécuter un condamné **mettre à mort**
– S'exécuter **obéir, obtempérer**

EXEMPLAIRE (1) copie, épreuve
– Exemplaire d'une revue destiné à la critique **spécimen**
– Ensemble des exemplaires d'un journal imprimés en une fois **édition**
– Premier exemplaire d'un véhicule, d'une machine **prototype**
– Fournir quelques exemplaires d'une collection **échantillons**

EXEMPLAIRE (2)
– Un courage exemplaire **remarquable, édifiant**

EXEMPLE modèle
– Exemple de déclinaison ou de conjugaison **paradigme**
– Exemple extrait d'un texte **citation**
– Étayer une démonstration à l'aide d'exemples **exemplifier**
– À l'exemple de **à l'image de, à l'instar de**

EXEMPTION
– Exemption de droits **exonération, franchise**
– Exemption partielle d'impôts **dégrèvement**
– Exemption de charge **dispense, immunité**
– Exemption de peine **grâce**

EXERCICE
– Exercice physique **gymnastique, sport**
– Exercice militaire **manœuvre**
– Exercice spirituel **pratique**
– Exercice de la voix **vocalise**
– Être en exercice **en fonction, en activité**
– Une loi en exercice **en application, en vigueur**

EXHIBITION
– Exhibition de preuves **présentation**
– Exhibition d'objets rares **exposition**
– Exhibition de foire **démonstration, représentation, spectacle**
– Exhibition accompagnée d'ostentation **étalage, déploiement, parade**
– Exhibition maladive des organes génitaux **exhibitionnisme**

EXIGEANT
– Un travail exigeant **absorbant, astreignant**
– Une morale exigeante **stricte, sévère, rigoureuse**

EXIGER
– Exiger son dû **réclamer, revendiquer**
– Exiger d'une personne qu'elle fasse quelque chose **ordonner, sommer**
– Une situation qui exige des mesures d'urgence **requiert, impose, oblige à**

EXILER bannir, reléguer, proscrire voir aussi **bannir**
– S'exiler **s'expatrier**
– S'exiler de la vie publique **se retirer, s'éloigner**

EXISTENCE vie, durée
– Moyens d'existence **ressources**
– Révéler l'existence d'un complot **présence**
– Philosophie fondée sur l'existence de l'homme dans le monde **existentialisme**
– Preuve de l'existence de Dieu **ontologique**

EXISTER
– Exister antérieurement **préexister**
– Exister de manière contemporaine **coexister**
– Exister encore **demeurer, subsister, perdurer, persister**
– Cesser d'exister **disparaître**
– Pour l'avare, rien n'existe que l'argent **compte, importe**

EXPANSION
– Expansion d'un fluide **dilatation, décompression**
– Expansion anormale d'un organe **hypertrophie**
– Expansion végétale **développement, épanouissement**
– Expansion économique **croissance**
– Politique d'expansion **colonialisme, impérialisme, expansionnisme**
– Expansion d'une rumeur **diffusion, divulgation, propagation**
– Expansion sentimentale **effusion, épanchement, débordement**

EXPATRIÉ émigré, exilé, réfugié
– Expatrié dépourvu de toute nationalité **apatride, heimatlos**

EXPÉDIER
– Expédier un courrier **envoyer, transmettre, adresser**
– Expédier une personne **congédier**
– Expédier ses devoirs **bâcler**
– Une affaire promptement expédiée **réglée, liquidée**

EXPÉDITION envoi, exportation
– Expédition des affaires courantes **exécution**
– Expédition d'un acte juridique ou notarié **copie, double, duplicata**
– Expédition authentifiée **ampliation, grosse**

– Organiser une expédition scientifique **voyage, mission**
– Expédition militaire **campagne, guerre**
– Expédition armée, rapide et destructrice **raid**
– Expédition punitive **représailles**
– Expédition menée par les chrétiens contre les musulmans **croisade**

EXPÉRIENCE **pratique, usage, habitude**
– Personne dénuée d'expérience **novice**
– Individu possédant une grande expérience **vétéran**
– Expérience scientifique **épreuve, essai, expérimentation, test**
– Sujet d'expérience **cobaye**
– Expériences pratiquées sur des animaux vivants **vivisection**
– Discipline fondée sur l'expérience scientifique **expérimentale**
– Philosophie selon laquelle nos connaissances sont acquises par l'expérience **empirisme**
– Savoir acquis par l'expérience **a posteriori**

EXPERT
– Expert chargé de contrôler la comptabilité d'une société **commissaire aux comptes, vérificateur, audit**
– Expert chargé de l'estimation des objets d'art **commissaire-priseur**

EXPIRER voir aussi **respirer**
– Expirer profondément **souffler**
– Le malade a expiré à l'aube **est mort, s'est éteint**
– Le cessez-le-feu expire **prend fin**

EXPLICATION
– Exiger des explications **éclaircissements**
– Fournir des explications **raisons**
– Avoir avec une personne une sévère explication **discussion, dispute, mise au point**
– Explication complétant un texte **note, remarque, glose, scolie**
– Explication accompagnant une carte **légende**
– Explication du fonctionnement d'un appareil **notice, mode d'emploi**
– Explication et interprétation de textes sacrés ou philosophiques **commentaire, exégèse, herméneutique**

EXPLIQUER
– Expliquer un théorème **démontrer**
– Expliquer un phénomène **décrire, rendre compte de**
– Expliquer un mystère **démêler, débrouiller, élucider, éclaircir**
– Expliquer une démarche **exposer**
– Expliquer une décision **justifier, motiver**
– Expliquer les rudiments d'une technique **apprendre, enseigner, inculquer**

EXPLOIT **prouesse, performance**
– Exploit guerrier **haut fait, action d'éclat**
– Recevoir un exploit d'huissier **acte**

EXPLOITER
– Exploiter une terre **cultiver**
– Exploiter un succès **utiliser, mettre à profit**
– Exploiter la naïveté d'une personne **abuser de**
– Exploiter une clientèle **écorcher, estamper, gruger**
– Exploiter la main-d'œuvre **pressurer, sous-payer**

EXPLORATION **reconnaissance, découverte**
– Exploration maritime **périple, circumnavigation**
– Exploration scientifique **mission, expédition**
– Exploration des cavités souterraines **spéléologie**
– Spécialiste des explorations sous-marines **aquanaute, océanaute**
– Exploration médicale du corps **auscultation**
– Instrument permettant l'exploration en profondeur de l'organisme **endoscope**
– Procédé d'exploration radiologique **tomographie, scanner**

EXPLORER
– Explorer un sous-sol **prospecter**
– Explorer un organe **sonder**
– Explorer une possibilité **étudier, examiner, approfondir**

EXPLOSIF
– Engin explosif **pétard, bombe, torpille, obus, mine**
– Science ayant pour objet l'étude des composés explosifs **détonique**
– Technique de fabrication des matières explosives **pyrotechnie**
– Un tempérament explosif **impétueux, coléreux, violent, irascible, volcanique**
– Une croissance explosive **précipitée, foudroyante, fulgurante**

EXPLOSION **éclatement, détonation, déflagration, fulmination**
– Explosion d'une bombe atomique **désintégration**
– Résidu d'une étoile provenant d'une explosion **trou noir**
– Explosion survenant dans une mine **coup de grisou**
– Explosion démographique **boom**
– Explosion de joie **manifestation, débordement**

EXPORTATION **commerce extérieur, vente, échange**
– Exportation à des prix inférieurs à ceux du marché intérieur **dumping**
– Exportation de capitaux **placement, investissement**
– Exportation d'une mode **diffusion, propagation**

EXPOSER
– Exposer des marchandises **étaler**
– Exposer une opinion **exprimer, énoncer, émettre**
– Exposer des faits **retracer, décrire, relater**
– Exposer une pellicule à la lumière **impressionner**
– Exposer sa vie **risquer, mettre en péril**
– S'exposer à un danger **se soumettre à, affronter, braver**
– S'exposer à un châtiment **encourir**

EXPOSITION **présentation**
– Ouverture d'une exposition de peinture **vernissage**
– Exposition artistique improvisée **happening**
– Exposition agricole **concours**
– Exposition artisanale ou industrielle **foire, salon**
– Personne, ou société, représentée à une exposition **exposant**
– L'exposition d'une maison **orientation**

EXPRESSIF
– Un langage expressif **coloré, pittoresque**
– Un geste expressif **parlant, éloquent, significatif**
– Un visage très expressif **animé, mobile, vivant**

EXPRESSION
– Expression du visage **moue, grimace, mimique**
– Expression d'un sentiment **manifestation, extériorisation**
– Difficulté d'expression verbale **bégaiement**
– Refus d'expression verbale **mutisme**
– Trouble de l'expression verbale **dysphasie, aphasie**
– Être l'expression même de la probité **incarnation, personnification**
– Chercher une expression **locution, tournure**
– Expression propre à une langue **idiotisme**

EXPRIMER **montrer, témoigner**
– Exprimer ses sensations au moyen d'un support artistique **peindre, représenter, traduire**
– Exprimer l'eau d'un tissu **essorer**

– S'exprimer **parler, s'expliquer**
– Désirs, intentions très clairement exprimés **explicites**
EXPULSER chasser
– Expulser une personne de son pays **bannir, exiler**
– Expulser un étranger réfugié et le livrer à son pays d'origine **extrader**
– Expulser une personne d'une communauté, d'un groupe **exclure, renvoyer**
– Expulser des matières organiques **évacuer, éliminer**
EXTASE
– Extase mystique **ravissement, transport, illumination, contemplation**
– Extase pathologique **égarement**
– Tomber en extase devant un tableau **admiration, émerveillement**
EXTENSION
– Extension d'une matière **dilatation**
– Extension d'un muscle **allongement**
– Extension des ailes **déploiement**
– Extension d'un terrain **agrandissement, élargissement**
– Extension d'un fléau **propagation**
EXTÉRIEUR externe
– Quartier extérieur de la ville **périphérie**
– Individu, ou société, régi par une loi qui est extérieure **hétéronome**
– Une cause extérieure **extrinsèque, accidentelle, adventice**
– Individu tourné vers le monde extérieur **extraverti**
– Provient d'un facteur extérieur **exogène**
– Politique extérieure **étrangère**
EXTERMINATION massacre, destruction, anéantissement
– Extermination d'une race, d'un peuple **génocide, ethnocide**
EXTERNE extérieur
– Une douleur externe **superficielle**
– Une cause externe **extrinsèque, adventice**
– Affection provoquée par une cause externe **exogène**
EXTINCTION
– Extinction d'un peuple **disparition, destruction, fin**
– Extinction des forces **épuisement, affaiblissement**
– Extinction de voix **aphonie**
– Extinction d'un droit, d'un privilège **suppression, annulation, abolition**
EXTRAIRE retirer, arracher, enlever, extirper
– Extraire le suc d'une plante **isoler, séparer, recueillir**
– Extraire le jus d'un fruit **presser**
– Extraire des passages d'une œuvre **choisir, sélectionner**
– Extraire une racine carrée **calculer**
EXTRAIT
– Extrait de plante **essence**
– Extrait d'une allocution **bribe, passage**
– Extrait littéraire **fragment, morceau**
– Recueil d'extraits choisis **anthologie**
EXTRAORDINAIRE
– Un goût extraordinaire **raffiné, insolite, subtil**
– Une dépense extraordinaire **imprévue**
– Une convocation pour une assemblée extraordinaire **exceptionnelle**
– Un appétit extraordinaire **énorme, phénoménal, démesuré**
– Une force extraordinaire **colossale, herculéenne**
– Une finesse extraordinaire **admirable, remarquable, sublime**
– Une chance extraordinaire **inouïe, prodigieuse, fabuleuse**
– Un événement extraordinaire **curieux, bizarre, invraisemblable**
– Une joie extraordinaire **intense, extrême, immense, ineffable**
– Une tenue extraordinaire **extravagante, excentrique, inhabituelle**
– Un courage extraordinaire **rare, étonnant**
– Fait extraordinaire **prodige, miracle, mystère**
EXTRÊME
– Un plaisir extrême **suprême, indicible, délicieux, extraordinaire**
– Un désir extrême **profond, passionné, éperdu**
– Une extrême douleur **atroce, horrible, intolérable**
– Intensité extrême **summum, paroxysme**
– Concession extrême **dernière, ultime**
– Des propos extrêmes **outranciers, excessifs**
– Limites extrêmes d'une contrée, d'un pays **frontières, confins**
– Stade extrême d'une maladie **final, terminal**
– Choisir entre des positions extrêmes **contraires, opposées**
EXTRÉMITÉ extinction

F

FABLE **conte, légende, fiction**
- Raconter des fables **fabuler**
- Auteur de fables **fabuliste**
- Recueil de fables **fablier**
- Recueil de fables du Moyen Âge **ysopet**
- Conclusion d'une fable **moralité**
- Petite fable à visées moralisatrices **apologue**
- Fable des Écritures présentant un enseignement **parabole**
- Fable en vers du Moyen Âge **fabliau**
- Être la fable du village **risée**
- Étudier la Fable **mythologie**

FABRICATEUR
- Fabricateur de faux billets **faussaire, contrefacteur, fraudeur, falsificateur**

FABRICATION
- Fabrication assistée par ordinateur **F.A.O.**
- Chaîne de fabrication **montage**
- Un ouvrage de ma fabrication **façon, invention, cru**
- Fabrication d'un instrument de musique **facture**

FABRIQUE **usine, entreprise, manufacture, atelier** voir aussi **industrie**
- Membre du conseil de fabrique d'une église **fabricien, marguillier**
- Fabrique d'une mine de potasse **laverie**

FABRIQUER **créer, produire, élaborer**
- Fabriquer un gâteau **confectionner, préparer, concocter**
- Fabriquer une poterie **façonner, modeler**
- Se fabriquer un alibi **s'inventer, s'imaginer, se constituer**
- Se fabriquer une identité **se forger**

FABULEUX
- Un événement fabuleux **extraordinaire, incroyable, invraisemblable, phénoménal, inouï**
- Un récit fabuleux **imaginaire, irréel, fictif, fantastique, chimérique**
- Un personnage fabuleux **légendaire, mythique**
- Un butin fabuleux **considérable, prodigieux**

FAÇADE
- Façade d'un édifice **frontispice**
- Façade d'une boutique **devanture, vitrine**
- La façade peut être **apparente, superficielle, trompeuse**

FACE voir aussi **côté**
- Face d'un individu **visage, figure, mine, faciès, physionomie**
- Un os de la face **facial**
- Face d'une montagne **côté, paroi, flanc, versant**
- Face d'une pièce de monnaie **avers, droit**
- Sous toutes les faces **aspects, angles**
- Personnage à double face **ambigu, fourbe**
- Perdre la face **se ridiculiser, se discréditer, se déshonorer**
- Faire face à un danger **affronter, résister à, parer à, braver**

FACE-À-FACE
- Organiser un face-à-face **débat, duel verbal, joute oratoire**

FACÉTIE **lazzi, bouffonnerie**
- De nature encline à la facétie **facétieux**
- Être victime d'une facétie **farce, niche, mystification**

FÂCHER
- Tâche de ne pas le fâcher **énerver, agacer, irriter, mécontenter, indisposer, contrarier, exaspérer, pousser à bout, mettre à cran, mettre hors de ses gonds, courroucer**
- Se fâcher facilement **être coléreux, être irascible**
- Se fâcher pour une broutille **s'emporter**
- Se fâcher avec ses amis **se brouiller avec, rompre avec**

FÂCHEUX (1)
- Écarte ce fâcheux ! **gêneur, indiscret, importun, mouche du coche**

FÂCHEUX (2)
- Un quiproquo fâcheux **regrettable, déplorable, malencontreux**
- Une habitude fâcheuse **gênante, embarrassante, incommodante**
- Une visite fâcheuse **déplaisante, intempestive, inopportune**

FACILE
- Un exercice facile **simple, élémentaire, enfantin, réalisable**
- Un article de journal facile à lire **clair, compréhensible, intelligible, explicite**
- Un chemin facile **praticable, accessible, dégagé**
- Un jeu de mots facile **simpliste, plat, usé**
- Une existence facile **agréable, aisée**
- Une utilisation facile **pratique, commode**
- Un individu facile à vivre **aimable, conciliant, arrangeant, accommodant, tolérant, sociable**
- Un enfant facile **sage, docile, obéissant, discipliné**

FACILITÉ
- Disposer de facilités **avantages, prérogatives, privilèges**
- Réussir grâce à ses facilités **dons, dispositions, aptitudes, facultés, potentialités**
- Avoir toutes facilités **libertés, latitudes**

FAÇON voir aussi **facture**
- Façon d'un costume **forme, coupe**
- Une façon peu coûteuse **fabrication, confection, réalisation, exécution, main-d'œuvre**
- Façon préliminaire **ébauche, esquisse**
- Ultime façon **finition, finissage**
- Défaut de façon **malfaçon**
- Individu qui travaille à façon **façonnier**
- À sa façon **guise**
- Les façons de se conduire d'un individu **manières, attitudes, comportement**
- Être sans façon **sans gêne**
- Faire des façons **chichis, minauderies, mignardises, simagrées**
- Qui fait des façons **maniéré, cérémonieux**

FACTEUR
- Facteur des P.T.T. **agent, préposé**
- Tournée du facteur **factage**
- Activité du facteur des Halles **factorage**

– Facteur d'une multiplication **multiplicande, multiplicateur**
– Relatif à un facteur **factoriel**

FACTIONNAIRE
– Factionnaire d'une caserne **sentinelle**
– Mission du factionnaire **garde, guet**

FACTURE voir aussi **façon**
– Réclamer une facture **justificatif, quittance, état, récépissé**
– Payer la facture **addition, note**
– Registre de factures **facturier**
– Facture d'une œuvre d'art **façon, style, travail, technique, exécution, faire**

FACULTÉ voir aussi **université**
– Faculté d'agir à sa guise **liberté, droit, loisir**
– Perdre ses facultés **moyens, capacités**
– Facultés de la noblesse **avantages, privilèges, prérogatives, apanage**
– Facultés d'un navire **chargement, cargaison, fret**
– Faculté d'un objet **propriété, fonction, vertu**
– Regroupement de facultés **université**
– Relatif à une faculté **facultaire**
– Administrateur d'une faculté **doyen**
– Préposé à l'accueil dans une faculté **appariteur**

FADE
– Rendre fade **affadir**
– Un plat fade **insipide**
– Une liqueur fade **écœurante, douceâtre**
– Un discours fade **fastidieux, monotone, languissant**
– Un style fade **mièvre, doucereux, melliflue**
– Ouvrage excessivement fade **berquinade**

FAGOT
– Type de fagot **bourrée, cotret, falourde, javelle, margotin**
– Fagot de bois utilisé pour le terrassement **fascine**
– Fagot enduit de résine que l'on utilise pour allumer un feu **brande, ligot**
– Partie du fagot **âme, tour**
– Lien utilisé pour assembler les fagots **hart, rouette**
– Personne qui assemble les fagots **fagotier**

FAIBLE (1)
– Avoir un faible pour quelque chose **penchant, prédilection, inclination**

FAIBLE (2)
– Un adolescent faible **chétif, fluet, malingre, anémique**
– Un vieillard faible **caduc, souffreteux, égrotant, cacochyme, valétudinaire**
– Un éducateur faible **débonnaire, bonasse, laxiste**
– Faible de caractère **velléitaire, veule, pusillanime, aboulique**
– Une voix faible **fluette, grêle**
– Une argumentation faible **contestable, réfutable**
– Devenir faible **s'affaiblir, décliner, s'étioler**

FAIBLESSE
– Faiblesse pathologique **adynamie, asthénie**
– Faiblesse excessive d'un malade **consomption**

FAÏENCE voir aussi **poterie, porcelaine**
– Enduit vitreux recouvrant la faïence **glaçure, émail**
– Argile entrant dans la composition de la faïence fine **kaolin**
– Pâte fluide coulée pour obtenir des objets en faïence **barbotine**
– Objet en faïence cuit mais non émaillé **biscuit**
– Décor d'une faïence cuit à très haute température **grand feu**
– Faïence d'Italie recouverte d'une glaçure stannifère **majolique**
– Fabrique de faïence **faïencerie**
– Se regarder en chiens de faïence **se défier, se toiser**

FAILLIR voir aussi **manquer**
– Susceptible de faillir **faillible, labile**

FAILLITE banqueroute
– Faillite d'un secteur industriel **ruine, débâcle, désagrégation**
– Commerçant en faillite **failli**
– En termes de droit, faillite d'un non-commerçant **déconfiture**
– Sanction consécutive à une faillite **déchéance, dessaisissement**
– Mesure conservatoire qui peut être prise lors d'une faillite **scellés**
– Groupement des créanciers d'un débiteur en faillite **union, masse**
– Représentant des créanciers d'un débiteur en faillite **syndic**
– Accord entre les créanciers d'un débiteur en faillite **concordat**

FAIM voir aussi **appétit**
– Faim impérieuse et subite **fringale**
– Faim dévorante **faim-valle, faimcalle**
– Tourments de la faim **affres**
– Troubles de la faim **inappétence, anorexie, boulimie, dysorexie**
– Tourmenté par la faim **famélique**
– Comprimé qui coupe la faim **anorexigène**
– État d'un convive qui a mangé à sa faim **satiété, rassasiement**
– Individu qui fait souffrir de la faim ses victimes **affameur**

FAIRE
-urge, -urgie

FAIRE
– Faire un objet **fabriquer, réaliser, confectionner, produire**
– Faire un mur **construire, bâtir, ériger**
– Faire un travail **exécuter, accomplir, effectuer**
– Faire sien **s'approprier, s'attribuer**
– Faire fi d'un conseil **rejeter, négliger, dédaigner, mépriser**
– Se faire à une pratique **s'habituer à, s'accoutumer à**

FAISAN
– Ordre auquel appartient le faisan **gallinacés, galliformes**
– Famille à laquelle appartient le faisan **phasianidés**
– Petit du faisan **faisandeau, faisanneau, pouillard**
– Endroit où le faisan a coutume de percher **juchée**
– Élevage de faisans **faisanderie**
– Mode de préparation du faisan et de certaines pièces de gibier **faisandage**
– Faisan des mers **turbot**

FAIT
– Étant donné les faits **événements, situation, circonstances, conjoncture**
– Fait de l'accusé **faute, délit, infraction, crime, forfait**
– Hauts faits d'un héros **exploits, prouesses**
– Faits d'une expérience scientifique **phénomènes**
– Sur le fait **en flagrant délit**
– Mettre au fait **au courant**
– Aller au fait **à l'essentiel**
– De fait, par opposition à de droit **de facto**
– Voies de fait **violences, coups, sévices**
– Du domaine du fait **factuel**

FAMEUX
– Un personnage fameux **célèbre, illustre, glorieux, notoire, insigne**
– Un vignoble fameux **renommé, réputé**
– Une fameuse journée **marquante, exceptionnelle, mémorable, inoubliable, ineffable**

FAMILIARITÉ
– Familiarité d'un enfant **désinvolture, effronterie, impertinence, insolence, impudence**
– Prendre des familiarités **libertés, privautés**

FAMILIER (1)
– Un familier d'un petit groupe d'amis **intime**
– Un familier du roi au Moyen Âge **conseiller**
FAMILIER (2)
– Une pratique familière **habituelle, usuelle, coutumière**
– Un geste familier **mécanique**
– Une expression trop familière **déplacée, inconvenante, intempestive, malséante, leste, cavalière**
– Un supérieur familier **accessible, abordable, engageant, liant, affable**
– Dieux familiers, dans la Rome antique **lares**
FAMILLE
-acées (plantes), -idés (animaux)
FAMILLE
– Propre à la famille **familial, domestique**
– Nom de famille **patronyme**
– Chef de famille **pater familias, patriarche**
– Individu à l'origine d'une famille **souche**
– Filiation des membres d'une famille **généalogie**
– Succession des membres d'une famille royale ou très célèbre **dynastie**
– Membres de la famille dont on descend **ancêtres, ascendants, aïeux**
– Membres d'une famille descendant d'un même ancêtre **consanguins, collatéraux**
– Famille d'un personnage illustre **descendance, lignée, postérité**
– Traits transmis par les ancêtres d'une famille à leur lignée **hérédité, atavisme**
– Ensemble des biens d'une famille **patrimoine**
– Famille artistique **clan, école, coterie**
FAMINE faim, disette, vaches maigres
FANATIQUE (1)
– Des fanatiques ont commis ces méfaits **séides**
– Les fan(atique)s d'un chanteur **admirateurs, groupies, aficionados**
FANATIQUE (2) intolérant, exalté
– Un joueur fanatique **passionné, enthousiaste, enragé**
FANFARE
– Fanfare d'un village **orchestre, philharmonie, orphéon**
FANFARON bravache, fier-à-bras, fendant, tranche-montagne, matamore, tartarin
– Fait d'un fanfaron **vantardise, hâblerie, forfanterie, gasconnade, rodomontade**

FANTAISIE
– Céder à toutes ses fantaisies **caprices, désirs, envies, lubies**
– Selon sa fantaisie **goût, humeur, volonté**
– Fantaisie amoureuse **aventure, passade, toquade**
– Fantaisie musicale **paraphrase**
– Fantaisie de chaque destinée **imprévus, aléas**
– Enclin à des fantaisies **fantasque**
– Une étoffe fantaisie **originale**
FANTÔME spectre, revenant, apparition, esprit
– Habité par un fantôme **hanté**
– Attribut traditionnel du fantôme **suaire, linceul, chaînes**
– Fantôme suceur de sang **vampire, strige**
– À Rome, fantôme d'un mort **lémure, larve**
– Individu qui peut correspondre avec des fantômes **médium**
– Fluide dégagé par un médium et qui peut former des fantômes **ectoplasme**
– Spectacle de fantômes reposant sur des illusions d'optique **fantasmagorie**
– Les fantômes de la pensée **illusions, chimères**
– Un fantôme de légitimité **semblant, simulacre**
– Navire fantôme **imaginaire, inexistant, immatériel, déserté**
– En médecine, membre fantôme **amputé**
– Circuit électrique fantôme **combiné**
FARCE
– Employer de la farce dans une recette de cuisine **hachis**
– Farce de l'Antiquité **atellane**
– Pièces au cours desquelles s'intercalent les farces au Moyen Âge **mystères**
– Farce d'intention satirique au Moyen Âge **sottie**
– Farce burlesque et souvent grossière **pantalonnade**
– Individu qui fait des farces **plaisantin, blagueur, mystificateur**
FARDEAU poids, charge, faix
– Tomber sous le poids d'un fardeau **s'effondrer, crouler**
– Respirer avec peine sous le poids d'un fardeau **ahaner**
– Décharger quelqu'un de son fardeau **délester**
FARINE semoule
– Farine de maïs **Maïzena**
– Sorte de farine de pommes de terre **fécule**
– Farine de manioc **tapioca**
– Usine transformant le grain en farine **minoterie, meunerie**
– Passer la farine au tamis **tamiser, sasser, bluter**
– Opération ponctuant la fabrication de la farine **broyage, blutage, sassage, claquage, convertissage**
– Type de farine grossière **recoupe, remoulage**
– Farine très fine provenant du broyage de la semoule **gruau**
– Résidu obtenu lors de la fabrication de la farine **issues**
– Machine servant à la fabrication de la farine **meule, cylindre**
– Appareil déterminant la qualité d'une farine **alvéographe**
– Ver de farine **ténébrion**
– Emplâtre de farine aux vertus médicinales **cataplasme, diachylon**
FASCINANT attachant, captivant, charmant, séduisant, attractif
FASCINER
– Fasciner une proie **hypnotiser**
– Fasciner quelqu'un par son charme **éblouir, magnétiser, ensorceler, envoûter, subjuguer**
FASCISME voir aussi **dictature**
– Chef du fascisme italien **Duce**
– Emblème du fascisme italien **faisceau**
– Groupements adhérant au fascisme italien **Chemises noires**
– Mouvement politique espagnol s'étant inspiré du fascisme mussolinien **Phalange**
– Idéologie hitlérienne apparentée au fascisme **nazisme**
– Chef du fascisme allemand **Führer**
– Emblème du fascisme hitlérien **croix gammée**
– En Allemagne, adhérents d'un parti dont l'idéologie était apparentée au fascisme **Chemises brunes**
FATAL
– Conséquence fatale **inévitable, immanquable, implacable, inéluctable**
– La fatale fuite du temps **irrévocable, inexorable**
– Un événement fatal **sinistre, néfaste, funeste**
– Une drogue fatale **mortelle**
– Théorie ou opinion selon laquelle tout ce qui arrive est fatal **fatalisme**
– Femme fatale **vamp**
FATALITÉ destin, fatum, sort
– Marqué par la fatalité **fatidique**
– Détermination de l'avenir par la fatalité **prédestination**
– Déesses de la fatalité **Moires, Parques**

FATIGANT
– Très fatigant **épuisant, harassant, accablant, éreintant, exténuant**
– Un exposé fatigant **lassant, fastidieux**
– Un rythme fatigant **stressant**
– Un brouhaha fatigant **assourdissant, étourdissant**
– Une présence fatigante **gênante, fâcheuse, encombrante, importune, inopportune**
FATIGUE
– Rompu de fatigue **brisé, recru, moulu**
– Fatigue d'un malade **affaiblissement, abattement, prostration**
– Sensation de fatigue et d'endolorissement **courbature**
– Fatigue musculaire **adynamie**
– Fatigue nerveuse **asthénie**
– Fatigue due à des troubles provoqués par le fonctionnement excessif de l'organisme **surmenage**
– État de fatigue extrême d'un cheval **fortraiture**
– En mécanique, test de fatigue **résistance**
FAUCON voir aussi **rapace**
– Famille à laquelle appartient le faucon **falconidés**
– Faucon mâle **tiercelet**
– Petit du faucon **fauconneau**
– Jeune faucon non dressé **béjaune**
– Dressage d'un faucon **affaitage**
– Dresseur de faucons **fauconnier**
– Art d'affaiter un faucon pour la chasse **fauconnerie**
– Chasse au faucon dressé **volerie, fauconnerie**
– Espèce de faucon la plus employée en fauconnerie **pèlerin**
– Rappel du faucon **réclame**
– Appât servant à faire revenir un faucon sur le poing à la chasse **leurre**
– Coiffe couvrant la tête du faucon avant son vol **chaperon**
– Bague fixée à la patte du faucon **vervelle**
FAUTE
– Faute du condamné **délit, méfait, infraction, forfait, crime, attentat**
– Faute de l'accusé **fait, responsabilité**
– Faute de jeunesse **erreur, écart, faiblesse, faux pas, inconduite, peccadille**
– Faute commise en société **maladresse, gaucherie, bévue, impair**
– Faute devant Dieu **péché, coulpe**
– Regret de ses fautes **repentir, pénitence, attrition, contrition, résipiscence**
– Rémission des fautes **absolution, grâce**
– Avouer sa faute **faire son mea culpa**
– Reconnaître ses fautes **avouer, convenir de, confesser**
– Faute grave que commet un fonctionnaire dans l'exercice de ses fonctions **forfaiture**
– Faute d'un fonctionnaire de police à la conséquence fâcheuse **bavure**
– Individu qui se rend coupable d'une nouvelle faute **récidiviste**
– Susceptible de faire des fautes **faillible, pécheur, peccable**
– Faute de langue **incorrection, impropriété, lapsus, solécisme, barbarisme, non-sens**
– Faute de liaison dans la prononciation **pataquès, velours**
– Faute de typographie **coquille, bourdon, doublon**
– Inventaire des fautes commises dans un ouvrage **errata**
– Faute de main-d'œuvre **manque, absence, pénurie**
FAUTEUIL
– Type de fauteuil **bergère, club, voltaire, chauffeuse**
– Fauteuil à bascule **rocking-chair, berceuse**
– Fauteuil pour plusieurs personnes **canapé, méridienne, ottomane, sofa, causeuse, tête-à-tête**
– Bras d'un fauteuil sur lesquels on prend appui **accoudoirs, accotoirs**
– Personne qui remet en état les fauteuils **tapissier**
– Garnir un fauteuil de bourre en piquant l'étoffe par endroits **capitonner**
– Fauteuil où siège un souverain ou un dignitaire **trône**
– Fauteuil des dignités ecclésiastiques **chaire, faldistoire**
FAUVE
– Lieu où se trouvent les cages des fauves **ménagerie**
FAUX
pseudo-, simil(i)-
FAUX (1)
– Faux de taille très réduite **faucille, serpe**
– Machine agricole qui remplace la faux **faucheuse, moissonneuse**
– Faux utilisée pour les herbes des zones humides **faucard**
– Faux munie d'un râteau **fauchon**
– Faux utilisée pour la fabrication du papier **dérompoir**
– Faire un faux **contrefaire**
– Individu qui fabrique des faux **faussaire**
FAUX (2) factice, affecté, feint, simulé
– Un exercice faux **inexact, erroné**
– Répandre une fausse nouvelle **imaginaire, mensongère, mal fondée, controuvée**
– Une fausse accalmie **fictive, illusoire**
– Une fausse bonté **étudiée**
– Un faux témoignage **trompeur, fallacieux, captieux**
– Une fausse lettre **supposée, inauthentique, apocryphe**
– Un faux bordereau **falsifié, truqué**
– Un individu faux **déloyal, hypocrite, fourbe, sournois**
– Un faux titre **usurpé**
– Une fausse fleur **artificielle**
– Une position fausse **équivoque, ambiguë**
– Fausse création artistique **plagiat, pastiche**
– Fausse doctrine **hérésie**
– Faux serment **parjure**
– Faux dieu **idole**
– Type de raisonnement faux **sophisme, paralogisme**
– Chanter faux **détonner**
FAVEUR
– Bénéficier d'une faveur **avantage, privilège, prérogative**
– Compter sur la faveur d'un homme d'influence **aide, appui, soutien, protection**
– Jouir de la faveur de ses concitoyens **considération, crédit, estime**
– La faveur d'un collègue **amitié, affection, bienveillance, générosité**
– Accorder la faveur d'un instant **aumône**
– Tendance à accorder des faveurs à certaines personnes **favoritisme, népotisme**
– Faveur accordée par Dieu **bénédiction, grâce**
– Faveur illégale **passe-droit**
– Un billet de faveur **recommandation, invitation**
– Faveur donnée par une dame à un chevalier au cours d'un tournoi **enseigne**
– Une faveur décorative **ruban**
– En faveur **en vogue**
FAVORABLE
– Un milieu plus favorable **conforme, adapté, approprié, adéquat**
– Un climat favorable **avantageux, bienfaisant, profitable, salutaire**
– Une date favorable **opportune**
– Un entourage favorable **approbateur, consentant, acquis**
– Une divinité favorable **protectrice, tutélaire**

– Un signe favorable **de bon augure**
– Un astre favorable **bénéfique, propice**
– Être favorable à quelqu'un **sourire à**

FAVORI (1)
– Favori d'Henri III **mignon**
– Favorite d'un roi **maîtresse**
– Porter des favoris **pattes de lapin, rouflaquettes**

FAVORI (2)
– Son occupation favorite **préférée**
– Cheval de course qui n'est pas favori **outsider**

FÉCOND
– Cette espèce est particulièrement féconde **prolifique**
– Sol fécond **fertile, productif, généreux**
– Un labeur fécond **profitable, fructueux**
– Un thème très fécond **inépuisable**
– Quel esprit fécond ! **imaginatif, inventif**

FÉCONDATION
– Cellules s'unissant lors de la fécondation **gamètes**
– Phase capitale de la fécondation **amphimixie**
– Œuf résultant de la fécondation **zygote**
– Technique utilisée pour provoquer la fécondation **insémination artificielle**
– Fécondation artificielle hors de l'organisme **in vitro**
– Enfant conçu grâce à la fécondation artificielle **bébé-éprouvette**
– En botanique, transformation de l'ovule en embryon sans fécondation **parthénogenèse**
– Fécondation croisée de certaines plantes et de certains animaux **hétérogamie**

FÉDÉRAL
– État fédéral **fédération**
– Principes clefs sur lesquels repose un État fédéral **participation, autonomie, législation**

FÉE
– Fée laide et méchante **Carabosse**
– Fée des romans de chevalerie du Moyen Âge **Morgane, Viviane, Mélusine**
– Attribut des fées **baguette magique, hennin**
– Jeté par les fées **sort, maléfice**
– Créatures de petite taille qui habitent le monde des fées **lutins, génies, gnomes, farfadets, trolls**
– Pierre aux fées **mégalithe**
– C'est une femme aux doigts de fée **habile, adroite**

FÉLICITER complimenter, congratuler
– Féliciter un chanteur **applaudir, acclamer**
– Félicite obséquieusement **adulateur, flagorneur, caudataire, thuriféraire**
– Se féliciter de voir que tout se termine bien **se réjouir de**

FEMELLE (1)
– Ensemble des petits nés en une fois d'une femelle **portée**
– Femelle qui met bas pour la première fois **primipare**
– Femelle qui ne met bas qu'un petit à la fois **unipare**
– Femelle qui met bas plusieurs petits à la fois **multipare**

FEMELLE (2)
– Gamète femelle **ovule**
– Organe femelle d'une fleur **pistil, gynécée**

FEMME
gyné(co) - , - gyne

FEMME voir aussi **dame, déesse, fille, mère**
– Femme qui vit avec un homme sans être mariée **compagne, concubine**
– Femme ayant plusieurs époux **polyandre**
– Femme inspiratrice **muse, égérie**
– Femme belle et gracieuse **vénus, nymphe, sylphide**
– Vieille femme surveillant une jeune fille **duègne, chaperon**
– Créature hybride légendaire mi-femme, mi-animal **sirène, harpie, sphinx**
– Femme autoritaire et acariâtre **virago**
– Femme pédante **bas-bleu**
– Femme dont le désir sexuel est pathologiquement exacerbé **nymphomane**
– Femme qui vit de ses charmes **call-girl, péripatéticienne**
– Individu qui déteste les femmes **misogyne**
– Mouvement visant à la mise en pratique des droits de la femme **féminisme**
– Appartements réservés aux femmes dans certaines civilisations **gynécée, harem, sérail**
– Médecin spécialiste des femmes **gynécologue**
– Formule homogamétique de la femme **XX**
– Cycle physiologique de la femme **cycle menstruel, cycle œstral**
– Femme en couches **parturiente**
– Fin de la période de fécondité d'une femme **ménopause**

FENDRE voir aussi **couper**
– Outil utilisé pour fendre du bois **hache, merlin, cognée, coin**
– Pièce d'une charrue dont le rôle est de fendre la terre **coutre, soc**
– Machine utilisée pour fendre du bois ou de l'osier **fendeuse**
– Individu chargé de fendre du bois ou de l'ardoise **fendeur**
– Fait de fendre **fendage, fenderie, fente**
– Fendre un minéral (diamant, cristal) suivant ses couches **cliver**
– Susceptible de se fendre en feuillets **fissile, scissile**
– Fendre la cohue **écarter, traverser, percer**
– Fendre le cœur **peiner, attrister, chagriner, affliger, désoler, consterner**

FENÊTRE voir aussi dessins p. 180, 181
– Type de fenêtre **lucarne, baie, bow-window, oriel, tabatière, houteau**
– Fenêtre de forme arrondie ou ovale **lunette, œil-de-bœuf, oculus**
– Sorte de fenêtre très étroite d'une forteresse utilisée pour la défense **meurtrière, barbacane, archère**
– Fenêtre d'un navire ou d'un avion **hublot**
– Paroi de verre d'une fenêtre **vitre, carreau, vitrail**
– Type de volet habillant une fenêtre **persienne, jalousie, contrevent**
– Habillage en tissu d'une fenêtre **store, rideau, voilage, brise-bise, lambrequin, cantonnière**
– Vide ménagé dans un pan de mur pour installer une fenêtre **embrasure**
– Mécanisme qui permet d'ouvrir et de fermer une fenêtre **espagnolette, crémone**
– Hauteur entre l'appui d'une fenêtre et le sol **enseuillement**
– Garnir de fenêtres **fenêtrer**
– Objet qui permet l'entrouverture d'une porte ou d'une fenêtre **entrebâilleur**
– Individu qui jette son argent par les fenêtres **dépensier**

FENTE
– Parcouru par une fente **fêlé, entrouvert, fissuré, lézardé, crevassé, entaillé**
– Parcouru en surface par de petites fentes **fendillé, craquelé, gercé**
– Coupé en deux par une fente **bifide**
– Fente entre deux éléments **vide, espace, interstice**
– Fente provoquée par le gel dans un arbre ou une pierre **gélivure**

Parties d'une fenêtre

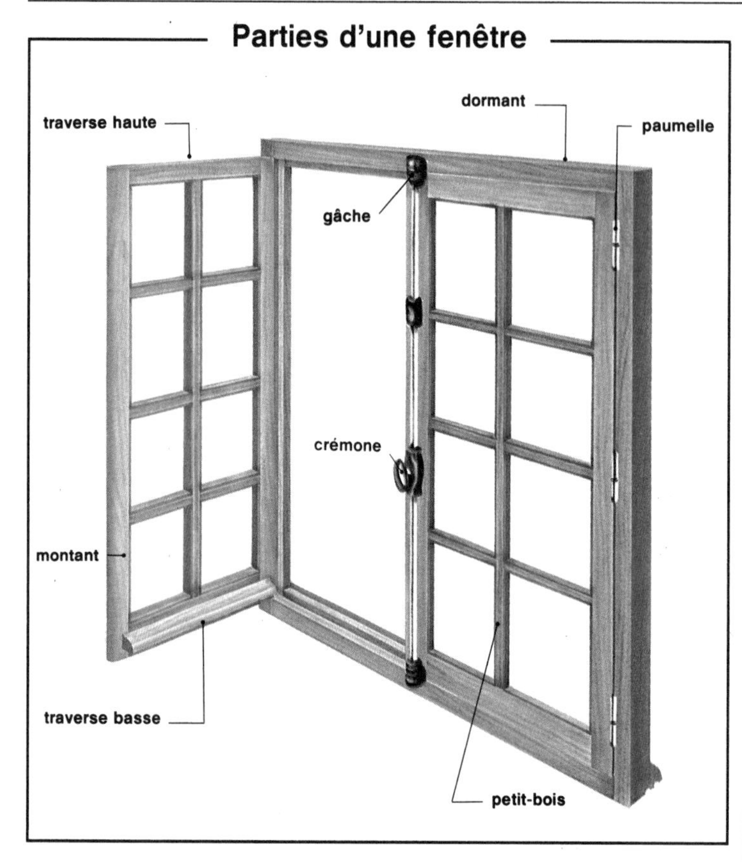

FÉODAL
- Hiérarchie de la noblesse féodale **suzerain, vassal, vavasseur**
- Individu non noble à l'époque féodale **roturier**
- Paysan de l'époque féodale **vilain, serf, manant**
- À l'époque féodale, redevance payée par les roturiers à leur seigneur **cens**
- À l'époque féodale, domaine concédé par le suzerain à son vassal **fief**
- Donner un fief à un vassal à l'époque féodale **inféoder**
- À l'époque féodale, cérémonie de mise en possession d'un fief **investiture**
- Serment de fidélité d'un vassal lige envers son seigneur à l'époque féodale **serment d'allégeance**
- Caractère du lien qui unissait le vassal et son seigneur à l'époque féodale **synallagmatique**
- À l'époque féodale, droit qui permettait à un seigneur de disposer des biens de son vassal à sa mort **mainmorte**
- À l'époque féodale, cérémonie au cours de laquelle un jeune homme était fait chevalier **adoubement**

FER
ferri-, ferro-, sidér(o)-

FER voir aussi **acier, fonte, métal**
- Qui contient du fer **ferreux, ferrique, ferrifère, ferrugineux**
- Minerai de fer **hématite, limonite, oligiste, sidérose, pyrite, marcassite**
- Métallurgie du fer et des métaux ferreux **sidérurgie**
- Fabrication d'objets d'art en fer **ferronnerie**
- Produit de l'oxydation du fer **rouille**
- Fers utilisés lors d'un accouchement difficile **forceps**
- Croiser le fer **épée, fleuret**
- Fer d'une arme d'hast **pointe**
- Marquage des bestiaux au moyen d'un fer rouge **ferrade**
- Fil de fer hérissé de pointes **barbelé**
- Les fers et les bois d'un golfeur **clubs, crosses**
- Opération par laquelle on met les fers à un cheval **ferrure**
- Fer à repasser du tailleur **carreau**
- Bois de fer **casuarina, sidéroxylon, lophira**
- Mettre un bagnard aux fers **enchaîner**

FÉRIÉ
- Le 1er janvier est un jour férié **chômé**
- Jour non férié **ouvrable**
- Jour, férié ou non férié, durant lequel on travaille **ouvré**

FERME (1) voir aussi **étable, agricole**
- Partie d'une ferme abritant des animaux **écurie, étable, porcherie, bergerie, clapier, poulailler**
- Cour d'une ferme où l'on élève des volailles et des lapins **basse-cour**
- Dépendance d'une ferme destinée aux récoltes **grange, grenier, fenil, silo, pailler**
- Dépendance d'une ferme destinée au matériel **hangar, remise**
- Ferme ou maison provençale **mas**
- Ferme américaine d'élevage **ranch**
- Grande ferme en Amérique latine **fazenda, hacienda**
- Ferme communautaire israélienne **kibboutz**
- Ferme collective en U.R.S.S. **kolkhoze, sovkhoze**
- Mode de location d'une ferme **affermage, métayage**
- Loyer que verse l'exploitant d'une ferme au propriétaire **fermage**
- Élément de la ferme d'une charpente **arbalétrier, entrait, poinçon, contre-fiche**

FERME (2)
- Une consistance ferme **dure, compacte**
- Une décision ferme **arrêtée, irrévocable, invariable, immuable, sans appel**
- Une ligne de conduite ferme **fixe, constante**
- Une démarche ferme **assurée, décidée, déterminée**
- Une valeur boursière ferme **solide, stable, fiable**
- Être ferme avec quelqu'un **autoritaire, inflexible, intransigeant**
- Rester ferme devant un imprévu **imperturbable, inébranlable, stoïque, impassible, impavide**
- Attendre quelqu'un de pied ferme **résolument**
- Rendre ferme **raffermir**

FERMENT
zym(o)-, -ase

FERMENT **enzyme**
- Un ferment de révolte **cause, source, germe, levain**

FERMENTATION

– Champignon à l'origine de la fermentation **levure**
– Matière qui peut entrer en fermentation **fermentescible**
– Élément qui provoque une fermentation **fermentatif**
– Qui concerne la fermentation **zymotique**
– Art de maîtriser la fermentation **zymotechnie**
– Technique permettant de détruire tout germe de fermentation **pasteurisation**
– Fermentation alcoolique **alcoolification, vinification**
– Jus de raisin ou suc végétal destiné à subir une fermentation **moût**
– Boisson alcoolisée issue de la fermentation du seigle **kwas**

FERMER

– Fermer un portail **verrouiller, cadenasser**
– Fermer une ruelle **bloquer, barrer, obstruer, barricader**
– Fermer une des ouvertures d'un bâtiment **condamner, murer**
– Fermer une voie d'air **boucher, colmater, obturer**
– Fermer une plaie **coudre, suturer, cicatriser**
– Fermer un orifice ou un conduit du corps **occlure**
– Fermer son manteau **attacher, boutonner, agrafer**
– Fermer un paysage **borner, limiter**
– Fermer un scrutin **clore, clôturer**
– Fermer une enveloppe **cacheter, sceller**
– Se fermer **refuser, rester sourd**

FERMETÉ

– Faire preuve de fermeté dans ses activités **constance, persévérance, obstination, opiniâtreté, ténacité**
– Faire preuve de fermeté devant une catastrophe **courage, sang-froid, vaillance**
– Manquer de fermeté vis-à-vis d'un enfant **poigne, autorité**

FERMETURE

– Élément du système de fermeture d'une porte **verrou, serrure, loquet, barre, cadenas**
– Système de fermeture utilisé jadis pour verrouiller une porte **bobinette**
– Garnir d'une fermeture à glissière **zipper**
– Jour de fermeture d'un établissement **relâche, congé**

Fenêtres

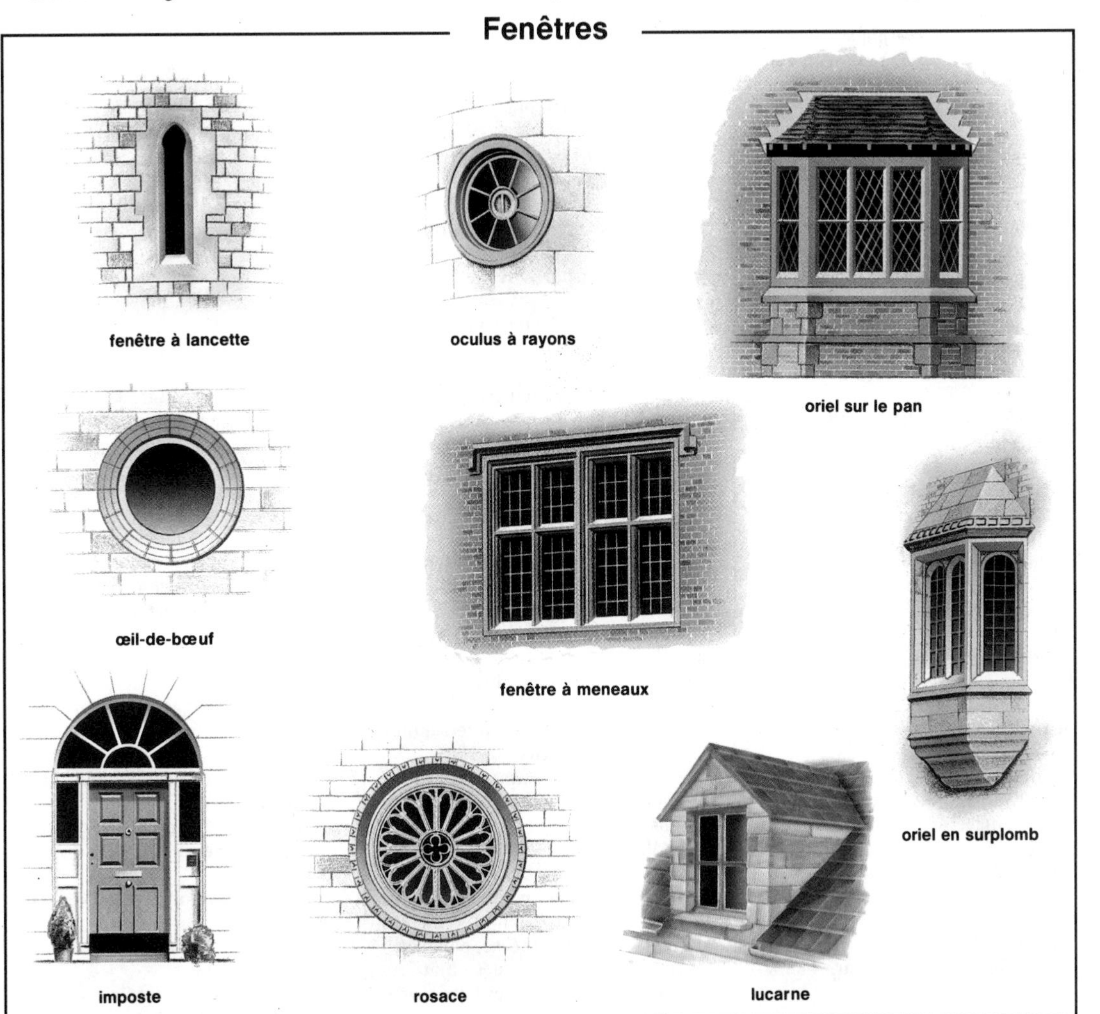

FERMIER **cultivateur, exploitant, paysan** voir aussi **agriculteur**
– Fermier versant au propriétaire foncier un loyer en nature **colon, métayer**
– Impôt indirect collecté jadis par les fermiers généraux **gabelle, aides, traites**
– Fermier chargé de la perception des impôts à Rome **publicain**

FERRER
– Artisan dont le métier est de ferrer les bestiaux **maréchal-ferrant**
– Atelier dans lequel on ferre un cheval **forge, maréchalerie**
– Marteau utilisé pour ferrer une bête **brochoir, ferratier**
– Clou à tête large et ronde utilisé pour ferrer les chaussures **caboche**
– Ferrer une marchandise passant la douane **plomber**
– Ferrer un poisson **piquer**

FERTILE **fécond, productif, généreux, plantureux** voir aussi **engrais**
– Rendre une parcelle de terre plus fertile **améliorer, bonifier, enrichir, amender**
– Procédé utilisé pour rendre plus fertile **chaulage, marnage, plâtrage, fumage, terreautage, colmatage**
– Rotation des cultures visant à garder des sols fertiles **assolement**
– Terre noire d'U.R.S.S. extrêmement fertile **tchernoziom**

FESSE
-pyge, -pygie

FESSE
– Qui a de belles fesses **callipyge**
– Individu qui a des fesses très proéminentes **stéatopyge**
– Partie arrière du cheval entre la hanche et la pointe de la fesse **croupe**

FESTIN
– Participer à un festin **banquet, agapes**
– Quel festin ce soir-là ! **bombance, ribote**

FÊTE voir aussi **férié**
– Tous ses amis adorent les fêtes **distractions, divertissements, réjouissances**
– Fête populaire au cours de laquelle on danse **bal, guinguette, redoute**
– Fête villageoise **kermesse, ducasse, frairie**
– Fête artistique **festival**
– Fête mondaine **réception, gala, garden-party**
– Individu friand de tous les plaisirs de la fête **noceur, viveur, bambocheur**
– Faire la fête aux Antilles **zouker**

FEU
pyr(o)-, igni-, -pyre

FEU voir aussi **arme, flamme, incendie**
– Appareil de secours utilisé pour éteindre un feu à ses débuts **extincteur**
– Individu qui met le feu délibérément **incendiaire, pyromane**
– Communardes qui allumaient des feux **pétroleuses**
– Résistant au feu **apyre, ignifugé, ininflammable, incombustible**
– Qui crache du feu **ignivome**
– Dieu du feu **Héphaïstos, Vulcain**
– Fluide tenu jadis pour responsable de la destruction par le feu **phlogistique**
– Odeur spécifique que dégage un feu quand une matière organique brûle **empyreume**
– Pierre avec laquelle l'homme alluma un feu **silex**
– Dans une maison, endroit où l'on fait du feu **cheminée, foyer, âtre, poêle, insert**
– Attiser un feu en fouillant les braises **tisonner, fourgonner**
– Le feu de camp est allumé pour **bivouaquer, cuire des aliments, veiller**
– Immolation par le feu **holocauste, autodafé**
– Un feu follet **flammerole, ardent**
– Prêtresse romaine gardienne du feu sacré **vestale**
– Verre qui va au feu **Pyrex**
– Terre de Feu en Amérique du Sud **Patagonie**
– Feu guidant les bateaux **phare, fanal**
– Feux de la rampe, au théâtre **projecteurs, spots**
– Série de coups de feu **décharge, fusillade, salve, rafale, mitraille**
– Arme à feu **pistolet, revolver, pistolet-mitrailleur, fusil, fusil-mitrailleur**
– Ouvrir le feu **tirer, mitrailler, bombarder**
– Faire cesser le feu **interruption, répit, trêve, armistice**
– Feu dû à l'excitation **ardeur, enthousiasme, fougue, exaltation, impétuosité**

FEU D'ARTIFICE
– Attraction d'un feu d'artifice **fusée, chandelle romaine, pétard**
– Aboutissement attendu d'un feu d'artifice **clou, apothéose, bouquet**
– Art de fabriquer des matières explosives et de tirer des feux d'artifice **pyrotechnie**

FEUILLAGE **ramée, frondaison**
– Professionnel qui crée du feuillage artificiel **feuillagiste**
– Feuillage non persistant **caduc**
– Arbuste dont le feuillage est vert toute l'année **semper virens**
– Treillage recouvert de feuillage **berceau, tonnelle, charmille**
– Dessin décoratif représentant du feuillage **ramage**

FEUILLE
-phylle, phyll(o)-, -phyllum, -foliacée, -folié

FEUILLE voir aussi **dessin** et **bourgeon**
– Sans feuilles **aphylle**
– Feuilles des arbres tombant chaque année **caduques, décidues**
– Partie étalée d'une feuille **limbe**
– Queue d'une feuille **pétiole**
– Réseau ramifié d'une feuille qui laisse passer la sève **nervures**
– Pigment vert d'une feuille **chlorophylle**
– Disposition des feuilles sur la tige d'une plante **foliation, phyllotaxie**
– Partie simple d'une feuille composée **foliole**
– Apparition des feuilles au printemps **feuillaison, frondaison, reverdissement**
– Chute des feuilles **défeuillaison, défoliation, effeuillaison, effeuillement**
– Produit chimique qui fait tomber les feuilles d'un arbre **défoliant**
– Feuille ornementale décorant les chapiteaux corinthiens **acanthe**
– Feuille inutile et dépareillée d'un livre **défet**
– Page d'une feuille **recto, verso**

FEUILLETER
– Feuilleter rapidement un ouvrage **parcourir, survoler**
– Feuilleter son vade-mecum **consulter, compulser, se référer à**
– Feuilleter une pâte, en cuisine **feuilletage**

FEUTRE
– Machine servant à la fabrication du feutre **foulon**
– Fabrication du feutre **feutrage**
– L'encre de ce feutre est ineffaçable **indélébile**
– Gros feutre à pointe large **marqueur, surligneur**

FÈVE
– Retirer l'enveloppe des fèves **écosser**
– Fèves données aux bêtes comme fourrage **féveroles**
– Jour où l'on devient roi en trouvant une fève **Épiphanie**

Formes de feuilles

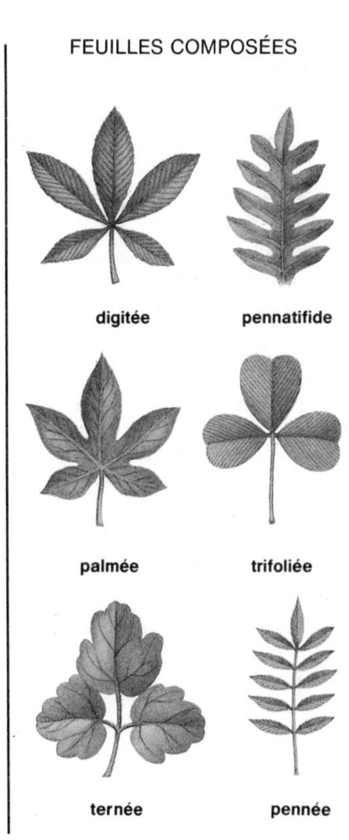

FIACRE **diligence, omnibus** voir aussi **calèche**
– Conducteur d'un fiacre **automédon**

FIANCÉ **futur, promis, prétendu, accordé**

FIBRE
fibro-

FIBRE voir aussi **tissu**
– Petite fibre **fibrille**
– Ouvrier ou machine qui dépouille le bois de ses fibres **défibreur**
– Tumeur composée de fibres **fibrome**
– La fibre maternelle **instinct**
– Fibre tirée de feuilles de palmier **raphia**
– Fibre synthétique **Nylon, Orlon, Polyester, Tergal, banlon, acrylique**

FICELLE
– Manière d'enrouler de la ficelle **pelote, écheveau**
– Ouvrage décoratif fait en ficelle ou autre fil **macramé**
– Lier les membres d'un poulet avec de la ficelle de cuisine **brider, trousser**
– Les ficelles d'une profession **astuces, finesses, artifices**

FICHU voir aussi **voile**
– Se couvrir la tête d'un fichu **châle, pointe, mouchoir, fanchon**
– Arborer un fichu de soie chamarrée **carré, foulard**
– Fichu en plastique qui protège de la pluie **capuche**
– Fichu espagnol de dentelle noire **mantille**
– Fichu que portent les religieuses **guimpe, barbette**

FIDÈLE (1)
– Les fidèles d'un despote **serviteurs, partisans, suppôts**
– Les fidèles se rassemblent à l'église le dimanche **croyants**

FIDÈLE (2)
– Un apprenti fidèle **honnête, probe, intègre**
– Un vassal fidèle à son seigneur **dévoué, loyal, féal, lige**
– Un partisan fidèle **inconditionnel**
– Une amitié fidèle **sincère, fiable**
– Fidèle à lui-même **identique**
– Fidèle à une coutume ancestrale **attaché à**
– Fidèle à l'enseignement d'un maître à penser **adepte, disciple**
– Une copie fidèle **conforme, rigoureuse, scrupuleuse**

FIEL voir aussi **amer**
– Plein de fiel **enfiellé, envenimé**
– Paroles débordantes de fiel **aigreur, animosité, âpreté, hargne, acrimonie**
– Fiel de bœuf utilisé en pharmacie **bile**

FIER voir aussi **fanfaron**
– Fier comme Artaban **vaniteux, prétentieux, suffisant, fat, présomptueux, superbe**
– Aborder quelqu'un d'un air fier **hautain, dédaigneux, arrogant, altier, condescendant, renchéri**
– Un fier chevalier **digne, noble, brave, crâne, magnanime**

FIÈVRE température, hyperthermie voir aussi **agitation**
– Pouls trahissant la fièvre **fiévreux, fébrile**
– Médicament contre la fièvre **fébrifuge, antipyrétique, antithermique**
– Diminution de la fièvre **défervescence**
– Baisse de température entre deux poussées de fièvre **apyrexie**
– Fièvre qui gagne les malades atteints de septicémie **hectique**
– Fièvre jaune **vomito negro**
– Fièvre des vaches **vitulaire**
FIGUE
– Figue sauvage **caprifigue**
– Technique permettant d'accélérer la maturation des figues **caprification**
– Dans la Grèce antique, dénonciateur des voleurs de figues **sycophante**
– Figue caque **plaquemine, kaki**
– Cactus sur lequel poussent les figues de Barbarie **nopal**
– Une réponse mi-figue, mi-raisin **ambiguë, équivoque, amphibologique**
– Faire la figue à autrui **nique**
FIGURE voir aussi **géométrie**
– Une figure avenante **visage, mine, faciès, physionomie**
– Figure d'une célébrité sur une pièce de monnaie **effigie**
– Type de figure dans un ouvrage **illustration, schéma, croquis, gravure, vignette, estampe**
– Les figures du siècle passé **célébrités, personnalités, héros**
– Les figures d'un jeu de cartes **honneurs**
– Faire figure d'intellectuel **passer pour**
FIGURER représenter
– Cette statue a pour fonction de figurer la République **symboliser, incarner**
– Peinture qui figure une abstraction **allégorie**
– Figurer dans un article **être cité, être nommé, être signalé, être mentionné**
– Acteur dont le rôle se réduit à figurer **figurant, comparse**
– Se figurer quelque chose **s'imaginer**
FIL
némat(o)-, -nème
FIL voir aussi **coudre, laine, tissu**
– Diagonale d'un tissu par rapport au droit-fil **biais**
– Instrument utilisé pour fabriquer du fil à la main **quenouille, fuseau, rouet**
– Défaire une étoffe fil à fil **effiler, défiler, éfaufiler**
– Passer un fil pour éviter que le bord d'un vêtement ne s'effiloche **surfiler**
– Passer un fil provisoire pour bâtir un vêtement **faufiler**
– Fabrique de fil **filature**
– Bobine de fil utilisée sur une machine à coudre **canette**
– Fil tordu à plusieurs reprises pour une plus grande solidité **retors**
– Usine où l'on fabrique du fil métallique **tréfilerie**
– Gros fil poissé du cordonnier **ligneul**
– Fil utilisé par les chirurgiens pour suturer une plaie **catgut**
– Elle sauva Thésée du Labyrinthe grâce à un fil conducteur **Ariane**
– Trio divin qui file, dévide et coupe le fil de chaque destinée **Moires, Parques**
– Ne tenir qu'à un fil **être précaire**
– Fils d'araignée **fils de la Vierge**
– Appareil dont la transmission est assurée par un fil **filaire**
– Fil de fer en forme de cercle ou de bracelet **torque**
– Le fil des arguments **rapport, lien, cours, enchaînement, logique**
– Le fil d'une lame **tranchant, taille**
FILE
– Une file de camions **colonne**
– Une file de pèlerins **procession, défilé, cortège**
– Une file de gendarmes **cordon, haie**
– À la file **à la queue leu leu, en rang d'oignons, en enfilade**
FILET voir aussi **chasse, pêche**
– Filet de pêche **araignée, carrelet, épervier, guideau, seine, tramail**
– Filet de pêche **truble, troubleau, caudrette, balance**
– Petit filet pour la pêche aux crevettes et autres crustacés **pêchette, épuisette**
– Nœud utilisé pour confectionner un filet de pêche à la main **nœud sur le pouce, nœud de tisserand, nœud d'écoute**
– Composent la monture d'un filet de pêche **plombées, flottes**
– Réparer un filet de pêche **radouber**
– Filet utilisé pour attraper des oiseaux **pantière, ridée, tirasse, nasse**
– Filet servant à maintenir une coiffure en place **résille, réticule**
– En architecture, filet décoratif **listel**
– Tranche de filet de bœuf **châteaubriant, tournedos**
– Partie du bœuf à côté du filet **faux-filet**
– Filet de l'étamine d'une fleur **coulant, stolon**
– Filet suspendu servant de lit de repos **hamac**
– Coup de filet **rafle, arrestations**
FILLE voir aussi **femme, parenté**
– Petite fille **gamine, bambine**
– Une jeune fille formée **pubère, nubile**
– Nom de la jeune fille au Moyen Âge **pucelle, damoiselle, jouvencelle**
– Jeune fille non mariée à vingt-cinq ans **catherinette**
– Dans les campagnes, jeune fille modèle de vertu **rosière**
– Jeune fille frivole **grisette, midinette**
– La fille cadette d'un roi espagnol ou portugais **infante**
– Tradition régionale qui veut que l'on honore les jeunes filles du village le 1er mai **les mais**
– Les filles de l'artichaut **œilletons**
FILM voir aussi **acteur, cinéma, télévision**
– Déplacement de la caméra pendant le tournage d'un film **travelling**
– Lieu de tournage d'un film **plateau, studio**
– Rédaction de l'histoire d'un film **scénario**
– Soutien financier d'un film **avance sur recettes**
– Acteur principal d'un film **protagoniste**
– Canevas d'un film **découpage, synopsis**
– Durée d'un film **métrage**
– Version d'un film **originale (V.O.), doublée, sous-titrée**
– Retour dans le passé dans un film **flash-back**
– Film proposant une analyse d'une situation ou d'un fait réel **documentaire**
– Film d'aventures mettant en scène cow-boys et Indiens **western**
– Film ayant trait à l'Antiquité **péplum**
– Film qui cause des émotions fortes **thriller**
– Liste des films d'un acteur ou d'un auteur **filmographie**
– Roman en photos inspiré d'un film **ciné-roman**
– Appareil permettant d'enregistrer des films **magnétoscope**
– Archives de films **cinémathèque**

– Archives reproduites sur films par microcopie **filmothèque**
– Recouvrir d'un film plastique **couche, pellicule, feuille**
FILS voir aussi **parenté**
– Les fils d'un homme célèbre **postérité, descendance**
– Premier fils d'une famille **aîné**
– Deuxième fils d'une famille **cadet, puîné**
– Dernier fils d'une famille **benjamin**
– Fils du roi présomptif du trône **prince héritier, dauphin**
– Fils de l'homme **Jésus-Christ**
– Être fils de ses œuvres **autodidacte**
FILTRER
– Filtrer une solution **clarifier, purifier, épurer, déféquer**
– Ustensile servant à filtrer **passoire, chinois, chausse, étamine, blanchet**
– Liquide que l'on a filtré **filtrat**
– Éclairage filtré **tamisé, voilé**
– Filtrer une foule **contrôler, canaliser**
– Filtrer un article **passer au crible**
– Personnes chargées de filtrer ouvrages et films avant leur parution **commission de censure**
FIN (1) terme, aboutissement, achèvement voir aussi **mort**
– Fin de la séance **clôture, levée**
– Fin d'un mot **terminaison, désinence, suffixe**
– Fin d'une allocution **conclusion, péroraison, épilogue**
– Fin d'une pièce de théâtre **dénouement**
– Fin d'une phrase musicale **chute, cadence**
– Fin d'une composition musicale **final, coda**
– Fin d'un délai **expiration, échéance**
– Début de la fin **déclin, décadence**
– Fin d'un royaume **ruine, dissolution, écroulement, anéantissement, effondrement**
– Fin des temps **consommation des siècles**
– La fin du jour **crépuscule**
– Le début et la fin **l'alpha et l'oméga**
– Un peu avant la fin de la vie **agonie, article de la mort**
– Fin du monde **apocalypse**
– En théologie, étude de la fin du monde **eschatologie**
– Athlète qui se distingue à la fin d'une épreuve **finisseur**
– Garder en vue les fins d'un individu **objectifs, ambitions, desseins, visées**
– Le fin de non-recevoir **refus, résistance, opposition, veto**
– Le fin du fin **nec plus ultra, summum**
FIN (2) mince, menu, ténu
– Un fin détective **adroit, ingénieux, habile, expert, compétent, émérite**
– Jouer au plus fin **rusé, astucieux, retors, artificieux**
– Le fin mot **final, dernier, ultime**
FINANCES budget, comptabilité voir aussi **banque, Bourse, économie**
– Les finances de l'État **recettes, dépenses**
– Ensemble des administrations qui s'occupent des finances de l'État **fisc**
– Personne chargée autrefois des finances du roi **financier, fermier**
FINANCIER (1) banquier
FINANCIER (2)
– Moyens financiers d'un État **Trésor, caisses de l'État**
FINESSE
– La finesse d'un ornement architectural **délicatesse, légèreté, grâce, élégance**
– Un esprit plein de finesse **pénétration, perspicacité, clairvoyance, sagacité**
– Les finesses d'une argumentation **subtilités, arguties**
FINIR achever, terminer, accomplir
– Finir une œuvre avec beaucoup de soin **parfaire, parachever, polir, lécher, mettre la dernière main à**
– En finir avec un problème **régler, résoudre**
– Ne pas finir de parler **tarir**
FIXE
– Un regard fixe **immobile, figé**
– Idée fixe **obsession, hantise, manie**
– Une réglementation fixe **déterminée, définie, arrêtée, établie**
– Une situation fixe **stable, durable, constante, permanente, immuable, définitive**
– Un coloris fixe **inaltérable**
– Une peuplade fixe **sédentaire**
– À date fixe **régulièrement, invariablement**
– Partie fixe d'un châssis de fenêtre **dormant**
FIXER
– Fixer un tableau au mur **accrocher, suspendre**
– Fixer un câble **attacher, amarrer, assujettir**
– Fixer dans le sol **planter, ficher**
– Fixer ses prétentions **exposer, faire état de, énoncer, stipuler**
– Fixer une date limite **indiquer, assigner**
– Fixer un individu **observer, dévisager, épier**
– Fixer la vallée **scruter**
– Se fixer dans une région **s'installer, s'établir, s'implanter**
FLACON fiole voir aussi **bouteille**
– Flacon plat **flasque**
– Flacon pour huiler **burette**
– Sorte de flacon long et courbé servant à distiller **cornue**
– Vase ou flacon permettant aux malades couchés d'uriner **urinal**
FLAMBEAU torche, brandon
– Admirer un flambeau en argent ciselé **chandelier, candélabre, torchère**
FLAMME voir aussi **drapeau**
– En flammes **enflammé, embrasé, ardent**
– Petites parcelles en flammes qui s'envolent d'un feu **flammèches, étincelles**
– Écrire à la flamme d'une bougie **lumière, clarté, lueur**
– Éteindre la flamme d'une chandelle **moucher**
– Avouer sa flamme **passion, feu**
– Flamme utilisée par le vétérinaire **lancette**
FLANC
– Flanc d'une troupe de soldats en armes **aile**
– Mettre un individu sur le flanc **épuiser, exténuer, éreinter, harasser**
– Prêter le flanc à la raillerie collective **s'exposer à**
FLATTER complimenter, louanger, courtiser, encenser, flagorner, aduler
– Flatter quelqu'un d'illusions **abuser par, leurrer par, bercer de**
– Se flatter de pouvoir obtenir la première place **se figurer, compter**
– Se flatter de tout savoir **prétendre, se faire fort de, se piquer de, se targuer de**
– Se flatter de sa situation **se vanter de, se glorifier de, s'enorgueillir de, se prévaloir de**
FLATTEUR
– Individu flatteur **caudataire**
– Un subalterne flatteur **obséquieux**
– Une formule flatteuse **obligeante, prévenante**
FLÈCHE
– Décocher une flèche **trait, sagette**
– Flèche de l'arbalétrier **carreau, matras**
– Extrémité d'une flèche garnie de plumes ou d'ailerons **empenne**
– Fourreau dans lequel on range des flèches **carquois**

– Arme avec laquelle on lance des flèches **arc, arbalète, sarbacane**
– Poison servant à empoisonner les flèches **upas, curare**
– Signe du zodiaque représenté par un centaure armé d'un arc et d'une flèche **sagittaire**
– Divinité qui décoche les flèches de l'amour **Éros, Cupidon**
– Lancer une flèche au cours d'une conversation **raillerie, sarcasme, épigramme, brocard**
– Flèche d'une caravane **attelage**
– Flèche d'une charrette **timon**
– Flèche d'une église **aiguille**

FLEUR
antho-, flor-, flori-, -anthe, -flore

FLEUR voir aussi dessin et **plante**
– Branche de l'horticulture consacrée aux fleurs **floriculture**
– Massif de fleurs **parterre, plate-bande**
– Organiser une exposition de fleurs **floralies**
– Époque durant laquelle une plante se couvre de fleurs **floraison**
– Disposition des fleurs sur la tige d'une plante **inflorescence**
– Plante à fleurs **phanérogame**
– Plante à fleurs dont les ovules sont enclos **angiosperme**
– Poudre souvent jaune dans les anthères d'une fleur **pollen**
– Suc mielleux des fleurs que butinent les abeilles **nectar**
– Organe femelle d'une fleur **pistil**
– Organe mâle d'une fleur **étamine**
– Ensemble des enveloppes protégeant les organes reproducteurs d'une fleur **périanthe**
– Tige ou queue d'une fleur unique **pédoncule**
– Petite feuille à la base du pédoncule d'une fleur **bractée**
– Fleur sans pédoncule **sessile**
– Un massif donnant un grand nombre de fleurs **florifère**
– Animal qui vit sur les fleurs **floricole**
– Supprimer un bourgeon pour favoriser la production de fleurs **pincer**
– Décoré de fleurs de lis **fleurdelisé**
– Un individu très fleur bleue **tendre, sentimental, romanesque**
– La fine fleur d'une armée, d'une école **élite, fleuron**
– Fleur du vin **mycoderme**

FLEURIR
– Ce bouton va fleurir bientôt **s'ouvrir, s'épanouir, éclore**
– Voir fleurir des immeubles dans la ville tout entière **se multiplier, proliférer**

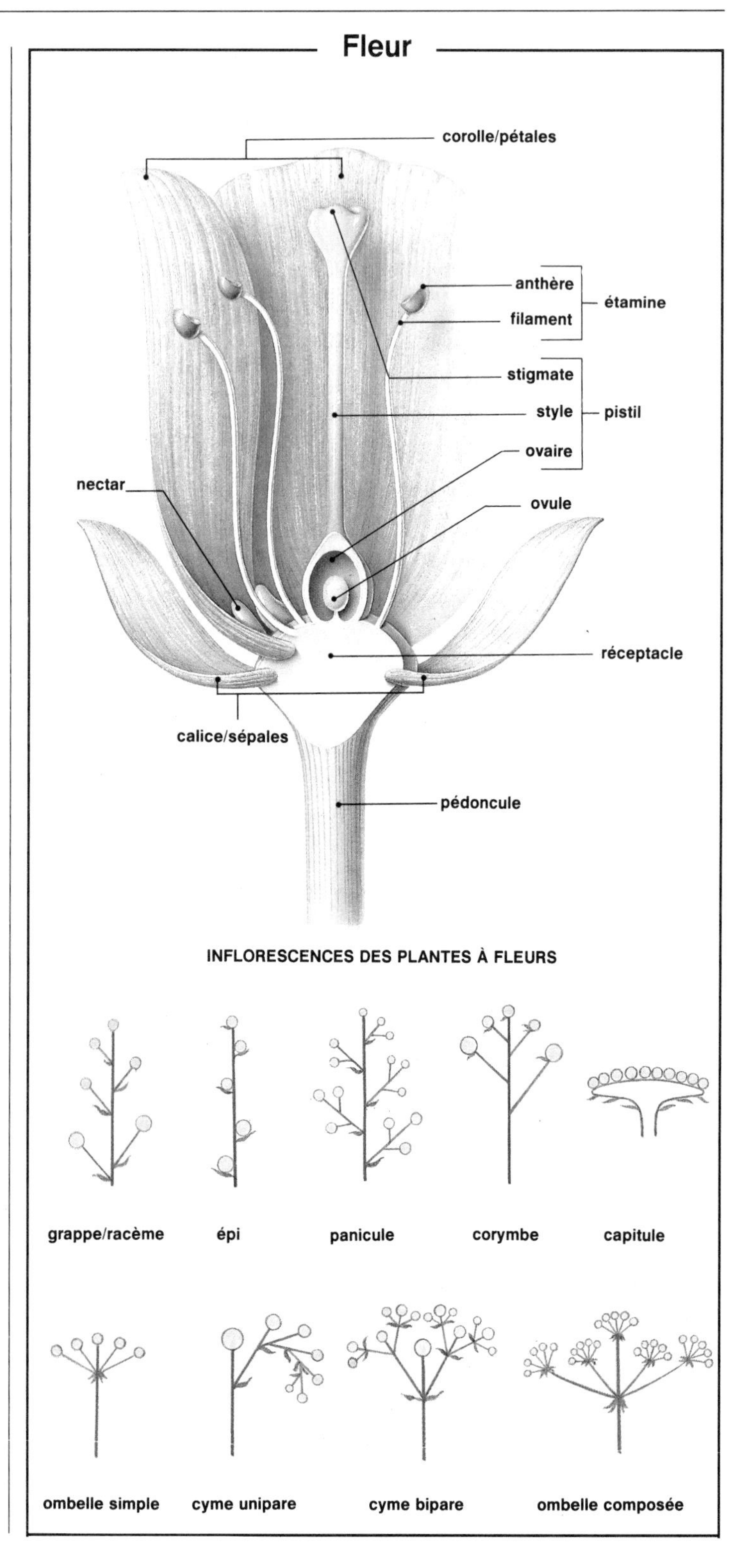

FLEUVE
potamo-, -potame
FLEUVE voir aussi tableau
– Bord d'un fleuve **berge, rive**
– Écoulement des eaux d'un fleuve **courant, fil**
– Chenal creusé par un fleuve et dans lequel il s'écoule **lit**
– Région drainée par un fleuve et ses affluents **bassin**
– Direction d'où provient le courant d'un fleuve **amont**
– Direction vers laquelle s'écoule un fleuve **aval**
– Pente d'un fleuve, d'amont en aval ou d'une rive à l'autre **profil**
– Caractère de l'écoulement des eaux d'un fleuve au cours de l'année **régime**
– Débit moyen annuel d'un fleuve **module**
– Débit minimal d'un fleuve durant l'année **étiage**
– Cours d'eau qui se jette dans un fleuve **affluent**
– Point de rencontre d'un fleuve et d'un autre cours d'eau **confluent**
– Passage d'un fleuve à travers un mont **cluse**
– Passage resserré d'un fleuve **étranglement, pertuis**
– Chute d'eau qui rompt le cours d'un fleuve **cascade, saut, cataracte**
– Sinuosité prononcée décrite par un fleuve **méandre**
– Monts en surplomb sur un méandre d'un fleuve dans le sud-ouest de la France **cingle**
– Bras mort d'un fleuve tropical **marigot**
– Partie d'un fleuve dans laquelle ses eaux se mêlent à celles de la mer **estuaire**
– Entrée d'un fleuve dans la mer **embouchure**
– Plaine triangulaire à l'embouchure d'un fleuve **delta**
– Dépôt souvent fertile abandonné par un fleuve **alluvions**
– Gonflement exceptionnel des eaux d'un fleuve **crue**
– Rupture des glaces d'un fleuve gelé aux premières chaleurs **débâcle**
– Science des fleuves **potamologie**
– Fleuve des Enfers **Styx, Léthé**
FLIRT **aventure, amourette, caprice, béguin, passade, idylle**
FLOTTE **flotille, escadre, escadrille**
FLOTTER
– On a vu les cendres flotter avant de couler **surnager**
– Matière qui flotte sans jamais couler **insubmersible**
– Le pavillon doit flotter au vent **ondoyer**
– La voile flotte au vent **faseye**
FLÛTE
– Flûte champêtre **pipeau, chalumeau, larigot**
– Petite flûte aiguë **piccolo, octavin**
– Flûte à bec **flageolet, galoubet**
– Flûte utilisée pour certains airs militaires **fifre**
– Flûte à l'oignon **mirliton, flûteau, bigophone**
– Flûte composée de plusieurs tubes **flûte de Pan, syrinx**
– Flûte de l'Antiquité grecque **diaule**
FŒTUS voir aussi **embryon**
– Nom donné au fœtus et à ses annexes **faix**
– Organe de la femme dans lequel se développe le fœtus **utérus**
– Masse à laquelle est relié le fœtus par le cordon ombilical **placenta**
– Liquide dans lequel baigne le fœtus **amniotique**
– Ponction permettant de déceler certaines anomalies chez le fœtus **amniocentèse**
– Membrane qui entoure le fœtus **allantoïde**
– Procédé permettant de visualiser un fœtus grâce à des ultrasons **échographie**
– Maladie du fœtus **fœtopathie**
FOI
– La bonne foi d'un individu **honnêteté, sincérité, droiture, loyauté, intégrité, probité**
– La mauvaise foi d'un individu **dissimulation, fausseté, duplicité, traîtrise, perfidie, machiavélisme**
– Manque de foi d'un vassal envers son seigneur **trahison, parjure, forfaiture, félonie**
– Plusieurs personnes unies dans une même foi **fidèles, croyants**
– La foi catholique **religion, confession, dogme**
– Foi ardente **ferveur, dévotion, piété, zèle**
FOIE
hépat(o)-
FOIE
– Substance amère et visqueuse produite par le foie **bile**
– Partie du foie **lobe**

LES PLUS GRANDS FLEUVES

FLEUVE	LIEU	LONGUEUR (en km)
Nil	Afrique	6 695
Amazone	Amérique du Sud	6 440
Yang-tseu-kiang (Chang Jiang)	Asie	6 380
Mississippi-Missouri	Amérique du Nord	6 019
Ob-Irtych	Asie	5 570
Zaïre (Congo)	Afrique	4 670
Houang Ho (Huang He)	Asie	4 670
Amour (Heilong Jiang)	Asie	4 510
Lena	U.R.S.S.	4 270
Mackenzie-Paix	Canada	4 240
Paraná	Amérique du Sud	4 200
Mékong	Asie	4 185
Niger	Afrique	4 170
Iénissei	U.R.S.S.	4 130
Murray-Darling	Australie	3 750
Volga	U.R.S.S.	3 688

– Maladie du foie **hépatite, cirrhose, stéatose**
– Signe qui peut dénoter une affection du foie **jaunisse, ictère, hépatomégalie**
– Étude du foie **hépatologie**
– Organe dans lequel s'accumule la bile produite par le foie **vésicule**
– Repli qui relie le foie à l'estomac **petit épiploon**
– Foie-de-bœuf **fistuline**

FOIN
– Époque des foins **fenaison**
– Faire les foins **faner**
– Gros tas de foin **meule, barge**
– Grenier à foin **fenil**
– Donner du foin aux bêtes pendant l'hiver **fourrage**
– Mangeoire d'une étable que l'on remplit de foin **râtelier**
– Rhume des foins **coryza spasmodique, pollinose**

FOIRE **exposition, Salon**
– Exposant dans une foire **forain**
– Emplacement où se tient une foire **foirail**
– Foire d'empoigne **mêlée, rivalité, affrontement, rixe, échauffourée**
– Dégâts pouvant résulter d'une foire d'empoigne **pillage, mise à sac, déprédations**

FOIS
– À chaque fois **occasion, circonstance, occurrence**
– Une fois pour toutes **définitivement, irrémédiablement, irréversiblement, irrévocablement**
– Y regarder à deux fois **se tâter, balancer, tergiverser, atermoyer**

FOLIE **démence, aliénation, vésanie** voir aussi **psychose**
– Vêtement qui permet d'immobiliser un individu en proie à une crise de folie **camisole de force**
– Établissement où l'on soigne les malades atteints de folie **asile, hôpital psychiatrique**
– Plante qui avait la réputation de guérir la folie **ellébore**
– Folie des grandeurs **mégalomanie**
– Débiter des folies **sottises, aberrations, absurdités, inepties**
– Ses folies l'ont rendu célèbre **incartades, frasques, fredaines, escapades, équipées**
– Avoir une nouvelle folie **lubie, manie, marotte**
– À la folie **passionnément, éperdument**

FONCÉ **sombre, profond, obscur**

FONCTION
– La fonction d'un objet **utilité, rôle, action**
– Il faut réfléchir à ta future fonction **activité, gagne-pain, métier, profession, carrière**
– Briguer les honneurs d'une fonction **emploi, poste, place, situation, dignité**
– Sa fonction est bien définie **rôle, tâche, charge, mission, ministère, office**
– Fonction mathématique **application**

FONCTIONNAIRE **agent public**
– Salaire perçu par les fonctionnaires **traitement, émoluments**
– Fonctionnaire subalterne non titularisé **surnuméraire**
– Employé public non fonctionnaire **contractuel**

FONCTIONNER **marcher**
– Faire fonctionner un mécanisme **actionner, manœuvrer**
– Se mettre à mal fonctionner **se détraquer, se dérégler, se gripper**

FOND
– Au fond, on aperçoit des silhouettes **à l'arrière-plan, dans le lointain**
– Toile de fond **décor**
– À fond **complètement, entièrement, totalement, intégralement**
– Équiper un tonneau d'un fond **foncer**
– Quelques mètres de fond **profondeur**
– Fond de la mer peu profond qui ne compromet pas la navigation **bas-fond**
– Fond de la mer peu profond dangereux pour la navigation **haut-fond, banc, écueil**
– Fond de la mer très profond **abysse**
– Ensemble des organismes qui vivent sur les fonds maritimes **benthos**
– Être bloqué pour avoir touché le fond **s'échouer, s'engraver, s'ensabler**
– Donner fond **jeter l'ancre, mouiller**
– Course de fond par opposition à course de vitesse **endurance**
– Coureur cycliste de demi-fond **stayer**
– Le fond d'une affaire **nœud**
– Le fond par opposition à la forme **sujet, thème, matière, contenu, teneur**

FONDAMENTAL **essentiel, capital, primordial**
– Cet élément est fondamental pour l'homme **vital, indispensable**
– Un attachement fondamental **foncier, radical**

FONDATION
– Partie basse d'une construction au-dessus des fondations **soubassement**
– Les fondations d'une argumentation **base, support, assise, clef de voûte**
– La fondation d'une entreprise **création**
– La fondation d'une confédération **naissance, formation, constitution**
– Fondation du monde **Genèse**

FONDER
– Fonder une maison sur le roc **bâtir, construire, édifier, ériger**
– Fonder sa réussite sur sa richesse personnelle **établir, baser, asseoir**
– Fonder une réglementation **instituer, instaurer**
– Fonder un collège **ouvrir**
– Se fonder sur des preuves **s'appuyer**

FONDRE
– Matière qui a la propriété de fondre à la chaleur **fusible**
– Ce solide a la propriété de fondre à 100 °C **se liquéfier**
– Technique consistant à fondre des métaux pour les séparer **liquation**
– La glace s'est mise à fondre au soleil **dégeler**
– Faire fondre du sucre dans du lait **dissoudre**
– Aliment qui a la propriété de fondre dans le liquide **soluble**
– Fondre des soldats de plomb **couler, mouler**
– Fondre plusieurs éléments **mêler, fusionner, amalgamer**
– Les faucons ont l'habitude de fondre sur leur proie **tomber sur, se précipiter sur, s'abattre sur, piquer sur**
– Fondre sur les ennemis **se jeter sur, foncer sur, se ruer sur, charger, assaillir**
– On les a vus se fondre dans la nuit **disparaître, s'évanouir, se dissiper, se volatiliser**

FONTAINE
– Bassin d'une fontaine **vasque**
– Masque décoratif sculpté à l'orifice d'une fontaine **mascaron**
– Grotte d'où jaillit une fontaine **nymphée**
– Fontaine aux propriétés magiques **de Jouvence**

FONTE voir aussi **métallurgie**
– Moulage en fonte **lingot, gueuse, saumon**
– Fonte des glaces d'un fleuve gelé **débâcle**
– À la fonte des neiges, mesure interdisant l'accès de certaines routes **barrière de dégel**

FOOTBALL
– Au football, zone située devant les buts **surface de réparation**
– Au football, sanction décidée par l'arbitre **coup franc**
– Au football, coup franc tiré dans la surface de réparation **penalty**
– Au football, tir effectué d'un angle du terrain **corner**
– Faute commise par un joueur de football parce qu'il est mal placé **hors-jeu**
– Avertissement adressé par l'arbitre à un joueur de football en faute **carton jaune**
– Expulsion d'un joueur de football coupable d'une faute grave **carton rouge**

FORCE
dynam(o)-, -dyne

FORCE
– La force d'un sportif **résistance, énergie, vigueur, robustesse, endurance**
– Ces joueurs ne sont pas de la même force **niveau**
– Instrument qui mesure la force musculaire d'un individu **dynamomètre**
– Une force physique hors du commun **herculéenne**
– Redonner des forces **remonter, revigorer, ragaillardir**
– Médicament qui redonne des forces **analeptique**
– La force d'un gouvernant **puissance, autorité, influence, domination, emprise, ascendant**
– Force de caractère **détermination, fermeté, résolution, ténacité, constance**
– Haranguer une foule avec force **ardeur, fougue, feu, impétuosité, véhémence**
– La force d'un séisme **intensité, violence**
– Unité de mesure de la force **newton**

FORCÉMENT
– Cela arrivera forcément **à coup sûr, inévitablement, immanquablement, fatalement, infailliblement, inéluctablement**

FORCER
– Forcer quelqu'un à faire quelque chose **contraindre, obliger, acculer, astreindre**
– Les circonstances l'ont forcé à capituler **condamné, réduit**
– Forcer un coffre **briser, défoncer, éventrer, fracturer**
– Forcer un dispositif de fermeture **crocheter**
– Forcer une mimique **exagérer, outrer**
– Forcer un texte **fausser, déformer, travestir, pervertir, dénaturer**
– Forcer une bête, à la chasse à courre **traquer**

FORÊT
sylvo-

FORÊT bois, sylve
– Être vivant dans une forêt **sylvicole**
– Divinité de la forêt **sylvain, dryade**
– Limite d'une forêt **lisière, orée**
– Sentier qui traverse une forêt **laie, layon, ligne**
– À l'intérieur d'une forêt, surface où les arbres sont rares ou absents **clairière**
– En forêt, territoire où l'on étudie l'évolution de la production **placette**
– En forêt, ensemble de jeunes arbres à tronc bien différencié **gaulis**
– Type de forêt feuillue issue de la régénération des essences **taillis**
– Forêt de moins de 4 hectares **boqueteau**
– Forêt à feuilles persistantes **sempervirente**
– Forêt tropicale qui pousse dans les vases et les lagunes salées **mangrove**
– Forêt boréale de conifères **taïga**
– Étage de la forêt vierge **strate**
– Exploitation des forêts **sylviculture**
– Droit de couper du bois de chauffage sur une parcelle de forêt **affouage**
– Arbre que l'on épargne lors du déboisement d'une forêt **baliveau**
– Destruction de la forêt **déforestation**

FORGE
– Outil d'une forge **enclume, soufflet, tenailles**
– Maître de forges **fondeur**
– Phase du travail des métaux dans une forge **martelage, corroyage, écrouissage**
– Individu qui travaille dans une forge **forgeron, maréchal-ferrant, orfèvre**
– Dieu des forges **Héphaïstos, Vulcain**

FORMALITÉ
– Connais-tu les formalités ? **démarche, procédure**
– Respecter les formalités d'usage en société **convenances, bienséances, cérémonial, étiquette, protocole**

FORMAT dimension, taille

FORME
-forme, morph(o)-, -morphe, -morphique, -morphisme

FORME voir aussi tableau
– La forme d'un objet quelconque **aspect, apparence, tournure, configuration**
– Les formes d'une statue **contours, lignes, courbes, galbe, modelé, délinéament**
– Esthétique des formes **plastique**
– Changer de forme **se métamorphoser**
– Étude de la forme des êtres vivants **morphologie**
– Analyse de la forme d'un mot **morphologique**
– En philosophie, théorie de la forme **gestaltisme**
– En chimie, corps qui ont la même forme cristalline **isomorphes**
– Géographie physique étudiant la forme et l'évolution du relief terrestre **géomorphologie**
– La forme par opposition au fond **écriture, expression, rédaction, style**
– La forme d'une œuvre musicale **structure, composition**
– Mauvaise forme physique d'un athlète **méforme**
– Utiliser une forme pour fabriquer des objets standard **gabarit, patron, moule, matrice**
– Mettre des formes dans ses souliers **embauchoirs**
– Personne excessivement attachée à la forme **formaliste**

EN FORME DE

aiguillon	aculéiforme
aile	aliforme
arc	arciforme
bacille (petit bâton)	bacilliforme
baie	bacciforme
barque	scaphoïde
bec d'aigle	aquilin
cloche	campaniforme
cône	conoïde
coquille	conchoïdal
cotyle	cotyloïde

(suite p.190)

EN FORME DE *(suite)*

crochet	unciforme
croissant	lunulaire
croix	cruciforme
crosse	circiné
doigt	digitiforme
échelle, escalier	scalariforme
fer de lance	lancéolé
figue	ficoïde
fil	filiforme
flèche	sagittal
glaive	xiphoïde
grain de raisin	aciniforme
hélice	hélicoïdal
lamelle	lamelliforme
languette	ligulé
lentille	lenticulaire, lentiforme
losange	rhomboïdal
œuf	ovoïde
palme	palmiforme
peigne	pectiné
phallus	phalloïde
pointe	aciculaire
poire	piriforme
poisson	pisciforme
prisme	prismatique
ruine	ruiniforme
S (la lettre)	sigmoïde, sigmoïdal
serpent	anguiforme
tête	céphaloïde
tore	torique
ver	vermiforme

FORMELLEMENT
– Refuser formellement **fermement, catégoriquement**
– Formellement défendu **rigoureusement, strictement**

FORMER
– Former une association **fonder**
– Former son goût artistique **développer**
– Former un enfant **éduquer, élever**
– Former des hommes pour le combat **entraîner, endurcir, aguerrir**
– Ces éléments ont pour rôle de former un ensemble cohérent **composer, constituer**
– La baie forme un demi-cercle parfait **dessine**

FORMIDABLE
– Un formidable déploiement de forces **effrayant, épouvantable, terrifiant, effroyable**
– Des dimensions formidables **extraordinaires, exceptionnelles, considérables, imposantes, stupéfiantes, phénoménales**
– Un scoop formidable **épatant, sensationnel**

FORMULE
– Formule magique **sésame**
– Formule d'un acte juridique **libellé**
– Cette formule lui est chère **expression, locution, tournure**
– Formule toute faite très banale **lieu commun, cliché, poncif, stéréotype**
– Formule énonçant un enseignement **maxime, précepte, sentence, adage, aphorisme, apophtegme**
– Formule percutante d'un spot publicitaire **slogan**
– Une formule particulièrement brève **concise, lapidaire, laconique**
– Choisissez la formule qui vous convient **procédé, méthode, marche à suivre**
– Formule miracle **panacée**
– Formule sacrée dotée d'un pouvoir magique dans les rituels hindouiste et bouddhique **mantra**
– Type de formule chimique **brute, développée**
– En chimie, composants qui ont une formule brute identique **isomères**

FORT (1) forteresse, citadelle, bastille
– Petit fort **fortin**
– Fort qui résiste à tous les assauts sans tomber aux mains des ennemis **imprenable, inexpugnable**
– Abri souterrain d'un fort **casemate**

FORT (2)
– Héros extraordinairement fort **Hercule, Samson**
– Être fort dans l'adversité **courageux, ferme, stoïque, vaillant, valeureux**
– Un orateur très fort **doué, brillant, talentueux**
– Au jeu, il est très fort **habile, astucieux, ingénieux**
– Déclamer un texte d'une voix forte **sonore, retentissante, claironnante**
– Une fragrance forte **lourde, violente, capiteuse, enivrante**
– Un assaisonnement fort **piquant, épicé, relevé**
– Se faire fort de **se targuer de, se piquer de, se vanter de**

FORTIFICATION enceinte, retranchement
– Élément de fortification **bastion, redoute**
– En termes de fortification, porte qui donne sur le fossé **poterne**
– Ouvrage de fortification romain **oppidum**
– Partie d'une ville entourée d'une fortification au Maghreb **médina**
– Village médiéval protégé par des fortifications dans le sud-ouest de la France **bastide**
– Village protégé par des fortifications aux confins du désert **ksar**
– Auteur de très importants systèmes de fortifications sous Louis XIV **Vauban**

FORTIFIER
– Il faut fortifier cette charpente trop fragile **renforcer, consolider**
– Fortifier les soldats pour mieux combattre **aguerrir, endurcir**
– Fortifier un tempérament **durcir, tremper**
– Cet incident eut pour conséquence de fortifier mes présomptions **confirmer, affermir, corroborer**
– Cette nourriture très riche a pour but de fortifier les enfants malades **revigorer, ragaillardir**
– Repas qui fortifie les convives **nourrissant, substantiel, réconfortant**

FORTUNE
– La fortune d'un individu **capital, patrimoine, richesses**
– Il est seul responsable de sa fortune **succès, réussite, prospérité**
– Il ne sait pas ce que la fortune lui réserve **avenir, destinée**
– La fortune l'a toujours favorisé **sort, chance, hasard, destin, fatum**
– Un aménagement de fortune **provisoire, temporaire**
– Une solution de fortune **pis-aller**
– Revers de fortune **aléas, vicissitudes, tribulations, traverses**

FOSSE **excavation**
– Individu qui a pour métier de creuser les fosses dans un cimetière **fossoyeur**
– Fosse où ont été ensevelis de nombreux cadavres **charnier**
– Fosse d'aisances **latrines, feuillées**
– Fosse sous-marine **dépression, abysse**
– Il y a peu de temps encore, mot qui qualifiait une vaste fosse sous-marine remplie de sédiments **géosynclinal**
FOSSÉ **tranchée**
– Fossé qui irrigue un terrain **rigole, saignée**
– Fossé large et profond devant l'entrée d'un enclos **saut-de-loup**
– En géologie, fossé d'effondrement **graben, rift**
– Fossé rempli d'eau qui entoure un lieu fortifié **douve**
– Paroi intérieure du fossé d'un château **escarpe**
– Paroi extérieure du fossé d'un château **contrescarpe**
– Rigole drainant le fossé qui entoure une fortification **cunette**
– Un fossé nous sépare **abîme**
FOSSILE (1)
– Spécialiste chargé d'analyser les fossiles **paléontologue**
– Étude des fossiles végétaux **paléobotanique**
– Étude des fossiles animaux **paléozoologie**
– Un terrain riche en fossiles **fossilifère**
– Fossile en forme d'escargot, typique de l'ère secondaire **ammonite**
– Type de fossile carbonifère **lépidodendron, percoptéris**
FOSSILE (2)
– Animal fossile **zoolithe**
– Arbre fossile **dendrite**
– Crustacé fossile de l'époque silurienne **trilobite**
– Dent fossile **crapaudine**
FOU (1) **aliéné, dément, déséquilibré, obsédé**
– Un individu qui se conduit comme un fou **inconscient, inconséquent, extravagant, insane**
– Le fou du roi **bouffon**
– Marionnette coiffée d'un bonnet à grelots que brandit le fou du roi **marotte**
FOU (2)
– Votre décision est complètement folle **déraisonnable, insensée**
– Une entreprise folle **hasardeuse**
– Une imagination folle **débridée, désordonnée**
– Une course folle **effrénée**
– Elle est folle de ce jeune homme **éprise, idolâtre, férue**
– Il est fou de musique moderne **entiché**
FOUDRE
– Divinité qui a pour attribut un foudre **Jupiter**
– Dispositif contre la foudre **paratonnerre**
– Mort accidentelle provoquée par la foudre **fulguration**
– À Rome, méthode de divination qui étudiait les manifestations de la foudre **science fulgurale**
– S'attirer les foudres de tout le groupe **reproches, condamnation, réprobation**
– Redouter les foudres de l'Église catholique **excommunication, anathématisation**
FOUET
– Rouer de coups de fouet **flageller, fustiger**
– Fouet du Père Fouettard **martinet**
– Fouet à neuf lanières **chat à neuf queues**
– Sorte de long fouet utilisé en manège pour le dressage des chevaux **chambrière**
– Arme ancienne appelée « fouet de guerre » **fléau d'armes, scorpion**
– Fouet autrefois utilisé en Russie sur les suppliciés **knout**
– Prolongement du fouet marin entourant une poulie **estrope**
– Coup de fouet du sportif **claquage**
– Fouet du fraisier **coulant**
– L'air vif donne un coup de fouet aux convalescents **dope, stimule, revigore, ragaillardit**
FOUILLE **excavation** voir aussi **archéologie**
– Spécialiste qui dirige des fouilles sur un site ancien **archéologue**
– Débris d'animaux et de plantes mis au jour lors de fouilles **fossiles**
– Spécialiste qui analyse les fossiles mis au jour lors de fouilles **paléontologue**
– Procédé moderne qui permet de découvrir des sites de fouilles **prospection aérienne**
FOUILLER
– Fouiller la campagne environnante **explorer, battre**
– Il était en train de fouiller dans mes affaires **fouiner, fureter**
– Fouiller un appartement **visiter, perquisitionner**
– Fouiller en mettant sans dessus dessous **fourrager**
– Les sangliers viennent régulièrement fouiller le sol à cet endroit **fouger, fouir, vermiller**
– Il n'est pas facile de voir un blaireau fouiller la terre **vermillonner**
– Fouiller un texte **approfondir, creuser**
FOULARD **carré, pointe**
– Foulard de couleurs vives que portent les femmes créoles **madras**
– Foulard de coton aux couleurs vives et aux motifs variés **bandana**
– Foulard protégeant du vent **écharpe, cache-col, cache-nez**
FOULE **presse**
– Évite la foule ! **affluence**
– Un spectacle prisé par la foule **masse, multitude**
– Regarde cette foule agglutinée devant la vitrine ! **attroupement**
– La foule, par opposition à l'élite condescendante **bas-peuple, populace, plèbe**
– Désordre dans une foule **bousculade, cohue**
– Traverser la foule **fendre**
– Individu qui suit la foule **mouton de Panurge**
– Peur de la foule **ochlophobie**
– La table disparaît sous une foule d'objets **amas, monceau, accumulation, entassement**
FOULER
– Fouler du cuir ou du tissu **foulonner**
– Appareil utilisé pour fouler du raisin **fouloir**
– Fouler aux pieds une décision **bafouer, piétiner, faire litière de**
– Se fouler la cheville **se donner une entorse**
FOUR
– Mettre au four et retirer du four **enfourner, défourner**
– Orifice du four par lequel le boulanger enfourne son pain **bouche, gueule**
– Voûte des anciens fours des boulangers **dôme, chapelle**
– Pièce dans laquelle se trouve le four d'un boulanger **fournil**
– Villageois qui avait jadis la responsabilité du four à pain **fournier**
– Instrument à long manche avec lequel le boulanger met du pain au four **pelle**
– Ustensile d'un four ménager utilisé pour rôtir des viandes **tournebroche, lèchefrite**
– Ouvrier responsable d'un four à chaux **chaufournier**
– Miroir d'un four solaire **héliostat**
– Entonnoir dans lequel on verse le

combustible de certains fours industriels **trémie**
– Longue tige que l'on utilise pour remuer les braises d'un four **fourgon**
– Partie d'un four industriel où l'on place les matières à traiter **sole**
– Lieu où il fait aussi chaud que dans un four **fournaise**
– Cette nouvelle pièce est un four **échec, insuccès, bide**

FOURBE **faux, sournois, déloyal, perfide, patelin**

FOURBERIE
– Sa fourberie est sans limites **hypocrisie, duplicité**
– Ses fourberies lui ont valu la méfiance générale **ruses, tromperies, matoiseries, piperies**
– Personnage moliéresque célèbre pour ses fourberies **Scapin**

FOURCHE
– Dent d'une fourche **fourchon**
– Fourche à deux dents **bident**
– Fourche à trois dents de Neptune **fuscine, trident**
– Sorte de fourche utilisée pour harponner les gros poissons **foène**
– Ce chemin aboutit à une fourche **croisement, embranchement, patte-d'oie**
– Fourches patibulaires **gibet**

FOURMI
myrmé(co)-

FOURMI
– Ordre auquel appartiennent les fourmis **hyménoptères**
– Famille à laquelle appartiennent les fourmis **formicidés**
– Acide produit par les fourmis rouges **formique**
– Fourmi sans ailes **aptère**
– Fourmi de visite **magnan**
– Plante ou animal qui vit en association avec les fourmis **myrmécophile**
– Mammifère friand de fourmis **fourmilier, tamanoir, tamandua, myrmidon, pangolin**
– Insecte dont la larve creuse des pièges dans le sable pour capturer les fourmis **fourmi-lion**
– Avoir des fourmis dans les jambes **fourmillements, picotements, formications**

FOURNEAU **cuisinière** voir aussi **haut-fourneau**
– Fourneau à creuset métallique utilisé en fonderie **cubilot**

FOURNIR
– Fournir un village en eau potable **alimenter, approvisionner, ravitailler**
– Fournir des informations à quelqu'un **donner, procurer, livrer**
– Fournir une attestation **présenter**
– Fournir aux besoins de quelqu'un **pourvoir à, subvenir à**

FOURRAGE
– Fourrage que l'on distribuait aux animaux à l'engrais **provende**
– Légumineuse servant de fourrage **luzerne, trèfle, sainfoin, gesse, vesce, lotier**
– Graminée qui sert de fourrage **fétuque, dactyle, ray-grass, fléole, sorgho**
– Stockage du fourrage **ensilage**
– Action de gaver de fourrage les bêtes pour les engraisser à l'étable **pouture**
– Mangeoire dans laquelle on place du fourrage **râtelier**

FOURREAU **étui, gaine**
– Sortir vivement une arme blanche de son fourreau **dégainer**
– Fourreaux à pistolets attachés à la selle d'un cavalier **fontes**
– Garniture métallique à l'extrémité du fourreau d'une épée **bouterolle**
– Peau de la raie ou du squale, préparée et teintée, recouvrant des fourreaux **galuchat**
– Insecte dont les larves aquatiques sont abritées dans des fourreaux **phrygane**

FOURRURE
– Cet animal a une belle fourrure **poil, pelage, toison**
– Art de préparer les peaux pour en faire des fourrures **pelleterie**
– Commerçant qui vend des fourrures **fourreur**
– Peaux des animaux sauvages avec lesquelles on fait des fourrures **sauvagine**
– Duvet court qui soutient le poil de la fourrure **bourre**
– Poils irréguliers dans la fourrure **jarres**
– Manteau doublé ou orné de fourrure **pelisse**
– Type de coiffure en fourrure **toque**
– Fourreau en fourrure dans lequel une femme glisse ses mains en hiver **manchon**
– Antimite qui protège les fourrures **naphtaline**
– Bande de fourrure d'apparat **étole**
– Bande de fourrure portée par certains magistrats **hermine**
– Chasseur professionnel d'Amérique du Nord qui vend des fourrures **trappeur**
– Fausse fourrure **acrylique, synthétique**

FOYER
– Il s'assied tous les soirs devant le foyer **cheminée, âtre**
– Dans l'Antiquité romaine, endroit de la maison où se trouvait la pierre du foyer **atrium**
– Divinités romaines du foyer **lares, pénates**
– Ce jeune foyer est fort sympathique **ménage**
– Regagner ses foyers **bercail**
– Le foyer de l'action **brasier**
– En géométrie, le foyer donne une définition métrique des coniques **pôle**
– En optique, distance du foyer principal à la lentille **focale**

FRACTION
– En mathématiques, chiffre ou nombre au-dessous de la barre de fraction **dénominateur**
– En mathématiques, chiffre ou nombre au-dessus de la barre de fraction **numérateur**
– En mathématiques, nombre qui peut être écrit sous la forme d'une fraction **rationnel**
– Fraction d'un ensemble **partie, portion, morceau, parcelle, division**
– Sacrement où l'on procède à la fraction du pain **eucharistie**

FRACTURE voir aussi dessin
– Fracture incomplète d'un os **fêlure**
– Le trait d'une fracture peut être **transversal, oblique, spiroïde**
– Aide à la consolidation d'une fracture **plâtre, gouttière, attelle, éclisse**
– Formation osseuse qui ressoude les fragments d'un os après une fracture **cal**
– Fracture dans la croûte terrestre **cassure**
– Fracture d'origine tectonique dans une masse rocheuse **faille**

FRAGILE
– Fragile de constitution **faible, chétif, délicat, débile, malingre, souffreteux**
– Une adolescente à la personnalité fragile **vulnérable**
– Une situation fragile **instable, précaire, incertaine**
– Une argumentation fragile **inconsistante**
– Un bonheur fragile **fugace, éphémère**
– Ces fleurs ont une tige très fragile **cassante**
– Il est encore bien fragile sur ses jambes **branlant, chancelant, titubant, vacillant**

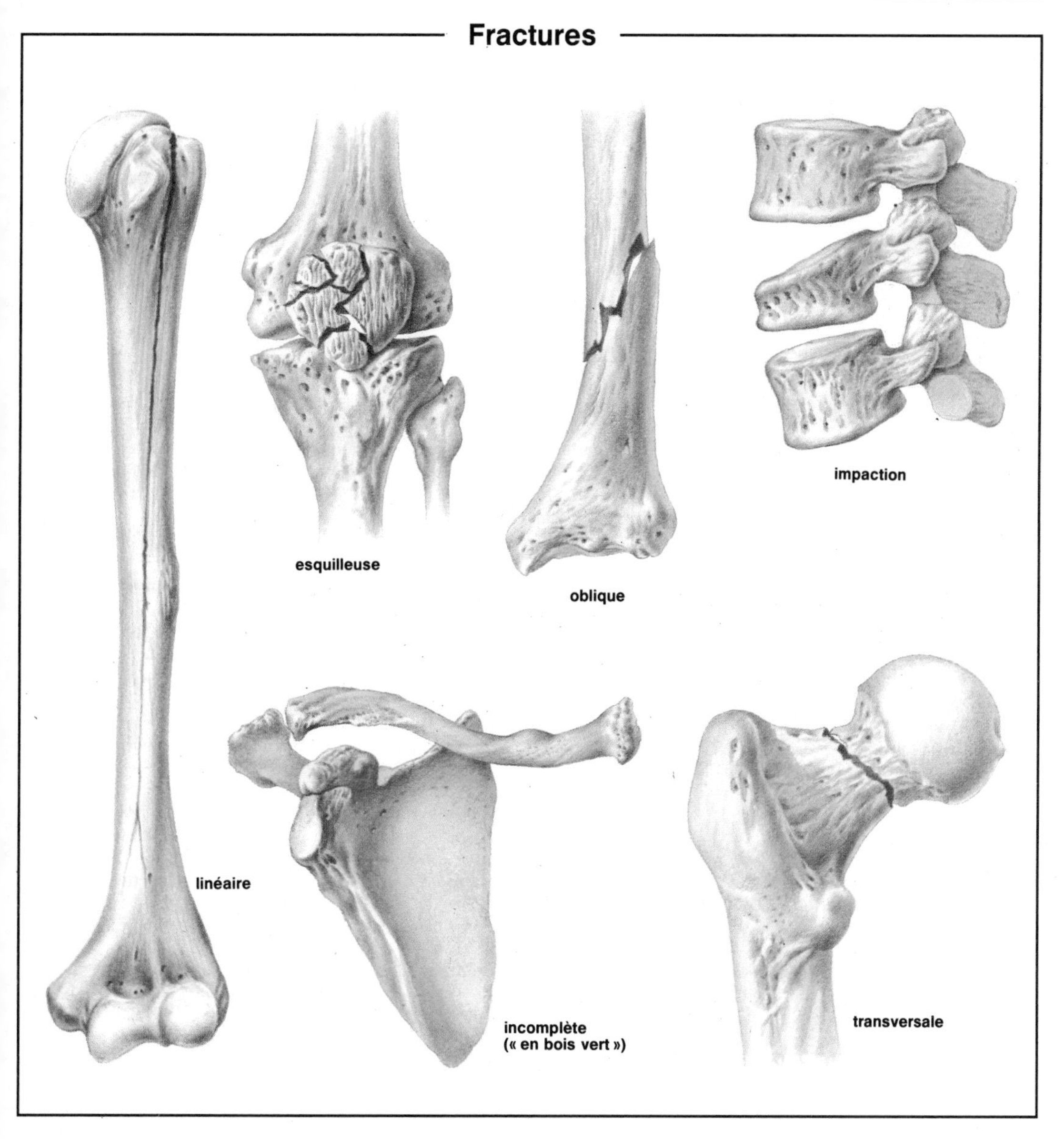

FRAGMENT **bout, morceau, débris, miette, éclat, bribe**
– Nous avons relevé quelques fragments de ce roman **citations, passages, extraits**
– Poésie composée à l'aide de fragments d'auteurs différents **centon**

FRAIS (1) **dépense, coût, débours**

FRAIS (2) **dispos**
– Ce petit vent est très frais **frisquet**
– Des nouvelles fraîches **récentes**
– Elle a vraiment un teint très frais **resplendissant, fleuri, vermeil**

FRAISE
– Cavité percée avec une fraise où se loge une vis **fraisure**
– Fraise du dentiste **roulette, foret**
– Henri IV portait une fraise **collerette**
– Pli ornemental d'une fraise portée autour du cou **tuyau, godron**
– Fraise qui pend sous le cou du dindon **caroncule**
– Fraise de veau **mésentère**
– Naître avec une fraise sur le visage **tache de vin, envie, nævus, angiome**

FRAISIER
– Famille à laquelle appartient le fraisier **rosacées**
– Plantation de fraisiers **fraiseraie, fraisière**
– Horticulteur cultivant exclusivement des fraises **fraisiériste**
– Tige qui, partant d'un fraisier, prend racine pour former un nouveau plant **stolon, filet, coulant, fouet**
– Tige souterraine du fraisier aux propriétés astringentes et diurétiques **rhizome**

FRANC (1)
– Division décimale du franc **décime, centime, millime**
– Le vingtième du franc **sou**
– Franc de la Communauté financière africaine **franc C.F.A.**
FRANC (2)
– Un individu franc **honnête, sincère, loyal**
– Être toujours franc **de bonne foi**
– S'exprimer d'une façon très franche **ouvertement, sans ambages**
– Le médecin nous a donné une réponse franche **directe, claire, catégorique, explicite**
– Quels francs coquins ! **parfaits, finis, accomplis, achevés, fieffés**
FRANÇAIS
franco-
FRANÇAIS (1)
– Langue du Moyen Âge à l'origine du français **langue d'oïl**
– Ensemble des pays dont la population parle le français **francophonie**
– Individu qui aime les Français **francophile**
– Individu qui déteste les Français **francophobe**
FRANÇAIS (2)
– Idiotisme propre à la langue française **gallicisme**
– Intégrer un mot étranger à la langue française en changeant sa forme **franciser**
– Folle admiration pour tout ce qui est français **gallomanie**
– Territoire français **Hexagone**
– Départements et territoires français d'outre-mer **D.O.M.- T.O.M.**
FRANCHIR
– Franchir la clôture **sauter, enjamber, escalader**
– Franchir l'étape sans difficulté **parcourir**
– Franchir une épreuve courageusement **surmonter, vaincre, venir à bout de**
– Franchir les limites imposées **outrepasser, transgresser**
FRANC-MAÇON
– Groupe de francs-maçons **loge**
– Valeur à laquelle sont attachés les francs-maçons **fraternité**
– Grade que peut franchir le franc-maçon **apprenti, compagnon, maître**
– Une des principales obédiences françaises de francs-maçons **Grand Orient de France, Grande Loge de France, Grande Loge féminine de France, Droit humain**
– Assemblée annuelle de francs-maçons en France **convent**
FRANCS
– Francs installés sur les bords de l'Ijssel **Saliens**
– Francs installés au bord du Rhin **Ripuaires**
– Langue des Francs **francique**
– Arme des Francs **francisque, scramasaxe, angon**
– Recueil de lois des Francs Saliens **loi salique**
– Indemnité en usage chez les Francs versée par un coupable à sa victime **wergeld**
FRANGE
– Ses jolis yeux sont presque cachés par sa frange **chiens**
– Frange de passementerie **crépine**
– Élément d'une frange de passementerie **galon de tête, jupe de fils**
– Fabrication de franges torses **guipage**
– Frange blanche ourlant les vagues qui déferlent sur les rochers **écume, brisants**
– Une frange de la société **minorité**
FRAPPER
– Frapper un enfant **battre, brutaliser, maltraiter**
– Frapper son adversaire **porter un coup à, assener un coup à**
– Frapper à la porte **cogner, toquer, tambouriner**
– Marteau avec lequel on frappe à une porte **heurtoir**
– Se frapper la poitrine en s'avouant coupable **battre sa coulpe**
– Ces événements l'ont frappé **choqué, saisi, affecté, impressionné, bouleversé**
FRATERNITÉ solidarité, esprit de corps, altruisme
– Une fraternité émouvante **camaraderie, entente, concorde**
FRAUDE
– Sa fraude a attiré l'attention **tromperie, falsification, supercherie, escroquerie**
– Individu qui introduit dans un pays des marchandises en fraude **contrebandier**
– Une embarcation en fraude **interlope**
– En droit, manœuvre qui relève de la fraude **dolosive**
– Fraude qui consiste à aliéner un bien sans en être le propriétaire **stellionat**
– Fraude qui est le fait d'une association de plusieurs personnes **collusoire**
FRAYEUR terreur, épouvante, affolement, panique, effroi
– Manifestation de la frayeur **frisson, pâleur, chair de poule, sueur froide**
– Frayeur obsessionnelle **hantise, phobie**
FREIN
– Type de frein d'une automobile **à tambour, à disque**
– Utiliser le frein moteur de sa voiture **rétrograder**
– Mécanisme auxiliaire du frein d'une voiture **servofrein**
– Pièce d'une voiture qui transmet le liquide de frein aux cylindres **maître-cylindre**
– Frein de la langue **filet**
– Quelle imagination sans frein ! **limites, bornes**
FREINER
– Système qui permet de freiner sans bloquer les roues d'une voiture **A.B.S. *(Antiblockiersystem)***
– Freiner un processus **ralentir, modérer, enrayer**
– Freiner une envie **réprimer, contenir, refréner**
– Freiner une pulsion **inhiber**
FRÉMIR
– La brise fait frémir le feuillage de la tonnelle **frissonner, bruire**
– La colère le faisait frémir **vibrer, palpiter**
FRÊNE
– Fruit du frêne **samare**
– Frêne à fleurs **orne**
– Frêne à feuilles étroites **oxyphylle**
– Gomme produite par les feuilles et le tronc du frêne à fleurs **manne**
– Rafraîchissement préparé avec des feuilles de frêne **frénette**
– Élixir tonique préparé avec de l'écorce de frêne **quinquina d'Europe**
FRÉNÉSIE ardeur
– La frénésie gagna la foule **agitation, fièvre, folie, exaltation, fureur, délire**
– Il travaille avec frénésie **d'arrache-pied**
– Dans son discours, il s'est laissé emporter par la frénésie **enthousiasme, passion**
– La frénésie peut être à l'origine de **déchaînements, débordements**
FRÉQUENT
– Un cas fréquent **courant, habituel, ordinaire**
– Une expression fréquente **usuelle**
– Des détonations fréquentes **répétées, redoublées**
FRÉQUENTATION
– Ses fréquentations sont très limitées **connaissances, relations, accointances**
– Fréquentation régulière **assiduité**

FRÉQUENTER
– Fréquenter les quartiers animés de la ville **courir, hanter**
– Fréquenter des artistes **côtoyer, frayer avec**
– Fréquente un troquet du matin au soir **pilier de bar**
FRÈRE
– Frères ayant la même mère et le même père **germains**
– Frères ayant le même père mais une mère différente **consanguins**
– Frères ayant la même mère mais un père différent **utérins**
– Frères jumeaux **bessons**
– Frères jumeaux attachés l'un à l'autre de façon anormale **siamois**
– Frère cadet **puîné**
– Individu coupable du meurtre de son frère **fratricide, Caïn**
– Les frères ennemis de la mythologie **Étéocle, Polynice**
– Dans un monastère, frère chargé des besognes manuelles **frère convers, frère servant, frère lai**
– Tous ces gens sont mes frères **amis, compagnons, camarades**
FRIANDISE
– Offrir des friandises **confiseries, sucreries, gourmandises, douceurs, chatteries**
FRICASSÉE ragoût
– Fricassée de lapin cuit au vin blanc **gibelotte**
FRICHE
– Les enfants aiment s'ébattre dans cette friche **terrain vague**
– Laisser une terre en friche **à l'abandon**
– Nettoyer une friche **défricher, débroussailler**
– Arracher les chardons qui ont envahi une terre en friche **échardonner**
– Opération qui consiste à dégager les routes forestières en friche **essartage**
– Dans nos régions, étendue de terre sauvage en friche **lande, garrigue, maquis, brande**
– Les bêtes paissent sur cette friche tout l'été **pâtis**
– Terre labourable qu'on laisse momentanément en friche pour qu'elle repose **jachère**
FRIPON (1)
– Ce petit est un fripon **coquin, garnement, diablotin, chenapan**
– Ils n'ont pas réussi à mettre la main sur ces fripons **gredins, vauriens, canailles, sacripants, galapiats**
– Il a osé me traiter de fripon **faquin, pendard, maraud, maroufle**
FRIPON (2)
– Cette fillette a des yeux fripons **malicieux, espiègles, narquois**
– Il la regardait d'un air fripon **polisson, grivois, égrillard**
FRISER boucler
– Rouleaux avec lesquels on peut friser une chevelure **bigoudis**
– Se faire friser les cheveux chez le coiffeur **faire une permanente**
– Friser une mèche de cheveux **calamistrer**
– Friser un tissu **ratiner**
– Son attitude frise l'indécence **frôle, confine à**
FRISSON
– Être pris de frissons **frémissements, tremblements, tressaillements**
– Accompagne souvent les frissons **chair de poule, horripilation**
– Frissons violents et répétés **spasmodiques, convulsifs**
– Frisson provoqué par la vue d'un spectacle horrible **haut-le-corps, soubresaut**
– Frisson du feuillage caressé par le vent **murmure, bruissement, friselis**
FRITURE
– Type d'enrobage de la friture **beignet, panure**
– Pâtisserie à base de beignets soufflés plongés dans la friture **pet-de-nonne**
– À la radio, bruit de friture intempestif **grésillement**
FRIVOLE
– Une personne frivole **légère, superficielle, futile, insouciante**
– Une discusion frivole **inconsistante, insignifiante**
– Frivole en amour **infidèle, inconstant, volage**
FRIVOLITÉ
– Pourquoi faire grand cas de ces frivolités ? **broutilles, bagatelles, fadaises, vétilles**
– Coquette, elle aime se parer de frivolités **colifichets, fanfreluches**
FROID
cry(o)-, frigori-
FROID (1)
– Le froid peut être **intense, pénétrant, piquant, cuisant, rigoureux, noir**
– Un individu particulièrement sensible au froid **frileux**
– Paralysé par le froid **transi, morfondu**
– Lésion cutanée due au froid **engelure**
– Engourdissement du bout des doigts dû au froid **onglée**
– En médecine, traitement par le froid **cryothérapie**
– Mettre des aliments au froid pour les conserver **frigorifier, réfrigérer, congeler, surgeler**
– Fluide qui produit du froid, notamment dans les réfrigérateurs **Fréon**
FROID (2)
– Brouillard froid et givrant **frimas**
– Un courant d'air un peu froid **frisquet**
– Engourdissement de certains mammifères durant la saison froide **hibernation**
– Un tempérament froid **distant, réservé**
– Son visage était froid **inexpressif, impassible, marmoréen**
– Insensible, il resta froid **de glace, de marbre**
– D'un ton très froid, il commença sa lecture **dur, glacial**
FROISSER
– Froisser un vêtement **chiffonner, friper, bouchonner**
– Froisser son interlocuteur **vexer, indisposer, désobliger, offenser, mortifier, piquer au vif**
FROMAGE
tyr(o)-
FROMAGE voir aussi dessin p. 196-197 et tableau p. 198
– Substance pour faire coaguler le lait utilisée dans la fabrication du fromage **présure**
– Lait coagulé utilisé pour fabriquer du fromage **caillé**
– Claie sur laquelle on pose les fromages pour qu'ils égouttent **caget**
– Moule percé de trous utilisé pour faire égoutter du fromage blanc **faisselle**
– Très grand disque de fromage **meule**
– Dernière étape de la maturation de certains fromages **affinage**
– Trou dans certains fromages comme le gruyère **œil**
– Coopérative fabriquant des fromages **fruitière**
– En Auvergne, petite cabane de berger où l'on fabrique le fromage **buron**
– Magasin où l'on vend du fromage ainsi que d'autres produits laitiers **crémerie**
– Petite tarte au fromage **raton, ramequin**
– Chou au fromage **gougère**
– Mélange de fromage fondu et de vin blanc dans lequel on trempe du pain **fondue**

Fromages

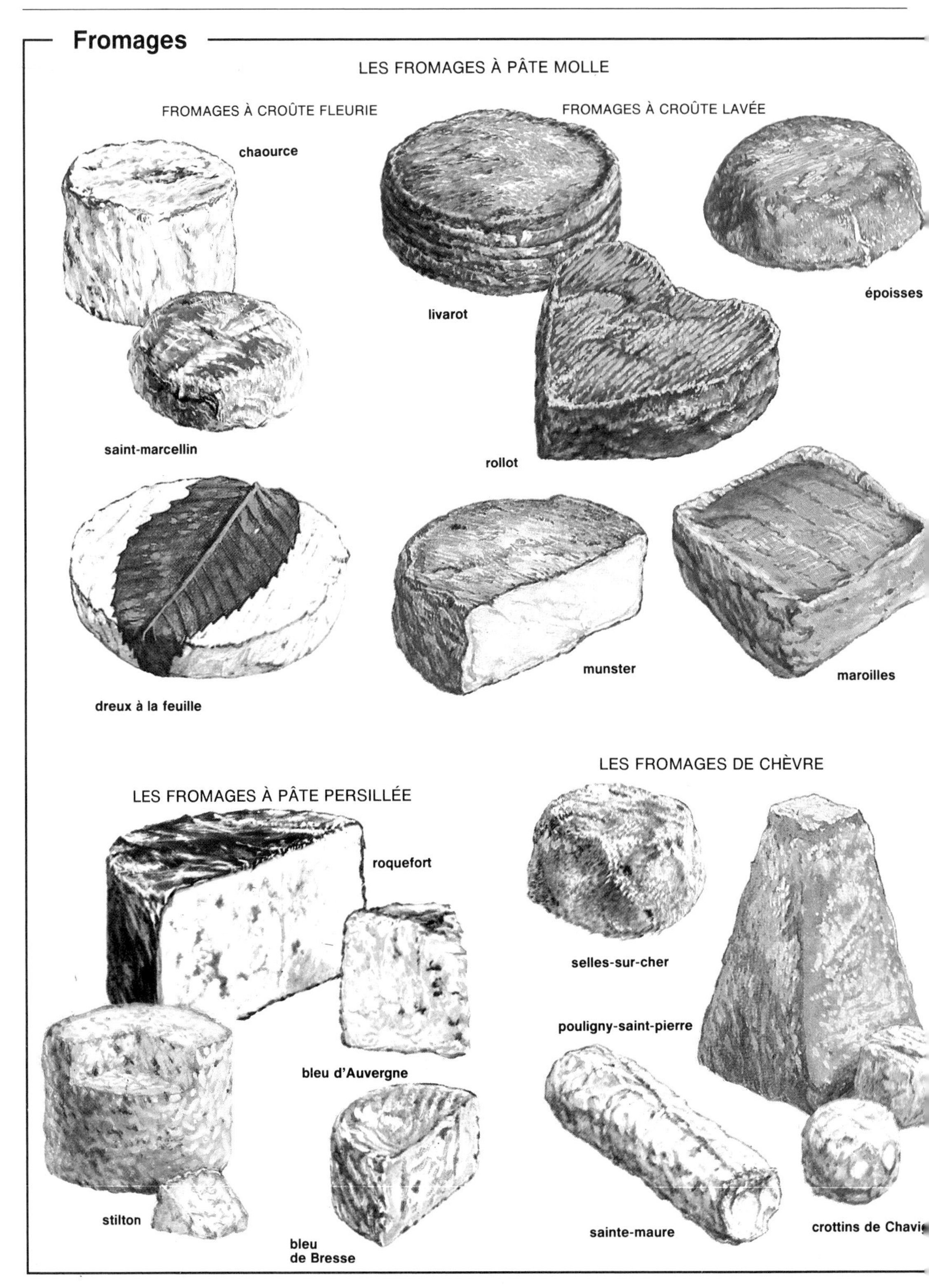
LES FROMAGES À PÂTE MOLLE
FROMAGES À CROÛTE FLEURIE
FROMAGES À CROÛTE LAVÉE
chaource
saint-marcellin
dreux à la feuille
livarot
rollot
époisses
munster
maroilles
LES FROMAGES À PÂTE PERSILLÉE
roquefort
bleu d'Auvergne
stilton
bleu de Bresse
LES FROMAGES DE CHÈVRE
selles-sur-cher
pouligny-saint-pierre
sainte-maure

LES FROMAGES À PÂTE PRESSÉE
FROMAGES À PÂTE PRESSÉE NON CUITE
salers
cantal
tomme de Savoie
saint-nectaire
cheddar
chester
gouda
édam
ROMAGES À PÂTE PRESSÉE CUITE
gruyère
emmental
comté
leyde
parmesan

QUELQUES FROMAGES

FROMAGES FRAIS

brocciu
caillé lissé
faisselle
feta (Grèce)
fontainebleau
pâte salée
petit-suisse

FROMAGES À PÂTE MOLLE

FROMAGES À CROÛTE FLEURIE

bondard
brie de Meaux
brie de Melun
brillat-savarin
camembert
carré de l'Est
chaource
coulommiers
dreux à la feuille
explorateur
fromage de monsieur
neufchâtel
olivet
pithiviers
rigotte de Condrieu
saint-marcellin

FROMAGES À CROÛTE LAVÉE

époisses
géromé
herve (Belgique)
langres
livarot
maroilles
munster
pont-l'évêque
rollot
saint-florentin
vacherin

FROMAGES À PÂTE PERSILLÉE

bleu d'Auvergne
bleu de Bresse
bleu des Causses
bleu du haut Jura
fourme d'Ambert
gorgonzola (Italie)
roquefort
stilton (G.-B.)

FROMAGES À PÂTE PRESSÉE

FROMAGES À PÂTE PRESSÉE NON CUITE

caerphilly (G.-B.)
cantal
cheddar (G.-B.)
cheshire (G.-B.)
chester (G.-B.)
édam (Hollande)
gouda (Hollande)
laguiole
mimolette (Holl.)
morbier
murol
nantais
ossau-iraty-brebis-pyrénées
pavin
Port-Salut
pyrénées
reblochon
saint-nectaire
saint-paulin
salers
tête-de-moine (Suisse)
tomme de Savoie

FROMAGES À PÂTE PRESSÉE CUITE

appenzell (Suisse)
beaufort
comté
emmental
gruyère (Suisse)
mozzarella (Italie)
parmesan (Italie)
sbrinz (Suisse)

FROMAGES DE CHÈVRE

banon
bouton de culotte
cabécou
chabichou
charolles
chevrotin
crézancy-sancerre
crottin de Chavignol
gien
mascarpin (Suisse)
niolo
picodon
poulygny-st-pierre
pourly
sainte-maure
santranges
selles-sur-cher
valençay

FRONDE
– Petite fronde avec laquelle s'amusent les enfants **lance-pierres**
– Machine de guerre qui, comme la fronde, permettait de lancer des projectiles **catapulte, baliste, onagre, espringale**
– La fronde s'organise **révolte, sédition, rébellion, insurrection**
– Période de troubles durant la Fronde au XVIIe siècle **Fronde parlementaire, Fronde des princes**
– Soulèvement parisien durant la Fronde **journées des Barricades**
– Pamphlet écrit contre Mazarin pendant la Fronde **mazarinade**

FRONT voir aussi **façade**
– Cheveux qui tombent sur le front **frange, chiens**
– Bijou qui orne le front **fronteau, ferronnière**
– Avoir le front de refuser **effronterie, audace, impudence, hardiesse**
– Monter au front **en ligne**
– Pour remporter les élections, ils ont constitué un front **bloc, cartel, coalition**
– De front **simultanément**

FRONTIÈRE **démarcation, bornes, confins**
– Des pays ayant des frontières communes **limitrophes**
– Personne qui habite près d'une frontière **frontalier**
– Fonctionnaire chargé de la surveillance d'une frontière **douanier**
– Individu qui passe une frontière illégalement **clandestin**
– Individu qui passe en fraude des marchandises à une frontière **contrebandier**
– La frontière d'une forêt **bordure, lisière, orée**
– La frontière entre ces deux sciences reste assez floue **limite, séparation, distinction**

FRONTON voir aussi **colonne**
– Partie inclinée d'un fronton **rampant**
– Partie plate ou sculptée entre deux rampants d'un fronton **tympan**
– Socle pour les ornements décorant les extrémités ou le sommet d'un fronton **acrotère**
– Fronton gothique, ajouré et décoré de crochets ou de fleurons **gable**
– Jeu de balle pratiqué contre un fronton **pelote basque**

FROTTER
– Elle a mis une matinée pour frotter tous ses cuivres **astiquer, briquer, fourbir**
– Frotter une barrière rouillée avec du papier de verre **décaper, poncer, polir**
– Frotter un cheval **étriller, bouchonner**
– Utilisé pour frotter **papier abrasif, toile émeri, paille de fer**
– Racloir avec lequel les athlètes se frottaient le corps dans l'Antiquité **strigile**
– Frotter d'huile un nourrisson **enduire, oindre**
– Se frotter le corps avec un gant de crin **se frictionner, se masser**

FRUIT
pomo-, pomi-, carpo-, -carpe

FRUIT
– Formation du fruit **nouaison**
– Peau d'un fruit **épicarpe**
– Couche d'un fruit **péricarpe, mésocarpe, endocarpe**
– Petite queue à laquelle est suspendu le fruit **pédoncule**
– Sucre des fruits **fructose, lévulose**
– Fruit acides produits par les citrus **agrumes**
– Branche de l'arboriculture consacrée aux fruits comestibles **pomologie**
– Animal qui se nourrit de fruits **frugivore**
– Plante qui porte des fruits **fructifère**

– Fruit parsemé de petites taches **tavelé**
– Fruit à pulpe épaisse **charnu**
– Fruit trop mûr **blet**
– Suc d'un fruit cuit qui a la consistance du miel **rob**
– Morceau d'écorce parfumé d'un fruit du groupe des agrumes **zeste**
– Salade de fruits **macédoine**
– Mélange de fruits secs servi en dessert **mendiant**
– Type de fruit sec **samare, capsule, akène, follicule, silique**
– Fruit sec qui s'ouvre de lui-même **déhiscent**
– Déesse romaine des fruits et des jardins **Pomone**
– Panier à claire-voie pour transporter des fruits **mannequin**
– Le fruit de son travail **produit, bénéfice**

FRUITIER
– Plantation d'arbres fruitiers **verger**
– Personne qui cultive des arbres fruitiers **fruiticulteur**
– Dieu romain protecteur des arbres fruitiers **Vertumne**

FRUITIÈRE voir **fromage**

FUIR
-fuge

FUIR
– Fuir en toute hâte **décamper, déguerpir, prendre la poudre d'escampette**
– Fuir en catimini une assemblée de convives **fausser compagnie à, brûler la politesse à, filer à l'anglaise, s'esquiver**
– Cet enfant a brusquement décidé de fuir **fuguer**
– Fuir une difficulté **se dérober à, éluder, se soustraire à**
– Fuir une responsabilité importante **se récuser**
– Fuir la réalité **se cacher, se dissimuler**

FUITE
– Fuite d'un prisonnier **évasion**
– Fuite générale et désorganisée d'une armée vaincue **débandade, débâcle, dispersion, déroute, sauve-qui-peut**
– Fuite de la population française civile durant la Seconde Guerre mondiale **exode**
– La fuite d'un poltron **dérobade, reculade**
– Une fuite habile **échappatoire, faux-fuyant**
– Il a su toute l'affaire par des fuites **divulgations, indiscrétions**
– Colmate les fuites d'eau **plombier**

FUMÉE
– Ronds de fumée **volutes**
– Appareil contrôlant les fumées d'échappement des véhicules **fumimètre**
– Mélange polluant de brouillard et de fumée dans les villes industrielles **smog**
– Fumée qui s'échappe d'un volcan **fumerolle, mofette**
– Spots et fumées d'ambiance **fumigènes**
– Appareil qui engloutit la fumée **fumivore**
– Nuage de fumée qui fait pleurer **lacrymogène**
– Appareil ayant une vertu thérapeutique utilisé pour inhaler des fumées odorantes **fumigateur**

FUMER
– Fumer du tabac **pétuner**
– Elle regardait la flamme de la lampe fumer **filer**
– Bout de bois carbonisé qui fume beaucoup **fumeron**
– Fumer des terres destinées aux cultures **fertiliser, amender**
– Fumer des aliments **boucaner, saurer**

FUMIER
– Fumier liquide avec lequel on fertilise des terres **purin, lisier**
– Machine avec laquelle on étale du fumier dans un champ **épandeur**
– Épandage de fumier **fumure**
– Fumier d'oiseaux marins **guano**

FUNÈBRE
– Assister à une cérémonie funèbre **enterrement, funérailles, obsèques**
– Tintement de cloche funèbre **glas**
– Employé des pompes funèbres responsable du déroulement des funérailles **ordonnateur**
– Fourgon funèbre **corbillard**
– Discours funèbre élogieux prononcé en l'honneur d'un illustre défunt **oraison funèbre**
– Chant funèbre dans la liturgie catholique **requiem**
– Chant funèbre corse **vocero**
– Prière funèbre de la liturgie catholique **absoute**
– Bande noire servant d'ornement funèbre sur les murs d'une église **litre**
– Stèle funèbre en forme de petite colonne **cippe**
– Une atmosphère funèbre **macabre, sépulcrale**

FUNESTE **mortel, fatal**
– Une conséquence funeste **catastrophique, désastreuse, affligeante, tragique**
– Un choix funeste **préjudiciable, néfaste**
– Un air funeste **sombre, lugubre, patibulaire**
– Un présage funeste **menaçant, sinistre**
– Annonce un funeste événement **oiseau de mauvais augure**
– Tentaient de prévoir les faits funestes **augures, haruspices**

FUREUR **emportement, colère, rage, frénésie**
– La fureur des éléments naturels **déchaînement**
– La fureur créatrice **enthousiasme, possession, transport**
– Un gadget qui fait fureur **à la mode, en vogue**

FURIE
– Chacune des trois Furies de la mythologie **Alecto, Mégère, Tisiphone**
– Divinités grecques auxquelles les Furies romaines ont été assimilées **Érinyes, Euménides**
– Elle s'est brusquement transformée en furie **mégère, harpie**

FURIEUX (1)
– Ces horreurs sont le fait de ces furieux **enragés, forcenés, fanatiques, énergumènes**

FURIEUX (2)
– Un visage furieux **furibond**

FUSAIN
– Dessinateur qui travaille au fusain **fusainiste**
– Il délaisse le fusain pour dessiner à la **sanguine**
– Famille à laquelle appartient le fusain **célastracées**
– Nom vulgaire du fusain d'Europe **bonnet-de-prêtre, bonnet-carré**

FUSÉE **lanceur**
– Industrie qui conçoit et réalise fusées et autres engins **aérospatiale**
– Plan incliné depuis lequel une fusée décolle **rampe de lancement**
– Extrémité d'une fusée **coiffe**
– Produit qui fournit par réaction chimique l'énergie nécessaire à une fusée **propergol**
– Occupant d'une fusée **astronaute, cosmonaute, spationaute**
– Première fusée à alunir **Apollo 11**
– Engin spatial mis en orbite par une fusée **satellite**
– Premier satellite mis sur orbite par une fusée **Spoutnik 1**
– Engin de guerre qui a la forme d'une petite fusée **roquette, missile**
– Tête atomique d'une fusée **ogive**
– Fusée d'un feu d'artifice **chandelle romaine, serpenteau**

FUSIL voir aussi dessin
– Diamètre intérieur du canon d'un fusil **calibre**
– Militaire chargé de l'entretien des fusils **armurier**
– Goupillon avec lequel on nettoie un fusil **écouvillon**
– Fusil utilisé dans les stands des fêtes foraines **carabine**
– Fusil de guerre français **chassepot, lebel, MAS 36-51, FSA 49-56, FAMAS 5,56 F1**
– Disposer des fusils les uns contre les autres **former les faisceaux**
– Fusil de chasse **fusil à broche, fusil à percussion centrale, hammerless**
– Partie resserrée au bout du canon d'un fusil de chasse **choke-bore**
FUSILLER exécuter, mettre au poteau
– Individus chargés de fusiller un condamné **peloton d'exécution**
– Fusiller son interlocuteur du regard **foudroyer**
FUSION
– Substance utilisée dans l'industrie pour faciliter la fusion **fondant**
– Recueille le métal en fusion dans un haut-fourneau **creuset**
– Résultat de la fusion de plusieurs métaux **alliage**
– Matière en fusion qui s'échappe d'un volcan **lave**
– Matière provenant d'une fusion dans le manteau ou la croûte terrestre **magma**
– Une fusion réussie **mélange, combinaison, amalgame**
– Fusion de plusieurs sociétés **absorption, concentration, cartel, consortium, trust**
– Fusion de peuples **incorporation, intégration, assimilation, métissage**
– Fusion de thèses et d'idées philosophiques **éclectisme, syncrétisme**
– Dans la religion catholique, fusion des trois personnes de la Trinité **consubstantialité**
FUTILE insignifiant voir aussi **frivole**
– Petites choses futiles **riens, bagatelles, vétilles, fadaises, broutilles**
– Paroles futiles **balivernes, fariboles, calembredaines, billevesées**
FUTILITÉ inutilité, vanité, inanité
FUTUR (1) voir aussi **destin**
– Il prévoit le futur **avenir**
– Individu qui voit le futur tout en rose **optimiste**
– Individu qui voit le futur tout en noir **pessimiste, défaitiste**
– Détermination préalable du futur **prédestination**
– Spécialiste qui analyse le futur **futurologue, futurible**
– Film dont l'action se déroule dans le futur **d'anticipation**
– Tendance qui consiste à tout reporter dans le futur **procrastination**
– Futur qui exprime l'antériorité par rapport à une action future **futur antérieur**
FUTUR (2) prochain, postérieur, ultérieur
– Cet enfant est un futur chercheur ! **en herbe**
– Croire en une forme de vie future **éternité, immortalité, réincarnation, métempsycose, palingénésie**

Fusil

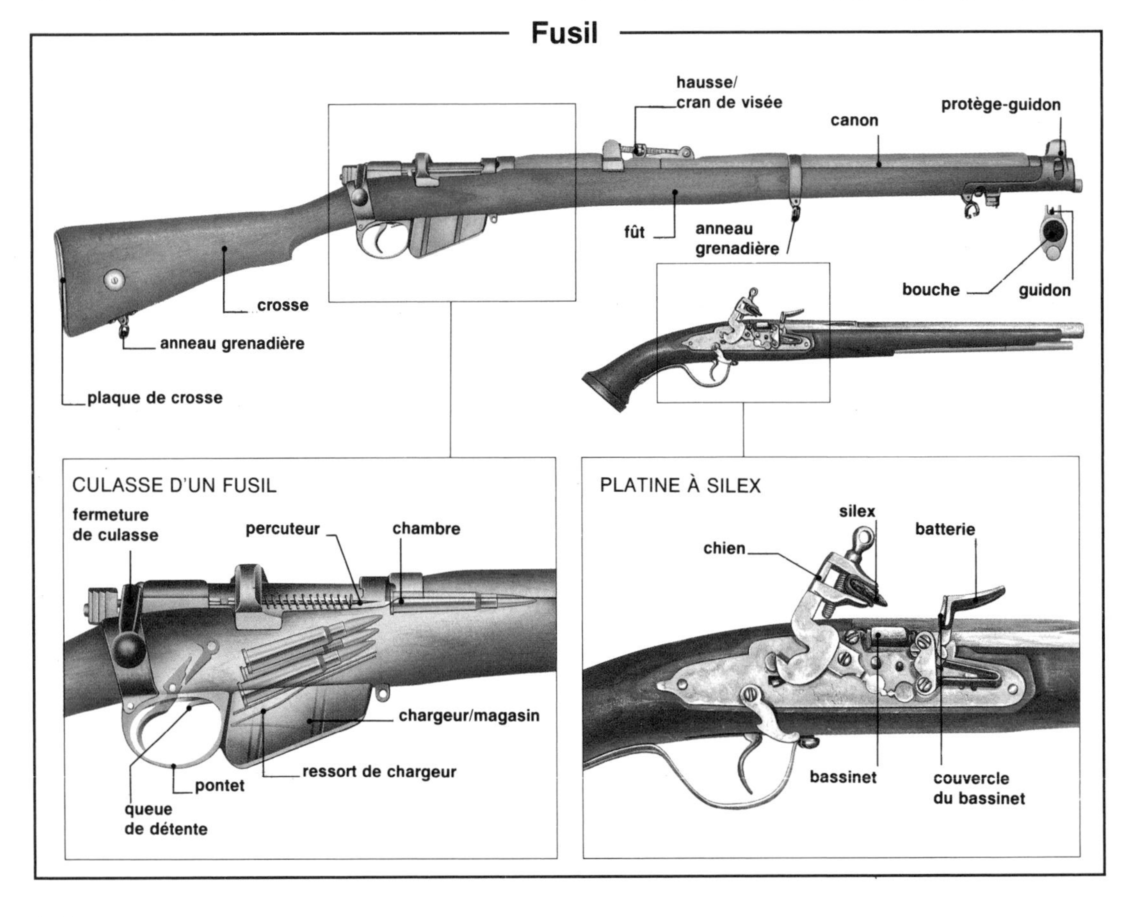

G

GÂCHER
– Gâcher un ouvrage **bâcler, saboter**
– Gâcher son temps **gaspiller**
– Gâcher sa vie **manquer, rater**
– Gâcher ses chances **compromettre**
– Gâcher son talent **galvauder**

GAGE
– Être le gage de quelque chose **garantie, assurance, promesse**
– Donner un gage d'amitié **témoignage, preuve**
– Gage remis à un créancier **nantissement**
– Bulletin de gage accompagnant un dépôt de marchandises **warrant**
– Établissement où l'on prête sur gages **mont-de-piété**
– Tueur à gages **sicaire, nervi, spadassin**

GAGNER voir aussi **obtenir, réussite, vaincre**
– Gagner beaucoup d'argent **s'enrichir**
– Gagner de la place **économiser**
– Gagner une course **remporter**
– Gagner dans une épreuve **triompher**
– Gagner le cœur de quelqu'un **conquérir, apprivoiser**
– Gagner la faveur de quelqu'un **se concilier, capter**
– Gagner quelqu'un à sa cause **rallier, convertir**
– Gagner quelqu'un de vitesse **dépasser, devancer**
– Gagner du terrain **progresser, s'étendre, se propager**

GAI voir aussi **content, drôle**
– Un homme gai **enjoué, jovial, allègre**
– Un gai luron **joyeux drille, boute-en-train**
– Un air gai **réjoui, guilleret, épanoui**
– Une humeur gaie **badine**
– Une musique gaie **entraînante**
– Une couleur gaie **riante, vive**

GAIETÉ voir aussi **joie**
– Gaieté vive et communicative **entrain, jovialité, alacrité, enjouement**
– Gaieté exubérante **jubilation, exultation**

GAINE voir aussi **enveloppe**
– Gaine d'un couteau **fourreau, étui**
– Gaine baleinée de femme **corset**
– Gaine d'un muscle **aponévrose**
– Gaine d'un nerf **névrilème**

GALANT
– Un homme galant **courtois, attentionné, empressé, prévenant**
– Un conte galant **libertin**
– Discours galant **marivaudage**
– Tenir des propos galants **conter fleurette**
– Rechercher les aventures galantes **courir la prétentaine**

GALAXIE voir aussi **astre**
– Elle peut avoir l'apparence de la Galaxie **Voie lactée**
– Partie d'une galaxie **halo, disque, bulbe, noyau**
– Classification des galaxies **elliptiques, spirales, lenticulaires, irrégulières**
– Galaxie à noyau actif **quasar**

GALE
– Relatif à la gale **scabieux**
– Gale bédouine **miliaire**
– Gale du chien **rouvieux**
– Gale invétérée **rogne**
– Parasite de la gale **acarus, sarcopte**
– Substance agissant contre la gale **antipsorique**

GALÈRE
– Petite galère **galiote**
– Grande galère **galéasse**
– Galère à deux rangs de rames de chaque côté **birème**
– Galère à trois rangs de rames de chaque côté **trirème, trière**
– Galère du roi **réale**
– Galère turque **sultane, mahonne**
– Sur une galère, rameur du dernier rang **espalier**

GALERIE voir aussi **couloir, passage, souterrain**
– Galerie à colonnade entourant un édifice **péristyle**
– Galerie située au-dessus des bas-côtés d'une église **triforium**
– Être placé dans la plus haute galerie d'un théâtre **paradis, poulailler**
– Galerie souterraine **tunnel**
– Galerie souterraine servant à l'irrigation dans les déserts sahariens **foggara**
– Galerie de mine longue et étroite **boyau**
– Galerie de mine en pente **descenderie**
– Puits reliant les galeries d'une mine **bure**

GALETTE voir **biscuit, gâteau**

GALON voir aussi **grade, insigne, mercerie**
– Galon en forme de V **chevron**
– Prendre du galon **monter en grade**
– Galon ornant la poignée d'un sabre **dragonne**
– Galon agrémentant un vêtement de femme **soutache**
– Galon qui entoure une boutonnière **brandebourg**

GAMBADE **cabriole**
– Gambade enfantine **galipette, entrechat**

GANGRÈNE **nécrose, mortification**
– Sorte de gangrène sèche très étendue **sphacèle**
– Gangrène morale **corruption, pourriture**

GANT
– Gant où seul le pouce est séparé des autres doigts **moufle**
– Gant ne couvrant que la moitié des doigts **mitaine**
– Gant utilisé par les fauconniers **gantelet**
– Gant de pelote basque **chistera**
– Gant de cordonnier **manicle**
– Gant des athlètes de l'Antiquité **ceste**
– Mettre des gants **ménager**
– Jeter le gant **braver, défier**
– Gant de Notre-Dame **digitale**

GARANTIE voir aussi **gage**
– Employé au sens figuré pour sauvegarde ou garantie **palladium**
– Garantie apportée par une tierce personne **aval**
– Droit sur un bien en garantie du paiement d'une créance **hypothèque**

– Garantie de la solvabilité de l'acheteur **ducroire**
– Garantie d'un droit fournie par une autorité **sauvegarde**
– Garantie de réajustement des salaires en fonction de la hausse des prix **indexation, échelle mobile**
– Garantie donnée par la personne qui se portait caution **fidéjussion**
– Marque servant de garantie sur un ouvrage en or ou en argent **poinçon**

GARANTIR
– Garantir le paiement d'une créance **avaliser**
– Garantir l'authenticité d'une signature, d'un document **certifier**
– Garantir un fait **confirmer, attester**
– Garantir qu'une chose est vraie **assurer**
– Garantir le sérieux de quelqu'un **répondre de**
– Garantir du froid **protéger de, préserver de, immuniser contre**
– Se garantir d'un malheur **se prémunir contre**

GARÇON voir aussi **adolescent, enfant, homme**
– Jeune garçon pubère dans l'Antiquité grecque **éphèbe**
– Jeune garçon noble placé auprès d'un grand seigneur **page**
– Mauvais garçon **vaurien, voyou, délinquant**
– Garçon de café **barman, serveur**
– Garçon de courses **livreur**
– Garçon de service sur un paquebot, dans un avion **steward**
– Garçon en livrée, dans un hôtel **groom, chasseur**
– Garçon d'écurie **palefrenier, lad**

GARDE voir aussi **accompagnateur, protecteur**
– Garde d'un poste militaire **sentinelle, factionnaire, guetteur**
– Garde dans la Rome antique **prétorien, licteur**
– Membre de la garde du sultan **janissaire**
– Autrefois, officier chargé de la garde du trésor royal **chambrier**
– Obtenir la garde des enfants **tutelle**
– L'une des gardes à l'intérieur d'une serrure **bouterolle**
– Troupe de gardes du corps **escorte**
– Garde du corps d'un sultan **mamelouk**

GARDER voir aussi **conserver**
– Garder un souvenir au fond de soi **enfouir**
– Garder un malade **veiller**
– Garder quelqu'un prisonnier **détenir, séquestrer, claustrer**
– Garder une chose volée **receler**
– Garder pour plus tard **réserver**
– Garder quelqu'un d'un danger **protéger, préserver**
– Ne pas garder un secret **dévoiler, divulguer**

GARDIEN
– Gardien de troupeau **berger, vacher, bouvier, chevrier**
– Gardien de prison **geôlier, surveillant**
– Gardien légal de biens en litige **séquestre**
– Gardien de sérail **eunuque**
– Gardien intraitable **cerbère**
– Gardien d'un secret **détenteur, dépositaire**
– Gardien d'Io **Argus**

GARNIR **agrémenter, décorer, orner, pourvoir**
– Garnir un manteau d'une doublure chaude **fourrer, ouatiner**
– Garnir une chaise de jonc, de rotin **rempailler, canner**
– Garnir un fauteuil de laine, de crin **capitonner, rembourrer, matelasser**
– Garnir un mur, une poutre d'un renforcement en métal **armer**
– Garnir un fossé, une route d'un treillage en bois **clayonner**
– Garnir un bateau de voiles, de cordages **gréer**

GÂTÉ
– Un fruit gâté **pourri, blet**
– Une confiture gâtée **moisie, aigre**
– Une viande gâtée **avariée, putréfiée**
– Une dent gâtée **cariée**
– Un enfant gâté **capricieux**

GÂTEAU voir aussi tableau et **biscuit, pâtisserie**
– Gâteau à base de lait et d'œufs **flan, clafoutis, dariole**
– Gâteau à base de crème et de gelée **bavaroise**
– Gâteau feuilleté **dartois**
– Gâteau fourré **chausson, gosette, pithiviers**
– Gâteau alsacien **kouglof**
– En agriculture, gâteau de grains ou de fruits pressés **tourteau**
– Gâteau de cire des abeilles **rayon**

GÂTER **altérer, abîmer**
– Un visage qui se gâte **vieillit, se flétrit, s'enlaidit**
– Gâter l'éclat d'une chose **ternir**
– La situation se gâte **se détériore, s'envenime**
– Un comportement qui gâte des chances de succès **ruine**
– Gâter une personne **choyer**

GÂTEAUX

RÉGIONAUX ET ÉTRANGERS

baklava	Orient
bireweck	Alsace
brownie	États-Unis
cookie	États-Unis
coucoulelli	Corse, pays niçois
kouing-aman	Bretagne
koulitch	Russie
leckerli	Suisse (Bâle)
panettone	Italie
paskha	Russie
pudding	Angleterre
sachertorte	Autriche (Vienne)
schenkele	Alsace
shortbread	Écosse
spéculos	Belgique
strudel	Autriche
vatrouchka	Russie

GAUCHE voir aussi **maladroit**
– Attitude gauche **embarrassée, contrainte, empruntée**
– Style gauche **malhabile, lourd, emphatique, ampoulé**
– Qui fait dévier le plan de polarisation de la lumière sur le côté gauche **lévogyre, sénestrogyre**

GAVER
– Gaver une volaille **engraisser, empâter, embecquer**
– Personne qui se gave de nourriture **goinfre, glouton, goulu**

GAZ
– Gaz entrant dans la composition de l'air **oxygène, azote, ozone**
– Gaz rare **hélium, argon, néon, krypton, radon**
– Gaz inflammable **grisou, hydrogène**
– Gaz de combat **arsine, ypérite, cyanogène**
– Gaz des marais **méthane**
– Gaz hilarant **protoxyde d'azote**

– Gaz gastro-intestinaux **flatulence**
– Instrument servant à l'analyse des gaz **eudiomètre**
– Bec de gaz **réverbère**

GEAI
– Ordre du geai **passériformes**
– Famille du geai **corvidés**
– Geai de Strasbourg **rollier**
– Crier, en parlant d'un geai **jaser, cajoler**

GÉANT voir aussi **gigantesque**
– Un géant impressionnant **colosse, mastodonte, hercule**
– Un travail de géant **titan**
– Géant des contes de fées **ogre**
– Géant célèbre **Atlas, Goliath, Polyphème**
– Combat des géants **gigantomachie**

GELÉ
– Être gelé **transi**
– Ses doigts étaient gelés **gourds**

GELÉE voir aussi **glace**
– Gelée blanche **givre**
– Gelée des bourgeons de la vigne **champlure**
– Dommages causés aux cultures par la gelée **brouissure**
– Gelée à base de lait et d'amandes **blanc-manger**
– Fruit consommé sous forme de gelée ou de pâte **coing**
– Gelée de mer **rhizostome**

GELER **glacer, réfrigérer**
– Le froid gèle les bourgeons **grille**
– Brouillard épais qui gèle en tombant **frimas**
– Geler des crédits **immobiliser, bloquer**

GÉMIR **geindre** voir aussi **pleurer**
– Gémir sur son sort **se lamenter, larmoyer**

GÉMISSEMENT
– Gémissement prolongé et importun **lamentation, jérémiade**
– Gémissement qui accompagne l'agonie **râle**
– Gémissement du vent dans les arbres **plainte, murmure**

GENDARMERIE **maréchaussée** voir aussi **armée**
– Unité de gendarmerie **brigade**
– Corps de gendarmerie **légion**
– Détachement de gendarmerie affecté aux armées **prévôté**
– Militaire dans la gendarmerie italienne **carabinier**

GÈNE
– Ensemble des gènes d'un individu **génotype**
– Ensemble des gènes du gamète **génome**
– Gène qui réalise toujours ses caractères **dominant**
– Gène qui ne se manifeste que dans certaines conditions **récessif**
– Dominance d'un gène sur tout autre gène **épistasie**
– Élément de la cellule contenant les gènes **chromosome**
– Qui a trait aux gènes **génétique, génique**

GÊNER
– Être gêné par une odeur, par un son **dérangé, incommodé, indisposé**
– Gêner quelqu'un par son attitude **importuner**
– Gêner les projets, les manœuvres de quelqu'un **contrarier, entraver, brider**
– Gêner la respiration de quelqu'un **oppresser**
– Gêner le passage **encombrer**
– Gêner quelqu'un par sa présence **intimider, troubler, embarrasser**
– Se sentir gêné dans des vêtements trop étroits **engoncé**

GÉNÉRAL
– Une décision générale **commune, collective**
– Assemblée générale **plénière**
– Un phénomène général **courant, répandu, universel**
– L'avis général **dominant, unanime**
– Une tendance générale **habituelle**
– N'avoir qu'une idée générale du problème **vague, imprécise, superficielle**
– Un terme à valeur générale **générique**
– Une paralysie générale **totale**
– Qui offre une vue générale d'un problème, d'un sujet **synoptique**
– En règle générale **d'ordinaire**

GÉNÉRATION **descendance** voir aussi **conception, reproduction**
– Qui a trait à la génération **génésique**
– Génération asexuée de végétaux **multiplication**
– Générations successives présentant des caractères différents **hétérogenèse**

GÉNÉREUX
– Un homme généreux **large, libéral, prodigue, munificent**
– Une décision généreuse **clémente, magnanime**
– Personne généreuse envers un artiste **mécène**
– Un geste généreux **désintéressé, charitable**
– Un sentiment généreux **altruiste**
– Une poitrine généreuse **plantureuse, opulente, abondante**
– Une terre généreuse **fertile, féconde, productive**

GÉNIE
– Mauvais génie **démon**
– Génie de l'air **elfe, sylphe**
– Génie des eaux **ondin, nixe**
– Génie de la terre d'une grande laideur **gnome**
– Génie malin **gobelin**
– Génie taquin et gracieux **lutin, follet, farfadet**
– Génie malfaisant breton **korrigan**
– Génie des mythologies arabes **djinn, efrit**
– Génies de la mort dans la mythologie grecque **kères**
– Génie des légendes persanes **péri**
– Génie des contes scandinaves **troll**
– Génie des croyances allemandes **kobold**
– Être un génie **maître, virtuose, phénix**
– Avoir du génie **don, talent**
– Un petit génie **surdoué, prodige**

GÉNITAL voir **glande, hormone, reproduction**

GENOU
– Mouvement consistant à fléchir le genou **génuflexion**
– Partie du genou **rotule, jarret**
– Genoux tournés vers l'intérieur **cagneux**
– Bande élastique qui protège le genou **genouillère**

GENRE voir aussi **catégorie**
– Le genre humain **espèce, race**
– Avoir un genre particulier **attitude, tenue, conduite, comportement, apparence, manières**
– Le genre d'un vêtement **style, griffe, marque**
– Un genre d'objet **type, sorte**
– Un genre d'esprit **forme**
– Un genre de vie **mode**
– En linguistique, mot que le genre ne modifie pas **épicène**

GENTIL
– Un homme gentil **affable, avenant, serviable, obligeant**
– Un enfant gentil **obéissant, sage, poli**
– Un animal gentil **doux, inoffensif**

GENTILLESSE voir aussi **bonté**
– Avoir la gentillesse de faire quelque chose **obligeance, amabilité**
– Traiter quelqu'un avec gentillesse **bienveillance, indulgence, aménité**

GÉOGRAPHIE voir aussi tableau p. 206-207
– Géographie botanique **phytogéographie**
– Partie de la géographie ayant pour objet la répartition des eaux **hydrographie**

– Géographie traitant de la Terre aux différentes époques géologiques **paléogéographie**
– Science annexe de la géographie **géodésie, orographie, topographie, géomorphologie**

GÉOLOGIE voir aussi tableau p. 206-207
– Géologie historique **stratigraphie**
– Géologie structurale **tectonique**
– Branche de la géologie qui étudie les sols **pédologie**
– Science annexe de la géologie **paléontologie, minéralogie, pétrographie**
– En géologie, ère primaire **paléozoïque**
– En géologie, ère secondaire **mésozoïque**
– En géologie, ères tertiaire et quaternaire **cénozoïque**

GÉOLOGIQUE
– Division du temps géologique **ère, période, étage**
– Phase géologique d'édification des chaînes de montagnes **orogenèse**
– Mouvement géologique de montée ou de descente de l'écorce terrestre **épirogenèse**
– Pli géologique concave **synclinal**
– Pli géologique convexe **anticlinal**
– Fissure géologique **diaclase**
– Fracture dans les couches géologiques **faille**
– Creusement du cours d'une rivère indépendant de la structure géologique **épigénie**

GÉOMÉTRIE voir aussi tableau
– Instrument utilisé en géométrie **équerre, compas, rapporteur, té**
– Géométrie de situation **topologie**
– Géométrie appliquée à la mesure des solides **stéréométrie**

GÉRANIUM pélargonium
– Famille à laquelle appartient le géranium **géraniacées**
– Alcool contenu dans l'essence de géranium **géraniol**

GÉRANT gestionnaire
– Gérant de société **administrateur, manager**
– Gérant d'une propriété **régisseur, intendant**

GERBE voir aussi **bouquet**
– Gerbe de branchages **faisceau**
– Gerbes de céréales mises en tas **gerbier**
– Gerbe d'eau **jet**
– Importante gerbe d'eau, de boue **geyser**

GERÇURE
– Gerçure profonde sur les mains **crevasse**
– Gerçure des lèvres, de l'anus en termes de médecine **rhagade**
– Gerçure de l'écorce des arbres due au gel **gelivure**

GERMANIQUE
– Peuple germanique **Alamans, Angles, Burgondes, Goths, Jutes, Vandales**
– Groupe de divinités germaniques **Ases, Vanes**
– Langue germanique orientale **ostique, gotique**
– Langue germanique nordique **norrois, islandais, norvégien, suédois, danois**
– Langue germanique westique **allemand, yiddish, hollandais, flamand, frison, anglo-saxon**

GERME voir aussi **embryon, microbe, virus**
– Germe d'un végétal **plantule**
– Germe de l'œuf **cicatricule**
– Introduire un germe dans un organisme **inoculer**
– Un germe de haine **ferment, brandon**

GESTE voir aussi **attitude, comportement, mouvement**
– Geste machinal **tic**
– Gestes et manières affectés **minauderies**
– Geste qui remplace la parole **mimique**
– Expression des sentiments, des pensées par les gestes **pantomime**
– Geste de bonté **acte**
– Chanson de geste **épopée**

GIBECIÈRE carnassière, carnier
– Petite gibecière en toile **musette**
– Longue gibecière **besace, bissac**
– Gibecière du dresseur d'oiseaux de proie **fauconnière**

GIBIER voir aussi **chasse**
– Petit gibier **lièvre, faisan, perdrix, palombe, bécasse, caille**
– Gros gibier **cerf, chevreuil, daim, sanglier**
– Gibier d'eau **sarcelle, harle, macreuse, milouin, pluvier, vanneau**
– Viande de grand gibier **venaison**
– Région riche en gibier **giboyeuse**

GICLER voir aussi **jaillir**
– Gicler sur quelque chose **éclabousser, asperger**

GIGANTESQUE
– Construction gigantesque **titanesque, colossale, babylonienne, cyclopéenne**
– Ville gigantesque **tentaculaire**
– Repas gigantesque **gargantuesque, pantagruélique**
– Orgueil gigantesque **démesuré, monumental, incommensurable**
– Fosse gigantesque **insondable, abyssale**

GINGEMBRE
– Famille à laquelle appartient le gingembre **zingibéracées**
– Propriété du gingembre **tonique, digestif, carminatif**

GINSENG
– Famille à laquelle appartient le ginseng **araliacées**
– Genre auquel appartient le ginseng **panax**
– Propriété du ginseng **cardiotonique, stimulant**

GIRAFE
– Famille à laquelle appartient la girafe **girafidés**
– Petit de la girafe **girafeau, girafon**
– Allure à laquelle se déplace la girafe **amble**
– Mammifère ongulé apparenté à la girafe **okapi**

GIROFLÉE
– Famille à laquelle appartient la giroflée **cruciféracées**
– Giroflée des jardins **ravenelle**
– Giroflée rouge **cocardeau, matthiole, violier**
– Plante apparentée à la giroflée **quarantaine**

GIROUETTE
– Girouette de bateau **penon**
– Personne qui agit comme une girouette **pantin, protée**

GÎTE refuge voir aussi **abri**
– Gîte d'une bête sauvage **repaire, retraite, tanière, antre**
– Gîte du lapin **terrier, rabouillère**
– Gîte du sanglier **bauge**
– Gîte du loup **liteau**

GLACE miroir voir aussi **glacier**
– Grande glace que l'on peut incliner **psyché**
– Petite glace servant à regarder derrière soi **espion**
– Glace placée au-dessus d'une cheminée **trumeau**
– Feuille de métal appliquée au dos d'une glace **tain**
– Rognures de glace utilisées pour les émaux **calcin**
– Mince couche de glace **givre, verglas**
– Pluie composée de fragments de glace **grêle, grésil**
– Masse de glace flottante **banquise, iceberg**
– Abri fait de blocs de glace **igloo**
– Fonte des glaces **dégel, débâcle**
– Glace à base de crème **cassate, plombière, parfait**
– Glace à base de jus de fruit ou de liqueur **sorbet**

Figures de géométrie

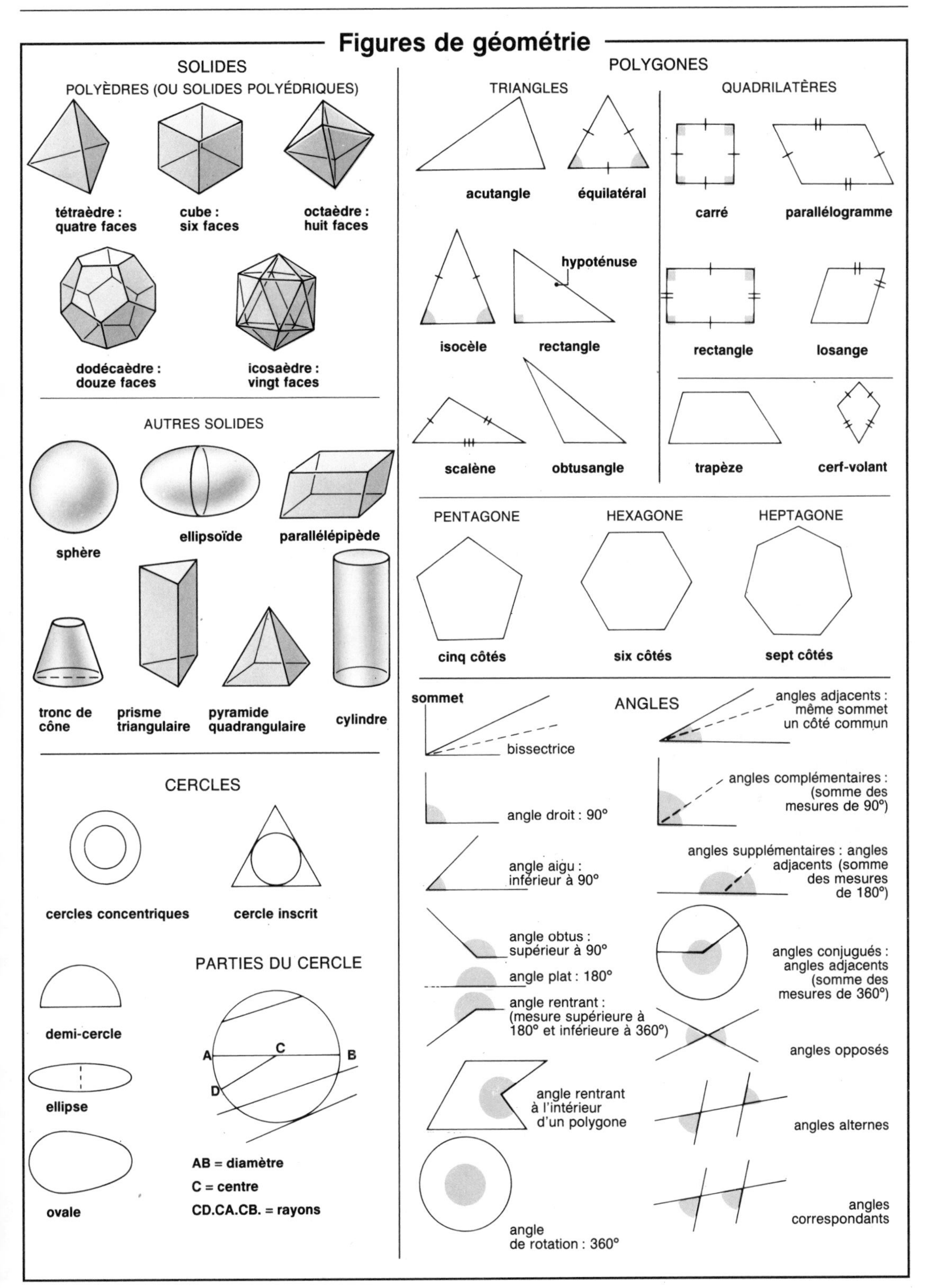

TERMES DE GÉOGRAPHIE ET DE GÉOLOGIE

aa	Terme hawaiien désignant une coulée récente de lave scoriacée, à surface rugueuse et de composition acide.
aber	Mot d'origine celtique signifiant « embouchure, estuaire ».
adret	Patois du Sud-Est. Dans une région montagneuse, désigne le versant exposé au soleil. Antonyme : ubac.
arène	Sable résultant de la décomposition superficielle des roches granitiques sous un climat tempéré, et formé essentiellement de grains de quartz.
atoll	Récif corallien circulaire entourant une lagune (lagon).
aven	Nom local des gouffres naturels que l'on rencontre à la surface des Grands Causses. Caractéristiques du relief karstique, ces gouffres ont reçu le nom général de ponor.
barkhane	Dune élémentaire des déserts pauvres en sable.
barre	Vague se produisant à l'estuaire d'un fleuve par suite de la rencontre des eaux du fleuve et du courant de marée (dans la Gironde et dans l'estuaire de la Seine, on appelle cette vague le mascaret).
beine	Forme de relief lacustre qui consiste en une plate-forme inclinée, continuant sous les eaux des berges du lac, et due au sapement des rives par le choc des vagues.
bief	Nom donné à tout canal de dérivation. Partie d'un cours d'eau comprise entre deux chutes ou bassin compris entre les portes d'une écluse.
bri	Sol bleuâtre, profond et fertile, des marais littoraux vendéen et charentais, constitué d'alluvions marines récentes.
calcite	Carbonate de calcium cristallisé dans un système rhomboédrique, et qui peut prendre un grand nombre de formes.
caldeira	Cavité d'origine volcanique de forme plus ou moins circulaire, due à des effondrements par soutirage du magma.
campo	Savane des plateaux brésiliens.
canyon	Mot d'origine espagnole. Dans un relief karstique, vallée étroite aux parois verticales taillées dans les assises calcaires.
cataclinal	Qualifie le versant en pente douce d'un crêt ; le versant abrupt porte le nom de versant anaclinal.
caye	Îlot de sable corallien.
chablis	Se dit d'un arbre abattu par le vent ou la neige.
cheminée de fée	Sorte de pyramide de sable ou d'argile dégagée par l'érosion autour d'un gros bloc.
chott	Zone de terres salées qui entoure un bassin de faible profondeur se transformant périodiquement en lac.
colluvion	Dépôt de débris assez fins issus du remaniement des éboulis.
contrefort	Relief annonçant un relief plus important, qu'il s'agisse d'altitude, de forme ou de structure.
croc	Pointe recourbée d'une dune en forme de croissant.
diaclase	Cassure ou fissure naturelle qui traverse les roches sans apporter de dénivellations.
diffluence	Division d'un cours en plusieurs bras. En morphologie glaciaire, épanchement de la glace autour d'une arête montagneuse.
doline	Mot d'origine slave. En pays calcaire, dépression fermée, circulaire ou ovale, due à l'érosion karstique d'un champ de diaclases.
doron	Nom donné, en Savoie, aux torrents et aux petits ruisseaux.
dyke	Mot anglais signifiant « digue ». Relief volcanique se présentant sous la forme d'un plateau limité par de véritables murailles de lave.
erg	Champ de dunes fixes dont seul le sable superficiel est remodelé sans cesse par le vent.
fjeld ou **icefjeld**	Mots scandinaves signifiant « champ » ou « champ de glace ». Sur les hautes surfaces du socle scandinave, les glaciers constituent des champs de glaces, d'où émergent des blocs rocheux appelés nunatacks ; ils descendent dans les vallées sous forme de langues de glace, ou iceström.
fjord	Vallée glaciaire profonde envahie par la mer.
gât	Qualifie les anciens marais salants envahis progressivement par des eaux douces et transformés en lagunes herbeuses.
geyser	Mot islandais. Phénomène volcanique secondaire caractérisé par la projection intermittente d'eau chaude.
gley	Terme utilisé pour caractériser le sol de certaines vallées humides. Un gley résulte de la décomposition de sols bruns ou noirs.
grau	Du latin *gradus*, « passage ». Étroit chenal qui fait communiquer les étangs languedociens et la Méditerranée.
hum	Mot serbe. Chicot rocheux se dressant au fond d'une dépression karstique et résultant du recoupement de deux ou plusieurs dolines.

hypogé	Qui est sous terre. Caractérise une eau qui n'a pour origine ni des pluies, ni le ruissellement, mais qui provient de l'intérieur de la Terre.
inselberg	De l'allemand *Insel,* « île » et *Berg,* « montagne ». Colline isolée aux parois abruptes se dressant au-dessus de glacis désertiques.
jusant	Recul vers le large des eaux marines. Ce mouvement est expliqué par la marée. Synonymes : reflux et basse mer.
kopje	Petite colline d'Afrique du Sud.
llano	Grande plaine herbeuse dans le nord de l'Amérique du Sud.
maar	Mot allemand. Petit cratère d'explosion, souvent occupé par un lac et caractéristique des montagnes de l'Eifel.
mascaret	Mot gascon. Puissante vague se produisant dans certains estuaires par la rencontre du flot de marée et du courant fluvial.
mesa	Mot espagnol signifiant « table ». Plateau volcanique aux bords escarpés et de peu d'étendue, résultant de l'érosion de coulées volcaniques fluides : le plateau de Gergovie est une mesa.
monadnock	Mot esquimau. Relief résiduel s'élevant comme une colline aux formes lourdes au-dessus de la surface d'une pénéplaine.
moraine	Du provençal *morreno.* Ensemble des matériaux rocheux arrachés, transportés et transformés par un glacier.
névé	Du latin *nix, nivis,* « neige ». Dans un bassin de réception glaciaire, neige tassée qui recouvre la glace proprement dite.
perchis	Bois planté d'arbres destinés à faire des perches ; les arbres sont abattus dès qu'ils ont atteint 10 à 20 ans.
podzol	Mot russe signifiant « cendreux ». Sol forestier, gris, friable, constitué sous un climat humide et froid, avec une végétation acidifiante (résineux), sur une roche mère filtrante (sables ou grès).
polder	Mot hollandais. Aux Pays-Bas, terrain plus bas que le niveau de la haute mer, protégé par de puissantes digues, drainé par un système de pompage et d'écluses, et qui constitue une excellente terre de culture ou d'élevage.
poljé	Mot serbo-croate. Dans un relief karstique, vaste dépression fermée, comportant un drainage souterrain.
raz	Mot breton. Courant très violent de l'océan Atlantique en bordure des côtes bretonnes ; le raz de Sein atteint 20 km/h.
reg	Désert plat et caillouteux typique de l'Afrique du Nord.
résurgence	Réapparition à la surface du sol, sous forme d'une puissante source, d'un cours d'eau souterrain.
ria	Mot espagnol. Basse vallée de certains fleuves côtiers, envahie soit par la dernière trangression marine, soit à la suite de l'affaissement du socle continental.
rieu	Canal assurant le drainage des hortillonnages picards.
ruz	Mot jurassien. Ravin formé par le ruissellement ou l'érosion torrentielle sur les flancs d'un mont.
sérac	Mot alpin. Bloc de glace qui se forme aux ruptures de pente du lit d'un glacier.
strate	Du latin *stratum,* « couche ». Nom donné à chacune des couches sédimentaires qui se sont déposées au fond de mers, de lacs ou de lagunes et qui constituent les assises des bassins.
suc	Nom donné dans le Massif central à certains reliefs volcaniques désignés en géographie physique sous le nom de dykes.
talweg	De l'allemand *Tal,* « vallée », et *Weg,* « chemin ». Profil en long d'une vallée.
tectonique	D'un mot grec signifiant « architecture ». Partie de la géographie physique et de la géologie qui étudie l'architecture du globe.
tombolo	Mot italien. Flèche littorale qui, ayant rencontré dans son avancée une île assez étendue, s'y appuie et la rattache au continent pour former une presqu'île.
tuc	Sommet isolé, dans les Pyrénées.
tuf	De l'italien *tufo.* Tuf calcaire : calcaire d'origine chimique fait des incrustations irrégulières et spongieuses qui se produisent à l'émergence des sources calcaires.
tuffeau	Craie formée de grains siliceux réunis par un ciment argilo-calcaire.
ubac	Flanc d'une montagne exposé au nord ; il est couvert de forêts. Les pentes exposées au sud portent le nom d'adret.
valat	Du latin *vallum,* « fossé ». Rigole creusée pour évacuer les eaux des violentes averses méditerranéennes.
vire	Gradin étroit, en marche d'escalier, interrompant la continuité d'un versant en pente forte.
yardang	Sillon parallèle à la direction générale des vents soufflant dans les régions arides.

GLACIER voir aussi dessin
– Glacier des régions polaires **inlandsis**
– Bloc de glace particulier dans un glacier **sérac**
– Saillie rocheuse perçant la calotte d'un glacier **nunatak**
– Crête formée de débris rocheux déposés pendant la fonte du glacier **kame, drumlin**

GLADIATEUR
– Gladiateur combattant contre des bêtes fauves **belluaire, bestiaire**
– Gladiateur armé d'un filet et d'un trident **rétiaire**
– Gladiateur armé d'une épée et d'un bouclier **mirmillon**
– Combat de gladiateurs **hoplomachie**
– Personne qui formait les gladiateurs **laniste**

GLAND
– Partie du gland **akène, cupule**
– Gland de mer **balane**
– Repli de peau entourant le gland de la verge **prépuce**
– Inflammation du gland de la verge **balanite**

GLANDE
adéno-, -adénite

GLANDE voir aussi tableau et **hormone**
– Utilisation thérapeutique des extraits de glandes **opothérapie**
– Tumeur d'une glande **adénome**
– Maladie due au dysfonctionnement des glandes **goitre, myxœdème, nanisme, gigantisme**

GLISSER
– Glisser le long d'un support **coulisser**
– Glisser sur du verglas **chasser, déraper, patiner**
– Faire glisser un cordage de bateau **riper**
– Se glisser à l'intérieur de quelque chose **se faufiler, se couler, s'infiltrer, s'insinuer**
– Courant d'air qui se glisse par un interstice **coulis**
– Glisser progressivement dans la folie **verser, sombrer**
– Mourant qui se laisse glisser **s'abandonne**

GLOBE voir aussi **sphère**
– Représentation du globe terrestre **mappemonde, planisphère**

GLOIRE
– Rechercher la gloire **célébrité, notoriété, renommée, consécration**
– Se couvrir de gloire **lauriers**
– Être la gloire d'un pays **phare**
– S'attribuer la gloire de quelque chose **mérite, honneurs**
– Sommet de la gloire **apothéose**
– Rendre gloire à quelqu'un **glorifier, hisser sur le pavois, porter au pinacle**
– Monument élevé à la gloire des

Glacier

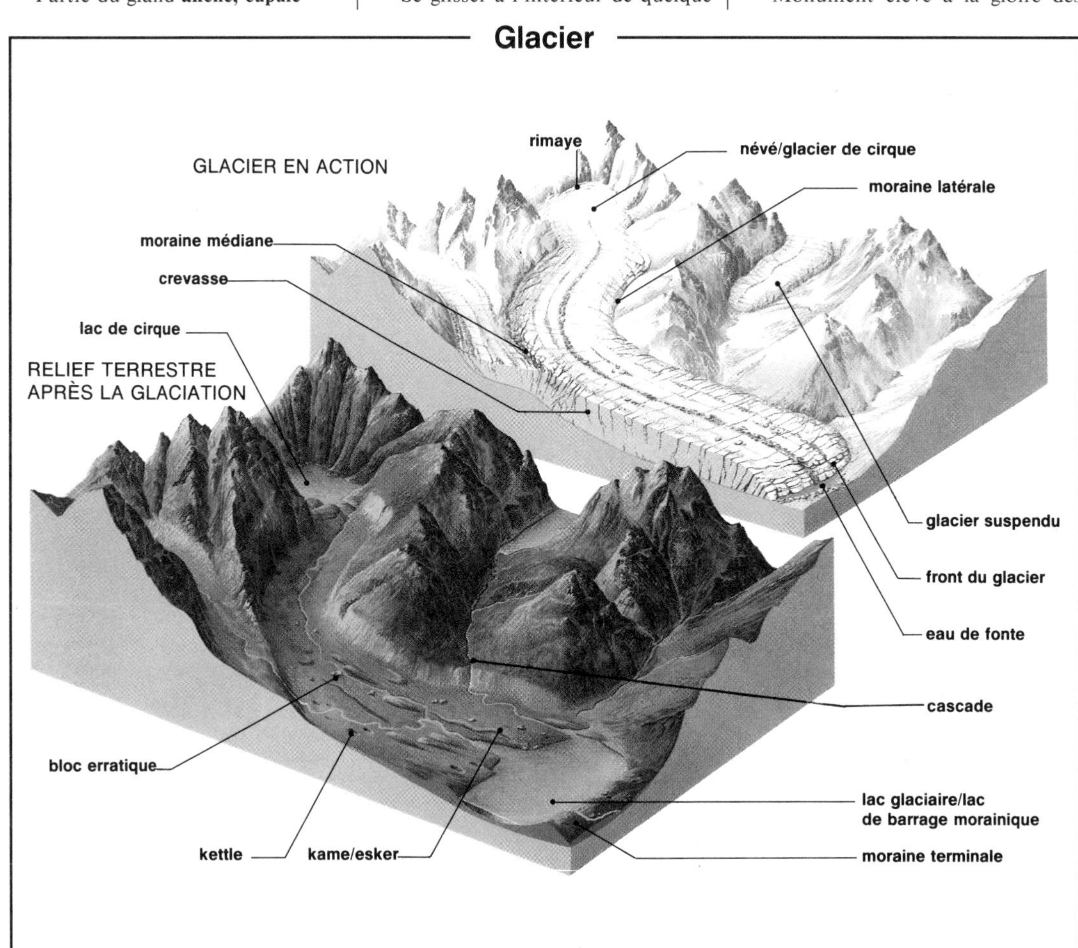

grands hommes d'un pays **panthéon**
GLOUTON (1)
– Un grand glouton **gargantua**
GLOUTON (2)
– Un individu glouton **goinfre, vorace, goulu**
– Un appétit glouton **insatiable, inassouvissable**
GLUANT visqueux, poisseux, glaireux, glutineux
– Matière gluante qui s'écoule des yeux infectés **chassie**
GOBELET godet
– Gobelet en métal **timbale**
– Gobelet du soldat **quart**
– Gobelet pour la bière **chope**
– Boîte de cuir ou de bois servant à ranger des gobelets **gobelière**
GOLF
– Terrain de golf **links**
– Partie d'un terrain de golf **green, fairway, rough, bunker**
– Matériel de golf **club, tee**
– Personne qui porte les clubs de golf **caddie**
– Nombre de coups théorique sur un parcours de golf **par**
– Premier coup joué au golf **drive**
– Pantalon de golf **knickerbockers**
GOLFE voir aussi **baie**
– Golfe scandinave **fjord**
– Sorte de golfe situé à l'embouchure d'un cours d'eau **estuaire, aber, ria**
GOMME
– Gomme de l'hévéa **latex**
– Gomme-résine aromatique **encens, oliban, myrrhe, opopanax, ladanum**
– Gomme-résine médicinale **galbanum, assa-fœtida**
– Gomme servant de colle dans la préparation des tissus, des papiers **adragante**
– Maladie de la gomme des arbres **gommose**
GONFLEMENT
– Gonflement d'un corps sous l'effet de la chaleur **dilatation**
– Gonflement d'un organe **tumescence, turgescence**
– Gonflement pathologique **tuméfaction, œdème**
– Gonflement de l'abdomen dû aux gaz gastro-intestinaux **météorisme, tympanisme**
– Gonflement de la joue, de la gencive dû à un abcès dentaire **fluxion**
– Gonflement du tissu cellulaire dû à une infiltration gazeuse **emphysème**
GONFLER
– Gonfler la poitrine **bomber le torse**
– La pâte gonfle **lève**

GLANDES

glande pinéale ou **épiphyse**	Structure glandulaire dans le cerveau des vertébrés qui pourrait être le régulateur de l'horloge interne du corps humain.
glande pituitaire ou **hypophyse**	Glande endocrine, située à la base du cerveau, sécrétant des hormones qui agissent sur d'autres glandes et stimulent la croissance des os.
glandes endocrines	Glandes, telles la thyroïde et la glande pituitaire (ou hypophyse), qui déversent des hormones directement dans le système sanguin.
glandes exocrines	Glandes, telles les glandes salivaires et sudoripares, qui déversent leurs sécrétions à travers un canal ou dans une cavité.
glandes holocrines	Glandes, telles les glandes sébacées, dont les cellules se désagrègent pour composer la sécrétion.
glandes lacrymales	Glandes, localisées derrière les paupières supérieures, qui produisent les larmes.
glandes mammaires	Glandes qui produisent le lait chez les mammifères femelles.
glandes mérocrines	Glandes, telles les glandes sudoripares, dont les cellules sécrétrices restent intactes.
glandes parathyroïdes	Glandes sécrétant des hormones qui augmentent le taux de calcium dans le sang.
glandes parotides	Glandes salivaires les plus importantes, localisées au-dessous des oreilles.
glandes sébacées	Glandes cutanées répandant une substance grasse (sébum) dans les follicules pileux et sur la peau.
glandes (ou **capsules**) **surrénales**	Glandes, situées au-dessus des reins, qui sécrètent de l'adrénaline et des corticoïdes dans le sang.
glande thyroïde	Glande du cou produisant les hormones qui règlent le métabolisme et la croissance.
ovaires	Glandes reproductrices femelles.
pancréas	Glande, située près de l'estomac, déversant des sucs digestifs dans le duodénum et contenant les îlots de Langerhans, qui produisent l'insuline.
prostate	Glande, propre aux mammifères mâles, qui sécrète l'un des éléments du sperme.
testicules	Glandes reproductrices mâles.
thymus	Tissu glandulaire, situé derrière le sternum, qui produit des globules blancs durant l'enfance.

– Un visage gonflé **enflé, bouffi, boursouflé, vultueux**
– Un ventre gonflé **distendu, ballonné**
– Le plâtre gonfle **bouffe**
– Gonfler un chiffre, un résultat **grossir, exagérer, amplifier**
GORGE gosier voir aussi dessin bouche, nez, gorge p. 58
– Augmentation du volume de la glande thyroïde près de la gorge **goitre**
– Glande, artère de la gorge **jugulaire**

– Son venant du fond de la gorge **guttural**
– Affection de la gorge **angine, laryngite, pharyngite, amygdalite**
– Ouverture pratiquée dans la gorge pour faciliter la respiration **trachéotomie**
– Se rincer la gorge avec un antiseptique **se gargariser**
– La gorge d'une femme **poitrine, buste**
– Gorge entre deux montagnes **défilé, canyon**

GOUDRON
– Goudron de houille **coaltar**
– Goudron servant au revêtement des routes **asphalte, bitume**
– Mélange de goudron et de laine utilisé pour l'étanchéité des bateaux **ploc**
– Matière à base de goudrons végétaux **poix**
– Résidu de la distillation des goudrons **brai**

GOUFFRE voir aussi **précipice**
– Gouffre sans fond **abîme**
– Nom régional pour un gouffre **aven, bétoire, igue, emposieu**
– Gouffre sous-marin **fosse, abysse**

GOURDIN voir aussi **bâton**
– Il s'effondra sous les coups de gourdin **matraque, trique**
– Gros gourdin de l'Antiquité et du Moyen Âge **massue**

GOURMAND (1)
– Un gourmand délicat **gastronome, gourmet, fine bouche, bec fin**

GOURMAND (2)
– Excessivement gourmand **intempérant**
– Être gourmand de chocolat **amateur, friand**

GOÛT
– Relatif au goût **gustatif**
– Organe du goût **langue, palais, papilles**
– Goût d'un aliment **saveur, sapidité**
– Sans goût **fade, insipide**
– S'habiller avec goût **élégance, raffinement, dandysme**
– Faire preuve de bon goût **finesse, tact**
– Avoir le goût des affaires **disposition, penchant, prédilection**
– Goûts diversifiés **éclectiques**

GOÛTER
– Goûter un mets **déguster, savourer**
– Goûter le silence, le repos **apprécier, priser**
– Goûter de la solitude **faire l'expérience de, tâter de**

GOUTTE
– Une goutte de vin **doigt, larme**
– Une goutte de lait **nuage**
– Une goutte de rosée **perle**
– Couler goutte à goutte **dégouliner, dégoutter**
– Verser goutte à goutte **instiller**
– Une substance s'écoulant goutte à goutte **stillatoire**
– Compte-gouttes **stilligoutte**

GOUVERNANTE
– Gouvernante de jeunes enfants **nurse**
– Gouvernante qui veille sur une jeune fille **chaperon**
– Gouvernante espagnole **duègne**

GOUVERNEMENT
-archie, -cratie

GOUVERNEMENT voir aussi **politique**
– Constituer un gouvernement **cabinet, ministère**
– Ensemble des institutions publiques dirigées par le gouvernement **administration**
– Mode de gouvernement d'un pays **régime**
– Loi fondamentale fixant la forme du gouvernement d'un pays **constitution**
– Gouvernement d'une monarchie par le suppléant du souverain légitime **régence**
– Forme de gouvernement autoritaire **dictature, totalitarisme, despotisme, fascisme, autocratie, tyrannie**
– Gouvernement exercé par une classe privilégiée **oligarchie**
– Gouvernement exercé par les classes riches **ploutocratie**
– Gouvernement où l'autorité est exercée par des religieux **théocratie**
– Dans l'Antiquité, gouvernement de cinq dirigeants **pentarchie**

GOUVERNER voir aussi **diriger**
– Gouverner une province **administrer**
– Gouverner un État **régner sur**
– Gouverner un bateau **tenir la barre, barrer, diriger**
– Gouverner ses sentiments, ses impulsions **maîtriser, dominer**

GOUVERNEUR
– Gouverneur d'un territoire annexé **vice-roi**
– Gouverneur d'une province, d'une partie d'une province dans la Rome antique **proconsul, légat, procurateur, tétrarque**
– Aux Pays-Bas, ancien gouverneur de province **stathouder**
– Gouverneur dans la Perse antique **satrape**
– Gouverneur dans l'Empire ottoman **pacha, bey, voïvode**

GRÂCE
– Se mouvoir avec grâce **aisance, élégance, légèreté**
– La grâce d'une femme **charme, attrait, agrément**
– La grâce alliée à la beauté **vénusté**
– Grâce étudiée, forcée **mignardise**
– Faire quelque chose de bonne grâce **volontiers, de bon gré**
– Obtenir une grâce **faveur**
– Demander grâce **pitié, indulgence, miséricorde**
– Don spirituel accordé par grâce divine **charisme**
– Doctrine sur la grâce **jansénisme, molinisme**
– Les trois Grâces **Aglaé, Euphrosyne, Thalie**

GRACIEUX
– Une personne gracieuse **charmante, plaisante, accorte**
– Des formes gracieuses **délicates, élégantes**

GRADE voir aussi tableau et **degré**
– Grade universitaire **titre**
– Signe distinctif d'un grade militaire **galon**
– Élévation à un grade supérieur **promotion**
– Grade honorifique élevé **dignité**
– Organisation et classification des grades **hiérarchie**

GRAIN
grani-, gren-

GRAIN
– En viticulture, grain de raisin **grume**
– Grain de céréale **caryopse**
– Enveloppe des grains de céréales **balle**
– Triage du grain **criblage, vannage**
– On y entrepose le grain **silo**
– Composé de grains **granuleux**
– Surface présentant des petits grains **grenue, grenée**
– Métal réduit en petits grains **grenaille, cendrée**
– Grain de beauté **nævus, lentigo**
– Un grain de sagesse **brin, pointe, once, goutte, pincée**

GRAINE semence
– Partie de la graine **albumen, tégument, cotylédon, gemmule, radicule**
– Enveloppe de la graine **cosse, glume**
– Graine de légumineuse **vesce**
– Graine de paradis **cardamome**
– Plantes dont les graines sont à l'intérieur d'un fruit **angiospermes**
– Végétaux à graines nues **gymnospermes**

GRAISSE
adip(o)-, lip(o)-, stéar(o)-, stéat(o)-
GRAISSE voir aussi **gras**
– Graisse animale **suif**
– Graisse du cochon **lard, panne**
– Graisse de porc fondue **saindoux, axonge**
– Graisse minérale **vaseline, paraffine, stéarine**
– En mécanique, graisse de lubrification noircie **cambouis**
– Une substance qui a l'aspect de la graisse **lipoïde**
– Formation de graisse de réserve dans l'organisme **adipogenèse**
– Surcharge de graisse dans le tissu cellulaire **adipose**
– Destruction des graisses de l'organisme **lipolyse**

GRAMMAIRE
– Faute de grammaire **solécisme, barbarisme**
– Souci exagéré de l'application des règles de grammaire **purisme**

GRAND
méga-, mégalo-, magn-, macro-
GRAND voir aussi **géant**
– Un homme grand **élancé**
– Un grand appartement **spacieux**
– Un vêtement grand **ample, large**
– Une grande ville **étendue**
– Un grand trésor **considérable, imposant**
– Une grande douleur **violente, vive, intense**
– Un très grand bonheur **ineffable, indicible**
– Un grand homme **illustre**
– Très grand **vaste, immense, démesuré**

GRANDEUR voir aussi **dimension, taille**
– Grandeur d'un phénomène physique **amplitude**
– Grandeur d'un astre **magnitude**
– Grandeur d'un pays **prospérité, gloire, puissance**
– La grandeur d'âme **générosité, noblesse, magnanimité**
– Folie des grandeurs **mégalomanie**

GRANDIOSE
– Un spectacle grandiose **majestueux, magnifique, sublime**
– Une œuvre grandiose **imposante, impressionnante, monumentale, gigantesque**

GRAPPE
– Grappe de bananes **régime**
– Grappe de fleurs **inflorescence, girandole**
– Grappe de fleurs ou de fruits, en termes de botanique **trochet**
– Rameau de vigne avec feuilles et grappes **pampre**

GRAS voir aussi **graisse**
– Personne grasse **ronde, replète, plantureuse, dodue**
– Avoir les cheveux gras **huileux, poisseux**
– Corps gras **lipide**
– Substance qui se fixe sur les corps gras des cellules **lipotrope**
– Membrane, cellule, tissu gras **adipeux**
– Matière grasse sécrétée par des glandes **sébum**
– Plaisanterie grasse **obscène, licencieuse, graveleuse**

GRATIFICATION
– Gratification remise à un serveur **pourboire, dringuelle**
– Gratification versée par un employeur **prime, commission, guelte**
– Gratification remise en fin d'année **étrennes**
– Gratifications généreuses **libéralités, largesses**
– Gratification illégale **pot-de-vin, dessous-de-table, bakchich**

GRATIFIER
– Gratifier quelqu'un d'un avantage matériel **doter, nantir, pourvoir, allouer à**
– Gratifier quelqu'un d'un sourire **accorder à, honorer**
– Gratifier quelqu'un des fautes d'un autre **attribuer à, imputer à**

GRATITUDE reconnaissance, gré

GRATTER
– Gratter la surface de quelque chose **racler, râper**

GRADES DANS L'ARMÉE

MARINE NATIONALE

OFFICIERS GÉNÉRAUX
amiral
vice-amiral d'escadre
vice-amiral
contre-amiral

OFFICIERS SUPÉRIEURS
capitaine de vaisseau
capitaine de frégate
capitaine de corvette

OFFICERS SUBALTERNES
lieutenant de vaisseau
enseigne de vaisseau de 1re classe
enseigne de vaisseau de 2e classe
aspirant

OFFICIERS MARINIERS
major
maître principal
premier maître
maître
second maître

QUARTIERS-MAÎTRES
quartier-maître de 1re classe
quartier-maître de 2e classe

ARMÉE DE TERRE

MARÉCHAUX
maréchal de France (dignitaire)

OFFICIERS GÉNÉRAUX
général d'armée
général de corps d'armée
général de division
général de brigade

OFFICIERS SUPÉRIEURS
colonel
lieutenant-colonel
chef de bataillon ou d'escadron (commandant)

OFFICIERS SUBALTERNES
capitaine
lieutenant
sous-lieutenant
aspirant

SOUS-OFFICIERS
major
adjudant-chef
adjudant
sergent-chef ou maréchal des logis-chef
sergent ou maréchal des logis

HOMMES DU RANG
caporal-chef ou brigadier-chef
caporal ou brigadier

ARMÉE DE L'AIR

OFFICIERS GÉNÉRAUX
général d'armée aérienne
général de corps aérien
général de division aérienne
général de brigade aérienne

OFFICIERS SUPÉRIEURS
colonel
lieutenant-colonel
commandant

OFFICIERS SUBALTERNES
capitaine
lieutenant
sous-lieutenant
aspirant

SOUS-OFFICIERS
major
adjudant-chef
adjudant
sergent-chef
sergent

HOMMES DU RANG
caporal-chef
caporal

– Gratter la terre **creuser, fouiller**
– Gratter une pierre à la manière d'un sculpteur **riper**
– Sensation donnant envie de se gratter **démangeaison**
– Affection caractérisée par un violent besoin de se gratter **urticaire, prurigo**
GRATUIT
– Une entrée gratuite **libre**
– Un spectacle gratuit **gratis**
– À titre gratuit **gracieux**
– Une aide gratuite **bénévole, désintéressée**
– Une accusation gratuite **injustifiée, arbitraire, non fondée**
– Un acte gratuit **irrationnel, immotivé**
GRAVE
– Une situation grave **critique, préoccupante, alarmante, dramatique, tragique**
– De graves ennuis **sérieux**
– Une maladie grave **dangereuse, fatale**
– Une personne grave **réservée, posée, circonspecte, austère**
– Un air grave **imposant, rigide, solennel**
– Un ton exagérément grave **doctoral, sentencieux, gourmé**
– Une voix particulièrement grave **caverneuse, sépulcrale**
– La plus grave des voix de femme **contralto**
GRAVER
– Graver sur du métal **buriner**
– Graver une pierre fine **intailler**
– Art de graver les pierres fines ou précieuses **glyptique**
– Pierre gravée **camée, scarabée**
– Graver un bijou **ciseler**
– Cuivre, or gravé **guilloché**
– En archéologie, trait gravé en creux sur une pièce architecturale **glyphe**
– Outil servant à graver **ciseau, burin, échoppe, poinçon, gouge**
– Graver quelque chose dans l'esprit de quelqu'un **imprimer, fixer, incruster**
GRAVURE
– Type de gravure **estampe, eau-forte, aquatinte, mezzotinto**
– Gravure accompagnant le titre d'un livre **frontispice**
– Gravure placée à la fin d'un chapitre **cul-de-lampe**
– Gravure encadrée d'un cartouche **vignette**
– Gravure sur pierre **lithographie**
– Gravure sur bois **xylographie**
– Gravure sur métaux **chalcographie**
– Gravure sur bois faite au moyen d'une pointe chauffée **pyrogravure**
– Épreuve de gravure sur bois **fumé**
GREC **hellénique**
– Temple circulaire grec **tholos**
– Partie d'un temple grec **naos, pronaos, opisthodome, propylée, adyton, stoa**
– Ordre de l'architecture grecque **corinthien, dorique, ionique**
– Prêtre grec dans l'Antiquité **mystagogue, corybante**
– Poète grec **aède**
– Courtisane grecque **hétaïre**
– Fantassin grec **hoplite, peltaste**
– Vêtement grec dans l'Antiquité **chiton, himation, péplum, chlamyde**
– Ancien instrument de musique grec **diaule, sambuque**
– Dialecte grec ancien **éolien, ionien, dorien, attique**
– Langue grecque parlée aujourd'hui **romaïque**
– Soldat grec **evzone**
– Prince héritier grec **diadogue**
– Monnaie grecque **drachme**
– Jupon masculin du costume national grec **fustanelle**
– Vin grec légèrement âpre **retsina**
GREFFE
– Greffe végétale **écusson, ente, scion**
– Arbre sur lequel l'arboriculteur peut implanter une greffe **sauvageon**
– Greffe chirurgicale **autoplastie, hétéroplastie, anaplastie, parabiose**
GRÊLE (1)
– Grêle printanière **grésil**
GRÊLE (2) **gracile, fluet, filiforme, menu**
– Partie de l'intestin grêle **duodénum, jéjunum, iléon**
GRENADE voir dessin
GRENIER **mansarde, attique, galetas**
– Grenier à foin **grange, fenil, pailler**
– Grenier à céréales **magasin**
GRÈVE voir aussi **rivage**
– Se mettre en grève **débrayer**
– Briseur de grève **jaune**
– Fermeture d'une entreprise en réaction à un mouvement de grève **lock-out**
GRIEF voir aussi **reproche**
– Grief exprimé **plainte, doléance, récrimination**
– Nourrir des griefs contre quelqu'un **rancune**
GRIFFE
– Griffes des rapaces **serres**
– Griffe du coq **ergot, éperon**
– Griffe d'un chien en termes de vénerie **harpe**
GRIFFER
– Griffer légèrement **égratigner, érafler**

Grenade

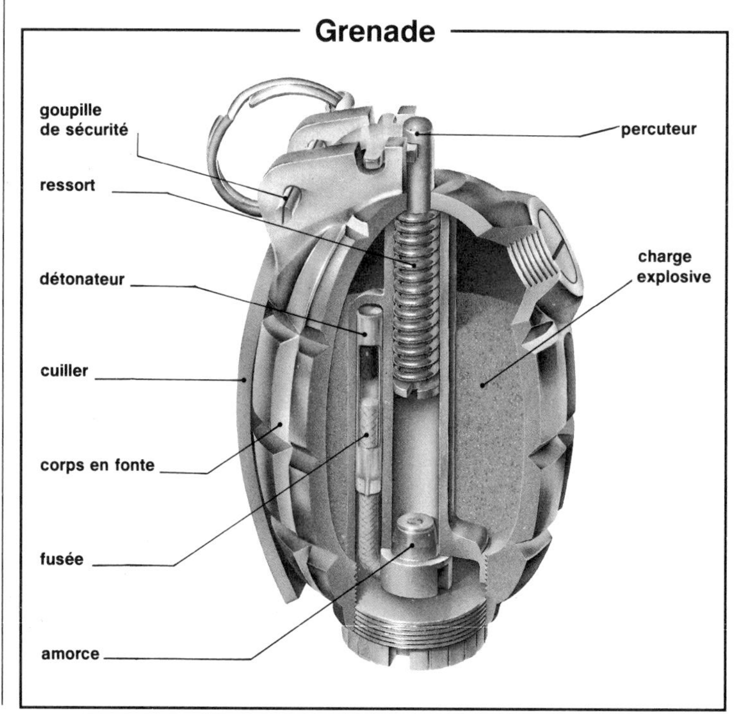

GRILLE voir aussi **barrière**
– Grille à l'entrée d'une forteresse **herse**
– Pointes et aspérités disposées au sommet d'une grille **barbelures**
– Montant renforçant une grille **pilastre**
– Grille de filtrage d'un bassin **crapaudine**
GRILLER voir aussi **brûler**
– Faire griller une viande **rôtir**
– Plat à base de viande grillée **carbonnade**
– Être grillé par un feu trop intense **calciné**
– Griller du café, du tabac **torréfier**
GRIMACE
– Grimace expressive **mimique**
– Grimace de dégoût ou de mécontentement **moue, lippe**
– Grimace de douleur **rictus**
– Faire la grimace **se renfrogner**
– Ne pas aimer les grimaces **simagrées, mines, minauderies**
GRIMPER
– Grimper une côte **gravir**
– Grimper sur un rocher **escalader**
– Grimper à l'aide des bras et des jambes **se hisser**
– Un chat grimpé sur un arbre **perché, juché**
GRINÇANT
– Son grinçant **discordant, dissonant**
– Propos grinçants **mordants**
GRINCER crisser
– La porte grince **crie, couine**
– Fait de grincer des dents pendant le sommeil **bruxomanie**
GRIPPE
– Grippe épidémique **influenza**
GRIPPE-SOU avare, ladre, harpagon, fesse-mathieu
GRIVE draine
– Ordre auquel appartient la grive **passeriformes**
– Famille à laquelle appartient la grive **turdidés**
– Variété de grive **vendangette, jocasse, litorne, mauvis**
– Chant de la grive **babil**
GROGNER grognonner
– Grogner de contrariété **bougonner, maugréer**
– Grogner une injure **marmotter, marmonner**
– Grogner à la manière d'un sanglier **grommeler**
GRONDER
– Gronder un enfant **réprimander, chapitrer, admonester, gourmander, morigéner, tancer**
– L'orage gronde **tonne**

GROS voir aussi **gras**
– Un homme gros **corpulent, fort, massif**
– Excessivement gros **obèse**
– Homme qui a un gros ventre **bedonnant, pansu, ventripotent**
– Une bouche pourvue de grosses lèvres **lippue**
– Être dont la tête est excessivement grosse **macrocéphale**
– Une grosse poitrine **épanouie, opulente, généreuse**
– Un gros paquet **volumineux**
– Une grosse ration **abondante, copieuse**
– Une grosse somme **rondelette, considérable, astronomique**
– Un gros fermier, un gros banquier **important, influent**
– En gros **globalement, dans l'ensemble**
GROSSESSE gestation, maternité voir aussi **accouchement, fœtus**
– Relatif à la grossesse **gravidique**
– Hormone favorisant l'évolution de la grossesse **progestérone**
– Grossesse extra-utérine **ectopique, tubaire, péritonéale, ovarienne**
– Interruption de grossesse **avortement**
GROSSEUR voir aussi **dimension, largeur, taille, volume**
– Grosseur d'une personne **embonpoint, corpulence**
– Grosseur excessive **obésité, polysarcie**
– Grosseur anormale d'un organe **hypertrophie**
– Grosseur d'un projectile **calibre**
– Grosseur inquiétante **abcès, excroissance, kyste, tumeur**
GROSSIER
– Un individu grossier **discourtois, rustre, mal dégrossi**
– Un grossier personnage **mufle, goujat, malotru, malappris, butor**
– Des paroles grossières **inconvenantes, vulgaires, ordurières, crues, triviales**
– Une étoffe grossière **ordinaire**
– Des manières grossières **frustes, rudes**
– Une arme grossière **rudimentaire**
– Un mensonge grossier **maladroit**
– Un examen grossier **imparfait, approximatif, sommaire, élémentaire**
GROSSIR voir aussi **augmenter**
– Aliment faisant grossir **engraisser, empâter, forcir**
– L'abcès grossit **enfle, gonfle**
– Grossir un événement **exagérer, dramatiser, amplifier**

GROTESQUE
– Un personnage grotesque **ridicule, risible, extravagant**
– Un costume grotesque **burlesque, cocasse**
– Le genre grotesque **caricatural**
GROTTE caverne
– Une grotte naturelle **cavité, excavation**
– Grotte provençale **baume**
– Dans l'Antiquité, grotte consacrée aux nymphes **nymphée**
– Grotte servant de refuge à un animal **antre**
– Étude et exploration des grottes **spéléologie**
– Habitant d'une grotte **troglodyte**
– Concrétion calcaire à l'intérieur d'une grotte **stalactite, stalagmite**
GROUPE voir aussi **clan, bande**
– Groupe nombreux et compact **essaim**
– Groupe littéraire ou artistique très exclusif **club, cercle, cénacle, chapelle**
– Groupe de personnes formant une élite **pléiade**
– Groupe de musiciens **trio, quatuor, quintette, sextuor, septuor, octuor**
– Groupe vivant en communauté **phalanstère**
– Groupe de plusieurs clans dans une société tribale **phratrie**
– Groupe de cyclistes ou de coureurs **peloton**
– Groupe militaire autonome **commando**
– Petit groupe de militaires **escouade**
– Groupe de pression **lobby**
– Instinct, esprit de groupe **grégarisme**
– Groupe d'étoiles **constellation**
– Groupe de véhicules voyageant ensemble **convoi**
GROUPEMENT voir aussi **union**
– Groupement politique **coalition, front**
– Groupement d'adhérents à la base d'un parti politique **cellule**
– Groupement d'hommes ou d'objets en un point précis **concentration**
– Groupement de plusieurs États **fédération**
– Groupement de plusieurs entreprises **trust, G.I.E. (groupement d'intérêt économique)**
– Groupement d'éléments disparates **amalgame**
GRUE
– Ordre auquel appartient la grue **échassiers, ralliformes**

– Cri de la grue **craquètement, glapissement**
– Grue très puissante utilisée dans la marine **bigue**
GRUYÈRE **emmental, comté, vacherin** voir aussi **fromage**
– Liquide fermenté utilisé dans la fabrication du gruyère **aisy**
GUENILLE
– Individu misérable vêtu de guenilles **haillons, hardes, oripeaux, défroque, frusques**
GUÊPE
– Ordre auquel appartient la guêpe **hyménoptères**
– Famille à laquelle appartient la guêpe **vespidés**
– Grande guêpe **frelon, sphex**
– Variété de guêpe vivant dans nos régions **poliste**
GUÉRIR
– Guérir d'une maladie **se rétablir, recouvrer la santé**
– Traitement employé pour guérir **curatif, thérapeutique**
– Remède censé guérir toutes les maladies **panacée**
– Guérir un chagrin **soulager, adoucir, apaiser**
GUÉRISSEUR
– Guérisseur qui soigne les fractures et les luxations **rebouteux**
– Prêtre guérisseur chez certaines peuplades primitives **chaman**
– Mauvais guérisseur, dans certaines régions **mége**
GUÉRITE
– Guérite à toit conique placée à l'angle d'un édifice **poivrière**
– Guérite de guet en pierre **échauguette**
– Ancienne guérite en bois montée sur des remparts **échiffre**
GUERRE voir aussi **armée**
– Un peuple en guerre **belligérant**
– Tendance à prôner la guerre **bellicisme**
– Tout acte pouvant entraîner une déclaration de guerre **casus belli**
– Engager la guerre **hostilités**
– Guerre de partisans, de francs-tireurs **guérilla**
– Soldat de la Première Guerre mondiale **poilu**
– Militaire qui passe à l'ennemi en temps de guerre **transfuge, traître**
– Droit pour une nation en guerre de réquisitionner des navires neutres dans ses eaux territoriales **angarie**
– Tribunal exceptionnel fonctionnant en temps de guerre **cour martiale**
– Interruption provisoire des combats pendant une guerre **trêve, armistice, cessez-le-feu**
– Étude sociologique de la guerre **polémologie**
– Divinité de la guerre **Arès, Mars, Bellone**
– Guerre sainte chrétienne **croisade**
– Guerre sainte islamique **djihad**
GUETTER
– Guetter l'apparition de quelque chose **être à l'affût, être aux aguets**
– Guetter inlassablement un ennemi **épier, surveiller**
GUICHET
– Petit guichet **judas**
GUIDE voir aussi **conducteur**
– Guide des touristes dans un pays étranger **cicérone**
– Guide spirituel **gourou**
– Guide de bon conseil **mentor**
– Guide de montagne népalais **sherpa**
– Guide servant à conduire un animal **rêne**
GUITARE voir aussi dessin
– Petit accessoire utilisé pour jouer de la guitare **médiator, plectre**
– Barre permettant de changer la tonalité d'une guitare **capodastre**
GYMNASE voir aussi **stade**
– Gymnase de la Grèce antique **palestre**
– Partie couverte d'un gymnase antique **xyste**
– Chef d'un gymnase dans l'Antiquité **gymnasiarque**
GYMNASTIQUE **athlétisme**
– Gymnastique naturelle **hébertisme**
– Appareils de gymnastique **barre, agrès, cheval d'arçon, haltère, trapèze, anneaux**
GYPSE
– Variété de gypse blanc **albâtre, alabastrite**

Guitare

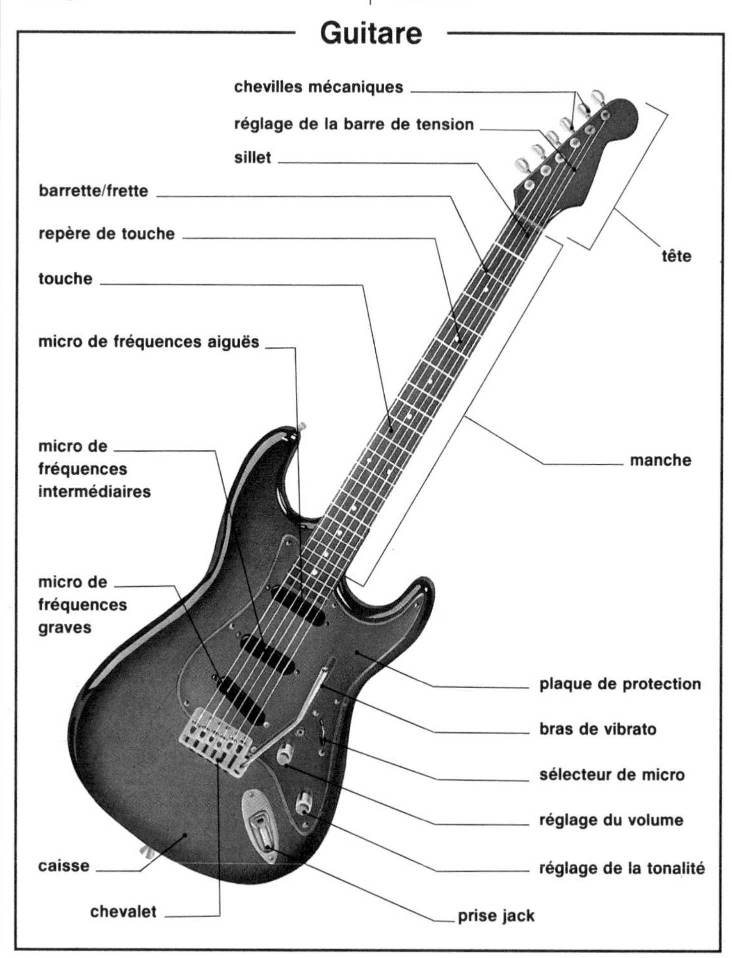

H

HABILE adroit
– Un travailleur habile **exercé, compétent, expérimenté**
– Un chirurgien très habile **émérite**
– Habile en affaires **malin, futé, roué**
– Une manœuvre habile **astucieuse, ingénieuse, subtile**
– Un procédé habile **fin**
HABILETÉ **dextérité**
– Grande habileté dans l'exécution d'une œuvre musicale **virtuosité, brio, maestria**
– Habileté dans les relations sociales **doigté, diplomatie, entregent**
– Les habiletés d'un politicien **artifices**
– Manque d'habileté dans la fonction que l'on exerce **impéritie**
HABILLER
– Habiller quelqu'un de façon ridicule **affubler, accoutrer, endimancher**
– Habiller avec élégance et recherche **parer**
– S'habiller pour un carnaval **se déguiser, se costumer, se travestir**
– Habiller d'une large pièce d'étoffe **draper**
– S'habiller **se vêtir**
HABIT voir aussi **vêtement**
– Un habit de Pierrot, de Zorro **costume**
– Habit militaire **uniforme, treillis**
– Habit de cérémonie **frac, queue-de-pie**
– Habits de couleur distinctive portés par un domestique **livrée**
HABITANT voir aussi tableau p. 216
– Habitant d'une ville **citadin**
– Habitant d'un royaume **sujet**
– Habitant originaire du pays où il vit **autochtone, aborigène, indigène**
– Habitant d'une île **insulaire**
– Habitant d'une caverne, d'une grotte **troglodyte**
– Un village de mille habitants **âmes**
HABITATION **demeure, logement, résidence** voir aussi **maison**
– Habitation repoussante **taudis, galetas**
– Habitation destinée à un membre du clergé **cure, presbytère, doyenné**
– Habitation russe **datcha, isba**
– Habitation amérindienne **hogan, wigwam, tipi**
– Ancienne habitation lacustre irlandaise **crannoge**
HABITER
– Habiter en ville, à la campagne **demeurer, loger, résider**
– Aller habiter dans un nouveau lieu **s'établir, se fixer, élire domicile**
– Habiter un lieu de façon provisoire **séjourner**
– Une obsession l'habite **possède, hante**
HABITUDE
– Habitude de faire quelque chose **routine, automatisme**
– Habitudes communes à un groupe social **coutumes, usages, mœurs, pratiques, us**
– Habitude bizarre, un peu ridicule **manie, marotte**
– Avoir l'habitude des enfants, des animaux **expérience**
– Formation d'une habitude **accoutumance**
HABITUÉ
– Habitué d'un lieu **familier**
– Habitué des bars **pilier de bar**
– Habitué à qui l'on garde sa place à table **commensal**
HABITUEL voir aussi **général**
– Une tâche habituelle **coutumière**
– Un procédé habituel **usuel, courant**
– Le discours habituel **traditionnel, rituel**
– Faire des gestes habituels **machinaux, familiers**
– La formule habituelle **consacrée**
HABITUER
– Habituer à faire face à des difficultés **endurcir, aguerrir**
– Habituer quelqu'un à une discipline **plier**
– Habituer à une tâche **rompre à**
– S'habituer à quelqu'un ou à quelque chose **se familiariser avec**
– S'habituer à un nouveau milieu **s'adapter, s'acclimater**
HACHE
– Hache à deux tranchants **bipenne**
– Hache de bûcheron **cognée, merlin**
– Hache de tonnelier **doloire, cochoir**
– Petite hache de boucherie **hansart**
– Petite hache à fer recourbé **herminette**
– Ancienne hache de guerre à deux tranchants **francisque**
– Hache de guerre indienne **tomahawk**
– Instrument ancien servant de hache et de marteau **tille**
HAIE **brise-vent**
– Haie de charmes **charmille**
– Paysage composé de champs entourés de haies **bocage**
– Nom des haies dans le midi de la France **baragnes**
– Haie faite d'arbustes, dans les campagnes du centre de la France **bouchure**
– Petit bois ou taillis fermé de haies **breuil**
– Petite échelle pour franchir les haies **échalier**
HAINE
mis(o)-, -phobie
HAINE
– Concevoir de la haine pour quelqu'un **animosité, inimitié**
– Haine instinctive **antipathie**
– Haine profonde et violente **aversion, exécration**
– Haine sourde et persistante **ressentiment**
– Paroles pleines de haine **fiel**
– Haine de l'humanité **misanthropie**
– Haine des femmes **misogynie**
– Haine des hommes **androphobie, misandrie**
– Haine des étrangers **xénophobie**
HAÏR **détester**
– Haïr de façon instinctive et violente **abhorrer, exécrer, abominer**
HÂLÉ
– Une peau hâlée **dorée, cuivrée, bistrée, basanée**

COMMENT SE NOMMENT LES HABITANTS DE... ?

Agde	**Agathois**
Aigle (L')	**Aiglons**
Aire-sur-l'Adour	**Aturins**
Aix-en-Provence	**Aquisextains** ou **Aixois**
Amboise	**Amboisiens**
Angoulême	**Angoumois** ou **Angoumoisins**
Apremont-la-Forêt	**Asperomontais**
Arras	**Arrageois**
Athis-Mons	**Athégiens**
Aubenas	**Albenassiens**
Auch	**Auscitains**
Auray	**Alréens**
Bagnères-de-Bigorre	**Bagnérais ou Bigourdans**
Bagneux	**Balnéolais**
Bains-en-Vosges	**Benous**
Banyuls-sur-Mer	**Banyulencs** ou **Banyulais**
Bar-le-Duc	**Barisiens**
Bar-sur-Aube	**Baralbins** ou **Barsuraubois**
Bar-sur-Seine	**Barséquanais**
Bayeux	**Bajocasses**
Besançon	**Bisontins**
Béziers	**Biterrois**
Biarritz	**Biarrots**
Blois	**Blésois**
Bobigny	**Balbyniens**
Bourg	**Bourquais**
Bourg-en-Bresse	**Bressans** ou **Burgiens**
Bourges	**Berruyers**
Bourg-la-Reine	**Réginaburgiens**
Bourg-saint-Andéol	**Bourguesans**
Bourg-Saint-Maurice	**Borains**
Briey	**Briotins**
Brive-la-Gaillarde	**Brivistes**
Cahors	**Cadurciens**
Casteljaloux	**Casteljalousains**
Chantilly	**Cantiliens**
Charleville-Mézières	**Carolomacériens**
Châteaudun	**Casteldunois**
Château-Gontier	**Castrogontériens**
Châteaulin	**Castellinois**
Châteauroux	**Castelroussins**
Château-Thierry	**Castro-théodoriciens**
Châteauvillain	**Castelvillanois**
Châtenois	**Castiniens**
Chatou	**Catoviens**
Choisy-le-Roi	**Choisyens**
Ciotat (La)	**Ciotadens**
Clermont-Ferrand	**Clermontois**
Collioure	**Colliourenchs**
Coulommiers	**Columériens**
Créteil	**Cristoliens**
Creusot (Le)	**Creusotins**
Dax	**Dacquois**
Douarnenez	**Douarnenistes**
Draguignan	**Dracéniens**
Dreux	**Drouais** ou **Durocasses**
Elbeuf	**Elbeuviens**
Épernay	**Sparnaciens**
Épinal	**Spinaliens**
Erquy	**Réginéens**
Eu	**Eudois**
Évreux	**Ébroïciens**
Fère-Champenoise	**Féretons**
Firminy	**Appelous**
Foix	**Fuxéens**
Fontainebleau	**Bellifontains**
Fontenay-aux-Roses	**Fontenaisiens**
Forges-les-Eaux	**Forgions**
Fougères	**Fougerais**
Gap	**Gapençais**
Gérardmer	**Géromois**
Gex	**Gessiens**
Groix (Île de)	**Groisillons** ou **Grésillons**
Guéret	**Guérétois**
Issy-les-Moulineaux	**Isséens**
Ivry-sur-Seine	**Ivryens**
Joigny	**Joviniens**
Lagny	**Laniaques** ou **Latignaciens**
Lapalisse	**Palissois**
Limoges	**Limougeauds**
Lisieux	**Lexoviens**
Lons-le-Saunier	**Lédoniens**
Loupe (La)	**Loupiots**
Louviers	**Lovériens**
Luchon	**Bagnérais**
Lusignan	**Mélusins**
Luxeuil-les-Bains	**Luxoviens**
Malakoff	**Malakoffiots**
Mans (Le)	**Manceaux**
Martigues	**Martégaux** ou **Martegallais**
Masseube	**Massylvains**
Meaux	**Meldois**
Metz	**Messins**
Meung-sur-Loire	**Magdunois**
Millau	**Millavois**
Mirepoix	**Mirapisciens**
Mondoubleau	**Mondoublotiers**
Montaigu	**Montacutains**
Montauban	**Montalbanais**
Mont-de-Marsan	**Montois**
Montdidier	**Montdidériens**
Montélimar	**Montiliens**
Morteau	**Mortuaciens**
Moulins	**Moulinois**
Nantua	**Nantuatiens**
Nevers	**Nivernais**
Nuits	**Nuitons**
Orange	**Orangeois**
Paimbœuf	**Paimblotins**
Pamiers	**Appaméens**
Paray-le-Monial	**Parodiens**
Pau	**Palois**
Périgueux	**Périgourdins** ou **Pétrocoriens**
Pézenas	**Piscénois**
Plessis-Robinson (Le)	**Robinsonnais** dits **Hibous**
Pont-à-Mousson	**Mussipontains**
Pontarlier	**Pontissaliens**
Pontault-Combault	**Pontaudemérien**
Pont-l'Évêque	**Pontépiscopiens**
Pont-Saint-Esprit	**Spiripontains**
Privas	**Privadois**
Puteaux	**Putéoliens**
Puy (Le)	**Podots**
Rambervillers	**Rambuvetais**
Rambouillet	**Rambolitains**
Ré (île de)	**Rhétais**
Remiremont	**Romarimontains**
Rive-de-Gier	**Ripagériens**
Rodez	**Ruthénois**
Rueil-Malmaison	**Rueillois**
Sables-d'Olonne (Les)	**Sablais**
Saint-Amand-les-Eaux	**Amandinois**
Saint-Brieuc	**Briochins**
Saint-Cloud	**Clodoaldiens**
Saint-Denis	**Dionysiens**
Saint-Dié	**Déodatiens**
Saint-Dizier	**Bragards**
Saint-Flour	**Sanflorains**
Saint-Jean-d'Angély	**Angériens**
Saint-Junien	**Saint-Juniauds**
Saint-Lô	**Saint-Lois**
Saint-Mihiel	**Sammiellois**
Saint-Nicolas-en-Forêt	**Nico-Forestiers**
Saint-Omer	**Audomarois**
Saint-Ouen	**Audoniens**
Saint-Paul-Trois-Châteaux	**Tricastinois**
Saint-Pierre-des-Corps	**Corpopétrussiens**
Saint-Pol-de-Léon	**Léonais** ou **Léonards**
Saint-Pol-sur-Ternoise	**Saint-Polais** ou **Paulopolitains**
Saint-Yrieix-la-Perche	**Arédiens**
Salses	**Salséens**
Saulieu	**Sédélociens**
Sceaux	**Scéens**
Sées	**Sagiens**
Sens	**Sénonais**
Tain-l'Hermitage	**Tinois**
Tartas	**Tarusates**
Tourcoing	**Tourquennois**
Tour-du-Pin (La)	**Turripinois**
Tréguier	**Trégorrois** ou **Trécorrois**
Tulle	**Tullistes**
Vannes	**Vannetais**
Vanves	**Vanvistes**
Vésinet (Le)	**Vésigondins** ou **Vésinettois**
Villedieu-les-Poêles	**Sourdins**
Villefranche-sur-Saône	**Caladois**
Villiers-le-Bel	**Beauvillerois**
Vitry-le-François	**Vitryats**
Vouvray	**Vouvrillons**

– Le visage hâlé d'un marin **boucané, tanné**

HALETANT
– Être haletant **essoufflé, hors d'haleine, pantelant**

HALL entrée, vestibule, antichambre

HALLUCINATION
– Avoir des hallucinations **visions, apparitions**
– Hallucination éprouvée dans un désert **mirage**
– Hallucination consistant à voir des animaux effrayants **zoopsie**
– Hallucination visuelle précédant le sommeil **hypnagogique**

HALTE
– Longue halte **station**
– Halte de courte durée **pause, répit**
– Halte au cours d'un voyage **escale, étape**

HANCHE bassin
– Douleur de la hanche **coxalgie**
– Relatif à l'articulation de la hanche **ischiatique**
– Malformation congénitale de la hanche **luxation**
– Os de la hanche **iliaque**

HANDICAP
– C'est un handicap **inconvénient, désavantage**
– En turf, handicap pour chevaux de trois ans et plus **omnium**

HANGAR entrepôt, remise
– Hangar à foin **fenil**
– Hangar à locomotives **rotonde**
– Hangar à bateaux aux Antilles **carbet**
– Ensemble de hangars dans un port **docks**
– Petit hangar **resserre**
– Dans une ferme, petit hangar où l'on remise les charrues **chartil**

HARCELER
– Harceler quelqu'un de paroles **importuner, tarabuster**
– Harceler quelqu'un de critiques **houspiller**
– Harceler quelqu'un de questions **assaillir, presser**
– Le remords vient sans cesse le harceler **tourmenter, obséder, talonner**

HARDI
– Une personne hardie **déterminée, décidée, résolue, intrépide**
– Une entreprise hardie **audacieuse**
– Une pensée, une conception hardie **originale, novatrice**
– Quelques pages un peu hardies **osées, lestes**

HARENG
– Ordre auquel appartient le hareng **clupéiformes**
– Famille à laquelle appartient le hareng **clupéidés**
– Hareng sans œufs ni laitance **guai**
– Hareng séché depuis peu de temps **saurin**
– Hareng salé et fumé **saur, kipper**
– Hareng mariné au vin blanc **rollmops**
– Entrailles du hareng servant d'appât pour pêcher **treuilles**
– Barrique où l'on conserve les harengs **caque**

HARICOT
– Genre auquel appartient le haricot **phaseolus**
– Famille à laquelle appartient le haricot **papilionacées**
– Haricot noir **dolic**
– Variété de haricot nain **soissons, flageolet**
– Variété de haricot à cosse comestible **mange-tout, beurre**

HARMONIE
– Association de sons conforme aux règles de l'harmonie **accord**
– Harmonie des sons du langage **euphonie**
– Harmonie rythmique d'un vers **cadence**
– Harmonie d'ensemble d'une œuvre artistique **eurythmie**
– Harmonie des traits d'un visage **régularité**
– Harmonie des idées, des sentiments **communion**
– Harmonie au sein d'un ensemble **cohésion**
– Vivre en harmonie avec quelqu'un **à l'unisson, dans la concorde**

HARNAIS voir aussi dessins ci-dessous et p. 218
– Mettre un harnais à un cheval **harnacher**
– Fabricant de harnais **bourrelier**
– Lieu où l'on remise les harnais des chevaux **sellerie**

HARPE
– La harpe d'Apollon **lyre**
– Harpe à quarante-sept cordes **d'Érard**
– Harpe à soixante-dix-huit cordes **chromatique**
– Partie supérieure d'une harpe **console**

HASARD
– Un heureux hasard **chance, aubaine**
– Coup du hasard **sort, fatalité, destin**
– Les hasards de la vie **aléas, impondérables**
– Fait lié au hasard **contingent**
– Par hasard **d'aventure, fortuitement**
– Au hasard **au petit bonheur**

HASCHISCH cannabis, chanvre indien, marijuana
– Mélange de haschisch et de tabac **kif**
– Pâte comestible à base de poudre de haschisch, d'amandes pilées et de miel **madjoun**
– Propriété du haschisch **hallucinogène, analgésique, antispasmodique, sédatif**

Harnais : licol

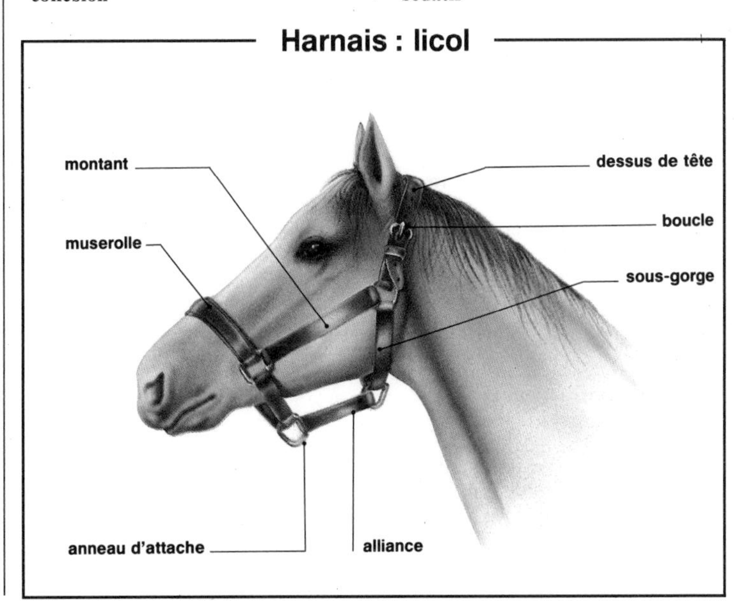

Harnais : filets et mors

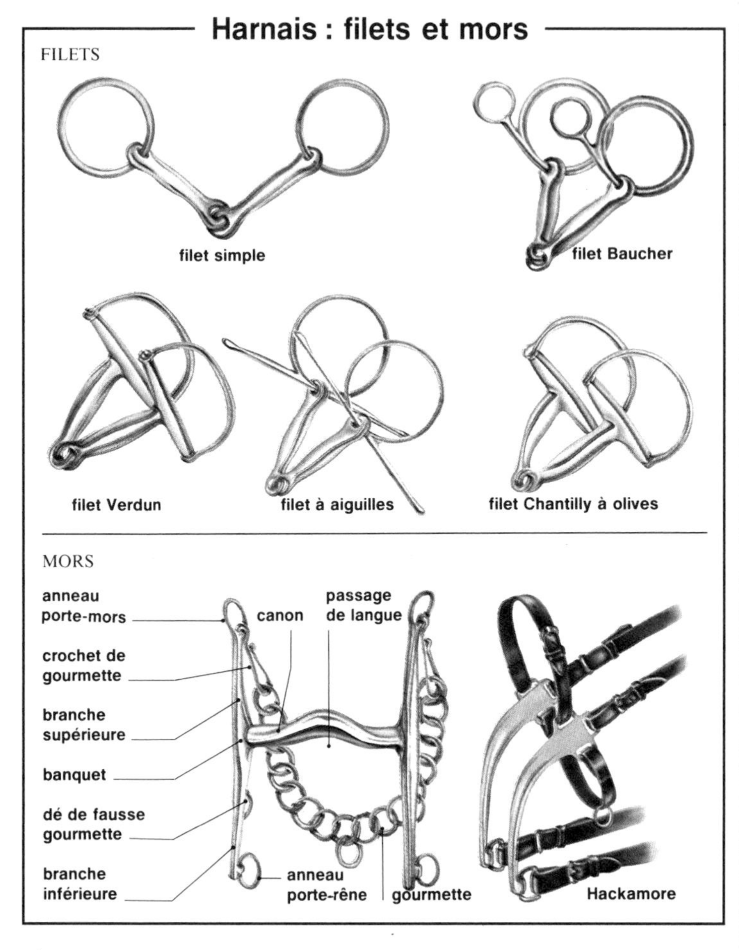

HÂTER
– Hâter le cours des événements **précipiter, brusquer, accélérer, activer**
– Hâter le pas **presser**
– Hâter la floraison des plantes **forcer**
– Se hâter **se dépêcher, s'empresser, faire diligence**

HAUSSE augmentation, accroissement
– Hausse brutale des prix **flambée**
– Hausse du prix des marchandises **renchérissement**
– Hausse des salaires **relèvement, majoration**
– Hausse du cours d'un produit ou d'une action **valorisation**
– Hausse du niveau des eaux **crue**

HAUT (1)
– Le haut d'un arbre **cime, faîte**
– Le haut d'un mur, d'une montagne **crête**

HAUT (2)
– Haute mer **large**
– Une colline haute **élevée**
– Le point le plus haut **dominant, culminant**
– Le plus haut niveau atteint **apogée, zénith**
– Une note haute **aiguë**
– Une mesure d'une haute précision **extrême**
– La plus haute autorité **suprême**
– Une haute personnalité **éminente**
– La plus haute des voix de femme **soprano**
– La plus haute des voix d'homme **ténor**

HAUTEUR voir aussi **colline, montagne**
– Hauteur d'un avion en vol **altitude**
– Hauteur maximale atteinte par un projectile **flèche**
– Construction dressée sur une hauteur **belvédère**
– Hauteur de sentiments, d'aspirations **noblesse**
– Répondre avec hauteur **arrogance, condescendance, morgue**

HAUT-FOURNEAU forge
– Orifice supérieur d'un haut-fourneau par lequel on charge le minerai **gueulard**
– Partie d'un haut-fourneau où s'effectue la réduction du minerai **cuve, ventre, étalage**
– Conduits d'un haut-fourneau par lesquels arrive l'air sous pression **tuyères**
– Usine comportant des hauts-fourneaux **fonderie**
– Résidu laissé par la combustion du zinc dans un haut-fourneau **cadmie**
– En métallurgie, produit de l'oxydation du fer dans un haut-fourneau **créma**
– Partie inférieure d'un haut-fourneau qui recueille le métal fondu **creuset**

HAUT-PARLEUR
– Écran sur lequel est installé le haut-parleur **baffle**
– Assemblage de plusieurs haut-parleurs **enceinte acoustique**
– Haut-parleur reproduisant les fréquences graves **woofer**
– Haut-parleur reproduisant les sons aigus **tweeter**

HÉBREU hébraïque voir aussi **juif**
– Nom hébreu des cinq premiers livres de la Bible **Torah**
– Commentaire critique sur le texte hébreu de la Bible **massorah**
– Rouleau de parchemin portant des versets de la Bible en hébreu **mezuzah**
– Prêtre hébreu de la tribu de Lévi **lévite**
– Sorte d'écharpe portée dans l'Antiquité par les prêtres hébreux **éphod**
– Riche pièce d'étoffe que portait le grand prêtre hébreu **rational**
– Sanctuaire itinérant hébreu **tabernacle**

HECTARE
– Abréviation d'hectare **ha**
– Centième d'un hectare **are**

HÉLICE
– En forme d'hélice **hélicoïdal**
– Figure de voltige aérienne décrivant une hélice **vrille**
– Élément propulseur de l'hélice **pale**
– Partie centrale de l'hélice **moyeu**
– Fabricant d'hélices **hélicier**

HÉLICOPTÈRE giravion
– Sorte d'hélicoptère **girodyne, autogire, hélicostat, héligrue**
– Type d'hélicoptère **Gazelle, Lama, Puma, Cobra Bell, Super Frelon**
– Ensemble des éléments rotatifs d'un hélicoptère **rotor**

– Grand hélicoptère pourvu de deux rotors **banane**
– Hélicoptère dont le rotor est articulé **Alouette**
HÉMISPHÈRE
– Hémisphère Nord **septentrional, boréal**
– Hémisphère Sud **méridional, austral**
– En architecture, voûte en hémisphère **coupole, calotte**
HÉMORRAGIE
– Hémorragie cutanée **purpura, vibices**
– Hémorragie utérine **métrorragie**
– Hémorragie nasale peu abondante **épistaxis**
– Vomissement dû à une hémorragie stomacale **hématémèse**
– Affection caractérisée par des hémorragies répétées **hémogénie**
– Disposition héréditaire aux hémorragies **hémophilie**
– Arrêt de l'hémorragie **hémostase**
HÉRALDIQUE voir dessin et tableau p. 220-221
HERBE **graminée** voir aussi tableau p. 222-223
– Herbes médicinales **simples**
– Herbe-aux-chats **chataire**
– Mauvaise herbe **chiendent, ivraie**
– Arracher les mauvaises herbes **sarcler**
– Lieu planté d'herbe rase **gazon, pelouse, boulingrin, vertugadin**
– Champ d'herbe où l'on mène le bétail **pâturage, alpage**
– Herbe de prairie qui repousse après une première fauche **regain**
HÉRÉDITAIRE **transmissible**
– Caractère héréditaire dans une famille **hérédofamilial**
– Ensemble des éléments porteurs des caractères héréditaires **génotype**
– Prince héréditaire **successible**
– Une haine, une passion héréditaire **ancestrale**
HÉRÉDITÉ
– Partie de la biologie qui étudie l'hérédité **génétique**
– Théorie de l'hérédité **mendélisme**
– Élément de la cellule porteur de l'hérédité **chromosome**
– Résurgence de caractères ancestraux transmis par l'hérédité **atavisme**
HÉRÉSIE **hétérodoxie**
– Auteur d'une hérésie **hérésiarque**
– Personne qui adhère à une hérésie **hérétique**
– Hérésie religieuse **adamisme, arianisme, catharisme, montanisme, pélagianisme, socinianisme**
– Tribunal qui jugeait les crimes d'hérésie **Inquisition**
– Chrétien retombé dans l'hérésie **relaps**
– Hérésie politique **déviationnisme**
– Hérésie scientifique **contrevérité**
HÉRISSÉ
– Une chevelure toute hérissée **hirsute, ébouriffée**
– Une tige hérissée de poils **barbue, hispide**
– Système pileux hérissé sous l'action du froid **horripilation**
– Être hérissé par le comportement, les propos de quelqu'un **irrité, agacé, révolté**
HÉRISSON
– Ordre auquel appartient le hérisson **insectivores**
– Sorte de hérisson de Madagascar **tanrec**
– Réaction défensive du hérisson **volvation**
– Hérisson de mer **oursin, tétrodon, ostracion, coffre, diodon**
HÉRITAGE **legs** voir aussi **testament**
– Transmission d'un héritage **succession**
– Droit à l'héritage **hérédité**
– Droit à la possession d'un héritage en l'absence d'un testament **saisine**
– Biens de famille reçus en héritage **patrimoine**
– Biens que l'on pense obtenir en héritage **espérances**
– Avance sur héritage **avancement d'hoirie**
– Loi franque excluant les femmes du droit à recevoir des terres en héritage **loi salique**
– Droit pour le seigneur féodal de disposer de l'héritage de son vassal ou de ses serfs **mainmorte, mortaille, échute**
HÉRITIER **successeur, ayant cause, légataire, donataire**
– Héritier présomptif exclu de la succession **exhérédé**
– Absence d'héritiers pour recevoir une succession **déshérence**
– Pâle héritier d'une tradition, d'un courant de pensée **épigone**
– Héritier de la couronne de France **Dauphin**
HERMÉTIQUE
– Fermeture hermétique d'un bocal, d'un boîtier **étanche**
– Une expression, un visage hermétique **impénétrable**
– Un discours, un langage hermétique **abscons, sibyllin, ésotérique**
– Partie la plus hermétique d'une philosophie **acroamatique**
HERMINE **martre blanche**
– Famille à laquelle appartient l'hermine **mustélidés**
– Hermine dans son pelage roux d'été **roselet**
– Animal apparenté à l'hermine **belette**
HERNIE
– Hernie abdominale **éventration, laparocèle**
– Hernie du foie **hépatocèle**
– Hernie du rein **néphrocèle**
– Hernie de l'utérus **hystérocèle, métrocèle**
– Hernie de l'hiatus œsophagien **hiatale**
– Bandage servant à contenir une hernie **brayer**
HÉROÏQUE
– Une attitude héroïque **vaillante, valeureuse, chevaleresque**
– Une bataille héroïque **homérique**
– Héroïque face au malheur, à la souffrance **stoïque**
– Poème héroïque **épique**
– Poète héroïque et lyrique celte **barde**
HÉROS **surhomme**
– Héros de l'Antiquité grecque ou romaine **demi-dieu**
– Héros du Moyen Âge **paladin, preux**
– Héros qui donne son nom à un lieu, à un monument **éponyme**
– Héros d'une histoire **protagoniste**
HÉSITATION **indécision, flottement**
– Montrer des signes d'hésitation **incertitude, perplexité, irrésolution**
– Dissiper les hésitations de quelqu'un **réserves, réticences, résistances, scrupules**
HÉSITER
– Hésiter avant de prendre une décision **tergiverser, atermoyer, délibérer, barguigner**
– Hésiter entre plusieurs possibilités **balancer, osciller**
– Hésiter à faire quelque chose **rechigner à**
– Hésiter dans une action, une démarche **tâtonner**
HÉTÉRODOXE
– Une thèse hétérodoxe **hérétique**
– Église hétérodoxe **schismatique, réformée**
– Une opinion politique hétérodoxe **non conformiste, dissidente**
HÉTÉROGÈNE
– Un groupe d'éléments hétérogènes **disparates, amalgamés**
– Une foule hétérogène **bigarrée**
– Une œuvre hétérogène **hétéroclite, composite**

Héraldique

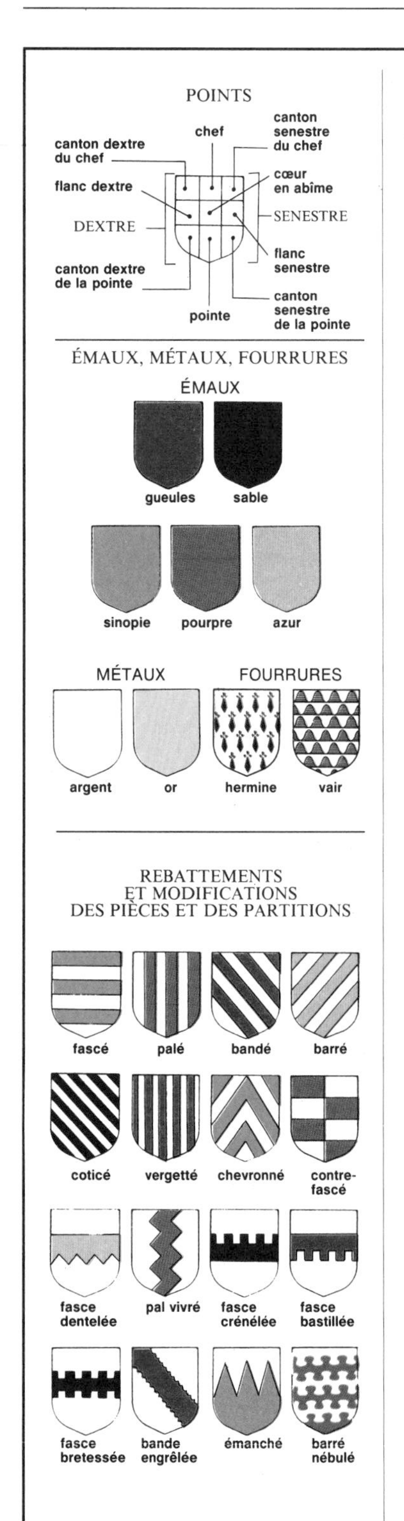
POINTS
chef
canton senestre du chef
canton dextre du chef
cœur en abîme
flanc dextre
SENESTRE
DEXTRE
flanc senestre
canton dextre de la pointe
canton senestre de la pointe
pointe
ÉMAUX, MÉTAUX, FOURRURES
ÉMAUX
gueules
sable
sinopie
pourpre
azur
MÉTAUX
FOURRURES
argent
or
hermine
vair
REBATTEMENTS ET MODIFICATIONS DES PIÈCES ET DES PARTITIONS
fascé
palé
bandé
barré
coticé
vergetté
chevronné
contre-fascé
fasce dentelée
pal vivré
fasce crénélée
fasce bastillée
fasce bretessée
bande engrêlée
émanché
barré nébulé

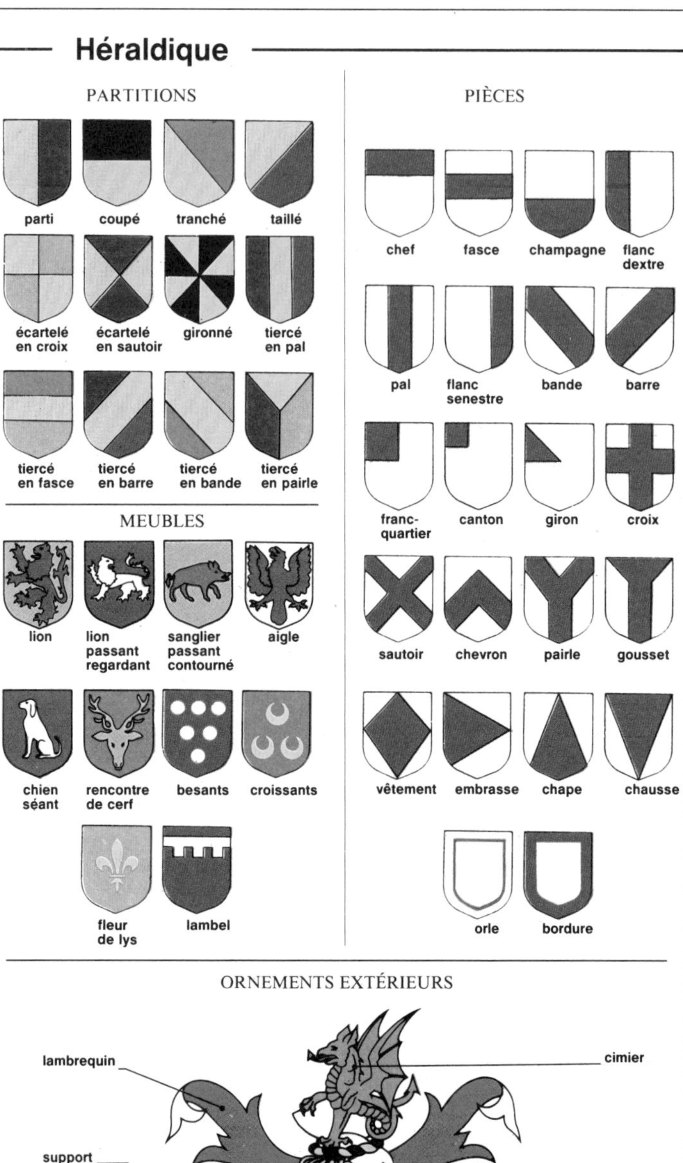
PARTITIONS
parti
coupé
tranché
taillé
écartelé en croix
écartelé en sautoir
gironné
tiercé en pal
tiercé en fasce
tiercé en barre
tiercé en bande
tiercé en pairle
MEUBLES
lion
lion passant regardant
sanglier passant contourné
aigle
chien séant
rencontre de cerf
besants
croissants
fleur de lys
lambel
PIÈCES
chef
fasce
champagne
flanc dextre
pal
flanc senestre
bande
barre
franc-quartier
canton
giron
croix
sautoir
chevron
pairle
gousset
vêtement
embrasse
chape
chausse
orle
bordure

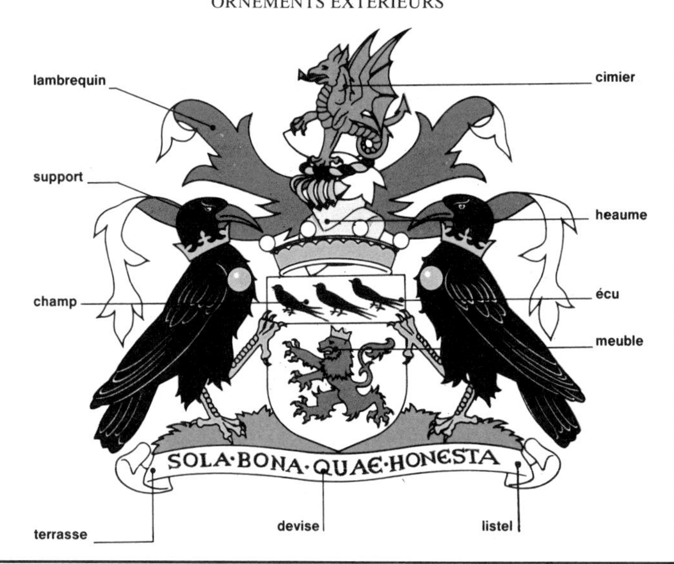
ORNEMENTS EXTÉRIEURS
lambrequin
cimier
support
heaume
champ
écu
meuble
SOLA·BONA·QUAE·HONESTA
terrasse
devise
listel

HÉRALDIQUE

accolé	Se dit de meubles qui se touchent.
adossé	Se dit d'objets ou d'animaux se tournant le dos sans nécessairement se toucher.
affronté	Se dit de meubles, surtout des animaux, qui se font face.
alérion	Petite aigle sans bec ni pattes.
alésé	Qualifie une pièce dont la ou les extrémités ne touchent pas les bords de l'écu.
armes	Emblèmes héraldiques propres à une famille. Les armes figurent sur l'écu, mais peuvent aussi orner bannières, vêtements, tapisseries, etc.
armes parlantes	Armes dont les meubles évoquent le nom de la famille à qui elles appartiennent. Ainsi, une tour et un pin figurent sur l'écu de La Tour du Pin.
armoiries	Ce terme s'applique à l'ensemble constitué par l'écu et ses ornements (timbre, support, etc.).
armorial	Recueil faisant l'inventaire des armoiries d'une région, d'une nation. Exemple : *l'Armorial de Bretagne.*
besant	Meuble représentant une pièce de monnaie, toujours d'or ou d'argent. Le tourteau, avec lequel il ne faut pas le confondre, est toujours d'émail.
blason	1. Art de décrire les armoiries. 2. Synonyme d'armes et d'armoiries.
brochant	Qualifie une pièce qui en recouvre partiellement une ou plusieurs autres.
champ	Surface de l'écu.
contourné	Désigne un animal ou un objet dirigé vers le flanc senestre (position inhabituelle).
engrêlé	Qualifie une pièce dont les bords sont découpés en dents arrondies, pointes dirigées vers l'extérieur.
éployé	Désigne un oiseau représenté de face, les ailes ouvertes. C'est la position habituelle de l'aigle.
éviré	Se dit d'un animal, le lion surtout, représenté sans sexe.
issant	Qualifie un animal dont seule la partie supérieure du corps (tête, cou, torse, bout des pattes avant, queue) est représentée.
listel	Ornement extérieur : ruban sur lequel sont inscrits la devise ou le cri.
meuble	Représentation d'animaux, de plantes, d'armes et d'objets divers ornant l'écu.
morné	Qualifie un animal représenté sans dents, ni langue, ni griffes.
nébulé	Se dit d'une pièce dont les bords sont découpés en lignes sinueuses.
partition	Différentes manières dont on peut diviser l'écu au moyen de lignes géométriques. Le mot « division » ne s'emploie pas en héraldique.
passant	Qualifie un quadrupède représenté marchant, la patte droite légèrement levée.
pièce	Figure géométrique occupant une partie de l'écu. Ces figures peuvent se combiner pour donner par exemple la croix, le sautoir, le pairle.
point	Case. L'écu est divisé en 9 points. Un écu divisé en 16 cases or et vertes est dit à 16 points d'or et de sinople.
rampant	Désigne la position habituelle du lion dressé sur ses pattes arrière, les pattes de devant levées. Dans la même position, le loup est dit « ravissant », le cerf « saillant ».
rebattement	Répétition, sur un écu, des pièces ou des partitions.
regardant	Désigne un animal dont la tête est tournée vers l'arrière.
rencontre	Ce terme désigne le cerf dont seule la tête et les bois sont représentés de face.
séant	Signifie assis en parlant d'un animal.
semé	Couvert de petits meubles. Par exemple, un écu où est représentée une multitude de fleurs de lys est dit semé de fleurs de lys.
support	Ornements extérieurs : animaux disposés de chaque côté de l'écu, comme pour le soutenir. S'il s'agit d'objets on dit « soutiens », et « tenants » pour des formes humaines.
timbre	Ornement extérieur qui surmonte l'écu : casque, couronne, cimier, par exemple.
vivré	Se dit d'une pièce dont les bords sont découpés en dents de scie.

HÊTRE
– Famille à laquelle appartient le hêtre **fagacées**
– Fruit du hêtre **faine**
– Plantation de hêtres **hêtraie**
– Nom régional du hêtre **fayard, foyau, fagette, fouteau**

HEURE voir aussi **méridien**
– Toujours à l'heure **ponctuel**
– Dans la liturgie romaine, heures où sont récitées les prières du bréviaire **canoniales**
– Petites heures canoniales **prime, tierce, sexte, none, complies**
– Grandes heures canoniales **matines, laudes, vêpres**
– Pièce portant l'heure à laquelle elle a été rédigée **horodatée**
– Art de déterminer l'heure à l'aide des ombres projetées par le Soleil ou la Lune **sciographie**

HEUREUX voir aussi **bonheur**
– Être parfaitement heureux **comblé, transporté de bonheur**
– Être heureux de quelque chose **enchanté, ravi**
– Un visage heureux **radieux, réjoui, épanoui**
– Une opération financière heureuse **avantageuse, réussie, fructueuse**
– Une décision heureuse **opportune**
– Un heureux mariage de couleurs **harmonieux**
HEURTER
– Heurter un véhicule **emboutir, percuter, télescoper**
– Heurter quelqu'un par ses paroles, par son attitude **froisser, offenser, offusquer**
– Se heurter l'un contre l'autre **s'entrechoquer**
– Des voitures se sont heurtées **carambolées**
– Se heurter contre quelque chose **buter**
– Se heurter, comme le font les béliers **cosser**
HIBISCUS ketmie
– Famille à laquelle appartient l'hibiscus **malvacées**
– Hibiscus de la Martinique **abelmosque**
– Graine odorante de l'hibiscus de la Martinique **ambrette**
HIBOU voir aussi **chouette** et tableau animaux p. 20-21
– Famille à laquelle appartient le hibou **strigidés**
– Espèce de hibou **petit duc, moyen duc, grand duc**
– Crier, pour le hibou **huer, ululer**
HIDEUX
– Un visage hideux **horrible, affreux, repoussant, monstrueux**
– Un procédé hideux **répugnant, ignoble, abject, immonde**
HIÉRARCHIE voir aussi **grade**
– La hiérarchie sociale **ordre**
– Hiérarchie des valeurs **classification, échelle**
– Niveaux d'une hiérarchie **degrés, échelons**
– Dans une hiérarchie, dépendance par rapport à son supérieur **subordination**
HIÉROGLYPHE hiérogramme, idéogramme
– Savant de l'Égypte antique versé dans les hiéroglyphes **hiéroglyphite**
– Premier égyptologue à avoir déchiffré les hiéroglyphes **Jean-François Champollion**
– Stèle qui a permis le déchiffrement des hiéroglyphes **pierre de Rosette**

HERBES, ÉPICES, CONDIMENTS

ail	Considéré à la fois comme aromate et comme médicament, l'ail est utilisé principalement dans la cuisine provençale, avec le mouton, dans l'aïoli...
anis vert	Il évoque l'anisette, le pastis du Midi ou encore l'ouzo grec. Il est utilisé en pâtisserie, dans les biscuits secs, dans le pain d'épice, et relève certaines viandes et certains poissons.
basilic	Considéré parfois comme une herbe sacrée, notamment dans l'Église orthodoxe byzantine, où il est utilisé avec l'eau bénite, le basilic est très apprécié dans la cuisine méridionale.
cannelle	Elle provient de l'écorce du cannelier, qui, découpée en lamelles puis roulée, donne cette épice au goût chaud dédiée aux desserts. Elle parfume les vins chauds, les compotes, les gâteaux secs et les entremets.
carvi	Épice au goût anisé, il est surtout cultivé dans le nord de l'Europe alors que le cumin, avec lequel on le confond souvent, provient d'Orient. On le retrouve dans le pain, les biscuits salés, le pain d'épice, le goulasch, l'irish stew, la choucroute ; on le sert volontiers avec le munster.
céleri	(Céleri-rave, céleri en branches, céleri à couper.) On raconte que le céleri sauvage, l'ache des marais, entrait dans la composition du philtre d'amour qu'Yseult offrit à Tristan. Il est utilisé aujourd'hui dans les soupes, le pot-au-feu, les sauces, les courts-bouillons...
cerfeuil	Il ressemble au persil, mais se distingue de celui-ci par sa saveur anisée. Il est utilisé dans les omelettes, les sauces froides, etc.
ciboulette	Appelée aussi civette, du civet dans lequel elle était jadis utilisée, elle relève la mayonnaise, le tartare, les salades, le fromage blanc.
coriandre	On la trouve surtout dans la cuisine arabe et orientale. Elle parfume également certaines liqueurs.
cumin	Souvent utilisé comme le carvi, le cumin, lui, provient d'Orient. Il apporte son arôme au ragoût de mouton, au couscous, etc.
curry	Il est obtenu à partir d'un mélange d'épices composé essentiellement de poivre, de coriandre, de curcuma, de fenugrec et de piment. C'est l'épice de l'Inde par excellence.
échalote	En raison de sa finesse, on la préfère souvent à l'oignon et à l'ail. Elle relève vinaigrettes, marinades, courts-bouillons, farces, sauces au vin, etc.
estragon	Appelé également serpentine, artémise ou dragonne, il est apprécié dans les régimes sans sel. Il est utilisé dans les sauces, et pour toutes sortes d'assaisonnements.
fenouil	Ses graines ont une action bénéfique sur la digestion. Il parfume notamment la bouillabaisse.
genièvre	Bien connu dans les pays nordiques, il entre dans la composition de certains alcools : l'alcool de genièvre, le gin, l'aquavit ou le péquet. En cuisine, il parfume les gibiers, la choucroute, les sauces au vin.
gingembre	Très apprécié jadis aussi bien chez nous qu'en Chine, en Grèce et chez les Romains, le gingembre est aujourd'hui peu utilisé en France alors que les Britanniques en sont grands consommateurs. Ils l'utilisent dans certaines boissons (gingerale, gingerbeer), certains biscuits, en confiserie et dans la marmelade.

girofle	Le giroflier produit des boutons de fleurs qui, séchés, donnent les clous de girofle. Longtemps utilisé uniquement comme plante médicinale en raison de son prix, le clou de girofle est apprécié aujourd'hui pour l'assaisonnement des marinades, de la potée, des ragoûts et des vins chauds.
laurier	On lui doit bien des honneurs : le mot « baccalauréat » provient de *bacca laurea,* c'est-à-dire de la couronne de laurier dont on coiffait au Moyen Âge les jeunes docteurs. En outre, il a une action bactéricide et est employé comme désinfectant des voies respiratoires et digestives. Il est utilisé dans les pot-au-feu, les courts-bouillons, le bouquet garni, etc.
muscade	La noix de muscade est en fait l'amande du noyau du fruit du muscadier. Elle est appréciée pour parfumer les plats de pommes de terre, les soufflés au fromage, ainsi que certaines boissons chaudes, le punch ou la sangria.
oignon	Distribué aux soldats dans la Rome antique pour leur donner du courage, il est encore apprécié pour ses qualités antiseptiques.
origan	C'est cueilli en fleur et séché qu'il a le plus d'arôme. Cousin de la marjolaine, il est cependant plus poivré que celle-ci. Il est indispensable dans la pizza et est également utilisé dans la paella, le goulasch, le chich kebab.
paprika	Il appartient à la famille des piments et constitue l'ingrédient essentiel du goulasch. Il est plus ou moins doux selon que les pépins sont moulus ou non avec la chair.
persil	Il fait partie des « fines herbes » et du fameux bouquet garni. Riche en vitamine E et en sels minéraux, il est considéré comme une véritable herbe de santé.
piments	Ils appartiennent à une large famille qui va du piment de Cayenne, très fort, au poivron, très doux.
poivre	C'est le fruit d'une liane tropicale. Utilisé jadis comme monnaie, il se consomme aujourd'hui sous trois formes : vert ; pas tout à fait mûr ou noir (gris s'il est moulu) ; ou enfin mûr, c'est-à-dire blanc.
romarin	Il est, avec le thym, l'âme de la garrigue. Présent dans toute la cuisine méridionale, il est considéré comme une plante de santé et de jouvence.
safran	Le safran est l'épice la plus chère du monde, car il est prélevé à la main sur le pistil des fleurs. Il est utilisé pour parfumer la bouillabaisse, la paella, le riz, etc.
sarriette	Peu connue chez nous, elle est appréciée des Allemands pour assaisonner les haricots, d'où son nom de *Bohnenkraut* (« herbe aux haricots »). Elle est recommandée dans les marinades et avec le gibier.
sauge	Herbe sacrée chez les Grecs et les Romains, herbe médicinale pour les Provençaux, longtemps utilisée en infusion par les Britanniques, elle est recommandée avec les viandes grasses.
serpolet	Appelé aussi thym sauvage, il assaisonne les soupes de légumes, la dorade au four ou les pâtes à l'italienne.
thym	Il fait partie des « herbes de Provence » et du bouquet garni. Il est apprécié sur les grillades, dans les farces, les poissons au four, les plats à la tomate.

HINDOUISME voir tableau p. 224

HIPPOPOTAME
- Sous-ordre auquel appartient l'hippopotame **porcins**
- Groupe auquel appartient l'hippopotame **artiodactyles**
- Hippopotame nain **chaeropsis**
- Ivoire des dents de l'hippopotame **rohart**

HIRONDELLE voir aussi tableau animaux p. 20-21
- Ordre auquel appartient l'hirondelle **passereaux**
- Famille à laquelle appartient l'hirondelle **sylviidés**
- Hirondelle des marais **glaréole**
- Nom régional de l'hirondelle de rivage **mottereau**
- Hirondelle de Malaisie dont le nid, fait d'algues, est comestible **salangane**
- Hirondelle de mer **sterne**
- Oiseau ressemblant à l'hirondelle **martinet**
- En menuiserie, assemblage en forme de queue d'hirondelle **à queue d'aronde**

HISTOIRE voir aussi **récit**
- Époque située entre la préhistoire et l'histoire **protohistoire**
- Science de la datation en histoire **chronologie**
- Ensemble des documents relatifs à l'histoire d'une institution, d'un État **archives**
- Entrer dans l'histoire **annales**
- Auteur mandaté pour écrire l'histoire de ses contemporains **historiographe**
- Étude philosophique des faits dans leur rapport à l'histoire **historisme**
- Muse de l'histoire **Clio**
- L'histoire des espèces, des institutions, des familles **généalogie**
- Histoire de la vie des saints **hagiographie**
- Récit de sa propre histoire **Mémoires, autobiographie**
- Histoire imaginée **fiction**
- Petite histoire **anecdote**
- Histoire drôle bruxelloise **zwanze**

HISTORIQUE
- Valeur historique d'un fait **historicité**
- Un jour historique **mémorable**
- Linguistique historique **diachronique**

HIVER
- État d'engourdissement de certains animaux pendant l'hiver **hibernation**
- Labourage des terres avant ou pendant l'hiver **hivernage**

– Plantes poussant en hiver **hiémales, brumales**
– Brouillard de l'hiver **frimas**

HOBBY passe-temps, violon d'Ingres

HOCKEY
– Ancêtre persan du hockey **tchogan**
– Canne utilisée pour jouer au hockey **crosse, stick**
– Palet utilisé en hockey sur glace **rondelle, puck**
– Jeu amérindien voisin du hockey **crosse**

HOLLANDAIS
– La population hollandaise **néerlandaise**
– Terme désignant jadis le peuple hollandais ou néerlandais **batave**
– Titre de noblesse hollandais correspondant au rang d'écuyer **jonkheer**
– Ancien gouverneur de province hollandais **stathouder**
– Fromage hollandais **gouda, édam, mimolette, tête-de-Maure**

HOMARD
– Ordre auquel appartient le homard **décapodes macroures**
– Homard de Norvège **langoustine**
– Potage à base de coulis de homard **bisque**

HOMÉOPATHIE
– Fondateur de l'homéopathie **Samuel Hahnemann**
– Thérapeutique dérivée de l'homéopathie **gemmothérapie**
– Caractérise les doses en homéopathie **infinitésimales**

HOMME
-anthrope, anthropo-, andro-, -andre, -andrie, vir-

HOMME voir aussi **adolescent, humain**
– Processus de passage du primate à l'homme **hominisation**
– Science de l'homme **anthropologie, ethnologie**
– Haine des hommes **androphobie, misandrie, misanthropie**
– Ensemble des caractères physiques et sexuels propres à l'homme **virilité**
– Idéologie prônant la suprématie de l'homme **phallocratie, machisme**
– Diminution de l'activité sexuelle chez l'homme âgé **andropause**
– Homme ayant subi une castration **eunuque**
– Homme marié à plusieurs femmes **polygame**
– Femme mariée à plusieurs hommes **polyandre**
– Homme qui attache une grande importance à l'élégance **dandy**
– Homme distingué et galant **gentleman**
– Créature légendaire mi-homme mi-bête **faune, satyre, ægipan, centaure, Minotaure**
– Homme de paille **prête-nom**

HOMME D'AFFAIRES businessman, entrepreneur
– Homme d'affaires aux activités multiples **brasseur d'affaires**
– Homme d'affaires puissant et riche **magnat**
– Homme d'affaires peu délicat **affairiste**

HOMOSEXUEL (1) homophile, uraniste
– Jeune homosexuel, dans la littérature **mignon, giton, ganymède**

HOMOSEXUEL (2)
– Attirance homosexuelle pour un jeune garçon **pédérastie**
– Penchant homosexuel d'une femme **lesbianisme, saphisme**

HONGROIS
– Peuple hongrois **magyar**
– Vice-roi hongrois **palatin**
– Ancien soldat hongrois **heiduque, pandour**
– Jadis, noble hongrois **magnat**
– Danse hongroise **czardas**
– Ragoût hongrois **goulasch**
– Vin liquoreux hongrois **tokay**

HONNÊTE
– Un homme honnête **droit, intègre, probe, scrupuleux**
– Un juge, un policier honnête **incorruptible, irréprochable**
– Un marché peu honnête **frauduleux, illicite**
– Un résultat, un travail honnête **satisfaisant, convenable, correct**

HONNEUR dignité
– Salir l'honneur de quelqu'un **entacher**
– Être l'honneur des siens **fierté**
– Être traité avec tous les honneurs **égards, respects**
– Les honneurs d'une fonction, d'un rang **prérogatives**
– Marque d'honneur accordée à quelqu'un **distinction, décoration**
– Faire une chose en l'honneur de quelqu'un **en hommage à**
– Faire à quelqu'un l'honneur de quelque chose **grâce, faveur**

HONTE
– Être la honte de la famille **déshonneur**
– Cacher sa honte **humiliation**
– Couvrir quelqu'un de honte **opprobre**
– Se couvrir de honte **s'avilir**
– Essuyer la honte d'un refus **affront**
– Faire honte à quelqu'un **mortifier**
– Étaler ses richesses sans honte **scrupule, vergogne**

HONTEUX
– Un procédé honteux **méprisable, vil, ignominieux, abject**

HINDOUISME

bahkti	Courant majeur de l'hindouisme durant la période de l'Empire musulman (religion de dévotion).
Brahma (création) **Shiva** (destruction) **Vishnou** (conservation)	Divinités majeures de l'hindouisme et leurs fonctions.
brahmane (prêtre) **kshatriya** (guerrier) **vaishya** (artisan) **shudra** (paysan)	Ordres régissant la société selon l'hindouisme.
shakti	Nom donné aux énergies ou divinités féminines.
shivaïsme **vishnouisme**	Principaux courants de l'hindouisme contemporain.
varna (classe, ordre) **jati** (caste, naissance)	Divisions de la société héritées du védisme et perpétuées par l'hindouisme.
Veda	Textes sacrés de l'hindouisme.
védisme, brahmanisme	Ancêtres de l'hindouisme.

– Une pensée, une idée honteuse **inavouable, infâme, turpide**
– Se sentir honteux **confus, penaud, contrit**

HÔPITAL
– Hôpital principal dans certaines villes **hôtel-Dieu**
– Hôpital spécialisé dans le traitement de la tuberculose **sanatorium**
– Hôpital réservé aux vieillards **hospice**
– Hôpital destiné jadis aux lépreux **ladrerie, léproserie, maladrerie**

HORAIRE
– Horaire des trains **indicateur des chemins de fer**
– Appareil de stationnement intégrant un horaire **parcmètre, horodateur**
– Respect de l'horaire **ponctualité, exactitude**

HORIZON
– Horizon immense, merveilleux **vue, panorama**
– Entrevoir des horizons intéressants, nouveaux **perspectives**
– Arc de l'horizon compris entre le point où un astre se lève ou se couche et les directions de l'est et de l'ouest géographiques **amplitude ortive**
– Cercle imaginaire sur la sphère céleste, parallèle à l'horizon **almicantarat**

HORLOGE
– Horloge à eau dans l'Antiquité **clepsydre**
– Petite horloge ancienne décorée d'un cartouche **cartel**
– Horloge à balancier posée sur un socle **comtoise**
– Horloge musicale se déclenchant automatiquement pour marquer les heures **carillon**
– Coffre d'une horloge **gaine**
– Automate martelant les heures sur la cloche d'une horloge **jaquemart**
– Horloge de mort **vrillette, anobie**

HORLOGERIE
– Plaque supportant les pièces d'un mouvement d'horlogerie **platine**
– En horlogerie, pivot du balancier **verge**
– En horlogerie, support du pivot supérieur du balancier **coq**
– Boîte renfermant le ressort d'un mécanisme d'horlogerie **barillet**
– Remontoir, en roue dentée, d'un mécanisme d'horlogerie **rochet**

HORMONE
– Hormone femelle **œstradiol, folliculine, progestérone**
– Hormone mâle **testostérone, androstérone**
– Hormone du pancréas favorisant l'utilisation du sucre dans l'organisme **insuline**
– Hormone des glandes surrénales agissant sur le cœur et la tension **adrénaline**
– Hormone ayant une action anti-inflammatoire **cortisone**
– Taux d'hormones dans le sang **hormonémie**
– Taux d'hormones dans l'urine **hormoniurie**
– Hormone végétale **auxine**

HOROSCOPE voir aussi **astrologie, prédiction**
– Fait selon les règles de l'horoscope **généthliaque**

HORREUR
– Éprouver un sentiment d'horreur **aversion, répulsion, effroi, terreur**
– Un film d'horreur **épouvante**
– Les horreurs de la guerre **atrocités**
– L'horreur d'un crime **monstruosité, abjection, ignominie**
– Commettre des horreurs **vilenies**
– Les horreurs de l'agonie **affres**
– Horreur instinctive **phobie**
– Avoir quelque chose en horreur **abhorrer, exécrer, abominer**

HORRIBLE
– Un meurtre horrible **abominable, répugnant, révoltant, effroyable, horrifiant**
– Une plaie horrible **affreuse, hideuse**
– Une horrible potion **infecte, exécrable**
– Une douleur horrible **intolérable, insoutenable**

HORS-D'ŒUVRE **amuse-gueule**
– Hors-d'œuvre italiens **antipasti**
– Hors-d'œuvre russes **zakouski**
– Hors-d'œuvre variés libanais **mezze**
– Petit plat pour les hors-d'œuvre **ravier**

HORS-LA-LOI voir aussi **bandit, criminel**
– Hors-la-loi que rien n'arrête **desperado**

HORTICULTURE voir aussi **culture, élevage**
– Branche de l'horticulture **arboriculture, floriculture, maraîchage**

HOSTIE **eucharistie**
– Boîte où est conservée l'hostie **custode**
– Récipient sacré réservé à l'hostie **ciboire, patène**
– Présence réelle du corps et du sang de Jésus-Christ dans l'hostie et le vin **consubstantiation**

HOSTILE voir aussi **ennemi**
– Être hostile à quelqu'un ou à quelque chose **défavorable**
– Des paroles hostiles **inamicales, malveillantes, fielleuses**
– Un environnement hostile **inhospitalier**
– Forces, puissances hostiles **antagoniques**

HOSTILITÉ voir aussi **guerre**
– Manifester de l'hostilité envers quelqu'un **antipathie, animosité, inimitié**
– S'attirer l'hostilité de quelqu'un **ressentiment, défaveur**

HÔTE
– Recevoir des hôtes **invités, convives**
– Hôte habituel d'une maison **commensal**
– Hôte qui reçoit des invités **maître de maison**
– Hôte qui offre le repas **amphitryon**
– Hôtesse d'accueil **réceptionniste**

HÔTEL
– Hôtel de luxe **palace**
– Hôtel modeste **pension de famille**
– Hôtel-restaurant à la campagne **auberge**
– Hôtel au bord d'une route **motel**
– Hôtel géré par l'État en Espagne **parador**
– Hôtel japonais typique **riokan**
– Sorte d'hôtel oriental pour les voyageurs du désert **caravansérail**
– Maître d'hôtel **majordome**
– Coursier dans un hôtel **groom, chasseur**
– Garçon d'ascenseur dans un hôtel **liftier**

HOUILLE voir aussi **charbon**
– Mine de houille **houillère**
– Extrémité d'une veine de houille **airure**
– Petit fragment de houille **tête-de-moineau**
– Résidu produit par la combustion de la houille **mâchefer, scorie**
– Morceau de houille mêlé aux cendres, après la combustion **escarbille**
– Poussière de houille **poussier, senisse**

HOUPPE
– Houppe de cheveux **toupet**
– Houppe de plumes sur la tête d'un oiseau **huppe, aigrette**
– Houppe de plumes sur un chapeau **panache**
– Petite houppe de soie à l'extrémité d'un bouton, d'un galon **freluche**
– Petite houppe de fils ornant les uniformes prussiens **floche**

HOUX
– Famille à laquelle appartient le houx **aquifoliacées**
– Petit houx **fragon**
– Houx du Paraguay **maté**
– Nom régional du houx **gréou, agriou**
– Endroit planté de houx **houssaie**
HUER
– Huer une pièce de théâtre, un orateur **siffler, conspuer**
HUILE
olé (o)-, olé (i)-
HUILE
– Graines, plantes contenant de l'huile **oléagineuses**
– Vase d'huile consacrée utilisée pour le sacre des rois de France **sainte ampoule**
– Arbre à huile **aleurite**
– Palmier à huile **éléis**
– Huile de palme **pumicin**
– Huile de bouleau servant au traitement de certains cuirs **dioggot**
– Huile essentielle de fleur d'oranger **néroli**
– Huile parfumée utilisée autrefois comme brillantine **macassar**
– Mélange d'huile et de cire employé en pharmacie **cérat**
– Dans le midi de la France, récipient métallique où l'on conserve l'huile **estagnon**
– Instrument servant à mesurer la densité des huiles **oléomètre**
– Huile consacrée destinée aux onctions religieuses **chrême**
– Petit flacon où sont conservées les saintes huiles **burette**
– Frotter une partie du corps avec de l'huile **oindre**
HUILER graisser, lubrifier
– En filature, huiler les matières textiles **ensimer**
HUISSIER
– Huissier dans une université **appariteur**
– Huissier d'Afrique du Nord **chaouch**
– Huissier chargé autrefois de porter une masse lors de certaines cérémonies **massier**
HUIT
oct-, octo-
HUIT
– Poème ou strophe de huit vers **huitain**
– Composition musicale pour huit instruments **octuor**
– Période de célébration catholique de huit jours **octave**
– Ensemble de huit électrons dans un atome **octet**

HUÎTRE
– Famille à laquelle appartient l'huître **ostréidés**
– Variété d'huître **belon, fine de claire, marennes, perlot, gryphée**
– Huître provenant de gisement naturel **gravette**
– Huître perlière **pintadine, méléagrine**
– Larve d'huître **naissain**
– Élevage des huîtres **ostréiculture**
– Ouvrier affecté à l'entretien d'un parc à huîtres **amareyeur**
– Séparer les jeunes huîtres pour les déposer dans le parc d'engraissement **détroquer**
– Côté face à la mer d'un parc à huîtres **acul**
– Panier à huîtres **cloyère**
– Coquille d'huître fossilisée **ostracite**
HUMAIN
– Produit d'une création humaine **artefact**
– Robot ou automate ayant forme humaine **androïde**
– Groupe humain partageant une même langue et une même culture **ethnie**
– Être qui se nourrit de chair humaine **cannibale, anthropophage**
– Attribution de traits humains aux animaux ou aux choses **anthropomorphisme**
– Science visant à améliorer biologiquement l'espèce humaine **eugénisme**
– Une personne humaine **charitable, compatissante, secourable**
HUMANITÉ
– Faire preuve d'humanité **sensibilité, indulgence, clémence, compassion, pitié**
– Amour de l'humanité **philanthropie**
– Haine de l'humanité **misanthropie**
HUMBLE
– Une personne humble **modeste, effacée**
– Une existence humble **obscure**
– Un comportement excessivement humble **soumis, servile, obséquieux**
– Se faire humble devant un supérieur **s'aplatir, ramper, plier l'échine, courber le front**
HUMEUR tempérament, naturel
– Relatif à l'humeur, en psychologie **thymique**
– Bonne humeur **entrain, enjouement**
– Mauvaise humeur **maussaderie, esprit chagrin, acrimonie**

– Humeur calme, égale **équanimité**
– Homme dont l'humeur est changeante **lunatique, versatile**
HUMIDE
– Un linge légèrement humide **humecté**
– Une paroi, un mur humide **suintant**
– Des terrains humides **uligineux**
– Plante typique des régions humides **hygrophyte**
– Un temps humide **brumeux, pluvieux**
– Une chaleur humide **moite**
– Un regard humide **embué**
HUMIDITÉ
– Trace d'humidité sur un tissu, une tapisserie **mouillure**
– Produit destiné à protéger de l'humidité **hydrofuge**
– Plante qui recherche l'humidité **hygrophile**
– Appareil servant à mesurer le degré d'humidité de l'air **hygromètre**
– Dispositif employé pour augmenter l'humidité de l'air **humidificateur, saturateur**
– Appareil maintenant un degré d'humidité constant dans un lieu clos **hygrostat**
– En termes de bâtiment, rendre son humidité pour un mur ou du plâtre **ressuer**
HUMILIATION
– Infliger une humiliation à quelqu'un **affront, vexation, mortification, avanie, camouflet**
– Vivre dans l'humiliation **honte, avilissement**
HUMOUR voir aussi **comique, esprit**
– Forme d'humour incisif **ironie, persiflage, sarcasme**
– Forme d'humour propre à Bruxelles **zwanze**
HURLER
– Hurler un ordre **rugir, beugler, glapir**
– Hurler sa révolte **clamer**
– Le vent hurle dans la cheminée **mugit**
– Parler en hurlant **tonitruer, vociférer, s'époumoner**
HUTTE voir aussi **cabane**
– Hutte de paille et de branchages **paillote**
– Hutte antillaise **case, ajoupa**
– Hutte amérindienne **wigwam, hogan**
– Hutte conique des peuplades sibériennes **yourte**
HYBRIDE métis
– Hybride d'animaux domestiqués **mulet, bardot, mouchèvre, cattalo**

– Hybride de félins **tigron, ligre, léopon, jaguapard**
– Hybride d'âne et de zèbre **dozeb**
– Hybride de seigle et de blé **triticale**

HYDRAULIQUE
– Énergie hydraulique **houille blanche, houille bleue, houille verte**
– Ouvrage hydraulique **aqueduc, barrage, écluse**
– Machine hydraulique **bélier hydraulique, noria**
– Roue hydraulique **tympan**
– Élément de la roue hydraulique mû par la pression de l'eau **aube**
– Orgue hydraulique de l'Antiquité **hydraule**

HYDROGÈNE
– Symbole chimique de l'hydrogène **H**
– Premier physicien à avoir identifié l'hydrogène **Henry Cavendish**
– Noyau de l'atome d'hydrogène **proton**
– Acide contenant de l'hydrogène **hydracide**
– Composé binaire d'un métal avec l'hydrogène **hydrure**
– Hydrogène lourd **deutérium**

HYÈNE
– Famille à laquelle appartient l'hyène **hyénidés**
– Animal apparenté à l'hyène **protèle, lycaon**
– Hyène, ou tout animal nécrophage **charognard**

HYGIÈNE **salubrité**
– Règles, principes d'hygiène **sanitaires, prophylactiques**
– Mesure d'hygiène **désinfection, assainissement, asepsie**
– Science ayant pour objet l'hygiène alimentaire **diététique**

HYMNE **ode**
– Hymne religieux **psaume, cantique, hosanna**
– Recueil d'hymnes liturgiques **hymnaire**
– Hymne de l'Église protestante **choral**
– Hymne à la gloire de Dieu **gloria, sanctus, Te Deum**
– Hymne en l'honneur d'Apollon **péan**

HYPNOSE
– État d'hypnose ressemblant à un coma **catalepsie, léthargie**
– Forme d'hypnose caractérisée par une activité automatique **somnambulisme**
– Hypnose due à l'absorption de certains médicaments **narcose**
– Hypnose provoquée par des pratiques magiques **envoûtement**
– Forme d'hypnose caractéristique d'un médium **transe**
– Personne qui utilise l'hypnose à des fins thérapeutiques **magnétiseur**

HYPOCRISIE **duplicité, dissimulation**
– Hypocrisie d'une attitude **fourberie, tartuferie**
– Scène d'une hypocrisie frappante **mascarade**
– Hypocrisie dans l'expression des sentiments religieux **bigoterie, cagoterie, momerie, pharisaïsme**
– Hypocrisie malveillante **perfidie**

HYPOCRITE **tartufe**
– Une personne hypocrite **fausse, sournoise, artificieuse, retorse**
– Un air hypocrite **chafouin, cauteleux, de chattemite**
– Un ton hypocrite **patelin, mielleux, doucereux**
– Un sourire hypocrite **feint, affecté**
– Un procédé hypocrite **insidieux, jésuitique**

HYPOTHÈSE
– Envisager une hypothèse **éventualité, possibilité**
– Émettre une hypothèse **supposition**
– Hypothèse scientifique **conjecture, assomption**
– Hypothèse de base en mathématiques **postulat, axiome**

HYSTÉRIE **névrose**
– Hystérie arctique observée chez les Esquimaux **piblokto**
– Terme de psychiatrie qualifiant les troubles dus à l'hystérie **pithiatiques**

I

ICEBERG
– Fabrication d'un iceberg par détachement de la glace de la banquise **vêlage**
– Forme d'iceberg à ras de l'eau **tabulaire**
ICI
– Il part d'ici tout de suite, il s'en va **là-bas**
– Ici et là **çà et là**
– Les gens d'ici **de ce pays**
– Jusqu'ici **jusqu'à présent, jusqu'alors**
– D'ici peu **prochainement**
IDÉAL **modèle, parangon, archétype**
– Idéal irréalisable **utopie**
– Vivre selon son idéal **aspiration**
IDÉE **pensée, concept, notion**
– Idées formant système **doctrine, théorie**
– Chercher une idée dans ses lectures **sujet, source, donnée**
– Idée fixe **marotte, manie, obsession, hantise**
– Être perdu dans ses idées **rêveries, fantaisies, chimères**
– Avoir une idée sur la question **aperçu, opinion**
– Idée séduisante **perspective**
– Expression imagée d'une idée **symbole, allégorie**
– Idées selon Platon dans le mythe de la caverne **essences**
IDENTIQUE **même**
– Arriver à des résultats identiques **semblables, pareils, analogues, équivalents**
– Avoir une culture identique **commune**
– Rester identique à soi-même **constant, stable**
IDENTITÉ
– Se munir d'un papier d'identité **pièce d'identité, carte d'identité, passeport**
– Papiers d'identité demandés à la mairie **fiche d'état civil, extrait de naissance, livret de famille**
– Pour trouver l'identité d'un malfaiteur **signes particuliers, dactyloscopie, anthropométrie, bertillonnage, dossier, sommier**
– Affirmer son identité **personnalité, subjectivité**
– Opération par laquelle le sujet constitue son identité selon Freud **identification, introjection, incorporation, intériorisation, projection**
– Identité parfaite **similitude, accord, coïncidence**
– Identité remarquable en mathématiques **équivalence**
– Principe d'identité en logique **axiome, relation**
– Identité et unité de substance des personnes de la Trinité, en théologie **consubstantialité, coexistence**
IDIOT voir aussi **imbécile, stupide**
– Il est idiot **sot, crétin, abruti, bête, stupide, dégénéré**
– Propos idiots **ineptes**
– Ce serait idiot de ne pas le faire **dommage, malheureux, insensé**
IDOLE **statue** voir aussi **culte, sculpture**
– Combattre l'adoration des idoles **faux dieux, fétiches**
– Culte des idoles **idolâtrie, fétichisme**
IGNOBLE
– Acte ignoble **odieux**
– Individu ignoble **infâme, abject**
– Quartier ignoble **sale, insalubre, immonde, répugnant**
IGNORANCE
– Ignorance des activités en cours **méconnaissance**
– Faire preuve d'ignorance dans un domaine spécialisé **insuffisance, incapacité, incompétence, impéritie**
– Ignorance de l'enfance **candeur, innocence, naïveté, ingénuité, inexpérience**
– Travail qui révèle de sérieuses ignorances **maladresses, erreurs, sottises, lacunes, manques**
– Individu d'une ignorance totale **nul, ignare, béotien, cancre, analphabète**
IGNORÉ
– Vivre ignoré **anonyme, incognito**
– Comédien ignoré **inconnu, obscur, méconnu**
– Rôle ignoré **effacé**
IGNORER voir aussi **savoir**
– Ignorer ses droits **méconnaître**
ÎLE voir aussi tableau
– Petite île **îlot**
– Groupement naturel d'îles **archipel**
– Île rattachée à la terre **presqu'île, péninsule**
– Petite île corallienne en forme d'anneau **atoll**
– Longue bande de terre entre deux mers, île réunissant les deux terres **isthme**
– Sorte d'île plate **banc, haut-fond**
– Petite île rocheuse dangereuse pour la navigation **récif, brisant, écueil**
– Île de sable et de limon dans les cours d'eau **atterrissement**
– Île triangulaire à l'embouchure d'un fleuve **delta**
– Habitant d'une île **insulaire**
– Partir pour les Îles **Antilles**
– Parfum des îles **exotique**
– Langue parlée dans certaines îles **créole**
ILLÉGAL
– Décision illégale **irrégulière, illicite, inique, annulable**
– Exercice illégal de la médecine **usurpatoire, arbitraire**
– Vente illégale d'un produit **interdite, prohibée, défendue**
ILLETTRÉ (1) voir aussi **ignorant**
– Goûts d'illettré **ignorant, inculte**
– Il faut lutter contre le nombre important d'illettrés **illettrisme**
ILLETTRÉ (2)
– Individu totalement illettré **analphabète**
– Au couvent, moine illettré **frater**
ILLUMINATION
– Illumination pour une fête **lampion, girandole, projecteur, spot, feu d'artifice, fontaine lumineuse**
– Veiller à l'illumination d'un quartier obscur **éclairage**
– Illumination soudaine du savant **découverte, inspiration, trait de génie, éclair**
– Illumination subite de la foi **conversion**

– Les *Illuminations* de Rimbaud **enluminures**

ILLUMINÉ

– Journée illuminée de soleil **éclairée, embrasée**
– Visage illuminé de joie **embelli, ensoleillé**
– Individu illuminé **inspiré, visionnaire, mystique**

ILLUMINER

– Regard qui s'illumine **brille**

ILLUSION

– Vivre dans l'illusion **rêve, songe, imagination, utopie**
– Illusion des sens **erreur, leurre, tromperie, vision, hallucination**
– Illusions de la jeunesse **rêveries, chimères, fantômes, duperies, fantasmes**
– Marchand d'illusion **prestidigitateur, magicien, illusionniste, voyant**
– Tenir quelqu'un par l'effet de l'illusion **charme, enchantement, sortilège, fantasmagorie**
– Illusion qui prend les apparences de la réalité **mirage**
– Peinture qui donne l'illusion de la réalité **trompe-l'œil**
– Se faire des illusions **s'imaginer, se leurrer, s'aveugler, se tromper, se flatter, s'abuser**

ILLUSTRATION

– Faire l'illustration d'un livre pour enfants **dessins, images, gravures**
– Les illustrations d'un manuscrit médiéval **enluminures, miniatures**
– L'illustration d'un travail de longue haleine **aboutissement, actualisation, résultat, preuve, exemple**
– *Défense et illustration de la langue française* par Joachim du Bellay **enrichissement**

ILLUSTRE

– Homme illustre **grand, célèbre, fameux, glorieux, extraordinaire**
– Accomplir un exploit illustre **brillant, éclatant**
– D'illustre naissance **noble, aristocrate, gentilhomme**
– L'Illustre-Théâtre fondé par Molière **troupe de comédiens**

ILLUSTRER

– Illustrer des livres d'art **orner, décorer**
– Illustrer un texte difficile par des commentaires **éclairer, expliquer, éclaircir, gloser sur**
– Réussite qui illustre le prestige de quelqu'un **rehausse, distingue**

IMAGE

icono-

IMAGE représentation voir aussi **dessin**

– Image obtenue par l'effet de phénomènes optiques **épreuve, photographie, cliché, daguerréotype**
– Transmission des images à distance **télévision, bélinogramme**
– Film pris image par image **film d'animation, dessin animé**
– Conservation des images sur microfilms constitués en dépôt d'archives **filmothèque**
– Image déformée **anamorphose**
– Formation d'images rétiniennes **vision**
– Image d'un objet ou d'une personne dans les arts graphiques et plastiques **dessin, portrait, effigie, figure, peinture**
– Image obtenue par impression d'un dessin sur un calcaire **lithographie**
– Image imprimée au moyen d'une planche gravée de bois ou de cuivre **estampe, aquatinte, mezzotinto, vignette**
– Image qui illustre un texte **gravure, illustration**
– Image religieuse exécutée dans l'Église d'Orient **icône**
– Image représentant une divinité et adorée comme telle **idole**
– Science des images **iconographie**
– Culte des images **iconolâtrie, idolâtrie, fétichisme**
– Briseur d'images **iconoclaste**
– Idée exprimée par une image **figure, symbole, signe, emblème**
– Image poétique **métaphore, allégorie, comparaison**
– Récit évangélique qui parle par images **parabole**
– Image banale et figée **cliché, stéréotype**
– Image de marque d'une personnalité ou d'une firme **réputation, popularité, prestige, look**
– Être amoureux de sa propre personne, de son image **narcissisme**

IMAGINAIRE (1)

– Le réel, le symbolique, l'imaginaire dans la psychanalyse selon Lacan **registre**

IMAGINAIRE (2)

– Danger imaginaire **illusoire, fictif, irréel**
– Crainte imaginaire **absurde**
– Raisons imaginaires **feintes**
– Cas imaginaire **hypothétique**
– Malade imaginaire **hypocondriaque, mélancolique**
– Nombre imaginaire **complexe**

IMAGINATION

– Imagination débordante **fantaisie, créativité, ingéniosité**
– N'existe que dans l'imagination **pensée, esprit**
– Imagination artistique **inspiration**
– Son imagination aide le chercheur **intelligence**
– Texte de pure imagination **fable, mensonge, folie**
– Productions de l'imagination **fictions, fantômes, inventions, improvisations, rêveries**
– L'imagination selon Malebranche **la folle du logis**
– Imagination au pouvoir **révolution**
– Imagination qui évoque le passé **mémoire**

IMAGINER

– Imaginer quelqu'un d'inconnu **voir, se représenter, évoquer**
– Imaginer un monde meilleur **concevoir, envisager, se figurer**
– Contrairement à ce que tout le monde imagine **croit, pense, suppose, conjecture, admet**
– Imaginer la souffrance de quelqu'un **comprendre, savoir**
– Imaginer la réaction de quelqu'un **deviner**
– Imaginer une méthode de travail **créer, trouver, construire, forger, combiner, fabriquer**

LES PLUS GRANDES ÎLES DU MONDE

Îles	Situation	Superficie (en km²)
Groenland	Amérique du Nord	2 175 600
Nouvelle-Guinée	Australie/Asie	808 510
Bornéo	Asie	751 900
Madagascar	Afrique	587 041
Terre de Baffin	Amérique du Nord	507 451

– S'imaginer que tout est parfait **croire à tort**
– Qu'imaginer encore ? **chercher**

IMBÉCILE (1)
– Un imbécile heureux **incapable, débile, arriéré**

IMBÉCILE (2) voir aussi **bête, sot**
– Comportement imbécile **stupide, sot, niais**

IMITATION voir aussi **faux**
– Imitation comique **caricature, parodie, singerie, charge**
– Imitation frauduleuse **plagiat, faux, contrefaçon**
– Imitation fidèle **reproduction, simulation**
– Imitation qui cherche à tromper **simulacre, affectation**
– Imitation par le geste et par la voix **mimologie**
– Reproduire par instinct d'imitation **mimétisme, contagion**
– Individu qui vit de l'imitation **imitateur, faussaire**
– Imitations du style d'artistes célèbres **pastiches**
– Imitation d'une idée **emprunt**
– Imitation plate d'un modèle **calque, copie, reproduction, démarquage**
– Imitation de bijoux **toc, pacotille, fantaisie**
– Objet en imitation cuir **simili**
– À l'imitation de **à l'instar de, à la manière de, sur le modèle de**
– Imitation d'un motif musical **régulière, canonique, contrainte**

IMITER
– Imiter les gestes ou la voix de quelqu'un **mimer, reproduire, répéter, copier, simuler**
– Imiter quelqu'un pour se moquer **singer, caricaturer, parodier, charger**
– Imiter quelqu'un en le prenant comme modèle **suivre l'exemple de, marcher sur les pas de**
– Imiter la démarche d'un ouvrage **utiliser, emprunter, s'inspirer de, copier, plagier, piller**
– Décor conçu pour imiter le bois **ressembler à**
– Imiter une écriture **contrefaire**
– Imiter le cri d'un oiseau **frouer**
– Individu qui imite quelqu'un comme un maître **disciple**

IMMATURE
– Adolescent immature psychologiquement **irresponsable, dépendant**
– Cellule immature **inachevée**
– Poisson immature **qui ne peut frayer**
– Fœtus immature **prématuré**

IMMÉDIAT
– Empressement immédiat **instantané, rapide, prompt**
– Intérêt immédiat **présent, actuel**
– Crise immédiate **subite**
– Danger immédiat **imminent**
– Cause immédiate en philosophie **directe**
– Données immédiates de l'expérience **simples, primitives**

IMMENSE
– Groupe immense **énorme, gigantesque, démesuré, géant, colossal**
– Cri immense **effrayant**
– Affection immense **profonde**
– Pouvoir immense **infini, illimité**
– Panorama immense **vaste, ample**

IMMEUBLE (1) voir aussi **bien**
– Type d'immeuble en ville **habitation, édifice, construction, maison, building, monument**
– Grand immeuble des quartiers modernes **tour, gratte-ciel**
– Individu qui possède un appartement dans un immeuble **copropriétaire**
– Bureau qui gère un immeuble pour ses propriétaires **syndic**
– Location d'un immeuble **bail**
– Nantissement d'un immeuble **gage, antichrèse**
– Immeubles de la communauté dans un mariage **acquêts, conquêts**
– Droit réel dont est grevé un immeuble **hypothèque**
– Frais d'entretien d'un immeuble **charges, servitudes**

IMMEUBLE (2)
– Acheter des biens immeubles **acquérir**
– Bien immeuble par nature **propriété**
– Droits réputés immeubles **immobiliers**
– Fortune composée de biens meubles et immeubles **patrimoine**

IMMIGRÉ, résident, ressortissant voir aussi **émigré**
– Immigré qui a fui son pays **réfugié**
– Immigré banni de son pays **exilé, expatrié**
– Immigré venant pour travailler selon l'accord des pays concernés **travailleur, main-d'œuvre**
– Immigré demandant la nationalité du pays d'accueil **naturalisation**
– Papier permettant à un immigré de travailler dans le pays d'accueil **carte de séjour, permis de travail**
– Mesure visant à faire participer l'immigré à la vie du pays d'accueil **intégration, assimilation**
– Mesure visant à limiter la venue d'immigrés dans un pays **contrôle**
– Pulsions de rejet et de haine vis-à-vis des immigrés **xénophobie, racisme**
– Fils ou fille d'immigrés maghrébins né en France **beur, beurette**

IMMOBILE
– Immobile sous l'effet du froid **engourdi, gourd**
– Individu immobile après un accident **inanimé, inerte**
– Immobile et sans énergie **inactif, mou**
– Immobile sous l'effet d'une émotion forte **figé, interdit, sidéré, médusé, pétrifié**
– Véhicule immobile **à l'arrêt, en panne**
– Lois considérées comme immobiles **invariables, immuables**

IMMOBILISER
– Immobiliser une voiture **arrêter, bloquer, clouer sur place**
– Immobiliser un mécanisme qui grince **visser, coincer, river, attacher**
– Immobiliser par la peur **paralyser, pétrifier, figer**
– Immobiliser un bras fracturé, en médecine **assujettir**
– Immobiliser une évolution prometteuse **freiner, fixer, scléroser**

IMMORAL
– Individu foncièrement immoral **vicieux, dépravé, corrompu**
– Actions jugées immorales **malhonnêtes, malsaines, déréglées**
– Écrits immoraux **légers, licencieux, cyniques, obscènes**

IMMORTEL (1)
– Les Immortels **académiciens**

IMMORTEL (2)
– Monument immortel **durable, impérissable, éternel**
– Immortel dans la mémoire des hommes **glorieux, célèbre**
– Vie immortelle **éternelle, future**
– Des fleurs immortelles **séchées**

IMMUNISER
– Immunisé contre les maladies infectieuses **vacciné, mithridatisé, protégé**
– Immunisé contre les tentations **invulnérable, blindé, exempt de**

IMMUNITAIRE
– Réaction immunitaire **réponse**
– Déficience de la réaction immunitaire **immunodéficience, sida**
– Dérèglement de la réaction immunitaire **allergie, maladie auto-immune, rhumatisme articulaire, sclérose en plaques**
– Médicament diminuant ou suppri-

mant la réaction immunitaire **immunosuppresseur, corticoïde**
– Médicament augmentant la réaction immunitaire **immunostimulant, interféron**
– Substance étrangère de l'organisme déclenchant la réaction immunitaire **antigène, antigène des groupes sanguins, antigène des groupes tissulaires, facteur Rhésus**
– Substance intervenant dans la réaction immunitaire **anticorps, immunoglobuline**
– Cellule intervenant dans la réaction immunitaire **globule blanc, lymphocyte**
– Réaction immunitaire naturelle, innée **phagocytose, inflammation**
– Substance aidant la réaction immunitaire **vaccin, sérum, gammaglobuline**

IMPAIR (1)
– Faire un impair **gaffe**

IMPAIR (2)
– Année dont le dernier jour du mois de février est impair **bissextile**
– Vers et rythme impairs **irréguliers, syncopés**
– Foliole impaire dans une feuille **unique**

IMPARFAIT (1)
– Imparfait comme temps du verbe **forme simple**
– Aspect de l'imparfait comme temps du passé **non accompli**

IMPARFAIT (2)
– Objet dont l'exécution est imparfaite **inachevée, incomplète, insuffisante**
– Accord imparfait **dissonance**
– Avoir une idée imparfaite de la situation **vague, imprécise, approximative, rudimentaire, grossière**
– Imparfait à cause de nombreux défauts **inégal, défectueux, discutable, critiquable, manqué, raté**

IMPASSE
– Rue en impasse **cul-de-sac, accul**
– Situation en impasse **difficile, dangereuse, sans solution, sans issue**
– Jeu de cartes où l'on tente une impasse **bridge, belote**

IMPASSIBILITÉ
– Impassibilité devant le danger **calme, flegme, sang-froid, fermeté**
– Impassibilité devant la souffrance **indifférence, insensibilité, froideur**
– Impassibilité des sages **ataraxie**
– Impassibilité des traits du visage **immobilité**

IMPATIENCE
– Attendre des résultats avec impatience **inquiétude, fièvre**
– Manifester de l'impatience **agacement, énervement, irritation, colère, exaspération**
– Attendre quelqu'un avec impatience **désir, hâte, empressement**
– Sécher d'impatience **être au supplice, être à la torture**
– Avoir des impatiences dans les jambes **irritation nerveuse**

IMPATIENT
– Enfant très impatient **vif, nerveux, bouillant, ardent**
– Individu impatient d'obtenir satisfaction **pressé, désireux, avide**

IMPÉRATIF (1)
– Les impératifs de la mode **lois, exigences, contraintes**
– Impératif catégorique **moral**
– Impératif, mode du verbe **ordre, souhait**

IMPÉRATIF (2)
– Parler d'un ton impératif **bref, sec, autoritaire, impérieux**
– Soucis impératifs **pressants, pesants, lourds**

IMPÉRIALISME
– Pays que l'impérialisme domine **colonie, empire**
– Impérialisme politique et économique conquérant **colonialisme, expansionnisme**
– États unis moralement par l'impérialisme britannique **Commonwealth**
– Impérialisme du capital **capitalisme**
– Impérialisme intellectuel **terrorisme**

IMPERMÉABLE (1)
– Imperméable porté surtout par les marins **ciré**
– Imperméable à ceinture **trench-coat**
– Imperméable anglais **mackintosh**

IMPERMÉABLE (2)
– Imperméable à l'eau **étanche**
– Imperméable à la douleur **insensible, inaccessible**
– Tissu imperméable **waterproof**
– Un manteau imperméable **gabardine**
– Bottes imperméables **caoutchoucs**

IMPERSONNEL
– Ton impersonnel **neutre, froid, distant**
– Message impersonnel **anonyme**
– Style impersonnel **banal**
– Mode impersonnel du verbe **participe passé, participe présent, infinitif**

IMPÉTUEUX
– Comportement impétueux **vif, fougueux, ardent, emporté, violent**
– Caractère impétueux **volcanique, bouillant**
– Demande impétueuse **véhémente, effrénée**
– Vent impétueux **fort, furieux, déchaîné**
– Rythme impétueux **endiablé**

IMPIE
– Vivre en impie **incroyant, mécréant, païen, athée**
– Impie qui offense gravement une religion **blasphémateur, profanateur, sacrilège, apostat**
– Impie parce que ne professant pas la religion considérée comme vraie **hérétique, infidèle, gentil**
– Don Juan, grand seigneur, méchant homme et impie **irréligieux, libertin**

IMPITOYABLE
– Individu impitoyable **insensible, cruel, inhumain, inflexible, implacable, inexorable**
– Jugement impitoyable **sévère, dur, féroce, sans appel**
– Un impitoyable bavard **intarissable, impénitent, infatigable**

IMPOLI
– Impoli en toutes circonstances **désagréable, discourtois, inconvenant, incorrect, grossier, mal éduqué**
– Impoli envers des personnes à respecter **irrespectueux, irrévérencieux, impertinent, insolent**
– Un individu impoli **goujat, malappris, mufle**

IMPORTANCE
– Événement qui a une importance non négligeable **intérêt, valeur, poids, force, portée, gravité**
– Individu qui a de l'importance dans une entreprise grâce à ses compétences **valeur, autorité, influence, prestige**
– Faire une erreur d'importance **de taille, de conséquence**

IMPORTANT
– Responsabilités importantes **hautes, sérieuses, graves, capitales**
– Progrès importants **intéressants, notables, sensibles, appréciables, substantiels**
– Le point le plus important de l'opération **principal, essentiel, décisif, fondamental, crucial, vital**
– Fait important à connaître **utile, nécessaire**
– Quantité importante d'objets **grande, forte, élevée**
– Individu important **influent, puissant**
– Personnage important **notable, potentat**

– L'air l'important d'un parvenu **suffisant, vaniteux, fat**
IMPORTATION
– Marchandises pour l'importation **articles**
– Autorisation pour l'importation **licence**
– Faire de l'importation et de l'exportation **commerce, import-export**
– Importation d'idées **introduction, transfert**
IMPOSER
– Imposer une tâche à quelqu'un **prescrire, commander**
– Imposer sa loi **dicter**
– Imposer des conditions **fixer**
– Imposer une peine **infliger**
– Imposer quelqu'un **faire admettre, faire accepter**
– Comportement qui en impose **impressionne, subjugue**
– Imposer lourdement le contribuable **charger, frapper, grever, taxer**
IMPOSITION
– Imposition des pages à imprimer **disposition**
– Ouvrier qui fait l'imposition dans l'imprimerie **imposeur**
– Imposition des mains par l'évêque **sacrement, consécration, bénédiction**
– Conditions de l'imposition fiscale **assiette de l'impôt, liquidation de l'impôt**
IMPOSSIBLE (1)
– Faire l'impossible **tout**
IMPOSSIBLE (2)
– Problème impossible à résoudre **insoluble**
– Situation impossible à vivre **difficile, pénible, insupportable**
– Travail matériellement impossible **infaisable, inexécutable, surhumain**
– Projet impossible **utopique, chimérique, insensé**
– Histoire impossible **invraisemblable, extravagante, saugrenue**
– Douleur impossible à exprimer **indicible**
– Besoin impossible à satisfaire **insatiable**
– Ennemi impossible à vaincre **inexpugnable**
– Écriture impossible à lire **illisible**
– Soif impossible à étancher **inextinguible**
IMPÔT voir aussi **finances**
– Type d'impôt **droit, contribution, taxe, redevance, patente**
– Impôt ancien **gabelle, aide, dîme, capitation, prestation, taille**
– Administration chargée des impôts **fisc, régie, Trésorerie**
– Personnel chargé des impôts **percepteur, receveur, collecteur, contrôleur, inspecteur**
– Individu susceptible de payer des impôts **contribuable, imposable, redevable, assujetti**
– Recouvrement ancien des impôts **fermage**
– Base de l'impôt **assiette**
– Répartition de l'impôt **péréquation**
– Impôt sur les actes civils **timbre**
– Bien sur lequel peut porter l'impôt **salaires, valeurs mobilières, valeurs immobilières, fortune, rentes**
– Impôt actuel **taxe foncière, taxe d'habitation, taxe professionnelle, taxe sur la valeur ajoutée, impôt sur les grandes fortunes**
– Réduction des impôts **allégement, dégrèvement**
– Quelques éléments du calcul des impôts directs **revenus, charges, frais réels, quotient familial, forfait**
– Perception de l'impôt **recouvrement, acompte, tiers provisionnel, mensualisation, avertissement**
– Sanction appliquée pour non-paiement de l'impôt **poursuite, sommation, contrainte, majoration, saisie, vente**
IMPRESSION voir aussi **imprimerie**
– Impression thermique ou gustative **sensation**
– Impression désagréable **dégoût, répugnance**
– Impression soudaine **saisissement**
– Donner bonne impression **opinion, appréciation**
– Avoir l'impression que **croire, supposer, imaginer**
– Donner l'impression **paraître, sembler**
– Impression de caractères d'écriture **imprimerie, typographie**
– Impression par planches gravées avant la découverte de l'imprimerie **xylographie, impression tabellaire**
– Faute d'impression **erreur, coquille**
– Livre à l'impression **sous presse**
– Impression sur soie **sérigraphie**
– Impression sur métal **gravure**
– Impression sur pierre **lithographie**
– Impression appliquée sur une toile **fond, enduit**
IMPRÉVU (1) voir aussi **hasard**
– Craindre l'imprévu **hasard, exceptionnel**
IMPRÉVU (2) inattendu, inopiné, impromptu, improvisé
– Une déclaration imprévue **à brûle-pourpoint**
– Situation imprévue **fortuite, accidentelle**
– Événement imprévu **subit, soudain, brusque**
– Résultat imprévu **inespéré**
– Frais imprévus **importants, extraordinaires**
IMPRIMER
– Imprimer un cachet **apposer**
– Imprimer une marque **stigmatiser, marquer**
– Imprimer un motif en relief, en creux **estamper, lithographier**
– Imprimer des dessins sur un tissu **appliquer**
– Imprimer un livre **éditer**
– Faire imprimer un travail **publier**
– Imprimer un mouvement **transmettre, communiquer**
– On les imprime **feuille, brochure, catalogue, publicité**
IMPRIMERIE voir aussi **caractère, livre**
– Dimension d'un caractère d'imprimerie **corps, chasse, œil**
– Forme d'un caractère d'imprimerie **type**
– Composition des caractères d'imprimerie **apprêter, blanchir, créner, marger, justifier**
– Métier de l'imprimerie **assembleur, compositeur, correcteur, imposeur, linotypiste, typographe**
– Technique d'imprimerie **lithographie, offset, phototypie, stéréotypie, héliogravure**
– Défaut de tirage en imprimerie **bavure, gris, surimpression, maculage, foulage**
IMPROVISÉ
– Une tirade improvisée **inventée, imaginée**
– Un rassemblement improvisé **spontané**
– Une fête improvisée **impromptue**
IMPROVISTE voir aussi **imprévu**
– Arriver à l'improviste **par surprise, inopinément**
– Prendre quelqu'un à l'improviste **surprendre, prendre de court, prendre au débotté**
– Prendre la parole à l'improviste **improviser**
IMPRUDENCE
– Imprudence qui expose au danger **témérité, hardiesse**
– Imprudence qui engage la responsabilité de son auteur **faute**
– Commettre une imprudence **maladresse, étourderie**
IMPRUDENT irréfléchi
– Être imprudent **écervelé, étourdi, audacieux, aventureux, téméraire**
– Projet imprudent **hasardeux, osé**

– Propos imprudents **malavisés, inconsidérés, dangereux**
– Un enfant imprudent **casse-cou, risque-tout**

INACCEPTABLE
– Proposition inacceptable **inadmissible**
– Dilemme inacceptable **irrecevable, insoluble**

INACTION inactivité, désœuvrement
– Se contenter de l'inaction **oisiveté, fainéantise**
– Vivre dans l'inaction **dormir, croupir, végéter**
– Réduire quelqu'un à l'inaction **lier les mains**
– Sortir de l'inaction **engourdissement, torpeur, assoupissement**

INATTENDU
– Recevoir une visite inattendue **imprévue, inopinée**
– Rencontre inattendue **fortuite, accidentelle, exceptionnelle**
– Personnage inattendu **étrange, surprenant, déconcertant, déroutant**
– Résultat inattendu **inespéré**

INAUGURATION
– Cérémonie d'inauguration d'un édifice public **ouverture**
– Inauguration d'un édifice religieux **dédicace**
– Inauguration d'un spectacle **première**
– Inauguration de l'année scolaire **début, commencement, rentrée**

INCANTATION sorcellerie, magie
– Motif d'une incantation **charme, sortilège, envoûtement**
– Paroles d'incantation pour obtenir ce qui est recherché **invocations, supplications, prières**
– Incantation poétique **enchantement, évocation**

INCAPABLE (1)
– Un incapable **médiocre, ignorant, nul**
– Émancipation des incapables selon la loi **mineurs, interdits**
– Tuteur d'un incapable **curatelle, tutelle**

INCAPABLE (2)
– Incapable d'accomplir un travail particulier **incompétent, inapte, maladroit, malhabile**
– Individu incapable de révolte **mou**
– Rendre quelqu'un incapable de faire du mal **empêcher, mettre hors d'état**
– Majeurs incapables **aliénés**

INCENDIE
– Incendie qui se propage **feu, embrasement, brasier**
– Destruction d'une forêt par un incendie **combustion**
– Ensemble des dégâts causés par un incendie **sinistre**
– Individu qui allume volontairement des incendies **incendiaire, pyromane**
– Femme qui allumait des incendies pendant la Commune **pétroleuse**
– Personne qui s'engage pour lutter contre l'incendie **sapeur-pompier**
– Instrument utilisé par les pompiers contre l'incendie **pompe, pare-feu, extincteur, échelle, avertisseur**
– Bois endommagé par l'incendie **arsin**

INCERTITUDE
– Incertitude d'un résultat **précarité, fragilité**
– Incertitude des sentiments **instabilité, inconstance, versatilité**
– Incertitude du sort **hasard, chance**
– Incertitude de la science **doute, ambiguïté, obscurité**
– Incertitude sans objet précis de l'être humain **anxiété, inquiétude, désarroi**
– Moment d'incertitude avant une décision **hésitation, flottement, indécision, indétermination, irrésolution, tâtonnement**
– Incertitude devant une situation nouvelle et difficile **perplexité, embarras, tergiversation, oscillation, fluctuation**

INCIDENT (1)
– Incident sans importance **épisode, péripétie**
– Incident fâcheux **difficulté, accroc, anicroche**
– Incident imprévu **aventure**
– Contexte d'un incident **situation, circonstance**
– Incident suscitant des remous **chicane, dispute, querelle**

INCIDENT (2)
– Demande incidente **accessoire, secondaire, adventice**
– Proposition incidente dans une phrase complexe **incise**

INCINÉRATION
– Incinération des cadavres **crémation**
– Vase pour le dépôt des cendres après l'incinération **urne cinéraire**
– Édifice où l'on place les urnes après l'incinération **columbarium**
– Nom donné, à l'origine, au lieu d'incinération **crématorium**

INCLINER pencher
– Incliner un store **abaisser, baisser**
– Incliner la nuque devant un supérieur **courber, fléchir, plier**
– Attitude qui incline l'entourage à la bienveillance **pousse, porte, incite**
– Individu qui incline à suivre un conseil **tend à**
– S'incliner devant un fait **céder, abandonner, se résigner**
– S'incliner devant l'autel dans un lieu de culte **se prosterner**
– Navire incliné **à la bande**
– Épis inclinés par le vent **couchés**

INCOMPATIBLE
– Éléments incompatibles entre eux **inconciliables, contraires, opposés**
– Goûts et humeurs incompatibles **discordants, contradictoires**
– Fonctions incompatibles **non cumulables**

INCOMPLET
– Définition incomplète **insuffisante, imparfaite**
– Travail incomplet **inachevé, fragmentaire**
– Collection incomplète **dépareillée**
– Comptes incomplets **défectueux**
– Vers incomplet dans un poème **boiteux**
– Verbe à conjugaison incomplète **défectif**
– Vue incomplète des événements **courte, partielle**
– Mesure incomplète **demi-mesure**
– Rendre un ensemble incomplet **décompléter**

INCOMPRÉHENSIBLE
– Problème incompréhensible **mystérieux, inintelligible, inexplicable**
– Comportement incompréhensible **déconcertant, bizarre, curieux**
– Les secrets incompréhensibles de l'Univers **impénétrables, inconcevables, insondables**
– Discours incompréhensible **obscur, abstrus, abscons, sibyllin, énigmatique**

INCONNU
– Terme inconnu **ignoré**
– Destination inconnue **secrète, mystérieuse**
– Raisons inconnues **occultes, indéterminées**
– Auteur inconnu **obscur, anonyme**
– Rester inconnu **caché**
– Territoires inconnus **inexplorés, étrangers**
– Importance jusqu'alors inconnue **inouïe**
– Examiner un objet inconnu **nouveau, neuf, inédit**

INCONSCIENCE
– Faire preuve d'inconscience **ignorance, irréflexion, légèreté, aveuglement, folie**

– État d'inconscience dû à un traitement **insensibilité, narcose, anesthésie**
– Inconscience du monde végétal **automatisme**

INCONSCIENT
– Mouvement inconscient **spontané, instinctif, machinal, automatique**
– Cet homme est inconscient **irresponsable, incapable**
– Constitution des contenus inconscients selon Freud **refoulement**
– Contenus inconscients **pulsions, représentations**
– Mécanismes qui régissent les contenus inconscients **processus primaires, condensation, déplacement**
– En psychanalyse, condition d'accès des contenus inconscients à la conscience **censure**

INCONVÉNIENT
– Petits inconvénients **ennuis, désagréments, embarras, problèmes**
– Méthode intéressante présentant pourtant quelques inconvénients **défauts, désavantages, écueils, handicaps**
– Démarche sans inconvénients **risques, dangers**
– S'il n'y a pas d'inconvénient... **obstacle, empêchement, objection**
– Subir les inconvénients d'une situation difficile **faire les frais**

INCORRECT
– Être incorrect **impoli, grossier, insolent, impertinent, désobligeant, indélicat**
– Comportement incorrect **déplacé, inconvenant, indécent**
– Terme incorrect **impropre, barbare, fautif**
– Solution incorrecte **défectueuse, inexacte, fausse**
– Agir de façon incorrecte par rapport à une norme **irrégulière**

INCRÉDULE
– Incrédule devant une affirmation **sceptique**
– Incrédule en religion **incroyant, irréligieux, mécréant, libre-penseur**

INCROYABLE (1)
– Les incroyables sous le Directoire **merveilleuses, élégants, muscadins**

INCROYABLE (2)
– Récit d'aventures incroyables **surprenantes, prodigieuses, fabuleuses, effarantes**
– Progrès incroyables **étonnants, extraordinaires, fantastiques, inouïs, exorbitants**
– Accoutrement incroyable **étrange, bizarre, ridicule**
– C'est incroyable ! **invraisemblable, impensable, inimaginable, inconcevable**

INCROYANCE
– Être dans l'incroyance **doute, incrédulité**
– Incroyance en religion **athéisme**
– Vivre dans l'incroyance **sans foi ni loi**

INDÉCIS
– Se montrer indécis **hésitant, perplexe, embarrassé, irrésolu**
– Un caractère indécis **faible, timoré, inconsistant**
– De forme indécise **indéterminée, vague, floue, imprécise, indistincte**
– Problème à solution indécise **indécidable, incertaine, douteuse**
– Résultat indécis **flottant, confus, trouble, équivoque, ambigu**

INDÉCISION
– Montrer de l'indécision devant un choix **flotter, balancer, ballotter**
– Demeurer dans l'indécision **irrésolution, incertitude, hésitation, doute, perplexité**

INDEMNITÉ
– Indemnités en réparation d'un tort **dédommagements, compensations, dommages, intérêts**
– Indemnité pour compenser des frais **allocation**
– Indemnité pour encourager un travail **récompense**

INDÉPENDANCE
– Forme d'indépendance d'un individu **matérielle, affective, intellectuelle**
– Esprit d'indépendance **non-conformisme, indocilité, rébellion**
– Lutter pour l'indépendance **liberté**
– Indépendance d'un pays auparavant dominé **autonomie**
– Région qui réclame l'indépendance **séparatisme, particularisme**
– Indépendance des villes au Moyen Âge **affranchissement**

INDICATIF
– Signe indicatif d'une maladie **symptôme, indice, indication, trace, marque**
– Ce qu'exprime le mode indicatif d'un verbe **réalité**
– À titre indicatif **pour information, pour avoir une idée de**
– Signal indicatif de radio **jingle, sonal**

INDICATION
– Indication d'un événement **annonce**
– Donner des indications **renseignements**
– Suivre les indications **directives**
– Selon l'indication de quelqu'un **avis**
– Indication de la table des matières **renvoi**
– Indication pour un traitement **signe, symptôme**
– Indication thérapeutique **prescription**

INDIFFÉRENCE
– État d'indifférence **insensibilité, désintéressement, assoupissement, indolence, apathie, ataraxie**
– Indifférence pour quelque chose qui a de la valeur **détachement, impassibilité, dédain**
– Montrer de l'indifférence dans une situation **flegme, froideur, équanimité**
– Position d'indifférence politique **neutralité**
– Indifférence religieuse **agnosticisme, scepticisme**

INDIGÈNE (1) voir aussi **immigré**
– Pour dire le nom d'un lieu rappelant l'origine d'un indigène **natif de, originaire de**

INDIGÈNE (2)
– Une population indigène **autochtone, aborigène**
– Culture indigène d'un pays avant les modifications dues à son histoire **naturelle, première, originelle**

INDIGNATION
– Manifester de l'indignation **colère, dégoût, écœurement, révolte**
– Événement provoquant une indignation publique **scandale, honte**
– Frémir d'indignation **trembler, bondir**
– Cri d'indignation **tollé, haro**

INDIGNER
– Comportement qui indigne tout le monde **scandalise**
– S'indigner contre quelqu'un **protester contre, vitupérer contre, fulminer contre, maudire**
– S'indigner d'un fait **se fâcher, s'irriter, s'emporter, s'offenser**
– Être indigné **outré, atterré, affligé**

INDIQUER
– Indiquer une direction **signaler, désigner, montrer**
– Indiquer un moyen **fournir, enseigner**
– Indiquer un nom d'auteur **nommer, dénommer**
– Indiquer une valeur en Bourse **coter**
– Indiquer des raisons théoriques **exposer, énumérer**
– Signe qui indique un fait **signale, révèle, dénote, annonce, atteste, démontre**

– Ma montre indique l'heure juste **marque**
– À l'heure indiquée **fixée**
INDIRECT
– Trajet indirect **détourné, dévié**
– Prendre une voie indirecte **faire un crochet, faire une déviation**
– Propos indirect **insinuation, allusion, sous-entendu**
– Moyen indirect **diversion, échappatoire, faux-fuyant**
– Influence indirecte **médiation**
– Agir de façon indirecte **biaiser**
– Dans la déclinaison, cas du complément indirect **oblique**
INDISCRET
– Question indiscrète **déplacée, inconvenante**
– Personnage indiscret **bavard, curieux, sans-gêne, importun, intrus**
– Comportement indiscret **manque de tact, désinvolture**
– Tenir des propos indiscrets **rapporter, cancaner, jaser, parler à tort et à travers**
INDIVIDU **personne, particulier, quidam**
– Individu choisi comme représentant d'une espèce ou d'une série **spécimen, échantillon**
INDIVIDUALITÉ
– Faire preuve d'individualité **personnalité, originalité**
– Être touché dans son individualité **identité**
– Il a une forte individualité **caractère, tempérament**
– Individualité centrée sur elle-même **égoïsme, individualisme**
INDULGENT (1)
– Les indulgents sous Robespierre **dantonistes**
INDULGENT (2)
– Un comportement indulgent **clément, patient, bienveillant, généreux, magnanime**
– Se montrer indulgent **pardonner, oublier, tolérer, excuser, avoir pitié**
– Trop indulgent **laxiste, coulant, débonnaire, bénin**
INDUSTRIALISER
– Industrialiser une région **équiper**
– Industrialiser l'agriculture **mécaniser**
– Industrialiser avec les technologies modernes **automatiser**
INDUSTRIE voir aussi **usine**
– Lieu de production dans l'industrie **usine, manufacture, fabrique, atelier, entreprise, exploitation**
– Profession de l'industrie **technicien, contremaître, chef d'équipe, agent de maîtrise, manœuvre**
– Une industrie d'État **nationalisée**
– Peut être considéré comme une industrie familiale **artisanat**
– Regroupement d'industries **cartel, trust, holding, multinationale**
– Optimisation des techniques dans l'industrie **spécialisation, standardisation, rationalisation, concentration**
INDUSTRIEL (1)
– Un industriel **P.-D.G, patron, entrepreneur, fabricant**
INDUSTRIEL (2)
– Type d'organisation industrielle **nationalisation, privatisation**
INÉDIT
– Un résultat inédit **original, nouveau, inattendu, imprévu**
– Faire une opération inédite **innovation, trouvaille**
– Publier des fragments inédits de l'œuvre d'un auteur **non édités, manuscrits**
INERTIE
– Principe d'inertie des corps en dynamique **force d'inertie**
– Inertie en électricité **inductance**
– L'inertie d'un muscle **atonie, paralysie**
– Inertie naturelle ou involontaire du corps et de l'esprit **indolence, paresse, passivité, apathie, inaction**
– L'inertie du pouvoir en place **immobilisme**
– Vivre dans l'inertie **végéter, sommeiller**
– Opposer l'inertie à la violence **résister**
INÉVITABLE
– Un malheur inévitable **inéluctable, fatal**
– Une mesure inévitable **nécessaire, indispensable, incontournable, forcée, obligée**
– Il vient avec son inévitable compagnon **inséparable, habituel**
– Un discours inévitable **immanquable, rituel, assuré**
INEXACTITUDE
– Cette affirmation présente une inexactitude **erreur, à-peu-près**
– Inexactitude plutôt voulue par celui qui parle **omission, secret, mensonge**
– Inexactitude par rapport à un horaire **manque de ponctualité, retard**
INFANTERIE voir aussi **armée, grade**
– Soldat appartenant à l'infanterie **fantassin, biffin, pioupiou**
– Hiérarchie chez les sous-officiers dans l'infanterie **sergent, sergent-chef, adjudant, adjudant-chef, major**
– Ancien soldat d'infanterie nommé d'après l'arme qu'il portait **arquebusier, arbalétrier, piquier, hallebardier, mousquetaire**
– Soldat d'infanterie d'un corps très mobile **voltigeur**
– Soldat d'infanterie aéroportée **parachutiste**
– Soldat d'infanterie chargé des travaux de terrassement **pionnier**
– Soldat d'infanterie des territoires hors métropole **tirailleur**
– Soldat d'infanterie qui veille **guetteur**
– Soldat d'infanterie porteur d'un fusil **fusilier**
– Soldat français d'infanterie, par opposition aux tirailleurs indigènes **zouave**
INFECTION voir aussi **maladie**
– Transmission d'une infection **contamination, contagion**
– Infection dans le sang qui se répand dans tout l'organisme **septicémie**
– Substance produite par l'organisme contre l'infection **antitoxine**
– Ensemble des méthodes pour prévenir l'infection **antisepsie**
– Quelle infection dans cette pièce ! **puanteur, pestilence**
INFÉRIEUR
sous-
INFÉRIEUR
– D'un coût inférieur **moindre, plus bas**
– Inférieur par l'importance **secondaire, mineur**
– Partie inférieure d'une construction **base, bas, fondement, fondation**
– Face inférieure d'un objet **envers, verso, dessous**
– Individu tenant une position sociale considérée comme inférieure **subalterne, subordonné**
– Inférieur au directeur **sous-directeur**
INFIDÉLITÉ
– Infidélité dans un rapport ou un compte rendu **inexactitude, erreur, faute**
– Infidélité à la parole donnée **tromperie, trahison, déloyauté, malhonnêteté, perfidie**
– Infidélité dans les sentiments **inconstance, instabilité, légèreté**
– Infidélité dans le mariage **adultère**
INFILTRATION
– Infiltration d'eau **écoulement, fuite**
– Infiltration d'idées nouvelles **envahissement, contagion, invasion**

INFINI
– Une étendue infinie **immense, illimitée**
– Une discussion infinie **interminable**
– Un amour infini **extrême**
– Des ambitions infinies **démesurées, colossales**
– Une quantité infinie d'éléments **énorme, innombrable, incalculable**
– Une divinité infinie en tous ses attributs **absolue, parfaite**

INFINITIF
– L'infinitif d'un verbe **forme nominale**
– Infinitif ayant un sujet propre **proposition infinitive**

INFIRME
– Un corps infirme **mutilé, handicapé, invalide, difforme, disgracié**
– Infirme des membres inférieurs **boiteux, éclopé, paraplégique, grabataire**

INFIRMIER
– Infirmier qui vient soigner à domicile **libéral**
– Chauffeur en tenue d'infirmier **ambulancier**
– Ni ambulancier ni infirmier, il transporte les blessés **brancardier**
– Individu sans diplôme d'État qui seconde l'infirmier **aide-soignant**
– Infirmier d'un seul malade à domicile **garde-malade**

INFIRMITÉ
– Infirmité de naissance ou accidentelle **malformation, difformité, disgrâce, tare**
– L'infirmité du pouvoir en place **faiblesse, fragilité, imperfection**

INFLAMMABLE
– Facilement inflammable **combustible**
– Matière spontanément inflammable **pyrophore**

INFLAMMATION
– Inflammation après une brûlure **phlogose**
– Un remède qui permet de lutter contre l'inflammation **antiphlogistique**
– Réaction de défense de l'organisme par une inflammation **diapédèse**
– Inflammation de la peau **dermite, éruption, intertrigo, prurigo**
– Inflammation et infection d'un doigt **panaris**
– Inflammation des muqueuses des voies respiratoires **coryza, catarrhe, rhume**
– Inflammation de la peau du visage **couperose**
– Inflammation des gencives **gingivite, parulie**
– Inflammation des reins **néphrite**
– Inflammation des parois vasculaires **artérite, phlébite**
– Inflammation de la vessie **cystite**

INFLIGER
– Infliger une correction **administrer, donner**
– Infliger un supplice **torturer, supplicier**
– Les malheurs que le destin peut infliger **faire endurer, faire subir**
– S'infliger des contraintes **s'imposer**

INFLUENCE
– Influence de quelqu'un sur un projet **impulsion, empreinte**
– Influence d'un phénomène **effet, incidence**
– Influence exercée par un individu sur un autre **pouvoir, puissance, emprise, domination, ascendant, autorité**
– Influence qui se manifeste dans le comportement **imitation, osmose**
– Influence inexplicable qui s'exerce par le charme **fascination, magnétisme, séduction**
– Disciple sous l'influence d'un maître **conduite, direction, égide**
– Avoir de l'influence **prestige, poids, impact, crédit, créance**
– User de son influence **intercéder, intervenir**
– Influence d'un grand homme sur son époque **rôle**
– Influence de la Terre **tellurisme**

INFORMATION
– Donner l'information publique d'un événement **nouvelle**
– Bulletin d'information dans la presse écrite, parlée, télévisée **journal, communiqué**
– Information brute, donnée sans commentaire **dépêche, flash**
– Information donnée en exclusivité par une agence ou un journaliste **scoop**
– Transmis pour information **avis**
– Prendre des informations pour se décider **renseignements, indications, tuyaux**
– Recueillir des données pour information **témoignages, récits, rumeurs, propos, on-dit**
– Support matériel d'information **faire-part, placard, affiche, journal, archives**
– Le canal d'information d'un parti, d'un syndicat **organe**
– Une information en justice **instruction, notification**

INFORMATIQUE voir aussi tableau
– Machine de la science informatique **ordinateur, calculateur, computer**
– Base de fonctionnement des machines de l'informatique **électronique**
– Terme clef pour l'informatique **logiciel, programme, langage, automatisme**

INFORMER
– Informer quelqu'un **prévenir, avertir, aviser, éclairer**
– Informer en justice **instruire, notifier**
– Être informé d'un fait **savoir, connaître, apprendre**
– S'informer de ce qui est récent **se tenir au courant, être dans le coup, être dans le vent**
– S'informer **interroger, enquêter, se documenter, s'enquérir**

INGRAT
– Un individu ingrat **oublieux, égoïste, sans cœur**
– Un enfant très ingrat vis-à-vis de ses parents **dénaturé**
– Un environnement ingrat **hostile, agressif**
– Ingrat d'apparence **laid, déplaisant, rébarbatif, disgracieux**
– Un travail ingrat **pénible, ardu, difficile, infructueux, stérile**
– Âge ingrat **adolescence**

INGRATITUDE
– L'ingratitude d'un individu à qui un service a été rendu **méconnaissance, légèreté, désinvolture**
– Acte d'ingratitude **égoïsme, impolitesse, méchanceté**

INHUMAIN
– Un comportement inhumain **dur, cruel, barbare, impitoyable**
– Se montrer inhumain **insensible, froid, lointain, implacable**
– Un acte inhumain **bestial, brutal, féroce, monstrueux**

INITIAL
– Le stade initial **premier, originel, primitif**
– Le mot initial d'une phrase **en tête, au début**
– Abréviation formée des lettres initiales d'une expression, d'un organisme **sigle, acronyme**
– Entrelacement des lettres initiales d'un nom **chiffre, monogramme, marque**

INITIATION voir aussi **passage, rite**
– Initiation permettant d'accéder à une société secrète ou à un culte **introduction, admission**
– Rites mystérieux d'initiation

TERMES D'INFORMATIQUE

MATÉRIEL/HARDWARE

bus	Ensemble des conducteurs qui permettent la transmission des informations à l'intérieur même d'un ordinateur.
configuration	Ensemble des caractéristiques des éléments matériels d'un système informatique (capacité de mémoire, nature des périphériques).
lecteur	Périphérique permettant l'introduction de données.
matériel/hardware	Ensemble des appareils constituant un système informatique, différent du logiciel (software).
mémoire	Partie du matériel qui permet de stocker et de restituer les informations (données). La mémoire centrale qui est d'accès rapide permet de stocker d'importantes masses de données : bandes magnétiques, cassettes, disques, disquettes.
mémoire de masse	Mémoire externe permettant de stocker d'importantes masses de données : bandes magnétiques, cassettes, disques, disquettes.
mémoire morte	Mémoire dont le contenu ne peut être modifié qu'en mettant en œuvre des procédés particuliers. Elle peut être lue à tout moment.
mémoire vive	Mémoire qui peut être lue, modifiée ou effacée.
périphériques	Ensemble des dispositifs permettant de stocker, de lire et d'entrer des données. On distingue les périphériques de stockage (disques, disquettes, etc.) et les périphériques d'entrée/sortie (clavier, écran, lecteur, imprimante, crayon optique, souris, modem).
pixel	La plus petite zone d'un écran, qui peut être allumée ou éteinte, ou encore « point adressable » à l'écran. Le nombre de pixels détermine la qualité d'un écran, c'est-à-dire sa résolution.

LOGICIEL/SOFTWARE

bogue/bug	Erreur dans un programme.
commande	Ordre destiné au système d'exploitation.
instruction	Commande adressée à l'ordinateur. Elle se présente sous forme codée.
langage de programmation	Ensemble de règles, de caractères, de symboles compréhensibles par l'ordinateur permettant de communiquer avec lui. Basic, fortran, cobol, pascal, lisp sont des langages de programmation.
logiciel/ software	On distingue les logiciels d'exploitation fournis avec le matériel pour en permettre une bonne utilisation (système d'exploitation, programmes utilitaires...) et les logiciels d'application que l'utilisateur acquiert pour résoudre un problème précis (logiciels de gestion familiale, de banques de données, de jeux...).
menu	Fonctions présentées à l'écran et indiquant à l'utilisateur la marche à suivre pour utiliser le programme.
programme	Ensemble d'instructions écrites dans un langage précis.
système d'exploitation/ Operating System	Ensemble des programmes de base d'un ordinateur. Il prend en charge la gestion complète du système informatique (matériel), lit les programmes, les charge, organise les disquettes, etc. MS DOS et OS2 sont des systèmes d'exploitation.

DONNÉES/DATA

baud	Unité de vitesse de transmission des informations dans les transmissions utilisant les modems.
champ	Partie d'un enregistrement comportant un type de donnée déterminé.
donnée	Information traitée par l'ordinateur.
enregistrement	Il est composé d'un certain nombre de champs. Il constitue un sous-ensemble d'une base de données.
ko (kilo-octet)	Un ko égale 1 024 octets.
octet/ byte	Ensemble de 8 bits. Un caractère peut être codé sur plusieurs octets.

ésotériques, hermétiques, sibyllins
– Initiation à la philosophie, à l'art, à la science **apprentissage, instruction, éducation**
– Initiation à une pratique **baptême**
– Initiation aux complexités cachées d'une affaire **révélation**
– Initiation aux mystères des religions, de la magie **mystagogie**
– Initiation rituelle des étudiants de première année **bizutage**

INITIATIVE
– Prendre l'initiative de faire quelque chose **entreprendre, entamer, provoquer, agir**

– Applaudir à l'initiative de quelqu'un **action, intervention**
– Qualité d'initiative **activité, dynamisme, inventivité, originalité**
– Livré à sa seule initiative **volonté, intuition, fantaisie, bon vouloir**
– Rôle d'un syndicat d'initiative **informer, renseigner**

INJURE
– Proférer des injures **insultes, invectives, insolences**
– Faire injure **outrage, affront, indignité, offense, camouflet, irrévérence**
– Injure grossière et violente **obscénité, ordure, horreur, infamie**
– Accabler quelqu'un d'injures **chanter pouilles à, traîner dans la boue**
– Injures et rumeurs malveillantes dans l'opinion publique **diffamation, calomnie, humiliation, médisance**

INJUSTE
– Cet individu a un comportement injuste **malhonnête, déloyal, oppresseur, tyrannique, odieux**
– Action injuste **passe-droit, exaction, usurpation, malversation**
– Règlement injuste d'un problème de droit ou de société **illégal, inique, abusif, arbitraire, inadmissible**
– Une sanction injuste **imméritée, indue, partiale, exagérée**
– Un impôt injuste **léonin, inéquitable**
– Un commentaire injuste **injustifié, déraisonnable**

INNOCENCE
– Convaincre quelqu'un de l'innocence d'une personne **disculper**

INNOCENT (1)
– L'innocent du village **idiot, simple d'esprit, demeuré, crétin**

INNOCENT (2)
– Être innocent dans une affaire louche **irrépréhensible, blanc comme neige, non coupable, irréprochable**
– Des propos innocents **anodins**
– Un enfant à l'air innocent **ingénu, candide, angélique, pur**
– Jeune homme encore innocent dans le monde adulte **niais, coquelin, ignorant, crédule**

INOFFENSIF
– Des désirs inoffensifs **innocents, anodins, bénins**
– Individu considéré comme inoffensif **incapable de nuire, sans intérêt**

INONDATION
– Inondation d'une plaine **submersion**
– Cause d'une inondation **débordement, flot, torrent, tempête, déluge, crue**
– Inondation d'un marché économique par des produits étrangers **afflux, invasion, envahissement**

INOPINÉ voir aussi **inédit**
– Un événement inopiné **inattendu, imprévu, fortuit, surprenant**
– Une agressivité inopinée **subite, abrupte, immotivée**

INOUÏ
– Une chance inouïe **extraordinaire, incroyable, prodigieuse, fabuleuse**
– Il tient un discours inouï **étrange, étonnant, invraisemblable**
– Accomplir un exploit inouï **nouveau, inconnu**
– Une harmonie musicale inouïe **ineffable**

INQUIET
– Il a l'air inquiet **perplexe, embarrassé, soucieux, anxieux, angoissé, épouvanté**
– C'est un esprit inquiet **impatient, insatisfait, exalté**
– Un sommeil inquiet **agité, troublé**
– Un cheval inquiet **ombrageux**

INQUIÉTER
– Une difficulté qui inquiète **ennuie, chagrine, perturbe, trouble, tracasse, tourmente**
– S'inquiéter du lendemain **s'émouvoir, se préoccuper, se soucier, s'effrayer, s'affoler**

INQUIÉTUDE
– Inquiétude diffuse **malaise**
– Inquiétude très vive **panique**
– Inquiétude causée par une maladie ou un danger **émoi, appréhension, crainte, angoisse**
– Inquiétude métaphysique **doute**

INQUISITION
– Tribunal de l'Inquisition établi en 1542 pour juger les affaires d'hérésie **Saint-Office**
– Membre d'un tribunal ecclésiastique de l'Inquisition **inquisiteur**
– Répression ordonnée par l'Inquisition **question, torture, autodafé**
– Se livrer à une véritable inquisition auprès de quelqu'un **interrogatoire, enquête, investigation, perquisition, recherche**

INSCRIPTION
– Inscription sur un registre officiel **immatriculation**
– Inscription sur les listes de l'armée **conscription**
– Inscription d'un soldat sur un tableau d'honneur **citation**
– Inscription qui annonce une profession libérale sur une porte **panonceau, plaque**
– Inscription gravée sur une tombe **épitaphe**
– Un mur couvert d'inscriptions **graffitis, tags**
– Inscription explicative sur un édifice ou au début d'un texte **épigraphe, exergue**
– Étude des inscriptions **paléographie, épigraphie**
– Inscription sous un écu **devise**
– Énoncé d'une inscription sous un écu **âme**
– Bande portant l'inscription sous un écu **listel**
– Ornement destiné à recevoir une inscription **cartouche**
– Courte inscription sur un livre pour en indiquer le propriétaire **ex-libris**
– Inscription indélébile sur la peau **tatouage**

INSCRIRE
– Inscrire sur un carnet **écrire, noter**
– Inscrire des informations sur un registre **enregistrer, consigner**
– Inscrire une formule sur un matériau dur **graver**
– Inscrire quelqu'un dans une prison **écrouer, incarcérer**
– Registre où l'on inscrit les affaires soumises à un tribunal **rôle**
– S'inscrire à un syndicat, un club ou un parti **adhérer**

INSECTE
entomo-

INSECTE voir aussi **dessin**
– Science des insectes **entomologie**
– Une plante qui se nourrit d'insectes **entomophage**
– Produit qui débarrasse des insectes **insecticide, insectifuge**
– Un animal qui mange les insectes **insectivore**

INSENSIBILITÉ
– Insensibilité d'un membre **ankylose, paralysie**
– Insensibilité due à la maladie ou à un traitement chimique **anesthésie**
– Insensibilité à la douleur **analgésie**
– Plongé dans une insensibilité totale **léthargie, inconscience**
– Insensibilité morale **indolence, apathie, indifférence, détachement, aridité**
– Insensibilité aux honneurs **imperméabilité**

INSENSIBLE
– Avoir l'air insensible **distrait, sec, glacial, endurci, impitoyable, inexorable**
– Un cœur insensible **de pierre, de bronze**
– Des mains rendues insensibles à

Insecte

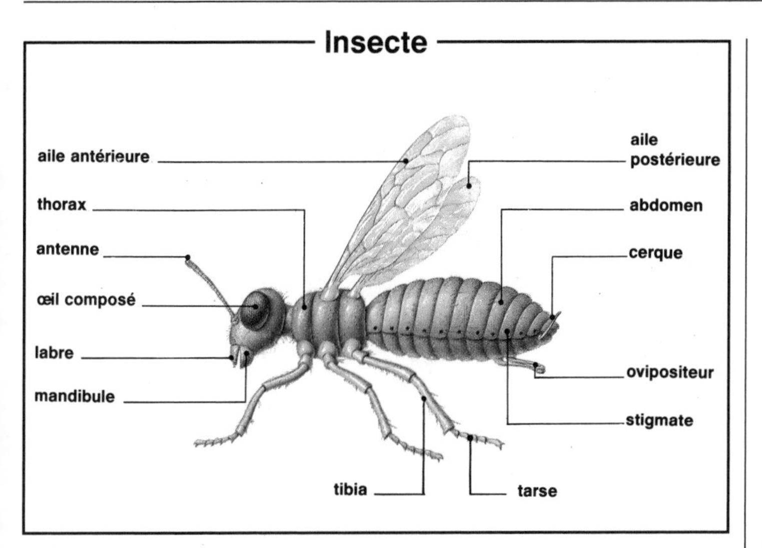

cause du froid **engourdies, gourdes**
– Un mouvement insensible **infime, imperceptible, invisible, léger, progressif, graduel**

INSÉRER
– Insérer une pièce dans un dossier **intercaler, interposer, ajouter, introduire**
– Insérer un document supplémentaire dans une brochure **encarter**
– Insérer une greffe végétale **implanter, enter**
– Insérer une pierre dans un bijou **sertir, enchatonner, enchâsser**
– Insérer dans une surface de meuble des matériaux d'ornement **incruster**

INSIGNE (1) marque, symbole, emblème, signe
– Insigne de distinction honorifique **médaille, décoration**
– Insigne du maire et du parlementaire français **écharpe**
– Insigne d'un roi **sceptre, couronne**
– Ancien insigne d'un serviteur **livrée**
– Insigne soutenant explicitement une cause **badge**

INSIGNE (2)
– Une faveur insigne **remarquable**

INSINUER
– Insinuer quelque chose dans l'esprit d'une personne **suggérer, faire allusion, instiller, souffler**
– S'insinuer dans un endroit fermé **s'introduire, se faufiler, se glisser**
– L'eau s'insinue partout **coule, pénètre, s'infiltre**

INSISTER
– Insister sur un point **souligner, accentuer, appuyer sur, s'arrêter sur, s'appesantir sur**
– Insister en maintenant son point de vue ou son comportement **persister, persévérer**
– Insister pour obtenir une faveur **prier, presser, s'obstiner**
– Insister franchement et de manière énergique **mettre les points sur les i**

INSOLENCE
– Parler avec insolence **narguer, offenser, insulter, injurier**
– Insolence d'un jeune envers un adulte **impertinence, effronterie, irrespect, fatuité**
– Insolence méprisante **morgue, arrogance, orgueil, cynisme**

INSOLENT
– Comportement insolent **désagréable, impudent, effronté**
– Ton délibérément insolent **déplacé, impoli, irrespectueux**
– Individu peu intéressant, insolent et prétentieux de surcroît **paltoquet**
– Afficher une richesse insolente **extraordinaire, inouïe, indécente**

INSOUCIANT
– Insouciant du temps qui passe **insoucieux, indifférent à**
– Jeune homme insouciant **léger, étourdi, négligent, imprévoyant, frivole, sans-souci**

INSPECTER voir aussi **contrôler**
– Inspecter un chantier **visiter, surveiller, contrôler**
– Inspecter un lieu **explorer, fouiller, reconnaître**
– Inspecter un navire en procédant à différents contrôles **arraisonner**
– Inspecter quelqu'un du regard **examiner, scruter**
– Inspecter un régiment **passer en revue**

INSPECTEUR
– Différents inspecteurs dans l'enseignement primaire et secondaire **départemental, d'académie, général**
– Compte rendu de travail d'un inspecteur **rapport**
– Inspecteur de police **divisionnaire, principal**

INSPIRÉ
– Inspiré par les idées du temps **dicté, déterminé, commandé, imposé**
– Individu inspiré **mystique**

INSPIRER
– Inspirer une conduite **suggérer, conseiller, insuffler**
– Inspirer un sentiment **provoquer, causer, faire naître**
– Inspirer une œuvre **animer**
– Elle inspire la création artistique **muse, égérie**
– S'inspirer de modèles **imiter**

INSTABLE
– Temps instable **variable, changeant**
– Meuble instable **déséquilibré, branlant, boiteux, bancal**
– Politique instable **fragile, précaire**
– Individu instable **fluctuant, inconstant, mobile, indécis, fuyant, capricieux**
– Animaux instables **nomades**
– Préparation chimique instable **décomposable, altérable**

INSTALLATION
– Installation de fils **branchement**
– Faire l'installation d'une cuisine **équipement**
– Célébrer par un repas son installation dans une nouvelle habitation **pendre la crémaillère**
– Installation provisoire d'un groupe **campement, cantonnement**
– Intallation d'une tente **montage**
– Intallation solennelle d'un évêque **intronisation**

INSTALLER
– Installer quelqu'un chez soi **mettre, établir, loger, caser**
– Installer une nouvelle maison **aménager, arranger, agencer, disposer**
– Installer le téléphone dans un lieu **placer, poser**
– S'installer à l'étranger **s'établir, s'enraciner, émigrer**
– Souvenir qui s'installe **se fixe**

INSTANT
– Un instant, s'il vous plaît ! **seconde, minute, moment**
– En un instant **en un clin d'œil, en un tournemain**
– Dans un instant **bientôt, tout à l'heure**
– À l'instant **tout de suite, aussitôt**

– À chaque instant **continuellement, sans cesse, à tout bout de champ, à tout propos**
– Par instants **de temps en temps**
– Profite de l'instant présent ! ***Carpe diem***

INSTINCT voir aussi **conduite**
– Comprendre une situation complexe par instinct **intuition, pressentiment, inspiration, flair**
– Action accomplie par quelqu'un en fonction de son instinct **spontanée, irréfléchie, involontaire**
– Avoir un instinct très sûr pour une activité **aptitude, don, talent, art**
– Instinct opposé à la raison **sentiment, irrationnel**
– Conception classique et actuelle de l'instinct propre à une espèce **mécanisme, stimulus, déclenchement, comportement hérité, finalité, pattern**
– Instinct, selon Freud, dont la poussée et l'objet restent indéterminés **pulsion**
– Instincts comme pulsions conflictuelles en l'être humain selon Freud **sexualité, autoconservation, amour, faim**
– Instinct des animaux **grégaire, migratoire**
– Instinct de l'oiseau qui lui fait construire son nid **de nidification**
– Instinct de l'abeille qui fait le miel **de mellification**

INSTITUTEUR **maître, éducateur**
– Établissement où sont formés les instituteurs **École normale**
– Compétence de l'instituteur dans plusieurs matières d'enseignement **polyvalence**
– École du système scolaire où travaille l'instituteur **maternelle, primaire**
– Instituteur qui enseignait à un seul enfant de famille noble **précepteur**

INSTITUTION
– Différentes institutions d'un pays **juridiques, sociales, politiques, religieuses**
– Institution d'éducation de jeunes qui résident sur place **pensionnat, foyer, institut**
– Institution du droit aux congés payés **instauration, création, fondation**
– Institution d'héritiers en termes juridiques **nomination, désignation**

INSTRUCTION voir aussi **éducation**
– Instruction proposée essentiellement dans le système scolaire **savoir, connaissance**
– Instruction générale que peuvent donner l'école, la famille, la société **formation, culture**
– Frein à l'instruction et à ses bénéfices **obscurantisme, ignorance**
– Père de la loi sur l'instruction laïque, gratuite et obligatoire **Jules Ferry**
– Nom actuel de l'ancien ministère de l'Instruction publique **Éducation nationale**
– Instruction religieuse **catéchisme**
– Donner des instructions **ordres, règles, préceptes, prescriptions, avis, conseils**
– Instruction officielle ministérielle **note, circulaire, écrit**
– Faire l'instruction d'une affaire en justice **information, interrogatoire, accusation, inculpation, procédure**
– Fin possible d'une instruction juridique **non-lieu**

INSTRUMENT voir aussi **médical, mesure**
– Instrument utilisé dans l'art, le travail manuel et intellectuel **appareil, machine, outil, ustensile, engin**
– Instrument pour enregistrer **chronographe, sismographe**
– Instrument pour mesurer **thermomètre, baromètre**
– Instrument pour observer **télescope, gyroscope**
– Instrument récepteur du son **téléphone, microphone**

INSU
– Montrer de l'émotion à son insu **involontairement, inconsciemment**
– À l'insu de tous **dans l'ignorance**

INSUFFISANCE
– Insuffisance de moyens **carence, manque**
– Insuffisance d'un individu dans l'accomplissement d'une tâche **médiocrité, imperfection, ignorance, faiblesse, incapacité**
– Insuffisances d'une méthode **déficiences, lacunes, défauts**
– Insuffisance de qualification **sous-qualification**
– Insuffisance d'alimentation **sous-alimentation**
– Insuffisance de production **sous-production**

INSULTE
– Proférer des insultes envers quelqu'un **insolences, grossièretés, invectives, injures**
– Faire insulte **outrage, affront, offense**
– Insulte à l'être humain **indignité**
– Insulte au bon sens **défi**

INSULTER
– Insulter quelqu'un **injurier, mépriser, dédaigner**

INSTRUMENTS DE MUSIQUE

INSTRUMENTS À VENT

accordéon, basson, biniou, bombarde, clairon, clarinette, contrebasson, cor, cor anglais, cornemuse, flûte traversière, harmonica, hautbois, saxophone, trompette, tuba

INSTRUMENTS À CORDES

FRAPPÉES

cymbalum (Hongrie)

FROTTÉES

contrebasse, vielle, viole, violon, violoncelle

PINCÉES

balalaïka (Russie), **bandurria** (Espagne), **cithare, dulcimer, guitare, harpe, luth, mandoline, psaltérion, sitar** (Inde)

INSTRUMENTS À PERCUSSION

LES MÉTAUX

carillon, cloches, cymbales, gong, triangle

LES INSTRUMENTS À CLAVIER

célesta, glockenspiel, marimba (Afrique, Amérique du Sud), **vibraphone, xylophone**

LES PEAUX

bongo, caisse claire, caisse roulante, grosse caisse, tambour, tambourin, tam-tam, timbales, tom alto, tom basse, tom médium

LES « ACCESSOIRES »

castagnettes, claves, crécelle, maracas, wood-block

INSTRUMENTS À CLAVIER

harmonium, orgue, serinette

INSTRUMENTS À CORDES FRAPPÉES

clavicorde, piano

INSTRUMENTS À CORDES PINCÉES

clavecin, épinette, virginal

INSTRUMENTS ÉLECTRONIQUES

ondes Martenot, orgue électronique, synthétiseur

– Se laisser insulter **attaquer**
– Insulter une croyance **blasphémer**
– Insulter la morale publique **braver, défier**

INTACT
– Demeurer intact **entier, complet, inchangé, inaltéré**
– Être intact après une chute ou un accident **indemne, sauf**

INTÉGRAL
– Changement intégral **total, entier**
– Exiger un remboursement intégral **intégralité**
– Calcul intégral en mathématiques **intégration, intégrale**
– Œuvre intégral **complet**

INTÉGRER
– Intégrer un objet dans un ensemble **incorporer, introduire**
– Intégrer un raisonnement **assimiler, comprendre**
– Intégrer une grande école française **entrer dans, être admis dans**
– Intégrer une fonction mathématique **calculer l'intégrale**

INTELLECTUEL
– Phénomène de la vie intellectuelle **mental, cérébral**
– Mouvement intellectuel d'une époque **idées**
– La classe intellectuelle de la capitale **intelligentsia**

INTELLIGENCE
– Intelligence humaine **esprit, entendement, raison, pensée**
– Faculté de l'intelligence opposée à l'intuition et à l'imagination **conception, abstraction, rationalisation, théorisation**
– Faire preuve d'intelligence dans une situation complexe **jugement, réflexion, discernement, perspicacité, clairvoyance, pénétration**
– Intelligence pratique et inventive **savoir-faire, ingéniosité, inventivité, industrie**
– Avoir l'intelligence de quelque chose **compréhension, sens, perception, intellection**
– Être d'intelligence avec quelqu'un **complicité, connivence, accointance, concert, collusion**
– Vivre en bonne intelligence **harmonie, entente, accord, concorde**
– Entretenir des intelligences secrètes avec quelqu'un **correspondance**

INTELLIGENCE ARTIFICIELLE
– Production d'intelligence artificielle **élaboration, construction**
– Fonctionnement de l'intelligence artificielle **automatismes, procédures, règles**
– Machine effectuant des procédures de l'intelligence artificielle **calculateur électronique, ordinateur, computer**
– Objets sur lesquels s'appliquent les méthodes d'intelligence artificielle **jeux de société, théorèmes**

INTELLIGENT
– Enfant intelligent **éveillé, astucieux, ingénieux, malin, perspicace**
– Propos intelligents **brillants**
– Individu qu'on déclare extrêmement intelligent **aigle, surdoué**
– L'homme est un être intelligent **pensant, raisonnable**

INTENDANCE
– Être chargé de l'intendance des biens d'une entreprise **administration, gestion**
– Intendance d'un établissement scolaire **économat**
– Assurer l'intendance d'une armée **logistique**

INTENSE
– Émotion intense **grande, extrême, forte**
– Couleur intense **vive**
– Intense agitation **violente**
– Bonheur intense **complet, plein, total**
– Désir intense **impérieux, irrésistible, véhément, tyrannique**
– Regard intense **aigu, pénétrant, perçant**

INTENTION
– Avoir une intention précise **but, objectif, visée, fin**
– L'intention de cette démarche est la suivante **idée, projet, dessein, propos, objet**
– Agir avec l'intention délibérée de nuire **détermination, résolution**
– Chercher à connaître les intentions de quelqu'un **pensées, mobiles, motifs, dispositions**
– S'opposer aux intentions de quelqu'un **volontés, désirs**
– Intention délibérée de commettre une action **préméditation**
– Intentions cachées **arrière-pensées, calculs, machinations**
– Les intentions de l'auteur dans une explication de texte **pensée, psychologie**
– À l'intention de **au profit de**

INTERDICTION
– Interdiction pour un individu d'exercer ses droits **suspension, privation**
– Interdiction faite à un navire de quitter le port **embargo**
– Interdiction d'acheter, de vendre ou de fabriquer un produit promulguée par un pays **prohibition**
– Système religieux d'interdictions portant sur des objets sacrés **tabou**

INTERDIRE voir aussi **chasser**
– Interdire quelque chose formellement **proscrire, prohiber**
– Interdire une activité **défendre**
– Interdire entièrement ou partiellement une œuvre **censurer**
– Interdire un ouvrage ou un spectacle **condamner**
– Interdire une entrée ou un passage **défendre l'accès**
– Il est interdit d'interdire **slogan, tract, graffiti**
– Comportement qui interdit toute négociation **exclut, s'oppose à**
– Interdire de fréquenter quelqu'un **mettre en quarantaine**
– S'interdire d'en dire plus **éviter, refuser, s'empêcher**

INTERDIT (1) voir aussi **incapable**
– Prononcer l'interdit contre une personne ou un objet **exclusive, veto**
– Interdit sur lequel on fait silence **tabou**

INTERDIT (2)
– Il est interdit de fumer **prohibé, illégal, illicite**
– Individu interdit de séjour **banni, proscrit, exilé**
– Catalogue des livres anciennement interdits par le Saint-Siège **Index**
– Être interdit par la crainte **interloqué, confondu, foudroyé**
– Être interdit devant un événement déconcertant **ébahi, pantois, ahuri**
– Rester interdit devant des arguments percutants **court**

INTÉRESSANT (1)
– Faire l'intéressant **se faire remarquer**

INTÉRESSANT (2)
– Travail intéressant **beau, captivant, passionnant, palpitant**
– Anecdote intéressante **amusante, curieuse, piquante**
– Un élément intéressant **important**
– Physionomie intéressante **attachante, originale**
– Individu intéressant **spirituel, brillant**
– Femme dans une situation intéressante **enceinte**

INTÉRESSER
– Intéresser quelqu'un aux bénéfices d'une affaire **associer**
– Problème qui intéresse tout le monde **retient l'attention, attire, touche, concerne, captive, passionne, préoccupe**
– Il s'intéresse à l'argent **calculateur, avide, cupide, vénal, avare**

INTÉRÊT
– Taux d'un intérêt légal **pourcentage**
– Intérêt abusif **usure**
– Intérêt dû à une banque **agio, escompte, commission**
– Titre ou capital qui produisent des intérêts **rente, action, dividende, rapport**
– Montant échu des intérêts d'un capital **arrérages**
– Intérêt matériel, moral ou esthétique d'une entreprise **utilité, avantage, attrait, bénéfice, profit, importance**
– Intérêt public **bien**
– Montrer de l'intérêt pour quelqu'un **bienveillance, attention, sollicitude, indulgence, compassion, affection**
– Travailler avec intérêt **ardeur, plaisir, curiosité**
– Entreprendre par intérêt **calcul, cupidité, avarice, individualisme**
– Ensemble de personnes qu'un intérêt commun réunit **coterie, clan, chapelle**

INTÉRIEUR (1) interne
– À l'intérieur **dedans**
– Avoir un intérieur agréable **logis, habitation, foyer, chez-soi**
– À l'intérieur d'une ville **intra-muros**
– Filmer en intérieur **en studio**
– Au football, joueur à l'intérieur entre un ailier et un avant-centre **inter**
– À l'intérieur de l'esprit humain **conscience, psychisme, cœur, âme**
– Observer l'intérieur de sa conscience morale **introspection**
– Individu tourné vers l'intérieur **introverti, égocentrique**

INTÉRIEUR (2)
– Qualités et défauts intérieurs **secrets, cachés**
– Dans son for intérieur **in petto**

INTERJECTION voir aussi **interpeller**
– Interjection en grammaire **onomatopée, exclamation, bruit, cri**
– Interjection d'un appel en justice **introduction, intervention**

INTERMÉDIAIRE (1)
– Faire l'intermédiaire entre deux personnes **entremise, médiation, truchement, pont, canal**
– Intermédiaire entre le producteur et le consommateur **commerçant**

INTERMÉDIAIRE (2)
– Niveau ou taille intermédiaire **moyen, médium, du milieu, entre-deux**
– Cause intermédiaire **médiate**
– Un agent intermédiaire **médiateur, entremetteur, négociateur, interprète, ombudsman**

INTERMITTENT
– Rythme intermittent **irrégulier, discontinu**
– Travail intermittent **intérim**
– Lumière intermittente **clignotante**
– Mouvement intermittent **soubresaut**
– Fièvre intermittente **erratique**
– Pause dans les accès d'une fièvre intermittente **apyrexie**

INTERNATIONAL
– Championnat international **mondial**
– Joueur international **sélectionné**

INTERNATIONALE
– Le fondateur de la Ire Internationale **Karl Marx**

INTERNE voir aussi **intérieur**
– Interne dans un établissement d'enseignement **pensionnaire**
– Obligation d'un interne dans un hôpital **garde, urgences**

INTERPELLATION
– Interpellation à haute voix **apostrophe**
– Interpellation violente et grossière **insulte, injure**
– Interpellation adressée au gouvernement en séance publique du Parquet **question, demande d'explication**

INTERPELLER
– Interpeller quelqu'un de loin **appeler, héler**
– Interjection pour interpeller **eh !, hé !, hep !, holà !**
– Interpeller et mettre en demeure de répondre **sommer de**
– Produit par des personnes s'interpellant bruyamment **brouhaha**

INTERPRÉTATION
– Donner l'interprétation d'un fait **traduire, expliquer, illustrer**
– Les diverses interprétations d'un événement **versions**
– Interprétation clarifiant ce qui est obscur **commentaire, note, glose, métaphrase, paraphrase**
– Interprétation erronée **mésinterprétation, malentendu, faux-sens, contresens, non-sens**
– Proposition acceptant plusieurs interprétations **amphibologie, ambiguïté, équivoque**
– Interprétation philologique ou doctrinale d'un texte au sens obscur **exégèse, critique**
– Science de l'interprétation des textes philosophiques ou religieux **herméneutique**
– Interprétation d'une œuvre musicale ou dramatique **exécution**
– Interprétation des rêves à des fins divinatoires **oniromancie**
– Interprétation des lignes de la main **chiromancie**
– Divination par l'interprétation du vol ou du chant des oiseaux **ornithomancie**
– Faire une interprétation dans la cure analytique freudienne **communication, intervention**
– L'investigation analytique dégage l'interprétation des rêves et des paroles **sens latent**

INTERPRÈTE voir aussi **intermédiaire**
– Être l'interprète de quelqu'un auprès d'une institution ou d'une personne **porte-parole**
– Profession : interprète **traducteur**
– Interprète d'un texte difficile qui exige une explication **métaphraste**
– Interprète de textes sacrés ou philosophiques **exégète, commentateur**
– Un grand interprète **comédien, acteur, musicien, artiste**

INTERROGATION voir aussi **question**
– Interrogation vérifiant un savoir dans un examen **oral, écrit**
– Interrogation faite en classe pour évaluer le travail des élèves **épreuve, contrôle, test, composition**
– Préparation orale à une interrogation d'examen ou de concours **colle**
– Interrogation méthodique pour étudier un problème de société **enquête, sondage, gallup**
– Interrogations posées à quelqu'un mis en position d'infériorité **interrogatoire**
– Forme de l'interrogation en grammaire française **directe, indirecte, rhétorique, partielle, totale**
– Marque de l'interrogation à l'oral en français **intonation**
– Marque de l'interrogation à l'écrit en français **point d'interrogation**

INTERROGER voir aussi **questionner**
– Interroger quelqu'un brusquement **interpeller, presser**
– Interroger quelqu'un pour en savoir plus **s'informer, se renseigner, s'enquérir**
– Interroger un spécialiste **consulter**
– Interroger quelqu'un sur ses intentions encore non formulées **pressentir, sonder**
– Être interrogé par un journaliste **interviewé**
– S'interroger **se demander**

INTERROMPRE
– Interrompre une conversation **couper, briser, rompre**

– Interrompre un discours et passer à un autre sujet **passer du coq à l'âne**
– Interrompre quelqu'un dans une activité **déranger, troubler, importuner, ennuyer, distraire**
– Interrompre le rythme quotidien des séances d'un spectacle **suspendre, faire relâche**
– La valse s'interrompt **cesse, finit**
– Interrompre des combats **faire une trêve**
– Système qui interrompt un circuit électrique **interrupteur, disjoncteur**
– Suite de deux voyelles différentes qui interrompt une continuité phonique **hiatus**

INTERVALLE
– Intervalle entre deux points dans l'espace **distance, écart, éloignement**
– Intervalle dans le temps **moment, période**
– En musique, intervalle entre deux notes jouées **silence, pause**
– Intervalle fondamental exprimé par un rapport de fréquence, en musique **ton majeur, ton mineur**
– Intervalle entre deux lignes **interligne**
– Intervalle entre deux lattes de bois d'un plancher **interstice, fente**
– Intervalle entre deux moments d'un spectacle **entracte, intermède, interlude**
– Intervalle entre deux accès d'une maladie **rémission, répit**
– Intervalle entre deux gouvernements successifs **transitoire, intermédiaire**
– Par intervalles **par moments, par intermittence**
– Qui se répète à intervalles réguliers **périodique**

INTERVENIR
– L'incident intervenu le mois dernier **arrivé, produit, survenu**
– Intervenir dans un conflit **s'interposer, faire l'intermédiaire, arbitrer, négocier, régler**
– Intervenir dans une discussion privée **s'entremettre, s'immiscer, s'ingérer, se mêler à**
– Intervenir en faveur de quelqu'un auprès d'une personne influente **plaider, intercéder**

INTERVENTION
– Intervention brutale ou déplacée **intrusion, ingérence, immixtion**
– Proposer son intervention **médiation, entremise, arbitrage, bons offices, ministère**
– Pratique d'intervention du pouvoir dans l'économie ou le social **interventionnisme**
– Subir une intervention chirurgicale **opération**

INTERVIEW
– Interview publique d'un personnage important **conférence de presse**
– Terme plus classique pour désigner une interview **entretien**

INTESTIN
entér(o)-

INTESTIN
– Partie de l'intestin grêle **duodénum, iléon**
– Partie du gros intestin **cæcum, côlon, rectum**
– Membrane qui enveloppe les intestins **péritoine**
– Repli du péritoine reliant une partie de l'intestin à la paroi postérieure de l'abdomen **mésentère**
– Trouble de la digestion sur le trajet des intestins **dysenterie, entérite**
– Inflammation des intestins **mésentérite, gastro-entérite**
– Bruit de l'intestin **gargouillis, borborygme**

INTIME (1)
– Un intime de la famille **proche, confident**

INTIME (2) voir aussi **intérieur**
– Part intime de l'être humain **âme, cœur, conscience**
– Conviction intime **profonde**
– Un entretien intime **particulier**
– Une cérémonie intime **privée**
– Journal intime **secret**
– Un ami intime **inséparable**

INTONATION voir aussi **ton**
– De vibrantes intonations **inflexions, accents**
– Intonation dans l'analyse linguistique **prosodie, hauteur, mélodie**
– L'intonation d'une cantate **ton**

INTRANSITIF voir aussi **verbe**
– Construction intransitive en grammaire française **sans complément d'objet**

INTRIGUE **machination, manigance, manœuvre, menées, agissement, brigue**
– Terme familier qui désigne des intrigues **magouille, grenouillage, tripotage**
– Intrigue concertée contre une personne ou un État **conspiration, complot, cabale**
– Intrigue d'un roman ou d'un film **action, scénario, histoire**
– Mener une intrigue **ourdir, tramer**
– Individu qui cherche à réussir par des intrigues **intrigant, arriviste**

INTRODUCTION
– Introduction d'un discours **début, ouverture, présentation**
– Texte d'introduction d'un livre **préface**
– Introduction d'une œuvre musicale **prélude**
– Lettre d'introduction d'un personnage en vue en faveur de quelqu'un **recommandation**
– Pour aborder cette science, il faut une bonne introduction **préparation, explication**
– Introduction de produits venus de l'étranger **importation**
– Introduction de mots d'une autre langue dans un système linguistique **emprunt, adoption**
– Introduction d'une sonde dans l'estomac **intromission**

INTRODUIRE
– Introduire un produit dans l'organisme **inoculer, injecter**
– Introduire un remède dans son corps par la bouche **absorber, avaler, ingérer**
– Introduire quelqu'un auprès d'une personne connue **présenter**
– Introduire une coutume venue d'ailleurs **implanter**
– Introduire des produits étrangers dans le pays où l'on vit **importer**
– Personnage introduit dans une famille ou un groupe d'amis **familier**
– Individu introduit dans une fête sans invitation **intrus, incrusté**
– S'introduire dans un lieu d'accès difficile **se glisser, se faufiler**
– S'introduire dans un projet **s'immiscer, s'ingérer, s'entremettre, s'infiltrer, s'insinuer**

INTUITION
– Comprendre, découvrir par intuition **instinct, prémonition, inspiration, pressentiment**
– Montrer de l'intuition dans une affaire difficile **flair, don de divination**
– Intuition tournée vers l'avenir **perspicacité, sagacité, prospective**
– Pressentir les raisons cachées d'une conduite grâce à son intuition **soupçonner, subodorer**
– Individu qui a de l'intuition **clairvoyant, pénétrant, fin, sensible**

INUTILE
– Il y a de nombreux objets inutiles dans cette pièce **superflus, superfétatoires**
– Une démarche inutile **vaine, infructueuse, stérile**
– Des paroles inutiles **creuses, oiseuses**
– De longs discours inutiles **bavardages, verbiages, fadaises**

– Débarrasser son style de ce qui est inutile **élaguer, alléger, affiner**
– Personne inutile **parasite**

INVALIDE (1)
– Invalide de guerre **mutilé, blessé**
– Les Invalides, institution fondée par Louis XIV **hospice**

INVALIDE (2)
– Il est devenu invalide avec l'âge **impotent, infirme, grabataire**
– Un acte juridiquement invalide **nul**

INVARIABLE
– Invariable dans ses options **ferme, constant, fixe, sûr**
– Il garde un optimisme invariable dans les difficultés **inébranlable, inchangé, immuable**
– D'une belle humeur invariable **égale**
– Des principes invariables **inaltérables, immobiles**
– Son état demeure invariable **stationnaire**
– Une forme invariable en grammaire **indéclinable**

INVASION voir aussi **inondation**
– Invasion d'eau **débordement**
– Invasion de gaz dangereux **diffusion, propagation, pénétration**
– L'invasion des enfants dans la cour de récréation **irruption**
– Invasion d'un territoire par une armée **attaque, envahissement, ingression, incursion, agression**

INVENTER
– Inventer une machine **découvrir, créer, fabriquer, concevoir**
– Esprit qui invente **astucieux, ingénieux, fécond, imaginatif**
– Inventer des histoires **imaginer, forger, arranger, fabuler**
– Inventer sur-le-champ un prétexte plausible **improviser**
– Inventer des détails pour faire vrai **broder, exagérer**
– Il se plaît à inventer **mentir**
– Tout est inventé dans ce récit **imaginaire, fictif, artificiel**

INVENTION
– La merveilleuse invention de l'imprimerie **découverte, création**
– Il a toujours une invention nouvelle **trouvaille**
– Faculté d'invention **imagination, fantaisie**
– Invention romanesque ou cinématographique **fiction**
– C'est une recette de son invention **façon, fabrication, cru**
– Il a des inventions de toutes sortes pour tromper son monde **fables, comédies, mensonges, affabulations**
– Un homme d'inventions **expédients, combinaisons, ressources**

INVERSE (1)
– L'inverse d'une doctrine **antithèse, contre-pied**
– Soutenir l'inverse d'un propos **antipode, contrepartie**
– À l'inverse **vice versa**

INVERSE (2)
– Dans l'ordre inverse **contraire, opposé**
– Aller en sens inverse **revenir sur ses pas, rétrograder, régresser**
– Figures inverses en géométrie **réciproques**

INVESTIGATION voir aussi **information**
– Faire une investigation approfondie sur un sujet **examen, enquête**
– Investigation scientifique **démonstration, recherche**
– Investigation policière **perquisition**
– Investigation médicale **clinique**

INVISIBLE
– Un frémissement invisible **imperceptible**
– Un avion devenu invisible dans le ciel **disparu, perdu**
– Quand l'ombre de la Terre rend la Lune invisible **éclipse**
– Des sentiments invisibles **secrets, mystérieux**
– Il est toujours invisible **retiré, absent**

INVITATION
– Envoyer une invitation **carte, faire-part, billet**
– Faire une invitation **réception**
– Une invitation à faire un travail **exhortation, incitation**
– Répondre à l'invitation pressante de quelqu'un **prière**
– C'est une invitation au voyage ! **invite, appel, tentation, sollicitation, attrait**
– Invitation menaçante d'un supérieur **avertissement, semonce, sommation**

INVITER
– Inviter de nombreuses personnes **convier, réunir**
– Inviter un visiteur à dîner **retenir, garder**
– Inviter quelqu'un à exécuter un acte **demander à, engager, intimer à**
– Ces événements invitent à réfléchir **incitent à, portent à, poussent à, stimulent**
– Les personnes invitées **hôtes**

INVOLONTAIRE machinal
– Mouvement involontaire **réflexe, automatisme**
– Un cri involontaire **spontané**
– Une parole involontaire **irréfléchie**
– Une absence involontaire **forcée**
– Des gestes involontaires, incohérents **convulsifs**
– Témoin involontaire **malgré soi**

INVRAISEMBLABLE
– Nouvelle invraisemblable **incroyable, impensable, extraordinaire, inimaginable**
– Juger un récit invraisemblable **illogique, incohérent, faux**
– Nourrir un espoir invraisemblable **chimérique**
– Richesses invraisemblables **fabuleuses, exorbitantes**
– C'est un roman invraisemblable **fantastique**
– Aventure invraisemblable **ébouriffante**

IODE
– Où se trouve l'iode **algues, végétaux marins**
– Solution d'alcool et d'iode **teinture**
– Iode utilisé dans l'industrie **iodure**
– Intoxication après absorption d'iode **iodisme**
– Iode utilisé en médecine **antiseptique, révulsif**

IRONIE
– Ironie légère **humour**
– Ironie mordante **sarcasme, persiflage, satire**
– Ironie du sort **dérision**
– Ironie de la nature **caprice, fantaisie**
– Ironie consistant à interroger en feignant l'ignorance **socratique**
– Procédé de l'ironie **antiphrase, pointe**

IRRÉGULARITÉ
– Cela s'est passé à cause d'une irrégularité de procédure **passe-droit, illégalité**
– Beauté d'ensemble malgré des irrégularités **défauts, asymétries**
– Construction qui présente une irrégularité **anomalie, erreur**
– Irrégularité des situations personnelles **inégalité**
– Vie exemplaire, sans irrégularité de conduite **caprice, manquement, écart, incartade, faute, désordre**

IRRÉGULIER
– Pouls irrégulier du malade **arythmique, capricant**
– Une forme irrégulière en grammaire **incorrection, barbarisme, solécisme**
– Mouvement irrégulier **dissymétrique, saccadé, discontinu, inégal,**

asymétrique, déréglé, intermittent
– Il mène une vie irrégulière **dissipée, dissolue, dévergondée, de bâton de chaise**
– Acte irrégulier **arbitraire, illégitime, abusif**

IRRIGATION
– Irrigation des organes du corps **circulation sanguine**
– Irrigation artificielle des terrains **arrosage, baignage**
– Canal d'irrigation **colateur, buse**
– Moyen d'irrigation créé par l'homme **barrage**
– Irrigation par déversement **rigole**

IRRITÉ
– Il est très irrité **énervé, agité, enragé, hors de lui, à cran**
– Peau irritée par trop de soleil **brûlée, enflammée**

IRRITER
– Discours qui irrite tout le monde **agace, excède, crispe, exaspère, contrarie, horripile**
– Irriter quelqu'un **piquer, courroucer, blesser, tourmenter**
– S'irriter contre un tiers **se fâcher, s'impatienter, se monter, s'indigner, s'emporter**

ISLAM voir aussi **musulman**
– Celui qui professe la religion de l'islam **musulman**
– Livre sacré des croyants de l'islam **Coran**
– Les cinq piliers de l'islam **profession de foi, jeûne du ramadan, dîme légale, prière, pèlerinage à La Mecque**
– Branche de l'islam qui prône la recherche de Dieu à travers l'amour **soufisme**
– Conception de l'islam déformée par un radicalisme excessif **islamisme**
– Croyant de l'islam qui a accompli le pélerinage à La Mecque **hadji**
– Lieu de prière et de prosternation pour les croyants de l'islam **masdjid, djami, mosquée**
– Tapis de prière du croyant de l'islam **sadjada**
– Successeur du prophète de l'islam **khalife**
– Extrémistes de l'islam qui se disent « parti de Dieu » **hezbollah**
– Lutte contre ce qui est mauvais selon l'islam, dans l'homme ou la société **djihad**
– Croyants se réclamant de l'islam orthodoxe **sunnites**
– Croyants de l'islam partisans de Ali, gendre du prophète Mahomet **chiites**

ISOLEMENT
– Vivre dans l'isolement **solitude, abandon, délaissement, esseulement**
– Isolement volontaire teinté de misanthropie **tour d'ivoire, repli**
– Isolement dû à une mise à l'index **quarantaine, ségrégation**
– Isolement forcé dans un endroit clos **claustration, séquestration, captivité**
– Isolement total d'un individu avec repliement pathologique sur soi **autisme**

ISOLER
– Isoler deux pièces d'un tout **éloigner, disjoindre, détacher, écarter**
– Isoler un mot de son contexte **extraire, séparer**
– Isoler une ville en interdisant toute entrée de marchandises **blocus**
– Isoler volontairement un ensemble de personnes **boycotter, frapper d'ostracisme, pratiquer l'apartheid**
– S'isoler **se retirer, s'enfermer, se replier sur soi**

ISRAÉLITE voir aussi **juif**
– Culte israélite **hébraïque**
– Religion israélite **judaïsme**

ISSUE
– Histoire dont l'issue est heureuse **fin, aboutissement, résultat**
– Chercher l'issue **sortie, porte, ouverture, dégagement**
– Issue pour eaux sales **évacuation, déversoir, dégorgeoir**
– Organe du corps servant d'issue aux déchets **émonctoire**
– Issue d'une filière universitaire **débouché, profession**
– Trouver une issue à une situation complexe **solution, échappatoire, expédient**
– Voie sans issue **impasse, cul-de-sac**
– Issues d'agneau en boucherie **abats**
– Issues de la mouture des grains de blé **son, résidu**

ITALIEN (1)
– Expression propre à l'italien et empruntée par le français **italianisme**
– Nom familier donné aux Italiens immigrés en France vers 1900 **Ritals**

ITALIEN (2)
– Plat de la cuisine italienne **macaroni, spaghetti, pizza, polenta, risotto**
– Comédie à l'italienne avec improvisation sur un scénario **commedia dell'arte**
– Titre donné au premier magistrat de villes italiennes au Moyen Âge **podestat**

ITINÉRAIRE (1)
– Itinéraire touristique **voyage**
– Préparer son itinéraire **parcours, trajet, circuit, chemin, route**
– Donne les itinéraires et les horaires des chemins de fer **indicateur**
– Itinéraire intellectuel ou spirituel **cheminement, pensée**

ITINÉRAIRE (2)
– Mesure itinéraire pour indiquer les distances d'un lieu à un autre **stade, lieue, mille, nœud**

IVOIRE
– Ivoire pris sur l'animal récemment abattu **vert**
– Ivoire provenant des défenses de mammouths fossiles **mort, bleu**
– Ivoire provenant de l'hippopotame ou du morse **rohart**
– Ivoire végétal **corozo**
– Éclat propre à l'ivoire **ivoirin**
– Qui a la couleur ou la consistance de l'ivoire **éburnéen, éburné**
– Matière plastique imitant l'ivoire **ivoirine**
– Travail du bois par incrustation d'ivoire **marqueterie**
– Statue d'or et d'ivoire sculptée **chryséléphantine**
– Art de sculpter et de graver l'ivoire **toreutique**
– Poudre employée en peinture, à base d'ivoire et d'os calcinés **noir**

IVRE gris, aviné, soûl
– Humeur légère de celui qui est ivre **gai, émoustillé, éméché, parti, en goguette**
– Ivre dans le langage familier **noir, rond, blindé, schlass, rétamé, brindezingue**
– Rendre ivre **enivrer, monter à la tête de, griser**
– Ivre d'émotion ou de passion **transporté, exalté, enchanté**

IVRESSE
– État d'ivresse chronique dû à des excès d'alcool **éthylisme, alcoolisme, intempérance**
– Être en état d'ivresse **ébriété**
– Effet de l'ivresse **trouble, hébétude, transport, excitation**
– Ivresse de l'imagination **exaltation, enchantement, extase, enthousiasme**
– Ce qui peut transporter l'individu dans un état d'ivresse heureuse **création, volupté, idéal**

IVROGNE
– Ivrogne invétéré **alcoolique, buveur, débauché, dipsomane**
– Terme familier pour désigner un ivrogne **soiffard, soûlographe, biberon, vide-bouteille**
– Voix d'ivrogne **rogomme**

J.K

JACINTHE hyacinthe
– Famille à laquelle appartient la jacinthe **liliacées**
– Jacinthe des bois **endymion**
– Plante apparentée à la jacinthe **muscari, scille**
JAILLIR gicler
– Jaillir brusquement **surgir**
– L'eau de source jaillit de terre **sourd**
– Des rires jaillissent **éclatent, fusent**
JALOUX
– Un homme jaloux **exclusif, soupçonneux, ombrageux**
– Être jaloux du bonheur de quelqu'un **envieux**
– Critique littéraire jaloux du succès d'un autre écrivain **zoïle**
JAMBE
– Os de la jambe **fémur, tibia, péroné**
– Personne qui possède de bonnes jambes **ingambe**
– Des jambes déformées, arquées **torses**
– Paralysie des deux jambes **paraplégie**
– Personne privée de ses deux jambes **cul-de-jatte**
– Jambe de bois **pilon**
– Pièces d'habillement enveloppant les jambes **molletières, leggings, guêtres, houseaux**
– Pièce d'une armure protégeant la jambe **jambière, grève, cnémide**
– Être mythologique doté de jambes de bouc **tragoscèle**
JAMBON
– Jambon cru **bayonne, parme**
– Première tranche d'un jambon **entame**
– Extrémité d'un jambon **talon**
JANVIER
– Période du 21 décembre au 19 janvier, dans le calendrier républicain **nivôse**
– Période du 20 janvier au 18 février, dans le calendrier républicain **pluviôse**
– Dieu romain auquel le mois de janvier était consacré **Janus**
JAPONAIS nippon voir aussi **art**
– Signe de l'écriture japonaise **kana**
– Caractère chinois employé dans l'écriture japonaise **kanji**
– Monnaie japonaise **yen**
– Art floral japonais **ikebana**
– Arbre miniaturisé japonais **bonsaï**
– Genre théâtral japonais **kabuki, nô, kyōgen**
– Théâtre de marionnettes japonais **bunraku**
– Poème japonais **haïku, tanka**
– Danse japonaise traditionnelle **gigaku, bugaku**
– Instrument de musique japonais **koto, shamisen, biwa**
– Hôtesse japonaise pratiquant la danse et le chant traditionnels **geisha**
– Religion nationale japonaise **shintoïsme**
– Peinture japonaise sur soie **kakemono, makimono**
– Pièce d'habillement japonais **kimono, obi**
– Guerrier japonais du Moyen Âge **bushi, samouraï, ronin**
– Gouverneur japonais au Moyen Âge **daïmio**
– Mafioso japonais **yakuza**
– Suicide rituel japonais **hara-kiri, seppuku**
– Préparation culinaire japonaise à base de poisson cru **sashimi, sushi**
– Beignet japonais de légumes ou de poisson **tempura**
JARDIN
– Jardin public **square**
– Jardin où l'on cultive des légumes **potager**
– En Bourgogne notamment, jardin potager jouxtant la maison **ouche**
– Jardin planté d'arbres fruitiers **verger**
– Au XIXe siècle, jardin parisien où l'on donnait des bals populaires **closerie**
– Arrangement de fleurs et de gazon dans un jardin **parterre**
– Jardin où l'on dispose les orangers l'été **orangerie**
– Aménagement de jardin servant de support aux plantes grimpantes **tonnelle, pergola**
– Petite construction d'agrément caractéristique des jardins anglais **fabrique**
– Pavillon de jardin de style oriental **kiosque**
– Petit pavillon de verdure aménagé dans un jardin **gloriette**
– Décor de jardin mariant pierres et fleurs **rocaille**
– Décorateur chargé de l'agencement d'un jardin **paysagiste**
– Déesse des jardins **Flore**
– Dieu des jardins **Vertumne**
JARDINIER horticulteur
– Jardinier qui se consacre à la culture des légumes **maraîcher**
– Jardinier qui s'occupe de la culture des jeunes plants à repiquer **pépiniériste**
– Jardinier spécialiste des arbres **arboriculteur**
– Patron des jardiniers **saint Fiacre**
JASMIN
– Famille à laquelle appartient le jasmin **oléacées**
– Jasmin-trompette **bignone de Virginie**
– Jasmin d'Arabie **sampac**
– Jasmin en arbre **seringa**
JAUNE
xanth-
JAUNE
– Jaune vif **citron, jonquille, canari**
– Jaune orangé **safran**
– Jaune doré **flavescent, topaze**
– Jaune mais tirant sur le brun **ocre, kaki, saure**
– Jaune roux **fauve**
– Jaune pâle **paille, chamois, nankin, beurre-frais**
– Robe brun-jaune pâle d'un cheval **isabelle**
– Le teint jaune **cireux, bilieux**
– Papillon de nuit jaune **xanthie**
– Nénuphar jaune **jaunet d'eau**
JAUNISSE ictère
– Maladie du foie fréquemment accompagnée de jaunisse **hépatite**
– Excès de bile dans le sang

entraînant une jaunisse **cholémie**
– Trouble de la vision causé par la jaunisse **xanthopsie**

JAVELOT
– Sorte de javelot fin, long et léger **javeline**
– Javelot en usage chez de nombreuses peuplades **sagaie**
– Javelot du Moyen Âge **dard**
– Javelot qui servait d'arme aux Francs **framée, angon**
– Lourd javelot des soldats romains **pilum**
– Javelot sans pointe des divinités de l'Antiquité **haste**

JAZZ
– Forme musicale à l'origine du jazz **negro spiritual, blues, rag-time**
– Forme de jazz des années 1930 **swing**
– Style de jazz des années 1940 **bebop**
– Forme de jazz des années 1950, aux sonorités adoucies **jazz cool**
– Forme de jazz des années 1960, dégagée de toute règle rythmique **free jazz**
– Forme populaire de jazz apparentée au blues **rythm and blues**
– Style des orchestres de jazz blancs **dixieland**
– Réunion de musiciens de jazz pour une improvisation **jam-session**
– Style vocal à base d'onomatopées caractéristique du jazz **scat**
– Partie principale d'un thème de jazz jouée par un soliste **chorus**
– Dans la musique de jazz, interruption de l'orchestre pour laisser jouer un soliste **break**

JET **projection**
– Jet de liquide **jaillissement, émission**
– Jet d'eau d'une fontaine **gerbe, artichaut**
– Jet de matières volcaniques **éruption**
– Jet continu de faible intensité **ruissellement**
– En athlétisme, jet de javelot ou de disque **lancer**
– Le premier jet d'une œuvre **ébauche, esquisse**

JETÉE **digue, môle**
– Jetée faite de grands pieux **estacade**
– Jetée sur pilotis facilitant l'embarquement et le débarquement **embarcadère, débarcadère**
– Extrémité arrondie d'une jetée **musoir**

JETER
-bole

JETER
– Jeter de vieux effets **se débarrasser de, se défaire de, mettre au rebut**
– Jeter quelque chose à quelqu'un **lancer, envoyer**
– Jeter par-ci par-là **éparpiller**
– Jeter quelqu'un à terre **terrasser, plaquer**
– Jeter quelqu'un dans le désespoir **plonger**
– Jeter des insultes **proférer**
– Jeter sa fortune par les fenêtres **dilapider**
– Jeter un sort à quelqu'un **ensorceler, envoûter**
– En Italie, personne qui jette des sorts **jettatore**
– Se jeter sur quelqu'un **se précipiter sur, fondre sur**
– Le fleuve se jette dans la mer **se déverse, débouche**

JEU **amusement, divertissement, distraction, ludisme**
– Jeu plaisant et espiègle **batifolage**
– Jeux Olympiques **olympiades**
– Jeux de Delphes, dans la Grèce antique **jeux Pythiques**
– Jeu de mots **calembour, contrepèterie**
– Argent que l'on mise au jeu **enjeu, cave, poule**

JEUNE
– L'enfant le plus jeune d'une famille **cadet, benjamin**
– Jeune garçon **jouvenceau, adolescent, teenager**
– Jeune marin **mousse, novice**
– Un visage, une âme jeune **juvénile**
– Un vin jeune **vert**

JEÛNE **abstinence**
– Jeûne prescrit pour des raisons médicales **diète**
– Jeûne partiel observé par les catholiques pratiquants avant Pâques **carême**
– Première forme du jeûne du carême **xérophagie**
– Jours de jeûne observés jadis par les catholiques au début de chaque saison **quatre-temps**
– Jeûne diurne de trente jours dans la religion musulmane **ramadan**
– Jour de purification où les juifs doivent observer le jeûne absolu **Yom Kippour**
– Jeûne de protestation **grève de la faim**

JEUNESSE
– Perdre, retrouver sa jeunesse **fraîcheur, vigueur, verdeur**
– Les attraits de la jeunesse **la beauté du diable**
– La jeunesse, en termes poétiques **printemps de la vie**
– Fontaine mythique permettant de retrouver la jeunesse **fontaine de Jouvence**
– Déesse personnifiant la jeunesse **Hébé**

JOCKEY
– Jockey amateur **gentleman-rider**
– Veste de jockey **casaque**
– Casquette de jockey **toque**

JOIE voir aussi **gaieté**
– Joie débordante **allégresse, exultation, jubilation**
– Sentiment de joie profonde **euphorie**
– Manifestation de joie collective **réjouissances, liesse**
– Chant de joie **hosanna**
– Être transporté de joie **aux anges**
– Les joies de la vie **agréments**

JOINDRE **assembler**
– Joindre deux parties, deux éléments semblables **jumeler**
– Joindre un élément à un ensemble déjà constitué **insérer, incorporer, intégrer**
– Joindre bout à bout **abouter**
– Joindre deux conduits **aboucher**
– Joindre deux métaux sous l'effet de la chaleur **souder, braser**
– Joindre deux pièces de bois **embrever**
– Joindre deux cordages, deux câbles en entrelaçant leurs fils **épisser**
– En chirurgie, joindre deux vaisseaux sanguins, deux nerfs **anastomoser**
– Joindre ses efforts, ses talents **conjuguer**
– Se joindre à un groupe, à une organisation **s'associer à, adhérer à, s'agréger à**

JOLI
– Très joli **ravissant**
– Un joli visage **gracieux, délicieux**
– De jolis traits **fins, harmonieux, délicats**
– Une jolie maison **charmante, coquette, pimpante**

JONQUILLE **narcisse des prés**
– Famille à laquelle appartient la jonquille **amaryllidacées**

JOUE
– Relatif à la joue **malaire, génal**
– Partie proéminente de la joue **pommette**
– Muscle de la joue **buccinateur, zygomatique, masséter**
– Joue pendante et très prononcée **bajoue**
– Visage pourvu de grosses joues **mafflu**

JOUER s'amuser, se divertir
– Jouer une somme d'argent **parier, miser**
– Jouer un air de musique **interpréter, exécuter**
– Jouer le rôle d'un personnage dans un spectacle **incarner**
– Jouer sa vie **risquer, exposer, hasarder**
– Jouer avec les mots **jongler**
– Jouer à la Bourse **spéculer, boursicoter**

JOUET
– Jouet de bébé **hochet, crécelle**
– Jouet traditionnel d'enfant **baigneur, diabolo, bilboquet, fronde**
– Jouet en forme de toupie **toton**
– Jouet comparable à un cerf-volant **écoufle**
– Être le jouet des événements **ludion**

JOUISSANCE délectation voir aussi **plaisir**
– Jouissance sensuelle, sexuelle **volupté**
– Jouissance, en termes religieux **fruition**
– Doctrine morale privilégiant les jouissances matérielles de la vie **épicurisme, hédonisme**
– Jouissance d'une chose **usage**
– Jouissance d'un bien appartenant à autrui **usufruit**

JOUR
– Activité, phénomène se produisant le jour **diurne**
– Se produisant chaque jour **quotidien**
– Le jour du mois, dans le langage juridique ou administratif **quantième**
– Au petit jour **à l'aube, à l'aurore, dès potron-minet**
– La tombée du jour **crépuscule**
– Époque de l'année où la durée des jours est égale à celle des nuits **équinoxe**
– Insecte ne vivant qu'un jour ou deux **éphémère**
– Jour de repos sacré dans le judaïsme **sabbat**
– Premier jour du mois, dans la Rome antique **calendes**
– Jour des Rois **Épiphanie**
– Livret indiquant les faits qui ont eu lieu le même jour à diverses époques **éphéméride**

JOURNAL presse, quotidien
– Journal qui diffuse les idées, les opinions d'un parti **organe**
– Journal très polémique **brûlot**
– Journal chinois accroché au mur dans un lieu public **dazibao**
– Article de journal exprimant la position de la rédaction **éditorial**
– Article de journal très bref **entrefilet**
– Rubrique des décès dans un journal **nécrologie**
– Gros titre sur la première page d'un journal **manchette**
– Dernière épreuve d'une page de journal avant le tirage **morasse**
– Exemplaires invendus d'un journal **bouillons**

JOURNALISTE rédacteur
– Journaliste envoyé en mission **correspondant, reporter**
– Journaliste payé à l'article **pigiste**
– Journaliste spécialisé dans les rubriques littéraires ou artistiques **critique**
– Journaliste chargé d'une chronique dans un journal **chroniqueur, courriériste**
– Journaliste chargé de la rubrique des nouvelles locales **échotier**
– Journaliste satirique **libelliste, pamphlétaire**
– Journaliste de peu de talent **folliculaire**

JOYEUX gai, enjoué
– Un visage joyeux **réjoui, jovial, rayonnant, radieux, hilare**
– Une musique, une danse joyeuse **endiablée, entraînante**

JUDO
– Personne pratiquant le judo **judoka**
– Sport de combat à l'origine du judo **jiu-jitsu**
– Salle où l'on pratique le judo **dojo**
– Au judo, grade d'une ceinture noire **dan**
– Judo pratiqué debout **nage-wasa**
– Judo pratiqué au sol **newasa**
– Manière de saisir son partenaire au judo **kumikata**
– En judo, personne qui fait le mouvement **tori**
– En judo, personne qui subit le mouvement **uke**

JUGE magistrat
– Juge d'un tribunal de commerce **consulaire**
– Juge administratif suprême **conseiller d'État**
– Juge ecclésiastique **official**
– Juge andorran **viguier**
– Juge, dans les pays musulmans **cadi**
– Juge de paix, jadis, en Espagne **alcade**
– Juge suprême dans certaines peuplades gauloises **vergobret**
– Juge athénien dans la Grèce antique **héliaste**

JUGEMENT
– Prononcer un jugement **arrêt, sentence, verdict**
– Émettre un jugement sur quelque chose **opinion, sentiment**
– Faire preuve de jugement **perspicacité, discernement**
– Au Moyen Âge, jugement de Dieu par l'eau, le fer et le feu **ordalie**
– Dans la mythologie égyptienne, jugement de l'âme des morts **psychostasie**

JUGER
– Juger une affaire criminelle **statuer sur, se prononcer sur**
– Juger un litige **régler, arbitrer, trancher**
– Juger la valeur de quelque chose, de quelqu'un **évaluer, mesurer, apprécier, jauger**
– Juger une attitude, une action, répréhensible **critiquer, condamner, réprouver**
– Juger que quelque chose est bien ou mal **considérer, estimer**

JUIF (1)
– Juif des pays méditerranéens **séfarade**
– Juif d'Europe de l'Est **ashkénaze**
– Juif d'Espagne converti au christianisme par force et resté fidèle au judaïsme **marrane**
– Juifs noirs d'Éthiopie **Falachas**
– Racisme à l'égard des juifs **antisémitisme**
– Nom donné par les juifs aux personnes non juives **goy, gentil**
– Interprétation mystique de l'Ancien Testament donnée par les juifs **Kabbale**
– Cérémonie de profession de foi des jeunes juifs **bar-mitsva**
– Repos sacré des juifs le septième jour de la semaine **sabbat**
– Petite calotte portée par les juifs **kippa**
– Châle de prière porté par les juifs **talith**
– Étui contenant des versets de la Bible que portent les juifs orthodoxes **phylactère, tephillim**
– Tribunal religieux des Juifs de la Palestine antique **sanhédrin**

JUIF (2) israélite voir aussi **hébreu**
– Religion juive **judaïsme**
– Temple juif **synagogue**
– Chef spirituel d'une communauté juive **rabbin**
– Chandelier à sept branches, objet liturgique dans la religion juive **menora**

– Corne de bélier servant de cor dans le rituel juif **schofar**
– Recueil d'écrits religieux juifs **Talmud**
– Acte rituel pratiqué sur les jeunes garçons juifs **circoncision**
– Prière juive en araméen **kaddish**
– Grande fête juive appelée « jour du Grand Pardon » **Yom Kippour**
– Veille du sabbat dans la religion juive **parascève**
– Pâque juive **Pessah**
– Nouvel an juif **Rosh Haschana**
– Aliment préparé selon les prescriptions rituelles de la religion juive **kasher**
– Dispersion des communautés juives hors de Palestine **Diaspora**
– Mouvement violent et meurtrier dirigé contre une communauté juive **pogrom**
– Doctrine visant à l'établissement et à la défense d'un État juif **sionisme**
– Quartier juif dans les villes du Maroc **mellâh**
– Langue des populations juives d'Europe de l'Est **yiddish**

JUMEAU
– Vrais jumeaux **univitellins, homozygotes**
– Faux jumeaux **bivitellins, dizygotes**
– Jumeaux unis l'un à l'autre par une partie de leur corps **siamois**
– Jumeau femelle stérile issu d'une vache ou d'une chèvre **free-martin**
– Personne semblant être le jumeau de quelqu'un **sosie, ménechme**

JUMENT
– Jeune jument **pouliche**
– Jument racée, en termes poétiques **cavale**
– Jument docile qui servait autrefois de monture aux dames **haquenée**
– Jument spécialement destinée à la reproduction **poulinière**
– Jument qui donne naissance à des mulets **mulassière**
– Jument accompagnée de son poulain **suitée**
– Propriétaire de la jument lors du poulinage **naisseur**
– Dans un pré, enclos réservé aux juments et aux poulains **paddock**

JUPE
– Jupe des femmes du Pays basque **basquine**
– Longue jupe de femme que l'on met pour monter à cheval **amazone**
– Jupe portée par les Écossais **kilt**
– Jupe courte des montagnards d'Écosse **philibeg**
– Sorte de courte jupe masculine du costume traditionnel grec **fustanelle**
– Tissu de couleur vive drapé autour des reins et servant de jupe **pagne, paréo, sarong**
– Jupe portée jadis par les paysannes **cotte**
– Vêtement porté autrefois sous la jupe **cotillon**
– Accessoire que les femmes portaient autrefois sous leur jupe pour la faire bouffer **crinoline, panier, vertugadin**

JURER **blasphémer, sacrer** voir aussi **promesse**
– Jurer contre quelque chose **pester, tempêter**
– Jurer sur l'honneur, sur la vie **prêter serment**
– Jurer et ne pas tenir sa promesse **se parjurer**
– Ces couleurs jurent **détonnent, hurlent, dissonent**

JURON **blasphème, jurement**

JUS **suc, sauce**
– Jus de raisin vert **verjus**
– Aux Antilles, jus de la canne à sucre **vesou**
– Boisson à base de jus de réglisse **coco**

JUSTE
– Une personne juste **équitable, impartiale, droite**
– De justes revendications **légitimes, fondées, motivées**
– Le mot, le terme juste **convenable, approprié, adéquat, idoine**
– Une remarque très juste **pertinente, judicieuse, sensée**
– Un calcul juste **correct, exact**
– Un vêtement un peu juste **étriqué**

JUSTICE **équité, légalité**
– Symbole de la justice **balance**
– Ministère de la Justice **chancellerie**
– Droit de rendre la justice **juridiction**
– Ensemble des décisions de justice sur une question donnée **jurisprudence**
– Faire comparaître quelqu'un en justice **déférer, traduire**
– Intenter une action en justice **ester**
– Temps imparti pour l'examen d'une affaire par la justice **vacation**

JUSTIFIER
– Justifier ses dires **prouver, démontrer, étayer**
– Se justifier **s'expliquer, s'excuser**
– Une colère, une accusation justifiée **légitime, fondée, motivée**
– Justifier quelqu'un **disculper, innocenter, décharger**

KANGOUROU
– Ordre auquel appartient le kangourou **marsupiaux, didelphes**
– Famille à laquelle appartient le kangourou **macropodidés**
– Petit kangourou **wallaby**
– Kangourou-rat **potorou**
– Animal apparenté au kangourou **dasyure, pétrogale**
– Poche ventrale des kangourous femelles **marsupium**

KARATÉ
– Personne pratiquant le karaté **karatéka**
– Tapis sur lequel se pratiquent le karaté et les arts martiaux en général **tatami**
– Grade indiquant le niveau des pratiquants de karaté **kyu**
– En karaté, mouvements destinés à apporter la maîtrise totale du geste **katas**
– Sabre utilisé dans l'exécution de certains katas de karaté **katana**
– En karaté, cri produit par une profonde expiration au moment de l'attaque **kiaï**

KÉPI voir aussi **coiffe**
– Képi des élèves officiers de l'école militaire de Saint-Cyr **shako**
– Sorte de képi porté par les lanciers français au XIXe siècle **chapska**

KERMESSE voir aussi **fête**
– Kermesse du Nord **ducasse**
– Kermesse de l'ouest de la France **frairie**

KILOGRAMME
– Abréviation de kilogramme **kg**
– Demi-kilogramme **livre**
– Cent kilogrammes **quintal**
– Mille kilogrammes **tonne**

KIMONO
– Ceinture du kimono féminin **obi**
– Bouton sculpté au bout des cordonnets en soie de l'obi du kimono **netsuke**
– Petite boîte que les Japonais suspendaient à la ceinture de leur kimono **inrō**

KIOSQUE **édicule**
– Kiosque à journaux, dans l'ouest de la France **aubette**
– Personne qui travaille dans un kiosque à journaux **kiosquier**
– Kiosque de verdure, dans un parc **gloriette**

KYSTE
– Kyste sébacé **loupe, tanne**
– Kyste se développant à l'intérieur des bronches **hamartome**
– Ablation d'un kyste **kystectomie**

L

LABORATOIRE
– Laboratoire d'une pharmacie **officine**
– Garçon de laboratoire **préparateur, laborantin**
LABORIEUX
– Une tâche laborieuse **pénible, ardue, malaisée**
– Un discours, un style laborieux **embarrassé, gauche, amphigourique**
– Un jeune homme laborieux **actif, consciencieux, diligent, zélé**
LABOURER retourner
– Une terre pouvant être labourée **arable**
– Labourer légèrement la terre pour en briser la croûte superficielle **scarifier**
– Labourer un champ en profondeur **défoncer**
– Labourer très profondément avant l'hiver **biloquer**
– Labourer autour des pieds de vigne **décavaillonner**
– Labourer de façon à former des petits talus de terre entre les sillons **billonner**
– Labourer un terrain pour la troisième fois dans l'année **tiercer**
– Égaliser la surface d'un terrain après l'avoir labouré **herser**
– Terre qui est labourée mais pas ensemencée **guéret**
LABYRINTHE dédale
– Un labyrinthe de rues, de chemins **réseau, lacis**
– Le labyrinthe des lois, des sentiments **écheveau, méandres**
– Gardien du Labyrinthe **Minotaure**
LAC voir aussi tableau
– Petit lac peu profond **étang**
– Lac salé d'Afrique du Nord **sebkha, chott**
– Petit lac salé fermé par un récif corallien **lagon**
– Lac très allongé caractéristique de l'Écosse **loch**
– Lac artificiel **réservoir**
– Flore, faune d'un lac **lacustre**
– Science étudiant les phénomènes ayant trait aux lacs **limnologie**
– Mouvement des eaux d'un lac **seiche**
– Habitat préhistorique sur pilotis, bâti au-dessus d'un lac **palafitte**
LÂCHE
– Un individu lâche **peureux, poltron, couard, pleutre**
– Un procédé lâche **déloyal, méprisable, vil**
– Une jupe lâche à la taille **flottante**
– Un ressort trop lâche **détendu**
LÂCHER desserrer
– Lâcher les amarres **filer**
– Lâcher une bombe **larguer**
– Lâcher des vivres, du matériel, d'un avion **parachuter, dropper**
– Lâcher ses amis **abandonner, quitter, délaisser**
– Lâcher un cri **lancer, émettre**
LÂCHETÉ
– Lâcheté d'une attitude **faiblesse, veulerie, pusillanimité**
– Lâcheté d'un crime **indignité, bassesse**
LAGUNE
– En Belgique, lagune desséchée **moere**
– Lagune caractéristique des côtes de la mer Noire **liman**
– Les eaux, la flore d'une lagune **lagunaires**
LAID inesthétique
– Un visage laid **ingrat, disgracieux, repoussant**
– Un corps laid **difforme**
– Une chose très laide **affreuse, horrible, hideuse**
– Un procédé, un acte laid **bas, honteux, ignoble, répugnant, odieux**
LAIDEUR
– La laideur d'un monument **lourdeur**
– La laideur d'un crime **noirceur, vilenie, ignominie**
LAINE
– La partie la plus épaisse et la plus longue de la laine d'un animal **riflard**
– Laine très fine **mère laine**

LES PLUS GRANDS LACS ET MERS INTÉRIEURES DU MONDE

Lac ou mer	Pays	Surface (en km^2)
Mer Caspienne (salée)	U.R.S.S./Iran	424 000
Lac Supérieur (eau douce)	États-Unis/Canada	82 400
Lac Victoria (eau douce)	Kenya/Ouganda/Tanzanie	69 500
Mer d'Aral (salée)	U.R.S.S.	65 500
Lac Huron (eau douce)	États-Unis/Canada	59 570
Lac Michigan (eau douce)	États-Unis	57 750
Lac Tanganyika (eau douce)	Zaïre/Tanzanie/ Zambie/Burundi	32 900

– Laine courte, de mauvaise qualité **couaille**
– Laine trop courte **blousse**
– Laine brute avant lavage et dégraissage **surge**
– Laine caractéristique du mouton d'Écosse **cheviotte**
– Laine d'agneau courte et soyeuse, obtenue à la première tonte **agneline**
– Laine de mouton blanche et fine **mérinos**
– Laine de vigogne **carmeline**
– Bourre de laine **lanice**
– Graisse contenue dans la laine brute **suint**
– Peigner grossièrement la laine pour la démêler **carder**
– Laine cardée longue et fine **étaim**
– Mélanger des laines de couleurs différentes **ploquer**
– Métier à filer la laine et le coton, en usage au XIXe siècle **mule-jenny**
– Étoffe de laine et de soie **alépine, silésienne**
– Feuille ou insecte couvert d'un duvet rappelant la laine **lanugineux, lanigère**

LAISSER
– Laisser quelqu'un derrière soi **quitter, abandonner**
– Laisser quelque chose en garde à quelqu'un **confier, remettre**
– Laisser quelque chose de côté **négliger, omettre**
– En droit, laisser un bien en propriété à quelqu'un **aliéner**
– Laisser quelqu'un faire quelque chose **accepter, permettre, consentir**
– Laisser voir ses sentiments **dévoiler, trahir**

LAISSEZ-PASSER **sauf-conduit**
– Laissez-passer officiel **coupe-file**
– Laissez-passer délivré aux bateaux de commerce, en temps de guerre **navicert**
– Laissez-passer pour aller d'une zone à l'autre pendant l'Occupation ***Ausweis***
– Laissez-passer qui était imposé aux non-Blancs par le gouvernement d'Afrique du Sud ***pass book***
– En droit commercial, laissez-passer pour des marchandises **passavant**
– Laissez-passer pour des marchandises, qui était en usage au Moyen Âge **passe-debout**

LAIT
gala-, galact(o)-, lact(o)-

LAIT
– Lait cru naturel **bourru**
– Lait de beurre **babeurre, lait ribot**
– Petit bloc de lait caillé **caillebotte**
– Petit lait filtré **puron**
– Boisson à base de petit lait fermenté **képhir**
– Lait fermenté de jument ou d'ânesse **koumis**
– Première crème du lait **fleurette**
– Protéine de lait **caséine**
– Sucre de lait **lactose**
– Absence de lait dans les mamelles, après l'accouchement **agalactie**
– Premier lait de la femme après l'accouchement **colostrum**
– Arrêter d'alimenter en lait un bébé, un jeune animal **sevrer**
– Appareil mesurant la densité du lait **galactomètre**
– Instrument mesurant la quantité de matières grasses dans le lait **butyromètre, lactomètre**
– Bidon à lait **bouille, berthe**
– De la couleur du lait **lactescent**

LAITUE
– Famille à laquelle appartient la laitue **composées**
– Variété de laitue **batavia, chicon, romaine**
– Substance sédative extraite du suc de laitue **lactucarium, thridace**

LAMA
– Famille à laquelle appartient le lama **camélidés**
– Lama sauvage du Chili **guanaco**
– Animal apparenté au lama **alpaga, vigogne**

LAME
– Transformer, par compression, une masse de métal en lames **laminer**
– Lame d'une épée **fer**
– Lame d'épée très large à la base **colichemarde**
– Côté aiguisé de la lame **tranchant, fil**
– Parcelles de métal adhérant au tranchant d'une lame venant d'être affûtée **morfil**
– Lame ayant perdu de son tranchant à l'usage **émoussée**
– Petite encoche sur la lame d'un canif **onglet**
– Lame de baleine, à l'intérieur d'un corset **busc**
– En biologie, structure composée de lames **lamellaire**

LAMENTABLE
– Une situation lamentable **navrante, désolante, pitoyable, douloureuse, affligeante**
– Un résultat lamentable **piètre, piteux**
– Une conduite lamentable **déplorable, inacceptable, exécrable**

LAMPE **luminaire**
– Lampe répandant une lumière très faible **lumignon**
– Lampe à huile **carcel**
– Ancienne lampe à huile dont le réservoir était placé au-dessus de la mèche **quinquet**
– Lampe murale **applique**
– Lampe de bateau servant à éclairer les instruments de navigation **vérine**
– Lampe utilisée pour la pêche **lamparo**
– Lampe de mineur, de spéléologue **photophore**
– Dôme formant la partie supérieure d'une lampe d'église **panache**
– Préposé aux lampes dans les mines, les théâtres **lampiste**

LANCE **pique** voir aussi **javelot**
– Lourde lance du Moyen Âge **hallebarde, guisarme, pertuisane**
– Longue lance des Macédoniens **sarisse**
– Au Moyen Âge, combat de cavaliers à la lance **joute**
– Manche d'une lance **hampe**
– Fer de lance que l'on émoussait pour les tournois de joute **agrape**
– Anneau de protection dont on enveloppait le fer des lances de joute **morne**

LANCER **envoyer**
– Lancer une flèche **décocher**
– Lancer une bombe **lâcher, larguer**
– Machine de guerre utilisée autrefois pour lancer des projectiles **catapulte, baliste, perrière, trébuchet**
– Lancer un produit **commercialiser**
– Lancer un regard **darder**
– Se lancer dans une aventure **s'engager, se hasarder**

LANGAGE voir aussi **parole**
– Science du langage **linguistique**
– Étude de la signification dans le langage **sémantique, sémasiologie**
– Étude des sons du langage **phonétique, phonologie**
– Trouble du langage **aphasie, dysarthrie, écholalie, logorrhée, palilalie, psittacisme**
– Langage incompréhensible **charabia, jargon, baragouin, logogriphe**
– Langage enfermé dans des stéréotypes idéologiques **langue de bois**
– Langage du geste **gestuelle**
– Langage manuel des sourds-muets **dactylologie**
– Langage télégraphique à base de traits et de points **morse**
– Langage utilisé pour décrire une langue **métalangage**
– Forme particulière de langage très

affecté, sophistiqué **euphuisme, gongorisme**
– Souci poussé à l'extrême de préserver la pureté du langage **purisme**
– Ensemble des mots propres à un langage scientifique ou technique **terminologie**
– Type de langage de programmation **basic, pascal, fortran, algol, cobol, prolog**

LANGUE
gloss(o)-, -glosse

LANGUE
– Relatif à la langue **lingual**
– Muscle de la langue **hyoglosse**
– Veine de la langue **ranine**
– Bout de la langue **apex**
– Petites aspérités charnues à la surface de la langue **papilles**
– Repli muqueux retenant la langue **frein, filet**
– Inflammation de la langue **glossite**
– Tumeur de la langue **grenouillette, ranule**
– Paralysie de la langue **glossoplégie**
– Ablation de la langue **glossotomie**
– Pellicule dure se formant parfois sur la langue des oiseaux **pépie**
– Langue propre à une communauté **langue vernaculaire, idiome**
– Langue de communication pour des peuples de langue maternelle différente **langue véhiculaire, koinè**
– Langue composée d'éléments disparates provenant d'idiomes différents **sabir, pidgin**
– Langue composite à l'origine, devenue par la suite langue maternelle **créole**
– Langue où une phrase s'exprime par un mot unique **holophrastique**
– Langue artificielle à vocation universelle **espéranto, volapük, ido, interlingua, novial**
– Forme régionale d'une langue **dialecte**
– Façon de parler une langue propre à un individu **idiolecte**
– Expression, construction propre à une langue **idiotisme**
– Expression, construction propre à la langue française **gallicisme**
– Étude historique d'une langue **diachronie**
– Étude d'une langue à travers l'analyse de textes anciens **philologie**
– Personne parlant plusieurs langues **polyglotte**
– Faculté surnaturelle de parler des langues **glossolalie**
– Écrivain en langue d'oc **félibre**

LAPIN
– Famille à laquelle appartient le lapin **léporidés**
– Ordre auquel appartient le lapin **lagomorphes**
– Lapin mâle **bouquin**
– Lapin sauvage **garenne**
– Élevage du lapin **cuniculiculture**
– Cage à lapin **clapier**
– Terrier de lapin **rabouillère**
– Le lapin se cache dans son terrier **se clapit**
– Maladie infectieuse du lapin **myxomatose**

LAQUE
– Arbre producteur de la laque **laquier, sumac**
– Enzyme contenue dans la laque **laccase**
– Ouvrier qui recouvre des meubles de laque **laqueur**

LARD
– Lard du cochon **panne**
– Morceau de lard provenant du flanc du porc **flèche**
– Fine tranche de lard dont on entoure les rôtis **barde**
– Résidu de lard frit **graillon**

LARGE
– Un large champ **étendu, vaste**
– Une jupe large **ample**
– Un vêtement large du bas **évasé**
– Une large portion **copieuse**
– Un large sourire **épanoui**
– Au sens large **lato sensu**
– Être large avec son argent **généreux**
– Être large d'idées **compréhensif, tolérant, libéral**
– Trop large sur les questions de morale **laxiste, latitudinaire**

LARGEUR
– Largeur d'un cylindre **diamètre, calibre**
– Largeur d'épaules **carrure**
– Largeur d'un avion, d'un oiseau, en partant de l'extrémité des ailes **envergure**
– Largeur du papier en rouleau **laize, lé**

LARME
dacryo-, lacry-

LARME pleur, sanglot
– Glande sécrétant les larmes **lacrymale**
– Sécrétion excessive de larmes **larmoiement, épiphora**
– Gaz provoquant les larmes **lacrymogène**

LARVE
– Larve de batracien **têtard**
– Larve de la salamandre du Mexique **axolotl**
– Larve de la mouche à viande **asticot**
– Larve du hanneton **ver blanc, turc, man**
– Larve de crustacé **nauplius, zoé**
– Larves de l'huître **naissain**
– Larve de ténia **cénure**

LARYNX
laryng(o)-

LARYNX
– Cartilage du larynx **cricoïde, aryténoïde, thyroïde**
– Ouverture du larynx **glotte**
– Languette cartilagineuse ouvrant et fermant l'entrée du larynx **épiglotte**
– Inflammation du larynx **laryngite**
– Incision du larynx **laryngotomie**
– Ablation du larynx **laryngectomie**

LASER
– Emploi thérapeutique du laser **lasérothérapie**
– Dispositif fonctionnant comme le laser, mais sur d'autres longueurs d'onde **maser**
– Image en trois dimensions obtenue à l'aide de faisceaux lasers **hologramme**

LATIN voir aussi tableau
– Tournure propre au latin **latinisme**
– Langue dérivée du latin **romane**
– Mauvais latin **macaronique**
– Faire des études de grec et de latin **humanités**

LAVABO
– Petit lavabo **lave-mains**
– Ancêtre du lavabo **aiguière, aquamanile**

LAVANDE
– Famille à laquelle appartient la lavande **labiées**
– Lavande hybride utilisée en parfumerie **lavandin**
– Grande lavande dont on extrait une huile utilisée en peinture **aspic**

LAVE magma
– Variété de lave **basalte, andésite, trachyte, rhyolithe**
– Matière volcanique à la surface des coulées de lave refroidies **scorie**

LAVER nettoyer, lessiver, détacher, blanchir
– Laver à l'eau très chaude **échauder**
– Laver en frottant très fort **récurer**
– Faire tremper le linge avant de le laver **essanger**
– Laver les laines pour en ôter les impuretés **dégorger**
– Produit lavant **détergent**
– Eau qui lave l'âme de ses péchés **lustrale**

EXPRESSIONS LATINES

a fortiori	À plus forte raison.
ab initio	Depuis le début.
ab irato	Sous l'effet de la colère.
ad hoc	Pour cela : approprié, qui convient à la situation.
ad hominem	Dirigé contre l'adversaire.
ad honores	Pour l'honneur, honorifique.
ad libitum	À volonté : au gré de, au choix de quelqu'un.
ad litem	Limité au seul procès en question.
ad litteram	Littéralement.
ad majorem Dei gloriam	En abrégé, A.M.D.G. Pour la plus grande gloire de Dieu.
ad nominem	Nominativement.
ad patres	Vers les ancêtres. Aller ad patres : mourir ; envoyer quelqu'un ad patres : faire mourir, tuer.
ad vitam aeternam	Pour la vie éternelle, pour toujours.
alea jacta est	Les dés sont jetés : allons-y !
alma mater	La mère nourricière : aujourd'hui, désigne parfois l'Université.
beati possidentes	Heureux ceux qui possèdent quelque chose.
casus belli	Cas de guerre : cause d'un conflit.
de auditu	Par ouï-dire.
de commodo et incommodo	De l'avantage et de l'inconvénient : qui sert à analyser les avantages et les inconvénients d'un projet.
Deo gratias	Grâces soient rendues à Dieu : Dieu soit loué.
de olfactu	Par l'odorat.
de visu	Après avoir vu.
dixit	Il a dit : d'après les paroles mêmes d'un maître.
dura lex sed lex	La loi est dure, mais c'est la loi.
errare humanum est	Il est humain de se tromper.
ex nihilo	À partir de rien.
fiat lux !	Que la lumière soit !
fluctuat nec mergitur	Il est battu par les flots mais ne sombre pas : devise de Paris.
gratis pro Deo	Gratuitement pour Dieu : renforce l'expression « gratis ».
hic jacet	Ci-gît : début d'une épitaphe.
ignoti nulla cupido	On ne désire pas ce qu'on ne connaît pas.
in cauda venenum	Dans la queue le venin : s'applique à la fin d'une lettre ou d'un discours remplie de perfidie.
in fine	À la fin d'un chapitre, d'un texte.
in limine	Sur le seuil : au début de.
in vino veritas	La vérité est dans le vin : un homme qui a bu se laisse plus facilement aller à des confidences que celui qui est à jeun.
ipso facto	Par le fait même : automatiquement.
ita est	Il en est ainsi : formule authentifiant un acte.
jure et facto	De droit et de fait.
lato sensu	Au sens large.
loco citato	En abrégé loc. cit. : à l'endroit cité.
mens sana in corpore sano	Un esprit sain dans un corps sain : la santé de l'esprit est liée à la santé du corps.
modus operandi	Manière de procéder.
modus vivendi	Manière de vivre : accommodement entre deux parties en litige.
mutatis mutandis	Les choses devant changer étant changées : en faisant les modifications nécessaires.
nolens, volens	Ne voulant pas, voulant : bon gré, mal gré.
persona grata	Personne bienvenue : personne qui a ses entrées quelque part, qui bénéficie de la faveur de quelqu'un.
requiescat in pace !	En abrégé, R.I.P. : qu'il repose en paix ! Inscription gravée sur les pierres tumulaires.
sine die	Sans fixer de date pour une réunion.
sui generis	De son espèce : qui est propre à une espèce, à une chose.
vox populi	Voix du peuple : l'opinion de la majorité, de la masse.

LAVIS
– Dessiné au lavis **lavé**
– Substance colorante utilisée comme encre dans les lavis **sépia**
– Teinte uniforme appliquée dans le lavis **aplat**
– Procédé pictural utilisé dans le lavis **aquarelle**

LAXATIF
– Fortement laxatif **purgatif, cathartique**
– Une substance, un produit laxatif **drastique**

LÉCHÉ
– Un travail léché **soigné, fignolé**

LÉCHER
– Se lécher les lèvres de plaisir **se pourlécher**

LEÇON cours
– Leçon magistrale **conférence**
– Les leçons de la vie **enseignements**
– Faire la leçon à quelqu'un **admonester, chapitrer, réprimander, sermonner, morigéner**

LECTURE
– Lecture laborieuse d'une écriture, d'un texte obscur **déchiffrement, décryptage**
– Lecture très hésitante **ânonnement**
– Livre d'apprentissage de la lecture **abécédaire**
– Trouble psychopathologique pouvant entraîner des problèmes de lecture **dyslexie**
– Fatigue des yeux due à la lecture **asthénopie**
– Lecture des textes liturgiques **leçon**
– Esclave romain chargé de faire la lecture à ses maîtres **anagnoste**
– Tête de lecture d'un appareil électroacoustique **phonocapteur**

LÉGAL légitime
– Une disposition légale **juridique**
– Un moyen légal **licite**
– Un contrat légal **réglementaire**

LÉGALISER
– Légaliser une signature, un document **authentifier, certifier, confirmer**
– Légaliser une union **légitimer, officialiser**

LÉGENDE fable, mythe
– Ensemble des légendes et des traditions d'un pays, d'une région **folklore**
– Animal de légende **chimère, dragon, griffon, licorne, loup-garou, tarasque**
– Bordure encadrant la légende sur certaines monnaies **carnèle**

LÉGER
– Extrêmement léger **aérien, éthéré, immatériel, impondérable**
– Léger et flou **vaporeux**
– Un voile léger **arachnéen**
– Une terre trop légère **veule**
– Un très léger bruit **imperceptible, inaudible**
– Un parfum léger **délicat, discret**
– Un repas léger **frugal**
– Une faute légère **vénielle**
– Une légère différence **infime, subtile, insignifiante, ténue**
– Un homme bien léger **volage, inconstant**

LÉGÈRETÉ
– Légèreté d'une démarche, d'une allure **grâce**
– Légèreté d'un style **aisance, fluidité**
– Agir avec légèreté **désinvolture, insouciance, inconscience, imprudence, irréflexion, inconséquence**

LÉGION
– Division de la légion romaine **cohorte, manipule, centurie**
– Soldat de la légion romaine **hastaire, triaire**
– Formation défensive adoptée par la légion romaine **tortue**
– Insigne de la Légion d'honneur **rosette**

LÉGITIME
– Une requête légitime **raisonnable, fondée, justifiée, motivée**
– Une colère ou une sévérité légitime **juste, naturelle, compréhensible**

LÉGUER
– Léguer un savoir **transmettre, communiquer**

LÉGUME
– Fruits ou légumes précoces **primeurs**
– Producteur de légumes **maraîcher**
– Jardin où l'on cultive des légumes **potager**
– Marais où l'on cultive des légumes **hortillonnage**
– Vendeur ambulant de légumes **marchand des quatre-saisons**
– Régime alimentaire strict, composé de légumes et de céréales **végétalisme**

LENT
brady-

LENT
– Homme lent **lambin**
– De tempérament lent **flegmatique**
– Lent et sans ressort **apathique**
– Être lent à prendre une décision **indécis, irrésolu**
– Un mouvement lent **indolent, nonchalant**

LENTILLE
– Famille à laquelle appartient la lentille **papilionacées**
– Petite lentille rouge **lentillon**
– Lentille d'eau **lenticule**
– En optique, unité de mesure de la puissance d'une lentille **dioptrie**
– Lentille amovible ajoutée à un objectif pour en modifier la distance **bonnette**

LÈPRE
– Établissement où sont isolés les malades de la lèpre **léproserie**
– Bacille de la lèpre **de Hansen**
– Tumeur de la peau caractéristique de la lèpre **lépromé**
– Tache sur la peau due à la lèpre **lépride**

LESSIVE blanchissage voir aussi **laver**
– Première lessive du fil textile brut **décrûment**
– Ouvrière qui faisait autrefois la lessive à la main **buandière, lavandière**
– Cendre de bois utilisée autrefois pour la lessive **charrée**

LÉTHARGIE
– Léthargie pathologique **catalepsie**
– Tirer quelqu'un de sa léthargie **torpeur, prostration, apathie**

LETTRE
-gramme

LETTRE missive, pli, correspondance voir aussi **alphabet, politesse**
– Lettre écrite **caractère**
– Barre verticale de certaines lettres **hampe, jambage**
– Partie renflée d'une lettre **panse**
– En imprimerie, hauteur d'une lettre **corps**
– En imprimerie, espace existant entre les lettres **approche**
– En imprimerie, marquer d'une entaille l'une des parties d'une lettre **créner**
– Ajout d'une lettre dans un mot par souci d'euphonie **épenthèse**
– Lettres initiales du nom d'une personne portées sur un vêtement **chiffre, monogramme**
– Abréviation formée par les lettres initiales de plusieurs mots **sigle**
– Lettre mise en valeur en début d'un texte **lettrine**
– Mot formé de quatre lettres **tétragramme**
– Mot obtenu en modifiant l'ordre des lettres d'un autre mot **anagramme**
– Lettre administrative, diplomatique **dépêche**
– Lettre à l'intention de plusieurs destinataires **circulaire**

– Lettre d'amour, en termes familiers **billet doux, poulet**
– Lettre écrite par l'un des apôtres **épître**
– Lettre papale **bulle, encyclique, rescrit, bref**
– Lettre envoyée par avion **aérogramme**
– Un échange, un roman par lettres **épistolaire**
– Contenu d'une lettre **teneur**
– Formulation précise d'un document, d'une lettre officielle **libellé**
– Distribution des lettres **factage**
– Personne qui écrit des lettres anonymes **corbeau**

LEVER (1)
– Lever du jour **point du jour, aube, aurore**

LEVER (2)
– Lever un poids au moyen d'une machine **guinder**
– Lever la tête **dresser**
– Lever les épaules **hausser**
– Lever l'ancre **appareiller**
– Lever les craintes, les scrupules de quelqu'un **écarter, ôter, dissiper, balayer**
– Le vent se lève, en termes de marine **fraîchit**
– Le jour commence tout juste à se lever **poindre**
– Lever un poids avec effort **hisser**

LEVIER commande, manette, pédale
– Levier à tête fendue utilisé en mécanique **pied-de-biche**
– Levier servant à déplacer des poids importants **anspect**
– Levier permettant d'enlever un pneu de sa jante **démonte-pneu**

LÈVRE
– Relatif aux lèvres **labial**
– Grosse lèvre inférieure **lippe**
– Le coin des lèvres **commissure**
– Inflammation de la commissure des lèvres **perlèche**
– Autre nom des petites lèvres de la vulve **nymphes**
– Lèvre du chien, du cheval **babine**
– Lèvre supérieure des insectes **labre**
– Lèvre inférieure des insectes **labium**

LÉZARD
– Ordre auquel appartient le lézard **sauriens**
– Sous-ordre auquel appartient le lézard **lacertiliens**
– Petit lézard vert des Antilles **anolis**
– Grand lézard d'Amérique du Sud **tupinambis**
– Acte réflexe par lequel le lézard en danger se sépare de sa queue **autotomie**

LIAISON communication, contact
– Liaison entre deux faits, deux événements **correspondance, corrélation, connexion**
– En linguistique, terme de liaison **copule**
– Absence de liaison entre les éléments d'un énoncé **asyndète**
– Liaison incorrecte entre les mots **pataquès, cuir, velours**

LIBÉRAL (1)
– Libéral anglais à partir du XVIIe siècle **whig**

LIBÉRAL (2) antiprotectionniste
– Politique libérale en matière de commerce international **libre-échange**
– Premiers économistes libéraux du XVIIIe siècle **physiocrates**

LIBÉRER voir aussi **liberté**
– Libérer un prisonnier **délivrer, relâcher, relaxer, élargir**
– Libérer quelqu'un d'une promesse **délier, dégager**
– Libérer sa conscience **soulager, décharger, alléger**
– Se libérer d'une autorité, d'une tutelle **s'émanciper**
– Se libérer des contraintes quotidiennes **s'évader de, se soustraire à**

LIBERTÉ
– Rendre sa liberté à un esclave **affranchir**
– Liberté que retrouve un pays **indépendance, autonomie, souveraineté**
– Liberté, pour un peuple, de choisir son régime politique **autodétermination**
– Loi sauvegardant la liberté individuelle et les droits des prévenus **habeas corpus**
– Avoir la liberté de faire quelque chose **droit, permission, autorisation**
– Avoir toute liberté pour faire quelque chose **latitude**
– Liberté dans l'expression **franchise, franc-parler**
– S'autoriser des libertés **familiarités, privautés**

LIBRE indépendant
– Un acte libre **volontaire**
– Pouvoir de décision libre de toute contrainte **libre arbitre**
– Un État libre **souverain**
– Être libre de toute obligation **dégagé**
– Union libre **concubinage**
– Une place libre **disponible, inoccupée, vacante**
– Tenir un langage un peu trop libre **cavalier, leste, gaulois**

LICENCE autorisation, permis
– Forme de licence stylistique **anacoluthe, anastrophe, hypallage, syllepse, zeugma**

LICENCIER voir aussi **grève**
– Licencier un officier, un magistrat **casser, destituer, révoquer**
– Licencier un haut fonctionnaire **limoger, démettre**

LICHEN
– Embranchement auquel appartient le lichen **thallophytes**
– Organe reproducteur du lichen **apothécie**
– Variété de lichen **lécanore, orseille, parmélie, rocelle, usnée, verrucaire**

LIÈGE suber
– Végétaux producteurs de liège **phellogènes**
– Retirer le premier liège d'un arbre **démascler**

LIEN attache, bride voir aussi **liaison, relation**
– Lien servant à attacher des animaux **longe, licou**
– Lien fixé aux pieds d'un homme ou d'un animal pour l'empêcher de partir **entrave**
– Lien que l'on resserre par torsion **garrot**
– Lien servant à comprimer un vaisseau, un conduit naturel **ligature**
– En viticulture, lien avec lequel on attache la vigne à son support **accolure**

LIER voir aussi **attacher, joindre**
– Lier des fleurs **botteler**
– Lier des branches, des tiges **fagoter**
– En maçonnerie, lier des pierres, des briques **liaisonner**
– Être lié à quelqu'un par une relation de dépendance extrême **assujetti, asservi**
– Se lier avec quelqu'un **prendre en amitié, fréquenter, frayer avec**

LIEU
topo-, -tope

LIEU endroit
– Lieu choisi pour un usage déterminé **emplacement**
– Lieu agréable, pittoresque **site**
– Lieu calme et retiré **thébaïde**
– Lieu où est établie officiellement une autorité, une société commerciale **siège**
– Lieu où se déroulent des opérations militaires **secteur, théâtre**
– Richesses, productions d'un lieu déterminé **locales**
– Caractéristiques physiques d'un lieu **topographie**
– Nom d'un lieu **toponyme**

– Présence en plusieurs lieux, au même moment **ubiquité**
– Incapacité de reconnaître les lieux **topoagnosie**

LIÈVRE
– Ordre auquel appartient le lièvre **lagomorphes**
– Famille à laquelle appartient le lièvre **léporidés**
– Terrier du lièvre **gîte, forme**
– Lièvre, en termes familiers **capucin**
– Lièvre doré **agouti**
– Lièvre de Patagonie **mara, dolichotis**

LIFTING déridage
– Traduction recommandée du mot lifting **lissage, remodelage**

LIGNE voir aussi **main**
– Tracé, forme rappelant une ligne droite **linéaire**
– Ligne passant par les angles opposés d'une figure géométrique **diagonale**
– Ligne partageant un angle en deux parties égales **bissectrice**
– Ligne à l'intersection de deux surfaces **arête**
– Ligne passant par le centre d'un corps, d'un élément **axe**
– Ligne imaginaire séparant le globe terrestre en hémisphères Nord et Sud **équateur**
– Ligne imaginaire passant par les deux pôles terrestres **méridien**
– Petite corde servant à tracer une ligne droite entre deux points **cordeau**
– Ligne fine, plane ou en relief, sur une surface **strie**
– En imprimerie, ligne plus ou moins fine **filet**
– Lignes du visage **linéaments**
– Écriture ancienne dont les lignes allaient dans un sens puis dans l'autre **boustrophédon**
– Lecture divinatoire des lignes de la main **chiromancie**

LIME râpe
– Grosse lime à métaux **riflard**
– Petite lime d'horloger **fraise**
– Lime recourbée aux deux extrémités **rifloir**
– Petite lime ronde, pointue à l'extrémité **queue-de-rat**
– Lime carrée **carreau, carrelet**
– Lime à section triangulaire **tiers-point**

LIMITE borne
– Limite autour d'un espace **enceinte**
– Limites extrêmes d'un territoire **confins**
– Limite d'une région, d'un bois **bordure, lisière, orée**
– Ligne marquant la limite entre deux choses **frontière, démarcation**
– Ville, pays à la limite d'un autre territoire **limitrophe**
– Limite d'un délai **terme**
– Limite ne pouvant être dépassée **plafond**

LIMITER
– Limiter un espace **circonscrire**
– Limiter l'extension d'un sinistre **localiser**
– Limiter la distribution d'un produit, d'une denrée **contingenter**
– Savoir se limiter **se restreindre**
– Se limiter à une activité précise **se cantonner dans**

LIN
– Famille à laquelle appartient le lin **linacées**
– Lin de la Nouvelle-Zélande **phormium**
– Lin sauvage **linaire**
– Culture du lin **liniculture**
– Graine de lin **linette**
– Peigne utilisé pour trier les graines de lin **drège**
– Instrument servant à broyer les tiges, dans le travail du lin ou du chanvre **écang, macque**
– Faire tremper le lin ou le chanvre pour en isoler les fibres textiles **rouir**
– Botte de lin que l'on va rouir **bongeau**
– Fine toile de lin **batiste, cambrai**
– Dentelle en fil de lin **alençon**

LINGE
– Linge de nouveau-né **layette**
– Assortiment de linge destiné à une jeune mariée **trousseau**
– Linge avec lequel le prêtre s'essuie les mains pendant la messe **manuterge**
– Linge sacré garni de dentelles et destiné aux offrandes, au pain **tavaïolle**
– Linge sacré servant à couvrir le calice pendant la messe **pale**
– Linge dans lequel sont ensevelis les morts **linceul, suaire**

LION
– Famille à laquelle appartient le lion **félidés**
– Ressemblant au lion **léonin**
– Hybride de tigre et de lionne **tigron**
– Dieu à tête de lion **léontocéphale**
– Lion d'Amérique **puma, couguar**

LIQUEUR spiritueux, digestif
– Liqueur de cerise **marasquin**
– Liqueur à base d'herbes autrefois fabriquée par des moines **Chartreuse, Bénédictine**
– Liqueur à base d'épices **scubac**
– Liqueur orientale anisée **raki**
– Liqueur obtenue par fermentation de riz ou de canne à sucre **arak**
– Liqueur à base d'eau-de-vie sucrée **ratafia**
– Liqueur considérée aujourd'hui comme un stupéfiant **absinthe**
– Marchand de liqueurs **liquoriste**
– Morceau de sucre imbibé de liqueur ou de café **canard**

LIQUIDE fluide
– Liquide organique provenant de tissus animaux ou végétaux **suc**
– Liquide constitutif du sang **plasma, sérum**
– Liquide produit par la digestion intestinale **chyle**
– Liquide pharmaceutique obtenu par dissolution de substances actives **solution, soluté**
– Processus de solidification d'un liquide organique **coagulation**
– Transformation d'un solide en liquide sous l'action de la chaleur **fusion**
– Transformation d'un corps gazeux en liquide **liquéfaction**
– En pharmacie, filtrage d'un liquide pour en éliminer le dépôt **colature**
– Instrument servant à déterminer le poids spécifique d'un liquide **aréomètre**
– Instrument mesurant la compressibilité d'un liquide **piézomètre**

LIRE voir aussi **lecture**
– Lire les lettres une par une **épeler**
– Lire rapidement et superficiellement un texte **parcourir**
– Lire sélectivement des documents pour y trouver une information précise **compulser**
– Lire à haute voix, avec emphase **déclamer**
– Trouble pathologique entraînant l'incapacité de lire **alexie**
– Personne ne sachant ni lire ni écrire **analphabète**
– Personne ne sachant ni lire ni écrire couramment **illettré**

LIS lilium
– Famille à laquelle appartient le lis **liliacées**
– Lis jaune **hémérocalle**
– Variété de lis **martagon**
– Lis de Saint-Jacques **amaryllis**
– Un teint de lis **lilial**

LISSE
– Une surface lisse **unie, plane**
– Un caillou lisse **poli**
– Une mer lisse **étale**

– Cet homme a le menton, les joues lisses **glabres**
LISTE **énumération, série**
– Liste des éléments d'un ensemble, d'une collection **catalogue, nomenclature**
– Liste des biens appartenant à un particulier ou à une société commerciale **inventaire**
– Liste des livres interdits par le Saint-Siège **Index**
– Autrefois, registre contenant la liste des biens et des bénéfices **pouillé**
– Liste des martyrs d'une cause **martyrologe**
– Liste des membres de l'équipage d'un navire **rôle**
– Liste des lauréats d'un prix, d'un concours **palmarès**
– Liste des œuvres régulièrement reprises par un théâtre **répertoire**
– Liste des erreurs d'impression dans une publication **errata**
LIT voir aussi **berceau**
– Lit de misère **grabat**
– Armature, cadre d'un lit **châlit**
– Tête du lit **chevet**
– Dans une chambre, renfoncement destiné au lit **alcôve**
– Ustensile servant à chauffer les lits **bassinoire**
– Couverture de lit en piqué **courtepointe**
– Cloison entre deux lits dans un dortoir **bat-flanc**
– Passage entre le lit et le mur **ruelle**
– Fait office de lit dans un bateau, un train **couchette**
– En Afrique, lit de feuillages **târa**
– Toile ou filet suspendu par les extrémités et servant de lit **hamac**
– Tenture ou tapisserie fixée horizontalement au-dessus d'un lit **ciel, baldaquin**
– Colonnette supportant le ciel d'un lit **quenouille**
– Dans la Rome antique, salle à manger comprenant trois lits de table **triclinium**
– Garder le lit **être alité**
LITIÈRE voir aussi **chaise**
– Litière destinée au transport des malades **civière, brancard**
– En Orient, litière portée par des hommes ou des animaux **palanquin**
– Litière transportée à dos de mulets **basterne**
LITRE
– Bouteille de 1,5 l **magnum**
– Bouteille de 3 litres **jéroboam**
– Bouteille de champagne de 4,5 l **réhoboam**
– Bouteille de champagne de 6 litres **mathusalem**
– Bouteille de champagne de 9 litres **salmanazar**
– Bouteille de champagne de 12 litres **balthazar**
– Bouteille de champagne de 16 litres **nabuchodonosor**
LITTÉRAIRE
– Qualité de l'écriture littéraire **littérarité**
– Savoir trop littéraire **livresque**
– Style littéraire très affecté, au XVIIe siècle **préciosité**
– Tendance littéraire propre aux écrivains de l'Antiquité et du XVIIe siècle français **classicisme**
– Mouvement littéraire du XIXe siècle créé en réaction au lyrisme romantique **Parnasse**
– Courant littéraire du XIXe siècle mettant l'accent sur le réalisme social **naturalisme**
– Principaux courants littéraires du XXe siècle **surréalisme, unanimisme, existentialisme, nouveau roman**
LITTÉRATURE **lettres** voir aussi **poésie**
– Devoir de littérature **dissertation**
– Recueil de morceaux choisis de littérature **anthologie, florilège**
– Formation de l'esprit par l'étude de la littérature classique **humanisme**
– Prix de littérature **Goncourt, Médicis, Renaudot, Femina, Interallié**
– Mauvaise littérature **galimatias, amphigouri, pathos**
LITTORAL voir dessin

Littoral

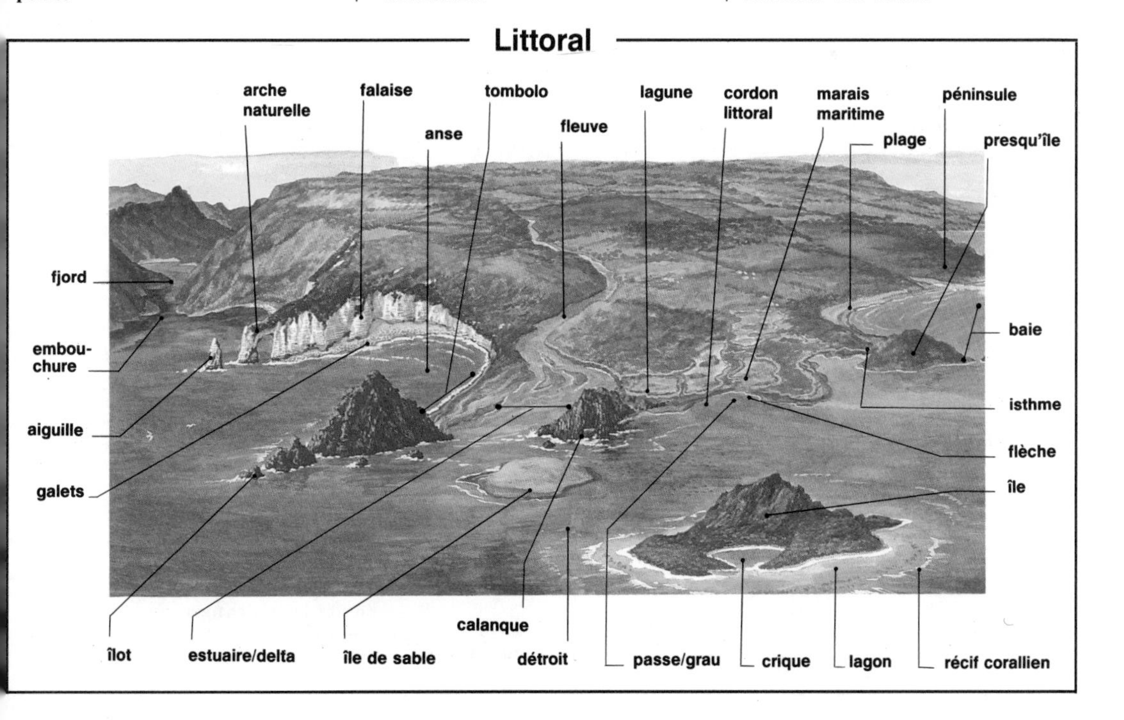

LITURGIE **cérémonial, culte**
– Rite de la liturgie catholique **sacrement**
– Livre utilisé dans la liturgie romaine **bréviaire, missel, eucologe, paroissien, évangéliaire**
– Forme de chant traditionnel de la liturgie catholique **plain-chant**
– Recueil de chants de la liturgie romaine **antiphonaire**
– Ensemble des cérémonies d'une liturgie **office**
– Catholique partisan de l'ancienne liturgie **intégriste**

LIVIDE
– Un teint livide **blême, blafard, plombé, crayeux, hâve**
– Des lèvres livides **exsangues**

LIVRAISON **délivrance, remise**
– Une livraison de marchandises **arrivage**
– Chacune des parties d'une livraison échelonnée **lot**

LIVRE
biblio-

LIVRE **ouvrage, volume** voir aussi tableau et dessin
– Petit livre **opuscule, plaquette**
– Livre ayant été imprimé avant 1500 **incunable**
– Livre contenant les points essentiels d'une science, d'une technique **abrégé, précis, épitomé**
– Au Moyen Âge, livre indiquant les côtes, les ports et les marées **portulan**
– Livre scolaire **manuel**
– Livre de sorcellerie **grimoire**
– Livre de prières **bréviaire, missel, psautier, eucologe**
– Pupitre destiné aux livres de chants liturgiques **lutrin**
– Amour des livres précieux **bibliophilie, bibliomanie**
– Les tout premiers mots d'un livre **incipit**
– Inscription, sur un livre, du nom ou de la devise de son propriétaire **ex-libris**
– Gravure placée en regard du titre d'un livre **frontispice**
– Page vierge au début ou à la fin d'un livre **page de garde**
– Côté du livre qui est formé par

LIVRES

almageste	Dans l'Antiquité, livre rassemblant des observations astronomiques.
almanach	Calendrier contenant des conseils pratiques de toute sorte.
annales	Ouvrage qui rapporte les événements dans l'ordre chronologique, année par année.
annuaire	Ouvrage publié chaque année et qui contient des informations qui peuvent varier d'une année sur l'autre, comme la liste des membres d'une profession, etc.
anthologie	Recueil de morceaux choisis littéraires ou musicaux, d'un seul auteur ou d'une période donnée.
barème	Recueil de tableaux contenant des tarifs, des comptes, etc.
bestiaire	Au Moyen Âge, recueil de fables dont les personnages étaient des animaux.
bibliographie	Recueil de titres d'ouvrages relatifs à un sujet donné.
biographie	Ouvrage relatant la vie d'une personne.
bréviaire	Recueil contenant les prières de l'office divin que les hommes d'Église doivent réciter chaque our.
catéchisme	Livre d'enseignement religieux.
chrestomathie	Recueil de morceaux choisis d'auteurs classiques.
chronique	Recueil de faits historiques relatés dans l'ordre de leur déroulement.
code	Recueil de lois.
Codex	Nom donné à la Pharmacopée jusqu'en 1963.
concordance	Index alphabétique reprenant tous les mots contenus dans un livre – en particulier la Bible – ou dans un texte, avec indication du contexte.
dictionnaire	Recueil de mots classés par ordre alphabétique et suivis de leur définition ou de leur équivalent dans une langue étrangère.
digest	Ouvrage contenant des résumés de livres ou d'articles.
digeste	Recueil de droit.
épitomé	Abrégé d'un livre d'histoire antique.
florilège	Recueil de poèmes.
formulaire	Recueil de formules destiné aux pharmaciens (voir Pharmacopée), aux notaires, etc.
grimoire	Livre de magie contenant des formules mystérieuses.
hagiographie	Biographie embellie.
herbier	Collection de planches de plantes séchées.
Heures	Recueil des prières de l'office divin.
itinéraire	Terme vieilli désignant un ouvrage dans lequel un auteur décrit un voyage.
lectionnaire	Livre de textes lus ou chantés en chœur.
missel	Livre qui contient les prières et les textes de la messe pour toute l'année.
monographie	Étude approfondie qui porte sur un sujet précis.
Pharmacopée	Recueil officiel d'informations sur les médicaments destiné aux pharmaciens.
vade-mecum	Livre que l'on porte généralement sur soi.

Livre relié

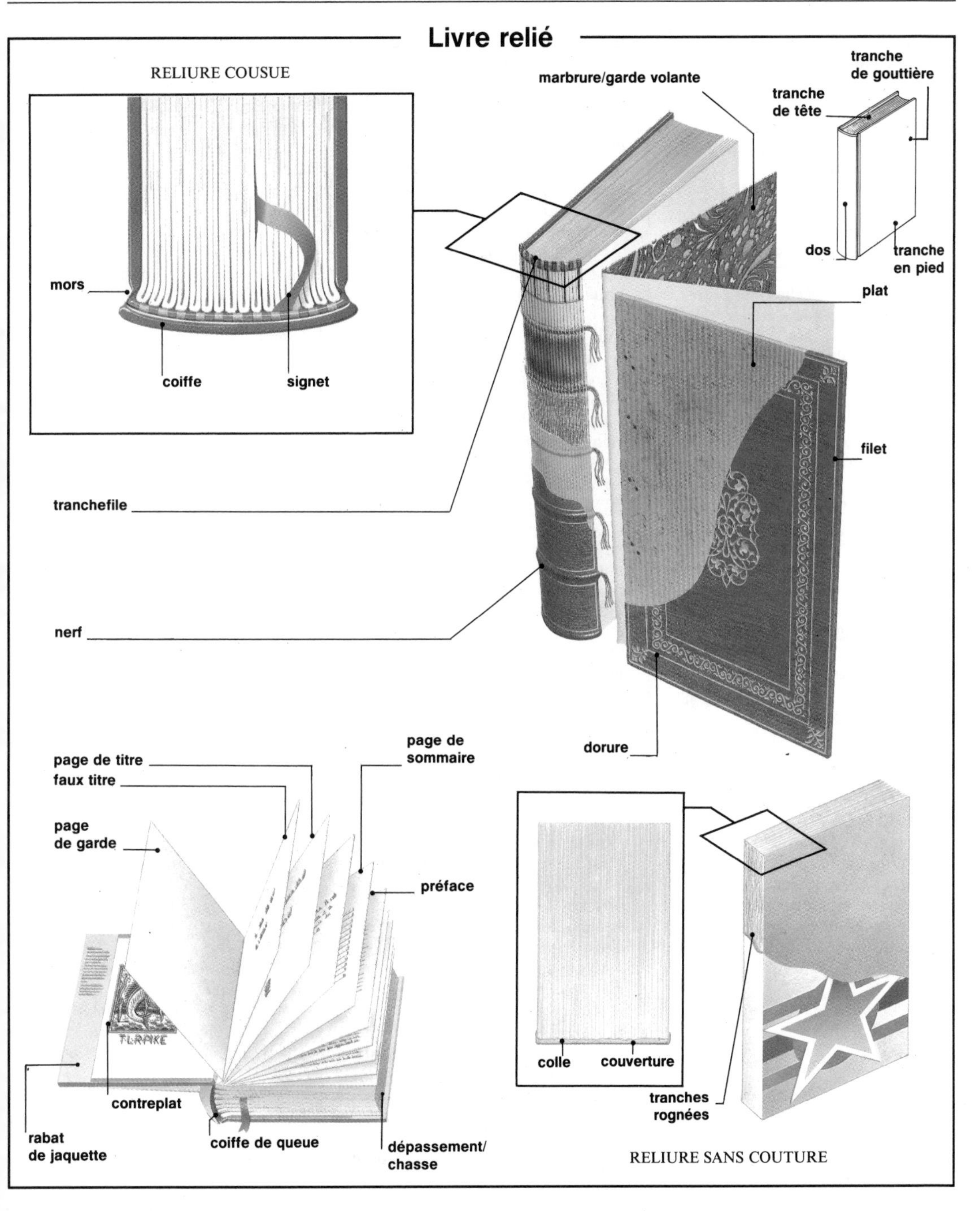

l'épaisseur des pages **tranche**
– Fin ruban fixé au dos d'un livre et servant à marquer les pages **signet**
– Numéro de page, dans un livre **folio**
– Numéro international d'identification de chaque livre publié **I.S.B.N. (international standard book number)**
– Notes ajoutées à la fin d'un livre **addenda, appendice, annexes**
– Livres invendus **rossignols**

LIVRE STERLING
– Livre sterling-or **souverain**
– Ancienne unité monétaire représentant un vingtième de la livre sterling **shilling**
– Autrefois, une livre sterling plus un shilling **guinée**
– Centième de la livre sterling **penny**

LIVRER
– Livrer quelqu'un à la police **dénoncer**
– Livrer quelqu'un à la justice **déférer**
– Livrer un individu à une justice étrangère **extrader**
– Livrer un secret **confier, dévoiler, révéler**
– Se livrer **se rendre**
– Se livrer à la colère **s'abandonner à, céder à**
– Se livrer à des tâches ménagères, à un travail **vaquer à, s'atteler à**
– Se livrer à l'étude, à la lecture **se consacrer à, s'adonner à**
LIVRET
– Auteur de livrets d'opéra **librettiste**
– Pièce jointe au livret militaire et contenant des instructions **fascicule**
LOCAL
– Local exigu **réduit**
– Local professionnel transformé en appartement **loft**
– Local où se retrouvent les membres d'une association **club, cercle**
– Local où se réunissent les membres d'une compagnie de francs-maçons **atelier, loge**
LOCATION louage voir aussi **bail**
– Location d'une exploitation agricole **affermage, métayage**
– Location d'une terre ou d'une mine moyennant une redevance **amodiation**
– Location-vente **leasing**
LOCOMOTIVE
– Locomotive à moteur électrique ou thermique **locomotrice**
– Dispositif de transmission de courant placé sur les locomotives électriques **pantographe**
– Locomotive de faible puissance actionnée par un moteur Diesel **locotracteur**
LOCUTION expression, formule voir aussi **latin**
– Locution propre à une langue **idiotisme**
– Locution propre au français **gallicisme**
LOGE
– Loge de francs-maçons **atelier**
– Dans un théâtre, loge de rez-de-chaussée **baignoire**
– Loge individuelle, dans une écurie **box, stalle**
– En imprimerie, loges de la boîte où sont rangés les caractères **cassetins**
– En termes de botanique, loge renfermant les graines, les pépins d'un fruit **locule**
LOGER habiter, demeurer, résider
– Loger quelqu'un chez soi **recevoir, héberger**
– Loger un objet dans une cavité **introduire, engager**
LOGIQUE (1) raison, sens commun
– Personne versée dans la logique **logicien**
– En logique, principe de base indémontrable mais admis **postulat**
– En logique, proposition servant de point de départ à un raisonnement **prémisse**
– En logique, proposition complexe toujours vraie **tautologie**
– Dans la philosophie kantienne, logique de l'apparence **dialectique**
LOGIQUE (2)
– Un esprit logique **rationnel, cartésien, cohérent, conséquent**
– Une réponse logique **sensée**
– Raisonnement logique permettant de passer d'une proposition à sa conclusion **déduction**
– Raisonnement logique déduisant une conclusion de deux autres propositions **syllogisme**
– Raisonnement logique dont la conclusion est fausse **sophisme**
LOI
nomo-
LOI décret voir aussi **droit**
– Ensemble des lois propres à un domaine, à un pays **législation**
– Recueil de textes de loi **code**
– Établir des lois **légiférer**
– Publier officiellement une loi pour la rendre applicable **promulguer**
– Supprimer une loi **abroger**
– Enfreindre une loi **contrevenir à**
– Les subdivisions d'un texte de loi **articles**
– Chaque point d'un texte de loi **disposition**
– Modification proposée à un projet de loi **amendement**
– Étude sur l'interprétation des lois **nomographie**
– Expert en matière de loi **légiste**
– En accord avec la loi **légitime**
– Loi autorisant l'intervention de l'armée pour le maintien de l'ordre **martiale**
– Loi instituée par un roi **édit, ordonnance**
– Loi de l'Église catholique **canon**
– Projet de loi, en Grande-Bretagne **bill**
– Loi n'ayant plus cours **caduque**
– Absence de lois dans un système, une société **anomie**
LOIN
télé-
LOIN distant, éloigné
– Loin de tout **isolé, retiré**
– Indication renvoyant le lecteur plus loin dans le texte **infra**
LONG
macro-, longi-
LONG
– Forme, objet plus long que large **oblong**
– Plus long d'un côté que de l'autre **barlong**
– Long et lassant **interminable**
– Un discours beaucoup trop long **prolixe, verbeux**
LONGUEUR
– Dans le sens de la longueur **longitudinal**
– En astronomie, unité de longueur **année-lumière, parsec**
– Mesure de longueur en Angleterre, aux États-Unis **mile**
– Ancienne mesure de longueur **aune, coudée, empan, pied, pouce, toise**
LOSANGE
– Figure géométrique en forme de losange **rhombique, rhomboïdale**
– Parallélépipède à six faces en forme de losange **rhomboèdre**
– Vêtement fait de losanges de différentes couleurs **arlequin**
LOTERIE tombola
– Tirage d'une loterie **tranche**
– Loterie associée à une course hippique **sweepstake**
– Loterie italienne populaire au XVIe siècle **blanque**
LOTO
– Au loto, série de cinq numéros sur une des lignes horizontales du carton **quine**
– Loto anglais et canadien **bingo**
– Loto sportif italien **totocalcio**
LOUANGE éloge
– Discours à la louange de quelqu'un **panégyrique**
– Paroles de louange **laudatives**
– Office religieux du matin composé de psaumes de louange à la gloire de Dieu **laudes**
– Célébrer les louanges de quelqu'un, de quelque chose **glorifier, encenser**
– Louange exagérée **dithyrambe**
– Biographie à la louange d'une personne **hagiographie**
– Louange servile et hypocrite **flagornerie**
LOUCHE
– Un individu louche **suspect, douteux**
– Une relation louche **trouble, ambiguë, équivoque**

– Un endroit louche **malfamé, malsain**
– Un monde, un milieu louche **interlope**

LOUER voir aussi **location**
– Louer des terres en contrepartie d'une redevance **arrenter**
– Louer un navire **affréter, noliser**
– Louer les mérites, les qualités de quelqu'un **vanter, exalter, magnifier**
– Louer quelqu'un sans retenue **porter aux nues, porter au pinacle**
– Louer les bienfaits de quelque chose **prôner**

LOUP
– Famille à laquelle appartient le loup **canidés**
– Tanière du loup **liteau**
– Mettre bas en parlant de la louve **louveter**
– Jeune loup non sevré **louveteau**
– Jeune loup de six mois **louvard**
– Dans la Rome antique, fêtes célébrées en l'honneur du dieu-loup **lupercales**
– Croyance au loup-garou **lycanthropie**
– Loup-cervier **lynx**
– Famille à laquelle appartient le loup de mer **percidés**
– Autre nom du loup de mer **bar, loubine, lubin**

LOURD **pesant**
– Très lourd **pondéreux**
– Une lourde tâche **écrasante**
– Un mobilier lourd **massif**
– Une nourriture lourde **indigeste**
– Une charge très lourde financièrement **onéreuse**
– Une chaleur lourde **étouffante, oppressante, accablante, suffocante**
– Un humour lourd **grossier, épais**

LOYAL
– Loyal en amitié **fidèle, sincère, dévoué**
– Loyal en affaires **droit, franc, probe**
– Chevalier, vassal loyal envers son suzerain **féal**

LUEUR **nitescence**
– Lueur à la surface de la mer **brasillement**
– Lueur discontinue **scintillement**
– Vive lueur dans l'atmosphère **éclair de chaleur, fulguration**

LUMIÈRE
photo-

LUMIÈRE **clarté**
– Corpuscule de lumière **photon**
– Lumière tamisée **pénombre, clair-obscur**
– Unité de mesure de lumière ou d'éclairement **lumen, lux, phot**
– Unité de mesure de l'intensité de la lumière **candela**
– Production de lumière **photogénie**
– Répandre ou réfléchir la lumière **luire**
– Émission de lumière à basse température **luminescence**
– Réflexion et diffusion de la lumière **réverbération**
– Dispositif de sécurité réfléchissant la lumière **cataphote, catadioptre**
– Matière laissant partiellement passer la lumière **translucide, diaphane**
– Affection causée par la lumière **actinique**
– Insecte, poisson qui craint la lumière **lucifuge**
– L'horreur de la lumière **photophobie**

LUMINEUX
– Lumineux dans l'obscurité **phosphorescent**
– Une couleur lumineuse **éclatante**
– Une pierre précieuse lumineuse **étincelante, chatoyante**
– Une idée lumineuse **ingénieuse, éblouissante**
– Un exposé lumineux **limpide**

LUNE
– Cratère de la Lune **sélénite**
– Description et étude de la Lune **sélénographie**
– En astronomie, balancement de la Lune **libration**
– Présence simultanée de la Lune et du Soleil dans un même point du zodiaque **conjonction**
– Conjonction ou opposition de la Lune avec le Soleil **syzygie**
– Premier et dernier quartiers de la Lune **quadrature**
– Limite entre la zone obscure et la zone éclairée de la Lune **terminateur**
– Se poser sur la Lune **alunir**
– Premier homme à avoir marché sur la Lune **Neil Armstrong**
– Déesse de la Lune, dans la mythologie grecque **Séléné**
– Lune de vingt-neuf jours **cave**
– Temps qui s'écoule entre deux nouvelles lunes **lunaison**
– Âge de la lune au 1er janvier **épacte**
– Fête grecque célébrée autrefois à la nouvelle lune **néoménie**

LUNETTE
– Lunette grossissante **longue-vue**
– Dérivé moderne de la lunette astronomique **télescope**
– Lunette utilisée pour mesurer le diamètre apparent des astres **héliomètre**
– Lunette servant à mesurer la hauteur d'un astre par rapport à l'horizon **théodolite**
– Lunettes sans branches maintenues sur le nez par une pince **binocle, lorgnon, pince-nez**
– Lunettes sans branches tenues à la main par un manche **face-à-main**
– Lunettes rondes en usage autrefois **besicles**
– Monture d'un verre de lunettes **châsse**
– Fabricant de lunettes **opticien**

LUTH
– Ancien luth de petite dimension **mandore**
– Grand luth à deux manches **théorbe**
– Instrument voisin du luth **angélique, cistre, pandore**

LUTTE voir aussi **bagarre, combat**
– Dans la Grèce antique, exercice associant la lutte et le pugilat **pancrace**
– Lutte où ne sont admises que les prises au-dessus de la ceinture **gréco-romaine**
– Sorte de lutte américaine brutale et spectaculaire **catch**
– Lutte japonaise **sumo**
– Variété de lutte pratiquée dans les pays du Maghreb **rahba**
– Lutte entre deux forces, deux principes contraires **conflit, antagonisme**

LUTTER **combattre**
– Deux forces qui luttent **s'affrontent**
– Lutter contre son adversaire **se mesurer à**
– Lutter de concert pour une cause **militer**

LUXE
– Vie de grand luxe **opulence**
– Luxe déployé dans une cérémonie, une fête **faste, magnificence, somptuosité, pompe**
– Les petits luxes qu'offre la vie **superfluités**
– En droit, dépense destinée aux produits de luxe **voluptuaire**
– Dans la Rome antique, loi contrôlant les dépenses de luxe **somptuaire**
– Étalage d'un certain luxe **ostentation**

LUXURE **lascivité**
– Goût pour la luxure **lubricité**
– Condamner la luxure **débauche, stupre**

M

MACÉRER
– Faire macérer dans de l'eau bouillante un mélange de plantes **infuser**
– Préparation culinaire dans laquelle on laisse macérer viandes ou poissons **marinade**
– Alcool obtenu par distillation dans lequel on fait macérer des fruits **eau-de-vie**
– Macérer son corps en guise d'autopunition **châtier, mortifier**
MÂCHER mastiquer
– Dents qui permettent de mâcher les aliments **molaires**
– Aliments que l'on a mâchés et que l'on déglutit **bol alimentaire**
– Substance que l'on garde dans la bouche pour la mâcher longuement **masticatoire**
– Gomme à mâcher **chewing-gum**
– Préparation que l'on mâche en Inde et en Extrême-Orient **bétel**
– Mâcher du tabac **chiquer**
MACHINATION complot, intrigue, manœuvre, cabale, brigue, agissements, menées
– Machination contre le pouvoir en place **conspiration, conjuration**
– Petite machination sans gravité **manigance**
– Préparer une machination **tramer, fomenter, ourdir**
– Groupe d'individus qui ourdit une machination **faction**
MACHINE
mécan(o)-
MACHINE appareil, engin, dispositif
– Personne chargée de l'entretien et de la réparation d'une machine **mécanicien**
– Entretien de machines techniques **maintenance**
– Multiplication des machines pour remplacer le travail de l'homme **robotique**
– Organisation du travail reposant sur l'utilisation de nombreuses machines **taylorisme**
– Type de machine-outil **aléseuse, emboutisseuse, fraiseuse, laminoir, mortaiseuse, tenonneuse**
– Modèle matériel reproduisant fictivement le fonctionnement d'une machine **simulateur**
– Pièce d'une machine simple en mécanique **levier, plan, poulie, treuil, vis**
– Pièce d'une machine à écrire **clavier, chariot, rouleau, tabulateur, ruban**
– Ancienne machine de guerre **bélier, catapulte, baliste**
– Individu agissant comme une machine **automate**
MÂCHOIRE
-gnathe
MÂCHOIRE
– Individu qui a une mâchoire proéminente **prognathe**
– Vertébré qui n'a pas de mâchoire **agnathe**
– Mâchoire des insectes **mandibule**
MAÇON
– Maçon qui supervise la taille et la pose des pierres **appareilleur**
– Spatule de maçon **truelle**
– Récipient utilisé par un maçon **auge, oiseau**
– Rouleau qu'utilise le maçon pour lisser une surface en mortier **boucharde**
– Instrument qu'utilise le maçon pour pétrir du mortier **bouloir**
– Outil de maçon en forme de cœur **langue-de-bœuf**
– Sables, graviers qu'utilise le maçon pour faire du béton ou du mortier **granulat**
– Machine utilisée par les maçons pour mélanger granulats et eau **bétonnière**
– Tâche du maçon qui consiste à mouiller et à malaxer du béton ou du mortier **gâchage**
– Enduit que le maçon applique sur un mur sans le lisser **crépi**
MAÇONNERIE voir aussi **brique**
– Principaux travaux de maçonnerie dans un bâtiment **gros ouvrage**
– Matériau modulaire utilisé en maçonnerie **pierre de taille, moellon, meulière, brique, parpaing**
– Type de liant utilisé en maçonnerie **mortier, plâtre**
– Surface apparente d'une maçonnerie **parement**
– Mélange d'argile, de paille et d'eau qui sert de matériau en maçonnerie **pisé, bauge, torchis**
– Maçonnerie composée de matériaux divers jetés pêle-mêle dans un mortier **en blocage**
– Maçonnerie composée d'éléments homogènes posés sur des lits de mortier ou de plâtre **d'appareil**
– Maçonnerie réalisée avec des moellons et du mortier **limousinage**
– Maçonnerie réalisée avec des moellons irréguliers à joints lissés ou rocaillés **opus incertum**
– Type de maçonnerie grossière en plâtras ou en moellons **hourdage**
– Maçonnerie à joints obliques **en échiquier**
– Maçonnerie sans matériau de liaison **en pierres sèches**
– Massif de maçonnerie qui soutient une voûte **butée, culée**
– Massif de maçonnerie en fortification **orillon**
MADÈRE
– Madère très doux **malvoisie**
– Madère très sec **sercial**
MAFIA
– Individu membre de la Mafia **mafioso**
– La Mafia va infiltrer ce milieu **noyauter, mafioter**
– Équivalent de la Mafia, à Naples **Camorra**
– Branche de la Mafia infiltrée aux États-Unis **Cosa Nostra**
MAGASIN
– Petit magasin **boutique, échoppe, commerce, officine**
– Rayon d'un grand magasin **linéaire**
– Local d'un magasin où sont stockées les marchandises **resserre, réserve, arrière-boutique, entrepôt**
– Vitrine d'un magasin **devanture**
– Annexe d'un magasin **succursale**
– Fondateur du grand magasin parisien Au Bon Marché **Aristide Boucicaut**
– Magasin à vins **chai**

– Magasin à blé **silo**
– Magasin d'armes et d'explosifs **arsenal, poudrière**
– En géologie, roche-magasin **roche-réservoir**

MAGE **astrologue, devin, prophète, vaticinateur**
– Les Rois mages **Gaspard, Melchior, Balthazar**
– Présent des Rois mages **or, encens, myrrhe**
– Fête des Rois mages **Épiphanie**

MAGICIEN **enchanteur, sorcier**
– Ce magicien est célèbre pour ses tours de passe-passe **prestidigitateur, illusionniste**
– Magicien des rues **bateleur**
– Magicien qui feint de parler sans ouvrir la bouche **ventriloque**
– Magicien qui fait des miracles **thaumaturge**
– Magicien de la forêt de Brocéliande, compagnon de la fée Viviane **Merlin**
– Livre de formules à l'usage des magiciens et des sorciers **grimoire**
– Célèbre magicienne de l'*Odyssée* **Circé**
– Magicienne infanticide dans la mythologie grecque **Médée**

MAGIE **occultisme**
– Magie noire pratiquée en Haïti et aux Antilles **vaudou**
– Dans l'Antiquité, magie qui consiste à invoquer les mauvais esprits **goétie**
– Déesse grecque de la magie et de la divination **Hécate**

MAGIQUE
– Un phénomène magique **miraculeux, prodigieux, surnaturel**
– Une formule magique **sésame, incantation**
– Déchiffrer des signes magiques **cabalistiques**
– Breuvage magique **philtre**
– Objet doté d'un pouvoir magique **amulette, gri-gri, talisman, fétiche**
– Racine à laquelle on attribuait jadis un pouvoir magique **mandragore**
– Opération magique **apparition, conjuration, envoûtement, maléfice, métamorphose, sortilège**
– Spectacle magique qui repose sur des illusions d'optique **fantasmagorie**

MAGISTRAT
– Type de magistrat **du parquet, du siège**
– Ministre qui est le supérieur hiérarchique des magistrats du parquet **garde des Sceaux**
– Magistrat représentant du ministère public près le tribunal de grande instance **substitut, procureur de la République**
– Magistrat représentant du ministère public près la cour d'appel **substitut général, avocat général, procureur général**
– Magistrat qui assiste le président du tribunal **assesseur**
– Citoyen tiré au sort pour être magistrat en cour d'assises **juré**
– Assurance qu'ont certains magistrats de ne pas être mutés contre leur gré **inamovibilité**
– Robe que portent certains magistrats **toge**
– Étole de fourrure que portent certains magistrats **hermine**
– Ornement d'étoffe que portent sur l'épaule certains magistrats **épitoge**
– Coiffure que portent certains magistrats **mortier**
– Carrière des magistrats romains ***cursus honorum***

MAGISTRATURE
– Type de magistrature **assise, debout**
– Magistrature plébéienne romaine **tribunat, édilité de la plèbe**
– Magistrature patricienne romaine avant la dictature **consulat, préture, censure, édilité, magistrature curule, questure**

MAGNÉSIUM
– Symbole du magnésium en tant qu'élément chimique **Mg**
– Four dans lequel on prépare du magnésium **cornue**
– Carbonate contenant du magnésium **dolomie**
– Carbonate de magnésium **magnésite, giobertite**
– Oxyde de magnésium **magnésie, périclase**
– État pathologique provoqué par une carence en magnésium **spasmophilie, déficience hépatique, tétanie, troubles neurologiques**
– En pharmacie, le magnésium est utilisé sous forme de **bromure, carbonate, chlorure, citrate, iodure lactate**
– Silicate de magnésium **talc, stéatite**

MAGNÉTIQUE
– Exerce une influence magnétique sur les êtres **fluide**
– Unité de mesure internationale du champ magnétique **ampère par mètre (A/m)**
– Unité de mesure internationale de l'induction magnétique **tesla (T)**
– Ordre magnétique **ferromagnétisme, antiferromagnétisme, ferrimagnétisme**
– Persistance de l'aimantation après l'arrêt de l'influence magnétique **rémanence**

MAGNÉTISER
– Endormir quelqu'un en le magnétisant **hypnotiser**
– Magnétiser une foule **fasciner, charmer, captiver, ensorceler**
– Magnétiser un morceau de métal **aimanter**

MAGNÉTISME
– Magnétisme terrestre **géomagnétisme**
– Magnétisme animal **biomagnétisme**

MAGNIFIQUE
– Un coucher de soleil magnifique **splendide, superbe, éblouissant**
– Une villa magnifique **somptueuse, grandiose, luxueuse, fastueuse**
– Un acte de bravoure magnifique **admirable, remarquable, insigne**

MAI
– Premier mai **fête du Travail**
– Huit mai **victoire de 1945**
– Fête catholique fériée au mois de mai **Ascension**
– Fleur de mai **maianthemum, petit muguet**

MAIGRE
– Un individu très maigre **squelettique, étique**
– Un adolescent un peu maigre **fluet, gringalet, chétif**
– Un visage trop maigre **creusé, émacié, hâve**
– Des jambes toutes maigres **grêles, filiformes**
– Personne maigre et très grande **échalas**
– Un animal très maigre **décharné, efflanqué, famélique**
– Une allée d'arbustes bien maigres **rabougris, rachitiques**
– Un sol maigre **stérile, aride, infertile, infécond**
– Un maigre butin **insignifiant, dérisoire, piètre**

MAIGREUR
– Extrême maigreur d'un malade **cachexie**
– Extrême maigreur d'un nourrisson malade **athrepsie**
– Refus d'ingérer de la nourriture provoquant la maigreur **anorexie**

MAILLE
– Un vêtement tricoté en maille unie **jersey**
– Pull dont les mailles ne peuvent filer **indémaillable**

– Partie d'une maille **tête, aile, pied**
– Protection en mailles métalliques que portaient jadis les guerriers **cotte, haubert, jaseran**
– Équivalait, comme la maille, à un demi-denier **obole**

MAILLOT
– Maillot de bain formé d'un slip et d'un soutien-gorge **deux-pièces, Bikini**
– Maillot de bain sans soutien-gorge **monokini**
– Maillot de corps **tricot de peau**
– Maillot de gymnaste **justaucorps**
– Maillot jaune, au Tour de France **vainqueur**

MAIN
chir(o)-

MAIN voir aussi dessin
– De jolies petites mains **menottes**
– Elle vous fait de belles mains **manucure**
– Pour avoir chaud aux mains **gants, moufles, mitaines, manchon**
– Voyante qui lit dans les lignes de la main **chiromancienne**
– Fonction essentielle de la main **préhension**
– Utilise indifféremment ses deux mains **ambidextre**
– Une main de fer **poigne**
– Creux de la main **paume**
– Muscle de la paume de la main **petit palmaire, grand palmaire**
– Doigt de la main **pouce, index, majeur, annulaire, auriculaire**
– Les os des doigts de la main **phalanges**
– Squelette de la main entre le poignet et les doigts **métacarpe**
– Nerf qui innerve les muscles de la main **radial, cubital, médian**
– Dans la main, saillie charnue sous le pouce **thénar**
– Longueur entre le pouce et l'auriculaire d'une main ouverte **empan**
– Main couverte de durillons **calleuse**
– Dermatose des mains **dysidrose**
– Position anormale de la main qui dénote une maladie **main d'accoucheur, main ataxique, main de prédicateur, main de singe, main succulente, main thalamique**

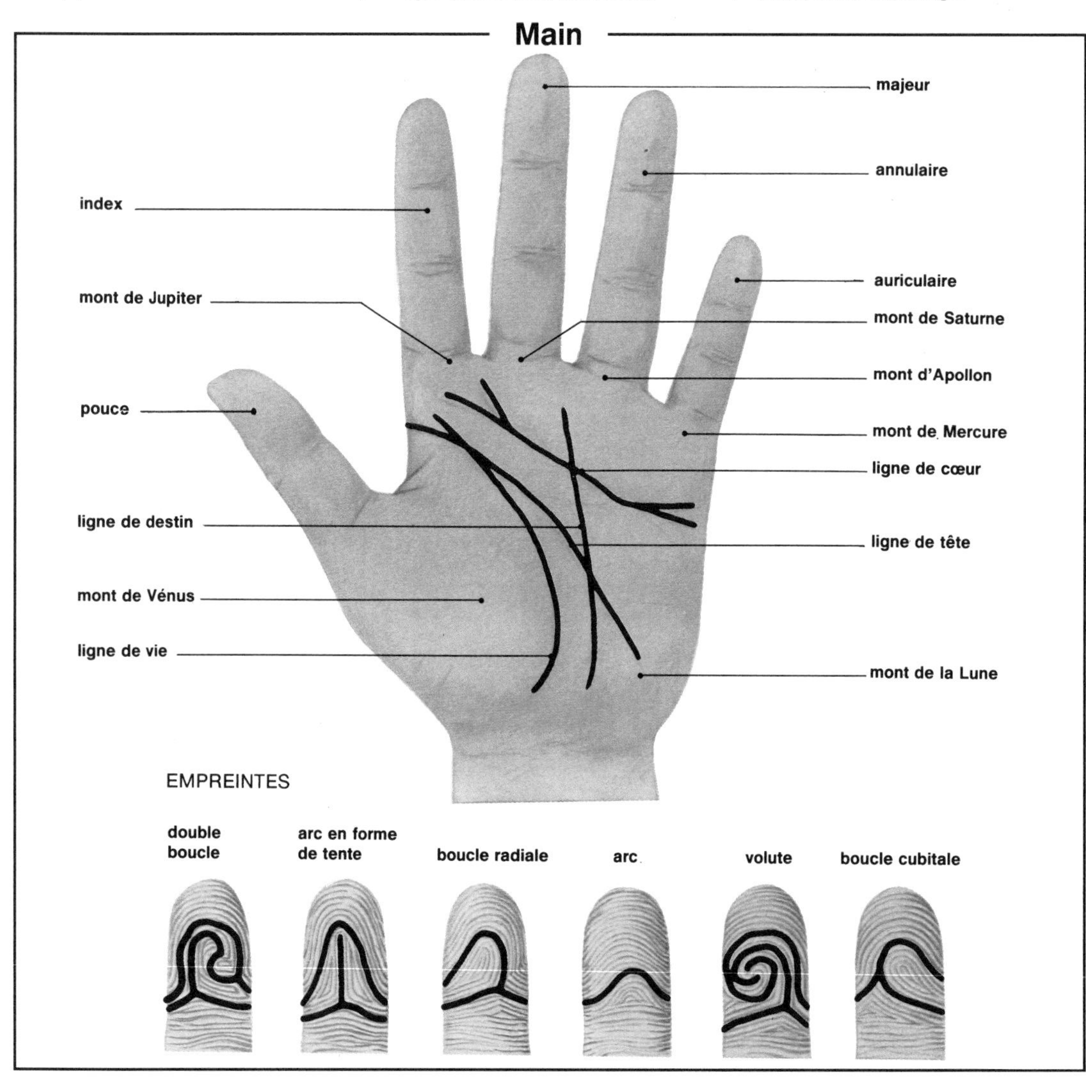

– Déformation congénitale de la main **main bote**
– Un bijou fait main **artisanal**
– Bijou en forme de main porté par les musulmans **main de Fatma**
– Animal qui, comme le singe, a quatre mains **quadrumane**
– En couture, petite main **débutante, apprentie**
– Homme de main **tueur à gages, séide**
– Main courante **rampe**
MAINTENANT actuellement, présentement
– À partir de maintenant **désormais, dorénavant**
– Signez maintenant ! **sur-le-champ**
MAINTENIR
– Maintenir des relations pacifiques **garder, entretenir**
– Maintenir sa position **conserver, tenir**
– Cette poutre aura pour fonction de maintenir toute la charpente **retenir, supporter, étayer, soutenir**
– Maintenir une date d'invitation **confirmer**
– Se maintenir en vie tant bien que mal **subsister**
– État qui se maintient **stationnaire**
MAINTIEN attitude, contenance, port
– Un maintien imposant **prestance**
– Maintien d'une loi **conservation**
MAIRE
– Élit le maire d'une commune **conseil municipal**
– Subdivision administrative à la tête de laquelle le maire exerce **commune, municipalité**
– Mission que doit remplir le maire **mandat**
– Compétences confiées par le maire à ses adjoints **délégations**
– Équivalent du maire en Espagne **alcade**
– Équivalent du maire en Allemagne, en Suisse et en Hollande **bourgmestre**
– Équivalent du maire dans les villages et les villes belges **maïeur**
– Équivalent du maire dans certaines grandes villes britanniques **lord-maire**
MAIRIE hôtel de ville, maison de ville, maison commune
– Service de la mairie chargé de dresser des actes **état civil**
MAÏS
– Famille à laquelle appartient le maïs **graminées**
– Partie centrale d'un épi de maïs sur laquelle poussent les grains **rafle, râpe**
– Bractées qui enveloppent les épis de maïs **spathes**
– Touffe à l'extrémité supérieure de l'épi de maïs **soies**
– Agriculteur qui cultive du maïs **maïsiculteur**
– Conservation du maïs fourrager haché **ensilage**
– Substance extraite du maïs **amidon, gluten, glucose**
– Protéine du maïs **maïsine**
– Fécule de maïs utilisée en cuisine **Maïzena**
– Préparation culinaire à base de farine de maïs **polenta**
– Friandise faite de grains de maïs soufflés **pop-corn**
MAISON
– Rester à la maison **au foyer, à son domicile, au logis**
– Rentrer à la maison **regagner ses pénates, rentrer au bercail**
– Spécialiste chargé de dessiner les plans d'une maison **architecte**
– Spécialiste chargé de la construction d'une maison **entrepreneur**
– Panneaux qui, une fois assemblés, permettent de construire une maison **préfabriqués**
– Personne ou société chargée de financer et de commercialiser des maisons **promoteur**
– Aménager et équiper un terrain pour pouvoir y construire une maison **viabiliser**
– Tassement dans une maison juste après sa construction **faix**
– Maison vétuste **taudis, masure, galetas**
– Petite maison très modeste **bicoque, cassine**
– Modeste maison rustique **chaumière**
– Petite maison de vacances au confort rudimentaire **bungalow**
– Maison de vacances à la campagne ou à la montagne **gîte rural**
– Grande maison **bâtisse**
– Maison secondaire **résidence, villa**
– Une maison de chasse au milieu d'un bois **pavillon, rendez-vous**
– Maison de campagne cossue **cottage, folie, gentilhommière**
– Maison provençale **mas, bastide**
– Maisons de mineurs **coron**
– Maison que l'on occupe temporairement **pied-à-terre**
– Maison à poutres apparentes **à colombage**
– Maison dont un ou plusieurs étages sont en avancée **à encorbellement**
– Terrain divisé en parcelles occupées par des maisons individuelles **lotissement**
– Petit groupe de maisons perdues dans la campagne **hameau, écart**
– Fronton triangulaire au sommet d'une maison **pignon**
– Partie sous la charpente d'une maison **combles**
– Entrée d'une maison **vestibule**
– Disposition des pièces d'une maison **aîtres**
– Cour intérieure découverte d'une maison **patio**
– Dépendent d'une maison mère **filiales, succursales**
MAÎTRE (1) pédagogue
– Un maître d'école **instituteur**
– Maître qui enseigne au domicile de son élève **précepteur**
– Un maître de maison accueillant **hôte, amphitryon**
– S'établir en maître quelque part **s'impatroniser**
MAÎTRE (2)
– Être maître en la matière **expert, compétent**
– Rester maître de soi **se dominer, se contrôler**
– L'idée maîtresse **clef**
MAJESTÉ voir aussi **politesse**
– Crime commis contre la majesté d'un souverain **de lèse-majesté**
– Abréviation du titre « Vos Majestés » **VV. MM.**
– Abréviation du titre « Leurs Majestés » **LL. MM.**
MAJESTUEUX
– Un personnage majestueux **imposant, respectable, vénérable, auguste**
– Un air majestueux **grave, digne, noble, solennel, olympien**
– Un site majestueux **impressionnant, grandiose, prodigieux**
– Une majestueuse bâtisse **monumentale, colossale**
– Un ton trop majestueux **pompeux, pontifiant, sentencieux, grandiloquent, emphatique, ampoulé**
MAJEUR (1)
– Un majeur protégé par la loi peut être placé sous **tutelle, curatelle, sauvegarde de justice**
– Le majeur de la main **médius**
– Raisonnement philosophique dont l'une des propositions est appelée la majeure **syllogisme**
MAJEUR (2)
– Un événement majeur **marquant, essentiel, capital, fondamental, crucial, décisif**
– Un ennui majeur **insurmontable**
– Chez les catholiques, ordre majeur **diaconat, prêtrise, épiscopat**

MAJORITÉ
– En France, dix-huit ans est l'âge de la majorité **civile, électorale, pénale**
– N'a pas atteint l'âge de la majorité, mais est responsable civilement **émancipé**
– Dans un vote, la majorité peut être **absolue, relative, renforcée**
– Souvent hostile aux projets de la majorité politique **opposition**
MAJUSCULE capitale
– Plus petite que la majuscule **minuscule, bas-de-casse**
– Grande majuscule souvent ornée, au début d'un texte **lettrine**
– Dans des manuscrits anciens, majuscule peinte et ornée **enluminée**
MAL (1) dommage, préjudice, tort, dam
– Un mal moral **douleur, blessure, épreuve, souffrance**
– Un mal atroce **calvaire, supplice**
– Un individu fasciné par le mal **pervers**
– Verser dans le mal **péché, vice**
– Faire du mal à un individu **nuire à, desservir, léser**
– Dire du mal d'un individu **médire de, calomnier, discréditer, diffamer**
– Partager les maux de quelqu'un **compatir**
– Réparer le mal que l'on a fait **indemniser, dédommager**
– Mal du pays **nostalgie**
– Mal de mer **naupathie**
– Religion qui partage le monde entre le Bien et le Mal **manichéisme**
– Incarnation du mal **diable, Satan, Méphistophélès, Belzébuth, Lucifer**
MAL (2)
– Il marche mal **difficilement, péniblement, malaisément**
– Il s'exprime mal **maladroitement, incorrectement, lourdement, gauchement**
– Cela fonctionne mal **imparfaitement**
– Mal tourner **se gâter, dégénérer**
– Mal à propos **déplacé, inopportun, intempestif, incongru**
MALADE souffrant, indisposé, incommodé
– Malade qui ne peut pas guérir **incurable, condamné**
– Malade constamment alité **grabataire**
– Malade qui se meurt **moribond, agonisant**
– Vivre avec un malade imaginaire **hypocondriaque**
MALADIE
patho-
MALADIE affection
– Maladie très grave **maligne**
– Maladie qui n'a aucun caractère de gravité **bénigne**
– Maladie dont on ne connaît pas l'origine **cryptogénétique**
– Attraper une maladie **contracter**
– Maladie contractée par quelques individus **sporadique**
– Maladie dévastatrice **épidémie, pandémie**
– Maladie qui sévit habituellement dans une région **endémique**
– Science des maladies **pathologie**
– Recherche des causes d'une maladie **étiologie**
– Méthode visant à supprimer les causes d'une maladie **prophylaxie**
– Microbe à l'origine d'une maladie **pathogène**
– Période entre la contagion et l'apparition de la maladie **incubation**
– Signe qui caractérise une maladie **symptôme**
– La détermination d'une maladie **diagnostic**
– Ensemble des symptômes qui permettent de diagnostiquer une maladie **syndrome**
– La détermination de l'évolution d'une maladie **pronostic**
– Atténuation temporaire des symptômes d'une maladie **rémission, rémittence**
– Moyen de combattre la maladie **thérapeutique**
– Après une maladie, période au cours de laquelle on recouvre peu à peu la santé **convalescence**
– Diminution physique qui persiste après une maladie grave **séquelle**
– Injecter dans le corps le germe d'une maladie pour s'en prémunir **vacciner, inoculer**
– Maladie liée à des facteurs psychiques **psychosomatique**
– Maladie due à des troubles métaboliques **dyscrasique**
– Maladie infectieuse qui atteint un grand nombre d'animaux **épizootie**
– Maladie qui ravage un grand nombre de plantes **épiphytie**
MALADIF
– Un jeune garçon maladif **débile, malingre, souffreteux**
– Un vieil homme maladif **valétudinaire, cacochyme, égrotant**
– Une tendance maladive **morbide, malsaine**
MALADRESSE inhabileté
– Avec maladresse **gaucherie**
– Commettre une maladresse en société **gaffe, bourde, impair, bévue**
MALADROIT
– Un enfant maladroit **malhabile**
– Un chiot à l'air maladroit **gauche, pataud**
– Un convive maladroit **balourd, lourdaud**
– Fait défaut à un interlocuteur maladroit **tact, circonspection**
MALAISE vapeurs
– Malaise avec perte de connaissance **évanouissement, syncope, pâmoison**
– Malaise intense sans perte de conscience **lipothymie, collapsus**
– Malaise cardiaque **attaque, infarctus**
– Malaise dû à une baisse du taux de sucre dans le sang **crise d'hypoglycémie**
– Malaise qui s'accompagne de violentes contractures musculaires **crise de tétanie**
– Sensation éprouvée lors d'un malaise **vertige, nausée, sudation**
– Position dans laquelle on doit mettre la victime d'un malaise **P. L. S. (position latérale de sécurité)**
– Un grave malaise touche ce secteur économique **crise, marasme**
– Le malaise plane dans l'assemblée **embarras, gêne, trouble**
MALARIA fièvre des marais voir aussi **paludisme**
– Moustique qui transmet la malaria **anophèle**
– Médicament utilisé pour lutter contre la malaria **quinine**
MALCHANCE
– Quelle malchance incroyable ! **déveine, guigne, poisse**
– Une vie marquée par la malchance **adversité, malédiction**
– Événement marqué par la malchance **mésaventure**
– Manifestation du sort qui porte malchance **coup, vicissitude**
MÂLE
– Gamète animal mâle **spermatozoïde**
– En botanique, gamète mâle **anthérozoïde**
– Organe mâle d'une fleur **étamine**
MALÉDICTION imprécation, anathème, exécration
– La malédiction le poursuit inexorablement **fatalité**
– Malédiction divine à l'égard d'un pécheur **réprobation**
– Écarter une malédiction **conjurer**
– Il lance des malédictions **jeteur de sort**
– En Italie du Sud, type de malédiction **jettatura**

MALENTENDU **méprise, quiproquo, maldonne**
– Réponse susceptible de provoquer des malentendus **obscure, ambiguë, nébuleuse**
– Prononcer un discours qui évite tout malentendu **sans équivoque, sans ambages**
– Situation qui peut provoquer un malentendu **imbroglio**
– Un malentendu les oppose **désaccord, différend**
MALFAITEUR **criminel, hors-la-loi, gangster, truand, malfrat, scélérat** voir aussi **bandit**
– Malfaiteur coupable de larcins **filou, crapule, escroc, aigrefin**
– Malfaiteur de grand chemin **bandit, brigand, pillard, détrousseur, malandrin**
– Malfaiteur qui sillonnait les mers **pirate, flibustier, boucanier, forban**
– Malfaiteur qui fraude **faussaire, falsificateur, contrefacteur**
– Bande de malfaiteurs organisée **gang**
MALFORMATION **infirmité, difformité**
– Une malformation héréditaire **congénitale**
– Maladie pouvant entraîner des malformations chez le nouveau-né **rubéole, toxoplasmose**
– Malformation entre l'estomac et le duodénum dont souffrent certains bébés **sténose du pylore**
– Malformation congénitale de la hanche **luxation**
– Malformation de la main ou du pied caractérisée par l'existence d'un doigt supplémentaire **sexdigitisme**
MALHEUR
– Un grand malheur imprévisible **catastrophe, drame, désastre, calamité, fléau, cataclysme**
– Redouter un malheur **échec, défaite, revers**
– Malheur irréparable **deuil**
– Raconter tous ses malheurs **déboires, tribulations**
– Vivre dans le malheur **misère, détresse, adversité**
– Engendré par le malheur **désarroi, consternation, souffrance, abattement, détresse, affliction**
– Malheur aux vaincus ! ***Vae victis !***
– Quel oiseau de malheur ! **de mauvais augure**
– Par malheur **malencontreusement, fâcheusement**
– Détourner un malheur **conjurer**
– Appeler le malheur sur un individu **maudire, anathématiser**
– Attribue à certains objets le pouvoir de porter malheur **superstitieux**
MALHEUREUX **infortuné, éprouvé, désespéré**
– Un sort malheureux **cruel, noir, implacable**
– Une rencontre malheureuse **préjudiciable, regrettable**
– Un choix malheureux **déplorable, affligeant**
MALHONNÊTE **déloyal, indélicat**
– Individu malhonnête **escroc, canaille, crapule**
– Un spéculateur malhonnête **véreux**
– Personne malhonnête qui s'approprie de l'argent **concussionnaire**
– Détournement malhonnête de l'argent public **péculat**
– Méfait d'un individu malhonnête **corruption, exaction, extorsion, malversation**
– Procédé malhonnête **combine, dessous-de-table, bakchich**
– Attribution malhonnête de passe-droits **favoritisme, népotisme**
– Des propos malhonnêtes **captieux, fallacieux, insidieux, spécieux**
MALICE **ruse, astuce**
– Petit être plein de malice **lutin, farfadet**
– Enfant plein de malice **polisson, diablotin**
– Agir sans malice **malveillance, malignité, perfidie**
MALICIEUX **espiègle**
– Un petit garçon malicieux **malin, coquin, fripon**
– Faire une remarque malicieuse **piquante, taquine, ironique**
– Une personne malicieuse **fine, vive, spirituelle**
MALIN (1)
– Faire le malin **faraud**
MALIN (2) **futé, astucieux, débrouillard, roué**
– Malin sans en avoir l'air **finaud, matois, madré**
– Une petite fille maligne **éveillée, dégourdie**
– Un interlocuteur malin **habile, subtil, sagace**
– Individu malin **fine mouche**
– Malin et sournois **cauteleux**
– Une force maligne **néfaste, nocive, maléfique, pernicieuse**
– Une tumeur maligne **sournoise, gravissime**
MALLE
– Malle métallique **cantine**
– Malle des commis voyageurs **marmotte**
– Ancienne malle à chapeaux, bombée et compartimentée **chapelière**
– Fabricant de malles **malletier**
– Fermer une malle **boucler, cadenasser, sangler**
– Type de serrure d'une malle **housset**
– Élément de fermeture d'une malle **moraillon**
– Acheminées jadis par une malle-poste **dépêches**
MALPROPRE **sale**
– Un tablier malpropre **crasseux, maculé**
– Un logement malpropre et malsain **insalubre**
– Mains malpropres **négligées**
– Une duègne malpropre **souillon, maritorne**
– Des propos malpropres **grossiers, indécents, malsains, inconvenants, malsonnants**
MALSAIN
– Air malsain **nocif, nuisible, vicié, délétère**
– Odeur malsaine **pestilentielle, méphitique**
– Eaux stagnantes malsaines **contaminées, miasmatiques**
– Lieu particulièrement malsain **cloaque**
– Penchant malsain **morbide**
– Ascendant malsain **pernicieux**
– Lecture malsaine **obscène, licencieuse**
MALT
– Céréale avec laquelle on fabrique du malt **orge, blé, riz**
– Transformer une céréale en malt **malter**
– Procédé de base qui permet la fabrication du malt **germination**
– Séchage à l'air chaud du malt vert **touraillage**
– Sucre fermentescible obtenu lors de la fabrication du malt **maltose, dextrine**
– Faire griller du malt **torréfier**
– Substance obtenue à partir du malt pour faire de la bière **moût**
MALTRAITER
– Maltraiter un enfant **frapper, brutaliser, rosser, rudoyer, molester**
– Maltraiter son propre corps **châtier, mortifier, macérer**
– Maltraiter la couverture d'un livre **abîmer, esquinter, malmener**
– Maltraiter un artiste dans un article **critiquer, blâmer, décrier, dénigrer, éreinter, vitupérer**
MALVEILLANCE **haine, hostilité, animosité, inimitié**
– Malveillance sournoise **perfidie, malignité, machiavélisme**

– Acte de malveillance **sabotage**
– Circonstance aggravante d'un acte de malveillance **préméditation**
MAMELLE
– Mamelle d'une vache **pis**
– Mamelle d'une truie **tétine**
– Extrémité de la mamelle d'une vache **trayon**
– Extrémité de la mamelle de la laie, de la louve et de la renarde **tette**
– La mamelle est une glande **lactéale**
– Infection de la mamelle **mammite**
– Herbe-aux-mamelles **lampsane**
MAMMIFÈRE
– Mammifère dont l'embryon, nourri par un placenta, naît à un stade avancé **placentaire, euthérien, monodelphe**
– Mammifère dont le petit, né à un stade précoce, grandit dans une poche **marsupial, métathérien, didelphe**
– Mammifère ovipare **monotrème, protothérien, ornithodelphe**
MANCHE
– Relever ses manches **retrousser**
– Fixer une manche au reste du vêtement **monter**
– Endroit où la manche s'ajuste au vêtement **emmanchure, entournure**
– Pièce triangulaire sous le bras d'une manche pour donner de l'aisance **gousset**
– Manche exécutée séparément puis cousue au vêtement **montée, raglan**
– Manche qui n'est qu'une extension du corsage **kimono**
– Manche qui s'arrête au coude **d'ange**
– Manche bouffante et courte **en béret, ballon**
– Manche longue très ample à l'épaule et resserrée à partir du coude **gigot**
– Manche très ample près de l'épaule et serrée au poignet **à la bombarde, à l'imbécile**
– Manche collante boutonnée au niveau du poignet **en amadis**
– Manche flottante en vogue aux XVIe et XVIIe siècles **en aileron**
– Manche dont l'extrémité s'évase à partir du coude jusqu'au poignet **pagode**
– Manche dont l'emmanchure est très large **chauve-souris**
– Au jeu, deuxième et troisième manche **revanche, belle**
– Une manche au tennis **set**
– En géographie, une manche qui relie deux mers **détroit**
– Manche de certains outils de travail **manicle**
– Se saisir du manche d'un pinceau **ente**
– Manche d'une arme de jet **hampe**
– À l'extrémité du manche des instruments à corde **chevillier**
– Pièce permettant d'adapter un manche à un outil **douille**
– Extrémité pointue d'une lame de couteau que l'on encastre dans le manche **soie**
MANDAT
– Personne qui donne mandat **mandant, commettant**
– Personne à qui l'on donne mandat **mandataire, fondé de pouvoir, commissionnaire**
– Donner mandat à un ami **procuration**
– Charger quelqu'un d'un mandat **mission, délégation**
– Durée d'un mandat politique **mandature**
– Mandat de député **députation**
– Territoire sous mandat **tutelle**
– Mandat de versement postal qui est établi par des moyens électroniques **optique**
– Mandat indispensable pour procéder à l'ordination d'un prêtre **apostolique**
– Type de mandat en droit pénal **d'arrêt, de dépôt, de comparution, d'amener**
MANÈGE
– Utile au cavalier qui monte en manège **garde-botte**
– Fouet à long manche utilisé en manège **chambrière**
– En équitation, course régulière en manège **passade**
– Manège découvert **carrière**
– Ancien manège de chevaux de bois souvent richement décoré **carrousel**
– Un manège inquiétant **agissements, manœuvres**
MANGER
phag(o)-, -phage, -phagie, -phagique, -vore
MANGER se nourrir, s'alimenter, se restaurer, se sustenter
– Manger du bout des lèvres **grignoter, chipoter, pignocher**
– Manger avec plaisir **savourer, déguster, se régaler, se délecter**
– Manger jusqu'à plus faim **se rassasier**
– Manger goulûment **dévorer, engloutir, engouffrer**
– Manger des sucreries avec excès **se gaver de, se bourrer de**
– Individu qui ne mange pas de viande **végétarien**
– Individu qui ne mange que des aliments d'origine végétale **végétalien**
– Être vivant qui mange de l'herbe **herbivore**
– Être vivant qui mange du poisson **ichtyophage**
– Être vivant qui mange de la viande **carnivore**
– Être vivant qui mange de tout **omnivore**
– Individu qui mange de la chair humaine **cannibale, anthropophage**
– Repas au cours duquel on mange chichement **frugal**
– Aime bien manger **gastronome, gourmet**
– Mange avec excès et fait bombance **intempérant**
– Convives qui mangent à la même table **commensaux**
– Convive qui a mangé à sa faim **repu**
– Produit que l'on peut manger **comestible**
– En physiologie, action de manger **manducation**
– Fléau qui décime certaines populations qui ne mangent pas à leur faim **malnutrition, famine**
– S'abstenir de manger **jeûner**
– Apporter à manger **approvisionner, ravitailler**
MANGEUR
– Le roi des mangeurs **Gargantua**
– Un mangeur indésirable **parasite, pique-assiette, écornifleur**
– Mangeur vorace **glouton, goinfre**
MANIABLE
– Un outil très maniable **commode, pratique**
– Une machine maniable **manœuvrable**
– Un appareil maniable **portatif**
– Une matière maniable **malléable**
– Un caractère maniable **docile, souple, flexible, influençable, traitable**
MANIAQUE (1)
– Un maniaque hante le quartier **déséquilibré, détraqué, désaxé, obsédé**
MANIAQUE (2)
– Une ménagère maniaque **pointilleuse, tatillonne, vétilleuse**
– Succession d'accès maniaques et de mélancolie **cyclothymie**
MANIE
-mane, -manie
MANIE voir aussi tableau et **psychose**
– Avoir une manie disgracieuse **tic**
– C'est sa nouvelle manie **marotte, lubie, foucade**
– Une manie invalidante **idée fixe, obsession, hantise, phobie**

MANIES

NOM	OBJET DE LA MANIE
anglomanie	Anglais (imitation des usages des)
anthomanie	fleurs
bibliomanie	livres
cleptomanie/ kleptomanie	vol
cynomanie	chiens
dipsomanie	alcool
égomanie	soi-même
ergomanie	travail
érotomanie	sexe
hédonomanie	plaisir
hippomanie	chevaux
logomanie	parole
mégalomanie	grandeur, pouvoir
monomanie	objet ou idée unique
mythomanie	mensonge, exagération
nymphomanie	sexe (pour les femmes)
onomatomanie	répétition d'un ou de plusieurs mots ou chiffres
pyromanie	feu
sitiomanie	nourriture

MANIER manipuler
– Manier habilement la truelle **utiliser, se servir de**
– Manier un véhicule **manœuvrer**
– Manier des bêtes de trait **mener, conduire**
– Manier des idées abstraites **employer, recourir à**

MANIÈRE
– Une manière de faire très personnelle **façon**
– Une manière originale de fabriquer des santons **méthode, procédé, technique**
– La manière d'un artiste **genre, style, faire**
– Des manières rustres **comportement, conduite**
– Des manières répréhensibles **manigances, menées, agissements**
– Bonnes manières **savoir-vivre, politesse, bienséance, urbanité**
– Faire des manières **façons, chichis, simagrées, embarras, minauderies**
– Manières qui manquent de naturel **guindées, affectées, apprêtées, compassées**
– Midinette qui fait des manières **mijaurée**
– Femme aristocrate du XVIIe siècle qui entreprit de réformer les manières et le langage **précieuse**

MANIFESTATION
– Manifestation de confiance **signe, marque, témoignage**
– Manifestation culturelle **exposition, Salon, festival**
– Organiser une manifestation **rassemblement, cortège, démonstration collective**
– Manifestation non violente **sit-in**
– Donnent le ton d'une manifestation **banderoles, slogans**
– Devraient être satisfaits après une manifestation de mécontentement **desiderata, exigences, revendications**

MANIFESTE (1)
– Un manifeste pompeux **proclamation, déclaration, profession de foi**
– Manifeste proclamé par des insurgés dans les pays hispaniques **pronunciamiento**

MANIFESTE (2)
– Une inégalité manifeste **flagrante, patente**
– Un fait manifeste **notoire, avéré**
– Une preuve manifeste **tangible, incontestable, indéniable, irréfutable**

MANIFESTER
– Manifester sa joie **exprimer, extérioriser**
– Manifester ses intentions **annoncer, révéler, dévoiler, divulguer**
– Manifester sa présence **signaler, trahir**
– La colère se manifesta par une grève **se traduisit par**

MANIPULATION
– Manipulations chromosomiques **génie génétique**
– Manipulation thérapeutique **manœuvre**
– Douleurs dans le dos que certains thérapeutes traitent par manipulations **lumbago, lombalgie, dorsalgie, cervicalgie**
– Thérapeute qui traite certaines douleurs en pratiquant des manipulations **rhumatologue, ostéopathe, chiropracteur**
– Crée la surprise par ses manipulations **prestidigitateur**
– Des manipulations électorales manifestes **tripotages**

MANIVELLE
– Avec une manivelle, constitue un système qui transforme le mouvement **bielle**
– Partie d'une manivelle **maneton, nille**
– Pièce de la manivelle de mise en marche d'une voiture ancienne **levier, crabot, vilebrequin**
– Appareil à manivelle avec lequel on soulève des objets lourds **cric**

MANŒUVRE manouvrier
– Manœuvre qui travaille dans les mines **galibot**
– Ensemble d'appareils permettant la manœuvre d'un navire **gréement**
– Boucles des manœuvres dormantes d'un bateau **capelage**
– Fixer une manœuvre **bosser**
– Militaire qui dirige des grandes manœuvres **stratège**

MANQUE
– Manque d'originalité **absence**
– Manque de nourriture **pénurie, disette**
– Manque de vitamines **carence**
– Combler un manque **lacune**
– Manque dans un texte **omission**
– Vivre dans le manque **besoin, indigence, dénuement**
– Remédier à un manque **pallier, suppléer à**
– Crée un état de manque chez les toxicomanes **dépendance, assuétude**

MANQUER faire défaut voir aussi **faillir**
– Manquer de tact **être dépourvu de, être dénué de**
– Manquer à son devoir **faillir à**

MANTEAU pardessus
– Manteau qui protège de la pluie **imperméable, gabardine**
– Long manteau léger **cache-poussière**
– Manteau assez court **trois-quarts, parka, duffel-coat, autocoat**
– Manteau très chaud porté notamment par les marins **caban**
– Manteau en lainage épais **loden**
– Manteau sans manches **pèlerine**
– Manteau garni de fourrure **pelisse**
– Manteau de bébé **douillette**
– Manteau féminin en forme de cape **mante**
– Manteau très cintré et évasé vers le bas **redingote**

– Manteau antique **chlamyde, himation, pallium, sagum**
– Manteau médiéval **tabard**
– Manteau des valets de comédie **à la Crispin**
– Manteau de berger **limousine**
– Manteau fait d'une seule pièce porté surtout en Amérique latine **poncho**
– Grand manteau de laine que portent les Arabes **burnous**
– Élément du manteau d'une cheminée **piédroit, linteau, plate-bande**

MANUEL cours
– Tout manuel scolaire se doit d'être **instructif, didactique**
– Manuel contenant les notions essentielles d'une matière **abrégé**
– Manuel de littérature ou de philosophie rassemblant des morceaux choisis **anthologie**

MANUSCRIT
– Peau d'animal sur laquelle on copiait des manuscrits **parchemin**
– Végétal sur lequel on copiait des manuscrits **papyrus**
– Personne qui copiait des manuscrits **scribe, copiste**
– Artisan qui décorait des manuscrits **enlumineur**
– Première forme des manuscrits **rouleau**
– Manuscrit sur parchemin que l'on gratte pour écrire un nouveau texte **palimpseste**
– Lecture difficile d'un manuscrit **déchiffrement**
– Ensemble des annotations concernant les variantes d'un manuscrit **apparat critique**
– Confronter plusieurs manuscrits pour les comparer **collationner**
– Conserver des manuscrits en les classant **archiver**

MAQUEREAU
– Ordre auquel appartient le maquereau **perciformes**
– Famille à laquelle appartient le maquereau **scombridés**
– Appât qui permet d'attirer les maquereaux et d'autres poissons **boëte**
– Maquereau ayant déjà frayé qui n'a plus d'œufs ni de laitance **chevillé**

MAQUILLAGE
– Boîte contenant un assortiment de produits de maquillage **palette**
– Maquillage qui résiste à l'eau **waterproof**
– Produit utilisé pour le maquillage du visage **poudre, fond de teint, fard, blush**
– Produit utilisé pour le maquillage des yeux **mascara, Rimmel, eye-liner, khôl**
– Étude relative aux produits de maquillage **cosmétologie**

MAQUILLER
– Se maquiller avec soin **se farder, se grimer**
– Utile pour se maquiller **houppette**
– Maquiller un crime **camoufler, déguiser**
– Maquiller la réalité **fausser, dénaturer, travestir**
– Maquiller une pièce d'identité **falsifier**

MAQUIS
– Sol sur lequel se développe le maquis **siliceux**
– Buisson ou arbrisseau qui pousse dans le maquis **arbousier, myrte, ciste, lentisque, calycotome**
– Chêne qui pousse dans le maquis **chêne kermès, chêne-liège**
– Ils se sont réfugiés dans le maquis pendant la Seconde Guerre mondiale **résistants, maquisards**
– Un maquis inextricable **imbroglio**

MARAIS marécage
– Marais acide couvert de mousses et de carex **tourbière**
– Marais insalubre en Italie **maremme**
– Petit marais situé sur une hauteur dans les Ardennes **fagne**
– Marais boisé des côtes tropicales **mangrove**
– Animal qui vit dans les marais **paludéen, palustre**
– Jonc qui pousse dans les marais **roseau, massette, typha**
– Plante qui flotte sur les eaux stagnantes des marais **nénuphar, lenticule, azolla, salvinia, eichhornia**
– Vase boueuse au fond d'un marais **bourbe**
– Gaz des marais **méthane**
– Fièvre des marais **paludisme, malaria**
– Mesure pour assécher un marais **assainir, drainer**
– Chasse pratiquée dans les marais **à la botte, à l'affût, à la hutte, à la passée**
– Marais salant **saline**
– Ouverture qui laisse passer l'eau de mer dans un marais salant **varaigne**
– Réservoir d'un marais salant où est stockée l'eau entre deux marées **vasière, jas**
– Endroit dans un marais salant où le sel se cristallise **œillet**
– Ouvrier qui travaille dans un marais salant **paludier**

MARBRE
– Cristaux qui composent le marbre **calcite, dolomite**
– Phase de fabrication du marbre **extraction, tranchage, débitage, façonnage, polissage**
– Polissage du marbre **égrésage, adoucissage, lustrage**
– Ligne dessinée dans le marbre **veine**
– Marbre bigarré **jaspé**
– Marbre très dur et donc difficile à travailler **fier**
– Marbre de mauvaise qualité qui se délite **pouf**
– Imite le marbre **stuc**
– Porcelaine qui imite le marbre de Paros **parian**
– Visage de marbre **marmoréen**

MARCHAND commerçant, négociant
– Approvisionne les marchands en produits divers **fournisseur**
– Marchand intermédiaire entre les fabricants et les détaillants **grossiste**
– Marchand qui fait du porte à porte **colporteur, représentant, V.R.P. (voyageur représentant placier)**
– Marchand ambulant qui vend des babioles **camelot**
– Marchand ambulant qui vend des fruits et des légumes sur une charrette **des quatre-saisons**
– Marchand qui vend des produits en fraude sur la voie publique **à la sauvette**
– Marchand malhonnête **mercanti, margoulin**

MARCHANDISE
– Marchandise au détail **article, produit**
– Marchandise alimentaire **denrée**
– Garantit la qualité d'une marchandise **label**
– Technique visant à améliorer la distribution des marchandises **marchandisage, merchandising**
– Conserver des marchandises **stocker, entreposer, emmagasiner**
– Emballage des marchandises **conditionnement**
– Mode de conditionnement des marchandises **conteneurisation**
– Transport des marchandises **fret**
– Marchandises entreposées à bord d'un navire **cargaison, facultés**
– Inventaire des marchandises transportées à bord d'un navire **manifeste, connaissement**

MARCHE voir aussi **escalier**
– Marche d'un escalier **degré**
– Marche d'un escalier tournant **balancée, dansante, gironnée**

– Dernière marche d'un escalier **palière**
– Rapidité de la marche **allure**
– Longue marche agréable **randonnée**
– Sentier balisé sur lequel on peut pratiquer la marche **de grande randonnée (G.R.)**
– Une marche silencieuse émouvante **manifestation**
– La meilleure marche à suivre **méthode, processus, tactique**
– La bonne marche d'un appareil **fonctionnement**

MARCHÉ
– Bâtiment qui abrite les marchés **halles**
– Marché où quiconque peut s'improviser vendeur **braderie**
– Marché oriental **bazar**
– Marché arabe **souk**
– Marché où l'on vend des objets d'occasion **puces, brocante**
– Marché noir **clandestin**
– Conclure un marché **affaire, contrat**
– Annuler un marché **résilier**
– Marché réglementé entre l'Administration et un particulier **adjudication**
– Stratégie commerciale qui s'appuie, entre autres, sur des études de marché **marketing, mercatique**
– Marché financier **Bourse des valeurs**
– Marché commun **C.E.E. (Communauté économique européenne)**
– Le contraire de l'économie de marché **économie dirigiste**

MARCHER
-grade

MARCHER
– Marcher à grands pas **enjambées**
– Individu qui marche bien **ingambe**
– Aime marcher la nuit **noctambule**
– Personne qui marche pendant son sommeil **somnambule**
– Acrobate qui marche sur un fil **funambule**
– Marcher au hasard des rues **déambuler, errer, flâner, vagabonder**
– Marcher difficilement au milieu d'une foule **piétiner**
– Marcher à pas de géant **arpenter**
– Marcher dans la boue d'un sentier **patauger**
– Marcher en boitant **clopiner, claudiquer, clocher**
– Marcher derrière quelqu'un en le suivant de très près **talonner**
– Cet animal marche en avançant les deux pattes droites puis les deux pattes gauches **l'amble**
– Animal qui marche sur les doigts **digitigrade**
– Animal qui marche sur la plante des pieds **plantigrade**
– Animal qui marche sur des sabots **onguligrade**
– Faire marcher un appareil **fonctionner**

MARÉE
– Marée montante **flux**
– Marée descendante **reflux, perdant**
– Époque de grandes marées **vives-eaux**
– Époque de faibles marées **mortes-eaux**
– Courant de marée pendant le flux **courant de flot**
– Courant de marée pendant le reflux **courant de jusant**
– Différence de hauteur d'eau entre la marée haute et la marée basse **marnage**
– Caractéristique de la mer au renversement de marée **étale**
– Addition des attractions de la Lune et du Soleil dans les marées de vive-eau **syzygie**
– Opposition des attractions de la Lune et du Soleil dans les marées de morte-eau **quadrature**
– Partie du littoral couverte puis découverte au rythme des marées **estran, étage mésolittoral**
– Haute vague dans un estuaire provoquée par le choc entre la marée montante et le reflux **mascaret**

MARELLE
– Pierre que l'on jette dans les cases d'une marelle **palet**

MARGE bord
– Marge supérieure de la page d'un livre **blanc de tête**
– Marge inférieure de la page d'un livre **blanc de pied**
– Marge située à la reliure d'un livre **marge au pli, petit fond**
– Marge latérale de la page d'un livre située à la coupe **grand fond**
– Portée en marge d'un texte **annotation, apostille, manchette**
– Annotations écrites en marge **marginales**
– Écrire des remarques dans la marge d'un livre **marginer**
– Machine qui rogne les marges d'un livre **massicot**
– Marge de sécurité à respecter **réserve, volant**
– Accorder une marge de réflexion **délai**
– Marge de sécurité entre deux voitures **distance, intervalle**
– Marge brute d'autofinancement d'une entreprise **M.B.A., cash-flow**

MARGINAL
– Des activités marginales **secondaires, accessoires**
– Des théories marginales **originales, singulières, fantaisistes, novatrices**
– Être très marginal **anticonformiste**

MARGUERITE
– Famille à laquelle appartiennent les marguerites **composées**
– Type d'inflorescence des marguerites **capitule**
– Minuscule fleur qui forme le cœur jaune des marguerites **fleuron**
– Retirer un à un les pétales d'une marguerite **effeuiller**

MARI époux, conjoint
– Mari dont la femme est décédée **veuf**
– Responsabilité du mari **maritale**
– Dans certaines civilisations, droit accordé au mari de renvoyer sa femme **répudiation**
– Loi musulmane qui permet au tuteur d'une femme de lui choisir un mari **djabr**
– Femme qui a plusieurs maris **polyandre**

MARIAGE
gam(o)-, -game, -gamie

MARIAGE noces, épousailles, hymen, conjungo voir aussi **anniversaire**
– Dispositions avant le mariage **prénuptiales**
– Contrat de mariage **communauté conventionnelle, séparation de biens, participation réduite aux acquêts**
– Leur présence est indispensable à la célébration du mariage **témoins**
– Publiés avant un mariage **bans**
– Air de musique joué à l'église au cours de la cérémonie du mariage **marche nuptiale**
– Mariage entre deux personnes de nationalités ou de religions différentes **mixte**
– Mariage célébré en l'absence d'un des deux prétendants **par procuration**
– Mariage célébré exceptionnellement après la mort d'un des deux époux **posthume**
– Mariage contracté dans un dessein tout autre que l'union matrimoniale **simulé, blanc**
– Mariage d'un prince avec une femme de rang inférieur **morganatique**
– Femme qui arrange des mariages **marieuse, entremetteuse**
– En Europe, biens qu'apportait une femme au moment de son mariage **dot, trousseau**

– Tradition populaire régionale qui a lieu au cours d'un mariage **charivari, jarretière, pot de chambre**
– Poème lyrique en l'honneur des époux déclamé jadis au cours d'un mariage **épithalame**
– Mariage orthodoxe **couronnement**
– Cérémonie du mariage juif **quiddoushim**
– Dais sous lequel sont placés les futurs époux au cours d'un mariage juif **houppa**
– Mariage hindouiste **vivaha**
– Divinité grecque qui préside au mariage **Hyménée**

MARIER unir
– Se marier **convoler, contracter mariage**
– Délai que doit respecter une veuve avant de pouvoir se marier à nouveau **de viduité**
– Marier des teintes **associer, combiner, assortir, harmoniser**

MARIN (1) homme d'équipage voir aussi **pêche**
– Un peuple de marins **navigateurs**
– Piètre marin **d'eau douce**
– Marin émérite **loup de mer**
– Jeune marin **mousse**
– Marin sous-officier de carrière dans la Marine nationale **cadre de maistrance**
– Marin employé à terre **fusilier**
– Marin qui veille sur la passerelle et s'occupe des signaux **timonier**
– Marin chargé de la manœuvre d'un navire **gabier**
– Marin préposé à l'alimentation en combustible des chaufferies d'un navire **soutier**
– Marin guetteur **vigie**
– Redoutable marin qui hantait les mers **pirate, écumeur, forban, flibustier, boucanier**
– Tenue du marin pêcheur **caban, vareuse, suroît**

MARIN (2)
– Unité de mesure de longueur marine **mille**
– Plate-forme marine **off-shore**
– Carte marine utilisée à la fin du Moyen Âge **portulan**
– Phénomène marin aux conséquences souvent catastrophiques **raz de marée, tsunami**

MARINE voir aussi **navigation, grade**
– Marine nationale française **Royale**
– Instrument de marine **sonar, asdic, loch**
– Ancien instrument de marine **astrolabe, compas, sextant**
– Embarque et débarque les marchandises transportées par la marine **aconier**

MARIONNETTE pantin
– Théâtre de marionnettes **castelet**
– Dirige un spectacle de marionnettes **montreur**
– Marionnette mue à la main **à gaine**
– Marionnette que l'on actionne avec des fils **fantoche**
– Marionnette d'origine lyonnaise qui plaît aux enfants **Guignol**
– Marionnette bossue **Polichinelle**
– Marionnette italienne à gaine **pupazzo, burattino**
– Marionnette anglaise **Punch**
– Marionnette allemande **Kasperl**

MARMITE fait-tout
– Marmite hermétique permettant de cuire des aliments sous pression **autoclave**
– Permettait de suspendre une marmite dans une cheminée **crémaillère**
– Marmite utilisée par le peintre pour délayer sa peinture **camion**

MARMOTTE
– Ordre auquel appartient la marmotte **rongeurs**
– Famille à laquelle appartient la marmotte **sciuridés**
– Marmotte qui vit dans les steppes eurasiennes **bobak**
– Petit rongeur qui ressemble beaucoup à la marmotte **souslik**
– Engourdissement qui peut durer jusqu'à huit mois chez les marmottes **hibernation**
– Fourrure de marmotte utilisée en pelleterie **murmel**

MARQUE signe, empreinte, trace
– Faire une marque sur la page d'un livre **croix, astérisque**
– Marque dans un tronc d'arbre **encoche, entaille**
– Marque sur la portière d'une voiture **rayure**
– Poser des marques **repères, jalons**
– Marque en orfèvrerie **poinçon**
– Marque garantissant l'authenticité d'un objet **estampille**
– Marque apposée derrière une lettre **sceau, cachet**
– Marque garantissant la qualité d'un produit **label**
– Marque dans un tissu **éraillure**
– Marque composée d'initiales gravées sur des couverts **chiffre, monogramme**
– Marque servant de repère en construction **d'appareil**
– Marque gravée dans une pierre par l'ouvrier qui l'a taillée **de tâcheron**
– Marque laissée par un animal que l'on poursuit **connaissance**
– Symbole d'une marque commerciale **logotype**
– À l'annonce « À vos marques ! », les athlètes ont encore les pieds dedans **starting-blocks**
– Marque de coups **tuméfaction, zébrure, ecchymose**
– Marque sur la peau à la suite d'une plaie **cicatrice, stigmate, balafre**
– Marques rouges ou violacées qui apparaissent sur le visage **couperose, marbrure**
– Marque produite par incision de la peau **scarification**
– Marque sur le corps due à une distension de la peau **vergeture**
– Marque au fer rouge que l'on infligeait aux criminels **flétrissure**
– Marque de qualité **critère**
– Marque de gentillesse **preuve, témoignage**
– Image de marque **réputation**

MARQUER
– Marquer une réunion dans son agenda **noter, inscrire**
– Marquer d'une croix un nom sur une liste **cocher**
– Ruban servant à marquer un endroit dans un livre **signet**
– Marquer des documents pour les classer **coter**
– Marquer un arbre afin qu'il ne soit pas coupé au cours d'un déboisement **layer**
– Marquer un bijou avec un poinçon **insculper**
– Marquer la peau à l'encre indélébile **tatouer**
– Marquer son discours d'exclamations **souligner, ponctuer, scander**
– Certains animaux marquent leur territoire **délimitent, circonscrivent**
– Le thermomètre marque 10 °C **indique**
– Marquer son étonnement **exprimer, extérioriser, manifester**
– Marquer un événement exceptionnel **fêter, célébrer**
– Tradition régionale selon laquelle on marque le bétail au fer rouge **ferrade**
– Les joueurs cherchent à le marquer au football, au rugby et au basket **but, essai, panier**

MARQUETERIE voir aussi **essence, menuiserie**
– Bois utilisé en marqueterie **ébène, noyer, cèdre, érable, anis**
– Matériau précieux utilisé en marqueterie **nacre, ivoire, écaille, marbre, corozo**

– Procédé de marqueterie **placage**
– Artisan qui pratique la marqueterie **marqueteur, ébéniste, tabletier**
– Procédé décoratif qui a supplanté à certains siècles la marqueterie **incrustation**
MARRAINE
– Personne dont on est la marraine **filleul**
MARRON (1) châtaigne
– Marron non comestible **d'Inde**
– Capsule épineuse qui entoure le marron **bogue**
MARRON (2) brun, châtain, tabac, chocolat
– Couleur marron clair **beige, havane**
MARTEAU
– Partie d'un marteau de menuiserie **manche, table, œil, angrois, panne**
– Avoir besoin d'un gros marteau **masse, maillet**
– Marteau utilisé par les maçons **boucharde**
– Marteau utilisé par les vitriers **bisaiguë**
– Marteau utilisé par les couvreurs **asseau**
– Marteau utilisé par les forgerons **frappe-devant**
– Type de marteau utilisé par les maréchaux-ferrants **ferratier, brochoir, mailloche**
– Marteau utilisé par les carriers **picot, têtu**
– Marteau utilisé par les tailleurs de pierre **smille, laie, rustique**
– Marteau utilisé par les sculpteurs **marteline**
– Marteau utilisé par les tonneliers **batte, hutinet**
– Marteau utilisé par les charrons **châsse**
– Marteau employé pour assommer un bœuf **merlin**
MARTYR voir aussi **saint**
– Martyr chrétien **confesseur**
– Cercle qui entoure la tête des martyrs **auréole, nimbe**
– Symbole du sacrifice d'un martyr **palme**
– Restes d'une partie du corps d'un martyr **reliques**
– Lieu saint où a été enseveli un martyr **martyrium**
– Liste des martyrs **martyrologe**
MARTYRE supplice, torture, calvaire
– Le martyre des premiers chrétiens **persécution, baptême du sang**
MARXISTE
– Théorie marxiste **matérialisme historique, matérialisme dialectique**
– Fondateur de la théorie marxiste **Marx, Engels**
– Ouvrage qui a exposé les théories marxistes ***le Capital***
– Étude des textes marxistes **marxologie**
– Doctrine chinoise influencée par la méthode d'analyse marxiste **maoïsme**
MASQUE
– Masque de tissu, souvent de velours noir **loup, touret de nez**
– Fête où l'on porte des masques **carnaval, mardi gras, mi-carême**
– Masque d'apiculteur **voile**
– Masque sculpté en pierre servant d'ornement architectural **mascaron**
– Masque de grossesse **chloasma**
MASSACRE
– Scène de massacre **tuerie, carnage, boucherie, hécatombe**
– Massacre d'un peuple **génocide**
– Massacres révolutionnaires de septembre 1792 **septembrisades**
– Conduit au massacre **barbarie, inhumanité**
MASSACRER
– Massacrer une population **exterminer, anéantir**
– Massacrer un innocent **lyncher**
– Massacrer une œuvre **défigurer, dénaturer**
MASSAGE friction
– Il soigne, entre autres méthodes, par des massages **masseur-kinésithérapeute**
– Type de massage à visée thérapeutique **pression, vibration, percussion**
– Massage effectué par pressions **effleurage, pétrissage, roulade, malaxation, pincement**
MASSE voir aussi **tas, marteau**
– La route est bloquée par une masse de rochers et de gravats **agrégat, aggloméra**t
– Masse minérale en fusion **magma**
– En physique nucléaire, nombre de masse **baryonique**
– Il a toujours eu une attitude méprisante vis-à-vis des masses **foule, peuple, couches populaires**
– S'en remettre à l'opinion de la masse **majorité**
– Masse utilisée par les paveurs **hie, dame, demoiselle**
– Masse employée pour enfoncer un pieu **mouton**
– Masse d'armes **casse-tête, massue, plommée**
MASSIF (1)
– Un massif de fleurs **corbeille, parterre**
– Un massif d'arbrisseaux **bosquet**
– Massif antérieur d'une église médiévale **antéglise, westbau**
MASSIF (2)
– Un édifice massif **trapu, pesant, mastoc**
– Une carrure massive **corpulente**
MAT
– Le carrelage, de brillant qu'il était, est devenu mat **terne**
– Un teint très mat **basané, bistre, tanné**
– Un bruit mat **sourd, étouffé**
– Rendre mat un métal précieux **matir**
MÂT voir aussi **voilier**
– Faire descendre un mât supérieur le long de celui qui le soutient **caler**
– Petit mât **mâtereau**
– Sommet d'un mât **pomme**
– Cordage qui maintient le mât d'un voilier **hauban**
– Les trois mâts d'une mâture commune **mât d'artimon, grand mât, mât de misaine**
– Mât incliné à la poupe d'un voilier **de beaupré**
– Mât d'un seul tenant **à pible**
– Petit mât sur les anciens voiliers en arrière du bas-mât **de senau**
– Mât qui se hisse au-dessus du bas-mât **de hune**
– Mât qui se hisse au-dessus du mât de hune **de perroquet**
– Haut du mât de perroquet **mât de cacatois**
– Mât sans vergues ni mât de perroquet **de flèche**
– Mât sur lequel on envergue un drapeau **de pavillon**
– Mât de remplacement **de fortune**
– Mât enduit de savon sur lequel on grimpe lors d'une fête foraine **de cocagne**
MATCH compétition, rencontre, confrontation
– Match de boxe, de lutte **combat**
– Match disputé en escrime **assaut**
– Série de matchs **tournoi**
MATELAS
– Support du matelas dans un lit **sommier**
– Rembourrure d'un matelas **matelassure**
– Ensemble des ressorts d'un matelas **carcasse**
– Toile avec laquelle on confectionne des housses de matelas **coutil, futaine**
– Rembourrer un matelas en piquant l'étoffe par endroits pour maintenir la matelassure **capitonner**
– Remettre en état un matelas de laine **rebattre**
– Peigner, démêler la laine d'un matelas **carder**

– Sac que l'on bourre de végétaux séchés et qui sert de matelas rudimentaire **paillasse**

MATÉRIEL (1)
– As-tu le matériel nécessaire ? **équipement, outillage**
– En informatique, le matériel par opposition au logiciel **hardware**

MATÉRIEL (2) concret
– Preuve matérielle **visible, palpable, tangible**
– S'oppose, en philosophie, à la vérité matérielle **vérité formelle**
– Individu dont les préoccupations sont purement d'ordre matériel **matérialiste**
– Un esprit trop matériel **terre à terre**

MATERNEL
– Mode de filiation maternelle **matrilinéaire**
– Lait non maternel **maternisé**
– École maternelle **jardin d'enfants**

MATHÉMATIQUE
– Propriété mathématique **théorème**
– Type de raisonnement mathématique **déduction, induction**

MATHÉMATIQUES voir aussi tableau et **géométrie**
– Au Moyen Âge, enseignement universitaire des mathématiques **quadrivium**

MATIÈRE substance
– Constituant de la matière **atome, molécule**
– Changement d'une matière en une autre **transmutation**
– Transformation de la structure de la matière **désintégration**
– Substance inhérente à toute matière vivante **hyaloplasme**
– Matière servant à la construction **matériau**
– C'est sa matière préférée **discipline**
– En pareille matière **dans ce domaine, à ce sujet, sur ce chapitre**
– Doctrine philosophique selon laquelle la matière prévaut sur l'esprit **matérialisme**
– Ancienne doctrine philosophique selon laquelle toute matière est vivante **hylozoïsme**
– En peinture contemporaine, tendance à l'accumulation de matière **matiérisme**

MATIN
– Petit matin **point du jour, aube, aurore**
– Dès le matin **dès potron-jaquet, dès potron-minet, dès matines**
– Perles d'eau qui rendent le jardin humide au petit matin **rosée**

MATINAL
– Un individu matinal **matineux**
– Un astre matinal **matinier**
– Éprouver des douleurs matinales **matutinales**
– Concert matinal **aubade**

MATRAQUE gourdin, trique
– Parce qu'elle meurtrit sans couper, la matraque est une arme **contondante**

MATURITÉ
– Faire preuve de maturité **sagesse, circonspection**
– Un esprit d'une maturité exceptionnelle **plénitude**
– Mûrissement d'un fruit jusqu'à sa complète maturité **mûrissage, maturation**
– Maturité hâtive d'un fruit **précocité**
– Maturité longue à venir d'un fruit **tardiveté**

MAUDIRE anathématiser
– Maudire publiquement un adversaire **vouer aux gémonies**
– Maudire un despote **abominer, exécrer, abhorrer**
– Maudire le jury **récriminer contre, réprouver, désavouer**

MAUVAIS
caco-

MAUVAIS
– Un mauvais moment **inopportun, inadéquat**
– Un mauvais jour **défavorable, néfaste, funeste**
– Un mauvais temps **maussade**
– C'est une très mauvaise nouvelle **horrible, épouvantable, abominable, effroyable**
– Une mauvaise décision **fâcheuse, déplorable**
– Un sketch très mauvais **lamentable, affligeant**
– Une mauvaise traduction **inexacte, incorrecte, erronée**
– Des mauvais tours **pendables**
– Un mauvais outil **défectueux**
– Mauvaises herbes **adventices**
– Un plat vraiment mauvais **infect, immangeable**

SYMBOLES MATHÉMATIQUES

addition	$+$	**infini**	∞
appartenance	$\in$	**intersection**	$\cap$
assertion	« »	**multiplication**	$\times$
complémentarité	$\complement$	**non-appartenance**	$\notin$
contenance	$\supset$	**non-contenance**	$\not\supset$
correspond à	$\triangleq$	**non-inclusion**	$\not\subset$
croît	$\nearrow$	**parallèle à**	$//$
décroît	$\searrow$	**perpendiculaire à**	$\perp$
différent de	$\neq$	**plus ou moins**	$\pm$
division	$:$	**quantificateur existentiel**	$\exists$
égal à	$=$	**quantificateur universel**	$\forall$
environ égal à	$\approx$	**racine**	$\sqrt{}$
équivalence	$\Leftrightarrow$	**réunion**	$\cup$
identique à	$\equiv$	**soustraction**	$-$
implication	$\Rightarrow$	**supérieur à**	$>$
inclusion	$\subset$	**supérieur ou égal à**	$\geqslant$
inférieur à	$<$	**tend vers**	$\rightarrow$
inférieur ou égal à	$\leqslant$		

– Une très mauvaise odeur **répugnante, ignoble, immonde, fétide, nauséabonde**
– Un mauvais sujet **malfaisant, malveillant, dépravé, pervers**
MAXIMUM **comble, summum, apogée, acmé**
– Atteindre le maximum **culminer, plafonner**
MAYONNAISE
– Mayonnaise utilisée pour préparer des aspics ou des salades moulées **collée**
– Mayonnaise à l'ail et à l'huile d'olive **aïoli**
– Sauce à base de mayonnaise, de paprika, de poivron, de tomate et de safran **mayonnaise andalouse**
– Mayonnaise à l'avocat **Guacamole**
– Sauce à base de mayonnaise, de safran, de jus d'orange et de poivre **mayonnaise maltaise**
– Sauce à base de mayonnaise, de cornichons, de câpres et de fines herbes **rémoulade**
MAZOUT **fuel-oil**
– Mazout domestique **F.O.D. (fuel-oil domestique), gasoil de chauffe**
– Opération qui permet, à partir du pétrole brut, d'obtenir du mazout **distillation**
– Paramètre de base qui permet la classification des différents mazouts **viscosité**
MÉCANIQUE (1)
– Les trois grandes sections de la mécanique classique **cinématique, statique, dynamique**
– Partie de la mécanique qui étudie les conditions d'équilibre d'un liquide **hydrostatique**
– Partie de la mécanique qui étudie les mouvements des corps lancés dans l'espace **balistique**
– Mécanique qui se réfère à la théorie des quanta **ondulatoire, quantique**
– En mécanique, évaluation des forces **dynamométrie**
MÉCANIQUE (2)
– Des gestes mécaniques **automatiques, machinaux**
MÉCHANT
– Un individu méchant **dur, cruel, malveillant, malfaisant**
– Un air méchant **haineux, hargneux, fielleux**
– Une remarque méchante **acerbe, perfide, venimeuse, caustique, acrimonieuse**
– Un rire moqueur et méchant **sarcastique, sardonique**
– Aussi méchant que le diable **démoniaque, satanique, méphistophélique**
MÈCHE
– Extrémité de la mèche d'une chandelle allumée **lumignon**
– Bout rougeoyant de la mèche d'une bougie que l'on vient d'éteindre **moucheron**
– Bout renflé d'une mèche de bougie qui a du mal à brûler **champignon**
– Retirer la partie carbonisée d'une mèche de chandelle **moucher**
– Substance végétale utilisée comme mèche de briquet **amadou**
– Mèche lente qui sert à allumer des explosifs **cordeau, bickford**
– Mèche pour percer des trous **foret, fraise**
– Se faire faire des mèches chez le coiffeur **balayage**
MÉCONTENTER **contrarier**
– Mécontenter son auditoire **affliger, navrer, contrister**
MÉDAILLE voir aussi **monnaie**
– Portrait sur une médaille **effigie**
– Petit meuble à compartiments dans lequel on range des médailles **médaillier**
– Collectionneur de médailles ou de pièces de monnaie **numismate**
MÉDECIN **docteur, thérapeute, praticien, clinicien**
– Visite chez le médecin **consultation**
– Il est déterminé par le médecin **diagnostic**
– Le médecin en rédige une à la fin d'une consultation **ordonnance, prescription**
– Médecin de campagne qui n'a pas les diplômes nécessaires **rebouteux**
– Instrument avec lequel un médecin vous ausculte **stéthoscope**
– Symbole des médecins **caducée**
– Médecin lié à la Sécurité sociale par un accord de tarifs **conventionné**
– Règles et devoirs des médecins **déontologie**
– Problèmes d'éthique auxquels sont confrontés les médecins **bioéthique**
– Institution qui regroupe les médecins en exercice **Conseil de l'ordre**
– Serment que prête un futur médecin **serment d'Hippocrate**
– Médecin qui prescrit des médicaments classiques **allopathe**
– Médecin non allopathe **homéopathe**
– Médecin expert auprès des tribunaux **légiste**
– Médecin non spécialiste **généraliste, omnipraticien**
– Médecin spécialiste des maladies des enfants **pédiatre**
– Médecin spécialiste de la femme **gynécologue**
– Médecin spécialiste qui suit les femmes enceintes et procède aux accouchements **obstétricien**
– Médecin spécialiste des personnes âgées **gériatre**
– Médecin spécialiste des maladies de la bouche **stomatologiste**
– Médecin spécialiste des maladies des yeux **ophtalmologiste**
– Médecin spécialiste des maladies des oreilles, du nez et de la gorge **O.R.L. (oto-rhino-laryngologiste)**
– Médecin spécialiste des maladies du cœur **cardiologue**
– Médecin spécialiste des maladies des poumons **pneumologue**
– Médecin spécialiste des maladies du tube digestif **gastro-entérologue**
– Médecin spécialiste des maladies des reins **néphrologue**
– Médecin spécialiste de l'appareil urinaire **urologue**
– Médecin spécialiste des maladies de la peau **dermatologue**
– Médecin spécialiste des maladies du sang **hématologiste**
– Médecin spécialiste des affections du squelette, des muscles et des tendons **orthopédiste**
– Médecin spécialiste qui traite les rhumatismes **rhumatologue**
– Médecin spécialiste des maladies du système nerveux **neurologue**
– Médecin spécialiste qui traite les troubles psychiques **psychiatre**
– Médecin spécialiste des allergies **allergologiste**
– Médecin spécialiste du cancer **cancérologue**
– Médecin spécialiste en radiologie **radiologue**
– Médecin qui soigne les animaux **vétérinaire**
– Dans l'Antiquité romaine, premier médecin de l'empereur, aujourd'hui médecin du pape **archiatre**
MÉDECINE voir aussi **médical**
– Discipline enseignée en faculté de médecine **anatomie, physiologie, biochimie, pathologie, pharmacologie, histologie, biophysique, bactériologie, immunologie**
– Étudiant en médecine qui participe au fonctionnement d'un service hospitalier **interne, externe**
– Surnom de l'étudiant en médecine **carabin**
– Dieu de la médecine dans l'Antiquité grecque **Asclépios**

– Dieu de la médecine dans l'Antiquité latine **Esculape**
– En médecine, mesures prises pour prévenir l'apparition ou le développement d'une maladie **prophylaxie**
– Médecine parallèle **acupuncture, phytothérapie, ostéopathie, oligothérapie, sophrologie, thalassothérapie**
– Principes positif et négatif sur lesquels s'appuie la médecine chinoise **yang, yin**
– Individu qui exerce la médecine illégalement **médecin marron**

MÉDIATEUR intermédiaire, arbitre, conciliateur, négociateur
– Médiateur dans les pays scandinaves **ombudsman**
– En biologie, médiateur chimique **neuromédiateur**

MÉDICAL voir tableau

MÉDICAMENT voir aussi tableau p. 278 et **médical, remède**
– Recueil officiel des médicaments **Codex, Pharmacopée**
– Rythme de prise d'un médicament **posologie**
– Circonstance particulière qui empêche la prise d'un médicament **contre-indication**
– Substance neutre à laquelle s'ajoute le médicament **excipient**
– Liquide qui sucre et aromatise un médicament **julep**
– Médicament qui résulte du mélange ou de la transformation de plusieurs substances **galénique**
– Médicament spécial préparé en pharmacie d'après une ordonnance **magistral**

INSTRUMENTS MÉDICAUX ET CHIRURGICAUX

aspirateur	Instrument qui aspire les liquides.
attelle	Petite planche de bois ou de métal servant à maintenir un membre fracturé.
bistouri	Petit couteau chirurgical servant à faire des incisions.
burin	Instrument tranchant servant à entailler les os.
canule	Petit tuyau souple ou rigide avec lequel on introduit un liquide dans une cavité de l'organisme.
catgut	Fil chirurgical utilisé pour la suture des plaies et qui se résorbe rapidement.
cathéter	Tige creuse ou pleine qu'on introduit dans un canal naturel pour l'analyser ou le dilater.
clamp	Pince chirurgicale servant à comprimer des canaux.
curette	Instrument chirurgical en forme de cuiller et à long manche, servant à effectuer un curetage.
davier	Sorte de tenaille utilisée en chirurgie osseuse et en chirurgie dentaire et servant à extraire des fragments osseux.
drain	Tube (souple ou rigide) percé de trous que l'on place dans les plaies pour permettre l'écoulement de liquides pathologiques.
écarteur	Instrument servant à écarter les lèvres d'une plaie.
éclisse	Attelle.
écraseur	Sorte de corde tranchante servant à serrer une partie du corps qui doit être amputée.
érigne	Instrument en forme de crochet qui sert à maintenir certaines parties écartées pendant les opérations chirurgicales.
forceps	Instrument en forme de pince employé lors d'accouchements difficiles.
garrot	Lien servant à comprimer un membre pour arrêter une hémorragie.
gouge	Ciseau semi-circulaire utilisé pour racler les os.
lancette	Instrument à lame très tranchante servant à pratiquer de petites incisions.
perforateur	Instrument servant à perforer un os.
rétracteur	Instrument servant à repousser les organes.
rugine	Instrument chirurgical servant à racler les os.
scalpel	Petit couteau chirurgical servant à pratiquer des incisions et utilisé dans les dissections.
scarificateur	Instrument servant à pratiquer de petites incisions afin de provoquer un écoulement de sang.
scialytique	Dispositif d'éclairage utilisé en chirurgie parce qu'il supprime les ombres.
sonde	Instrument en forme de tuyau que l'on introduit dans les canaux afin d'injecter ou d'évacuer certaines substances.
spatule	Instrument formé d'une lame large servant à étaler, à aplatir.
spéculum	Instrument formant miroir et servant à élargir certaines cavités pour en permettre l'examen.
stripper	Instrument utilisé en chirurgie lors de l'ablation des varices (synonyme : tire-veine).
stylet	Tige métallique destinée à explorer les canaux naturels ou les plaies.
tourniquet	Instrument servant à comprimer les artères pour arrêter les hémorragies.
trépan	Instrument utilisé pour percer les os, en particulier la boîte crânienne.
trocart	Sorte de poinçon servant à pratiquer des ponctions évacuatrices.

– Médicament liquide administré par voie orale **sirop, soluté, ampoule, gouttes, élixir**
– Médicament solide administré par voie orale **cachet, comprimé, granulé, pastille, gélule, dragée**
– Médicament en spray pour la gorge **collutoire**
– Médicament avec lequel on se rince la gorge **gargarisme**
– Médicament pour les yeux **collyre**
– Médicament que l'on applique sur la peau **pommade, crème, baume, onguent, liniment, embrocation**
– Médicament que l'on pose sur une partie du corps **emplâtre, cataplasme, diachylon**
– Médicament administré par injection **parentéral**
– Médicament administré par voie rectale **suppositoire**
– Médicament administré par voie vaginale **ovule**
– Ancien médicament de consistance molle, à base de poudres et de miel **électuaire, opiat, thériaque**
– Appareil qui permet d'inhaler un médicament sous forme de vapeur **fumigateur**
– Médicament qui guérit tous les maux **panacée**
– Substance inactive administrée à la place d'un médicament **placebo**
– Boîte à médicaments japonaise en laque décorée **inrō**

MÉDIÉVAL **moyenâgeux** voir aussi **féodal**
– Spécialiste de l'époque médiévale **médiéviste**
– Goût prononcé pour l'époque médiévale **médiévisme**
– Poème épique médiéval relatant les exploits de héros historiques ou imaginaires **chanson de geste**
– Fête médiévale où s'affrontaient des chevaliers à cheval **tournoi, joute**
– Association médiévale qui regroupe les personnes d'une même profession **guilde**

MÉDIOCRE
– Un résultat médiocre **quelconque, ordinaire, banal, piètre, insuffisant**
– Une rémunération médiocre **maigre, modeste, modique**
– Une indemnisation très médiocre **insignifiante, négligeable, dérisoire, minime**
– Un style de vie médiocre **mesquin, étriqué**

MÉDITER
– Méditer un texte **se concentrer sur, réfléchir sur**
– Méditer tout seul dans son coin **songer, rêver**
– Méditer dans un lieu de prière **se recueillir**
– Méditer sur une question philosophique **spéculer**
– Méditer des projets d'évasion **combiner, échafauder, mûrir**

MÉFIANT
– Être méfiant vis-à-vis de son interlocuteur **soupçonneux, suspicieux, défiant, ombrageux**
– Un intervenant méfiant **prudent, précautionneux, circonspect, avisé**
– Rester méfiant à l'annonce d'une nouvelle incroyable **dubitatif, sceptique, incrédule**
– Individu trop méfiant pour prendre le moindre risque **timoré, pusillanime**
– Il était très méfiant au milieu de la foule **sur ses gardes, aux aguets, sur le qui-vive**

MEILLEUR (1)
– Le meilleur d'une armée **élite, fleuron**
– Le meilleur d'un ouvrage **quintessence**

MEILLEUR (2) **supérieur**
– Ce qu'il y a de meilleur **nec plus ultra**
– Devenir meilleur **s'améliorer, s'amender**
– Rendre un vin meilleur en le laissant vieillir **bonifier**

MÉLANCOLIE
– Accès de mélancolie passager **cafard, blues, vague à l'âme, spleen**
– Être enclin à la mélancolie **abattement, neurasthénie**
– Personnage en proie à la mélancolie **sombre, ténébreux, chagrin**
– Visage dénotant la mélancolie **morne, morose**
– Nom de la mélancolie dans l'ancienne médecine des humeurs **humeur noire, atrabile**

MÉLANGE
– Mélange inextricable **emmêlement, embrouillement, enchevêtrement, imbroglio**
– Mélange disparate **amalgame, salmigondis**
– Mélange d'objets hétéroclites **fouillis, fatras, méli-mélo, pêle-mêle, capharnaüm**
– Mélange d'articles divers reliés en un recueil **miscellanées**
– Mélange d'idées ou de thèses d'origine disparate **syncrétisme**
– Un mélange d'absurdités **ramassis, tissu**
– En pharmacie, mélange de plusieurs substances **préparation, mixture**
– En chimie, dépôt résultant d'un mélange de plusieurs éléments **précipité**
– Mélange de fleurs séchées odoriférantes **pot-pourri**
– Mélange de peuples **brassage**
– Mélange de races **métissage**

MÉLANGER
– En cuisine, mélanger des ingrédients **incorporer, délayer**
– Mélanger avec les doigts **malaxer**
– Mélanger un liquide et un peu d'eau **couper, étendre, mouiller, allonger**
– Robot ménager qui sert à mélanger des ingrédients **batteur, mixeur**
– Récipient qui permet de mélanger les ingrédients d'un cocktail **shaker**
– Mélanger plusieurs ingrédients pharmaceutiques **mixtionner**
– Mélanger les cartes à jouer **mêler, battre**

MÊLER voir aussi **mélanger**
– Mêler l'activisme à l'inefficacité **allier**
– Mêler un proche à un projet compromettant **associer, impliquer**
– Se mêler à un groupe d'opposants **se joindre à, se rallier à**
– Se mêler indûment des affaires d'un autre **s'entremettre dans, s'ingérer dans, s'immiscer dans**

MELON
– Famille à laquelle appartient le melon **cucurbitacées**
– Variété de melon **cantaloup, sucrin, cavaillon**
– Terre ou serre où l'on cultive des melons **melonnière**
– Melon d'hiver **de garde**
– Melon d'eau **pastèque**
– En viticulture, melon de Bourgogne **muscadet**

MEMBRANE
– Petite membrane **membranule, membranelle**
– Membrane du corps humain humectée de mucus **muqueuse**
– Membrane constituée de deux feuillets qui délimitent une cavité **séreuse**
– Membrane qui recouvre les surfaces externes et internes du corps **épithélium**
– Membrane fibreuse qui entoure les os du corps humain **périoste**
– Membrane qui enveloppe les muscles du corps humain **aponévrose**
– Membrane conjonctive qui entoure les cartilages non articulaires **périchondre**

– Membrane qui enveloppe le cœur **péricarde**
– Membrane qui tapisse l'intérieur du cœur **endocarde**

– Membranes, appelées méninges, autour du cerveau et de la moelle épinière **dure-mère, arachnoïde, pie-mère**

– Membrane séreuse qui tapisse la cavité abdominale **péritoine**
– Membrane séreuse qui enveloppe les poumons **plèvre**

MÉDICAMENTS

GROUPES DE MÉDICAMENTS	ACTION
analeptique	Redonne des forces.
analgésique	Traite la douleur (parfois synonyme d'antalgique).
anorexigène	Supprime la sensation de faim.
antalgique	Calme la douleur.
antibiotique	Combat les bactéries et les virus.
anticoagulant	Empêche la coagulation du sang.
anticonvulsivant	Traite les convulsions, les spasmes.
antihistaminique	Traite les inflammations.
antipyrétique	Combat la fièvre.
antiscorbutique	Prévient ou guérit le scorbut.
antitussif	Combat la toux.
anxyolitique	Combat l'anxiété, l'angoisse, les névroses.
bétabloquant	Combat l'hypertension, les troubles du rythme cardiaque.
carminatif	Facilite l'expulsion des gaz intestinaux.
collutoire	Soigne la bouche.
cytotoxique	Traite les tumeurs.
décongestionnant	Décongestionne les tissus.
diurétique	Stimule la sécrétion d'urine.
émétique	Provoque des vomissements et aide à vaincre l'action des poisons.
emménagogue	Favorise le flux menstruel.
expectorant	Facilite l'expectoration des sécrétions contenues dans les bronches.
fébrifuge	Combat la fièvre.
laxatif, purgatif, cathartique	Combat la constipation.
neuroleptique	Exerce une action calmante sur le système nerveux.
parégorique (élixir)	Calme la douleur intestinale.
résolutif	Calme l'inflammation.
sédatif	Calmant utilisé contre l'anxiété, le stress, l'insomnie.
sialagogue	Active la salivation.
soporifique	Provoque le sommeil.
sternutatoire	Provoque l'éternuement.
stomachique	Facilite la digestion.
tranquillisant	Combat l'angoisse, le stress, l'insomnie.
vasodilatateur	Dilate les vaisseaux sanguins.
vermifuge ou **anthelminthique**	Provoque l'expulsion des vers intestinaux.

MÉDICAMENTS SPÉCIFIQUES	
codéine	Calme la toux.
cortisone	Combat les inflammations, les allergies.
curare	Est utilisé en anesthésie et en réanimation.
digitaline	Est utilisée dans le traitement des maladies cardiaques.
disulfirame	Combat l'alcoolisme.
héparine	Empêche la coagulation du sang et est notamment utilisée dans le traitement de l'infarctus du myocarde.
insuline	Est utilisée dans le traitement du diabète.
morphine	Exerce une action calmante et soporifique.
paracétamol	Combat la fièvre et la douleur.
phénacétine	Combat la douleur.
phénobarbital	A un effet calmant, en particulier en cas de convulsions.
quinine	Est utilisée dans le traitement du paludisme.
tétracycline	Combat les infections.
valium	Combat l'anxiété.

– Membrane musculeuse qui sépare l'abdomen du thorax **diaphragme**
– Membrane logée dans l'oreille **tympan**
– Membrane de l'œil **rétine, choroïde, sclérotique**
– Mince membrane à l'entrée du vagin d'une femme vierge **hymen**
– Membrane qui entoure le fœtus **amnios, chorion, caduque**
– Membrane qui enveloppe les viscères de certains animaux de boucherie **crépine**
– Instrument de musique muni d'une ou deux membranes que l'on fait vibrer **membranophone**

MEMBRE
– Membres supérieurs chez l'homme **thoraciques**
– Membres inférieurs chez l'homme **abdominaux**
– Rôle des membres supérieurs de l'homme **toucher, préhension**
– Rôle des membres inférieurs de l'homme **sustentation, locomotion**
– Ensemble osseux qui unit un membre au tronc **ceinture**
– Ceinture qui unit les membres supérieurs au tronc **scapulaire**
– Ceinture qui unit les membres inférieurs au tronc **pelvienne**
– Sectionner un membre malade **amputer**
– Perception parfois douloureuse d'un membre amputé **membre fantôme**
– Ce qui reste d'un membre ayant subi une amputation **moignon**
– Remplace un membre ou un organe **prothèse**
– Membre des animaux vertébrés tétrapodes **chiridium**
– Être membre d'une association **adhérent**
– Membre qui jouit d'un titre honorifique sans exercer de fonction **honoraire**

MÉMOIRE
mném(o)-, -mnésie

MÉMOIRE voir aussi **souvenir**
– Perte partielle ou totale de la mémoire **amnésie**
– Trouble de la mémoire **paramnésie, ecmnésie**
– Hyperactivité de la mémoire **hypermnésie**
– Procédé qui facilite l'exercice de la mémoire **mnémotechnique**
– Aide une mémoire défaillante **agenda, pense-bête, mémento, mémorandum**
– Divinité grecque, personnification de la mémoire **Mnémosyne**
– Écrire ses Mémoires **autobiographie**

MENAÇANT
– Le danger est menaçant **imminent**
– Des paroles menaçantes **agressives, comminatoires**

MENACE **avertissement, intimidation**
– Sévère menace doublée de reproches **admonestation, admonition, semonce**
– Procédé déloyal qui repose sur des menaces **chantage**
– Dernière menace avant le déclenchement d'un conflit **ultimatum**
– Lancer des menaces **fulminer**

MÉNAGER
– Ménager ses forces **économiser, épargner**
– Ménager ses propos **mesurer, modérer**
– Ménager une rencontre entre deux adversaires politiques **organiser, arranger, combiner**
– Ménager son interlocuteur **avoir des égards pour**

MENDIANT (1)
– Pièce donnée à un mendiant **obole**
– Récipient que tendaient les mendiants pour avoir une pièce **sébile**
– Fruit sec intervenant dans la composition du dessert appelé mendiant **amande, figue, noisette, raisin**

MENDIANT (2)
– Communautés religieuses catholiques appelées ordres mendiants **Augustins, Carmes, Dominicains, Franciscains**

MENDIER **tendre la main, demander l'aumône, quêter**
– Mendier un morceau de pain **quémander**

MENER **conduire**
– Ne mener à rien **aboutir à**
– Mener à bien **réaliser, exécuter, accomplir**
– Bien mener son affaire **gérer**
– Jusqu'où ses agissements vont-ils le mener ? **entraîner**
– En sport, mener au score **avoir l'avantage**
– Mener le jeu **dominer**
– Mène la danse **dirigeant, leader**
– Mener son travail efficacement **rondement**

MENHIR **peulven**
– Monument mégalithique autre que le menhir **dolmen**
– Cercle de menhirs **cromlech**
– Édification de menhirs **mégalithisme**
– D'un seul bloc, le menhir est **monolithe**

MÉNINGE
– Les trois méninges qui entourent le cerveau et la moelle épinière **dure-mère, arachnoïde, pie-mère**
– Grave inflammation des méninges **méningite**
– Tumeur due à une hernie des méninges **méningocèle**

MENSONGE
– Ce n'est que pur mensonge **fiction, illusion**
– Accusation qui repose sur des mensonges **calomnie, diffamation**
– Il raconte des mensonges **imposteur**
– Victime d'un mensonge **dindon, dupe**
– Une argumentation fondée sur des mensonges **fallacieuse**
– Mensonge par omission **obreptice**
– S'embrouiller dans ses propres mensonges **s'enferrer**
– Tendance pathologique à commettre des mensonges **mythomanie**

MENSTRUATION
– Âge où débute la menstruation **ménarche**
– Douleurs qui se produisent lors de la menstruation **cataméniales**
– Menstruation anormalement douloureuse **dysménorrhée**
– Menstruation abondante et prolongée **ménorragie**
– Absence de menstruation **aménorrhée**
– Cessation définitive des menstruations **ménopause**

MENTAL
– Trouble mental **psychique**
– Catégorie de troubles mentaux **névrose, psychose**
– Médecin spécialiste des maladies mentales **psychiatre**
– Structure de la vie mentale d'une personne **psychisme**
– Calculé à partir de l'âge mental d'un individu **Q.I. (quotient intellectuel)**

MENTHE
– Famille à laquelle appartient la menthe **labiées**
– Menthe officinale **poivrée**
– Camphre de menthe **menthol**
– Liqueur de menthe **peppermint**

MENTION
– Rayer certaines mentions d'un formulaire **biffer**
– Faire mention d'un auteur **référence à**
– Faire mention d'un article de la loi **citer, énoncer, alléguer**
– Faire mention par écrit d'une constatation **consigner**

MENTIR
– Mentir à quelqu'un **tromper, duper, mystifier**
– Faire mentir sa réputation **démentir, faillir à**
MENTON
– Menton proéminent **en galoche**
– Individu au menton très saillant **prognathe**
– Partie osseuse à laquelle appartient le menton **maxillaire inférieur, mandibule**
– Chirurgie esthétique du menton **mentoplastie**
– Petite barbe sur le menton **barbiche, bouc, impériale**
– Courroie d'un casque qui passe sous le menton **jugulaire**
– Cordon ou ruban d'une coiffure qui passe sous le menton **mentonnière**
MENU (1)
– Par le menu **en détail**
MENU (2)
– Une fillette menue **fluette, frêle**
– Une taille menue **svelte, déliée**
– Des morceaux très menus **minuscules, microscopiques, ténus**
– De menus frais **négligeables, dérisoires**
MENUISERIE voir aussi **fenêtre, moulure, porte**
– Décoration sur des ouvrages de menuiserie **marqueterie**
– En menuiserie, travail qui consiste à décorer une pièce de grands panneaux **lambrissage**
– Égaliser une surface de bois, en menuiserie **raboter, dégauchir, varloper**
– Travailler une pièce de bois, en menuiserie **chantourner, chanfreiner**
– Assemblage en menuiserie **à tenon et mortaise, à queue d'aronde, à mors d'âne, à enfourchement, à onglet, à goujons**
MENUISIER
– Menuisier spécialiste des huisseries **de bâtiment**
– Menuisier chargé de l'installation intérieure des magasins et des bureaux **d'agencement**
– Menuisier d'art qui fabrique du mobilier de luxe **ébéniste**
– Menuisier qui fabriquait les carrosses **en voiture**
– Table de travail utile au menuisier **établi**
– Rabot du menuisier **bouvet, doucine, gorget, guillaume, riflard, guimbarde**
– Ciseau à bois du menuisier **bédane, gouge**
– Outil à main du menuisier utilisé pour percer des trous dans le bois **chignole, vilebrequin**
– Outil du menuisier qui sert à tracer des lignes parallèles à un chant **trusquin**
– Barre de fer recourbée à un bout en crampon utilisée jadis par le menuisier **davier**
MÉPRIS
– Afficher son mépris **dégoût, dédain, mésestime**
– Expression pleine de mépris **péjorative**
– Fanfaron qui témoigne du mépris à son entourage **arrogant, hautain, condescendant, altier**
– Personnage qui inspire le mépris **ignoble, abject, vil**
MÉPRISER
– Mépriser un conseil **négliger, fouler aux pieds, faire fi de**
– Mépriser une loi **transgresser**
– Mépriser les honneurs **se désintéresser de**
– Mépriser la mort **braver**
– Mépriser un ennemi **abhorrer**
– Mépriser un orateur **honnir, conspuer, vilipender**
MER
hal(o)-, hali-, thalasso-, -halin
MER voir aussi **algue, marée, marin, vague**
– Mer très calme **étale**
– Période de calme plat en mer **bonace**
– Accalmie en mer **embellie**
– Agitation de la mer **houle, lame**
– Mer mauvaise **grosse, démontée**
– Gouttelettes d'eau de mer **embruns, poudrin**
– Bruit de la mer déchaînée **mugissement**
– Corps simple présent dans l'eau de mer **iode**
– La mer scintille la nuit **brasille**
– Bord de mer **rivage, grève**
– Étendue d'eau marine isolée de la mer par un cordon littoral **lagune**
– Endroit où un fleuve se jette dans la mer **embouchure**
– Bras de mer entre deux terres **détroit**
– Bras de terre entre deux mers **isthme**
– Ancienne vallée glaciaire envahie par la mer **fjord**
– Vallée d'origine fluviatile envahie par la mer **ria**
– Fond de la mer situé à plus de 2 kilomètres de profondeur **abysse**
– Terre gagnée sur la mer, endiguée et asséchée **polder**
– Organismes microscopiques en suspension dans l'eau de mer **plancton**
– Organisme vivant en haute mer **pélagique**
– Organisme vivant sur le fond de la mer **benthique**
– Topographie qui établit les plans du fond des mers **hydrographie**
– Mal de mer **naupathie**
– Traitement mettant à profit les propriétés de l'eau de mer **thalassothérapie**
– Divinité grecque de la mer **Poséidon, Nérée, Amphitrite**
– Divinité romaine de la mer **Neptune**
MERCERIE
– Garniture utilisée en ameublement ou en habillement vendue en mercerie **passementerie**
– Article de mercerie utilisé pour fermer **bouton, pression, agrafe, fermeture à glissière, bande Velcro**
– Article de mercerie utilisé pour froncer **élastique, Lastex, ruflette**
– Article de mercerie utilisé pour border **ruban, biais, extra-fort, gros-grain, tresse, ganse**
– Article de mercerie utilisé pour consolider **toile tailleur, triplure, pièce thermocollante**
MERCURE
– Symbole du mercure **Hg**
– Minerai de mercure **cinabre**
– Nom ancien du mercure **vif-argent, hydrargyre**
– Protochlorure de mercure **calomel**
– Transformation du mercure métallique en mercure organique très toxique **méthylation**
– Désinfectant pharmaceutique à base de mercure **mercurescéine, mercurobutol**
– Amalgame de mercure et d'étain au dos des miroirs **tain**
MÈRE
– Frères qui ont la même mère mais un père différent **utérins**
– Nom de famille qu'on tient de sa mère **matronyme**
– Système de filiation par la mère **matrilinéaire**
– Médecin qui suit les futures mères pendant leur grossesse et assiste à leur accouchement **obstétricien**
– En psychanalyse, attirance du jeune garçon pour sa mère **complexe d'Œdipe**
– Meurtre de sa mère **matricide**
– Mère des dieux dans la mythologie gréco-romaine **Cybèle**

MÉRIDIEN
– Méridien origine **méridien de Greenwich**
– Calculée à partir du méridien origine **longitude**
– Heure calculée à partir du méridien de Greenwich **GMT, UTC**

MÉRITER
– Mériter une sanction **s'exposer à, être passible de, encourir**
– C'est un roman qui mérite d'être lu **gagne à**

MERLE
– Ordre auquel appartient le merle **passereaux**
– Famille à laquelle appartient le merle **muscicapidés**
– Espèce de merle **merle noir, merle à plastron, merle bleu, merle de roche**
– Petit du merle **merleau**
– Cri du merle **sifflement**

MERVEILLE **chef-d'œuvre** voir aussi dessin

MERVEILLEUX
– Un endroit merveilleux **magnifique, splendide, superbe**
– Un spectacle merveilleux **prodigieux, magique, féerique**
– Une merveilleuse générosité **extraordinaire, exceptionnelle, hors du commun**
– Il a été merveilleux sur scène **admirable, remarquable**

MÉSANGE
– Ordre auquel appartient la mésange **passereaux**
– Famille à laquelle appartient la mésange **paridés**
– Espèce de mésange **boréale, charbonnière, huppée, sultane, nonnette, rémiz**
– Mésange bleue **meunière**
– Mésange à longue queue **ægithale**

MESQUIN
– Un individu à l'esprit mesquin **étroit, étriqué**
– Excessivement mesquin **sordide**
– Une récompense mesquine **piètre, insignifiante, dérisoire**
– Une gestion mesquine **chiche, parcimonieuse**

MESSAGE **communication**
– Prendre connaissance d'un message **annonce, avis**
– Envoyer un message écrit **pli, missive, dépêche**
– Message envoyé par télégraphie **télégramme**
– Procédé moderne qui permet de transmettre un message graphique dans les meilleurs délais **télécopie, fax**
– Message transmis par phototélécopie **bélinogramme**
– Message expédié jadis d'un bureau de poste à un autre **pneumatique**
– Fréquence utilisée par les particuliers pour envoyer des messages **C.B. (citizen band), bande publique**
– Message publicitaire **spot**
– Était chargé au Moyen Âge de transmettre les messages **héraut**

MESSE
– Déroulement de la messe **liturgie**
– Voile que le prêtre porte sur les épaules pendant la messe **amict, huméral**
– Phase du déroulement d'une messe **rite d'ouverture, liturgie de la Parole, eucharistie, rite de conclusion**
– Temps de la liturgie de la Parole lors de la célébration d'une messe **lectures, psaume, homélie, profession de foi, prière universelle**
– Temps de l'eucharistie lors de la célébration d'une messe **offertoire, consécration, communion**
– Le pain et le vin consacrés lors de la célébration d'une messe **oblats**
– Livre rassemblant les textes de la liturgie de la messe **missel**
– Livre rassemblant les textes tirés des Évangiles lus à la messe **évangéliaire**
– Table sur laquelle l'officiant célèbre la messe **autel**
– Tribune depuis laquelle l'officiant prêchait pendant la messe **chaire**
– Vêtement qu'endosse le prêtre pour célébrer la messe **chasuble**
– Vêtement qu'endossent les enfants de chœur pour servir la messe **aube**
– Messe célébrée en présence du chapitre **capitulaire**
– Messe des morts **de requiem**
– En musique, messe chantée par un chœur sans accompagnement **polyphonique a cappella**
– En musique, messe chantée par un chœur accompagné par des instruments **concertante**

Les Sept Merveilles du monde

les jardins suspendus de Sémiramis

le temple d'Artémis à Éphèse

le phare d'Alexandrie

le colosse de Rhodes

le mausolée d'Halicarnasse

la statue de Zeus à Olympie

les pyramides de Guizèh

MESURE
métr(o)-, -mètre, -métrie
MESURE voir aussi tableau et **instrument, unité**
– Prendre les mesures d'une chambre **dimensions**
– Prendre les mesures de quelqu'un pour lui confectionner un vêtement **mensurations**
– Donner une mesure d'avoine **ration, picotin**
– Scander la mesure **cadence, rythme**
– Appareil qui marque la mesure utilisé par les musiciens **métronome**
– Parler avec mesure **modération, pondération, ménagement, circonspection**
– Dépenser sans mesure **réserve, retenue**
MESURER déterminer, calculer
– Instrument qui permet de mesurer la taille d'un individu **toise**
– Mesurer la profondeur d'un puits **sonder**
– Mesurer un morceau de terre **arpenter, chaîner**
– Mesurer l'incidence d'un phénomène **estimer, évaluer, apprécier**
– Mesurer le volume d'un objet **cuber, jauger**
– Mesurer le volume d'une quantité de bois **stérer**
– Mesurer la grosseur de fruits **calibrer**
MÉTAL voir aussi **élément**
– Mélange de métaux **alliage**
– Infimes parcelles de métal **limaille**
– Propriété de certains métaux **conductibilité, ductilité, fusibilité, malléabilité, ténacité**

INSTRUMENTS DE MESURE

acétimètre	Concentration d'un vinaigre.
actinomètre	Intensité d'une radiation à action chimique.
altimètre	Altitude d'un lieu.
anémomètre	Vitesse du vent.
bathymètre	Profondeur de la mer.
calorimètre	Chaleur dégagée ou reçue par un corps.
cathétomètre	Distance verticale entre deux points.
chronomètre	Temps.
clinomètre	Inclinaison d'un plan.
colorimètre	Intensité de coloration d'un liquide, par comparaison avec un modèle.
cryomètre	Température de congélation.
densimètre	Densité d'un liquide.
dilatomètre	Dilatation d'un solide ou d'un liquide.
électromètre	Grandeurs électriques.
électroscope	Charge électrique.
Geiger (compteur)	Radiations.
goniomètre	Angles.
gravimètre	Intensité du champ de la pesanteur.
hydromètre	Propriétés physiques d'un liquide.
hygromètre	Degré d'humidité de l'air.
hypsomètre	Altitude d'un lieu grâce à la mesure de la température à laquelle l'eau se met à bouillir.
luxmètre	Éclairement.
machmètre	Nombre de Mach d'un avion, c'est-à-dire sa vitesse par rapport au son.
magnétomètre	Intensité d'un champ magnétique.
manomètre	Pression d'un fluide.
micromètre	Petites longueurs.
ondemètre	Longeur des ondes électromagnétiques.
optomètre	Réfraction de l'œil en ophtalmologie.
oromètre	Relief d'un sol.
photomètre	Intensité lumineuse.
piezomètre	Compressibilité d'un liquide.
planimètre	Aire d'une surface plane.
pluviomètre	Quantité de pluie tombée pendant une période donnée dans un lieu donné.
polarimètre	Rotation du plan de polarisation de la lumière.
posemètre	Temps de pose en photographie.
potentiomètre	Différences de potentiel et forces électromotrices.
psychromètre	Degré d'humidité de l'air.
pycnomètre	Densité d'un solide, d'un liquide.
pyrhéliomètre	Rayonnement du Soleil.
pyromètre	Températures élevées.
radiomètre	Intensité d'un rayonnement lumineux.
saccharimètre	Quantité de sucre en dissolution dans un liquide.
scléromètre	Dureté d'un solide.
sextant	Hauteur d'un astre.
sismographe	Durée et amplitude d'un séisme.
spectromètre	Spectre.
sphéromètre	Courbure d'un élément sphérique.
tachéomètre	Levés de plans et altitude.
tachymètre	Vitesse de rotation.
tensiomètre	Déformations d'un corps soumis à une contrainte mécanique.
théodolite	Angles horizontaux et verticaux.
thermomètre	Température.

– Matière que l'on chauffe avec un métal pour donner à ce dernier une certaine propriété **cément**
– Dégradation des métaux **corrosion**
– Usine où l'on extrait le métal du minerai **fonderie**
– Usine où l'on fabrique du fil en métal **tréfilerie**
– Lingot de métal **saumon**
– Résidu provenant de l'industrie des métaux **scorie**
– Art du métal **orfèvrerie, ferronnerie, dinanderie, damasquinage**
– Recouvrir d'une couche de métal **métalliser, galvaniser**
– Polir un métal **doucir**
– Transformation des métaux en or à laquelle rêvaient les alchimistes **transmutation**
– Les sept métaux des alchimistes **plomb, étain, fer, or, cuivre, vif-argent, argent**

MÉTALLURGIE
– Métallurgie du fer **sidérurgie**
– Travaille dans la métallurgie **ajusteur, chaudronnier, fondeur, riveur, fraiseur**
– Machine utilisée en métallurgie pour comprimer le métal **laminoir**
– Machine utilisée en métallurgie pour écraser le minerai **bocard**

MÉTÉORITE **météoroïde**
– Groupe de météorites **essaim**
– Trou dans le sol que creuse une météorite en tombant sur une planète **cratère**
– Météorite qui contient du fer et du nickel **sidérite**
– Météorite pierreuse **aérolithe**
– Météorite contenant du fer-nickel et des silicates **sidérolithe**
– Météorite pierreuse qui contient des éléments qui n'existent pas sur la Terre **chondrite**

MÉTÉOROLOGIE voir aussi **nuage, temps**
– Champ de pression qui figure sur une carte de météorologie **anticyclone, dépression**
– Sur une carte de météorologie, ligne reliant des points où la température est la même **isotherme**
– Sur une carte de météorologie, ligne reliant des points où la pression est la même **isobare**
– En météorologie, étude des climats **climatologie**
– Météorologie agricole **agrométéorologie**
– En météorologie, appareil qui mesure la pression atmosphérique **baromètre**
– En météorologie, appareil qui mesure la quantité de pluie tombée **pluviomètre**
– En météorologie, appareil qui mesure le taux d'humidité contenu dans l'air **hygromètre**
– En météorologie, appareil qui mesure la force des vents **anémomètre**
– En météorologie, appareil qui mesure l'intensité d'un tremblement **sismographe**
– Satellite européen utilisé en météorologie **Météosat**
– Unité de mesure de pression utilisée en météorologie **bar**
– En météorologie, taux de variation d'un élément en fonction de la distance **gradient**

MÉTHODE
– Une méthode de fabrication originale **procédé, technique**
– Quelle est la méthode à suivre ? **marche, procédure**
– Quel manque de méthode ! **logique, organisation**
– En philosophie, méthode qui considère la contradiction comme moteur de la pensée **dialectique**
– En logique, étude des différentes méthodes **méthodologie**

MÉTHODIQUE
– Un esprit méthodique **logique, rationnel, cartésien**
– Un élève méthodique **organisé, ordonné**
– Une analyse méthodique **rigoureuse, serrée**
– Un tri méthodique **systématique**

MÉTICULEUX **scrupuleux, soigneux, consciencieux**
– Un individu trop méticuleux **pointilleux, maniaque**
– Un travail méticuleux **précis, minutieux**
– Un récit méticuleux **détaillé**

MÉTIER **profession, situation**
– Apprend son métier **apprenti**
– Ils exercent le même métier **collègues, confrères**
– Ensemble de personnes exerçant le même métier **corporation**
– Personne qui cherche dans son métier à satisfaire ses ambitions **carriériste**
– Avoir du métier **expérience, pratique, savoir-faire**

MÉTIS (1)
– Métis né d'un Noir et d'une Blanche ou d'une Noire et d'un Blanc **mulâtre**
– Métis né d'un Asiatique et d'une Européenne ou d'une Asiatique et d'un Européen **Eurasien**
– Métis ayant un quart de sang de couleur **quarteron**
– Métis ayant un huitième de sang de couleur **octavon**

MÉTIS (2)
– Animal métis **croisé, hybride**

MÈTRE
– Un mètre carré **centiare**
– Un mètre cube de bois **stère**
– En poésie antique, analyse des mètres d'un vers **scansion**
– Vers grec ou latin composé de trois ou quatre mètres **trimètre, tétramètre**
– Pied qui compose les mètres d'un vers grec ou d'un vers latin **iambe, trochée, dactyle, anapeste, spondée, tribraque**

MÉTRO **métropolitain**
– Accès au métro **bouche**
– Appareil qui permet de valider son ticket de métro **composteur**
– Ensemble des voitures d'un métro **rame**
– Siège pliant dans un métro **strapontin**
– Métro qui sort de terre **aérien**
– Métro automatique **Val (véhicule automatique léger)**

METTRE
– Il a mis l'étagère trop haut **posé, fixé, installé**
– Mettre la table **dresser**
– Mettre un manteau **passer, revêtir, endosser**
– Mettre deux termes l'un à côté de l'autre **juxtaposer**
– Mettre un nombre en mètres, en kilomètres **convertir**
– Mettre un signet entre deux pages **glisser, intercaler, insérer**
– Mettre la clé dans la serrure **introduire, engager**
– Mettre un cube sur un autre **empiler, superposer**
– Mettre le désordre **causer, semer, provoquer, susciter**

MEUBLE
– Meuble à tiroirs **commode, chiffonnier**
– Meuble où l'on range de la vaisselle **buffet, dressoir, crédence, vaisselier**
– Meuble décoratif contre un mur **console**
– Meuble d'angle **encoignure**
– Artisan qui fabrique des meubles d'art **ébéniste**
– Artisan qui restaure certains meubles couverts de tissu **tapissier**
– Marchand de meubles et d'objets anciens **antiquaire**
– Garniture décorant certains meubles **passementerie**

– Placage précieux sur certains meubles **marqueterie**
MEUNIER minotier
– Dirigé par un meunier **moulin, meunerie**
MEURTRE crime, homicide volontaire
– Commettre un meurtre **perpétrer**
– Circonstance aggravante d'un meurtre **préméditation**
– Meurtre avec préméditation **assassinat**
– Meurtre d'un enfant **infanticide**
MEURTRIER (1)
– Meurtrier de son père, de sa mère ou d'un de ses ascendants **parricide**
– Meurtrier de son frère ou de sa sœur **fratricide**
– Meurtrier d'un roi **régicide**
– Meurtrier d'un dieu **déicide**
– Meurtrier payé pour commettre des crimes **tueur à gages, sicaire**
MEURTRIER (2)
– Un attentat meurtrier **sanglant**
– Une épidémie meurtrière **destructrice, dévastatrice, ravageuse**
MEURTRIR contusionner voir aussi **blesser**
– Meurtrir l'œil de son adversaire dans un combat de boxe **pocher**
– Meurtrir un fruit **endommager, taler, cotir**
MEUTE
– En vénerie, détacher la meute et la lancer à la poursuite d'un animal **découpler**
– En vénerie, cri de la meute devant l'animal arrêté **aboi**
– En vénerie, portion de l'animal tué donnée en pâture à la meute **curée**
– Rallier les chiens en meute **ameuter**
MICROBE germe, micro-organisme
– Étude des microbes **microbiologie**
– Microbe végétal **protophyte**
– Microbe animal **protozoaire**
– Microbe qui n'appartient ni au règne animal ni au règne végétal **bactérie, virus**
– Type de microbe bactérien de différentes formes **bacille, spirille, spirochète**
– Microbe qui vit sur un hôte sans provoquer d'infection **saprophyte**
– Microbe qui engendre des maladies **pathogène**
– Mode de reproduction de certains microbes **scissiparité**
– Produite par certains microbes **toxine**
– Remède qui tue les microbes **microbicide**
– Ensemble des méthodes visant à détruire les microbes **antisepsie**
– Absence de tout microbe **asepsie**
– Opération qui consiste à détruire tous les microbes d'un aliment pour le conserver **pasteurisation**
MICROPHONE
– Support d'un microphone **perche**
– Capuchon dont on coiffe un microphone **bonnette**
– Sifflement intempestif d'un haut-parleur placé dans l'axe d'un microphone **larsen**
– Type de microphone **électromagnétique, piézoélectrique, électrodynamique, électrostatique**
MICROSCOPE
– Type de microscope **optique, électronique, acoustique**
– Observation scientifique au microscope **micrographie**
– Partie d'un microscope optique **oculaire, prisme, objectif, platine, condensateur, miroir**
– Plaquette en verre sur laquelle on pose l'objet à observer au microscope **lame**
– Mince feuillet de verre que l'on place sur l'objet à observer au microscope **lamelle, couvre-objet**
MIDI Sud
– Accent du Midi **méridional**
– Chaleur en plein midi **méridienne**
– Position du soleil à midi, heure solaire **culmination, zénith**
MIEL
– Il élève des abeilles pour récolter leur miel **apiculteur**
– Fleur dont le nectar est prélevé par les abeilles pour faire du miel **mellifère**
– Fabrication du miel par les abeilles **mellification**
– Cavité dans laquelle l'abeille dépose le miel dans la ruche **alvéole**
– Miel médicinal **mellite**
– Gâteau à base de miel et d'épices **pain d'épice**
– Gâteau oriental au miel **baklawa, zlebia**
– Confiserie à base de miel **nougat**
– Boisson alcoolisée à base de miel **hydromel**
– Dans l'Antiquité, boisson des dieux à base de miel **nectar**
– Dans l'Antiquité, nourriture des dieux à base de miel **ambroisie**
– Doux et suave comme du miel **melliflue**
MIETTE fragment, débris
– Ne prendre qu'une miette de gâteau **parcelle**
– Miettes de pain très fines utilisées en cuisine **chapelure, panure**
– Les miettes d'un héritage **bribes**
MIEUX (1)
– Un léger mieux **amélioration**
– Il y a du mieux **progrès**
– Il choisit toujours le mieux **le fin du fin, le nec plus ultra**
MIEUX (2) préférable
– À qui mieux mieux **à l'envi**
MIGNON (1)
– Les mignons du roi Henri III **favoris**
MIGNON (2)
– Sa fille est très mignonne **gracieuse, délicieuse, adorable, bellotte**
– Un petit appartement mignon comme tout **charmant, ravissant**
MIGRAINE hémicrânie
– Au même titre que tous les maux de tête, la migraine est une forme de **céphalée, céphalalgie**
– Trouble visuel accompagnant une migraine **scotome, phosphène**
MILIEU
més(o)-
MILIEU centre, cœur
– Situé au milieu **médian**
– Un milieu bénéfique **environnement, cadre de vie**
– Un milieu chaleureux **entourage**
– Un milieu apaisant **ambiance, atmosphère**
– En écologie, milieu où cohabitent plusieurs espèces **biotope, station**
– Ensemble formé par des plantes et des animaux vivant dans un milieu **écosystème**
– Un individu du milieu **pègre**
– Milieu de table **surtout**
MILITAIRE (1) voir aussi **armée, grade, soldat**
– Lieu où logent des militaires **caserne, base, quartier**
– Militaire de carrière **engagé**
– Ancien militaire susceptible d'être rappelé en cas de conflit **réserviste**
– Militaires chargés de faciliter la progression des troupes **génie**
– Équipement d'un militaire **paquetage**
– Militaire responsable de l'équipement d'une unité **fourrier**
– Tenue de combat que portent les militaires **treillis**
– Cordelière que portent les militaires sur l'épaule gauche **fourragère**
– Prison où sont incarcérés les militaires condamnés à de lourdes peines **forteresse**
MILITAIRE (2)
– Jeune homme qui accomplit son service militaire **appelé, conscrit**
– Ensemble des jeunes appelés à faire leur service militaire la même année **contingent**

– Troupes militaires casernées dans une ville **garnison**
– Ensemble des officiers qui assistent un chef militaire **état-major**
– École militaire française **Saint-Cyr**
– Coup d'État militaire **putsch, pronunciamiento**

MILLE
myria-, myrio-

MILLE millier, mil
– Mille ans **millénaire**
– Mille kilos **tonne**
– Chiffre d'une date exprimant le nombre mille **millésime**

MILLION
– Mille millions **milliard**
– Un million de millions **billion**
– Un million de billions **trillion**
– Un million de trillions **quatrillion**
– Un million de quatrillions **quintillion**

MIME
– Pièce jouée par un mime **pantomime**
– Gestuelle du mime **mimique**
– Théâtre d'improvisation joué par des mimes, en vogue jadis en Italie **commedia dell'arte**
– Œuvre dramatique présentée sous forme de mime **mimodrame**
– Écrivain auteur de mimes **mimographe**

MINABLE
– Une allure minable **misérable, pitoyable**
– Une réaction minable **lamentable, déplorable**
– Un tapis minable **miteux**
– Une vie minable **étriquée**
– Un salaire vraiment minable **dérisoire, ridicule**

MINCE
– Une paroi très mince **fine, ténue**
– Une silhouette mince **svelte, gracile, déliée**
– Un enfant trop mince **frêle, fluet, grêle**
– Avoir des jambes très minces **filiformes**
– Un mince bénéfice **négligeable, insignifiant**

MINE
– Une mine peu avenante **apparence, façade**
– Une mine maussade **visage, air, physionomie**
– Passer son temps à faire des mines **minauder**
– Nature d'une mine de crayon **graphite, plombagine**
– Cavité que l'on creuse pour placer des mines **fourneau, chambre**
– Type d'amorçage d'une mine **détonateur**
– Immerger des mines **mouiller**
– Bateau qui détecte et élimine des mines sous-marines **dragueur**
– Mine de charbon **houillère**
– Ensemble des installations qui sont regroupées à la surface d'une mine **carreau**
– Montagne de déblais à côté d'une mine **terril**
– Permet l'accès aux différentes galeries d'une mine **puits, descenderie**
– Galerie horizontale dans une mine **travers-banc**
– Puits vertical reliant plusieurs galeries d'une mine **bure**
– Revêtement qui consolide les parois d'un puits de mine **cuvelage**
– Galeries rassemblant les venues d'eau dans une mine **albraque**
– Conduit d'aération dans une mine **buse**
– Appareil servant à l'extraction du minerai dans une mine **skip**
– Petit wagon utilisé dans les galeries d'une mine **berline**
– Dans une mine, volume de minerai non extrait pour des raisons de sécurité **stot**
– Gaz qui provoque des explosions dans les mines de charbon **grisou**

MINERAI
– Lame de minerai qui traverse différentes couches du sol **filon, veine**
– Substance stérile autour d'un minerai **gangue**
– Site riche en minerai exploitable **gisement, gîte**
– Minerai broyé en grains **schlich**
– Transformer un métal en minerai **minéraliser**
– Navire qui transporte du minerai **minéralier**

MINÉRAL (1) voir aussi tableau p. 286 et **pierre**
– Branche de la géologie qui étudie les minéraux **minéralogie**
– Éclat d'un minéral **métallique, nacré, cireux, vitreux**
– Manière dont certains minéraux se brisent **clivage**
– Minéral qui se clive en minces feuilles parallèles **mica**
– Minéral précieux **gemme**
– Minéral qui existe dans le granit **quartz, feldspath**
– Minéral de couleur verte **malachite**
– Minéral de couleur rouge **réalgar**
– Minéral de couleur bleue **azurite**
– Minéral qui a la couleur de l'arc-en-ciel **fluorine**

MINÉRAL (2)
– Chimie minérale **inorganique**
– Transformation des matières minérales en produits utilisés dans l'industrie **minéralurgie**
– Liste des composés minéraux **nomenclature**

MINEUR (1)
– Contremaître d'une équipe de mineurs **porion**
– Jeune mineur employé au service des voies **galibot**
– Mineur qui s'occupe du boisage des galeries **raucheur**
– Tâche du mineur de fond **abattage, havage, herchage, roulage**
– Machine que dirige un mineur pour creuser un boyau **haveuse**
– Pic qu'utilise le mineur **rivelaine**
– Maisons de mineurs **coron**
– Affection pulmonaire fréquente chez les mineurs **silicose**
– Mineur à qui l'on accorde la pleine capacité juridique **émancipé**
– Personne responsable d'un mineur non émancipé **tuteur**

MINEUR (2) voir **secondaire**

MINISTÈRE
– Ministère public **magistrature debout, parquet**
– Ministère exercé dans l'Église catholique **sacerdoce**

MINISTÉRIEL
– Officier ministériel **commissaire-priseur, huissier, notaire, avoué**
– Décision exécutoire ministérielle **arrêté**

MINISTRE
– Attribut du ministre **portefeuille, maroquin**
– Groupe de collaborateurs d'un ministre **cabinet**
– Ancien nom du Premier ministre en France **président du Conseil**
– Ministre d'un prince musulman **vizir**

MINUIT
– Dîner fin pris aux alentours de minuit **médianoche**

MINUSCULE
– En typographie, lettre minuscule **bas-de-casse**
– Une chambre minuscule **exiguë**
– Une étagère couverte de bibelots minuscules **miniatures**
– Un organisme minuscule **infime, microscopique, infinitésimal**
– Des personnages minuscules **lilliputiens**

MINUTIEUX
– Être minutieux dans son travail **consciencieux, méticuleux, scrupuleux**

– Un individu trop minutieux **tatillon, pointilleux, vétilleux**
– Une reproduction minutieuse **soignée, léchée, rigoureuse**

MIRACLE prodige
– Personne qui fait des miracles **thaumaturge**
– Un miracle d'intelligence **merveille**

MISANTHROPE (1)
– *Le Misanthrope,* de Molière ***l'Atrabilaire amoureux,*** **Alceste**

MISANTHROPE (2)
– Être misanthrope **farouche, solitaire, insociable**
– Individu misanthrope **ours**

MISE
– Déposer une mise au jeu **enjeu, poule**
– Rajuster sa mise **tenue, toilette, parure**
– Art de la mise en scène **scénographie**
– Mise de fonds **investissement, placement**
– Mise en demeure **sommation, injonction**
– Mise en garde **avertissement, remontrance, semonce, admonestation**

MISÉRABLE (1)
– Des misérables sillonnaient les chemins **miséreux, pauvres hères**

MISÉRABLE (2)
– Une population misérable **déshéritée, indigente, nécessiteuse**
– Des vêtements misérables **loques, haillons, guenilles**
– Une misérable rétribution **piètre, minime, insignifiante, dérisoire, minable, lamentable**

MISÈRE
– Vivre dans la misère **gêne, besoin, dénuement**
– Tenter de se battre contre la misère **se colleter avec**
– Misère collective **disette, pénurie**
– Misère qui frappe une population **paupérisme**
– Quartiers touchés par la misère à la périphérie de grandes villes **bidonvilles**
– En littérature et en art, exposé systématique de la misère humaine **misérabilisme**
– En médecine, misère physiologique **dénutrition**
– Quelle misère ! **calamité, infortune, tristesse**
– Les petites misères de tout un chacun **ennuis, tracas, soucis**
– Faire des misères à quelqu'un **taquineries**
– Ce n'est qu'une misère ! **vétille, bagatelle**

MISSION charge, mandat, commission
– Envoyer un individu en mission de reconnaissance **détacher, dépêcher**
– Personne chargée d'une mission **ambassadeur, émissaire**
– Dépêcher une mission sur le terrain **délégation, députation**
– La mission principale d'un organisme **rôle, vocation**
– Rôle d'une mission catholique **évangélisation**
– Prêtre de la Mission **lazariste**

MITRAILLEUSE canon automatique
– Tir d'une mitrailleuse **mitraillade, rafale**
– Support de tir d'une mitrailleuse **affût**

MOBILE (1)
– Mobile qui pousse à une action **cause, motif**

MOBILE (2)
– Éléments mobiles **amovibles**
– Poser une cloison mobile **coulissante, repliable**
– Des feuillets mobiles **détachables**
– Un ciel mobile **changeant, instable**
– Les reflets mobiles du soleil sur la mer **chatoyants, miroitants**

MOBILISATION rassemblement, réunion
– Mobilisation militaire **appel aux**

LES MINÉRAUX ET LEURS UTILISATIONS

albâtre	Objets d'art, sculpture.
albite	Verre, céramique.
anhydrite	Ciment, engrais.
bauxite	Aluminium.
calcite	Ciment, peinture, verre, engrais, instruments optiques.
cassitérite	Oxyde dont on tire l'étain.
corindon	Joaillerie, abrasif.
dolomite	Ciment, pierre de construction.
fluorine	Verre, bijouterie, émail.
galène	C'est un sulfure naturel de plomb utilisé notamment comme semi-conducteur pour détecter les signaux radioélectriques.
graphite/ plombagine	Mines de crayon, creusets, pâtes d'entretien pour objets en fonte.
gypse	Plâtre, craie, ciment.
halite	Autre nom du sel gemme. Elle est notamment utilisée pour les glaçures.
hématite	Fer.
jais	Bijouterie, tabletterie.
kaolin	Porcelaine.
malachite	C'est un carbonate basique de cuivre dont on fait des objets d'art.
mica	Peinture, verre, isolant thermique.
microlithe	Verre, céramique.
pyrite	C'est un sulfure naturel de fer utilisé dans la préparation de l'acide sulfurique.
quartz	Abrasif, verre, appareils optiques, joaillerie, ciment.
rutile	Joaillerie.
serpentine	Amiante, objets de décoration.
talc	Poudre de talc, objets d'art...

armes, mise sur le pied de guerre
– Citoyen appelé en priorité lors d'une mobilisation militaire **réserviste**
– Mesures de sécurité précédant les opérations d'une mobilisation militaire **mise en garde**
– Formule de mobilisation militaire partielle **dérivation**
– Type de mobilisation thérapeutique pratiquée en kinésithérapie **active, passive**
– En psychologie, mobilisation d'un individu **activation**

MODE
– Les modes d'une époque **mœurs, pratiques, coutumes**
– Un vêtement très à la mode **en vogue, in**
– Défilé de mode **haute couture**
– Spécialiste de mode **styliste**
– En musique, mode usité du XVIIe au XIXe siècle **majeur, mineur**
– Mode d'emploi **notice**

MODÈLE (1)
– Sert de modèle **étalon, archétype**
– Modèle original **prototype**
– Modèle qui sert à la fabrication d'un objet standard **gabarit**
– Modèle représentatif **échantillon, spécimen**
– En droit, modèle d'un acte **formule**
– Mot qui sert de modèle en grammaire **paradigme**
– Modèle réduit d'une construction **maquette**
– Individu qui fabrique des modèles réduits **modéliste**
– Ouvrier qui fabrique des modèles **modeleur**
– Personne nue qui sert de modèle à un artiste **académie**
– Établissement de modèles scientifiques **modélisation**
– Un modèle de vertu **exemple, parangon**

MODÈLE (2)
– Une vie modèle **exemplaire, édifiante**

MODELER
plast-, -plaste, -plastie

MODELER façonner
– Modeler de la glaise **pétrir, travailler**

MODÉRATION
– Interlocuteur qui fait preuve de modération dans ses propos **retenue, réserve, circonspection, mesure, prudence**
– Convive qui se distingue par sa modération **sobriété, frugalité, tempérance**
– Une mère de famille qui achète avec modération **économe**

MODÉRÉ
– Un individu modéré **mesuré**
– Homme politique modéré **centriste, modérantiste**
– Pratiquer des prix modérés **raisonnables**
– Habitation à loyer modéré **H.L.M.**
– Morceau de musique d'un mouvement modéré **moderato**

MODERNE
– Technique moderne **de pointe**
– En histoire, époque qui fait suite à l'époque moderne **contemporaine**
– Prédilection pour tout ce qui est moderne **modernité**
– Esprit moderne **novateur**
– Individu opposé à toute idée moderne **rétrograde**

MODERNISER
– Il faut moderniser ces installations **rénover**
– Moderniser des programmes scolaires **réformer**

MODESTE
– Un individu modeste **simple, humble**
– Une surface modeste **limitée, restreinte**
– Une rémunération modeste **maigre, modique**

MODIFICATION voir aussi **transformation**
– Modification d'un bâtiment vétuste **amélioration, embellissement**
– Modification d'une situation financière jugée précaire **aggravation**
– Petite modification apportée à un texte **correction, rectification**
– Modification importante d'un ouvrage **refonte**
– Modifications apportées à un vêtement pour l'ajuster à la taille de l'acheteur **retouches**
– Modification complète de la forme d'un individu **métamorphose**
– Modification d'un gouvernement **remaniement**
– Proposer la modification d'un texte de loi **amendement**
– En géologie, modification d'une roche **altération**

MODIFIER
– Modifier totalement **transformer, transmuer**
– La situation se modifie au fil des jours **change, varie, évolue**

MOELLE
myél(o)-, -myélite

MOELLE
– Affection de la moelle osseuse ou de la moelle épinière **médullaire**
– Gaine osseuse qui entoure la moelle épinière **canal rachidien**
– Radiographie de la moelle épinière **myélographie**
– Affection inflammatoire de la moelle épinière **myélite**
– Maladie provoquée par la lésion de la corne antérieure de la moelle épinière **poliomyélite**
– Qualificatif de la moelle osseuse, qui produit des globules **hématopoïétique**
– Résultat de l'examen de la moelle osseuse **myélogramme**
– Infection de la moelle osseuse **ostéomyélite**
– Prolifération tumorale de la moelle osseuse **myélomatose, maladie de Kahler**
– Diminution de la formation des globules par la moelle osseuse **hypoplasie, aplasie**

MŒURS
éth(o)-

MŒURS habitudes, coutumes, usages, us, traditions
– Étude des mœurs d'une civilisation **ethnologie**

MOI ego
– Tendance à tout rapporter au moi **égocentrisme**
– Culte du moi **narcissisme, égotisme**
– Instance qui, avec le moi, compose la personnalité de l'individu, selon Freud **surmoi, ça**

MOINDRE inférieur, mineur, secondaire, subalterne
– Le moindre de nos soucis **dernier, cadet**

MOINE
– Clergé auquel appartiennent les moines **régulier**
– Association de moines **congrégation**
– Vie de moine **monachisme**
– Édifice où les moines vivent en communauté **monastère, abbaye, couvent, chartreuse, prieuré, trappe**
– Partie d'un couvent dont l'accès est réservé aux moines **cloître**
– Caractère inaliénable des biens d'une communauté de moines **mainmorte**
– Habit des moines **froc**
– Robe à capuche que portent certains moines **coule**
– Capuchon porté par certains moines **cuculle**
– Vêtement du moine composé d'un capuchon et de deux pans d'étoffe qui tombent jusqu'aux pieds **grand scapulaire**

– Jadis, espace rasé au sommet de la tête des moines **tonsure**
– Cérémonie au cours de laquelle un moine prononce ses vœux **profession**
– Prise d'habit d'un moine **vêture**
– Moine ayant prononcé ses vœux **profès**
– Offices auxquels assistaient les moines avant Vatican II **matines, laudes, prime, tierce, sexte, none, vêpres, complies**
– Chant liturgique des moines **grégorien, plain-chant**
– Jeune moine **novice**
– Moine qui fait partie d'une communauté **cénobite**
– Moine chargé de l'intendance d'un monastère **cellérier**
– Moine qui se retire pour vivre seul **ermite, anachorète**
– Moine errant **gyrovague**
– Moine qui a renoncé à la vie religieuse **défroqué**
– Laïque qui se joint à une communauté de moines **oblat**
– Moine de l'Église d'Orient **caloyer**
– Moine bouddhiste d'Asie du Sud-Est **bonze**
– Moine bouddhiste tibétain **lama**

MOINEAU
– Ordre auquel appartient le moineau **passereaux**
– Famille à laquelle appartient le moineau **plocéidés**
– Nom usuel du moineau domestique des villes **pierrot**
– Moineau des campagnes qui porte un point noir sur la joue **friquet**

MOIRÉ chatoyant, miroitant, ondé
– Reflet moiré **moirure**
– Donner à un tissu un aspect moiré **calandrer**

MOIS voir aussi tableau et **calendrier**
– Journal qui paraît une, deux ou quatre fois par mois **mensuel, bimensuel, hebdomadaire**
– Revue qui paraît tous les deux mois **bimestrielle**
– Revue qui paraît tous les trois mois **trimestrielle**
– Revue qui paraît tous les six mois **semestrielle**
– Mois lunaire **lunaison**
– Système qui permet d'étaler un paiement sur plusieurs mois **mensualisation**

MOISISSURE chancissure, efflorescence voir aussi **champignon**
– Phase qui succède à la moisissure **pourriture, décomposition**
– Moisissure qui apparaît sur les vieux murs **salpêtre**
– Moisissure qui apparaît à la surface du vin **fleur de vin**

MOISSON récolte
– Instrument avec lequel on faisait la moisson à la main **faux, faucille**
– Machine, sophistiquée, utilisée pour faire la moisson **moissonneuse-batteuse**
– Déesse des moissons dans l'Antiquité **Déméter, Cérès**

MOITE humide
– Peau moite d'un malade fiévreux **halitueuse**

MOITIÉ
mi-, semi-, hémi-

MOITIÉ
– Moitié du globe **hémisphère**
– Moitié d'un vers **hémistiche**
– Paralysie qui touche une moitié du corps **hémiplégie**
– Partager une somme moitié-moitié **fifty-fifty**

MOLLET
– Muscle du mollet **sural**
– Muscles qui composent le triceps du mollet **jumeaux, soléaire**

MOLLUSQUE
– Membrane qui recouvre le corps des mollusques **manteau**
– Les six classes de mollusques **gastéropodes, lamellibranches, céphalopodes, scaphopodes, amphineures, monoplacophores**
– Mollusque gastéropode (ou gastropode) **limace, escargot, patelle, ormeau, porcelaine, fuseau**
– Mollusque lamellibranche (ou bivalve) **moule, huître, peigne, couteau, palourde, praire**
– Mollusque céphalopode **seiche, calmar, pieuvre, poulpe, argonaute, nautile**
– Mollusque scaphopode **dentale**
– Mollusque amphineure **chiton**
– Mollusque monoplacophore **néopilina**

MOMENT laps de temps
– Choisir le moment adéquat **occasion, circonstance**
– Bonheur qui ne dure qu'un moment **momentané, éphémère, fugace**

MONARCHIE royaume, couronne voir aussi **roi**
– Dirige une monarchie **roi, monarque, souverain**
– Monarchie où les pouvoirs du souverain sont sans limites **absolue**
– Monarchie où le souverain règne par la volonté de Dieu **de droit divin**
– Monarchie où les pouvoirs du souverain sont régis par une constitution **constitutionnelle**
– Type de monarchie constitutionnelle **parlementaire**
– Monarchie où le souverain est un parent de son prédécesseur **héréditaire**
– Monarchie où le souverain est élu **élective**
– Emblème de la monarchie française **lis**
– Individu favorable à la monarchie **monarchiste**

MONASTÈRE couvent, prieuré, chartreuse
– Ancien terme désignant un monastère **moutier**
– Partie fermée d'un monastère réservée aux moines **cloître**
– Cour intérieure du cloître d'un monastère **préau**
– Salle d'un monastère où se réunit le chapitre **capitulaire**
– Recueil de titres de propriété d'un monastère **cartulaire**
– Monastère de religieuses en Belgique et aux Pays-Bas **béguinage**
– Monastère de bonzes **bonzerie**
– Monastère tibétain **lamaserie**
– En Inde, monastère où se rassemblent les adeptes d'un gourou **ashram**

MONDE
cosm(o)-, -cosme

MONDE
– Le monde entier **Univers, cosmos, macrocosme**
– Monde à l'échelle réduite **microcosme**
– Explosion qui serait à l'origine de la formation du monde **big-bang**
– Théorie, système expliquant la

LES MOIS DU CALENDRIER RÉPUBLICAIN

AUTOMNE	HIVER	PRINTEMPS	ÉTÉ
vendémiaire	**nivôse**	**germinal**	**messidor**
brumaire	**pluviôse**	**floréal**	**thermidor**
frimaire	**ventôse**	**prairial**	**fructidor**

formation du monde **cosmogonie**
– Livre de la création du monde dans la Bible **Genèse**
– Fin du monde **apocalypse**
– Les hommes du monde entier **humanité**
– Éviter le monde **foule, affluence**

MONÉTAIRE
– Métal choisi pour déterminer la valeur d'une unité monétaire **étalon**
– Système monétaire établi sur un étalon unique **monométallisme**
– Système monétaire à deux étalons **bimétallisme**
– Fonds monétaire international **F.M.I.**
– Unité monétaire européenne **écu (European Currency Unit)**

MONGOLISME trisomie 21
– Individu atteint de mongolisme **mongolien**
– Faciès caractéristique d'une personne atteinte de mongolisme **mongoloïde**

MONNAIE voir aussi tableaux ci-contre et p. 290
– Se livrer à l'étude des monnaies **numismatique**
– Côté face d'une pièce de monnaie **avers, droit, obvers**
– Côté pile d'une pièce de monnaie **envers, revers**
– Monnaie de papier **fiduciaire**
– Monnaie de banque **scripturale**
– Visage d'une célébrité sur une pièce de monnaie **effigie**
– Figure sur une pièce de monnaie **type**
– Date d'émission d'une monnaie **millésime**
– Inscription sur une pièce de monnaie **légende**
– Bordure d'une pièce de monnaie réservée à la légende **carnèle**
– Rebord autour du flanc d'une pièce de monnaie **cordon**
– Cordon gravé sur une pièce de monnaie **crénelage**
– Relief sur le pourtour d'une pièce de monnaie **listel, grènetis**
– Marque sur la tranche d'une pièce de monnaie **cordonnet**
– Fabriquer des pièces de monnaie **battre monnaie**
– Phase de la fabrication d'une pièce de monnaie **fonderie, laminage, découpage, cordonnage, recuit, frappe**
– Outillage qui permet de frapper une monnaie **coin, virole**
– Balance que l'on utilisait autrefois pour peser des pièces de monnaie **trébuchet**

PRINCIPALES MONNAIES ÉTRANGÈRES

PAYS	UNITÉ MONÉT.
Afghānistān	**āfghāni**
Afrique du Sud	**rand**
Albanie	**lek**
Algérie	**dinar algérien**
Allemagne	**deutsche Mark**
Arabie Saoudite	**riyal**
Argentine	**peso argentin**
Australie	**dollar australien**
Autriche	**schilling**
Belgique	**franc belge**
Bénin	**franc C.F.A.**
Birmanie	**kyat**
Bolivie	**peso bolivien**
Brésil	**cruzado**
Bulgarie	**lev**
Burundi	**franc du Burundi**
Cambodge	**riel**
Cameroun	**franc C.F.A.**
Canada	**dollar canadien**
centrafricaine (République)	**franc C.F.A.**
Chili	**peso**
Chine (Rép. pop. de)	**ren-min-bi yuan**
Chypre	**livre cypriote**
Colombie	**peso colombien**
Congo	**franc C.F.A.**
Corée du Nord	**won**
Corée du Sud	**won**
Costa Rica	**colón**
Côte-d'Ivoire	**franc C.F.A.**
Cuba	**peso cubain**
Danemark	**krone (couronne)**
Égypte	**livre égyptienne**
Émirats arabes unis	**dirham**
Équateur	**sucre**
Espagne	**peseta**
États-Unis	**dollar U.S.**
Éthiopie	**birr**
Finlande	**markka (mark)**
Gabon	**franc C.F.A.**
Ghāna	**nouveau cédi**
Grande-Bretagne	**pound sterling (livre sterling)**
Grèce	**drachme**
Guatemala	**quetzal**
Guinée	**syli**
Haïti	**gourde**
Haute-Volta	**franc C.F.A.**
Honduras	**lempira**
Hongkong	**dollar de Hongkong**
Hongrie	**forint**
Inde	**roupie indienne**
Indonésie	**nouvelle rupiah**
Iran	**rial**
Iraq	**dinar iraquien**
Irlande (rép. d')	**livre irlandaise**
Islande	**króna (couronne)**
Israël	**shekel**
Italie	**lira (lire)**
Japon	**yen**
Jordanie	**dinar jordanien**
Kenya	**shilling du Kenya**
Koweït	**dinar koweïtien**
Laos	**kip**
Liban	**livre libanaise**
Liberia	**dollar libérien**
Libye	**dinar libyen**
Luxembourg	**franc luxembourgeois**
Madagascar	**franc malgache**
Mali	**franc malien**
Maroc	**dirham**
Mauritanie	**ouguiya**
Mexique	**peso mexicain**
Népal	**roupie népalaise**
Nicaragua	**córdoba**
Niger	**franc C.F.A.**
Nigeria	**naira**
Norvège	**krone (couronne)**
Nouvelle-Zélande	**dollar néo-zélandais**
Pakistan	**roupie du Pakistan**
Panamá	**balboa**
Paraguay	**guarani**
Pays-Bas	**gulden (florin)**
Pérou	**sol**
Philippines	**peso philippin**
Pologne	**zloty**
Portugal	**escudo**
Qatar	**riyal**
Roumanie	**leu**
Ruanda	**franc ruandais**
Salvador (El)	**colón**
Sénégal	**franc C.F.A.**
Somalie	**shilling somali**
Soudan	**livre soudanaise**
Suède	**krona (couronne)**
Suisse	**franc suisse**
Syrie	**livre syrienne**
Tanzanie	**shilling de Tanzanie**
Tchad	**franc C.F.A.**
Tchécoslovaquie	**koruna (couronne)**
Thaïlande	**baht ou tical**
Togo	**franc C.F.A.**
Tunisie	**dinar tunisien**
Turquie	**livre turque**
U.R.S.S.	**rouble**
Uruguay	**peso uruguayen**
Venezuela	**bolívar**
Viêt-nam	**dông**
Yémen	**rial du Yémen**
(République du)	**dinar du Yémen**
Yougoslavie	**dinar yougoslave**
Zaïre	**zaïre**
Zimbabwe	**dollar du Zimbabwe**

MONNAIES ANCIENNES

as	Ancienne monnaie romaine en cuivre.	**mine**	Unité de monnaie de la Grèce antique valant 100 drachmes.
besant	Ancienne monnaie byzantine en or.	**monaco**	Ancienne monnaie de cuivre de la principauté de Monaco.
carlin	Ancienne monnaie napolitaine.	**moneron**	Monnaie de cuivre française émise sous la Révolution.
carolus	Ancienne monnaie d'argent française émise par Charles VIII.	**napoléon**	Ancienne monnaie d'or française frappée à l'effigie de Napoléon.
darique	Monnaie d'or de la Perse ancienne.	**obole**	Unité de monnaie de la Grèce antique valant un sixième de drachme.
denier	Ancienne monnaie d'argent romaine. Ancienne monnaie française valant la douzième partie du sou.	**pagode**	Ancienne monnaie d'or de l'Inde.
doublon	Ancienne monnaie d'or espagnole.	**pistole**	Ancienne monnaie d'or espagnole et italienne de valeur variable.
douro	Ancienne monnaie d'argent espagnole valant 5 pesetas.	**réal**	Ancienne monnaie espagnole valant le quart de la peseta.
douzain	Ancienne monnaie française valant normalement 12 deniers.	**rixdale**	Ancienne monnaie d'argent des Pays-Bas utilisée en Europe du Nord et de l'Est.
drachme	Monnaie d'argent de la Grèce antique.	**sapèque**	Ancienne monnaie d'Extrême-Orient de faible valeur.
écu	Ancienne monnaie d'argent française valant normalement 3 livres.	**sequin**	Ancienne monnaie d'or vénitienne.
gulden	Ancien florin des Pays-Bas.	**sesterce**	Ancienne monnaie romaine.
liard	Ancienne monnaie de cuivre française valant le quart du sou.	**sou**	Ancienne pièce créée sous la Révolution française et valant 5 centimes.
louis	Ancienne monnaie d'or française frappée à l'effigie des rois de France à partir de Louis XIII et valant 24 livres.	**statère**	Monnaie de la Grèce antique.
maille	Ancienne monnaie de cuivre française, la plus petite sous les Capétiens.	**tael**	Ancienne monnaie chinoise.
maravédis	Ancienne monnaie d'or ou d'argent sous les Almoravides.	**teston**	Ancienne monnaie d'argent française à l'effigie du roi Louis XII.
marc	Monnaie d'or ou d'argent utilisée autrefois dans divers pays.	**thaler**	Ancienne monnaie d'argent des pays germaniques.

– Système d'échange que la monnaie a remplacé **troc**
– Titre d'une monnaie **aloi**
– Individu qui fabrique de la fausse monnaie **faux-monnayeur, faussaire**
MONOPOLE exclusivité
– Personne ou société qui détient un monopole **monopoliste, monopoleuse**
– Entreprise publique qui peut détenir un monopole **régie**
– Concentration d'entreprises qui peut aboutir à un monopole **cartel, trust**
MONOTONE
– Un discours monotone **ennuyeux, lassant, insipide**
– Un clapotis monotone **régulier, continuel, ininterrompu**
– Un air monotone **monocorde**
– Il voyait défiler un paysage monotone **uniforme**
MONSTRE
térat(o)-
MONSTRE yéti, monstre du loch Ness
– Étude scientifique des monstres **tératologie**
– Médicament qui, pris par une femme enceinte, peut lui faire engendrer un monstre **tératogène**
– En architecture, monstre de pierre sculpté d'où s'écoulent les eaux de pluie **gargouille**
– Tête de monstre ou de créature imaginaire qui décore une façade ou une fontaine **mascaron**
MONSTRUOSITÉ malformation, difformité
– Monstruosité du tronc **ectrosomie**
– Monstruosité des membres **hémimélie, phocomélie, ectromélie**
– Monstruosité de la tête **hydrocéphalie, anencéphalie, encéphalocèle, méningocèle**
– La monstruosité d'un attentat **atrocité, horreur**
MONTAGNE
oro-
MONTAGNE voir aussi tableau
– Montagne pointue **pic, aiguille, dent**

– Montagne arrondie dans les Vosges **ballon**
– En Auvergne, montagne volcanique en forme de cratère ou de dôme **puy**
– Montagne au Maghreb **djebel**
– Sommet d'une montagne **cime, faîte, crête**
– Sommet d'une montagne en forme de coupole **dôme**
– Chaîne de montagnes dans les pays hispanophones **sierra**
– Amphithéâtre de hautes montagnes dominant une région couverte de glace **cirque glaciaire**
– Voie de passage entre deux montagnes **col, pas**
– Flanc d'une montagne exposé au sud **adret, soulane**
– Flanc d'une montagne exposé au nord **ubac**
– Versant d'une montagne constitué de pierriers, d'éboulis et d'escarpements ruiniformes **casse**
– Ligne de séparation entre les deux flancs d'une montagne **arête**
– En montagne, plaque de neige tassée qui recouvre la glace **névé**
– Étude des montagnes **orographie**
– Ensemble des mouvements qui ont déterminé la formation des chaînes de montagnes **orogenèse**
– Pâturage en montagne **alpage, estive**
– Sentier de montagne par lequel s'effectuait la transhumance vers les alpages **draille**
– Économie traditionnelle des montagnes fondée sur l'élevage extensif **pastoralisme**
– Escalade en montagne **alpinisme, varappe**
– Construction en haute montagne à l'usage des alpinistes et des randonneurs **refuge**
– En montagne, ascension qui se fait à partir d'un refuge **course**
– Matériel nécessaire pour une ascension en montagne **chaussures à semelles de caoutchouc, pitons et étriers, marteau, mousquetons, tamponnoir, cordes**
– Matériel du sportif de montagne pour une ascension sur la glace **chaussures à crampons, cordes, broches à glace, vis à glace, piolet**

MONTER
– L'enfant essayait de monter sur un tabouret **grimper, se hisser**
– Monter avec difficulté un escalier **gravir**
– Monter à bord d'un bateau ou d'un avion **embarquer**

LES PLUS HAUTES MONTAGNES DU MONDE

MONTAGNE	PAYS	ALTITUDE (EN M)
Everest	Népal/Chine	8 848
K2	Pakistan/Chine	8 611
Kangchenjunga	Népal/Inde	8 585
Lhotse I	Népal/Chine	8 501
Makalu	Népal/Chine	8 481
Dhaulagiri	Népal	8 172

– Monter une applique de quelques centimètres **relever, hausser**
– Monter très rapidement une étagère en kit **assembler**
– Monter un bijou **sertir, enchâsser**
– Monter un mauvais coup **combiner, ourdir, tramer**
– Se monter en ustensiles ménagers **s'équiper**

MONTRE
– Montre à quartz à affichage numérique **à cristaux liquides**
– Montre à quartz à aiguilles **analogique**
– Une des premières montres de poche **œuf, oignon**
– Montre ancienne à double boîtier **savonnette**
– Petite poche dans laquelle on glissait sa montre **gousset**
– Dans le sens des aiguilles d'une montre **dextrorsum**

MONTRER
– Montrer son laissez-passer à l'entrée **présenter**
– Montrer sa nouvelle toilette **arborer, exhiber**
– Montrer ses talents **dévoiler, étaler**
– Montrer des réalités méconnues **révéler, évoquer, dépeindre, décrire**
– Montrer à un ouvrier le fonctionnement d'une machine **indiquer, apprendre, enseigner**
– Montrer à son interlocuteur qu'il est dans le faux **prouver, expliquer**
– Montrer son étiquette politique **afficher**
– Montrer sa vive satisfaction **exprimer, manifester, extérioriser**
– Se montrer en public **apparaître**
– Se montrer totalement inefficace **se révéler, s'avérer**

MONTURE **cheval de selle**
– Monture d'une ligne de pêche **avançon**
– Élément de la monture d'une épée **garde, fusée, pommeau**

MONUMENT **bâtiment, construction, édifice** voir aussi tableau
– Monument commémoratif **mémorial**
– Remise en état d'un monument historique **restauration**
– Ensemble des monuments d'une ville **patrimoine**
– Inscription sur un monument **épigraphe**

MONUMENTS FRANÇAIS DU PATRIMOINE MONDIAL

abbaye de Fontenay	château de Fontainebleau	monuments gallo-romains d'Arles
basilique de Vézelay	château de Versailles	place Stanislas de Nancy
cathédrale d'Amiens	église de Saint-Savin-sur-Gartempe	salines royales d'Arc-et-Senans
cathédrale de Chartres	grotte de Lascaux	théâtre antique et arc de triomphe d'Orange
château de Chambord	Mont-Saint-Michel (Le)	

MOQUER (SE)
– Se moquer de quelqu'un **rire de, se gausser de, dauber, chiner**
– Se moquer d'un avertissement **dédaigner, mépriser, faire fi de**
– Se moquer de l'opinion **braver, narguer**
MOQUERIE
– Moquerie acerbe **flèche, sarcasme, quolibet, épigramme, brocard**
– Moquerie bouffonne **lazzi**
MOQUEUR
– Individu moqueur **facétieux, gouailleur, pince-sans-rire**
– Un esprit moqueur **railleur, persifleur, frondeur**
– Un regard moqueur **goguenard, narquois**
– Un ton moqueur **ironique, caustique, sardonique**
– Une caricature moqueuse **charge, satire**
MORAL
– Des historiettes bien morales **édifiantes**
– Règle morale qui guide la conduite **principe**
– Code moral d'une profession **déontologie**
MORALE
– Partie de la philosophie qui étudie les problèmes fondamentaux de la morale **éthique**
– Partie de la morale qui a pour objet de résoudre les cas de conscience **casuistique**
– Formule brève résumant un principe de morale **maxime**
– La morale d'une fable **moralité, enseignement**
– Récit en prose ou en vers contenant une morale **apologue**
MORCEAU **partie, portion, segment, tronçon**
– Petit morceau **bribe, parcelle**
– Les morceaux d'une porcelaine brisée **fragments, débris**
– Un morceau de pain **quignon**
– Premier morceau que l'on coupe dans un rôti **entame**
– Un morceau de terrain **lopin**
– Couverture composée d'un assemblage de morceaux de tissus différents **en patchwork**
– Recueil composé de morceaux choisis **anthologie, florilège, chrestomathie**
MORDANT (1)
– Avoir du mordant sur un terrain de sport **énergie, ressort, punch, pep**
– Le mordant d'un discours **fougue, vivacité, impétuosité, virulence**
– Imprégner un tissu de mordant afin de fixer sa couleur **mordancer**
MORDANT (2)
– Un ton mordant **piquant, agressif, acerbe, sarcastique, caustique, acrimonieux**
– Un froid mordant **vif, cuisant, piquant, âpre**
MORDRE
– Mordre dans une pomme **croquer**
– Le lion mord sa proie à pleines dents **déchiquette**
– Mordre le bout de son stylo **mordiller, mâchonner**
– Appareil qui empêche un animal de mordre **muselière**
– Le poisson y mord **hameçon, appât**
– En gravure, l'acide mord le métal **ronge, attaque, entame**
– Mordre sur la ligne blanche **marcher sur, empiéter sur**
MOROSE
– Une vie morose **morne, terne**
– Un temps morose **maussade**
– Un air morose **renfrogné, revêche, rechigné**
– Une humeur morose **sombre, chagrine, mélancolique**
MORPHOLOGIE
– Étude scientifique des liens entre la morphologie et la personnalité d'un individu **morphopsychologie, physiognomonie**
– Morphologie des reliefs de la Terre **géomorphologie**
MORSE voir aussi tableau
– Ordre auquel appartient le morse **pinnipèdes**
– Famille à laquelle appartient le morse **odobénidés**
– Animal du même ordre que le morse **otarie, phoque, éléphant de mer**
MORT
thanato-, nécr(o)-
MORT (1) **décès, trépas** voir aussi **funèbre**
– Nom donné à la mort **la Faucheuse, la Fossoyeuse, la Camarde**
– Les tourments de la mort **affres**
– Les derniers moments qui précèdent la mort **agonie**
– Corps d'un individu après sa mort **dépouille**
– Tintement de cloche qui annonce la mort ou les obsèques d'un individu **glas**
– Œuvre publiée après la mort de son auteur **posthume**
– Consiste à hâter la mort d'un malade incurable pour abréger ses souffrances **euthanasie**
– Étude de la mort **thanatologie**
– En psychanalyse, pulsion de mort **thanatos**
– Salle d'un hôpital où reposent les morts **morgue**
– Étoffe dans laquelle on ensevelit un mort **linceul, suaire**
– Registre d'une paroisse sur lequel on inscrit le nom des morts **nécrologe**
– Personne chargée d'enterrer les morts au cimetière **fossoyeur**
– Réduire un mort en cendres **incinérer**
– Dieu des morts dans l'Antiquité romaine **Pluton**
– Dieu des morts dans l'Antiquité grecque **Hadès**
– Dans l'Antiquité romaine, spectre d'un mort **lémure, larve**
– Aux Antilles, spectre d'un mort **zombi**
MORT (2)
– Personne morte **défunte**
– Rubrique d'un journal donnant la liste des personnes mortes **nécrologie**
– Précédait le nom d'une personne morte **feu**
MORTALITÉ
– Taux de mortalité **létalité**
– Taux de mortalité intra-utérine **mortinatalité**
– Mortalité due à une maladie ou à un accident **exogène**
– Mortalité due au vieillissement **endogène**
– Mortalité des bébés de zéro à un an **infantile**
– Mortalité des femmes durant l'accouchement **maternelle**
MORTEL
– Un accident mortel **fatal, funeste**
– Un champignon mortel **vénéneux, vireux**
– Une conférence mortelle **ennuyeuse, pénible, fastidieuse**
– Un sermon mortel **mortifère**
MORTIER
– Ensemble de graviers et de cailloux concassés avec lesquels on fabrique du mortier **granulat**
– Délayer du mortier dans de l'eau **gâcher**
– Instrument utilisé pour broyer une substance dans un mortier **pilon**
MORUE
– Ordre auquel appartient la morue **gadiformes**
– Morue noire **églefin**
– Morue du Groenland **ogac**
– Morue fraîche **cabillaud**
– Morue séchée **merluche, stockfish**
– Morue noire fumée **haddock**

ALPHABET MORSE

A •—	H ••••	O ———	V •••—
B —•••	I ••	P •——•	W •——
C —•—•	J •———	Q ——•—	X —••—
D —••	K —•—	R •—•	Y —•——
E •	L •—••	S •••	Z ——••
F ••—•	M ——	T —	É ••—••
G ——•	N —•	U ••—	
1 •————		6 —••••	
2 ••———		7 ——•••	
3 •••——		8 ———••	
4 ••••—		9 ————•	
5 •••••		0 —————	

MOSAÏQUE
– Artiste qui crée des mosaïques **mosaïste**
– Petit élément d'une mosaïque **tesselle, abacule**
– Sol de mosaïque **pavement**

MOSQUÉE voir aussi **musulman**
– Salle de prière sous coupole d'une mosquée **haram**
– Chaire d'une mosquée **minbar**
– Niche creusée dans un mur d'une mosquée donnant la direction de La Mecque **mihrab**
– Dans une mosquée salle voûtée ouverte d'un côté par un large porche **iwan**
– Tour d'une mosquée depuis laquelle sont lancés les appels à la prière **minaret**
– Musulman qui lance les appels à la prière du haut du minaret d'une mosquée **muezzin**

MOT voir aussi **rhétorique, lettre, syllabe**
– Analyse de la structure interne des mots **morphologie**
– Étude des relations liant le mot à son origine **étymologie**
– Dans un ouvrage, petit dictionnaire des mots difficiles ou spécialisés **lexique, glossaire**
– Ensemble des mots spécialisés d'une discipline **terminologie, nomenclature**
– Mot imitant un bruit **onomatopée**
– Mot de création très récente **néologisme**
– Mot vieilli employé alors qu'il n'est plus usité **archaïsme**
– Mot qui n'apparaît qu'une fois dans un corpus **hapax**
– Mot formé à partir des lettres d'un mot différent **anagramme**
– Mot formé à partir des initiales d'un groupe de mots **acronyme**
– Mot exprimant plusieurs sens **polysémique**
– Sens d'un mot **signification, acception**
– Mots de même sens **synonymes**
– Mots dont le sens est proche **analogues**
– Mots qui ont un sens opposé **antonymes**
– Mots de prononciation identique mais de sens différent **homonymes, homophones**
– Mots de graphie identique mais de sens différent **homographes**
– Mots de forme voisine mais de sens différent **paronymes**
– Transcription écrite d'un mot **alphabétique, syllabaire, idéogrammatique**
– Élément de base commun à tous les mots d'une même famille **racine**
– Forme que prend la racine d'un mot **radical**
– Constituant significatif d'un mot **morphème**
– Morphème adjoint au radical d'un mot **affixe**
– Affixe placé avant le radical d'un mot **préfixe**
– Affixe placé après le radical d'un mot **suffixe**
– Affixe inséré dans le radical d'un mot **infixe**
– Emploi incorrect d'un mot **impropriété**
– Emploi d'un mot pour un autre pour adoucir une expression trop crue **euphémisme**
– Élision d'un mot ou d'un groupe de mots **ellipse**
– Groupe de mots que l'on lit de gauche à droite et de droite à gauche et qui garde le même sens **palindrome**
– Couple de mots de même étymologie **doublet**
– Énoncer des mots à haute et intelligible voix **articuler**
– Énoncer une à une les lettres qui composent un mot **épeler**
– Traduction mot à mot **littérale**
– Mot d'esprit **trait, boutade, saillie**
– Mot d'esprit satirique **épigramme**
– Faire des jeux de mots **calembour, contrepèterie**
– Discussion qui joue sur les mots **logomachie**
– Amateur de mots croisés **cruciverbiste**

MOTEUR
moto-, -moteur

MOTEUR voir aussi dessin p. 294 et **arbre, soupape**
– Moteur à piston rotatif **Wankel**
– Moteur à huile lourde **Diesel**
– Les quatre temps du moteur à explosion **admission, compression, combustion, échappement**
– Pièce essentielle d'un moteur de voiture **arbre à cames, bielle, piston, culasse, bloc-cylindres, vilebrequin**
– Protège les pièces mobiles du moteur **carter**
– Mélange l'air et l'essence qui sont aspirés dans le moteur **carburateur**
– Disposition des cylindres d'un moteur **en ligne, à plat, en V**
– Partie mobile d'un moteur électrique **rotor**
– Partie fixe d'un moteur électrique **stator**
– Constructeur industriel de moteurs **motoriste**

MOTIF **cause, raison, mobile** voir aussi **ornement**
– Un motif controuvé **prétexte**
– Un motif inavoué **intention, motivation**
– Motif invoqué dans un jugement **considérant, attendu**
– Motif décoratif en architecture **ornement**
– En musique, motif conducteur **leitmotiv**
– Peindre sur le motif **d'après nature**

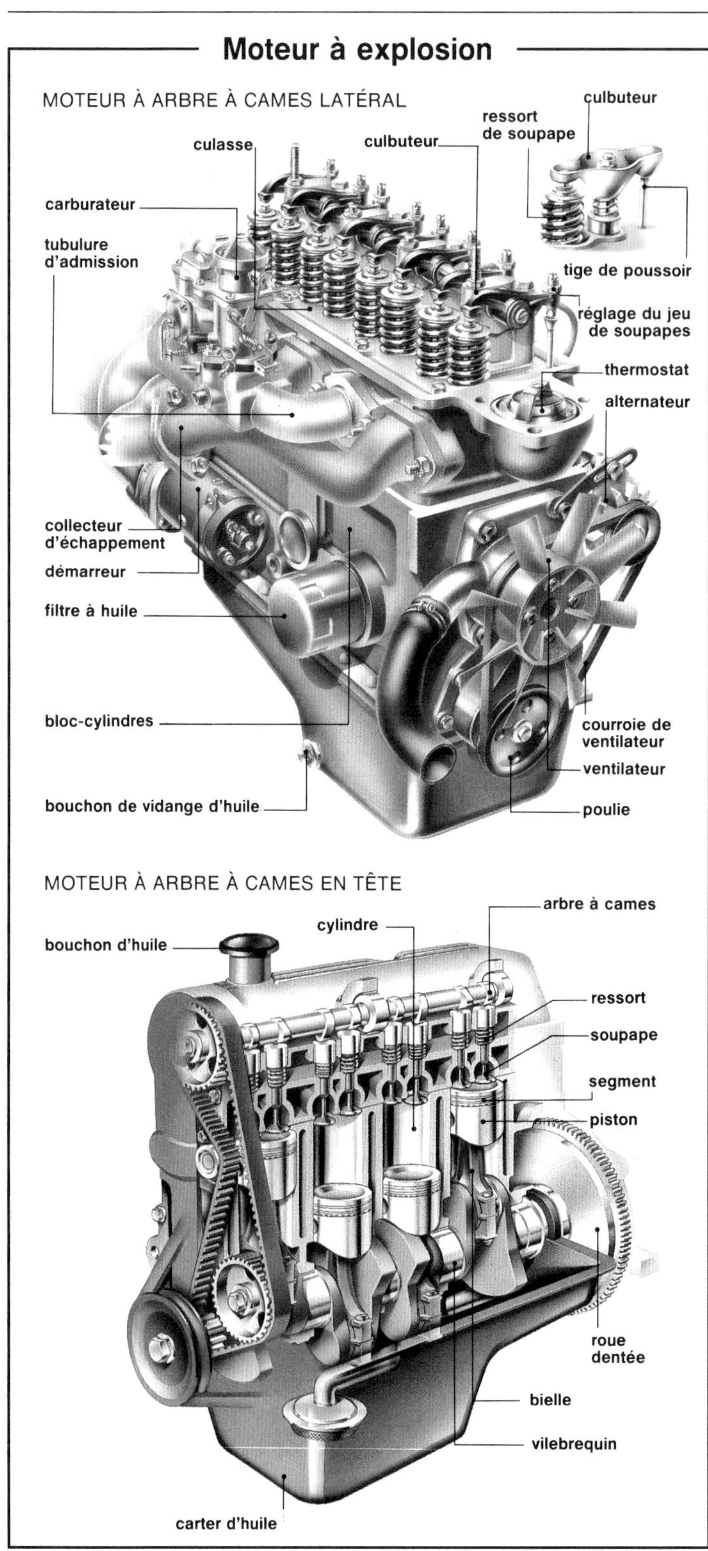

MOTOCYCLE

– Type de motocycle **cyclomoteur, vélomoteur, motocyclette, scooter**
– Commerçant qui vend et répare les motocycles **motociste**
– Motocycle pourvu de skis avec lequel on se déplace sur la neige **motoneige, motoski**

MOTOCYCLETTE

– Siège placé derrière la selle d'une motocyclette **tan-sad**
– Démarreur de motocyclette **kick**
– Motocyclette pourvue sur le côté d'un habitacle prévu pour une personne **side-car**
– Motocyclette destinée à un usage mixte (route et tout terrain) **trail**
– Motocyclette tout terrain légère et très maniable **trial**
– Motocyclette à quatre roues utilisée en compétition **quad**
– Motocyclette ou véhicule sportif au moteur très puissant **dragster**
– Épreuve de motocyclettes sur terrain accidenté **motocross**
– Épreuve d'endurance en motocyclette **enduro**
– Sport qui s'apparente au football mais où les joueurs se déplacent à motocyclette **motoball**

MOU

– Une glaise très molle **malléable, plastique**
– Un lit un peu mou **moelleux, douillet, mollet**
– Un canapé trop mou **avachi**
– Une terre molle facile à labourer **meuble**
– Un sol mou et gorgé d'eau **spongieux**
– Un ressort trop mou **flasque, lâche**
– Être mou de nature **indolent, nonchalant, apathique, amorphe**
– Un caractère mou **faible, veule**
– Individu complètement mou **chiffe**
– Le tempérament mou selon l'ancienne médecine des humeurs **flegmatique, lymphatique**

MOUCHE

myi-

MOUCHE

– Embranchement auquel appartient la mouche **arthropodes**
– Ordre auquel appartient la mouche **diptères**
– Famille à laquelle appartient la mouche **muscidés**
– Larve de mouche à viande **asticot**
– Mouche verte **lucilie**
– Mouche de mai **éphémère**
– Mouche du vinaigre **drosophile**

– Mouche charbonneuse qui pique le bétail **stomoxe**
– Mouche d'Afrique qui transmet la maladie du sommeil **tsé-tsé**
– Parasitisme dû aux larves de certaines mouches **myiase**
– Mouches dont les larves sont à l'origine de myiases **œstres**
– Mouche à miel **abeille**

MOUILLER
– Mouiller légèrement du linge avant de le repasser **humidifier, humecter**
– Il a mouillé copieusement ses amis avec un tuyau d'arrosage **aspergé, éclaboussé**
– Mouiller un coton d'alcool **imprégner, imbiber**
– Mouiller l'ancre **donner fond**

MOULE forme, matrice
– Moule utilisé en pâtisserie **à brioche, à cake, à charlotte, à manqué, à savarin, à tarte**
– Moule à fromage frais **cagerotte, caserette, faisselle**
– Classe à laquelle appartient la moule **lamellibranches**
– Filaments qui permettent à la moule de s'attacher au rocher **byssus**
– Petit crabe qui se loge dans la coquille des moules **pinnothère**
– Élevage des moules **mytiliculture**
– Pieux sur lesquels on élève des moules **bouchots**
– Barque utilisée dans les parcs à moules **acon**
– Moule d'étang **anodonte**
– Moule de rivière **mulette**
– Toxine contenue dans une moule contaminée et à l'origine de paralysies **mytilotoxine**

MOULER
– Mouler des soldats de plomb **fondre, couler**
– Sa robe moule sa silhouette **épouse**

MOULIN voir aussi **farine**
– Dans un moulin, cylindre en pierre qui écrase le grain **meule**
– Dans un moulin, appareil qui trie les moutures **plansichter**
– Canal qui conduit l'eau jusqu'à la roue d'un moulin **bief**
– Canal par où coule l'eau qui fait tourner la roue d'un moulin **abée**
– Palettes de la roue d'un moulin à eau **aubes**
– Godets parfois fixés à la roue d'un moulin **augets**
– Moulin à huile **oliverie**

MOULURE
– Moulure décorative en forme de demi-cylindre utilisée en architecture **boudin**
– Petite moulure à section carrée sans décor **listel**
– Moulure à double courbe en S **doucine**
– Moulure de faible relief avec des bossages en forme d'œuf **cordon d'oves**
– Moulure saillante qui entoure les bases des colonnes ioniques et corinthiennes **tore**
– Moulure en creux **cavet**
– Moulure creusée en forme de gorge, prise entre deux parties plates, au bas d'une colonne **scotie**
– Moulure à hauteur d'appui, appliquée sur un mur **cimaise**
– Moulure arrondie et saillante à l'angle d'une pierre **nervure**
– Moulure ou ensemble de moulures ornant les courbures d'un arc **archivolte**

Moulins à vent et moulins à eau

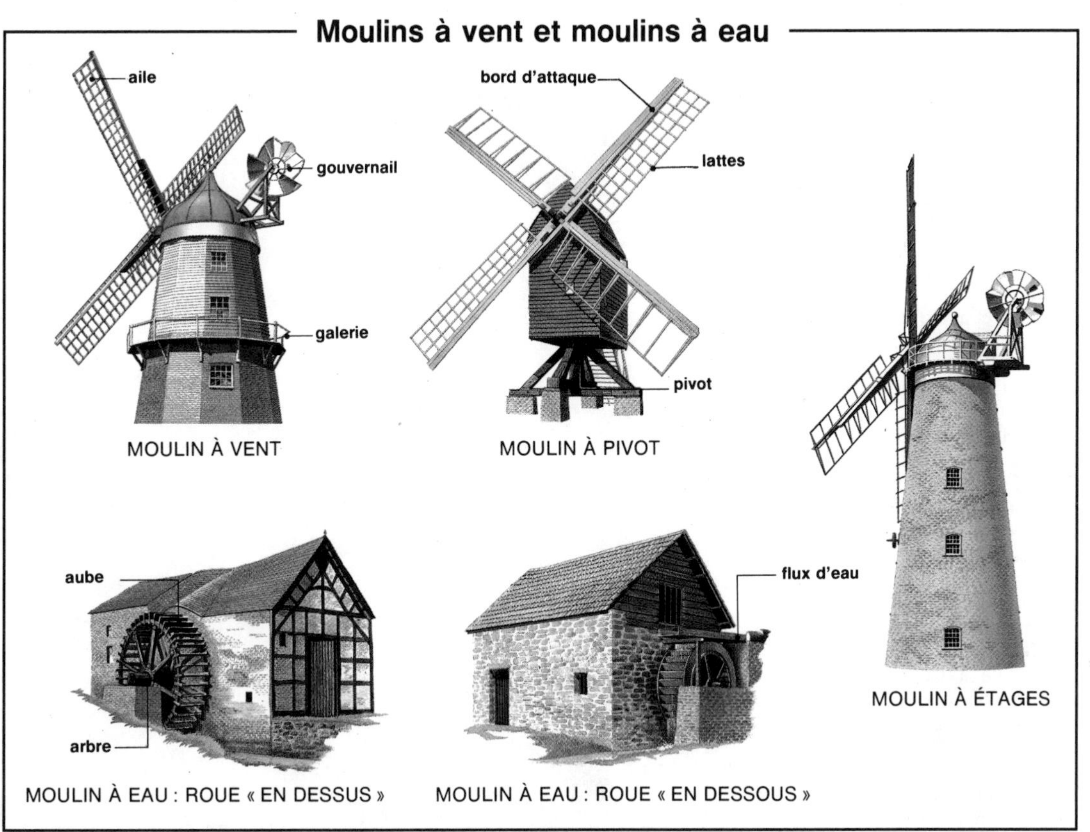

MOURIR **disparaître, expirer, périr, s'éteindre**
– Mourir d'une grave maladie **succomber à**
– Individu sur le point de mourir **moribond**
– Mourir de faim **inanition**

MOUSSE
– Catégorie de plantes dans laquelle on range les mousses **bryophytes, muscinées**
– Mousse très commune **hypne**
– Mousses utilisées en horticulture **sphaignes**
– Mousse fleurie des montagnes **silène acoule**
– Filament d'une mousse qui donne naissance à de nouvelles tiges **protonéma**
– Structures chevelues qui enracinent une mousse **rhizoïdes**
– Mousse blanche qui ourle les vagues **écume**
– Mousse qui se forme à la surface de la bière dans un bock **faux col**

MOUSTACHE **bacchante**
– Moustaches d'un chat **vibrisses**

MOUSTIQUE
– Ordre auquel appartient le moustique **diptères**
– Famille à laquelle appartient le moustique **culicidés**
– Moustique aux grandes pattes qui ne pique pas **cousin, culex**
– Moustique des pays tropicaux ou du Canada **maringouin**
– Moustique qui transmet le paludisme **anophèle**
– Moustique qui transmet la fièvre jaune **stégomyie**

MOUTARDE
– Famille à laquelle appartient la plante herbacée appelée moutarde **cruciféracées**
– Moutarde sauvage qui pousse dans les champs **sénevé, sanve**
– Fabricant de moutarde **moutardier**
– Utilisation pharmaceutique de la moutarde **cataplasme, pédiluve**
– Cataplasme de farine de moutarde **sinapisme, Rigollot**
– Remède qui contient de la farine de moutarde **sinapisé**
– Gaz moutarde **ypérite**

MOUTON voir aussi dessin
– Famille à laquelle appartient le mouton **bovidés**
– Pelage des moutons **toison**
– Parasite qui suce le sang des moutons **mélophage**
– Mouton dont la laine douce et fine est recherchée **mérinos**

Découpe du mouton

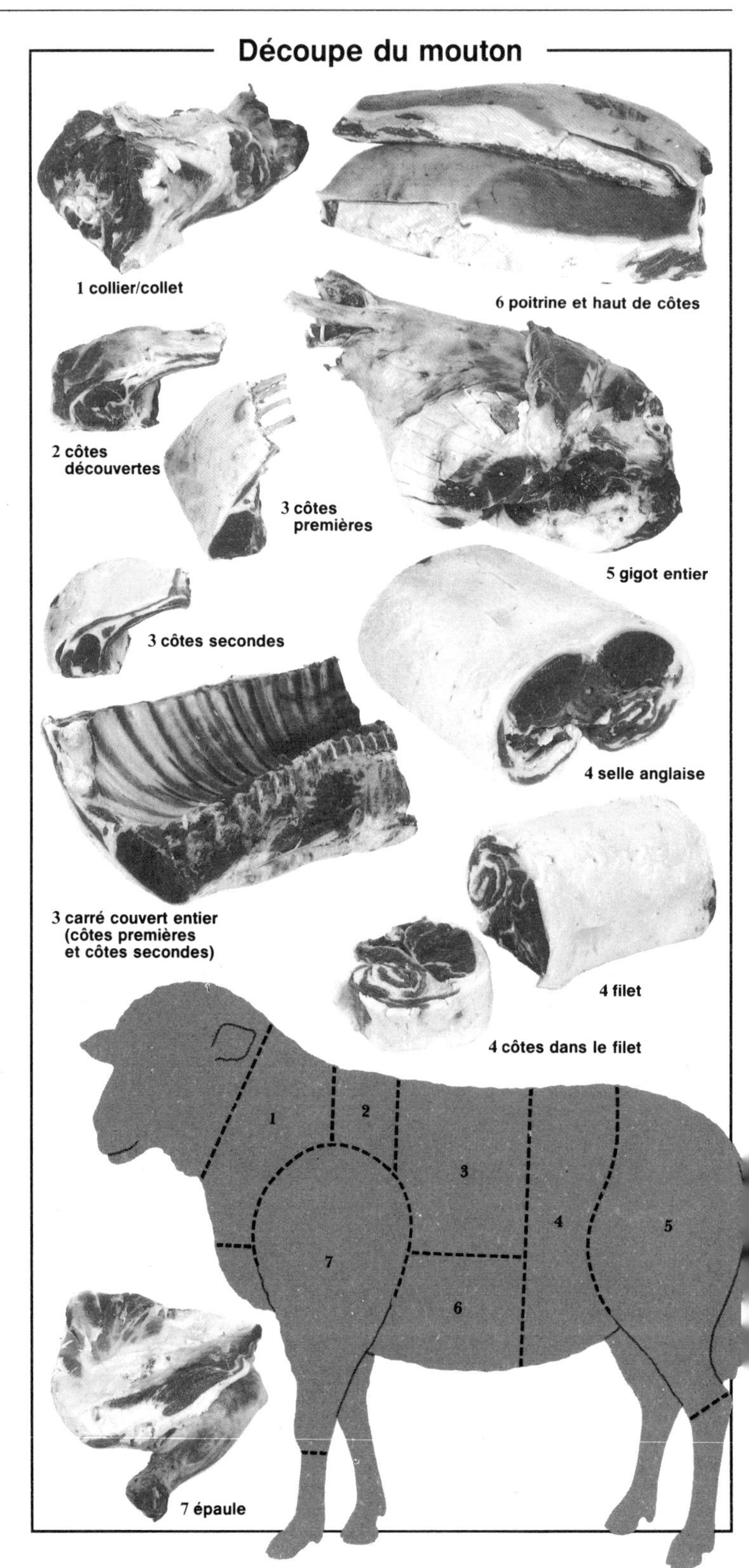

– Mouton d'Asie prisé pour sa fourrure appelée astrakan **karakul**
– Mouton sauvage d'Asie **mouflon, argali, bharal**
– Mouton sauvage d'Amérique du Nord **bighorn**
– Viande de mouton **ovine**
– Viande de mouton qui a engraissé dans des pâturages au bord de la mer **pré-salé**
– Préparer un ragoût de mouton **navarin, haricot**
– Repas au cours duquel on mange du mouton cuit à la broche **méchoui**
– Peau de mouton tannée que l'on utilise en maroquinerie, en reliure **basane**
– Graisse de mouton ou d'autres bovidés utilisée jadis pour faire des chandelles **suif**
– Suivre sans réfléchir, tels des moutons **de Panurge**
– Mouton utilisé pour enfoncer des pieux **hie**

MOUVEMENT **déplacement, remuement**
– Étude du mouvement **cinématique, dynamique**
– Mouvement qu'effectue un objet projeté au loin **course, trajectoire**
– Mouvement vers l'avant **progression**
– Mouvement vers l'arrière **recul, régression, récession, rétrogradation, rétrogression**
– Mouvement alternatif **battement, ondulation**
– Mouvements dans la même direction **convergents**
– Mouvements dans des directions opposées **divergents**
– Mouvement circulaire **rotation, torsion**
– Mouvement autour d'un axe **hélicoïdal**
– Mouvement d'un pendule **balancement, va-et-vient, oscillation**
– Mouvement d'un bateau **roulis, tangage**
– Mouvement d'oscillation d'une voiture mal chargée **ballant**
– Mouvement de la flamme d'une bougie **vacillation**
– Mouvement des blés sous la brise **ondoiement**
– Mouvement au niveau de l'écorce terrestre **glissement, plissement, soulèvement**
– Mouvements du sol lors d'un tremblement de terre **sismiques**
– Mouvement des particules microscopiques dans un liquide ou un gaz **brownien**
– Type de mouvement d'un membre du corps **abduction, adduction, extension, flexion, pronation, supination**
– Mouvement automatique involontaire d'un membre du corps en réponse à une stimulation **réflexe**
– En musique, mouvement d'un morceau **tempo**
– Mouvements musicaux, du plus lent au plus rapide **largo, larghetto, adagio, andante, andantino, allégretto, allégro, presto, prestissimo**
– Mouvement de la population **migration**
– Mouvements dans une foule **agitation, remous, remue-ménage**
– Le mouvement incessant des véhicules sur une autoroute **trafic**

MUET
– Handicap d'une personne muette **mutité, aphasie**
– Handicap d'une personne sourde et muette **surdi-mutité**
– Langage utilisé pour une meilleure communication avec une personne sourde et muette **dactylologie**
– Rester muet de plein gré **s'enfermer dans le mutisme**
– Demeurer muet pendant tout un débat **silencieux, taciturne**
– Il est resté muet de surprise **coi, pantois, bouche bée**
– En phonétique, E muet **caduc, latent**

MULTIPLE **divers, varié**
– Le plus petit commun multiple d'une série de nombres **p.p.c.m.**
– Questionnaire à choix multiple **Q.C.M.**

MULTIPLICATION **accroissement, augmentation**
– Table de multiplication **de Pythagore**
– Facteur d'une multiplication **multiplicande, multiplicateur**
– Résultat d'une multiplication **produit**
– La multiplication des rongeurs **prolifération, pullulement**
– Mode de multiplication en biologie **bourgeonnement, gemmation, scissiparité, sporulation**
– Multiplication artificielle des végétaux **bouturage, marcottage**
– Multiplication cellulaire **mitose**

MULTIPLIER
– Les aides se multiplient **se développent**
– Multiplier les tentatives **répéter, réitérer**

MUNICIPAL **communal**
– Ancien nom du crédit municipal **mont-de-piété**
– Taxe municipale perçue autrefois à l'entrée d'une ville **octroi**

MUNIR **garnir, pourvoir, doter, nantir**
– Se munir des instruments nécessaires à la réalisation d'une tâche **s'équiper, s'outiller**
– Se munir d'un parapluie **prendre, emporter**
– Se munir de courage **s'armer de**

MUNITION
– Stock d'armes et de munitions **arsenal**
– Consommation théorique de munitions par arme, pendant une journée **unité de feu**
– Il s'occupe, entre autres, d'organiser le ravitaillement en munitions **logisticien**
– Chargé de la construction des dépôts de stockage des munitions **génie**

MUR voir aussi **maçonnerie**
– Mur extérieur situé à l'extrémité d'une construction **mur-pignon**
– Mur soulagé par des arcades **en décharge**
– Mur latéral qui porte les gouttières **gouttereau**
– Mur bâti parallèlement à un autre, sans liaison avec lui **contre-mur**
– Mur qui double un conduit ou un poteau **d'enveloppe**
– Mur porteur formant une division intérieure dans une construction **de refend**
– Mur léger et non porteur qui divise les espaces intérieurs d'une maison **cloison**
– Mur non porteur suspendu aux planchers et à la structure d'une construction **mur rideau**
– Mur enterré sur l'une de ses faces qui contient la poussée des terres **de soutènement**
– Mur de soutènement destiné à consolider les berges d'un cours d'eau **perré, bajoyer**
– Mur de fortification entre deux bastions **courtine**
– Petit mur qui protège du vide **parapet, garde-fou**
– Surface apparente d'un mur **parement**
– Dévers intérieur et extérieur d'un mur par rapport à la verticale **fruit, contre-fruit**
– Partie supérieure en forme de triangle d'un mur-pignon ou d'un mur de refend **pignon**
– Couronnement d'un mur assurant l'écoulement des eaux de pluie **chaperon, bahut**
– Ouverture dans un mur destinée à

recevoir une porte ou une fenêtre **embrasure**
– Ceinture de métal ou de béton armé qui augmente la résistance d'un mur **chaînage**
– Pièce de bois, de béton armé ou de métal qui décharge une partie d'un mur **chevêtre**
– Couche d'enduit projetée sur un mur **crépi, rusticage**
– Système de protection d'un mur exposé aux intempéries **essentage**
– Élément d'attente sortant d'un mur en vue d'une prolongation possible **harpe**
– Fissure dans un mur **lézarde**
– Nettoyage et réfection des murs d'une construction **ravalement**
– Remettre un mur en état **renformir**
– À l'intérieur et à l'extérieur des murs d'une ville **intra-muros, extra-muros**

MÛR
– Une pomme trop mûre **avancée, blette**
– Une fillette très mûre pour son âge **raisonnable, réfléchie**
– Un enfant qui n'est pas mûr **immature**
– Un homme mûr **fait**

MURMURER marmonner, marmotter
– Murmurer des protestations **grommeler, maugréer**
– Murmurer des mots doux **chuchoter, susurrer**
– Le feuillage se mit à murmurer sous la brise **frémir, bruire**

MUSCLE
my(o)-

MUSCLE voir aussi dessin
– Attache un muscle à un os **tendon**
– Muscle amoureux **muscle oculaire**
– Membrane conjonctive qui enveloppe un ou plusieurs muscles **aponévrose, fascia**
– Perception consciente des mouvements et donc des muscles de son corps **kinesthésie**
– Traumatisme provoqué par l'élongation d'un muscle **claquage**
– Tumeur bénigne qui atteint un muscle **myome**
– Inflammation des muscles **myosite**
– Affection qui entraîne l'atrophie progressive des muscles **myopathie**
– Insuffisance rénale mortelle provoquée par l'écrasement de nombreux muscles **syndrome de Bywaters**
– Torse aux muscles développés **musculeux**
– Sport qui vise à développer le volume des muscles **culturisme, body-building**

MUSE inspiratrice, égérie voir aussi tableau
– Séjour des Muses **Hélicon**
– Fontaine autour de laquelle les Muses se réunissaient **Hippocrène**
– Apollon, conducteur des Muses **musagète**

MUSEAU
– Museau du porc et du sanglier **groin**
– Extrémité du museau des ruminants **mufle**
– Extrémité du museau du chien et du chat **truffe**
– Entoure le museau d'un animal pour l'empêcher de mordre **muselière**
– En charcuterie, museau de porc **hure**

MUSÉE
– Est chargé de l'organisation d'un musée **conservateur**
– Science de l'organisation des musées **muséologie**
– Notions techniques nécessaires à la conservation et à la présentation des collections d'un musée **muséographie**
– Musée de peinture **pinacothèque**
– Musée où sont exposées des sculptures **glyptothèque**
– Musée d'histoire naturelle **muséum**

MUSICAL voir dessin p. 301

MUSICIEN
– Musicien auteur **compositeur**
– Musicien qui compose des morceaux de musique en superposant des lignes mélodiques **contrapuntiste**
– Musicien qui exécute les œuvres d'un grand maître **interprète**
– Musicien qui joue tout seul sur scène **soliste**
– Les musiciens d'un orchestre **exécutants**
– Musicien qui animait les fêtes dans les campagnes **ménétrier**
– Musicien ambulant de condition modeste, au Moyen Âge **ménestrel**
– Musicien, célèbre compositeur ou chef d'orchestre **maestro**
– Musicien doué d'un rare talent **virtuose**
– Donne le *la* au musicien **diapason**
– Donne la mesure au musicien **métronome**

MUSIQUE
mélo-

MUSIQUE voir aussi tableau p. 300, dessin p. 301 et **fanfare, jazz, mode, mouvement, orchestre**
– Personne qui aime la musique **mélomane**
– École de musique et d'art dramatique **conservatoire**
– Apprentissage des notes de musique **solfège**
– Les cinq lignes sur lesquelles on inscrit les notes de musique **portée**
– En musique, série de notes comprises dans une octave **gamme**
– Feuille sur laquelle on peut lire un morceau de musique **partition**
– Support qui permet aux exécutants d'un orchestre de suivre leur partition de musique **pupitre**
– En musique, science des accords **harmonie**
– Air de musique qui accompagne un texte **mélodie**
– En musique, indication qui sert à situer une œuvre dans la production d'un compositeur **opus**
– En musique, technique de composition qui utilise douze sons **dodécaphonisme**
– Étude scientifique et historique de musique **musicologie**
– Auteur d'ouvrages sur la musique et les musiciens **musicographe**
– Utilisation de la musique à des fins médicales **musicothérapie**
– Muse qui présidait à la musique **Euterpe**

MUSULMAN (1) mahométan voir aussi **mosquée**
– Religion des musulmans **islam**
– Dieu des musulmans **Allah**
– Les cinq observances des musulmans **piliers, *arkan***

LES NEUF MUSES

Clio	histoire	**Melpomène**	tragédie	**Polymnie**	poésie
Euterpe	musique	**Terpsichore**	danse	**Uranie**	astronomie
Thalie	comédie	**Érato**	chœur lyrique	**Calliope**	épopée

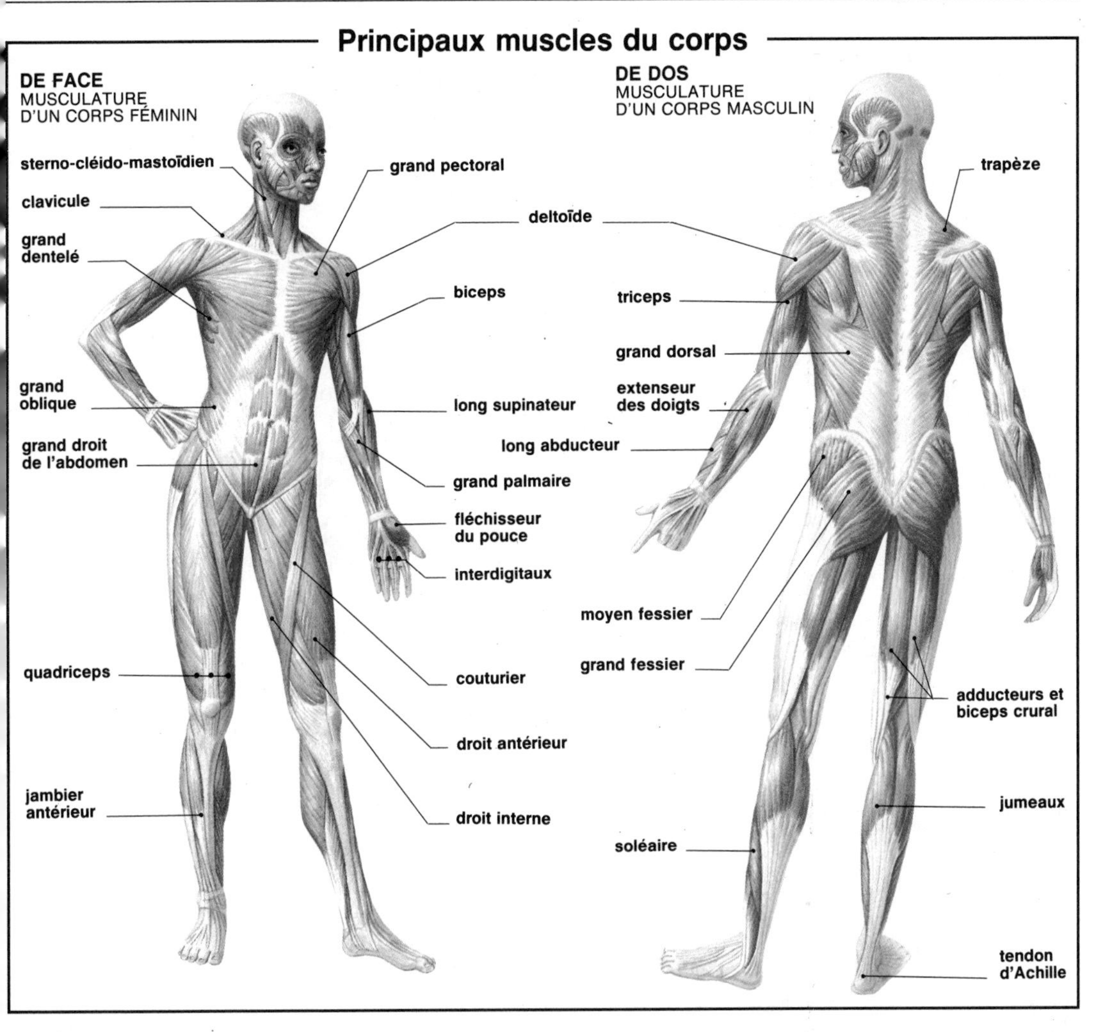

– Excision rituelle du prépuce chez les jeunes musulmans **circoncision**
– Profession de foi du musulman **chahada**
– Prière rituelle du musulman **salat**
– Aumône légale du musulman **zakat**
– Mois pendant lequel les musulmans jeûnent durant toute la journée **ramadan**
– Jeûne de ramadan du musulman **sawm**
– Pèlerinage à La Mecque du musulman **hadjdj**
– Édifice de La Mecque sur lequel est scellée la Pierre noire que tout musulman doit toucher une fois dans sa vie **Ka'ba**
– Effort et combat des musulmans pour Dieu **djihad**
– Saint ermite, vivant ou mort, que vénèrent certains musulmans **marabout**
– Livre sacré des musulmans **Coran**
– Ère des musulmans, qui commence en 622 de l'ère chrétienne **hégire**
– Musulman chef de prière dans une mosquée **imam**
– Chef suprême des musulmans, successeur de Mahomet **calife**
– Musulman docteur de la loi coranique **mollah**
– Musulman orthodoxe **sunnite**
– Musulman partisan d'Ali **chiite**
– Musulman resté en Espagne après la reconquête du pays par les chrétiens **mudéjar**
– Longue robe à capuche que portent les musulmans du Maghreb **djellaba**
– Calotte en laine que portent certains musulmans **fez**
– Grande pièce d'étoffe avec laquelle les musulmanes se drapent **haïk**
– Voile noir que portent les musulmanes iraniennes **tchador**

MUSULMAN (2)

– Prince musulman, descendant de Mahomet **chérif**
– Juge musulman **cadi**
– Interprète du droit canonique musulman **mufti**
– Théologien musulman **uléma**
– Autrefois, souverain de certains États musulmans **sultan**
– Université ou collège musulman **madrasa**
– Fête musulmane **Aïd-el-Fitr, Aïd-el-Kébir, Achoura, Mouloud**
– Fêtes musulmanes après le ramadan chez les Turcs **baïram**
– Courant musulman puritain **kharidjisme, wahhabisme**

TERMES DE MUSIQUE

accelerando	En accélérant le mouvement.
accident	Signe qui sert à altérer les notes (dièse, bémol, bécarre).
accord	Groupe de sons résonnant simultanément. L'étude des accords fait l'objet de l'harmonie.
adagio	Lentement (entre largo et andante).
ad libitum	Au gré de l'exécutant.
affettuoso	Tendrement.
aperto	Franchement.
appassionato	Avec passion.
appogiature	Ornement placé devant une note pour la retarder et la mettre en valeur.
cantabile	Chantant, à caractère mélodique.
coda	Partie terminale d'une composition ou d'un mouvement.
con brio	Avec verve.
con fuoco	Avec flamme.
con sordino	En sourdine.
crescendo	En augmentant progressivement l'intensité du son.
decrescendo	En diminuant progressivement l'intensité du son.
demi-ton	Le plus petit intervalle entre deux degrés conjoints.
dodécaphonique	Se dit d'une musique fondée sur la division de la gamme en douze demi-tons égaux, remplaçant le système d'harmonie conventionnel par des conventions nouvelles.
forte	Fortement.
gamme chromatique	Gamme procédant par demi-tons, soit en montant (notes diésées), soit en descendant (notes bémolisées).
gamme diatonique	Gamme composée de sept notes placées à un intervalle d'un ton ou d'un demi-ton diatonique. Elle sert de fondement au système tonal occidental.
glissando	Sur les instruments à clavier, glissement d'un doigt du grave à l'aigu dans un mouvement très rapide.
grave	Tempo analogue au largo.
largo	Lentement.
legato	En liant les notes, par opposition à staccato.
leitmotiv	Terme choisi par Wagner pour désigner un motif conducteur et caractéristique revenant plusieurs fois dans la partition.
maestoso	Majestueusement.
non troppo	« Pas trop » : indication modérant une instruction.
obbligato	Obligé, essentiel, ne peut pas être omis.
octave	Huitième degré de la gamme diatonique, ou encore notes contenues dans l'intervalle de huit degrés.
ostinato ou **basse obstinée, basse contrainte**	Notes d'accompagnement qui se répètent obstinément tout au long d'un morceau.
pentatonique	Constitué de cinq tons.
piano	Doucement en parlant de l'intensité.
pizzicato	En pinçant les cordes sur les instruments à archet.
presto	Très vite.
récitatif	Partie d'un opéra ou d'un oratorio se rapprochant du langage parlé.
reprise	Répétition d'un morceau ou retour à un thème.
ritardando	En ralentissant progressivement.
rubato	Librement, avec des variations de tempo.
segue	Enchaîner immédiatement.
sforzando	En accentuant progressivement l'intensité, mais pour une courte durée.
sostenuto	De façon égale et soutenue.
spiccato ou **staccato**	En détachant les notes.
syncope	Prolongation d'un temps fort sur un temps faible ou sur la partie faible d'un temps fort, provoquant un déplacement de l'accentuation.
tempo	Mouvement ou vitesse d'exécution d'un morceau.
tutti	Tous ensemble.
vibrato	Production d'une faible vibration avec les instruments à archet.

Symboles musicaux

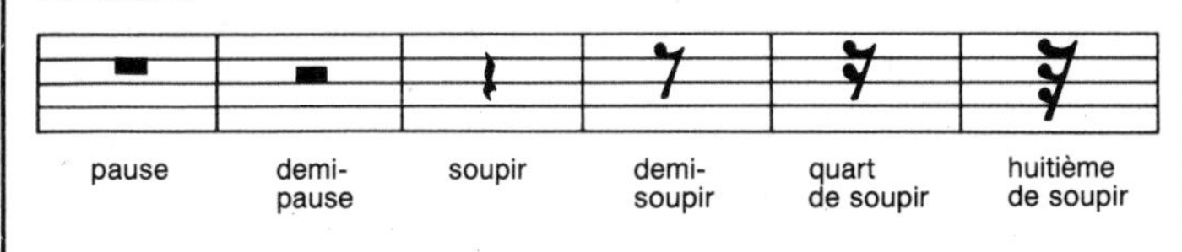

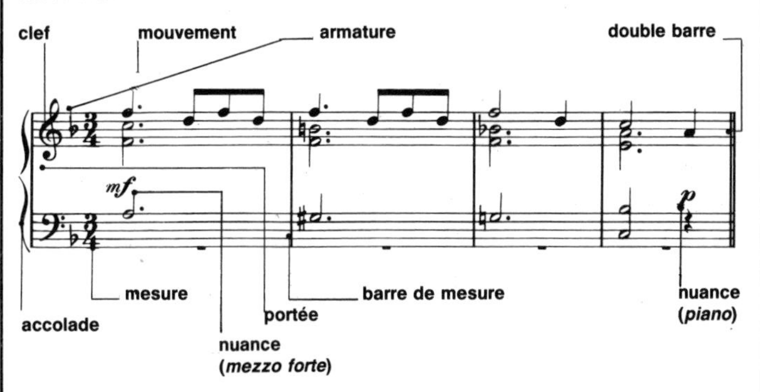

MUTATION
– Sa mutation l'a poussé à déménager **affectation**
– C'est une mutation intéressante **promotion**
– Les alchimistes rêvaient de la mutation des métaux en or **conversion, transmutation**
– En biologie, qualifie ce qui peut provoquer des mutations **mutagène**
– Individu qui a subi une mutation génétique **mutant**

MUTUEL
– Amour mutuel **réciproque, partagé**
– Assurance mutuelle **mutualité, mutualisme**

MYOPIE
– Trouble de la vue à l'origine de la myopie, de l'hypermétropie et de l'astigmatisme **amétropie**
– Verres de lunettes qui corrigent la myopie **concaves**
– À la différence du sujet atteint de myopie, il voit bien de loin et mal de près **hypermétrope, presbyte**

MYSTÈRE
– Les mystères de la diplomatie **secrets, arcanes**
– Initiation aux mystères d'une religion **mystagogie**
– Dans l'Antiquité grecque, il présidait aux mystères d'Éleusis **hiérophante**
– Décors de théâtre juxtaposés lors de la représentation d'un mystère au Moyen Âge **mansions**
– Mystère de la religion catholique **la Trinité, l'Incarnation, la Rédemption**

MYSTÉRIEUX
– Un fait mystérieux **étrange, insolite**
– Une transformation mystérieuse **inexplicable, incompréhensible**
– Ce sont des signes mystérieux **cabalistiques**
– Des propos mystérieux **obscurs, énigmatiques, hermétiques, sibyllins**
– Mystérieux pour qui n'est pas initié **ésotérique**
– Un regard mystérieux **impénétrable, insondable**

MYTHOLOGIE voir aussi tableau et **muse**
– Les divinités d'une mythologie **panthéon**
– Les récits de la mythologie gréco-romaine **la Fable**
– Mont sur lequel siègent les dieux de la mythologie grecque **Olympe**
– Les trois principaux dieux de la mythologie scandinave **Odin, Thor, Freyr**
– Séjour des guerriers héroïques morts au combat, dans la mythologie germanique **walhalla**

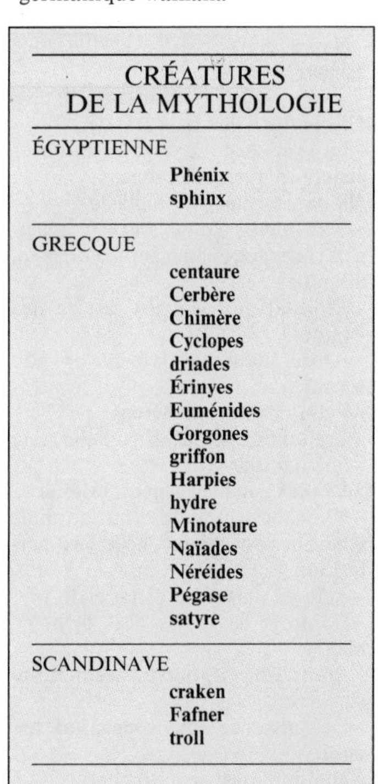
CRÉATURES DE LA MYTHOLOGIE

ÉGYPTIENNE
Phénix
sphinx

GRECQUE
centaure
Cerbère
Chimère
Cyclopes
driades
Érinyes
Euménides
Gorgones
griffon
Harpies
hydre
Minotaure
Naïades
Néréides
Pégase
satyre

SCANDINAVE
craken
Fafner
troll

N

NAGE
– Les différentes nages **brasse, crawl, dos crawlé, indienne, marinière, papillon**
– Servir des crustacés à la nage **au court-bouillon**
– Être en nage **transpirer, suer**

NAGEOIRE
– Les diverses nageoires **caudale, dorsale, anale, pelvienne, pectorale**
– Nageoire caudale à lobes égaux **homocerque**
– Nageoire caudale à lobes inégaux **hétérocerque**
– Rôle des nageoires **locomotion, équilibre**
– Nageoire du requin **aileron**
– Poisson pourvu de longues nageoires **macropode**

NAGER
– S'agiter en nageant **barboter**
– Des flaques d'huile nagent sur la mer **flottent, surnagent**
– Nager dans le luxe et l'aisance **baigner**
– Nager en termes maritimes **ramer**

NAÏF **confiant, candide, simple**
– Être naïf au point de se faire abuser **niais, benêt, crédule, ingénu**

NAIN **nanisme, achondroplasie**
– Personnage nain d'un récit imaginaire **farfadet, gnome, lutin, korrigan, lilliputien**
– Populations naines africaines **Pygmées**
– Arbre nain cultivé au Japon **bonsaï**
– Palmier nain **chamèrops**
– Traiter une plante afin qu'elle reste naine **nanifier**

NAISSANCE **commencement, origine**
– Naissance humaine ou animale **accouchement, gésine, mise bas, parturition**
– Acte de naissance **d'état civil**
– Contrôle des naissances **orthogénie**
– Limitation des naissances **malthusianisme**
– De naissance **inné, congénital, naturel**
– Haute naissance **extraction**
– Naissance d'un projet **genèse**
– Naissance de Jésus, de la Vierge ou de Jean-Baptiste **nativité**
– Naissance d'un fleuve **source**
– Naissance des végétaux **éclosion, épanouissement**

NAÎTRE
– L'homme est né pour mourir **destiné à**
– Ce travail est né d'une intense collaboration **résulte, provient**
– Voir naître les dissensions **se lever, surgir**
– Faire naître la jalousie **provoquer, susciter, éveiller, engendrer**

NARCOTIQUE **anesthésie, drogue**
– Propriété des narcotiques **sédative, soporifique**
– Sommeil induit par des narcotiques **narcose**

NARINE **nez**
– Poil des narines **vibrisse**
– Narines du cheval **naseaux**
– Narines des cétacés **évents**

NATALITÉ voir aussi **démographie**
– explosion de la natalité **boom**
– Baisse de la natalité **dénatalité**

NATATION voir **nage**

NATION **communauté, collectivité**
– Territoire d'une nation **région, contrée, pays**
– Organisme de gouvernement et d'administration de la nation **État**
– Individus composant la nation **peuple**
– Attachement à la nation **patriotisme**

NATIONALISER
– Statut de l'État dans les secteurs nationalisés **entrepreneur direct**
– Politique économique incitant un État à nationaliser **interventionnisme, dirigisme**

NATIONALISME **patriotisme**
– Nationalisme exacerbé doublé d'hostilité à l'égard de l'étranger **chauvinisme, xénophobie**
– Mise en œuvre d'un nationalisme économique **protectionnisme**
– Partisan du nationalisme politique **autonomiste, sécessionniste, séparatiste, indépendantiste**

NATIONALITÉ **appartenance**
– Personne déchue de sa nationalité **apatride, heimatlos**
– Obtenir la nationalité du pays d'accueil **naturalisation**
– Un pays riche de nombreuses nationalités **cosmopolite**

NATURALISATION
– Procéder à la naturalisation d'un animal **empaillage, taxidermie**
– Observer la naturalisation d'une espèce animale ou végétale **acclimatation, adaptation**

NATURE
– Appréhender la nature des choses **essence**
– Être d'une nature irascible **caractère, tempérament, naturel, idiosyncrasie**
– Un enfant d'une nature fragile **constitution, complexion**
– Par nature **en soi, intrinsèquement**
– Des obstacles de toute nature **sorte, espèce, genre**
– Une attitude de nature à choquer **propre à, capable de, susceptible de**
– La nature considérée comme un objet de science **monde, univers, environnement**

NATUREL
– Une malformation naturelle **congénitale, héréditaire**
– Un penchant naturel **inné**
– Un rire naturel **spontané, franc**
– Affecter un air naturel **dégagé, libre**
– Un phénomène naturel **normal, régulier, habituel**
– Une laine naturelle **brute, pure**
– Un enfant naturel **illégitime, adultérin**
– Branche des sciences naturelles **zoologie, botanique, entomologie, minéralogie, géologie**

NAUFRAGE **accident, sinistre**
– Faire naufrage **couler, sombrer, périr, disparaître**
– Embarcation menacée de faire naufrage **en perdition**
– Précipiter le naufrage d'un empire **perte, ruine, effondrement**

NAVAL **nautique, maritime**
– Ensemble des forces navales d'un pays **flotte, marine**
NAVIRE voir aussi **bateau**
– Drapeau que l'on hisse sur un navire **pavillon**
– Propriétaire ou exploitant d'un navire **armateur**
NÉANT **non-être**
– Réaliser le néant de la gloire, de la renommée **nullité, insignifiance, inanité**
– Voir ses efforts réduits à néant **anéantis, détruits, annihilés**
NÉCESSAIRE **indispensable, essentiel, primordial, vital**
– Une conclusion nécessaire **inévitable, inéluctable, obligée**
– Vérité nécessaire en philosophie **irrécusable, irréfragable, apodictique**
– L'Être nécessaire en philosophie **premier, inconditionné, absolu**
NÉCESSITÉ **besoin, obligation**
– La nécessité de partir se fait aujourd'hui sentir **exigence**
– Théorie selon laquelle la nécessité régit les phénomènes **déterminisme**
– Vivre dans la nécessité **indigence, pauvreté**
NÉGATIF
– Un résultat négatif **nul**
– Image négative en photographie **cliché, contretype**
– Électrode négative **cathode**
– Électron négatif **négaton**
– Adopter une attitude négative **négativisme**
– Théologie négative **apophatique**
NÉGATION
– Doctrine fondée sur la négation de tout absolu **nihilisme**
– Négation de l'existence de Dieu **athéisme**
– Négation d'une réalité psychique inacceptable pour le sujet **déni, dénégation**
NÉGATIVE
– Répondre par la négative **nier, démentir, infirmer**
– Persister dans la négative **refus**
NÉGLIGEABLE
– Des arguments tenus pour négligeables **futiles, vains**
– Exhiber des preuves négligeables **insignifiantes, dérisoires**
– En quantité négligeable **infime**
NÉGLIGENCE **paresse, distraction, inattention, nonchalance**
– Commettre des négligences **oublis, erreurs, bévues**
– Déplorer les négligences du service d'encadrement **carences**
– Négligence délibérée à l'égard des normes sociales **désinvolture, laisser-aller, indolence**
NÉGLIGER
– Négliger ses amis **délaisser, abandonner**
– Négliger un devoir **bâcler, expédier**
– Négliger une occupation **se désintéresser de**
– Négliger les conseils d'une personne **faire fi de, dédaigner**
– Ne négliger aucun aspect d'une situation **omettre, méconnaître**
– Se négliger **se relâcher**
NÉGOCIER **traiter, discuter, débattre**
– Négocier ses services **monnayer**
– Personne chargée de négocier en cas de litige ou de conflit **arbitre, conciliateur, médiateur**
NEIGE
– Amas de neige **congère**
– Épaisse couche de neige durcie, parfois base d'un glacier **névé**
– Masse de neige se détachant du versant d'une montagne **avalanche**
– Régime fluvial dans lequel la neige l'emporte sur la pluie **nivo-pluvial**
– Plante susceptible de pousser dans la neige **nivéale**
– Matériel permettant de glisser sur la neige **raquettes, skis, traîneau, luge, motoneige**
– Chaussures de neige **snow-boots**
– Neige à demi fondue **pourrie**
– Neige fraîche semblable à de la poudre **poudreuse**
– Neige durcie et gelée **tôlée**
– Neige devenue glace **glacée**
NERF **nervure** voir aussi **anatomie**
– Membrane enveloppant un nerf **névrilème**
– Partie principale du nerf **tronc**
– Distribution des nerfs dans un tissu ou un organe **innervation**
– Division d'un nerf **ramification**
– Entrelacement de nerfs **plexus**
– Communication entre deux nerfs **anastomose**
– Nerfs centrifuges **efférents**
– Nerfs centripètes **afférents**
– Chirurgie des nerfs **neurochirurgie**
– Dissection des nerfs **névrotomie**
– Supprimer le nerf d'une dent **dévitaliser**
– Lésion inflammatoire ou dégénérative du nerf **névrite**
– Douleur éprouvée sur le parcours d'un nerf **névralgie**
NERVEUX
– Éléments du système nerveux **système cérébro-spinal, système neurovégétatif**
– Système nerveux central **névraxe**
– Élément du système nerveux central **encéphale, moelle épinière**
– Cellule nerveuse **neurone**
– Prolongement des cellules nerveuses **axones**
– Refuser une viande trop nerveuse **filandreuse, tendineuse**
– Un enfant nerveux **émotif, sensible**
– Une écriture nerveuse **incisive, concise**
– Un cheval nerveux **vif, fougueux**
NERVOSITÉ
– L'attente exacerbait sa nervosité **impatience, fébrilité**
– Manifester des signes de nervosité **irritation, agacement, énervement, exaspération, irascibilité**
NET
– Des vêtements toujours nets **immaculés, impeccables, propres, soignés**
– Une voix très nette **claire, distincte**
– Un souvenir très net **vif, précis**
– Une attitude très nette **droite, franche**
– Se justifier en des termes très nets **explicites, formels**
– Opposer un refus très net **catégorique**
– Observer une nette différence **sensible, marquée**
– Une fracture nette **régulière**
– Faire place nette **débarrasser, vider**
– Net d'impôt **exempté de**
– Dire tout net son opinion **crûment, sans ambages**
– Conscience très nette d'une situation **lucidité, clairvoyance, perspicacité**
NETTOYAGE
– Nettoyage des vêtements **blanchissage, dégraissage, lavage**
– Professionnel du nettoyage vestimentaire **teinturier**
– Nettoyage d'une façade **ravalement**
– Nettoyage des cheminées **ramonage**
– Nettoyage des métaux **dérochage, décapage**
– Nettoyage d'une forêt **nettoiement**
NETTOYER
– Nettoyer le visage d'un enfant **débarbouiller**
– Nettoyer des chaussures **décrotter, cirer, brosser**
– Nettoyer un terrain **défricher, débroussailler, désherber, ratisser**
– Nettoyer un tapis **battre, housser**

– Nettoyer des pièces en argent **fourbir, blanchir**
– Nettoyer les cuivres **astiquer**
– Nettoyer un canal **curer, draguer**
– Nettoyer des bouteilles **écouvillonner**
– Méthode employée pour nettoyer les laines **arçonnage, dessuintage, ébrouage**
– Nettoyer un navire **briquer, caréner, fauberter**
– Nettoyer du grain **vanner, cribler, monder**
– Nettoyer une plaie, un ulcère **déterger, absterger**

NEUF
– Phénomène se produisant tous les neuf jours **novénaire**
– Acte de dévotion accompli pendant neuf jours **neuvaine**
– Polygone à neuf côtés **ennéagone**
– Groupe de neuf personnes **ennéade**
– Poème ou strophe de neuf vers **neuvain**
– Un immeuble neuf **récent, moderne**
– Une pensée très neuve en regard de l'époque **nouvelle, novatrice, originale, inconnue, révolutionnaire**
– Se sentir tout neuf dans une discipline **novice, inexpérimenté**
– Remettre à neuf **réparer, restaurer, rénover**
– Faire peau neuve **se métamorphoser**

NEUTRALISER
– Neutraliser un adversaire **arrêter, immobiliser**
– Neutraliser une épidémie **enrayer**
– Neutraliser les manœuvres d'un individu **empêcher, anéantir, contrecarrer**
– Neutraliser une couleur trop vive **amoindrir, atténuer**
– Neutraliser le trafic **suspendre**
– Deux nombres se neutralisent **s'annulent**
– Les forces engagées se neutralisent **s'équilibrent**

NEUTRALITÉ non-engagement
– Choisir la neutralité lors d'un vote **abstention**
– Pays ayant opté pour la neutralité lors du conflit américano-soviétique **non-alignés**
– Partisan de la neutralité **neutraliste**

NEUTRE
– Particule électriquement neutre **neutron, neutrino**
– Recourir à un observateur neutre **impartial, objectif**
– Une couleur neutre **discrète**
– Une voix neutre **atone, monocorde, blanche**
– Cellule présentant des attirances pour les colorants neutres **neutrophile**
– Insectes neutres **eunuques gardiens**

NEZ
rhin-, rhino-

NEZ voir aussi **bouche**
– Fonction du nez **olfaction**
– Poil du nez **vibrisse**
– Saignement de nez **épistaxis**
– Chirurgie du nez **rhinoplastie**
– Domaine de la médecine traitant des maladies du nez **rhinologie**
– Affection du nez **rhume, coryza, catarrhe**
– Humeur s'écoulant du nez **morve**
– Aspirer par le nez **priser**
– Parler du nez **nasiller**
– Avoir du nez **prévoyance, clairvoyance, sagacité**
– Nez à nez **face à face**
– Nom donné au nez de certains animaux **mufle, groin, museau, naseaux**
– Nez d'un navire **proue**

NICHE enfoncement, cavité
– Objet autrefois placé dans les niches **statue**
– Niche destinée à recevoir un lit **alcôve**
– Niche écologique **biotope**

NICKEL
– Corps contenant du nickel **nickélifère**
– Emploi du nickel **nickelage, galvanisation, galvanoplastie**
– Alliage à base de nickel **argentan, constantan, Invar, maillechort, nichrome, platinite**

NID abri
– Petits habitant le nid **nichée**
– Nid des oiseaux de proie **aire**
– Nid de guêpes **guêpier**
– Nid de termites **termitière**
– Construire son nid **nicher, nidifier**
– Un nid de trafiquants **repaire**
– Nid-de-poule dans une chaussée **excavation, dépression**

NIER
– Nier la véracité de certaines allégations **contester, démentir**
– Nier la compétence d'une institution **récuser**
– Nier ce que l'on tenait pour valable **renier, désavouer**
– Nier solennellement une opinion **abjurer**
– Nier une hypothèse au moyen d'une expérience **détruire, infirmer, contredire**

NITRATE azotate
– Nitrate de potassium **salpêtre**
– Mélange de sable et de nitrate de sodium **caliche**
– Emploi des nitrates en agriculture **engrais**
– Transformation de l'azote organique en nitrate **nitrification**

NIVEAU
– Niveau de pente **clinomètre**
– Niveau d'un fleuve **hauteur, élévation**
– Niveau de la mer **point zéro, base**
– Niveau d'instruction **degré**
– Au niveau d'une région **à l'échelon**
– Niveau minimal **plancher**
– Niveau maximal **plafond**
– Niveau de langue **registre**
– Mettre de niveau **niveler, aplanir, égaliser**
– Mettre de niveau un mur **araser, affleurer**
– Mener une enquête sur le niveau de vie des Français **standing**

NOBLE (1)
– Noble dans l'Antiquité romaine **patricien**
– Petit noble de campagne **hobereau**
– Noble allemand de petite extraction **junker**
– Ancien noble russe **boyard**
– Noble espagnol peu fortuné **hidalgo**
– Noble japonais **daïmio**

NOBLE (2)
– Être né noble **aristocrate**
– Degré de filiation dans une famille noble **quartier de noblesse**
– Un air noble **altier, majestueux, imposant**
– Une âme noble **grande, magnanime, généreuse, sublime**
– Des sentiments nobles **élevés**
– Un style noble **distingué, raffiné, soutenu**
– Un métal noble **précieux**

NOBLESSE
– Titre de noblesse **prince, duc, marquis, comte, vicomte, baron, chevalier**
– Insigne de noblesse **couronne, blason, armoiries**
– Noblesse acquise grâce à des hauts faits militaires **noblesse d'épée**
– Accorder un titre de noblesse **anoblir**
– Particule indiquant ou ayant indiqué l'appartenance à la noblesse **de, Van, von, don**

– Noblesse anglaise possédant des armoiries mais pas de titre **gentry**
– Titre de noblesse en Angleterre **lord**

NOCE voir aussi **anniversaire, mariage**
– Rompre ses noces **divorcer**
– Garçon de noce **garçon d'honneur**

NOËL voir aussi **chrétien**
– Période préparant et précédant Noël **avent**
– Étable de Noël **crèche**
– Entonner des noëls **cantiques**
– Repas pris la nuit de Noël **réveillon**

NŒUD boucle, entrelacement voir aussi dessin p. 306
– Corde à nœud coulant utilisée par les éleveurs **lasso**
– Nœud coulant employé pour la capture du gibier **lacs, collet, lacet**
– Nœud permettant d'attacher les cheveux **catogan, chouchou**
– Nœud servant de décoration **rosette, bouffette**
– Nœud ferroviaire **jonction**
– Tige portant des nœuds **noduleuse**
– Nœud du bois **excroissance, nodosité, loupe**
– Bâton possédant de nombreux nœuds **noueux**
– Nœud pourri dans une pièce de bois **malandre**
– Observer les nœuds du python **anneaux, replis**
– Le nœud marin correspond à **1 852 mètres à l'heure**
– Nœud gordien **difficulté, dilemme**

NOIR (1)
– Un cheval d'un noir luisant **moreau**
– Travail au noir **clandestin, illégal**
– Noir de fumée **suie**
– Noir de blé **charbon**
– Noir des céréales **ergot**
– Noir des plantes **fumagine**

NOIR (2)
– Des cheveux noirs **de jais**
– Une peau noire **hâlée, foncée, basanée, ébène**
– Un visage noir **sale, crasseux**
– Teinte noire rappelant la suie **fuligineuse**
– Il fait déjà très noir **obscur**
– Avoir des idées noires **être triste, être sombre, être mélancolique**
– Un noir projet **funeste, funèbre, ténébreux**
– Un café noir **fort, corsé, serré**
– Appartenance à la race noire **négritude**

NOIRCIR
– Noircir un linge propre **tacher, maculer**
– Noircir à l'aide de charbon **charbonner**
– Noircir une situation **assombrir, exagérer, dramatiser**
– Noircir une personne **calomnier, dénigrer, diffamer**

NOISETTE fruit
– Classification de la noisette en botanique **akène**
– Noisette de forme oblongue **aveline**
– Arbre à noisettes **noisetier, coudrier**
– Ensemble de trois noisettes représenté sur un blason **coquerelle**

NOIX
– Écorce verte de la noix **brou**
– Noix à peine mûre ôtée de sa coque **cerneau**
– Couper l'écorce pour retirer la noix **cerner, écaler**
– Faire tomber les noix **gauler, chabler**
– Noix comestible **noix de cajou, noix de kola, noix de coco, noix de muscade, noix d'arec**

NOM désignation, appellation, qualification voir aussi **mot, rhétorique**
– Nom s'appliquant aux genres et aux espèces **nom commun**
– Nom s'appliquant à une personne, une ville, un pays **nom propre**
– Le nom en grammaire **substantif**
– Proposition dont les termes se réduisent à des noms **nominale**
– Nom de famille **patronyme**
– Nom de baptême **prénom**
– Personnes portant le même nom **homonymes**
– Nom marquant l'affection ou la moquerie **diminutif, surnom, sobriquet**
– Nom honorifique **titre**
– Étude des noms propres **onomastique**
– Recherche sur l'origine des noms de personnes **anthroponymie**
– Nom de lieu **toponyme**
– Nom d'emprunt d'un auteur, d'un compositeur **pseudonyme**
– Personnalité ou divinité dont le nom est donné à titre d'hommage **éponyme**
– Événement auquel on ne peut donner un nom **innommable**
– Sans nom **anonyme**
– Écrire son nom **signer**
– Se faire un nom **réputation, renommée**

NOMADE mobile, ambulant
– Moyen de vie des populations nomades **cueillette, chasse, élevage**
– Peuple nomade d'Afrique du Nord **Touareg, Bédouins**
– Peuple nomade circulant à travers l'Europe **gitans, Tsiganes**
– Commerçants nomades **forains**
– Une vie nomade **vagabondage, errance**
– Oiseau nomade **migrateur**

NOMBRE quantité, chiffre
– Étude des nombres **arithmétique, algèbre**
– Nombre formé d'une ou plusieurs unités **entier**
– Nombre contenant des fractions de l'unité **fractionnaire**
– Nombre fractionnaire dont le dénominateur est dix ou une puissance de dix **décimal**
– Nombre entier qui n'est divisible que par lui-même et par l'unité **premier**
– Nombre n'ayant pas de mesure commune avec l'unité **irrationnel, incommensurable**
– Nombre marquant l'ordre de succession **ordinal**
– Nombre indiquant la quantité **cardinal**
– Nombre entier égal à la somme de tous ses diviseurs **parfait**
– Nombre énoncé le premier dans une multiplication **multiplicande**
– Le plus grand nombre portant un nom **centillion**
– Nombre énoncé le second dans une multiplication **multiplicateur**
– Nombre par lequel on divise un autre **diviseur**
– Nombre divisé par un autre **dividende**
– Nombres composés des mêmes facteurs premiers **homogènes**
– Nombre formé d'un carré et de sa racine **planique**
– Nombre composé dont l'ensemble ne suit pas la numération décimale **nombre complexe**
– Nombre indiquant la puissance à laquelle est élevée une quantité **exposant**
– Nombre multipliant la valeur d'une quantité algébrique **coefficient**
– Nombre considéré comme canon de proportions **nombre d'or**
– Nombre exprimant le rapport entre la vitesse d'un avion et celle du son **nombre de Mach**
– Système de nombre **numération**
– Domaine de l'arithmétique étu-

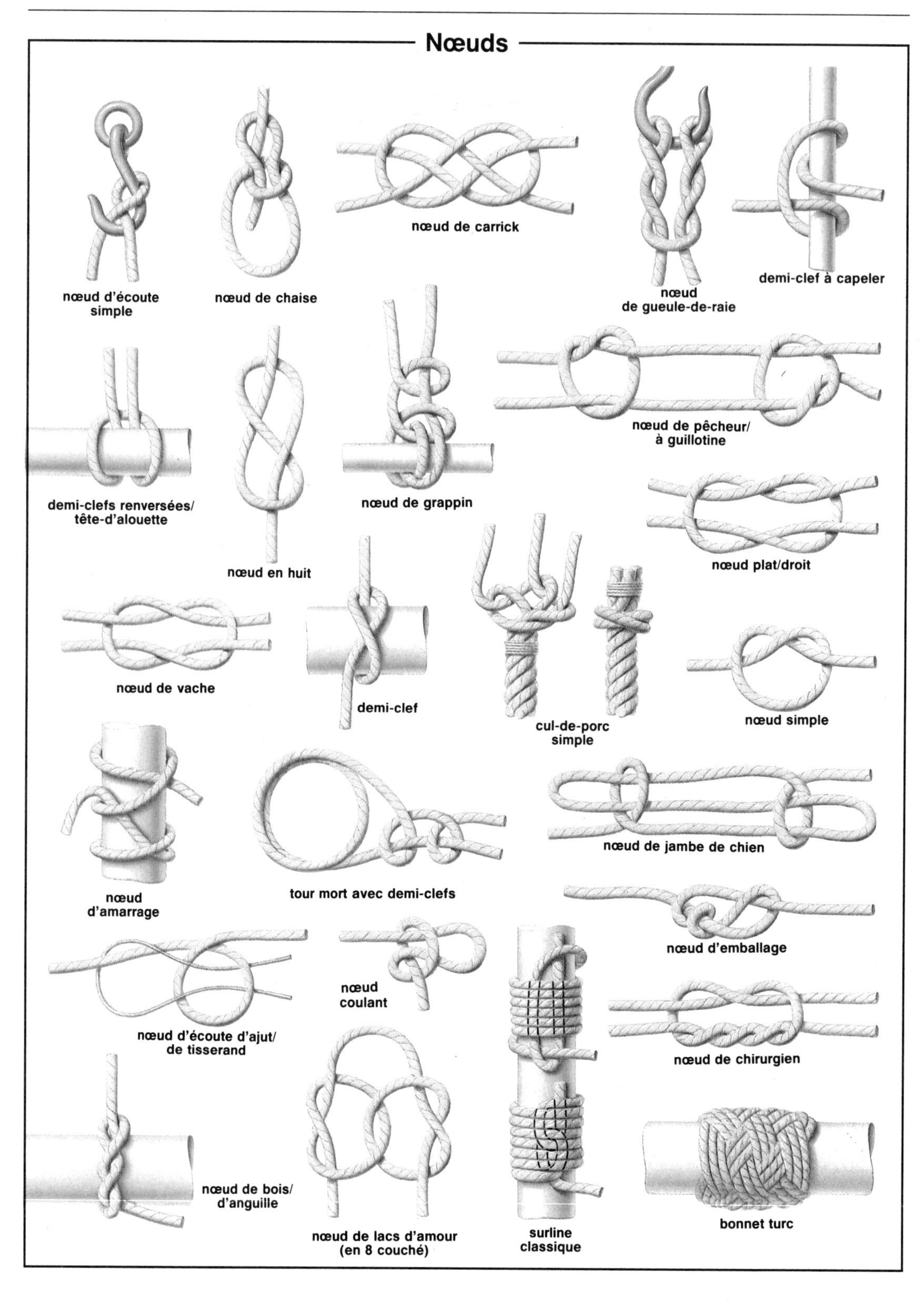
Nœuds
nœud d'écoute simple
nœud de chaise
nœud de carrick
nœud de gueule-de-raie
demi-clef à capeler
demi-clefs renversées/ tête-d'alouette
nœud en huit
nœud de grappin
nœud de pêcheur/ à guillotine
nœud plat/droit
nœud de vache
demi-clef
cul-de-porc simple
nœud simple
nœud d'amarrage
tour mort avec demi-clefs
nœud de jambe de chien
nœud d'emballage
nœud d'écoute d'ajut/ de tisserand
nœud coulant
nœud de chirurgien
nœud de bois/ d'anguille
nœud de lacs d'amour (en 8 couché)
surline classique
bonnet turc

diant les propriétés des nombres **théorie des nombres**
– Données représentées par des nombres **numériques**
– Système représentant des nombres **numéral**
– Nombre attribué à un élément dans une série **numéro**
– Nombre indiquant un seuil au-delà duquel une admission n'est plus possible **numerus clausus**
– Interprétation ésotérique des nombres **numérologie**
– Nombre indiquant la quantité de protons ou d'électrons d'un atome **atomique**
– Nombre d'individus composant un groupe **effectif**
– Nombre de fois où un phénomène se reproduit **fréquence**
– Bon nombre de **beaucoup, plusieurs, la plupart, la majorité**
– Au nombre de **parmi**
– Sans nombre **très nombreux**
– Un grand nombre d'étoiles **multitude, myriade**
– Un grand nombre de gens **foule, masse, ribambelle, cortège**
– Un grand nombre d'objets **collection**
– Des reproches en grand nombre **kyrielle**

NOMBREUX
multi-, poly-

NOMBREUX
– Une foule nombreuse attendait **dense, compacte, considérable**
– De nombreuses possibilités **multiples, diverses**
– Enseignement embrassant de nombreux domaines **polyvalent, pluridisciplinaire**
– Un vers nombreux **harmonieux, rythmé, cadencé**
– Trop nombreux pour être comptés **innombrables, incommensurables**

NOMBRIL **ombilic**
– Nombril d'un fruit **œil**
– Le nombril du monde **centre**

NOMINATION
– Recevoir sa nomination **affectation**
– Nomination accordée à titre de récompense **promotion**
– Nomination inespérée **parachutage**
– Nomination légale d'un héritier **désignation, institution**
– Ne récolter qu'une nomination lors d'un concours **mention**
– Nomination d'un nouveau membre par une assemblée déjà constituée **cooptation**
– Bénéficiaire d'une nomination **récipiendaire**

NOMMER **appeler, dénommer**
– Nommer un enfant **prénommer**
– Nommer un représentant **élire, choisir**
– Nommer d'office un expert **désigner, commettre**
– Nommer successivement les parties d'un ensemble **énumérer**
– Se nommer **se présenter**

NON CONFORMISTE
– Église ou doctrine non conformiste **hérétique, hétérodoxe, dissidente**
– Une pensée non conformiste **originale, singulière, indépendante, révolutionnaire**
– Une vie non conformiste **marginale**

NON-CROYANT **athée, irréligieux, impie**
– Non-croyant convaincu de l'impossibilité de pénétrer le monde métaphysique **agnostique, sceptique**

NON-VIOLENCE
– Premières doctrines ayant professé la non-violence **jaïnisme, bouddhisme**
– Signification contemporaine de la non-violence **résistance passive**
– Précurseur de l'utilisation de la non-violence comme arme politique **Gandhi**
– Nom donné par Gandhi à la pratique de la non-violence **satyagraha**
– Élément essentiel de la non-violence gandhienne **végétarisme, jeûne, boycott**

NORD (1)
– Région située au nord **septentrionale**
– Peuple du Nord **nordique**
– Partisan des États du Nord lors de la guerre de sécession en Amérique **nordiste**
– Vents du nord **bise, vents étésiens, mistral**
– Terme poétique désignant le vent du nord **aquilon, borée**
– Vent du nord-ouest **noroît, tramontane**
– Sentir en mer le vent tourner au nord **nordir**

NORD (2)
– Pôle Nord **arctique**
– Hémisphère Nord **boréal**

NORMAL **conforme**
– Un phénomène normal **régulier, constant**
– Des circonstances normales **ordinaires, habituelles**
– Une intelligence plutôt normale **moyenne**
– Un tarif normal **correct, honnête, raisonnable**
– Il est normal de protester **naturel, légitime, compréhensible**
– Droite normale en mathématiques **perpendiculaire**

NOTAIRE **officier public**
– Ancienne appellation des notaires **garde-notes, tabellions**
– Rôle d'un notaire **authentifier**
– Titre donné à un notaire **maître**
– Cabinet d'un notaire **charge, étude**
– Employé chez un notaire **clerc**
– Nom donné autrefois aux clercs de notaire **saute-ruisseau**
– Fonctions exercées par un notaire **notariales**
– Acte rédigé par un notaire **notarié**
– Registre des actes d'un notaire **minutier**

NOTAMMENT
– Les intellectuels, et notamment les philosophes **entre autres, particulièrement, singulièrement, spécifiquement**

NOTE
– Note portée sur un devoir **appréciation, observation**
– Note transmise au personnel d'une entreprise **avis, notice, communication**
– Régler une note **addition, facture, compte, mémoire**
– Jeter hâtivement quelques notes sur le papier **réflexions, pensées, considérations**
– Note ajoutée à un texte **apostille, nota bene, glose, scolie, notule**
– Note d'un diplomate à son gouvernement **mémorandum**
– Une note de mélancolie **touche, nuance**

NOTER
– Noter les déclarations d'un témoin **inscrire, consigner, enregistrer**
– Noter les progrès d'un enfant **constater, remarquer, relever**

NOTION
– Posséder quelques notions de géométrie **éléments, rudiments**
– Perdre la notion de l'espace **conscience**
– Sens donné à la notion en philosophie **idée, concept**
– Notion antérieure à toute expérience **a priori**

NOURRIR voir aussi **alimentation**
– Nourrir un enfant **allaiter**
– Nourrir des volailles **gaver, engraisser, embecquer**
– Se nourrir **se sustenter, s'alimenter**

– Nourrir les soupçons **entretenir**
– Nourrir la trame d'un récit **enrichir, étoffer**
– Nourrir l'esprit **former, éduquer**
– Se nourrir d'insipidités **s'abreuver, se repaître**

NOURRITURE voir aussi **alimentation, cuisine, spécialité**
– Nourriture destinée aux animaux **pâture**
– Nourriture inespérée et providentielle **manne**
– Conséquence du manque de nourriture **atrophie, dénutrition, inanition**
– Substance constituant une nourriture **comestible**

NOUVEAU
– Une construction nouvelle **récente, moderne**
– Un vêtement nouveau **neuf**
– Une nouvelle pousse **jeune, verte**
– Un style nouveau **original, novateur**
– Faire un usage nouveau d'un objet, d'un concept **inconnu, inhabituel, inaccoutumé**
– Un film nouveau **inédit**
– Terme nouveau **néologisme**
– Nouveau Testament **Évangiles**
– Nouveau riche **parvenu**
– Individu hostile à tout ce qui est nouveau **misonéiste**

NOUVELLE
– Une nouvelle circule **bruit, écho, rumeur**
– Faire parvenir des nouvelles de soi **renseignements, signes**
– Nouvelle inédite **scoop**
– Nouvelles télévisées **informations**
– Lire une nouvelle **conte, historiette, récit**
– Auteur de nouvelles **nouvelliste**

NOYAU voir aussi **atome, cellule**
– Fruit à noyau **drupe**
– Retirer le noyau d'un fruit **énucléer**
– Élément du noyau atomique **neutron, proton**
– Physique du noyau **nucléaire**
– Noyau d'une cellule **nucléus**
– Division du noyau d'une cellule **méiose, mitose**
– Constituant du noyau **chromatine, nucléoprotéine, acide désoxyribonucléique, acide ribonucléique**
– Cellule constituée d'un seul noyau **mononucléaire**
– Cellule à plusieurs noyaux **polynucléaire, nucléée**
– Noyau d'une statue **âme**
– Noyau du globe terrestre **centre**
– Noyau de combattants **groupe**

NOYER
– Noyer un animal **tuer, asphyxier**
– Noyer du vin **diluer**
– Noyer la contestation **étouffer**
– Noyer le poisson lors d'une entrevue difficile **tergiverser, louvoyer, biaiser**
– Se noyer en pleine mer **couler, sombrer**
– Se noyer dans les détails **se perdre, s'égarer**
– Des terres noyées **englouties, inondées, submergées**

NU
– Un homme nu **dévêtu, déshabillé**
– Les épaules nues **découvertes**
– Le cou nu **décolleté**
– Un crâne nu **dégarni, chauve**
– Un visage nu **glabre**
– Une montagne nue **pelée**
– Un espace nu **vide, dépouillé, sobre, austère**
– Représenter des personnages nus en dessin **nudités**
– Mettre à nu **découvrir, dévoiler**

NUAGE voir aussi photos
– Nuage formant des filaments dans le ciel **cirrus**
– Nuage en forme de boule **cumulus**
– Nuage noir annonçant la pluie **nimbus**
– Nuages étalés en couche uniforme **stratus**
– Un ciel obscurci par les nuages **nébuleux**
– Un ciel couvert de nuages blancs et floconneux **moutonné**
– Un nuage de sauterelles **nuée**
– Un bonheur sans nuages **troubles, soucis**
– Être dans les nuages **distrait, rêveur**

NUANCE différence, variation, degré
– Nuances d'un tableau **tons, teintes, couleurs**
– Peinture exécutée dans les diverses nuances d'une même couleur **camaïeu**
– Un jugement sans nuances **mesure, finesse**
– Un caractère sans nuances **entier, absolu, intransigeant**

NUCLÉAIRE voir aussi **atomique, centrale nucléaire**

NUIRE
– Nuire aux intérêts d'une personne **léser, préjudicier**
– Nuire à une personne **déconsidérer, discréditer, médire de, desservir**
– Nuire au bon déroulement d'une entreprise **contrarier, gêner, compromettre**
– Nuire aux récoltes **endommager, détériorer, abîmer**
– Intention de nuire **malveillance, malfaisance, hostilité, inimitié**

NUISIBLE
– Une substance nuisible **dangereuse, mortelle, vénéneuse**
– Un climat nuisible **malsain, insalubre, débilitant**
– Une idéologie nuisible **mauvaise, pernicieuse**
– Un gaz nuisible **toxique, nocif, délétère**
– L'excès peut être nuisible **dommageable, néfaste, funeste**
– Des animaux nuisibles **venimeux, destructeurs, vulnérants, parasites, porte-virus**
– Étude des phénomènes nuisibles à la vie de l'homme en société **noxologie**
– Qualité de ce qui est nuisible **nocuité, nocivité**

NUIT obscurité, ténèbres
– Un bleu nuit **sombre**
– Être surpris par la nuit au cours d'une promenade **anuité**
– Animaux vivant la nuit **nocturnes**
– Végétal dont les fleurs s'épanouissent la nuit **noctiflore**
– Belle-de-nuit **nyctage**
– Papillon de nuit **noctuelle**
– Individu ou animal doué de la faculté de voir la nuit **nyctalope**
– Individu aimant à vivre la nuit **noctambule**
– Nuit passée dans un hôtel **nuitée**
– Nuit la plus longue de l'année **solstice d'hiver**
– Nuit passée sans dormir **veille**

NUL aucun
– Rendre nul un décret, une décision **infirmer, invalider, annuler**
– Un acte juridique déclaré nul **caduc**
– Ses progrès sont nuls **inexistants**

NUMÉRO nombre, chiffre
– Tirer le bon numéro **jeton, billet**
– Numéro d'enregistrement **matricule**
– Numéro d'une revue **livraison, exemplaire**
– Numéro porté sur une marchandise **marque, cote**
– Apprécier le numéro d'un clown **prestation, spectacle**

NUMÉROTER
– Numéroter les feuillets d'un manuscrit **coter, paginer, folioter**

NUTRITION métabolisme
– Phase d'assimilation du processus de nutrition **alimentation, anabolisme**

Nuages

CIRRUS (EN MÈCHES) : mauvais temps

NIMBO-STRATUS (EN COUCHE) : précipitation continue de pluie ou de neige

CIRROCUMULUS (FLOCONNEUX, CIEL POMMELÉ) : temps incertain

STRATO-CUMULUS (EN BOURRELETS) : temps maussade

CIRROSTRATUS (EN MÈCHES ET EN VOILE) : pluie

STRATUS (TRÈS BAS) : crachin

ALTOCUMULUS (FLOCONNEUX) : périodes ensoleillées

CUMULUS (PROTUBÉRANCES) : périodes de beau temps

ALTOSTRATUS (VOILE ÉPAIS) : risque de pluie

CUMULO-NIMBUS (MASSE CONSIDÉRABLE) : temps pluvieux

– Phase de désassimilation du processus de nutrition **digestion, catabolisme**
– Carence de la nutrition **dénutrition, malnutrition**
– Un élément propre à la nutrition **nutritif**

NYMPHE divinité
– Nymphes des sources **naïades**
– Nymphes des eaux dormantes **limnades**
– Nymphes des montagnes **oréades**
– Nymphes des mers **néréides**
– Nymphes des arbres **dryades**
– Nymphes des prés **napées**
– Nymphes changées en astres **hyades**
– Petit temple consacré aux nymphes **nymphée**
– Nymphe des lépidoptères **chrysalide**

O

OASIS **désert**
– Habitant d'une oasis **oasien**
– Une oasis de paix au cœur du tumulte **refuge, havre**
OBÉIR
– Obéir à un ordre **s'exécuter, obtempérer**
– Obéir à un règlement **observer, respecter, se soumettre à**
– Obéir aux traditions **suivre, sacrifier à**
– Obéir à un pouvoir, un parti **s'inféoder à**
– Obéir à ses désirs **céder à**
OBÉISSANCE
– Obéissance manifestée au sein d'une hiérarchie ecclésiastique **obédience**
– Obéissance à une règle religieuse **observance**
– Rapport d'obéissance obligée d'un individu à l'égard d'un autre **subordination, assujettissement**
– Exiger l'obéissance d'un animal **docilité**
OBJECTIF (1)
– Objectif militaire **cible**
– Un objectif très précis **but, visées**
– Objectif utilisé en photographie **grand angle, téléobjectif, zoom**
OBJECTIF (2)
– Le monde objectif **réel**
– Brosser une description objective **neutre, impartiale**
– Rendre objective une sensation **objectiver**
OBJECTION **argument**
– Émettre une objection **remarque, critique, réfutation**
– Formuler des objections spécieuses **chicaner, ergoter, épiloguer**
– Figure de rhétorique consistant à prévenir une objection **prolepse**
– Cette nouvelle n'a suscité aucune objection **opposition, protestation, contestation**
– Si vous n'y voyez pas d'objection **inconvénient, obstacle**
OBJET **chose**
– Objet qui n'a que peu de valeur **babiole, bibelot, bagatelle, broutille, colifichet**
– Objet affecté à un usage précis **ustensile, outil, instrument**
– Objet commercialisé **article**
– Objet d'une rencontre **matière, question, thème, sujet**
– Verbe appelant un complément d'objet direct **verbe transitif**
– Relation à des objets autres que l'individu lui-même, en psychanalyse **relation objectale**
OBLIGATION
– Honorer ses obligations **dettes**
– Annulation d'une obligation **prescription**
– Acheter des obligations **titres**
– Obligations de l'impôt et du sang **tribut**
– Manquer à ses obligations **engagements, promesse, serment**
– Obligations liées à une profession **responsabilités, exigences**
– Obligation morale **devoir, impératif**
OBLIGÉ
– Je vous serais obligée de vous retirer **reconnaissante**
OBLIGER
– Obliger une personne à faire quelque chose **contraindre, astreindre, forcer, condamner**
OBLIQUE **incliné, penché**
– Bord taillé en oblique **biseau, biais, chanfrein**
– Un tissu tendu en oblique **en diagonale, en écharpe**
OBSCÈNE
– Des propos obscènes **gras, graveleux, crus, licencieux**
– Une attitude obscène **impudique, inconvenante, indécente, immorale**
– Une publication obscène **pornographique**
– Homme obscène **satyre**
OBSCUR **sombre, ténébreux**
– Des teintes obscures **foncées**
– Une forêt obscure **ombreuse**
– Un obscur pressentiment **vague, indistinct, imprécis**
– Des agissements obscurs **secrets, dissimulés, mystérieux**
– De souche obscure **incertaine, inconnue**
– Un texte obscur **difficile, abscons, abstrus, incompréhensible**
– Des propos obscurs **confus, énigmatiques, sibyllins, équivoques, amphibologiques**
– Texte dont le sens est délibérément obscur **ésotérique, hermétique, cabalistique**
OBSÉDER
– Le remords obsède cet homme **hante, harcèle, poursuit, accable, tourmente**
– L'idée de manger obsède ce miséreux **préoccupe, absorbe**
OBSERVATEUR (1)
– Assister à une bataille en observateur **témoin, spectateur**
OBSERVATEUR (2)
– Un esprit observateur **attentif, critique**
OBSERVATION voir aussi **astronomie**
– Fait de veiller à l'observation de préceptes moraux **obéissance, observance, respect**
– Une observation judicieuse **remarque, constatation, commentaire**
– Faire part de ses observations **réflexions, considérations, critiques, objections**
– Subir les observations de ses parents **avertissements, reproches, réprimandes, remontrances**
– Demeurer en observation à l'hôpital **sous surveillance**
– Se livrer à l'observation attentive d'un phénomène **examen, étude**
– Poste d'observation **vigie, mirador**
– Petite embarcation utilisée pour l'observation en mer **vedette**
– Instrument d'observation astronomique **télescope**
OBSERVER
– Observer une prescription **suivre, se conformer à**
– Observer attentivement une personne **scruter, dévisager, fixer**
– Observer avec insistance **épier, espionner, lorgner, guigner**
– Faire observer **signaler**
OBSTACLE
– Sa bêtise est un obstacle à ses ambitions **entrave, frein, gêne**

– La vie réserve de nombreux obstacles **difficultés, écueils, embûches**
– Buter sur un obstacle **achopper, heurter**
– Obstacle élevé par des manifestants **barricade**
– Course d'obstacles **course de haies, steeple-chase**
– Obstacle utilisé lors d'un concours hippique **barrière de spa, talus, palanque, mur, rivière**

OBSTINATION **entêtement, acharnement, ténacité, opiniâtreté**
– Obstination dans le refus **constance, insistance**

OBSTRUER
– Obstruer une conduite d'eau **boucher, engorger, oblitérer**
– Obstruer un passage **bloquer, gêner, encombrer, barrer**
– Obstruer la vue **cacher, dissimuler, masquer**

OBTENIR
– Obtenir le premier prix **remporter, décrocher**
– Obtenir par la force ou la ruse **extorquer, s'emparer de, conquérir, ravir, usurper**
– Obtenir les faveurs d'une personne **gagner, se concilier**
– Dissimulation d'une vérité pour obtenir quelque chose **obreption, subreption**

OBUS voir aussi **artillerie, canon**
– Arme à obus **canon, mortier, obusier**
– Dimension d'un obus **calibre**
– Obus employé pour percer les blindages **perforant, plein**
– Obus à mitraille **shrapnell**
– Partie supérieure d'un obus **ogive**

OCCASION
– Occasion heureuse et inespérée **aubaine, chance**
– Saisir l'occasion **possibilité, opportunité**
– Attendre l'occasion **moment**
– Occasions où le silence est préférable **circonstances, conjonctures**
– Cette rencontre est encore une fois l'occasion d'une discorde **motif, cause, sujet, raison, prétexte**
– À l'occasion **le cas échéant, éventuellement**
– Objet d'occasion **de seconde main**
– Marchand d'occasions **brocanteur, bouquiniste, ferrailleur**
– Grand marché parisien de l'occasion **puces**

OCCUPATION
– Occupation dont le but avoué est la distraction **passe-temps, hobby, loisir, violon d'Ingres**
– Être absorbé par ses occupations **charges, responsabilités, affaires**
– Fournir une occupation à une personne désœuvrée **besogne, tâche, travail**
– Occupation d'une habitation **appropriation, possession, squat**
– Occupation d'un pays **assujettissement, envahissement**
– Occupation d'une usine **grève sur le tas**

OCCUPER
– Occuper un espace **emplir**
– Occuper une place de prestige **détenir**
– Occuper le temps **meubler, tuer**
– Cette activité occupe toute son attention **requiert, absorbe**
– S'occuper à une activité **se consacrer à, travailler à, s'atteler à**
– S'occuper de politique **se mêler de**
– S'occuper du bien-être de quelqu'un **se soucier de, se préoccuper de**
– S'occuper du feu **surveiller, entretenir, alimenter**
– S'occuper d'une affaire **suivre**

OCÉAN **mer**
– Faune vivant au plus profond des océans **abyssale, pélagique**
– Domaine de la géographie traitant des océans **hydrographie, océanographie**
– Climat relatif à l'océan **océanique**
– Recherches menées sur les océans **océanologie**
– Les trois océans **Atlantique, Indien, Pacifique**
– Nymphe des océans **océanide**

OCULISTE **ophtalmologiste**

ODEUR **effluve, exhalaison, émanation** voir aussi **parfum**
– Odeur de cuisine **fumet**
– Odeur d'un vin **bouquet, arôme**
– Odeur des fleurs **parfum, fragrance, senteur**
– Odeur peu agréable **relent, remugle, miasme, empyreume**
– Traité scientifique des odeurs **osmologie**
– Aromates ou plantes dégageant une odeur agréable **odoriférants**
– Sens de la perception des odeurs **odorat**
– Fonction permettant la perception des odeurs **olfaction**

ODIEUX
– Se montrer odieux **insupportable, antipathique, mauvais, déplaisant, haïssable**
– D'une humeur odieuse **exécrable, détestable**
– Un acte odieux **abject, ignoble, infâme, abominable**

ODORAT **olfaction**
– Organe récepteur de l'odorat **tache olfactive**
– Perte de l'odorat **anosmie**
– Trouble psychique de l'odorat **parosmie**
– Odorat animal **flair**

ŒIL
ophtalm(o)-, -ophtalmie

ŒIL voir aussi dessin p. 312 et **vision**
– Membrane de l'œil **sclérotique, uvée, rétine**
– Blanc de l'œil **cornée**
– Muscle de l'œil **muscle amoureux**
– Cavité contenant le globe de l'œil **orbite**
– Humeur de l'œil **chassie**
– Terme générique des affections de l'œil **ophtalmie**
– Spécialiste des maladies des yeux **ophtalmologiste, oculiste**
– Examen du fond de l'œil **ophtalmoscopie**
– Greffe pratiquée sur l'œil **ophtalmoplastie**
– Maladie de l'œil **blépharite, cataracte, conjonctivite, kératite, rétinite, glaucome**
– Œil dont la vision est normale **emmétrope**
– Une personne qui a perdu un œil **borgne**
– Enlever un œil **énucléer, éborgner**
– Monstrueux géant pourvu d'un seul œil **Cyclope**
– Rides situées au coin de l'œil **pattes-d'oie**
– Coup d'œil furtif à l'adresse d'une personne **œillade**
– Œil-de-perdrix **cor**
– Œil-de-bœuf **lucarne, oculus**
– Œil-de-chat **pierre**

ŒUF voir aussi dessin et **embryon, germe**
– Enveloppe de l'œuf **coquille**

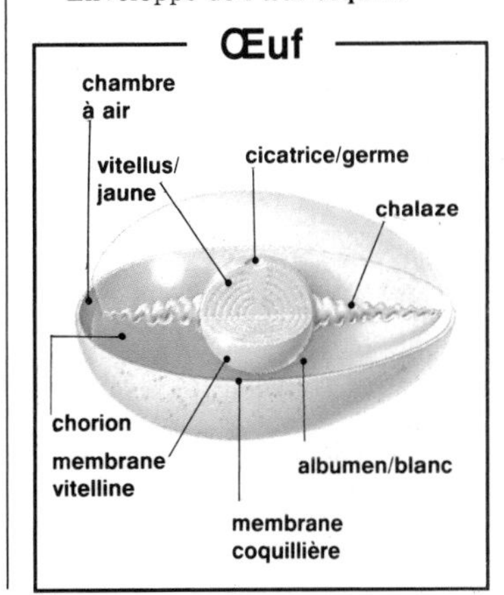

– Œuf pondu sans coquille **hardé**
– Œuf non fécondé **clair**
– Œuf dépourvu de jaune **nain**
– Période de développement de l'œuf après la ponte **couvaison, incubation**
– Regarder un œuf à contre-jour **mirer**
– Ustensile permettant de cuire plusieurs œufs en même temps **œufrier, coquetière**
– Poisson femelle ayant des œufs **œuvé**
– Animal pondant des œufs **ovipare**
– Animal dont les œufs éclosent à l'intérieur du corps de la mère **ovovivipare**
– Œufs de poisson servant d'appât **rogue**
– Œufs d'esturgeon **caviar**
– Œufs de seiche ou de poulpe **raisins de mer**
– Œuf de pou **lente**
– Œufs d'insectes **couvain**
– Œuf factice destiné à attirer les oiseaux dans un nid **nichet**
– Œuf fécondé résultant de l'union des gamètes **zygote**
– En forme d'œuf **ovale, ovoïde, oviforme**
– Ornement architectural en forme d'œuf **ove**

ŒUVRE **travail, tâche, action** voir aussi **bâtiment**
– Œuvre picturale **tableau, toile**
– Œuvre littéraire **écrit, livre, ouvrage**
– Œuvre la plus accomplie d'un artiste **chef-d'œuvre**
– Occuper le poste de maître d'œuvre **chef de chantier**
– Participer aux bonnes œuvres **charité, bienfaisance**
– Mettre en œuvre des moyens peu licites ou extrêmes **employer, recourir à, utiliser**
– Œuvres vives d'un navire **carène**
– Œuvres mortes d'un navire **accastillage**

OFFENSE **outrage, injure** voir aussi **insulte**
– Offense à caractère public **avanie, affront, camouflet**
– Offense faite à Dieu **faute, péché**
– Offense faite au nom de Dieu **blasphème**

OFFENSER **blesser, froisser, mortifier, humilier**
– Offenser la sensibilité d'une personne **heurter, choquer**
– Offenser le bon goût **attenter à**
– S'offenser **s'offusquer, se formaliser, se vexer**

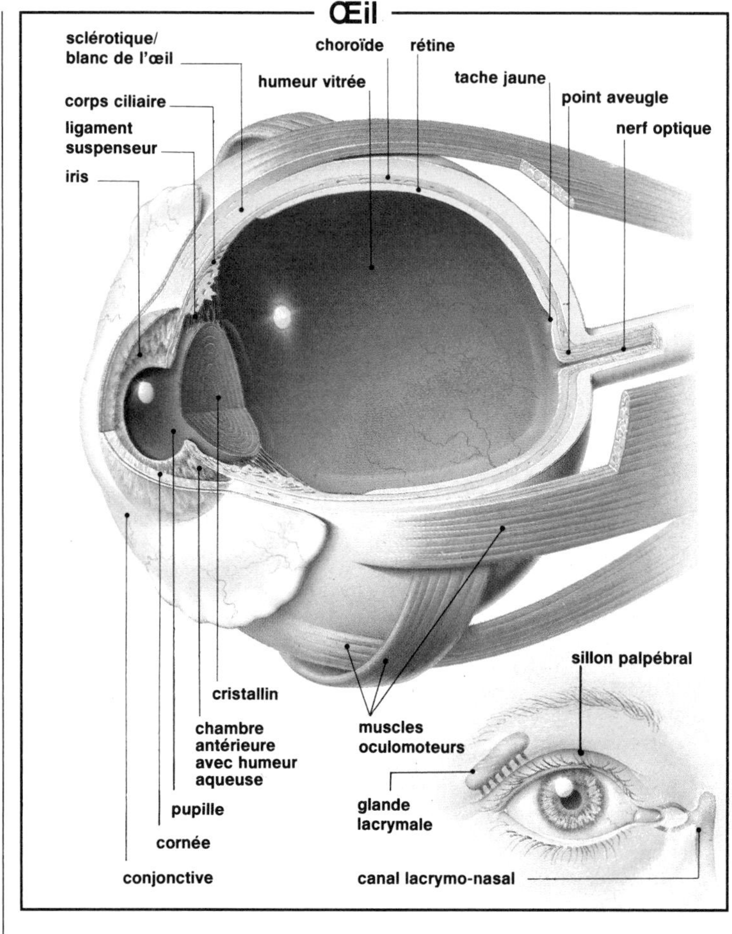

OFFICIEL
– Une décision officielle **gouvernementale, administrative**
– Un acte officiel **authentique**
– S'en tenir à la version officielle **consacrée, autorisée**
– Une nouvelle désormais officielle **publique, notoire, certaine**

OFFICIER voir aussi **grade**
– Officier du culte **célébrant**
– Officier de la chambre du pape **camérier**
– Officier public **notaire, huissier, avoué, agent de change**
– Officier municipal **maire**
– Officier de police **commissaire**

OFFRE
– Offre d'emploi **proposition**
– Offre d'un prix supérieur à ceux annoncés lors d'une vente **enchère**
– Offre de contrat non encore acceptée **pollicitation**
– Offre publique d'achat **O.P.A.**
– Offre publique d'échange **O.P.E.**
– Faire une offre de paix dans un conflit **ouvertures**
– Faire une offre à Dieu **oblation**

OFFRIR
– Offrir ses hommages **présenter**
– Offrir sa vie **sacrifier, vouer, dédier**
– Offrir de nombreux avantages **donner, procurer**
– Offrir un très bon repas à des amis **régaler**
– S'offrir aux regards **se montrer, s'exhiber**

OIE **confit** voir aussi **animal**
– Ordre auquel se rattache l'oie **ansériformes**
– Mâle de l'oie **jars**
– Petit de l'oie **oison**
– Oie commune **séquanienne**
– Oie sauvage **bernache, cendrée, rieuse, cravant**
– Oie dont on utilise le duvet **eider**
– Entendre crier les oies **cacarder, criailler**

OISEAU voir aussi dessin
– Étude des oiseaux **ornithologie**
– Élevage d'oiseaux **oisellerie**
– Oiseau pourvu de longues pattes **échassier**
– Oiseau à pattes palmées **palmipède**
– Accouplement d'oiseaux **pariade**
– Dresser un oiseau pour le vol **oiseler**
– Éleveur d'oiseaux **aviculteur**
– Vendeur d'oiseaux **oiseleur**
– Oiseau élevé dans une basse-cour **volaille, volatile**
– Oiseau de proie **rapace**
– Excréments d'oiseau **fiente**
– Excréments d'oiseau de mer **guano**
– Plume d'oiseau **penne, plume tectrice, rémige, plume rectrice, duvet**
– Appareil digestif de l'oiseau **gésier, jabot, ventricule succenturié, cloaque**
– Membrane recouvrant le bec de certains oiseaux **cire**
– Terminaison du tronc chez les oiseaux **croupion**
– Glande sécrétant une substance protégeant les plumes des oiseaux **uropygienne**
– Maladie des oiseaux **pépie**
– Ensemble des oiseaux d'un territoire donné **avifaune**
– Maladie transmise à l'homme par les oiseaux **ornithose, psittacose**
– Oiseau-mouche **colibri**
– Oiseau-lyre **ménure**

OLIVE
– Récolte des olives **olivade, olivaison**
– Cueilleur d'olives **oliveur**
– Lieu où l'on procède à l'extraction de l'huile d'olive **oliverie**
– Pressoir à olives **maillotin**
– Récipient destiné à recevoir l'huile d'olive dans un pressoir **maye**
– Olive verte consommée en hors-d'œuvre **picholine**
– Insecte nuisible à la culture de l'olive **hylésine**
– Couleur d'olive **olivâtre, olivacé**
– En forme d'olive **olivaire**

OMBRE
– Ombre d'un arbre **ombrage**
– Un lieu à l'ombre **ombragé**
– Zone d'ombre partielle **pénombre, demi-jour**
– Couvrir d'ombre **obombrer**
– Ajouter des ombres à une peinture **ombrer**
– Technique picturale de distribution des ombres et des lumières **clair-obscur**
– Terre brune servant à faire des ombres **terre d'ombre, terre de Sienne**
– Éclairage supprimant les ombres portées **scialytique**
– Agir dans l'ombre **obscurément, secrètement, solitairement**
– Sortir de l'ombre **tirer de l'oubli**
– Il y a une ombre au tableau **défaut, problème**
– Il n'y a pas l'ombre d'un doute **pas le moindre soupçon**
– Ombre d'un corps **silhouette, contour, image**
– Détermination de l'heure au moyen d'ombres projetées **sciographie**

OMISSION **oubli, manque, lacune**
– Omission délibérée d'un fait **réticence, dissimulation, obreption**
– Utilisation de l'omission comme figure de rhétorique **prétérition**
– Par omission **distraction, négligence, mégarde**

OMOPLATE voir aussi **épaule, os**
– Forte saillie prolongeant l'épine de l'omoplate **acromion**

ONCLE **famille, parenté**
– Relatif à un oncle **avunculaire**

ONDE **vibration**
– Onde en milieu liquide **cercle, ride**
– Ondes sonores se propageant par vibration de la matière **mécaniques**
– Ondes se diffusant dans le vide hors de tout support matériel **électromagnétiques**
– Onde créée par un objet dont la vitesse est supérieure à celle du son **de choc**

Oiseau

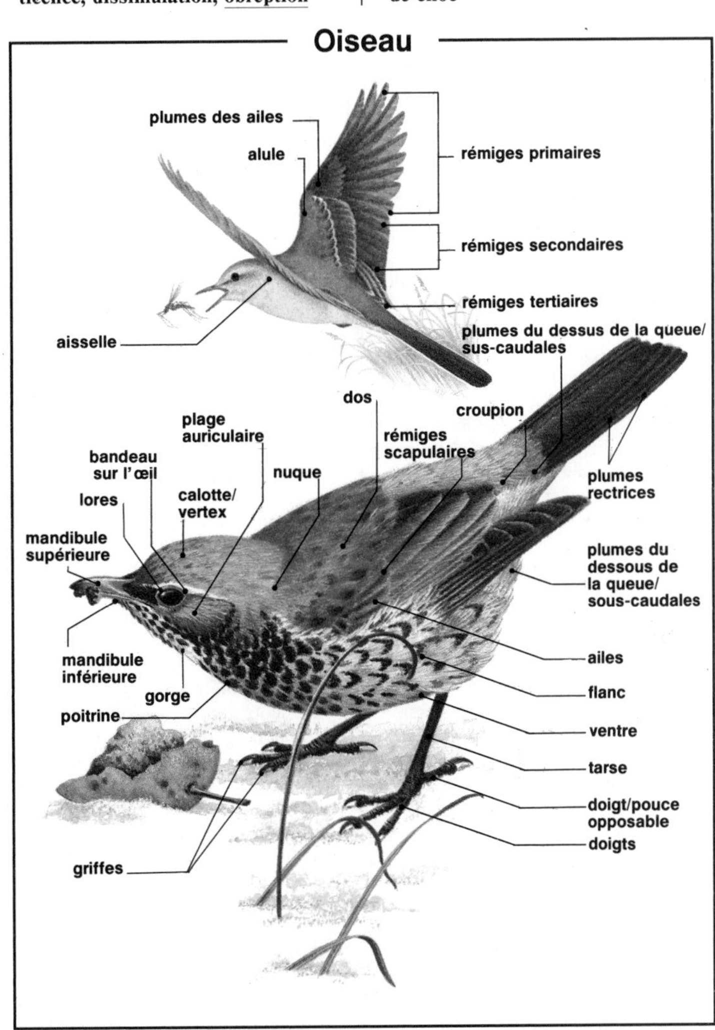

– Unité de mesure des longueurs d'onde **angström**
– Émission d'ondes en nombre restreint **train d'ondes**
– Premier détecteur d'ondes hertziennes **cohéreur**
– Instrument basé sur le principe de la réflexion des ondes sonores **sonar, radar**
– Unité de mesure des longueurs d'onde radio **mégahertz**
– Ondes courtes **décamétriques, H.F. (High Frequency)**
– Ondes moyennes **hectométriques, M.F. (Medium Frequency)**
– Ondes longues **kilométriques, L.O. (Low Frequency)**
– Onde de contraction musculaire de certains organes **péristaltisme**
– Se mouvoir en décrivant des ondes **ondoyer**

ONGLE
– Base de l'ongle, près de sa racine **lunule**
– Peaux entourant l'ongle **envies**
– Abcès situé dans la proximité d'un ongle **panaris, tourniole**
– Infection du derme de l'ongle **onyxis**
– Manie consistant à ronger ses ongles **onychophagie**
– Personne chargée du soin des ongles et des mains **manucure**
– Nécessaire à ongles **onglier**
– Ongle de chat **griffe**
– Ongles de rapace **serres**

OPÉRA
– Grande chanteuse d'opéra **diva**
– Chanteuse d'opéra tenant le premier rôle **prima donna**
– Partie chantée par un soliste dans un opéra **aria**
– Opéra dont le thème emprunte à la tragédie **grand opéra, opéra sérieux**
– Opéra dont le sujet et la forme empruntent à la comédie **opéra bouffe**
– Opéra avec épisodes parlés et chantés **opéra-comique**
– Texte sur lequel un musicien compose la musique d'un opéra **livret, libretto**
– Compositeur de livrets d'opéra **librettiste**
– Texte chanté séparant les airs dans un opéra **récitatif**
– Art du chant dans l'opéra italien **bel canto**
– Ensemble de quatre opéras **tétralogie**

OPÉRATION **action, travail, exécution** voir aussi **chirurgie**
– Opération publicitaire **campagne**
– Opération militaire **manœuvre, offensive, attaque, combat**
– Opération financière **transaction, spéculation, boursicotage**
– Subir une opération chirurgicale **intervention**
– Opération arithmétique **addition, soustraction, multiplication, division**

OPINIÂTRETÉ
– Lutter avec opiniâtreté **vaillance, fermeté, constance, ténacité, détermination**
– Discourir avec opiniâtreté **obstination, entêtement, acharnement, véhémence, pugnacité**

OPINION **avis, sentiment, pensée, conception**
– Opinion adoptée sans critique ni mise à l'épreuve **préjugé, parti pris**
– Opinion très ferme **croyance, conviction**
– Opinion peu assurée **présomption, conjecture, supposition**

OPIUM **drogue, stupéfiant**
– Plante dont on extrait l'opium **pavot**
– Alcaloïde extrait de l'opium **codéine, narcotine, morphine, papavérine, thébaïne**
– Ajouter de l'opium à une substance **opiacer**
– Teinture alcoolique d'opium utilisée comme sédatif **laudanum**
– Accoutumance à l'opium **opiomanie**
– Opium de laitue **lactucarium**

OPPOSÉ
– Aller dans une direction opposée **inverse, contraire**
– Courir pour la partie opposée **adverse, rivale**
– Des intérêts opposés **inconciliables, incompatibles**
– Des positions opposées **divergentes**
– Être opposé à une action **hostile, défavorable**
– Des éléments semblables mais opposés **symétriques**
– Les côtés opposés d'une feuille de papier **recto, verso, endroit, envers**
– Côtés opposés d'une pièce de monnaie **pile, face, avers, envers**
– Endroit diamétralement opposé à un autre **antipode**
– Propositions opposées **antinomiques, antithétiques, contradictoires**
– Mots de sens opposés **antonymes**

OPPOSITION
– Opposition de conceptions **désaccord, dissension, antagonisme**
– Opposition de couleurs **contraste, dissonance, disparité, discordance**
– Opposition de proportions **asymétrie, dissemblance, dissimilitude**
– Opposition à un projet **désapprobation, répugnance**
– Opposition verbale **objection, contestation**
– Opposition à un pouvoir **désobéissance, résistance, révolte, rébellion**
– Entrer en opposition avec une personne **conflit, dispute**
– Faire opposition à une décision **mettre son veto**
– Faire opposition à un processus **obstacle**

OPPRESSION
– Exercer une oppression sévère **coercition, domination, contrainte, joug**
– Maintenir la population dans l'oppression **assujettissement, asservissement**
– Régime d'oppression **tyrannie, dictature**

OPPRIMER
– Opprimer les consciences **étouffer, museler**
– Opprimer ses subordonnés **exploiter, écraser, humilier**

OPTIMISTE
– Cet homme est d'un naturel optimiste **positif**
– Se montrer optimiste **confiant**

OR **métal**
– Un terrain contenant de l'or **aurifère**
– Gisement d'or **placer**
– Aspect de l'or brut **paillette, pépite, poudre**
– Chercheur d'or **orpailleur**
– Travailler l'or **amatir, dépolir, brunir, dégrossir**
– Aspect de l'or travaillé **barre, lingot**
– Technique consistant à battre l'or pour en obtenir des feuilles **batte**
– Marque attestant la pureté de l'or **poinçon**
– Titre légal de l'or **aloi**
– Quantité d'or fin renfermée dans un alliage **carat**
– Pièce d'or **louis, napoléon, jaunet**
– Fil d'or utilisé en broderie **cannetille**
– Tissu broché de fils d'or **brocart**
– Argent recouvert d'or **vermeil**
– Alliage imitant l'or **chrysocale**

ORAGE **perturbation**
– Manifestation de l'orage **éclair, tonnerre, pluie, grêle**
– Vent violent accompagnant un orage **bourrasque, ouragan, tempête**
– Traverser les orages de la vie **difficultés, tumultes, troubles**

ORAGEUX
– Un temps orageux **lourd, accablant**
– Un climat orageux **tendu, explosif**
– Une entrevue orageuse **agitée, mouvementée, tumultueuse**

ORAL voir aussi **bouche**
– Témoignage oral **verbal**
– Récit de la tradition orale **conte, geste**

ORANGE agrume
– Écorce d'orange **zeste**
– Variété d'orange amère **bigarade**
– Orange à chair rouge **sanguine**
– Écorce d'orange confite **orangeat**
– Orange cueillie avant maturité et utilisée en confiserie **orangette**
– Boisson faite de vin rouge, d'oranges et d'autres fruits **sangria**
– Liqueur d'écorce d'orange amère **curaçao**

ORATEUR conférencier, intervenant
– Orateur fameux dans les débats **débatteur**
– Orateur dont le discours constitue une véritable plaidoirie **tribun, apologiste**
– Orateur religieux **prêcheur, prédicateur**
– Mauvais orateur **déclamateur**
– Orateur grandiloquent et peu sincère **phraseur, rhéteur**
– Qualité attendue d'un orateur **éloquence**

ORBITE courbe, trajectoire voir aussi **astronomie, œil**
– Orbite de l'œil **cavité**
– Œil sorti de son orbite **exorbité**
– Partie supérieure de l'orbite de l'œil **arcade**
– Orbite des planètes **ellipse**
– Relatif à l'orbite **orbital**
– Point de l'orbite d'un astre le plus rapproché de la Terre **périgée**
– Point de l'orbite d'un astre le plus éloigné de la Terre **apogée**
– Astre quittant son orbite **désorbité**
– Mise sur orbite d'un satellite **lancement**
– Attirer une personne dans son orbite **sphère, sillage, milieu**

ORCHESTRE ensemble, formation voir aussi **musique**
– Élément d'un orchestre **instrumentiste**
– Instrument du chef d'orchestre **baguette**
– Composition écrite pour un orchestre et un instrument soliste **concerto**
– Orchestre restreint **orchestre de chambre**
– Orchestre de chambre **trio, quatuor, quintette, sextuor, septuor, octuor**
– Musique d'orchestre **orchestrale**
– Orchestre de cuivres parfois accompagnés de percussions **fanfare**

ORCHIDÉE orchidacée
– Une orchidée vivant fixée sur d'autre végétaux **épiphyte**
– Pétale supérieur de la corolle de l'orchidée **labelle**
– Espèce d'orchidée le plus répandue en Europe **orchis, ophrys, cattleya, sabot-de-Vénus**
– Espèce d'orchidée produisant un fruit très connu **vanilla**

ORDINAIRE courant, commun, usuel
– Un phénomène ordinaire **banal, classique**
– Une intelligence ordinaire **moyenne**
– Agir selon l'usage ordinaire **admis, général, traditionnel, établi**
– Un individu tout à fait ordinaire **quelconque**
– Des manières très ordinaires **grossières, vulgaires**
– En temps ordinaire **habituellement, normalement**

ORDONNANCE agencement, disposition, arrangement, organisation
– Admirer l'ordonnance d'un tableau **composition**
– Ordonnance médicale **prescription**
– Ordonnance d'un juge **décision**
– Ordonnance juridique **décret**
– Ordonnance militaire **aide de camp**

ORDONNER
– Ordonner des éléments épars **rassembler, ranger, classer, regrouper**
– Ordonner à quelqu'un de faire telle chose **commander, imposer**
– Ordonner au nom de Dieu **adjurer**
– Ordonner très fermement et très clairement **enjoindre, intimer, sommer**
– Ordonner un prêtre **consacrer**

ORDRE
– Faire régner l'ordre **discipline, calme, paix, sécurité**
– Expression de l'ordre public **loi**
– Forces de l'ordre **armée, police**
– Un ordre formel **commandement, injonction, consigne, instruction**
– Ordre n'admettant pas de réplique **oukase**
– Rappel à l'ordre **admonestation, semonce, réprimande, blâme**
– Un ordre informatique **directive, indication, commande**
– Annulation d'un ordre **contrordre**
– Ordre logique **série, succession, enchaînement, filiation, gradation**
– Règles grammaticales régissant l'ordre des mots **syntaxe**
– Ordre architectural **style**
– Ordre architectural grec **dorique, ionique, corinthien**
– Ordre architectural romain **toscan, composite**
– Ordre professionnel **association, corporation**
– Ordre religieux **société, confrérie, communauté**
– Les trois ordres de la société française avant la Révolution **noblesse, clergé, tiers état**
– Ordre de la hiérarchie ecclésiastique **degré**
– Ordre mineur de l'Église catholique romaine **portier, lecteur, exorciste, acolyte**
– Ordre majeur de la hiérarchie catholique romaine **sous-diaconat, diaconat, sacerdoce**

ORDURE déchet, détritus, immondices
– Boîte à ordures **poubelle**
– Vide-ordures dans un immeuble **dévaloir**
– Préposé au ramassage des ordures **éboueur, boueux**
– Traitement des ordures **incinération, compostage, broyage**
– Ordures animales **excréments**
– Proférer des ordures **grossièretés, obscénités**

OREILLE
ot(o) -, ot(i) -

OREILLE voir aussi dessin p. 316 et **audition**
– Les trois parties constituant l'oreille **oreille externe, oreille moyenne, oreille interne**
– Caisse de résonance de l'oreille **tympan**
– Ourlet du pavillon de l'oreille **hélix**
– Excavation de l'oreille **conque**
– Partie charnue de l'oreille **lobe**
– Substance sécrétée dans l'oreille **cérumen**
– Inflammation de l'oreille **otite**
– Courbe de la sensibilité de l'oreille aux différents sons **audiogramme**
– Domaine de la médecine étudiant l'oreille **otologie**
– Écoulement par l'oreille d'une substance organique **otorrhée**
– Instrument permettant l'examen de l'oreille **otoscope**
– Douleur d'oreille **otalgie**
– Zone de l'oreille **auriculaire**

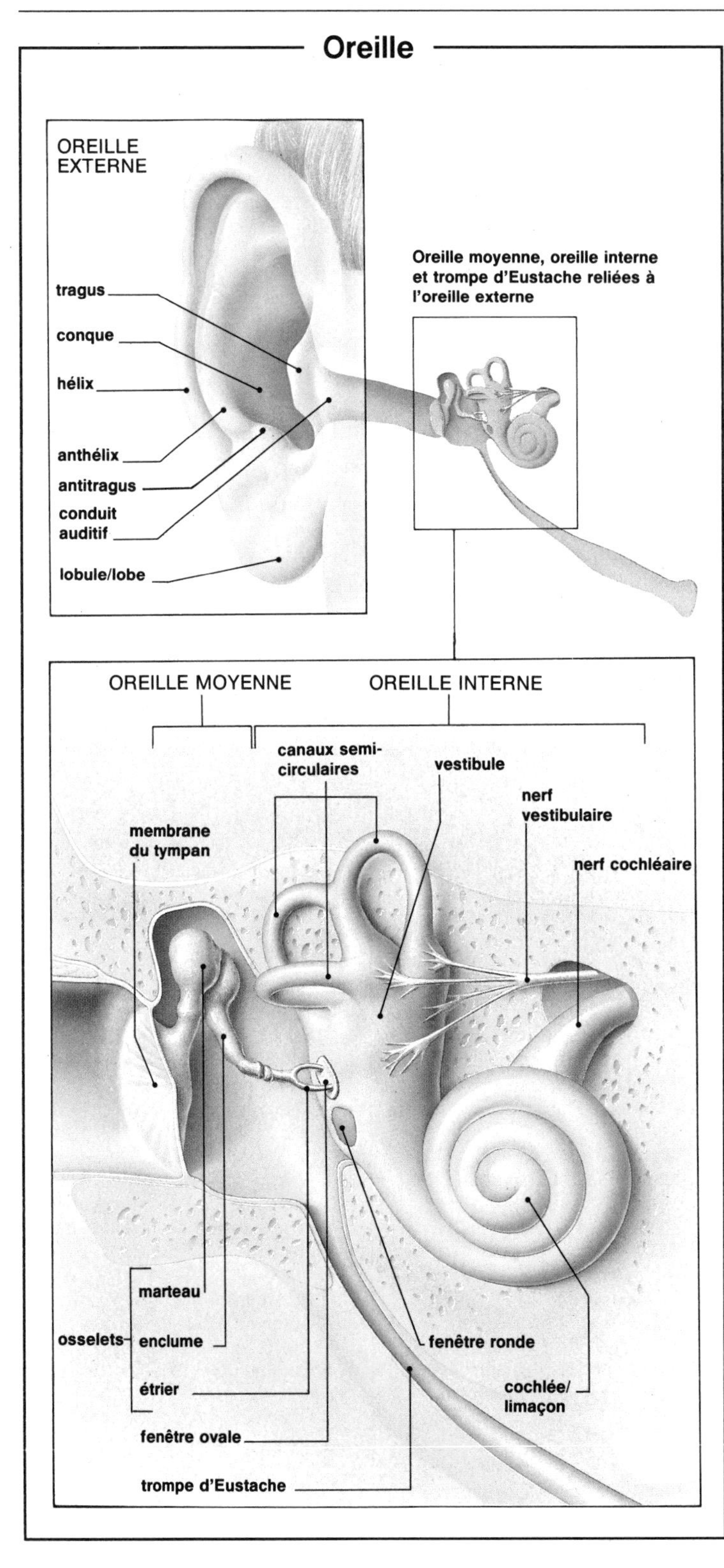

– Couper les oreilles d'un chien **essoriller**
– Saisir une marmite par les oreilles **anses, poignées**
– Oreille de fauteuil **oreillard**
– Oreille-de-souris **myosotis**
– Oreille-de-mer **haliotide**

OREILLER **coussin**
– Pièce de tissu enveloppant l'oreiller **taie**
– Oreiller long **traversin, polochon**

ORGANE
– Posséder un bel organe **voix**
– Formation et développement des organes **organogenèse**
– Utilisation d'organes à des fins thérapeutiques **opothérapie, organothérapie**
– Implantation d'un organe **greffe**
– Lésion d'un organe **organique**
– Ensemble d'organes concourant à une même fin **appareil**
– Organe d'un parti **bulletin, publication, journal**
– Organes d'une machine **mécanisme, instruments, équipement, accessoires**
– Organe comptable **grand-livre, balance**

ORGANISATION
– Veiller à l'organisation d'un dîner **agencement, arrangement, préparation, apprêts**
– Avoir l'esprit d'organisation **entreprise, décision, direction, méthode**
– Manque d'organisation **laisser-aller, négligence, incurie**
– Plan d'organisation **planning, emploi du temps**
– Tableau schématique indiquant l'organisation d'une administration **organigramme**
– Critiquer l'organisation d'une entreprise **structure, infrastructure**
– Organisation politique **formation, association, parti**
– Admirer l'organisation du corps humain **économie**

ORGANISER **agencer, disposer, ordonner**
– Organiser une entrevue **préparer, prévoir, ménager**
– Organiser une mise en scène **diriger, régler**

ORGANISME **être vivant, corps**
– Organisme élémentaire **cellule**
– Organisme microscopique **micro-organisme**
– Organisme de décision **instance**

ORGE **céréale**
– Grains d'orge débarrassés de leur première enveloppe **orge mondé**
– Petits grains d'orge débarrassés

de tout leur son **orge perlé**
– Orge à deux rangs utilisée pour la fabrication de la bière **paumelle, marsèche**
– Orge broyée pour faire de la bière **brai**
– Transformation de l'orge en malt **maltage**
– Orge hâtive semée en automne **escourgeon**

ORGUE
– Meuble renfermant le mécanisme d'un orgue **buffet d'orgue**
– Série de tuyaux d'un orgue de même espèce et de même timbre **jeu d'orgue**
– Groupes de jeux d'orgue **jeux de fond, jeux d'anche, jeux de mutation**
– Touche d'un orgue **marche**
– Partie de l'orgue ou plan sonore correspondant aux différents claviers **positif, grand orgue, bombarde, récit, écho, pédale**
– Commande d'un jeu d'orgue **registre**
– Ouvrier fabriquant les soufflets d'orgue **souffletier**
– Fabricant d'orgues **facteur d'orgues, organier**
– Pièce pour orgue **toccata, passacaille, fugue**
– Joueur d'orgue **organiste**
– Orgue portatif à manivelle **orgue de Barbarie, limonaire**

ORGUEIL
– Attitude empreinte d'orgueil et de mépris **suffisance, arrogance, dédain, outrecuidance, infatuation, morgue**
– Être blessé dans son orgueil **fierté, amour-propre**

ORIENT est, levant
– Le Grand Orient de France **franc-maçonnerie**
– Apprécier l'orient d'une perle **reflet**

ORIENTATION
– Choisir l'orientation d'une maison **situation, position, exposition**
– Instrument utilisé pour connaître l'orientation d'un lieu **orienteur**
– Instrument d'orientation **boussole, carte, compas, table d'orientation**
– Réaction d'orientation manifestée par un animal ou une plante **tropisme**
– Organisme spécialisé en orientation professionnelle **assistance, conseil**
– Définir une orientation politique **direction, tendance, ligne**

ORIENTER
– Orienter une personne désemparée **guider, aiguiller, brancher**
– S'orienter vers une filière **se diriger vers, choisir**

ORIGINAL (1)
– Produire l'original d'un acte notarié **minute**

ORIGINAL (2)
– S'aider du document original **authentique**
– Une technique originale **nouvelle, inconnue**
– Une édition originale **première édition**
– Un style original **personnel, singulier, particulier**
– Un auteur original **inventif, créatif, génial**
– Une manière très originale de se vêtir **étonnante, rare, surprenante, curieuse, bizarre**
– Une enfant originale **excentrique, fantaisiste, fantasque, extravagante**

ORIGINE genèse, **commencement, début**
– Effectuer des recherches sur ses origines **ascendance, lignée, extraction, souche, parenté**
– S'attaquer à l'origine du mal **source, racine**
– Le lieu d'origine d'une tradition, d'une civilisation **berceau**
– S'interroger sur l'origine d'un conflit **cause, motif, prétexte**
– Découvrir l'origine d'un produit **provenance**
– Rechercher l'origine d'un mot **étymologie**

ORNEMENT accessoire
– Ajouter un ornement à une toilette **parure, fanfreluche**
– Ornement musical **fioriture**
– Ornement peint des livres anciens **enluminure, miniature**
– Ornement utilisé en typographie **fleuron, vignette**
– Entrelacement de lignes, de dessins servant d'ornement **arabesque**
– Ornement en architecture **frise, bandeau, moulure, applique**
– Artiste chargé des ornements en plâtre ou en stuc **ornemaniste**

ORNER parer, décorer, embellir, enjoliver, égayer
– Orner un tissu, un vêtement **broder, brocher, galonner**
– Orner son récit de mots drôles **émailler, enrichir, agrémenter**
– Orner un ouvrage de motifs, de dessins **illustrer**
– Orner de lumières un édifice, une avenue **illuminer**
– Orner une pièce d'orfèvrerie **nieller, guillocher, incruster**

ORPHELIN pupille

ORTHODOXE voir aussi **dogmatique, église**
– Église orthodoxe **grecque, russe**
– Une attitude très orthodoxe **traditionaliste, conformiste**
– Ils furent pourchassés pour leurs positions religieuses non orthodoxes **hérétiques**
– Condamné pour ses positions politiques non orthodoxes **dissident**

ORTHOGRAPHE voir aussi **grammaire, langue**
– Difficultés dans l'apprentissage de l'orthographe **dysorthographie**
– Mots ayant la même orthographe **homographes**

OS voir aussi dessin p. 318
– Ensemble des os **squelette**
– Partie moyenne d'un os long **diaphyse**
– Partie extrême d'un os long **épiphyse**
– Protubérance sur un os **apophyse**
– Membrane entourant l'os **périoste**
– Substance contenue dans les os **moelle**
– Substance constitutive des os **osséine**
– Type d'os **plat, long, court**
– Type d'articulation des os **diarthrose, suture, symphyse, synarthrose**
– Fragment d'os **esquille**
– Os épars dépouillés de leur chair **ossements**
– Formation et développement des os **ostéogenèse**
– Domaine de l'anatomie étudiant les os **ostéologie**
– Traitement thérapeutique fondé sur la manipulation des os **ostéopathie**
– Inflammation des os **ostéite, ostéomyélite**
– Sectionnement d'un os long **ostéotomie**
– Cancer de l'os **ostéosarcome**
– Ramollissement généralisé des os **ostéomalacie**

OSÉ
– Une entreprise très osée **risquée, hardie**
– Un comportement osé **audacieux, téméraire**
– Des propos osés **légers, lestes, libres**
– Une scène très osée **scabreuse, licencieuse, indécente**

OSIER saule
– Utilisation majeure de l'osier **vannerie**
– Partie de l'osier utilisée en vannerie **rameau**

– Une plantation d'osiers **oseraie**
– Culture de l'osier **osiériculture**
– Marchand d'osier **osiériste**

OSSIFICATION **ostéogenèse**
– Ossification assurant la croissance des os en longueur **enchondrale**
– Ossification assurant la croissance des os en épaisseur **périostique**
– Ossification pathologique du périoste **ostéophyte, bec-de-perroquet**

OSTENTATION
– Ostentation certaine à prodiguer sans cesse ses largesses **parade, étalage, affectation**
– Agir par pure ostentation **vanité, orgueil, gloriole**

OTAGE
– Utilisation de l'otage **gage, garant, répondant**
– Prix exigé pour la libération d'un otage **rançon**

ÔTER
dé-, des-, é-, ex-

ÔTER
– Ôter un vêtement **retirer, quitter, se débarrasser de**
– Ôter un objet gênant **déplacer, enlever**
– Ôter l'espoir chez quelqu'un **enlever, supprimer, tuer, annihiler**
– Ôter une partie d'un tout **retrancher, soustraire**

OUBLI **trou, lacune, absence**
– Un oubli regrettable **négligence, étourderie**
– Oubli pathologique **amnésie**
– Oubli sénile des événements les plus récents **amnésie antérograde**
– Oubli volontaire **dissimulation**
– Motif de l'oubli dans la théorie freudienne **refoulement**
– Oubli officiel **amnistie**

Os

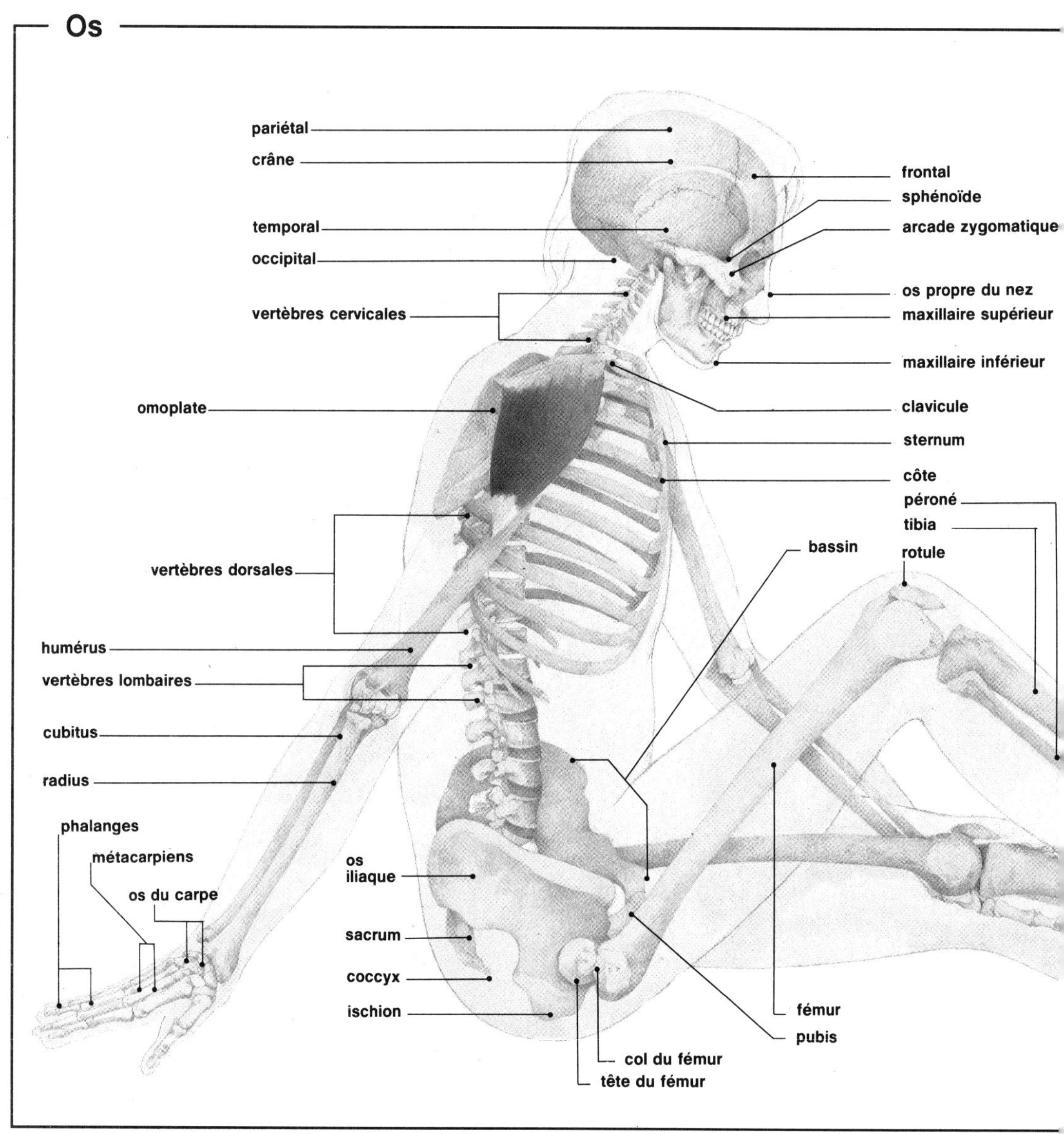

– Oubli de soi **abnégation, sacrifice, désintéressement**
– Fleuve de l'oubli dans la tradition grecque **Léthé**
OUBLIER omettre
– Oublier tous ses amis **délaisser, abandonner**
– Oublier les règles de bienséance **manquer à, déroger à**
– Oublier délibérément un interdit **enfreindre, transgresser**
– Oublier les connaissances acquises **désapprendre**
OUEST occident, ponant, couchant

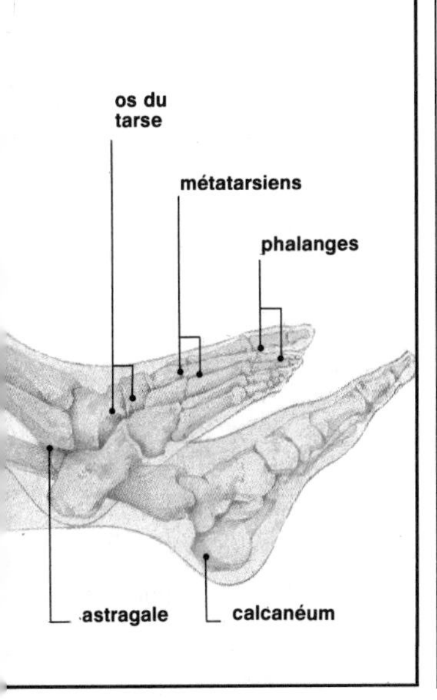

OURS voir aussi **animal**
– Famille à laquelle appartient l'ours **ursidés**
– Petit de l'ours **ourson**
– Bruit émis par l'ours **grondement, grognement**
– Ours brun d'Amérique du Nord **grizzli**
– Ours polaire **ours blanc**
– Ours géant d'Alaska **kodiak**
– Ours du Sud-Est asiatique **ours malais, ours des cocotiers, ours lippu**
– Habitat de l'ours **tanière**
– Cet individu est un véritable ours **rustre, sauvage, misanthrope**
OUTIL instrument, appareil, engin, machine
– Pourvoir d'outils **outiller**
– Concepteur et fabricant d'outils **outilleur**
– Outils de cuisine **ustensiles**
– Outils utilisés par un artisan **matériel, équipement**
OUVERT
– Un esprit très ouvert **éveillé, curieux, vif**
– La séance est ouverte **commencée**
– Afficher une opposition ouverte à un projet **déclarée, manifeste, publique, patente**
– Parler à cœur ouvert **simplement, franchement, directement**
– Recevoir une personne à bras ouverts **cordialement, chaleureusement**
– Rester bouche ouverte **bouche bée**
– Les fleurs sont ouvertes **épanouies**
OUVERTURE espace, trou, orifice, passage, fente, brèche
– L'ouverture d'un compas **écartement**
– Ouverture pratiquée dans un mur **meurtrière, jour, embrasure, baie, soupirail, fenêtre**
– Ouverture pratiquée dans une porte **chatière, judas, guichet**
– Fêter l'ouverture de la pêche **début**
– Première ouverture au public d'un établissement **inauguration**
– Très petite ouverture **interstice, entrebâillement**
– L'ouverture d'une œuvre musicale **prélude**
– Ouverture d'esprit **tolérance**
– Faire des ouvertures à l'ennemi **propositions, avances, offres**
OUVRAGÉ
– Un plafond très ouvragé **travaillé, décoré**
– Un texte trop ouvragé **fignolé, soigné, léché**
OUVRIER travailleur, manuel, salarié
– Classe regroupant les ouvriers **prolétariat**
– Ouvrier dépourvu de toute qualification **manœuvre**
– Ouvrier agricole rétribué à la journée **journalier**
– Doctrine politique accordant aux ouvriers une place prééminente **ouvriérisme**
OUVRIR
– Ouvrir un puits **creuser, forer**
– Ouvrir des négociations **entamer, entreprendre**
– Ouvrir les hostilités **déclencher**
– Ouvrir à peine une porte **entrouvrir, entrebâiller**
– Ouvrir une porte en la forçant **crocheter**
– Ouvrir les huîtres **écailler**
– Ouvrir l'appétit **aiguiser, exciter**
– Ouvrir une bouteille **déboucher**
– Ouvrir démesurément les yeux **écarquiller**
– Ouvrir les yeux à une personne **dessiller**
– Ouvrir un abcès **inciser, percer**
– Ouvrir un commerce **créer, fonder, établir, implanter**
– S'ouvrir un passage **se frayer**
– S'ouvrir **comprendre, s'épanouir**
– S'ouvrir d'un projet à un ami **confier**
– S'ouvrir sur un jardin **donner sur**
OVAIRE voir aussi **femme, fleur**
– Cellule produite par les ovaires **ovule**
– Inflammation des ovaires **ovarite**
– Ablation d'un ovaire **ovariectomie**
– Relatif à l'ovaire **ovarien**
– Hormone sécrétée par les ovaires **folliculine, œstrogène, progestérone**
OVALE ovoïde, ové voir aussi **géométrie**
– Pratique du ballon ovale **rugby**
– Élément ayant pris une forme ovale **ovalisé**
OXYGÈNE gaz
– Combinaison d'oxygène et d'hydrogène **eau**
– Combinaison d'oxygène avec un autre corps **oxyde**
– Eau fortement additionnée d'oxygène **eau oxygénée**
– Combinaison contenant le plus grand nombre d'atomes d'oxygène **peroxyde**
– Forme allotropique de l'oxygène **ozone**
– Utilisation de l'oxygène à des fins thérapeutiques **oxygénothérapie**

P

PACHA
– Ancien territoire soumis au gouvernement d'un pacha **pachalik**
PACIFIQUE (1)
– Archipel du Pacifique **Carolines, Mariannes, Marshall**
PACIFIQUE (2) placide, serein
– Entente pacifique entre États **non-agression**
– Pratique pacifique **non-violence**
– Attitude pacifique affichée en dépit des conflits **irénisme**
PAGE feuille voir aussi **imprimerie**
– Page d'une feuille **recto, verso**
– La numérotation des pages d'un livre **pagination, foliotage**
– Chiffre qui numérote chaque page d'un livre **folio**
– Règle servant à mesurer la hauteur d'une page **pige**
– Disposition des pages pour l'impression **imposition**
– Dernière épreuve d'une page de journal **morasse**
– Metteur en pages **pageux**
– Assemblage de plusieurs pages **cahier**
– Fin de la période d'apprentissage d'un page **hors de page**
PAIEMENT rémunération, salaire, gages, pige
– Paiement d'un fonctionnaire **traitement, émoluments**
– Paiement d'un soldat **solde**
– Paiement d'un artiste **cachet**
– Paiement d'un achat **règlement**
– Paiement d'une facture **acquittement**
– Paiement partiel **acompte, arrhes, à-valoir**
– Mode de paiement **liquide, chèque, carte de crédit, virement, lettre de change, mandat**
– Reçu prouvant un paiement **décharge, acquit**
– Paiement à tempérament **mensualité, annuité**
PAÏEN (1)
– Païen considéré du point de vue des religions judéo-chrétiennes **incroyant, impie, idolâtre**
– Païen qui attribue aux choses une âme semblable à l'âme humaine **animiste**
– Païen nouvellement converti au judaïsme **prosélyte**
– Gens d'Église chargés d'évangéliser les païens **missionnaires**
PAÏEN (2)
– Désignation des religions païennes par les chrétiens **paganisme**
– Religion dite païenne **polythéiste**
PAILLE céréale
– Paille restant en terre après la moisson **chaume, éteule**
– Paille provenant du seigle et dont on couvre les toits **glui**
– Un brin de paille **fétu**
– Tas de paille **meule, meulon**
– Couvrir de paille le pied d'un arbre **pailler**
– Frotter un cheval avec de la paille **bouchonner**
– Paille et foin dont on nourrit les animaux **fourrage**
– Manchon de paille servant d'enveloppe aux bouteilles **paillon**
– Mortier constitué de paille et de terre **bousillage, bauge, pisé, torchis**
PAILLETTE
– Paillette constituant un défaut dans un diamant **paille**
– Paillette constituant le ressort d'une targette **paillet**
– Paillette de soudure d'orfèvrerie **paillon**
– Chercheur de paillettes d'or dans les sables **orpailleur, pailleteur**
PAIN
– Fabrication du pain **panification**
– Matériel utilisé pour la fabrication du pain **blutoir, étouffoir, doroir, four, rouable**
– On y fabrique le pain **fournil**
– Pâte à pain **pâton**
– Coffre dans lequel on pétrit le pain **pétrin**
– Grumeau de farine dans le pain **marron**
– Corbeille où la pâte à pain est mise en forme avant l'enfournage **paneton**
– Agent de fermentation du pain **levure, levain**
– Fente faite sur le pain **grigne**
– Surface de contact de deux pains durant la cuisson **baisure**
– Son tamisé dont on saupoudre le pain **fleurage**
– Pain régional **fouace, gressin, fougasse, bretzel**
– Forme de pain rond **miche, boule, couronne**
– Forme de pain long **flûte, saucisson, baguette**
– Coffre où l'on conservait le pain **maie, huche, panetière**
– Apprenti spécialisé dans la fabrication du pain **mitron, gindre**
– Soupe à base de pain **panade**
– Morceau de pain que l'on trempe **trempette, mouillette**
– Pain du rituel juif **azyme**
– Le pain de vie **eucharistie**
PAIR
– Chambre des pairs en Angleterre **Chambre des lords**
– Être jugé par ses pairs **semblables**
– Un courage hors pair **rare, inégalé, étonnant**
PAISIBLE calme, doux
– Une personne paisible **placide, sereine**
– Une soirée paisible **tranquille**
PAÎTRE brouter, pâturer
– Lieu où paissent des animaux domestiques **pâtis, pacage, alpage**
– Paître, pour le chevreuil, le cerf **viander**
– Personne gardant les bêtes qui paissent **berger, bouvier, pâtre, chevrier**
PAIX
– Symbole de la paix **colombe, rameau d'olivier**
– Éprouver un sentiment de paix intérieure **quiétude**
– Paix spirituelle **béatitude, contemplation**
– Faire régner la paix **pacifier**
– Doctrine du maintien de la paix **pacifisme**
– Traité qui peut apporter la paix **armistice**
– Traité qui procure un moment de paix **trêve, cessez-le-feu**

PALAIS
– Dignitaire du palais au Moyen Âge **palatin**
– Palais épiscopal **évêché**
– Gens du palais **magistrats, avocats**
– Palais-Bourbon **Assemblée nationale**
– Palais Brongniart **Bourse**
PÂLE
– Un teint pâle **blême, blafard, livide, hâve, anémique, chlorotique**
– Une couleur pâle **légère, claire, douce**
– Une lumière pâle **faible, tamisée**
– Un tissu pâle **délavé**
– Un discours bien pâle **fade, terne**
PALMIER
– Classe à laquelle appartient le palmier **monocotylédones**
– Tige du palmier **stipe**
– Palmier d'Afrique **doum**
– Palmier dont provient le rotin **rotang**
– Palmier nain **chamærops**
– Palmier d'Asie du Sud-Est **sagoutier**
– Fécule alimentaire extraite du palmier sagoutier **sagou**
– Palmier dont on extrait la fibre **latanier, raphia**
– Palmier d'Afrique dont les fruits fournissent de l'huile **éléis, palmiste**
– Arbre de la famille des palmiers **cocotier, dattier, aréquier**
– Fruit du palmier aréquier **noix d'arec**
– Plantation de palmiers **palmeraie**
– Palmier d'appartement **kentia, rhapis**
– Moelle de palmier, propre à la consommation **palmite**
PALUDISME **malaria**
– Classe dont fait partie le parasite du paludisme **sporozoaires**
– Parasite animal provoquant le paludisme **plasmodium**
– Individu atteint de paludisme **impaludé, paludéen**
– Étude du paludisme **paludologie, malariologie**
– Expert en paludisme **paludologue**
– Fièvre induite par le paludisme **palustre**
PAMPLEMOUSSE **pomelo, grape-fruit**
– Arbre produisant des pamplemousses **pamplemoussier**
PANACHE **parure, ornement** voir aussi **plume**
– Avoir du panache **allure**
– Panache surmontant un casque **aigrette, plumet**
– Orner d'un panache **empanacher**
– Animal dont on utilise les plumes pour constituer des panaches **paon, cygne, autruche**
– Panache porté par certains oiseaux **huppe, houppe**
PANCRÉAS
– Sécrétion du pancréas **suc pancréatique**
– Hormone produite par le pancréas **insuline, glucagon**
– Inflammation du pancréas **pancréatite**
– Maladie du pancréas **mucoviscidose**
– Pancréas du porc **fagoue**
PANIER
– Élément supérieur d'un panier **anse**
– Élément inférieur renforçant la base d'un panier **torche**
– Garnissage d'un panier **clôture**
– Matière employée pour la fabrication d'un panier **rotin, osier, jonc, spart**
– Contenu d'un panier **panerée**
– Petit panier plat **maniveau**
– Grand panier d'osier **banne, manne**
– Large panier d'osier que portaient les fleuristes **éventaire**
– Grand panier utilisé pour le transport du fumier **gabion**
– Large panier à fond plat servant à vanner le grain **van**
– Panier de vendangeur **hotte**
– Panier d'horticulteur **mannequin**
– Panier à huîtres **bourriche, cloyère**
– Panier à bonde, utilisé pour la pêche aux homards, aux langoustes **casier, nasse**
– Panier dans lequel lève la pâte à pain **banneton**
– Panier d'une montgolfière **nacelle**
– Panier constitué de baleines, employé pour faire bouffer les robes **vertugadin**
– Petit panier contenant les objets du culte dans l'Antiquité grecque **ciste**
PANIQUE **affolement, épouvante, frayeur**
– Être pris de panique **effroi, peur, terreur**
– Semer la panique **effrayer**
– Mouvement de panique dans un lieu **désordre, trouble**
– Fuite due à la panique **déroute, débandade**
PANNE **incident, arrêt**
– Panne subite **interruption**
– Panne faîtière d'une charpente **ferme**
– Panne sablière d'une charpente **chantignole**
PANSEMENT **compresse, gaze** voir aussi **bande**
– Médicament utilisé avec un pansement **topique**
– Ancien pansement constitué de fils tirés d'une toile usée **charpie**
PANTHÈRE **fauve**
– Famille à laquelle appartient la panthère **félidés**
– Panthère d'Afrique **léopard**
– Panthère d'Asie centrale **once**
PANTOMIME **mime, comédie**
– Interprète de pantomime dans l'Antiquité **histrion**
– Jeu de pantomime dans l'Antiquité **saltation, orchestique**
– Expression gestuelle de la pantomime **mimique**
– Dans le théâtre italien, bouffonnerie issue de la pantomime **lazzi**
– Personnage célèbre de la pantomime **Pierrot, Colombine**
– À l'origine, pantomime italienne **commedia dell'arte**
– Personnage de la pantomime italienne **Arlequin, Pantalon**
PANTOUFLE **chausson, mule**
– Pantoufles françaises **charentaises**
– Pantoufles orientales **babouches**
– Fabricant de pantoufles **pantouflier**
– Individu aimant beaucoup ses pantoufles **pantouflard, casanier**
– Pantoufle payée par un fonctionnaire rompant son contrat avec l'État **dédit**
PAPAUTÉ **Saint-Siège, pontificat**
– Lettre émanant de la papauté **bref, encyclique, bulle, rescrit**
– Catalogue des livres frappés d'interdit par la papauté **Index**
– Premier des notaires de la papauté **protonotaire**
– Tribunal de la papauté qui statue sur les demandes d'annulation de mariage **rote**
– Garde de la papauté **papalin**
– Ensemble des propositions émanant de la papauté **syllabus**
– Lieu recelant les archives secrètes de la papauté **caves du Vatican**
– Traité accordant à la papauté la pleine souveraineté sur le Vatican **accords du Latran**
PAPE
– Nom donné au pape par les catholiques **vicaire de Jésus-Christ, souverain pontife, évêque de Rome, pasteur suprême**
– Terme qui est réservé au pape **Sa Sainteté**

– Insigne du pape **tiare, anneau du pêcheur, clefs de saint Pierre**
– Collège des cardinaux qui procède à l'élection du pape **conclave**
– Ambassadeur du pape **nonce, légat**
– Délégué du pape **ablégat**
– Officier chargé de porter la queue de la robe du pape **caudataire**
– Officier de la chambre du pape **camérier**
– Bénédiction solennelle du pape **urbi et orbi**
– Privilège accordé par le pape à un particulier **indult**
– Faveur accordée par le pape à un de ses parents **népotisme**
– Église chrétienne d'Orient reconnaissant l'autorité du pape **uniate**
– État sur lequel règne le pape **Vatican**
– Voiture du pape **papamobile**

PAPIER
– Matière employée pour la fabrication du papier **chiffon, bois**
– Déchets de scierie utilisés pour la pâte à papier **délignures**
– Adjuvant servant à opacifier la pâte à papier **kaolin, talc, colle, sulfate**
– Papier fait à base de chiffons **vergé**
– Papier sans grain et satiné **vélin**
– Papier grené, ferme et solide **de Hollande**
– Papier issu de l'écorce d'arbrisseaux **japon**
– Papier préparé avec l'écorce du bambou **chine**
– Papier souple et soyeux très résistant **alfa**
– Catégorie de papier moderne **bible, bouffant, apprêté, satiné, offset, hélio**
– Franges du papier vergé **barbes**
– Fils du papier cuve **vergeures, pontuseaux**
– Marque du fabricant d'un papier **filigrane**
– Papier d'emballage **kraft, interkraft, calandre**
– Support de l'écrit avant le papier **tablette, papyrus, parchemin**
– Ce journaliste écrit de bons papiers **articles**
– Classer des papiers **documents**

PAPILLON
– Ordre auquel appartient le papillon **lépidoptères**
– Sous-ordre des papillons **hétéroneures, homoneures**
– Groupe des papillons nocturnes **noctuéliens**
– Stade de la métamorphose du ver en papillon **nymphe, chrysalide**
– Larve de papillon **chenille**
– Papillon d'Europe **machaon**
– Papillon nocturne **noctuelle, phalène**
– Papillon diurne **vanesse**
– Papillon dont la chenille est le parasite de la vigne **pyrale**
– Le plus grand papillon (30 centimètres) **thysanie**

PAQUET
– Envoyer un paquet **colis**
– Paquet d'emballage **sac, sachet, poche**
– Un paquet de journaux **pile, tas**
– Paquet préparé pour les transports **balle**
– Paquet d'effets **ballot, balluchon**
– Paquet du soldat en campagne **barda**

PARACHUTE
– Partie d'un parachute **voilure, harnais, élévateurs**
– Type de parachute **ventral, dorsal**
– Parachutiste employant un parachute à ouverture retardée **chuteur**
– Parachute sur neige **paraski**
– Larguer un parachute **parachuter**
– Possède un parachute-frein **avion, capsule de fusée**
– Parachute à voilure rectangulaire permettant la pratique du vol libre **parapente**

PARADIS éden
– Paradis chrétien **ciel**
– Portier du paradis **saint Pierre**
– Antichambre du paradis **purgatoire**
– Ils furent les premiers au paradis **Adam et Ève**
– Un bonheur digne du paradis **paradisiaque**
– Paradis des héros morts au combat dans la légende scandinave **Walhalla**
– Paradis d'un théâtre **pigeonnier, poulailler**

PARAGRAPHE section, division
– Renfoncement au début d'un paragraphe **alinéa**
– Paragraphe en typographie **entrefilet**

PARAÎTRE se montrer, se manifester, naître
– Paraître progressivement **percer, poindre, se dessiner, se profiler**
– Paraître subitement **survenir, surgir, émerger**
– Paraître heureux **sembler**
– Paraître à tous les cours **assister**
– Paraître au sein d'une assemblée **figurer**
– Faire paraître un ouvrage **publier, éditer**

PARALYSÉ immobilisé
– Membre paralysé par une mauvaise posture **ankylosé**
– Se sentir paralysé par une forte personnalité **intimidé, glacé, tétanisé**

PARALYSER figer, pétrifier
– Certains psychotropes paralysent le système nerveux **engourdissent, neutralisent, inhibent**
– Les formulaires paralysent l'administration **asphyxient**

PARALYSIE
– Type de paralysie **organique, fonctionnelle**
– Paralysie d'un côté du corps **hémiplégie**
– Paralysie des membres inférieurs **paraplégie**
– Paralysie des quatre membres **tétraplégie**
– Paralysie du neurone moteur **poliomyélite**
– Paralysie partielle ou générale due à une lésion cérébrale **apoplexie**
– Paralysie se traduisant par l'affaiblissement de la contractilité musculaire **parésie**
– Paralysie émanant d'un état d'angoisse **prostration**
– Personne atteinte de paralysie **paralytique**

PARAPET garde-fou
– Parapet édifié pour protéger une fortification **muret, talus, parados**
– Ouverture percée dans un parapet permettant de tirer sur l'ennemi **créneau, meurtrière**
– Parapet de terre érigé le long d'une route **banquette**
– Parapet d'un circuit automobile **rail de sécurité**

PARASITE (1)
– Parasite des pommes de terre **doryphore**
– Parasite de la vigne **phylloxéra**
– Parasite des arbres fruitiers **gui**
– Parasite des animaux domestiques **tique**
– Parasite de la gale chez les mammifères **sarcopte**
– Parasite des crabes **sacculine**
– Parasite du sang de l'homme **trypanosome**
– Parasite intestinal de l'homme **ténia, oxyure, ascaride**
– Maladie due à un parasite **parasitose**
– Parasite de la face **demodex**
– Étude des parasites **parasitologie**
– Individu se comportant comme un

parasite **pique-assiette, écornifleur**
– Parasites d'une émission radiophonique **perturbations, brouillage**
PARASITE (2)
– Ver parasite de certains vertébrés **filaire**
– Plante parasite de certains végétaux **cuscute**
– Champignon parasite de la betterave **péronospora**
– Nom générique des maladies humaines causées par un ver parasite **helminthiases**
– Maladie déterminée par des champignons parasites **mycose**
PARATONNERRE
– Élément d'un paratonnerre **tige, pointe en cuivre, câble**
– Enduit placé sur la pointe d'un paratonnerre **oxyde de baryum, strontium, thorium**
– Paratonnerre Melsens **cage de Faraday**
PARC
– Parc réservé au bétail **pâturage, paquis, pâtis, pacage**
– Parc à bestiaux **enclos, corral, kraal**
– Parc d'élevage des volailles **parquet**
– Parc à huîtres **bassin, claire**
– Parc public **jardin, square**
– Parc animalier **zoo, ménagerie, réserve**
– Type de parc récréatif **parc d'attractions, parc nautique, jardin d'acclimatation**
– Parc de stationnement **parking**
– Parc exclusif de Louis XV à Versailles **parc aux Cerfs**
PARCELLE morceau, fragment, partie, portion
– Parcelle infime **miette, once, atome**
– Posséder une parcelle de terre **pièce, lopin**
– Terrain divisé en parcelles **lotissement**
PARCHEMIN manuscrit
– Cuir utilisé pour un parchemin **agneau, mouton, chèvre**
– Parchemin très mince obtenu à partir du cuir de veau **vélin**
– Parchemin dont on a gratté le premier texte pour en écrire un autre **palimpseste**
– Papier-parchemin **papier sulfurisé**
PARCOURIR
– Parcourir les océans **sillonner**
– Parcourir une distance **franchir, traverser, couvrir**
– Parcourir une pièce de long en large **arpenter**
– Parcourir un site touristique **visiter, excursionner**
– Parcourir la campagne **battre**
– Parcourir du regard **survoler, balayer**
– Parcourir le journal **feuilleter**
– Parcourir les événements d'une journée **recenser, se remémorer, passer en revue**
PARDON grâce, clémence, amnistie
– Pardon des péchés **rémission**
– Pardon accordé par le prêtre **absolution**
– Souffrance physique que l'on s'impose pour obtenir le pardon de Dieu **pénitence, mortification**
– Sacrifice offert à Dieu pour en obtenir le pardon **propitiation**
– Pardon public du jeudi saint **absoute**
– Pardon du pape **jubilé**
– Jour du pardon dans le rituel juif **Yom Kippour**
– Pardon dans les pays musulmans **aman**
– Demander le pardon de quelqu'un **implorer**
– Demander pardon **se repentir, faire acte de contrition**
– Pardon ? **comment ?**
PARDONNER
– Pardonner à la suite d'une confession **absoudre, remettre les péchés**
– Pardonner une petite faute **excuser, oublier**
– Un acte que l'on ne peut pardonner **impardonnable, irrémissible**
PAREIL (1)
– Rejoindre ses pareils **congénères**
– Sans pareil **unique, incomparable**
PAREIL (2) semblable, égal, identique, similaire, analogue
– Sa voiture est pareille à la mienne **comme**
– Un pareil événement ! **tel**
PARENT voir aussi **descendant**
– Les parents **procréateurs**
– Les parents des parents **grands-parents**
– Parent spirituel **parrain, marraine**
– Parent et ascendant **ancêtre, aïeul, bisaïeul**
– Parent hors de la ligne directe **collatéral**
– Parent du côté maternel **utérin**
– Parent du côté paternel **consanguin**
– Enfants nés de mêmes parents **germains**
– Faveur ou autorité accordée à un ou plusieurs de ses parents **népotisme**
– Réapparition chez un descendant de traits d'un parent lointain **atavisme**
PARENTÉ voir aussi **similitude, famille**
– Paramètre permettant d'établir la parenté **ligne, degré**
– Distinction des lignes de parenté **directe, collatérale**
– Parenté naturelle **filiation**
– Tableau de degrés de parenté **généalogie**
– Parenté entre deux ou plusieurs choses, idées, espèces **rapport, relation, affinité, concordance, analogie**
PARENTHÈSE
– Mettre entre parenthèses **insérer**
– Faire une parenthèse lors d'un discours **digression**
– Mettre un problème entre parenthèses **négliger, exclure, éluder**
– Par parenthèse **incidemment, en passant**
PARER embellir, décorer, agrémenter
– Parer de vêtements **vêtir, apprêter**
– Parer avec une grande recherche **adoniser**
– Parer un coup **esquiver**
– Parer à une difficulté **remédier à, obvier à**
– Parer à une épidémie **prévenir, se prémunir contre**
– En termes maritimes, parer un cap **doubler**
– Parer un cheval **retenir**
PARESSE fainéantise
– S'accorder un temps de paresse **farniente**
– Expression suprême de la paresse **inertie**
– Geste empreint de paresse **lenteur**
– Paresse d'esprit **apathie**
– Paresse des fonctions digestives **atonie**
PARESSEUX (1)
– Mammifère du Brésil appelé paresseux **aï, unau**
PARESSEUX (2) flemmard, cossard, lambin
– Paresseux comme un(e) **loir, couleuvre, lézard**
– Comportement paresseux **indolence, nonchalance, langueur**
PARFAIT admirable, merveilleux, irréprochable
– Un travail parfait **rigoureux, impeccable**
– Un lieu parfait **idéal, incomparable**
– Une exécution parfaite **magistrale, prodigieuse**
– Un silence parfait **total, plein, absolu**
– Un parfait goujat **fieffé**

– Une sérénité parfaite **indicible, inexprimable, ineffable, céleste**
– Ce qui est vraiment parfait **nec plus ultra**
PARFAITEMENT supérieurement, éminemment
– Chanter parfaitement **divinement, excellemment**
– C'est parfaitement exact ! **absolument, entièrement**
PARFUM arôme, senteur
– Parfum se dégageant d'un corps **effluve, émanation, exhalaison**
– Parfum d'un vin **bouquet, fumet**
– Parfum agréable et délicat **fragrance**
– Qualité d'un parfum **capiteux, suave, subtil**
– Parfum concentré extrait des végétaux **essence, huile essentielle**
– Substance d'origine animale utilisée comme fixateur de parfum **ambre, musc, civette, castoréum**
– Parfum provenant de substances végétales, aromatiques **coumarine, opopanax, nard, cinnamome, myrrhe, ilang-ilang**
– Charger une huile du parfum de certaines fleurs par macération **enfleurer**
PARIER risquer, hasarder, gager
– Parier aux courses **miser, jouer**
– Parier que **soutenir, être sûr, affirmer**
PARLEMENT
– Instance du Parlement français **Assemblée nationale, Sénat**
– Élection des députés au Parlement **élection législative**
– Réunion de travail du Parlement **séance**
– Initiative de loi due au Parlement **proposition**
– Question orale des membres du Parlement à l'égard du gouvernement **interpellation**
PARLER
-lalie
PARLER discourir, s'exprimer, communiquer voir aussi **dire, prononcer**
– Parler avec quelqu'un **deviser, discuter, dialoguer, converser**
– Parler beaucoup **bavarder, babiller, tailler une bavette**
– Parler pour ou en faveur d'une personne **plaider, intercéder**
– Parler à une foule **haranguer**
– Parler à voix basse **chuchoter, murmurer, susurrer**
– Parler confusément **bredouiller, bafouiller**
– Parler longuement sur un sujet **disserter**
– Parler seul **monologuer, soliloquer**
– Parler d'une manière emphatique **pérorer**
– Moyen employé pour parler indirectement **circonlocution, périphrase**
– Parler sans détour **sans ambages**
– Disposition à beaucoup parler **loquacité, bagou**
– Refus de parler **mutisme**
PAROI cloison, séparation
– Paroi ajourée **claustra**
– Paroi d'une écluse **bajoyer**
– Paroi d'un boyau souterrain **éponte**
– Paroi de brique **galandage**
– Peinture effectuée sur des parois rocheuses **pariétale**
PAROISSE église, hameau, village
– Fidèles du curé d'une paroisse **ouailles**
– Querelle de paroisse **de clocher**
– Livre de prières d'une paroisse **paroissien, eucologe**
PAROLE verbe, mot, propos, expression
– Avoir la parole facile **éloquence, volubilité**
– Parole pleine de brio **verve**
– Parole futile **baliverne**
– Flot de paroles **logorrhée**
– Parole mémorable d'un personnage éminent **maxime, apophtegme**
– Trouble de la parole **aphasie, logopathie, dysarthrie, tachylalie**
– Répétition de paroles ou de notions entendues mais non comprises **psittacisme**
– Trouble de la parole dû à une difficulté d'articulation **mussitation**
– Formulation de paroles en partie inventées **glossolalie**
– Parole douée d'un pouvoir spirituel dans l'hindouisme et le bouddhisme **mantra**
PARQUET plancher
– Type d'assemblage d'un parquet **à l'anglaise, à points de Hongrie, à bâtons rompus, mosaïque**
– Ossature d'un parquet **lambourdes, solives**
– Technique de la fabrication de parquet **parqueterie**
– Succession de lattes de bois posées sur un mur à la manière d'un parquet **lambris, frise, frisette**
– Essence utilisée pour la fabrication d'un parquet **chêne, châtaignier, hêtre, pin, sapin, épicéa**
– Parquet de la Bourse **corbeille**
– Parquet affecté aux magistrats du ministère public **salle d'audience, barreau**
– Magistrat responsable du parquet général **procureur général**
– Magistrat responsable du petit parquet **substitut**
PARRAIN père spirituel, compère
– Enfant tenu sur les fonts baptismaux par le parrain **filleul**
– Bonne entente existant entre le parrain et la marraine **compérage**
– Avoir recours à un parrain pour être introduit dans un cercle **parrainage, soutien**
– Être le parrain d'une œuvre **parrainer, garantir**
PARSEMER disperser, répandre
– Parsemer un plat de sucre **saupoudrer, couvrir**
– Parsemer une histoire d'anecdotes **émailler, truffer**
– Parsemer de fleurs **joncher**
PART portion, morceau, tranche, fraction
– Part d'un terrain **lotissement**
– Recevoir sa part d'héritage **contingent, attribution, quotité**
– Part financière **action**
– Payer sa part **contribution, quote-part, écot**
– Prendre part à une activité **participer à**
– Faire part **annoncer, informer**
– Diviser en parts **parcelliser**
– Pour une part **en partie**
– Occuper une place à part **particulière, privilégiée**
– À part lui **excepté**
PARTAGE fractionnement, fragmentation, partition
– Le partage de la collecte **distribution, répartition**
– Partage d'une terre **démembrement**
– Ligne de partage **limite, frontière**
– Partage illicite d'honoraires entre médecins **dichotomie**
PARTAGER scinder voir aussi **couper**
– Partager en plusieurs éléments **subdiviser**
– Partager la peine de quelqu'un **compatir**
– Partager une opinion **adopter, embrasser**
– Partager un travail entre collaborateurs **aider à, s'associer à**
– Partager la revendication d'une personne **se solidariser**
PARTENAIRE ami, complice, alter ego
– Partenaire sportif **coéquipier, allié**
– Partenaire au travail **adjoint, collègue, associé**
– Partenaire pour les mauvais coups **affidé, acolyte**

PARTI **camp, ligue, clan, mouvement**
– Se constituer en parti **formation, association, union, organisation, rassemblement**
– Réunion de plusieurs partis **coalition, front, cartel**
– Parti en lutte contre le pouvoir **faction**
– Chef d'un parti **leader**
– Personnes composant un parti **membres, militants, adhérents**
– Personne qui soutient un parti sans y adhérer **sympathisant**
– Journal d'un parti **organe**
– Moyen de diffusion des idées d'un parti **propagande**
– Instance de décision d'un parti **bureau politique**
– Subdivision d'un parti **cellule, section, fédération, comité**
– Réunion d'un parti **assises, congrès, meeting**
– Ligne d'un parti **idéologie, doctrine**
– Rupture au sein d'un parti **scission, schisme**
– Membre en désaccord avec la ligne de son parti **dissident, contestataire**
– Exclusion massive au sein d'un parti **purge, épuration**

PARTICIPANT **membre, partisan, adhérent, actif**
– Participant à une compétition **candidat, compétiteur, concurrent**
– Participant à titre gratuit **bénévole**
– Participant financier **actionnaire, sociétaire**

PARTICIPATION **collaboration, coopération, concours, engagement**
– Participation aux charges communes **contribution**
– Participation assidue à des réunions **présence**
– Participation financière versée par les membres d'une société **apport, commandite**
– Participation aux gains d'une société **intéressement, actions, parts**

PARTICIPER **s'impliquer, s'engager**
– Participer à une fête **se joindre à, se mêler à**
– Participer à un débat **intervenir**
– Participer contre la volonté de quelqu'un **s'immiscer, s'ingérer**
– Participer à l'effort d'une équipe **encourager**

PARTICULE
– Particule élémentaire constituant l'antimatière **antiparticule**
– Particule élémentaire subissant l'influence de la force nucléaire **hadron, baryon, lepton**
– Particule composante d'un noyau d'atome **nucléon, proton, neutron**
– Accélérateur de particules **cyclotron, bévatron**
– Particule élémentaire composée de protons et de neutrons **quark**
– Nom attribué à la particule de lumière **quantum d'énergie**
– Particule de composition d'un mot **affixe, préfixe, suffixe**

PARTICULIER
idio-

PARTICULIER **spécifique, distinctif, caractéristique, personnel, propre**
– Intérêt particulier **individuel**
– Correspondance particulière **privée, intime**
– Un lieu particulier **défini**
– Un cas particulier **spécial, précis, déterminé**
– Un individu particulier **singulier, original**
– Un don particulier **remarquable**
– Caractère particulier à une région, un pays **particularisme**
– Langue particulière d'une communauté, d'un peuple **idiome**
– Réaction particulière d'un individu face aux agents extérieurs **idiosyncrasie**

PARTIE **élément, fragment, pièce**
– Partie d'un espace **région, secteur**
– Partie infime d'une substance **molécule, atome**
– Partie centrale **cœur, milieu, noyau**
– Partie latérale **côté**
– Partie finale **extrémité**
– Partie d'un livre **passage, scène, chapitre**
– Faire partie d'un ensemble **appartenir à, relever de**
– La majeure partie **la plupart**

PARTIR
– Partir en courant **se sauver, s'enfuir, détaler, déguerpir, s'esbigner**
– Partir discrètement **s'éclipser, se retirer**
– Partir quelque temps **s'absenter**
– Partir de son pays **s'expatrier, s'exiler, émigrer**
– Partir subitement **jaillir, éclater, fuser**
– Partir d'un point précis **émaner de, provenir de**
– Partir dans ses pensées, ses rêves **s'absorber, s'évader, s'abîmer**
– Faire partir quelqu'un **chasser, évacuer, éconduire, expulser**

PARTISAN (1) **allié, fidèle, disciple, homme lige**
– Partisan d'un courant de pensée **adepte, tenant**
– Partisan d'une cause **défenseur, zélateur**
– Partisan politique **militant, propagandiste**
– Partisan nouvellement acquis à une doctrine **recrue, prosélyte**
– Partisan d'une lutte armée **résistant, maquisard**
– Partisan du progrès **progressiste**

PARTISAN (2)
– Émettre un jugement partisan **partial**

PARTOUT
– Être réclamé partout **de tous côtés**
– Répandre partout **urbi et orbi**
– Capacité à être présent partout **omniprésence, ubiquité**

PARVENIR
– Parvenir au sommet **arriver à, atteindre, accéder à**
– Parvenir malgré les difficultés **aboutir, réussir, vaincre**
– Tenter de parvenir **s'efforcer, s'appliquer, s'évertuer**
– Faire parvenir **acheminer, transmettre, porter**
– Le soleil ne parvient pas à l'intérieur **pénètre**

PAS (1) **marche**
– Marcher à grands pas **enjambées, foulées**
– Marque de pas **trace, empreinte**
– Pas feutré **de loup**
– Pas lent **de tortue**
– Pas sonore et ample **de géant**
– Rythme des pas **cadence, allure**
– Faire un faux pas **trébucher, achopper**
– Pas à pas **graduellement**
– Salle des pas perdus **antichambre**
– C'est à deux pas ! **tout près**
– Pas d'une demeure **seuil**
– Un pas vers le progrès **étape, tournant**
– Pas de clerc **imprudence**

PAS (2)
– Ne pas **ne point, aucunement**
– Pas un n'était absent **aucun**

PASSABLE **acceptable, admissible, correct**
– Un devoir passable **moyen**
– Un enregistrement passable **supportable, honnête**
– Un vêtement encore passable **mettable**

PASSAGE voir aussi **canal, col**
– Passage de communication **artère, rue**
– Passage étroit **ruelle, venelle, sente, traboule**
– Passage souterrain **tunnel, galerie, boyau**

– Passage d'une rivière **franchissement, traversée**
– Faire un passage dans une forêt **trouée, percée**
– Acquitter un droit de passage **péage**
– Passage d'un état à un autre **changement, mutation**
– Degré de passage **transition, gradation**
– Passage d'un livre **extrait, fragment**
– Un hôte de passage **provisoire**
PASSAGER (1)
– Passager des transports en commun **voyageur, usager**
PASSAGER (2) momentané, éphémère
– Une difficulté passagère **transitoire, temporaire**
– Succès passager **fugitif, fugace**
– Une accalmie passagère **précaire**
– Un boulevard très passager **fréquenté, passant**
PASSANT (1) piéton, promeneur, flâneur
voir aussi **badaud**
PASSANT (2)
– Faire une remarque en passant **incidemment**
PASSANT (3)
– Une rue très passante **passagère**
PASSÉ (1)
– Passé constitutif d'un pays **histoire, tradition**
– Passé proche **hier, naguère**
– Passé lointain **autrefois, auparavant, jadis**
– Localisation du passé **date**
– Lien avec le passé **souvenir, mémoire**
– Les coutumes du passé **d'antan**
– Un effet agissant sur le passé **rétroactif**
– Retour sur le passé **rétrospectif**
– Un air du passé **démodé, désuet, vieillot, archaïque**
– Un lourd passé **antécédents**
– Forme temporelle du passé en français **passé simple, passé composé, imparfait, plus-que-parfait, futur antérieur, passé antérieur**
PASSÉ (2)
– Un temps passé **accompli, révolu**
PASSER aller, marcher, circuler
– Passer ses vacances à l'hôtel **séjourner**
– Passer son temps à une activité **employer, consacrer**
– Passer par un intermédiaire **recourir à**
– Passer le pouvoir **transmettre, léguer**
– Passer un acte juridique **dresser, libeller**
– Passer chez un ami **rendre visite à**
– Passer sa voiture **remettre, confier, prêter**
– Passer sa soif **assouvir, étancher**
– Passer un examen médical **subir**
– Passer un fleuve **franchir, traverser**
– Passer une haie **enjamber, escalader**
– Passer chef **devenir, être promu**
– Passer à un degré supérieur **progresser**
– Passer les limites **excéder, outrepasser**
– Passer outre un interdit **transgresser, enfreindre**
– Passer une ligne en lisant **oublier, sauter, omettre**
– Passer sur un problème **éviter, éluder**
– Se passer de manger **se priver de, s'abstenir de, se dispenser de**
– Se passer un excès **se permettre, s'accorder**
PASSE-TEMPS distraction, divertissement, récréation
– Un passe-temps agréable **détente, loisir**
– Se consacrer à son passe-temps favori **hobby, violon d'Ingres**
PASSIF (1)
– Avoir un lourd passif **casier, antécédents**
– Passif d'une entreprise **dette, charge**
PASSIF (2) inactif, inerte, dépendant
– Rester passif devant un événement **indifférent**
– Passif à force d'accablement **résigné, soumis, docile**
PASSION coup de foudre, désir, ardeur, feu voir aussi **croix**
– Dynamique de la passion **emportement, jaillissement**
– Thème de la passion amoureuse partagée **obsession, suspicion, jalousie, trahison, abandon**
– Symptômes de la passion **fièvre, frénésie, agitation, insomnie, consomption**
– Paroxysme de la passion **destruction, folie**
– Passion pleine de respect **vénération, dévotion**
– Passion religieuse **ferveur, adoration**
– Passion créatrice **excitation, exaltation, éréthisme**
– Passion de l'argent **avarice, convoitise, cupidité, avidité**
– Expression de la passion au théâtre **lyrique, pathétique**
– Fleur de la passion **passiflore, grenadille**
– Livre relatant la passion des saints **passionnaire**
PASSIONNÉ avide, brûlant, violent
– Un homme passionné **ardent, fougueux**
– Être tout à fait passionné **conquis, emballé, grisé, épris**
– Un homme passionné de sport **fanatique, fervent**
PASSIONNER
– Passionner une foule **enflammer, galvaniser**
– Passionner quelqu'un **subjuguer, captiver, conquérir**
– Passionner par ses discours **enivrer**
– Se passionner à l'extrême **se brûler, se consumer**
– Se passionner pour quelqu'un **s'enticher de, s'éprendre de, s'embraser**
– Se passionner pour quelque chose **s'emballer, s'engouer, raffoler de**
PASSOIRE filtre
– Petite passoire en forme d'entonnoir **chinois**
– Passoire à thé **passe-thé**
– Ustensile servant de passoire **écumoire**
– Passoire utilisée dans les cuisines **couloire**
– Passoire servant à sélectionner des matières selon leur grosseur **tamis, crible, blutoir**
PASTEUR pâtre, berger
– Pasteur protestant **ministre, prédicant**
– Fonction de pasteur **pastorat**
– Titre attribué au pasteur anglican **révérend**
– Lieu de prédication du pasteur **temple**
– Assemblée de pasteurs et de laïcs **presbyterium**
– Le Bon Pasteur **Jésus-Christ**
PASTILLE
– Pastille pharmaceutique **pilule, capsule, gélule, dragée, cachet, comprimé**
– Pastille homéopathique **granule**
– Fabrication de pastilles en confiserie **pastillage**
PASTORAL bucolique, champêtre
– Poésie pastorale **idylle, villanelle, églogue**
– Chanson pastorale **pastourelle**
PATAUGER barboter, gadouiller, patouiller
– Patauger dans son raisonnement **s'embrouiller, s'empêtrer, se perdre, s'égarer**
PÂTE voir aussi dessin
– Pâte alimentaire **nouille, coquillette, ravioli**

Pâtes

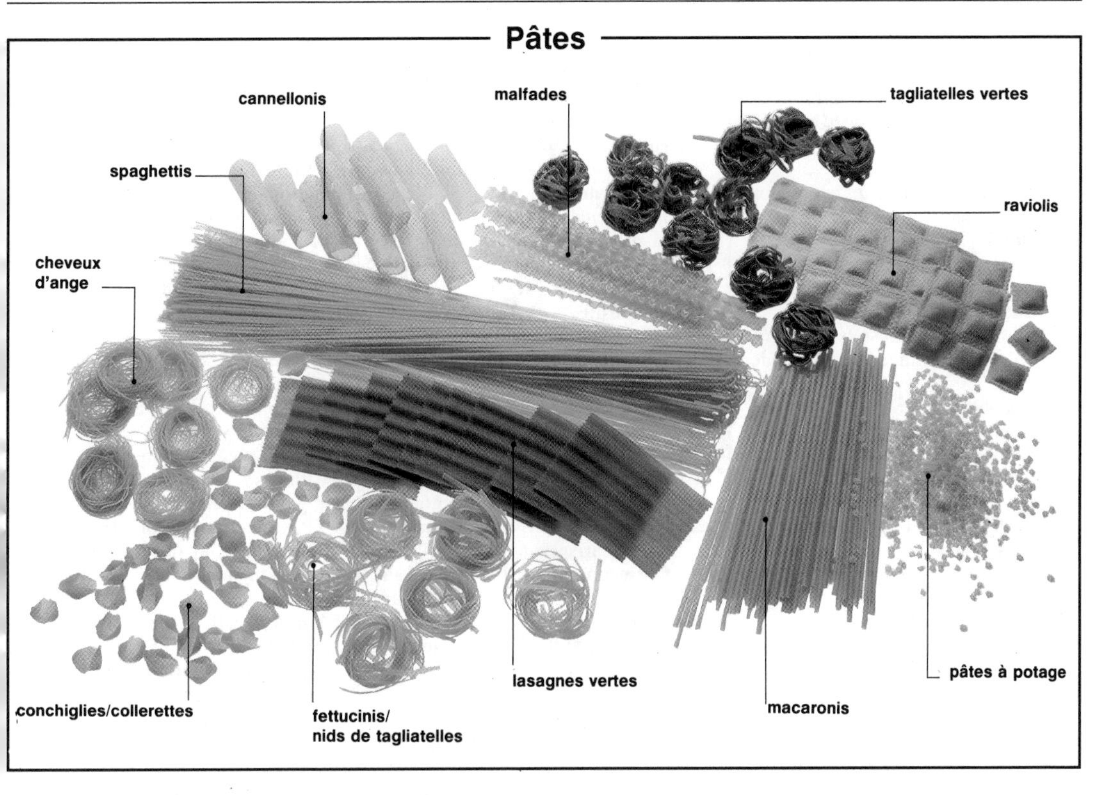

– Pâte alimentaire très fine **cheveu d'ange, vermicelle**
– Type de pâte **feuilletée, brisée, sablée**
– Pâte boulangère **pâton**
– Travailler une pâte **pétrir, malaxer, modeler**
– Pâte à faïence **barbotine**
– Pâte constituée en maçonnerie **mortier, colle, gâchis**

PÂTÉ **terrine, mousse**
– Pâté feuilleté **friand, rissole**
– Pâté chaud à base de hachis de veau **godiveau**
– Pâté chaud dont la croûte est croquante **croustade**
– Pâté rond à la viande **tourte**
– Pâté de sable **château**
– Pâté d'encre **tache, bavure, éclaboussure**
– Un pâté de maisons **îlot, groupe, ensemble**

PATERNITÉ
– Degré de paternité **légitime, naturelle, civile**
– Action juridique contestant la paternité **désaveu**
– Paternité divine **paterne**

PATHÉTIQUE (1)
– Le pathétique d'un chant **emphase**

PATHÉTIQUE (2)
– Une scène pathétique **émouvante, bouleversante, poignante, captivante**

PATIENCE **calme, sérénité, longanimité**
– Faire preuve de patience à l'égard d'un enfant **indulgence, tolérance**
– Une patience à toute épreuve **persévérance, ténacité, opiniâtreté, obstination**
– Source de la patience **foi**
– Allié de la patience **temps, confiance**

PATIENT (1)
– Le patient d'un médecin **malade, client, sujet**

PATIENT (2) **endurant, inlassable**
– Un air patient **doux, débonnaire**

PATIN
– Matière de la lame des premiers patins à glace **os**
– Sport d'équipe sur patins à glace **hockey**
– Nouvelle génération de patins à roulettes **roller-skate**
– Variante du patin à roulettes **wind skating**

PATINAGE
– Figure de saut en patinage artistique **axel, salchow, boucle, lutz, flip, toe loop**

PATINE **croûte, dépôt**
– Patine d'un cuir **poli**
– Patine se formant sur le cuivre, le bronze **vert-de-gris, oxydation**
– Patine artificielle servant de protection **vernis**

PÂTISSERIE **biscuit, gâteau, crème, glace**
– Matériel utilisé en pâtisserie **planche, tourtière, rouleau, fouet**
– Table de pâtisserie **pâtissoire**
– Apprenti en pâtisserie **patronnet**

PATRIE **pays, nation**
– Personnes originaires de la même patrie **compatriotes**
– Individu sans patrie **apatride, heimatlos**
– Quitter sa patrie **s'expatrier, émigrer, s'exiler**
– Faire revenir une personne dans sa patrie **rapatrier**
– Amour de la patrie **patriotisme**

PATRIOTE **chauvin, cocardier, nationaliste**
– Patriote anglais **jingo**

PATRON **employeur**
– Patron d'une grande entreprise **P.-D.G.**
– Patron d'une entreprise de moins de dix salariés **artisan, entrepreneur**
– Patron de ferme **agriculteur**

– Patron de pêche **commandant, capitaine**
– Ensemble des patrons **patronat**
– Grand patron d'un service hospitalier **mandarin**
– Saint patron **protecteur**
– Faire le patron d'un vêtement **modèle, forme**

PATRONAGE parrainage
– Demander le patronage d'une personnalité **protection, appui, recommandation**
– Cérémonie placée sous le patronage d'une personne influente **égide, auspices**

PATTE jambe
– Extrémité d'une patte animale **pince, serre, griffe, palme**
– Animaux dépourvus de pattes **apodes**

PÂTURAGE prairie, herbage, champeau voir aussi **paître**
– Pâturage en montagne **alpage**
– Pâturage où se pratique l'engraissement du bétail **embouche**
– Pâturage de certains gibiers **gagnage, viandis**

PAUPIÈRE
bléphar(o)-, -blépharie

PAUPIÈRE
– Muscle de la paupière **releveur, orbiculaire**
– Contraction fréquente des paupières **nictation**
– Petite tumeur sur le bord de la paupière **compère-loriot, orgelet, chalazion**
– Inflammation de la paupière **blépharite**
– Renversement de la paupière en dehors **ectropion, éraillement**
– Renversement de la paupière en dedans **entropion**
– Chirurgie plastique de la paupière **blépharoplastie**
– Spécifique aux paupières **palpébral**

PAUSE relâche, trêve, farniente, méridienne, arrêt, halte, interruption
– Pause scolaire **interclasse, récréation**
– Pause lors d'un spectacle **entracte**
– Faire une pause au cours d'une réunion **suspension**
– Pause musicale **silence, intervalle**
– Pause sportive **mi-temps**

PAUVRE indigent, impécunieux, déshérité
– Ensemble des pays pauvres **tiers monde**
– Concentration d'habitations précaires où vivent les gens les plus pauvres **bidonville**
– Les quartiers pauvres **populeux**
– Une allure pauvre **pitoyable, déplorable**
– Une terre pauvre **aride, stérile, infertile**
– Une pauvre récolte **minime, maigre, piètre, négligeable**
– Un aliment pauvre en vitamines **faible en, dépourvu de, dénué de**

PAUVRETÉ manque, carence, absence
– Sur la voie de la pauvreté **impécuniosité**
– Vivre dans la pauvreté **misère, détresse, dénuement, gêne, nécessité, privation**
– Couche de la population la plus atteinte par la pauvreté **quart monde, sous-prolétariat**
– Domaines le plus gravement touchés par la pauvreté **alimentation, soins médicaux, hygiène, alphabétisation, scolarisation**
– Effet secondaire de la pauvreté sur un individu **docilité, soumission, résignation, révolte**
– État de pauvreté d'une partie de la société **paupérisme**
– Processus d'accroissement de la pauvreté **paupérisation**
– Pauvreté d'un discours **platitude, médiocrité**

PAVAGE dallage, carrelage
– Pavage d'une route **pavement, revêtement**
– Pavage constitué de cailloux et de pierres **rudération**
– Matière rocheuse utilisée pour le pavage **roche pavimenteuse**

PAVILLON abri voir aussi **drapeau**
– Pavillon de jardin **kiosque, gloriette, belvédère**
– Pavillon circulaire **rotonde, tonnelle**
– Pavillon de chasse **muette**
– Petit pavillon d'habitation **chalet, bungalow**
– Pavillon luxueux du XVIIIe siècle **folie**
– Pavillon recouvrant le ciboire **custode**

PAYER régler, honorer, débourser, décaisser
– Payer un salaire **rémunérer, rétribuer, appointer**
– Payer une dette **liquider un passif, solder, acquitter**
– Payer des notes de frais **défrayer, rembourser, indemniser, dédommager**
– Payer la réalisation d'un projet, d'une entreprise **financer**
– Payer une personne pour qu'elle commette un acte illicite **acheter, corrompre, soudoyer, stipendier**

PAYS nation, État, région, province voir aussi **patrie**
– Organisation politique d'un pays **république, confédération, royaume, empire**
– Première ville d'un pays **capitale, métropole**
– Habitant originaire d'un pays **natif, indigène, autochtone, aborigène**
– Habitant n'étant pas originaire du pays où il vit **résident, allogène**
– Représentation diplomatique d'un pays dans un autre **ambassade, consulat**
– Immixtion d'un pays dans la politique intérieure d'un autre pays **ingérence, intervention**

PAYSAGE vue, site, panorama
– Plate-forme permettant d'admirer le paysage **belvédère**
– Paysage fictif **décor, scène**
– Personne qui ordonne le paysage d'un site dans une ville **architecte, paysagiste, jardiniste**

PAYSAN (1) cultivateur, agriculteur, fermier, métayer
– Qualificatif s'appliquant à un paysan **rural, terrien**
– Paysan arabe **fellah**
– Paysan russe **moujik, koulak**

PAYSAN (2)
– Fête paysanne **folklorique**

PEAU
dermat(o)-, derm(o)-, -derme, -dermie

PEAU tégument voir aussi dessin
– Tissu constitutif de la peau **épiderme, derme, hypoderme**
– Couche graisseuse de la peau **pannicule**
– Chute naturelle des cellules mortes de la peau **desquamation**
– Maladie de la peau **dermatose**
– Type de maladie de peau **herpès, eczéma, urticaire**
– Inflammation de la peau **dermatite**
– Lésion bénigne de la peau **papillome, papule**
– Substance microbienne se fixant sur la peau **dermotrope**
– Absence de pigmentation de la peau **albinisme**
– Tache de rousseur de la peau **éphélide**
– Grain de beauté de la peau **nævus**
– Étude et médecine de la peau **dermatologie**
– Produit de protection et d'embellissement de la peau **cosmétique**
– Spécifique à la peau **cutané**
– Inscription sur la peau **tatouage**

Peau

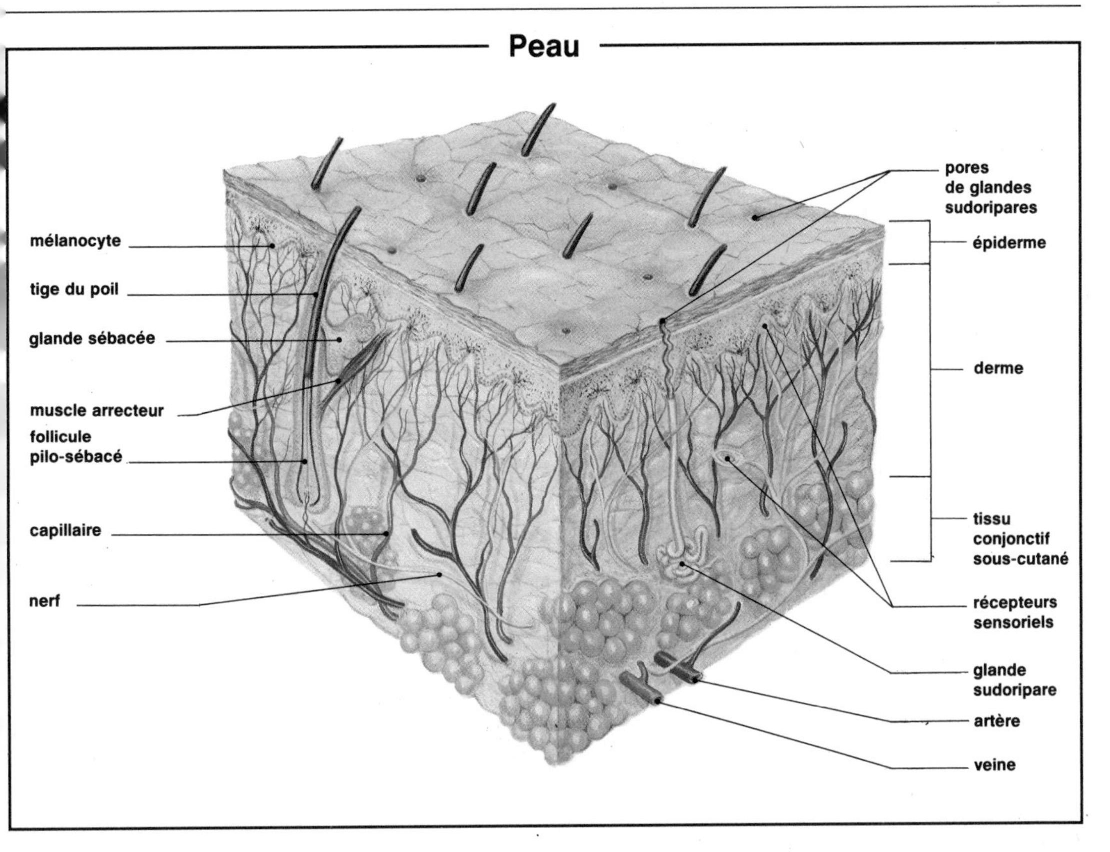

PÊCHE voir aussi tableau p. 330
– Art de la pêche **halieutique**
– Type de pêche **maritime, fluviale, lacustre**
– Pêche en haute mer **hauturière**
– Pêche au pied **littorale**
– Harpon employé dans la pêche en mer **foène**
– Filet de pêche que l'on laisse traîner **senne**
– Bateau de pêche industrielle **morutier, thonier, harenguier, sardinier, trinquart, chalutier**
– Embarcation de pêche à la ligne **barque, bachot**
– Œufs de poisson servant d'appât pour la pêche à la sardine **rogue**
– Appât constitué de poisson cru haché pour la pêche au gros **strouille, stronk, broumet**
– Morceau de peau servant d'appât pour la pêche **gueulin**
– Appât employé pour la pêche à la ligne **amorce, esche, ver, mouche, chènevis**
– Pantalon de caoutchouc utilisé pour la pêche **waders**
– Accessoire de la pêche à la ligne **dégorgeoir, épuisette, bourriche**
– Canne à pêche **ligne, gaule, lancer**
– Ligne de canne à pêche pourvue de plusieurs hameçons **palangre, turlutte**

PÉCHÉ **faute, offense, sacrilège, vice** voir aussi **pénitence, pardon**
– Sacrement de la religion catholique où se fait la confession des péchés **réconciliation**
– Formule de reconnaissance de ses péchés **mea culpa**
– Regret des péchés **contrition**
– Pardon des péchés **absolution**
– Péché inhérent à la condition humaine selon la religion chrétienne **originel**
– Degré de gravité des péchés individuels dans la religion catholique **mortel, véniel**
– Petit péché **peccadille**
– Commettre un péché **faillir, succomber**
– Péché à l'égard du nom de Dieu **blasphème**
– Personne susceptible de commettre un péché **peccable**
– Opinion contraire au dogme condamnée par l'Église catholique et pouvant être considérée par elle comme un grand péché **hérésie**
– Tribunal ecclésiastique qui statue sur les péchés jugés très graves **pénitencerie**

PÊCHER **amorcer, appâter, ferrer**

PÉDANT **cuistre, grimaud**
– Une femme pédante **bas-bleu**
– Un air pédant **affecté, suffisant, fat, vaniteux**

PEIGNE **démêloir**
– Matière employée pour la fabrication des peignes **corne, ivoire, écaille, ébonite**
– Peigne utilisé pour séparer la graine de lin de sa capsule **drège**

PEINDRE **brosser, exécuter**
– Peindre un tableau **figurer, portraiturer, exprimer**
– Peindre selon un modèle **reproduire, représenter**
– Peindre de façon soignée et par petites touches **pignocher**
– Peindre de façon maladroite **barbouiller, peinturlurer**
– Peindre verbalement une scène **dépeindre, conter**
– Peindre les personnages d'une histoire **camper, décrire**
– Peindre à la manière de **pasticher**

PÊCHE

amorce	Sert à attirer le poisson en un point déterminé. On distingue les amorces de surface, de fond, d'appel, d'excitation.
anneau à décrocher	Accessoire qui sert à libérer l'hameçon de son appât.
ansière	Filet tendu dans des anses.
appât	Nourriture fixée à l'hameçon.
arondelle	Grosse ligne.
avançon	Bas de ligne d'acier.
bâillon	Pince à ressort qui sert à maintenir la gueule du poisson ouverte au moment du décrochage.
balance	Piège à écrevisses.
bannière	Partie de la ligne située entre le scion et le flotteur.
bosselle	Nasse en jonc utilisée pour la pêche à l'anguille.
bouchon	Flotteur d'une ligne grâce auquel on peut surveiller le fil.
bouille	Longue perche utilisée pour agiter l'eau et déplacer le poisson.
bourriche	Panier servant à conserver le poisson vivant.
calme d'un cours d'eau	Endroit dépourvu de courant.
canne à pêche	Perche flexible à laquelle est fixée une ligne. Les matières utilisées sont le bambou jaune, le bambou noir, le bambou refendu, le riz, le roseau, le verre.
caudrette	Filet à crustacés en forme de poche.
cendrée	Très petit plomb.
claver	Ferrer de gros poissons.
crinelle	Bas de ligne d'acier utilisé pour la pêche au brochet.
dégorgeoir	Accessoire qui sert à récupérer l'hameçon dans la gueule du poisson.
devon	Leurre muni d'ailettes et qui tourne sur lui-même.
émerillon	Attache de cuivre qui permet d'éviter le vrillage dû au leurre.
engamer	Se dit d'un poisson qui avale l'appât.
ferrer	Faire pénétrer l'hameçon dans la gueule du poisson.
fil pêchant	Partie immergée de la ligne.
fouetter	Projeter la ligne par de brefs coups de poignet.
gaffe	Crochet monté sur un manche et servant à mettre au sec les poissons trop grands pour entrer dans une épuisette.
gobage	Remous provoqués par le poisson quand il saisit une mouche.
hameçon	Crochet d'acier fixé au bout d'une ligne et auquel on fixe l'appât. Il est composé de la palette ou œillet, la hampe ou tige, la courbure, l'ardillon. On dit d'un hameçon qu'il est fin de fer si la section du fer est faible.
harouelle	Grosse ligne utilisée pour la pêche à la morue et au maquereau.
leurre	Appât artificiel fixé à un hameçon.
ligne	Fil pour pêcher composé d'un corps de ligne et d'un bas de ligne, au bout duquel est attaché l'hameçon.
madrague	Enceinte de filets servant à capturer le thon.
moulinet	Bobine fixée à la canne à pêche et sur laquelle s'enroule la ligne.
pêche au coup	Pratiquée pour la pêche des poissons blancs.
pêche au lancer	On distingue le lancer vertical, renversé, horizontal, arbalète, rasant, sous la main, léger, lourd et mi-lourd.
pêche à la mouche	Pêche à la mouche noyée, à la mouche sèche ou à la mouche coulée.
pêche au vif	Elle consiste à exciter l'appétit d'un poisson carnassier à l'aide d'un poisson vivant fixé à l'hameçon.
perruque	Fil qui s'emmêle sur la bobine d'un moulinet.
plioir	Planchette de bois ou de plastique sur laquelle la ligne est enroulée après usage.
plombée	Plomb qui permet d'équilibrer le flotteur quand on pêche à la ligne flottante.
queue-de-rat	Ligne s'amincissant lentement vers son extrémité.
récupérer	Rembobiner le fil sur le moulinet.
relâcher	Abandonner la ligne dans le courant.
scion	Partie la plus fine de la canne à pêche à laquelle est fixée la ligne (baleine, fin ou mi-fin).
trimmer	Flotteur sur lequel est enroulée la ligne, utilisé pour la pêche au brochet.
truble	Petit filet de pêche, emmanché ou non.

PEINE condamnation, punition, sanction, supplice, pénalité voir aussi pénible
– Alléger une peine **commuer**
– Peine d'emprisonnement **réclusion, détention, relégation**
– Peine disciplinaire **blâme**
– Peine de mort **capitale**
– Exécution de la peine de mort **décapitation, pendaison, électrocution, fusillade**
– Éprouver de la peine **chagrin, tourment, désolation**
– Être dans la peine **détresse, misère, affliction**
– Avoir de la peine à faire quelque chose **embarras, difficulté**
– Réussir à grand-peine **laborieusement**

PEINER
– Peiner quelqu'un **affecter, affliger, contrarier, éprouver**
– Peiner sur un travail **se fatiguer, s'épuiser, besogner, s'évertuer**

PEINTRE artiste, aquarelliste, coloriste
– Peintre des manuscrits anciens **enlumineur, miniaturiste**
– Peintre qui travaille sur les effets de lumière **luministe**
– Peintre s'inspirant de l'Orient, de l'Asie **orientaliste**
– Matériel du peintre **godet, palette, spatule, brosse, chevalet, pincelier**
– Couteau du peintre servant à délayer les couleurs **amassette**
– Saint patron des peintres **Lazare, Luc**

PEINTURE voir aussi tableau p. 332 et pinceau
– Support d'une peinture **toile, papier, carton**
– Cadre d'une peinture sur toile **châssis**
– Matière d'une toile de peinture **lin, coton, jute**
– Traitement d'une toile vierge pour la peinture **encollage, enduit**
– Type classique de format de toile pour la peinture à l'huile **paysage, portrait, marine**
– Technique de peinture **gouache, aquarelle, huile, acrylique**
– Procédé de peinture **détrempe, tempera, glacis, lavis**
– Diluant pour les peintures à l'huile **médium, essence de térébenthine, essence de pétrole, huile de lin, huile d'œillette, huile de noix**
– Produit permettant d'accélérer le séchage d'une peinture à l'huile **siccatif**
– Film protecteur d'une peinture **vernis**
– Peinture murale en camaïeu **sgraffite**
– Spécifique à la peinture **pictural**
– Altérations d'une peinture **craquelures, rides, encrassement, écaillement**
– Aspect terne d'une peinture **embu**
– Restauration d'une peinture **repiquage, rentoilage, marouflage**
– Lieu d'exposition de peintures **galerie, musée, pinacothèque**
– Inauguration d'une exposition de peinture **vernissage**

PÉJORATIF
– Sens péjoratif d'un mot **défavorable, dépréciatif**

PELER éplucher, dépouiller, râper
– Peler un arbre **écorcer**

PÈLERIN fidèle, dévot, voyageur
– Objet des déplacements d'un pèlerin **culte, dévotion**
– Ancien attribut du pèlerin **bâton, bourdon, coquille, gourde**
– Saint patron des pèlerins **Jacques le Majeur**

PELLE
– Pelle en forme de godet employée pour puiser de l'eau **écope**
– Pelle de jardinier **bêche, louchet, palot, houlette**
– Pelle à enfourner **enfourneuse**
– Pelle mécanique **pelleteuse, excavatrice, drague**

PELLICULE enveloppe, peau
– Pellicule dure des graines **écalure**
– Pellicule fine couvrant les feuilles ou les tiges d'une plante **cuticule, pruine**
– Pellicule photographique **film, bande**

PELOTE boule, balle
– Pelote de cordage **manoque**
– Petite pelote de fils **peloton**
– Pelote basque **rebot**
– Pelote faite de drap entouré de ficelle **paume**

PELOUSE gazon
– Aménagement en pelouse d'un jardin à la française **vertugadin**
– Pelouse entourée de bordures **boulingrin**

PENAUD confus, contrit, pantois
– Un air tout penaud **déconfit, embarrassé, gêné**
– Rester penaud après une remarque **déconcerté**

PENCHANT inclination, tendance, propension
– Avoir un penchant pour une personne **attrait, affection, sympathie, faible**
– Avoir un penchant pour une activité **goût**
– Un mauvais penchant **défaut, faiblesse**
– Céder à ses penchants **impulsions, désirs**

PENCHER incliner, abaisser, obliquer, ployer
– Se pencher sur une cause **s'occuper de, s'intéresser à**
– Se pencher sur un dossier **examiner, compulser**
– Se pencher en avant, **se courber, s'incliner, se baisser**

PENDANT (1)
– Le pendant exact d'un tableau **réplique, double**
– Faire pendant **être symétrique**
– Pendant d'une écriture en comptabilité **contrepartie**

PENDANT (2)
– Pendant les vacances **au cours de, durant**
– Pendant que **lorsque, tandis que, quand**

PENDANT (3)
– Une affaire pendante **en instance, en cours**

PENDENTIF
– Pendentifs que l'on porte aux oreilles **pendeloques, girandoles**
– Collier supportant un pendentif **sautoir, châtelaine**

PENDRE suspendre, accrocher
– Laisser pendre le feuillage d'une plante **tomber, descendre, reposer**
– Pendre jusqu'à terre **traîner**
– Ustensile servant à pendre **crochet, esse, croc, pendoir, tringle**
– Objet utilisé pour pendre des vêtements **cintre, patère**
– Corde qui servait à pendre un condamné **hart**

PENDULE régulateur, balancier voir aussi horloge
– Pendule murale **cartel**
– Mouvement d'un pendule **oscillation**
– Réception, au moyen d'un pendule, de radiations **radiesthésie**

PÉNÉTRANT
– Un vent pénétrant **vif, mordant**
– Un regard pénétrant **profond, perçant, aigu**
– Un esprit pénétrant **perspicace, subtil, lucide**

PÉNÉTRATION
– Pénétration d'un liquide **infiltration, imprégnation, imbibition**
– Pénétration d'une chose dans une autre **introduction, intromission, compénétration**
– Pénétration d'un groupe hostile dans un parti politique adverse **noyautage, entrisme**

– Faculté de pénétration intellectuelle **compréhension, finesse, acuité, sagacité**

PÉNÉTRER

– Pénétrer dans un lieu **entrer, s'introduire**

– Pénétrer dans une forêt **s'engager, s'enfoncer**

– Pénétrer au travers **traverser, transpercer**

– Pénétrer l'intention de quelqu'un **pressentir**

– Pénétrer une pensée **saisir, appréhender**

– Se laisser pénétrer par un sentiment **imprégner, atteindre**

PÉNIBLE ardu

– Une charge pénible **astreignante, contraignante**

– Un emploi pénible **harassant, éreintant**

– Un instant pénible **douloureux, poignant, cruel**

– Une pénible défaite **amère, âpre**

PÉNINSULE presqu'île

– Partie étroite reliant une péninsule à la terre **langue, passage, isthme**

PÉNITENCE sanction, punition, châtiment voir aussi **pardon, péché**

– Acte de pénitence **contrition, repentir, expiation, résipiscence**

– Souffrance physique que l'on s'impose en pénitence **jeûne, abstinence, austérité, mortification, macération, flagellation**

– Chemise de crin ou d'étoffe très rude portée en pénitence **cilice, haire**

– Pénitence imposée par le prêtre lors de la confession **satisfaction**

– Temps de pénitence **carême, avent, ramadan**

PENSÉE

– Préambule à l'élaboration d'une pensée **réflexion, intuition, sensation**

– Instance mise en œuvre par la pensée **esprit, raison, imagination**

– Opération de la pensée **raisonnement, spéculation**

– Pensées formant système **doctrine, théorie**

– Objet de la pensée abstraite **concept, notion**

– Représentation consciente d'une pensée **idée, image**

– Domaine qui étudie la pensée **philosophie, métaphysique**

– Activité de la pensée agissant comme un affect **souvenir, oubli, réminiscence**

– Contester la pensée d'un auteur **point de vue, position, opinion**

– Dégager la pensée d'un texte **sens, contenu**

– Pensée affranchie du dogme **libre-pensée**

– Domaine fondamental dans lequel s'exerce la pensée **langage, langue, parole**

– Être plongé dans ses pensées **rêveries**

– Fonctionnement d'une pensée en proie à la folie **délire**

– Ascèse où la pensée est concentrée et dirigée vers un idéal spirituel **méditation**

– La transmission de pensée **télépathie**

– Ne pas dévoiler sa pensée **dessein, intention**

PEINTURE ET DÉCORATION

aquarelle	Peinture utilisant des couleurs transparentes délayées dans de l'eau.
art abstrait	Se dit d'un style qui utilise les couleurs, les lignes, les formes pour elles-mêmes et ne cherche pas à représenter des objets.
art figuratif	Se dit d'un style qui s'efforce de représenter les objets, par opposition à l'art abstrait.
clair-obscur	Effet produit par le contraste des lumières et des ombres, rendu célèbre par Rembrandt.
collage	Composition faite de matériaux divers qui sont collés sur la peinture ou y sont intégrés.
craquelage	Fendillement sur une peinture.
divisionnisme	Pointillisme.
fresque	Peinture murale réalisée sur un enduit frais et utilisant des couleurs délayées dans de l'eau.
frise	Bandeau ornemental utilisé pour décorer un mur, une cheminée.
frottage	Procédé de reproduction qui consiste à frotter à l'aide d'une mine de plomb une toile ou une feuille appliquée sur une surface présentant des reliefs.
gouache	Procédé pictural consistant à utiliser des matières colorantes délayées dans de l'eau et liées avec de la gomme.
grisaille	Peinture dans les tons de gris donnant l'impression de relief.
grotesques	Ornement représentant des figures fantasques.
nature morte	Tableau représentant des objets tels que des fruits ou des fleurs.
op art	Forme d'art moderne qui consiste à utiliser des effets d'optique pour créer l'impression de mouvement.
pastel	Œuvre réalisée avec des bâtonnets de couleur.
pastorale	Représentation de scènes champêtres.
pietà	Tableau représentant la Vierge Marie tenant sur ses genoux le corps de Jésus après la descente de croix.
pointillisme	Procédé qui consiste à peindre par petites touches juxtaposées sur la toile.
putto	Représentation de l'amour sous les traits d'un bébé ou d'un angelot.
sgraffite	Procédé de fresque consistant à gratter un enduit clair appliqué sur un mur en stuc.
tondo	Tableau de forme circulaire.
trompe-l'œil	Procédé de peinture utilisant la perspective pour créer l'illusion de la réalité.

– Pensée sentencieuse ou populaire **aphorisme, maxime, dicton, adage, proverbe**
PENSER réfléchir, raisonner, juger
– Faculté de penser **intelligence**
– Faculté de penser par concepts **intellect, entendement**
– Penser à l'avenir **songer à, envisager, projeter, concevoir**
– Penser au passé **évoquer, suggérer, se souvenir de, se remémorer**
– Penser à une personne, à une chose **se soucier de, s'intéresser à**
– Penser avec inquiétude **être préoccupé**
– Penser interminablement à une même chose **ruminer**
– Penser que **estimer, considérer, supposer, présumer**
– Penser une chose vraie **croire**
– Penser réaliser quelque chose **espérer, compter**
PENSION allocation, subside
– Pension de fin d'activité professionnelle **retraite**
– Pension versée à certains hauts membres de l'État **dotation**
– Pension délivrée à un étudiant **bourse**
– Envoyer un enfant en pension **pensionnat, internat, institution**
PENTE côte, descente, déclivité
– Pente d'un toit **inclinaison, obliquité**
– Pente d'une planche en bois **dévers**
– Portion en pente d'un terrain **rampe**
– Terrain en pente sur un parcours équestre **calade**
– Pente prévue pour l'évacuation des eaux **glacis**
– Pente de chacun des côtés d'une montagne **versant**
– Pente du côté sud d'une montagne **adret**
– Pente du côté nord d'une montagne **ubac**
– En pente **en déclive**
PERÇANT aigu, pointu, pénétrant
– Un bruit perçant **strident**
– Un froid perçant **mordant, piquant**
– Un regard perçant **vif, subtil**
– Un esprit perçant **perspicace, lucide**
– Une douleur perçante **taraudante, térébrante**
– Instrument perçant **poinçon, burin, alène, foret**
PERCEPTIBLE sensible, décelable
– Perceptible à l'œil **visible**
– Perceptible à l'oreille **audible**
– Perceptible au toucher **tangible**
– Perceptible à l'esprit **appréhensible, saisissable**
– Cette somme est perceptible **recouvrable**
PERCEPTION
– Perception d'une somme **collecte, recouvrement, levée**
– Perception intellectuelle **intuition**
– Perception sensorielle **impression, sensation, image**
– Trouble de la perception **agnosie, hallucination**
– La perception du non-visible **occulte**
– Faculté de perception **sensibilité**
PERCER trouer, creuser, perforer
– Percer d'un pieu **empaler**
– Percer un ticket **poinçonner**
– Percer de toutes parts **transpercer, traverser**
– Percer de plusieurs trous **larder**
– Percer un abcès **crever**
– Percer une ouverture dans un mur **ménager, pratiquer**
– Percer un secret **découvrir, déceler**
– Rien ne doit percer du projet avant son exécution **transpirer, s'ébruiter, filtrer**
PERCEUSE perforatrice
– Type de perceuse **vilebrequin, taraudeuse**
– Perceuse du bricoleur **chignole, drille**
– Perceuse employée pour forer **tarière, sonde, foreuse**
– Perceuse chirurgicale **trépan**
– Foret de perceuse **mèche, vrille, taraud**
PERCEVOIR
– Percevoir un impôt **encaisser, prélever, recueillir, recouvrer**
– Percevoir un son **entendre, déceler, capter**
– Percevoir la chaleur, la fatigue **sentir, éprouver**
– Percevoir les nuances d'un tableau **noter, remarquer, distinguer**
– Percevoir les subtilités d'un raisonnement **discerner, pénétrer**
PERCHE
– Perche servant à faire tomber les noix de l'arbre **gaule**
– Perche servant à troubler l'eau et à chasser le poisson **bouille**
– Longue perche à crochet **croc**
– Perche de signalisation aéronautique **balise**
– Longue perche employée par le boulanger pour sortir les braises du four **rouable**
– Perche munie d'un croc et servant à manœuvrer une barque **gaffe**
– Perche faisant partie d'un échafaudage **écoperche**
– Perche de prise de son **girafe**
PERDRE égarer, oublier
– Perdre sa liberté **être aliéné, être asservi**
– Perdre son emploi **être licencié**
– Perdre progressivement ses forces **s'affaiblir, s'étioler**
– Perdre connaissance **s'évanouir, défaillir, se pâmer**
– Perdre son sang-froid **paniquer, s'affoler**
– Perdre contenance **se troubler, être déconcerté**
– Perdre un procès **être débouté**
– Perdre un match **échouer, être vaincu**
– Perdre la réputation de quelqu'un **discréditer, déconsidérer**
– Perdre ses illusions **être désenchanté, être désabusé**
– Perdre espoir **se décourager, désespérer**
– Se perdre **se fourvoyer, être désorienté**
PERDRIX
– Ordre auquel appartient la perdrix **gallinacés**
– Famille à laquelle appartient la perdrix **phasianidés**
– Jeune perdrix **perdreau**
– Cri de la perdrix **cacaber**
– Perdrix rouge de montagne **bartavelle**
– Perdrix des neiges **lagopède**
– Perdrix grise **chanterelle**
– Mâle de la perdrix grise **bourdon**
– Petit de la perdrix grise **pouillard**
– Perdrix du sud de la France **perdrix rouge**
– Accouplement des perdrix **appariement**
– Moucheture du plumage de la perdrix adulte **maille**
PERDU
– Un village perdu dans la montagne **éloigné, isolé, écarté**
– Un vêtement perdu à cause d'une tache **abîmé, gâché**
– Avoir un air perdu **hagard**
– Un titre perdu **adiré**
– Un malade perdu **incurable**
PÈRE procréateur, géniteur voir aussi **descendant, paternité**
– Père adoptif **beau-père**
– Père supposé **putatif**
– Mauvais père **parâtre**
– Père spirituel dans la religion catholique **parrain**
– Propre au père **paternel**
– Nom transmis par le père **patronyme**

– Père fondateur d'une lignée **patriarche**
– Attitude empreinte de sollicitude et d'autorité comme celle d'un père **paternalisme**
– Fonction symbolique du père **loi, interdit**
– Meurtre du père **parricide**
– Biens transmis par le père **patrimoine**
– Filiation fondée sur l'ascendance du père **patrilinéaire**
– Habitation d'un couple située sur le lieu de résidence du père de l'époux **patrilocale**
– Organisation sociale fondée sur l'autorité du père **patriarcat**
– Père de l'Église **docteur, théologien**
– Étude des Pères de l'Église **patristique, patrologie**
– Noble, père de la patrie romaine **patricien**

PERFECTION parachèvement
– Perfection d'une silhouette **beauté, grâce**
– Perfection d'un travail **excellence, raffinement**
– Rêve de perfection **idéal**
– Élaboration raffinée visant à la perfection **sophistication**
– Individu avide de perfection **perfectionniste**
– Sommet de la perfection **summum**

PERFECTIONNER améliorer, affiner
– Perfectionner un texte **retoucher, corriger, rectifier, épurer**
– Perfectionner sa connaissance d'une langue **accroître, augmenter**
– Un mécanisme que l'on peut perfectionner **perfectible**
– Se perfectionner **progresser, évoluer, mûrir**
– Perfectionner le rendement d'une machine **optimaliser, optimiser, maximiser**

PERFIDE déloyal, infidèle, traître, scélérat, fourbe
– Tenir des propos perfides **sournois, fielleux, insidieux**
– Un raisonnement perfide **captieux, spécieux, fallacieux**
– Des agissements perfides **pervers**

PERFORMANCE exploit, record, première, prouesse
– Confirmation d'une performance sportive **validation, homologation**

PÉRIL danger, difficulté, écueil
– Péril extérieur **menace**
– Être en péril **risquer de**
– Mettre en péril **exposer, compromettre**

PÉRIMÉ démodé, passé, caduc
– Un usage périmé **désuet, suranné, obsolète**
– Un modèle périmé **dépassé, obsolescent**

PÉRIODE étape, phase, époque voir aussi **cycle, durée, temps**
– Période inscrite dans un temps donné **ère**
– Point culminant d'une période **apogée, summum, paroxysme, zénith**
– Période astronomique **révolution, rotation**
– Division en périodes **périodisation**
– Période climatique **glaciaire, interglaciaire**
– Période intermédiaire existant entre deux grandes périodes climatiques **oscillations mineures**
– Période de l'âge de la pierre **paléolithique**
– Première partie d'une période dans un procédé littéraire **protase**
– Deuxième partie d'une période dans un procédé littéraire **apodose**
– Période d'une onde vibratoire **intervalle**

PÉRIODIQUE (1) journal, magazine, revue

PÉRIODIQUE (2)
– Phénomène se produisant de façon périodique **systématique, régulière**
– Publication périodique **quotidien, hebdomadaire, mensuel**
– Vent périodique annuel **étésien**

PÉRIPÉTIE changement, imprévu, événement, incident, mésaventure
– Péripétie théâtrale **coup de théâtre, intrigue, nœud**
– Péripétie d'une histoire **épisode**

PÉRIPHÉRIE alentours, environs
– Ligne de périphérie **contour, pourtour**
– Périphérie d'une ville **banlieue, faubourgs**

PÉRIPHRASE
– S'exprimer sans périphrases **détour, ambages, circonlocutions**
– Forme ou emploi pouvant se trouver dans une périphrase **allusion, euphémisme, métalepse**

PÉRIR mourir, disparaître, décéder
– Faire périr **tuer, assassiner, exterminer**
– Périr progressivement **s'anéantir, s'écrouler, tomber en ruine**

PÉRISSABLE mortel
– Toute chose est périssable **précaire, passagère, éphémère**
– Une denrée périssable **corruptible, altérable**

PERLE
– Mollusque d'eau douce produisant une perle **mulette, perlière**
– Éclat lumineux d'une perle **lustre**
– Aspect iridescent d'une perle **orient**
– Couleur des perles **rosé, crème, vert clair, vert foncé, gris, noir**
– Forme d'une perle **ronde, baroque, en poire**
– Collier de perles dont la grosseur est croissante **chute**
– Collier de perles de grosseur égale sur toute la longueur **chocker**

PERLER dégoutter, s'écouler, suinter
– Perler une note lors d'une exécution musicale **détacher**
– Perler des céréales **dépouiller**

PERMANENCE continuité, constance, pérennité, inaltérabilité, immuabilité
– Permanence d'un équilibre **stabilité**
– Permanence d'une conjugaison **invariabilité**
– Assurer la permanence dans une association **réception**
– En permanence **constamment, toujours**

PERMETTRE accepter, autoriser, admettre, concéder, acquiescer à
– Permettre un caprice **tolérer, passer, souffrir, supporter**
– Permettre la réalisation d'un projet **aider à, concourir à, contribuer à**
– Se permettre **oser, s'aviser de, s'enhardir**

PERMIS loisible, admissible
– Un acte permis **légal, licite, légitime**

PERMISSION agrément, approbation, consentement
– Permission de déroger à la règle **décharge, dispense, exemption**
– Permission de circuler **laissez-passer, sauf-conduit**
– Donner permission **loisir, licence**

PERPENDICULAIRE (1)
– Perpendiculaire abaissée du centre d'un polygone sur un de ses côtés **apothème**
– Perpendiculaire abaissée de l'angle d'un triangle au côté opposé **hauteur**
– Perpendiculaire tracée du milieu d'un côté d'un triangle à son sommet **médiatrice**

PERPENDICULAIRE (2) vertical, orthogonal

PERPÉTUEL éternel, infini
– Un bruit perpétuel **constant, continuel, incessant**
– Un mouvement perpétuel **permanent**

PERPÉTUER
– Perpétuer la mémoire d'un mort **immortaliser**
– Perpétuer une tradition **maintenir, poursuivre, reproduire**
– Perpétuer un savoir **transmettre, enseigner**
PERPLEXE irrésolu, embarrassé, indécis
– Écouter un discours d'un air perplexe **dubitatif, sceptique**
PERROQUET papegai
– Famille à laquelle appartient le perroquet **psittacidés**
– Perroquet gris d'Afrique **jacquot**
– Perroquet d'Amérique du Sud **ara**
– Oiseau d'Australie de la famille du perroquet **cacatoès, rosalbin**
– Perroquet originaire d'Océanie **lori**
– Nom des perroquets de petite taille **perruches**
– Perroquet de mer **macareux**
– Poisson-perroquet **scare**
– Manie de répéter comme un perroquet **psittacisme**
PERSAN (1)
– Empire des Persans avant la conquête arabe **Perse**
PERSAN (2)
– Auberge persane **caravansérail**
– Animal qualifié de persan **chat, cheval**
– Auteur des *Lettres persanes* **Montesquieu**
PERSE (1)
– Nom moderne des Perses **Iraniens**
– Roi des Perses **chah**
– Texte fondateur de la religion des Perses ***Avesta***
– Première religion des Perses **mazdéisme, mithraïsme**
– Perse réformateur du mazdéisme **Zoroastre (Zarathoustra)**
– Religion des Perses fondée sur la lutte du Bien et du Mal **manichéisme**
– Perse fondateur du manichéisme **Mani**
– Descendants modernes des Perses et adorateurs du zoroastrisme **Guèbres, Parsis**
PERSE (2)
– Population indo-européenne ayant occupé le futur territoire perse **Aryens**
– Descendants non perses des Aryens dans l'Iran ancien **Mèdes**
– Dynastie qui régna sur l'Empire perse dans l'Iran ancien prémusulman **Achéménides, Sassanides**
– Dynastie non perse dans l'Iran ancien **Séleucides, Parthes**
– Langue perse **farsi**
– Famille à laquelle appartiennent les langues perses **indo-iranienne**
– Ancienne écriture utilisée pour la langue perse **cunéiforme**
– Descend de la langue perse **iranien**
– Alphabet utilisé pour transcrire la langue perse actuelle **arabe**
– Titre de gouverneur perse **satrape**
PERSÉCUTER tourmenter
– Persécuter un débiteur **poursuivre, harceler**
– Persécuter un individu **tarauder, s'acharner sur**
– Persécuter physiquement **molester, brutaliser, brimer**
PERSÉCUTION torture
– Persécution physique **supplice**
– Persécution morale **humiliation, chantage**
– Délire de persécution **paranoïa**
– Persécution exercée à l'égard d'un groupe social **pogrom**
– Persécution menée par les catholiques **Inquisition**
PERSÉVÉRANCE endurance, opiniâtreté, ténacité
– Qualité induite par la persévérance **patience, courage, volonté, fermeté**
PERSÉVÉRER poursuivre, continuer, insister
– Persévérer malgré tous les obstacles **s'acharner, s'obstiner, persister, résister**
– Persévérer dans une mauvaise voie **s'entêter**
PERSONNAGE
– Interprète d'un personnage **acteur, comédien, chanteur**
– Acteur interprétant un personnage muet **comparse, figurant**
– Personnage principal d'un roman **héros, protagoniste**
– Personnage très connu et influent **personnalité, célébrité**
PERSONNALITÉ
– Paramètre de la personnalité **ego, moi, soi**
– Phénomène concourant à la création de la personnalité **différenciation, identification, individuation**
– Caractère virtuel de la personnalité **unicité, intériorité, autonomie**
– Une forte personnalité **caractère, tempérament, nature**
– Trouble de la personnalité **psychose, névrose**
– Les personnalités d'un village **notables, dignitaires**
PERSONNE être, individu, sujet
– Terme désignant une personne **autrui, quelqu'un**
– Groupe de personnes **gens**
– Ensemble des personnes habitant un pays **population**
– Propre à une personne **personnel, intime, privé**
– Une personne éminente **sommité**
– Personne peu scrupuleuse dans les affaires **marronne**
– Personne indésirable **persona non grata**
– Contemplation de sa propre personne **narcissisme**
– Doctrine philosophique posant la personne comme valeur suprême **personnalisme**
– Personne de la Trinité considérée individuellement **hypostase**
PERSONNEL (1)
– Personnel d'une entreprise **ouvriers, employés, cadres**
– Personnel de maison **domesticité**
PERSONNEL (2)
– Un jugement tout à fait personnel **subjectif**
– Un style personnel **original, particulier, propre, singulier**
– Caractère d'une personne tournée vers son plaisir, ses intérêts personnels **égoïsme, égocentrisme**
– Souvenir personnel **intime, privé**
PERSONNIFIER évoquer, exprimer, figurer
– Personnifier la sagesse **incarner, symboliser**
– Personnifie une idée **allégorie**
PERSPECTIVE
– Élément de perspective d'un dessin **dimension, éloignement, disposition, profondeur de champ, volume, angle**
– Envisager une perspective d'avenir **éventualité, probabilité**
– Avancer des perspectives pessimistes **considérations, optiques, points de vue**
– Aller à la découverte de nouvelles perspectives **domaines, horizons**
– Paraître sous une perspective nouvelle **jour, lumière, éclairage**
PERSPICACITÉ
– Apprécier la perspicacité d'une observation **acuité, finesse, lucidité, subtilité**
– Un esprit doué d'une grande perspicacité **sagacité, pénétration**
PERSUADER convaincre, déterminer, décider
– Persuader par l'exemple **inspirer, suggérer, inculquer**
– Persuader à tout prix **exhorter**

– Persuader de ne pas faire quelque chose **dissuader**
PERTE disparition
– Subir la perte d'un être cher **deuil, séparation**
– Perte financière, matérielle **dommage, préjudice, amputation**
– Perte d'un combat **échec**
– Perte d'un droit **péremption**
– Perte d'énergie **déperdition**
– Perte de la mémoire **amnésie**
– Perte de la parole **aphasie**
– Perte de la vue **cécité**
– Perte de l'audition **surdité**
– Perte de la force physique **asthénie, adynamie**
– Perte abondante de sang **hémorragie**
PERTINENT approprié, juste, séant
– Une remarque pertinente **sensée, congrue, judicieuse, fine**
– Une démonstration pertinente **convaincante**
PERTURBATION dérangement, désordre, bouleversement
– Perturbation d'un système **dysfonctionnement, désorganisation**
– Perturbation sociale **agitation, secousse, crise**
– Perturbation émanant d'un groupe **chambardement, pagaille**
– Perturbation sonore **parasites**
PERVERTIR changer, altérer
– Pervertir une personne **dépraver, avilir**
– Pervertir la pensée d'un auteur **dénaturer, déformer, travestir**
PESANT lourd, massif, pondéreux
– Une personne pesante **fatigante, encombrante, stupide**
– Un dossier pesant **épais, important**
– Un aliment pesant **indigeste**
– Un échec pesant **pénible, douloureux, cuisant**
PESER
– Objet servant à peser **bascule, peson, trébuchet, balance**
– Peser un objet en utilisant sa main **soupeser**
– Peser un emballage avant d'y déposer une marchandise **tarer**
– Peser la justesse d'une décision **estimer, évaluer, considérer**
– Toute la responsabilité va peser sur la secrétaire **incomber à**
– Peser de tout son poids contre quelque chose **presser, appuyer**
– Un objet que l'on peut peser **pondérable**
PESSIMISME défaitisme
– Pessimisme philosophique **désenchantement, nihilisme**
PESSIMISTE
– Des prévisions pessimistes **alarmistes, désespérées**
– Un caractère pessimiste **anxieux, inquiet, mélancolique, sombre**
– Se montrer pessimiste quant à l'issue d'une maladie **sceptique, sans illusions**
PESTE épidémie
– Type de peste **bubonique, pulmonaire**
– Prévention contre la peste **quarantaine**
– Transmet la peste **rat noir, puce**
– Tache cutanée due à la peste **pétéchie**
– Porteur de la peste **pestiféré**
– Peste des volailles **aviaire**
PÉTALE
– Ensemble des pétales d'une fleur **corolle**
– Partie feuillue de couleur verte, protégeant la fleur et les pétales **sépale, calice**
– Fleur sans pétales **apétale**
– Fleur constituée de pétales séparés **dialypétale**
– Fleur à pétales unis **gamopétale**
PETIT
micr(o)-, mini-
PETIT (1)
– Les petits d'un animal **couvée, nichée, portée**
PETIT (2)
– Un petit homme **nain, lilliputien, myrmidon, gnome, homuncule**
– Une substance très petite **imperceptible, microscopique**
– Une petite quantité **minuscule, infinitésimale, dérisoire, infime**
– Extrêmement petit **ténu**
– Donner un petit nom **diminutif, surnom, sobriquet**
PETIT (3)
– Petit à petit **progressivement, graduellement**
PETITESSE
– La petitesse d'un logement **exiguïté, étroitesse**
– Petitesse d'un don **modicité**
– Petitesse d'esprit **mesquinerie, médiocrité, ladrerie**
PÉTITION réclamation, protestation, revendication
– Pétition judiciaire **requête**
– Personne ou groupe faisant une pétition **pétitionnaire**
PÉTRIFIÉ
– Demeurer pétrifié **médusé, ébahi, saisi, paralysé**
– Eau pétrifiée **stalagmite, stalactite**
– Ville pétrifiée **Pompéi**
PÉTRIFIER fossiliser, lapidifier
– Se pétrifier **se figer, se statufier**
– Monstres qui pétrifiaient les imprudents **Gorgones**
PÉTROLE huile de pierre, or noir, naphte
voir aussi **carburant**
– Roche dont est extrait le pétrole **roche mère, roche-réservoir**
– Zone étanche du sous-sol renfermant du pétrole **piège, gisement**
– Échantillon de roche contenant du pétrole **carotte**
– Exploration du sous-sol contenant du pétrole **prospection**
– Méthode de forage d'un puits de pétrole **rotary, turboforage, drainage**
– Chevalement sur lequel est disposé le trépan de forage d'une nappe de pétrole **derrick**
– Forage en mer d'un gisement de pétrole **off-shore**
– Étape préliminaire de l'exploitation d'un puits de pétrole **torpillage, fracturation, acidification, perforation**
– Conduit de transport du pétrole **oléoduc, pipeline, feeder, sea-line**
– Traitement du pétrole brut **raffinage**
– Principaux procédés de raffinage du pétrole **séparation, conversion, épuration**
– Étape constituant le procédé de séparation lors du raffinage du pétrole **distillation atmosphérique, désasphaltage, extraction, cristallisation**
– Étape constituant le procédé de conversion lors du raffinage du pétrole **craquage, reformage, isomérisation**
– Étape constituant le procédé d'épuration lors du raffinage du pétrole **dessalage, désulfuration**
– Pétrole non raffiné **brut**
– Mélange de qualités de pétrole brut provenant de la mer du Nord **brent**
– Résidu de pétrole **brai**
– Unité de mesure du pétrole brut, équivalant à 159 litres **baril**
– Ensemble des acheteurs et vendeurs de pétrole d'une même cargaison **daisy chain (guirlande de marguerites)**
– Pétrole vendu par des intermédiaires percevant des bakchichs **brut mollah (princier)**
– Négociant en pétrole **trader**
– Industrie chimique dérivée du pétrole **pétrochimie, pétroléochimie**
– Spécification des industries du pétrole **aliphatique, aromatique, inorganique**

PÉTULANCE ardeur, turbulence
– Pétulance de la jeunesse **fougue, impétuosité, vitalité, exubérance**
– Pétulance d'un discours **brio, vigueur**
PEU
olig(o)-
PEU
– Peu après **ensuite, après quoi**
– Manger peu **modérément**
– Aller très peu au cinéma **à peine, rarement**
– Donner peu **chichement, parcimonieusement**
– Être peu informé **vaguement**
– Peu à peu **insensiblement, doucement, lentement**
– Un peu de lait **goutte, larme, nuage, doigt**
– Un peu de pain **bouchée, miette**
– Un fait de peu d'importance **mince, minime, insignifiant**
– N'avoir que peu de temps **guère**
– S'exprimer en peu de phrases **brièvement, succinctement**
– Dans peu de jours **bientôt, incessamment**
PEUPLE
ethn(o)-, démo-, -démie
PEUPLE ethnie, peuplade, tribu voir aussi **nation, pays, population**
– Tradition orale ou écrite propre à un peuple **coutume, croyance, folklore**
– Rendre accessible au peuple **populariser, vulgariser**
– Action ou discours flatteurs tendant à obtenir la faveur du peuple **populisme, démagogie**
– Gouvernement du peuple **démocratie**
– Description et étude des différents peuples **ethnographie, ethnologie, anthropologie**
– Étude de la répartition et de l'évolution d'un peuple **démographie**
PEUPLIER voir aussi **arbre**
– Famille à laquelle appartient le peuplier **salicacées**
– Plantation de peupliers **peupleraie**
– Peuplier blanc **ypréau**
– Peuplier noir **liard**
– Peuplier gris **grisard**
– Peuplier devant son nom à la sensibilité de son feuillage **tremble**
PEUR frayeur, affolement, panique, venette voir aussi **phobie**
– Être envahi par la peur **crainte, inquiétude, anxiété**
– Peur extrême et soudaine **épouvante, terreur**
– Peur éprouvée à l'égard de certains animaux **aversion, répulsion, horreur**
– Peur instinctive **angoisse, appréhension**
– Peur maladive **hantise, phobie**
PEUREUX craintif
– Individu excessivement peureux **couard, poltron, pleutre, lâche**
– Peureux face à la nouveauté **timide, timoré, pusillanime**
– Le contraire d'un homme peureux **impavide**
PHALLUS pénis, verge
– Semblable au phallus **phalloïde**
– Spécifique au phallus en érection **ithyphallique**
– Douleur du phallus **phallodynie**
– En médecine, érection douloureuse et persistante du phallus **priapisme**
– Protection du phallus évitant les maladies sexuellement transmissibles **préservatif, condom**
– Culte du phallus **phallique**
– Domination des hommes sur les femmes fondée sur la symbolique du phallus **phallocratie, phallocentrisme**
PHARE guide, fanal
– Type de phare **à feu fixe, à feu tournant**
– Système servant de phare **balise, bouée-phare**
– Phares d'une automobile **codes, veilleuses**
– Dispositif réfléchissant les rayons lumineux des phares d'une voiture **catadioptre**
– Phare puissant à l'avant d'un véhicule **projecteur**
PHARMACIE
pharmac(o)-
PHARMACIE voir aussi **médicament**
– Type de pharmacie **hospitalière, biomédicale, industrielle**
– Propre à la pharmacie **pharmaceutique**
– Profession de la pharmacie **pharmacien, préparateur, laborantin, assistant**
– Local souvent attenant à la boutique d'une pharmacie **laboratoire, officine**
– Constitution médicamenteuse réalisée en pharmacie **médicament, drogue, formule, remède, préparation**
– Préparation faite en pharmacie, suivant la formule du médecin **magistrale**
– Préparation faite en pharmacie, selon une formule fixe **officinale**
– Pharmacie ou boutique spécialisée dans les plantes médicinales **herboristerie**
– Recueil des formules en pharmacie **Codex**
– Recueil des médicaments et produits de pharmacie **Pharmacopée**
PHASE période
– Phase de la Lune et des planètes **aspect, changement, succession, apparence**
– Cycle des phases lunaires **lunaison**
– Phase de décompression sous-marine **palier, échelon, degré**
– Phase d'une maladie **épisode, stade**
– Une phase difficile **étape**
PHÉNOMÈNE apparition
– Phénomène tangible **apparence, manifestation, fait**
– Phénomène extraordinaire **miracle, prodige**
– Appréhension d'un phénomène **sensibilité, entendement, intuition**
– Phénomène accessoire qui s'ajoute à un autre **épiphénomène**
– Phénomène périodique en physique **mouvement vibratoire, onde, propagation, fréquence**
– Phénomène sonore **infrason, ultrason**
PHILOSOPHIE voir tableau p. 338-339
PHOBIE voir tableau p. 340
PHOQUE veau marin
– Classe à laquelle appartient le phoque **mammifères**
– Ordre auquel appartient le phoque **pinnipèdes**
– Phoque à ventre blanc **moine**
– Phoque de Terre-Neuve **phoque à capuchon**
– Phoque macrorhine **éléphant de mer**
– Phoque du Pacifique Nord **phoque à rubans**
– Petit mammifère, proche du phoque, à oreilles et à fourrure **otarie**
PHOSPHORESCENT fluorescent, luminescent
– Une mer phosphorescente **luisante, brasillante**
– Animal phosphorescent **ver luisant**
PHOTOGRAPHIE cliché, épreuve, instantané voir aussi dessin p. 341
– Photographie prise sur une plaque de cuivre **daguerréotype**
– Photographie que l'on projette sur un écran **diapositive**
– Support de photographie **film, pellicule, papier, plaque**
– Film d'une photographie où les valeurs sont inversées **négatif**
– Film d'une photographie où les valeurs sont directes **positif**

– Double d'un négatif en photographie **contretype**
– Appareil servant à déterminer l'exposition appropriée à une photographie **posemètre**
– Photographie tirée à partir d'un négatif papier **calotype**
– Norme d'expression de la sensibilité d'un film en photographie **ISO, ASA**
– Particule d'argent métallique noir dont la quantité détermine le degré de noircissement d'une photographie **grain**
– Objectif employé en photographie **grand angulaire, fish-eye, téléobjectif, zoom, macro**
– Fixe ou variable dans les objectifs employés en photographie **focale**
– Procédé de photographie en relief **holographie, stéréoscopie**
– Photographie stéréoscopique en deux couleurs complémentaires **anaglyphe**
– Reproduction à distance d'une photographie **phototélégraphie**
– Père de la photographie **Niepce, Daguerre**

PHRASE énoncé voir aussi **mot**
– Type de phrase **nominale, verbale**
– Énoncé que constitue une phrase **prédicat**
– Ordre régissant les éléments d'une phrase **syntaxe**
– Élément constituant une phrase **mot, lexie**
– Phrase longue et grandiloquente **tirade**
– Propre à la phrase **phrastique**
– Usage de phrases vides de sens **phraséologie**
– Personne qui aime à faire des phrases **phraseur, bavard**
– Employer des phrases toutes faites **clichés**
– Dire en une phrase ce qui peut être dit en un mot **périphrase**
– Famille de phrases ayant à peu près le même sens **paraphrases**

PHYSIONOMIE visage, face, figure
– Être attiré par la physionomie d'une personne **expression, air, traits**
– Jeu de physionomie **grimace, mimique**
– Ne pas juger quelqu'un à sa physionomie **apparence**
– Bouleverser la physionomie d'une ville **aspect, caractère**

PHYSIQUE corporel, charnel
– Douleur physique **organique**
– Trouble physique **physiologique**
– Éducation physique **gymnastique**

PIANO voir aussi dessin p. 342
– Élément d'un piano **caisse, mécanique, cadre, pédale**
– Constitution de la mécanique d'un piano **clavier, marteaux**
– Constitution du cadre d'un piano formant la table d'harmonie **sommier, cheville, cordes**
– Pivot auquel sont fixées les pédales d'un piano **lyre**
– Ancêtre du piano **clavicorde, épinette, virginal, clavecin, pianoforte**
– Tessiture du piano moderne **huit octaves**
– Type de piano **à queue, à demi-queue, à quart de queue, droit, crapaud**
– Fabricant de pianos **facteur**
– Œuvre pour piano **sonate, valse, nocturne, étude, concerto**

PHILOSOPHIES

béhaviorisme	Méthode scientifique appliquée à l'étude de l'homme et de l'animal et qui se borne à l'analyse du comportement comme réponse à un stimulus extérieur, à l'exclusion de toute référence à la conscience.
déterminisme	Doctrine selon laquelle tout l'Univers, y compris la volonté humaine, est soumis à la nécessité extérieure.
empirisme	Doctrine selon laquelle toutes les connaissances humaines, y compris les principes rationnels, dérivent de l'expérience sensible, et qui ne reconnaît à l'esprit aucune activité propre.
épicurisme	Doctrine d'Épicure selon laquelle le plaisir est le bien. L'homme sage se contente des plaisirs simples, naturels et nécessaires (boire, manger...) qui n'engendrent que d'autres plaisirs ; il évite ainsi la douleur, ce qui lui permet d'atteindre le bonheur, qui n'est que l'absence de troubles (ataraxie).
épistémologie	Discipline qui prend la science ou les sciences pour objet et qui comprend la critique de la connaissance scientifique, la philosophie des sciences et l'histoire des sciences.
esthétisme	Attitude qui ne reconnaît comme critère de jugement et de conduite que la beauté et qui ignore toute référence à la morale.
éthique	Partie de la philosophie qui a pour objet les problèmes fondamentaux de la morale et prône une conduite cohérente de la vie.
existentialisme	Au sens large, philosophie qui prend l'existence humaine pour centre de sa réflexion. L'existentialisme chrétien considère l'homme dans son rapport à la transcendance ; l'existentialisme athée considère l'homme jeté dans le monde, sans appui et sans référence à des valeurs qu'il a à créer par sa propre liberté et sous sa propre responsabilité.
fatalisme	Doctrine selon laquelle tous les événements de l'Univers et de la vie humaine sont soumis au destin et arrivent par une nécessité absolue.
hédonisme	Doctrine qui prend la recherche du plaisir comme principe de la morale.
humanisme	Doctrine qui pose la dignité inaliénable de toute personne et vise à procurer à chacun les conditions de son plein épanouissement intellectuel et physique.
idéalisme	Nom donné à tous les systèmes qui ramènent l'être à la pensée, ou qui font de la pensée le point de départ de toute connaissance de la réalité.
instrumentalisme	Doctrine qui affirme le caractère instrumental de toute théorie, celle-ci étant un instrument pour l'action et un guide pour les expériences ultérieures.

PIE (1)
– Ordre auquel appartient la pie **passériformes**
– Famille à laquelle appartient la pie **corvidés**
– Nom scientifique de la pie ***Pica pica***
– Petit de la pie **piat**
– Entendre la pie crier **jacasser, jaser**
– Pie d'Asie **pie bleue**
– Pie de mer **huîtrier**
– Saut de la pie dans l'Antiquité grecque **danse lacédémonienne**
– Ils sont symbolisés par la pie en Chine **bonheur conjugal, joie**

PIE (2)
– Cheval pie **bicolore**
– Une œuvre pie **pieuse, religieuse, dévote**

matérialisme	Au sens large, toute doctrine qui n'admet comme réalité que la matière.
métaphysique	Recherche des principes et des causes premières, indépendamment de toute référence à l'expérience sensible.
millénarisme	Doctrine qui annonçait l'avènement du millénium, c'est-à-dire d'une période de mille ans pendant laquelle le principe du mal serait rendu impuissant. Par extension, désigne les doctrines qui décrivent l'avènement d'un âge de bonheur et de perfection.
nihilisme	Doctrine selon laquelle rien n'existe d'absolu. Doctrine anarchiste fondée sur une critique de l'organisation sociale et qui appelle à la révolution, au besoin par la violence.
nominalisme	Doctrine selon laquelle les idées générales comme les concepts n'ont aucune réalité et sont seulement des noms.
ontologie	Terme désignant la partie centrale de la philosophie qui étudie l'être indépendamment de ses déterminations particulières et dans ce qui constitue son intelligibilité propre, son essence.
phénoménisme	Doctrine qui n'admet que l'existence des phénomènes et de leurs images dans la pensée et qui nie l'existence de la raison comme faculté qui nous distingue des animaux.
phénoménologie	Au sens large, étude descriptive d'un phénomène tel qu'il est donné dans l'expérience. Chez Husserl, philosophie qui tend à revenir à la chose même, au phénomène.
pragmatisme	Doctrine philosophique qui procède de l'empirisme, postule le primat de la pratique sur la théorie, des conséquences sur les principes, et recherche le critère de la vérité dans l'action.
rationalisme	Qualifie toute doctrine qui attribue à la seule raison humaine la capacité de connaître et d'établir la vérité sans aucune référence au sentiment ou au surnaturel.
réductionnisme	Méthode qui consiste à expliquer un phénomène complexe en le réduisant à ses éléments les plus simples.
relativisme	Doctrine qui professe la relativité de la connaissance.
scolastique	Doctrine enseignée dans les écoles ecclésiastiques et les universités du IXe au XVIIe s. Elle prétend accorder la foi avec la raison en s'appuyant sur la philosophie grecque.
structuralisme	Dénomination générique des méthodes et conceptions diverses relatives à de nombreuses disciplines ayant pour caractère commun la recherche de la détermination des structures.
utilitarisme	Philosophie anglaise selon laquelle la fin de la conduite est le plaisir réfléchi et calculé.

PIÈCE voir aussi **monnaie**
– Pièce d'un objet **fragment**
– Acheter un meuble dont les pièces sont à monter **en kit**
– Pièce de tissu **coupon**
– Pièce d'un moteur **organe, élément**
– Petite pièce servant à remiser des outils, des provisions **resserre, cellier**
– Pièce d'eau **bassin, étang, lac**
– Pièce de théâtre **comédie, tragédie**
– Pièce officielle **document, acte, diplôme**
– Pièce de monnaie ancienne **écu, jaunet, louis, napoléon**
– Pièce de monnaie utilisée comme modèle **pied-fort**

PIED
pod(o)-, pédi-, -pode, -podie, -pus, -pède

PIED
– Anatomie du pied **cou-de-pied, plante, talon**
– Doigt de pied **orteil**
– Os du pied formant le talon **calcanéum, astragale**
– Maux de pied **durillon, cor, oignon, œil-de-perdrix**
– Inflammation des doigts de pied **goutte, podagre**
– Individu au pied difforme **pied-bot**
– Soins du pied **pédicurie**
– Étude du pied **podologie**
– Promenade à pied **pédestre**
– Animal se tenant sur deux pieds **bipède**
– Animal dépourvu de pieds **apode**
– Animal marchant sur la plante des pieds **plantigrade**
– Pied d'un arbre **racine, souche**
– Pied de vigne **cep**
– Mettre une affaire sur pied **organiser, constituer, échafauder**

PIÉDESTAL socle, support
– Élément d'un piédestal **corniche, dé, base**
– Petit piédestal dont la base est circulaire ou carrée **piédouche**
– Mettre quelqu'un sur un piédestal **admirer, aduler**

PIÈGE artifice, feinte, leurre, ruse, subterfuge
– Piège employé pour les rongeurs **ratière, souricière**
– Piège à oiseaux **filet, tirasse, tendelle, trébuchet, reginglette, gluau**
– Instrument imitant le cri des oiseaux pour les attirer dans un piège **appeau, courcaillet, pipeau**
– Oiseau vivant utilisé comme piège **appelant, chanterelle**

PHOBIES

PEUR IRRAISONNÉE DE :	
air, vent	**aérophobie**
altitude	**acrophobie, vertige**
animaux	**zoophobie**
anomalie anatomique	**dysmorphophobie**
araignées	**arachnophobie**
armes blanches	**machairophobie**
avion (voyages en)	**aérodromophobie**
bacilles	**bacillophobie**
bicyclettes	**bitrochosophobie**
cancer	**cancérophobie**
chats	**ailourophobie**
chemins de fer	**sidérodromophobie**
chiens	**cynophobie**
constipation	**apopatho-diaphulatophobie**
debout (avoir à rester)	**stasophobie**
dents (atteintes des)	**odontophobie**
douleur	**algophobie**
eau	**hydrophobie**
éclairs	**astrophobie, astrapéphobie**
écrire (devoir)	**graphophobie**
empoisonnement	**toxicophobie**
épidémies	**épidémiophobie**
épingles	**bélonéphobie**
espaces clos	**claustrophobie**
espaces libres	**agoraphobie**
être enterré vivant	**taphéphobie**
femmes	**gynéphobie**
feu	**pyrophobie**
fonctionnement corporel (anomalie du)	**physiophobie**
fou (devenir)	**psychopathophobie**
foule	**ochlophobie**
fruits	**carpophobie**
habiller (devoir s')	**enduophobie**
hauteurs	**acrophobie**
hommes	**anthropophobie**
huile	**élaïonophobie**
hystérie	**hystérophobie**
insectes	**entomophobie**
insomnie	**aupniaphobie**
langue (maladies de la)	**glossophobie**
légumes	**lachanophobie**
lieu	**topophobie**
lumière	**photophobie**
maladies	**nosophobie**
marcher (devoir)	**basophobie**
mer	**thalassophobie**
métaux	**métallophobie**
microbes	**microbiophobie**
mort	**nécrophobie, thanatophobie**
mots (entendre ou prononcer des)	**onomatophobie**
nourriture	**sitiophobie**
nouveauté	**kainotêtophobie**
nuit	**nyctophobie**
obscurité	**kénophobie**
odeurs (répandre de mauvaises)	**autodysosmophobie**
oiseaux	**ornithophobie**
orages, tempêtes	**cheimophobie**
page blanche	**leucoselophobie**
parler	**logophobie**
pente (lieux en), montagnes	**orophobie**
peur (avoir)	**phobophobie**
pièces vides	**cénophobie**
poils	**trichophobie**
pointes et objets pointus	**achmophobie**
poupées	**koréphobie**
poussière	**myxophobie**
regard d'autrui	**blemmophobie**
rivières	**potamophobie**
rougir	**éreuthophobie**
rues et croisements	**dromophobie**
saleté	**rupophobie**
sang	**hématophobie, hémophobie**
serpents	**ophiophobie**
sexualité	**pornophobie**
signer (devoir)	**autographophobie**
sommeil	**hypnophobie**
souris	**musophobie**
sous-sols, grottes	**spélaionophobie**
sucre	**saccharophobie**
suicide	**autocheiro-thanatophobie**
téléphone	**téléphonophobie**
ténèbres	**scotophobie**
terre (contact avec de la)	**géophobie**
tonnerre	**tonitrophobie, bronthémophobie**
tout	**pantophobie, tautophobie**
transpiration	**diapnophobie**
treize à table (être)	**triskaidekaphobie**
tuberculose	**phtisiophobie**
vent	**anémophobie**
verre	**hyalophobie**
viande	**créatophobie**
vide	**clinophobie**
AVERSION, HOSTILITÉ À L'ÉGARD DE :	
anglais	**anglophobie**
étrangers	**xénophobie**
français	**francophobie**

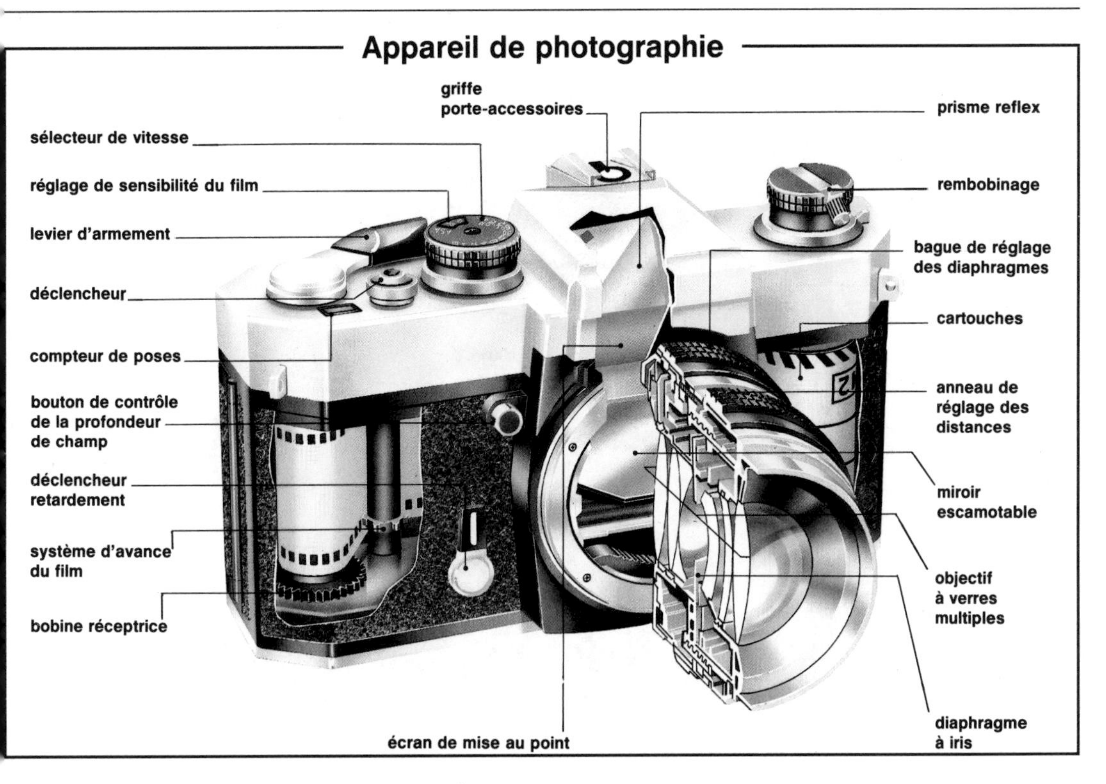

– Piège à fauve **fosse, chausse-trappe, traquet**
– Pratique de chasse dans laquelle on emploie des pièges **pipée, tenderie**
– Personne posant des pièges **braconnier**
– Tendre un piège à une personne **traquenard, embuscade, guet-apens**

PIERRE
lith-, litho-, lapid-, -lithe, -lithique, pétro-

PIERRE voir aussi **minéral, roche**
– Petite pierre **caillou, gravier, galet**
– Bloc de pierre **roc, rocher**
– Transformation en pierre **pétrification, lapidification**
– Semblable à la pierre **lithoïde**
– Spécifique aux pierres **lithique**
– Science et étude des pierres **pétrographie, pétrologie, minéralogie**
– Gravure sur pierre **pétroglyphe**
– Fissure dans une pierre **lithoclase**
– Une substance produisant des pierres **lithogène**
– Âge de la pierre taillée **paléolithique**
– Âge de la pierre polie **néolithique**
– Grandes pierres sacrées souvent disposées en alignement **mégalithe, monolithe**
– Monument mégalithique constitué de pierres levées **menhir, peulven**
– Monument mégalithique formé de pierres dressées en cercle **cromlech**
– Monument mégalithique constitué de pierres formant une large table **dolmen**
– Pierre sacrée en Phénicie **bétyle**
– Bloc de pierre provenant de l'espace **météore, bolide, aérolithe**
– Pierre de construction **ardoise, cliquart, lambourde, meulière, porphyre**
– Outil employé pour travailler la pierre **biveau, couteau, boucharde, smille, laie**
– Pierre opposée au sens du litage en maçonnerie **délit**
– Poser une pierre en délit **déliter**
– Manière d'assembler les pierres d'un édifice **appareillage**
– Pierre pouvant se poser à la main, en maçonnerie **jectisse**
– Tuer ou blesser une personne à coups de pierres **lapider**

PIERRE PRÉCIEUSE voir aussi tableau p. 343, illustrations p. 344 et **diamant**
– Nom générique des pierres précieuses et des pierres fines **gemmes**
– Défaut d'une pierre précieuse **crapaud, glace, givrure, gendarme**
– Pierre précieuse qui présente un défaut de cristallisation **loupe**
– Feuille de métal rehaussant l'éclat d'une pierre précieuse **paillon**
– Professionnel de la taille et du polissage des pierres précieuses **lapidaire**

PIÉTÉ
– Faire preuve de piété religieuse **ferveur, dévotion**
– Piété à l'égard des parents **attachement, amour, respect**
– Marque de piété à l'égard des morts **culte des ancêtres**

PIEU voir aussi **bâton**
– Petit pieu **piquet**
– Gros pieu ferré et cerclé **pilot**
– Ensemble de pieux servant d'assise à une construction **pilotis**
– Petits pieux pointus constituant une clôture **palis**
– Pieu servant de tuteur à un arbuste **échalas, paisseau**

PIEUX
– Un individu pieux **fervent, croyant, religieux, dévot**
– Personne excessivement pieuse **bigote, zélée**
– Vœu pieux **vain, inutile, hypocrite**
– Vie pieuse **exemplaire, édifiante**

PIGEON
– Ordre auquel appartient le pigeon **columbiformes**

Piano

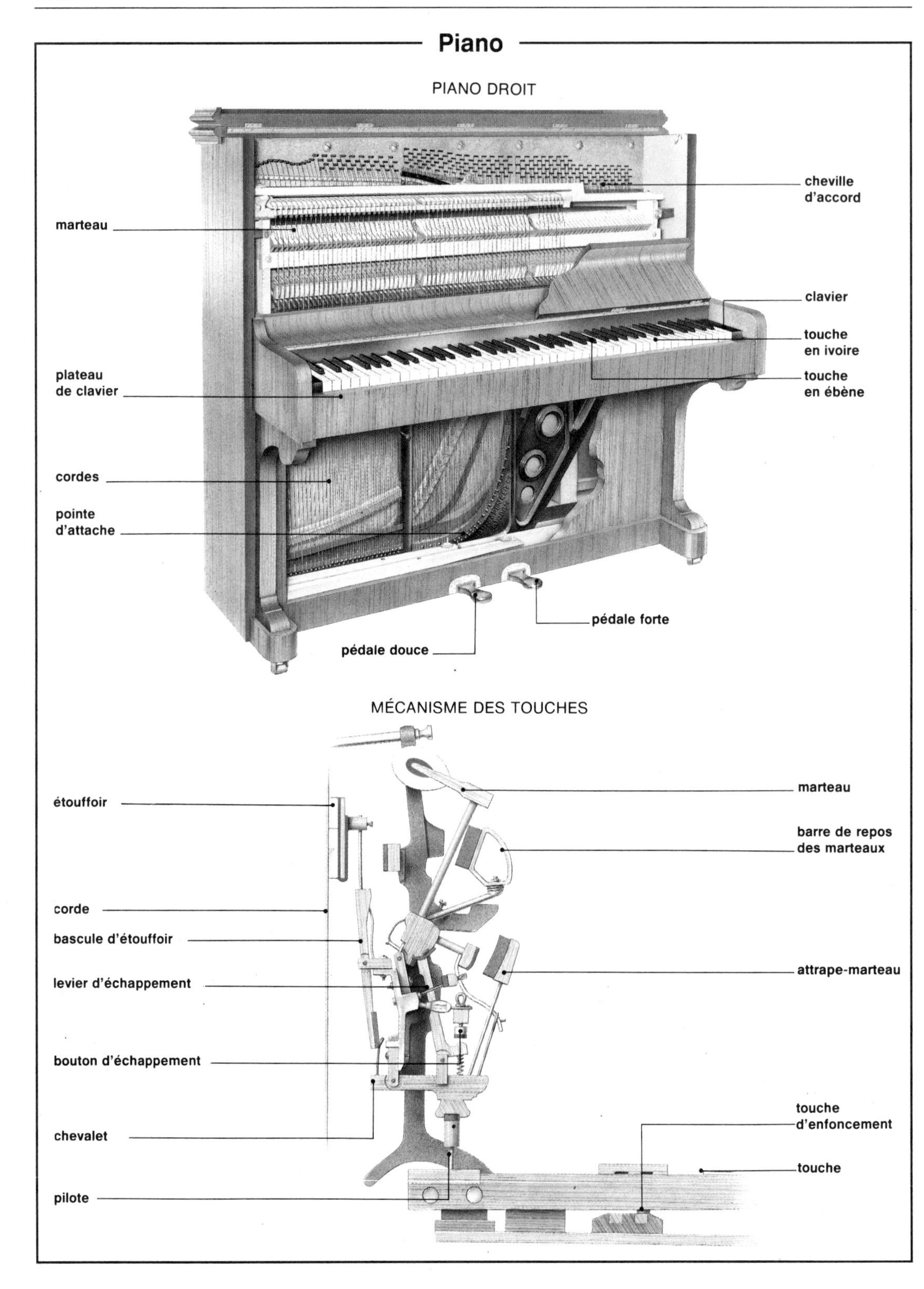
PIANO DROIT
cheville d'accord
marteau
clavier
touche en ivoire
plateau de clavier
touche en ébène
cordes
pointe d'attache
pédale forte
pédale douce
MÉCANISME DES TOUCHES
marteau
étouffoir
barre de repos des marteaux
corde
bascule d'étouffoir
attrape-marteau
levier d'échappement
bouton d'échappement
touche d'enfoncement
chevalet
touche
pilote

– Famille à laquelle appartient le pigeon **columbidés**
– Femelle du pigeon **pigeonne**
– Petit pigeon **pigeonneau**
– Espèce de pigeon commune en France **biset, colombin, ramier**
– Pigeon d'agrément **capucin**
– Pigeon couronné **goura**
– Élevage de pigeons **colombophilie**
– Abri où sont élevés des pigeons **pigeonnier, fuie**

PIGMENT
– Type de pigment **végétal, animal, minéral**
– Pigment donnant la coloration de la peau, des cheveux **mélanine**
– Pigment sanguin **hémoglobine, hématine**
– Pigment biliaire **urobiline, bilirubine**
– Pigment de couleur jaune colorant feuilles et pétales **xanthophylle**
– Pigment vert des plantes **chlorophylle**

PILE voir aussi dessin
– Une pile de journaux, de livres, de vieux papiers **tas, amas, monceau, amoncellement, entassement**
– Pile électrique **accumulateur, générateur**
– Conducteurs d'une pile **pôles, électrodes**
– Électrode positive d'une pile **anode**
– Électrode négative d'une pile **cathode**
– Pile produisant de l'électricité à partir d'un mélange d'oxygène et d'hydrogène gazeux ou liquide **à combustible**
– Pile transformant la chaleur en énergie électrique **thermoélectrique**
– Pile transformant une source lumineuse en énergie électrique **photoélectrique**

PILER broyer, écraser, concasser
– Piler du blé **réduire, pulvériser**
– Récipient servant à piler **mortier, égrugeoir**
– Instrument utilisé pour piler **pilon, bourroir, dame, hie**

PILLAGE déprédation, dévastation, mise à sac
– Expédition faite en vue d'un pillage **razzia, incursion**
– Acte de pillage dans les finances publiques **concussion, malversation**

PILLER
– Piller une ville **dévaster, ravager, saccager**
– Piller une banque **dévaliser, cambrioler**
– Piller des bateaux en mer **pirater**

PILOTE voir aussi **conducteur**
– Pilote d'un bateau **barreur, timonier, nautonier, nocher, lamaneur**
– Poisson pilote **rémora**
– Industrie pilote **exemplaire, avant-gardiste**

PILULE granule, gélule, dragée
– Pilule d'hormone introduite sous la peau et se résorbant lentement **implant, pellet**
– Moule dans lequel sont fabriquées les pilules **pilulier**

PIMENT
– Famille à laquelle appartient la plante du piment **solanacées**
– Piment doux **poivron**
– Piment en poudre **paprika**
– Spécialité basque à base de piment doux **piperade**

PIN
– Ordre auquel appartient le pin **conifères**
– Famille à laquelle appartient le pin **abiétacées**

Piles

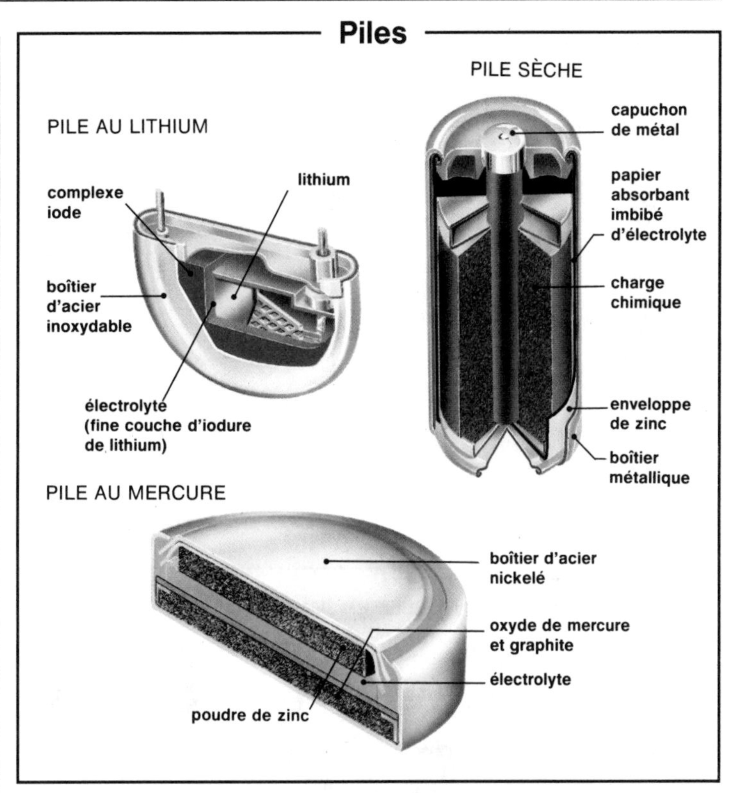

PIERRES PRÉCIEUSES ET SEMI-PRÉCIEUSES

INCOLORE
diamant
zircon

BLANCHÂTRE
opale
pierre de lune

JAUNE
chrysobéryl
citrine
héliodore
hyacinthe
topaze

ROUGE
almandin
cornaline
grenat
rubis
sardoine

ROSE
morganite

VIOLET
améthyste

BLEU
aigue-marine
lapis-lazuli/lazulite
saphir
turquoise

VERT
alexandrine
amazonite
chrysoprase
émeraude
héliotrope
jade
malachite
péridot/olivine

NOIR
jais
onyx
pyrénéite

COLORATIONS MULTIPLES
jaspe
spinelle
tourmaline

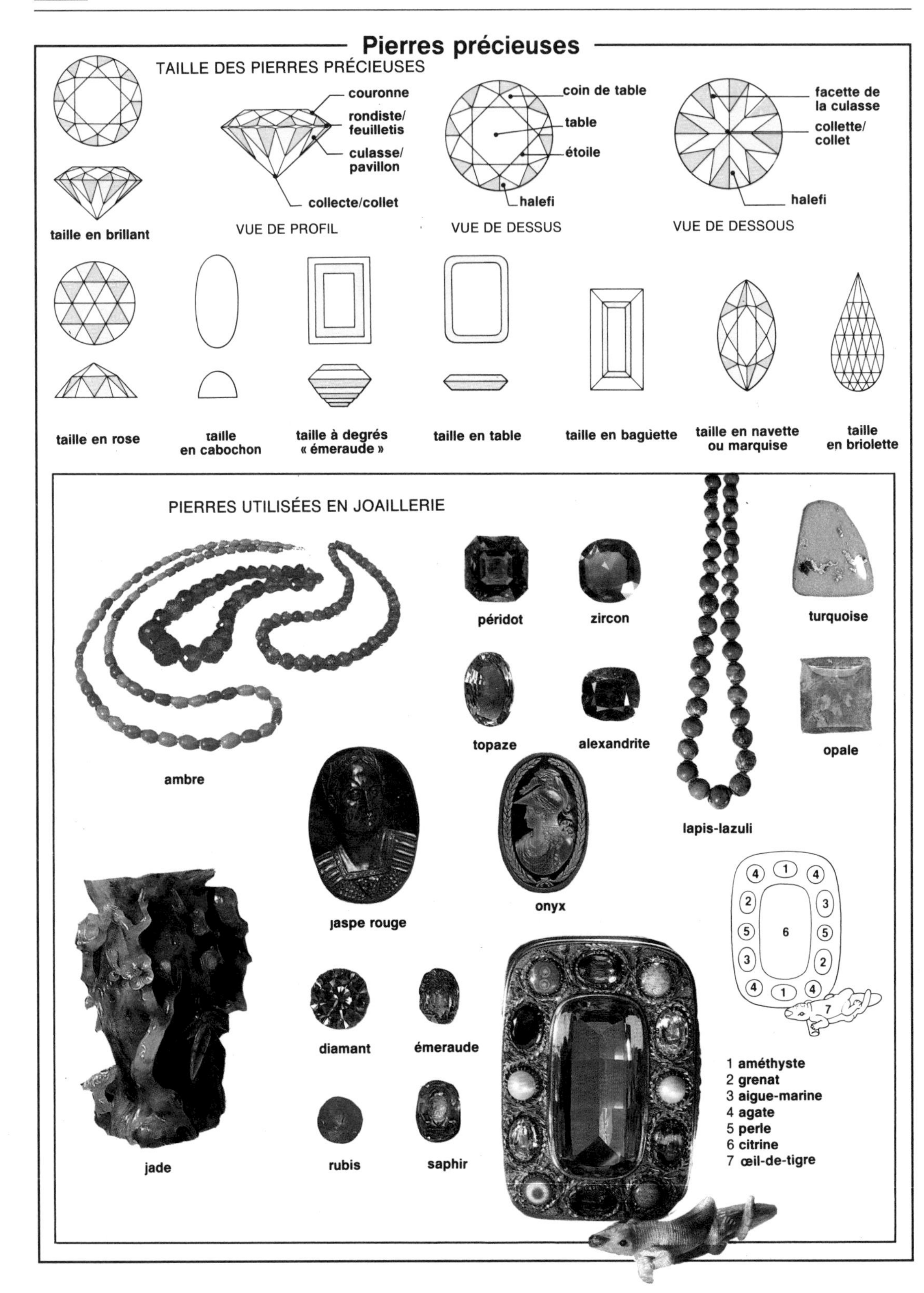
Pierres précieuses
TAILLE DES PIERRES PRÉCIEUSES
couronne
rondiste/ feuilletis
culasse/ pavillon
collecte/collet
coin de table
table
étoile
halefi
facette de la culasse
collette/ collet
halefi
taille en brillant
VUE DE PROFIL
VUE DE DESSUS
VUE DE DESSOUS
taille en rose
taille en cabochon
taille à degrés « émeraude »
taille en table
taille en baguette
taille en navette ou marquise
taille en briolette
PIERRES UTILISÉES EN JOAILLERIE
péridot
zircon
turquoise
topaze
alexandrite
opale
ambre
lapis-lazuli
onyx
jaspe rouge
jade
diamant
émeraude
rubis
saphir
1 améthyste
2 grenat
3 aigue-marine
4 agate
5 perle
6 citrine
7 œil-de-tigre

– Inflorescence femelle du pin **cône, pomme de pin, pigne**
– Inflorescence mâle du pin **strobile**
– Résine du pin **galipot, gemme**
– Forêt de pins **pinède, pineraie**
– Espèce de pin **pin sylvestre, pin d'Alep, pin parasol**
– Bois du pin d'Amérique **pitchpin**
– Incision pratiquée sur le pin pour en recueillir la résine **gemmage**
– Pin maritime **pinastre**
– Pin noir **laricio d'Autriche**
– Résine fournie par le pin maritime **térébenthine**

PINCE
– Pince utilisée pour entretenir le feu dans une cheminée **pincette**
– Ustensile qui, comme la pince, sert à entretenir le feu **tisonnier, pique-feu**
– Pince de menuiserie **tenailles**
– Pince chirurgicale **clamp, davier, forceps**
– Petite pince d'horloger **brucelles**

PINCEAU
– Manche d'un pinceau **hampe**
– Bague métallique enserrant le manche d'un pinceau **virole**
– Animal dont on utilise les poils pour la confection d'un pinceau **martre, mangouste, porc, blaireau, veau**
– Petit récipient servant à nettoyer les pinceaux **pincelier**
– Pinceau large et plat employé pour laquer **brosse à laquer, queue-de-morue**
– Pinceau employé dans la peinture en bâtiment **spalter**
– Pinceau pour les peintures courantes **pouce, brosse à rechampir**
– Pinceau pour peindre des surfaces rugueuses **brosse à badigeon**

PINCEMENT
– Éprouver un pincement au cœur **picotement, serrement, douleur**
– Marque de pincement sur la peau **pinçon**

PINCER **presser, écraser, serrer**
– Pincer la peau très fort **contusionner, meurtrir**
– Manière de pincer les cordes d'un instrument en jouant **pizzicato**

PINGOUIN
– Ordre auquel appartient le pingouin **palmipèdes**
– Famille à laquelle appartient le pingouin **alcidés**
– Oiseau noir et blanc, palmipède comme le pingouin **manchot Adélie**
– Oiseau palmipède comme le pingouin, à bec long et au plumage gris et blanc **manchot empereur**
– Oiseau marin proche du pingouin **mergule, macareux**

PIOCHE
– Pioche de terrassement **sape**
– Pioche de jardinage **houe, hoyau**
– Pioche à deux dents **bigot**
– Pioche servant à creuser le roc **pic**
– Pioche de mineur **rivelaine**
– Pioche d'alpinisme **piolet**

PIONNIER
– Pionnier américain **squatter**
– Pionnier s'installant sur des terres incultes **colon, défricheur**
– Pionnier de l'ère industrielle **bâtisseur, promoteur**
– Pionnier d'une nouvelle voie artistique **créateur, protagoniste, avant-gardiste**

PIPE
– Partie d'une pipe **tuyau, fourneau**
– Pipe à tuyau court **brûle-gueule, bouffarde**
– Pipe des Indiens d'Amérique du Nord **calumet**
– Pipe turque **chibouque**
– Pipe indienne à réservoir **houka**
– Pipe orientale dont le tuyau communique avec un vase d'eau parfumée **narguilé**
– Matière employée pour la fabrication des pipes **terre, porcelaine, bois, écume**
– Contenu d'une pipe **pipée**
– Fabricant de pipes **pipier**

PIQUANT (1)
– Piquant de la rose **épine**
– Piquant de la guêpe **aiguillon, dard**
– Plante à piquants **houx, ortie, cactus**
– Piquant d'une ceinture **ardillon**
– Le piquant dans un récit, une aventure **attrait, piment**

PIQUANT (2)
– Objet piquant **pointe, aiguille, pique**
– Un outil piquant **pointu, acéré, perforant**
– Un froid piquant **vif, mordant**
– Un plat piquant **pimenté, poivré, relevé**
– Eau piquante **gazeuse, pétillante**
– Une douleur piquante **aiguë, cuisante, térébrante**
– Une situation piquante **excitante, pittoresque**
– Un détail piquant **original, curieux**
– Une remarque piquante **acerbe, acide, caustique, satirique**

PIQUE **lance, dard, hallebarde, esponton, pertuisane**
– Lancer des piques, lors d'une discussion **allusions, méchancetés, invectives**
– Roi, dame, valet de pique **David, Pallas, Hogier**

PIQUER voir aussi **percer**
– Piquer un cheval **éperonner**
– Piquer une photo au mur **épingler, fixer, accrocher**
– Piquer un vêtement **coudre**
– Piquer les yeux **irriter, picoter, brûler**
– Piquer la curiosité **éveiller, exciter, intriguer**
– Piquer l'amour-propre d'une personne **froisser, vexer, offenser**
– Se piquer **se fâcher, se formaliser, s'offusquer, se froisser**
– Se piquer d'un savoir **prétendre à, se vanter de**

PIQÛRE voir aussi **drogue**
– Type de piqûre **intramusculaire, intraveineuse**
– Piqûre introduisant dans le corps un produit médicamenteux **injection, transfusion, vaccination**
– Piqûre de prélèvement sanguin **prise de sang**
– Piqûre de prélèvement d'un liquide organique **ponction**
– Trace laissée sur le bois par les piqûres de vers **vermoulure**
– Piqûre d'un miroir **rousseur**
– Piqûre d'un serpent **morsure**

PIRATE (1) **écumeur, forban**
– Pirate des XVIe et XVIIe siècles aux abords des Antilles **boucanier**
– Pirate des mers américaines du XVIe au XVIIIe siècle **flibustier**
– Contrairement au pirate, il écumait les mers pour le compte du roi **corsaire**
– Activité des pirates **piraterie, flibuste**
– Pirate de la finance **escroc**

PIRATE (2)
– Publication pirate **clandestine, interdite**

PIRE **pis**
– Rendre pire **empirer, dégrader, détériorer, aggraver**

PISSENLIT **dent-de-lion, fausse chicorée**
– Famille à laquelle appartient le pissenlit **composacées**
– Fruit du pissenlit **akène**

PISTE **sentier**
– Suivre la piste d'un animal **trace, passage, foulée, erres**
– Piste suivie par les troupeaux transhumants **draille**
– Piste cyclable **voie**
– Piste d'atterrissage **aérodrome, aire d'atterrissage**

– Piste des cirques dans l'Antiquité **hippodrome**
– Piste d'un stade **anneau**
– Piste automobile **circuit**
– Piste de ski **tracé, couloir, goulet**

PISTIL
– Extrémité du pistil sur laquelle est déposé le pollen **stigmate**
– Partie du pistil supportant le stigmate **style**
– Feuilles modifiées constituant le pistil **carpelles, gynécée**
– Élément du pistil renfermant les ovules **ovaire**

PISTOLET **revolver** voir aussi dessin et **fusil**
– Pièce d'alimentation automatique d'un pistolet **chargeur**
– Pistolet automatique de gros calibre **parabellum**
– Pistolet automatique moderne **colt**

PITIÉ
– Inspirer de la pitié **compassion, commisération**
– Avoir pitié **plaindre, s'apitoyer, s'émouvoir, compatir**
– Faire preuve de pitié **charité, miséricorde, clémence**

PITOYABLE
– Se montrer pitoyable **humain**
– Être dans un état pitoyable **déplorable, misérable, douloureux**
– Une allure pitoyable **piteuse, navrante**
– Un discours pitoyable **minable, médiocre**

PITTORESQUE
– Un paysage pittoresque **enchanteur, captivant, typique**
– Un récit pittoresque **évocateur**
– Un caractère pittoresque **original**
– Un langage pittoresque **coloré, imagé**

PLACE **lieu, endroit, situation**
– Place publique de la cité grecque **agora**
– Place publique de la cité romaine **forum**
– Place découverte devant un édifice **esplanade**
– Place devant l'église **parvis**
– Place militaire **forteresse, citadelle**
– Place de théâtre **fauteuil, loge**
– Disposer d'une large place **espace**
– Place des meubles dans une maison **disposition, emplacement, agencement**
– Se trouver une place **emploi, métier, situation**
– Donner une place **charge, dignité**
– Prendre place dans une hiérarchie **position, rang**
– Prendre la place d'une personne **supplanter, se substituer à**

PLACER
– Placer des objets **ranger, ordonner, classer**
– Placer le couvert **dresser**
– Placer deux éléments l'un contre l'autre **ajuster, abouter**
– Placer contre **adosser**
– Placer sur **appliquer, coucher**

Pistolet

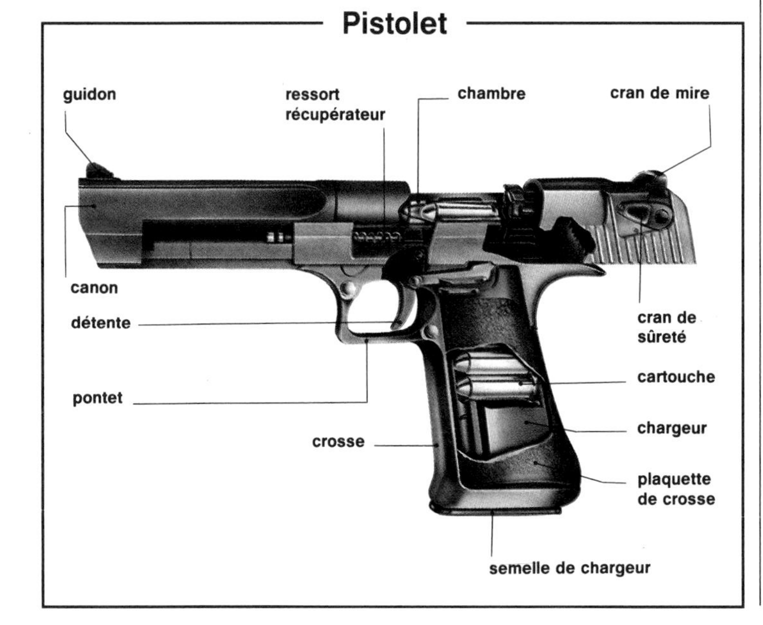

– Placer une personne **installer, faire asseoir**
– Placer des gardes **poster**

PLAFOND
– Gros œuvre de la charpente d'un plafond **solive, sapine**
– Grandes pièces de bois sur lesquelles reposent les solives d'un plafond **poutres, madriers, bastings**
– Portée d'une poutre de plafond **travée**
– Compartiment d'un plafond **caisson**
– Plafond à caissons orné de rosaces **soffite**
– Revêtement d'un plafond **lambris**
– Fixer un plafond économique **limite**
– Seuil minimal contraire au plafond **plancher**

PLAGE
– Plage maritime **grève, rivage**
– Plage d'un lac **rive, berge**
– Plage musicale **intervalle, intermède, interlude**

PLAIDER
– Plaider en faveur d'une personne **défendre, soutenir**
– Plaider contre quelqu'un **accuser, intenter une procédure, introduire une instance**
– Personne plaidant devant un tribunal **avocat, plaideur**
– Discours d'un avocat qui plaide la cause de son client **plaidoirie, plaidoyer, défense**

PLAINDRE **s'apitoyer, compatir, s'attendrir**
– Être à plaindre **misérable, pauvre**
– Se plaindre **gémir, geindre, larmoyer**
– Se plaindre sans cesse **maugréer, grogner, râler**

PLAINE **étendue, bassin**
– Plaine désertique **steppe, pampa, veld**
– Grande plaine des régions arctiques **toundra**

PLAINTE **gémissement, larmoiement, lamentation**
– Exprimer une plainte **récrimination, réclamation, protestation, requête, revendication**
– Plainte incessante **jérémiade**
– Porter plainte **accuser, incriminer**

PLAIRE **charmer, captiver, séduire, fasciner**
– Plaire à l'esprit, au goût **exalter, enthousiasmer, transporter**
– Plaire à l'oreille, au regard **ravir, réjouir, enchanter**
– Chercher à plaire **flagorner, flatter**

– Se parer pour plaire **attirer**
– Se plaire à **prendre plaisir à, se régaler à, se délecter à**
– Cette plante se plaît à la lumière **prospère, se développe**
PLAISANT attrayant, agréable, aimable
– Un caractère plaisant **séduisant, spirituel, sympathique**
– Un spectacle plaisant **amusant, joyeux, réjouissant, divertissant, récréatif**
– Un visage plaisant **gracieux, charmant, délicat**
PLAISANTER s'amuser, bouffonner, batifoler, rire
– Plaisanter tendrement une personne **taquiner, railler, se moquer de, chiner**
PLAISANTERIE blague, boutade, calembour, galéjade, gausserie
– Plaisanterie licencieuse **gaillardise, gauloiserie, grivoiserie**
– Faire une plaisanterie à quelqu'un **farce, facétie, niche**
– Plaisanterie moqueuse **raillerie, lazzi, quolibet, goguenardise**
– Plaisanterie destinée à abuser quelqu'un **canular, mystification**
PLAISIR
– Plaisir que l'on savoure intensément **délectation, ravissement**
– Éprouver un grand plaisir **contentement, joie, bonheur, félicité, euphorie**
– Plaisir distractif **divertissement, délassement**
– Plaisir de la table **réjouissance, régal, délices**
– Faire plaisir **charmer, ravir**
– Plaisir des sens **volupté, sensualité, érotisme**
– Doctrine philosophique prônant le bonheur dans le plaisir immédiat **hédonisme**
– Doctrine morale considérant que le plaisir passe par la pratique de la vertu **épicurisme, eudémonisme**
PLAN
– Élaboration d'un plan **projet, dessein, combinaison**
– Plan d'attaque **stratégie, tactique**
– Plan de jeu au casino **martingale**
– Plan d'une œuvre littéraire **cadre, squelette, canevas**
– Plan de production d'une entreprise **planning, organisation**
– Plan d'une construction **schéma, dessin, coupe**
– Chacun des plans constituant par leur réunion la surface d'un corps **méplat**
– Mettre une affaire au second plan **reléguer**

PLANCHE
– Planche de sapin **sapine**
– Planche garnie de son écorce **dosse**
– Planche soutenant les tuiles d'une toiture **bardeau, volige, chanlatte**
– Planche incurvée utilisée pour la fabrication de tonneaux **douve, douelle, douvelle, jable**
– Planche utilisée en reliure **ais**
– Planche jointe à une autre pour l'élargir **alaise**
– Tenon pratiqué sur la longueur d'une planche pour entrer dans une rainure **languette**
– Entaille d'assemblage à l'extrémité d'une planche **onglet**
– Monter sur les planches **scène, tréteaux**
PLANCHE À VOILE
– Élément d'une planche à voile **flotteur, dérive, voile**
– Arceau permettant l'orientation d'une planche à voile **wishbone**
– Adepte de la planche à voile **planchiste, véliplanchiste**
– Matière de fabrication d'une planche à voile **polyéthylène, polyuréthanne**
– Planche à voile employée pour la vitesse et les sauts de vagues **funboard**
– Épreuve de planche à voile, en compétition **régate, slalom, saut, course racing**
– Planche à voile sur quatre roues ou sur pneumatiques **char à voile, speedsail**

PLANÈTE voir aussi tableau et **astronomie**
– Planète située entre le Soleil et la Terre **inférieure**
– Planètes inférieures **Mercure, Vénus**
– Planète du système solaire située au-delà de l'orbite terrestre **supérieure**
– Planètes supérieures **Mars, Jupiter, Saturne, Uranus, Neptune, Pluton**
– Période de révolution d'une planète autour du Soleil **période sidérale**
– Intervalle entre deux oppositions successives d'une planète supérieure **période synodique**
– Angle formé par le plan de l'orbite d'une planète par rapport à l'écliptique **inclinaison**
– Planète en formation **planétoïde, protoplanète**
– Corps en mouvement orbital autour d'une planète **satellite**
– Planètes mineures gravitant entre Mars et Jupiter **astéroïdes**
– Énergie lumineuse réfléchie ou diffusée par une planète **albédo**
– Ensemble des planètes qui gravitent autour du Soleil **système planétaire**
– Science de la formation des planètes **cosmogonie**
– Étude physique des planètes **planétologie**
– Un spécialiste des planètes **planétologue**

LES PLANÈTES DU SYSTÈME SOLAIRE

LES PLANÈTES	DISTANCE MOYENNE AU SOLEIL EN MILLIONS DE KM	DISTANCE MINIMALE À LA TERRE EN MILLIONS DE KM
Mercure	57,9	80
Vénus	108,2	41
Terre	149,6	–
Mars	227,9	56
Jupiter	778	590
Saturne	1 429	1 200
Uranus	2 875	2 700
Neptune	4 504	4 320
Pluton	5 900	5 715

PLANIFIER **programmer, organiser, prévoir, projeter**
– Planifier l'exécution d'un travail par plusieurs personnes **dispatcher**
PLANT
– Plant provenant de graines **semis**
– Jeune plant **plançon, plantard, plantule**
– Plant obtenu à partir de la feuille ou de la tige d'une plante **scion, bouture, rejet, marcotte**
– Plant de vigne **provin, cépage**
– Terrain où poussent de jeunes plants avant repiquage **pépinière, complant**
PLANTE
phyt(o)-, -phyte
PLANTE voir aussi **fleur**
– Ensemble des plantes d'une région, d'un pays **flore, végétation**
– Substance d'une plante **chlorophylle, sève, suc, cutine, lignine**
– Plante à fleurs **phanérogame**
– Plante sans fleurs **cryptogame, ptéridophyte**
– Plante à fruits **angiosperme**
– Plante sans fruits **gymnosperme**
– Plante sans feuilles ni tiges ni racines **thallophyte**
– Plante ligneuse **arbre**
– Tissu conducteur des plantes **bois, xylème, liber, phloème**
– Plante dont la semence est disséminée par le vent **anémochore**
– Plante dont la dissémination des semences est effectuée par elle-même **autochore**
– Plante dont la pollinisation est réalisée par les insectes **entomophile**
– Plante recherchant le froid **cryophile**
– Plante recherchant la lumière **héliophile**
– Plante ayant un cycle biologique très court **éphémérophyte**
– Plante dont la croissance s'effectue dans la vase **hélophyte**
– Plante qui s'enfouit dans le sol à la mauvaise saison **géophyte**
– Plante croissant dans l'eau **hydrophyte**
– Plante croissant dans le sable **psammophyte**
– Floraison ascendante de certaines plantes **grappe**
– Floraison descendante de certaines plantes **cyme**
– Traitement des maladies par les plantes fraîches ou desséchées **phytothérapie**
– Branche de la phytothérapie utilisant les bourgeons ou la substance aromatique des plantes **gemmothérapie, aromathérapie**
– Plante médicinale **simple**
– Étude des plantes **botanique**
– Étude et fabrication de produits protégeant les plantes contre les parasites **phytopharmacie**
– Étude des maladies des plantes **phytopathologie**
– Collection de plantes **herbier**
– Pharmacien spécialisé dans la vente et la préparation de plantes médicinales **herboriste**
– Plante carnivore **dionée, drosera, grassette, utriculaire, sarracénie**
PLANTER
– Planter des boutures **repiquer, bouturer**
– Planter des graines **ensemencer, semer**
– Planter un terrain d'arbres **boiser, peupler**
– Planter des espèces différentes sur une même terre **complanter**
– Objet servant à planter **plantoir, taravelle**
– Planter un pieu en terre **enfoncer, fixer**
– Planter un mât portant les couleurs d'un pays **dresser, élever**
PLASTIQUE (1)
– Caractère du plastique ramollissant à la chaleur et durcissant lors d'une seconde chauffe **thermodurcissable**
– Caractère d'un plastique ramollissant à chaque fois qu'on le chauffe **thermoplastique**
– Famille de plastiques **phénoplastes, polyéthylènes, polystyrènes, polyuréthannes, élastomères**
PLASTIQUE (2)
– Type de matière plastique **naturelle, artificielle, synthétique**
– Chirurgie plastique **esthétique**
– Arts plastiques **sculpture, architecture, modelage**
PLAT (1) voir tableau
PLAT (2)
– Un terrain plat **plan, uni, régulier, nivelé**
– Un objet plat **mince**
– Un nez plat **camus, camard, écaché**
– Rendre plat **écraser, comprimer, aplanir**
– Un style plat **banal, médiocre, prosaïque**
PLATEAU
– Petit plateau de laboratoire **platine**
– Plateau d'une balance **bassin, plat**
– Plateau en osier anciennement porté à la ceinture par une fleuriste **éventaire, corbeille**
– Petit plateau utilisé pour quêter **bassinet**
– Plateau de théâtre **tréteaux, scène**
– Plateau sous-marin **haut-fond**
PLATE-FORME
– Construction en plate-forme **balcon, terrasse, belvédère**
– Plate-forme d'une salle de conférences **estrade, tribune**
– Plate-forme de tir militaire **banquette**
– Plate-forme en terre sur laquelle est installée une batterie militaire **barbette**
– Plate-forme où a lieu un match de boxe **ring**
– Plate-forme montagneuse **épaule, replat**
– Plate-forme servant au Moyen Âge de tréteaux aux spectateurs d'un tournoi **hourd**
PLATITUDE **banalité, médiocrité**
– Platitude de langage **fadaise, lieu commun, cliché, truisme**
– Platitude d'un récit **fadeur, insipidité**
PLÂTRE
– Pierre à plâtre **gypse**
– Auge à plâtre **trémie**
– Spatule de maçon pour délayer le plâtre **gâche**
– Poignée de plâtre délayé **pigeon**
– Mortier à base de plâtre **gâchis**
– Débris de plâtre issus d'une démolition **plâtras**
– Préparation de plâtre pour crépir **gobetis**
– Mélange de plâtre fin, de fibres végétales et de glycérine **staff**
– Mélange de plâtre, de poussière, de marbre et de gélatine **stuc**
– Espace garni de plâtre entre deux poteaux d'une maison **entrevous**
– Faire des raccords de plâtre **ruiler**
PLAUSIBLE **possible, probable, vraisemblable**
– Une histoire plausible **crédible, concevable, pensable**
– Une excuse plausible **acceptable, recevable**
PLECTRE **médiator**
– Instrument pour lequel on utilise le plectre **guitare, mandoline, cithare**
PLEIN **complet, comble, bondé, saturé**
– Être trop plein **regorger, déborder**
– Une matière pleine **dense, massive, compacte**
– Une voix pleine **chaude, ample**
– Avoir le ventre plein **être rassasié, être repu**

– Une pleine joie **totale, entière, absolue, parfaite**
– Un panier plein **rempli**
– Être plein de soi-même **imbu, infatué**
– Personne à qui l'on donne pleins pouvoirs **plénipotentiaire**
PLÉNITUDE abondance, profusion
– État de plénitude **contentement, bonheur, épanouissement**
– Plénitude d'un sentiment **ampleur**
– Plénitude de l'âge **maturité**
– Plénitude d'un droit **totalité, intégralité**
PLÉONASME répétition, redondance, tautologie, périssologie
PLEUR larmes, sanglot
– Pleurs d'un nouveau-né **vagissements**
– Gémissement accompagnant les pleurs **plaintes, lamentations**
– Verser des pleurs **répandre des larmes**
PLEURER sangloter, larmoyer
– Pleurer de douleur **hurler**
– Pleurer pour peu de chose **pleurnicher**
– Se mettre subitement à pleurer **fondre en larmes**
– Pleurer la mort d'une personne **s'affliger de**
PLEUVOIR
– Pleuvoir très légèrement **bruiner, pleuvoter, pleuvocher**
– Pleuvoir à verse **abondamment**
– Les sauterelles pleuvent de tous côtés **abondent, pullulent**
PLI
– Pli d'un corsage **fronce, bouillon, smocks**
– Pli d'un pantalon **pince**
– Petit pli cylindrique en couture **godron, tuyau**
– Pli effectué sur un vêtement pour le raccourcir **troussis**
– Faux pli **froissure, godage**
– Style de pli en couture **plat, creux, en accordéon, soleil**
– Plis d'une étoffe **drapé**
– Marque d'un pli sur du papier **pliure, corne, oreille**
– Pli de la peau **bourrelet**
– Pli du bras **saignée**
– Pli des lèvres **commissure**
– Pli du visage **ride**
– Pli du cou de certains animaux **fanons**
– Faire un pli aux cartes **levée**
– Envoyer un pli **message, missive, lettre**
– Prendre un mauvais pli **habitude**
– Ne pas faire un pli **ne faire aucune difficulté, ne pas poser de problème**
– Type de pli de l'écorce terrestre **sinuosité, ondulation, plissement, éminence**
– Pli convexe en géologie **anticlinal**
– Pli concave en géologie **synclinal**
– Partie d'un pli anticlinal **noyau, axe, charnière**
PLIER
– Plier une étoffe **plisser, rouler**
– Plier un bout de bois **arquer, courber, fausser**
– Plier sous l'effet d'un poids **ployer, s'affaisser**
– Plier le journal **fermer, rabattre**
– Plier les genoux **fléchir**
– Plier le torse **s'incliner**
– Se plier à un règlement, un ordre **se conformer à, obéir à, se résigner**
– Se plier à un travail **se discipliner à, s'astreindre à, se contraindre à**

PLATS RÉGIONAUX

alicot	Ragoût composé d'abattis d'oie, de légumes et de marrons (Périgord).
bouillabaisse	Plat de poissons variés servi sur des tranches de pain grillées et aillées et accompagné de rouille (Marseille).
bourdelots	Pomme reinette, parfumée à la cannelle et saupoudrée de sucre, cuite au four dans une fine couche de pâte (Normandie).
brandade	Plat de morue préparé avec de l'huile d'olive et de l'ail (Provence).
cassoulet	Ragoût composé de haricots blancs, de viande de porc, de viande d'oie et de mouton, et de saucisson en tranches (Languedoc).
far	Flan garni de pruneaux (Bretagne).
flamiche	Tarte aux poireaux recouverte d'une couche de pâte (Picardie).
flognarde	Entremets aux pommes ou aux pruneaux (Auvergne).
garbure	Soupe de légumes garnie de confit d'oie et épaissie avec une purée de haricots blancs (Béarn).
gayettes	Crépinettes préparées à base de foie, de lard et de rognons de porc, et cuites au four (Provence).
gogue au sang	Sorte de boudin noir d'Anjou à base de foie.
gougère	Pâte à choux non sucrée garnie de gruyère et dressée en couronne (Bourgogne).
hochepot	Pot-au-feu composé de morceaux de bœuf, de mouton, de petit salé et de chipolatas servis avec des légumes (Picardie).
knepfl	Boulettes allongées faites à partir d'une pâte composée de farine, d'œuf et de lait, pochées, servies sur des croûtons frits, nappées de beurre fondu (Alsace).
kouglof	Gâteau garni de raisins secs et d'amandes, recouvert de sucre glace (Alsace).
meurette	Matelote de poissons cuits au vin rouge de Bourgogne (Bourgogne).
millas	Crêpes préparées avec de la farine de maïs et cuites au four (Toulouse).
mouclade	Plat de moules à la crème fraîche, au vin blanc et au cognac (Charente).
pauchouse	Se prépare comme la meurette mais avec du vin blanc (Bourgogne).
ratatouille	Plat de légumes composé d'aubergines, de courgettes, de poivrons, de tomates, d'oignons et d'ail, cuit à l'huile d'olive (Provence).

PLOMB
– Principal minerai de plomb **galène, cérusite**
– Plomb mélangé avec des minéraux **anglésite, pyrite, pyromorphite**
– Oxyde de plomb **massicot, litharge, minium**
– Étape de transformation du plomb **grillage, agglomération, fusion réductrice, affinage, épuration**
– Alliage de plomb et de cuivre **cuproplomb**
– Alliage de cuivre, d'étain et de plomb **potin**
– Minerai de plomb **plombifère**
– Industrie du plomb **métallurgie**
– Lingot de plomb **saumon**
– Table sur laquelle on coule le plomb **éponge**
– Colorant blanc à base de carbonate de plomb **céruse**
– Crayon à mine de plomb **graphite, plombagine**
– Maladie causée par le plomb **saturnisme**
– Un teint bleuâtre qui rappelle la couleur du plomb **plombé, céruléen**
– Symbole du plomb **Pb**
– Cartouche de plomb **chevrotine, cendre, grenaille, menuise**
PLONGEON saut
– Catégorie de plongeon **avant, arrière, renversé, retourné, tire-bouchon, en équilibre**
– Mode d'exécution d'un plongeon **groupé, carpé, droit**
– Figure de plongeon **coup de pied à la lune, saut de l'ange**
PLONGER baigner, immerger, tremper
– Plonger une main dans une poche **enfouir, introduire, mettre, enfoncer**
– Plonger d'un pont **sauter**
– Plonger sur une cible avec un avion **piquer**
– Plonger son regard dans un tableau **scruter, examiner, observer**
– Plonger une personne dans l'embarras **jeter, précipiter**
– Dispositif servant à plonger **plongeoir, tremplin**
– Appareil employé pour plonger très profondément **bathyscaphe, bathysphère**
– Se plonger dans un roman **s'absorber, s'abstraire**
– Se plonger dans ses pensées **s'abîmer**
PLONGEUR homme-grenouille, scaphandrier
– Matériel du plongeur **tuba, bouteille, mélangeur**
– Équipement du plongeur **combinaison, palmes, lunettes, torche**
– Ouvrier plongeur en faïencerie **trempeur**
– Ouvrier plongeur en papeterie **puiseur**
PLUIE
– Pluie subite et forte **averse, giboulée, ondée, grain, drache, pluie d'abat**
– Pluie torrentielle **trombe d'eau, déluge, cataracte**
– Gouttelettes de pluie provenant des vagues qui se brisent **embruns, poudrin**
– Pluie extrêmement fine **bruine, brouillasse, crachin**
– Pluie constituée de petits glaçons **grêle, grésil**
– Phase de la pluie **saturation, condensation, déclenchement**
– Spécifique à la pluie **pluvial**
– Étude de la répartition géographique des pluies **pluviométrie**
– Bassin destiné à récupérer l'eau de pluie dans l'Antiquité romaine **impluvium**
PLUME voir aussi **panache**
– Éléments constituant le squelette d'une plume **barbes, barbules**
– Zone d'implantation des plumes **ptérylie**
– Ensemble des plumes **plumage, pennage**
– Longues plumes des ailes **rémiges**
– Longues plumes de la queue **rectrices**
– Plumes du dos et du corps d'un oiseau **tectrices**
– Petite plume **plumule**
– Premières plumes des oisillons **duvet**
– Semblable à une plume **penniforme**
– Ustensile constitué de plumes et servant à épousseter **plumeau, houssoir**
– Prendre la plume **écrire**
– Guerre de plume **dispute épistolaire**
– Un poids plume **léger**
– Nom de plume **pseudonyme**
– Literie de plumes **édredon, couette, oreiller**
PLUS
– Avoir plus de loisir **davantage**
– Manger plus qu'il ne faut **trop**
– Aimer une chose plus qu'une autre **principalement, particulièrement**
– Le plus grand nombre **la majorité, la plupart**
– La plus grande partie **majeure**
– De plus **en outre, au demeurant**
– Plus d'un **beaucoup, bon nombre**
– Ni plus ni moins **exactement**
– Ne plus faire quelque chose **cesser de, interrompre**
PLUSIEURS
poly-, multi-, pluri-
PLUSIEURS (1)
– Plusieurs imaginent ne plus travailler **d'aucuns, certains**
PLUSIEURS (2)
– Plusieurs personnes **quelques**
– Plusieurs fois **maintes**
– En plusieurs endroits **différents, divers, multiples**
– Système où coexistent plusieurs tendances **pluraliste**
– Un enseignement réunissant plusieurs disciplines **pluridisciplinaire, multidisciplinaire**
– Une femme mariée à plusieurs hommes **polyandre**
– Un homme marié à plusieurs femmes **polygame**
– Personne ayant plusieurs activités **polyvalent**
– Mot ayant plusieurs sens, plusieurs valeurs **plurivoque, polysémique**
PNEU
– Matière composant la carcasse d'un pneu **coton, rayonne, caoutchouc**
– Partie d'un pneu **flanc, épaulement, bande de roulement**
– Dispositif donnant son élasticité à un pneu **boyau, chambre à air**
– Protection d'un pneu **chape**
– Structure antidérapante d'un pneu **crampon, barrette**
POCHE
– Poche d'un vêtement **pochette, gousset**
– Poche servant d'enveloppe à des marchandises **sac, sachet, pochon**
– Poche utilisée pour la chasse au lapin **bourse, filet**
– Poche anatomique **cavité, saillie**
– Poche des eaux, se rompant lors de l'accouchement **amnios**
– Poche formée par l'œsophage de certains oiseaux et insectes **jabot**
POÊLE
– Poêle à charbon, à bois **fourneau, salamandre**
– Petite poêle utilisée dans un laboratoire **creuset**
– Contenu d'une poêle **poêlée**
POÈME
– Poème antique **palinodie, élégie, ode, dithyrambe, rhapsodie, priapée**
– Poème du Moyen Âge **cantilène, lai, rotruenge, tenson, virelai**
– Poème satirique du Moyen Âge **sirventès**
– Poème de la Renaissance **blason, villanelle**

– Poème bucolique **idylle, églogue, pastorale**
– Poème instaurant un dialogue dans une tragédie **stichomythie**
– Poème lyrique **stances**
– Poème allemand **lied**
– Poème d'origine malaise **pantoum**
– Poème religieux hébraïque **psaume**
– Recueil de poèmes **florilège, anthologie**
– Vers d'un poème qui forment un ensemble **strophe**
– Identité phonique à la fin de deux ou plusieurs vers d'un poème **rime**
– Poème qui n'est pas soumis à la versification **en prose**
– Poème où les initiales de chaque vers forment un mot, un nom propre **acrostiche**
– Procédé marquant le rythme d'un poème **cadence**

POÉSIE
– Muse de la poésie lyrique dans la Grèce antique **Érato, Polymnie**
– Muse de la poésie épique et de l'éloquence dans la Grèce antique **Calliope**
– Structure d'une poésie **versification, prosodie, métrique**
– Figure utilisée en poésie **symbole, allégorie, mythe**

POÈTE
– Femme poète **poétesse**
– Poète épique de l'Antiquité grecque **aède, rhapsode**
– Poète celtique **barde**
– Poète scandinave **scalde**
– Poète, jongleur au Moyen Âge en France septentrionale **trouvère**
– Poète, chanteur au Moyen Âge en Allemagne **minnesinger**
– Poète chanteur itinérant, ne créant pas lui-même de poèmes **jongleur, ménestrel**
– Poète chantant l'amour courtois **troubadour**
– Poète de langue d'oc **félibre**
– Attribut du poète **laurier, luth, lyre**
– Mauvais poète **rimailleur, poétereau**

POIDS **densité**
– Effet exercé par un poids **pression, poussée, traction**
– Poids d'une charge **lourdeur, pesanteur**
– Un objet dont on peut déterminer le poids **pondérable**
– Une masse dont le poids est incalculable **impondérable**
– Un objet ayant un très grand poids **pondéreux**
– Poids des soucis **fardeau, faix**
– Poids d'une parole, d'une action **force, valeur, influence**
– Un argument de poids **prépondérant**
– Perte de poids d'une marchandise **discale, freinte**
– Poids de l'emballage d'une marchandise **tare**
– Évaluation des poids par des mensurations **barymétrie**
– Sensibilité au poids, en médecine **baresthésie**

POIGNÉE **manche**
– Saisir la poignée d'un objet **béquille, clenche, queue**

POIL
pil(i)-, pilo-

POIL
– Partie d'un poil **racine, bulbe, gaine, tige**
– Cavité dans laquelle loge le poil **follicule**
– Matière du poil **kératine, pigment**
– Muscle redresseur du poil **arrecteur, horripilateur**
– Ensemble des poils **pilosité**
– Développement anormal des poils **pilosisme, hirsutisme, hypertrichose**
– Poils des narines **vibrisses**
– Petite touffe de poils entre les sourcils **taroupe**
– Absence de poils **atrichie**
– Jeune homme dépourvu de poils au menton **imberbe, glabre**
– Maladie inflammatoire des poils du menton **mentagre**
– Chute des poils **alopécie**
– Crème provoquant la chute des poils **dépilatoire**
– Animal portant des poils **velu, villeux**
– Plante couverte de poils **pilifère, tomenteuse**
– Poil du cheval **crin**
– Poil du porc **soie**
– Ensemble des poils de certains animaux **robe, pelage, toison**
– Chute naturelle des poils chez certains animaux **mue**
– Amas de poils dans l'estomac de certains ruminants **ægagropile**

POINÇON
– Poinçon de cordonnier **alène**
– Poinçon de menuisier **ciseau**
– Poinçon servant à marquer de la vaisselle ou un bijou **coin**
– Poinçon utilisé en marine pour écarter des torons **épissoir**
– Poinçon de forge **mandrin**
– Poinçon d'horloger **pointeau**
– Poinçon servant à écrire, à graver sur une surface dure **style, stylet**
– Poinçon apposé sur un objet pour en garantir la marque ou la valeur **estampille, label**
– Marquer un objet d'un poinçon **insculper**

POINT
– Se diriger vers le même point **lieu, endroit, direction**
– Repérer un point sur une carte **position, emplacement**
– Système de nombres servant à situer la position d'un point en géométrie **coordonnées**
– Coordonnée d'un point sur le globe terrestre **latitude, longitude**
– Point céleste fictif situé au-dessus de la tête d'un observateur **zénith**
– Point situé à l'opposé du zénith **nadir**
– Point de la sphère céleste d'où semblent émaner les météores **radiant**
– Point de départ **origine**
– Point d'eau **puits, source, mare**
– Point culminant **sommet, pic, crête**
– Atteindre le plus haut point de la gloire **faîte, apogée, summum**
– Éprouver une joie au plus haut point **degré, intensité**
– Faire le point d'une situation **analyse**
– Exprimer son point de vue **opinion, sentiment**
– Étudier point par point un dossier **méthodiquement, minutieusement**
– Arriver à point **à propos, opportunément**
– Médecine opérant sur des points énergétiques **acupuncture**
– Ligne sur laquelle sont situés les points d'acupuncture **méridien**
– Discuter les différents points d'un règlement **articles, paragraphes**
– Approfondir un point délicat **sujet, question, problème**
– Point litigieux **controverse**
– Mener aux points, lors d'un match **score, marque**
– Point chirurgical **de suture**
– Point de côté **pleurodynie**
– Cet élève omet souvent les points en fin de phrase **ponctuation**

POINTE **extrémité** voir aussi **pique, poinçon**
– Pointe d'un arbre **cime, faîte**
– Pointe d'une épée **estoc**
– Pointe d'une montagne **sommet, pic, aiguille**
– Pointe d'un organe animal **apex**
– Pointe d'un obélisque **flèche**
– Pointe d'une boucle de ceinture **ardillon**

– Dispositif en pointe sur lequel on brûle des bouts de bougies **binet**
– Pointe à tête large, enfoncée dans du bois pour retenir un enduit **rappointis**
– Pointe sèche servant à graver le cuivre **burin, ciseau**
– Pointe d'une plante **épine, cuspide, mucron**
– Une remarque mêlée d'une pointe d'humour **dose, grain**
– Un secteur de pointe **d'avant-garde**

POINTER
– Pointer une liste **marquer, contrôler, vérifier, enregistrer, émarger**
– Machine servant à pointer les entrées et les sorties du personnel d'une entreprise **pointeuse**
– Pointer une arme vers une cible **braquer, viser**
– Pointer un télescope vers un astre **orienter, diriger**
– Flèche d'une église qui pointe vers le ciel **s'élève**
– Pointer subitement de terre **jaillir, surgir**

POINTILLEUX
– Un individu pointilleux **minutieux, scrupuleux, vétilleux, ergoteur, susceptible**
– Être pointilleux sur la morale **formaliste**
– Une propreté par trop pointilleuse **maniaque**
– Raisonnement pointilleux **chicane, argutie, pointille**

POIRE
– Poire trop mûre **blette**
– Objet en forme de poire **piriforme**
– Confiserie faite à base de poires et de pommes **poiret**
– Boisson à base de poires **poiré, halbi**
– Variété de poire fondante **bergamote, beurré, crassane, doyenné, mouille-bouche**
– Espèce de poire de grosse taille **bon-chrétien**
– Variété de poire précoce **hâtiveau**
– Variété de poire grise **liard**
– Poire d'hiver **muscadelle**
– Poire d'été à peau roussâtre **rousselet**
– Couper la poire en deux **transiger, négocier, partager**
– Être une bonne poire **naïf, dupe**

POIREAU
– Famille de plantes à laquelle appartient le poireau **liliacées**
– Racine du poireau **bulbe**
– Faire le poireau **attendre**

POISON
toxic(o)-, toxo-

POISON toxique
– Poison d'origine minérale **cyanure, soude, arsenic, phosphore, acide sulfurique**
– Nom générique des poisons organiques **alcaloïde**
– Type de poison alcaloïde **caféine, strychnine, codéine, nicotine**
– Poison extrait du pavot **morphine, opium**
– Poison extrait de la belladone **atropine**
– Poison extrait du colchique **colchicine**
– Poison extrait de la ciguë **cicutine**
– Poison sécrété par certains reptiles **venin**
– Poison dû à un microbe **toxine**
– Étude des poisons **toxicologie**
– Effet d'une forte dose de poison **empoisonnement, intoxication, toxémie**
– Substance antipoison **contrepoison, antidote, alexitère**
– Immunité contre les poisons **mithridatisation**

POISSON
ichtyo-, pisci-

POISSON voir aussi dessin et **pêche**
– Petits filaments olfactifs placés sur la bouche de certains poissons **barbillons**
– Organes respiratoires des poissons **branchies**
– Organes digestifs des poissons **brouailles**
– Type de nageoire du poisson **dorsale, pelvienne, pectorale, anale, caudale**
– Reproduction des poissons **frai**
– Substance spermatique du poisson **laitance, laite**
– Lieu de frai du poisson **frayère**
– Jeune poisson servant à repeupler les eaux **alevin, nourrain**
– Petit poisson que l'on rejette à l'eau lors de la pêche **fretin**
– Petit poisson à frire **menuise**
– Odeur du poisson frais **fraîchin**
– Technique d'élevage et de reproduction des poissons **pisciculture**
– Semblable au poisson **ichtyoïde, pisciforme**
– Individu ou animal se nourrissant principalement de poissons **ichtyophage, piscivore**
– Intoxication due à du poisson avarié **ichtyosisme**
– Poisson fossile **ichtyolithe**
– Branche de la zoologie traitant des poissons **ichtyologie**

POITRINE
thorac(o)-, -thorax

POITRINE buste, torse, thorax
– Muscle séparant la poitrine de l'abdomen **diaphragme**
– Organes contenus dans la poitrine **bronches, poumons, plèvre, cœur**
– Muscles de la poitrine **pectoraux**
– Poitrine féminine **gorge, seins**
– Maladie de poitrine **tuberculose, fluxion, angine, pneumonie**
– Douleur oppressante au niveau de la poitrine **angor**
– Poitrine des équidés et de certains ruminants **poitrail**
– Poitrine du sanglier **bourbelier**

POIVRE
– Poivre concassé **mignonnette**
– Sauce à base de poivre et de vinaigre **poivrade**
– Poivre et sel **grisonnant**

POIVRIER
– Famille des plantes à laquelle appartient le poivrier **pipéracées**
– Poivrier de seconde qualité **chavica**
– Poivrier de Malaisie **bétel**
– Poivrier de Polynésie **kawa**
– Espèce de poivrier dont on obtient une huile médicinale **cubèbe**

PÔLE axe, extrémité
– Le pôle Nord céleste et terrestre **boréal**
– Le pôle Sud céleste et terrestre **austral**
– Mouvement de déplacement du pôle de la sphère céleste **précession, nutation**
– Demi-cercle de la sphère céleste limité aux pôles **méridien**
– Région située près d'un des pôles terrestres **polaire, circumpolaire**
– Région du pôle Nord terrestre **arctique, septentrionale**
– Région du pôle Sud terrestre **antarctique, méridionale**
– Pôles d'un circuit électrique **électrodes**

POLI (1)
– Le poli d'un marbre **brillant, lustre, patine, polissure**
– Le poli d'un objet en or, en argent **brunissage**

POLI (2)
– Une personne polie **aimable, affable, respectueuse, obligeante, prévenante**
– Un homme poli **galant, courtois**
– Un individu trop poli **maniéré, obséquieux, révérencieux**
– Un ton poli **amène**
– Refuser d'une manière polie **éconduire**

POLICE **C.R.S. (Compagnie républicaine de sécurité), gendarmerie**
– Branche de la police **administrative, judiciaire**
– Police militaire **Garde républicaine, gendarmerie mobile**
– Rôle de la police administrative **préventif**
– Rôle de la police judiciaire **répressif**
– Police chargée du contre-espionnage en France **D.S.T. (Direction de la surveillance du territoire)**
– Service de police chargé du renseignement **Renseignements généraux**
– Police des polices **Inspection générale de la police nationale**
– Organisation internationale de police criminelle **Interpol**
– Autorité de tutelle de la police **ministère de l'Intérieur**
– Personnel de la police **commissaire, inspecteur, enquêteur, gardien de la paix**
– Local de police **commissariat**
– Fournit des renseignements à la police **indicateur, dénonciateur**
– Méthodes des services de police se rapportant à l'identification des criminels **anthropométrie, bertillonnage**

POLICIER (1)
– Policier anglais **bobby**
– Policier italien **carabinier**

POLICIER (2)
– Un État policier **répressif, autoritaire, tyrannique**
– Pouvoir policier **arbitraire, abusif**
– Roman policier **polar**

POLIR **frotter**
– Polir une planche de bois **ébarber, raboter, poncer, varloper**
– Polir du marbre, du métal **égaliser, dresser, planer, équarrir, brunir**
– Polir une glace, une pierre précieuse **doucir, égriser, gréser**
– Matière servant à polir **abrasif**
– Substance minérale employée pour polir **émeri, bort, égrisée, ponce, sablon, tripoli**
– Petit outillage à polir **lime, meule, lustroir, lissoir, polissoir**
– Polir des cuivres **astiquer, fourbir**
– Polir la rédaction d'un texte **fignoler, peaufiner, perfectionner**
– Polir son langage **châtier, corriger**

POLITESSE **respect, civilité, amabilité, tact** voir aussi tableau p. 354-355
– Code de la politesse dans les relations officielles **cérémonial, étiquette, protocole, décorum**
– Les règles de la politesse **savoir-vivre, bienséance, bonnes manières, usages**

Poisson

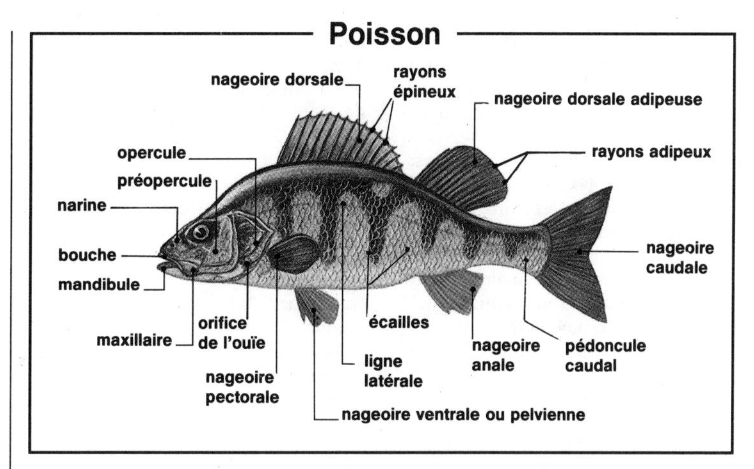

– Agir par politesse **convenances**
– Geste manifestant de la politesse **égard, empressement**

POLITIQUE (1) voir aussi **parti**
– Domaine relevant de la politique intérieure d'un pays **économique, social, financier, industriel, commercial, agricole**
– Domaine relevant de la politique extérieure d'un pays **diplomatie**
– Adopter une politique au sein d'une entreprise **direction, tactique, stratégie**

POLITIQUE (2)
– Choix d'une direction politique par un peuple **autodétermination**
– Science politique **politologie**
– Régime politique **monarchie, dictature, oligarchie, république**
– Doctrine politique **anarchisme, libéralisme, communisme, socialisme, pacifisme**
– Afficher ses idées politiques **convictions, couleur, opinions**

POLLEN voir aussi **pistil**
– Organe mâle d'une fleur renfermant le pollen **étamine**
– Amas compact de pollen dans certaines fleurs **pollinie**
– Transport du pollen de l'anthère au stigmate **pollinisation**
– Transport du pollen par le vent **anémophilie**
– Transport du pollen par les insectes **entomophilie**
– Insecte étant le principal agent de transport du pollen **abeille**
– Étude des pollens **palynologie, pollénographie**
– Spécifique au pollen **pollinique**

POLLUTION **agression, nuisance, destruction** voir aussi **environnement**
– Pollution de l'atmosphère **viciation, pestilence, miasmes**
– Pollution de l'air due à des vapeurs toxiques **méphitisme**
– Pollution des mers **pélagique**
– Principaux agents de la pollution de l'air **aérosols, fumée de tabac, hydrocarbures**
– Principaux agents de la pollution du sol **pesticides, insecticides, herbicides, désertification**
– Lutte contre la pollution **antipollution**
– Étude des différentes pollutions **molysmologie**

POLTRON **couard, peureux, pusillanime**
– Il s'est enfui comme un poltron **pleutre**

POLYGONE voir aussi **géométrie**
– Type de polygone **convexe, concave, régulier**
– Polygone convexe **quadrilatère, triangle**

POMMADE **crème, pâte**
– Pommade ayant un effet calmant **baume, onguent, liniment, embrocation**
– Pommade calmante à base de peuplier **populéum**
– Pommade constituée de blanc de plomb **uve**
– Substance extraite de la laine des moutons et entrant dans la préparation de la pommade **lanoline**
– Action d'une pommade **topique**
– Passer de la pommade à quelqu'un **complimenter, flatter, flagorner**

POMME
– Variété de pomme à maturité tardive **reine des reinettes, reinette du Canada, reinette clochard**
– Petite pomme d'origine grecque **d'api**
– Variété de pomme tardive **calville**

– Variété de pomme rouge **capendu**
– Variété de pomme d'août **rambour**
– Variété de pomme d'origine américaine **golden**
– Boisson à base de pommes **jus, cidre, calvados, pommeau**
– Culture des fruits à pépins, dont la pomme **pomoculture**
– Pomme cannelle **anone**
– Pomme de merveille **momordique**
– Pomme épineuse **stramonium**

POMME DE TERRE tubercule
– Région d'origine de la pomme de terre **Andes**
– Famille de plantes à laquelle appartient la pomme de terre **solanacées**
– Ils sont contenus dans la pomme de terre **potassium, fer, vitamine C, iode**
– Pomme de terre de consommation courante **bintje**
– Pomme de terre à chair ferme **belle de Fontenay, rosa, roseval, stella, ratte**
– Pomme de terre dont la fécule est transformée pour un usage industriel **kaptah, vandel, daresa, brettor**
– Tige et feuille de la pomme de terre **fanes**
– Travaux d'entretien de la culture de la pomme de terre **binage, buttage**
– Maladie de la pomme de terre **mildiou**
– Parasite de la pomme de terre **doryphore**

POMPER
– Pomper de l'eau au puits **tirer, puiser**
– Pomper une substance d'un corps **aspirer, extraire, prélever, ponctionner**

POMPEUX
– Un style pompeux **emphatique, grandiloquent**
– Un ton pompeux **déclamatoire**

FORMULES DE POLITESSE D'UNE LETTRE

DESTINATAIRE	EN-TÊTE	FORMULE FINALE	TRAITEMENT*
Ambassadeur	Monsieur l'Ambassadeur,	Daignez agréer, Monsieur l'Ambassadeur, l'assurance de mes très respectueux sentiments.	Excellence *(pour les ambassadeurs étrangers)*
Ambassadrice (en titre)	Madame,	Veuillez agréer, Madame, l'hommage de mon respect.	Madame
Archevêque et évêque	Monseigneur, *ou :* Excellence,	Daignez agréer, Monseigneur, l'hommage du profond respect avec lequel j'ai l'honneur d'être, de Votre Excellence, le très humble et très dévoué serviteur. *Ou :* Veuillez agréer, Monseigneur, l'expression, de ma très respectueuse considération.	Votre Excellence Excellence Monseigneur
Avocat	Maître, *ou :* Monsieur,	Veuillez agréer, Maître, l'assurance de mes sentiments distingués.	Maître
Cardinal	Éminence,	J'ai l'honneur d'être, avec le plus profond respect, de Votre Éminence, le très humble et très dévoué serviteur. *ou :* Veuillez agréer, Éminence, l'hommage de mon profond respect.	Éminence Monsieur le Cardinal *(officiel)*
Colonel	*Les hommes écriront :* Colonel, *ou :* Mon Colonel, *Les femmes écriront :* Colonel, *ou :* Monsieur,	Veuillez croire, Colonel, à mes sentiments très respectueux.	Colonel Mon Colonel Monsieur
Conseiller général	Monsieur le Conseiller Général,	Veuillez agréer, Monsieur le Conseiller Général, l'expression de ma parfaite considération.	Monsieur
Curé	Monsieur le Curé,	Veuillez agréer, Monsieur le Curé, l'expression de mes sentiments respectueux.	Mon Père Monsieur le Curé
Député	Monsieur le Député, *ou :* Monsieur, Madame,	Veuillez recevoir, Monsieur le Député, l'expression de ma considération distinguée.	Monsieur Madame
Directeur d'établissement scolaire	Monsieur le Directeur,	Je vous prie d'agréer, Monsieur le Directeur, l'expression de mes sentiments respectueusement dévoués.	Monsieur

* Le « traitement » est la formule à employer dans le corps de la lettre.

FORMULES DE POLITESSE D'UNE LETTRE

DESTINATAIRE	EN-TÊTE	FORMULE FINALE	TRAITEMENT*
Doyen de faculté	Monsieur le Doyen,	Veuillez agréer, Monsieur le Doyen, l'expression de ma considération très distinguée.	Monsieur
Instituteur et professeur du 2e degré	Monsieur,	Veuillez croire, Monsieur, à l'expression de mes sentiments distingués.	Monsieur
Maire	Monsieur le Maire,	Veuillez agréer, Monsieur le Maire, l'expression de ma parfaite considération.	Monsieur
Ministre	Monsieur le Ministre,	Veuillez agréer, Monsieur le Ministre, l'expression de mes sentiments déférents et dévoués.	Excellence *(pour les ministres étrangers)*
Notaire	Maître, *ou :* Monsieur,	Je vous prie d'agréer, Monsieur, l'assurance de ma parfaite considération.	Maître Monsieur
Pape	Très Saint Père,	Prosterné aux pieds de Votre Sainteté et implorant Sa bénédiction apostolique, j'ai l'honneur d'être, Très Saint Père, avec le plus profond respect, de Votre Sainteté, le très humble et très obéissant fils et serviteur.	Votre Sainteté *(Écrire à la troisième personne)*
Président de l'Assemblée nationale	Monsieur le Président,	Veuillez agréer, Monsieur le Président, l'assurance de ma très haute considération.	Monsieur le Président
Président de la République	Monsieur le Président, *ou :* Monsieur le Président de la République,	Veuillez agréer, Monsieur le Président de la République, le profond respect avec lequel j'ai l'honneur d'être votre très obéissant serviteur. *Ou :* Je vous prie d'agréer, Monsieur le Président, l'hommage de mon profond respect.	Votre Excellence Monsieur le Président
Prêtre	Monsieur l'Abbé, *ou :* Mon Père,	Je vous prie d'accepter, Monsieur l'Abbé, l'expression de mes sentiments respectueux.	Monsieur l'Abbé Mon Père
Professeur de faculté	Monsieur le Professeur, *ou :* Madame, *(même si ce professeur est célibataire)*	Je vous prie d'agréer, Monsieur le Professeur, l'expression de ma parfaite considération.	Monsieur Madame
Proviseur de lycée	Monsieur le Proviseur,	Veuillez agréer, Monsieur le Proviseur, l'expression de mon respect.	Monsieur
Rabbin	Monsieur le Rabbin,	Je vous prie d'accepter, Monsieur le Rabbin, l'expression de mes sentiments respectueux.	Monsieur le Rabbin
Recteur d'université	Monsieur le Recteur,	Veuillez agréer, Monsieur le Recteur, l'assurance de ma très haute considération.	Monsieur
Roi	Sire,	Je suis, avec le plus profond respect, Sire, de Votre Majesté le très respectueux et très dévoué serviteur.	Votre Majesté *(Écrire à la troisième personne)*
Sénateur	Monsieur le Sénateur,	Veuillez agréer, Monsieur le Sénateur, l'assurance de mes sentiments les plus distingués.	Monsieur
Supérieure de couvent	Madame la Supérieure, *ou :* Madame,	Veuillez agréer, Madame la Supérieure, l'expression de mes respectueux hommages.	Madame la Supérieure Madame

* Le « traitement » est la formule à employer dans le corps de la lettre.

POMPIER **sapeur-pompier** voir aussi **feu**
– Devise des sapeurs-pompiers de Paris **Dévouement et Discipline**
– Saints patrons des pompiers **saint Laurent, sainte Barbe**
PONCTION **prélèvement** voir aussi **piqûre**
– Ponction d'une cavité naturelle du corps **paracentèse**
– Ponction lombaire **rachicentèse**
– Ponction d'une parcelle du tissu organique **biopsie**
PONCTUALITÉ **exactitude**
– Ponctualité d'un employé **assiduité, régularité**
PONCTUATION
– Signe de ponctuation indiquant un énoncé faux en linguistique *
– Signe de ponctuation indiquant un énoncé douteux en linguistique ?
– Ponctuation musicale **pause, demi-pause, soupir, point d'orgue**
PONCTUER **marquer, indiquer**
– Bien ponctuer certains passages d'un discours **souligner, préciser**
– Ponctuer un discours en insistant sur certains mots **scander**
PONDÉRATION
– Pondération entre les mouvements d'une œuvre musicale **équilibre, balance**
– Pondération entre les différents éléments d'un tableau **symétrie, correspondance, répartition**
– Agir avec pondération **calme, réflexion**
– Faire preuve de pondération **modération, mesure**
PONT voir aussi tableau et dessin
– Principaux types de ponts **suspendu, à poutres, en arc, mobile, flottant**
– Matériau employé pour la construction d'un pont **acier, bois, pierre, béton armé, béton précontraint**
– Appuis de rive d'un pont **culées**
– Appuis intermédiaires d'un pont **piles**
– Plate-forme supérieure d'un pont **tablier**
– Soubassement maçonné servant de fondation à un pont **radier**
– Pont de grande longueur sur lequel passe une route ou une voie ferrée **viaduc**
– Pont servant à la conduite des eaux **aqueduc**
– Pont suspendu, sans câbles **cantilever**
– Pont piétonnier **passerelle**
– Petit pont **ponceau**
– Petit pont flottant servant d'embarcadère **ponton**
– Pont d'accostage d'un navire **appontement, wharf**
– Pont d'un navire **spardeck, tillac**
– Construction surélevée sur le pont d'un navire **gaillard, dunette, rouf**
– Poutres transversales soutenant le pont d'un navire **baux**
– Partie du pont d'un navire servant de communication entre l'avant et l'arrière **passavant**
POPULAIRE
– Gouvernement populaire **démocratique**
– Langage populaire **commun, argotique**
– La classe populaire **ouvrière, prolétarienne, laborieuse**
– Chanson populaire **réaliste, populiste**
– Une personne populaire **connue, considérée, estimée**
– Rendre populaire **populariser, propager, vulgariser**
POPULATION **peuplement** voir aussi **peuple**
– Dénombrement de la population d'un pays **recensement**
– Étude de la composition, la répartition et l'évolution d'une population **démographie**
– Système favorable à l'accroissement de la population **populationniste**
– Déplacement de populations allant s'établir dans un autre pays **migration, émigration**
– Entrée de populations dans le pays où elles viennent s'établir **immigration**
PORC voir aussi dessin p. 358 et **cochon**
– Sous-ordre auquel appartient le porc **porcins**
– Famille à laquelle appartient le porc **suidés**
– Femelle du porc **truie**
– Porc adulte reproducteur **verrat**

PONTS ROUTIERS ET FERROVIAIRES

LES TRAVÉES LES PLUS LONGUES DU MONDE

NOM DU PONT	SITUATION	LONGUEUR (M)	DATE D'OUVERTURE
Akashi-Kaikyo (suspendu)	Détroit d'Akashi, Japon	1 780	1988
Humber Estuary (suspendu)	Hull, Grande-Bretagne	1 410	1981
Verrazano Narrows (suspendu)	New York, États-Unis	1 298	1964
Golden Gate (suspendu)	San Francisco, États-Unis	1 280	1937
Tancarville (suspendu)	Normandie, France	608	1959
Quebec Railway (cantilever)	Québec, Canada	549	1917
Forth Rail (cantilever)	Firth of Forth, Grande-Bretagne	518	1889
New River Gorge (arche d'acier)	Virginie occ., États-Unis	518	1977
Bayonne (arche d'acier)	New York, États-Unis	504	1931
Sydney Harbour (arche d'acier)	Sydney, Australie	503	1932

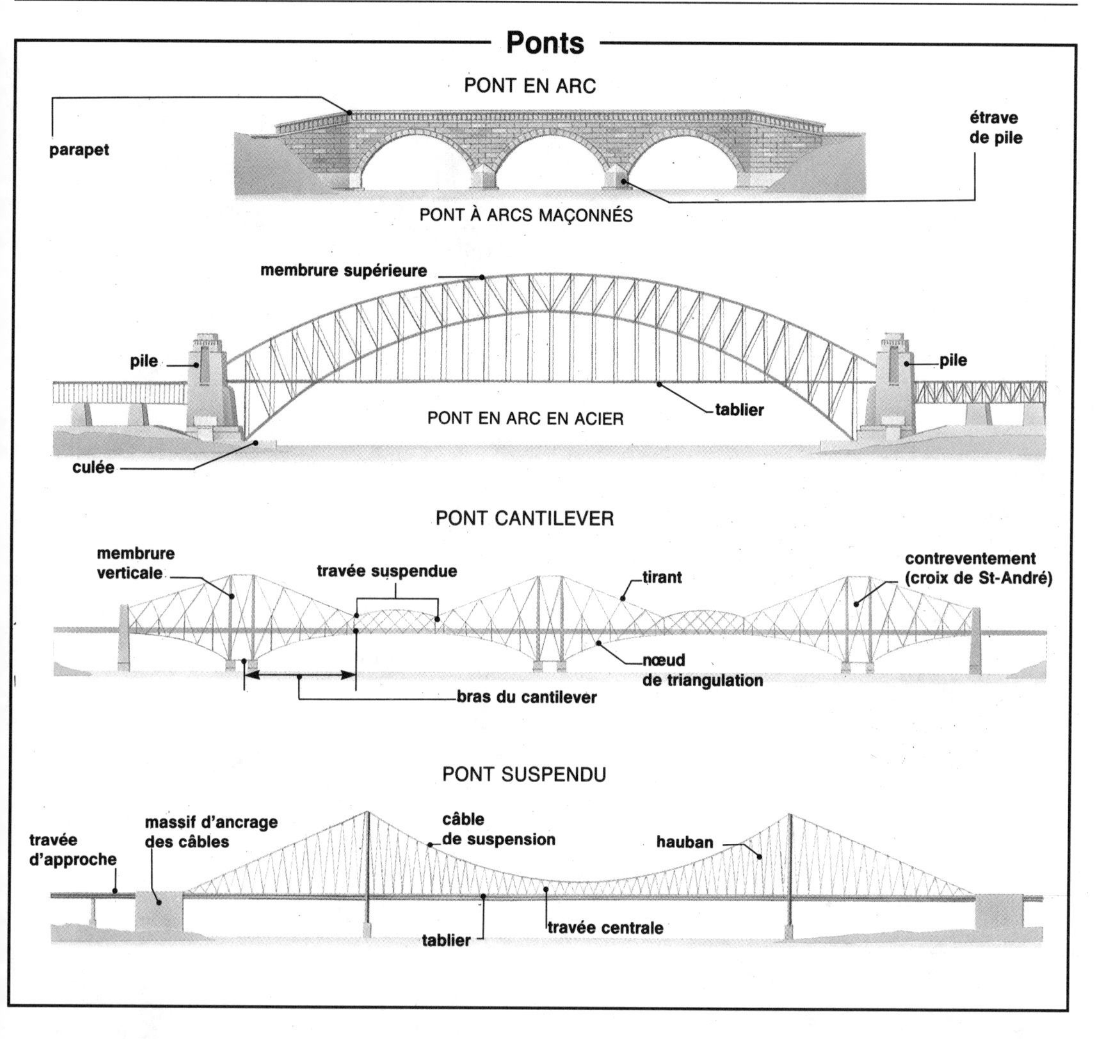

– Jeune porc **porcelet, nourrain, cochonnet, goret**
– Porc châtré **cochon**
– Cri du porc **grognement**
– Animal appartenant à la famille du porc **babiroussa, pécari, phacochère, sanglier, potamochère**
– Nourriture du porc **son, pomme de terre, farine d'orge, glands, châtaignes, faînes**
– Poil du porc **soie**
– Tête du porc **hure**
– Museau du porc **groin**
– Maladie du porc **rouget, ladrerie, trichinose**
– Action de mener les porc paître des glands **paisson**

PORCELAINE
– Vend de la porcelaine **porcelainier**
– Type de porcelaine **tendre, dure**
– Argile très blanche entrant dans la composition de la porcelaine **kaolin**
– Élément fondant de la pâte de porcelaine, se vitrifiant lors de la cuisson **feldspath**
– Matière servant de liant dans la pâte de porcelaine **quartz**
– Porcelaine dont la glaçure s'est fendillée lors de la cuisson **truitée**
– Objet en porcelaine non émaillée qui ressemble au marbre **biscuit**
– Dessin en creux sur une porcelaine translucide **lithophanie**
– Four à porcelaine **moufle**

PORCHE
– Porche d'une église **avant-corps**
– Partie d'une église faisant suite au porche **narthex**
– Porche d'un immeuble **hall, vestibule, entrée**

PORT bassin, rade
– Ouvrier du port **docker, déchargeur, délesteur, débardeur**
– Port où les marchandises peuvent transiter sans droit de douane **port franc**
– Grand port maritime de commerce **port autonome**
– Terre-plein préservant le port des attaques de la mer **môle**
– Endroit d'un port réservé à l'embarquement ou au débarquement **embarcadère, débarcadère**
– Terme employé dans le Midi pour désigner l'entrée d'un port **boucau**
– Admirer le port d'une femme **maintien, allure, attitude**
– Interdire le port d'armes **possession**
– Port d'armes effectué par un soldat **présentation**

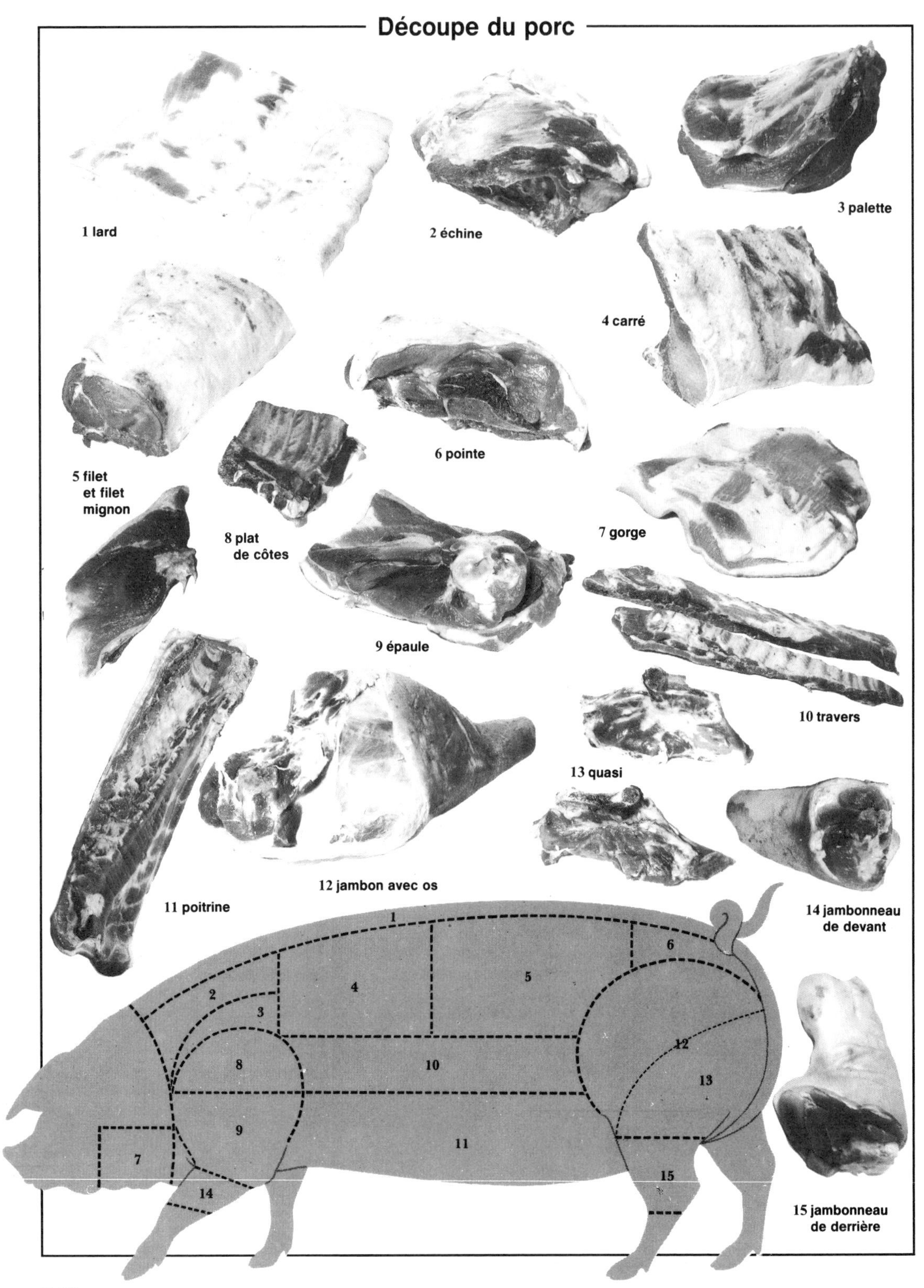
Découpe du porc
1 lard
2 échine
3 palette
4 carré
5 filet
et filet
mignon
6 pointe
7 gorge
8 plat
de côtes
9 épaule
10 travers
11 poitrine
12 jambon avec os
13 quasi
14 jambonneau
de devant
15 jambonneau
de derrière
1
2
3
4
5
6
7
8
9
10
11
12
13
14
15

PORTE voir aussi dessin et **ouverture, passage**
– Barre de métal ou de bois fermant une porte **bâcle**
– Porte de grande dimension **portail**
– Porte qui peut être franchie par une voiture **porte cochère**
– Battant d'une porte **vantail**
– Rester sur le pas de la porte **seuil**
– Porte d'un véhicule **portière**
– Aller de porte en porte dans l'espoir de vendre une marchandise **démarcher**
– Porte dérobée d'une fortification **poterne**
– Mettre une personne à la porte **chasser, renvoyer, congédier, remercier**

PORTE-BONHEUR **fétiche, mascotte**
– Objet rituellement consacré et censé agir comme porte-bonheur **amulette, talisman, gri-gri**

PORTER
– Porter une charge sur la base du cou **coltiner**
– Porter avec ostentation **arborer, exhiber**
– Cet arbre porte de nombreux fruits **produit, donne**
– Porter son nom sur un registre **inscrire**
– Porter un ami sur son testament **coucher**
– La querelle porte sur la politique **concerne**
– Porter aux nues **vanter, louer, exalter**
– Porter préjudice **nuire**
– Porter un candidat au pouvoir **nommer, élire**
– Porter une œuvre littéraire à l'écran **adapter**
– Les colonnes qui portent la voûte **soutiennent, supportent**
– Être porté à **enclin à, sujet à**

PORTIER
– Ancienne appellation du portier **huissier**
– Nom donné autrefois aux portiers des grandes demeures **suisse**
– Portier dans la hiérarchie catholique **clerc**
– Portier du paradis **saint Pierre**

PORTIQUE
– Portique en architecture **galerie**
– Portique grec décoré de peintures **pœcile**
– Portique à l'entrée de certaines églises romanes **narthex**
– Éléments d'un portique de jardin **agrès**

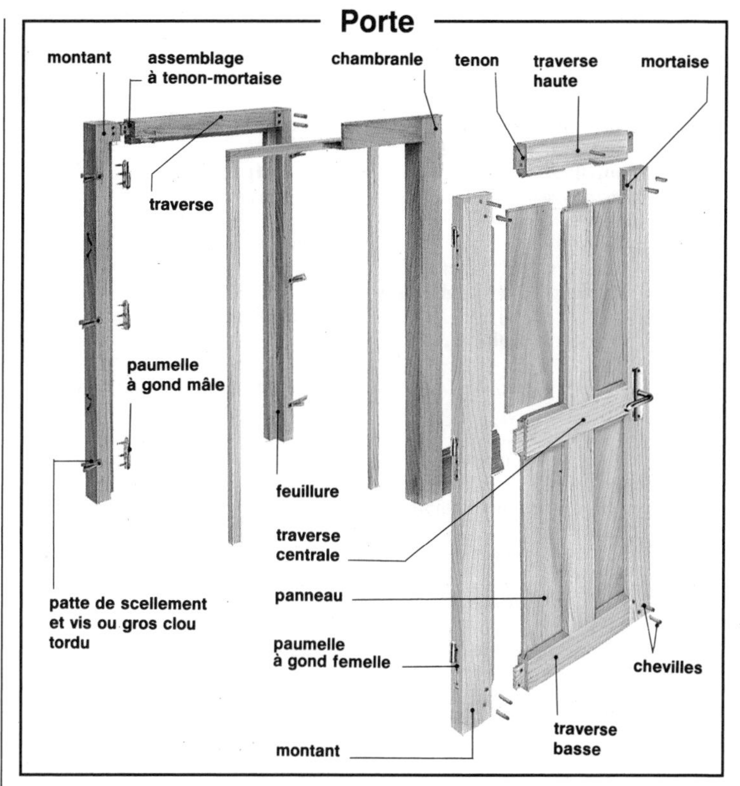

PORTRAIT **image, effigie, figure, médaillon**
– Faire son propre portrait **autoportrait**
– Faire le portrait d'une personne **portraiturer**
– Portrait dont les traits sont délibérément exagérés **caricature**
– Artiste exécutant des portraits **portraitiste**
– Le correspondant brossa un portrait peu avantageux de la situation **tableau, description**

POSER **mettre, arranger, disposer**
– Poser sa voix **placer**
– Poser les bases d'un projet **jeter, établir, fixer**
– Poser une question **formuler, énoncer**
– Voir l'avion se poser **atterrir**
– Se poser en défenseur de la justice **s'ériger**
– L'oiseau s'est posé **perché**

POSITIF **avéré, certain, attesté, patent, sûr, incontestable**
– Le droit positif **écrit, prescrit**
– Un esprit positif **réaliste, rationnel, entreprenant, créateur**
– Une objection positive **constructive**
– Constater une manifestation positive d'un phénomène **effective, visible, réelle**
– Formuler une réponse positive **affirmer, approuver, acquiescer**
– Électron positif **positron**

POSITION **emplacement, lieu**
– Une position sociale enviable **situation, condition**
– Être dans une position critique **circonstance, conjoncture**
– Rectifier sa position **attitude, pose, posture**
– Position d'un corps reposant horizontalement **décubitus**
– Trouver la bonne position à cheval **assiette, assise**
– Position du fœtus au moment de l'accouchement **présentation**
– Avoir des positions très arrêtées **opinions, jugements, idées**

POSSÉDER **avoir, détenir, disposer de, jouir de**
– Posséder en soi **contenir, receler, renfermer**
– Posséder une technique **connaître, maîtriser**
– Posséder un ennemi **tromper, duper**
– Se posséder **se dominer, se contrôler**

POSSIBILITÉ
– Si vous en avez la possibilité **occasion, loisir, opportunité**
– Étudier chaque possibilité **cas, solution, hypothèse, éventualité**
– Développer les possibilités de l'individu **potentialités, virtualités**
– Connaître ses possibilités **facultés, moyens, limites**
POSSIBLE contingent
– Une hypothèse possible **recevable, envisageable, concevable, vraisemblable**
– Une tâche possible **réalisable, faisable**
– C'est très possible **probable**
POSTE voir aussi **lettre**
– Demeurer à son poste **place**
– Poste d'observation **observatoire, vigie, mirador**
– Occuper un poste éminent **emploi, fonction, charge**
– Se rendre au poste de police **commissariat**
– Poste à essence **pompe, distributeur**
– Poste de télévision **appareil, récepteur, téléviseur**
– Inscrire des postes sur un registre comptable **opérations**
POSTÉRIEUR (1)
– Tomber sur le postérieur **arrière-train, fesses**
POSTÉRIEUR (2) successif
– Œuvrer pour les générations postérieures **futures, ultérieures**
POT récipient
– Cuiller à pot **louche, pochon**
– Pot à lait **bidon**
– Pot de chambre **vase de nuit**
– Pot à eau **cruche, carafe**
– Pot d'échappement **tuyau, tube, silencieux**
– Découvrir le pot aux roses **secret, mystère**
– Tourner autour du pot **louvoyer, biaiser, tergiverser**
POTAGE voir aussi **soupe**
– Base du potage **bouillon**
– Potage consistant auquel on a ajouté du pain **soupe**
– Un potage très maigre **aveugle**
– Potage d'origine espagnole, assez épicé et consommé froid **gaspacho**
– Potage aux légumes **julienne**
– Potage à la purée de carottes **à la Crécy**
– Potage aux crustacés **bisque**
POTENCE gibet
– Un individu digne de la potence **patibulaire**
– Élément d'une potence **poteau, corde**
– Condamner une personne à la potence **pendaison**
– Faire passer un cheval sous la potence **toise**
– Des éléments disposés en potence **équerre**
POTENTIEL (1) voir aussi **électricité**
– Mode grammatical exprimant le potentiel **conditionnel**
– Potentiel économique d'un pays **ressources**
– Augmenter le potentiel militaire **capacité, puissance**
– Différence de potentiel électrique **tension**
– Unité de potentiel électrique du système international **volt**
– Appareil utilisé pour mesurer les différences de potentiel électrique **potentiomètre**
POTENTIEL (2)
– Des facultés potentielles **virtuelles**
POTERIE céramique
– Nature des poteries **mates, vernissées**
– Poterie vernissée **faïence**
– Mélange de terre et de sable dont on fait des poteries **grès**
– Technique de travail en poterie **modelage, moulage, tournage**
– Instrument utilisé en poterie **tour**
POTION médicament, remède, purge
– Potion aromatisée aux essences végétales **julep**
– Potion contenant une émulsion huileuse **looch**
POU parasite
– Famille du pou **pédiculidés**
– Œuf du pou **lente**
– Pou se logeant dans le pubis **morpion, phtirius**
– Affection engendrée par la présence de poux **pédiculose, phtiriasis**
– Ôter les poux à un enfant **épouiller**
– Pou de mammifère **trichodecte**
– Pou de baleine **cyame**
– Herbe aux poux **pédiculaire des marais, staphisaigre**
POUCE doigt
– Gaine de cuir couvrant le pouce **poucier**
– Pouce du pied **gros orteil**
– Ne pas céder un pouce de terrain **parcelle, miette, morceau**
– Valeur du pouce anglo-saxon **0,0254 m**
POUDRE poussière voir aussi **explosif**
– Poudre insecticide **poudre de pyrèthre**
– Substance devenue poudre **pulvérulente**
– Réduire en poudre **pulvériser, moudre, broyer, léviger, piler, triturer**
– Instrument utilisé pour réduire les épices en poudre **pilon**
– Une neige légère semblable à de la poudre **poudreuse**
– Poudre de diamant **égrisée**
– Boîte à poudre de riz **poudrier**
– Tampon ou pinceau utilisé pour étaler la poudre de riz **houppe**
POULE
– Ordre auquel appartient la poule **gallinacés**
– Petit de la poule **poussin, poulet**
– Cri de la poule **caquètement, gloussement**
– Jeune poule **poulette**
– Jeune poule engraissée **poularde**
– Poule d'eau **gallinule**
– Poule des bois **gélinotte commune**
POULET
– Cri du poulet **piaulement**
– Poulet élevé à la ferme et nourri au grain **fermier**
– Poulet destiné à la consommation **poularde, chapon**
– Cage où est placé le poulet soumis à l'engraissement **épinette**
– Morceau de poulet **aile, blanc, cuisse, croupion, abattis**
– Envoyer un poulet à son ami **billet doux, lettre, message, missive**
POULIE
– Élément d'une poulie **moyeu, jante, bras**
– Roue à gorge d'une poulie **réa**
– Poulie calée sur son axe et tournant avec lui **poulie fixe**
– Poulie tournant librement autour de son axe **poulie folle**
– Poulie coupée **galoche**
– Structure étayant l'axe d'une poulie **chape**
– Agencement de poulies dans une même chape **moufle**
– Méthode de kinésithérapie recourant à l'emploi des poulies **pouliethérapie**
POULS
– Battement du pouls **pulsation**
– Appareil qui est utilisé pour mesurer les battements du pouls **sphygmographe**
– Un pouls dont la pulsation est double **dicrote**
– Prendre le pouls d'une situation **mesure**
POUMON voir aussi **respirer**
– Description du poumon **pneumographie**
– Élément de la structure du poumon **alvéole, lobe, lobule**
– Sillons limitant les lobes des poumons **scissures**

– Membrane séreuse enveloppant les poumons **plèvre**
– Zone du thorax séparant les poumons **médiastin**
– Échange gazeux se produisant dans les poumons au cours de la respiration **hématose**
– Dilatation anormale des alvéoles du poumon **emphysème**
– Maladie du poumon due à l'inhalation de poussières minérales ou végétales **pneumoconiose**
– Inflammation et infection des lobes du poumon **pneumonie**
– Maladie du poumon due à la présence du bacille de Koch **tuberculose**
– Ablation d'un poumon **pneumonectomie**
– Crier à pleins poumons **s'époumoner**

POURPRE (1)
– Coquillage dont on extrayait autrefois la pourpre **murex**
– Symbolisme de la pourpre dans l'Antiquité romaine **dignité consulaire**
– Symbolisme contemporain de la pourpre **dignité cardinalice**

POURPRE (2) rouge foncé, amarante
– Roche volcanique de couleur pourpre **porphyre**
– De couleur pourpre **pourpré, purpurin**

POURRIR
– Laisser pourrir des aliments **s'abîmer, se corrompre, se gâter, s'avarier**
– Susceptible de pourrir **putrescible, putréfiable**
– Voir pourrir une situation **se dégrader, se détériorer**
– Pourrir en prison **croupir, moisir**

POURRITURE
– Pourriture d'un cadavre **putréfaction, décomposition**
– Des relents de pourriture **putrides**

POURSUIVRE
– Poursuivre un animal **pourchasser, traquer, forcer**
– Poursuivre de très près une personne **serrer, talonner**
– Poursuivre une personne de ses assiduités **harceler, importuner**
– Poursuivre ses recherches **continuer, persévérer dans**
– Poursuivre des traditions **perpétuer, maintenir**
– Poursuivre un idéal **rechercher, viser**
– Poursuivre en justice **ester**
– Être poursuivi par le remords **hanté, obsédé, tourmenté**

POURVOIR
– Pourvoir une personne du nécessaire **munir, nantir**
– Pourvoir une personne d'un emploi **fournir, procurer**
– Pourvoir aux besoins d'une personne **subvenir à**
– Pourvoir une ville en électricité **équiper, alimenter**
– Pourvoir au manque de moyens **pallier, suppléer**

POUSSER
– Pousser un objet **déplacer, écarter**
– Pousser malencontreusement une personne **bousculer**
– Pousser plus avant une étude **poursuivre, prolonger, continuer**
– Cette plante pousse à vue d'œil **grandit, se développe**
– Faire pousser des céréales **cultiver**
– Pousser de violents cris **hurler**
– Pousser un soupir **exhaler**
– Pousser un élève à travailler **exhorter, inciter**
– Être poussé à commettre un acte **conduit, entraîné**

POUSSIÈRE poudre
– Poussière de charbon **poussier**
– Poussière de fleurs **pollen**
– Poussières radioactives **retombées**
– Ôter la poussière dans une maison **balayer, épousseter, essuyer**
– Petit amas de poussière **mouton, chaton**

POUTRE charpente
– Agencement de poutres **poutrage, poutraison**
– Petite poutre **poutrelle**
– Espace compris entre deux poutres **travée**
– Poutre maîtresse d'un pont métallique **longeron**
– Poutre de gymnastique **agrès**

POUVOIR
– Je n'ai pas le pouvoir de faire cela **faculté, moyen, possibilité**
– Donner les pleins pouvoirs **carte blanche**
– Personne qui se voit confier les pleins pouvoirs **fondé de pouvoir, plénipotentiaire, mandataire**
– Admirer le pouvoir d'évocation d'un conteur **puissance**
– Mettre en lumière les pouvoirs d'un corps **propriétés, vertus, qualités**
– Outrepasser ses pouvoirs **attributions, mission, charge**
– Pouvoir d'exercer un office **droit**
– Exercer un pouvoir évident sur une personne **influence, emprise, ascendant**
– Convoiter le pouvoir **autorité, commandement**
– Critiquer le pouvoir en place **gouvernement, régime**
– Pouvoir incontestable d'un peuple sur un autre **hégémonie, suprématie**
– Pouvoir suprême d'un dirigeant **souveraineté**
– Pouvoir chargé d'élaborer les lois **législatif**
– Pouvoir chargé de faire appliquer les lois **exécutif**
– Pouvoir chargé de rendre la justice **judiciaire**

PRAIRIE pré, pacage, pâturage voir aussi **bétail**
– Prairie n'ayant jamais été cultivée **naturelle, permanente**
– Prairie cultivée une partie de l'année **temporaire**
– Prairie cultivée **artificielle**
– Terre lourde cultivée en prairie **noue**
– Prairie fertile que l'on réserve à l'engraissement du bétail **herbage, embouche**

PRATIQUE (1)
– Mise en pratique **en application, en œuvre, en exercice, à exécution**
– Une connaissance acquise par la pratique **empirique, expérimentale**
– Avoir une longue pratique du sport **expérience, habitude, entraînement**
– Des pratiques étonnantes **agissements, conduite, comportement**
– Accomplir les pratiques religieuses **exercices, rituels**

PRATIQUE (2)
– Un être doué d'un sens pratique très aigu **réaliste, pragmatique, ingénieux**
– Un objet très pratique **commode, maniable, utile**

PRÉCAUTION disposition
– Précaution devant la maladie **prévention, prophylaxie**
– Agir avec précaution **adresse, circonspection, prudence**
– Parler avec précaution **diplomatie, mesure, ménagement, tact**
– Précaution oratoire **circonlocution, euphémisme**
– Prendre des précautions **se prémunir contre, se garantir de**

PRÊCHE
– Allez entendre le prêche de cet homme **prédication, sermon**

PRÊCHER annoncer, enseigner
– Prêcher l'Évangile **évangéliser, catéchiser**
– Prêcher la révolte **louer, prôner, préconiser, exhorter à, recommander**
– Ils furent les premiers à prêcher **apôtres**

PRÉCIEUX **rare**
– Un conseil précieux **profitable, salutaire**
– Une découverte précieuse **utile, avantageuse, importante**
– Un instrument précieux **appréciable, irremplaçable**
– Cette amitié m'est précieuse **chère, capitale, inestimable**
– Un style précieux **affecté, ampoulé, alambiqué**
PRÉCIPICE **abîme** voir aussi **gouffre**
– Être financièrement au bord du précipice **ruine, désastre, catastrophe, anéantissement**
PRÉCIPITATION **accélérer**
– Détaler avec précipitation **hâte, empressement**
– Parler avec précipitation **vivacité, impatience, excès, volubilité, impétuosité, frénésie**
– Phénomène de précipitation en chimie **agglutinement, floculation**
– Enregistrer les précipitations météorologiques **pluie, brouillard, neige, grêle**
– Conclure à la mort par précipitation **défenestration**
PRÉCIPITER **accélérer**
– Précipiter une personne dans le vide **pousser**
– Se précipiter du haut d'une falaise **se jeter**
– Se précipiter au-devant d'un ami **courir, accourir**
– Se précipiter sur un adversaire **foncer sur, se ruer sur, assaillir**
– Guetter l'instant où le vautour va se précipiter sur sa proie **fondre sur**
– Précipiter un départ **avancer, brusquer, activer**
PRÉCIS voir aussi **concis**
– Un endroit précis **circonscrit, délimité**
– Au moment précis **juste, exact**
– Un ordre précis **net, exprès, formel, explicite**
– Une idée précise **claire, distincte, arrêtée**
– Un récit précis **circonstancié, détaillé, rigoureux, scrupuleux**
– Un geste précis **sûr, ferme, assuré**
– Un style précis **concis**
PRÉDICTION **annonce, oracle, vaticination**
– Prédiction faite à partir d'une révélation **prophétie**
– Prédiction faite à partir d'une étude de signes **divination**
– Signe sur lequel se fondent les prédictions **présage, augure**
– Prédiction raisonnée fondée sur des données tangibles **pronostic**

PRÉDISPOSITION **virtualité, potentialité**
– Une fâcheuse prédisposition à abuser de l'alcool **tendance, penchant, propension**
– Témoigner de prédispositions certaines pour la peinture **aptitudes, dons**
– Prédisposition à éprouver certaines affections pathologiques **diathèse**
PRÉFACE **préambule, avant-propos, avertissement, prologue, prolégomènes**
– Être l'auteur d'une préface **préfacier**
PRÉFECTURE **administration**
– Territoire administré par la préfecture **département**
– Ville où s'exerce la préfecture **chef-lieu**
– Préfecture maritime **port de guerre**
PRÉFÉRENCE **choix**
– Manifester une préférence évidente pour un objet, un lieu **attachement, prédilection**
– Préférence reconnue pour un acheteur **droit de préemption**
– Accorder ses préférences **faveurs, privilèges**
– De préférence **plutôt**
PRÉHISTOIRE voir aussi **histoire, temps**
– Étudie la préhistoire **géologie, anthropologie, paléontologie**
– Spécialiste de la préhistoire **préhistorien**
– Période concluant la préhistoire **protohistoire**
PRÉJUGÉ **opinion, jugement**
– Préjugé légué par l'éducation **parti pris, prévention**
PRÉLÈVEMENT voir aussi **impôt**
– Prélèvement effectué sur le compte d'un particulier redevable d'une dette **saisie**
– Prélèvement sur un héritage **prélibation d'hérédité**
– Prélèvement pratiqué sur un tissu ou un organe **biopsie**
– Prélèvement gynécologique **frottis**
– Prélèvement d'un liquide organique **ponction**
PREMIER (1) **primus** voir aussi **commencement, primitif**
– Le premier dans une compétition **vainqueur**
– Joue au jeune premier **séducteur**
PREMIER (2)
– Matière première **brute**
– Premier ministre **chef du gouvernement**
– Premier enfant d'une famille **aîné**
– Écrire un premier jet **ébauche, esquisse**
– Première édition **originale, princeps**
– Principe premier **axiome**
– Lors de notre première rencontre **initiale, précédente, antérieure**
– Première partie **commencement, début**
– De première importance **fondamental, capital, essentiel, indispensable, primordial**
– De première qualité **meilleur**
– Être premier de sa promotion **major**
– Être reçu premier à un concours **cacique**
– Transmettre les premiers éléments d'un rite, d'une technique **initier**
PRÉMISSE **proposition, axiome, principe**
– Les prémisses d'un syllogisme **majeure, mineure**
– Les prémisses d'un dénouement **antécédent, prodrome**
PRENDRE **saisir, attraper**
– Prendre avec la bouche **happer**
– Prendre fortement par le corps **agripper, empoigner**
– Prendre frauduleusement des objets, des biens **dérober, s'emparer de, voler, soustraire**
– Prendre un titre auquel on n'a pas droit **usurper**
– Prendre au passage un objet destiné à une autre personne **intercepter**
– Prendre le nécessaire **se munir de, se nantir de, s'équiper de**
– Prendre un véhicule **utiliser**
– Prendre un passage **emprunter**
– Prendre une femme de ménage **engager, employer**
– Prendre conseil **recourir à**
– Prendre une chambre **louer, réserver**
– Prendre des aliments **absorber, avaler, ingérer**
– Prendre des habitudes **contracter**
– Son travail le prend totalement **occupe, accapare**
– Laisser prendre la béchamel **épaissir**
– Prendre la situation avec optimisme **considérer, envisager**
– S'en prendre à une personne **attaquer, accuser, incriminer**
– Je ne sais comment m'y prendre **agir, procéder**
PRÉOCCUPER
– La tension mondiale le préoccupe fortement **tracasse, tourmente, travaille**

– Seul son travail le préoccupe **absorbe, obsède**
– Ne pas se préoccuper d'un événement **se soucier de, s'inquiéter de**
PRÉPARATION
– Préparation d'un remède **élaboration, fabrication, composition**
– Préparation d'une expédition **organisation**
– Préparation d'un tissu, d'une toile **apprêt**
– Préparation d'une œuvre **gestation**
– Préparation militaire **formation, instruction**
– Préparation à la prêtrise **séminaire**
PRÉPARATOIRE
– Après le cours préparatoire **cours élémentaire**
– Classes préparatoires littéraires et scientifiques **hypokhâgne, khâgne, mathématiques supérieures, mathématiques spéciales**
– Travail préparatoire **prospection**
PRÉPARER
– Préparer un espace **arranger, agencer, décorer**
– Préparer une table **dresser, mettre**
– Préparer un complot **machiner, tramer, fomenter, ourdir, mûrir**
– Préparer un crime **préméditer**
– Préparer une conclusion **amener, ménager**
– Cet événement prépare une catastrophe **annonce, présage**
– Se préparer à mourir **se disposer à**
PRÉPUCE verge
– Excision du prépuce pratiquée dans les religions juive et musulmane **circoncision**
– Inflammation du prépuce **posthite**
– Étroitesse du prépuce **phimosis**
PRÉROGATIVE
– Accepter toute prérogative due à son titre **avantage, faveur, privilège, honneur**
– La raison est une prérogative tout humaine **faculté, apanage**
– Prérogative due à un rang **préséance**
PRÈS
– Le dénouement est près d'advenir **imminent**
– La mer est tout près d'ici **proche**
– Près du port **aux abords**
– Surveiller de près **attentivement**
– Être tondu de près **à ras**
– Il a gagné près de trente mille francs **presque**
– À peu près deux mille personnes sont venues **environ**
PRÉSAGE voir aussi **divination**
– Interprétait les présages dans l'Antiquité romaine **haruspice**
– Voir là un présage peu optimiste **hypothèse, présomption, conjecture, prévision, supputation**
PRESCRIRE ordonner, imposer, commander, enjoindre
– Prescrire une méthode **conseiller, préconiser, prôner**
– Prescrire au moyen d'une loi **fixer, arrêter, légiférer**
– Prescrire une dette **se libérer de**
– L'honneur lui prescrit la démission **réclame, exige**
– Se prescrire, en termes juridiques **cesser, se périmer**
PRÉSENCE
– Présence régulière et appliquée en un lieu **assiduité**
– Présence brève **apparition**
– Croire en la présence du Christ dans l'eucharistie **existence**
– Présence d'esprit **vivacité, promptitude**
– Cette personne a une présence très forte **personnalité**
– Présence physique imposante **prestance**
– Présence en plusieurs lieux à la fois **ubiquité**
PRÉSENTATEUR animateur voir aussi **télévision**
– Présentateur des programmes télévisés **speaker, annonceur**
– Présentateur des informations télévisées **journaliste**
– Présentateur de marchandises destinées à la vente **démonstrateur**
PRÉSENTER
– Présenter un projet **exposer, développer**
– Présenter les conclusions d'une enquête **dévoiler, divulguer, révéler**
– Présenter des excuses **formuler, exprimer**
– Présenter un candidat **proposer**
– Présenter un ami à ses proches **introduire**
– Une solution qui présente des avantages **comporte**
– Se présenter à un procès **comparaître**
– Si l'occasion se présente **survient**
PRÉSIDENT
– Président d'une académie **recteur**
– Président d'un tribunal **magistrat**
– Président d'une commune en Suisse **maire**
– Nommer un président-directeur général **P.-D.G.**
– Président de la République **chef d'État**
– Réservé au président de l'Assemblée nationale **perchoir**
PRÉSIDER
– Présider au bon déroulement d'un rituel **veiller à, orchestrer**
– Présider les débats **diriger, régler, mener**
PRÉSOMPTION opinion, supposition, conjecture
– De fortes présomptions pèsent sur cet individu **soupçons, charges**
– Faire preuve d'une insupportable présomption **prétention, vanité, fatuité, outrecuidance**
PRESSENTIMENT sensation, intuition, prémonition
PRESSENTIR
– Il a pressenti le piège **flairé, deviné, entrevu**
– Rien ne laissait pressentir un tel dénouement **prévoir, soupçonner, subodorer**
PRESSER
– Presser un bouton **appuyer sur, enfoncer**
– Presser des objets de manière à les aplatir **comprimer, laminer**
– Presser le raisin **fouler**
– Presser des aliments pour en obtenir un liquide **pressurer**
– Presser le pas **hâter, précipiter, activer**
– Il n'a pas supporté d'être pressé de questions **harcelé, assailli**
– La foule se presse autour du mausolée **s'entasse, s'agglutine**
PRESSION force
– Exercer des pressions sur un individu **violence, contrainte, chantage**
– Céder à la pression d'une personnalité politique **poids, influence**
– Groupe de pression économique **lobby**
– Pression artérielle **tension**
– Maintenir une structure sous une pression atmosphérique normale **pressuriser**
PRESTIDIGITATION escamotage, illusionnisme, passe-passe, magie
– Les secrets de la prestidigitation **trucs**
– Expérience de prestidigitation **tour**
PRÉSUMER penser, supposer, conjecturer, imaginer
– Il est présumé innocent **censé être**
PRÊT
– Prêt à usage **commodat**
– Prêt à intérêt **crédit**
– Prêt consenti à une personne qui s'engage sur l'honneur à le rembourser **prêt d'honneur**

– Prêt alloué à un soldat **solde**
– Prêt accordé à un salarié **avance, acompte**
– Personne accordant des prêts à usure **usurier**
– Lieu tristement fameux où sont consentis des prêts sur gages **mont-de-piété**
PRÉTENTIEUX
– Un homme prétentieux **vaniteux, présomptueux**
– Un ton prétentieux **affecté, maniéré, suffisant**
– Un style prétentieux **alambiqué, ampoulé, enflé**
PRÉTENTION
– Afficher des prétentions excessives **exigences, revendications, desiderata**
– Signifier ses prétentions en matière d'emploi **conditions**
– Je n'ai pas la prétention de vous convaincre **intention, dessein**
– Cette personne est d'une prétention incroyable **vanité, fatuité, présomption, arrogance**
PRÊTER confier, donner
– Prêter secours **aider, accorder**
– Prêter de l'argent **avancer**
– Prêter serment **jurer**
– Prêter l'oreille **tendre, dresser**
– Prêter des propos à une personne **attribuer, imputer**
– Prêter à confusion **être sujet à, être propice à**
– Ce vêtement prête facilement **s'élargit**
PRÉTEXTE motif, raison, excuse, allégation
– Sous aucun prétexte **en aucun cas**
– Cet événement fut prétexte à une interminable querelle **point de départ**
PRÊTRE ministre du culte, vicaire, pasteur, ecclésiastique voir aussi **clergé**
– Prêtre chargé de la responsabilité d'une paroisse **curé**
– Lieu de formation des prêtres **séminaire**
– Consécration d'un prêtre **ordination**
– Prêtre accomplissant son ministère dans le monde du travail **prêtre-ouvrier**
– Condition nécessaire pour être prêtre **célibat**
– Prêtre appartenant à un ordre religieux **régulier**
– Prêtre vivant dans le monde **séculier**
– Prêtre de l'Église orthodoxe russe **pope**
– Prêtre de l'Église grecque **papas**
PREUVE
– Apporter la preuve de la culpabilité d'un prévenu **démontrer**
– C'est une belle preuve d'amitié **marque, signe, témoignage**
– Fournir la preuve **justificatif**
– Faire par le feu ou l'eau la preuve de son innocence **ordalie**
– Faire preuve d'indulgence **montrer, manifester**
PRÉVENIR
– Prévenir une maladie **se prémunir contre**
– Prévenir une personne d'une décision **aviser, avertir, informer**
– Prévenir une personne d'un danger **mettre en garde**
PRÉVISION
– Faire des prévisions sur l'avenir **augure, présomption, présage, prophétie**
– Se livrer à des prévisions sur l'issue d'une course **pari, hypothèse, pronostic, conjecture, supposition**
– Science de l'évolution future du monde dégageant des éléments de prévision **prospective, futurologie**
– Elle établit des prévisions atmosphériques **météorologie**
PRÉVOIR anticiper, pressentir
– Nostradamus a prévu la fin du monde **prédit, prophétisé, présagé**
– Il faut prévoir tous les cas de figure **envisager, imaginer, concevoir**
PRIER invoquer, adorer
– Prier avec insistance **supplier, implorer, solliciter, conjurer**
– Je vous prie d'assister à la cérémonie **invite à, convie à**
– Je vous prie d'obéir sans délai **enjoins, ordonne**
PRIÈRE adoration, dévotion voir aussi tableau
– Prière de confession dans le rituel catholique **mea-culpa**
– Prière muette **mentale**
– Prière formulée oralement **vocale**
– Prière de l'Église lors de ses offices **liturgique**
– Prière précédant la confession dans le rituel catholique **confiteor**
– Prière qui sollicite une grâce **supplique**
– Représentation iconographique d'une personne en prière **orant**
– Livre de prières **missel**
– Prière de remerciement avant le repas **bénédicité**
– Prière courte et pleine de ferveur **jaculatoire**
– Prière commémorant l'Incarnation **Angélus**
– Prière se récitant à la première heure du jour, vers 6 heures **prime**
– Prière accompagnée d'invocations répétées **litanies**
– Prière instante adressée à Dieu **supplication, déprécation, obsécration**
– Prière faite au nom de Dieu **adjuration**
– Objet de piété rythmant la prière **chapelet, rosaire**
– Objet de prière utilisé par les moines tibétains **moulin à prières**
– Religieux musulman chargé de l'appel à la prière **muezzin**
– Prière des morts dans le rituel juif **kaddish**
PRIMAIRE
– École primaire **premier degré**
– Un raisonnement quelque peu primaire **simpliste, grossier, sommaire**
– Dégager la structure primaire d'un ensemble **originelle, fondamentale, constitutive**
– Relever les symptômes primaires **premiers**
– Couleur primaire **bleu, rouge, jaune**
– Ère primaire, en termes de géologie **paléozoïque**
– Appartient au secteur primaire **agriculture, pêche**
PRIME
– Régler la prime d'assurance **forfait**
– Réduction de la prime d'assurance **bonus**
– Une prime est offerte à qui captura Billy the Kid **récompense**
– Toucher une prime de précarité **indemnité**
– Recevoir un objet en prime **cadeau**
PRIMITIF premier, initial, originel
– Retrouver les formes primitives d'une écriture **archaïques**
– Noter l'agencement très primitif du lieu **simple, rudimentaire, sommaire**
– Proposition primitive en logique **principe, axiome**
– Couleur primitive en physique **violet, indigo, bleu, vert, jaune, orangé**
PRINCE monarque, souverain voir aussi **noblesse**
– État dont le dirigeant détient le titre de prince **principauté**
– Dignité de prince **principat**
– Prince puîné du roi d'Espagne **infant**
– Prince héritier présumé d'une couronne **dauphin**
– Prince consort **époux d'une reine**

PRIÈRES ET OFFICES DE L'ÉGLISE CATHOLIQUE ROMAINE

absoute	Prières dites à la fin des cérémonies funèbres.
Agnus Dei	Prière de la messe commençant par ces mots et dite au moment où les saintes espèces sont mélangées (« agneau de Dieu... »).
Angelus	Prière de dévotion à la Vierge Marie dite le matin, le midi et le soir.
Ave Maria	Prière adressée à la Vierge Marie.
bénédicité	Prière dite avant le repas.
chapelet	Prières que l'on récite en égrenant son chapelet.
complies	Dernière des sept heures canoniales.
confiteor	Prière par laquelle on se repent de ses péchés.
Credo	Symbole des apôtres, contenant les articles fondamentaux de la foi catholique.
de profundis	Prière pour les morts.
doxologie	Prière de louange à Dieu (*Gloria Patri...*).
gloria	Prière de la messe récitée ou chantée en louange à Dieu.
grâces	Prière de remerciement dite après le repas.
heures canoniales	Offices (et heures) où l'on récite les différentes parties du bréviaire ; ces parties elles-mêmes.
Kyrie eleison	Invocation débutant les litanies.
laudes	Psaumes à la louange de Dieu chantés après matines.
litanies	Prières de la messe composées d'une suite d'invocations récitées par les fidèles.
matines	Première des sept heures canoniales.
miserere	L'un des sept psaumes de la pénitence.
none	Cinquième des sept heures canoniales.
offertoire	Prières de la messe dites au moment de la bénédiction du pain et du vin.
oraison	Courte prière récitée par le célébrant au nom de tous lors d'un office.
ordinaire de la messe	Prières de la messe dont le texte ne varie pas.
Pater	Notre-Père.
prime	Deuxième des sept heures canoniales.
Salve Regina	Prière dite en l'honneur de la Vierge.
Sanctus	Prière de la messe chantée en louange à Dieu.
sexte	Quatrième des sept heures canoniales.
Te Deum	Hymne de louange qui se dit à la fin de l'office de nuit.
tierce	Troisième des sept heures canoniales.
vêpres	Sixième des sept heures canoniales.

– Les princes de l'Église **cardinaux, évêques**
– Se montrer bon prince **accommodant, conciliant**
– Gouverner selon le fait du prince **arbitrairement**
– Vêtu comme un prince **superbement, magnifiquement, splendidement**
– Implorer le prince des ténèbres **démon**
– Reconnaître en cet auteur le prince des poètes **premier, meilleur**

PRINCIPAL (1)
– Acquitter le principal d'une dette **capital**
– Être nommé principal d'un collège **directeur**
– Occuper la fonction de principal dans une étude **premier clerc**

PRINCIPAL (2)
– Un élément principal **fondamental, primordial, capital, essentiel**
– Tenir le rôle principal dans une affaire **protagoniste, héros**
– Obtenir le rôle principal dans une distribution **premier rôle**

PRINCIPE **cause première, source, origine, prémisse**
– La curiosité est le principe de la réussite **fondement, agent**
– Posséder les principes d'une technique **éléments, rudiments**
– Principe premier **axiome**
– Principe admis comme base de travail **hypothèse, postulat**
– Principe logique **d'identité, de non-contradiction, du tiers-exclu**
– Principes moraux que se fixe un individu **règles, normes, lois**
– En principe **théoriquement**

PRINTEMPS
– Un soleil de printemps **printanier**
– Phénomène se produisant au printemps **vernal**
– Étymologiquement, fleur du début du printemps **primevère**
– Regretter son printemps passé **jeunesse**

PRISON **pénitencier**
– Gardien de prison **surveillant, maton, geôlier**
– Punition infligée au sein de la prison **cachot, mitard**
– Prison d'un couvent **in pace**
– Local du commissariat faisant office de prison **dépôt, violon**
– Subir une peine de prison **détention, réclusion**
– Quartier de haute sécurité dans une prison **Q.H.S.**
– Ne pas supporter l'univers de la prison **carcéral**
– Lieu d'une prison réservé aux visites **parloir**
– Prison recevant les individus dont les peines n'excèdent pas deux ans **maison d'arrêt**
– Prison recevant des individus condamnés à des peines excédant deux ans **maison centrale**
– Prison souterraine de l'Antiquité romaine **ergastule**

PRISONNIER **détenu**
– Prisonnier en révolte **mutin**
– Prisonnier de guerre **captif, otage**
– Se constituer prisonnier **se livrer, se rendre**
– Prisonnier de ses principes **esclave**

PRIVATION **défaut, manque**
– Ne pas supporter la privation de liberté **perte, absence**
– Être condamné à la privation des droits civiques **retrait, suppression**
– Privation volontaire de nourriture **jeûne, abstinence**
– Privation en matière de plaisirs **continence, chasteté**

PRIVÉ
– Entreprendre une correspondance privée **personnelle**
– Préserver sa vie privée **intime**
– Une personne privée **particulière**
– De source privée **officieuse**
– En privé **seul à seul, en aparté**
– Confier une entreprise publique au secteur privé **privatiser**

PRIVER
– Priver d'un bien **enlever, ôter, confisquer**
– Je ne peux me priver de son aide **passer**
– Priver une personne de la part d'héritage qui lui revient **déshériter**
– Priver une personne d'un avantage qui lui échoit **frustrer, déposséder**
– Priver un jeune animal du lait de sa mère **sevrer**

PRIVILÈGE **avantage, faveur, prérogative**
– Privilège abusif consenti à une personne **passe-droit**
– Jouir du privilège de la jeunesse **bénéfice**
– Privilège reconnu aux personnes appartenant au corps diplomatique **immunité**

PRIX **valeur** voir aussi **récompense**
– Prix d'un objet **coût, montant**
– Prix d'une réparation **frais, dépenses**
– Prix d'un service **tarif**
– Prix de location d'un navire **fret, nolis**
– Prix payé pour l'acheminement des marchandises **factage**
– Prix des valeurs boursières **cours, cote**
– Discuter le prix d'une marchandise **marchander**
– Baisse des prix **rabais, réduction, remise**
– Casser les prix **brader**
– Hausse massive des prix **inflation**
– Tableau officiel indiquant le prix des denrées vendues sur le marché public **mercuriale**
– Prix littéraire **distinction, récompense**
– Prix artistique **Prix de Rome**

PROBABILITÉ
– Opinion qui ne se fonde que sur des probabilités **conjecture**

PROBLÈME **question**
– Problème financier **souci, difficulté**
– Problème de conscience **dilemme**
– Problème quasi insoluble **énigme, mystère**
– Une situation qui pose problème **embarrassante, difficultueuse, problématique**

PROCÉDURE **règle, consigne** voir aussi **droit**
– Suivre la procédure normale **méthode, filière**

PROCÈS
– Intenter un procès **procédure, poursuite**
– Engager un procès à titre de demandeur ou de défendeur **ester**
– Défendre un accusé lors d'un procès **plaider**
– Faire le procès d'une méthode **attaquer, critiquer, condamner**
– Faire le procès d'un individu **blâmer, charger, accuser, incriminer**
– Étudier le procès d'un organe **processus, prolongement**
– Le procès en linguistique **prédicat**

PROCESSION **cérémonie**
– Élément d'une procession **cortège, chant**
– Suivre une procession **défilé**
– Procession effectuée par les catholiques **de bénédiction, votive, de translation, de pèlerinage, de commémoration**
– Livre renfermant les prières chantées lors d'une procession **processionnal**
– Participant à une procession **pèlerin, pénitent, dévot**

PROCHE (1)
– Convoquer ses proches **famille**

PROCHE (2)
– Les pays proches de la France **voisins, limitrophes**
– Faire un récit proche de la vérité **approchant**
– Leur maison est toute proche de la mienne **contiguë, attenante, adjacente**
– De proche en proche **progressivement, graduellement**

PROCLAMER **annoncer**
– Proclamer son innocence **clamer, crier**
– Proclamer l'état de siège **décider, déclarer, décréter**
– Proclamer les résultats d'un concours **révéler, divulguer**
– Proclamer avec certitude et assurance une théorie **affirmer, professer**

PRODIGUER
– Prodiguer sa fortune **dilapider, dissiper, gaspiller**
– Prodiguer des soins **donner**
– Prodiguer ses faveurs à une personne **accorder, dispenser**
– Prodiguer son énergie sans compter **dépenser, déployer**

PRODUCTION
– Production de sons **émission**
– Production de gaz **formation**
– Production d'automobiles **construction, fabrication**
– Production d'emplois **création**
– Recul de la production dans un pays **récession**
– Production excessive de marchandises **surproduction**
– Production évaluée selon des critères donnés **rendement**
– Production littéraire **œuvre, ouvrage**
– Production cinématographique **film**
– Production scénique **spectacle**

PRODUIRE
– Cette terre produit en abondance **porte, donne**
– Cette activité produit de nombreux effets **entraîne, génère**
– Produire une descendance nombreuse **engendrer, procréer**
– Produire une pièce d'identité **montrer, présenter**
– Produire des preuves **exhiber, fournir**
– Son attitude produit chez moi un malaise certain **suscite, provoque**
– La tempête a produit des dégâts considérables **causé, occasionné**
– Produire une œuvre cinématographique **financer**
– Se produire sur les plus grandes scènes **jouer, chanter**
– Il s'est produit un incident fâcheux **arrivé, survenu**

PRODUIT voir aussi **économie**
– Produit agricole **denrée**
– Produit de consommation non comestible **article, marchandise**
– Produit de remplacement **ersatz, succédané**
– Se féliciter du produit de son entreprise **bénéfice, profit**
– Voir diminuer le produit de ses propriétés **gain, rapport**

PROFANER
– Profaner une sépulture **violer**
– Profaner la mémoire **avilir, souiller, dégrader**
– Profaner le nom de Dieu **blasphémer**
PROFESSEUR enseignant
– Professeur particulier **précepteur**
– Fonction de professeur **professorat**
– Professeur d'équitation **instructeur, écuyer**
– Professeur de ski **moniteur**
– Professeur de natation **maître nageur**
PROFESSION
– Être momentanément sans profession **activité, travail, emploi**
– La profession d'avocat **métier**
– La profession de magistrat **charge, fonction**
– Refuser la profession militaire **carrière**
– Donner à une activité le statut de profession **professionnaliser**
– Profession de foi **manifeste, déclaration**
– Faire profession de vertu **se piquer de**
PROFIL
– Profil du visage **contour**
– Profil laissant davantage voir l'arrière de la tête **perdu, fuyant**
– Profil d'un objet **aspect, silhouette**
– Profil d'un organe, d'un terrain **coupe**
– Opération consistant à donner à une pièce un certain profil **profilage**
– Une vue de profil **profilée**
– De profil **de côté**
– Présenter un profil bas **tempérer, modérer**
PROFIT avantage
– Les études ont été pour lui une source de profit **enrichissement**
– Tirer profit **utiliser, exploiter**
– Profit réalisé par une entreprise **gain, bénéfice**
PROFOND
bathy-
PROFOND
– Un puits très profond **abyssal**
– Endroit profond **fosse, abîme, gouffre, précipice**
– Un profond silence **total, absolu**
– Une nuit profonde **noire, obscure, épaisse**
– Une voix profonde **grave**
– Un profond sommeil **lourd**
– Une joie profonde **extrême, intense**
– Un mépris profond **vif, immense, complet**
– Un esprit profond **pénétrant**
– Une foi profonde **ardente, fervente**
– Réapparition de caractères très profonds au sein d'une famille **atavisme**
PROFONDEUR
– Mesurer la profondeur d'une cavité **sonder**
– Région de l'océan d'une très grande profondeur **abysse**
– Mesure des profondeurs marines **bathymétrie**
– Engin utilisé pour atteindre les grandes profondeurs marines **bathyscaphe**
– Appareil utilisé pour l'exploration des grandes profondeurs marines **bathysphère**
– Effet de profondeur en peinture **perspective**
PROFUSION excès, surabondance, pléthore
– Profusion de paroles **logorrhée**
– Cette profusion de couleur incendie la toile **débauche**
– Avoir à profusion **à foison, à satiété**
PROGRAMME voir aussi **informatique**
– Demandez le programme ! **imprimé, livret**
– Quel est votre programme pour demain ? **projets, intentions**
– Douter de la véracité des programmes politiques **exposés**
– Programme économique **plan**
– Programme de travail **emploi du temps**
– Programme informatique **structure**
– Spécialiste chargé de la création de programmes informatiques **programmeur**
PROGRÈS
– Progrès social **amélioration, développement**
– Progrès d'une épidémie **progression, propagation**
– Progrès d'une maladie **évolution, aggravation**
– Progrès fait dans l'acquisition d'une technique, d'une science **perfectionnement**
PROGRESSION suite, gradation voir aussi **évolution**
– Progression dans l'échelle des salaires **ascension, promotion**
– Empêcher la progression de l'ennemi **marche, avance**
– Mois de progression en astronomie **de consécution**
PROHIBER défendre, interdire, empêcher
– Le port d'armes est prohibé **exclu, condamné**
PROIE
– Oiseau de proie **rapace, prédateur**
– Être la proie d'une bande de truands **victime**
– Être en proie au remords **tourmenté, hanté, harcelé, obsédé**
PROJECTILE voir aussi **artillerie**
– Projectile de combat **balle, bombe, obus, missile, fusée**
– Trace d'un projectile **impact**
– Engin autrefois utilisé pour le lancement des projectiles **baliste**
– Étude du mouvement des projectiles **balistique**
PROJECTION
– Projection de vapeur **émission, jet**
– Appareil de projection **projecteur**
– Préposé à la projection d'un film **projectionniste**
– Projection géométrique d'une figure **représentation**
– Projection d'affects, de sentiments sur un objet autre que le sujet **déplacement, transfert**
PROJET intention, dessein, visée, but
– Projet de scénario **synopsis**
– Projet de roman **canevas, schéma, ébauche, esquisse**
– Projet d'architecte **plan, croquis, devis, maquette**
PROJETER
– Projeter un objet au loin **lancer**
– Projeter un film **passer**
– Projeter un départ **envisager, prévoir**
– Projeter un mauvais coup **préméditer, combiner**
PROLONGER étendre
– Prolonger un entretien **continuer, poursuivre**
– Prolonger la durée d'une loi **proroger**
– Prolonger le suspens **augmenter, accroître**
– Prolonger sciemment une discussion afin de retarder une décision **tergiverser, atermoyer**
PROMENER
– Promener ses regards **observer, scruter**
– Se promener **marcher, se balader**
– Se promener au hasard **flâner, déambuler, baguenauder**
PROMESSE parole, engagement
– Promesse solennelle **serment**
– Promesse de mariage **fiançailles**
– Promesse légalement consentie **accord, contrat, convention**

PROMETTRE voir **jurer**
PROMOTION **nomination**
– Bénéficier d'une promotion **avancement**
– Promotion sociale **ascension**
– Promotion des ventes **développement**
– Article en promotion **au rabais**
– Élèves de la même promotion **année**
PROMPTITUDE
– Agir avec promptitude **rapidité, célérité, diligence**
– Promptitude d'esprit **vivacité**
– Réagir avec promptitude **fougue, emportement**
PRONONCER
– Prononcer des vocables étrangers **articuler, proférer**
– Prononcer ses vœux **prendre le voile**
– Prononcer un discours peu brillant **débiter**
– Prononcer une sentence **rendre, statuer, juger**
– Prononcer une condamnation **infliger**
– Il est trop tôt pour se prononcer **décider, choisir, se déterminer**
– Des traits très prononcés **accentués, marqués**
PRONONCIATION
– Terme générique désignant les troubles de la prononciation **dystomie**
– Vice de prononciation **bégaiement, blésité, nasillement, zézaiement, deltacisme**
– Prononciation gutturale du R dite « prononciation parisienne » **grasseyement**
– Mots de même prononciation **homonymes**
– Traitement visant à rectifier une mauvaise prononciation **orthophonie**
– Discipline formulant les règles de prononciation **phonétique normative, orthoépie**
– Prononciation en rhétorique **déclamation**
– Prononciation d'un arrêt **lecture**
PROPAGANDE **prosélytisme**
– Propagande électorale **discours, programme**
– Les supports de la propagande **médias**
– Propagande commerciale **publicité**
PROPAGER
– Propager une rumeur **répandre, colporter**
– Empêcher le feu de se propager **progresser, gagner, s'étendre**
– Propager une doctrine **diffuser, enseigner**
– Propager un virus **transmettre, donner, véhiculer, contaminer**
PROPHÈTE **devin, augure**
– Nom donné aux prophètes dans la tradition juive **nabis**
– Les premiers prophètes hébreux **Abraham, Moïse**
– Le prophète-roi **David**
– Quatre grands prophètes **Isaïe, Jérémie, Ézéchiel, Daniel**
– Moyen de révélation de Dieu aux prophètes **parole, vision, songe**
– Le Prophète chez les musulmans **Mahomet**
– Faux prophète **imposteur**
PROPORTION **rapport**
– Trouver les justes proportions **équilibre, harmonie**
– Une forte proportion d'autochtones **pourcentage**
– L'affaire a pris des proportions considérables **dimensions, ampleur, étendue**
– Des efforts hors de proportion **démesurés**
– Proportion mathématique **égalité**
PROPOSER
– Il a proposé de m'aider **offert**
– Proposer des marchandises **étaler, présenter**
– Proposer aux regards **montrer, exhiber**
– Proposer une hypothèse **soumettre, avancer, suggérer**
PROPOSITION **offre**
– Proposition de mariage **demande**
– Recueillir les propositions des intervenants **conseils, idées**
– Proposition en mathématiques **théorème, problème**
– Déposer une proposition à l'Assemblée nationale **motion**
– Proposition en grammaire **indépendante, principale, relative, subordonnée**
– Sur la proposition d'un tiers **à l'initiative de**
PROPRE (1)
– L'humour est le propre de l'homme **apanage**
PROPRE (2)
– Ce matériau est propre à la construction **apte**
– Un vêtement propre **impeccable, immaculé**
– Une eau totalement propre **pure, limpide**
– Une maison propre **nettoyée, entretenue**
– Un homme propre **honnête, probe, intègre**
– Mouvement propre d'un astre **réel**
– Ce trait de caractère est propre au chimpanzé **spécifique, typique, particulier**
– Nom propre **patronyme**
– Au sens propre **littéral**
PROPRETÉ **soin, netteté**
– Travaux extérieurs entrepris pour retrouver l'état de propreté d'une maison **ravalement**
– Veiller à la propreté d'outils chirurgicaux **désinfection, stérilisation**
PROPRIÉTAIRE **possesseur**
– Se porter propriétaire **acquéreur**
– Régler le loyer à son propriétaire **bailleur**
– Ensemble des propriétaires d'un même immeuble **copropriété**
PROPRIÉTÉ **détention**
– Acte attestant la propriété d'une invention **brevet**
– Habiter une magnifique propriété **domaine**
– Les propriétés des corps **qualités, constantes**
– Signification de la propriété en grammaire **convenance, adéquation**
PROSTATE **glande**
– Ensemble de troubles engendrés par une hypertrophie de la prostate **prostatisme**
– Inflammation de la prostate **prostatite**
– Ablation de la prostate **prostatectomie**
– Une affection de la prostate **prostatique**
PROSTITUÉE **péripatéticienne**
– Autrefois, prostituée des hautes demeures aristocratiques **hétaïre, courtisane**
– Prostituée de haut vol des temps modernes **call-girl**
– Individu vivant aux dépens d'une prostituée **maquereau, souteneur, proxénète**
– Rencontre de la prostituée et de son client **passe**
– Appel du client par la prostituée **racolage**
PROSTITUTION voir aussi tableau
– Déplorer la prostitution de ses talents **avilissement, dégradation**
PROTECTEUR (1)
– Agir en protecteur de la foi **défenseur**
– Protecteur des arts **mécène**
– Protecteur juridique d'une personne **tuteur**
– Protecteur des citoyens suédois devant l'Administration **ombudsman**

VOCABULAIRE DE LA PROSTITUTION	
amazone	Prostituée racolant à bord d'une voiture.
bucolique	Prostituée travaillant dans les bois et les parcs.
caravelle	Prostituée fréquentant les gares et les aérogares.
chandelle	Prostituée demeurant à une place fixe.
échassière	Prostituée attendant le client juchée sur un tabouret de bar.
étoile filante	Femme qui se prostitue pour arrondir ses fins de mois.
marcheuse	Prostituée arpentant le trottoir.
michetonneuse	Prostituée des terrasses de café.

PROTECTEUR (2)
– Divinité protectrice **tutélaire**
– Afficher un air protecteur **supérieur, condescendant**
PROTECTION aide, assistance, secours
– Bénéficier de protection en haut lieu **faveur, soutien**
– Protection en matière d'achat **garantie**
– Système de protection commerciale des marchandises étrangères **protectionnisme**
– Personne chargée de la protection d'une personnalité **garde du corps, gorille**
– Protection sociale **couverture**
– Mesures de protection contre la maladie **prophylaxie**
– Protection de la nature **écologie**
– Protection d'une porte **blindage, revêtement**
PROTÉGER
– Protéger l'artisanat **encourager, favoriser**
– Protéger un candidat **appuyer, soutenir**
– Protéger des matériaux de l'eau **hydrofuger**
– Se protéger des intempéries **s'abriter, se préserver de**
PROTÉINE holoprotéine
– Type de protéine **gélatine, kératine, albumine, globuline**
– Présence anormale de protéines dans l'urine **protéinurie**
– Taux de protéines dans le plasma sanguin **protéinémie**
– Protéine agissant comme un catalyseur des réactions chimiques **enzyme**
– Carence en protéines survenant lors du sevrage chez certains enfants **syndrome de Kwashiorkor**
PROTESTANT (1)
– Nom donné autrefois aux protestants **huguenots**
PROTESTANT (2)
– Décret signé en 1598 accordant le libre exercice du culte protestant **édit de Nantes**
– Ministre protestant **pasteur**
– Rassemblement de ministres protestants **synode, consistoire**
– Les quatre grandes confessions des Églises protestantes **luthérienne, calviniste réformée, baptiste, méthodiste**
– Membre d'une secte protestante **anabaptiste, piétiste, puritain, quaker**
PROTESTER
– Protester contre l'arbitraire d'une décision **s'opposer à, contester, s'élever contre, s'insurger contre**
– Protester de sa bonne foi **crier, clamer**
PROUVER
– Prouver la culpabilité du prévenu **démontrer, établir**
– Ses résultats prouvent sa formidable capacité à apprendre **témoignent de, révèlent, dénotent**
– Son attitude prouve qu'il a compris **indique, signifie**
PROVENIR
– Le pouvoir provient de l'État **émane, procède**
– Son retard provient de ses difficultés psychologiques **découle, dérive, résulte**
PROVERBE maxime, adage, aphorisme, apophtegme, dicton, sentence
– Étude des proverbes **parémiologie**
PROVINCE région, territoire
– Gouverneur d'une province dans l'Antiquité romaine **proconsul**
– Gouverneur d'une province dans l'Empire perse **satrape**
– Province au Canada **État**
– Province allemande **land**
PROVISION
– Provisions de bouche **ravitaillement, vivres, victuailles**
– Provisions de chasse **munitions**
– Constituer une provision de bois **réserve, stock**
– Faire des provisions **courses, commissions**
– Verser une provision à son avocat **acompte, avance, arrhes**
– Provision bancaire **solde**
– Provision *ad litem* **aide, allocation**
PROVISOIRE
– Une solution provisoire **transitoire, momentanée**
– Une activité provisoire **temporaire, passagère**
– Gouvernement provisoire **intérimaire**
PROVOQUER
– Provoquer la colère **susciter, déchaîner, exciter**
– Provoquer des réactions tout à fait inattendues **engendrer, amener, entraîner**
– Provoquer une personne **agresser, attaquer, défier**
– Provoquer l'indignation de son entourage **soulever**
– Provoquer la mort **causer**
PRUDENCE sagesse
– Statut conféré à la prudence dans l'Antiquité **vertu**
– Agir avec prudence **précaution, réflexion, attention**
– Parler avec prudence **modération, circonspection**
– Personne d'une prudence excessive **pusillanime, timorée**
PRUDENT
– Se montrer prudent dans la conduite d'une affaire **averti, prévoyant, vigilant**
– Une décision prudente **avisée, judicieuse**
PRUNE
– Fruit à noyau, la prune est une **drupe**
– Variété de prune **mirabelle, quetsche, perdrigon, reine-claude**
– Petite prune sauvage très âcre **prunelle**
– Confiture de prunes **prunelée**
– Prune séchée **pruneau**
– Poussière blanche recouvrant les prunes **pruine**
– Couleur de prune **violet**
PSYCHANALYSE voir tableau p. 370

PSYCHIATRIE
– Objet d'étude de la psychiatrie **maladies mentales**
– Psychiatrie des malades internés **aliénisme**
– Domaine de la psychiatrie traitant du lien entre système nerveux et maladie **neuropsychiatrie**
– Psychiatrie appliquée aux sociétés autres qu'occidentales **ethnopsychiatrie**
– Les tendances de la psychiatrie contemporaine **antipsychiatrie, psychiatrie institutionnelle, psychiatrie organiciste**
– Utilisation des médicaments en psychiatrie **camisole chimique**
– Intervention sur le cerveau en psychiatrie **lobotomie, neurochirurgie**
– Utilisation des chocs comme méthode thérapeutique en psychiatrie **électrochoc, électronarcose**

PSYCHOLOGIE
– Objet d'étude de la psychologie **phénomènes psychiques**
– Psychologie des types psychiques **caractériologie**
– Psychologie de la forme **gestalt**
– Psychologie du comportement **béhaviorisme**
– Psychologie expérimentale **psychométrie, psychotechnique**
– Application de la psychologie à la linguistique **psycholinguistique**
– Être dépourvu de toute psychologie **finesse, intuition**

PSYCHOSE
– Type de psychose **paranoïa, schizophrénie, mélancolie, manie**
– Psychose infantile **autisme**

PUBLIC (1)
– Avis au public **population, peuple**
– Un public très attentif **auditoire, assemblée, assistance**

PUBLIC (2)
– Œuvrer pour l'intérêt public **commun, général, collectif**
– Les pouvoirs publics **État, gouvernement**
– Domaine des affaires publiques **politique**
– Service public **administration**
– Travaille dans la fonction publique **fonctionnaire**
– C'est maintenant public **officiel, manifeste, notoire**
– Rendre public **publier, divulguer, révéler**

PUBLICATION **parution**
– Publication d'un décret au *Bulletin officiel* **édition, promulgation**
– Interdire toute publication **écrit, ouvrage**
– Recevoir les publications du C.N.R.S. **revues, brochures, périodiques, bulletins**
– Publication assistée par ordinateur **P.A.O.**

PUBLICITAIRE
– Message publicitaire **slogan**
– Épisode sonore introduisant les messages publicitaires **jingle, sonal**
– Film publicitaire **spot, clip**
– Moyen publicitaire **annonce, encart, affiche, banderole, prospectus**

PUBLICITÉ **réclame**
– Faire connaître un produit par la publicité **lancer**
– Supports de la publicité **médias**
– Société ou entreprise recourant à la publicité **annonceur**
– Personne travaillant dans la publicité **publicitaire**
– Passionné de publicité **publivore**
– Individu hostile à la publicité **publiphobe**
– Publicité vivante et ambulante **homme-sandwich**

PUBLIER
– Publier les résultats de ses recherches **annoncer, exposer**
– Publier un ouvrage **imprimer, éditer**
– Publier ses œuvres à ses frais **à compte d'auteur**

VOCABULAIRE DE LA PSYCHANALYSE FREUDIENNE

acte manqué	Acte qui semble en contradiction avec ce que souhaite le sujet, mais qui révèle son désir inconscient.
analyse didactique	Psychanalyse qu'entreprend celui qui a le projet de devenir analyste.
ça	Instance de l'appareil psychique qui est le réservoir des pulsions.
complexe d'Œdipe	Ensemble de désirs et de sentiments ambivalents qu'éprouve l'enfant à l'égard de ses parents.
compulsion	Contrainte à accomplir un geste que le sujet ressent comme inutile ou absurde.
inconscient	Partie du psychisme qui échappe à la conscience. Il constitue le ça, ainsi qu'une partie du moi et du surmoi.
libido	Énergie sexuelle.
moi	Instance psychique, produite par des identifications en partie inconscientes, qui met la personne en relation avec le monde extérieur.
psychanalyse	Théorie du psychisme qui met en avant le rôle de l'inconscient et l'importance des conflits. Méthode d'investigation des rêves, des fantasmes, des actes manqués, etc., qui s'appuie sur la libre association. Technique psychothérapique fondée principalement sur l'analyse du transfert et des processus défensifs qui empêchent les sentiments et les pensées de parvenir jusqu'à la conscience.
pulsion	Processus dynamique défini par sa poussée, sa source, son objet et son but.
refoulement	Processus dynamique qui repousse une représentation dans l'inconscient.
sublimation	Une pulsion est sublimée quand elle est détournée de son but sexuel et qu'elle vise un objet socialement acceptable.
surmoi	Instance psychique ayant une fonction de jugement et héritée des interdits sociaux et parentaux.
transfert	Déplacement sur la personne de l'analyste des désirs et des sentiments éprouvés pour les parents.

PUCE (1) insecte
– Famille à laquelle appartient la puce **pulicidés**
– Puce d'eau **daphnie**
– Puce de mer **talitre**
– Herbe aux puces **psyllion**

PUCE (2)
– Couleur puce **rouge-brun**

PUDEUR
– Préconiser la pudeur **chasteté, décence**
– Pudeur de l'expression **réserve, retenue, discrétion**
– Témoigner une pudeur exagérée **pruderie, pudibonderie**

PUISSANCE
– Sens du concept de puissance en philosophie **virtualité, potentialité**
– Refuser la puissance paternelle **domination, autorité**
– Puissance divine **omnipotence**
– Développer la puissance d'une machine **capacité**
– Unité de puissance mécanique d'un moteur **cheval-vapeur**
– Unité de puissance électrique **watt**
– Puissance d'un nombre **exposant**

PUISSANT
– Un homme puissant **influent, haut placé**
– Un corps puissant **robuste, vigoureux, résistant**
– Un remède puissant **énergique, efficace, drastique**
– Un pays puissant **riche, opulent, nanti**

PUITS trou, excavation
– Puits d'où l'eau jaillit **artésien**
– Puits destiné aux eaux usées **puisard**
– Un puits recueillant les eaux superficielles **pleureur**
– Ouvrier chargé de creuser ou de réparer les puits **puisatier**
– Creuser un puits **forer**
– Un puits de science **érudit**

PULVÉRISER
– Pulvériser du grain **broyer, égruger, moudre, piler**
– Pulvériser un insecticide **vaporiser**
– Pulvériser un record **battre nettement, dépasser largement**
– Pulvériser l'ennemi **écraser, détruire, anéantir, exterminer**

PUMA couguar
– Famille à laquelle appartient le puma **félidés**

PUNIR châtier
– Le vol à main armée est sévèrement puni **réprimé, condamné, sanctionné**
– Punir un soldat **consigner**
– Punir un automobiliste pour un excès de vitesse **verbaliser**

PUNITION châtiment
– Punition donnée à un joueur **gage**
– Punition donnée à un footballeur **pénalité, carton**
– Punition infligée à un délinquant **peine**
– Punition donnée par le prêtre au fidèle **pénitence**
– Punition infligée à un élève **piquet, retenue, pensum**

PUPITRE meuble
– Pupitre d'église **lutrin**
– Pupitre d'écolier **bureau**
– Pupitre d'un ordinateur **table de commande, console**

PUR
– Un corps pur **simple**
– Une eau pure **claire, limpide**
– Une joie pure **totale**
– Une âme pure **intègre, intacte**
– Un jeune homme pur **innocent, candide**
– Un pur mensonge **absolu, parfait**
– Un style très pur **correct, châtié**
– Une ligne très pure **dépouillée**
– La raison pure chez Kant **spéculative**
– Se consacrer aux mathématiques pures **théoriques**

PURÉE
– Purée faite de carottes et de pommes de terre **aurore**
– Purée de pommes de terre battue **mousseline**
– Purée d'oignons **soubise**
– Une purée de pois s'étend sur la ville **brouillard**

PURGE
– Prendre une purge **purgatif, laxatif, mucilage**
– Purge d'un radiateur **vidange**
– Robinet réservé à la purge d'un radiateur **purgeur**
– Purge stalinienne **épuration, élimination**

PURIFICATION
– Rites de purification religieux **ablutions**
– Purification rituelle pratiquée sur les nouveau-nés à Rome **lustration**
– Purification des enfants dans la religion chrétienne **baptême, aspersion**
– Procéder à la purification d'une atmosphère **désinfection, assainissement**

PURITAIN
– Se montrer vraiment puritain en matière d'éducation **austère, rigide, sévère, rigoriste, prude**

PUS suppuration voir aussi **infection**
– Écoulement de pus **pyorrhée**
– Microbe générateur de pus **pyogène**
– Plaie d'où s'écoule le pus **purulente**
– Présence de pus dans les urines **pyurie**
– Amas de pus et de tissu mort dans un furoncle **bourbillon**
– Ancien nom désignant le pus mêlé au sang **sanie, ichor**

PUTRIDE
– Une viande putride **pourrie, putréfiée, faisandée**
– Une odeur putride **nauséabonde**
– Peut devenir putride **putrescible, putréfiable**

PUZZLE jeu
– Puzzle chinois **tangram**

PYRAMIDE
– Pyramide en géométrie **polyèdre**
– Pyramide égyptienne **tombeau**
– Personnage enseveli dans une pyramide **pharaon**
– Petite pyramide terminant les obélisques **pyramidion**
– Une pyramide de mangues **pile, entassement**

Q

QUAI
– Sorte de quai en bois ou en fer permettant l'amarrage des navires **appontement, wharf**
– Partie du quai aménagée pour l'embarquement, le débarquement des passagers **embarcadère, débarcadère**
– Partie inclinée du quai **cale**
– Bassin entouré de quais et destiné aux navires marchands **dock**
– Surface supérieure d'un quai de gare **plate-forme**
QUALIFIÉ
– Il est officiellement qualifié **autorisé**
– Il est assez qualifié pour accomplir cette tâche **capable, compétent**
QUALIFIER désigner
– Qualifier quelqu'un de menteur, de voleur **traiter, taxer**
QUALITÉ
– Qualités d'un corps, d'une matière **propriétés**
– Qualité première et constitutive d'un être, d'une chose **essence**
– Qualité propre à quelqu'un, à quelque chose **particularité, spécificité**
– Qualité innée **don, aptitude, disposition**
– N'avoir que des qualités **vertus, mérites**
– Qualité professionnelle **compétence, capacité**
– Qualité de magistrat, de ministre **fonction, condition, titre**
QUANTITÉ
– Quantité précise **dose**
– Quantité fixée **quantum**
– Quantité infime **grain, parcelle, bribe, soupçon**
– Petite quantité de liquide **doigt, goutte, larme, nuage**
– Quantité importante **monceau**
– Grande quantité de détails, de couleurs **abondance, accumulation, débauche, luxe, profusion, orgie**
– Grande quantité de reproches **flot, avalanche, kyrielle**
– Grande quantité d'êtres présentant une agitation confuse **essaim, nuée, pullulement**
– Quantité importante d'armes **arsenal**
– Quantité d'objets couchés sur le sol **jonchée**
– En droit, quantité maximale de marchandises autorisée à l'importation **contingent**
– En très grande quantité **à foison**
– Quantité indénombrable **multitude, myriade**
QUARANTE
– Durée de quarante ans **quarantenaire**
– Personne qui a entre quarante et cinquante ans **quadragénaire**
QUARTIER
– Quartiers situés à la périphérie d'une ville **faubourgs**
– Quartier où se concentre une communauté défavorisée **ghetto**
– Quartier juif dans les villes du Maroc **mellâh**
– Vieux quartier d'une ville du Maghreb **casbah, médina**
– Quartier réservé, dans les villes du Maghreb **bousbir**
– Dans l'armée, prendre ses quartiers **cantonnements**
QUARTZ silice
– Variété de quartz de couleur violette **améthyste**
– Variété de quartz de couleur rougeâtre **aventurine**
– Variété de quartz à reflets changeants **œil-de-chat**
– Quartz transparent et dur **hyalin**
– Roche composée partiellement de quartz **micaschiste, jaspe, gneiss**
QUATRE
tétra-, quadra-, quadri-, quadru-
QUATRE
– Vertébrés à quatre pattes **quadrupèdes**
– Vertébrés dont les quatre membres sont pourvus d'une main **quadrumanes**
– Animal dont les pattes ont quatre doigts **tétradactyle**
– Sanglier âgé de quatre ans **quartanier**
– Paralysie des quatre membres **tétraplégie**
– Figure géométrique à quatre côtés **quadrilatère**
– Système de transmission télégraphique envoyant quatre messages à la fois **quadruplex**
– Ensemble de quatre œuvres **tétralogie**
– Strophe de quatre vers **quatrain**
QUATRE-VINGT-DIX
– Quatre-vingt-dix, en Suisse **nonante**
– Personne ayant eu quatre-vingt-dix ans **nonagénaire**
QUATRE-VINGTS
– Quatre-vingts, en Suisse **huitante**
– Personne ayant eu quatre-vingts ans **octogénaire**
QUELCONQUE
– Un individu tout à fait quelconque **banal, commun, insignifiant, insipide**
– Une étoffe, un mobilier très quelconque **ordinaire, médiocre**
QUERELLE désaccord, dispute, altercation
– Avoir une querelle avec quelqu'un **différend, démêlé, algarade, maille à partir**
QUESTION
– Évoquer une question particulière **problème, point, sujet**
– Débat sur une question déterminée **controverse, polémique**
QUESTIONNAIRE formulaire
– Questionnaire sociologique et statistique **enquête, sondage**
QUESTIONNER interroger
– Questionner quelqu'un sur un sujet **consulter, se renseigner**
– Questionner une personne pour mettre à jour ses intentions **sonder**
– Questionner un ami sur sa santé, ses projets **s'enquérir de**
– Questionner une personnalité dans l'intention de diffuser ses propos **interviewer**
QUEUE
cerco-, uro-, caud(a)-, -cerque, -oure
QUEUE
– Relatif à la queue d'un animal **caudal**
– Queue des oiseaux de proie **balai**

– La queue du lapin **couette**
– Poils à l'extrémité de la queue d'un animal **fouet**
– Chien ou cheval à la queue coupée **courtaud**
– Cheval remuant constamment la queue **quoaillant**
– Queue des crustacés **uropode**
– Poissons, crustacés à longue queue **macroures**
– Batraciens pourvus d'une queue **urodèles**
– Batraciens sans queue **anoures**
– Queue d'une fleur ou d'un fruit **pédoncule**
– Queue d'un champignon **pédicule**
– Queue d'une feuille **pétiole**
– Queue d'un violon **cordier**
– Pièce de cuir à l'extrémité d'une queue de billard **procédé**

QUILLE
– Partie renflée de la quille **pomme**
– Jeu de quilles **bowling**
– Ensemble des dix quilles, au bowling **quillier**
– Matière d'une quille de bowling **chêne, érable**
– Ancien jeu de quilles où l'on lançait un disque **siam**
– Dans un navire, pièce de renforcement en bois parallèle à la quille **carlingue**

QUINCAILLERIE **ferblanterie**
– Quincaillerie d'outillage **taillanderie**
– C'est de la quincaillerie ! **pacotille**

QUINZE
– Polygone à quinze côtés **pentadécagone**
– Joueur de rugby à quinze **quinziste**

QUIPROQUO **malentendu, méprise**
– Enchaînement de quiproquos **imbroglio, embrouillamini**

QUITTANCE **reçu, acquit, récépissé**

QUITTER voir aussi **abandonner**
– Quitter quelqu'un **se séparer de, laisser**
– Quitter son manteau **ôter, se débarrasser de, se dépouiller de, se défaire de, retirer, enlever**
– Il faut quitter la salle **évacuer**
– Quitter temporairement un lieu **s'absenter**
– Quitter son pays **émigrer, s'expatrier**
– Quitter son emploi **démissionner**
– Quitter ses fonctions **résigner, se démettre de**

QUOTE-PART **cotisation, contribution**
– Montant d'une quote-part **quotité**
– Quote-part d'un impôt **cote**
– Quote-part à payer pour un repas pris en commun **écot**
– Quote-part du bénéfice net perçue par les administrateurs d'une entreprise, d'une société anonyme **tantième**

R

RABAIS **abaissement** voir aussi **prix**
– Rabais sur le prix d'une marchandise **discount, rabat, remise, solde**
– Rabais sur un contrat financier **bonification, escompte**
RABAISSER **amoindrir, ravaler, réduire**
– Rabaisser moralement **avilir, dégrader, déprécier, humilier**
RABATTRE voir aussi **diminution**
– Rabattre la T.V.A. du prix d'un produit **décompter, déduire, défalquer**
– Rabattre le gibier vers les chasseurs **conduire, forcer, ramener**
– Rabattre la pointe d'un clou **aplatir, coucher, river**
– Se rabattre sur des merles, faute de grives **se contenter de**
– Se rabattre brusquement sur le côté **se ranger**
RABBIN voir aussi **juif**
– Ancienne fonction du rabbin dans le judaïsme **commentateur, enseignant, sage**
– Fonction actuelle du rabbin **culte, enseignement**
– Ils furent rédigés par des rabbins **Kabbale, Talmud**
– Le rabbin est docteur de cette loi **loi mosaïque**
– Le rabbin y célèbre le culte **synagogue**
– Le rabbin y enseigne **schuhl, yeshiva**
– Chante l'office et remplace le rabbin en cas de besoin **ministre officiant**
– Grand rabbin de la communauté juive d'un pays **représentant**
– Assemblée présidée par un grand rabbin **consistoire**
– Fut chargé du culte divin avant les rabbins et jusqu'à la destruction du Temple **kohen**
– Langues liturgiques utilisées par le rabbin **araméen, hébreu**
– Nourriture supervisée par le rabbin **kasher**
– Assistant du rabbin au temple **lévite**
– Secte composée de rabbins au Ier siècle après Jésus-Christ **pharisiens**

RABOT
– Ouvrier utilisant un rabot **huchier, menuisier, raboteur**
– Rabot mécanique **dégauchisseuse**
– Type de rabot de menuisier **bouvet, colombe, doucine, guillaume, tarabiscot, varlope**
– Rabot de tailleur de pierre **rabotin**
– Éclats formés sous l'action du rabot **copeaux, rabotures**
RABOTEUX
– Surface raboteuse au toucher **rugueuse, inégale**
RABROUER **gronder, rebuter**
– Rabrouer quelqu'un pour s'en débarrasser **éconduire, envoyer au diable, rejeter, renvoyer**
RACCOMMODER **rapetasser, rapiécer, réparer**
– Raccommoder un habit déchiré **stopper**
– Raccommoder en cousant **raccoutrer, ravauder, recoudre, repriser, passefiler**
– Raccommoder en tricotant **remmailler, renforcer**
– Raccommoder des ennemis **accorder, concilier**
– Se raccommoder après une longue dispute **se rabibocher, se réconcilier**
RACCORDER **raccrocher, rattacher**
– Raccorder deux objets **assembler, joindre, relier, unir**
– Raccorder avec du plâtre **ruiler**
– Raccorder deux conduites d'eau **rabouter**
RACCOURCI **analyse, ellipse**
– Raccourci en architecture **perspective**
RACCOURCIR
– Raccourcir un texte **abréger, diminuer, écourter, réduire, résumer**
– Raccourcir les branches d'un arbre **ébouter, écimer, élaguer, émonder, tailler**
RACE
– Origine de la race **souche**
– Initiateur de la race **aïeul, ancêtre**
– De même race, dans une famille **sang, ascendance, descendance, extraction, lignage, parage**

– Continuité de la race **génération, lignée, postérité**
– La race humaine **espèce**
– Race d'hommes liés par une origine naturelle commune **ethnie, lignée, peuple**
– Race définie d'après la forme de la tête en anthropologie **brachycéphale, dolichocéphale, mésocéphale**
– Discrimination fondée sur la notion de race **racisme, ségrégation**
– Théorie d'amélioration des races fondée sur l'hérédité **eugénisme**
– Caractère biologiquement régressif d'une race **dysgénique**
– Race de chien en zoologie **sous-espèce**
– Subdivision de la race **sous-race, variété**
– Mélange de races **croisement, métissage**
– Animal résultant d'un croisement de races **bâtard, croisé, mâtiné**
– Cheval de race **pur-sang**
– Livre généalogique des races chevalines **stud-book**
– Livre généalogique des races bovines **herd-book**
– Façon péjorative de désigner une race **engeance, espèce, sorte**
RACHETER **récupérer**
– Racheter sa liberté **se libérer**
– Racheter une dette **se rédimer**
– Racheter ses fautes morales **effacer, expier**
– Racheter par la rédemption **pardonner, relever, sauver**
– Racheter les erreurs passées de quelqu'un **réhabiliter**
– Racheter les défauts d'une construction **compenser, corriger**
RACINE
– La base des racines d'une plante **souche**
– Racine principale **pivot, racine primaire**
– Racine secondaire **fibrille, racine adventive, radicelle**
– Séparation de la racine et de la tige **collet**
– Extrémité supérieure de la racine **culasse**

– Extrémité d'une racine **coiffe**
– Racine renflée **bulbe, bulbille, oignon, tubercule**
– Grosse racine verticale **pivotante**
– Racine horizontale **traçante**
– Racine aérienne **crampon**
– Système à racines nombreuses **chevelu, fasciculé**
– Racine de l'embryon d'une plante **radicule**
– Rejet poussant sur la racine **bouture**
– Organe de la racine d'une plante parasite **suçoir**
– Association d'une racine et d'un champignon **mycorhize**
– Plantes sans racines, comme les champignons **thallophytes**
– Prendre racine **s'enraciner, raciner, s'implanter**
– Déterrer les racines **déchausser, déraciner**
– Une dent aux racines recourbées **barrée**
– Racine d'un nerf **rachidienne, radiculaire**
– Racines d'une culture **bases, commencements, naissance, origines**
– La racine d'un problème **essence, principe**
– Symbole mathématique de l'extraction d'une racine **radical**
– Degré d'une racine mathématique **indice**
– Racine d'un mot **formant, monème**
– Élément s'adjoignant à la racine d'un mot **flexion, dérivation, affixe, infixe, préfixe, suffixe**
– Étude historique des racines linguistiques **étymologie**
– Langue où les mots sont constitués de racines et d'affixes **flexionnelle**

RACONTER conter, narrer, rapporter, relater, retracer
– Raconter en détail **détailler, historier**
– Raconter une période historique **décrire, dépeindre, exposer**
– Raconter une série d'inepties **débiter, réciter**
– Raconter des histoires **fabuler**
– Raconter une histoire **inventer, forger, imaginer**
– Raconter des histoires sur quelqu'un **baver sur, médire de, cancaner**

RADAR balise, détecteur, mouchard, racon
– Radar monté sur un avion **AWACS**

RADIATION émanation, rayon, rayonnement voir aussi **atomique**
– Radiations non visibles **rayons X, rayons gamma, rayons ultraviolets**
– Radiations lumineuses **émissions, irradiations**
– Étude des radiations comme procédé divinatoire **radiesthésie**
– Un corps pouvant faire obstacle aux radiations calorifiques **athermane**
– Un corps laissant passer les radiations calorifiques **diathermane**
– Radiation d'un avocat inscrit au barreau **annulation**

RADICAL (1)
– Radical d'un mot **clé, racine, thème**
– Thèses d'un radical en politique **radicalisme**

RADICAL (2) absolu, foncier, fondamental
– Changement radical **complet, essentiel, total**
– Entamer une réforme radicale **drastique**
– Une politique radicale **extrémiste, révolutionnaire**
– Lettre radicale d'une racine dans les langues sémitiques **primitive**

RADIO fréquence, onde, télécommunication
– Émission de radio **plage, programme**
– Il veut acheter une radio **émetteur-récepteur, transistor**
– Radio médicale **radiographie, radioscopie, scanner**

RADIOACTIF
– Des atomes radioactifs contenus dans un corps **radioéléments, radio-isotopes**

RADIOACTIVITÉ
– Signe extérieur de radioactivité **fluorescence, radiation, rayonnement**
– Traitement visant à supprimer la radioactivité **décontamination**

RADIOCOMMUNICATION
– Spécialiste assurant les radiocommunications sur terre ou sur mer **radiotélégraphiste, radionavigant**
– Technique de radiocommunication **radiodiffusion, radiophonie, téléphonie sans fil**

RADIOÉLECTRIQUE
– Onde radioélectrique **signal**
– Type d'ondes radioélectriques **courtes, électromagnétiques, hertziennes, longues, moyennes**
– Unités de longueur et de fréquence des ondes radioélectriques **mètre, kilohertz, mégahertz**
– Substance utilisée pour la détection des signaux radioélectriques **galène**

RADIOGRAPHIE
– Technique utilisant la radiographie médicale **radiologie**
– Technique utilisant des images médicales autres que la radiographie **échographie, imagerie par résonance magnétique, scintigraphie**

RADIUM
– Métal proche du radium **baryum**
– Émanation du radium dans l'atmosphère **radon**
– Dérivé radioactif du radium **bismuth 210, plomb 214, polonium 218, radioplomb**
– Thérapie par le radium **curiethérapie**
– Minerai contenant du radium **pechblende**

RAFFINAGE
– Raffinage du sucre **décoloration, recuite, réduction**
– Raffinage du pétrole **distillation, fractionnement**

RAFFINÉ
– Sucre raffiné **affiné, fin**
– Pétrole raffiné **essence, hydrocarbures**
– Substance raffinée à l'extrême **pure, quintessenciée**
– Personne raffinée **délicate, évoluée, habile, polie, spirituelle**
– Au goût raffiné **difficile, subtil**
– Ton raffiné **aristocratique, distingué, recherché**
– Excessivement raffiné **affecté, alambiqué, sophistiqué**

RAFFINER affiner, épurer, purifier
– Raffiner du sucre **candir, édulcorer**
– Raffiner ou épurer en alchimie **sublimer**
– Raffiner un texte **améliorer, fignoler, subtiliser, ciseler, policer**

RAFRAÎCHIR
– Rafraîchir une boisson **frapper, réfrigérer, refroidir**
– Vos cheveux sont trop longs, il faut rafraîchir tout ça ! **coiffer, tailler**
– Rafraîchir la mémoire **rappeler, aider à se souvenir**
– Rafraîchir les couleurs d'un tableau **rajeunir, raviver, revivifier**
– Rafraîchir un mur **nettoyer, rénover, restaurer, retaper**
– Se rafraîchir **boire, se désaltérer**

RAGE
– Symptôme de la rage **bave, hydrophobie, spasmes, hallucinations, paralysie**
– Vaccin contre la rage **antirabique**
– Rage de dents **abcès, infection**
– En proie à la rage **en rogne, en colère, en furie**

– La rage d'écrire **manie, fièvre, passion, fureur**
– Le cyclone fait rage **sévit**
– Provoquer la rage **faire bisquer, faire endêver**
– Exprimer de la rage **fulminer, maronner, maugréer, rouspéter**
– Éprouver de la rage **écumer, enrager**

RAISON entendement, intelligence
– La raison lui dicte sa conduite **bon sens, discernement, jugement**
– Exercice de la raison **compréhension, connaissance, esprit, pensée**
– Activité de la raison **raisonnement**
– La science des lois de la raison **logique**
– La raison cartésienne est l'instrument du jugement **justesse, rectitude, sagesse, sens**
– Règles de la raison selon Descartes **lois, principes**
– Raison intuitive dans la philosophie grecque **noêsis**
– Raison discursive dans la philosophie grecque **dianoia**
– La raison morale chez Kant **pratique**
– Livre de raison **de comptes**
– Système de pensée fondé sur la prééminence de la raison **rationalisme**
– Doctrine contestant l'existence de la raison a priori **associationnisme, empirisme, sensualisme**
– Raison métaphysique **cause première, origine, principe**
– Courant artistique prétendant affranchir la création du contrôle de la raison **surréalisme**
– Prééminence de la foi sur la raison **fidéisme, mysticisme**
– Philosophie de la raison au XVIIIe siècle **des Lumières**
– Connaissance provenant de la raison **rationnelle**
– Âge de raison **maturité**
– Connaissance ne provenant pas de la raison seule **empirique, expérimentale**
– Un jugement conforme à la raison **bien fondé, juste, légitime, sensé**
– Une opinion allant à l'encontre de la raison **absurde, déraisonnable, folle, insane, insensée, irraisonnée**
– Mon oncle n'a plus toute sa raison **conscience, lucidité**
– Faire entendre raison **convaincre, soumettre**
– Se faire une raison **admettre, consentir à, se résigner à**
– Perdre la raison **délirer, divaguer**
– Raison vacillante **déraison, égarement**
– Sans rime ni raison **sans signification**
– La raison écrite dans l'Antiquité romaine **droit**
– Raisons démontrant le contraire d'une affirmation **réfutation**
– Quelles raisons opposez-vous à cette accusation ? **arguments, considérations, preuves, allégations**
– Raison justifiant une action **considération, excuse, motif**
– Quelle est la raison de ce vacarme ? **cause, explication, origine**
– La raison d'un crime **mobile**
– Raison fallacieuse **prétexte**
– Raison de droit **moyen**
– Donner raison à quelqu'un **approuver, soutenir**
– Cette conduite n'a aucune raison d'être **lieu**
– Son travail est sa seule raison d'être **but, fin**
– À plus forte raison **a fortiori**
– Demander raison d'un affront **réparation**
– Avoir raison d'un obstacle **franchir, passer, vaincre**
– Comme de raison **juste**
– Raison d'une progression mathématique **rapport**
– Raison directe de deux quantités **fonction, proportion**
– Raison sociale d'une entreprise **désignation, nom**

RAISONNABLE
– L'homme est un animal raisonnable **intelligent, pensant**
– Attitude raisonnable **judicieuse, mûre, sage**
– Conclusion raisonnable **naturelle, normale**
– Fixer un montant raisonnable **acceptable, correct, modéré**
– Un effort raisonnable **mesuré**
– S'habiller de manière peu raisonnable **excentrique, extravagante**
– Sa conduite n'est pas raisonnable **irréfléchie, légère, exagérée**
– Un tempérament peu raisonnable **excessif, passionné**

RAISONNEMENT composition, construction, élaboration, spéculation
– Matière d'un raisonnement **concept, idée, notion**
– But d'un raisonnement **analyse, conclusion, preuve, réfutation**
– Science du raisonnement **logique**
– Raisonnement logique **déduction, inférence, sorite, syllogisme**
– Raisonnement par l'absurde **raisonnement ab absurdo, apagogie**
– Raisonnement mathématique **démonstration, théorème**
– Un raisonnement par analogie **inductif**
– Raisonnement s'appuyant sur la seule raison **a priori**
– Raisonnement s'appuyant sur l'expérience **a posteriori**
– Raisonnement construit dans une discussion **argumentatif, dialectique**
– Raisonnement disjonctif **dilemme**
– Raisonnement induit par la folie **délire, paranoïa**
– Point de départ d'un raisonnement **postulat, principe**
– Point de départ d'un raisonnement logique **prémisse, énoncé, lemme, proposition**
– Aboutissement d'un raisonnement **conclusion**
– Raisonnement incorrect **paralogisme, sophisme**
– Faux raisonnement **échafaudage, illogisme**
– Un raisonnement trompeur **captieux, fallacieux, spécieux**
– Impasse dans un raisonnement **aporie**
– Un raisonnement irréfutable **apodictique**
– Vain raisonnement **argutie, chicane**
– Contrer un raisonnement **attaquer, critiquer, réfuter**
– Énoncé mathématique donné sans raisonnement **axiome, évidence**
– Affirmation ne résultant pas d'un raisonnement **adage, apophtegme, maxime, sentence**

RAISONNER penser, philosopher
– Raisonner avant de prendre une décision **calculer**
– Raisonner verbeusement **ratiociner, sophistiquer**
– On raisonne pour pouvoir **argumenter, controverser, disputer**
– Rien ne sert de raisonner **discuter, objecter, répliquer**
– Raisonner logiquement **déduire, induire**
– Raisonner quelqu'un **admonester, chapitrer, moraliser, réprimander, semoncer**
– Se raisonner **se contrôler, se dominer, se reprendre**

RAPACE voir dessin

RATIONNEL voir aussi **raison**
– Expliquer de manière rationnelle **rationaliser**
– Des propos rationnels **cohérents, conséquents**
– Une attitude rationnelle **fonctionnelle, méthodique, rigoureuse**

– Un esprit rationnel **cartésien, déductif, logique**
– Rapport rationnel **algébrique, géométrique**
– Organisation rationnelle d'une entreprise **automatisation, normalisation, planification, standardisation**

RATTACHER voir aussi **réunir**
– Rattacher ses lacets **attacher, nouer, refaire**
– Rattacher un câble à une installation **adapter, brancher**
– Rattacher un territoire à un État **annexer, incorporer**
– Le hongrois est rattaché aux langues finno-ougriennes **relié**
– On rattache certains phénomènes magnétiques aux lois climatiques **attribue**
– Une conclusion se rattache à ses prémisses **dépend de**
– Perles se rattachant les unes aux autres **s'enchaînant**

RATTRAPER
– Rattraper un objet **attraper, ressaisir, retenir**
– Rattraper un détenu évadé **arrêter, retrouver**
– Rattraper son retard **réduire, combler**
– Rattraper une grosse gaffe **corriger, réparer**
– Il a finalement rattrapé sa mayonnaise **réussi**
– Je l'ai rattrapé du regard **poursuivi**
– Il s'est rattrapé à une prise **raccroché, retenu**
– Il s'est rattrapé à temps **racheté, ressaisi, repris, retourné**
– Il a supprimé la pâtisserie, mais il se rattrape sur le chocolat **compense**
– Pour rattraper de mauvais résultats **repêchage**

RAVAGE
– Ravage causé par l'homme **dégât, destruction, dévastation, pillage, ruine, sac**
– Ravage d'origine naturelle **bouleversement, cataclysme, désolation, sinistre**
– Les ravages fatals du temps **rides, vieillesse**
– Il fait des ravages chez les midinettes **attire, séduit, tourneboule**

RAVI
– Quel beau cadeau ! Je suis ravi **comblé, content, heureux, satisfait**

RAVIR
– Ravir une personne **emmener, enlever, kidnapper**
– Ravir les biens d'autrui **s'approprier, s'emparer de, souffler, usurper**
– Ravir officiellement **confisquer**
– Ce roman l'a ravi **captivé, emballé, enthousiasmé, grisé, transporté**
– Elle ravit ceux qui la contemplent **attire, charme, enchante, ensorcelle, séduit**
– Propre à ravir **beau, exaltant, magnifique, ravissant, superbe**

Rapaces

RAYON voir aussi **radiation**
– Rayon lumineux **jet, rai, trait**
– Le soleil darde ses rayons **brille, éclaire, étincelle**
– Rayons lumineux parallèles **faisceau**
– Rayon pénétrant une substance **immergent**
– Rayon sortant d'une substance **émergent**
– Rayon dérivé **réfracté**
– Dérivation des rayons lumineux **réfringence**
– Dérive et disperse les rayons lumineux **prisme**
– Réfléchit les rayons lumineux **miroir**
– Émettre des rayons **irradier**
– Émission et propagation de rayons **rayonnement**
– Disposé en rayons **radiaire, radié, stellaire**
– Double du rayon **diamètre**
– Rayon d'action **envergure, étendue**
– Rayon de cire d'abeille **alvéoles, gâteau**
– Rayon d'une bibliothèque **degré, étagère, rayonnage, tablette**
– Ce n'est pas mon rayon **affaire, domaine, juridiction, de ma compétence, de mon ressort**
– Le rayon des légumes **étalage, éventaire, stand, console**

RAYONNER **luire**
– Son visage rayonne d'allégresse **éclate de, irradie**
– Une personne rayonnant de bonheur **radieuse, ravie**
– La culture grecque rayonna dans le monde occidental **se développa, se répandit, se propagea**

RÉACTION
– Mouvement contraire et égal à la réaction, et qui la détermine **action**
– Dispositif de propulsion par réaction **réacteur, turbine**
– Moyen de transport à réaction **avion, fusée**
– Réaction chimique **catalyse, dialyse, électrolyse**
– Substance provoquant une réaction chimique **catalyseur**
– Produit chimique détectant la présence d'une substance par réaction **réactif**
– Réaction biochimique déclenchée par la lumière **photosynthèse**
– Réaction nucléaire **désintégration, explosion, fission, fusion**
– Réactions propres à un individu **idiosyncrasie**
– Réaction violente de l'organisme à un agent étranger **anaphylaxie, allergie**
– Réaction médicalement provoquée **cuti-réaction**
– Excitation provoquant la réaction du système nerveux **stimulus**
– Réaction à un stimulus **réflexe, réponse**
– Réaction contre un événement historique **opposition, résistance**
– Réaction contre un changement historique **contre-révolution, restauration**
– Partisan de la réaction **conservateur, réactionnaire**
– Réaction suivant un événement **conséquence, contrecoup, effet, sursaut**

RÉALISER
– Réaliser une tâche **effectuer, exécuter**
– Réaliser un projet **accomplir, concrétiser**

– Réaliser les désirs de quelqu'un **combler, exaucer**
– Il réalise le type du compagnon idéal **incarne, personnifie, représente**
– Réaliser un bénéfice ou un profit **obtenir**
– Réaliser une propriété en argent **convertir, transformer, vendre, liquider, brader**
– Il vient de réaliser l'importance de la situation **comprendre, imaginer, saisir, se rendre compte de**
– Ses fantasmes se réalisent dans sa peinture **s'expriment, se traduisent**
– Il se réalise pleinement dans ses études **s'épanouit, mûrit**

RÉALISME voir aussi **vérité**
– Attitude pleine de réalisme **pragmatisme, utilitarisme**
– Réalisme platonicien **idéalisme**
– Le réalisme d'un portrait **fidélité, ressemblance**
– Le réalisme d'un récit **véracité, vérité, vraisemblance**
– Le réalisme d'Émile Zola **naturalisme**
– Réalisme rabelaisien **crudité**
– Réalisme littéraire au XIXe siècle en Italie **vérisme**
– Réalisme politique **Realpolitik**
– Réalisme excessif **cynisme, opportunisme**

RÉALITÉ
– Réalité d'un fait **matérialité, vérité, authenticité**
– Réalité de la matière **substance**
– Théorie définissant la matière comme seule réalité **matérialisme**
– Théorie définissant l'esprit comme réalité supérieure **spiritualisme**
– La réalité qui nous entoure **monde, nature, univers, réel**
– Ce qui constitue pour nous une réalité **chose, être, fait, objet**
– Constituer une réalité **exister**
– Réalité incontestable **évidence**
– Aspect extérieur pas forcément conforme à la réalité **apparence**
– Interprétation de la réalité **allégorie, chimère, conte, fiction**
– Concept n'ayant pas de correspondance avec la réalité vécue **abstraction**
– Courant artistique s'attachant à reproduire exactement la réalité **hyperréalisme**

REBELLE (1) voir aussi **révolte**
– Action menée par les rebelles **insurrection, rébellion, soulèvement, trouble**

REBELLE (2) factieux, insurgé, mutin, révolté, séditieux
– Rebelle à une idéologie **dissident**
– Se montre rebelle à l'armée **déserteur, insoumis**
– Un enfant rebelle **désobéissant, indiscipliné, indocile, récalcitrant**
– Rebelle à tout conseil **fermé, opposé, sourd**
– État d'un esprit rebelle **opposition, refus, résistance, insubordination**

REBONDIR
– La balle rebondit **rejaillit, saute**
– Une pierre rebondit à la surface de l'eau **ricoche**
– Événement qui fait rebondir le cours des choses **contrecoup, coup de théâtre, développement, imprévu**

RECENSEMENT
– Recensement de la population **compte, dénombrement**
– Recensement du contingent **appel, conscription**
– Recensement des richesses **détail, énumération, inventaire, évaluation**
– Résultats d'un recensement **relevés, statistiques**

RÉCENT nouveau
– Une nouvelle toute récente **chaude, fraîche**
– Géologiquement récent **jeune**
– Mobilier récent **moderne, neuf**
– Le passé récent **proche**

RÉCEPTION voir aussi **recevoir**
– Sert à la réception des sons **collecteur, récepteur, tympan**
– Réception de travaux sur un chantier **acceptation, contrôle**
– Réception réservée à une personnalité **accueil**
– Se rendre à une réception **buffet, cérémonie, fête, gala, soirée, raout**
– Réception en Afrique du Nord **diffa**
– Réception à l'Académie française **admission**
– Organise les réceptions **amphitryon, hôte**
– Il hante les réceptions **parasite, pique-assiette**

RECETTE
– Recette d'un commerce **rentrée, produit**
– Bénéfice dégagé par la recette **boni, gain, plus-value, profit, revenu**
– Compte des recettes et des dépenses **balance, budget**
– Recettes du fisc **contributions, impôts**
– S'adresser à la recette principale **perception**
– Collecte les recettes du fisc **percepteur, receveur**
– Recette alchimique **formule**
– Recette de cuisine **indications, préparation**
– Recette infaillible pour réussir **méthode, moyen, procédé, truc**

RECEVOIR
– Recevoir un colis **réceptionner**
– Recevoir de l'argent **empocher, encaisser, percevoir, toucher, embourser**
– Recevoir un trophée **décrocher, obtenir**
– Il a reçu de sa mère un mauvais caractère **hérité**
– La leçon qu'il a reçue de cette expérience **tient, tire**
– Recevoir un coup de poing **attraper, prendre, récolter**
– Recevoir des injures **endurer, essuyer, subir**
– Recevoir un choc à l'annonce de cette nouvelle **éprouver, être frappé**
– Recevoir des hôtes de passage **accueillir, héberger**
– Recevoir des amis à dîner **convier, inviter**
– Les amphores étaient prévues pour recevoir l'huile de palme **mettre, recueillir**
– Recevoir des excuses **accepter, agréer**
– Recevoir une demande pour valable **reconnaître**
– Il ne reçoit pas les idées opposées aux siennes **souffre, supporte, admet**
– Être reçu à un concours **admis, passé**
– Une théorie reçue **reconnue**

RÉCHAUFFÉ
– C'est du réchauffé **connu, désuet**

RÉCHAUFFER attiédir
– Réchauffer ses doigts engourdis **dégeler, ranimer**
– Cela réchauffe le cœur **réconforte**
– Réchauffer l'atmosphère **détendre**
– Réchauffe l'atmosphère terrestre **effet de serre, hydrocarbures**
– Sert à réchauffer **chaufferette, réchaud**

RECHERCHE quête
– Recherche de minéraux **prospection**
– Organisme chargé de la recherche fondamentale en France **C.N.R.S. (Centre national de la recherche scientifique)**
– Recherches archéologiques **excavations, fouilles**
– Recherche d'informations **enquête**
– Recherche du profit **lucre**
– Recherches judiciaires **investigations, perquisitions**
– Recherche d'aveux par la force **torture**
– Recherche intellectuelle **étude**

– Travail de recherche scientifique **examen, expérience, observation**
– Recherche littéraire **essai**
– Recherche minutieuse **disquisition**
– Recherche théorique **spéculation**
– Recherche au hasard **tâtonnement**
– Recherche par l'analyse de chacun des éléments d'un problème **dissection**
– Recherche du bonheur **poursuite**
– Recherche dans l'habillement **apprêt, art, raffinement, soin**
– Recherche excessive d'un style littéraire **cultisme, euphuisme, gongorisme, préciosité**
– Recherche exagérée dans les manières **affectation, afféterie, mièvrerie, mignardise, pose**

RECHERCHÉ
– Un livre recherché **rare**
– Un acteur recherché **couru, à la mode, en vogue**
– Une écriture recherchée **étudiée, raffinée, soignée, travaillée**
– Un goût recherché **délicat, exquis**
– Un langage exagérément recherché **brillanté, mignard, musqué, précieux, affecté**

RECHERCHER chercher, explorer, fouiller, fouiner, fureter
– Rechercher les causes d'un phénomène naturel **analyser, déterminer**
– Rechercher un fugitif **pourchasser, poursuivre, traquer**
– Rechercher les faveurs de quelqu'un **désirer, quêter, solliciter**

RÉCIPROQUE (1)
– Je lui ai rendu la réciproque **pareille**

RÉCIPROQUE (2)
– Sentiment réciproque **mutuel, partagé**
– Accord réciproque **bilatéral, synallagmatique**
– Lien réciproque **corrélation, correspondance, solidarité**
– Une décision résultant d'un accord réciproque **concertée**
– Achat réciproque **coemption**
– En logique, proposition réciproque **converse, inverse**
– En géométrie, figures réciproques **duales**
– Pronom réciproque **réfléchi**
– Violence réciproque **représailles, loi du talion, vengeance**

RÉCIT exposition, histoire, littérature, narration, relation voir aussi **raconter, recueil**
– Récit sur un point précis **communication, conférence, exposé, laïus, rapport**
– Récit didactique **cours, enseignement, leçon**
– Récit écrit **nouvelle, roman**
– Récit présentant des faits comme étant réels **biographie, compte rendu, confession, description, reconstitution, témoignage**
– Récit imaginaire **conte, épopée, fable, fiction, légende, mythe**
– Récit de faits historiques **annales, chronique**
– Il a écrit le récit de sa propre vie **autobiographie, journal, Mémoires**
– Récit juridique **factum, mémoire, minute, procès-verbal**
– Récit journalistique **article, papier, reportage**
– Récit moral **apologue**
– Récit médiéval en vers **fabliau**
– Récit symbolique **allégorie**
– Quelques récits religieux fondateurs ***Avesta*, Bible, Coran, Évangiles, *Mahabharata*, *Pop Wuh***
– Récit mythologique **l'*Énéide*, l'*Iliade*, l'*Odyssée***
– Récit à suivre **feuilleton**
– Long récit **cycle, somme, saga, trilogie, tétralogie, geste**
– Récit de moindre importance **anecdote, historiette**
– Structure d'un récit **canevas, construction, intrigue, scénario, trame, action**
– Partie d'un récit **chapitre, détail, épisode, péripétie, scène, tableau**
– Fin de récit **conclusion, dénouement**
– Changement brusque dans le fil du récit **coup de théâtre, rebondissement**
– Récit chanté **cantate, opéra, opérette, oratorio**
– Récit parlé dans un opéra **déclamation, mélopée, récitatif**
– Recueil de récits **anthologie, fablier**

RÉCITAL audition, concert, tour voir aussi **chant, musique**
– Récital romantique **aubade, sérénade**
– Série de récitals **spectacle, tournée**

RÉCITER
– Réciter des vers **déclamer, lire, scander**
– Réciter un texte **dire, débiter, énoncer, prononcer**
– Réciter avec difficulté **ânonner, bafouiller, balbutier, bredouiller**

RÉCLAMATION demande, doléance, pétition, plainte, requête, revendication
– Réclamation à haute et vive voix **clameur, cri, protestation**

RÉCLAME annonce, publicité
– Vendu en réclame **solde, promotion**
– Sa meilleure réclame, c'est son doux caractère **atout**
– Réclame intensive **campagne, battage**
– Faire la réclame d'un spectacle **éloge**
– Réclame à la fin d'une tirade au théâtre **signal**
– Réclame dans un plain-chant **reprise**
– Le fauconnier fait revenir son oiseau par un réclame **cri, rappel**

RÉCLAMER
– Réclamer l'indulgence de quelqu'un **implorer**
– La pratique d'un instrument réclame de la patience **appelle, commande, nécessite, requiert, suppose**
– Réclamer du pain **demander, exiger, quémander**
– Réclamer une responsabilité **prétendre à, revendiquer**
– Réclamer des dommages et intérêts devant le tribunal **répéter**
– Réclamer contre une injustice **gémir, se plaindre, protester, se récrier, récriminer, râler**
– Réclamer en faveur de quelqu'un **intercéder**
– Il se réclame de l'impressionnisme **invoque, se recommande de**

RÉCOLTE
– Récolte de baies sauvages **arrachage, cueillette**
– Récolte de produits cultivés **moisson, ramassage**
– Récolte des foins **fenaison**
– Récolte du raisin **vendange**
– Dans l'Antiquité romaine, récolte emmagasinée pour l'année **annonce**
– Les récoltes y sont entreposées **fenil, grange, grenier, pailler, silo**
– Récolte d'argent **butin, collecte, gain, profit**

RECOMMANDER
– Recommander une personne pour un emploi **appuyer, épauler, patronner, soutenir, pistonner**
– Recommander son âme à Dieu **prier**
– Je vous recommande la discrétion **demande, conseille**
– Il lui recommande de se tenir tranquille **avertit de, exhorte à**
– Je recommande cet excellent champagne **préconise, prône**
– Recommander un envoi **assurer, garantir**
– Se recommander d'une personne **se réclamer de**

– Se recommander au bon souvenir de quelqu'un **se rappeler**
RECOMMENCER **reprendre**
– Recommencer à fumer **se remettre à**
– Recommencer une expérience **refaire, réitérer, renouveler, répéter, retenter**
– Il va recommencer sa terminale **redoubler**
– Recommencer une chanson pour le public **bisser**
– Recommencer les mêmes erreurs **récidiver**
– Recommencer sa vie **changer, renaître**
– Les combats ont recommencé **repris**
– Le mécontentement recommence **se ranime, se ravive**
RÉCOMPENSE voir aussi **trophée**
– Récompense en argent **don, gratification, pourboire, prime, paiement, rétribution**
– Récompense honorifique **accessit, couronne, distinction, mention, prix, satisfecit**
– Classement des récompenses **palmarès**
– Récompense militaire **citation, décoration, médaille**
– Récompense académique **palmes**
– Tu auras une récompense pour ta peine **compensation, dédommagement**
– Justifie une récompense **effort, mérite**
– Donner une récompense **décerner**
– A obtenu une récompense **lauréat, vainqueur**
RÉCONCILIER
– Réconcilier un hérétique avec l'Église **convertir, réunir à**
– Se réconcilier après une brouille **se pardonner, se rajuster, renouer**
– Action visant à réconcilier deux parties **entremise, entrevue, médiation, négociation**
RÉCONFORT
– Obtenir un bien maigre réconfort auprès de ses proches **consolation, allégeance**
RÉCONFORTER **aider, consoler, relever**
– Un doigt d'alcool réconforte **stimule, soutient**
RECONNAISSANCE
– Reconnaissance d'une autorité **acceptation, soumission**
– Reconnaissance d'un territoire inconnu **découverte**
– Envoyer un groupe d'hommes en reconnaissance **exploration, inspection, investigation, recherche**
– Reconnaissance aérienne **observation**
– Reconnaissance d'un enfant **filiation, légitimation**
– Reconnaissance de dette **reçu**
– Éprouver un sentiment de reconnaissance **gratitude**
– Preuve de reconnaissance **obligation, remerciement**
– Preuve de reconnaissance envers Dieu **dévotion, ex-voto, grâce**
– Signe de reconnaissance dans une enquête **empreinte, indice, marque, signalement**
– Signe de reconnaissance entre deux personnes **code, mot de passe, signal**
RECONNAÎTRE voir aussi **connaître**
– Reconnaître une personne **identifier, se rappeler, remettre, se souvenir de**
– Reconnaître un objet parmi d'autres **distinguer, remarquer, trouver**
– Reconnaître un défaut **deviner, juger, sentir**
– Reconnaître une erreur **admettre, avouer, confesser, assumer**
– J'ai tort, je le reconnais **accorde, en conviens, entends bien**
– Il a bien dû reconnaître ta version des faits **avérer, croire**
– On lui reconnaît certaines qualités **attribue, concède, donne**
– Reconnaître la complexité d'un problème **constater, discerner**
– Reconnaître un fond sous-marin **prospecter, sonder**
– Les gardes-côtes ont reconnu un navire suspect **arraisonné**
RECONSTITUER voir aussi **réparer**
– Reconstituer des troupes en désordre **rappeler, rassembler**
– Reconstituer des tissus organiques **régénérer**
– Reconstituer un crime **analyser, décrire, simuler**
– Permet de reconstituer des faits par raisonnement **déduction, recoupement**
– Il permet de reconstituer ses forces **remontant, stimulant, tonique**
RECORD
– Record sportif **exploit, performance**
– Faire tomber un record **battre, dépasser**
– Détenteur d'un record **champion, recordman, recordwoman**
– L'eau atteint un niveau record **extrême**
RECOUVRER
– Recouvrer un parapluie prêté **reprendre, retrouver, récupérer**
– Recouvrer un impôt **encaisser, percevoir, toucher**
– Recouvrer ses forces **se reconstituer, se rétablir**
RECOUVRIR voir aussi **couvrir, peindre**
– Recouvrir un objet **cacher, dissimuler, masquer, voiler**
– Recouvrir d'or un métal **doubler, plaquer**
– Recouvrir un coussin **envelopper**
– Recouvrir de chocolat **enrober**
– Recouvrir un mur **enduire, habiller, tapisser**
– Recouvrir de terre **ensevelir, enterrer, inhumer**
– Le mot recouvre plusieurs concepts **embrasse**
– Se recouvrir partiellement **se chevaucher, s'imbriquer, se superposer**
– Des débris recouvrent le sol **jonchent, parsèment**
– Recouvrir un chemin **asphalter, bitumer, goudronner, paver**
RÉCRÉATION **amusement, délassement, détente, repos, jeu**
– L'heure de la récréation **pause**
– La lecture est sa seule récréation **loisir, passe-temps, plaisir**
RECRUTER
– Recruter des soldats **engager, enrégimenter, enrôler, incorporer, mobiliser, racoler**
– Recruter des travailleurs **embaucher**
– Recruter des militants **attirer, convaincre, embrigader**
– Recruter des fidèles **convertir**
– Moyen de recruter par force de loi **appel, conscription, service**
– Action de recruter des volontaires **engagement, enrôlement**
– Jeune récemment recruté **bleu, conscrit, recrue**
RECTANGLE voir **géométrie**
RECTIFIER **changer, modifier, rétablir**
– Rectifier un texte de loi **amender, réformer**
– Rectifier une pièce tordue **redresser**
– Rectifier une démonstration **corriger, revoir**
– Rectifier un alcool **déflegmer, distiller, épurer, traiter**
– Rectifier une erreur **effacer, réparer**
– Rectifier un style **châtier**
– Rectifier quelqu'un **tuer**
RECTITUDE
– Rectitude morale **droiture, fermeté, franchise, honnêteté, justesse, rigueur**
– Rectitude d'un raisonnement **conformité, exactitude, logique**

RECUEIL **choix, collection, compilation** voir aussi **livre, récit**
– Recueil de textes choisis **analectes, anthologie, florilège**
– Recueil de textes d'auteurs classiques **chrestomathie**
– Recueil de vers **centon, chanson, dit, plaquette, romancero**
– Recueil de fables **bestiaire, fablier, ysopet**
– Recueil d'essais d'auteurs divers **mélanges, miscellanées, variétés**
– Recueil d'anecdotes et de bons mots d'un auteur **ana**
– Recueil de notes ou de documents **archives, corpus, mémoire, spicilège**
– Recueil des chartes d'une église, d'un couvent **cartulaire, chartrier**
– Recueil de textes juridiques **bulletin, code, coutumier**
– Recueil des décisions de jurisconsultes en droit romain **digeste, pandectes**
– Recueil historique **annales, chronique**
– Recueil d'informations pratiques **almanach, annuaire, catalogue, guide, registre, répertoire**
– Recueil de références **bibliographie**
– Recueil de mots **dictionnaire, glossaire, index, lexique, nomenclature, thésaurus**
– Recueil de formules médicales **Codex, formulaire, Pharmacopée**
– Recueil de textes d'enseignement **abrégé, cours, manuel**
– Recueil de cartes **atlas, portulan**
– Recueil de textes religieux chrétiens **bullaire, canon**
– Recueil de textes religieux musulmans **sunna**
– Recueil de préceptes sanskrits **sutra**
– Recueil de textes religieux juifs **Kabbale, Aggada, Talmud, Torah**
– Recueil de photographies **album**
– Recueil de chansons **chansonnier**
– Recueil d'armoiries **armorial**
– Recueil de plantes séchées **herbier**
– Constituer un recueil de textes **colliger**

RECUEILLIR voir aussi **cueillir, récolte**
– Recueillir de l'argent **collecter, hériter, obtenir, quêter**
– Recueillir des impôts **lever, percevoir**
– Recueillir des ultrasons **capter**
– Recueillir des informations **amasser, collecter, enregistrer, glaner, rassembler, réunir**
– Recueillir des sans-abri **héberger, soigner**
– Vous en recueillerez toute ma sympathie **gagnerez, retirerez**
– Se recueillir **s'absorber, se concentrer, méditer, prier, réfléchir, se replier**

RECULER
– L'armée recule **décroche, fléchit, se replie, rétrograde**
– Faire reculer des manifestants **refouler, repousser**
– Les gens reculèrent soudain en désordre **refluèrent**
– Le navire dut reculer **culer**
– Reculer devant l'ampleur de la tâche **hésiter, se dérober, céder, abandonner, renoncer**
– Reculer un objet **déplacer**
– Reculer les limites de la connaissance **accroître, agrandir, étendre, repousser**
– Reculer l'échéance fatidique **ajourner, différer, retarder**
– L'épidémie recule **diminue, régresse**
– Marcher en reculant **à reculons**

RÉCURRENT
– Règle récurrente **récursive**
– Phénomème récurrent **itératif, réduplicatif, répétitif**
– Inutilement récurrent **redondant**

RÉCUSER
– Récuser un témoignage **refuser, rejeter, réfuter**
– Récuser l'autorité d'un tribunal **contester**
– Se récuser **s'abstenir**
– Fait que l'on ne peut récuser **irréfragable**

RÉDACTEUR **auteur** voir aussi **écrivain**
– Rédacteur d'un quotidien **chroniqueur, critique, échotier, éditorialiste, feuilletoniste, journaliste**

RÉDIGER **écrire**
– Cette dissertation est mal rédigée **conçue, formulée**
– Rédiger son journal **tenir**
– Rédiger un contrat **dresser, établir, libeller**
– Rédiger à la hâte **gribouiller, griffonner**

REDOUTER **s'alarmer, appréhender, craindre, s'effrayer** voir aussi **peur**

REDRESSER
– Redresser un pylône **relever, replanter**
– Redresser la trajectoire d'un engin **rectifier**
– Redresser avant qu'il ne soit trop tard **braquer**
– Redresser un sabre **défausser**
– Redresser une poutre **dégauchir**
– Redresser un défaut **corriger**
– Redresser la situation **rattraper**

RÉDUCTION voir aussi **diminution, rabais**
– Réduction d'une expression mathématique en éléments simples **analyse**
– Réduction d'une mesure en une unité différente **conversion**
– Permet la réduction d'une fracture **attelle, plâtre**
– Réduction chimique **élimination, désoxydation, désoxygénation**

RÉEL **actuel, effectif, donné, positif, véritable**
– Peut devenir réel **potentiel, possible, virtuel**
– On s'efforce de le rendre réel **idéal**
– Fait réel **authentique, certain, démontré, historique, indubitable**
– Un privilège bien réel **existant, palpable, patent, tangible, visible**
– L'origine réelle d'un mot **exacte, véritable**
– Type de nombre réel **algébrique, transcendant**
– Émotion réelle **sincère**
– Rendre réel **concrétiser, réaliser**
– Valeur non réelle d'une action **nominale**

RÉFÉRENDUM **appel, consultation, plébiscite, scrutin, suffrage, vote**
– Référendum en Suisse **votation**

RÉFLÉCHI
– Verbe réfléchi **pronominal, réflexif**
– Acte réfléchi **calculé, délibéré, prémédité**
– Attitude réfléchie **calme, concentrée, mûre, pondérée, posée, sage**
– Décision réfléchie **avisée, habile, prévoyante, prudente, raisonnable**

RÉFLÉCHIR **calculer, chercher, cogiter, observer, penser** voir aussi **réflexion**
– Réfléchir avant d'agir **mijoter, mûrir, préméditer**
– Ne le dérange pas, il réfléchit **se concentre, médite, se recueille, songe, rumine**
– Le conseil se retira pour réfléchir **se consulter, délibérer**
– Y réfléchir à deux fois **regarder**
– Réfléchir sur un problème **s'arrêter sur, considérer, étudier, examiner, peser**
– Le miroir réfléchit l'image **reflète, renvoie**
– Les derniers rayons du couchant se réfléchissaient sur la façade **brillaient, luisaient, miroitaient, se réverbéraient**
– Réfléchir des sons **répercuter**

REFLÉTER voir aussi **briller**
– Ses déclarations reflètent une certaine inquiétude **indiquent, expriment, reproduisent, traduisent**
RÉFLEXE automatisme, mouvement, réaction
– Réflexe pavlovien **associatif, conditionné**
– Le bon réflexe d'un automobiliste **coup d'œil, présence d'esprit, sang-froid**
– Agir par réflexe **instinctivement, involontairement, machinalement**
RÉFLEXION voir aussi **lumière, pensée**
– Réflexion de la lumière **diffusion, rayonnement, reflet, réverbération**
– Réflexion du son **écho**
– Il est capable de réflexion **application, attention, concentration, discernement, intelligence**
– Un sujet digne de réflexion **approfondissement, délibération, étude, méditation**
– Agir sans réflexion **aveuglément, au hasard, inconsciemment**
– Décider après mûre réflexion **sciemment**
– Réflexion morale exprimée par une formule **adage, aphorisme, maxime, précepte, sentence**
– Réflexion personnelle **annotation, considération, idée, note, observation, pensée**
– Faire des réflexions **remarques**
REFLUX
– Reflux des eaux **baisse, jusant, marée, perdant**
– Le flux et le reflux **balancement, fluctuation, va-et-vient**
– Reflux des soldats **recul, retrait**
RÉFORME voir aussi **changement, protestant**
– Réforme du christianisme **calvinisme, luthéranisme, Réformation**
– Opposition à la Réforme **Contre-Réforme, Ligue**
– Réforme d'une institution, de la société, d'une idée **amélioration, changement, modification, remaniement**
– Réforme d'une loi **amendement, refonte, révision**
– Demande des réformes **réformiste**
– Va au-delà des réformes **révolutionnaire**
– Réforme militaire **ajournement, exemption**
– Réforme d'un jugement **annulation**
REFOULEMENT voir aussi **inconscient, psychanalyse, psychologie**
– Refoulement conscient d'un désir **autocensure, inhibition, interdit**
– Refoulement freudien **défense, oubli, rejet**
REFOULER
– Refouler des étrangers **bannir, exclure, expulser**
– Refouler un agresseur **battre, chasser, repousser**
– Refouler ses sentiments **contraindre, dissimuler, étouffer, réfréner, réprimer, retenir**
– Il a refoulé sa colère **contenu, rentré**
– Refouler un métal **mater, repousser**
– L'eau de la rivière grossie refoulait jusqu'au pied des habitations **refluait**
REFUGE abri, cachette, havre, retraite
– Vous êtes mon ultime refuge **sauveur, soutien, secours**
– Refuge verdoyant dans le désert **oasis**
– Refuge de montagne **gîte, halte**
– Refuge pour indigents **hospice**
– La drogue est un refuge pour certains **échappatoire, prétexte**
– L'insulte est le refuge de cet être fruste **recours, ressource**
– Demander refuge **asile, hospitalité**
– Une valeur refuge **sûre**
RÉFUGIER
– Se réfugier **se cacher, se dissimuler, se sauver, s'enfuir, se protéger**
– Se réfugier dans un couvent **se retirer**
– Se réfugier à l'étranger **émigrer, s'expatrier**
– Se réfugier dans les bras de quelqu'un **se blottir, se jeter**
REFUSER
– Je ne refuse pas cet argument **conteste, contredis, dénie, disconviens de, récuse, rejette**
– Refuser de se soumettre **protester, regimber, se rebeller, se rebiffer, se révolter**
– Refuser l'accès d'un lieu **défendre, empêcher, interdire, prohiber**
– Refuser de laisser publier un livre ou un article **censurer**
– Refuser une permission à un soldat **consigner**
– Refuser une proposition **décliner, dédaigner, repousser**
– Refuser un prétendant **écarter, éloigner, évincer**
– Refuser un candidat à un examen **ajourner, coller, éliminer, recaler**
– Refuser une chose promise **se dédire, se démettre, se rétracter**
– Refuser de continuer **abandonner, renoncer, revenir**
– Refuser de laisser entrer **refouler**
– Refuser de garder quelqu'un **exclure, remercier, renvoyer, révoquer, suspendre**
– Refuser d'acheter **boycotter**
– Se refuser un plaisir **s'abstenir, se priver**
– Se refuser à l'évidence **se dérober à, nier**
– Se refuser à quelqu'un **éconduire, rebuter**
RÉFUTER objecter
– Réfuter une thèse **contester, contredire, s'opposer à**
– Réfuter une croyance, un préjugé **combattre, démystifier, détruire**
– Réfuter un témoignage **démentir, désavouer, infirmer, récuser, rejeter**
– On n'en peut réfuter l'existence **indéniable, incontestable**
– Permet, en rhétorique, de réfuter une affirmation **contradiction**
– Permet, en rhétorique, de réfuter une objection **réfutation**
REGARD voir aussi **vision**
– Regard attentif **appuyé, inquisiteur, insistant**
– Regard intense **pénétrant, perçant**
– Regard rapide **coup d'œil**
– Regard déviant **strabisme**
– Regard séducteur **œillade**
– Dissimuler au regard **cacher, recouvrir**
– Attirer le regard **attention**
– Regard intérieur **conscience, introspection**
– Diriger son regard sur quelque chose **porter, poser**
– Jeter des regards autour de soi **promener, lancer**
– Mettre en regard **comparer**
– La traduction est en regard du texte **en face, vis-à-vis**
– Un certain regard sur le monde **interprétation, jugement, opinion**
– Un regard donne dans la cave **lucarne, ouverture, soupirail**
REGARDER observer voir aussi **œil**
– Regarder pour la première fois **aviser, découvrir, remarquer**
– Regarder une personne **considérer, dévisager, examiner**
– Regarder avec insistance **fixer, inspecter, scruter**
– Regarder avec admiration **contempler**
– Regarder alentour **parcourir**
– Regarder de côté **guigner, lorgner, reluquer**
– Regarder d'un seul œil **bornoyer, cligner, viser**
– Regarder bêtement, bouche ouverte **béer, bayer aux corneilles**

– Regarder avec condescendance **toiser**
– Regarder le danger en face **affronter, braver, envisager**
– Regarder une idée comme étant sans intérêt **estimer, juger, prendre, réfuter, tenir, trouver**
– Regarder à la dépense **compter, économiser**
– Cela ne me regarde pas **concerne, intéresse, touche**
– Se regarder **se mirer**
– Aime à se regarder **narcissique**
RÉGIME
– L'Ancien Régime en France **monarchie**
– Régime politique **constitution, institution, pouvoir, système, structure**
– Les régimes se succèdent dans l'histoire **administrations, gouvernements**
– Régime autoritaire **absolutiste, autocratique, policier, totalitaire**
– Régime matrimonial **contrat, communauté**
– Faire un régime **cure**
– Régime alimentaire strict **diète, rationnement**
– Régime alimentaire sans viande **végétarien**
– Régime sans aucun produit d'origine animale **végétalien**
– Produit de régime **diététique**
– Régime d'un moteur **allure, rythme, vitesse**
– Régime d'un cours d'eau **débit, étiage**
– Régime climatique **glaciaire, fluvial, nival, océanique, tropical**
– Régime des précipitations **fréquence, quantité**
– Régime indirect d'un groupe nominal **complément**
– Régime de dattes **grappe**
REGISTRE **agenda, cahier, calepin, carnet, répertoire** voir aussi **livre**
– Double d'un registre de comptes **contrepartie, contrôle**
– Registre de comptes **brouillard, journal, sommier**
– Registre des sommes dues **échéancier**
– Anciens registres du parlement de Paris **olim**
– Registre d'une assemblée **protocole**
– Registres de faits mémorables **fastes**
– Registre ecclésiastique **pouillé**
– Registre des impôts **matrice, rôle**
– Registre foncier **cadastre**
– Registre des décès **nécrologie, obituaire**
– Registre des emprisonnements **écrou**
– Registre d'actes notariés **minutier**
– Registre des races bovines **herd-book**
– Registre des races chevalines **stud-book**
– Le registre des couleurs **éventail, gamme**
– Registre d'une voix **diapason, étendue, tessiture**
– Le registre d'admission d'une machine à vapeur **valve**
– Registres sculptés **motifs**
RÈGLE voir aussi **droit, loi**
– Règle imposée **ordre, prescription, consigne, contrainte**
– Règle traditionnelle **coutume, habitude, rite, us, usage**
– Règle de conduite sociale **convention, exemple, gouverne, modèle, norme, précepte**
– Ensemble de règles de conduite **code, discipline, régime, règlement**
– Règles chrétiennes **canon, catéchisme, commandement, Credo, dogme**
– Règle d'un ordre catholique **constitution, institut, observance, statut**
– Ordre soumis à la règle **régulier**
– Clergé vivant hors de la règle **séculier**
– Règle sanskrite **sutra**
– Règle scientifique **critère, fondement, formule, loi, postulat**
– Système de règles scientifiques **méthode, théorie**
– Règle mathématique **opération, procédé, théorème**
– Règle mathématique donnée **axiome**
– Règles de civilité **bienséance, cérémonial, décorum, étiquette, protocole**
– Règle procédurale **formalité**
– Règles juridiques **droit**
– Ensemble des règles d'une langue **grammaire**
– Règle grammaticale non descriptive **normative**
– Règle formelle **logique**
– Règles du discours chez Aristote **rhétorique**
– Respect scrupuleux des règles **conformisme, convenance, correction, formalisme, régularité**
– Conforme à la règle **normal, réglementaire**
– Manquement à la règle **défaut, écart, faute, irrégularité**
– Décision en dehors de toute règle **arbitraire**
– Possède ses propres règles **autonome**
– Règles des femmes **menstrues**
REGRET
– Regret d'une faute commise **remords, repentir**
– Regret d'un péché **attribution, componction, contrition, pénitence, résipiscence**
– Regret d'un espoir trompé **déception, désespoir, tristesse**
– À regret **contrecœur**
– Être au regret de refuser **s'excuser de**
– Regret du temps passé **blues, nostalgie**
– Expression du regret **doléance, lamentation, plainte, soupir**
REGRETTER
– Regretter une mauvaise action **se repentir**
– Il a regretté ton absence à la réunion **déploré, désapprouvé**
– Regretter les beaux jours **pleurer**
RÉGULIER **exact, ponctuel** voir aussi **durée**
– Démarche régulière **habituelle, normale**
– Transaction régulière **légale**
– À intervalles réguliers **égaux**
– Figure régulière **nette**
– Traits réguliers **harmonieux**
– Battement régulier **cadencé, mesuré, uniforme**
– D'une qualité régulière **homogène**
– Voyages réguliers **fréquents, périodiques**
– Salaire régulier **fixe**
– Débit régulier **constant**
– Armée régulière **officielle**
– Ce type n'est pas régulier **correct, scrupuleux, honnête, sincère**
– Efforts réguliers **appliqués, assidus**
– Clergé non régulier **séculier**
RÉINCARNATION **bouddhisme, brahmanisme, hindouisme, incarnation métempsycose, palingénésie, renaissance, transmigration**
– A achevé le cycle des réincarnations **bodhisattva, éveillé, yogi**
RÉJOUIR **ébaudir, plaire, ravir** voir aussi **gai, joyeux**
– Tes blagues l'ont réjoui **déridé, diverti, égayé, enchanté**
– Se réjouir **s'amuser, bicher, jubiler, rire, se régaler**
– Se réjouir d'un heureux événement **applaudir, se délecter de, se féliciter de, se gaudir de**
– Se réjouir d'une réussite personnelle **exulter, pavoiser, triompher**
RELATIF
– Importances relatives **comparées, correspondantes**

– Gamme relative d'une gamme majeure **mineure**
– Point commun de deux gammes relatives **armature**
– Un enthousiasme relatif **mesuré, modéré, moyen, partiel**
– Relatif à **concernant**
– Introduit une proposition relative **pronom relatif**
– Mot auquel le pronom relatif se substitue **antécédent**
– Une proposition relative peut être **appositive, restrictive**
– Pronom relatif **qui, que, quoi, dont, où**
– Adjectif relatif **quel, lequel**
– Théorie du mouvement relatif **relativité**

RELATION **rapport** voir aussi **récit**
– Relation entre deux objets **connexion, corrélation, liaison, lien**
– Faire la relation entre deux faits **comparer, rapporter, rapprocher**
– Ensemble des relations **ordre, organisation, structure, système**
– Relation d'identification entre deux termes **métaphore, métonymie**
– Relation distinctive **antithèse, contraste, opposition**
– Théorie définissant ses objets par les relations qu'ils entretiennent **structuralisme**
– Relation de ressemblance **analogie, similitude, concordance**
– Type de relations **appartenance, causalité, coexistence, égalité, différence, identité**
– Relation étroite entre deux faits **dépendance**
– Sans relation **indépendant**
– Relations entre intervalles ou entre des accords musicaux **dissonance, harmonie**
– Entrer en relation avec quelqu'un **communication, contact, liaison**
– Relation épistolaire **correspondance**
– Relation distante **accointances, connaissance**
– Relation régulière **commerce, fréquentation, société**
– Relation d'entraide **solidarité, union**
– Relation d'amitié **attache, tendresse**
– Relation amoureuse **flirt, intrigue, histoire, marivaudage, passion**
– Relation sexuelle **coït, rapport**
– Carte des relations amoureuses datant du XVIIe siècle **du Tendre**
– Relations formelles **civilités, convenances, manières, politesse**
– Relation d'un objet à une norme **conformité**
– Sa relation des faits est contestable **récit, témoignage, version**

RELEVER
– Relever le buste **raidir, redresser**
– Relever une ville de ses ruines **rebâtir, reconstruire**
– Relever un régime politique exsangue **conforter, rétablir**
– Relever l'énergie de quelqu'un **ranimer**
– Relever le moral **consoler, réconforter, remonter**
– Relever des copies **ramasser**
– Relever une maille en tricotant **rattraper**
– Relever les fautes dans un texte **noter, remarquer, souligner**
– Relever un passage dans un livre **copier**
– Je n'ai pas relevé ses insultes **réagi à, repris, répondu à**
– Relever sa jupe **retrousser, lever, soulever**
– Relever un salaire **augmenter, hausser, majorer, revaloriser**
– Relever une réputation **ennoblir, grandir, rehausser**
– Relever un plat, une sauce, **assaisonner, épicer, pigmenter**
– Relever un récit par des détails amusants **agrémenter, exalter**
– Relever le niveau de la conversation **améliorer, élever**
– Relever l'équipe de nuit **relayer, remplacer**
– Relever quelqu'un de sa promesse **délier, délivrer**
– Relever quelqu'un de ses fonctions **destituer, limoger, révoquer, suspendre**
– Relever d'une autorité **dépendre de, ressortir de**
– Ce problème relève de la sociologie **appartient à, concerne, touche à**
– Se relever avec rapidité **se ramasser, se redresser**
– Le Phénix se relève toujours de ses cendres **renaît, ressuscite**
– Une douleur dont on ne se relève pas **remet**

RELIEF voir aussi **géographie, géologie, montagne**
– Reliefs d'un repas **bribes, débris, miettes, restes**
– Droit de relief au Moyen Âge **impôt**
– Relief sur une surface **bosse, excroissance, proéminence, protubérance, saillie**
– Relief sculpté **bas-relief, enlevure, frise, haut-relief**
– Relief d'une région **configuration, modelé**
– Type de relief formant un pli concave **synclinal**
– Type de relief formant un pli convexe **anticlinal**
– Usure du relief **érosion**
– Étude du relief **altimétrie, géographie, géomorphologie, géophysique, hypsométrie, topographie**
– Représentation graphique du relief **atlas, carte, coupe, projection**
– Sert à représenter le relief **côte, courbe, échelle, niveau**
– Il apparut en relief dans la lumière **se détacha**
– Décor en relief **bosselé, estampé, gaufré, repoussé**
– Broderie en relief **brillantée, brochée**
– Inscription en relief **anaglyphe**
– Donne à une image un relief apparent **stéréoscope**
– Mettre un argument en relief **accentuer, faire ressortir, souligner**
– Mettre en relief une idée par rapport à une autre **contraste, opposition, valeur**
– Donner du relief à un récit **éclat, lustre, panache**

RELIGIEUX (1) voir aussi **clergé, moine, prêtre**
– Religieuse chrétienne **nonne**
– Religieux communautaires dans les premiers siècles de la chrétienté **cénobites**
– Religieux ayant fait vœu de solitude **anachorète, ermite**
– Communauté de religieux **congrégation, ordre**
– Religieux faisant partie d'un ordre régulier **chanoine, clerc, ecclésiastique, moine, oblat**
– Religieux demeurant dans l'état laïque **convers, lai, servant**
– Religieux n'ayant pas encore prononcé ses vœux **novice, séminariste**
– Charge d'un religieux **diaconat, ministère, prêtrise, sacerdoce**
– Pour s'adresser à un religieux **dom, père, révérend**
– Pour s'adresser à une religieuse **dame, mère, sœur**
– Abrite des religieux **abbaye, cathédrale, couvent, église, monastère, prieuré**
– Religieux catholique de haut rang **pape, cardinal, archevêque, évêque, prélat**
– Religieux dirigeant un couvent **prieur**
– Religieux dirigeant un ordre **général, supérieur**

– Religieux administrant la vie matérielle d'un couvent **économe, obédiencier**
– Religieux exerçant temporairement dans un couvent **hebdomadier, semainier**
– Religieux administrant un ordre **définiteur, procureur, provincial**
– Assemblée de religieux chrétiens **chapitre, discrétoire**
– Salle où se tiennent des assemblées de religieux **capitulaire**
– Assemblée de religieux juifs **consistoire**
– Religieux protestant **diacre, ministre, pasteur**
– Religieux chrétien orthodoxe **pope**
– Religieux chrétien grec **archimandrite**
– Religieuse de l'Antiquité romaine **vestale**
– Religieux bouddhiste **bonze**
– Religieux indien **brahmane**
– Religieux lamaïste **lama**
– Religieux musulman **derviche, imam, mollah, muezzin, mufti, santon**
– Religieux juif **hassid, rabbin, lévite**
– Partie de l'habit d'un religieux catholique **cagoule, chape, cordelière, sandales, scapulaire**
– Tissu dont est faite la robe d'un religieux catholique **bure**
– Partie de l'habit d'une religieuse catholique **barbette, cornette, fronteau, guimpe, voile**
– Religieuse au chocolat **pâtisserie**

RELIGIEUX (2) mystique, sacré, saint, spirituel
– Sentiment religieux **croyance, dévotion, foi, illumination**
– Sentiment religieux aveugle **fanatisme, possession, superstition**
– Personne religieuse **pieuse, pratiquante**
– Mode de vie religieux chez les chrétiens **claustral, monastique, régulier, séculier**
– Règle religieuse **constitution, institut, observance**
– Cérémonie d'entrée dans un ordre religieux **prise, vêture**
– Vœux religieux chrétiens **chasteté, obédience, pauvreté**
– Ensemble de préceptes religieux **doctrine, dogme**
– Cérémonie religieuse **culte, liturgie, rite, rituel, service**
– Principales cérémonies religieuses chrétiennes **baptême, onction, mariage, office, sacre**
– Lieu d'études religieuses chrétiennes **séminaire**
– École religieuse juive **schuhl, yeshiva**
– Adore les images religieuses **iconolâtre**
– Détruit les images religieuses **iconoclaste**
– Gouvernement religieux **théocratie**
– Il a un respect religieux de certains principes **vénère**

RELIGION voir aussi tableau p. 386 et **dieu**
– La religion en postule l'existence **dieu, divinité**
– Fondement d'une religion **croyance, foi, mythe, superstition**
– Religion divinisant des principes naturels **animisme**
– Indépendant de la religion **laïque, profane**
– Tolérance en religion **œcuménisme**
– Mélange de plusieurs religions **syncrétisme**
– Éclectisme en religion **gnose, gnosticisme**
– Principe d'une religion **déisme, panthéisme, théisme**
– Croyance en une religion particulière **communion, confession, credo, culte, foi**
– Scission au sein d'une religion **schisme, secte**
– Adepte d'une religion **catéchumène, converti, croyant, fidèle, pratiquant, prosélyte**
– Adopter une religion **embrasser, se convertir à**
– De même religion **coreligionnaire**
– Secte condamnée par une religion **hérésie, hétérodoxie**
– Condamné par sa religion **hérésiarque, excommunié**
– Attaque contre une religion ou ses symboles **blasphème, profanation**
– Ne professe pas la religion admise **impie, infidèle, mécréant, païen**
– Ne professe pas la religion juive **gentil, goy**
– Ne professe aucune religion **libertin, athée**
– A renié sa religion **apostat, relapse, renégat**
– Convertir à une religion **catéchiser, évangéliser**
– Extrémisme provoqué par une adhésion aveugle à une religion **fanatisme, Inquisition, intolérance, sectarisme**
– Ensemble des symboles d'une religion **théogonie**
– La religion le promet **salut, paradis, éternité**
– Religion consacrée à un dieu unique **monothéiste**
– Religion consacrée à plusieurs dieux **polythéiste**
– Religion du mystère et de l'occulte **ésotérisme, mystagogie**
– Il s'est fait une religion d'aimer son prochain **devoir, mission, obligation**
– Il a une véritable religion pour l'art abstrait **adoration, culte, vénération**

REMETTRE voir aussi **donner**
– Remettre un objet à sa place **ramener, rapporter**
– Remettre quelqu'un **se rappeler, reconnaître, se souvenir de**
– Remettre dans le droit chemin **conseiller, diriger**
– Remettre à flot **renflouer**
– Remettre un appareil en état **arranger, réparer**
– Remettre un objet d'aplomb **redresser, relever**
– Remettre quelqu'un sur pied **aider, réconforter**
– Remettre quelqu'un à sa place **rembarrer, reprendre, réprimander**
– Remettre un coude démis **remboîter, replacer**
– Remettre en cause **contester, objecter à, questionner**
– Remettre les idées en place **éclaircir**
– Remettre un colis **confier, délivrer, laisser, passer, restituer**
– Remettre un suspect à la justice **livrer**
– Remettre une peine de mort **commuer, gracier**
– Remettre les péchés de quelqu'un **absoudre, pardonner**
– Remettre un rendez-vous **ajourner, différer, reporter, retarder, surseoir à, suspendre**
– Remettre une décision **atermoyer, hésiter**
– Remettre un jugement **renvoyer**
– Se remettre **guérir, se rétablir, relever de**
– Se remettre avec quelqu'un **se réconcilier avec**
– Se remettre à boire, à fumer **recommencer à**
– S'en remettre à quelqu'un **se confier à, se fier à, se reposer sur**
– S'en remettre à un tribunal **en appeler à, déférer à, s'en rapporter à**

REMORDS repentir, regret, peine, chagrin
– Remords religieux **attrition, componction, contrition, pénitence, repentance, résipiscence**

REMPLI
– Ce texte est rempli de fautes **farci, semé, truffé**
– Regard rempli de nostalgie **empreint**
– Un ciel rempli de nuages **couvert**
– Il est rempli de sa propre importance **bouffi, imbu, pétri**

REMPLIR **bonder, combler, garnir, gorger, truffer**
– La pluie va remplir le bassin **inonder, se répandre dans**
– Remplir un tonneau **ouiller, rembouger**
– Remplir une maison **peupler**
– Le public a rempli la salle **envahi**
– Remplir ses journées **employer**
– Remplir l'esprit **abreuver**
– Cette joie qui le remplit **anime, enflamme, enivre**
– Sa réussite l'a rempli d'orgueil **enflé, gonflé**
– Des meubles remplissent la pièce **occupent**
– La lumière du matin remplit le jardin **baigne, éclaire**
– Une odeur d'encens remplit la salle **parfume**
– Remplir un vide **meubler**
– Remplir une fonction **exercer**
– Remplir un rôle **jouer**
– Le stratagème a rempli son office **fonctionné**
– Remplir une mission **s'acquitter de, exécuter, réussir**
– Remplir un engagement **observer, tenir**
– Remplir l'attente de quelqu'un **couronner, répondre à, satisfaire**

RENCONTRE
– Rencontre fortuite **coïncidence, conjonction, conjoncture, hasard, occasion, occurrence**
– Rencontre planifiée **rendez-vous**
– Rencontre publique **confrontation, débat, face-à-face**
– Rencontre intime **entrevue, tête-à-tête**
– Nouvelle rencontre **retrouvailles, réunion**
– Rencontre militaire **bataille, combat, échauffourée, engagement, escarmouche, heurt**
– Rencontre sportive **compétition, concours, épreuve, match, partie**
– Rencontre d'honneur **duel**
– Rencontre brusque **choc, collision, télescopage**
– Lieu de rencontre **carrefour, confluence, contact, croisement, jonction**
– En linguistique, rencontre de deux voyelles **hiatus**
– Résulte d'une rencontre de deux ondes **interférence**
– Au hasard des rencontres **aventures, circonstances, événements, éventualités, possibilités, situations**

RENDEMENT
– Méthodes propres à augmenter le rendement **stakhanovisme, taylorisme**

RELIGIONS ET COURANTS RELIGIEUX

babisme	Mouvement réformiste de l'islam chiite fondé en Iran au XIXe s. par Mirza Ali Mohammed, surnommé le Bab (la porte).
bahaïsme	Courant religieux dérivé du babisme et fondé au XIXe s. par Baha'Allah.
bouddhisme	Religion fondée au VIe s. av. J.-C. par l'ascète indien Gautama, qui prit ensuite le nom de Bouddha (l'Éveillé).
chamanisme	Ensemble des pratiques religieuses centrées autour du chaman, prêtre-sorcier. Surtout répandu en Sibérie et en Asie centrale.
confucianisme	Religion chinoise fondée sur l'enseignement de Confucius, philosophe du VIe s. av. J.-C.
hindouisme/ brahmanisme	Religion de l'Inde liée au système social des castes. Il existe différents courants dans l'hindouisme : le vishnouisme, le shivaïsme, le tantrisme.
islam	Religion des musulmans, fondée au VIIe s. par le prophète Mahomet. On distingue deux courants majeurs dans l'islam : le chiisme et le sunnisme.
jaïnisme	Courant réformiste du brahmanisme qui prône la non-violence. Il fut fondé en Inde par Jina au VIe s. av. J.-C.
judaïsme	Religion juive. Première des grandes religions monothéistes.
manichéisme	Doctrine religieuse, issue du mazdéisme, enseignée par Mani au IIIe s.
mazdéisme/ zoroastrisme/ parsisme	Religion de la Perse, qui repose sur l'enseignement du prophète Zarathoustra (VIe s. av. J.-C.). Religion dualiste selon laquelle le monde est régi par l'opposition de deux principes divins : le Bien et le Mal.
mithracisme	Culte de Mithra, divinité perse, pratiqué jusqu'au IVe s.
rastafarisme	Mouvement religieux jamaïquain. Les rastas considèrent l'ancien empereur d'Éthiopie, ras Tafari, comme le rédempteur du peuple noir et prônent le retour en Afrique. Le reggae en est une manifestation.
shintoïsme	Religion officielle du Japon qui fait de l'empereur un représentant divin.
sikhisme	Religion de l'Inde fondée au Pendjab au XVe s. par le gourou Nanak Dev.
soufisme	Courant ésotérique de l'islam né au VIIe s. et qui prône un retour au mysticisme et à l'ascétisme.
taoïsme	Religion chinoise enseignée par le philosophe Lao Tseu au VIe s. av. J.-C.
wahhabisme	Mouvement réformiste de l'islam à tendance puritaine qui s'est développé en Arabie Saoudite. Prêche l'observation rigoureuse du Coran.
zen	École bouddhiste japonaise apparue à la fin du XIIe s. Son enseignement repose sur une méthode de méditation.

RENDRE **redonner, remettre, renvoyer, restituer, retourner, rétrociter**
– Rendre de l'argent **s'acquitter, rembourser**
– Son affaire ne rend pas beaucoup **produit, rapporte**
– Rendre un jugement définitif **prononcer**
– L'espoir l'a rendu à la vie **ramené**
– Rendre coup pour coup **se battre, réagir, se venger**
– Rendre la pareille **aider, compenser, dédommager, répondre**
– Rendre l'âme **mourir**
– Rendre son repas **rejeter, vomir**
– Rendre un son **émettre**
– Rendre une odeur **exhaler**
– Rendre compte **rapporter**
– Rendre une impression par un moyen d'expression **donner, exprimer, représenter, reproduire, traduire**
– Rendre les armes **déposer**
– Se rendre **capituler, se soumettre, tomber**
– Il se rendit à la maréchaussée **se dénonça à, se livra à**
– Se rendre aux charmes de quelqu'un **céder à, se donner à**
– Se rendre aux exigences de quelqu'un **accéder à, accepter, condescendre à**
– Se rendre à l'avis de quelqu'un **acquiescer, approuver, se ranger à**
– Se rendre agréable **se montrer**
– Se rendre aux ordres de son supérieur **obéir à, obtempérer à**
– Se rendre quelque part **aller, voyager**

RENFORT **aide, secours**
– Des renforts militaires **soldats, troupes**
– Procéder au renfort d'une construction **consolidation**
– Renfort métallique **étai, étrier**
– Renfort de soutènement **béquille, arc-boutant, chevalement, étançon**
– Renfort de proue sur un bateau **doublage**

RENFROGNÉ
– Un visage renfrogné **assombri, chagrin, froncé, maussade, rechigné**
– Un caractère renfrogné **acariâtre, bourru, grincheux, morose, rabat-joie, revêche**

RENONCER **abandonner, s'abstenir**
– Renoncer à un droit **délaisser, se dépouiller, se désister**
– Renoncer provisoirement **ajourner, remettre, renvoyer**
– Renoncer à sa fortune **se défaire de, se départir de, se dessaisir de, se priver de, se séparer de**
– Renoncer au trône **abdiquer**
– Renoncer à sa religion **apostasier, renier**
– Renoncer à un idéal **abjurer, se détourner de, s'écarter de, répudier, trahir**
– Renoncer à un contrat **annuler, se délier de, dissoudre, résilier**
– Renoncer à une activité trop coûteuse **se passer de**
– Renoncer à ses fonctions **se démettre de, démissionner, laisser, quitter, résigner**
– Renoncer à un projet **sacrifier**
– Renoncer à la drogue **arrêter, se désaccoutumer, se désintoxiquer**
– Il a enfin renoncé à ses manières **changé, perdu**
– Il ne peut pas renoncer à son idée **en démordre**
– Renoncer un parent **déshériter, rejeter**

RENOUVELER **changer, régénérer, rénover, transformer** voir aussi **nouveau**
– Renouveler un décor mural **rajeunir, rhabiller**
– La vieillesse a renouvelé les douleurs de sa jeunesse **ranimé, ravivé, réveillé**
– Renouveler un contrat **nover, proroger, reconduire**
– Renouveler une requête **recommencer, refaire, réitérer, répéter**
– Cette plante se renouvelle tous les ans **renaît, repousse**
– Ses récriminations se renouvellent en toute occasion **se reproduisent**

RENSEIGNEMENT **avis, communication, donnée, indication, information, message**
– Renseignement explicatif **éclaircissement, indice, lumière, précision**
– Renseignement confidentiel **tuyau, secret**
– Renseignements pour un travail de recherche **corpus, documentation**
– Renseignements sur la santé de quelqu'un **nouvelles**
– Source de renseignements **document, dossier, fichier**
– Source de renseignements pratiques **almanach, annuaire, Bottin, calepin, répertoire**
– Agent de renseignements **espion, taupe**
– Chercher des renseignements **enquêter, investiguer**
– Chercher des renseignements dans un livre **compulser, consulter**
– Fournir des renseignements **avertir, renseigner, informer, instruire, espionner**
– Fournir des renseignements à quelqu'un sur le compte de quelqu'un d'autre **édifier, fixer**

RENVERSER voir aussi **verser**
– Renverser les membres d'une opération **intervertir**
– Renverser une métaphore **transposer**
– Renverser un objet **basculer, culbuter, jeter**
– Renverser quelqu'un **bousculer, étendre, plaquer, terrasser**
– Renverser une muraille **démolir, enfoncer, écrouler, détruire**
– Renverser du liquide **répandre**
– Renverser un obstacle **vaincre**
– Renverser un gouvernement **abattre, défaire, destituer, jeter bas, saper**
– Renverser un roi **détrôner**
– Renverser toute résistance **briser, broyer, foudroyer**
– La marée renverse **s'inverse**
– La voiture l'a renversé **écrasé**
– Son cheval l'a renversé **démonté, désarçonné**
– Renverser la tête en arrière **coucher, incliner, pencher**
– Cette nouvelle l'a renversé **déconcerté, surpris, troublé, bouleversé, abasourdi**

RENVOI
– Renvoi d'un procès **ajournement, remise, report**
– Renvoi d'un projet de loi devant la commission **examen**
– Renvoi d'une décision de justice **annulation, infirmation, invalidation**
– Renvoi d'une peine de prison **sursis**
– Renvoi d'une vente **rescision**
– Renvoi d'une accusation contre quelqu'un **réhabilitation, relaxe**
– Renvoi d'un employé **congédiement, exclusion, expulsion, licenciement**
– Renvoi d'un homme d'État **destitution, exil, révocation**
– Renvoi d'un colis postal **retour**
– Renvoi dans un texte **apostille, appel, astérisque, lettrine, marque, référence**
– Renvoi gastrique **éructation, régurgitation, rot**

RÉPANDRE voir aussi **renverser**
– Répandre sur le sol autour de soi **disperser, disséminer, éparpiller, épartir, parsemer, paver**
– Répandre des graines **ensemencer**
– Répandre de l'engrais **épandre, étendre**
– Répandre de la chaleur **diffuser, émettre**

– Répandre une odeur **dégager, exhaler**
– Répandre une senteur agréable **embaumer, fleurer, parfumer**
– Répandre une senteur désagréable **empester, empuantir**
– Répandre des bienfaits **dispenser, distribuer, épancher**
– Répandre l'étonnement **distiller, jeter, semer**
– Répandre une science **populariser, vulgariser**
– Répandre un usage **généraliser, lancer, propager, universaliser**
– Répandre une rumeur **colporter**
– Répandre une confidence **divulguer, ébruiter, éventer**
– L'eau se répand sur le sol **coule, déborde, s'extravase, s'épanche, ruisselle, suinte**
– Une rougeur se répandit sur son visage **se manifesta, parut**
– L'odeur se répand dans toute la pièce **emplit, envahit**
– Un verger d'où se répand un délicieux parfum **émane, s'échappe**
– La nouvelle se répandit comme une traînée de poudre **circula, courut, gagna**
– Se répandre en injures **déborder de, éclater en**

RÉPARER **améliorer, arranger, refaire, remanier** voir aussi **raccommoder, reconstituer, remettre**
– Réparer provisoirement **rafistoler, replâtrer**
– Réparer un navire **caréner, raccastiller, radouber, ragréer**
– Réparer un moteur **dépanner**
– Réparer une cloison **consolider, recrépir, rempiéter**
– Réparer des chaussures **recarreler, ressemeler**
– Réparer un tableau **restaurer**
– Réparer un vêtement **rapetasser, rapiécer, ravauder, recoudre, repriser, stopper**
– Réparer ses forces **se rétablir**
– Réparer un oubli, un défaut **corriger, remédier à**
– Réparer un péché **effacer, expier, se racheter**
– Réparer les torts **redresser**
– Réparer un dommage causé à quelqu'un **compenser, dédommager, indemniser**
– Réparer une offense **laver, venger**
– Réparer une maison **moderniser, rénover, retaper**

RÉPARTIR **allotir, dispenser, distribuer, partager, rationner**
– Répartir en parts égales **proportionner**
– Répartir de l'argent **assigner, attribuer, impartir, octroyer**
– Répartir des objets dans un espace **classer, disposer, ranger**
– Répartir dans le temps **échelonner, étaler**

REPAS voir aussi **gâteau, spécialité, plat**
– Repas du matin **petit déjeuner, brunch, breakfast**
– Repas de midi **déjeuner, lunch**
– Très bon repas **festin**
– Participer à un bon repas **festoyer, banquetter**
– Repas de fin d'après-midi **goûter, thé**
– Repas du soir **dîner, souper**
– Repas nocturne **médianoche**
– Repas de fête **banquet**
– Repas copieux **bombance, gueuleton, mangeaille, ripaille, orgie**
– Repas frugal **croustille, dînette, pitance**
– Repas froid **buffet**
– Repas à emporter **casse-croûte, gamelle, sandwich**
– Repas à la campagne **pique-nique**
– Entre les repas **collation, en-cas**
– Avant le repas **apéritif, zakouski, tapas**
– Début de repas **entrée, hors-d'œuvre**
– Compose un repas **menu, mets, pièce, plat**
– Après le repas, aliments qui restent sur la table **graillons, reliefs, restes, rogatons**
– À prendre après le repas **café, digestif, liqueur**
– Sert le repas des autres **garçon, serveur**
– Sert les vins durant le repas **sommelier**
– On y prend ses repas **cantine, réfectoire, restaurant**
– Des militaires y prennent leurs repas **mess**
– Dernier repas de Jésus **Cène**
– Repas en commun des premiers chrétiens **agape**
– Invité à un repas **convive, hôte**
– On ne l'a pas invité au repas **écornifleur, parasite, pique-assiette**

RÉPERTOIRE **catalogue, classement, énumération, fichier, index, nomenclature** voir aussi **livre, recueil**
– Répertoire d'une troupe de théâtre **pièces**
– Le répertoire des œuvres classiques **catégorie, période, style**
– Au répertoire d'un chanteur **compositions, œuvres**

RÉPÉTER **réitérer, redire, refaire** voir aussi **dire**
– Répéter jusqu'à l'ennui **prêcher, rabâcher, rebattre, ressasser, seriner**
– Répéter ce que quelqu'un a dit **raconter, rapporter**
– Répéter les idées des autres **emprunter, imiter**
– Répéter un geste **multiplier, recommencer, renouveler**
– Répéter une image **réfléchir, reproduire**
– Répéter ses leçons **apprendre, repasser**
– Plus il vieillit, plus il se répète **radote**

RÉPÉTITION **redite, redoublement, réduplication** voir aussi **réincarnation, théâtre**
– Répétition fatigante **accumulation, rengaine, scie**
– Répétition à plusieurs **ensemble, chorus**
– Répétition de sons linguistiques **allitération, assonance, paronomase, homéotéleute**
– Répétition de mots au début de propositions **anaphore, antanaclase**
– Répétition inutile **battologie, doublon, périssologie, pléonasme, redondance, superfluité, tautologie**
– Pour éviter les répétitions dans un texte **idem, susdit**
– Répétition détaillée **récapitulation**
– Répétition d'un son **écho**
– Répétition d'un motif musical **cadence, leitmotiv, refrain, variation, ritournelle**
– Répétition d'un rythme **tempo**
– Répétition d'un méfait **récidive**
– Répétition d'une maladie **rechute, reprise**
– Répétition dans le temps **cycle, fréquence, période, retour**
– Répétition d'une image **copie, imitation, réplique, reproduction**
– Dernière répétition d'une pièce **générale**

RÉPONDRE **repartir, répliquer, rétorquer**
– Répondre pour s'opposer **contrecarrer, contredire, protester, refuser**
– Répondre à une critique **objecter, récriminer, réfuter**
– Répondre à l'agressivité par l'agressivité **opposer à**
– Répondre du tac au tac **se défendre, rembarrer, riposter, réagir**
– Répondre à un regard **rendre, soutenir**
– Répondre à l'attente du public **s'accorder à, concorder avec, correspondre à, satisfaire à**

– Les commandes de l'avion ne répondent plus **fonctionnent, obéissent**
– Répondre de la sécurité de quelqu'un **assurer, garantir**
REPOS **délassement, récréation, sommeil** voir aussi **dormir**
– Repos de l'acteur **entracte**
– Repos scolaire **vacances**
– Jour de repos national **férié**
– Repos annuel **congés**
– Repos après le travail **loisirs**
– Moment de repos durant l'après-midi **méridienne, sieste**
– Meuble consacré au repos **canapé, divan, hamac, lit, sofa**
– Il travaille sans trêve ni repos **arrêt, relâche, répit**
– Laisser un champ au repos **en friche, en jachère**
– Mécanisme au repos **immobile, inactif, inerte**
– Trouver le repos **calme, paix, quiétude, tranquillité**
– Interrompre le repos de quelqu'un **réveiller**
– Repos après un conflit **accalmie, détente**
– Un travail de tout repos **sinécure**
– Le champ du repos éternel **cimetière**
– Repos au milieu d'un vers **césure**
REPRÉSENTATION voir aussi **gouvernement, signe, théâtre**
– Représentation abstraite **écriture, emblème, icone, symbole**
– Représentation par la pensée **évocation, imagination, visualisation**
– Représentation linguistique **signe**
– Système de représentations linguistiques **langage, langue**
– Mise en œuvre de représentations linguistiques **discours, parole**
– Représentation du discours d'un autre **rapport, récit**
– Représentation discursive d'une situation **description**
– Représentation graphique **diagramme, effigie, figuration, illustration, schéma, tableau**
– Étude de la représentation dans les arts **iconologie**
– Représentation d'une construction **coupe, plan**
– Représentation de sons musicaux **notation, partition**
– Représentation d'une idée par l'écriture **idéogramme**
– Représentation écrite descriptive et symbolique **pictogramme**
– Représentation indirecte des sons par l'écriture **lettre, phonème**
– Permet la représentation directe des sons par l'écriture **phonétique**
– Représentation fidèle à la réalité **imitation, reproduction**
– Représentation déformante et sarcastique **caricature, parodie**
– Représentation théâtrale **comédie, matinée, performance, spectacle**
– Représentation par l'un des cinq sens **perception**
– Représentation diplomatique **ambassade, consulat, mission**
– Représentation du peuple dans l'exercice du gouvernement **délégation, mandat**
– Représentation proportionnelle **scrutin**
– Représentation syndicale **chambre, délégation**
– Représentation du pays **assemblée, parlement**
– Représentation d'une divinité **idole**
– Adorent les représentations de la divinité **iconolâtres**
– Détruisent les représentations de la divinité **iconoclastes**
REPRÉSENTER
– Représenter par le langage et la pensée **désigner, évoquer, exprimer, mentionner, symboliser**
– Représenter artistiquement **dessiner, figurer, peindre, photographier, rendre, tracer**
– Le peintre le représente **modèle, motif, sujet**
– Représenter en déformant **caricaturer, contrefaire, simuler, singer**
– Représenter un personnage en peinture **portraiturer**
– Représenter par l'écriture ou la parole **décrire, dépeindre, exposer, retracer**
– Représenter une pièce **donner, interpréter, monter**
– Représenter avec le corps **mimer**
– Représenter un personnage dans une pièce **incarner**
– Il représente la bêtise même **évoque, rappelle, personnifie**
– Cet événement représente les problèmes de notre société **reflète, résume**
– Cela représente dix mois de travail **correspond à**
– Se faire représenter **remplacer**
– Se représenter le passé **se souvenir, se remémorer**
– Se représenter une idée **concevoir, se figurer, s'imaginer**
– Représenter en justice **postuler**
REPROCHE **admonestation, objurgation, remontrance, réprimande, semonce** voir aussi **colère**
– Reproche modéré **observation, remarque**
– Série de reproches virulents **réquisitoire**
– Reproches incessants **récriminations**
– Faire des reproches à quelqu'un **attraper, critiquer, gronder, gourmander, morigéner, tancer**
– Reproches faits à une théorie **objections, réfutations**
– Recevoir des reproches **écoper, essuyer, subir**
– Encourir les reproches de quelqu'un **foudres**
– Reproches faits à soi-même **remords**
– Sans reproche **irréprochable, parfait**
REPRODUCTION **étamine, fleur, graine, ovaire** voir aussi **fécondation, sexe, cellule**
– Reproduction d'une espèce **génération**
– Reproduction d'un individu **enfantement, engendrement**
– Transmission par la reproduction **hérédité**
– Cellule sexuée servant à la reproduction **gamète, anthérozoïde, oosphère, ovocyte, ovule, spermatozoïde**
– Contient les cellules de reproduction mâles **semence, sperme**
– Premier fruit de la reproduction **germen, œuf**
– Mode de reproduction animale **ovipare, ovovipare, vivipare**
– Organes de reproduction des animaux **génitaux**
– Reproduction sans élément mâle **parthénogenèse**
– Mode de reproduction non sexuée **bipartition, fissiparité, gemmation, scissiparité, sporulation**
– Acte de reproduction **accouplement, coït**
– Période de reproduction chez les animaux **chaleurs, musth, rut**
– Acte de reproduction pour les animaux **appareillement, monte, saillie**
– Technique de reproduction animale utilisée par l'homme **croisement, hybridation, sélection**
– Technique de reproduction des végétaux **bouture, ensemencement**
– Reproduction de la réalité **image, imitation**
– Reproduction inversée **reflet**
– Reproduction d'un texte **copie, édition**
– Droits sur la reproduction d'un texte **droits d'auteur**
– Technique de reproduction d'un

texte ou d'une image **gravure, héliochromie, impression, lithographie, photocopie, polycopie**
– Exemplaire de reproduction d'un texte **duplicata, épreuve, fac-similé, placard, réplique**

REPTILE
– Reptiles fossiles de l'ère primaire **cotylosauriens, prosauriens, théomorphes**
– Reptiles fossiles de l'ère secondaire **dinausoriens, placodontes, ptérosauriens, sauroptérygiens**

RÉPUBLIQUE voir aussi **gouvernement, État**
– République antique **cité**
– Système politique d'une république **élections, État, gouvernement**
– Fondement d'une république **constitution**
– Élu temporairement à la tête d'une république **président**
– Système politique contraire à la république **autocratie, dictature, empire, monarchie, tyrannie**
– La république des savants **communauté**

RÉPUTATION voir aussi **considérer**
– Bonne réputation **considération, estime, gloire, honneur, popularité**
– Donne mauvaise réputation **discrédit, infamie, ruine, scandale**
– Salir la réputation de quelqu'un **calomnier, déshonorer, diffamer, flétrir, noircir, vilipender**
– Une personne de grande réputation **célébrité, notoriété, renommée**
– Il use de sa réputation pour obtenir des faveurs **autorité, importance**
– La réputation de ce produit prend de l'importance **renom, vogue**

RÉSEAU voir aussi **complot**
– Élément d'un réseau **entrelacs, maille**
– Réseau de cordage **filet, rets**
– Réseau de tissu **lacis, résille**
– Tissu de fibres organiques en réseau **conjonctif, réticulé**
– Réseau de nerfs **plexus**
– Réseau inextricable **confusion, enchevêtrement**
– Un réseau de ruelles **dédale, labyrinthe**
– Réseau formé par les nervures d'une rosace gothique **remplage**
– Réseau de défense **barbelés, fortifications, tranchées**
– Réseau optique **de diffraction**
– Réseau clandestin **organisation**
– Membres de réseau téléphonique **abonnés, correspondants**
– Réseau des chemins de fer **ferroviaire**

RÉSERVE
– Émettre des réserves **critiques, doutes, hésitations**
– Sous réserve **condition**
– Sans réserve **exception, restriction**
– Un enthousiasme sans réserve **complet, entier, total**
– Il y a beaucoup de réserve dans ses propos **circonspection, dignité, discrétion, modération, prudence, quant-à-soi**
– Un charme non dénué de réserve **décence, pudeur, retenue**
– Réserves de nourriture **approvisionnement, stock**
– Réserves d'argent **économies**
– Faire des réserves **accumuler, amasser, cacher, engranger, garder, tenir**
– Troupes de réserve **réservistes**
– Réserve naturelle **parc, sanctuaire**
– On y stocke les réserves **cave, entrepôt, grenier, magasin**
– Réserve dans une aquarelle **blanc, épargne**
– Réserve de poissons **réservoir, vivier**
– Réserve indienne aux États-Unis **camp, territoire**

RÉSINE voir aussi **arbre, pin**
– Arbre à résine **résineux, liquidambar, pin**
– Résine recueillie sur certains conifères **térébenthine**
– Résine produite par distillation de térébenthine **arcanson, colophane**
– Résine de l'arbre laquier **gomme, laque**
– Résine de l'hévéa **latex**
– Résine employée en parfumerie ou en pharmacie **baume, aliboufier, benjoin, styrax**
– Gomme-résine aromatique **assafœtida, calamite, encens, myrrhe, oliban, opopanax**
– Résine de pin **galipot, gemme**
– Récolte de la résine par incision des troncs **gemmage**
– Entaille pratiquée pour recueillir la résine **carre, surlé**
– Chandelle de résine **oribus**
– Solution protectice à base de résine **enduit, vernis**
– Résine fossile **ambre, succin**
– Résine animale **propolis**
– Résines synthétiques **anyliques, polymères, plastique, polystyrène**

RÉSISTANCE voir aussi **électricité, force, opposition, rebelle**
– Résistance d'une force à une autre force **effort**
– Résistance de l'air **frottement, pression**
– Résistance élastique d'un tissu organique à une pression **rénitence**
– Résistance naturelle **obstacle**
– Résistance d'un matériau **dureté, fermeté, force, solidité**
– Essai de résistance d'un matériau **fatigue**
– Résistance d'un liquide **viscosité**
– Résistance dans le temps **endurance, longévité, ténacité**
– Capacité de résistance d'un conducteur électrique **résistivité**
– Unité de résistance en électricité **ohm**
– Résistance électrique variable **rhéostat**
– Résistance passive **refus, sit-in**
– Résistance non violente active **désobéissance, objection, désertion, insoumission**
– Résistance active **insurrection, lutte, mutinerie, regimbement, rébellion, sédition**
– Ne pas offrir de résistance **capituler, céder, se rendre, se soumettre**
– Se laisser convaincre sans résistance **accroc, difficulté, opposition, réaction**
– Vaincre les dernières résistances de quelqu'un **doutes, hésitations, réserves**
– Résistance d'un territoire **défense, libération**

RESPECT **considération, déférence, estime, révérence, vénération**
– Imposer le respect **s'attirer, commander**
– Mérite le respect **digne, honorable**
– Attitude de respect **réserve, politesse, chaleur, sympathie**
– Respect religieux **adoration, culte, crainte**
– Respect mondain **civilité, courtoisie, galanterie**
– Respect de soi-même **dignité, honneur, amour-propre**
– Par respect envers quelqu'un **devoir, égard**
– Au respect de **par rapport à**
– Tenir en respect **contenir, menacer, soumettre**

RESPIRER **aspirer, expirer, inspirer**
– Empêcher de respirer **asphyxier, étouffer, étrangler**
– Respirer difficilement **ahaner, anhéler, haleter, panteler, suffoquer**
– Respirer bruyamment **ronfler, siffler**
– Laisse-le respirer un peu ! **souffler, vivre**
– Il respire la bonté **exhale, exprime, personnifie**
– Respirer un gaz **absorber, inhaler**

– Respirer une odeur **humer, renifler, sentir**

RESPONSABLE (1)

– Le responsable d'un délit **auteur, coupable**
– Le responsable d'une organisation **chef, dirigeant**

RESPONSABLE (2)

– Être responsable de ses actes **répondre de**
– Responsable des actes des autres **solidaire de**
– Rendre quelqu'un responsable d'un acte **accuser, imputer à, suspecter**
– Personne responsable dans un procès **répondant**
– Se porter juridiquement responsable pour quelqu'un **caution**
– Le pétrole est responsable de pollutions dramatiques **cause**

RESSEMBLANCE **analogie, correspondance, parité, rapport, rapprochement, relation** voir aussi **apparence**
– Grande ressemblance **proximité, similitude**
– Ressemblance héréditaire **parenté**
– Ressemblance de la position dans l'espace **symétrie**
– Ressemblance complète **égalité, équivalence, identité**
– Ressemblance de la forme des mots **homonymie, homographie, homophonie, paronymie**
– Ressemblance du sens des mots **synonymie**
– Ressemblance des goûts et des idées **accord, affinité, communauté, concordance, conformité, harmonie**
– Personnes présentant une ressemblance frappante **jumeaux, sosies, ménechmes**
– Ressemblance d'un portrait **fidélité, réalisme, vérité**
– Musique recherchant la ressemblance avec la réalité **descriptive**
– Chercher à établir des ressemblances **comparer, rapprocher**

RESSORT

– Tendre un ressort **bander, remonter**
– Par quel secret ressort a-t-il réalisé son dessein? **machination, moyen**
– Il a du ressort **énergie, résistance**
– Manque de ressort **amorphe, faible, inerte**
– Donner du ressort à quelqu'un **volonté**
– Donner du ressort à une histoire **activité, rythme, suspense, vivacité**
– Cour de ressort **appel**
– En dernier ressort **extrémité, ressource**
– Être du ressort d'une juridiction **ressortir à**
– Cette affaire n'est pas de mon ressort **compétence, domaine, portée**
– Ressorts servant à compenser les vibrations **amortisseurs, suspensions**
– L'argent, ressort principal de l'économie capitaliste **force, moteur**

RESSOURCE **excuse, expédient, moyen, recours, remède, secours**
– Dernière ressource **espérance, refuge, planche de salut**
– Avoir de la ressource **résistance, ressort**
– Homme de ressources **débrouillard, futé, habile**
– Ressources financières **argent, bourse, économies, fonds, fortune, richesse**
– Sans ressources **démuni, pauvre**
– Ressources de l'État **budget, contributions, impôts, trésorerie**
– Ressources naturelles **matières premières, faune, flore**
– Le cœur a des ressources de bonté inépuisables **capacités, facultés, réserves**

RÉSULTAT

– Résultat d'une série d'événements **conséquence, contrecoup, effet, fin, issue, suite**
– Résultat d'un raisonnement **conclusion**
– Être le résultat de **dépendre de, s'ensuivre, naître de, ressortir de, venir de**
– Sa décision eut un résultat fâcheux **entraîna, produisit**
– Résultat tangible **œuvre, ouvrage, travail**
– Atteindre un résultat **aboutir à, arriver à, réussir, toucher au but**
– Approcher du résultat **progresser**
– Sert à obtenir un résultat **instrument, moyen, opération, procédé**
– Résultat positif **aboutissement, réussite, succès**
– Mauvais résultat **échec**
– Sans résultat **infructueux, inutile, stérile, vain**
– Résultat d'un problème **réponse, solution**
– Résultat positif d'un concours **admission**
– Résultats d'une élection **scrutin**

RÉSUMÉ (1) **abrégé, compendium, condensé, digest, raccourci, synthèse**
– Faire le résumé d'un texte **diminuer, écourter, réduire**
– Résumé détaillé **analyse, récapitulation**
– Résumé d'un film **synopsis, scénario**
– Résumé pratique **mémento, notions, précis**
– Résumé d'une situation **bilan**
– Résumé de la situation d'un compte en banque **extrait, relevé**
– Résumé d'une théorie scientifique **aperçu, éléments, rudiments**
– Résumé d'histoire antique **épitomé**

RÉSUMÉ (2)

– Texte résumé **concis, court, lapidaire, simplifié, succinct**

RETARD **délai**
– Retard dans le travail **lenteur, piétinement, ralentissement**
– Retard dans la prise d'une décision **ajournement, atermoiement, hésitation, remise, retardement**
– Retard voulu **manœuvre, temporisation**
– Je suis en retard **en arrière, à la traîne**
– Être en retard sur les progrès scientifiques actuels **en décalage**
– Pays dont le développement est en retard **arriéré, sous-développé**
– Retard dans la croissance **immaturité**
– En retard sur la mode **archaïque, démodé, périmé**

RETENIR **conserver, détenir, garder**
– Retenir par mesure de rétorsion **confisquer**
– Retenir une somme due **déduire, prélever, rabattre**
– Retenir une chambre d'hôtel **louer, réserver**
– Retenir une leçon **apprendre, mémoriser, se souvenir de**
– Retenir un chef d'accusation dans un procès **admettre, approuver, confirmer**
– Retenir quelqu'un **coincer, garder, tenir**
– Retenir quelqu'un contre sa volonté **emprisonner, enchaîner**
– Retenir un ami à dîner **convier, inviter**
– Retenir un soldat à la caserne **consigner**
– Une crise de rhumatismes le retient chez lui **immobilise**
– Tout ce qui le retient ici, ce sont tes beaux yeux **attache, attire**
– Retenir quelque chose en l'attachant **accrocher, amarrer, fixer, maintenir**
– Retient l'eau **barrage, chaussée, écluse, retenue**
– Retenir ses larmes **étouffer, ravaler, réprimer**

– Retenir ses sentiments **refouler, contraindre**
– Un rire impossible à retenir **incoercible, irrépressible, irrésistible**
– Retenir un objet sur le point de tomber **arrêter, saisir**
– Retenir les velléités de quelqu'un **modérer, ralentir**
– Se retenir **se cramponner, se rattraper**
– Se retenir de faire quelque chose **s'abstenir de, s'empêcher de**

RETOUR
– Le retour du printemps **réapparition, réveil**
– Retour en arrière **régression, réversion**
– Retour d'une période, d'une époque **recommencement, renaissance**
– Retour périodique **alternance, cycle, fluctuation, variation**
– Retour d'âge **vieillesse**
– Retour de jeunesse **regain, verdeur**
– Retour des mêmes sons **période, répétition, reprise, rythme**
– Être de retour **revenir**
– Retour scolaire **rentrée**
– Retour d'un colis **renvoi, réexpédition**
– Retours de librairie **invendus**
– C'est un retour à l'envoyeur **repartie, réplique**
– Retour d'équerre **angle droit**
– Retour de marée **contre-courant**
– Retour de fièvre **rechute**
– Retour de bâton **conséquence, contrecoup, répercussion, retentissement**
– Brusque retour de fortune **changement, revirement, vicissitudes**
– Retour des âmes **palingénésie**
– Décision sans retour **définitive, irréversible**
– Donner en retour **échange, compensation**
– Exiger quelque chose en retour **réciproquement, en récompense, en revanche**

RÉUNION voir aussi **assemblée, communauté, rencontre**
– Processus de réunion de deux éléments **assemblage, groupement, jonction, liaison, rapprochement, rassemblement**
– Réunion d'objets divers **entassement, mélange**
– Réunion de nombreux éléments **accumulation, agglomération, agrégation, entassement**
– Réunion d'éléments selon un ordre prescrit **combinaison, composition, organisation**
– Réunion d'idées ou d'objets hétéroclites ou incompatibles **amalgame, confusion, mélange**
– Réunion d'objets **amas, bloc, ensemble, groupe, masse, tas**
– Réunion d'objets par deux **couple, paire**
– Réunions harmonieuses **conjonction, synthèse, union, fusion**
– Réunion des idées dans un raisonnement **concaténation, enchaînement**
– Réunion de textes divers **collection, recueil**
– Réunion de tracés lumineux **concentration, convergence**
– Réunion volontaire **accord, mariage, alliance**
– Réunion d'un territoire à un État **adjonction, annexion, incorporation, rattachement**
– Réunion d'États **fédération**
– Réunion d'êtres humains en société **clan, colonie, communauté, groupe, population, tribu**
– Réunion de religieux **chapitre**
– Réunion d'évêques **concile, synode**
– Réunion de cardinaux **consistoire, conclave**
– Réunion de religions différentes **syncrétisme**
– Réunion syndicale ou politique **meeting**
– Réunion à un parti **adhésion**
– Réunion de spécialistes **colloque, forum, symposium, séminaire**
– Réunion de scientifiques **comité, commission, conférence, congrès, rencontre**
– Réunion des corps de métiers **compagnonnage, confrérie, corporation**
– Réunion rassemblant des scouts du monde entier **jamboree**
– Réunion de circonstance **coalition, entente**
– Réunion mal considérée **clique, coterie, ramassis**
– Réunion officielle **assemblée, assises, comices, conseil, séance**
– Public d'une réunion **assistance, auditoire**
– Réunion privée **cénacle, cercle, club**
– Réunion tardive **veillée**
– Réunion en vue de festivités **bal, célébration, raout, soirée**

RÉUNIR assembler, attacher
– Réunir en sa seule possession **accaparer, cumuler, regrouper, monopoliser**
– Réunir les fragments d'une œuvre **collecter, collectionner**
– Réunir des informations **recueillir**
– Réunir tous ses proches **convier, inviter**
– Réunir des amis fâchés **réconcilier**

RÉUSSITE
– Réussite financière **succès, prospérité**
– Réussite sportive **prouesse, exploit, performance**
– Réussite personnelle **accomplissement, perfection**
– Cette soirée fut une belle réussite **triomphe**
– Individu avide de réussite **carriériste, ambitieux**
– Faire inlassablement des réussites **patiences**

REVANCHE vengeance
– Revanche militaire **représailles**
– Accorde-moi une revanche **deuxième partie**
– En revanche **en compensation, en contrepartie, au contraire**

RÊVE songe
– Étude des rêves **onirologie**
– Cela appartient au domaine des rêves **onirique**
– Rêve chargé d'angoisse **cauchemar**
– Théorie fondée en partie sur l'interprétation des rêves **psychanalyse**
– Rêve à l'état de veille **rêverie, fantasme**
– Réaliser un rêve d'enfant **désir, projet**
– Poursuivre un rêve insensé **utopie, chimère, mirage**
– Une créature de rêve **parfaite, idéale**

REVÊCHE
– Un vin revêche **âpre**
– Un tissu revêche **rugueux, rêche, rude**
– Se montrer revêche **rétif, récalcitrant, acariâtre, hargneux**
– Une mine revêche **bourrue, rébarbative**

RÉVEILLER
– Réveiller une personne endormie **éveiller**
– Réveiller un membre ankylosé **dégourdir, dérouiller**
– Réveiller une douleur **raviver, ranimer**
– Réveiller la mémoire **stimuler**
– Réveiller des sensations oubliées **provoquer, susciter**

RÉVÉLATION
– La révélation de Dieu aux hommes **manifestation**
– Révélation mystique **vision, apparition**

– Doctrine faisant de la révélation divine le principe même de toute vérité **fidéisme**
– Avoir une révélation **illumination, inspiration**
– Faire une révélation **confidence, aveu, déclaration**
– Exiger la révélation des résultats d'une enquête **divulgation, communication**

RÉVÉLER
– Révéler un complot **déceler, découvrir, dénoncer, dévoiler**
– Son rythme cardiaque révèle une immense fatigue **indique, trahit**
– Révéler ses projets **exposer**
– Son attitude révèle sa très grande sagesse **prouve, atteste, montre**

REVENDICATION
– Ses revendications en matière d'emploi **prétentions, exigences, demandes**
– Entendre les revendications lycéennes **réclamations, desiderata**
– Tendance pathologique à la revendication **quérulence**

REVENIR
– Revenir à son lieu d'origine **regagner, retourner à**
– Thème musical qui revient dans une partition **leitmotiv**
– Phénomène qui revient avec régularité **récurrent, périodique**
– Revenir sur ses pas **rebrousser chemin**
– Revenir sur une décision **annuler, se dédire, se rétracter**
– Revenir d'une grave maladie **guérir de, réchapper de**
– Cette fortune lui revient **échoit**
– Cette responsabilité lui revient **incombe, appartient**
– Faire revenir le lard et les oignons **dorer, blondir, roussir, rissoler**

REVENU voir aussi **salaire**
– Revenus apportés par le travail **salaire, rémunération, traitement, gains, émoluments, appointements**
– Revenu provenant d'un placement **intérêt**
– Revenu provenant de biens immobiliers **produit, rente**
– Revenus de l'État **deniers**
– Revenu versé à un chef d'État **dotation**
– Revenu attribué à un ecclésiastique **prébende**

RÊVER voir aussi **sommeil**
– Se laisser aller à rêver **imaginer, divaguer**
– Rêver d'une vie turbulente et désordonnée **souhaiter, désirer, aspirer à**

RÉVÉRENCE
– Une attitude pleine de révérence à l'égard des aînés **considération, respect, déférence, vénération**
– Faire une révérence **courbette, salut**

REVERS envers voir aussi **tennis**
– Revers de la main **dos**
– Revers d'une page **verso**
– Revers fait sur un vêtement **retroussis, parement**
– Partie du manteau formant le revers du col **parmenture**
– Essuyer des revers **défaites, insuccès, échecs, infortunes, vicissitudes**

REVÊTEMENT placage
– Revêtement de sol **carrelage, linoléum, moquette**
– Revêtement appliqué sur un mur **crépi**
– Revêtement en bois couvrant les murs ou le plafond d'une maison **lambris**
– Revêtement de protection **chape, chemise, enveloppe**
– Revêtement retenant la terre d'un fossé **soutènement**

REVIREMENT changement, retournement, renversement
– Revirement brusque et imprévu **volte-face, pirouette**
– Revirement manifesté lors d'une discussion, d'un discours **rétractation, palinodie, désaveu**

RÉVISION
– Révision d'un texte de loi **modification, mise à jour, amendement**
– Procéder à une révision de l'arsenal **vérification, examen, contrôle**
– Révisions scolaires menées à un rythme soutenu et dans un temps très court **bachotage**

REVOIR (1)
– Suivre les revoirs du cerf **traces, empreintes**

REVOIR (2) réviser
– Revoir une épreuve **corriger**
– Revoir un manuscrit **retoucher, remanier**

RÉVOLTE émeute, insurrection, rébellion, sédition, soulèvement
– Révolte de paysans **jacquerie**
– Révolte d'une région, d'une province **dissidence**
– Révolte de prisonniers **mutinerie**
– Révolte menée contre un pouvoir par un groupe armé **putsch, pronunciamiento, coup d'État**
– La révolte dans les casernes **mécontentement, contestation, insoumission, insubordination**
– Révolte contre la bêtise humaine **indignation, colère**

RÉVOLTER
– Tant de mauvaise foi me révolte **choque, dégoûte, écœure**
– Cet enfant ne cesse de se révolter **regimber, s'opposer**
– Se révolter contre l'arbitraire d'une décision **contester, s'insurger**

RÉVOLUTION
– Révolution d'un astre **mouvement**
– Révolution des saisons **succession**
– Révolution d'un corps autour d'un axe géométrique **rotation**
– La révolution provoquée par la robotique **changement, mutation, bouleversement**

RÉVOLUTIONNAIRE (1)
– Un révolutionnaire notoire **agitateur, factieux, extrémiste, rebelle, insurgé, mutin**

RÉVOLUTIONNAIRE (2)
– C'est une invention révolutionnaire **novatrice**
– Se montrer révolutionnaire dans le domaine des arts **avant-gardiste**
– Des menées révolutionnaires **subversives**
– Tribunal révolutionnaire **tribunal d'exception**

REVOLVER
– Réservoir à cartouches d'un revolver **barillet**
– Revolver américain **colt**

REVUE
– S'abonner à une revue **magazine, périodique**
– Auteur de revue **revuiste**
– Être chargé de la revue de presse **compte rendu**
– Assister à une revue aux Folies-Bergère **spectacle**
– Faire la revue des troupes **inspection, examen**
– Apprécier les revues militaires **parades, défilés**
– Passer en revue les événements de l'année **recenser, récapituler**

RHAPSODIE voir aussi **musique**
– Rhapsodie dans l'Antiquité grecque **poème épique**

RHÉSUS voir **sang**

RHÉTORIQUE discours voir aussi tableau p. 394-395
– Objet de la rhétorique **éloquence**
– Maîtres de la rhétorique dans l'Antiquité grecque **sophistes**
– Les trois parties de la rhétorique **invention, disposition, élocution**

RHINITE coryza, rhume de cerveau
– Rhinite chronique caractérisée par une haleine fétide **ozène**

RHODODENDRON arbrisseau
– Famille à laquelle appartient le rhododendron **éricacées**

RHUMATISME
– Rhumatisme articulaire **maladie de Bouillaud**
– Rhumatisme chronique **arthrite**
– Rhumatisme dégénératif **arthrose**
– Douleur semblable à celle des rhumatismes **rhumatoïde**
– Domaine de la médecine traitant des affections induites par les rhumatismes **rhumatologie**
– Individu sujet aux rhumatismes **rhumatisant**
RHUME catarrhe
– Manifestation du rhume **coryza, rhinite**
– Virus transmettant le rhume **rhinovirus**
– Avoir un rhume **être enchifrené**
– Rhume des foins **pollinose, allergie**
RICHE (1)
– Nouveau riche **parvenu**
RICHE (2) cossu
– Gouvernement des plus riches dans l'Antiquité grecque **ploutocratie**
– Un pays riche **prospère, opulent**
– De riches étoffes **somptueuses, coûteuses**
– Une terre riche **fertile, féconde, généreuse**
– Une alimentation riche **nourrissante, nutritive**
– Un repas riche **abondant, plantureux, copieux**
– Un homme riche **fortuné, aisé, nanti**
– Une personne très riche **richissime**
– Un individu extrêmement riche **nabab**
RICHESSE
– Richesses d'une personne **argent, biens, fortune**
– Richesses naturelles **ressources**
– Vanter la richesse d'une langue **éclat, diversité**
– Apprécier la richesse d'un décor **faste, luxe, magnificence**
– Disposer d'une source de richesse considérable **pactole**
RICIN plante
– Famille à laquelle appartient le ricin **euphorbiacées**
– Feuilles de ricin **palma-christi**
– Graine de ricin **capsule**
– Utilisation fameuse de l'huile de ricin **purgatif**
– Solution à base d'huile de ricin **ricinée**
RIDE pli
– Petite ride **ridule**
– Rides situées au coin des yeux **patte-d'oie**
– Un visage plein de rides **raviné**
– Traitement contre les rides **lifting, lissage**
– Ride apparaissant sur l'eau **onde**
– Ride utilisée en marine **cordage**
– Rides d'une terre **plissement, sillons**
RIDEAU étoffe, draperie
– Rideaux légers et transparents **voilages**
– Cordelière retenant un rideau **embrasse**
– Rideaux de lit en usage autrefois **courtine, baldaquin**

FIGURES DE RHÉTORIQUE

allitération	Réitération des mêmes phonèmes dans une phrase ou un vers. *Pour qui sont ces serpents qui sifflent sur vos têtes ?* (Racine.)
anacoluthe	D'un mot grec signifiant « qui n'est pas compagnon ». Construction commencée, oubliée et faisant place à une autre – souvent la marque d'une émotion.
anastrophe	Renversement de l'ordre habituel des mots dans une phrase. *D'amour vos beaux yeux, Marquise, mourir me font.* (Molière.)
antiphrase	Procédé ironique consistant à dire le contraire de ce qu'on veut suggérer. *C'est du joli ! Ne vous gênez pas !*
antithèse	D'un mot grec signifiant « opposition ». Construction qui met en relief le sens de deux mots en les opposant. *Ô merveille ! Ô néant !* (Hugo.)
antonomase	Utilisation d'un nom propre pour désigner une personne dotée des mêmes qualités. *Un harpagon, un einstein, une lorette.*
aposiopèse	Interruption d'une phrase par un silence brusque dû à l'hésitation ou à la menace. *Je pourrais vous dire encore... Mais à quoi bon insister !*
apostrophe	Adresse à un objet animé ou inanimé, réel ou abstrait, sous la forme d'une construction exclamative. *Ô Justice, entends-moi !*
assonance	D'un mot latin signifiant « retentir, résonner ». En poésie, réitération de deux voyelles identiques suivies de consonnes finales différentes. *Sombre/tondre ; éclaire/s'élève.*
asyndète	Absence des mots de liaison (conjonctions notamment) dans une phrase ou entre deux phrases, pour donner plus de force. *Bon gré, mal gré.*
calembredaine	Absurdité ludique rapprochant des mots de même sonorité. *Le vin/la veine ; le verrat/la verrue ; le mausolée/la muselière ; le vent/la vente.*
catachrèse	Métaphore qui consiste à employer un mot en dehors de son sens strict. *À cheval sur mon vélo.*
contrepèterie	Inversion des lettres ou des syllabes d'un ensemble de mots, de façon à en obtenir d'autres dont l'assemblage est aussi doté d'un sens, cocasse de préférence. *Femme folle à la messe* pour *femme molle à la fesse* (Rabelais).
ellipse	D'un mot grec signifiant « suppression, retranchement ». Suppression de mots qui seraient nécessaires à une construction complète mais ne sont nullement indispensables à la compréhension. *Je fais mon travail et lui le sien.*

euphémisme	Emploi d'un mot de sens plus voilé afin d'atténuer une certaine violence. *Vous avez bu* pour *Vous êtes soûl. Je vous remercie* pour *Je vous congédie. Disparu* pour *mort.*
hiatus	Juxtaposition de deux voyelles ou éléments vocaliques à l'intérieur d'un mot (*aérer*) ou entre deux mots énoncés sans pause (*la haie a été élevée*).
hypallage	Report grammatical de l'adjectif épithète sur un autre mot que celui auquel il se rapporte par le sens. *Ce marchand accoudé sur un comptoir avide* (Hugo).
hyperbole	Exagération dans les termes. Fréquente dans la conversation, plus rare en littérature. *Un événement invraisemblable* pour *un événement surprenant.*
litote	Le contraire de l'hyperbole. Dit peu pour suggérer beaucoup. *Va, je ne te hais point.* (Corneille.)
métaphore	Établit une comparaison dont elle n'énonce qu'un terme. *Un plat soleil d'été tartinait ses rayons* (Verlaine).
métonymie	Glissement de sens sans étape intermédiaire. Consiste à désigner, par exemple : • le contenu par le contenant : *boire une bonne bouteille ;* • l'agent par l'instrument : *une fine lame.*
oxymore ou **oxymoron**	Consiste à réunir deux mots en apparence contradictoires. *Voilà un beau jeune vieillard* (Molière). *Un silence éloquent.*
pléonasme	D'un mot grec signifiant « plénitude, abondance ». Emploi de deux mots dont l'un est superflu. *Monter en haut. Une dune de sable.*
prétérition	Consiste à feindre de ne pas vouloir dire ce que l'on dit tout de même, souvent avec force détails. *Je ne m'étendrai pas sur le sujet...* (Suit alors un long développement !)
prosopopée	Procédé par lequel on fait agir et parler une personne, un être inanimé, un absent ou un mort. Platon a fait parler les lois.
syllepse	Accord selon le sens et contre l'usage grammatical. *Minuit sonnèrent.*
synecdoque	Désigne un objet par l'une de ses parties. *Avoir un toit* pour *avoir une maison.*
tmèse	Disjonction, séparation de deux éléments phoniques habituellement liés dans un mot. ***Lors** même **que** vous auriez raison.*
zeugme	D'un mot grec signifiant « lien, connexion ». Lien grammatical entre plusieurs compléments exprimé par la non-répétition du prédicat. *L'air était plein d'encens et les prés de verdure* (Hugo).

– Rideau que l'on place autour du lit afin de l'isoler des insectes **moustiquaire**
– Rideau recouvrant une porte **portière, tenture**
– Rideau de cheminée **tablier, trappe**

RIDICULE (1)
– Les ridicules d'une entreprise **travers, défauts**

RIDICULE (2)
– Un prix ridicule **insignifiant, dérisoire**
– Un entêtement ridicule **absurde, déraisonnable, insensé, stupide**
– Une réflexion ridicule **saugrenue, grotesque**
– Une tentative ridicule **risible**

RIDICULISER
– Ridiculiser une personne en forçant le trait **caricaturer**
– Ridiculiser une personne en usant d'ironie **se moquer de, railler, brocarder, persifler**
– Ridiculiser une personne en usant de mépris **bafouer**

RIEN (1)
– Un petit rien **babiole, bagatelle, vétille**

RIEN (2) néant
– Réduire à rien **annihiler, anéantir**
– Un homme de rien **méprisable, vil**

RIGIDE
– Une morale rigide **sévère, austère, rigoureuse**
– Adopter une attitude des plus rigides **intransigeante, intraitable, inflexible**
– Un objet rigide **raide, dur**
– Rendre rigide **rigidifier**

RIGOUREUX
– Une règle de vie rigoureuse **austère, rigide**
– Un châtiment rigoureux **dur, draconien, implacable**
– Une preuve rigoureuse **incontestable, indubitable, irréfutable**
– Un exposé rigoureux **exact, précis, clair, strict**
– Un soin rigoureux **méticuleux**

RIME voir aussi **poésie**
– Principe de la rime **assonance**
– Rime se terminant par une syllabe tonique **masculine**
– Rime se terminant par une syllabe muette **féminine**
– Type de rimes **plates, croisées, embrassées, redoublées, mêlées**

RINCER nettoyer, laver
– Instrument utilisé pour rincer les bouteilles **goupillon**
– Eau qui a été utilisée pour rincer **rinçure**
– Se rincer la bouche **se gargariser**

RIPOSTER
– Riposter verbalement **répondre, répliquer, rétorquer**
– Riposter physiquement **réagir, contre-attaquer**

RIRE se divertir, se réjouir
– Rire en poussant de petits cris **glousser**
– Rire bruyamment **s'esclaffer**
– Rire méchamment ou ironiquement **ricaner**
– Rire jaune **à contrecœur**

– Rire aux dépens d'une personne **se moquer de, se gausser de, railler**
– Faire rire une personne d'humeur maussade **dérider**
RISIBLE drôle, comique, plaisant
– Une situation risible **cocasse, grotesque, ridicule**
– Un événement particulièrement risible **hilarant, désopilant**
RISQUE hasard, danger, péril
– Les risques d'une entreprise **aléas, inconvénients**
RISQUER oser, tenter
– Risquer sa vie **jouer**
– Se risquer dans des ruelles très obscures **s'aventurer, se hasarder**
RITE cérémonie, culte
– Rites religieux **liturgie**
– Rite destiné à se concilier les dieux **propitiatoire**
– Rite de purification avant la prière **ablutions**
– Accomplir tous les rites prescrits **pratiques, rituel**
– Rites propres à une société **us, coutumes**
RIVAGE
– Rivage maritime **côte, littoral, bord**
– Rivage de sable ou de galets **plage, grève**
– Atteindre le rivage du fleuve **berge, rive**
RIVAL
– Distancer ses rivaux lors d'une course **concurrents, adversaires**
– Triompher des forces rivales après une lutte acharnée **antagonistes, ennemies, adverses**
RIVALITÉ concurrence
– Rivalité amoureuse **jalousie**
– Rivalité politique **divergence, opposition**
– Expression de la rivalité **combat, lutte, tournoi, joute, débat**
RIVIÈRE
– Endroit peu profond d'une rivière **gué**
– Niveau d'une rivière au moment des basses eaux **étiage**
– Affluent d'une rivière **ruisseau**
– Très grosse rivière **fleuve**
– Bord d'une rivière **berge**
– Animal ou plante vivant au bord des rivières **amnicole**
– Végétation poussant dans une rivière **fluviatile**
– Mouvements décrits par une rivière **courbes, sinuosités, méandres**
– Brusque dégel des glaces d'une rivière **débâcle**
– Désignation de la rivière en Afrique du Nord **oued**
RIZ
– Nom savant du riz ***oryza***
– Riz non décortiqué **paddy**
– Usine où l'on décortique le riz **rizerie**
– Culture du riz **riziculture**
– Espace réservé à la culture du riz **rizière**
– Alcool de riz **saké**
– Fécule de riz utilisée pour le maquillage **poudre de riz**
ROBE vêtement voir aussi **toge**
– Robe blanche revêtue par les communiants **aube**
– Robe de prêtre **soutane**
– Robe de moine **froc**
– Robe portée par les professeurs d'université lors de cérémonies officielles **épitoge**
– Homme de robe **magistrat**
– Robe de chambre **déshabillé, saut-de-lit, peignoir**
– Robe féminine très étroite et moulante **fourreau**
– Robe d'un vin **couleur**
– Robe d'un cigare **cape**
– Robe d'un légume **enveloppe, pelure**
– Robe d'un animal **pelage**
ROBINET
– Robinet permettant le mélange d'eau chaude et d'eau froide **mitigeur, mélangeur**
– Robinet à double voie **by-pass**
– Robinet de radiateur **purgeur**
– Robinet fixé sur un tonneau **cannelle, chantepleure**
– Fabricant de robinets **robinetier**
– Ensemble des robinets d'un appareil **robinetterie**
ROBOT machine, appareil
– Robot ménager **mixeur**
– Robot utilisé pour les missions sous-marines **télénaute**
– Robot guidé à distance **téléguidé, télécommandé**
– Ancêtre du robot **automate**
– Équiper un atelier de robots spécifiques **robotiser**
– Intervention du robot dans la vie domestique **domotique**
– Domaine de recherche et d'élaboration des robots **robotique**
– Le robot est un exemple des applications de la **cybernétique**
ROBUSTE
– Un homme robuste **costaud, fort, infatigable**
– Un robuste appétit **solide**
– Une plante très robuste **vivace, résistante**
– Une robuste intervention **énergique, vigoureuse**
ROC pierre, rocher
– Habitation creusée dans le roc **troglodytique**
– Peinture exécutée à même le roc **rupestre, pariétale**
ROCHE voir aussi tableau p. 398-399 et **pierre**
– Description et classement des différentes roches **pétrographie**
– Étude de la genèse des roches **pétrologie**
– Étude de la genèse des roches sédimentaires **sédimentologie**
– Étude microscopique des roches **lithologie**
– Roche ayant pris naissance dans les profondeurs de l'écorce terrestre **endogène**
– Les différentes catégories de roches **volcanique, plutonique, sédimentaire, métamorphique**
– Roche à partir de laquelle se forme un sol **roche mère**
– Roche imprégnée d'hydrocarbures **roche-réservoir, roche-magasin**
– Coq de roche **rupicole**
ROCHER
– Rocher à fleur d'eau **écueil, récif**
– Rocher situé le long d'une côte **étoc**
– Faune ou flore des rochers **saxatile, saxicole, rupestre**
– Alpiniste spécialiste de l'escalade des rochers **rochassier**
– Faire une chute en escaladant un rocher **dévisser, dérocher**
– Déguster un rocher au chocolat **bouchée**
ROCOCO
– Apprécier le style rococo **rocaille**
– Ce décor fait tout à fait rococo **suranné, démodé, vieux, vieillot**
RODÉO jeu
– Pays dont le rodéo est originaire **Argentine**
ROGNER
– Rogner le papier à l'aide d'une machine **massicoter**
– Rogner les branches d'un arbre **élaguer, tailler, émonder**
– Rogner l'aile d'un oiseau **éjointer**
– Rogner sur le budget **prélever, réduire**
ROI monarque, souverain
– Titre conféré au roi **majesté, sire**
– Accession d'un roi au trône **avènement, intronisation**
– Rétablissement d'un roi dans ses fonctions **restauration**
– Partisan et propagandiste du roi **camelot**
– Meurtre du roi **régicide**
– Jour des Rois **Épiphanie**

RÔLE
– Inscrire une affaire sur le rôle **registre**
– Énumérer le rôle d'équipage **liste, relevé**
– Personnage tenant un rôle muet au cinéma **comparse, figurant**
– Rôle de peu d'importance dans une pièce **panne, utilité**
– Répartition des rôles au théâtre ou au cinéma **casting, distribution**
– Rôle d'un organe **fonction**
– Remettre en cause le rôle des enseignants **mission, métier, vocation**
ROMAN (1) bas latin
– Forme dans laquelle sont aujourd'hui écrits les romans **prose**
– Roman médiéval **roman courtois, poème**
ROMAN (2) voir aussi **église**
– Langue romane **italien, sarde, espagnol, portugais, occitan, rhéto-roman, français, roumain**
ROMANESQUE
– Un esprit romanesque **rêveur, sentimental, idéaliste**
– Mièvre et romanesque **fleur bleue**
– Une histoire romanesque **extraordinaire, fabuleuse, fantastique**
– Une aventure romanesque **épique, rocambolesque**
ROMANTIQUE
– Un caractère romantique **enthousiaste, passionné, généreux, idéaliste, exalté**
ROMPRE briser, casser
– L'ouragan a rompu les digues **démoli, défoncé**
– La corde a rompu **lâché, craqué**
– Rompre les rangs **se disperser, s'éparpiller, s'égailler**
– Rompre avec une personne aimée **quitter, se séparer de**
– Rompre définitivement un contrat **résilier, dénoncer**
– Rompre ses engagements **se dédire, annuler**
ROND (1) voir **cercle**
ROND (2)
– Une forme ronde **sphérique, circulaire, cylindrique**
– Un ventre rond **bombé, rebondi**
– Un homme rond **replet, rondelet, grassouillet**
– Un visage rond **joufflu, mafflu**
– Une taille ronde **pleine, large**
– Un homme aux manières rondes **franc, direct, honnête, loyal**
– Des chiffres ronds **entiers**
RONDE voir aussi **note**
– Faire sa ronde **tournée, visite, inspection**
– Personne à la ronde **alentour**
– Leitmotiv d'une ronde **ritournelle**
– Exécuter une ronde **danse**
– Ronde dansée par les révolutionnaires **carmagnole**
RONDELLE
– Rondelle évidée utilisée en plomberie **joint**
– Rondelle utilisée en sculpture **ciseau**
– Une rondelle de salami **tranche, rouelle**
RONFLEMENT rhoncus
– Petit ronflement doux et discret **ronronnement**
– Ronflement émis par un moteur **vrombissement**
RONGER
– Le métal a été rongé par l'acide **attaqué, corrodé, entamé**
– Le bois est rongé par les vers **piqué, mouliné, vermoulu**
– Les souris viennent ronger les livres **grignoter**
– L'angoisse le ronge petit à petit **mine, tourmente, consume**
– Manie de se ronger les ongles **onychophagie**
RONGEUR
– Rongeur se rencontrant dans nos contrées **castor, écureuil, loir, marmotte, souris**
– Produit destiné à éliminer les rongeurs **rongicide**
ROSACE ornement
– Rosace ornant une église **rose**
ROSACÉE
– Arbre de la famille des rosacées **aubépine, pommier, cerisier, pêcher**
– Prescrire un traitement contre la rosacée **couperose**
ROSE fleur
– Rose sauvage **églantine**
– Rose de Noël **ellébore noir**
– Rose d'Inde **tagète**
– Essence de roses blanches **nizeré**
– Liqueur à base de pétales de rose **rossolis**
– Bois de rose **palissandre**
– Couleur d'un rose pas très net **rosâtre**
ROSEAU
– Tige souterraine du roseau **rhizome**
– Roseau très répandu au bord des étangs **phragmite**
– Lieu planté de roseaux **roselière**
– Instrument de musique taillé dans le roseau **chalumeau, mirliton, pipeau, syrinx**
– Roseau-massue **massette**
ROSÉE condensation, vapeur d'eau
– Nom donné dans le Poitou à la rosée **aiguail**
– Arrosage en gouttelettes aussi fines que la rosée **irroration**
ROSSER corriger, battre, frapper
ROT
– Faire un rot **renvoi, éructation**
– Traiter le raisin contre le rot **pourriture**
ROTATION giration
– Un mouvement de rotation **giratoire**
– Effectuer un mouvement de rotation **pivoter, tourner**
– Rotation d'un astre **révolution**
– Rotation d'un angle **transformation**
– Rotation des vents **variation**
– Rotation des effectifs dans une entreprise **roulement**
– Pratiquer la rotation des cultures **alternance, assolement**
RÔTI (1) viande
– Morceau de bœuf apprêté en rôti **rosbif**
– Cuisse d'agneau préparée en rôti **gigot**
– Ustensile permettant la cuisson de rôtis **rôtissoire, tournebroche**
– En cuisine, spécialiste des rôtis **rôtisseur**
RÔTI (2)
– Pain rôti **grillé, toasté**
RÔTIR
– Le soleil finit par rôtir la végétation **dessécher, brûler**
– Faire rôtir un poulet **cuire, dorer**
ROUE
– Centre d'une roue **moyeu**
– Axe d'une roue **fusée**
– Circonférence d'une roue **jante**
– Rayon d'une roue **rai**
– Roue d'un véhicule **pneu**
– Roue de transmission **poulie**
– Une roue mue par la force du courant **hydraulique**
– Faire la roue devant ses amis **parader, se pavaner, se rengorger**
ROUET
– Utilisation du rouet **filage**
– Mouvement nationaliste lancé par Gandhi et réintroduisant l'usage du rouet **khadi**
– Nom donné en Inde au rouet **charkha**
ROUGE
– Tisonner des braises très rouges **incandescentes**
– Il a le visage tout rouge **enluminé, rougeaud, rubicond, congestionné**
– Élément qui a tendance à devenir rouge **rubescent**
– Prendre peu à peu une teinte rouge **rougeoyer**
– Des cheveux rouges **roux**

– L'Armée rouge **soviétique**
– Poisson rouge **cyprin, carassin**
– Pierre rouge **cornaline, grenat, porphyre, rubis**

ROUGIR
– Rougir d'émotion **s'empourprer, s'enflammer**
– Manie de rougir **érubescence**
– Crainte maladive de rougir en public **éreutophobie**
– Des mains rougies par le sang **ensanglantées**

ROUILLE **oxyde de fer**
– Phénomène dû à la formation de rouille **altération**
– Propriété de la rouille **attaquer, ronger, corroder**
– Une lame couverte de rouille **rouillée, rubigineuse**
– Traitement des métaux ferreux contre la rouille **bondérisation**
– Peinture à l'oxyde de plomb préservant de la rouille **minium**
– Rouille de la vigne **anthracnose, mildiou**
– Rouille des fraisiers **rougissure**

ROUILLER
– La pluie rouille les persiennes **oxyde**
– Après cette longue période d'immobilité, son corps s'est rouillé **engourdi, ankylosé**
– Entretenir sa mémoire afin qu'elle ne se rouille pas **s'amoindrisse**

ROULEAU
– Rouleau d'une presse d'imprimerie **cylindre**
– Rouleau de pellicule **bobine**
– Rouleau utilisé par les tailleurs de pierre pour déplacer les blocs **roule**
– Rouleau utilisé pour la mise en plis **bigoudi**
– Surfer à vive allure sur les rouleaux **déferlantes**

ROULEMENT **déplacement**
– Établir un roulement **rotation, alternance**
– Roulement de tambour **battement, batterie**
– Encourager le roulement des capitaux **circulation**

ROULER
– Rouler toute la nuit **conduire**
– Sentir les cailloux rouler sous ses pas **bouler, s'ébouler**
– Rouler un objet dans une feuille **envelopper, enrouler**
– Rouler une terre fraîchement labourée **émotter, aplanir**
– Exercice consistant à rouler sur soi-même **galipette, culbute, cabriole, roulé-boulé**
– Rouler les épaules **parader**

NOMS DE ROCHES

andésite	Roche volcanique de couleur grise, formée de cristaux le plus souvent microscopiques et parfois vacuolaires. La pierre de Volvic est une roche andésitique.
basalte	Roche volcanique de couleur noire, de densité voisine de 3 et dont les éléments essentiels sont le feldspath (à l'état de microlites dans une pâte vitreuse), l'olivine et les minéraux secondaires (magnétite, ilménite).
bauxite	Du village des Baux. Roche argileuse de couleur rose ou rougeâtre qui renferme des hydrates d'alumines cristallisés ou amorphes. La bauxite, argile résiduelle ancienne, déposée en couches irrégulières avec poches entre les calcaires de l'Urgonien et ceux du Crétacé supérieur, est utilisée comme minerai d'aluminium. En France, elle est exploitée dans la région des Baux et de Toulon.
calcaire détritique	Roche essentiellement formée par des débris cimentés d'origine calcaire. Le calcaire lithographique et le calcaire grossier appartiennent à ce type.
calcschiste	Roche schisteuse, cristalline, formée de l'alternance de lits de calcite, de quartz et de mica blanc; on la trouve dans la zone des schistes lustrés alpins.
cinérite	Roche volcanique formée de lapilli et de cendres stratifiés par l'action de l'eau ; la finesse de grain des cinérites explique que les fossiles les plus fragiles, comme certains végétaux ou insectes, aient pu s'y conserver remarquablement.
dacite	Roche microlitique, d'origine volcanique, à feldspath calcosodique.
diabase	Roche de la famille des gabbros, de texture ophitique et comprenant des cristaux de plagioclase moulés par de l'argile.
diorite	Roche éruptive granitoïde constituée de cristaux blancs (feldspath) et verts (amphibole).
domite	Roche volcanique du type trachyte. Particulièrement riche en silice (jusqu'à 70 %), elle est de couleur blanche et constitue la masse des roches volcaniques du Puy-de-Dôme.
embréchite	Roche métamorphique de la série des migmatites, comprise, dans le cadre d'un métamorphisme général, entre les granits d'anatexie et les diadysites, roches intermédiaires entre les granits et les gneiss.
gabbro	Roche éruptive associant un feldspath calcosodique basique avec un pyroxène également basique et parfois de l'olivine. Cette roche constitue des filons dans les massifs anciens.
gaize	Roche siliceuse se présentant souvent sous forme de rognons, incluse dans les marnes de l'Oxfordien et les argiles du Crétacé inférieur, et très abondante dans l'Ardenne et en Argonne.
géode	Roche creuse, tapissée intérieurement de magnifiques cristaux de quartz, calcite, dolomie ou gypse.
gneiss	Roche métamorphique où les minéraux affectent une disposition litée.
granit	Du latin *granum,* « grain ». Roche éruptive composée principalement de quartz, de feldspath – potassique (orthose), sodique (albite) ou calcosodique (andésine) – et de mica (amphilobe ou pyroxène).

leptynite	Roche blanche, quartzeuse, chargée de petits grenats rouges, de la famille des granits.
lherzolite	De Lherz, village de l'Ariège. Roche de la famille des péridotites, caractérisée par un mélange d'olivine dominante et de pyroxènes, et formée par le métamorphisme d'une dolomie.
marne	Roche de transition entre les calcaires et les argiles. À partir de 50 % de calcaire, une argile est considérée comme une marne, c'est-à-dire une roche cohérente, de cassure nette à l'état sec, mais qui peut devenir plastique sous l'action de l'humidité.
molasse	Dans le Bassin aquitain, désigne une formation détritique se présentant comme un grès à ciment calcaire.
ophite	Roche de famille des gabbros, de couleur verte, comprenant de gros microlites de feldspath englobés dans des cristaux de pyroxène et que l'on trouve dans les terrains triasiques des Pyrénées.
phonolithe	Du grec *phônê,* « son », et *lithos,* « pierre ». Roche éruptive, plus ou moins sonore, de la famille des syénites. Les phonolithes sont des trachytes chargés de feldspath, se présentant en plaquettes grisâtres ou verdâtres et facilement clivables ; elles sont très répandues dans le Massif central : Cantal, Meygal, Mézenc.
phtanite	Roche siliceuse, plus ou moins chargée de matières graphiteuses et se présentant sous la forme de silex noirs dans les terrains primaires.
phyllade	Roche cristallophyllienne, variété d'ardoise, composée de quartz et de feldspath visibles seulement au microscope et associés à de l'argile.
poudingue	De l'anglais *pudding.* Roche formée de gros cailloux arrondis et réunis par un ciment ; lorsque les cailloux prennent la taille de graviers, la roche est appelée micropoudingue.
pouzzolane	Du nom de la ville italienne de Pouzzoles. Roche volcanique de la famille des trachytes se présentant sous la forme de scories et de cendres, exploitée en Italie pour la fabrication de certains ciments.
pyroméride	Roche microlitique de la famille du granit, caractérisée par de gros sphérolites à croix noire noyés dans une pâte vitreuse avec opale et calcédoine.
schiste	Du grec *schistos,* « fondu ». Roche feuilletée pouvant se cliver en minces feuillets. Les schistes résultent de la métamorphisation incomplète des argiles et des marnes.
tourbe	Roche combustible, d'origine récente, formée de fibres végétales, d'humus, de matières minérales et d'eau ; la proportion de carbone ne dépasse pas 50 %. La tourbe séchée est un combustible médiocre qui laisse de nombreuses cendres.
trachyandésite	Roche volcanique vitreuse, de la famille des syénites, mais moins siliceuse que les trachytes.
trachyte	Du grec *trakhus,* « rude ». Roche volcanique, de teinte grise, rugueuse, composée de fins cristaux de feldspath noyés dans une pâte faite d'une multitude de microlites.

ROULETTE
– Petite roulette utilisée en mécanique et destinée à réduire le frottement **galet**
– Roulette de couture **molette**
– Roulette fort redoutée utilisée pour les soins dentaires **fraise**

ROUTE
– Route à péage et à plusieurs voies **autoroute**
– Jonction de plusieurs routes **embranchement, carrefour, patte-d'oie**
– Faire route **se diriger**
– Faire fausse route **s'égarer, s'écarter, se fourvoyer**
– Quelle sera votre route ? **itinéraire**

ROUTIER **chauffeur, conducteur, camionneur**
– Grade de routier chez les scouts **ranger**
– C'est un vieux routier **vétéran**

ROUTINE **habitude**
– Une enquête de routine **banale, courante, systématique**
– Routine en matière de goût **conformisme, traditionalisme, misonéisme**
– Observateur aérien accomplissant une mission de routine **reconnaissance**

ROUX
– Des cheveux très roux **rouges**
– Des cheveux bruns aux reflets roux **auburn**
– Un pelage roux **fauve**
– Un cheval roux **alezan, baillet**

ROYAL voir aussi **roi**
– Un port royal **altier, majestueux**
– La voie royale **suprême**
– Une cérémonie royale **magnifique, grandiose, fastueuse**
– Droit en lien avec la souveraineté royale **régalien**

ROYAUME voir aussi **roi**
– Défendre un royaume **monarchie, règne**
– Interdiction est faite de pénétrer dans son royaume **domaine, fief**
– Royaume des cieux **paradis**

RUBAN
– Entourer de rubans **enrubanner**
– Ruban rouge **Légion d'honneur**
– Ruban violet **Palmes académiques**
– Commerce de rubans **rubanerie**
– Fabricant de rubans **rubanier**
– Ruban servant à tenir les cheveux **catogan**
– Nœud de ruban **coque, chou, bouffette, rosette**
– Ruban d'ornement **jalon, ganse, liséré**
– Étroit ruban de soie **faveur**
– Ruban porté au bras en guise d'insigne **brassard**

– Ruban utilisé en couture pour renforcer le tissu **extra-fort, talonnette**
– Ruban d'eau **sparganier**

RUBRIQUE
– Rubrique d'un journal **éditorial, faits divers, nécrologie, courrier, chronique, annonces**
– Placer tel élément sous telle rubrique **catégorie**
– Jadis, personne qui écrivait les rubriques et les titres sur les manuscrits **rubricateur**

RUCHE voir aussi **abeille**
– Toit d'une ruche **chapiteau**
– Plateau supportant une ruche **tablier**
– Compartiment d'une ruche **cadre**
– Élément du corps de la ruche **hausse, panneau alvéolé, croisée, trou de vol**
– Ces abeilles abandonnent l'ancienne ruche pour en constituer une nouvelle **essaiment**

RUDE
– Une matière rude au toucher **rugueuse, rêche, râpeuse**
– Un style rude **raboteux, rocailleux**
– Un rude métier **pénible, éreintant**
– Un hiver rude **cruel, rigoureux, inclément**
– Un vent rude **brutal, âpre**
– Une pente rude **abrupte, raide**
– Des manières rudes **rustiques, frustes, bourrues**
– Un rude adversaire **redoutable, farouche**

RUDOYER
– Rudoyer quelqu'un **brutaliser, brusquer, maltraiter, malmener, molester, faire un mauvais parti à**

RUE
– Grande rue **artère**
– Petite rue **venelle**
– À Lyon, petite rue couverte **traboule**
– Rue bordée d'arbres **mail**
– Emprunter une rue sans issue **impasse, cul-de-sac**
– Au milieu d'une rue, emplacement prévu pour permettre aux piétons de traverser en deux temps **refuge**
– Partie carrossable d'une rue **chaussée**
– Entretien des rues et des chemins publics **service de voirie**
– Arpenter les rues **macadam, asphalte**

RUGBY
– Joueur de rugby **rugbyman, quinziste, treiziste**
– Ligne avant d'une équipe de rugby **pack**
– Ligne à l'extrémité d'un terrain de rugby **ligne de ballon mort**
– Au rugby, espace au-delà de la ligne de but **en-but**
– Au rugby, regroupement de joueurs des deux équipes autour du ballon **mêlée, maul**
– Au rugby, faire sortir le ballon de la mêlée avec le pied **talonner, ratisser**
– Au rugby, faire tomber le porteur du ballon en le prenant aux jambes **plaquer**
– Au rugby, coup de pied en demi-volée **drop-goal**
– Au rugby, poser le ballon derrière la ligne de but adverse **marquer un essai**
– Au rugby, marquer un but à la suite d'un essai **transformer un essai**
– Au rugby, joueur qui transforme les essais **botteur**
– Faute, au rugby **en-avant, tenu, obstruction, incorrection, faute vénielle**
– Au rugby, sanction imposée par l'arbitre **coup de pied de pénalité, coup franc**

RUINE
– Entreprise au bord de la ruine **faillite, banqueroute, effondrement, débâcle**
– Guerres qui sèment la ruine **désolation, dévastation, destruction**
– La ruine d'une société, d'une civilisation **chute, décadence, désagrégation, délabrement, étiolement, déliquescence**
– Causer sa propre ruine **perte, fin, naufrage**
– Ruines d'un édifice **vestiges**
– Cet homme n'est plus qu'une ruine **épave, loque**

RUINER
– Ruiner quelqu'un au jeu **dépouiller, décaver**
– Ruiner sa santé **altérer, miner**
– Ruiner les espoirs de quelqu'un **saper, anéantir**
– Ruiner la réputation de quelqu'un **battre en brèche**
– Les cultures ont été ruinées par les intempéries **saccagées, ravagées**

RUISSEAU
– Petit ruisseau **ruisselet, ru**
– Ancien lit de ruisseau souvent inondé **noue**
– Fissure creusée dans les terrains calcaires par les eaux d'un ruisseau **lapiaz**
– La flore, la faune des ruisseaux **rivulaire**

RUMEUR
– Rumeur confuse **brouhaha, bourdonnement**
– Avoir vent d'une rumeur **bruit, potin, ragot, on-dit**
– Apprendre quelque chose par la rumeur publique **ouï-dire**

RUMINER **remâcher**
– Ruminer sa colère **entretenir, nourrir**
– Ruminer des griefs, des regrets **ressasser**

RUPTURE voir aussi **division, divorce, séparation**
– Rupture au sein d'un couple **cassure, désunion, divorce**
– Rupture de contrat **annulation, dénonciation**
– Rupture des relations diplomatiques **suspension, cessation**
– Rupture de ton **écart, opposition**

RURAL
– Un mode de vie rural **campagnard, rustique, agreste**
– Expert en droit rural **ruraliste**
– Dépeuplement des zones rurales **déruralisation**

RUSE
– Déjouer une ruse **stratagème, subterfuge, supercherie**
– User de ruse **artifice, rouerie, machiavélisme**
– Les ruses de la profession **astuces, ficelles**

RYTHME **durée, intervalle, répétition** voir aussi **musique**
– Marque le rythme en poésie **accent, césure, pied, rime**
– Rythme en poésie ou en musique **cadence**
– Rythme de la phrase **harmonie, mouvement**
– Unité de rythme dans les langues naturelles **accent, syllabe**
– Rythme de la lecture **scansion, débit**
– Rythme musical **cadence, mesure, tempo**
– Unité de rythme en musique **temps, ronde, noire, croche, pause, soupir**
– Rythme dans le jazz **beat, swing**
– Base de rythme du jazz **syncope**
– Instrument privilégiant le rythme **à percussion**
– Donne le rythme **métronome**
– Danser au rythme d'une musique **son**
– Rythme d'une action **allure, rapidité, vitesse**
– Rythme d'une onde **période**
– Rythme des volumes en architecture **disposition, distribution, équilibre, eurythmie, harmonie, répétition**
– Marquer le rythme **rythmer, scander**

S

SABLE
– Amas de sable **banc de sable**
– Sable aux grains très fins **sablon, limon, lœss**
– Sable riche en dépôts coquilliers fossiles **falun**
– Sable résultant de la décomposition de granit et formé de grains de quartz **arène**
– Butte de sable édifiée par le vent **dune, barkhane**
– Étendue de sable au bord de la mer **grève**
– Mélange de sable et de ciment **mortier**
– De même nature que le sable **arénacé**
– Animal vivant dans le sable **arénicole**
– Dépôt de sable, de boue, de graviers, etc., qui est laissé par les eaux **alluvion, atterrissement**
– Carrière d'où l'on extrait le sable **sablière, ballastière**
– Île de sable formée à la suite du débordement d'un cours d'eau **javeau**
– Plante graminée utilisée pour fixer le sable des dunes **oyat**
– Cordon de sable avançant dans la mer et reliant une île au continent **tombolo**
– Nom donné autrefois aux sables mouvants **syrtes**
– Forme laissée dans le sable par un navire échoué **souille**
– S'échouer dans le sable **s'ensabler, s'engraver**

SABOT **galoche, socque** voir aussi **cheval**
– Outil utilisé pour tailler et creuser les sabots **rogne**
– Morceau de peau de mouton utilisé pour garnir le dessus du sabot **panoufle**
– Animal qui n'a qu'un sabot par patte **solipède**
– Sabot des ruminants et des porcins **onglon**
– Partie du sabot du cheval **muraille, lacune médiane, lacune latérale, fourchette, sole**
– Maladie du sabot du cheval **bleime, encastelure, crapaud, fourbure**
– Ôter la partie inférieure du sabot d'un cheval **dessoler**

SABRE voir aussi **épée**
– Sabre à lame recourbée **cimeterre, alfange, yatagan**
– Sabre de la cavalerie du XIXe siècle **bancal, latte**
– Couteau espagnol qui ressemble à un petit sabre **navaja**
– Lanière qui fixait le sabre au ceinturon **bélière**
– Courroie fixée à la poignée du sabre **dragonne**
– Sac porté au ceinturon à côté du sabre **sabretache**

SAC
– Sac de toile **musette**
– Sac à deux poches **besace, bissac**
– Sac à dos du militaire **havresac**
– Sac d'écolier, de professeur **cartable, serviette**
– Petit sac à main **réticule**
– Sac à provisions **filet, cabas**
– Sac du chasseur **gibecière, carnassière, carnier**
– Sac à cartouches **cartouchière**
– Petit sac renfermant de l'argent **bourse, aumônière, escarcelle**
– Sac contenant du tabac **blague**
– Sac de peau utilisé pour conserver et transporter un liquide **outre**
– Mise à sac d'une ville **pillage, ravage, dévastation, massacre**

SACCAGER **abîmer, détériorer**
– Saccager un pays **piller, ravager, dévaster, mettre à sac, désoler, ruiner**
– Les cambrioleurs ont saccagé la maison **bouleversé**

SACRÉ
hiér(o)-

SACRÉ
– Le temple est un lieu sacré **inviolable, intouchable, intangible, sacro-saint**
– Une institution sacrée **respectable, vénérable, auguste**
– Espace sacré du temple juif **sanctuaire, saint des saints, oracle**
– Cérémonial sacré **liturgie**
– Interdiction appliquée à une chose sacrée **tabou**
– Se rapporte à une tradition sacrée **hiératique**
– Non-respect du caractère sacré d'un lieu ou d'un objet **profanation, sacrilège**
– Parole irrévérencieuse prononcée envers une chose sacrée **blasphème**

SACREMENT
– Application des saintes huiles lors de certains sacrements **onction**

SACRIFICE **immolation, holocauste**
– Sacrifice d'animaux **hécatombe, taurobole**
– Lieu où se déroule le sacrifice **autel**
– Jeune fille qui portait les offrandes lors d'un sacrifice **canéphore**
– Prêtre qui tuait la victime lors du sacrifice **victimaire**
– Offrande de liquide à une divinité lors d'un sacrifice **libation**
– Sacrifice fait pour écarter un maléfice **apotropaïque**
– Sacrifice offert pour se concilier les bonnes grâces d'une divinité **propitiatoire**
– Sacrifice effectué pour réparer une faute **expiatoire, piaculaire**
– Esprit de sacrifice **dévouement, abnégation**
– Faire un gros sacrifice financier **se saigner**

SACRIFIER
– Sacrifier sa carrière **délaisser, négliger, renoncer à, abandonner**
– Sacrifier à la tendance actuelle **suivre, obéir à, se conformer à**

SACRILÈGE (1)
– Quel sacrilège ! **outrage, irrévérence**
– Sacrilège commis dans un cimetière **profanation, violation**

SACRILÈGE (2)
– Parole sacrilège **blasphème**
– Action sacrilège **impiété**
– Doctrine qui promouvait la destruction sacrilège des images saintes **iconoclasme**

SAGE
– Prendre une sage décision **mesurée, pondérée, raisonnable, juste**

– Donner de sages recommandations **avisées, sensées, éclairées, judicieuses**
– Une petite fille sage **douce, docile, gentille, tranquille**
– Des pensionnaires bien sages **obéissants, disciplinés**
– Porter une robe très sage **discrète, décente, convenable, bienséante**
– Avoir des goûts sages **orthodoxes**
– Mener une vie sage **chaste, vertueuse, continente**
– Le sage conseiller d'un jeune homme **mentor**

SAGE-FEMME **accoucheur, obstétricien**
– Terme ancien désignant une sage-femme **matrone**

SAGESSE
-sophie

SAGESSE **science, savoir, connaissance, raison** voir aussi **philosophie**
– Déesse de la sagesse dans la mythologie gréco-romaine **Athéna, Minerve**
– Il se conduit avec sagesse **bon sens, jugement, modération, tempérance, circonspection, discernement**
– La sagesse s'acquiert avec l'âge **expérience, maturité**
– La sagesse du vieillard **détachement, sérénité, équanimité**
– Il s'en remet à la sagesse de son professeur **discrétion**

SAIGNÉE
– Le médecin prescrit la saignée d'une veine **phlébotomie**
– Permet de pratiquer une saignée **ventouse, sangsue, scarification**

SAIGNEMENT voir aussi **hémorragie**
– Le saignement s'arrête lorsque le sang se fige **coagule**
– Utiliser un produit qui stoppe le saignement **hémostatique**
– Saignement nasal **épistaxis**
– Saignement à l'intérieur de l'œil **hémophtalmie**

SAILLANT
– Type de moulure saillante **échine, corbeau, console**
– Édifice bastionné à angles saillants **redan**
– D'étranges yeux saillants **globuleux**
– Faire une critique saillante **frappante, remarquable, notable**

SAILLIE **proéminence, protubérance, relief**
– Partie d'un édifice construite en saillie **corniche, encorbellement, entablement, bow-window**
– Type de saillie en architecture **projecture, jarret, ressaut, forjet, balèvre, bossage**
– Saillie en anatomie **tubercule, tubérosité, apophyse, exophtalmie**
– Mener la femelle à la saillie **monte, lutte, appareillade, appariage**
– Saillie d'un étalon **service**
– Lancer une saillie dans la conversation **plaisanterie, boutade, bon mot, trait d'esprit**

SAIN **valide, gaillard**
– Un jeune homme sain **robuste, vigoureux**
– Un vieil homme sain et vif **ingambe**
– Un esprit sain dans un corps sain ***mens sana in corpore sano***
– Il s'en est sorti sain et sauf **indemne, sans dommage**
– Une promenade saine **stimulante, vivifiante, tonique, hygiénique**
– Un environnement sain **salubre, salutaire**
– Cette viande est-elle saine ? **consommable**
– Apprécier le retour à une alimentation plus saine **naturelle, biologique, diététique**

SAINT (1)
– Hiérarchie des saints **apôtre, évangéliste, martyr, confesseur**
– Saint dont on porte le nom **patron**
– Cercle traditionnellement représenté autour de la tête d'un saint **auréole, nimbe**
– Ce que renferme le saint des saints **arche d'alliance**
– Hommage religieux rendu à un saint **culte de dulie**
– Liste des saints **martyrologe, ménées**
– Reconstitution de la vie d'un saint **hagiographie**
– Longue prière où l'on invoque les saints **litanie**
– Évocation d'un saint lors d'une prière ou d'un office religieux **commémoraison**
– Acte officiel par lequel le pape donne à un personnage le titre de saint **canonisation**
– Jour de la fête de tous les saints **Toussaint**
– Conserver les restes du corps d'un saint **reliques**
– Contient les restes du corps d'un saint **reliquaire, châsse**

SAINT (2)
– Peuple saint **élu, glorieux**
– Une parole sainte **vénérable, auguste**
– Lieu saint **consacré, sanctifié**
– Saint personnage dans un pays musulman **marabout**

SAISIE
– Saisie d'un bien par l'autorité publique **confiscation, réquisition, séquestre, expropriation**
– Opération pouvant avoir lieu après une saisie **enchères, exécution, adjudication**
– Saisie d'une récolte sur pied par un huissier **saisie-brandon**
– Saisie d'un bien par un créancier **saisie-arrêt, opposition**
– Saisie des biens du défunt par ses héritiers légitimes **saisine**

SAISIR
– Organe permettant de saisir quelque chose **préhensile**
– Saisir le manche d'un couteau **empoigner, agripper**
– Le chien veut saisir la balle **attraper, intercepter, happer**
– Saisir dans ses bras **étreindre**
– Saisir le paysage d'un seul regard **embrasser**
– Saisir des bribes de conversation **percevoir, discerner**
– Saisir la situation **comprendre, concevoir, appréhender**
– Saisir des propos très mystérieux **pénétrer**
– Saisir un débiteur **exécuter**
– L'auditoire était saisi par son discours **ému, impressionné, frappé, captivé**
– Demeurer saisi de surprise **ahuri, ébahi, pétrifié**
– Être saisi par le froid **transi**
– Le voleur tentait de se saisir de mon sac **s'emparer de**

SAISON
– Marque le début d'une saison **équinoxe, solstice**
– C'est la meilleure saison pour voyager **moment, époque, période**
– Ce manteau n'est plus de saison **de circonstance**
– Les divinités personnifiant les saisons dans la mythologie romaine **Flore, Cérès, Bacchus, Saturne**

SALADE voir aussi tableau
– Remuer la salade **fatiguer**
– Mélange composé de quatre ou cinq variétés de salades **mesclun**

SALAIRE **rémunération, rétribution, traitement, paie, appointements, émoluments**
– Salaire des professions libérales **honoraires, vacation**
– Salaire versé à un militaire **solde**
– Terme ancien désignant le salaire d'un employé de maison **gages**
– Salaire au travail effectué **cachet, pige**
– Symbole du salaire des membres

d'un conseil d'administration, d'une assemblée **jeton de présence**
– Avoir un gros salaire **revenu**
– Un emploi qui procure un salaire important **lucratif**
– Part régulière d'un salaire **fixe**
– Pourcentage accordé en plus du salaire fixe **commission, courtage, guelte**
– Somme accordée en plus du salaire pour compenser des frais **indemnité**
– Somme d'argent parfois ajoutée au salaire par l'employeur **prime, gratification, étrennes, participation, intéressement**

SALE malpropre, souillé
– Un bleu de travail très sale **crasseux, graisseux, taché, maculé**
– Un meuble fort sale **encrassé, poussiéreux**
– De l'eau sale **croupie, fétide**
– Des chaussures sales **boueuses, terreuses, crottées, fangeuses**
– Un visage tout sale **barbouillé, mâchuré**
– Avoir les mains toutes sales **grasses, poisseuses**
– Lieu sale provoquant le dégoût **repoussant, répugnant, immonde, sordide**
– Endroit sale et misérable **taudis, bouge, galetas**
– Lieu sale où se vautrent certains animaux **bauge, souille**
– Tenir des propos sales **indécents, obscènes, licencieux, graveleux, orduriers**
– Faire preuve d'une sale mentalité **basse, ignoble, infâme, abjecte**
– Une bien sale manie **détestable, haïssable**
– Quel sale individu ! **antipathique, odieux, exécrable**

SALÉ
– Un aliment salé et séché **saur**
– Liquide très salé dans lequel on conserve certaines denrées alimentaires **saumure**
– Une plaisanterie salée **crue, corsée, grivoise, grossière**

SALER
– Saler une sauce pour lui donner davantage de goût **assaisonner, relever**
– Saler un aliment afin de le conserver **salaison, saumurage**

SALETÉ
– Dire des saletés **grossièretés**
– Parasites qui se développent dans la saleté **vermine**
– Endroit destiné à recevoir des saletés **décharge, dépotoir, cloaque, sentine**

SALADES	
barbe-de-capucin	**mâche/doucette**
batavia	**pissenlit**
chicorée	**pourpier**
cresson	**raiponce**
endive/ chicorée Witloff	**romaine**
feuille-de-chêne	**roquette**
frisée	**scarole**
laitue	**trévise/ chicorée rouge**

SALIR souiller, infecter, contaminer, entacher
– Salir un politicien **déshonorer, diffamer, calomnier, flétrir**
– Se salir dans une affaire douteuse **se compromettre, s'avilir**

SALIVE
– Flux de salive **bave, écume**
– Petite émission de salive **crachat, postillon**
– Trop grande production de salive **sialorrhée, ptyalisme, hypersialie**
– Manque de salive **asialie**
– Enzyme présent dans la salive **amylase**
– Qui favorise la sécrétion de salive **sialagogue, sialogène, masticatoire**
– Substance donnée aux chevaux pour activer la sécrétion de salive **mastigadour**
– Il avala sa salive avec difficulté **déglutit**

SALLE pièce, local
– Salle où se pratiquaient les leçons d'escrime **d'armes**
– Salle où Jésus réunit les apôtres pour le dernier repas **cénacle**
– Une personne de la salle **public, assistance, auditoire**

SALON foire, exposition
– Grand salon **séjour, living**
– Petit salon **boudoir, bibliothèque, fumoir**
– Petit salon de jardin **kiosque, tonnelle, gloriette**

SALUER voir aussi **politesse**
– Saluer de façon mondaine **souhaiter le bonjour, présenter ses hommages, présenter ses respects, présenter ses devoirs, présenter ses civilités**
– Manière exagérée de saluer **courbette, révérence, salutation, génuflexion**
– Coups de canon tirés pour saluer **salve**
– Saluer un exploit **tirer son chapeau à, rendre hommage à**

SALUT
– Aide divine qui permet d'accéder au salut **bénédiction, grâce**

SANCTION
– Sanction d'un décret **approbation, confirmation**
– Sanction d'une nouvelle performance sportive **consécration, ratification, validation, homologation, entérinement**
– Cette faute mérite une sanction **punition, châtiment**
– Infliger une sanction corporelle **correction**
– Face à l'indiscipline de ses élèves, le professeur va prendre des sanctions **sévir**
– La sanction sera très sévère **peine, amende, condamnation, répression**
– Sanction infligée à un prêtre **suspense**
– Sanction donnée à un joueur **pénalité, pénalisation**
– Sanction prise par l'arbitre au football **penalty**

SANDALE
– Sandale en cuir à lanières croisées **spartiate**

SANG
hémo-, héma-, hémat(o)-, -émie

SANG voir aussi **artère, hémorragie**
– Conduit organique permettant la circulation du sang **veine, artère, vaisseau, capillaire**
– Système de circulation du sang dans les vaisseaux **vasculaire**
– Écoulement de sang **saignement, hémorragie, épistaxis**
– Analyse du sang **hémogramme**
– Donne au sang sa couleur rouge **hémoglobine**
– Partie liquide du sang **sérum, plasma**
– Excès de globules blancs dans le sang **leucocytose, lymphocytose**
– Affaiblissement provoqué par une baisse du taux des globules rouges dans le sang **anémie, chlorose**
– Excès de la teneur en eau du sang **hémodilution, hydrémie**
– Chute du taux de glucose dans le sang **hypoglycémie**
– Augmentation excessive du taux de cholestérol dans le sang **hypercholestérolémie**
– Personne dont le sang ne peut se coaguler rapidement **hémophile**
– Arrêt localisé de la circulation du sang **ischémie**
– Déficience d'oxygène dans le sang **hypoxémie, anoxémie**
– Élévation du taux de la bilirubine dans le sang **jaunisse, ictère, hyperbilirubinémie**
– Présence de sang dans l'urine **hématurie**

– Afflux brutal de sang dans un organe **congestion, fluxion**
– Intoxication du sang **toxémie**
– Infection généralisée du sang **septicémie**
– Cancer du sang **leucémie**
– Organe qui a perdu tout son sang **exsangue**
– Surabondance de sang dans l'organisme **pléthore**
– Avoir le sang qui monte au visage **être congestionné**
– Des yeux colorés par un afflux de sang **injectés**
– Un homme de sang noble **souche, origine, extraction, lignage, naissance**
– Un cheval de sang **race**

SANGLIER
– Mammifère africain semblable au sanglier **phacochère**
– Coup porté par le sanglier avec ses défenses **dentée, décousure**
– Testicules du sanglier en vénerie **suites**
– Abats du sanglier donnés aux chiens après la chasse à courre **fouaille**
– Saison où le sanglier est le meilleur à consommer **porchaison**

SANS
– Être sans ressources **privé de, dépourvu de**
– Je ne parlerai pas sans mon avocat **en l'absence de, hors la présence de**
– Sans quoi **faute de**

SANS-GÊNE
– Une attitude par trop sans-gêne **familière, désinvolte, cavalière**
– Ce garçon sans-gêne se croit chez lui **envahissant, importun**
– Ses questions sont sans-gêne **impolies, indiscrètes, inconvenantes**

SANTÉ voir aussi **sain**
– Cet enfant est de santé robuste **tempérament, constitution, complexion**
– Il n'est jamais fatigué, quelle santé ! **résistance, endurance**
– Une excellente santé **brillante, éclatante, resplendissante, florissante**
– Une petite santé **chancelante, précaire, délicate, déficiente**
– Avoir la santé **respirer**
– Retrouver la santé **recouvrer**
– Perte progressive de la santé **affaiblissement, dépérissement, étiolement**
– Suivre une cure dans une maison de santé **sanatorium, préventorium**
– Une mesure visant à améliorer la santé publique **sanitaire**
– Établissement de santé publique **dispensaire**
– Déesse de la santé dans la mythologie grecque **Hygie**

SAPIN voir aussi **conifère**
– Nom scientifique du sapin ***Abies***
– Arbre abusivement appelé sapin **épicéa, épinette, mélèze**
– Planche en bois de sapin **sapine**
– Lieu où sont plantés des sapins **sapinière, sapaie**

SARCASTIQUE
– Une remarque sarcastique **acerbe, caustique, sardonique**
– Un article sarcastique **mordant, incisif, acrimonieux**
– Personnage sarcastique **persifleur**
– Malicieux et sarcastique **railleur, goguenard, narquois, gouailleur**
– Tenir des propos sarcastiques au sujet de quelqu'un **brocarder**

SARDINE
– Ordre auquel appartient la sardine **physostomes**
– Famille de la sardine **clupéidés**
– Petite sardine **sardinelle, allache**
– Filet utilisé en Bretagne pour la pêche à la sardine **bolinche**
– Nom de la sardine adulte **pilchard, royan**

SATELLITE
– Trajectoire suivie par un satellite **orbite**
– Tour complet qu'effectue le satellite autour d'un astre **révolution**
– Point de la trajectoire d'un satellite le plus proche de la Terre **périgée**
– Point de la trajectoire d'un satellite le plus éloigné de la Terre **apogée**
– Le premier satellite artificiel **Spoutnik I**
– Satellite artificiel étudiant la forme et les dimensions de la Terre **géodésique**
– Satellite météorologique conservant une position fixe au-dessus de la Terre **géostationnaire**
– Satellite météorologique qui passe toujours à la même heure au-dessus d'un point donné du globe **héliosynchrone**

SATIRE
– Satire qui attaque la société **diatribe, pamphlet, libelle**
– Satire très violente dirigée contre une personne **philippique, catilinaire, factum**
– Faire la satire de son adversaire **se moquer de, railler, tourner en dérision**

SATIRIQUE
– Poème satirique **épigramme, épode**
– Imitation satirique **parodie**
– Portrait satirique **caricature, charge**
– Une attaque satirique **mordante, acérée, incisive, à l'emporte-pièce, au vitriol**
– Quel esprit satirique ! **ironique, sarcastique, caustique**

SATISFACTION **bonheur, béatitude, douceur, volupté**
– Une exclamation de satisfaction devant un travail bien fait **plaisir, joie, contentement**
– Pousser un soupir de satisfaction **bien-être, aise, jouissance**
– Sentiment de grande satisfaction **euphorie**
– Une bien maigre satisfaction **consolation, compensation**
– L'air de satisfaction du vainqueur **triomphe**
– Se considérer avec satisfaction **complaisance, fierté, suffisance, fatuité**
– Donné en témoignage de satisfaction **satisfecit**
– Obtenir satisfaction à la suite d'un préjudice **réparation, gain de cause, raison**

SATISFAIRE
– Satisfaire sa soif **calmer, apaiser, étancher**
– Satisfaire pleinement ses appétits **rassasier, assouvir**
– Cette proposition va vous satisfaire **plaire, convenir**
– Satisfaire les vœux de la clientèle **contenter, combler, exaucer**
– Satisfaire à de nombreuses demandes **répondre à, faire face à, suffire à**
– Satisfaire à ses engagements **tenir, remplir, accomplir, exécuter**
– Satisfaire aux besoins de toute la famille **pourvoir à**
– Se satisfaire d'une situation précaire **s'arranger de, s'accommoder de**

SAUCE
– Épaissir une sauce **réduire, lier**
– Rendre une sauce plus liquide **clarifier, allonger**
– Ajouter un liquide pendant la cuisson d'un mets afin de composer une sauce **mouiller**
– Éléments de base d'une sauce **fond**
– Manière de filtrer une sauce **passer à l'étamine**
– Plat à base de viande coupée en morceaux et cuite dans une sauce **ragoût, fricassée**

SAUCISSE
– Chair à saucisse **hachis, farce**
– Saucisse de forme plate **crépinette**

– Saucisse faite à base de porc **saucisse de Toulouse, saucisse de Francfort, chipolata**
– Saucisse à chair fine faite de bœuf et de porc **saucisse de Strasbourg**
– Saucisse d'origine nord-africaine **merguez**
– Saucisse fumée **saucisse de Montbéliard, saucisse de Morteau**

SAUCISSON
– Saucisson cuit **cervelas**
– Saucisson de Lyon **rosette, jésus**
– Saucisson pimenté d'origine espagnole **chorizo**
– Saucisson d'origine italienne **mortadelle, salami, coppa, pepperoni**
– Saucisson corse **lonzo, figatelle**
– Traitement par lequel on dessèche le saucisson **dessiccation**

SAUF (1)
– Être sain et sauf **sauvé, rescapé, indemne**
– L'honneur de la famille est sauf **intact, inaltéré**

SAUF (2)
– Penser à tout sauf au principal **excepté, hormis**
– Sauf contrordre **sous réserve de**

SAULE
– Famille à laquelle appartient le saule **salicacées**
– Terrain où poussent les saules **saulaie, sauleraie, saulsaie, saussaie**
– Alignement de saules **saulée**
– Rameaux produits par certaines variétés de saules et utilisés en vannerie **osier**
– Variété de saule-osier **saule blanc, saule-amandier, saule des vanniers**
– Façon de tailler les saules-osiers **têtard**
– Variété de saule ne produisant pas d'osier **saule pleureur, saule Marsault, saule Daphné, saule cendré**
– Branche de saule employée pour la fabrication des cerceaux de tonneaux **feuillard**
– Substance contenue dans l'écorce du saule et utilisée en pharmacie **salicine, salicoside**

SAUT
– Décomposition du saut **préparation, détente, suspension, réception**
– Technique de saut en hauteur **rouleau ventral, fosbury flop**
– Saut acrobatique **voltige**
– Saut périlleux **salto**
– Petit saut de danse **entrechat, gargouillade, saut de chat**
– Saut effectué en patinage artistique **boucle, axel, salchow, lutz, flip**
– Animal qui se déplace par sauts **saltigrade**
– Saut brusque et involontaire **sursaut, haut-le-corps, tressaillement, tressautement**
– Les sauts d'une voiture **cahots, secousses, saccades, soubresauts, à-coups**
– Saut d'une rivière **cascade, chute, cataracte**

SAUTER **bondir, s'élancer**
– Sauter par-dessus un obstacle de petite taille **enjamber, franchir**
– Le chat saute sur la souris **attaque, assaille, agresse**
– Dans son enclos, le poulain saute de-ci de-là **cabriole, caracole**
– Les enfants sautaient joyeusement dans le jardin **gambadaient**
– Sauter sur une mine **éclater, exploser, voler en éclats**
– Sauter une phrase en lisant un texte **oublier, omettre**

SAUTERELLE
– Ordre auquel appartient la sauterelle **orthoptères**
– Espèce de sauterelle **criquet, grillon**
– Sauterelle de mer **squille**

SAUVAGE
– Une bête sauvage **fauve, féroce, indomptable, inapprivoisable**
– Les chats du quartier sont restés sauvages **craintifs, farouches**
– Un endroit sauvage **abandonné, inhabité, désert**
– Espace sauvage **no man's land**
– À vivre toujours seul, cet homme est devenu sauvage **solitaire, insociable, misanthrope**
– Une personne sauvage dans ses manières **grossière, fruste, rustre, mal dégrossie**
– Un individu sauvage et dépourvu de goût **ignorant, inculte, barbare, béotien**
– Une façon de vivre un peu sauvage **rustique, rudimentaire, primitive**
– Un instinct sauvage **brutal, animal, bestial**

SAUVEGARDE
– Sauvegarde des libertés **garantie, protection, préservation**
– Son entourage est une sauvegarde contre les indésirables **abri, refuge, bouclier**
– Se mettre sous la sauvegarde d'un magistrat **auspices, égide**

SAUVER
– Le malade qu'on croyait condamné est sauvé **guéri, rétabli, remis, ressuscité**
– Les naufragés sont sauvés **rescapés, indemnes, sains et saufs, hors de danger**
– Sauver tous les bijoux de l'incendie **préserver, sauvegarder**
– Sauver d'une mort certaine **arracher, soustraire**
– Sauver un enfant des mains de ses ravisseurs **libérer, délivrer**
– Sauver l'humanité **racheter**
– Se sauver face à un danger **fuir**
– Des militaires ont tenté de se sauver de la caserne **déserter**
– Le prisonnier s'est sauvé par la fenêtre **échappé, évadé**

SAVANT (1)
– Considéré comme un savant dans l'Antiquité **philosophe, sage**
– Nom donné aux savants des XVe et XVIe siècles **humaniste, clerc**
– Savant qui contribue au progrès de la science **chercheur, inventeur, découvreur**
– Les plus grands savants de notre temps **sommités, éminences, oracles**
– Réunion de savants **conférence, symposium, congrès, colloque, aréopage**

SAVANT (2) **instruit, cultivé, érudit, lettré**
– Être savant dans une discipline **compétent, expert, maître, versé**
– Cette émission est trop savante **compliquée, difficile, ardue, inabordable, inaccessible**
– Une revue savante **scientifique**
– Prendre un ton savant pour s'adresser au public **pédant, doctoral, pontifiant**
– Un savant cruciverbiste **habile, ingénieux, émérite, virtuose**

SAVOIR (1) **connaissance, science, érudition**
– Le savoir de base **rudiments, éléments, notions**
– Ensemble du savoir d'une personne **culture, acquis, bagage**
– Moyen d'accéder au savoir **éducation, instruction, apprentissage, formation, initiation**
– Savoir spécifique **capacité, aptitude, compétence, savoir-faire**
– Savoir technique rendu accessible au grand public **vulgarisation**
– Transmettre son savoir **enseigner, professer, inculquer**
– Personne d'un immense savoir **lumière, flambeau, phare**

SAVOIR (2) **connaître, apprendre**
– Chercher à savoir **se renseigner, s'informer, s'enquérir**
– Une personne qui sait tout **omnisciente**
– Savoir parfaitement ses leçons **apprendre, assimiler**
– Faire savoir **annoncer, notifier, signifier, avertir, aviser**

– Il faut faire savoir les problèmes **ébruiter, divulguer, dénoncer**
– Le gouvernement fera savoir sa position **communiquera**

SAVOIR-FAIRE habileté, adresse
– Savoir-faire manuel **dextérité, doigté**
– Faire preuve d'un grand savoir-faire **brio, virtuosité**
– Situation qui exige du savoir-faire **délicatesse, diplomatie, entregent, tact**

SAVOIR-VIVRE
– Montrer du savoir-vivre **tact, discrétion, délicatesse**
– Règles du savoir-vivre **usages, convenances, bienséances**
– Règles du savoir-vivre officiel **cérémonial, protocole, étiquette, décorum**

SAVON
– Forme de savon **brique, barre, pain**
– Savon en petits morceaux **copeaux, paillettes**
– Fabrication du savon **saponification**
– Savon de toilette **cosmétique, dermatologique**
– Savon riche en acides gras **alcalin, surgras**
– Substance adoucissante contenue dans le savon **lanoline**
– Corps présent dans les savons transparents **sucre, glycérine**
– Une substance qui a les mêmes qualités que le savon **saponacée**
– Savon de ménage **savon noir**
– Savon utilisé en pharmacie **médicinal, amygdalin**
– Médicament contenant du savon **opodeldoch**
– Substance, contenue dans certaines plantes, qui mousse comme du savon **saponine**
– Plante contenant une substance moussant comme du savon **savonnier, saponaire**

SCANDALE désordre, tapage, éclat, esclandre

SCANDALEUX
– Quelle attitude scandaleuse ! **déplorable, choquante, révoltante**
– Tenir des propos scandaleux **honteux, éhontés, outranciers**

SCANDALISER indigner, horrifier, outrer
– Se scandaliser d'un retard important **se froisser de, s'offenser de, s'offusquer de, se formaliser de**

SCEAU cachet
– Sceau authentifiant une marque **label, estampille**
– Sceau de métal **plomb, bulle**
– Sceau apposé sur une bande de papier ou d'étoffe qui interdit l'ouverture d'une porte **scellés**
– Qui porte un sceau **sigillé**
– Moule original du sceau **matrice**
– Objet servant à apposer un sceau **poinçon, coin**
– Frapper une monnaie d'un sceau **estamper**
– Étude des sceaux **sigillographie**
– Le sceau de la réussite **marque, empreinte, griffe**
– Fonctionnaire qui a la garde des sceaux **chancelier**

SCÉNARIO
– Grandes lignes du scénario d'une œuvre **plan, canevas, argument**
– Ébauche d'un scénario cinématographique **synopsis**
– Schéma du scénario scène par scène **découpage, script**
– Le scénario comprend de nombreux rebondissements **intrigue, action**
– Scénario d'un opéra **livret**
– Un scénario bien huilé **mécanisme, processus**

SCÈNE
– Petite scène surélevée **estrade, podium, tribune**
– Scène de théâtre **plateau**
– Monter sur scène **planches**
– Projecteurs à l'avant de la scène **rampe**
– Partie de la scène en avant du rideau **avant-scène**
– Décors du fond de la scène **arrière-plans, lointains**
– Scène dont le décor glisse verticalement **ductile**
– Scène dont les panneaux de décor coulissent **versatile**
– Personnage descendu sur la scène sur une machine et qui crée la surprise **deus ex machina**
– Art de peindre des décors de scène **scénographie**
– Étude de la mise en scène théâtrale **scénologie**
– Scène cinématographique **séquence**
– Scène courte et humoristique **sketch, saynète**
– La scène se déroule au Moyen Âge **action**
– Une scène attendrissante **vision, spectacle, tableau**
– Susciter une scène **querelle, esclandre, algarade**

SCEPTIQUE (1)
– Philosophie des sceptiques grecs **pyrrhonisme**

SCEPTIQUE (2)
– Laisser paraître un air sceptique **perplexe, dubitatif, incrédule**
– Sceptique quant à la religion **irréligieux, incroyant, athée**

SCHÉMA plan, tracé
– Schéma mathématique **figure, graphique, diagramme**
– Le schéma d'un discours officiel **abrégé, canevas, ébauche, esquisse**
– Suivre le schéma classique **processus, structure**

SCIE
– Marque laissée par le passage de la scie **trait de scie**
– Largeur de la dent à la base de la scie **pas**
– Régler l'inclinaison des dents d'une scie **avoyer**
– Outil nécessaire à l'entretien des scies **tiers-point, tourne-à-gauche, pince à avoyer**
– Sert à guider la scie **boîte à onglets**
– Grande scie qui s'utilise à deux **passe-partout, scie de long**
– Qui est découpé en dents de scie **serratiforme**
– Arbre dont les feuilles sont en dents de scie **serratifolié**

SCIENCE
-logie

SCIENCE connaissance, savoir voir aussi tableau
– Une science immense **instruction, culture, érudition**
– Agir avec science **habileté, adresse, talent, compétence**
– La diplomatie est une science **art, technique**
– Étude philosophique des sciences **épistémologie**
– Doctrine relevant de l'étude philosophique des sciences **positivisme, physicalisme, scientisme**
– Science qui étudie les formes et les lois de la pensée **logique**
– Science universelle **omniscience**

SCIENCE-FICTION anticipation
– Science-fiction à caractère politique se situant dans un avenir proche **politique-fiction**
– Créature de science-fiction **cyborg, humanoïde, androïde, mutant**

SCIENTIFIQUE (1) savant, chercheur

SCIENTIFIQUE (2)
– Une démarche scientifique **objective, rationnelle**
– Partie de la logique qui étudie les méthodes scientifiques **méthodologie**
– Contraire au savoir scientifique **empirique**

SCIENCES : TERMES FINISSANT EN - OLOGIE ET - OGRAPHIE

angiologie	organes de la circulation
anthropologie	être humain
astrologie	corps célestes
bryologie	mousses hépatiques
cardiologie	fonctions et maladies du cœur
carpologie	fruits
cartographie	cartes
chorégraphie	danse, composition de ballets
chorographie	description générale d'un pays
chronologie	dates
conchyliologie	coquilles et coquillages
cosmologie	lois générales de l'Univers
craniologie	crâne
criminologie	crimes et criminels
cryptologie	écritures secrètes, documents codés
cytologie	cellules
dactylologie	expression par les mains chez les sourds-muets
démographie	populations humaines
dendrologie	arbres
déontologie	devoirs et responsabilités morales
dermatologie	peau
écologie	relations entre les êtres vivants et leur environnement
endocrinologie	glandes endocrines
entomologie	insectes
épidémiologie	maladies et leurs facteurs
épigraphie	inscriptions anciennes
épistémologie	sciences (méthodes, principes, valeur)
eschatologie	fins dernières de l'homme et du monde
ethnologie	mœurs et caractères des peuples
éthologie	comportement animal
étiologie	causes des maladies
étymologie	origine des mots
futurologie	futur
généalogie	ascendance
gérontologie	personnes âgées
glottochronologie	datation des langues primitives
gynécologie	organes génitaux de la femme
helminthologie	vers, surtout parasites
hématologie	sang
herpétologie	reptiles et amphibiens
histologie	tissus et cellules des êtres vivants
hydrologie	propriétés des eaux
hypnologie	sommeil
ichtyologie	poissons
lexicographie	mots d'une langue
lexicologie	mots du lexique
limnologie	lacs
lithologie	roches sédimentaires
malacologie	mollusques
météorologie	temps et climat
métrologie	mesures
mycologie	champignons
myologie	muscles
myrmécologie	fourmis
néphrologie	rein
nomographie	lois et leur interprétation
nosologie	classification des maladies
odontologie	dents et tissus dentaires
œnologie	vins
oncologie	tumeurs
onirologie	rêves
ontologie	être en soi
oologie	œufs d'oiseaux
ophiologie ou **ophiographie**	serpents
opthalmologie	œil
ornithologie	oiseaux
orographie	relief terrestre
ostéologie	os
otologie	oreille
pédologie	enfant (rare)
pédologie	sols
paléogéographie	description du globe aux temps géologiques
paléontologie	fossiles
palynologie	résidus des grains de pollen contenus dans les sédiments
pathologie	maladies et effets produits
pénologie	peines sanctionnant les infractions pénales et leurs modalités d'application
pétrologie, pétrographie	roches
pharmacologie	médicaments
philologie	belles-lettres
phrénologie	caractère et fonctions intellectuelles d'après la conformation du crâne

(suite p. 408)

SCIENCES : TERMES FINISSANT EN - OLOGIE ET - OGRAPHIE *(suite)*

physiologie	fonctions des organes et des tissus des êtres vivants
phytologie	botanique (synonyme rare)
polémologie	guerre
pomologie	fruits comestibles
potamologie	régimes fluviaux
radiologie	rayons X et autres rayonnements ionisants
réflexologie	réflexes
rhinologie	nez et fosses nasales
sélénologie, sélénographie	Lune
sémiologie	développement et rôle des signes dans la société
sinologie	Chine
sismologie	tremblements de terre
spéléologie	cavités du sous-sol
stomatologie	affections bucco-dentaires
tératologie	monstres et formes exceptionnelles
topographie	relief et configuration d'un terrain
topologie	propriétés invariantes des êtres géométriques après une transformation continue
toxicologie	poisons
tribologie	frottement
trichologie	cheveux et poils
uranographie	description du ciel
vexillologie	drapeaux, pavillons
volcanologie	phénomènes volcaniques (causes, mécanisme)

SCIER
– Scier du bois pour en faire des planches **débiter**
– Scier le bois dans le sens du fil **refendre**
– Scier une partie qui dépasse dans un assemblage **araser**
– Scier en suivant une courbe **chantourner**

SCORPION
– Classe à laquelle appartient le scorpion **arachnides**
– Famille de scorpions **scorpionidés**
– Pinces du scorpion **pédipalpes**
– Crochet venimeux à l'extrémité de la queue du scorpion **aiguillon**
– Recourbé comme une queue de scorpion **scorpioïde**
– Sorte de petit scorpion **chélifère**
– Nom scientifique du scorpion d'eau **nèpe**
– Nom scientifique du scorpion volant **panorpe**
– Poissons venimeux appelés scorpions de mer **scorpénidés**

SCRUPULE
– Ne jamais écouter que ses scrupules **conscience**
– S'abstenir par scrupule **délicatesse, égard, considération**
– Mentir sans aucun scrupule **honte, pudeur, vergogne**
– Un homme d'État dépourvu de tout scrupule **machiavélique**

SCRUPULEUX
– Un étudiant très scrupuleux **consciencieux, rigoureux**
– Un homme de loi fort scrupuleux **honnête, intègre, probe**
– Une lecture scrupuleuse **attentive, minutieuse, méticuleuse**
– Scrupuleux des formes et des règles **formaliste**
– Être trop scrupuleux des détails **pointilleux, vétilleux, maniaque**

SCRUTER **examiner**
– Scruter le ciel **observer, inspecter, explorer, fouiller du regard**
– Scruter les intentions d'un visiteur **pénétrer, sonder**

SCRUTIN
– Manière d'organiser un scrutin **mode de scrutin**
– Scrutin établi selon le nombre de personnes à élire **uninominal, plurinominal**
– Scrutin établi selon le mode de représentation adoptée **majoritaire, proportionnel**
– Deuxième tour possible de scrutin **scrutin de ballottage**
– Compter les voix après un scrutin **dépouiller**

SCULPTER
– Sculpter un matériau avec dextérité **tailler, fouiller**
– Sculpter la forme d'une statue **modeler, façonner**
– Réduire un bloc de pierre aux dimensions voulues avant de le sculpter **ébaucher, dégrossir, épanneler**
– Sculpter avec un ciseau **ciseler**
– Art de sculpter les métaux et l'ivoire **toreutique**
– Art de sculpter les pierres fines **glyptique**
– Une façade sculptée **ornée**
– Pierre fine sculptée **camée, intaille**

SCULPTEUR
– Sculpteur qui exécute des modèles en argile **coroplaste**
– Sculpteur qui exécute des modèles en cire **céroplaste**

SCULPTURE
– Musée où sont exposées des sculptures **glyptothèque**
– Ébauche d'une sculpture taillée dans la cire ou la terre **griffonnement**
– Une sculpture faite d'or et d'ivoire **chryséléphantine**
– Artiste qui pratique la sculpture **sculpteur, modeleur, figuriste, animalier, ornemaniste, statuaire**
– Nom donné au Moyen Âge aux artistes qui pratiquaient la sculpture **magier, entailleur d'images**

SÉANCE **débat, session, vacation**
– Séance que tient un tribunal **audience**
– Tenir séance **délibérer**
– Séance tenante **immédiatement, sur-le-champ**

SEC
– Le puits est à sec **tari**
– Laps de temps durant lequel un étang reste à sec **assec**
– Une région sèche **aride**
– Un sol trop sec pour être productif **infertile, stérile**
– Substance sèche **anhydre**
– Lèvres sèches **gercées, crevassées**
– Plante devenue sèche **fanée, flétrie**
– Un sol sec **desséché, déshydraté**
– Un homme sec **maigre, décharné, étique, squelettique**
– Parler sur un ton sec **cassant, tranchant, glacial**
– Avoir le cœur sec **indifférent, insensible, froid, dur**

SÉCHER **assécher, racornir**
– Sécher un sol **drainer**
– Traitement employé pour sécher

un corps **dessiccation, lyophilisation**
– Appareil employé pour faire sécher les feuilles de tabac **sécheur**
– Lieu où l'on fait sécher des produits **sécherie, étuve**
– Sécher ses larmes **étancher**
– Sécher d'ennui **languir, dépérir**

SÉCHERESSE **siccité**
– La sécheresse du style d'un écrivain **austérité**

SECOND (1)
– Un second vraiment efficace **auxiliaire, assistant, adjoint, collaborateur, bras droit**
– Le second d'un magistrat **assesseur**

SECOND (2)
– Un spectacle de second ordre **ordinaire, quelconque, insipide, ennuyeux, médiocre**

SECONDAIRE
– Un philosophe secondaire **mineur**
– Un détail secondaire **accessoire, insignifiant, négligeable**
– Un rôle secondaire **subalterne**
– C'est une nouvelle secondaire **de moindre importance**
– Des effets secondaires néfastes **conséquences, suites, séquelles**
– Ère secondaire **mésozoïque**

SECONDER **aider, assister, prêter main-forte** voir aussi **participer**
– Seconder une personne dans son action **encourager, appuyer, soutenir, servir, favoriser**

SECOUER **remuer, agiter, ébranler**
– Secouer la tête en signe d'assentiment **hocher**
– La frêle embarcation secouait les voyageurs en tous sens **balançait, ballottait**
– Les passagers du car étaient secoués **cahotés**
– Secouer la domination d'un tyran **se libérer, s'affranchir**
– Cette nouvelle a secoué toute la famille **touché, ému, bouleversé**
– Son accident l'a terriblement secoué **commotionné, traumatisé, choqué**
– Le chien se secoue en sortant de l'eau **s'ébroue**
– Faire un effort pour se secouer **se réveiller, s'activer, réagir**

SECOURIR **aider, assister, obliger**
– Secourir une personne agressée **défendre, venir à la rescousse de**
– Secourir un blessé **porter assistance à**

SECOURS
– Un secours moral **appui, soutien, réconfort**
– Demander secours **protection**
– Appeler des secours **renforts**
– Distribuer des secours aux nombreuses victimes d'un sinistre **subsides, subventions**
– Vivre des secours d'autrui **dons, aumônes, oboles**
– Enclin à porter secours **secourable, charitable, bienfaisant**

SECOUSSE **ébranlement**
– Faible secousse **oscillation, vibration, frémissement**
– Petites secousses successives **tremblement, trépidation**
– Secousses d'une voiture **cahots, soubresauts**
– Avancer par secousses **à-coups, saccades**
– Cause une secousse **choc, collision, percussion, télescopage**
– Secousse terrestre **tellurique, sismique**

SECRET (1) voir aussi **complot**
– Garder le secret sur son identité **anonymat, incognito**
– Les secrets d'une affaire politique **dessous, coulisses**
– Découvrir le secret de l'énigme **clef, fin mot, tréfonds**
– Les multiples secrets de la technique **arcanes**
– En secret **en cachette, en catimini, à la dérobée, subrepticement, en tapinois**
– Être au secret **cachot**

SECRET (2) voir aussi **mystère**
– Un passage secret **caché, dérobé, dissimulé**
– Une information tout à fait secrète **confidentielle**
– Une organisation secrète **clandestine, souterraine**
– Entente secrète **complicité, connivence, collusion**
– Un homme de nature très secrète **discret, réservé, renfermé, cachottier**
– Qui demeure secret pour le plus grand nombre **hermétique, occulte, ésotérique**
– Message secret **cryptogramme**
– Conversation secrète **conciliabule, messe basse**
– Part la plus secrète d'un individu **jardin secret**
– Très petite assemblée secrète **conventicule**
– Agent secret **barbouze, taupe**

SECRÉTAIRE
– Secrétaire surmonté d'un corps d'armoire **scriban**
– Petit secrétaire du XVIIIe siècle **bonheur-du-jour**
– Secrétaire qui tape à la machine **dactylographe**
– Secrétaire capable de prendre en note sous la dictée **sténographe**

SECTE **coterie, chapelle, communauté**
– Ce que professe une secte **doctrine, idéologie**
– Maître spirituel à la tête d'une secte **gourou**
– Membre d'une secte **disciple, séide, partisan, sectateur, adepte, suppôt**
– Recrutement des membres d'une secte **endoctrinement, prosélytisme**
– Secte ou église du XXe siècle **Témoins de Jéhovah, Moon, Conscience de Krishna, Église de scientologie, Famille de l'amour, Adorateurs de l'oignon**
– Membre d'une secte religieuse américaine **mormon, amish**

SECTEUR
– Un secteur dangereux **territoire, zone**
– Un secteur d'activités très particulier **rayon, branche**
– Cette question ne relève pas de mon secteur **partie, domaine, fief, spécialité, compétence**
– Répartir en différents secteurs organisés **sectoriser**
– Elle voudrait être nommée juge dans le secteur de Paris **ressort**

SECTION **partie, division, subdivision** voir aussi **couper**
– Une section de parti politique **cellule**

SÉCURITÉ
– Être en sécurité dans un endroit **à l'abri, en sûreté**
– Se sentir en sécurité **en confiance**
– La sécurité doit régner dans toute la ville **calme, tranquillité, quiétude, ordre, paix**
– Assurer la sécurité d'une personnalité **protection**
– Agent de sécurité chargé de veiller sur une personne **garde du corps, gorille**
– Officier chargé de la sécurité sous l'Ancien Régime **prévôt**

SÉDUCTEUR **tombeur**
– Séducteur qui mène une vie dissolue **libertin**
– Personnage symbolisant le séducteur **Don Juan, Casanova, Lovelace, Valmont**

SÉDUIRE **charmer, fasciner, captiver**
– Chercher à séduire son voisin de palier **conquérir, subjuguer, envoûter, ensorceler**
– Être séduit par un projet **tenté, alléché, appâté, enthousiasmé**
– Séduire la clientèle par de la publicité mensongère **attirer, éblouir, abuser, leurrer, tromper**

SEIGLE
– Mélange de seigle et d'autres céréales **champart, méteil**
– Maladie qui attaque le seigle **ergot**
SEIGNEUR voir aussi **féodal**
– Seigneur du Moyen Âge **suzerain, banneret**
– Titre donné au seigneur du Moyen Âge **sire**
– Personne dépendant du seigneur **vassal, lige**
– Domaine concédé par le seigneur à un vassal **fief, tenure**
– Bande noire peinte sur le mur de l'église à la mort d'un seigneur **litre**
– Seigneur de l'Ancien Régime **gentilhomme, grand**
– Se comporter en seigneur dans sa maison **maître, souverain**
– Les quelques seigneurs de la finance **magnats**
SEIN glande mammaire, mamelle
– Extrémité du sein **mamelon**
– Partie pigmentée qui entoure le mamelon du sein **aréole**
– Canaux à l'intérieur du sein qui amènent le lait vers le mamelon **galactophores**
– Douleur au sein **mastodynie**
– Ablation du sein **mammectomie, mastectomie**
– Radiographie du sein **mammographie**
– Chirurgie esthétique du sein **mammoplastie**
– Chirurgie esthétique du mamelon du sein **mamilloplastie**
– Donner le sein **allaiter**
– Appareil que l'on place sur le sein pour aspirer le lait **tire-lait**
– Sorte de tétine qui facilite l'allaitement au sein **téterelle**
– Le sein maternel **entrailles, giron**
SÉJOURNER habiter, demeurer, résider
– Lieu de repos où l'on séjourne **villégiature**
– De l'eau séjourne au fond du seau **stagne, croupit**
SEL chlorure de sodium
– Sel à l'état brut **sel gemme, halite**
– Terrain d'où l'on extrait le sel **marais salant, salin**
– Entreprise qui produit du sel **saline**
– Opération consistant à concentrer une saumure pour en recueillir le sel **salinage**
– Exploitation d'un terrain où l'on extrait le sel **saliculture**
– Lieu où l'on entrepose le sel **salorge**
– Récolte du sel **saunage, saunaison**
– Proportion de sel **salinité, salure**
– Augmentation de la proportion de sel dans un sol **salinisation**
– Pain de sel extrait d'une fontaine salée **salignon**
– Régime alimentaire sans sel **hyposodé, déchloruré**
– Impôt sur le sel en vigueur sous l'Ancien Régime **gabelle**
– Individu qui faisait la contrebande du sel sous l'Ancien Régime **faux saunier**
– Ancien coffre à sel **saunière, saloir**
– Formation d'un sel par réaction chimique **salification**
– Une boutade pleine de sel **piment, piquant, esprit**
SÉLECTION choix, tri, élection
– Présenter une sélection d'articles **collection, assortiment, éventail, échantillonnage**
– La sélection le stimule **candidat, concurrent, participant, compétiteur**
– Épreuve sportive de sélection **critérium, éliminatoire**
– Recueil proposant une sélection d'extraits littéraires **morceaux choisis, anthologie, florilège, analectes, chrestomathie, compilation**
– Théorie de la sélection naturelle **darwinisme, malthusianisme**
– Sélection génétique **eugénisme**
SELLE voir aussi dessin
– Type de selle **de randonnée, d'obstacle, de dressage**
– Les poches situées de part et d'autre de la selle **fontes**
SELON d'après, suivant
– Toujours agir selon la tradition **conformément à**
– Il faut vivre selon ses moyens **en fonction de**
– Selon moi **ce me semble**
SEMAINE
– Dans une semaine **huitaine**
– Délai de deux semaines **quinzaine**
– Qui a lieu une fois par semaine **hebdomadaire**
– Bracelet à sept anneaux représentant les jours de la semaine **semainier**
SEMBLABLE
hom(o)-, homéo-, simil-
SEMBLABLE (1)
– Tous nos semblables **congénères**
– Ne pas être respecté par ses semblables **pairs**
SEMBLABLE (2) pareil, tel, même
– Des caractères semblables **comparables, analogues, similaires**
– Des mesures semblables **égales, équivalentes, identiques**
– Un ensemble formé d'éléments semblables **homogène**
– Les deux ailes de ce papillon sont exactement semblables **symétriques**
– Personnages qui ont des fonctions semblables **homologues**
– Considérer deux choses comme semblables **assimiler**
SEMBLANT
– Un semblant de vertu **simulacre**
– Un semblant d'organisation **ombre, fantôme**
– Faire semblant **feindre, simuler affecter**
SEMBLER paraître
SEMENCE
spor-, -spore, -sporidie, semin(i)-
SEMENCE graine, fruit
– Entreprise agricole produisant des semences **semencier**
– Époque où l'on plante les semences **semaison, semailles**
– Fête romaine célébrée après avoir planté les semences **sémentines**
– La semence du mâle **sperme**
– La semence de la discorde **cause germe**
SEMER planter, ensemencer, emblaver
– Technique employée pour semer **semis**
– Outil utilisé pour semer **plantoir**
– Ligne droite dans laquelle on sème **sillon, rayon**
– Trou dans lequel on sème plusieurs graines **poquet**
– Machine qui sème le grain **semoir**
– Maisons semées çà et là dans la campagne **dispersées, éparpillées disséminées**
– Semer la panique **répandre, propager**
– Semer ses concurrents **distancer**
SÉNAT assemblée sénatoriale, chambre haute
– Discussion d'un projet de loi par la Chambre puis par le Sénat **navette**
– Lieu où siégeait le sénat romain **curie**
– Texte voté par le sénat romain **sénatus-consulte**
– Sénat athénien antique **boulê**
– Sénat de Sparte **gerousia**
SÉNATEUR
– Il élit les sénateurs **grand électeur**
– Sénateurs romains **pères conscrits**
– Liste officielle des sénateurs romains **album sénatorial**
– Bande pourpre caractéristique bordant la toge des sénateurs romains **laticlave**
– Dotation foncière faite à certains sénateurs sous le second Empire **sénatorerie**

Selle

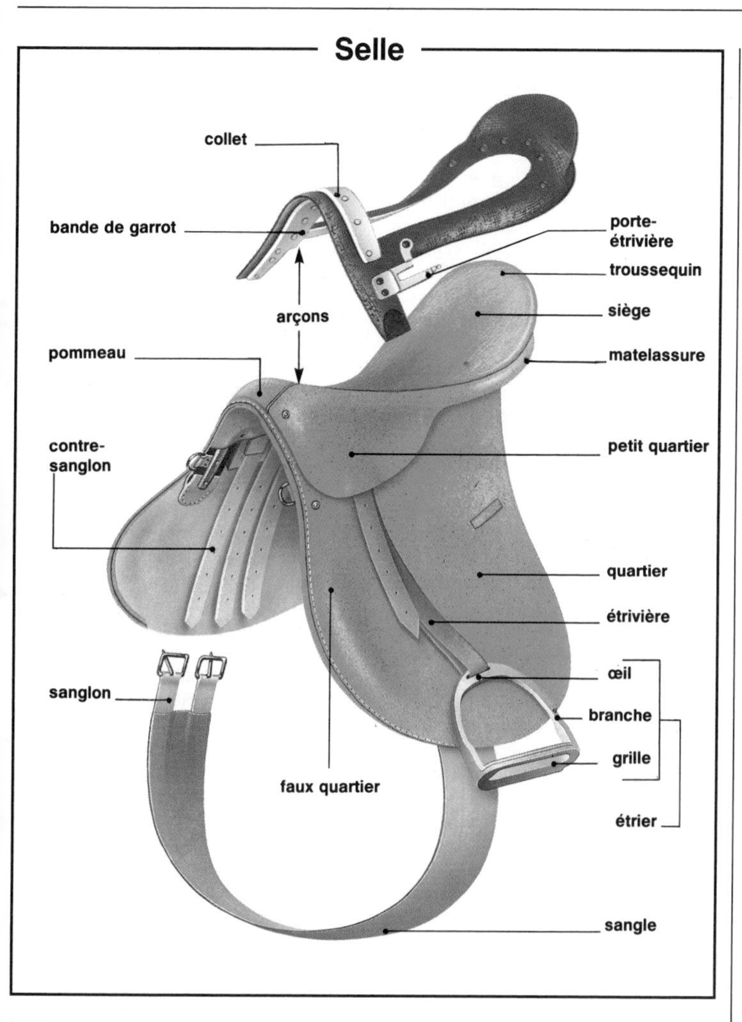

SENS
– Les cinq sens **vue, ouïe, odorat, toucher, goût**
– Les yeux sont des organes des sens **sensoriels**
– Reconnaître avec les sens **gnosie**
– Avoir du bon sens **raison, discernement, jugement**
– Le bon sens de tout le monde **sens commun**
– À mon sens **avis, sentiment**
– Totalement dépourvu de sens **non-sens, absurdité**
– Dans quel sens voulez-vous aller ? **direction**
– Remuer dans tous les sens **positions**
– Prendre une rue en sens inverse **à contresens, à contre-courant**
– Caresser un chat dans le mauvais sens **à rebrousse-poil, à rebours**
– Le sens d'une phrase **signification**
– Donner un sens politique à un discours **tendance, orientation**
– Étude linguistique du sens des mots **sémantique**
– Le sens propre d'un mot **littéral**
– Les différents sens d'un même mot **acceptions**
– Mot qui possède plusieurs sens **polysémique**
– Expression à double sens **ambiguë, équivoque, amphibologique**

SENSATION **perception**
– Une sensation agréable **impression, émotion, sentiment**
– Avoir la sensation d'un danger imminent **intuition, pressentiment**
– Sensations fortes **peur, vertige, grand frisson**
– Sensations internes de notre corps **cénesthésie, kinesthésie**
– Mesure des variations d'une sensation **sensorimétrie**

SENSATIONNEL **extraordinaire**
– Une dépêche sensationnelle **étonnante, stupéfiante, fantastique, inouïe**
– Une réussite sensationnelle **remarquable, admirable, merveilleuse, prodigieuse, étourdissante**
– Les progrès de la science sont vraiment sensationnels **incroyables, invraisemblables**

SENSIBILITÉ **émotivité, affectivité**
– Avoir une sensibilité toute maternelle **fibre**
– Cet homme a toujours su faire preuve de sensibilité **sympathie, bonté, humanité**
– Excès de sensibilité **sensiblerie, sentimentalité, sentimentalisme**
– Des sensibilités différentes **opinions, courants, tendances**
– Sensibilité dans les rapports humains **délicatesse, finesse, acuité**
– Sensibilité d'un individu à certaines substances **allergie**
– Sensibilité d'un tissu en physiologie **excitabilité**

SENSIBLE **visible, matériel, palpable, perceptible, tangible**
– Un caractère sensible **compatissant, doux**
– Être sensible aux problèmes d'autrui **accessible, réceptif**
– Un enfant très sensible **sensitif, émotif, vulnérable**
– Un élève trop sensible aux critiques **susceptible**
– Une zone sensible **douloureuse**
– Un point sensible **névralgique**
– Avoir la peau très sensible **fragile, délicate**
– Une amélioration sensible **nette, notable, appréciable, importante**

SENSUEL **voluptueux, charnel**
– Une caresse très sensuelle **érotique, lascive**
– Il recherche les plaisirs sensuels **jouisseur, épicurien, sybarite**

SENTENCE
– Sentence énonçant une règle de conduite **maxime, devise, adage**
– Sentence populaire bien connue **proverbe, dicton**
– Courte sentence résumant l'essentiel d'une question **aphorisme, apophtegme**
– Sentence qui exprime un enseignement **principe, précepte**
– Sentence portant un jugement d'ordre général **axiome**
– Un discours qui contient des sentences **gnomique**
– La cour a rendu sa sentence **jugement, verdict, arrêt**

SENTENCIEUX
– Une attitude par trop sentencieuse **solennelle, pompeuse, emphatique, prudhommesque**
– Un style sentencieux **dogmatique, doctoral**
SENTEUR **parfum, arôme, fragrance**
voir aussi **odeur**
– Senteur d'un vin **bouquet**
– Senteur provenant de la cuisine **fumet**
– Plante qui répand une douce senteur **aromatique, odoriférante**
SENTIMENT **sensibilité, affectivité**
– Le sentiment d'exister **sensation, impression, conscience**
– Ne trahir aucun sentiment **émotion, trouble**
– Éprouver un sentiment particulier **penchant, inclination**
– Vive manifestation d'un sentiment **débordement, épanchement, effusion**
– Une personne qui laisse parler ses sentiments **démonstrative, expansive**
– Quel est votre sentiment sur la question ? **avis, opinion, point de vue**
SENTIMENTAL
– Un tempérament très sentimental **tendre, sensible, romanesque, fleur bleue**
– La vie sentimentale **affective, amoureuse, galante**
SENTINELLE **factionnaire**
– Il se poste en sentinelle **garde, guetteur, surveillant, vigile, gardien**
– Matelot placé en sentinelle sur un bateau **veilleur, vigie**
– Sentinelle surveillant un champ de tir militaire **vedette**
– Abrite la sentinelle **guérite, échauguette**
– Tour du château fort où se tenait la sentinelle **guette**
– Changer les sentinelles **relayer, relever**
SENTIR **percevoir**
– Sentir l'odeur des bois **respirer, humer, renifler, flairer**
– Sentir bon **embaumer, fleurer**
– Le fumier sent très mauvais dans la cour **empeste, empuantit**
– Le parfum des violettes se sentait dans toute la maison **s'exhalait**
– Sentir une vive déception **ressentir, éprouver**
– Sentir une présence **pressentir, deviner, discerner, soupçonner**
– Sentir la beauté d'une œuvre d'art **apprécier, estimer, goûter**
– Son égoïsme se faisait sentir dans toutes ses paroles **apparaissait, se manifestait, se révélait, transparaissait, affleurait**

SÉPARATION
– Une séparation dans un couple **rupture, divorce**
– La séparation dans l'espace **exil, éloignement, distance**
– Marque la séparation **borne, démarcation, délimitation, frontière**
– Peut occasionner une séparation **querelle, désaccord, dissension, dissentiment, divergence, conflit**
– Séparation entre différents secteurs **clivage, cloisonnement**
– Séparation qui mène à la destruction **dislocation, désagrégation**
– Cette province s'engage dans la voie de la séparation **dissidence, sécession**
– Séparation des membres d'un parti **scission**
– Séparation d'une minorité religieuse **schisme**
– Adhère à un mouvement de séparation **séparatiste, autonomiste, indépendantiste**
– Séparation réglementée d'une population **ségrégation, discrimination, apartheid**
SÉPARER voir aussi **diviser**
– Séparer deux blocs de pierre **disjoindre, desceller**
– Séparer des objets rigoureusement semblables **dépareiller**
– Séparer les éléments d'une paire **désaccoupler, déparier, désapparier**
– Séparer les parties d'un discours **distinguer, dissocier, différencier**
– Séparer les données du problème **démêler, débrouiller, dégager, isoler**
– Séparer un clan **brouiller, désunir**
– Se séparer d'un employé **renvoyer, congédier, remercier**
SEPT
hepta-
SEPT
– Bague à sept anneaux **semaine**
SEREIN
– Un ciel serein **clair, pur**
– Des vacances sereines **calmes, paisibles, heureuses**
– Le débat est resté serein **impartial, dépassionné, objectif**
– Un air serein **tranquille, confiant**
– Conserver en toute circonstance un visage serein **placide, impassible, imperturbable, flegmatique**
SÉRIE **genre, sorte, catégorie, classe, espèce**
– Une série de personnalités **groupe, brochette**
– Une série ininterrompue d'injures **kyrielle, chapelet, litanie**
– Une série de personnes **suite, succession, cortège, procession**
– Une série de véhicules **convoi, caravane**
– Posséder une seule série de clefs **jeu**
– Films ou épisodes formant une série **serial**
– Série qui se répète en suivant toujours le même ordre **cycle**
– Série en arithmétique **tranche**
– Rencontrer des problèmes en série **en cascade**
– Disposer par séries **ranger, classer, sérier, hiérarchiser**
– Technique musicale fondée sur l'emploi de la série des douze sons **sérialisme, dodécaphonisme**
SÉRIEUX (1)
– Travailler avec sérieux **attention, vigilance, rigueur**
– Répondre avec sérieux **conviction**
– Il garde son sérieux lorsqu'il plaisante **pince-sans-rire**
SÉRIEUX (2)
– Un élève très sérieux **appliqué, soigneux, consciencieux**
– Une conduite sérieuse **sage, raisonnable, posée, pondérée, réfléchie**
– Un assistant sérieux **sûr, fiable, de confiance**
– Un motif sérieux **bon, valable**
– Avancer des preuves vraiment sérieuses **solides, tangibles, fondées**
– Éprouver des sentiments sérieux **réels, sincères, durables**
– Une mine sérieuse **grave, sévère, austère, solennelle**
– Prendre un air sérieux **raide, empesé, compassé, affecté**
– La situation est, à l'heure actuelle, très sérieuse **inquiétante, alarmante, dangereuse**
SERMENT **promesse, engagement, parole**
– Le serment religieux **vœu**
– Des serments de fidélité **protestations**
– Un faux serment **parjure**
– Le serment judiciaire peut être **décisoire, supplétoire**
– Serment prêté par les futurs médecins **d'Hyppocrate**
– Serment d'accomplir une mission ou une profession dans les règles **promissoire**
– Serment de rendre un bien ou de se représenter en personne **caution juratoire**
– Reprendre son serment **se délier de, se dégager de**
– A prêté serment **assermenté**
– Sous la Révolution, prêtre ayant refusé de prêter serment **insermenté, réfractaire**

SERMON **prêche, prône, prédication, homélie**
– Ce discours est un vrai sermon ! **harangue, exhortation, objurgation**
– Subir un sermon **remontrance, semonce, mercuriale**
– Faire un sermon à un enfant **réprimander, admonester, chapitrer**
SERPENT
ophi(o)-, ophidi(o)-, -ophidé, -ophis
SERPENT **ophidien**
– Classe à laquelle appartient le serpent **reptiles**
– Ordre auquel appartient le serpent **squamates**
– Mode de locomotion du serpent **reptation**
– Le cri du serpent **sifflement**
– Serpent à lunettes **naja, cobra indien**
– Serpent émettant un son avec sa queue **serpent à sonnette, crotale**
– Serpent qui serre sa proie dans ses anneaux jusqu'à l'étouffer **constricteur**
– Type de serpent constricteur **boa, python, anaconda**
– Serpent que l'on peut rencontrer dans nos régions **couleuvre, vipère d'Ursini, aspic, péliade**
– Serpent à deux têtes **amphisbène**
– En Orient, charmeur de serpents **psylle**
– Serpent de légende **vouivre, guivre**
– Serpent à plusieurs têtes de la mythologie grecque **hydre de Lerne**
– Symbole de la médecine représentant deux serpents entrelacés **caducée**
– Science des serpents **ophiologie, ophiographie**
– Culte rendu à tous les serpents **ophiolâtrie**
– Terme médical désignant les intoxications dues au venin de serpent **ophidisme**
– Une démarche qui évoque la façon de se déplacer du serpent **ondulante, serpentine**
SERRÉ
– Une robe serrée, qui épouse la silhouette **collante, moulante**
– Un jugement très serré **précis, rigoureux**
– Avoir une petite écriture serrée **compacte, dense, ramassée**
– Le style serré d'un écrivain **concis**
– Une partie serrée **acharnée**
SERRER **presser, empoigner**
– Serrer dans ses bras **embrasser, enlacer, étreindre**
– Serrer un boulon **visser**
– Serrer bout à bout **joindre, assembler, souder**
– Placée entre les mâchoires d'un étau pour protéger l'objet à serrer **mordache**
– Serrer une voile **carguer**
– Serrer le frein à main d'une voiture **bloquer**
– Serrer une voiture de près **frôler, raser**
– Serrer les valises dans le coffre **coincer, caler**
– Serrer les lèvres d'un air offensé **pincer, crisper, contracter**
– Serrer un corset **lacer**
– Serrer sa cravate devant la glace **nouer, ajuster**
– Une ceinture qui serre la taille **bride, comprime, enserre**
– Serrer les prisonniers dans une cellule **tasser, entasser, masser**
– Se serrer les uns contre les autres **se blottir, se pelotonner**
SERRURE
– Type de serrure **serrure à larder, serrure tubulaire, serrure à cylindre**
– Poignée qui commande la serrure **bouton, béquille, clenche, bec-de-cane**
– Partie de la serrure **pêne, gâche, têtière, coffre, goupille**
– Partie de la serrure actionnée par la clef **pêne dormant**
– Forcer une serrure à l'aide d'un crochet **crocheter**
– Permet d'ouvrir toutes les serrures **passe-partout, rossignol**
SERRURIER
– Sac contenant les outils du serrurier **ferrière**
– Serrurier qui confectionne des garnitures artistiques en fer forgé **ferronnier**
SERVANTE voir aussi **domestique**
– Servante qui avait la fonction de femme de chambre **camériste, camérière, chambrière**
– Servante qui a aussi un rôle de dame de compagnie **gouvernante, suivante**
– Servante au théâtre **soubrette**
– Servante qui a pris l'autorité d'une maîtresse de maison **servante-maîtresse**
SERVIABLE
– Un domestique serviable **dévoué, empressé, zélé**
– Un voisin serviable **obligeant, secourable, officieux**
– Un prétendant toujours très serviable vis-à-vis de sa belle **attentionné, prévenant**
– Personne trop serviable, qui finit par se mêler de tout **ardélion**
SERVICE
– Le service de Dieu **culte, liturgie**
– Assister au service religieux **cérémonie, messe, office**
– Service funèbre **funérailles, obit**
– Être en service **activité, fonction, campagne**
– Être de service toute la nuit **garde, permanence**
– Être de service sur un navire **quart**
– Un service dominant dans une entreprise **section, secteur, département, branche, organe**
– Se renseigner auprès du service compétent **bureau**
– Demander un service à un ami **aide, assistance, bienfait, faveur, grâce**
– Assurer le service entre deux endroits **navette, liaison**
– Services secrets français **D.G.S.E.**
– Services secrets étrangers **C.I.A. (U.S.A.), Intelligence Service (G.-B.), K.G.B. (U.R.S.S.), Mossad (Israël)**
SERVIETTE
– Serviette de toilette **serviette-éponge**
– S'utilise comme une petite serviette de toilette **essuie-mains**
– Grande serviette de bain **drap**
– La serviette d'un élève **cartable, porte-documents**
SERVILE
– Avoir une attitude servile face à un supérieur **rampante, obséquieuse**
– Une mentalité servile **basse, vile, abjecte**
– Une nature servile **obéissante, soumise, assujettie**
– Caractérisent une attitude servile **courbettes, prosternations, génuflexions**
SERVIR
– Servir d'exemple **faire fonction de, tenir lieu de**
– Servir les desseins d'une personne **avantager, appuyer, favoriser**
– Se servir d'un objet **user de, utiliser, employer**
– Se servir des autres **exploiter**
– Se servir toujours chez le même commerçant **se fournir, s'approvisionner**
SERVITUDE
– Échapper à la servitude **esclavage, asservissement, soumission**
– Imposer un état de servitude **joug**
– Se libérer de toute servitude **contrainte, obligation, sujétion, coercition**

– En droit, servitude qui interdit à un propriétaire de bâtir sur son terrain **servitude non aedificandi**
– En droit, servitude qui interdit à un propriétaire d'ériger un bâtiment trop haut sur son terrain **servitude non altius tollendi**
– En droit, servitude qui oblige un propriétaire à laisser son voisin prendre appui temporairement sur son terrain **servitude d'échelage**
– En droit, servitude qui oblige un propriétaire à laisser un passage le long du cours d'eau qui borde son terrain **servitude de halage, servitude de marchepied**

SEUL
mono-, uni-

SEUL
– Se sentir seul **esseulé, abandonné, délaissé, oublié**
– Aime être seul **solitaire, sauvage, insociable**
– Vit seul et retiré du monde **reclus, ermite, anachorète**
– Désirer être seul pour travailler **s'isoler, se retirer, s'abstraire**
– Parler tout seul **monologuer, soliloquer**
– Être seul en son genre **spécial, particulier, singulier, unique**
– Avoir une seule passion **exclusive**

SÈVE **suc**
– Sève ascendante **brute**
– Sève descendante **élaborée**
– Écoulement de sève **pleur**
– Incision faite dans un arbre pour stopper la sève **baguage**
– La sève de la jeunesse **énergie, vitalité, force, vigueur**

SÉVÈRE
– Une construction d'allure sévère **austère, dépouillée, aride**
– Un ton sévère **froid, autoritaire, rébarbatif, sec**
– Un front sévère **sourcilleux**
– Des mesures très sévères **strictes, rigoureuses, draconiennes**
– Un juge très sévère **impitoyable, intraitable, implacable, inexorable, intransigeant**
– Sévère envers soi-même **exigeant**
– Élever ses enfants de manière sévère **à la spartiate, à la dure**
– Émettre une critique sévère **aiguë, âpre, cinglante**

SEXE voir aussi **reproduction**
– Possède les deux sexes **bisexué, hermaphrodite**
– Plante qui n'est pourvue que d'un sexe **unisexuée, dioïque**
– Le sexe masculin **pénis, verge, phallus, membre**
– Homme à qui l'on a mutilé le sexe **castrat, eunuque**
– Attirance sexuelle pour les personnes du même sexe **homosexualité, pédérastie, uranisme, saphisme**
– Femme attirée par les personnes de son sexe **lesbienne, tribade**
– Individu qui a changé de sexe **transsexuel**
– Se pare des vêtements de l'autre sexe **travesti**
– Inégalité fondée sur le sexe **sexisme**
– Une mode identique pour les deux sexes **unisexe**
– Rapport des proportions des sexes à la naissance **sex-ratio**

SEXUALITÉ
– Étude de la sexualité **sexologie**
– Ensemble des méthodes traitant les troubles de la sexualité **sexothérapie**
– Trouble de la sexualité **frigidité, impuissance, nymphomanie**
– Déviation de la sexualité **sadisme, masochisme, fétichisme, voyeurisme, exhibitionnisme, zoophilie**
– Refus de laisser s'exprimer sa sexualité **refoulement, inhibition**

SEXUEL **charnel, physique**
– Les organes sexuels **reproducteurs, génitaux**
– Mutiler les organes sexuels **castrer, châtrer, émasculer**
– Acte sexuel chez les animaux **copulation, saillie, monte, lutte**
– Rapport sexuel **accouplement, coït, fornication**
– A lieu lors du premier rapport sexuel d'une femme **défloration**
– Contraceptif utilisé lors d'un rapport sexuel **préservatif, spermicide, diaphragme**
– Zone qui provoque un plaisir sexuel **érogène**
– Point culminant du plaisir sexuel **orgasme**
– Pratique sexuelle solitaire **masturbation, onanisme**
– Individu qui n'a pas de relations sexuelles **chaste, abstinent, continent, ascétique**
– Les pulsions sexuelles **libido**
– Perte totale ou diminution du désir sexuel **anaphrodisie**
– L'appétit sexuel **aphrodisie**
– Substance qui excite le désir sexuel **aphrodisiaque**
– Maladie qui se transmet par les voies sexuelles **maladie vénérienne, M.S.T. (maladie sexuellement transmissible)**
– Médecine traitant les maladies transmises par les rapports sexuels **vénéréologie**
– Plaisanterie d'ordre sexuel **salace**
– Un regard où se lit le désir sexuel **concupiscent, lubrique, libidineux, lascif**
– Représentations sexuelles obscènes **pornographiques**
– Charme qui provoque le désir sexuel **sex-appeal**

SHOPPING **chalandage**
– Faire du shopping **lèche-vitrines**
– Nom donné au shopping, au Québec **magasinage**

SIDA **syndrome immuno-déficitaire acquis**
– Abréviation américaine qui désigne le sida **A.I.D.S.**
– Dénomination internationale du virus du sida **H.I.V.**
– Présence dans le sang d'anticorps anti-H.I.V. attestant le contact avec le virus du sida **séropositivité**
– Médicament actuellement commercialisé contre le sida **Retrovir**
– Mode de contamination du sida **sang, sperme**
– Organisme venant en aide aux malades du sida **association A.I.D.E.S., association Vaincre le sida, Association de lutte contre le sida, S.O.S. M.S.T. SIDA**

SIDÉRER
– J'ai été sidéré par cette nouvelle **stupéfié, abasourdi, foudroyé, hébété, anéanti**
– Sidéré, il n'a su que répondre **décontenancé, interloqué, interdit, pétrifié, médusé**
– Demeurer sidéré devant un spectacle inattendu **effaré, ahuri, ébahi, ébaubi**

SIÈCLE
– Des traditions datant de plusieurs siècles **centenaires, séculaires**
– Période de dix siècles **millénaire**
– Il faut vivre avec son siècle **temps, époque**

SIÈGE voir aussi **chaise, fauteuil**
– Le siège d'une maladie **centre, base, foyer**
– Le siège d'une ville **blocus**
– Faire le siège **cerner, encercler, assiéger, investir**
– Art de mener un siège **poliorcétique**
– Lignes de défense des assiégeants lors d'un siège **circonvallation, contrevallation**
– Opération de défense des assiégés lors d'un siège **sortie**
– Ville qui résiste à tous les sièges **imprenable, inexpugnable**

– Sentiment fébrile qui atteint la population lors d'un siège **fièvre obsidionale**
– Siège repliable **pliant, strapontin**
– Siège à deux places en forme de S **confident**
SIÉGER tenir séance
– Siéger en bout de table **trôner, présider**
SIFFLER chuinter
– Une respiration qui siffle **sibilante**
– Siffler un air **siffloter**
– Siffler les acteurs d'une pièce de théâtre **huer, conspuer**
– Siffler en termes de phonétique **assibiler**
SIFFLET
– Type de sifflet **à roulette, à bec, à vapeur, à air comprimé**
– Sifflet employé pour attirer un oiseau **appeau, pipeau**
– Tailler en sifflet **en biseau**
SIGNAL
– Vous partirez à mon signal **signe, appel, ordre**
– Signal visuel **drapeau, disque, sémaphore**
– Signal sonore **cloche, sifflet, sirène, gong, tocsin**
– Signal lumineux d'un véhicule **feu, fanal**
– Signal sonore d'un véhicule **klaxon, avertisseur, corne, trompe**
– Signal en mer **bouée, flotteur, balise, vigie**
– Édifice situé sur la côte et servant de signal aux marins **phare, amer**
– Signal indiquant du brouillard en mer **corne de brume**
– Signaux de détresse lancés en mer **fusées**
– Signal de détresse de l'alphabet Morse **S.O.S.**
– Appareil permettant de décrypter les signaux de morse **sounder**
– Signal donné aux cavaliers pour leur ordonner de seller leur cheval **boute-selle**
– Ensemble des signaux **signalisation, balisage, code**
– Personne chargée du service des signaux **signaleur**
SIGNALÉ
– Un fait signalé **notable, insigne**
SIGNALEMENT portrait-robot
– Aide à établir un signalement **signe particulier**
– Fiche qui donne le signalement d'une personne **signalétique**
– Méthode d'identification qui permet d'établir un signalement **anthropométrie**
SIGNALER indiquer, annoncer, avertir, déclarer
– Signaler une erreur **montrer, souligner, faire observer, dénoncer**
– Le journal signale une série de cambriolages **cite, mentionne**
– Le ton de sa voix signalait une colère contenue **marquait, révélait, dénotait, trahissait**
– Se signaler par une action d'éclat **se faire remarquer, se distinguer, s'illustrer**
SIGNATURE
– Signature sur un acte officiel **seing, contreseing**
– Signature qui a valeur d'approbation **souscription**
– Signature apposée en marge d'un texte **émargement**
– Signature au bas d'une page blanche **blanc-seing**
– Signature stylisée **croix, initiales, paraphe, monogramme, griffe, sceau**
– Personne qui a apposé sa signature **signataire, soussigné**
– Imitation d'une signature **faux, contrefaçon**
SIGNE voir aussi **marque**
– Chercher un signe **indice, trace, repère, empreinte, preuve**
– Faire un signe pour annoncer le départ **geste, signal**
– Ce malaise est un signe **avertissement**
– C'est un bon signe pour l'avenir **présage, augure, auspices**
– La colombe est le signe de la paix **figure, image, représentation, emblème, symbole, allégorie**
– Ses cernes étaient le signe de sa grande fatigue **indication, manifestation, expression, traduction**
– Un signe distinctif **trait, caractère, attribut**
– Signe représentant un grade ou une dignité **insigne, décoration**
– Signe graphique représentant une idée **hiéroglyphe, idéogramme, pictogramme, logogramme**
– Signe graphique représentant une société **logo(type)**
– Signe typographique représentant la conjonction de coordination « et » **esperluette (&)**
– Forme sonore ou graphique d'un signe linguistique **signifiant**
– Concept d'un signe linguistique **signifié**
– Science étudiant les systèmes de signes **sémiologie**
– Signe avant-coureur **prodrome**
– Signe qui révèle une maladie **symptôme**
– Ensemble des signes caractérisant une maladie **syndrome**
SIGNER
– Signer en second **contresigner**
– Signer au verso d'une formule de chèque **endosser**
SIGNIFICATION voir aussi **sens**
– Ce mot a deux significations différentes **acceptions**
– La signification d'un terme dans un texte **force, portée, valeur**
– La signification d'un discours **contenu, idée**
– La signification du mystère **clef**
– Un comportement d'une signification très claire **parlant, significatif, révélateur, expressif, éloquent**
SILENCE
– Silence ! **chut !, motus !**
– Un moment de silence **paix, calme, tranquillité, sérénité, quiétude**
– En silence **en sourdine**
– Un silence dans la conversation **blanc, pause, interruption, arrêt**
– Se heurter au silence d'une personne **mutisme**
– Exiger le silence autour d'une affaire **discrétion, secret**
– Passer sous silence **taire, omettre, dissimuler**
– Un silence lourd de signification **sous-entendus**
– Réduire quelqu'un au silence **bâillonner, museler**
– Acheter le silence d'une personne **corrompre**
– Réduit au silence à cause d'une extinction de voix **aphone**
– Un silence en musique **soupir, demi-soupir**
SILENCIEUX
– Le quartier était silencieux **muet, endormi**
– Une ambiance silencieuse **feutrée, ouatée**
– Un homme silencieux **réservé, renfermé, taciturne**
– Un accord silencieux **implicite, tacite**
SILHOUETTE
– Une silhouette se détache dans la lumière **image, figure, profil, contour**
– Une belle silhouette **allure, ligne, galbe, courbes**
– Silhouette projetée sur un écran **ombre chinoise**
SILLON voir aussi **charrue**
– A la forme d'un sillon **sulciforme**
– Trace ayant la forme d'un sillon **sulcature**
– Instrument de labour utilisé autrefois pour creuser les sillons **araire**

– Sillon laissé par un araire **raie**
– Monticule de terre entre deux sillons obtenu lorsqu'on laboure en adossant **billon**
– Corde tendue entre deux piquets permettant à un agriculteur de tracer un sillon **cordeau**
– Sillon tracé le long du cordeau, en horticulture **rayon**
– Sillon dans lequel on sème des graines ou on repique de jeunes plans **rigole**

SIMAGRÉE
– Son comportement n'est que simagrées **comédie, affectation, hypocrisie, singeries**
– Faire des simagrées **chichis, façons, manières, embarras, cérémonies**
– Elle faisait des simagrées pour attirer l'attention **minaudait**

SIMILITUDE **similarité**
– Une certaine similitude **rapport, ressemblance, analogie, parenté, affinité**
– Une grande similitude **identité, parité, conformité**
– Une similitude d'opinions **correspondance, concordance, communauté, harmonie**
– Cas de similitude en géométrie **homothétie**

SIMPLE **élémentaire, rudimentaire, sommaire**
– Un élément simple **indivisible, indécomposable, irréductible, incomplexe**
– Un exposé simple **clair, compréhensible, limpide, lumineux**
– Une façon simple de procéder **facile, commode, aisée**
– Une jeune femme toute simple **naturelle**
– Savoir rester simple en toute circonstance **modeste, humble**
– Ce n'est qu'un simple objet **ordinaire, vulgaire**
– C'est la simple vérité **pure, seule**
– Le repas sera très simple **sans façon, sans cérémonie, sans prétention, à la fortune du pot, à la bonne franquette**
– Employer un langage simple **courant, familier**
– Un style volontairement simple **dépouillé, sobre**
– Une vision vraiment trop simple des choses **primaire, simpliste, réductrice, schématique**
– Un esprit trop simple **naïf, crédule, innocent, ingénu, candide, simplet**

SIMPLIFIÉ
– La représentation simplifiée d'un objet **schématisée, stylisée, épurée**

SIMPLIFIER
– Simplifier un texte **abréger, résumer, alléger**
– Simplifier les conditions de travail **faciliter**

SIMULTANÉ
– Des événements simultanés **concomitants**
– Des mouvements simultanés **synchrones**
– Circonstances qui, par le plus grand des hasards, sont simultanées **coïncidentes**
– Analyse d'événements simultanés **synchronique**

SINCÈRE
– Un homme sincère **franc, loyal, droit, de bonne foi**
– Un engagement sincère **vrai, véritable, authentique**
– Un compte rendu sincère **exact, juste, véridique, fidèle**
– Parler de façon sincère **à cœur ouvert**

SINGE
pithéc(o)-, -pithèque

SINGE
– Ordre auquel appartient le singe **primates**
– Sous-ordre auquel appartient le singe **simiens**
– Animal abusivement appelé singe **paresseux, aï**
– Un visage qui rappelle celui d'un singe **simiesque**
– Homme-singe de la préhistoire **pithécanthrope, sinanthrope, anthropopithèque**
– Manger du singe **corned-beef**
– Un petit garçon qui fait le singe **grimaces, mimiques, pitreries, singeries, clowneries**

SINGULARITÉ **anomalie, irrégularité**
– Se distinguer par sa singularité **excentricité, extravagance**
– La singularité de chaque existence **particularité, unicité, individualité, spécificité**

SINGULIER
– C'est singulier ! **anormal, curieux, étonnant, surprenant, inexplicable**
– Des manières singulières **bizarres, étranges, insolites**
– Une idée singulière **biscornue, farfelue, fantasque, abracadabrante**
– Une destinée singulière **extraordinaire, exceptionnelle, fantastique, prodigieuse, inouïe**
– Une œuvre singulière **originale, inédite, novatrice**
– L'emploi singulier d'un mot **rare, inusité**
– Combat singulier **duel**

SINISTRE (1) **catastrophe, désastre, calamité, fléau**
– Type de sinistre **incendie, inondation, tremblement de terre, ouragan, cyclone, cataclysme**
– Sinistre en termes d'assurances **dommage, perte, préjudice**
– Victime d'un sinistre **sinistré**

SINISTRE (2)
– Une sinistre prophétie **funeste**
– Une soirée sinistre **ennuyeuse, morose, lugubre, mortelle**
– Un homme au visage sinistre **menaçant, méchant, malfaisant, patibulaire**
– Un air sinistre **triste, sombre, maussade, abattu**
– Une voix sinistre **caverneuse, sépulcrale**
– Une vieille demeure sinistre **inquiétante, angoissante, effrayante, terrifiante**
– Une mise en scène sinistre **funèbre, macabre, morbide**
– C'est un sinistre idiot ! **lamentable, misérable**

SINUEUX **tortueux, flexueux, onduleux**
– Une ligne fort sinueuse **ondoyante, serpentine**
– La route est sinueuse **en lacet**
– Forme très sinueuse d'un fleuve **méandre**
– Des procédés sinueux **tordus, tortus, retors, détournés**
– Un style sinueux **contourné**

SIROCCO
– Nom donné au sirocco au Maroc **chergui**
– Vent égyptien comparable au sirocco **khamsin**
– Vent du désert autre que le sirocco **simoun**

SIROP
– Sirop de fruit **grenadine, orgeat**
– Sirop médicinal à base d'opium **diacode**
– Sirop pour soigner la toux **pectoral, expectorant, antitussif**
– Sirop provenant de la fabrication du sucre **mélasse**
– Médicament ayant la même consistance qu'un sirop **looch**
– Une consistance semblable à celle d'un sirop **épaisse, sirupeuse, visqueuse, liquoreuse**

SITUATION
– La situation géographique d'un lieu **emplacement**
– La situation d'une habitation par rapport au soleil **exposition, orientation**
– La situation actuelle **circonstances, conditions, conjoncture, contexte**

– Se trouver dans une situation délicate **posture**
– La situation d'un compte en banque **état, position**
– La situation sociale d'une personne **rang**
– Trouver une bonne situation **emploi, place, poste**

SITUER
– Situer un endroit sur une carte **localiser**
– Situer des œuvres dans leur contexte **placer, replacer, ranger, classer**
– Personnage difficile à situer **cerner, définir**
– Se situer pour ou contre **se positionner, se déterminer**

SIX
hexa-

SIX
– Personne ayant six doigts au pied ou à la main **sexdigitaire**

SKI
– Type de remontée mécanique empruntée lorsque l'on fait du ski **télésiège, téléphérique, œuf, téléski, remonte-pente, tire-fesses**
– Type de ski **ski compact, ski performant, ski de compétition, ski de free style, monoski, miniski**
– Partie du ski qui glisse sur la neige **patin, semelle**
– Enduit sur la semelle du ski pour augmenter le glissement **fart**
– Partie de la fixation de la chaussure sur le ski **butée, talonnière**
– Bicyclette munie de petits skis **véloski, ski-bob**
– Épreuve de compétition en ski nautique **figures, slalom, saut**
– Nouvelle discipline comparable au ski nautique mais qui se pratique pieds nus **barefoot**

SOBRE
– Mener une vie sobre **austère, continente, abstinente**
– Être sobre **mesuré, tempérant, modéré, pondéré**
– Se contenter d'un repas sobre **léger, maigre, frugal**
– Un style sobre **concis, dépouillé**
– Avoir des goûts sobres **simples, classiques**
– Être toujours sobre en paroles **discret, réservé, renfermé**
– Un professeur sobre en compliments **avare de**

SOCIABLE
– Le voisin pourrait être plus sociable **poli, aimable, courtois, gracieux**
– Être doté d'un caractère sociable **ouvert, liant, engageant**
– Cet enfant doit devenir plus sociable **s'adapter, se socialiser**

SOCIAL
– Étude des différentes structures sociales **sociologie**
– Les conditions de la vie sociale **sociétales**
– Instinct social **socialité**
– Tendance à ne considérer que la dimension sociale des événements **sociocentrisme**
– Avoir le sens des rapports sociaux **contacts**
– Avoir une vie sociale **mondaine**

SOCIALISME voir aussi **communisme, marxiste**
– Théorie véhiculée par le socialisme **égalitarisme, progressisme**
– Socialisme britannique **travaillisme**
– Sympathisant du socialisme **socialisant**
– S'oppose aux théories du socialisme **libéralisme, capitalisme**
– Socialisme qui revendique la liberté des individus **libertaire, révolutionnaire**

SOCIALISTE
– Système économique socialiste **collectivisme, coopératisme, étatisme**
– Doctrine socialiste **saint-simonisme, fouriérisme**
– Ancien nom du parti socialiste **S.F.I.O. (Section française de l'Internationale ouvrière)**

SOCIÉTÉ
– Vivre au sein d'une société **communauté, collectivité**
– Étude des différentes sociétés humaines **ethnologie**
– Étude des relations entre les membres d'une société **sociométrie**
– Société, en termes de sociologie **socius**
– Forme une société **corps social**
– Convention qui lie les membres d'une société **contrat social**
– Volonté de créer une société idéale **socialisme utopique**
– Volonté de libérer la société de toute autorité gouvernementale **anarchisme**
– Doctrine condamnant la société de consommation **situationnisme**
– Capacité à vivre en société **sociabilité**
– Il fréquente une société cosmopolite **monde, univers, milieu**
– Une société très fermée **cercle, club**
– La haute société **aristocratie, gentry, jet-society, hautes sphères**
– Être à la tête d'une société **compagnie, entreprise, maison, affaire, firme**
– Groupement de sociétés **cartel, consortium, trust, holding, conglomérat, pool**
– Société qui se livre à toutes sortes d'opérations **omnium**
– Société formée pour défendre des intérêts communs **alliance, ligue, coalition, syndicat**
– Société qui rassemble les membres d'une même profession **corporation, confrérie, guilde**
– Société économique fondée sur le principe de l'égalité **coopération**
– Créer une société de protection de la nature **association**
– Société initiatique **Rose-Croix, franc-maçonnerie**
– Mouvement de sociétés initiatiques se regroupant par corps de métier **compagnonnage**
– Société secrète sicilienne **Mafia**
– Société secrète et révolutionnaire italienne **carbonarisme**

SOCLE **pied, base, support** voir aussi **colonne**
– Socle supportant une statue **piédestal, piédouche, acrotère**
– Socle supportant une rangée de colonnes **stylobate**

SOIE
– Soie animale **naturelle, sauvage**
– Soie à l'état brut **grège**
– Fils de soie grège **organsin**
– Étape de la fabrication de la soie **battage, dévidage, moulinage, filature, croisure, décreusage, chevillage**
– Ver à soie qui produit la soie naturelle **bombyx du mûrier**
– Élevage de vers à soie **sériculture**
– État intermédiaire du ver à soie entre la larve et le papillon **nymphe, chrysalide**
– Élaboration du cocon par le ver à soie **coconnage**
– Fibre qui rappelle le cocon du ver à soie **kapok**
– Toile de soie sauvage **tussah, shantung**
– Fin tissu de soie **faille, moire, taffetas, pongé, twill, organza**
– Tissu de soie rehaussé de fils d'or **brocart**
– Toile indienne dont la trame était à l'origine en soie **madras**
– Velours de soie ou de rayonne **panne**
– Tissu de soie ou de coton **batik, satin**
– Rayonne ayant l'aspect de la soie **japonette**

– Étoffe réalisée avec des déchets de soie **bourrette, doupion, schappe**
– Épais tissu de soie utilisé en ameublement **lampas**
– Fabricant de soie **canut, soyeux**

SOIF
– Un aliment qui donne soif **altère, assoiffe**
– Une boisson qui apaise la soif **désaltère**
– Étancher sa soif **calmer, satisfaire**
– Soif irraisonnée et maladive d'alcool **dipsomanie**
– Une soif d'inconnu **envie, désir, tentation, appétit**
– Jusqu'à plus soif **à satiété**

SOIGNÉ
– Un intérieur soigné **avenant, élégant, coquet**
– Porter une toilette soignée **étudiée, recherchée**
– Une écriture soignée **propre, nette, lisible**
– Un travail soigné **fini, poli, léché, fignolé, perlé, sophistiqué**

SOIGNER
-thérapeute

SOIGNER
– Soigner un cheval blessé **panser**
– Voir un médecin pour qu'il vous soigne **consulter**
– Soigner une maladie **traiter**
– Établi pour soigner une maladie **traitement, médication, ordonnance**
– Une substance qui a la vertu de soigner **médicinale, curative**
– Soigner une fâcheuse manie **entretenir, cultiver**
– Soigner son discours avant le meeting **parfaire, perler**

SOIGNEUX
– Des élèves soigneux **appliqués**
– Une étude soigneuse **sérieuse, consciencieuse, approfondie**
– Être soigneux avec ses affaires **minutieux, méticuleux, délicat**
– Être soigneux de ses intérêts **préoccupé, soucieux**

SOIN
– Avec soin **attention, vigilance**
– Des soins attentifs **attentionnés, prévenants, empressés, diligents**
– Être aux petits soins pour un enfant malade **dorloter, choyer, bichonner, couver**
– Laisser à autrui le soin de mener à bien une négociation **devoir, charge, responsabilité, mission**
– Prendre soin de verrouiller la porte **songer à, veiller à**
– Prendre soin d'un objet **ménager**
– Personnel hospitalier qui donne des soins **soignant**
– Personne qui donne des soins à un sportif **soigneur**
– Lieu où l'on donne des soins médicaux gratuits **dispensaire**

SOIR
– La lumière du soir **vespérale**
– Office religieux du soir **complies**
– Concert joué le soir sous les fenêtres d'une personne **sérénade**
– Réunion ou fête du soir **veillée, soirée**

SOIXANTE
– Environ soixante personnes **soixantaine**
– Personne de soixante ans **sexagénaire**
– Les années soixante **sixties**
– Numération en base soixante **sexagésimale**

SOIXANTE-DIX
– Soixante-dix, dans certains pays francophones **septante**

SOL
péd(o)-

SOL **terre, terrain, terroir**
– Aménager un sol **surface**
– Recouvre le sol des rues **goudron, bitume, asphalte**
– Sol cultivé **glèbe**
– Couche résiduelle répandue sur un sol **humus**
– Science du sol **pédologie**
– Étude de la concentration de métaux dans le sol **gitologie**
– Glissement du sol en géologie **solifluxion**
– Sol caractéristique des steppes **tchernoziom**
– Sol typique des forêts de conifères **podzol**
– Type de sol des régions atlantiques tempérées **pseudogley**

SOLDAT voir aussi **cavalier, militaire**
– Une horde de soldats **guerriers, combattants, conquérants**
– Ensemble des soldats combattant à pied **infanterie**
– Soldat qui appartient à l'infanterie **fantassin, biffin**
– Soldat au Moyen Âge et sous l'Ancien Régime **arbalétrier, archer, arquebusier, carabinier, pertuisanier**
– Soldat de la Vieille Garde sous l'Empire **grognard**
– Soldat employé au terrassement **sapeur, pionnier**
– Nom familier donné à un soldat de la garde nationale mobile **moblot**
– Soldat de la cavalerie sous le règne de Louis XIV **dragon**
– Soldat de la Commune de Paris en 1871 **fédéré**
– Soldat ayant combattu durant la guerre de 1914-1918 **poilu**
– Soldat envoyé en avant **éclaireur, franc-tireur, tirailleur**
– Soldat de l'Antiquité **frondeur, hoplite, phalangiste, vélite**
– Ancien soldat turc **spahi, bachi-bouzouk, janissaire**
– Soldat anglais **tommy**
– Ancien soldat de la cavalerie hongroise **hussard**
– Soldat de cavalerie de la garde royale anglaise **horse-guard**
– Soldat d'infanterie de l'armée grecque **evzone**
– Soldat autochtone servant dans l'armée des Indes **cipaye**
– Soldat sous contrat **mercenaire**
– Soldat brutal et grossier **reître, soudard**
– Le comportement du soldat **soldatesque**
– Le comique propre aux soldats **troupier**
– Soldat qui vient d'être engagé **recrue, conscrit, bleu, bleusaille**
– Vieux soldat chevronné **briscard, vétéran**
– Paie du soldat **solde**

SOLDE
– Le solde d'un compte bancaire **balance**
– Le solde qui reste encore à payer **reliquat**
– Profiter de soldes intéressants **réductions, promotions, liquidations, remises, rabais**
– Solde versée aux matelots **matelotage**
– Homme à la solde d'une personne **stipendiaire**

SOLEIL
hélio-

SOLEIL voir aussi dessin
– Partie du Soleil qui peut donner naissance à une tache **facule**
– Miroir destiné à réfléchir la lumière du Soleil **héliostat**
– Appareil permettant la surveillance du Soleil **héliographe**
– Instrument servant à mesurer l'intensité de la lumière du Soleil **héliophotomètre**
– Plante qui s'oriente face au soleil **hélianthe**
– Animal qui craint la lumière du soleil **héliofuge, héliophobe, photophobe, sciaphile**
– Traitement médical par les rayons du Soleil **héliothérapie**
– Divinité du culte du Soleil chez les Égyptiens **Rê, Aton, Horus, Khepri**
– Dieu du Soleil dans la mythologie gréco-romaine **Apollon, Phébus**

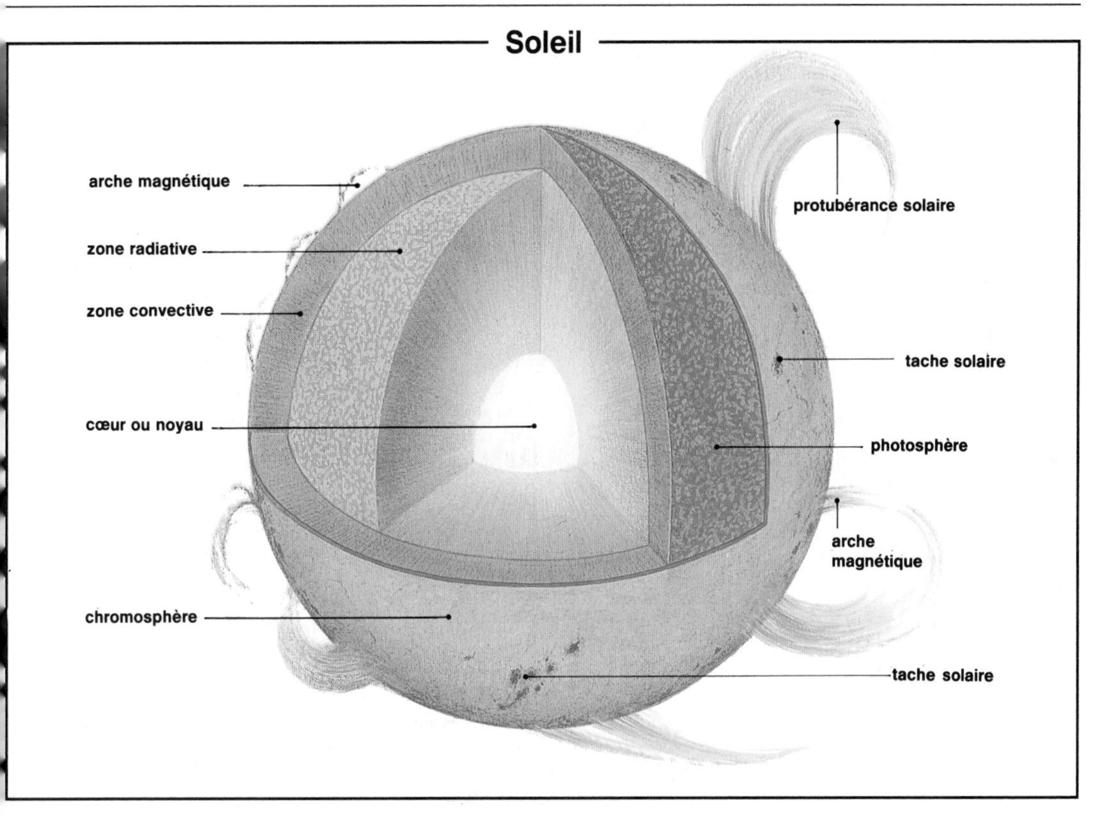

SOLENNEL
– Une réception solennelle **en grande pompe**
– Un visage solennel **grave, imposant, majestueux, auguste**
– Un discours solennel **emphatique, pontifiant, sentencieux, ampoulé, doctoral, magistral**
– Avoir un air solennel **pédant, guindé, compassé, affecté, empesé**
– Prendre un engagement solennel **officiel, public**

SOLIDARITÉ **entraide, fraternité, esprit de corps**
– Une association de solidarité **mutualité**
– Solidarité féminine **sororité**

SOLIDE
stéréo-

SOLIDE
– Un matériau solide **résistant, incassable, inusable, infrangible**
– Avoir besoin de nourriture solide **consistante, substantielle**
– Une solide constitution **forte, robuste, vigoureuse**
– Quelle solide carrure ! **massive, râblée**
– Une réputation solide **inébranlable, indestructible**
– Un sentiment solide **fidèle, sincère, durable, indéfectible, immuable**
– Des croyances solides **ancrées, enracinées**
– Une démarche solide **ferme, stable, assurée**
– Une substance qui devient solide **durcit, se solidifie, se coagule, se concrète**
– Rendre plus solide **consolider, fortifier, renforcer**

SOLITUDE **isolement**
– Solitude morale **déréliction**
– Lieu où l'on peut aller chercher la solitude **retraite, désert, thébaïde**

SOLLICITER
– Solliciter un entretien **demander, réclamer, requérir**
– Plusieurs personnes sollicitent cet emploi **postulent pour, briguent**
– Solliciter l'attention des passants **éveiller, attirer, retenir**
– Solliciter une petite faveur **mendier, quémander, quêter, implorer**
– Solliciter une personne continuellement **harceler, assaillir, poursuivre, importuner**
– Partout, les publicités sollicitent les clients **invitent, incitent, convient, engagent, exhortent**

SOLUTION
– La solution d'une équation **résultat, résolution**
– La solution d'une affaire **fin, issue, conclusion, dénouement, aboutissement, achèvement**
– Découvrir la solution d'une énigme **clef**
– Trouver enfin la solution **résoudre, solutionner**
– Un problème qui n'a pas de solution **insoluble**
– Solution en pharmacie **mucilage, soluté**

SOMBRE
– Traverser une rue sombre **obscure, ténébreuse**
– Le ciel était sombre **couvert, bas, brumeux**
– Un vêtement sombre **foncé**
– Être d'une humeur sombre **maussade, chagrine, mélancolique**
– Un visage qui devient de plus en plus sombre **s'embrunit, se rembrunit, se renfrogne**
– Une personne toujours sombre **morose, taciturne, pessimiste, sinistre, macabre**
– Les moments sombres d'une vie **noirs, funèbres, tragiques**

– L'avenir semble bien sombre **inquiétant, menaçant, funeste**
– Écrire une œuvre très sombre **dantesque**
– Commettre une sombre idiotie **regrettable, lamentable, déplorable, fâcheuse**

SOMBRER
– Le bateau sombre **coule, chavire, s'engloutit, fait naufrage**
– Sombrer dans l'oubli **tomber, s'enfoncer, se perdre**
– Sombrer dans ses pensées **se plonger, s'abîmer, s'absorber**
– Cette entreprise est en train de sombrer **faiblir, décliner, s'affaisser, s'écrouler, péricliter**

SOMMAIRE (1) table des matières
– Peut précéder le sommaire **préface, avertissement**
– Peut se trouver après le sommaire dans un livre **notice, introduction**

SOMMAIRE (2)
– Un exposé sommaire **court, bref, concis, succinct, laconique**
– Une façon de vivre très sommaire **élémentaire, rudimentaire**
– Faire un examen sommaire **rapide, expéditif, superficiel**
– Une lecture très sommaire **cursive, partielle, parcellaire, fragmentaire**
– Article ou livre résumé et présenté de façon sommaire **condensé, digest**
– Vue sommaire **aperçu**

SOMME total
– La somme des dépenses **montant, chiffre**
– Déposer une somme d'argent sur un compte **créditer**
– Retirer une somme d'argent sur un compte **débiter**
– Une importante somme de travail **quantité, masse, volume**
– Œuvre qui fait la somme des connaissances sur un sujet **synthèse, compendium**

SOMMEIL
hypno-, somn(i)-, -somnie

SOMMEIL
– Substance qui entraîne le sommeil **somnifère, soporifique, narcotique**
– État proche du sommeil **torpeur, engourdissement, somnolence**
– L'état qui précède le sommeil **hypnagogique**
– Sommeil léger **assoupissement, demi-sommeil**
– Sommeil profond **léthargie, catalepsie, sopor**
– Sommeil profond d'un animal durant les mois d'hiver **hibernation, anhydrobiose**
– Tendance pathologique à sombrer soudainement dans le sommeil **narcolepsie**
– Difficulté à trouver le sommeil **insomnie**
– Activité inconsciente durant le sommeil **somnambulisme**
– Maladie du sommeil **trypanosomiase**
– Mouche propageant la maladie du sommeil **tsé-tsé**
– Prescrire une cure de sommeil **narcothérapie**
– Sommeil provoqué artificiellement **anesthésie, hypnose, narcose**
– On tombe dans ses bras quand on trouve le sommeil **Morphée**
– Le sommeil du mort **repos**
– Le dernier sommeil de la Vierge **dormition**

SOMMET crête, cime
– Le sommet d'une chaîne de montagnes **point culminant**
– Montagne qui a un sommet pointu **pointe, aiguille, pic, dent**
– Montagne au sommet arrondi **dôme, ballon**
– Permet de voir tous les sommets **table d'orientation**
– Sommet où se trouvent les neiges éternelles **calotte glaciaire**
– Le sommet de forme arrondie d'une colline **mamelon, croupe**
– Végétation au sommet d'une montagne **sommitale**
– Surplombe parfois le sommet d'une construction **flèche**
– Être au sommet de la gloire **summum, faîte, apogée, zénith, pinacle**

SOMPTUEUX
– Une propriété somptueuse **superbe, magnifique, splendide**
– Donner une réception somptueuse **luxueuse, fastueuse, princière**
– Une mine somptueuse **éclatante, radieuse**

SON
sono-

SON voir aussi **bruit**
– Perception des sons **audition, ouïe**
– Étude des sons **acoustique**
– Propagation du son **vibration, onde**
– Appareil servant à étudier les sons **sonomètre, phonomètre**
– Unité de mesure du son **décibel**
– Son que l'oreille humaine ne perçoit pas **infrason, ultrason**
– Mur du son **barrière sonique**
– Un avion qui se déplace à une vitesse supérieure à celle du son **supersonique**
– Matériau qui ne produit aucun son **insonore**
– Prolongement d'un son **répercussion, résonance, écho**
– Un instrument qui a un son agréable **sonorité, timbre, tonalité**
– En musique, l'étendue des sons produits par une voix ou un instrument **diapason, registre**
– Petit appareil qui permet d'assourdir le son d'un instrument **sourdine**
– Combinaison agréable de sons **harmonie, euphonie, eurythmie**
– Danser au son du tam-tam **rythme**
– Étude des sons du langage **phonétique, phonologie**
– Archives sur bandes des sons employés pour le bruitage cinématographique **sonothèque**
– Il a le visage couvert de taches de son **éphélides**

SONDAGE enquête, étude d'opinion, étude de marché
– Ensemble des personnes interrogées lors d'un sondage **panel, échantillonnage**
– On peut l'établir grâce à un sondage **statistique**
– Sondage rapide effectué dans la rue et diffusé à la radio ou à la télévision **micro-trottoir**

SONDE
– Calcul de la profondeur de la mer avec une sonde **bathymétrie**
– Sonde verticale permettant l'étude de l'atmosphère **radiosonde**
– Sonde utilisée pour les forages **tarière**
– Outil qui se fixe au bout d'une sonde pour percer le sol **trépan**
– Sonde médicale **cathéter, bougie**

SONGE
– Technique d'interprétation des songes **oniromancie**
– Expliquait les songes dans l'Antiquité grecque **onirocrite**
– Ce n'est qu'un songe **illusion, vision, chimère, utopie**
– Personne qui ne vit que de songes **songe-creux**

SONGER
– Songer à son avenir **penser à, réfléchir à, méditer sur, spéculer sur, cogiter sur**
– Songer au pire **imaginer, envisager, considérer**
– Songer sérieusement à prendre des vacances **projeter de**
– Un homme qui ne songe vraiment qu'à son travail **s'intéresse à, se préoccupe de**

SONNER
– La cloche sonne **résonne, tinte**
– Une clochette sonne **tintinnabule**

– Sonne pour annoncer la mort d'une personne **glas**
– Sonne l'alarme **tocsin**
– Sonne lors d'une chasse à courre **hallali**
– Sonner de la trompe à la chasse à courre **grailler**
SONNETTE voir aussi **clochette**
– La sonnette d'une porte d'entrée **timbre, carillon**
– La sonnette d'un véhicule **klaxon, avertisseur, corne**
– Permet de faire retentir la sonnette **bouton, poire, cordon**
SONORE
– Avoir un rire très sonore **bruyant, éclatant, retentissant, tonnant, tonitruant**
– Consonne sonore en phonétique **voisée**
– Consonne non sonore en phonétique **sourde**
SOPHISTIQUÉ
– Une beauté trop sophistiquée **artificielle**
– Elle porte une toilette sophistiquée **recherchée, travaillée, étudiée**
– Un appareil très sophistiqué **complexe, perfectionné**
– Un langage sophistiqué **affecté, contourné, alambiqué**
SORCELLERIE **divination, nécromancie, magie**
– Sorcellerie où intervenait le diable **diablerie, magie noire**
– Pratique de la sorcellerie aux Antilles **vaudou**
– Taxé de sorcellerie au Moyen Âge **alchimiste**
– Empoisonnement par sorcellerie au Moyen Âge **vénéfice**
– Créature démoniaque liée à la sorcellerie **incube, succube, homuncule**
– Livre de sorcellerie aux formules mystérieuses **grimoire**
SORCIER **magicien, mage**
– Sorcier qui prédit l'avenir **devin, prophète, vaticinateur**
– Réunion de sorciers pactisant avec le diable **messe noire**
– Grand sorcier dans les tribus primitives d'Asie centrale **chaman**
– Jeté par le sorcier **sort, maléfice, charme, sortilège**
– Célèbre réunion de sorcières la nuit du 1er mai **nuit de Walpurgis**
– Attribut de la sorcière dans l'imagerie traditionnelle **balai, manteau, chaudron, couteau**
– Préparé par la sorcière dans son chaudron **poison, potion, philtre, onguent**
– Réunion des sorcières au Moyen Âge **sabbat**
– Au Moyen Âge, condamnait les sorcières au bûcher **Inquisition**
– Chasse aux sorcières aux U.S.A. dans les années cinquante **maccarthysme**
– Sorcière de l'Antiquité ayant des pouvoirs divinatoires **pythie, pythonisse**
– Cette femme est une vilaine sorcière **mégère, harpie, furie**
SORT **chance, hasard, destin, fortune**
– Le sort s'abat sur une personne **fatalité, fatum**
– Le sort de chacun **lot, apanage**
– Améliorer le sort d'une personne **état, situation, position, condition**
– S'inquiéter de son sort **avenir, destinée**
– Être accablé par le mauvais sort **malheur, disgrâce, infortune, adversité**
– Le sort en est jeté ***alea jacta est***
– Sort que jette le sorcier **maléfice, charme, enchantement, sortilège**
SORTE **espèce, variété, catégorie, genre, type**
– Les plaisanteries de cette sorte ne sont pas drôles **nature, ordre, acabit**
– Mais comment peut-on agir de la sorte ? **de cette façon, de cette manière**
SORTIE
– Gagner la sortie de secours **issue**
– La sortie d'une rue **débouché**
– Sortie d'une source à l'air libre **émergence, résurgence**
– La sortie d'un livre **parution, publication, lancement**
– Faire une sortie très agréable **promenade, échappée**
– Trouver une porte de sortie **échappatoire, faux-fuyant**
– Une sortie contre un adversaire **attaque, algarade**
SORTIR
– De l'eau qui sort de terre **jaillit, sourd**
– Voir sortir les premiers bourgeons **percer, poindre**
– Une tête sortait hors de l'eau **dépassait, pointait, saillait, émergeait**
– La foule qui sort de la bouche du métro **s'écoule**
– Sortir les corps des décombres **extraire, dégager, exhumer**
– Il faut faire sortir le public immédiatement **évacuer**
– Faire sortir du terrain un joueur fautif **expulser**
– Forcer le gibier à sortir **débusquer, débucher**
– Sortir d'une grave maladie **guérir de, réchapper de**
– Sortir quelques secondes **s'absenter, se retirer**
– Sortir sans se faire remarquer **s'éclipser, s'esquiver**
– Sortir des limites de la bienséance **s'écarter de, s'éloigner de, outrepasser**
– Sortir les doigts de sa bouche **enlever, ôter**
– Un parfum agréable sort de la cuisine **s'échappe de, se dégage de, s'exhale de, provient de, émane de**
– Se sortir d'une situation **se tirer de, se dépêtrer de, venir à bout de**
– Sortir du quodidien **s'élever**
– Il ne peut rien en sortir de bon **résulter, découler**
SOT **bête, imbécile, idiot, stupide**
– Sot et crédule **nigaud, naïf, niais, simplet, jobard**
– Sot et inexpérimenté **béjaune, blanc-bec**
– Un jeune homme gauche et sot **godiche, benêt**
– Femme ou jeune fille sotte **pécore, péronnelle**
– Personnage sot **jocrisse, nicodème**
SOTTISE
– Faire des sottises **âneries**
– Dire des sottises **sornettes, fadaises, balivernes, fariboles, calembredaines, billevesées**
– Commettre une sottise irréparable **maladresse, bévue, gaffe, bourde, balourdise**
SOUBASSEMENT
– Reçoivent le soubassement d'un bâtiment **fondations**
– Soubassement d'une construction **base, assise**
– Type de soubassement **embasement, stéréobate**
– Soubassement d'un pilier **semelle**
– Les soubassements d'une société **principes, fondements, structure**
SOUCI **préoccupation, tourment, tracas, inquiétude, anxiété**
– Se faire du souci **bile, mauvais sang, mouron, cheveux**
– Une personne qui se fait trop de souci **pessimiste, alarmiste**
– À l'origine des soucis **ennuis, difficultés, contrariétés, désagréments**
– Les soucis détruisent la santé **usent, rongent, minent, consument**
– Une personne qui ne se fait pas de souci **insouciante, insoucieuse, indifférente, nonchalante, imprévoyante, frivole**
– En botanique, nom scientifique du souci **calendula**

SOUDAIN **rapide, prompt, subit**
– Une intervention soudaine **instantanée, foudroyante**
– Un changement soudain **imprévu, inattendu, inopiné, impromptu, fortuit**
– Poser une question soudaine **à brûle-pourpoint**
– Un geste soudain **brusque, brutal, nerveux**
SOUFFLE
pneumat(o)-
SOUFFLE
– Sentir un souffle d'air **courant, bouffée**
– Le souffle de la brise **soupir**
– Le souffle d'une personne **haleine, expiration**
– Le souffle régulier du dormeur **respiration**
– Cet athlète a du souffle **endurance, résistance**
– Arriver le souffle court **haletant, essoufflé, pantelant**
– Un vieil animal qui manque de souffle **poussif**
– Un souffle romantique **mouvement, élan, aspiration**
– Chercher un second souffle **reprise, regain**
– Type de souffle en médecine **pulmonaire, placentaire, artériel, veineux, cardiaque**
SOUFFLER
– Souffler sur le feu **ranimer, activer, attiser**
– Souffler quelques mots à l'oreille **glisser, chuchoter, murmurer**
– Souffler de l'air dans un ballon **insuffler**
– Un vent de bonne humeur soufflait dans les rangs **se répandait, se propageait**
– On lui a soufflé sa conduite **dicté, suggéré, inspiré**
SOUFFRANCE **mal**
– Une souffrance physique **douleur**
– Une souffrance morale **peine, chagrin, tristesse, affliction**
– Une grande souffrance **crève-cœur, déchirement**
– Jouissance dans sa propre souffrance **masochisme**
– Jouissance dans la souffrance d'autrui **sadisme**
– Les souffrances de l'attente **tourments, torture, supplice, enfer, calvaire, martyre**
– Laisser une affaire en souffrance **en suspens**
SOUFFRANT
– Être un peu souffrant **fatigué, indisposé, incommodé**
– Un air souffrant **défait, dolent**
– Un enfant toujours souffrant **maladif, chétif, délicat, souffreteux**
SOUFFRIR **supporter, subir, endurer**
– Ne souffrir aucun retard **accepter, permettre, admettre, tolérer, consentir**
– Souffrir d'une situation humiliante **pâtir**
– Prend plaisir à souffrir **masochiste**
– Individu qui prend plaisir à faire souffrir **sadique**
– Les plantes souffrent du froid **craignent**
– Souffrir d'un mal **être affligé de, être atteint de**
SOUFRE
– Corps obtenu par le mélange du soufre avec un autre corps **sulfure**
– Sulfure qui possède une plus grande quantité de soufre que les sulfures normaux **persulfure, polysulfure**
– Minerai contenant du soufre **sulfurifère**
– Une substance de la nature du soufre **sulfureuse**
– Mine d'où l'on extrait le soufre **soufrière**
– Dérivé du soufre **sulfate, sulfite, hydrogène sulfuré, acide sulfurique**
– Une allumette enduite de soufre **soufrée**
– Nom que les alchimistes donnaient au soufre **vulcain**
– Traitement du caoutchouc par le soufre **vulcanisation**
– Le goût de soufre d'un vin **sulfite, brant**
SOUHAITER **vouloir, désirer**
– Souhaiter accéder au bonheur **rechercher, convoiter, aspirer à**
– Souhaiter ardemment une promotion **viser, ambitionner, briguer**
– Souhaiter la bonne année **offrir ses vœux**
– Souhaiter la paix **demander, appeler de ses vœux**
SOULAGER
– Soulager un collaborateur d'un surplus de travail **débarrasser, décharger**
– Soulager un ami dans la détresse **aider, secourir, réconforter, consoler**
– Soulager sa conscience **libérer, délivrer**
– Soulager les souffrances d'un patient **adoucir, calmer, apaiser, diminuer, atténuer, abréger**
– Soulage efficacement d'un mal **remède, panacée**
– Ne soulage que provisoirement **palliatif, expédient**
SOULÈVEMENT
– Le soulèvement des troupes **insurrection, révolte, rébellion, sédition, mutinerie**
– Il y a des risques de soulèvement **agitation, désordre, troubles, turbulence, émeute**
– L'aboutissement d'un soulèvement **révolution, guerre civile, coup d'État**
SOULEVER
– Soulever un véritable tollé **causer, provoquer, entraîner, susciter, engendrer, déchaîner**
– Cette loi va soulever l'opinion **indigner, choquer, scandaliser**
– Être soulevé de joie **transporté**
– Se soulever sur la pointe des pieds **s'élever, se hisser, se hausser**
SOULIGNER
– Un trait de crayon qui souligne le regard **accentue, intensifie**
– Souligner un détail important **noter, relever, signaler, préciser, insister sur**
SOUMETTRE
– Soumettre ses ennemis **réduire, pacifier**
– Soumettre par la force **enchaîner, assujettir, opprimer, asservir**
– L'homme cherche à soumettre la nature **dominer, maîtriser, dompter, conquérir**
– Soumettre un caractère difficile **apprivoiser, assouplir, discipliner**
– Soumettre son point de vue **proposer, présenter, offrir**
– Serf qui était soumis à la corvée **corvéable**
– Se soumettre **se plier, s'incliner, fléchir, céder**
– Se soumettre à une obligation **se forcer à, se contraindre à, s'astreindre à, se résigner à**
– Se soumettre à l'oppression **se rendre, se livrer, abandonner, capituler**
– Se soumettre à un règlement **suivre, se conformer à, observer, obéir à**
– Se soumettre à la mode actuelle **sacrifier à**
– Se soumettre à l'ordre reçu **obtempérer à**
SOUMISSION **dépendance, servitude, sujétion, esclavage**
– Soumission d'un ecclésiastique **obédience**
– Soumission d'un vassal **vassalité, inféodation**
– Personne réduite à la soumission la plus totale **ilote**
– Régime politique qui entraîne une soumission totale **absolutisme, despotisme, tyrannie, dictature**

SOUPAPE voir aussi **arbre, moteur**
– Soupape d'un moteur à explosion **soupape d'admission, soupape d'échappement**
– Pièce mécanique permettant le fonctionnement de la soupape **came, poussoir, tige de poussoir, culbuteur**
– Type de soupape **reniflard, papillon**
– Sert de soupape dans les moments difficiles **exutoire, dérivatif**

SOUPÇONNER
– Soupçonner une personne **suspecter, incriminer**
– Soupçonner la vérité **entrevoir, pressentir, deviner, subodorer**
– Soupçonner les conséquences d'un acte **se douter de, prévoir, présumer, présager, conjecturer, augurer**
– Soupçonner l'existence d'un piège **craindre, redouter, appréhender**

SOUPÇONNEUX
– Un caractère très soupçonneux **méfiant, circonspect, craintif, ombrageux**
– Un regard soupçonneux **défiant, suspicieux**

SOUPE voir aussi **potage**
– Soupe très onctueuse **velouté**
– Soupe à l'oignon **gratinée**
– Soupe composée de lait, de beurre, d'eau, et liée avec des œufs **panade**
– Soupe de poissons **bouillabaisse, bourride, cotriade, pochouse, chaudrée**
– Soupe du Béarn à base de canard ou d'oie **garbure**
– Soupe provençale **soupe au pistou, oursinade, soupe à l'ail**
– Soupe italienne **minestrone**
– Soupe russe **bortsch**

SOUPIR expiration
– Retenir un long soupir **plainte, gémissement, sanglot**
– Rendre son dernier soupir **souffle, râle**

SOUPLE
– Un matériau souple **mou, élastique, flexible, ductile**
– Être très souple **agile, léger, leste, alerte**
– Garder les jambes souples **pliées, fléchies**
– Laisser les muscles souples **décontractés, relâchés, détendus**
– Une femme à la démarche souple **ailée, ondulante, serpentine, féline**
– Un caractère particulièrement souple **docile, maniable, malléable**
– Il faut se montrer souple en affaires **conciliant, complaisant, accommodant, diplomate**
– Des horaires souples **modulables**
– Rendre des mesures plus souples **adoucir, atténuer, corriger**

SOURCE
– Source d'où émergent des eaux souterraines **résurgence**
– Source jaillissante **fontaine**
– Source d'eau chaude **geyser**
– Une source asséchée **tarie**
– Personne qui décèle la présence des sources à l'aide de baguettes **rhabdomancien, radiesthésiste, sourcier**
– Source de chaleur **foyer**
– Citer ses sources **références**
– Remonter jusqu'à la source **cause, base, origine, fondement, principe, germe**
– C'est source d'ennuis **générateur**

SOURCIL
– Saillie osseuse au niveau du sourcil **arcade**
– Espace entre les sourcils **glabelle**

SOURD
– Handicap qui affecte une personne sourde **surdité**
– Affection congénitale d'un individu sourd et muet **surdi-mutité**
– Rester sourd à une demande **indifférent, insensible**
– Être sourd à toutes les prières **impitoyable, inexorable, inflexible**
– Un bruit sourd **étouffé, assourdi, cotonneux, indistinct**
– Une voix qui devient sourde **enrouée, voilée, cassée**
– Une voix sourde qui semble venir des profondeurs **gutturale, caverneuse, sépulcrale**
– Une colère sourde **contenue, rentrée**
– Une couleur sourde **mate, douce**
– Ourdir une sourde machination **clandestine, souterraine, ténébreuse, sombre**

SOURIS
– Ordre auquel appartient la souris **rongeurs**
– Famille à laquelle appartient la souris **muridés**
– Petite souris de laboratoire **souris blanche**
– Petit de la souris **souriceau**
– Mammifère insectivore ayant la même taille que la souris **musaraigne**
– Souris d'Australie **marsupiale**
– Souris qui vit près de l'homme et profite ainsi de sa nourriture **commensale**

SOURNOIS
– Un personnage sournois **faux, déloyal, perfide, hypocrite, fourbe**
– Traître sournois **sycophante**
– Un esprit sournois **rusé, malin, retors, artificieux**
– Des paroles sournoises **doucereuses, mielleuses, sucrées**
– Des manières sournoises **dissimulées, insinuantes, insidieuses**
– Des menées sournoises **subreptices, souterraines**
– Un homme sournois, toujours sur ses gardes **méfiant, soupçonneux, précautionneux, circonspect**
– Un regard sournois **chafouin, cauteleux**

SOUSCRIRE
– Souscrire un bail **signer**
– Souscrire à une association culturelle **cotiser**
– Souscrire au compte rendu d'une réunion **approuver, adhérer à**
– Souscrire à tous les désirs d'une personne **consentir à, accéder à, satisfaire**

SOUS-ENTENDU (1) non-dit
– Ne pas comprendre un sous-entendu **allusion, insinuation**
– Une conversation pénible pleine de sous-entendus **réticences, arrière-pensées**

SOUS-ENTENDU (2) inexprimé
– L'idée est sous-entendue dans le texte **suggérée, latente**
– C'est un accord sous-entendu **tacite, implicite**

SOUS-MARIN (1) submersible
– Appareil employé dans un sous-marin pour regarder à la surface **périscope**
– Dispositif spécial permettant l'apport d'air frais dans un sous-marin **schnorchel**
– Voie d'accès d'un sous-marin **sas**
– Marin qui fait partie de l'équipage d'un sous-marin **sous-marinier**
– Appareil permettant de détecter les sous-marins **sonar, asdic**
– Sorte de petit sous-marin autonome **bathyscaphe, bathysphère**

SOUS-MARIN (2)
– Arme sous-marine **torpille**
– Étude des fonds sous-marins **océanographie**
– Une carte des reliefs sous-marins **bathymétrique**

SOUSTRACTION
– Résultat d'une soustraction **différence**
– Soustraction des sommes à payer **décompte, déduction**
– Reste d'une soustraction **restant, reliquat**
– La soustraction d'un document officiel est un délit **vol, détournement**

SOUSTRAIRE **retrancher**
– Soustraire une partie **prélever**
– Trouver le nombre à soustraire **soustractif**
– Soustraire aux regards **cacher, dissimuler, celer, préserver**
– Soustraire un enfant à une obligation **dispenser, dégager, exempter**
– Soustraire une pièce à conviction **dérober, ravir, s'approprier**
– Se soustraire aux questions embarrassantes **esquiver, éluder**
– Se soustraire à un danger imminent **fuir, échapper à, s'écarter de, s'arracher de**
SOUTENIR
– Un pilier qui soutient une poutre **étaye, étançonne**
– Murs qui soutiennent une construction **contreforts, soutènement**
– Soutient une plante **tuteur**
– Soutient un cep de vigne **échalas**
– Soutient un tonneau **tin, chantier**
– Soutient l'armature d'un bateau en construction **accore**
– Une douleur que l'on peut soutenir **supporter, endurer**
– Soutenir qu'on a raison **affirmer, assurer, prétendre, attester, certifier**
– Soutenir son point de vue avec force **défendre**
– Soutenir une cause **épouser**
– Soutenir la conversation **animer, entretenir, prolonger**
– Soutenir la comparaison **rivaliser**
– Soutenir le cœur d'un malade **stimuler**
– Soutenir un ami **aider, remonter, réconforter, secourir**
– Soutenir une personne dans son action **appuyer, assister, encourager, favoriser, épauler, patronner, seconder**
– Essayer de soutenir sa concentration **maintenir**
SOUTENU
– Faire des efforts soutenus **continus, constants, assidus, tenaces, opiniâtres**
– Un langage soutenu **élevé, noble**
SOUTERRAIN (1)
– Creuser un souterrain **excavation**
– Souterrain qui contient des ossements **catacombes**
SOUTERRAIN (2)
– Emprunter un passage souterrain **tunnel, boyau, galerie**
– Ancien cachot souterrain **oubliettes, cul-de-basse-fosse**
– Partie souterraine d'une église **crypte**
– Cimetière souterrain de l'Antiquité **nécropole**
– Des agissements souterrains **cachés, secrets, obscurs, ténébreux, clandestins, illicites**
– Elles alimentent les eaux souterraines **eaux d'infiltration**
SOUVENIR
-mnés(i)e
SOUVENIR voir aussi **mémoire**
– Avoir quelques souvenirs confus **réminiscences**
– Avoir le souvenir d'un événement **souvenance**
– Souvenir anodin qui masque un souvenir pénible **souvenir-écran**
– Cérémonie ayant lieu en souvenir d'un personnage ou d'un événement **commémoration**
SOUVENIR (SE) **se rappeler, se ressouvenir de, se remémorer**
– Carnet où l'on note ce dont on doit impérativement se souvenir **calepin, agenda, mémento**
– Permet de se souvenir **pense-bête, aide-mémoire**
– Un procédé qui aide à se souvenir **mnémotechnique**
– Ne se souvient de rien **amnésique**
SOUVERAIN (1) **roi, prince, monarque, empereur**
– Souverain qui abuse de son pouvoir **despote, dictateur, tyran, autocrate, potentat**
– Titre donné au souverain **majesté**
– Attribut du souverain **couronne, trône, sceptre**
– Fréquente la cour du souverain **courtisan**
– Maîtresse préférée du souverain **favorite**
– Gouverne en l'absence du souverain ou durant sa minorité **régent**
– Attaché au service de la chambre du souverain **chambellan**
– Ancien souverain des Turcs **sultan, padichah**
– Titre porté par les souverains dépendant du sultan **bey**
– Titre des souverains du Moyen-Orient **chah**
– Titre des souverains mongols et tatars **khan**
– Titre des souverains d'Éthiopie **négus**
SOUVERAIN (2)
– Aspirer au bonheur souverain **supérieur, suprême, absolu**
– Exercer une autorité souveraine **toute-puissante, omnipotente**
– Prescrire un remède souverain **sûr, infaillible**
SPASME **crampe, crispation, contraction, convulsion**
– Crise de spasmes due à un état d'hyperexcitabilité neuro-musculaire **tétanie**
– Tendance à subir des crises accompagnées de spasmes **spasmophilie**
– Maladie nerveuse qui se caractérise par des crises de spasmes **épilepsie**
– Spasme de la paroi d'un vaisseau sanguin **angiospasme**
– Spasmes infantiles **tic de Salaam, syndrome de West**
– Remède qui combat les spasmes **antispasmodique, spasmolytique**
– Un rire accompagné de spasmes **convulsif, spasmodique**
SPÉCIAL
– Une manière spéciale d'agir **particulière, distinctive, caractéristique, propre, personnelle, individuelle**
– Cet homme a eu une vie très spéciale **singulière, originale, remarquable, exceptionnelle, extraordinaire**
– Un outillage spécial **spécifique, adéquat**
– Un phénomène spécial **bizarre, étrange, inhabituel, curieux, saugrenu, insolite**
– Une interprétation un peu spéciale **farfelue, fantaisiste, extravagante**
– Spécial et unique en son genre **sui generis**
SPÉCIALITÉ voir tableau
SPECTACLE
– Un spectacle attendrissant **scène, tableau, vision**
– La nature offre un spectacle grandiose **vue, panorama**
– Se donner en spectacle **se montrer, s'exposer, s'afficher, s'exhiber**
– Aller au spectacle **théâtre, cinéma, concert, opéra, music-hall**
– Spectacle composé de différents numéros **variétés, divertissement, show**
– Spectacle de variétés animé par une seule personne **one-man-show, spectacle solo**
– Donne des spectacles variés dans les cabarets et les cafés-théâtres **chansonnier**
– Spectacle de music-hall **revue**
– Grand spectacle à caractère officiel **gala**
– Spectacle durant lequel une danseuse se déshabille **strip-tease**
– Le spectacle de ce soir est prometteur **représentation**
– Spectacle donné durant l'après-midi **matinée**
– Période pendant laquelle se donnent les spectacles **saison**
– Support d'affiches de spectacles **colonne Morris**

– Entrer dans le monde du spectacle **show-business**
– Spectacle pour enfants **guignol**
– Spectacle de cavaliers **cavalcade, carrousel**
– Spectacle dans la rue **carnaval, mascarade, défilé**
– Lieu où se donnaient les différents spectacles romains **arène, amphithéâtre, cirque**
– Spectacle romain qui se déroulait sur l'eau **naumachie**

SPECTATEUR
– L'ensemble des spectateurs **public, assistance, auditoire, salle, parterre, galerie**
– Le spectateur d'incidents **témoin, observateur**
– Spectateur à la curiosité malsaine **voyeur**

SPÉCULER
– Spéculer en rêvant de faire fortune **boursicoter, agioter**
– Spéculer sur la fin du monde **réfléchir à, songer à, méditer sur**
– Spéculer sur la générosité de ses proches pour mener à bien un grand projet **compter sur, tabler sur, s'appuyer sur, faire fond sur**

SPERME
spermo-, spermato-, -spermie

SPERME semence, germe
– Analyse de sperme **spermogramme, spermocytogramme**
– Contenu dans le sperme **spermatozoïde, gamète mâle, spermie**
– Élaboration des spermatozoïdes contenus dans le sperme **spermatogenèse**
– Substance qui détruit les spermatozoïdes contenus dans le sperme **spermicide**
– Technique utilisant le sperme pour la recherche des maladies infectieuses **spermoculture**
– Sperme des poissons **laitance**
– Chez les abeilles, organe conservant le sperme dans le corps de la reine **spermathèque**

SPHÈRE globe
– Objet qui a la forme d'une sphère **sphérique, sphéroïdal**
– Carte représentant une sphère **planisphère**
– Sphère représentant la Terre **mappemonde**
– Une sphère d'activités **domaine, champ, réseau, zone**
– Pénétrer dans une sphère **milieu, monde**

SPÉCIALITÉS ÉTRANGÈRES

apfelstrudel	Gâteau aux pommes servi avec une crème anglaise (Autriche).
baklava	Gâteau au miel et aux amandes (Turquie).
bortsch	Soupe composée de betteraves, de carottes, de chou et de crème aigre (U.R.S.S.).
chlodnik	Soupe à base d'écrevisses et de concombre, consommée glacée (Pologne).
cramique	Pain brioché garni de raisins secs (Belgique).
dampfnudel	Beignet cuit à la vapeur, accompagné d'une crème anglaise (Autriche).
enchilada	Crêpe de maïs fourrée (Mexique).
gaspacho	Potage de légumes crus macérés, servi froid (Espagne).
goulasch	Ragoût de bœuf au paprika (Hongrie).
gumbo	Soupe créole.
iman bayildi	Aubergine farcie (Turquie).
keiserschmarre	Sorte de crêpe épaisse coupée en morceaux et servie avec de la compote (Autriche).
knodel	Boulette de pâte à nouilles cuite à l'eau (Autriche).
lebernockerl suppe	Bouillon garni de boulettes de foie de porc (Allemagne).
livance	Sorte de crêpe accompagnée d'une mousse de pruneaux (Tchécoslovaquie).
maultaschen	Gros raviolis pochés dans le potage (Allemagne).
mitikei	Boulettes de bœuf grilllées (Roumanie).
moussaka	Gratin d'aubergines et de bœuf (Grèce).
nasi goreng	Riz sauté garni de crevettes, de homards et de viande de poule (Indonésie).
pirog	Pâté en croûte (Pologne, U.R.S.S.).
plum-pudding	Gâteau de Noël anglais cuit dans l'eau bouillante et arrosé de rhum.
porkolt	Ragoût de veau (Hongrie).
puchero	Ragoût argentin.
roedgroed med flode	Gelée de fruits rouges accompagnée de crème fraîche (Danemark).
sabayon	Crème à base de vin ou de liqueur, d'œufs et de sucre (Italie).
sakte java	Brochettes de porc (Indonésie).
souvlakia	Petites brochettes de rognons de mouton (Grèce).
taboulé	Salade de semoule (Afrique du Nord).
tch'ao yu tch'en	Ailerons de poulet et filets de porc aux pousses de bambou (Chine).
tempura	Beignet de poisson, de langoustines ou de légumes (Japon).
water zooi	Soupe de volaille (Belgique).
welsh rabbit	Toasts grillés garnis de fromage cuit dans le vin ou la bière (Grande-Bretagne).
yalandji dolmas	Feuilles de vigne farcies (Grèce).

SPIRALE **enroulement, circonvolution**
– Chaque tour d'une spirale **spire**
– Fil de fer en spirale **hélicoïdal**
– Des spirales de fumée s'échappent de la cheminée **volutes**
– L'avion dessine des spirales dans le ciel **vrilles**
– Escalier en spirale **en colimaçon, à vis**
– Principales spirales géométriques **spirale d'Archimède, spirale de Fermat, spirale de Galilée, spirale de Poinsot, spirale hyperbolique, spirale logarithmique, spirale sinusoïdale**
– Type de spirale sinusoïdale **lemniscate, cardioïde**

SPIRITUEL
– Chercher à atteindre le monde spirituel **immatériel, incorporel, intemporel, abstrait**
– Les valeurs spirituelles **culturelles, intellectuelles, morales**
– Un amour spirituel **platonique, chaste**
– Donner un caractère spirituel **spiritualiser, idéaliser, sublimer**
– Le sens spirituel d'un texte **figuré, allégorique, mystique**
– Une femme spirituelle **amusante, vive, pétillante, brillante**
– Avoir un humour fin et spirituel **subtil, raffiné**
– Une remarque spirituelle **drôle, malicieuse, piquante, humoristique**

SPLENDEUR
– La splendeur d'une réception **luxe, faste, pompe, apparat**
– Cette maison a retrouvé sa splendeur d'antan **éclat, lustre, relief**
– Être au faîte de sa splendeur **grandeur, gloire**

SPLENDIDE
– Quel soleil splendide ! **éclatant, radieux**
– Une propriété splendide **superbe, magnifique, somptueuse, princière**
– Une femme vraiment splendide **ravissante, séduisante, enchanteresse, sculpturale**
– Des décors splendides **merveilleux, féeriques**
– C'est une occasion splendide ! **exceptionnelle, extraordinaire, mirifique, fabuleuse, prodigieuse**
– Être dans une forme tout à fait splendide **éblouissante, resplendissante, olympique**
– Une voiture splendide **brillante, étincelante, rutilante**
– Un édifice splendide **monumental, majestueux**
– Il s'est conduit d'une manière splendide **sublime, admirable**

SPONTANÉ
– La croissance est un phénomène spontané **naturel**
– Une personne spontanée **franche, loyale, sincère, directe**
– Un geste spontané **instinctif, impulsif, inconscient, involontaire, automatique**
– Une attitude trop spontanée **irréfléchie, primesautière**

SPORT voir aussi tableau
– Lieu où l'on fait du sport **stade, gymnase**
– Association qui régit un sport donné **fédération**

SPORTIF (1)
– Catégorie dans laquelle on classe les sportifs en fonction de leur âge **poussin, minime, cadet, junior, senior, vétéran**
– Protège le sportif **casque, protège-tibia, genouillère, protège-dents, coquille**
– Permet de reconnaître les sportifs lors d'une épreuve **dossard**
– Contrôle auquel sont soumis les sportifs **antidopage**

SPORTIF (2)
– Épreuve sportive de sélection **critérium**
– Compétition sportive comprenant des épreuves appartenant à plusieurs disciplines **biathlon, triathlon, pentathlon, décathlon**
– Titre sportif mis en jeu **challenge**
– Choisit les meilleurs éléments d'une équipe sportive **sélectionneur**
– Faire preuve d'esprit sportif **fair-play**
– Lieu où se déroulaient les épreuves sportives romaines **amphithéâtre, cirque, Colisée**

SQUELETTE **ossature, carcasse, charpente** voir aussi **os**
– Animaux à squelette **vertébrés**
– Découvrir des squelettes dans une nécropole **ossements**
– Visage pareil à celui d'un squelette **desséché, émacié, hâve**
– Un homme si maigre qu'il rappelle un squelette **squelettique, décharné, efflanqué, étique**
– Le squelette d'une œuvre **plan, canevas, structure**

STABLE
stato-, -stat, -statique

STABLE
– Une position stable **assurée, ferme**
– Une situation tout à fait stable **fixe, permanente, durable, inaltérable, immuable**
– Un régime politique stable **assis**
– Une personne stable **équilibrée, solide**
– Une période stable dans une maladie **stationnaire**
– Une humeur qui n'est pas stable **capricieuse, lunatique, versatile, inconstante**

STADE
– Stade aménagé pour les courses cyclistes **vélodrome**
– Entourent souvent un stade **gradins, tribunes**
– Il y a plusieurs stades dans une évolution **périodes, phases**
– Procéder par stades successifs **étapes, niveaux, degrés, échelons, paliers**
– Le dernier stade **fin, issue, terme, dénouement**

STAGNATION
– La stagnation actuelle de l'économie **ralentissement, marasme, arrêt, immobilité**

QUELQUES SPORTS ET ÉPREUVES SPORTIVES

ATHLÉTISME
marathon
décathlon
heptathlon
pentathlon
triathlon

ARTS MARTIAUX
aïkido
budo
hsing-i
jiu-jitsu
kendo
nin-jitsu
sumo
tackwondo
vo-viet-nam

MOTOCYCLISME
enduro
motocross
trial
vitesse

SPORTS AÉRIENS
deltaplane
parachutisme (ascensionnel)
parapente
planeur
U.L.M.

SPORTS ÉQUESTRES
attelage
concours complet
dressage
endurance
polo
courses d'obstacles

SPORTS NAUTIQUES
aviron
canoë-kayak
hydrospeed
plongée
rafting
surf
voile
water-polo
yachting

SPORTS SUR NEIGE OU GLACE
biathlon
bobsleigh
curling
hockey
skeleton

– Période de stagnation **piétinement, immobilisme, inertie**
– Stagnation d'un liquide organique, en médecine **stase**

STANDARD (1)
– Rester conforme au standard **règle, norme**
– Les standards des années soixante **classiques**

STANDARD (2)
– Un mobilier standard **type, normalisé**
– Un modèle standard **courant, habituel, ordinaire**
– Faire un sourire standard **figé, contraint, stéréotypé**

STATION
– La station assise **position**
– Faire une courte station **pause, halte, arrêt**
– Une station de vacances **lieu de séjour, villégiature**
– Une station au bord de la mer **balnéaire**
– Station thermale **ville d'eaux**

STATIONNAIRE
– La situation reste stationnaire **fixe, constante, identique, inchangée, invariable, statique**
– Le niveau de la mer est stationnaire **immobile, étale**
– L'état du malade est stationnaire **stable**

STATIONNEMENT
– Voie sur laquelle le stationnement est limité **zone bleue**
– Stationnement à prix réduit pour les habitants du quartier **résidentiel**
– Stationnement alternatif de chaque côté d'une rue **unilatéral**
– Mesure le temps de stationnement **parcmètre, horodateur**
– Risque pris lors d'un stationnement irrégulier **contravention, procès-verbal, enlèvement**
– Dispositif permettant à la police d'immobiliser une voiture en stationnement illicite **sabot de Denver**
– Auxiliaire de police chargé de faire respecter les règles du stationnement **contractuel**
– Surnom donné à la contractuelle parisienne chargée du stationnement **pervenche**
– Mode de stationnement d'une troupe militaire **caserne, camp, cantonnement, bivouac**

STATISTIQUE **grandeur aléatoire, variable aléatoire**
– Principe sur lequel repose la statistique **probabilité**
– Calcul des probabilités en statistique **stochastique**
– Éléments pris en compte pour élaborer une statistique **données, facteurs, paramètres**
– Rapport moyen en termes de statistique **indice**
– Tendance qui se dessine après une statistique **moyenne, médiane, mode**
– Se situe hors de la tendance d'une statistique **erreur type, écart type, variance, quantile**
– Ensemble de personnes interrogées lors d'une statistique **échantillon, panel**
– Graphique utilisé en statistique **histogramme**
– Enquête fondée sur les statistiques **sondage**
– Établie d'après des statistiques **évaluation, estimation**
– Organisme chargé de publier les statistiques françaises **I.N.S.E.E. (Institut national de la statistique et des études économiques)**

STATUE
– Établit les proportions d'une statue **canon**
– L'ensemble des statues d'une époque **statuaire**
– Support d'une statue **socle, piédestal, acrotère, piédouche**
– Base qui soutient la statue **plinthe, terrasse**
– Statue représentant un buste pris dans une gaine **terme**
– Statue de très grandes dimensions **colosse**
– Statue de femme servant de support **cariatide**
– Statue d'homme servant de support **atlante, télamon**
– Statue représentant un sujet dans l'attitude de la prière **orant**
– Statue funéraire représentant un personnage couché **gisant**
– Statue de la Vierge éplorée **pietà, Mater dolorosa**
– Statue de personnage ou d'animal représenté sans peau aux fins d'étude **écorché**
– Statue de l'Antiquité égyptienne représentant un sujet accroupi **statue-bloc, statue-cube**
– Statue d'un jeune homme nu représentative de l'art grec archaïque **kouros**
– Créature de la mythologie grecque qui changeait ses victimes en statues **Méduse**

STATUT
– Le statut social **situation, rang, position, standing**
– Les statuts d'une association **règlements, conventions**
– Une décision conforme au statut **statutaire**
– A le statut sans le titre **assimilé**

STÉNOGRAPHIE
– Texte pris en sténographie **sténogramme**
– Prendre en sténographie à l'aide d'une machine **sténotyper**
– Sténographie utilisée à l'Assemblée constituante **logographie**
– Accompagne souvent la pratique de la sténographie **dactylographie**

STEPPE
– Steppe à herbes hautes **savane**
– Steppe des plateaux du sud de l'Afrique **veld**

STÉRILE **infertile, improductif, infécond, aride**
– Une région stérile **désertique, inculte, incultivable, ingrate**
– Une jument stérile **bréhaigne**
– Une action vraiment stérile **inefficace, infructueuse**
– Une conversation stérile **inutile, vaine, oiseuse**
– Une époque hélas totalement stérile en créateurs **pauvre en, dénuée de, dépourvue de**
– Local stérile de laboratoire **désinfecté, aseptisé**

STÉRILISATION
– Appareil servant à la stérilisation **étuve, autoclave, stérilisateur**
– Procédé chimique de stérilisation **asepsie**
– Stérilisation de l'eau avec de l'eau de Javel ou du chlore **javellisation, verdunisation**
– Stérilisation d'une denrée alimentaire **pasteurisation**
– La stérilisation les tue **microbes, toxines**

STIMULANT
– Ce médicament est un stimulant **fortifiant, remontant, reconstituant, analeptique**
– Prendre un stimulant **se doper**
– Le thé et le café sont des stimulants **toniques, excitants**
– Stimulant sexuel **aphrodisiaque**

STIMULER
– Cet enjeu va sans doute stimuler les concurrents **exciter, éperonner, aiguillonner**
– Stimuler l'appétit **aiguiser, ouvrir**
– Stimuler la curiosité d'autrui **allumer, éveiller**
– Stimuler la conversation **animer, égayer**
– Une douche froide stimule l'organisme **fouette**
– Être stimulé par le succès **enhardi, encouragé**

– Stimuler une assemblée **enflammer, passionner, galvaniser, survolter, exalter**
– Appareil servant à stimuler le cœur **pacemaker**

STOCK
– Le stock d'un magasin **assortiment, approvisionnement**
– Endroit où se trouve le stock d'un magasin **arrière-boutique, réserve**
– Constituer un stock **emmagasiner, achalander**
– Vendre son stock **écouler**
– Partie du stock qui n'a pas été vendue **surplus, excédent**
– Stock trop important par rapport à la demande **surproduction**
– Bâtiment où l'on met des stocks **entrepôt, dépôt**
– Entente entre spéculateurs pour acquérir un stock de marchandises **corner**
– Le stock d'une bibliothèque **fonds**

STORE
– Store à lamelles **vénitien**
– Store dont le tissu remonte en se fronçant **bouillonné, à l'italienne**
– Matériel nécessaire pour monter un store à enrouleur **support, étrier plat, étrier rond, ressort, baguette de lestage, cordon de manœuvre**
– Store extérieur **dais, banne, auvent**

STRICT
– Un éducateur très strict **sévère, rigide, exigeant, inflexible**
– Une morale stricte **astreignante**
– Une discipline particulièrement stricte **draconienne**
– La stricte observance d'un dogme **absolue, totale**
– Obéissance très stricte à certains principes **rigorisme, puritanisme**
– Une tenue par trop stricte **sobre, austère**
– Le sens strict d'une expression **littéral**
– Au sens strict **stricto sensu**

STRUCTURE
– La structure d'une œuvre **composition, construction, contexture**
– La structure d'un édifice **charpente, armature, ossature, squelette**
– La structure d'une société **forme, organisation**
– La structure des troupes **ordre, disposition, agencement**
– Un exposé qui manque de structure **décousu, incohérent**

STUPÉFAIT
– Être stupéfait devant une nouvelle inattendue **étonné, stupéfié, ahuri, abasourdi**
– Stupéfait, il ne trouvait plus ses mots **confondu, suffoqué, interloqué, interdit, pantois, coi**
– Stupéfaite, elle n'en croyait vraiment pas ses yeux **effarée, sidérée, médusée, pétrifiée**

STUPÉFIER
– Les enfants étaient stupéfiés par la vue des cadeaux **ébahis, éberlués, émerveillés, fascinés**

STUPEUR
– Moment de stupeur générale **étonnement, surprise, saisissement**
– En termes médicaux, sombrer dans un état de stupeur totale **abattement, accablement, anéantissement, prostration**
– Son visage restait marqué par la stupeur **engourdissement, hébétude**
– En psychiatrie, état de stupeur **mutisme**

STUPIDE **bête, crétin, idiot** voir aussi **sot**
– Une expression stupide sur le visage **niaise**
– Un esprit complètement stupide **limité, borné, étroit, obtus**
– Une situation stupide **absurde, inepte**
– Une conduite stupide **déraisonnable, insensée, extravagante**
– Des arguments stupides **illogiques, incohérents, décousus**
– Rendre une personne stupide **abrutir, abêtir**

STYLE voir aussi **rhétorique**
– Cet élève doit surveiller son style **expression**
– Le style propre à chaque auteur **écriture, langue, facture, art, touche**
– Caractérise un style **tour, tournure, ton, note, couleur**
– Étude du style d'un écrivain **stylistique**
– Utilisation des statistiques pour l'étude du style **stylométrie**
– Mauvais style **cacographie**
– Texte écrit dans un style incompréhensible **galimatias**
– Le style d'un poète **métrique**
– Style oratoire **rhétorique**
– Style pathétique **pathos**
– Imitation du style d'un écrivain **pastiche**
– Style, en termes de grammaire **discours**
– Tournure de style propre à une langue **idiome**
– À quel style appartient cette colonne grecque ? **ordre**

SUAVE
– Humer un parfum suave **agréable, délicat, délicieux, exquis, délectable**
– Une nourriture suave **douce, sucrée, savoureuse, melliflue**
– Une voix suave **chantante, harmonieuse, mélodieuse, caressante**
– Des paroles suaves **doucereuses, sirupeuses**

SUBIR
– Subir des reproches injustifiés **supporter, essuyer, encourir, recevoir**
– Subir une grande douleur **endurer, souffrir**
– Subir l'attirance de quelqu'un **ressentir, éprouver, percevoir**
– Subir les événements avec détachement **accepter, obéir à, s'incliner devant**
– Subir une peine de prison **purger**
– Subir une crise **connaître**
– Faire subir un interrogatoire serré **soumettre à**

SUBIT
– Être témoin d'une mort subite **soudaine, instantanée, brutale**
– Un changement subit **inattendu, imprévu, inopiné**
– Prendre une décision subite **brusque, rapide**
– Événement subit qui retourne une situation **péripétie**
– Émotion subite **saisissement, choc, stupeur**

SUBJUGUER
– Subjuguer une personne **séduire, conquérir, envoûter, ensorceler**
– L'auditoire était subjugué **charmé**
– Les enfants étaient subjugués par le récit **fascinés, captivés**
– Être subjugué par une forte personnalité **dominé**

SUBSISTER
– Ces croyances subsistent en certaines régions **demeurent, persistent, se maintiennent, perdurent**
– Des moyens pour subsister **vivre, survivre, surnager**
– Subsister avec difficulté **vivoter, végéter**
– Permet de subsister **secours, aide, don, subvention, allocation, subside**

SUBSTANCE
– La substance d'une œuvre **matière, sujet, objet, contenu, fond, essence**
– La substance d'un discours **principal, essentiel**
– Le meilleur de la substance **suc, substantifique moelle, quintessence**
– Substance en termes de philosophie **substrat**
– En substance **grossièrement, sommairement, grosso modo**

SUBSTITUER
– Substituer une peine moins lourde à une autre **commuer**

– En droit, substituer une personne à une autre **subroger**
– Substituer un mot ou un groupe de mots à un autre **commuter, permuter, intervertir, transposer**
– Se substituer à **se changer en, se transformer en, se métamorphoser en, se muer en**
SUBSTITUTION remplacement, déplacement
– Un produit de substitution **ersatz, succédané**
– Opérer une substitution, en termes de psychologie **transfert**
SUBTERFUGE astuce, finesse, artifice
– User de subterfuges pour arriver à ses fins **ruser, finasser**
– Mettre au point un subterfuge **tour, stratagème, supercherie**
– Personne n'a découvert le subterfuge **canular, mystification**
– Subterfuge qui permet de se sortir d'une situation particulièrement embarrassante **détour, échappatoire, faux-fuyant, dérobade**
SUBTIL
– Agir d'une manière subtile **adroite, habile, ingénieuse, astucieuse**
– Cet enfant a déjà une intelligence subtile **pénétrante, sagace, déliée**
– Une analyse subtile **perspicace, affinée, aiguisée, pointue**
– Un goût subtil **fin, délicat, raffiné**
– Des différences subtiles **minces, ténues**
– Un style trop subtil **compliqué, contourné, sophistiqué, alambiqué, quintessencié**
– Un raisonnement subtil **argutie, chicane**
SUCCÉDER remplacer, se substituer à
– Les événements se succèdent avec une rapidité déconcertante **se suivent, se déroulent, s'enchaînent**
– Se succéder au chevet d'un malade **alterner, se relayer**
– Ce médicament est appelé à succéder aux remèdes traditionnels **supplanter, suppléer**
– Des époques qui se succèdent **consécutives**
SUCCÈS
– C'est un franc succès **réussite, triomphe, victoire**
– Les plus beaux succès de l'année **performances, exploits, prouesses, tours de force**
– Souvent synonyme de succès **richesse, fortune, gloire, célébrité, renommée, honneurs**
– Le succès qu'on tire d'une opération **avantage, bénéfice, gain**
– Une initiative couronnée de succès **utile, profitable, rentable, féconde, fructueuse**
– Connaître un succès considérable **faveur, vogue, popularité**
– Entouré d'un halo de succès **auréolé**
– Multiplier les démarches sans succès **en vain, sans résultat**
SUCCESSION
mét(a)-
SUCCESSION voir aussi **testament**
– Transmis par la succession **héritage, patrimoine, bien, legs**
– Ancien terme de droit qui désignait la succession **hoirie**
– Reçoit la totalité de la succession **légataire universel**
– Héritier qui a droit à la succession **successible**
– Héritier qui a droit à une part de la succession **réservataire**
– Succession qui n'a pas été établie par testament **ab intestat**
– Succession qui n'est réclamée par personne **en déshérence**
– Une succession ininterrompue de propositions **série, suite, chapelet, kyrielle, litanie**
– Une succession de passants **chaîne, défilé, cortège, procession**
– Succession logique **enchaînement, filiation**
– Succession arithmétique **progression**
– Suivre une longue succession de formalités **filière, circuit**
SUCCURSALE annexe, dépendance
– Les différentes succursales de cette société **agences, bureaux, antennes**
– Succursale réservée à la vente **dépôt, comptoir**
– Créer une succursale en province **filiale**
SUCRE
saccharo-, -ose
SUCRE saccharose
– Sucre provenant de l'amidon **glucose, maltose, dextrose**
– Sucre obtenu à partir du lait **lactose, galactose**
– Sucre des fruits **fructose, lévulose**
– Résidu de sucre **bagasse, mélasse**
– Jus de la canne à sucre broyée **vesou**
– Sucre de canne brut **cassonade**
– Sucre obtenu à partir des déchets de raffinerie **vergeoise, bâtard**
– Sucre cristallisé en morceaux **candi**
– Sucre chauffé **caramel**
– Sucre trempé dans le café **canard**
– Aliment à base de sucre **friandise, confiserie**
– Mauvaise assimilation des sucres **diabète**
– Taux de sucre dans le sang **glycémie**
– Produit qui donne la même saveur que le sucre **édulcorant**
– Remplace le sucre dans certains régimes **saccharine, aspartame**
– Rajout de sucre pendant la fermentation d'un vin **sucrage, chaptalisation**
– Une substance qui a l'apparence du sucre **saccharoïde**
SUD (1)
– Partir en vacances dans le Sud **Midi**
– Avoir l'accent du Sud **méridional**
SUD (2)
– Le pôle Sud **Antarctique**
– Voyager dans l'hémisphère Sud **austral**
SUER transpirer, exsuder
– Médicament qu'on absorbe afin de suer **sudorifique, diaphorétique**
– On s'y rend pour suer **sauna, bain de vapeur, hammam**
– Un mur humide qui sue **suinte**
– Traverser un village qui sue l'ennui **respire, exhale**
SUEUR
hidro-
SUEUR
– Sécrétion de sueur **sudation**
– Être en sueur **en nage**
– Une glande qui produit la sueur **sudoripare, sudorifère**
– Sueur très abondante **hidrorrhée**
– Sécrétion de sueur malodorante **bromidrose**
SUFFISANT
– Obtenir des résultats suffisants **honnêtes, honorables**
– Ce n'est pas une raison suffisante ! **satisfaisante, acceptable**
– Prendre une quantité suffisante **raisonnable, convenable, correcte**
– Un personnage suffisant **vaniteux, fat, pédant, infatué**
– Une attitude suffisante **orgueilleuse, prétentieuse, présomptueuse, arrogante, ostentatoire**
– Répondre sur un ton suffisant **outrecuidant, rogue**
– Un enfant odieusement suffisant **poseur, maniéré**
– Parler en prenant un air suffisant **avec morgue**
SUGGÉRER
– Que vous suggère ce mot ? **évoque, inspire**
– Ce rapport semble suggérer que les résultats sont encore insuffisants **insinuer, sous-entendre**

– Récit qui suggère de nombreuses idées **suggestif, évocateur**
– Suggérer un titre accrocheur pour un album **proposer, soumettre**

SUICIDE
– Étude du processus qui conduit au suicide **suicidologie**
– Mode de suicide japonais **hara-kiri**
– Avion-suicide **kamikaze**

SUIE
– Nettoyer un conduit en enlevant la suie **ramoner**
– Ustensile utilisé pour enlever la suie dans une cheminée **hérisson**
– Suie mélangée à des oxydes métalliques **cadmie**
– Suie utilisée comme colorant **noir de fumée**
– Couleur obtenue à partir de la suie **bistre**
– Un ciel noir comme de la suie **fuligineux**
– Maladie qui atteint les plantes et se caractérise par un dépôt couleur de suie **fumagine**

SUITE voir aussi **succession**
– Les suites d'un événement **résultat, conséquences, effets, répercussions, aboutissement**
– Une suite de grossièretés **flot, chapelet, litanie, kyrielle**
– Les suites d'un accident **contrecoup, séquelles**
– Une suite de personnages importants **file, ribambelle, cortège, procession**
– La suite des descendants d'une grande famille **postérité**
– Une suite de couloirs **enfilade**
– La suite d'un souverain **cour, train, équipage, escorte**
– Une suite mathématique **série, succession, progression**
– Au poker, suite de cinq cartes **séquence**
– Des phrases sans suite **incompréhensibles, incohérentes, illogiques, irrationnelles**
– Tout de suite **immédiatement, instantanément, aussitôt, incessamment, incontinent**
– Il faut partir tout de suite **à l'instant, sur l'heure, sans délai, séance tenante, sur-le-champ**
– Nous prendrons une décision par la suite **ultérieurement**
– Parler trois heures de suite sans interruption **d'affilée**

SUIVRE
– Suivre son supérieur dans tous ses déplacements **accompagner, escorter**
– Suivre pas à pas **serrer de près, talonner, emboîter le pas**
– Suivre une personne à son insu **filer, pister**
– Sentir une présence qui vous suit partout **poursuit, traque**
– Suivre un chemin **prendre, emprunter, parcourir**
– Suivre le cours de la rivière **longer, côtoyer**
– Suivre un principe de vie **respecter, observer, obéir à, se conformer à**
– Suivre un bon conseil **écouter**
– Suivre une mode **adopter, sacrifier à, embrasser**
– Suivre un exemple **imiter**
– Suivre ses penchants naturels **s'abandonner à**
– Les heures se suivent inexorablement **se succèdent**
– Des faits qui se suivent **consécutifs, subséquents**
– Il suit les courants d'opinion **suiveur, mouton de Panurge**

SUJET (1) être, individu, personne
– Des petits sujets posés sur une étagère **figurines, statuettes**
– Un sujet de dispute **cause, raison, motif, occasion**
– Le sujet d'une œuvre **matière, fond, objet, étoffe**
– Il faut trouver un sujet de recherche **thème, champ**
– Revenir sur un sujet **point, question, rubrique, chapitre**
– Le sujet du discours, en termes de linguistique **topique**
– Choisir un sujet d'expérimentation **cobaye**
– Composition musicale reposant sur un sujet **fugue**
– Sujet en arboriculture **porte-greffe**

SUJET (2)
– Être sujet aux migraines **exposé**
– Être sujet à la rêverie **porté, enclin**

SULTAN
– Titre porté autrefois par le sultan **padichah**
– Tribu assujettie au sultan **makhzen**
– Partie du palais du sultan où vivent les femmes **harem, sérail**
– Esclave affectée au service des femmes du sultan **odalisque**

SUPERBE (1)
– Un homme qui a conservé sa superbe **fierté, arrogance, suffisance, morgue**

SUPERBE (2)
– Une attitude superbe **hautaine, orgueilleuse, vaniteuse, altière**
– Un paysage superbe **magnifique, merveilleux, splendide**
– Un monument superbe **somptueux, fastueux**
– Une œuvre superbe **admirable, remarquable, extraordinaire, supérieure, sublime**
– Un teint superbe **éclatant, éblouissant, resplendissant**

SUPERFICIEL
– Des distractions superficielles **futiles, légères, frivoles**
– Un problème tout à fait superficiel **insignifiant, secondaire, superflu, accessoire**
– Des connaissances trop superficielles **sommaires**
– Une couche superficielle **vernis, apparence**

SUPERFLU (1)
– Dénigrer le superflu **luxe**

SUPERFLU (2)
– Des interventions totalement superflues **inutiles, inefficaces, vaines, oiseuses**
– Un paragraphe superflu car répétitif **redondant**
– Des instruments vraiment superflus **superfétatoires**
– Des petits objets superflus **bagatelles, superfluités**
– Retirer d'un discours ce qui est superflu **élaguer**

SUPÉRIEUR
– Une autorité supérieure **suprême, souveraine**
– Un chercheur d'une compétence supérieure **distingué, éminent, émérite, brillant**
– Une découverte supérieure **magistrale, hors pair, sans pareille, sublime**
– Un être supérieur **superman, surhomme, phénix**
– Il affiche toujours un air supérieur **méprisant, dédaigneux, hautain, condescendant, suffisant, arrogant**
– Atteindre la limite supérieure **plafond, faîte, sommet, acmé**
– Atteindre à des capacités supérieures **se dépasser, se surpasser, se transcender**

SUPÉRIORITÉ
archi-, sur-, super-, extra-, ultra- -issime

SUPÉRIORITÉ primauté, prééxcellence, prééminence, prépondérance
– Une supériorité politique **suprématie, hégémonie, leadership**
– Avoir la supériorité sur son adversaire **dessus, avantage**
– Abuser de sa supériorité **influence, autorité, pouvoir, ascendant**
– En grammaire, indique la supériorité **superlatif**

SUPPLÉMENT **addition, adjonction, ajout**
– Un supplément de travail **augmentation, surcharge, surcroît**
– Un supplément sur la feuille de paie **prime, bonification**
– Exiger un supplément d'information **complément**
– Un supplément de marchandises **surplus, excédent**
– Supplément d'argent versé pour compenser l'inégalité d'un échange **soulte**
– Supplément de notes à la fin d'un ouvrage **appendice, addenda**
– Une occupation en supplément **accessoire, adventice**
– Militaire qui est engagé en supplément des troupes régulières **supplétif**
– Payer le service en supplément **sus**
– Faire payer un supplément **supplémenter**

SUPPLÉMENTAIRE
– Requérir du personnel supplémentaire **auxiliaire**
– Demander un laps de temps supplémentaire **délai, prolongation**
– Gain supplémentaire **boni**
– Un appareil de chauffage supplémentaire **d'appoint**
– Répondre à la question supplémentaire **subsidiaire**

SUPPLICE voir aussi **torture**
– Supplice corporel **écartèlement, essorillement, énervation, décollation, lapidation, crucifiement, écorchement, flagellation**
– Le collier de fer servant au supplice **carcan, garrot**
– Utilisé lors du supplice de la pendaison **gibet, potence, fourches patibulaires, échafaud**
– Supplice du feu **autodafé**
– Aller au supplice **exécution**
– Monter cette côte est un véritable supplice ! **enfer, martyre, calvaire**
– Vaincre les supplices de la jalousie **tourments, affres, tortures**
– Le supplice est juste ! **peine, punition, condamnation, châtiment**
– Escalier où l'on exposait les corps des victimes de supplices **gémonies**
– Personnage mythique ayant subi un supplice **Tantale, Prométhée**

SUPPLIER
– Supplier avec insistance **prier, adjurer, conjurer, exhorter**
– Supplier le Ciel en dernier recours **invoquer, implorer**

SUPPORT
porte-, pose-, repose-

SUPPORT voir aussi **socle, statue**
– Poser un tableau sur un support **chevalet**
– Support à trois pieds **trépied, chevrette**
– Support provisoire **étai, étançon**
– Pilier servant de support **pylône, colonne, noyau de voûte, balustre**
– Type de support de charpente **poutre, solive**
– Support en architecture **corbeau, trompe**
– En peinture, surface servant de support **subjectile**
– Un support moral **aide, secours, appui, soutien**

SUPPORTER
– Supporter des critiques malveillantes **subir, souffrir, endurer, encaisser**
– Supporter courageusement une présence intempestive **accepter, s'accommoder de, tolérer**
– Supporter un candidat **soutenir, épauler, appuyer, protéger, favoriser, encourager**
– Supporter ses obligations **assumer**
– Cette plante peut supporter le froid **résister à**
– Il a du mal à supporter la cuisine grasse **digérer**
– Supporter la boisson **tenir**
– Une musique criarde qu'on ne peut supporter **agaçante, énervante, irritante, exaspérante, horripilante**
– Une souffrance impossible à supporter **atroce, affreuse, épouvantable, abominable, intolérable**

SUPPOSÉ **présumé**
– Il était supposé venir à ce rendez-vous **censé**
– Voici le supposé spécialiste ! **soi-disant, prétendu**
– Un texte d'un auteur supposé **apocryphe**
– En droit, père supposé d'un enfant **putatif**

SUPPOSER **présumer, conjecturer, présager, augurer**
– On ne peut supposer une telle absurdité ! **croire, imaginer, envisager, se figurer**
– Ce poste suppose une grande disponibilité **demande, exige, implique**
– Il ne faut pas supposer trop d'importance à ce personnage **attribuer, accorder, prêter**
– Laisser supposer **indiquer, annoncer, dénoter**

SUPPOSITION
– Une supposition de départ **présupposition, hypothèse**
– Ce n'est qu'une supposition **présomption, prévision, estimation, appréciation, supputation, conjecture**

SUPPRESSION
– La suppression de vieux décrets **abrogation, annulation**
– La suppression de la peine capitale **abolition**
– La suppression d'un membre **amputation, mutilation**
– La suppression d'un service **extinction, disparition, cessation d'activité**

SUPPRIMER **ôter, retrancher, déduire, décompter, soustraire, retenir**
– Supprimer les problèmes **écarter, balayer**
– Supprimer un concurrent gênant **éliminer, évincer**
– Supprimer les pouvoirs donnés à une personne **révoquer, destituer**
– Supprimer de la liste des participants **rayer, barrer, effacer, biffer, radier**
– Une crème qui supprime les effets du vieillissement **ralentit, évite, arrête, empêche, combat**
– Supprimer les réactions **paralyser, annihiler, inhiber**
– Supprimer les longueurs d'un récit **élaguer**
– Supprimer d'une œuvre les passages jugés choquants **expurger**
– Il faut supprimer toute tentative de résistance **détruire, anéantir, bannir, briser**
– Supprimer un ennemi **tuer, assassiner, abattre**
– Supprimer un peuple entier **massacrer, exterminer, décimer**

SÛR **certain**
– Être sûr d'arriver à ses fins **convaincu, persuadé**
– Il est sûr de lui après cet examen **confiant, serein**
– Une mémoire très sûre **indéfectible**
– Un compagnon sûr **vrai, fidèle, éprouvé**
– Une méthode sûre **sérieuse, fiable, infaillible**
– C'est le seul point d'information qui soit sûr **avéré, établi, confirmé**
– Cela arrivera, c'est sûr **inévitable, inéluctable**
– Cette poutrelle est sûre **solide, robuste**
– Déclamer un texte d'un ton très sûr **assuré, pénétré**

SURANNÉ
– Des conceptions surannées **dépassées, périmées, caduques**
– Un mobilier vraiment suranné **antique, antédiluvien**
– Un équipement tout à fait suranné **obsolescent**

– Un esprit par trop suranné **arriéré, rétrograde**
– Un style suranné **vieillot, démodé, désuet**
– Un mot suranné **obsolète**
– Expression surannée **archaïsme**

SURCHARGE
– Il a dû payer pour une surcharge de bagages **excédent**
– Une surcharge de travail accablante **surplus, surcroît**
– Surcharge imposée à un cheval de course **handicap**
– Une surcharge de couleurs clinquantes **profusion, surabondance, débauche**

SURFACE étendue
– Calculer la surface d'un terrain **superficie, aire**
– Surface d'un appartement **réelle, corrigée**
– Apparaître à la surface de l'eau **émerger**
– Objet qui reste à la surface de l'eau sans jamais couler **insubmersible**

SURGIR
– Elle regardait l'eau surgir du fond de la grotte **jaillir, sourdre**
– Endroit où une rivière souterraine surgit de terre **résurgence**
– Il voit surgir une difficulté majeure **naître, émerger, poindre**
– Je crains de le voir surgir tout à coup dans la salle **faire irruption**

SURMENER
– Surmener un athlète **exténuer, éreinter, excéder de fatigue**
– Surmener un cheval **forcer**
– Se surmener **s'épuiser, s'user**

SURMONTER
– Le château surmonte la vallée **domine, surplombe**
– L'église est surmontée d'une flèche **coiffée**
– Surmonter avec courage une difficulté **franchir, vaincre, avoir raison de, venir à bout de**
– Surmonter son angoisse **maîtriser, dompter, réprimer**

SURPLUS
– Chercher à récupérer le surplus **reste, excédent**
– Un surplus de travail **surcharge, surcroît**
– Surplus dégagé en sus du bénéfice prévu dans un budget **boni**

SURPRENDRE
– Il a été surpris à l'annonce d'une telle nouvelle **stupéfait, sidéré, abasourdi**
– Elle a été surprise en voyant la magnificence du cadre **éberluée, ébaubie**
– Embarrassée, elle était surprise par leur question **interloquée**
– Surprendre son entourage par un comportement inhabituel **déconcerter, désorienter, décontenancer, dérouter, confondre**
– Surprendre un malfaiteur **arrêter, piéger**

SURPRISE étonnement
– Surprise extrême **stupeur, stupéfaction, ébahissement, ahurissement**
– Immobile sous l'effet de la surprise **pétrifié, médusé**
– Muet de surprise **bouche bée**
– C'est un spécialiste des visites surprises **inattendues, imprévues, impromptues, inopinées**
– Ils ont opté pour une attaque surprise **soudaine, brusque, subite**

SURSAUTER
– Sursauter en entendant claquer une porte **tressaillir**
– Sursauter de surprise **tressauter, bondir**
– Mouvement involontaire d'une personne qui sursaute **soubresaut, haut-le-corps**

SURSIS ajournement
– Sursis d'incorporation militaire **report**
– Conscrit qui bénéficie d'un sursis d'incorporation **sursitaire**
– Forme de sursis en droit pénal **sursis simple, sursis avec mise à l'épreuve**
– Annulation d'un sursis **révocation**

SURVEILLANCE garde
– Surveillance soutenue **vigilance**
– Être chargé de la surveillance d'une opération délicate **conduite, direction**
– Surveillance attentive d'une sentinelle **guet, faction**
– Mode de surveillance à distance très perfectionné **télésurveillance**

SURVEILLER
– Surveiller la qualité d'un produit **contrôler, vérifier**
– Surveiller un chantier **inspecter**
– Surveiller l'arrivée d'une course **guetter**
– Surveiller quelqu'un à la dérobée **épier, espionner**
– Suivre quelqu'un pour le surveiller **filer, pister**
– Personne chargée de surveiller un lieu **gardien, vigile**
– Il surveille sévèrement l'entrée d'un bâtiment **cerbère**
– Il surveille avec zèle un lieu **argus**
– Personne chargée autrefois de surveiller les forçats **garde-chiourme**

SURVENIR se produire, se manifester, advenir
– S'il survient quelques égarés, envoyez-les moi **se présente**
– Survenir en pleine nuit **arriver, débarquer**

SURVIVRE
– Personnes qui survivent à une catastrophe **survivants, rescapés**
– Cette religion va-t-elle survivre à la montée du scepticisme ? **résister**
– Ces traditions survivent dans quelques villages **subsistent, perdurent**
– Se survivre dans sa descendance **se perpétuer**

SUSCEPTIBLE
– Un individu susceptible **sensible, ombrageux**
– Susceptible et irrascible **chatouilleux, irritable**
– Importuner un être susceptible **vexer, froisser, désobliger, offenser**

SUSCITER
– Susciter l'enthousiasme général **provoquer, soulever**
– Suciter la curiosité **exciter, piquer**
– Susciter une vive discorde **causer, provoquer**
– Susciter une sédition **fomenter**
– Susciter des vocations **faire naître, éveiller**

SUSPECT (1)
– Mettre hors de cause un suspect **innocenter, disculper, réhabiliter, blanchir**

SUSPECT (2)
– Un colis suspect **douteux**
– Un témoignage vraiment suspect **sujet à caution**
– Une attitude suspecte **ambiguë, équivoque, mystérieuse, troublante, déconcertante**
– Un individu très suspect **louche, interlope**
– Trouver quelqu'un suspect **mettre en cause, incriminer**

SUSPENDRE
– Suspendre un tableau **accrocher, fixer**
– Suspendre brusquement ses activités **interrompre**
– Suspendre une discussion **couper court à**
– Suspendre une déclaration officielle **remettre, différer, ajourner, surseoir à**

SYLLABE
– Syllabe se terminant par une voyelle prononcée **ouverte**
– Syllabe terminée par un E muet **muette, féminine**
– Syllabe se terminant par une consonne **fermée**

– Avant-dernière syllabe d'un mot **pénultième**
– Syllabe qui précède l'avant-dernière syllabe d'un mot **antépénultième**
– Mot d'une syllabe **monosyllabe**
– Écriture où chaque signe représente une syllabe **syllabique**
– Élément dominant d'une syllabe **noyau**
– Chute d'une ou plusieurs syllabes au début d'un mot **aphérèse**
– Chute d'une syllabe à l'intérieur d'un mot **syncope**
– Chute d'une ou plusieurs syllabes à la fin d'un mot **apocope**
– Mot portant un accent tonique sur la dernière syllabe **oxyton**
– Mot portant un accent tonique sur l'avant-dernière syllabe **paroxyton**
– Mot portant un accent tonique sur la syllabe antépénultième **proparoxyton**

SYMBOLE emblème, insigne, représentation voir aussi **élément, mathématiques, musique, signe**
– Symbole d'une marque **logo (type)**
– Sur une carte, symbole stylisé qui indique une curiosité touristique **pictogramme**
– Il est le symbole de la réussite **personnification, incarnation**
– Symbole d'une divinité mythologique **attribut**
– Expression d'une idée par un symbole **allégorie**
– Le symbole des apôtres **Credo**

SYMBOLIQUE
– Représentation symbolique de la réalité **figure, icone, image, signe**

SYMÉTRIE
– Plan par rapport auquel il existe une symétrie entre deux points **médian**
– Plan de symétrie **sagittal**
– Type de symétrie en géométrie **oblique, orthogonale**
– En biologie, symétrie entre les deux côtés d'un être vivant **bilatérale**

SYMPATHIQUE
– Une personne sympathique **sociable, aimable, cordiale**
– Attirance pour une personne sympathique **estime, penchant, inclination**
– Un air sympathique **engageant, avenant**
– Une ambiance sympathique **agréable, détendue, amicale, chaleureuse**

SYMPHONIE voir aussi **mouvement**
– Composition musicale qui tient et de la symphonie et du concerto **symphonie concertante**
– Compositeur de symphonies **symphoniste**
– Symphonie célèbre de Mozart ***Haffner, Jupiter, de Prague, de Linz***
– Symphonie célèbre de Beethoven ***Symphonie héroïque, Symphonie du destin, Symphonie pastorale, Apothéose de la danse, Hymne à la joie***
– Symphonie célèbre de Haydn ***d'Oxford, militaire, de l'ours, du miracle, de la reine, de l'horloge***
– Symphonie célèbre de Berlioz ***Symphonie fantastique, Roméo et Juliette, Symphonie funèbre et triomphale***
– Symphonie de Dvorak ***du Nouveau Monde***
– Symphonie de Mahler ***des Mille***

SYMPTÔME signe fonctionnel
– Symptôme qui annonce le développement d'une maladie **prodrome**
– Ensemble des symptômes d'une maladie **syndrome**
– Reconnaître une maladie d'après les symptômes **diagnostiquer**
– En médecine, étude des symptômes **symptomatologie, sémiologie**
– Les symptômes d'une crise politique **signes, indices, présages**

SYNAGOGUE
– Préside au culte israélite dans une synagogue **rabbin**
– Dirige les chants dans une synagogue **hazzan**
– Assemblée du conseil d'une synagogue **consistoire**
– Dans une synagogue, armoire dans laquelle est déposée la Torah **arche sainte**
– Candélabre à sept branches dans une synagogue **menora**

SYNCOPE évanouissement, défaillance
– Tomber en syncope **pâmoison**
– Malaise qui s'apparente à une syncope **lipothymie**
– En musique, note émise sur un ton faible ne se prolongeant pas sur un ton fort, contrairement à la syncope **contretemps**

SYNDICAT
– Membre d'un syndicat **syndiqué**
– Personne qui joue un rôle actif dans un syndicat **syndicaliste**
– Personne chargée de la plus haute fonction administrative dans un syndicat **secrétaire général**
– Salarié qui refuse de participer à une grève organisée par un syndicat **jaune**
– Instance où avec les représentants patronaux siègent les syndicats **paritaire**
– Groupe de salariés gérant les mouvements sociaux en dehors des syndicats **coordination**
– Institution d'une entreprise où sont représentés les syndicats **comité d'établissement, comité d'entreprise**
– Syndicat de salariés en France **C.F.D.T. (Confédération francaise démocratique du travail), C.F.T.C. (Confédération française des travailleurs chrétiens), C.G.T. (Confédération générale du travail), C.G.T.- F.O. (Force ouvrière), C.S.L. (Confédération des syndicats libres)**
– Fédération de syndicats d'enseignants en France **F.E.N. (Fédération de l'Éducation nationale)**
– Syndicat patronal en France **C.N.P.F. (Conseil national du patronat français)**
– Syndicat ouvrier international **C.E.S. (Confédération européenne des syndicats), C.I.S.L. (Confédération internationale des syndicats libres)**
– Syndicat ouvrier en Grande-Bretagne **trade-union**
– Union des syndicats américains **A.F.L.- C.I.O. (American Federation of Labor - Congress of Industrial Organizations)**
– Union des syndicats israéliens **Histadrouth**

SYNTHÈSE composition, combinaison, association, reconstitution
– Synthèse chlorophyllienne **photosynthèse**
– Synthèse bactérienne **chimiosynthèse**
– Synthèse d'un travail **résumé, bilan, abrégé**

SYNTHÉTIQUE
– De la soie synthétique **artificielle**
– Des perles synthétiques **factices, fausses**
– Caoutchouc synthétique **Néoprène, élastomère**

SYSTÉMATIQUE
– Démarche systématique **logique**
– Un arrangement systématique **méthodique, ordonné, organisé, planifié**
– Un soutien systématique **inconditionnel**
– Un esprit trop systématique **dogmatique, doctrinaire**

SYSTÈME ensemble, organisation, structure, complexe
– Système philosophique **doctrine, théorie, thèse, idéologie**
– Système politique **régime**
– Système digestif **appareil**
– Un système habile et efficace **moyen, méthode, procédé**

T

TABAC
– Marchand de tabac **buraliste**
– Botte de feuilles de tabac **manoque**
– Feuilles de tabac en petit rouleau **carotte**
– Feuille de tabac constituant l'enveloppe d'un cigare **cape**
– Préparation du tabac avant le hachage **capsage**
– Bourse à tabac **blague**
– Aspirer par le nez du tabac en poudre **priser**
– Tabac à mâcher **chique**
– Variété de tabac brun **gris, caporal, scaferlati**
– Variété de tabac blond **havane, virginie, maryland**
– Intoxication provoquée par le tabac **tabagisme, nicotinisme**

TABLE
– Petite table ronde à un seul pied **guéridon**
– Petite table où l'on dépose les plats et les couverts à la fin du repas **desserte**
– Table appuyée contre le mur, à pieds et en forme de volute **console**
– Table de chevet style Empire **somno**
– Table inclinable style Louis XVI **à la Tronchin**
– Table sur laquelle le prêtre célèbre la messe **autel**
– Table où le prêtre dépose les objets du culte **crédence**
– Table d'écolier **pupitre**
– Table de menuisier, de serrurier **établi**
– Table de boucher **étal**
– Table de pressoir **maie**
– Planche à trous placée sur les tables de bateau pour retenir la vaisselle **violon**
– En termes de menuiserie, angle d'une table **carne**
– Monument mégalithique évoquant une immense table de pierre **dolmen**
– En forme de table **tabulaire**
– Table alphabétique à la fin d'un ouvrage **index**

TABLEAU voir aussi **liste, peinture**
– Petit tableau **tableautin, miniature**
– Tableau formé de deux volets mobiles **diptyque**
– Tableau formé de trois volets mobiles **triptyque**
– Tableau dont les couleurs se sont ternies **embu**
– Grand tableau ornant un autel **retable**
– Partie inférieure d'un tableau d'autel où sont peintes les scènes **prédelle**
– Remplacer la toile d'un tableau **rentoiler**
– Tableau graphique servant à divers calculs **abaque**
– Tableau de données offrant une vue d'ensemble **tableau synoptique**

TABLIER voir aussi **blouse**
– Partie supérieure d'un tablier **bavette**
– Tablier de cheminée **rideau, trappe**

TABOURET **escabeau**
– Petit tabouret servant de support à une plante, à une statue **sellette**

TACHE
– Tache sur la peau **lentigo, nævus, macule**
– Tache de vin **angiome plan, envie**
– Tache sur la cornée de l'œil **albugo, leucome, néphélion, taie**
– Tache de poils blancs sur le pied d'un cheval **balzane**
– Cheval dont la robe porte des taches grises ou blanches **pommelé**
– Cheval à la robe marquée de taches noires allongées **tisonné**
– Pelage semé de petites taches de couleur sombre **truité**
– Tache naturelle sur les plumes de certains oiseaux **moucheture, maille**
– Tache ronde bicolore sur un plumage, sur des ailes de papillon **ocelle**
– Parsemé de petites taches **grivelé, piqueté, marqueté, tavelé, tiqueté**
– Tache de rousseur **tache de son, éphélide**
– Tache morale **flétrissure, souillure**

TÂCHE voir aussi **travail**
– S'acquitter d'une tâche **devoir, obligation, mission**
– Tâche ennuyeuse mais nécessaire **pensum**
– Journaliste travaillant à la tâche **à la pige**

TACHER **salir, maculer**
– Tacher de sang, de boue **éclabousser**
– Tacher de noir **mâchurer**

TÂCHER
– Tâcher de faire quelque chose **s'efforcer de, s'évertuer à, s'ingénier à**
– Tâchez que cela ne se reproduise plus ! **faites en sorte que, veillez à ce que**

TACT
– Avoir du tact **délicatesse, finesse, savoir-vivre, égard**
– Faire preuve de tact dans les relations sociales **habileté, doigté, civilité, entregent**

TACTIQUE **stratégie, plan**
– La tactique à suivre **marche, politique, ligne de conduite**
– Tactique artificieuse **manœuvre, procédé**

TAILLE **dimension** voir aussi **grandeur, grosseur, largeur**
– Taille d'une personne **stature**
– Taille de chaussures, de gants **pointure**
– Taille d'une feuille de papier **format**
– Taille de la vigne **rognage, pincement, recepage**
– Taille des arbres **élagage, émondage, étêtage, écimage, ravalement**
– Type de taille, en arboriculture **en bulteau, en fuseau, en girandole, en palmette, en quenouille, en toupie**
– Taille des matériaux de construction **stéréotomie**

TAILLER
– Tailler un arbre **égayer, étronçonner, ergoter**
– Tailler un tronc d'arbre, un bloc de pierre **équarrir, débillarder**
– Tailler une pierre de façon à lui rendre son apparence brute **rustiquer**

– Tailler une pierre pour l'amincir **délarder**
– Tailler une pierre précieuse **brillanter, facetter**
– Tailler de biais **biseauter**
– Tailler en angle très aigu **appointer**
– Tailler en forme de croissant **échancrer**
– Tailler suivant une ligne courbe **chantourner**

TAILLEUR confectionneur, coupeur
– Assistant du tailleur **apiéceur**
– Tailleur spécialisé dans la confection des pantalons **culottier**
– Instrument du tailleur servant à marquer **marquoir**
– Fer à repasser du tailleur **carreau**
– Tailleur de pierres précieuses **lapidaire**

TAILLIS
– Taillis où se réfugie le gibier **remise**
– Jeune arbre réservé lors de la coupe d'un taillis **baliveau, lais**
– Taillis dont les jeunes pousses ont été broutées par le bétail **abrouti**
– Branche d'un taillis plus longue que les autres **gaulis**
– Branches de taillis cassées par les cerfs **hardées**

TAIRE
– Se taire **ne pas souffler mot, ne pas desserrer les dents, se tenir coi**
– Faire taire une personne, un groupe social **ôter la parole à, réduire au silence, bâillonner, museler**
– Taire sa joie, sa peine **dissimuler, garder pour soi, celer**
– Faire taire ses scrupules **étouffer, refouler**

TALENT
– Avoir du talent **disposition, don, génie**
– Exécuter une œuvre avec talent **adresse, brio, virtuosité, maestria**

TALISMAN amulette, fétiche, gri-gri
– Talisman égyptien **scarabée**
– Pierre précieuse renfermant une formule sacrée et portée en talisman **abraxas**
– Talisman des anciens Hébreux **téraphim**

TALON
– Os du talon **calcanéum**
– Forme de talon de chaussure **aiguille, bobine, bottier, Louis XV**
– Tige renforçant le talon d'une chaussure **cambrillon**

TALUS
– Talus de terre servant à protéger du vent les jeunes cultures **ados**
– Talus bordant une route ou une voie ferrée **cavalier**
– Passage entre le talus et le bord du fossé **berme**
– Dans une fortification, talus longeant le fossé face à la campagne **contrescarpe**
– Talus en pente douce au bas d'un ouvrage fortifié **glacis**
– Talus de protection pour les défenseurs d'une fortification **parapet**

TAMBOUR
– Famille d'instruments à laquelle appartient le tambour **membranophones**
– Tambour plat **caisse claire**
– Tambour en cuivre ou en laiton **timbale**
– Tambour provençal long et étroit **tambourin**
– Tambour africain **tam-tam**
– Tambour d'origine latino-américaine **bongo**
– Tambour arabe **darbouka**
– Baguette garnie d'une boule, utilisée pour jouer de certains tambours **mailloche**
– Batterie de tambour **breloque, charge, diane, générale, rappel, réveil**

TAMIS passoire, crible
– Tamis de crin, de soie ou de voile **sas**
– Tamis de forme conique **chinois**
– Tamis à farine **blutoir**
– Assemblage mécanique composé de plusieurs tamis à blé **plansichter**

TAMPON
– Marque imprimée par un tampon encreur **cachet, timbre, estampille**
– Tampon de la poste apposé à côté de l'oblitération **flamme**
– Tampon de graveur **tapette**
– Tampon fait de vieille toile **plumasseau**

TAMPONNER
– Deux véhicules se sont tamponnés **heurtés, percutés, télescopés**
– Tamponner le sang d'une blessure **éponger, étancher**
– Un timbre tamponné **oblitéré**

TANIÈRE repaire, retraite
– Tanière du lion **antre**
– Tanière du sanglier **bauge**
– Tanière où le gibier se retire dans la journée **reposée**

TANNAGE peausserie
– Tannage des peaux très délicates **mégisserie**
– Tannage des peaux fines, à l'huile de poisson **chamoisage**
– Égaliser les peaux pour le tannage **drayer**
– Chaux utilisée pour le tannage des peaux **plamée**
– Opération entrant dans le tannage des peaux **reverdissage, basserie, pelanage, déchaulage, cœursage**
– Assouplissement du cuir après le tannage **corroyage, foulage**

TANTE
– Relatif à l'oncle ou à la tante **avunculaire**
– En anthropologie, statut de la tante de l'épouse dans certaines sociétés **amitat**

TAPAGE
– Tapage des grands rassemblements **charivari, brouhaha, cacophonie, tumulte, hourvari**
– Faire du tapage **chahut, raffut, vacarme, tintamarre**

TAPER voir aussi **battre, frapper, maltraiter**
– Taper une lettre à la machine à écrire **dactylographier**
– Document tapé à la machine **tapuscrit**
– Taper dans la main de quelqu'un en signe d'accord **toper**

TAPIS
– Tapis de petites dimensions **carpette**
– Petit tapis pour se lever du bon pied **descente de lit**
– Tapis de jonc, de raphia **natte**
– Tapis du XVIIe siècle, provenant de la première manufacture royale **savonnerie**
– Tapis algérien **zerbia**
– Tapis de prière oriental, tissé et brodé **kilim**
– Tapis de judo, de karaté **tatami**
– Tapis d'escalier **chemin**
– Tapis-brosse **paillasson**
– Tapis imperméable rigide servant au revêtement des planchers **linoléum**
– Fleurs et feuillages formant le motif d'un tapis **fleurage**
– Molleton placé entre le sol et le tapis **thibaude**

TAPISSERIE tenture
– Tapisserie ornée principalement de feuillages et de fleurs **verdure, mille-fleurs**
– Manufacture de tapisseries de grande renommée **Aubusson, Beauvais, Gobelins**
– Œuvre d'après laquelle on crée une tapisserie **carton**
– Métier de tapisserie horizontal **de basse lisse**
– Métier de tapisserie vertical **de haute lisse**

TAQUINER
– Taquiner verbalement **blaguer, plaisanter, chiner**

– Taquiner en causant une certaine irritation **agacer, asticoter**
– Taquiner méchamment son interlocuteur **tourmenter**
– Taquiner une femme **lutiner**
TARABISCOTÉ
– Une décoration, une sculpture tarabiscotée **chargée, baroque, rococo**
– Un style tarabiscoté **maniéré, affecté, contourné, ampoulé, alambiqué**
TARD
– Plus tard **ultérieurement, postérieurement**
– Renvoyer à plus tard **repousser, reporter, ajourner, différer, proroger, surseoir**
TARIF montant
– Tarif d'un impôt **taux**
– Tableau exposant un ensemble de tarifs **barème**
TAROT
– Chacune des figures caractéristiques du jeu de tarot utilisé en cartomancie **arcane**
– Enchère ou prise au tarot **petite, pousse, garde, chelem**
– Chacune des trois cartes maîtresses au tarot **oudler**
– Talon, au tarot **chien**
TARTE
– Tarte ronde recouverte de pâte **tourte, croustade**
– Tarte à base de flan aux fruits **clafoutis**
– Petite tarte de forme ovale **barquette**
TARTINE
– Tartine grillée **toast, rôtie**
– Tartine longue et mince qu'on mange avec des œufs à la coque **mouillette**
TAS pile, amas, amoncellement, monceau, monticule voir aussi **quantité**
– Tas de débris provenant de la destruction d'un bâtiment **décombres, gravats**
– Tas de déblais à l'extérieur d'une exploitation minière **terril**
– Tas de foin, de paille **meule, pailler**
– Tas de sel extrait d'un marais salant **camelle**
– Papiers, billets de banque en tas **liasse**
TASSE voir aussi **gobelet**
– Tasse d'argent utilisée pour goûter les vins **taste-vin, coupole**
TASSER
– Tasser la terre avec un outil **damer, pilonner**
– Tasser le tabac dans une pipe **bourrer**
– Se tasser sous le poids des ans **se voûter, se recroqueviller, se rapetisser, se ratatiner**
– Être tassé dans un espace trop réduit **pressé, serré, comprimé**
TÂTER voir aussi **hésiter**
– Tâter un objet, un tissu **palper, manier**
– Tâter à l'aveuglette **tâtonner**
– Tâter l'adversaire **étudier, sonder**
– Tâter de la solitude, de la prison **goûter à, faire l'expérience de**
TAUDIS bouge, cambuse, masure, galetas
– Quartier pauvre constitué de taudis **bidonville**
– Au Brésil, taudis à la périphérie d'une agglomération **favela**
– Quartier de taudis des métropoles américaines **slum**
TAUPE
– Famille à laquelle appartient la taupe **talpidés**
– La taupe et ses semblables **fouisseurs**
– Réseau de galeries creusé par la taupe **taupinière**
– Taupe-grillon **courtilière**
– Taupe de mer **lamie**
TAUREAU voir aussi **bœuf, corrida**
– Famille à laquelle appartient le taureau **bovidés**
– Jeune taureau **taurillon**
– Domaine où l'on élève des taureaux de combat **ganaderia**
– Mettre des boules de cuir à l'extrémité des cornes d'un taureau **bouler**
– Créature mythologique à tête de taureau **Minotaure**
– Dans l'Antiquité, immolation sacrificielle d'un taureau **taurobole**
TAUX pourcentage, proportion, rapport, ratio
– Taux de change d'une monnaie, d'une valeur **cours, pair, parité**
– Tableau officiel des taux de change **cote**
TAXE voir aussi **impôt**
– Taxe majorée **surtaxe**
– Taxe fiscale supplémentaire **centime additionnel**
– Taxe perçue au Moyen Âge **gabelle, taille, capitation, prestation**
– Taxe perçue autrefois par la papauté **annate**
TAXER imposer
– Taxer quelqu'un d'imposture, d'hypocrisie **accuser**
TAXI
– Compteur de taxi **taximètre**
– Taxi de brousse africain **taxi-bâche**
– En Extrême-Orient, sorte de taxi tiré par un coureur ou une bicyclette **pousse-pousse, vélo-pousse**
TECHNICIEN spécialiste, professionnel, ingénieur, expert
– Haut fonctionnaire réagissant en technicien et négligeant le facteur humain **technocrate**
TECHNIQUE
technico-, techno-, -technie
TECHNIQUE (1)
– Science des techniques et matériaux de fabrication **technologie**
– La technique d'un artiste **style, manière, facture**
TECHNIQUE (2)
– Qualité technique **technicité**
TEIGNE
– Famille à laquelle appartient la teigne **tinéidés**
– Teigne domestique **mite, gerce**
– Fausse teigne des ruches **gallérie**
– Teigne du cuir chevelu **pelade, favus, kérion**
TEINDRE voir aussi **colorer**
– Substance employée pour teindre **tinctoriale**
– Teindre un tissu une seconde fois **biser**
– Teindre en rouge **brésiller, cocheniller, garancer, rocouer**
– Teindre une reliure en cuir pour lui donner l'aspect du bois **raciner**
TEINT pigmentation
– Teint clair, mat **carnation**
TEINTE ton, nuance voir aussi **couleur**
– En peinture, teinte uniforme **aplat**
– Dans un tableau, dégradé de teintes **fondu**
– Peinture où l'on n'utilise que les différentes teintes d'une même couleur **camaïeu**
– Présentoir proposant un éventail de teintes **nuancier**
TEINTURE
– Substance colorante utilisée pour les teintures rouges **pourpre, kermès, campêche, alizarine, orcanette, orseille**
– Substance colorante utilisée pour les teintures brunes **brou de noix**
– Substance colorante utilisée pour les teintures orange **kamala**
– Substance colorante utilisée pour les teintures jaunes **fustine, gaude, quercitron**
– Substance colorante utilisée pour les teintures bleues **guède, indigo, pastel**
– Colorant naturel utilisé pour la teinture des cheveux et de la peau **henné**

– Substance fixant la teinture sur les étoffes **mordant**
– Teinture très résistante **grand teint**
– Teinture pharmaceutique **alcoolé**
– N'avoir qu'une teinture de littérature, de philosophie **vernis**
TÉLAMON **atlante**
TÉLÉCOMMUNICATION voir aussi **téléphone**
– Organisme coordonnant et normalisant les télécommunications internationales **U.I.T. (Union internationale des télécommunications)**
– Système associant l'informatique à la télécommunication **téléinformatique, télématique**
TÉLÉGRAMME **petit bleu, dépêche**
– Télégramme par câble **câblogramme**
– Télégramme envoyé par radio **radiogramme, sans-fil**
– Transmission d'un télégramme par téléphone **téléphonage**
TÉLÉGRAPHIE voir aussi **téléimprimeur**
– Code à base de traits et de points utilisé en télégraphie **morse**
– En télégraphie électrique, appareil transmettant les messages en morse **manipulateur**
– Système de télégraphie aérienne permettant de communiquer avec les navires **sémaphore**
– Bande perforée utilisée pour émettre des signaux en télégraphie rapide **télébande**
– Ancien instrument de télégraphie optique **héliographe**
TÉLÉGRAPHIER **câbler**
TÉLÉIMPRIMEUR **téléscripteur, télétype**
– Mode de transmission de messages dactylographiés par téléimprimeur **télex**
TÉLÉPHONE
– Élément d'un poste de téléphone **combiné, récepteur, écouteur, microphone, cadran**
– Signal émis par le téléphone et indiquant que le numéro peut être composé **tonalité**
– Compteur indiquant le nombre et la durée des communications par téléphone **téléphonomètre**
– Dispositif mesurant l'intensité du bruit sur une ligne de téléphone **kerdomètre**
– Téléphone muni d'un écran transmettant l'image du correspondant **visiophone**
– Appareil relié à un poste de téléphone qui diffuse un message enregistré et permet de prendre les communications en l'absence de l'usager **répondeur, répondeur-enregistreur**
– Faire un numéro de téléphone **composer**
– Faire patienter quelqu'un au téléphone **mettre en attente**
– Édition annuelle de la liste des abonnés au téléphone **annuaire, Bottin**
– Liste des abonnés ne figurant pas dans l'annuaire du téléphone **liste rouge**
– Communication par téléphone réglée, avec son accord, par le destinataire **P.C.V. (à percevoir)**
– Dans une entreprise, dispositif de centralisation des appels par téléphone **standard**
TÉLÉSKI **remontée mécanique, remonte-pente, télésiège**
TÉLÉVISION **petit écran**
– Poste de télévision **téléviseur, récepteur**
– Public d'une émission de télévision **téléspectateurs**
– Écran de télévision conçu pour une grande salle **télécran**
– Programme de télévision diffusé en même temps qu'il est filmé **en direct**
– Émission de télévision programmée après son enregistrement **en différé**
– Système de diffusion simultanée d'une émission de télévision dans différents pays d'Europe **Eurovision (Union européenne de radiodiffusion et de télévision)**
– Diffusion d'un programme de télévision dans plusieurs parties du globe **mondovision**
– Transmission d'émissions de télévision par câble à l'intention d'un réseau d'abonnés **télédistribution, câblodistribution**
– Mode standard de télévision en couleurs **Secam, Pal, N.T.S.C.**
– Système de mesure de l'audience des programmes de télévision **audimètre, Audimat**
– Visage, personne qui passe bien à la télévision **télégénique**
– Réalisateur de programmes de télévision **téléaste**
– Partie essentielle d'un récepteur de télévision **tube cathodique**
– Nombre de lignes constituant une image de télévision **définition**
– Appareil servant à enregistrer des émissions de télévision **magnétoscope**
– Appareil invisible à l'écran et sur lequel défile le texte que lit le présentateur de télévision **prompteur, télésouffleur**
– Changer fréquemment de chaîne de télévision avec sa télécommande **zapper**
TÉMOIGNAGE **déposition**
– Un témoignage que l'on ne peut contester **irréfutable, irréfragable, irrécusable**
– Un témoignage sujet à caution **récusable**
– Preuve apportée par un témoignage **testimoniale**
– Au témoignage de telle personne **de l'aveu de, sur la foi de**
– Des témoignages d'amitié **preuves, marques, gages**
TÉMOIGNER **déposer**
– Témoigner qu'une chose est vraie **déclarer, affirmer, attester, certifier**
– Témoigner de la sympathie à quelqu'un **manifester**
– Son attitude témoigne de son innocence **démontre, révèle, exprime**
TÉMOIN **déposant**
– Les témoins d'un événement **spectateurs, auditeurs, assistance**
– Un témoin qui a vu les faits en cause **oculaire**
– Un témoin qui a lui-même entendu ce qu'il rapporte **auriculaire**
– Un témoin déposant contre l'accusé **à charge**
– Un témoin déposant en faveur de l'accusé **à décharge**
– Témoin appelé à s'exprimer sur le caractère et les mœurs de l'inculpé **de moralité**
– Relire leur déposition aux témoins **récoler**
TEMPE
– Relatif aux tempes **temporal**
– Parties planes du corps telles que les tempes **méplats**
TEMPÉRAMENT
– Tempérament robuste, sanguin **nature, constitution, complexion**
– Tempérament violent, doux **naturel, personnalité, caractère**
– Particularités du tempérament d'un individu **idiosyncrasies**
TEMPÉRATURE voir aussi **fièvre**
– Unité de température **degré Celsius, degré Fahrenheit, Kelvin**
– Animal dont la température est variable **poïkilotherme**
– Animal dont la température est constante **homéotherme**
– Phénomène s'opérant à température constante **isotherme**
– Baisse considérable de la température d'un corps **hypothermie**
– Médicament provoquant une

baisse de la température **antithermique, antipyrétique, fébrifuge**
– Instrument de mesure pour les très hautes températures **pyromètre**
– Instrument signalant les variations de température **thermoscope**
– Dispositif servant à maintenir une température constante **thermostat**
– Mesure des températures de congélation **cryométrie**
TEMPÉRER
– Tempérer son agressivité, son ardeur **calmer, modérer, contenir, réfréner**
– Tempérer la souffrance de quelqu'un **adoucir, apaiser, atténuer**
TEMPÊTE orage, tourmente voir aussi **vent**
– Tempête violente s'élevant en mouvements circulaires **tornade, ouragan, cyclone**
– Tempête dévastatrice des mers de Chine **typhon**
– Courte tempête en mer **grain, coup de chien**
– En mer, période de calme précédant la tempête **bonace**
– Phobie des tempêtes et des orages **cheimophobie**
TEMPLE sanctuaire
– Temple juif **synagogue**
– Temple musulman **mosquée**
– Temple d'Extrême-Orient **pagode**
– Temple aztèque érigé sur une pyramide tronquée **teocalli**
– Temple babylonien **ziggourat**
– Temple égyptien creusé dans la pierre **spéos**
– Portique à l'entrée d'un temple shintoïste **torii**
– Dans l'Antiquité romaine, temple ou terrain où se célébrait le culte d'une divinité **fanum**
– Dans l'Antiquité grecque et romaine, temple consacré à tous les dieux **panthéon**
– Dans la Grèce antique, temple circulaire **tholos**
– Portique à colonnes formant l'entrée d'un temple grec **propylée**
– Vestibule d'un temple grec **pronaos**
– Dans l'Antiquité grecque, partie du temple où se dressait la statue de la divinité **cella, naos**
– Marche sur laquelle repose la colonnade d'un temple grec **stylobate**
– Dans un temple grec, chambre secrète réservée au prêtre **adyton**
– Dans un temple antique, caveau où l'on déposait les anciens objets du culte **favissa**
TEMPORAIRE momentané, passager
– Un emploi temporaire **saisonnier, provisoire, précaire**
– Une fonction temporaire **intérimaire, transitoire**
TEMPORISER différer, atermoyer
– Manœuvre, discours servant à temporiser **dilatoire**
TEMPS
chrono-, -chrone
TEMPS climat voir aussi tableau
– Étude et prévision scientifiques du temps **météorologie**
– Les récoltes ont souffert du mauvais temps **intempéries**
– Étude des mesures du temps **chronométrie**
– Espace de temps **durée, laps**
– Découpage du temps **période, époque, ère, âge**
– Intervenant en même temps **synchrone, simultané**
– Ordre des événements dans le temps **chronologie**
– Phénomènes se produisant dans des intervalles de temps égaux **isochrones**
– Appartenant au temps présent **contemporain**
– Imperméable au temps **intemporel, atemporel**
– Temps des amours **saison**
– De tout temps **éternité**
TENACE
– Un démarcheur tenace **persévérant, obstiné, acharné, entêté, accrocheur**
– Une haine tenace **durable, opiniâtre, indéracinable, inextirpable, vivace, invétérée**
– Une odeur vraiment tenace **persistante**
– Une maladie tenace **chronique**
TENDANCE
– Tendance innée, dangereuse **pulsion, inclination, penchant**
– Avoir une tendance à la médisance **propension, disposition**
– Les nouvelles tendances de la mode **orientations, directions**
– Appartenir à telle tendance politique **courant, mouvement, école**
– Tendance des événements **tournure**
– Avoir tendance à faire quelque chose **être porté à, être enclin à**
TENDON
– Tendon reliant le talon au muscle du mollet **d'Achille**
– Inflammation d'un tendon **tendinite, ténosite**
– Réparation d'un tendon par une greffe **ténoplastie**
– Tendon, en termes de boucherie **tirant**
TENDRE
– Tendre ses muscles **raidir, contracter**
– Tendre le cou **allonger**
– Tendre l'oreille **dresser, prêter**
– Tendre un arc **bander**
– Tendre les voiles d'un bateau **déployer, déferler**
– Tendre quelque chose à quelqu'un **présenter, offrir**
– Tendre à quelque chose **aspirer à, viser à**
– Tendre vers un but commun **concourir à, confluer, converger**
TENDRESSE
– Manifester de la tendresse à l'égard de quelqu'un **affection, attachement, douceur**
– Tendresse imprégnée de spiritualité **dilection**
– Marque de tendresse **sollicitude**
TENDU
– Un visage tendu **crispé, anxieux**
TENIR voir aussi **durer, garder, posséder**
– Tenir serré dans ses bras **étreindre, enlacer**
– Tenir un commerce **gérer**
– Tenir une fonction **occuper, exercer**
– Tenir un engagement **remplir, s'acquitter de, satisfaire à, respecter**
– Ce bateau tient mille tonneaux **jauge**
– Tenir sur un support **adhérer à**
– Sa doctrine tient en peu de mots **se résume à**
– Tenir de quelqu'un **ressembler à**
– Ce succès tient à sa persévérance **provient de, résulte de**
– Tenir quelque chose pour vrai, pour mensonger **considérer comme, regarder comme**
– Se tenir à quelque chose **s'accrocher, s'agripper, se cramponner**
– S'en tenir à quelque chose **se borner à, se limiter à, se contenter de**
TENNIS
– Terrain de tennis **court**
– Coup joué au tennis **coup droit, revers, passing-shot, smash, amorti, lob**
– Au tennis, balle de service qui touche le filet **let, net**
– Au tennis, balle de service gagnante non touchée par l'adversaire **ace**
– Au tennis, jeu décisif à six jeux partout, dans un set **tie-break**
– Cordage d'une raquette de tennis **tamis**

TENSION
– En physique, tension d'une vapeur, d'un gaz **pression**
– En physique, mesure de la tension des liquides **tensiométrie**
– Appareil mesurant la tension des gaz **manomètre**
– Tension douloureuse au niveau de la vessie ou du rectum **ténesme**
– Tension intellectuelle extrême **contention, éréthisme**
– Tension entre partenaires sociaux **conflit, mésentente, dissension, mésintelligence**

TENSION ARTÉRIELLE **pression artérielle**
– Mesure la tension artérielle **tensiomètre, sphygmomanomètre**
– Mesure de la tension artérielle, veineuse ou oculaire **tonométrie**
– Médicament abaissant la tension artérielle **hypotenseur**

TENTATION voir aussi **désir**
– Résister aux tentations des sens **appels, sollicitations, blandices**
– La tentation de l'aventure **attrait, fascination**
– Supplice de la tentation **de Tantale**

TENTATIVE **essai**
– Cette tentative se révéla particulièrement heureuse **initiative**
– Tentative auprès de quelqu'un pour gagner son soutien dans une affaire **démarche, sollicitation**
– Tentative amoureuse **avances**
– Tentative criminelle **attentat**

TENTE
– Tente d'un cirque **chapiteau**
– Tente des Indiens d'Amérique du Nord **wigwam, tipi**
– Tente des nomades d'Asie centrale **yourte**
– Village de tentes des nomades du Maghreb **douar**
– Tente des Hébreux **tabernacle**
– Tente dont on recouvrait les amphithéâtres de la Rome antique **velarium**
– Sur un bateau, sorte de tente dressée sur le pont et servant d'abri **marsouin, taud**
– Toile protégeant l'entrée d'une tente **marquise**

TENTER
– Être tenté par quelque chose **attiré, alléché, appâté, séduit, affriolé**
– Tenter une expérience **oser, risquer**
– Tenter le sort **défier, braver**
– Tenter de faire quelque chose **chercher à, s'efforcer de, s'évertuer à**

TENTURE **draperie** voir aussi **rideau, tapisserie**
– Tenture placée devant une porte **portière**
– Tenture rouge **andrinople**

TENUE
– Tenue de soirée **costume, habit**
– Tenue correcte exigée **mise**
– Bonne ou mauvaise tenue physique **maintien, posture**
– Manquer de tenue **réserve, correction, décence, pudeur, dignité**
– Un peu de tenue, s'il vous plaît ! **ordre, discipline**

TEQUILA
– Plante avec laquelle on fait la tequila **agave**
– Boisson fermentée que l'on distille pour obtenir la tequila **pulque**

ÉCHELLE DES TEMPS GÉOLOGIQUES

ÈRE	PÉRIODE	ÉPOQUE	DÉBUT EN MILLIONS D'ANNÉES	PHÉNOMÈNES
Protéozoïque	Précambrien		4 600	Origine de la Terre : formation de la croûte, des continents et des océans.
			3 900	Roches les plus anciennes connues.
			3 300	Origine de la vie. Formation de l'atmosphère actuelle.
Paléozoïque	Cambrien		570	
	Ordovicien		505 ± 32	
	Silurien		438 ± 12	La vie, jusqu'alors océanique, gagne les continents.
	Dévonien		408 ± 12	Surrection des montagnes calédoniennes.
	Carbonifère		360 ± 10	
	Permien		286 ± 12	Surrection des montagnes hercyniennes et appalachiennes.
Mésozoïque	Trias		245 ± 20	Surrection de l'Oural. Début du morcellement de la Pangée (200-180 millions d'années) et de l'ouverture de l'océan Atlantique.
	Jurassique		208 ± 18	Début de l'ouverture de l'océan Pacifique Sud (140-130 millions d'années).
	Crétacé		114 ± 5	L'Inde se détache de l'Antarctique (105-100 millions d'années).
Cénozoïque	Tertiaire	Paléocène	65	Formation des montagnes Rocheuses.
		Éocène	57,8	L'Australie se détache de l'Antarctique (45 millions d'années).
		Oligocène	37	L'Inde entre en collision avec l'Asie (30 millions d'années). Formation des Alpes et de l'Himalaya.
		Miocène	23,7	
		Pliocène	5,3	
	Quaternaire	Pléistocène	1,6	Apparition des premiers hominidés. Glaciations.
		Holocène		Début il y a 10 000 ans.

TÉRÉBENTHINE
– Arbre dont on extrait la térébenthine de Venise **mélèze**
– Arbre qui produit la térébenthine de Chio **térébinthe**
– Entaille faite au pin afin d'en extraire la térébenthine **surlé**
– Térébenthine de Bordeaux **galipot**
– Résidu résineux obtenu par distillation de la térébenthine **arcanson, colophane**
– Hydrocarbure contenu dans l'essence de térébenthine **térébenthène, pinène**
TERGIVERSER louvoyer, user de faux-fuyants, user de détours, biaiser voir aussi **hésiter, temporiser**
TERME
– Terme d'un délai **expiration, échéance**
– Au terme du débat **issue**
– Conduire quelque chose à son terme **conclusion, dénouement, aboutissement**
– Mener quelque chose à terme **accomplir, achever**
– Terme approprié **expression, formule**
– Termes exacts d'un acte, d'une lettre officielle **libellé**
– Terme manifestant une intention affectueuse **hypocoristique**
– Être en bons termes **rapports, relations, entente**
TERMINAISON
– Terminaison d'un mot **finale, désinence, suffixe**
– Similitude sonore entre les terminaisons de plusieurs mots **consonance**
– Terminaison phonique identique à la fin de plusieurs vers en poésie **rime**
TERMINER
– Terminer une discussion **conclure, clore, clôturer**
– Terminer rapidement une affaire **expédier**
– Terminer une œuvre **consommer, parachever**
– La route se termine dans un bois **aboutit, débouche**
TERNE
– Des couleurs ternes **passées, délavées, défraîchies, embues**
– Un regard terne **inexpressif, éteint, vitreux**
– Un personnage terne **insignifiant, effacé, insipide, falot**
– Une existence terne **fade, grise, monotone, morne**
– Un style terne **incolore, plat**
TERRAIN
– Terrain jouxtant une maison et planté d'arbres fruitiers **ouche**
– Terrain débroussaillé **essart**
– Terrain destiné à la culture des raves **ravière**
– Terrain inculte laissé aux ajoncs et aux bruyères **lande, brande**
– Terrain aride couvert de broussailles et d'arbustes, dans les régions méditerranéennes **garrigue, maquis**
– Terrain en pente réservé aux activités équestres **calade**
TERRE
géo-, -gée
TERRE glèbe voir aussi dessin et **temps**
– Pièce de terre **parcelle, lopin, arpent**
– Acheter une terre **domaine, propriété, exploitation**
– Regroupement de terres contiguës en un seul domaine **tènement**
– Loi, mesure relative aux terres **agraire**
– Terre cultivable laissée au repos **jachère**
– Terres rapportées **jectisses**
– Une terre amoureuse **meuble**
– Terre argileuse **glaise**
– Terre fine très fertile déposée par les eaux d'un fleuve **limon**
– Terre grasse et chargée d'eau cultivée en pâturage **noue**
– Terre maigre destinée aux pâturages **herbue**
– Terre noire caractéristique de l'Ukraine **tchernoziom**
– Terre acide du Massif central, réservée à la culture du seigle **ségala**
– Terre végétale enrichie **terreau**
– Terre à poterie **boucaro**
– Personne ou animal qui mange de la terre **géophage**
– Monticule de terre élevé au-dessus d'une sépulture **tertre, tumulus, cairn, galgal**
– Déesse grecque de la terre cultivée **Déméter**
– La Terre **monde, globe**
– Science de la Terre **géologie, géodésie, géochimie, géophysique, géomorphologie**
– Surface habitable de la Terre **écoumène**
– Noyau de la Terre **nife, barysphère**
– Balancement périodique de l'axe de rotation de la Terre **nutation**
– Divinité grecque de la Terre **Gaïa, Gê**
– Divinité romaine de la Terre **Tellus**
TERRESTRE
– Influence, émanation terrestre **tellurique, tellurienne**
– Partie supérieure et solide de l'écorce terrestre **lithosphère**
– Ancien nom de la couche superficielle de l'écorce terrestre **sial**
– Ancien nom de la partie du globe terrestre entre le noyau et la couche superficielle **sima**
– Divinité des espaces terrestres **Terminus**
– Il n'habite pas sur le globe terrestre **Martien, Sélénite, Vénusien**
– Biens terrestres **matériels, temporels**
TERREUR épouvante, effroi voir aussi **angoisse, phobie**
– Terreur incontrôlée **affolement, panique**
– Terreur sourde **angoisse, phobie**
– Faire régner la terreur sur les populations **terroriser**
– Dieu de la terreur **Deimos**
TERRIBLE
– Un spectacle terrible **effrayant, effroyable, horrifiant, apocalyptique, dantesque**
– Il ressentit soudain une douleur terrible **violente, fulgurante, foudroyante, insoutenable**
– Un enfant terrible **turbulent, dissipé, intenable**
– Un terrible joueur **incorrigible, invétéré, impénitent**
TERRITOIRE
– Territoire national **patrie**
– Division du territoire **région, département, commune, canton, arrondissement, circonscription**
– Morcellement d'un territoire **balkanisation**
– Mouvement nationaliste revendiquant l'annexion de territoires pour des raisons historiques ou culturelles **irrédentisme**
– Territoires concédés aux Indiens d'Amérique **réserves**
TERRORISME
– Acte de terrorisme **attentat, prise d'otages, détournement d'avion**
TEST épreuve, expérience, expérimentation
– Discipline s'intéressant à l'élaboration des tests et des examens **docimologie**
– Test des taches d'encre **de Rorschach**
– Test évaluant le fonctionnement intellectuel et psychique **psychométrique**
– Test de personnalité **projectif**
– Test médico-légal **docimasie**

Terre

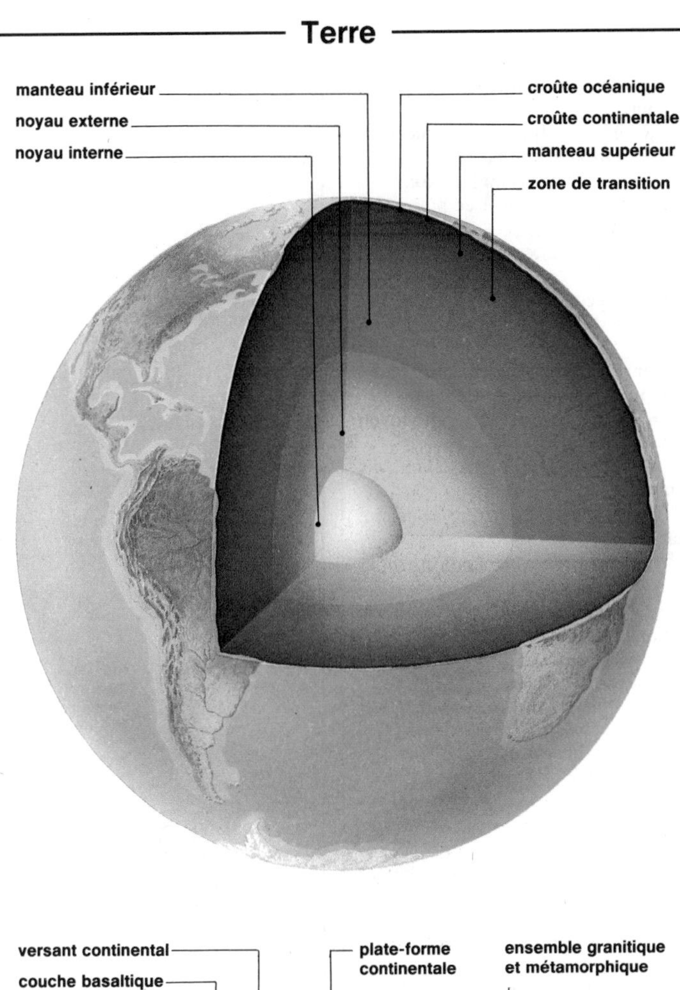

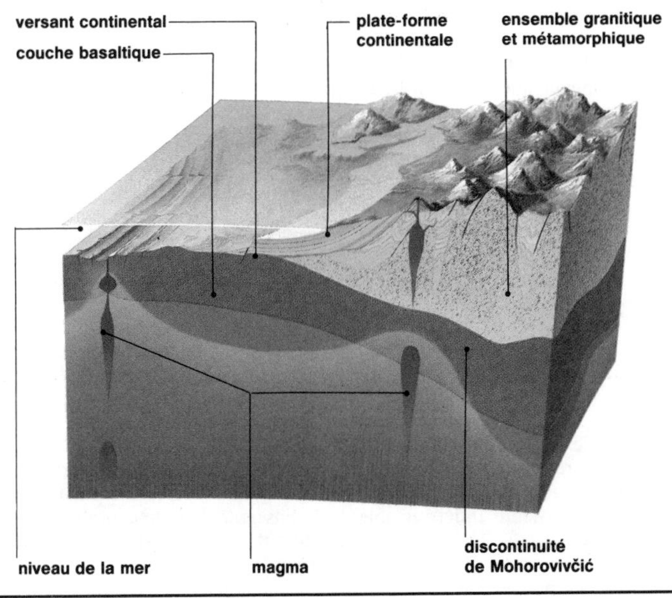

TESTAMENT voir aussi **héritage**
– Faire son testament **tester**
– Coucher quelqu'un sur son testament **instituer légataire**
– Auteur d'un testament **testateur**
– Testament écrit et signé de la main du testateur **olographe**
– Testament dicté à un notaire en présence d'un autre notaire et de témoins **authentique**
– Document modifiant un testament **codicille**
– Chargé de réaliser les clauses d'un testament **exécuteur testamentaire**
– Personne décédée sans avoir laissé de testament **intestat**

TESTICULE
– Enveloppe des testicules **bourses, scrotum**
– Membrane autour des testicules **albuginée**
– Organe, sur le bord supérieur du testicule, contenant le conduit séminal **épididyme**
– Canal excréteur du testicule **déférent**
– Intervention consistant à sectionner les canaux déférents des testicules **vasectomie**
– Inflammation d'un ou des testicules **orchite**
– Ablation d'un ou des testicules **orchitectomie**
– Absence congénitale de testicules **anorchidie**
– Mets composé avec des testicules de bélier **animelles**
– Testicules du cerf **daintiers**
– Testicules du sanglier **suites**

TÉTANOS
– Bacille du tétanos **de Nicolaier**
– Symptôme du tétanos, caractérisé par une forte contraction des mâchoires **trismus**
– Sérum, vaccin agissant contre le tétanos **antitétanique**

TÊTE
céphal(o)-, -céphale, -céphalie

TÊTE
– Individu dont la tête est très allongée **dolichocéphale**
– Individu dont la tête est très large **brachycéphale**
– Sommet de la tête **sinciput**
– Partie postérieure de la tête, audessus de la nuque **occiput**
– Partie latérale supérieure de la tête **tempe**
– Partie fragile de la tête d'un bébé **fontanelle**
– Mal de tête **migraine, céphalalgie**
– Balancement ininterrompu de la tête **nutation**

– Instrument servant à prendre les mesures de la tête **conformateur**
– Partie rasée au sommet de la tête de certains religieux **tonsure**
– Créature sans tête **acéphale**
– Tête de mort, souvent en ivoire, destinée à évoquer l'idée du néant **memento mori**
– Couper la tête **décapiter**
– En termes de pêche, couper la tête des morues **décoller**
– Tête de sanglier, de saumon **hure**
– Tête d'ail **bulbe**
– Tête d'un obus, d'un missile **ogive**

TÉTER
– Donner à téter **allaiter, donner le sein**
– Quantité de lait bue par le nourrisson qui tète **tétée**
– Petit appareil parfois placé au bout du sein pour aider l'enfant à téter **téterelle**

TÊTU **entêté, obstiné** voir aussi **tenace**
– Un interlocuteur têtu **intraitable, opiniâtre, buté**
– Un animal têtu **récalcitrant, rétif**

TEXTE
– Texte écrit à la main **manuscrit**
– Texte constatant légalement un fait **acte**
– Contenu d'un texte **teneur**
– Ajouter à un texte des éléments étrangers **interpoler**
– Différentes versions d'un même texte **variantes**
– Bref commentaire accompagnant un texte **annotation, notule**
– Interprétation de textes religieux, philosophiques **exégèse, herméneutique**
– Parchemin dont on a effacé le premier texte pour en écrire un autre **palimpseste**
– Étude d'une langue à travers les textes **philologie**
– Recueil de textes mystiques de l'Église orthodoxe **philocalie**

TEXTILE voir aussi **tissu**
– Usine textile **filature, tissage**
– Matière végétale textile **abaca, jute, piassava, sisal, tagal**

TEXTURE
– Texture d'une roche, d'un sol **constitution, composition**
– Texture d'une œuvre littéraire **agencement, structure, organisation**
– Texture des relations économiques **tissu, réseau**

THÉ
– Arbre à thé **théier**
– Alcaloïde contenu dans le thé **théophylline**
– Thé torréfié sans fermentation préalable **thé vert**
– Thé semi-fermenté de Formose **Oolong**
– Variété de thé noir **souchong, pekoe, lapsang, yunnan**
– Thé d'Inde **darjeeling, assam**
– Bouilloire russe utilisée pour faire le thé **samovar**
– Thé des Jésuites ou du Paraguay **maté**

THÉÂTRAL **scénique**
– Genre théâtral populaire **boulevard**
– Genre théâtral religieux, au Moyen Âge **mystère, miracle, diablerie**
– Genre théâtral satirique, au Moyen Âge **sottie, farce**
– Genre théâtral japonais **kabuki, nô, bunraku**
– Genre théâtral lyrique espagnol **zarzuela**

THÉÂTRE **planches** voir aussi dessin et **comédie, drame, tragédie**
– Auteur de pièces de théâtre **dramaturge**
– Art de la mise en scène au théâtre **scénologie**
– Personne chargée de l'organisation interne d'un théâtre **régisseur**
– Dans un théâtre, groupe de personnes payées pour applaudir **claque**
– Interruption momentanée des représentations données par un théâtre **relâche**
– Insuccès d'une pièce de théâtre **four**
– Pièce de théâtre comique, dans l'Antiquité romaine **atellane**
– Théâtre indonésien **wayang**
– Au théâtre, événement inespéré venant dénouer une situation tragique **deus ex machina**

THÈME **sujet**
– Ensemble des thèmes propres à une œuvre **thématique**
– Thème mélodique **motif**
– Répétition d'un thème musical dans une œuvre **leitmotiv**
– Thème astral **nativité**

THÉOLOGIE
– Courant majeur de la théologie catholique **thomisme, augustinisme**
– Premiers auteurs d'écrits de théologie chrétienne **Pères de l'Église**
– Théologie fondée sur les ouvrages des Pères de l'Église **patristique**
– Théologie rationnelle **théodicée**
– Théologie négative pour laquelle Dieu est un mystère indéfinissable **apophatique**
– Branche de la théologie consacrée au Christ **christologie**

Théâtre

– Branche de la théologie traitant de la vie de l'Église **ecclésiologie**
– Partie de la théologie qui défend la foi en s'appuyant sur les fondements rationnels du christianisme **apologétique**
– Partie de la théologie portant sur les cas de conscience **casuistique**
– Enseignement de la philosophie et de la théologie au Moyen Âge **scolastique**
– Assemblée religieuse où se traitent

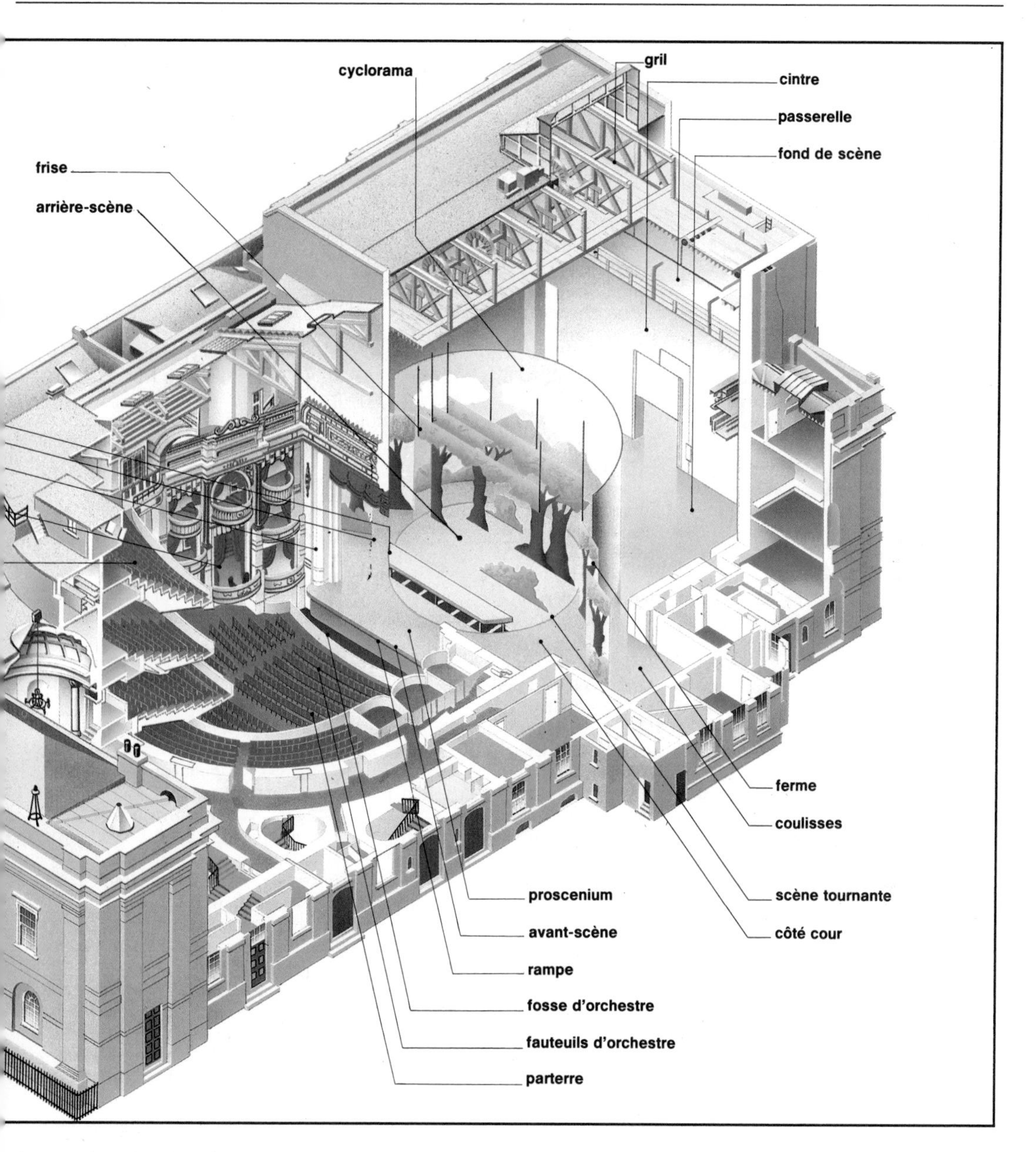

les questions de théologie et de discipline ecclésiastique **concile, synode**
– Spécialiste de théologie chrétienne **théologien, consulteur**
– Spécialiste de théologie juive **rabbin, kabbaliste, talmudiste**
– Spécialiste de théologie islamique **uléma, ayatollah**

THÉORIE **système**
– Élément sur lequel se fonde une théorie **hypothèse, axiome, postulat, principe**
– Exposer sa théorie **thèse, conception**

THERMOMÈTRE voir aussi **température**
– Thermomètre enregistreur **thermographe**
– Thermomètre à résistance électrique **bolomètre**
– Appareil à double thermomètre mesurant l'humidité **psychromètre**
– Substance liquide utilisée dans un thermomètre **mercure, alcool, toluène, pentane**

THON
– Famille à laquelle appartient le thon **scombridés**
– Petit thon de la Méditerranée **thonine, bonite, pélamide**
– Variété de thon blanc **germon, albacore**
– Grand filet pour la pêche au thon **combrière**
– Assemblage de filets utilisé pour pêcher le thon **thonaire**
– Bateau de pêche au thon **thonier**

THYM
– Famille à laquelle appartient le thym **labiées**
– Variété de thym **serpolet**
– Thym, en Provence **farigoule**
– Antiseptique contenu dans le thym **thymol, carvacrol**
TIBIA
– Os long et fin, parallèle au tibia **péroné**
– Déformation du tibia caractérisée par un aplatissement en lame de sabre **platycnémie**
TIC manie
– Tic de vieux garçon **marotte**
– Tic caractérisé par un clignement continuel des paupières **nictation**
– Tic consistant à se passer constamment la main sur les cheveux ou la barbe **trichomanie**
– Tic consistant à s'arracher les poils ou les cheveux **trichoclastie**
– Tic consistant à se gratter la tête **trichotillomanie**
– Tic consistant à grincer des dents **bruxisme**
– Tic consistant à hocher la tête **de Salaam**
TICKET billet
– La partie détachable d'un ticket **coupon**
– Ticket délivré aux personnes quittant momentanément une salle de spectacles **contremarque**
– Ticket de métro, d'autobus **titre de transport**
TIÈDE
– Un zèle, un soutien tiède **modéré, limité, mitigé, timide, tempéré**
– Un enthousiasme tiède **poli**
TIGE
caul(i)-, -caule
TIGE voir aussi **queue**
– Longue tige sans feuilles **hampe**
– Tige souterraine souvent horizontale **rhizome**
– Tige rampante productrice de nouveaux pieds **stolon**
– Tige des céréales **chaume**
– Tige des fougères et de certains palmiers **stipe**
– Bouquet de tiges provenant d'une même souche **cépée, trochée**
– Une plante sans tige **acaule**
– Tige métallique articulée reliant deux parties mobiles d'une mécanique **bielle**
– Tige de fer servant à faire rôtir les volailles **broche**
– Tige métallique utilisée pour les ponctions chirurgicales **trocart**
– Tige d'une colonne architecturale **fût**

TIMBRE voir aussi **sonnette, tampon**
– Apposition d'un timbre en règlement des frais postaux **affranchissement**
– Collectionneur de timbres **philatéliste**
– Timbre imprimé en sens inverse par rapport aux autres **tête-bêche**
– Perforations sur les bords d'un timbre **dentelure**
– Instrument servant à mesurer les dentelures d'un timbre **odontomètre**
– Fines lignes formant le fond d'un timbre **burelage**
– Timbre au verso duquel se détache le contour de l'effigie du recto **tête d'ivoire**
– Timbre retiré de la circulation **démonétisé**
– Liste des timbres manquant à une collection **mancoliste**
– Premier timbre émis dans le monde **black penny**
TIMIDE
– Un enfant timide et craintif **pusillanime, timoré**
– Un air timide **embarrassé, gauche, emprunté**
– Un sourire timide **hésitant, incertain, ébauché, esquissé**
– Une initiative timide **prudente**
TIR
– Ligne de tir **mire**
– Régler le tir **visée**
– Mettre des mitrailleuses en position de tir **en batterie**
– Tir simultané de plusieurs armes à feu **salve**
– Tir intense **nourri**
– Tir d'artillerie pour arrêter une progression ennemie **tir de barrage**
– Appareil lançant des cibles d'argile et permettant de s'exercer au tir **ball-trap**
– Oiseau de bois ou de carton servant de cible dans le tir à l'arc **papegai**
– Tir à l'arc japonais **kyudo**
– Tir, au football **shoot**
TIRADE
– La tirade d'un acteur **réplique, monologue**
– Tirade littéraire particulièrement enlevée **morceau de bravoure**
– Tirade de composition harmonieuse **période**
– Tirade d'une chanson de geste **laisse**
TIRÉ
– Un mot tiré du latin **emprunté au**
TIRELIRE
– Sorte de tirelire **cagnotte, tronc, grenouille**

– Ancienne tirelire **esquipot**
TIRER traîner
– Tirer un véhicule **remorquer**
– Tirer quelqu'un ou quelque chose avec un véhicule **tracter**
– Tirer une embarcation à l'aide d'un cordage **haler, touer**
– En termes de marine, tirer un câble à la main **paumoyer**
– Tirer une arme de son étui **dégainer**
– Tirer l'eau d'une source, d'une rivière **puiser**
– Tirer une substance du milieu dans lequel elle se trouve **extraire**
– Tirer le jus d'un fruit **exprimer**
– Tirer une conséquence de quelque chose **déduire, inférer**
– Tirer avec une arme à feu **décharger**
TISANE infusion, décoction
TISSER tramer, ourdir voir aussi **fil, tapisserie**
– Ouvrier travaillant sur un métier à tisser **tisseur, tisserand, licier**
– Tisser des fils d'or ou d'argent dans une étoffe **brocher**
TISSU
hist(o)-, histio-, -histe
TISSU voir aussi tableau et **toile**
– Préparation du tissu avant de le travailler **apprêt**
– Dans un tissu, fils passés dans le sens de la longueur **chaîne**
– Dans un tissu, fils passés dans le sens de la largeur **trame**
– Disposition des fils de chaîne et de trame d'un tissu **armure**
– Tissu synthétique **Banlon, Lycra, Orlon, Rhovyl, Rilsan**
– Tissu élastique **stretch**
– Tissu à rayures mates et brillantes **pékiné**
– Artisan ou ouvrier qui confectionne les tissus destinés à la passementerie **tissutier**
– Branche de l'anatomie ayant pour objet l'étude des tissus vivants **histologie**
– Culture des tissus biologiques **tissulaire**
– Formation des tissus de l'embryon **histogenèse**
– Tissu composé de plusieurs couches de cellules recouvrant les surfaces du corps et certains organes **épithélium**
– Durcissement anormal d'un tissu **induration**
– Destruction des tissus vivants **histolyse**
– Tissu végétal dans lequel passe la sève **liber**

TISSUS

alpaga	Tissu léger, nerveux, fait de poils d'alpaga (animal d'Amérique du Sud voisin du lama) et de coton. Par extension, tissu de poils mélangés de rayonne ou de soie. Costumes, pantalons, vestes.
angora	Tissu ou jersey contenant des poils de chèvre ou de lapin angoras. Manteaux et robes.
batiste	Toile très fine et très serrée, à l'origine en lin (chambray), aujourd'hui en lin, en coton et parfois en soie. Chemisiers, lingerie, doublure fine, mouchoirs.
bemberg	Étoffe en fibre artificielle de bonne qualité (rayonne), utilisée comme doublure.
broché	Soie à motifs en relief tissés avec des fils d'or ou d'argent. Vêtements habillés, décoration.
cachemire	Tissu doux ou tricot léger, chaud, fait avec des poils de chèvre du Tibet. Vêtements.
cheviotte	Serge de laine épaisse, d'origine britannique (moutons des monts Cheviot). Habillement.
chintz	Nom anglais désignant de la percale très fine, glacée, unie ou bien imprimée. Décoration.
clan	Lainage écossais reproduisant les harmonies distinctes des différents clans. Vêtements.
coutil	Croisé très serré en coton, lin ou métis. Toile à matelas, vêtements, ameublement.
crêpe	Tissu de soie à surface ondulée, granitée, dont les fils ont subi une forte torsion. Aspect mat, tombant, toucher sec. Lingerie, chemisiers, robes.
crépon	Tissu de coton léger, uni ou imprimé, gaufré à la machine et présentant des ondulations irrégulières dans le sens de chaîne. Chemisiers, chemises, robes d'été, lingerie.
cretonne	Toile de coton serrée. En qualité épaisse : ameublement ; en qualité légère : robes, jupes.
croisé	Tissu solide à côtes obliques (serge), en lin, métis, laine ou soie, mais le plus souvent en coton. Vêtements de travail ou de sport, chemises sport, pantalons, pyjamas.
dentelle	Étoffe de coton, soie ou nylon à motifs dessinés sur un réseau de mailles. Réalisée au crochet, au fuseau (Chantilly), à l'aiguille (point d'Alençon) ou sur métier (dentelle de Calais, du Puy). Lingerie, chemisiers, robes, linge de maison.
douppion	Tissu à la surface irrégulière, flammée, à l'origine en soie naturelle, mais aujourd'hui également en soie artificielle ou synthétique. Robes, chemisiers, ameublement.
drap	Étoffe de laine présentant une face brillante et une face mate. Vestes, uniformes, manteaux.
étamine	Étoffe de laine ou de coton à armure toile, assez molle et peu serrée. Vêtements divers, nappes.
faille	Toile serrée à côtes transversales, un peu raide, craquante, souvent moirée, à l'origine en soie naturelle, aujourd'hui souvent artificielle. Robes et jupes habillées.
fibranne	Tissu de rayonne composé de filaments coupés en brins et filés, moelleux au toucher. Traitée infroissable, la fibranne se trouve sous forme de toile, flanelle, gabardine. Vêtements, décoration.
fil-à-fil	Tissu nerveux, sec, chiné, dont les fils de trame sont alternativement clairs et foncés. En laine : costumes. En laine et coton : chemisiers, robes, costumes légers.
filet	Tissu formé de réseaux de fils de coton ou de fibres synthétiques noués comme les filets de pêche, et parfois rebrodés. Voilages, décoration.
finette	Cotonnade à armure croisé, grattée, duveteuse sur l'envers. Pyjamas, lingerie de nuit.
flanelle	Lainage d'origine britannique à armure croisé ou sergé, duveteux en surface. Vêtements.
floqué	Tissu sur lequel sont projetés et collés des poils appelés « floc ». Certaines variétés imitent le daim, et d'autres le velours. Ameublement.
foamback ou **intermousse**	Tissu formé par une feuille de mousse intercalée entre deux épaisseurs de jersey. Léger et isolant. Habillement.
guipure	Dentelle très épaisse et très lourde, de soie ou de coton, à trois systèmes de fils, facile à découper. Corsages, robes habillées, ameublement.
interlock	Sorte de jersey de coton indémaillable, très solide. Étoffe facile à travailler. Chemisiers, robes, jupes, lingerie, chemises de nuit, pyjamas.
jacquard	Motif tissé ou tricoté dans le corps de l'étoffe grâce à un métier à tisser spécial dont le principe fut découvert par le Lyonnais Jacquard.

(suite p. 446)

TISSUS *(suite)*

japonnette	Tissu mince et d'aspect soyeux en fibre artificielle que l'on utilise surtout comme doublure.
jersey	Tissu maille, c'est-à-dire obtenu par procédé de tricotage industriel. Souple, extensible. Il en existe de très nombreuses variétés selon la nature des fils (soie, laine, coton, synthétiques) et leur grosseur. Vêtements.
jute (toile de)	Grosse toile composée de fils de jute. Ameublement, sacs et emballages.
lambswool	Tissu chaud en laine d'agneau très douce provenant de la première tonte. Robes et tricots.
lamé	Tissu de laine ou de soie comprenant des fils de métal (or, argent). Vêtements du soir.
lampas	Tissu de soie avec de grands motifs décoratifs en relief sur un fond contrasté. Décoration.
Lavablaine	Marque de tissu lavable et infeutrable, composé de 52 % de laine et de 48 % de coton du Pérou. Robes, chemisiers, jupes, vêtements d'enfant.
Liberty	Marque de tissu anglais à motifs imprimés. Coton, laine. Robes, chemisiers, ameublement.
lin (toile de)	Tissu fait de fils de lin, qu'on emploie souvent aujourd'hui en mélange avec des fils synthétiques. Habillement (fils les plus fins), ameublement (fils les plus gros).
linon	Étoffe à armure toile très fine, délicate, peu serrée, transparente, en lin, coton ou ramie. Lingerie fine, blouses, pochettes, layette de qualité.
loden	Tissu épais et feutré, vert, en laine brute du Tyrol, imperméable. Manteaux, capes.
marquisette	Tissu très fin et ajouré, à fil simple ou double (coton ou fibres synthétiques). Voilages.
métis	Toile dont les fils de chaîne sont en coton et les fils de trame en lin. Très solide. Draps.
mignonnette	Gros satin de coton ou de rayonne utilisé pour la doublure des manches et des gilets.
mohair	Tissu à base de poils de chèvre mohair. Léger, très agréable à porter. Robes et costumes.
moire	Tissu « habillé » à côtes écrasées formant des dessins à reflets brillants et changeants. Soie naturelle ou artificielle, non lavable. Décoration.
mousseline	Étoffe à armure toile, fine, peu serrée, transparente, en soie, coton ou laine. Robes, chemisiers, écharpes.
nansouk	Toile de coton fine et serrée, mercerisée, souple et d'aspect soyeux. Lingerie et vêtements.
natté	Tissu à effet de petits carreaux dû au tissage. Laine, coton. Vêtements et ameublement.
nid-d'abeilles	Tissu à petits alvéoles, généralement en coton. Linge de toilette ou de maison, habillement.
non-tissé	Tissu formé par assemblage de nappes de fibres. Exemple traditionnel : le feutre. Linge de maison.
organdi	Fine mousseline de coton, de lin ou de soie, peu serrée, avec un apprêt souple. Parements de robes de mariée, lingerie fine, doublure, voilages, nappes.
organza	Voile de soie apprêté. Fourreaux de robe, doublure pour les tissus souples.
ottoman	Tissu à cannelures ou côtes transversales, en soie, laine ou coton. Robes, manteaux d'été, chemisiers, ameublement.
oxford	Toile ou natté de coton serré, tissé avec des fils de couleurs différentes en chaîne et en trame. Très solide. Chemises d'homme, chemisiers.
panne	Velours de soie ou de rayonne à longs poils couchés, utilisé en habillement et décoration.
peau-d'ange	Tissu assez lourd, satiné ou brillanté sur une face, mat et doux sur l'autre face. On le trouve en fibre artificielle (albène) ou synthétique. Se fait surtout en blanc pour robes de mariée.
peau-de-pêche	Coton sergé velouté sur une face, obtenu par grattage. Pantalons, blousons, jupes, robes.
peigné	Tissu fait à partir de fils peignés. Lainage sec, résistant. Costumes, pantalons, jupes.
pilou	Tissu de coton molletonné, très inflammable. Pyjamas, lingerie de nuit.
piqué	Tissu de coton (ou coton et synthétique) façonné, avec en surface des dessins en relief. Bonne tenue. Vêtements, linge de maison et ameublement.
plumetis	Mousseline de coton décorée de motifs brodés (semis de petits points). Robes, ameublement.

pongé	Toile de soie naturelle, très fine, desserrée, souple. Chemisiers, doublure, rideaux.
prince-de-galles	Lainage à effet de carreaux dus à des lignes croisées, et obtenus par tissage. Habillement.
Pyrénées (tissu des)	Tissu ou jersey poilu, léger, très chaud. Manteaux, robes de chambre, couvertures.
ratine	Sergé ou croisé de laine épais, dont le poil, tiré en surface et frisé, présente un effet de boulochage. Manteaux, vestes.
reps	Étoffe à effet de côtes parallèles aux lisières du tissu, en laine ou soie. Ameublement.
satin	Tissu de soie ou de coton, lisse, brillant sur une face, mat sur l'autre, uni ou imprimé.
satinette	Tissu de coton ressemblant au satin. Se froisse assez facilement. Ameublement, doublure.
seersucker	Tissu d'origine américaine, généralement en coton, à rayures, avec un effet de relief irrégulier (cloquage, côtes fines). Robes et chemisiers.
serge	Tissu serré, à armure sergé, présentant des côtes en diagonale. Coton, laine. Vêtements.
shantung	Toile de soie sauvage à grain irrégulier. Chemisiers, robes d'été. Par extension : toile de coton ou de fibres synthétiques, d'aspect irrégulier.
shetland	Lainage provenant des moutons à poils longs des îles Shetland (au nord de l'Écosse). Vêtements.
shirting	Genre de cretonne à grain allongé, en coton. Lingerie, chemises, taies d'oreiller.
skai	Tissu formé de matière plastique coulée sur de la serge ou du jersey, et imitant le cuir. Habillement. Ameublement.
suédé, suédine	Tissu de coton, velouté en surface, imitant le daim. Vêtements, ameublement.
surah	Genre de twill serré, croisé, léger, fait à partir de soie naturelle brute. Robes, chemisiers.
taffetas	Tissu fin et serré, brillant, un peu raide, craquant, en soie naturelle, artificielle ou en fibre synthétique. Vêtements habillés, doublures, ameublement.
toile de Jouy	Toile de coton à motifs figuratifs, imprimée à l'origine à Jouy-en-Josas. Décoration.
toile tailleur	Grosse toile robuste et serrée, en laine ou coton, servant à entoiler vestes et manteaux.
tricotine	Gabardine de laine présentant l'aspect d'un jersey. Vêtements.
triplure	Toile de coton très apprêtée pour soutien des cols, poignets et parmentures. Se met sous la doublure. Existe également en Nylon.
tulle	Tissu de coton, léger, à maille hexagonale, transparent, apprêté, fragile. Rideaux, voiles.
tussor ou **tussah**	Tissu irrégulier en soie sauvage, léger, résistant, froissable. Costumes et robes d'été.
tweed	Tissu à armure toile en fil de laine cardée de différentes couleurs, d'origine britannique. Pure laine ou mélanges. Vêtements.
twill	Sergé ou croisé souple à fils fins, en soie naturelle, artificielle ou synthétique, uni ou imprimé. Robes, tailleurs, chemisiers.
velours	Tissu dans lequel sont implantés des fils lâches coupés pour former une couche de poils douce sur une face. Laine, coton, soie, fibres synthétiques.
velours de laine	Toile de laine épaisse, moelleuse et duveteuse, dont l'endroit a été gratté. Manteaux.
Verranne	Toile faite de fibres de verre, et donc incombustible. Utilisée pour l'ameublement : rideaux.
vichy	Toile de moyenne épaisseur, le plus souvent en coton, robuste, avec un effet de carreaux obtenu dans le tissage. Habillement et ameublement.
Viyella	Tissu de marque anglaise. Mélange de laine et de coton. Robes, chemises et lingerie.
vlieseline	Étoffe non tissée, légère, infroissable, parfois thermocollante, qu'on utilise comme la toile tailleur : doublure intermédiaire, décoration.
voile	Toile transparente, régulière, nette. Coton, laine, soie naturelle, artificielle ou synthétique. Étoffe unie, imprimée, brochée, brodée. Robes, chemisiers, lingerie, ameublement.
whipcord	Serge à grosses côtes obliques, résistante, en laine peignée. Pantalons d'équitation, manteaux.
zéphyr	Vichy de qualité supérieure, présentant souvent un effet de filets de couleur dû à des fils retors. Robes, chemisiers, chemises, ameublement.

TITRE
– Titre de noblesse **parchemin**
– Détenteur d'un titre de noblesse **titré**
– Ensemble des titres portés par une personne **titulature**
– Attribution d'un titre **collation**
– Personne qui remplit une fonction en vertu d'un titre **titulaire**
– Titre d'un livre imprimé en première page **frontispice**
– Donner un titre à un ouvrage **intituler**
– Gros titre à la une d'un journal **manchette**
– Titres financiers négociables **valeurs**
– En droit commercial, titre remis par une société en contrepartie d'un prêt **obligation, créance**
– Dans une société commerciale, titre de propriété d'un des associés **action, part**
– En termes juridiques, titre égaré **adiré**
TOAST voir **tartine, trinquer**
TOGE
– Dans l'Antiquité romaine, toge de cérémonie ornée de bandes de pourpre **trabée**
– Toge blanche portée dans l'Antiquité par les adolescents romains **prétexte**
– Toge portée par les jeunes Romains à leur majorité **toge virile**
– Toge des chevaliers romains **angusticlave**
– Vêtement porté par les Romains par-dessus leur toge **épitoge**
TOILE voir aussi **peinture, tissu**
– Toile de coton très fine **zéphyr**
– Toile de coton imprimée **indienne**
– Toile de coton enduite d'un vernis imitant le cuir **moleskine**
– Fine toile de lin **batiste, cambrai, hollande**
– Toile de chanvre épaisse et très solide **treillis**
– Toile de doublure **bougran, bisonne**
– Toile très serrée **coutil**
– Partie d'une toile tissée lâche **clairière**
TOILE D'ARAIGNÉE
– Nom donné autrefois à une toile d'araignée **arantèle**
– Organe par lequel l'araignée tisse sa toile **filière**
– Léger comme une toile d'araignée **arachnéen**
– Évoquant une toile d'araignée **aranéeux**
TOILE ÉMERI papier de verre
– Utilisation de la toile émeri **abrasion, polissage, ponçage**
TOILETTE
– Faire sa toilette **ablutions**
– Meuble de toilette **coiffeuse, poudreuse**
– Présidait jadis à la toilette des princesses, des reines **dame d'atour**
– Une toilette élégante, recherchée **mise, tenue, parure**
– Faire la toilette d'un animal de compagnie **toiletter**
TOIT
steg(o)-
TOIT couverture voir aussi dessin
– Toit hémisphérique **dôme**
– Dans une maison, charpente soutenant le toit **comble**
– Poutre supérieure de l'armature d'un toit **faîte**
– Planche servant de support aux tuiles d'un toit **volige**
– Planche qui retient la dernière rangée de tuiles d'un toit **chanlatte**
– Double rangée de tuiles à l'extrémité d'un toit **battellement**
– Conduit fixé au bord d'un toit pour recueillir les eaux de pluie **gouttière, chéneau**
– Petit toit au-dessus d'une porte, d'une fenêtre **auvent**
– Petite fenêtre ménagée dans un toit **lucarne, faîtière, tabatière**
– Chambre installée sous les toits **mansarde**
– Ouvrier qui pose et répare les toits **couvreur**
– Édifice, temple sans toit **hypèthre**
TÔLE
– Tôle revêtue d'une couche d'étain **fer-blanc**
– Tôle revêtue d'une couche de zinc **galvanisée**
– Recouvrir une tôle d'une couche d'aluminium **aluminer**
– Tôle travaillée en relief **ondulée**
TOLÉRER
– Tolérer un acte **admettre, permettre, autoriser**
– Tolérer les défauts de quelqu'un **accepter, excuser, pardonner**
– Tolérer un médicament **supporter**
TOMATE
– Famille à laquelle appartient la tomate **solanacées**
– Variété de tomate **olivette, marmande**
– Hybride de pomme de terre et de tomate **pomate**
TOMBE sépulture
– Dalle, emplacement d'une tombe **dalle tumulaire**
– Monticule de terre ou de pierres dressé sur une tombe **tumulus, cairn**
– Inscription gravée sur une tombe **épitaphe**
– En Afrique du Nord, petit édifice au-dessus de la tombe d'un marabout **koubba**
– Dans les anciennes tombes égyptiennes, salle murée contenant les effigies du défunt **serdab**
– Attirance morbide pour les tombes **taphophilie**
TOMBEAU sépulcre, caveau
– Tombeau monumental **mausolée**
– Tombeau ne contenant pas le corps du défunt **cénotaphe**
– Tombeau égyptien en forme de trapèze **mastaba**
– Tombeau musulman en forme de tour **turbeh**
– Dans l'Antiquité, construction souterraine destinée à abriter les tombeaux **hypogée**
TOMBER s'affaisser, s'effondrer
– Tomber en se fragmentant **s'écrouler, s'ébouler**
– Tomber lourdement **s'abattre**
– Tomber à la renverse **basculer, culbuter**
– Se laisser tomber **choir**
– Tomber bien bas **s'avilir, déchoir**
– Tomber amoureux de quelqu'un **s'éprendre de**
– Le vent tombe **s'apaise, faiblit**
– Le jour tombe **décline**
– La fièvre tombe **diminue, décroît**
TON hauteur voir aussi **teinte**
– Branche de la phonétique étudiant les tons **tonétique**
– Changement de ton dans la voix **inflexion, modulation**
– Parler d'un ton méprisant **intonation, accent**
– En musique, gamme constituée de demi-tons **chromatique**
TONDRE raser
– Tondre une haie **tailler**
– Tondre un animal de façon irrégulière **bretauder**
TONIQUE
– Une boisson tonique **fortifiante, reconstituante, remontante, cordiale, analeptique**
– Un petit vent tonique **stimulant, revigorant**
TONNAGE
– Tonnage d'un navire **jauge**
TONNEAU
– Grand tonneau **barrique, futaille, muid, tonne, foudre**
– Petit tonneau **tonnelet, baril, boucaut, feuillette**

Toits

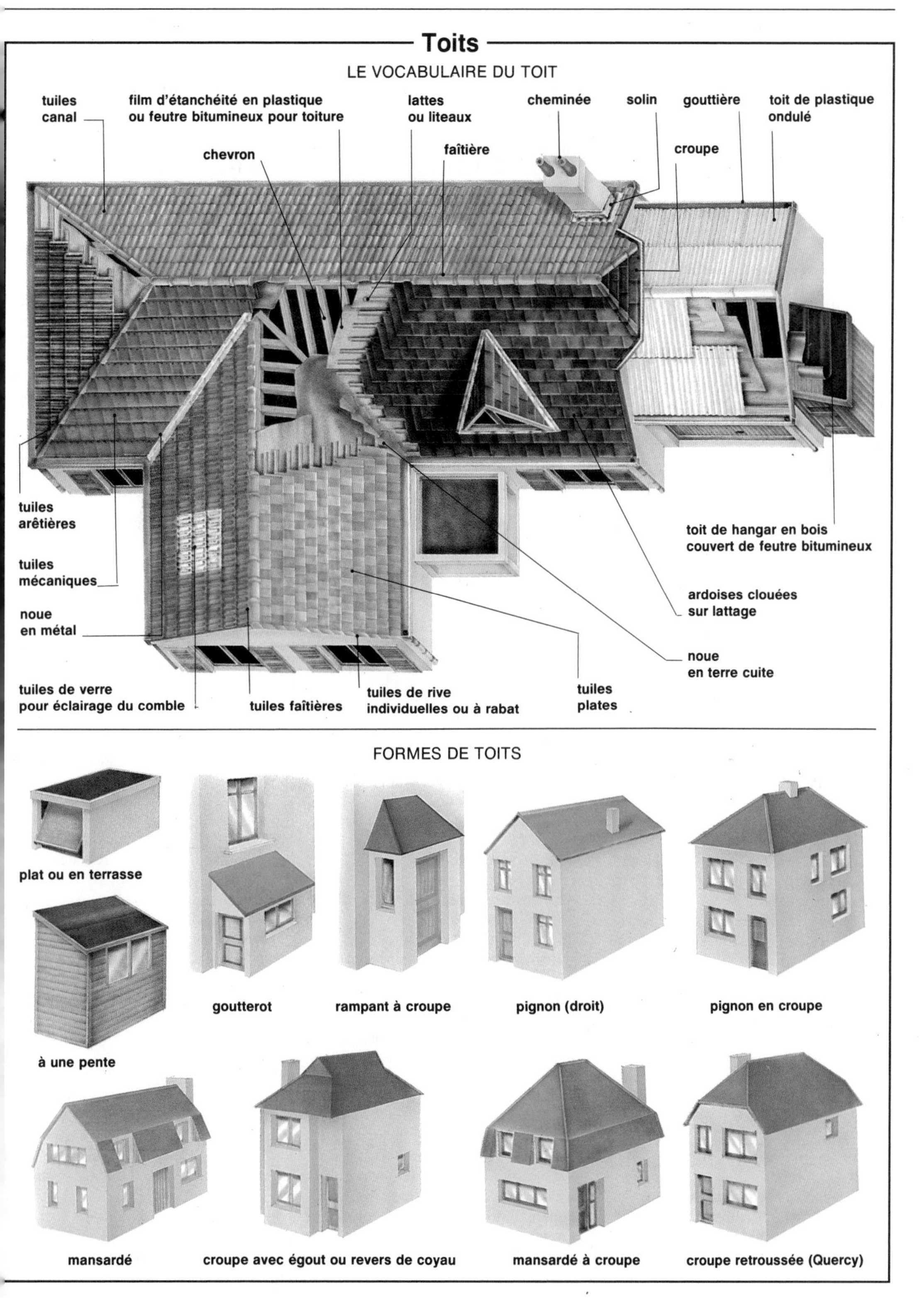
LE VOCABULAIRE DU TOIT
tuiles canal
film d'étanchéité en plastique ou feutre bitumineux pour toiture
chevron
lattes ou liteaux
faîtière
cheminée
solin
gouttière
croupe
toit de plastique ondulé
tuiles arêtières
tuiles mécaniques
noue en métal
tuiles de verre pour éclairage du comble
tuiles faîtières
tuiles de rive individuelles ou à rabat
tuiles plates
noue en terre cuite
ardoises clouées sur lattage
toit de hangar en bois couvert de feutre bitumineux
FORMES DE TOITS
plat ou en terrasse
à une pente
goutterot
rampant à croupe
pignon (droit)
pignon en croupe
mansardé
croupe avec égout ou revers de coyau
mansardé à croupe
croupe retroussée (Quercy)

– Petit tonneau servant au transport du beurre **tinette**
– Tonneau à alcool **fût**
– Tonneau à harengs **caque**
– Fabricant de tonneaux **tonnelier**
– Instrument servant à mesurer la contenance d'un tonneau **velte**
– Compas servant à marquer les tonneaux lors de contrôles fiscaux **rouanne**
– Planche utilisée pour la fabrication de tonneaux **douve, douelle**
– Robinet de tonneau **chantepleure**
– Fond de tonneau **baissière**
– Remplir un tonneau de liquide **entonner**
– Remplir un tonneau au fur et à mesure que son contenu s'évapore **ouiller, rembouger**
– Désinfecter un tonneau en le traitant au soufre **mécher**

TONNELLE **berceau, charmille, gloriette**
– Tonnelle à colonnes **pergola**

TONNERRE voir aussi **foudre**
– Bruit du tonnerre **grondement, roulement**
– Dans le théâtre antique, machine qui imitait le bruit du tonnerre **brontéion**
– Dieu scandinave du tonnerre **Thor**
– Phobie du tonnerre **bronthémophobie**
– Une voix de tonnerre **tonitruante**

TORCHE **flambeau**
– Chandelier supportant de grandes torches **torchère**
– Torche grossière faite de paille entortillée **brandon**

TORCHIS
– Sorte de torchis **bousillage, bauge**
– Couvrir de torchis le mur d'un bâtiment **torcher**
– Latte de bois servant à retenir le torchis d'une construction **palançon**

TORDRE
– Tordre une lame **courber, fausser, bistourner, cintrer**
– Tordre du fil en spirale **boudiner**
– Lier, en les tordant, des fils de soie grège pour les renforcer **mouliner**
– Tordre des mèches de cheveux **tortiller, torsader, cordeler**
– Un fil qui se tord sur lui-même **vrille**

TORDU
– Des jambes tordues **arquées, torses, cagneuses, contournées**
– Une planche tordue **gauche**
– Des pins parasols tordus par le vent **déjetés**
– Fils tordus ensemble **tortis**

TORPEUR voir aussi **léthargie**
– Tirer quelqu'un de sa torpeur **abattement, engourdissement, inertie, langueur, hébétude, atonie**
– En état de torpeur **torpide**

TORPILLER
– Torpiller un projet **couler, saper, saborder, faire avorter**

TORRENT
– Torrent des Pyrénées **gave**
– Torrent né de fortes pluies ou de la fonte des neiges **avalaison**
– Lit creusé par un torrent **ravine**
– Faune des torrents **torrenticole**
– Des torrents d'eau s'abattaient du ciel **trombes, cataractes**

TORRIDE
– Une chaleur torride **saharienne, caniculaire, tropicale**

TORT **préjudice, lésion**
– La réparation d'un tort **dommage**
– Faire du tort à quelqu'un **desservir, nuire à, porter atteinte à, porter préjudice à**
– À tort **injustement, indûment, illégitimement**
– Parler à tort et à travers **à la légère, inconsidérément**

TORTUE
– Ordre auquel appartient la tortue **chéloniens**
– Famille à laquelle appartient la tortue terrestre **testudinidés**
– Partie ventrale de la carapace de la tortue **plastron**
– Partie dorsale de la carapace de la tortue **dossière**
– Tortue d'eau douce **cistude, émyde, trionyx, matamata**
– Tortue marine **caret, caouanne, luth**
– Petite tortue de Madagascar **pyxide**
– La tortue gagne le rivage pour pondre **territ**

TORTURE **supplice, géhenne**
– Infliger des tortures **sévices**
– La torture du remords **tourment, calvaire, martyre**
– Torture infligée au Moyen Âge **question, pilori, brodequins, estrapade, roue, carcan, chevalet, tenailles, écartèlement, empalement, pal**
– Torture autrefois en usage en Russie **knout**
– Ancien instrument de torture en usage en Chine **cangue**
– Torture à l'électricité **gégène**
– Personne qui inflige des tortures **bourreau, tortionnaire, exécuteur des hautes œuvres**
– Instrument de torture **poire d'angoisse**

TÔT
– Se lever tôt **de bon matin, dès l'aube, aux aurores, dès potron-minet, au petit jour, au chant du coq**
– Des fruits, des légumes qui mûrissent tôt dans la saison **précoces, hâtifs**
– Au plus tôt **incessamment**
– Vient trop tôt **prématuré**

TOTAL
– Un remboursement total **complet, intégral**
– Le prix total **global**
– C'est un changement total **général, radical**
– Une confiance totale **absolue, entière, parfaite, pleine**

TOUCHER
– Toucher très légèrement **effleurer, frôler**
– Toucher quelque chose avec attention et insistance **palper, tâter**
– Toucher sa cible **atteindre, faire mouche**
– La maison touche le parc **est contiguë au, est attenante au, jouxte**
– Le navire touche le port **accoste, mouille, relâche**
– Toucher le fond, en termes de marine **talonner**
– Toucher une somme d'argent **encaisser, recevoir, percevoir**
– Toucher une indemnité **émarger**
– Sa fierté touche à la bêtise **confine à, avoisine**
– Être touché par une attitude, une parole **attendri, ému, désarmé, bouleversé**

TOUFFE voir aussi **houppe**
– Touffe de cheveux sur le sommet de la tête **toupet**
– Touffe de cheveux rebelles **épi**
– Touffe de poils poussant entre les sourcils **taroupe**
– Touffe de crin derrière le pied d'un cheval **fanon**
– Touffe de crin ornant un casque **crinière**

TOUR **rotation** voir aussi **contour**
– Petite tour **tourelle**
– Tour d'une église **beffroi, campanile**
– Tour d'une mosquée **minaret**
– La plus importante des tours d'un château fort **donjon**
– Tour à toit conique **poivrière**
– Tour mobile utilisée comme engin de guerre dans la Rome antique **hélépole**
– En zoologie, coquille en forme d tour **turriculée**
– Tour complet effectué par un astr sur son orbite **révolution**

– Tour d'un danseur sur lui-même **pirouette**
– Tour complet d'un cheval sur lui-même **volte**
– En ski, exécution de la moitié d'un tour sur place **conversion**
– Tour d'un continent en bateau **circumnavigation**
– Faire un tour à quelqu'un **farce, plaisanterie, niche**
– Tour d'un magicien **de passe-passe, de prestidigitation, d'escamotage**
– Tour de chant **récital**
– Les événements prennent un tour inquiétant **tournure, évolution, direction, orientation**
– Tour à tour **alternativement, successivement**
TOURBILLON
– Tourbillon dans le sillage d'un bateau **remous**
– Tourbillon qui se creuse dans un liquide en écoulement **vortex**
– Tourbillon créé par un courant marin puissant **gouffre, maelström**
– Tourbillon cyclonique s'élevant en colonne **trombe**
TOURISTE **vacancier**
– Touriste à bicyclette **cyclotouriste**
– Touriste en été **estivant**
– Touriste du mois d'août **aoûtien**
– Touriste en hiver **hivernant**
– Lieu où le touriste prend ses vacances **villégiature**
– Organisme au service des touristes **syndicat d'initiative**
– Guide pour touristes étrangers **cicérone**
TOURMENTER
– Tourmenter quelqu'un **tracasser, importuner, harceler, houspiller**
– Être tourmenté par le remords **rongé, torturé, assailli, bourrelé, tenaillé, taraudé**
– Se tourmenter **s'inquiéter, s'alarmer, s'angoisser**
TOURNANT (1) **virage**
– Une route pleine de tournants **en lacet, en zigzag**
– Tournant crucial **changement, inflexion**
TOURNANT (2)
– Mouvement tournant **rotatoire, giratoire**
TOURNER
polari-, -trope, -tropie, -tropisme
TOURNER
– Tourner autour de quelque chose **graviter**
– Tourner à droite, à gauche **virer**
– Tourner sur soi-même **virevolter, pivoter**
– Tourner en décrivant des spirales **tourbillonner, tournoyer**
– Tourner le volant d'un véhicule pour changer de direction **braquer**
– Espace où tourne la charrue au bout d'un sillon **chaintre**
– Ce vin commence à tourner **aigrir, surir**
– Se tourner vers le nord pour chercher son chemin **s'orienter**
TOURNESOL **hélianthe, grand soleil, héliotrope**
– Famille à laquelle appartient le tournesol **composacées**
– Orientation du tournesol vers le soleil **héliotropisme**
TOURNOI **joute** voir aussi **concours**
– Chevalier combattant dans un tournoi **champion**
– Dans un tournoi, combattant qui lançait le défi **tenant**
– Dans un tournoi, défi de chevalier à chevalier **cartel**
– Tournoi où les chevaliers se livraient à des exercices équestres **carrousel**
– Enceinte dans laquelle se déroulaient les tournois **lice**
TOUT
pan-, panto-, omn(i)-
TOUT (1) voir **ensemble, somme, total**
TOUT (2)
– Tout individu, toute personne **quiconque**
– Doctrine selon laquelle tout être fait partie de Dieu **panthéisme**
TOUT (3)
– Une personne qui sait tout **omnisciente**
TOUX
– Petite toux discrète **toussotement**
– Accès de toux **quinte**
– Crachement accompagnant la toux **expectoration**
– Zone dont l'irritation cause la toux **tussipare**
– Médicament calmant la toux **antitussif**
– Toux des bovins **tèguement**
TOXIQUE
– Un gaz toxique **nocif, délétère**
– Une plante toxique **vénéneuse, vireuse**
– Un organisme pouvant produire des substances toxiques **toxicophore**
– Substance toxique produite par une bactérie, un champignon **toxine**
– Goût pour les produits toxiques **toxicophilie**
TRACAS
– Avoir beaucoup de tracas **soucis, ennuis, contrariétés**
– Causer des tracas à quelqu'un **difficultés, désagréments, embarras, dérangement**
TRACE
– En termes de chasse, traces laissées par un animal **connaissances, erres, foulées, marches, passées, pieds**
– Traces laissées par un cerf **abattures**
– Traces laissées par un chevreuil **régalis**
– Suivre la trace d'un animal **piste, voie**
– Trace imprimée dans la terre par la roue d'un véhicule **ornière**
– Trace laissée par le passage d'un bateau **sillage**
– Trace sur la peau d'une plaie ou d'une blessure **cicatrice, stigmate**
– Traces laissées par une maladie **séquelles**
– Les traces d'une ancienne civilisation **vestiges**
– Les traces du temps **marques, empreinte, sceau**
– Sans une trace de joie, de regret **ombre, soupçon, lueur, once**
TRACER
– Tracer un chemin, une piste **frayer**
– Tracer une voie en se servant de jalons **jalonner, baliser, bornoyer, piqueter**
– Tracer les limites de quelque chose **circonscrire**
– Tracer le contour de quelque chose **délinéer**
– Tracer les grandes lignes d'une œuvre **ébaucher, esquisser**
TRACT **affichette, placard, papillon**
– Tract satirique, souvent virulent **libelle, pamphlet**
TRACTEUR
– Tracteur léger pour les travaux agricoles **mototracteur, motoculteur**
– Tracteur muni de machines agricoles à ses deux extrémités **tracteur-navette**
– Conducteur de tracteur **tractoriste**
TRACTION **remorquage**
– Traction d'un bateau **halage, touage**
– Appareil de traction **tractoire**
– Force de traction **tractive**
TRADITION **us et coutumes**
– Ensemble des traditions d'un pays **folklore**
– Les vieilles traditions de nos campagnes **croyances**
– Maintenir une tradition **usage, coutume**
– Tradition religieuse juive **kabbale**

TRADITIONALISTE **conformiste, orthodoxe, conservateur, réactionnaire, ultra**
– Traditionaliste religieux **intégriste, fondamentaliste**
TRADUCTION
– Traduction en langue étrangère d'un texte écrit dans sa langue maternelle **thème**
– Traduction dans sa langue maternelle d'un texte étranger **version**
– Une traduction mot à mot **littérale**
– Traduction littérale d'un mot, d'une expression **calque**
– Traduction placée en regard du texte **juxtalinéaire**
– Traduction d'un nom propre de personne **métonomasie**
– Traduction des dialogues d'un film placée au bas de l'image **sous-titrage**
– Traduction latine de la Bible par saint Jérôme **Vulgate**
– Traduction de l'Ancien Testament en araméen **targum**
– Erreur de traduction **contresens, faux sens**
TRADUIRE
– Traduire un texte, des données dans un autre code **transcoder**
– S'attacher à traduire le sens d'un texte **interpréter, gloser**
– Ses émotions se traduisent par des rougeurs subites **se manifestent, s'expriment**
– Traduire quelqu'un en justice **assigner, citer, déférer**
TRAFIC **circulation**
– Trafic commercial ou financier **tripotage, fricotage**
– Trafic consistant à faire passer des produits en fraude **contrebande**
– Trafic clandestin de marchandises rares, ou interdites **marché noir**
– Trafic d'esclaves, de femmes **traite**
– Trafic de choses saintes, de biens spirituels **simonie**
– Trafic sur les cours des devises ou des titres boursiers **agiotage, spéculation**
– Trafic d'influence **concussion**
– Trafic d'animaux malades, tarés pour maquiller leurs défauts **maquignonnage**
TRAFIQUANT **mercanti** voir aussi **malfaiteur**
– Trafiquant d'esclaves **négrier**
– Petit trafiquant de drogue **revendeur, dealer**
– Trafiquant de bestiaux **maquignon**
TRAFIQUER **dénaturer**
– Trafiquer un vin **frelater**
– Trafiquer des papiers d'identité **maquiller, falsifier**
– Trafiquer une monnaie en émettant des pièces trop pauvres en métal précieux **adultérer**
TRAGÉDIE **drame**
– Tragédie dont la fin est heureuse **tragi-comédie**
– Auteur de tragédies **tragique**
– Selon Aristote, effet purificateur de la tragédie sur le public **catharsis**
– Maître de la tragédie grecque **Eschyle, Euripide, Sophocle**
– Poète, créateur de la tragédie selon la tradition **Thespis**
– Muse de la tragédie **Melpomène**
TRAGIQUE
– Chaussure des acteurs du théâtre antique, devenue le symbole du genre tragique **cothurne**
– Une situation tragique **critique, alarmante, angoissante, dramatique**
– Un accident tragique **terrible, horrible, effroyable**
– Un accent tragique **pathétique, déchirant, poignant**
TRAHIR
– Trahir ses complices **livrer, dénoncer**
– Trahir une cause **faire défection, déserter**
– Trahir gravement les devoirs de sa charge dans l'exercice de ses fonctions **prévariquer**
– Trahir les intérêts de quelqu'un **desservir**
– Trahir un secret **révéler, dévoiler, divulguer, ébruiter, violer**
– Trahir la pensée de quelqu'un **déformer, travestir, dénaturer**
– Sa nervosité trahit sa peur **décèle, dénote**
TRAHISON voir aussi **traître**
– Acte de trahison **déloyauté**
– Trahison d'ordre politique commise par un responsable gouvernemental **haute trahison**
– Trahison d'un vassal envers son seigneur **forfaiture, félonie**
– Trahison amoureuse **infidélité, adultère**
TRAIN **chemin de fer** voir aussi **wagon**
– Type de train **turbotrain, monorail, Aérotrain**
– Train à grande vitesse **T.G.V. (France), H.S.T. (Grande-Bretagne), ICE (Allemagne), T.A.V. (Espagne), Shinkansen (Japon)**
– Au Japon, train expérimental à très grande vitesse **Maglev**
– Train monté sur pneumatiques **micheline**
– Train desservant toutes les gares **omnibus**
– Petit train régional suivant un parcours très sinueux **tortillard**
– Dans le métro, dernier train de la journée **balai**
– Le train de luxe par excellence **l'Orient-Express**
– Transport par train **ferroviaire**
– Bateau aménagé pour le transport des trains **ferry-boat**
– Dans un train, groupe de wagons attelés **rame**
– Système permettant à un train de changer de voie **aiguillage**
– Appareil qui fait passer les trains d'une voie à l'autre **transbordeur**
– Appareil sonore placé entre les rails pour signaler le passage des trains **crocodile**
– Dans une gare, hall où les voyageurs attendent les trains **salle des pas perdus**
– Peur irrationnelle des voyages en train **sidérodromophobie**
TRAÎNEAU
– Traîneau très bas muni de deux longs patins métalliques **toboggan**
– Dans les Vosges et la Forêt-Noire, traîneau servant à descendre le bois des montagnes **schlitte**
– Grand traîneau tiré par trois chevaux **troïka**
– Autrefois, en Russie, calèche légère pouvant se transformer en traîneau **briska**
– Traîneau articulé, équipé d'un volant et conçu pour les courses de vitesse **bobsleigh**
TRAÎNER voir aussi **tirer**
– Une robe qui traîne sur le sol **balaie**
– Traîner en chemin **s'attarder, lambiner, flâner, musarder**
– Traîner au lit **paresser**
– Cette affaire traîne **se prolonge, s'éternise**
– La conversation traîne **languit**
– Ces idées reçues traînent encore **subsistent, persistent**
– Se traîner par terre **se vautrer, ramper**
TRAIT voir aussi **javelot, lance, ligne**
– Trait pour supprimer un mot, une phrase **rature, biffure**
– Trait gravé dans une pierre, un élément architectural **glyphe**
– Traits du visage **physionomie**
– Étude du caractère d'une personne d'après les traits de son visage **morphopsychologie**

– Autrefois, divination par examen des traits du visage, des rides du front **métoposcopie**
– Traits dominants **caractéristiques, attributs, particularités**
– Trait d'esprit **saillie, boutade**
– Trait caustique à l'égard de quelqu'un **sarcasme, épigramme, persiflage**

TRAITE **effet de commerce** voir aussi **trafic**
– Traite informatisée **lettre de change-relevé**
– Créancier à qui devra être payée la traite **tireur**
– Personne devant effectuer le paiement d'une traite **tiré**
– Acte par lequel le tiré s'engage à régler la traite **acceptation**
– Traite des vaches **mulsion**
– Appareil utilisé pour la traite mécanique **trayeuse**

TRAITÉ
– Traité de physique **manuel, étude, monographie**
– Signer un traité **pacte, convention, accord, protocole**
– Traité précisant les relations entre la papauté et un gouvernement **concordat**
– Traité réglant les conditions de reddition d'une armée, d'une ville **capitulation**

TRAITEMENT **soins, médication, thérapeutique, thérapie** voir aussi **médecine, salaire**
– Traitement médical par des aiguilles piquées en des points choisis du corps **acupuncture**
– Traitement des maladies par les plantes **phytothérapie**
– Mauvais traitements **violences, sévices**
– Traitement à distance de données informatisées **télétraitement**
– Traitement d'un haut fonctionnaire **émoluments, dotation**

TRAITER voir aussi **recevoir**
– Traiter quelqu'un brutalement **maltraiter, malmener, rudoyer, brutaliser, molester**
– Traiter quelqu'un de fou **qualifier, taxer**
– Traiter une maladie **soigner**
– Traiter une affaire **négocier**
– Traiter de nombreuses affaires **brasser**
– Traiter une question **étudier, discuter, examiner, exposer, développer**
– Traiter des produits en vue de leur commercialisation **conditionner**
– Traiter le pétrole, le sucre **raffiner**
– Traiter avec ses ennemis **composer, parlementer, pactiser**

TRAÎTRE (1) **parjure, félon, judas**
– Traître à sa patrie, à son parti **renégat, transfuge, dissident**
– Traître shakespearien **Iago**

TRAÎTRE (2)
– Des propos traîtres **empoisonnés, perfides, fourbes**

TRAJECTOIRE
– Trajectoire d'une planète **orbite**
– Trajectoire d'une balle, d'un obus **parabole**
– Étude de la trajectoire des projectiles **balistique extérieure**

TRAJET **itinéraire, parcours, chemin**
– Trajet permettant de découvrir une ville, un pays **circuit**
– Trajet en mer pour rejoindre une autre terre **traversée**
– Trajet effectué par une troupe pour s'approcher à couvert de l'ennemi **cheminement**

TRAMWAY
– Conducteur d'un tramway **wattman**
– Employé d'une ligne de tramway **traminot**
– Dispositif transmettant le courant au moteur d'un tramway **trolley**
– Voiture attelée à la motrice d'un tramway **baladeuse**
– Rails de tramway **à ornière**
– Transport en commun se distinguant du tramway par l'absence de rails **trolleybus**

TRANCHANT
– Une lame très tranchante **aiguisée, acérée, affûtée, affilée**
– Ouvrier qui aiguise les instruments tranchants **rémouleur**
– Un ton tranchant **cassant, incisif, impérieux, péremptoire, dictatorial**

TRANCHE
– Tranche d'orange **quartier**
– Tranche de melon **côte**
– Tranche de saucisson **rondelle**
– Tranche de lard **barde**
– Tranche de saumon **darne**
– Tranche de veau **escalope, rouelle**
– En boucherie, veau coupé dans la tranche **quasi**
– Coupé en tranches très fines **émincé**
– La tranche d'une brique **chant**

TRANCHÉE voir aussi **fossé**
– Tranchée creusée pour des travaux de construction **fouille**
– Pièce de soutènement dans une tranchée **étrésillon, dosse**
– Tranchée faite par une charrue **sillon**
– Tranchée fortifiée établie autour d'une place assiégée **circonvallation**
– Dans une guerre de siège, tranchée creusée en direction de l'ennemi **sape**
– Tranchée servant de toilettes aux troupes en campagne **feuillées**
– Abri militaire dans une tranchée **cagna**
– Guerre de tranchées **positions**

TRANCHER
– Trancher la tête de quelqu'un **décapiter, guillotiner**
– Trancher une question **résoudre, régler**
– Trancher un différend **arbitrer, juger**
– Il faut trancher ! **décider, se prononcer, conclure, statuer**
– Cette couleur tranche **ressort, contraste, détonne**

TRANQUILLE
– Un homme tranquille **placide, posé, pacifique**
– Avoir l'esprit tranquille **confiant, serein, rasséréné**
– Un air excessivement tranquille **béat**
– Rester tranquille et muet **se tenir coi**
– Un lieu tranquille **paisible, reposant**

TRANQUILLITÉ voir aussi **calme**
– Tranquillité retrouvée **apaisement**
– En philosophie, tranquillité parfaite de l'âme **quiétude, ataraxie**
– En toute tranquillité **sécurité, confiance**

TRANSFORMATION **avatar** voir aussi **changement, modification**
– Légère transformation **modification**
– Transformation totale **métamorphose, mutation**
– Ce logement nécessite des transformations **améliorations, rénovations**
– En géologie, transformation de la structure des roches **altération, métamorphisme**
– Dans la religion chrétienne, transformation rituelle du pain et du vin au cours de la communion **transsubstantiation**
– Délire où le malade croit en sa transformation en animal **zoanthropie**

TRANSFORMER voir aussi **changer**
– Transformer un texte **remanier, adapter, récrire**
– Transformer considérablement une technique, une industrie **révolutionner**
– Transformer une institution, un système pour les rénover **réformer**

– En alchimie, transformer les métaux vulgaires en or **transmuter**
– Transformer la vérité **déformer, travestir, trahir, dénaturer**
– La voix des jeunes garçons se transforme **mue**
– Sa vie a été complètement transformée **bouleversée**
– Il est transformé par l'amour **transfiguré**

TRANSFUSION
– Transfusion sanguine continue **perfusion**

TRANSGRESSER
– Transgresser les règles **violer, enfreindre, contrevenir à, déroger à**
– Transgresser des ordres **outrepasser**

TRANSIGER
– Notre adversaire est coriace, il va falloir transiger **composer, faire des concessions**
– Transiger avec sa conscience **pactiser**

TRANSITIF voir aussi **verbe**
– Construction transitive **à complément d'objet direct**
– Verbe transitif indirect **intransitif attributif**

TRANSITION liaison, palier
– En musique, transition entre deux thèmes **pont**
– En peinture, transition entre deux teintes **passage**
– Au cinéma, transition entre deux plans **fondu enchaîné, fondu au noir, volet**
– Divertissement servant de transition entre deux parties d'un spectacle **intermède, interlude**

TRANSMETTRE
– Transmettre une information **communiquer, révéler, diffuser, propager**
– Transmettre une propriété en héritage **léguer**
– Transmettre des valeurs, des titres à un tiers **céder, vendre**
– Transmettre ses pouvoirs à quelqu'un **déléguer**
– Transmettre des secrets **initier à**
– Transmettre ses passions, ses vices **inoculer, infuser**
– Transmettre une maladie **contaminer**
– Les moustiques tropicaux transmettent la malaria **véhiculent**
– Les traditions se transmettent souvent de génération en génération **se perpétuent**

TRANSMISSION transfert
– Transmission d'un bien d'une personne à une autre **cession, dévolution**
– Transmission officielle d'un droit de propriété ou d'un usufruit **mutation**
– Transmission à sa descendance de caractères spécifiques ou individuels **hérédité**
– Transmission de croyances, de doctrines et de pratiques **tradition**
– Transmission de pouvoirs **passation**
– Transmission de la lumière **propagation**
– Transmission d'une maladie **contagion**
– Transmission de la douleur à des organes voisins **irradiation**
– Faculté de transmission de l'influx nerveux par les nerfs **conductibilité**
– Transmission de pensée **télépathie, télesthésie, télépsychie**
– Déplacement ou déformation d'objets par simple transmission de pensée **télékinésie, psychokinésie**
– Étude des phénomènes psychiques inexpliqués tels que la transmission de pensée **parapsychologie, métapsychique**

TRANSPARENT
– Une eau transparente **limpide, cristalline**
– Une porcelaine fine et transparente **translucide**
– En termes d'anatomie, membrane, corps transparent **hyaloïde, pellucide**
– Une peau transparente **diaphane**
– Une allusion transparente **claire, évidente, lourde**
– Un exposé transparent **compréhensible, intelligible, lumineux**

TRANSPIRATION sueur
– Transpiration importante **sudation, diaphorèse**
– Produit utilisé contre les odeurs de transpiration **déodorant**
– Phobie de la transpiration **diapnophobie**

TRANSPIRER transsuder
– Transpirer abondamment **suer**
– Le mur transpire **suinte, ressue, exsude**
– Il faut empêcher la nouvelle de transpirer **s'ébruiter, filtrer**

TRANSPORT
– Des moyens de transport **locomotion**
– Transport international de marchandises sans paiement de taxes **transit**
– Transport de marchandises à dos d'homme **portage, coltinage**
– Transport de marchandises par voiture **roulage**
– Transport de marchandises à domicile **factage**
– Système de transport rail-route par remorques se déplaçant sur wagons plats **ferroutage**
– Transport du bois hors de la forêt **débardage, débusquage**
– Moyens mis en œuvre pour accélérer le transport des marchandises **facilitation**
– Service de transport rapide **messagerie**
– Agent chargé d'assurer la sécurité d'un transport **convoyeur**
– Caisse utilisée pour le transport des marchandises **conteneur, cadre**
– Transport par câbles aériens **téléphérage**
– Canalisation destinée au transport du pétrole **pipeline, oléoduc**
– Coût du transport d'une lettre, d'un paquet **port**
– Coût d'un transport de marchandises **fret**
– Troupes ou armes acheminées par transport aérien et souvent parachutées **aéroportées**
– Troupes ou armes acheminées par un transport aérien suivi d'un atterrissage **aérotransportées**
– Troupe militaire pouvant emprunter les transports aériens durant les combats **aéromobile**
– Transport par hélicoptère **héliportage**
– Liaison continue par transport aérien au-dessus d'une zone interdite ou dangereuse **pont aérien**
– Vaisseau assurant le transport dans l'espace des satellites artificiels **navette spatiale**
– Activités liées au transport fluvial **batellerie**
– Bâtiment affecté au transport maritime des passagers **paquebot**
– Bâtiment assurant le transport maritime des passagers et de leur voiture **car-ferry, transbordeur**
– Bâtiment assurant le transport maritime des marchandises **cargo, tramp, porte-conteneurs**
– Agent chargé de veiller sur les marchandises acheminées par transport maritime **subrécargue**
– Bateau conçu pour le transport maritime des combustibles liquides **pétrolier, tanker**
– Bâtiment spécialisé dans le transport maritime du gaz liquéfié **méthanier**
– Véhicule de transport maritime sur coussin d'air **aéroglisseur, hovercraft, Naviplane**

– Transport d'un prisonnier **transfert, translation**
TRANSPORTER **véhiculer**
– Transporter dans un autre pays, dans un autre milieu **transplanter**
– Transporter des marchandises par camion **camionner**
– Transporter d'un train ou d'un bateau à un autre **transborder**
– Transporter sa marchandise de lieu en lieu **colporter**
– Transporter des blocs de pierre hors de leur lieu d'extraction **débarder**
TRANSPOSITION **interversion**
– Transposition, en termes de mathématiques **permutation**
– Mot formé par transposition des lettres d'un autre mot **anagramme**
– Transposition d'une lettre ou d'une syllabe à l'intérieur d'un mot **métathèse**
– En typographie, transposition, par erreur, de caractères ou de pages **mastic**
TRAVAIL
erg(o)-, -ergie, -urge, -urgie
TRAVAIL **activité, occupation** voir aussi **métier, profession**
– Travail à faire **tâche, besogne**
– Se mettre au travail **à l'œuvre, à l'ouvrage**
– Travail long et pénible **labeur**
– Travail désagréable **corvée**
– Travail long et minutieux **de bénédictin**
– Travail facile, reposant et bien rémunéré **sinécure**
– Fatigue due à un excès de travail **surmenage**
– Étude de l'adaptation de l'homme à son travail **ergonomie**
– Rééducation des handicapés par le travail manuel **ergothérapie**
– Mesure du travail musculaire **ergométrie**
– Organisation du travail prévoyant l'alternance du personnel à un même poste **roulement, relais**
– En U.R.S.S., méthode de travail qui visait à une productivité maximale **stakhanovisme**
– Organisation scientifique du travail reposant sur la division des tâches et la séparation stricte entre conception et exécution **taylorisme**
– Société dans laquelle le travail est la valeur première **ergocratie**
– Tribunal chargé de régler les conflits dans le monde du travail **conseil de prud'hommes**
– Apprécier le travail d'un objet d'art **exécution, facture, façon**
TRAVAILLÉ
– Bois, métal joliment travaillé **façonné, ouvragé, ouvré**
TRAVAILLER
– Travailler durement **besogner, s'éreinter, trimer**
– Travailler par roulement d'équipes **faire les trois-huit**
– Travailler à une œuvre commune **collaborer**
– Travailler son style **polir, ciseler, aiguiser, fouiller**
– Travailler la pâte **pétrir**
– La pâte travaille **fermente, lève**
– Le bois humide travaille **se gondole, gauchit**
TRAVAILLEUR (1) **salarié** voir aussi **ouvrier**
– Les travailleurs **prolétariat**
– Travailleur manuel **ouvrier, manœuvre**
– Travailleur agricole payé à la journée **journalier**
– Travailleur agricole en Amérique latine **péon**
– Travailleur assigné à des besognes peu gratifiantes **tâcheron**
– Travailleur indépendant **en freelance**
– Exploitation à outrance des travailleurs **sweating-system**
TRAVAILLEUR (2)
– Un homme travailleur **courageux, actif, laborieux**
– Un élève travailleur **appliqué, assidu, studieux**
TRAVERS (1) voir **défaut**
TRAVERS (2)
– À travers **de part en part**
– En travers **transversalement**
– Mettre son chapeau de travers **de guingois**
– Regarder de travers **d'un œil torve, avec antipathie, avec animosité**
– Se regarder mutuellement de travers **en chiens de faïence**
TRAVERSER
– Traverser un fleuve **franchir**
– Traverser un pays en tous sens **parcourir, sillonner**
– Le clou va traverser la cloison **transpercer**
– Un petit chemin traverse la route **coupe, croise**
– Un rideau qui laisse traverser la lumière **filtrer, pénétrer, passer**
TRÈFLE
– Famille à laquelle appartient le trèfle **papilionacées**
– Feuille composée de trois parties, comme celle du trèfle **trifoliée**
– Trèfle incarnat **farouch**
– Trèfle jaune **anthyllis vulnéraire**
– Trèfle cornu **lotier corniculé**
– Trèfle d'eau **ményanthe**
– Champ de trèfle **tréflière**
– Motif architectural en forme de trèfle **trilobé**
– Nom du roi de trèfle **Alexandre**
– Nom de la dame de trèfle **Argine**
– Nom du valet de trèfle **Lancelot, mistigri**
TREILLIS
– Treillis de bois permettant de voir sans être vu **jalousie, moucharabieh**
– Treillis métallique placé au-dessus d'une écoutille **caillebotis**
– Treillis d'osier pour faire sécher des fruits, des fromages **claie**
– Treillis utilisé pour la reproduction d'une peinture à une autre échelle **graticule**
TREIZE
– Vente de treize œufs, de treize huîtres pour le prix de douze **treize-douze**
– Joueur de rugby à treize **treiziste**
– Phobie d'être treize à table **triskaidekaphobie**
TREMBLEMENT
– Léger tremblement dû au froid ou à l'émotion **frisson**
– Tremblement violent **convulsion**
– Tremblement dans la voix **trémolo, chevrotement**
– En musique, tremblement rapide d'un son vocal ou instrumental **vibrato**
– Tremblement du sol, des vitres au passage d'un train **vibration, ébranlement**
– En termes médicaux, tremblement rapide et incontrôlé **trémulation, trépidation**
– Maladie du système nerveux se manifestant par des crises de tremblement **de Parkinson**
– Délire alcoolique accompagné de tremblements convulsifs **delirium tremens**
TREMBLEMENT DE TERRE **séisme** voir aussi tableau p. 456
– Relatif aux tremblements de terre **sismique**
– Étude des phénomènes liés aux tremblements de terre **sismologie**
– Phénomène provoquant des tremblements de terre **sismogénique**
– Tremblement de terre pouvant être perçu par l'homme **macroséisme**
– Tremblement de terre non ressenti par l'homme **microséisme**
– Point à la surface terrestre où le tremblement de terre est le plus intense **épicentre**

– Foyer souterrain d'un tremblement de terre **hypocentre**
– Sert à mesurer la magnitude des tremblements de terre **échelle de Richter**
– Mesure de l'intensité d'un tremblement de terre **échelle de Mercalli, échelle M.S.K.**
– Dans un tremblement de terre, ligne suivant l'ordre d'ébranlement **ligne sismale**
– Vague destructrice provoquée par un tremblement de terre **raz de marée, tsunami**

TREMBLER
– Trembler de froid **frissonner, grelotter**
– Trembler de colère, de joie **frémir, tressaillir**
– Trembler sur ses jambes **flageoler**
– Trembler à l'idée d'un malheur **redouter, appréhender**
– Une flamme qui tremble **vacille**

TREMPÉ
– Complètement trempé **imbibé, détrempé**
– Un visage trempé de larmes **ruisselant, inondé**

LES GRANDS TREMBLEMENTS DE TERRE DU XXe SIÈCLE

LIEU	MAGNITUDE	NOMBRE DE MORTS	DATE
Chine	8.6	180 000	1920
Japon	8.6	48	1968
Alaska	8.5	178	1964
Chili	8.5	4 000 - 5 000	1962
Chine	8.3	200 000	1927
Japon	8.3	99 000	1923
États-Unis (San Francisco)	8.3	700	1906
Mexique	8.1	12 000	1985
Chine	8.0	665 000	1976
Iran	8.0	189	1977
Équateur	7.9	600	1979
Nouvelle-Zélande	7.9	255	1931
Chine	7.8	240 000	1976
Algérie	7.7	3 500	1980
Iran	7.7	15 000	1978
Pérou	7.7	50 000 - 70 000	1970
États-Unis (Californie)	7.7	11	1952
Italie	7.5	83 000	1908
Pakistan	7.5	20 000 - 60 000	1935
Chili	7.4	177	1985
Iran	7.4	12 000	1968
Italie	7.2	3 000	1980
Arménie	6.8	25 000	1988

TREMPER **baigner**
– Tremper entièrement un objet **plonger, immerger**
– Faire tremper un aliment dans une préparation **mariner, macérer**

TRENTE
– D'une durée de trente ans **trentenaire, tricennal**
– Série de trente messes célébrées pour un mort **trentain**

TRÉPIGNER
– Trépigner d'énervement **frapper du pied, piaffer**

TRÉSOR **magot**
– Personne qui découvre un trésor **inventeur**
– Trésor du roi **cassette**
– Officier chargé de veiller sur le trésor royal **chambrier**
– Trésor public **fisc**
– Trésor dérobé par Jason **Toison d'or**
– Un trésor de bienfaits **source, réserve, mine**

TRÉSORIER
– Trésorier général, sous l'Ancien Régime **argentier, surintendant**
– Trésorier d'une communauté **économe**

TRESSE **natte**
– Petite tresse de cheveux **cadenette**
– Tresse de cheveux roulée sur l'oreille **macaron**
– Tresse de tissu ou de cuir autour d'un chapeau **bourdalou**
– Petite tresse de fils électriques multicolores **scoubidou**
– Jadis, dans la marine, tresse faite de vieux cordages et servant de fouet **garcette**

TRÊVE **armistice, suspension d'armes, cessez-le-feu, cessation des hostilités** voir aussi **arrêt**

TRIANGLE voir aussi **géométrie**
– Triangle à deux côtés égaux **isocèle**
– Triangle à trois côtés égaux **équilatéral, équiangle**
– Triangle dont les trois côtés sont inégaux **scalène**
– Triangle à trois angles aigus **acutangle**
– Triangle comportant un angle droit **rectangle**
– Côté opposé à l'angle droit d'un triangle rectangle **hypoténuse**
– Dans un triangle, point de rencontre des trois hauteurs **orthocentre**
– Théorème sur les propriétés d'un triangle **de Pythagore, de Thalès**

TRIBU **peuplade**
– Groupement familial au sein d'une tribu **clan**

– Réunion de clans dans une tribu **phratrie**
– Animal, divinité tutélaire d'une tribu **totem**
– Division de la tribu dans la Rome antique **curie**
– Chef d'une tribu à Athènes dans l'Antiquité **phylarque**
TRIBUNAL palais de justice, juridiction, instance
– Tribunal qui juge les crimes **cour d'assises**
– Tribunal qui juge les délits **correctionnel**
– Tribunal auprès duquel on présente un recours contre un jugement antérieur **cour d'appel**
– Tribunal suprême compétent pour annuler une décision de justice rendue en dernier ressort **Cour de cassation**
– Tribunal militaire exceptionnel **cour martiale**
– Ensemble des membres d'un tribunal **cour**
– Au tribunal, lieu où s'expriment témoins et avocats **barre**
– Salle d'audience du tribunal **prétoire**
– Dans un tribunal, lieu où sont gardés les originaux des actes de procédure **greffe**
– Magistrats du ministère public auprès des tribunaux **parquet**
– Situation d'une affaire portée en même temps devant deux tribunaux **litispendance**
– Tribunal ecclésiastique du Saint-Siège **Pénitencerie**
– Tribunal religieux et civil des Hébreux **sanhédrin**
– Tribunal de l'Inquisition **Saint-Office**
– Autrefois, tribunal d'Athènes **Aréopage**
TRIBUNE
– Dans une église, tribune du prédicateur **chaire**
– Tribune placée à l'entrée du chœur de certaines basiliques **ambon**
– Tribune aux harangues, dans la Rome antique **Rostres**
TRICHER voir aussi **tromper**
– Tricher au jeu **filouter**
– Marquer des cartes à jouer pour tricher **maquiller**
– Truquer les dés pour tricher **piper**
TRICOT voir aussi **maille**
– Tricot à deux aiguilles **plat**
– Tricot à trois, quatre ou cinq aiguilles **rond**
– Tricot à motifs de différentes couleurs **jacquard**
– Industrie et commerce des vêtements en tricot **bonneterie**
– Mettre un tricot **lainage, chandail, pull-over**
– Tricot et veste assortis **twin-set**
– Tricot de corps **maillot**
TRICOTER
– Métier à tricoter **tricoteuse**
– Élément d'un métier à tricoter **fonture, chariot, glissière, ensemble pêcheur, guide-fil, peigne**
TRIDIMENSIONNEL
– Image tridimensionnelle **en relief, stéréoscopique**
– Méthode permettant d'obtenir une photographie tridimensionnelle **holographie**
TRIER sélectionner voir aussi **choisir**
– Trier des fruits **calibrer, cribler**
– Trier des graines **émonder**
– Trier les wagons dans une gare **débrancher**
TRINQUER lever son verre, porter un toast
TRIOMPHE apothéose, consécration
– Savourer son triomphe **réussite, succès, victoire**
– Faire un triomphe à quelqu'un **acclamer, ovationner**
TRISTE
– Avoir l'air triste **abattu, sombre, chagrin, rembruni, morose, funèbre, sinistre, lugubre**
– Une bien triste nouvelle **désolante, affligeante, consternante, navrante, funeste**
– Un ciel triste **maussade, morne**
– Dans un triste état **lamentable, pitoyable, déplorable, piètre, piteux**
TRISTESSE peine
– Tristesse indéfinissable **mélancolie, spleen, vague à l'âme**
– Tristesse morbide **neurasthénie, dépression**
– Tristesse suscitée par le souvenir **nostalgie**
– Poème lyrique empreint de tristesse **élégie**
TROIS
tri-, tris-
TROIS (1)
– Coup de dés où l'on sort deux 3 **terne**
TROIS (2)
– Groupe de trois **triade, trilogie, trio**
– Groupe de trois personnes très influentes **triumvirat**
– Les trois personnes de Dieu dans la religion chrétienne **Trinité**
– Constitué de trois unités **ternaire**
– Œuvre composée de trois parties **triptyque**
– Œuvre musicale pour trois voix ou trois instruments **terzetto**
– Strophe de trois vers **tercet**
– Mot de trois lettres **trigramme**
– Mandat de trois ans **triennat**
– Figure géométrique à trois faces **trièdre**
– Compétition sportive composée de trois épreuves **triathlon**
– En Russie, traîneau à trois chevaux **troïka**
TROMPER voir aussi **trahir**
– Tromper quelqu'un **induire en erreur, abuser, berner, leurrer, mystifier, en faire accroire à**
– Tromper quelqu'un dans un marché **escroquer, duper, flouer**
– Tromper sur la qualité ou le poids d'une marchandise **frauder**
– Tromper la vigilance de quelqu'un **déjouer**
– Se tromper dans son jugement **se fourvoyer, se méprendre, méjuger**
– Se tromper de date, de personne **confondre**
TROMPETTE
– Famille des instruments à vent à laquelle appartient la trompette **cuivres**
– Sorte de trompette **bugle, buccin, clairon, cornet**
– Partie de la trompette où le musicien applique ses lèvres **embouchure**
– Partie évasée à l'extrémité de la trompette **pavillon**
– Oiseau-trompette **agami**
TROMPEUR voir aussi **hypocrite**
– Des propos trompeurs **mensongers, insidieux, fallacieux, captieux, spécieux, délusoires**
TRONC fût voir aussi dessin p. 458 et **arbre, bois**
– Partie du tronc qui reste en terre après l'abattage de l'arbre **souche**
– Tronc d'arbre coupé encore recouvert de son écorce **grume**
– Tronc d'arbre scié dans le sens de la longueur **plançon**
– Partie supérieure du tronc, dans le corps humain **buste, torse, thorax**
– Partie inférieure du tronc, dans le corps humain **bassin**
TROPHÉE
– Trophées de guerre **dépouilles, butin**
– Tête de cerf exposée comme trophée de chasse **massacre**
– Trophée remis au vainqueur **coupe, médaille**
– Trophée récompensant des professionnels du cinéma, de la mode **oscar, dé d'or**

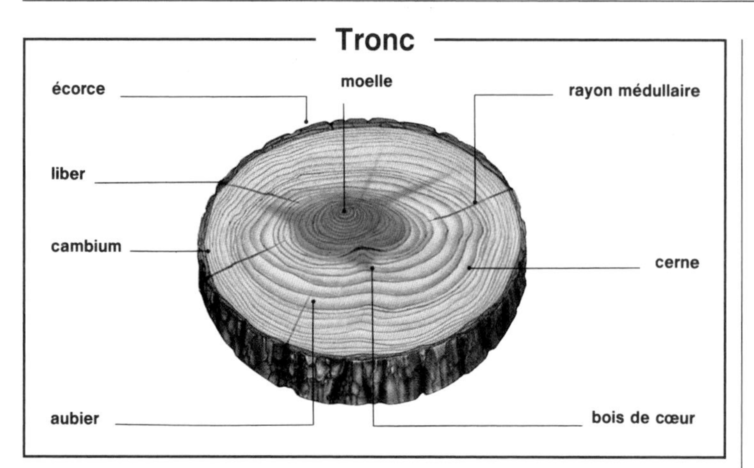

TROPICAL **équatorial** voir aussi **torride**
– Vent tropical soufflant vers l'océan l'hiver et vers le continent l'été **mousson**
– Forêt tropicale **vierge**
TROP-PLEIN **surcharge, surplus, excédent**
– Le trop-plein d'une production **pléthore**
TROTTOIR
– Chemin faisant office de trottoir le long d'une voie ferrée ou d'un canal **banquette**
– Abaissement du trottoir devant une porte cochère ou une entrée de garage **bateau**
– Rigole longeant un trottoir **caniveau**
TROU voir aussi **ouverture**
– Combler un trou **cavité, excavation**
– Trou dans une chaussée **nid-de-poule**
– Trou dans un chemin de terre **fondrière, ornière**
– Trou rempli d'eau **flaque, flache**
– Trou creusé par un obus, par une mine **entonnoir**
– Trou d'aération dans les combles **chatière**
– Trou permettant de passer à travers un mur, une haie de verdure **trouée, brèche**
– Trou percé dans un mur pour y installer une fenêtre, une poutre **ope**
– Trou pratiqué dans un mur pour permettre l'écoulement des eaux **souillard**
– Trou sur le flanc d'un bateau pour l'évacuation des eaux **dalot**
– Dans un colombier, trou où loge un pigeon **boulin**
– Trou à la surface d'une roche **pore**
– En agriculture, trou dans la terre pour les graines de semence **poquet**
– Petit trou laissé par le lapin de garenne **jouette**
– Trous faits par le sanglier quand il fouille la terre **boutis**
– Petits trous de taille identique percés avec une machine ou un outil **perforations**
– Faire un trou dans un vêtement **accroc**
– Petit trou dans un cuir ou une étoffe pour faire passer un cordon, un lacet **œillet**
– Petit trou décoratif dans un tricot, une broderie **jour**
– Trou d'une aiguille à coudre **chas**
– Trou d'un fer à cheval **étampure**
– Trou par lequel on emplit un tonneau **bonde**
– Trou de mémoire **lacune**
– Trou noir qui ferait plusieurs millions de fois la masse du Soleil **supermassif**
– Ondes électromagnétiques émises en très grande quantité par les trous noirs **rayons X**
– Radiosource très puissante dont le centre est probablement un trou noir **quasar**
– Limite au-delà de laquelle une étoile froide s'effondre en trou noir **limite de Chandrasekhar**
TROUBADOUR **ménestrel**
– Troubadour s'exprimant en langue d'oil **trouvère**
– Troubadour allemand, poète et musicien **minnesinger**
– Chanson de troubadour **pastourelle**
– Recueil de chansons et de poèmes du troubadour **chansonnier**
TROUBLE (1) **dérèglement, perturbation** voir aussi **émeute, émotion, folie**
– Semer le trouble dans une assemblée **agitation, confusion, désordre**
– Fauteur de troubles **trublion**
– Jeter le trouble dans l'esprit de quelqu'un **doute, embarras, perplexité**
– Ressentir un trouble **émoi**
– Trouble moral **désarroi, détresse**
– Trouble de l'appétit **dysorexie, anorexie, boulimie**
– Trouble du contrôle des mouvements **dyskinésie, apraxie**
– Trouble de la prononciation **dystomie, dysarthrie, dysphonie**
– Trouble du mécanisme de la lecture **dyslexie**
– Trouble fonctionnel freinant l'apprentissage de l'écriture **dysgraphie**
– Trouble de la perception des couleurs **dyschromatopsie, daltonisme, achromatopsie**
TROUBLE (2) voir aussi **louche**
– Une eau fort trouble **boueuse, bourbeuse, fangeuse, turbide**
– Un vin trouble **louche**
– Avoir la vue trouble **brouillée**
– Un souvenir trouble **vague, confus, indistinct**
– Un désir trouble **inavouable, malsain**
TROUBLÉ
– Troublé par une nouvelle **déconcerté, désorienté, décontenancé, désemparé**
– Troublé par une émotion intense **éperdu, égaré**
– Un candidat troublé devant l'examinateur **ému, intimidé, impressionné**
TROUBLE-FÊTE **importun, rabat-joie, éteignoir**
TROUBLER voir aussi **bouleverser**
– Troubler le repos de quelqu'un **déranger, gêner, perturber**
– Troubler le bonheur de quelqu'un **gâter, empoisonner, corrompre**
– Troubler quelqu'un par des révélations inquiétantes **alarmer, affoler, effarer**
– Se troubler face à quelqu'un **perdre contenance, se démonter**
– En termes de pêche, troubler l'eau avec une perche pour faire bouger le poisson **bouiller**
TROUÉE
– Trouée dans une forêt **clairière**
– Trouée dans un ciel nuageux **éclaircie, échappée, déchirure**
– En termes militaires, trouée opérée dans le dispositif ennemi **percée, brèche**

TROUER percer, déchirer voir aussi **creuser**
– Trouer un titre de transport pour le valider **perforer, poinçonner, composter**
– Trouer la boîte crânienne d'un patient pour une intervention **trépaner**

TROUPE corps d'armée, unité voir aussi **groupe, soldat**
– Troupe commandée par un colonel **régiment**
– Groupe de soldats séparé de la troupe pour effectuer une mission **détachement**
– Jadis, au Maghreb, troupe autochtone auxiliaire de l'armée française **goum**
– Autrefois, troupe de partisans marocains **djich**
– Troupe de l'armée romaine **légion**
– Troupe théâtrale **compagnie**
– Troupe de chiens **meute**
– Troupe de cervidés **harde, harpail**

TROUPEAU cheptel voir aussi **foule**
– Gardien de troupeau **pâtre, berger, bouvier, chevrier**
– En Camargue, troupeau de taureaux, de chevaux **manade**
– Migration annuelle des troupeaux vers les montagnes **transhumance**
– Tendance à suivre le troupeau **instinct grégaire**

TROUVER
– Trouver la solution d'une énigme **élucider, résoudre**
– Trouver un trésor **découvrir**
– Trouver une nouvelle méthode **inventer, imaginer, créer**
– Trouver l'origine d'une fuite de gaz **déceler, détecter**
– Trouver une action bonne ou mauvaise **considérer, estimer, juger**
– J'ai trouvé ! **eurêka !**

TRUCAGE
– Trucages cinématographiques **effets spéciaux**
– Au cinéma, trucage optique de la couleur **solarisation**
– Trucage optique de la perspective **surimpression, fondu**
– Trucage optique du mouvement **accéléré, ralenti**
– Trucage optique consistant à intégrer dans l'image des éléments inexistants dans la prise originale **incrustation**
– Appareil utilisé pour les trucages optiques **truca**
– Spécialiste des trucages optiques **truquiste**
– Trucage sonore **bruitage**

TUBE
– Tube en S **siphon**
– Tube en spirale **serpentin**
– Tube de verre utilisé au cours des expériences de laboratoire **pipette, éprouvette**
– Tube destiné à faciliter l'écoulement des liquides organiques **drain, sonde**
– Tube employé pour introduire un fluide dans l'organisme **canule**
– Tube avec lequel on lance des petits projectiles en soufflant **sarbacane, canonnière**
– Tube en fer utilisé par les verriers pour souffler le verre en fusion **fêle**
– Petit tube servant à régler le débit d'une canalisation **ajutage**
– Tube d'alimentation en vapeur, dans une chaudière **cuissard**

TUBERCULOSE bacillose
– Bacille de la tuberculose **de Koch**
– Forme généralisée de la tuberculose **granulie**
– Variété de tuberculose cutanée **lupus**
– Tuberculose osseuse des doigts **spina-ventosa**
– Médecin spécialiste de la tuberculose **phtisiologue**
– Test utilisé pour détecter la tuberculose **cuti-réaction**
– Crachement de sang caractéristique de la tuberculose pulmonaire **hémoptysie**
– Traitement de la tuberculose pulmonaire par insufflation d'air **pneumothorax**
– Vaccin contre la tuberculose **B.C.G. (vaccin bilié de Calmette et Guérin)**
– Médicament qui arrête la propagation des bacilles de la tuberculose **tuberculostatique**
– Maison de santé où l'on traite les malades de la tuberculose **sanatorium**

TUER
-cide

TUER assassiner
– Tuer en très grand nombre **massacrer, décimer**
– Tuer jusqu'au dernier **exterminer**
– Tuer un animal lors d'une cérémonie sacrificielle **immoler**
– Tuer à coups de pierres **lapider**
– Tuer un animal **abattre**
– Phobie de tuer **phonéophobie**
– Se tuer **se suicider, se supprimer, mettre fin à ses jours, se donner la mort**
– Se tuer avec une arme à feu **se brûler la cervelle**

TUILE voir aussi **toit**
– Type de tuile **canal, romaine, flamande, panne, sarrasine**
– Tuile du dessous, dans la couverture romaine **tegula**
– Tuile du dessus, dans la couverture romaine **imbrex**
– Tuile à emboîtement **mécanique**
– Tuile creuse pour l'évacuation des eaux de pluie **noue**
– Partie visible d'une tuile ou d'une ardoise **pureau**
– Morceau d'une tuile cassée **tuileau**
– Disposition des tuiles sur un toit **embronchement**
– Usine de tuiles **tuilerie**

TUMEUR
-cèle, -ome

TUMEUR néoplasme voir aussi **cancer**
– Tumeur cancéreuse **carcinome, sarcome**
– Tumeur d'une glande **adénome**
– Tumeur qui se développe aux dépens d'une structure nerveuse **gliome**
– Tumeur qui se développe sous la langue **grenouillette**
– Tumeur graisseuse **lipome**
– Tumeur arrondie, de nature inflammatoire **granulome**
– Tumeur bénigne de la peau **papillome**
– Petite tumeur bénigne sur la gencive **épulide**
– Tumeur bénigne constituée de tissus fibreux **fibrome, molluscum**

TUNIQUE
– Tunique que portaient les anciens Grecs **chiton**
– Tunique des sénateurs romains **laticlave**
– Tunique richement ornée des empereurs romains **dalmatique**
– Tunique en lin des anciens Égyptiens **calasiris**
– Tunique portée au Moyen Âge **rochet**
– Tunique bardée de métal ou de cuir portée comme armure au Moyen Âge **broigne**
– Tunique en soie portée sous la chasuble par un évêque, un cardinal **tunicelle**
– Tunique arabe **gandoura**
– Longue tunique africaine **boubou**

TUNNEL voir aussi **galerie**
– Engin utilisé dans le percement d'un tunnel **bouclier, taupe, tunnelier, perforatrice**
– Niche pratiquée dans un tunnel pour servir d'abri aux agents de maintenance **caponnière**

TURBINE voir dessin
TURBULENCE
– La turbulence des fêtes **agitation, effervescence, fièvre**
– Turbulence météorologique **bourrasque, tourbillon, trombe, tornade, cyclone**
TURBULENT
– Un enfant turbulent **remuant, vif, excité, intenable, chahuteur, dissipé**
– Une vie turbulente **tumultueuse**
TURC
– Empire turc jusqu'en 1918 **ottoman**
– Armes de l'Empire turc **croissant**
– Titre porté jadis par l'empereur turc **sultan, padichah**
– Palais du sultan turc **sérail**
– Officier à la cour du sultan dans l'ancien Empire turc **agha, icoglan**
– Soldats d'élite de l'ancienne armée turque constituant la garde du sultan **janissaires**
– Soldats de l'ancienne armée turque, réputés pour leur brutalité **bachi-bouzouks**
– Premier ministre dans l'ancien Empire turc **grand vizir**
– Titre des gouverneurs de province dans l'ancien Empire turc **pacha**
– Titre porté autrefois par certains hauts fonctionnaires turcs **bey, reis**
– Appellation honorifique turque **effendi**
– Bonnet turc **tarbouch**
– Sabre turc **yatagan, cimeterre**
– Pipe turque **chibouque**
– Bain turc **hammam**
– Liqueur anisée turque **raki**
TUTELLE administration
– Tutelle bienveillante **auspices, patronage**
– Tutelle indésirable et pesante **dépendance, assujettissement, sujétion**
– Sous la tutelle de la loi **égide, sauvegarde**
– Exercer une tutelle sur quelqu'un **tenir en lisières**
TUTEUR curateur
– Tuteur désigné par un juge ou un conseil de famille **datif**
– Orphelin mineur sous la responsabilité d'un tuteur **pupille**
– Personne chargée de surveiller la gestion du tuteur **subrogé tuteur**
– Tuteur servant de support à un arbuste **échalas**
– Tuteur d'une plante grimpante **rame**
TUYAU
– Tuyau pour l'écoulement d'un fluide **conduit, buse, descente**
– Tuyau principal dans lequel débouchent d'autres conduits **collecteur**
– Tuyau de gros calibre pour le transport du gaz, du pétrole **pipeline, gazoduc, oléoduc**
– Tuyau d'arrivée d'air, dans un orgue ou un haut-fourneau **porte-vent**
– Tuyau d'admission ou d'échappement des gaz, dans une machine **tuyère**
– Tuyau augmentant le tirage d'un poêle **diable**
– Tuyau court en terre cuite, utilisé en construction **boisseau**
– Tuyau souple en caoutchouc, en toile **boyau, manche**
– Petit tuyau en roseau **chalumeau**
TYPE voir aussi **espèce, genre**
– Type idéal **modèle, archétype, étalon, canon**
– Le type même de l'égoïste **personnification**
– Un brave type **gaillard, lascar**
– Ce pauvre type ne sait où dormir **bougre, hère**
– L'exemple type **classique**
TYPIQUE
– Un caractère, un trait typique **spécifique, distinctif**
– Typique d'une époque **caractéristique, représentatif, symptomatique**
TYPOGRAPHIE voir aussi **imprimerie**
– Typographie en couleur **typochromie, chromotypographie**
– Professionnel de la typographie **typographe, compositeur, imposeur, minerviste, prote**
– Erreur de typographie **bourdon, coquille, doublon, mastic**
TYRAN despote, dictateur, autocrate, potentat
– Tyran de second ordre **tyranneau**
TYRANNIQUE
– Un homme tyrannique **autoritaire, impérieux**
– Père de famille très autoritaire, voire tyrannique **pater familias**
– Un pouvoir tyrannique **absolu, totalitaire, oppresseur**
– Prendre des mesures tyranniques **arbitraires, coercitives**
TYRANNISER
– Tyranniser un peuple **opprimer, persécuter, asservir**
– Tyranniser sa famille, ses employés **harceler, terroriser**
TYROLIEN
– Vocaliser à la manière des montagnards tyroliens **jodler, iouler**
– Appel ou chant vocalisé tyrolien **jodel**

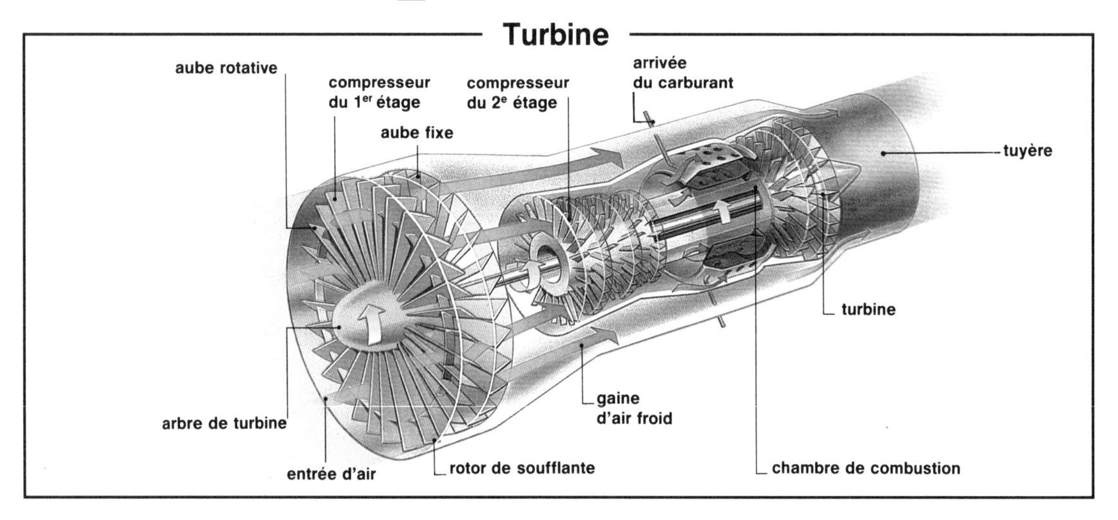

U

ULCÉRÉ
– Zone ulcérée de façon superficielle **exulcérée**
– Altération de la muqueuse de la peau légèrement ulcérée **aphte**
– Un individu ulcéré par les propos tenus à son égard **blessé, outragé, froissé, vexé**
– Un cœur ulcéré **meurtri, déchiré**
ULCÉRER
– Les microbes peuvent ulcérer des tissus de l'organisme **altérer**
– Extension d'une lésion qui ulcère la peau **phagédénisme**
ULTÉRIEUR voir aussi **postérieur**
– Le stade ultérieur de cette opération **suivant, futur**
– Renvoyer à une date ultérieure **ajourner**
ULTIMATUM
– Adresser un ultimatum à un individu ou à un État **sommation, mise en demeure**
– Voie opposée à un ultimatum dans les relations interpersonnelles **négociation, dialogue, diplomatie**
UN
mono-, uni-
UN
– Dieu est un **unique**
– Le chapitre un **premier**
– Pas un n'a manqué à l'appel **aucun, nul**
– Plus d'un enfant s'est endormi **plusieurs, quelques**
– Tous, ils ne font qu'un **fusion, union, communion**
UNANIMITÉ
– Unanimité d'opinion **accord, harmonie, communauté, conformité**
– Élection obtenue à l'unanimité des votants **totalité**
– Acceptation d'une décision à l'unanimité des parties **consensus, consentement**
UNIFORME (1)
– Uniforme de cérémonie **habit**
– Uniforme de carnaval **accoutrement, déguisement**
UNIFORME (2) homogène
– Ils avancent d'un pas uniforme **régulier, égal, réglé**
– Une existence uniforme **monotone**
– Un individu à l'humeur uniforme **constante**
– Ensemble d'éléments uniformes **identiques, pareils, similaires, stéréotypés, standard**
– Fonction mathématique uniforme **univoque**
UNION
– Union totale de plusieurs éléments formant un ensemble **fusion**
– Union d'objets concrets ou abstraits **assemblage, combinaison, liaison, jonction, réunion, cohérence**
– Union d'éléments hétérogènes **amalgame**
– Union entre deux ou trois personnes **camaraderie, accord, entente, intelligence, harmonie, amitié**
– Union entre tous les êtres humains **fraternité, solidarité, concorde, paix**
– Union de plusieurs individus pour une action commune **groupement, association, rassemblement, ligue, parti**
– Union d'États **fédération, confédération**
– Union entre des tendances politiques **alliance, coalition**
– Union spirituelle ou mystique **communion, intimité**
– Union libre **concubinage**
– Union conjugale devant la loi ou les instances religieuses **mariage, hymen, noces**
– L'union d'un prince et d'une femme de condition sociale inférieure **morganatique**
– Union charnelle **coït, accouplement, copulation**
UNIQUE
– Donner son unique pièce de dix francs **seule**
– Cas unique **isolé**
– Unique activité **exclusive**
– Croyance en un dieu unique **monothéisme**
– Deux cellules qui fusionnent en une cellule unique **fécondation**
– Magasin à prix unique **uniforme**
– Ce qu'il y a d'unique en tout être **singulier, irremplaçable**
– Manifester un talent unique **exceptionnel, incomparable, transcendant**
– Vivre dans des conditions uniques **extraordinaires, excellentes**
– C'est quelqu'un d'unique ! **bizarre, curieux, extravagant, inouï, merveilleux, épatant**
UNIR
– Unir deux morceaux d'une pièce cassée **joindre, réunir, abouter, assembler, recoller**
– Unir par paire **coupler, apparier**
– Unir son existence à celle d'une autre personne **se marier, enchaîner**
– Unir une province à un pays avec ou sans l'accord des intéressés **annexer**
– Unir deux pays **fédérer, allier, liguer**
– Un même idéal unit ces personnes **rapproche, rassemble, lie, attache**
– Unir plusieurs personnes dans un intérêt commun **associer, coaliser, solidariser**
– Unir deux théories différentes **articuler, relier**
– Unir des mots pour faire une phrase **agencer, organiser**
UNITÉ
– Unité d'un ensemble théorique **cohérence, homogénéité, cohésion**
– Unité profonde d'une œuvre **équilibre, structure, harmonie, régularité**
– Parfaite unité de vue entre plusieurs personnes **accord, unanimité**
– Philosophie qui considère l'ensemble des choses comme réductible à l'unité **monisme**
– Unité parfaite, principe de toute chose, pour les disciples de Pythagore **monade**
– Les trois unités de la règle tirée d'Aristote pour l'art dramatique **temps, lieu, action**
– Unité de Dieu dans la Trinité pour la foi chrétienne **consubstantialité**
– Unité de l'homme, corps et esprit **individualité**
– Unité de mesure arithmétique **nombre**
– Unité de mesure qui sert de référence **étalon**

– Système d'unités mathématiques et physiques **M.T.S. (mètre tonne seconde), C.G.S. (centimètre gramme seconde), S.I. (système international d'unités), métrique**
– Unité administrative dans la nation française **région, département, canton, commune**
– Petite unité militaire déterminée par un armement et des fonctions **groupe, section, compagnie, bataillon, régiment**
– Grande unité regroupant plusieurs types de personnels et de matériels **brigade, division, corps d'armée, armée**

UNIVALENT
– Fonction univalente d'une variable complexe **monovalente**

UNIVERS galaxie
– Univers des choses et des êtres **monde, macrocosme, nature**
– L'immensité de l'Univers **espace, ciel, atmosphère**
– Univers extraterrestre **cosmos**
– Étude des lois physiques de l'Univers **cosmologie**
– Navigateur de l'Univers **cosmonaute**
– Univers mathématique **système, ensemble**
– Il reste toujours dans son univers **domaine, sphère**

UNIVERSEL
– Vérité universelle **absolue, mondiale, essentielle**
– Esprit universel **complet, omniscient**
– Condamnation universelle **générale, unanime**
– Gravitation universelle **astrale, cosmique**
– Église universelle **œcuménique**

UNIVERSITÉ
– Salle de cours d'une université dans laquelle les étudiants prennent place sur des gradins **amphithéâtre**
– Diplôme national de l'université **D.E.U.G. (diplôme d'enseignement universitaire général), licence, maîtrise, D.E.A. (diplôme d'études approfondies), doctorat**
– Ils travaillent à l'université, dans des domaines différents **étudiant, président, doyen, professeur, maître de conférences**
– Unité d'enseignement d'une université **droit, sciences, lettres et sciences humaines, médecine, pharmacie, I.U.T. (institut universitaire de technologie)**
– Noms donnés aux facultés des universités après 1968 **U.E.R. (unité d'études et de recherches), U.F.R. (unité de formation et de recherche), C.H.U. (centre hospitalier universitaire)**
– Université d'été **séminaire, recyclage, cours pour adultes, session politique**
– Vie de l'étudiant à l'université **campus, résidence, restaurant, bibliothèque, bourse, C.R.O.U.S. (centre régional des œuvres universitaires et scolaires)**
– Cours et évaluation des étudiants à l'université **cours magistral, travaux dirigés, unité de valeur, contrôle continu, partiels, examen**
– Il est chargé de l'organisation des universités **C.N.E.S.E.R. (Conseil national de l'enseignement supérieur et de la recherche)**

URANIUM urane, radium
– Matière qui contient de l'uranium **uranifère**
– Minerai où l'on trouve de l'uranium **pechblende**
– Propriété naturelle de l'uranium **radioactivité**
– Dérivé de l'uranium **plutonium**
– Sels stables formés par l'uranium **d'uranyle**
– De la famille chimique de l'uranium **plutonium**

URBANISATION
– Urbanisation très dense **agglomération, concentration, mégalopole**

URBANISME
– Domaine qui relève de l'urbanisme **habitat, hygiène, circulation, confort, loisirs, esthétique**
– But que se propose l'urbanisme **aménager, embellir, animer**

URBANITÉ
– Faire preuve d'urbanité **affabilité, politesse, bonnes manières**

URGENCE
– À faire d'urgence **sans délai, en toute hâte, immédiatement**

URGENT
– Travail urgent **pressé**
– Décision très urgente **pressante**
– Secours urgents **premiers**

URINE
– Évacuation de l'urine **miction**
– Substance qui favorise l'évacuation de l'urine **diurétique**
– Excrétion très abondante d'urine **polyurie**
– Incontinence d'urine **énurésie**
– Faiblesse de la sécrétion urinaire **anurie**
– Rétention d'urine **ischurie**
– Difficulté d'évacuation de l'urine **dysurie**
– Besoin fréquent d'évacuer de l'urine en très petite quantité **pollakiurie**
– Sables dans les urines **gravier, gravelle, calcul, lithiase**
– Présence anormale de glucose dans les urines **glycosurie, diabète**
– Urine des animaux **pissat**

URNE
– Urne funéraire **cinéraire**
– Urne décorative **vase**
– Urne antique servant à puiser ou à conserver **amphore**
– Aller aux urnes **voter**

URTICAIRE
– Sorte de crise d'urticaire qui accompagne les maladies infectieuses **exanthème**
– Symptômes d'urticaire sur la peau **plaques ortiées**
– Éruption analogue à une urticaire **urtication**
– Plante provoquant des symptômes comme ceux de l'urticaire **ortie, ramie, artocarpe, pariétaire**

USAGE
– Les usages d'un pays **us, pratiques, mœurs, manières**
– Les usages anciens **traditions, habitudes, coutumes**
– Connaître les usages **convenances, bienséances**
– Convenable selon l'usage général **classique, normal**
– Contraire à l'usage de tous **inconvenant, incorrect, désobligeant**
– Complètement hors d'usage **inutilisable, hors service**
– Expression ou terme qui n'est plus en usage **désuet, obsolète, archaïque, suranné**
– Usage d'un appareil **utilisation, emploi**
– Réglementer l'usage de l'alcool **consommation**
– Usage excessif du tabac **abus**

USAGER
– Les usagers du métro **utilisateurs**
– Les usagers de la langue **locuteurs**
– Les usagers des magasins à grande surface **acheteurs, consommateurs**
– L'usager selon le Code civil **citoyen**

USÉ
– Chaussures usées **éculées**
– Eaux usées **souillées, sales**
– Théories par trop usées **démodées, vieillies**
– Expressions du langage usées à force d'être répétées **rebattues, banales, communes, stéréotypées**
– Sensibilité usée par les émotions **blasée, lassée, anesthésiée, éteinte**

USER
– User un couteau pointu **émousser, épointer**
– User ses vêtements **déformer, abîmer, endommager, élimer**
– User par frottement **éroder, polir, roder**
– User jusqu'au dernier stade **râper, limer**
– User une pièce de monnaie **frayer**
– User un câble, dans le domaine maritime **raguer**
– User sa vue **fatiguer, gâter**
– User ses forces **épuiser, anéantir, miner, consumer**
– User d'un véhicule **se servir de, utiliser, employer, disposer de**
– User de ses biens **jouir de**
– Mot de la langue dont tout le monde use **usité**
– Il use habilement de la langue **manie**
– En user librement avec quelqu'un **se comporter avec, traiter**

USINE voir aussi **fabrique, industrie**
– Lieu de l'usine sur lequel se trouve l'ouvrier **atelier, chaîne, poste**
– Opération de fabrication en usine **élaboration, planification, production, automatisation, rendement, contrôle**
– Étude d'un projet dans l'usine **ingénierie, engineering**
– Usine textile **filature, lainerie, tissage**
– Usine métallurgique **fonderie, aciérie, forge, haut-fourneau**
– Usine de produits alimentaires **conserverie, saurisserie, malterie, rizerie, biscuiterie, chocolaterie**
– Usine de boissons alcoolisées **distillerie, brasserie**
– Usine chimique **savonnerie, soudière, indigoterie**
– Usine où une grande partie du travail se fait à la main **manufacture**
– Usine génératrice d'énergie **centrale électrique, centrale hydroélectrique, centrale thermique, centrale nucléaire**

USTENSILE voir aussi **appareil, instrument**
– Gros ustensile de cuisine **chaudron, poissonnière, fait-tout, calebasse, poêlon, réchaud**
– Petit ustensile de cuisine **lèchefrite, égrugeoir, hâtelet, râpe, entonnoir, pocheuse**
– Nom des ustensiles en cuivre jaune ou laiton **dinanderie**
– Boutique où se vendent divers ustensiles **quincaillerie, bazar**

USUEL
– Tâche usuelle d'entretien d'un local **habituelle, ordinaire, commune, quotidienne**
– Essaie d'éviter les mots trop usuels **courants, fréquents**
– Un objet usuel **familier**

USURE
– Effet de l'usure du temps sur les êtres ou les objets **dégradation, amoindrissement, fatigue, érosion, corrosion**
– Un objet soumis à l'usure par de fréquentes utilisations **usagé**
– Un tissu très abîmé par l'usure du temps **clair**
– Avoir « à l'usure » **l'emporter, gagner**

UTILE
– Une œuvre utile à tous **profitable, fructueuse, salutaire**
– Emporter quelques objets utiles **nécessaires, indispensables**
– C'est une information bien utile **pratique**
– Se rendre utile **efficace, précieux**
– En temps utile **opportun, propice, convenable**

UTILISER
– Utiliser quelqu'un **tirer parti de, tirer profit de, exploiter**
– Utiliser les compétences d'un spécialiste **employer, recourir à**
– Une denrée à utiliser au plus vite **consommer**
– Utiliser un couteau spécial très pratique pour ouvrir les huîtres **se servir de, user de**
– Utiliser les transports publics **pratiquer, prendre, emprunter**

UTILITAIRE (1)
– Comportement fondé sur la recherche de l'utilitaire **utilitarisme**

UTILITAIRE (2)
– Un esprit utilitaire **positif, pragmatique, pratique**
– N'agir qu'à des fins utilitaires **intéressées**

UTILITÉ
– Matériel de grande utilité **secours, mérite**
– Pour son utilité personnelle **bien, convenance, confort**
– Cet objet trouvera sans aucun doute son utilité **fonction, emploi**
– Ressentir l'utilité du repos **besoin, nécessité**
– Mesure d'utilité publique **intérêt**

V

VACANCE voir aussi **congé**
– Vacances dues aux salariés depuis la loi de 1936 **congés payés**
– Petites vacances scolaires **Toussaint, Noël, février, printemps**
– Personnes qui affluent dans un lieu pour y passer des vacances **juillettistes, aoûtiens, estivants**
– Industrie des vacances **tourisme**
– Vacances organisées pour les jeunes enfants avec des moniteurs **colonie**
– Vacance de la magistrature **suspension, interruption**
– Vacance de l'esprit **disponibilité**
VACCIN
– Administration d'un vaccin **inoculation, injection**
– Administer un vaccin par la bouche **voie buccale**
– Défense de l'organisme assurée par un vaccin préventif **immunité**
– Vaccin préparé à partir des germes de la personne à soigner **autovaccin**
– Ses ennuis de santé sont comme un vaccin contre tous les excès **frein, dissuasion, protection**
– Administration de vaccins contre les maladies infectieuses **prophylaxie**
VACCINER
– Vacciner un enfant contre une maladie **préserver, prémunir, prévenir**
– Sert à vacciner par injection ou scarification **aiguille, vaccinostyle**
VACHE
– Mène les vaches au pacage **vacher**
– Jeune vache **génisse, taure**
– Plante parasite des céréales appelée blé de vache **mélampyre**
– Symbolisée par les vaches grasses **abondance**
– Symbolisée par les vaches maigres **disette**
– Une course de vaches landaises **vachettes**
– Déesse secourable à tête de vache, en Égypte ancienne **Hathor**
– Prêtresse d'Héra changée en jeune vache par Zeus, qui l'aimait **Io**
– Cuir de vache **croupon**
– Vache marine de l'océan Indien **dugong**
VACILLER balancer
– Vaciller sous une poussée ou un choc **chanceler, chavirer, trembler**
– Démarche qui vacille **titubante, hésitante**
– Vaciller sur ses genoux **fléchir**
– Lumière qui vacille **clignote, tremblote**
– Esprit qui vacille **faible, changeant**
– Foi qui vacille **incertitude, doute**
VAGABOND (1)
– Il vit en vagabond, parcourant le monde **voyageur, aventurier**
– Vagabond misérable **gueux, galvaudeux, mendiant**
– Vagabond des villes **rôdeur, clochard**
– Vagabond des chemins **chemineau, coureur de routes**
– Vagabond qui vit de rapine et d'agressions **malandrin, bandit**
VAGABOND (2)
– Peuple vagabond **nomade, errant**
– Humeur vagabonde **capricieuse, changeante, mobile**
– Imagination vagabonde **flottante, désordonnée**
VAGUE (1)
– Vague à la surface de la mer, d'un fleuve ou d'un lac **houle, flot, onde, lame**
– Petites vagues **clapotements, remous, vaguelettes**
– Vagues fortes qui tourbillonnent près du rivage **rouleaux, ressac, barre**
– Vague stationnaire des lacs **seiche**
– Vague produite dans un estuaire par la marée montante **mascaret**
– Murmure des vagues **clapotis**
– Sommet de la vague **crête**
– Sentiment de vague à l'âme **mélancolie**
– Vague de parfum **nappe, nuage**
– Vague de chaleur **afflux, période**
– Faire des vagues **mouvements, rebondissements**
VAGUE (2)
– Sens vague **flou, imprécis, incertain, indéterminé, confus, équivoque**
– Un raisonnement vague **approximatif, nébuleux, douteux, obscur**
– Une expression vague **imparfaite, générale, abstraite**
– Une crainte vague **sourde**
– Un vague pressentiment **indéfini**
– Un air vague **distrait**
– Un vague reflet **indistinct, imperceptible**
– Un vêtement vague **large, lâche**
VAILLANCE
– Acte de vaillance **prouesse, exploit**
– Vaillance devant les difficultés **courage, résistance, moral**
VAIN
– Vains efforts **infructueux, inutiles, inefficaces**
– Propos vains **oiseux**
– Vains regrets **superflus, stériles**
– Esprit vain **léger, sot**
– Espoir vain **faux, chimérique, illusoire, impossible, irréalisable**
– C'est un vain personnage **vaniteux, important**
– Ce n'est pas un vain mot **creux, futile, insignifiant, frivole**
– En vain **sans succès, en pure perte**
VAINCRE
– Vaincre un ennemi **écraser, anéantir, accabler, abattre, culbuter**
– Vaincre un concurrent **éclipser, supplanter**
– Vaincre ses appréhensions **maîtriser, dompter, étouffer, endormir**
– Vaincre des obstacles **renverser, franchir, forcer**
– Aimer vaincre **gagner, triompher, l'emporter**
– Être vaincu par l'ennemi **reculer, capituler, se rendre**
– Être vaincu par la fatigue **succomber à**
VAINCU voir aussi **capituler, perdre, vainqueur**
– Attitude de vaincu **défaitisme**
VAINQUEUR champion
– Comportement de vainqueur **battant, gagnant, conquérant**
– Le vainqueur de l'épreuve **triomphateur**

– Vainqueur d'un concours **lauréat, premier**
– Être le vainqueur d'un combat **victorieux**
VAISSEAU
vaso-
VAISSEAU voir aussi **bateau, canal**
– Lieu où l'on construit des vaisseaux **arsenal**
– Personnel d'un vaisseau **équipage**
– Ligne de canons sur chaque bord d'un vaisseau de guerre **bordée**
– Donner un vaisseau en location **fréter**
– Vaisseau interplanétaire **astronef**
– Personne qui se déplace dans un vaisseau spatial **astronaute, cosmonaute, spationaute**
– Le vaisseau d'une église **nef**
– Vaisseaux de circulation des liquides organiques du corps **sanguins, chylifères, lymphatiques, galactophores**
– Vaisseaux sanguins **capillaires, veines, artères**
– Oblitération des vaisseaux sanguins **embolie**
– Inflammation des vaisseaux sanguins **congestion**
– Quand le sang s'écoule hors d'un vaisseau **hémorragie**
– Communication entre deux vaisseaux de même nature **anastomose**
– Nerfs qui commandent la dilatation et la constriction des vaisseaux **vasomoteurs**
– Tache sur la peau produite par la rupture de vaisseaux sous-cutanés **ecchymose, bleu**
– Partie de l'anatomie qui étudie les vaisseaux **angiologie**
– Plantes à vaisseaux **vasculaires**
– Plantes dont les cellules ne se transforment pas en vaisseaux **cellulaires**
VAISSELLE
– Pièce de vaisselle **légumier, saucière, burette, rince-doigts, tasse, soucoupe**
– Vaisselle d'or et d'argent **grosserie**
– Vaisselle de cuivre jaune (ou laiton) **dinanderie**
– Matière dans laquelle on fabrique la vaisselle aujourd'hui **plastique, verre, faïence, porcelaine**
– Partie de l'évier où se lave la vaisselle **bac**
– Laveur de vaisselle **plongeur**
– Débris de vaisselle cassée **tessons**
VALABLE
– Interlocuteur valable **sérieux, intéressant, compétent, spécialiste**
– Contrat valable **valide, réglementaire**
– Argument valable **acceptable, recevable, admissible**
– Monnaie valable **qui a cours**
VALEUR
– Valeur technique d'un individu **capacité, compétence**
– Valeur mobilière **action nominative, action au porteur, action de jouissance, part bénéficiaire, fonds commun de placement, obligation**
– Valeur personnelle **mérite, distinction, envergure**
– Sans valeur **médiocre, nul**
– Cette personne a de la valeur **stature, étoffe, carrure, trempe, classe, calibre**
– Valeur d'un objet **prix, coût**
– Déterminer la valeur de quelque chose **évaluer, apprécier, estimer**
– Objet de peu de valeur **pacotille, bagatelle, babiole, camelote**
– Maintenir la valeur de la monnaie pour l'acheteur **pouvoir d'achat**
– Augmentation de la valeur d'une marchandise **plus-value**
– Diminution de la valeur d'une monnaie sur le marché international **dévaluation**
– Mettre en valeur **rehausser, faire ressortir**
– Œuvre qui a de la valeur **portée, importance**
– La valeur d'un exercice difficile **intérêt**
– Changement de valeur dans la société **mode, relativité**
– Valeur d'un mot dans une phrase **signification**
– Valeur d'une unité dans la langue **relation, synonyme, antonyme**
VALEUREUX
– Individu valeureux **courageux**
– Soldat valeureux **brave, vaillant**
VALIDE
– Une personne valide **saine, bien portante**
– C'est un gaillard tout à fait valide et prompt à se mettre au travail **fort, robuste, vigoureux**
– Vieillard valide **ingambe**
– Valide et bon pour le service **conscrit**
– Certificat valide **valable**
– Acte civil valide **réglementaire, formel**
VALIDER
– Valider une année d'études par un diplôme **sanctionner, consacrer**
– Valider un traité **ratifier, confirmer, entériner**
– Valider un record **homologuer**
– Caractère d'un acte de justice qui a été validé en bonne et due forme **validité**
VALISE
– Le voyageur a posé ses valises **bagages**
– Petite valise **mallette**
– Grande valise **malle, coffre**
– Valise rudimentaire de métal ou de bois **cantine**
– Privilège de la valise diplomatique **franchise douanière**
– Faire sa valise **partir**
– Petite valise pour produits de toilette et de maquillage féminins **vanity-case, trousse**
– Prendre quelqu'un pour un porteur de valise **subordonné, esclave, valet, larbin**
VALLÉE
– Petite vallée entre deux collines **vallon, val**
– Versant d'une vallée exposé au soleil **adret**
– Versant d'une vallée exposé au nord **ubac**
– Partie la plus basse d'une vallée **talweg**
– Vallée étroite et encaissée **cluse**
– Vallée large et profonde **combe**
– Petite vallée au-dessus de la mer **valleuse**
– Petite vallée encaissée à versants très raides **ravin**
– Large vallée autrefois arrosée par de grands fleuves **bassin**
– Vallée étroite creusée en V, resserrée entre deux montagnes **gorge, défilé, goulet, porte, col, canyon**
– Vallée que la disparition d'un cours d'eau a asséchée **morte**
– Vallée fertile d'un fleuve **alluviale**
– Vallée arrondie et harmonieuse **en berceau**
– Dans des cantiques chrétiens, la terre est une vallée, antichambre du Ciel **vallée de larmes**
VALOIR
– Cela vaut une fortune **coûte, est estimé à, se vend**
– Cela ne vaut décidément plus rien **est inutilisable**
– Ceci vaut cela **équivaut à, égale**
– Cela vaut le détour **mérite**
– Se faire valoir **briller, mousser**
– Cette couleur fait valoir son teint **exalte, relève, souligne**
– Faire valoir une propriété **exploiter, faire fructifier**
– Cela vaut cher **son pesant d'or**
– À valoir sur une somme **acompte**
– Faire valoir sa culture **faire ressortir, étaler**

VANITÉ
– Attitude remplie de vanité **fatuité, suffisance, prétention, jactance, complaisance, ostentation**
– Vanité des choses de la vie **futilité, insignifiance, frivolité, caducité, inanité, néant**
– Impression de vanité et d'illusion **erreur, mensonge, chimère, fumée**
– Vanité d'une réception très coûteuse **tape-à-l'œil, pompe**
– Il affiche toujours un air de vanité **se pavane, se rengorge**
– Tirer vanité d'un succès **se vanter de, se glorifier de, s'enorgueillir de**
– Acquérir une vanité du XVIIe siècle représentant la Mort **tableau**
VANNERIE
– Objet en grosse vannerie **clisse, vans, emballage, nasse, hotte, casier**
– Petit objet en vannerie fine **panier, corbeille**
– Vannerie artistique **de fantaisie**
– Ouvrier qui fabrique de la vannerie **vannier, rotinier**
– Paille ou bois utilisé dans l'industrie de la vannerie **rotin, osier, bambou, roseau, raphia, sorgho**
– Étape du travail du bois de vannerie **écorçage, fendage, façonnage**
– Procédé employé en vannerie **tressage, cannage, nattage**
VAPEUR
– Vapeur légère qui monte de la terre, le matin **brume, brouillard**
– Vapeur sur les vitres **buée**
– Vapeur d'eau dans l'atmosphère **humidité**
– Machine fonctionnant autrefois à la vapeur **batteuse, cisaille, locomotive, bateau, manège**
– Bain de vapeur **étuve, hammam**
– Ustensile pour cuisson à la vapeur **autoclave, autocuiseur**
– Vapeur émanant d'un liquide ou d'un solide **émanation, fumée, gaz**
– Vapeurs aromatiques et désinfectantes à respirer **fumigations**
– Avoir des vapeurs **malaises, vertiges, étourdissements**
– Renverser la vapeur **arrêter, faire machine arrière**
– À toute vapeur **vitesse**
VARIABLE (1)
– Correspondance entre deux variables en mathématiques **fonction**
VARIABLE (2)
– Le temps est variable **changeant, instable, incertain**
– Un jugement variable **flottant, capricieux**
– Une valeur variable **altérable, périssable**
– Catégorie grammaticale variable en genre et en nombre **nom, article, adjectif, pronom, participe passé**
– Variable par rapport à la personne, au temps, au mode, à la voix, à la forme **verbe**
– Un pouls variable **irrégulier, discontinu**
– La forme variable d'un nuage dans le ciel **fugitive, éphémère**
– Le revenu variable d'un travail **casuel, éventuel, occasionnel, fortuit**
VARIATION
– Variation dans le temps **évolution, changement**
– Variation des prix **mouvement**
– Variation entre deux états successifs d'un processus **modification, écart**
– Variation brusque, modification **mutation**
– Variation d'humeur **saute, fluctuation, caprice**
– Variation périodique d'une onde vibratoire **oscillation**
– Variation d'intensité d'une onde qui se propage **amplitude**
– Variations du cours d'un fleuve **méandres, courbes**
– Variation à partir d'un itinéraire direct **déviation**
– Variations alternées **alternance**
– Variations musicales **digressions, improvisations**
VARICELLE
– Autre nom donné à la varicelle **petite vérole, vérole volante, variolette**
– Forme virale grave de la varicelle **variole, vérole**
– Boutons rouges qui apparaissent sur la peau au cours d'une varicelle **papules**
– Croûtes qui apparaissent au cours d'une varicelle **croûtelles**
VARIÉ
– Un ensemble formé d'éléments variés **hétéroclite, diversifié, mélangé, panaché, composite**
– Une composition aux couleurs variées **bigarrées, mêlées**
– Une œuvre faite d'éléments variés **mosaïque**
– Un raisonnement fondé sur des arguments variés **divers, multiples**
– Une étoffe aux reflets variés **diaprée, chatoyante**
VARIÉTÉ
– La variété de la flore de cette région **diversité**
– Grande variété d'objets qui ont un trait commun **collection, ensemble**
– Variété d'une espèce animale **type**
– Croisement entre des races, des variétés différentes **hybridation**
– Nombreuses variétés des comportements humains **formes, variantes**
– Variétés d'œuvres littéraires **mélanges, miscellanées**
– Genre théâtral mêlé de variétés **vaudeville**
– Spectacle de variétés **music-hall**
VASE **cuvette, récipient, bassin** voir aussi **boue**
– Vase pour les liquides **vaisseau**
– Vase de ménage destiné à contenir des liquides alimentaires **cruche, pichet, buire, carafe, broc, pot**
– Vase en terre cuite ancien ou contemporain **alcarazas, poterie, gargoulette, figuline, jarre**
– Vase à bec et anse pour l'eau destinée à la boisson ou aux ablutions **aiguière**
– Vase à parfum antique, à l'origine fabriqué en alabastrite **alabastre, aryballe**
– Vase grec ancien **amphore, cratère, lécythe, canthare, coupe**
– Vase funéraire égyptien **canope**
– Vase sacré dans le culte catholique **calice, burette, ciboire, custode**
– Vase pour bouquet **bouquetier, porte-bouquet**
– Vase pour une seule fleur **soliflore**
– Vase hygiénique **pot de chambre, bourdalou, goguenot, urinal**
– Vase utilisé par les chimistes **capsule, ballon, éprouvette, matras, vase de Mariotte, récipient florentin**
– Vase ovale pour bains d'œil **œillère**
– Partie d'un vase **panse, pied, oreilles, galbe, goulot, gorge**
– Enduit servant à boucher hermétiquement un vase **lut**
– Vase isotherme appelé vase Dewar **Thermos**
– Vivre en vase clos **isolé, claustré, emprisonné, emmuré, cloîtré**
– Vase du fond des rivières, des étangs, des mers **bourbe, fange, limon, alluvions**
– Ver de vase utilisé par les pêcheurs **appât**
– Échouer dans la vase **s'embourber, s'envaser**
– Tirer quelqu'un de la vase **désembourber, désenvaser**
– Enlever la vase d'un étang **débourber, draguer, curer**
VASSAL
– Vassal lié à un seigneur dans la société féodale **valet, sujet**
– Cérémonie par laquelle le vassal

est lié à son seigneur **hommage**
– Serment de fidélité du vassal à son seigneur **allégeance**
– Faire de quelqu'un son vassal **assujettir**
– Réunion des vassaux **ban**
– Vassal privilégié, pair de France **feudataire**
– Vassal d'un arrière-fief **vavasseur**

VAUTOUR voir aussi **rapace**
– Vautour, nom générique de certains oiseaux de proie **condor, gypaète, griffon, percnoptère, urubu**

VEAU voir aussi dessin
– Faire son veau, pour la vache **vêler**
– Veau qui a commencé à brouter **broutier**
– Cuir, utilisé en maroquinerie et en reliure, fait à partir de la peau tannée du veau **box-calf, vélin**
– Tuer le veau gras **repas, festin, bombance, ripaille**
– Faire le veau **s'avachir**
– Le veau d'or adoré par les Hébreux dans la Bible **idole**
– Veau marin **phoque**

Découpe du veau

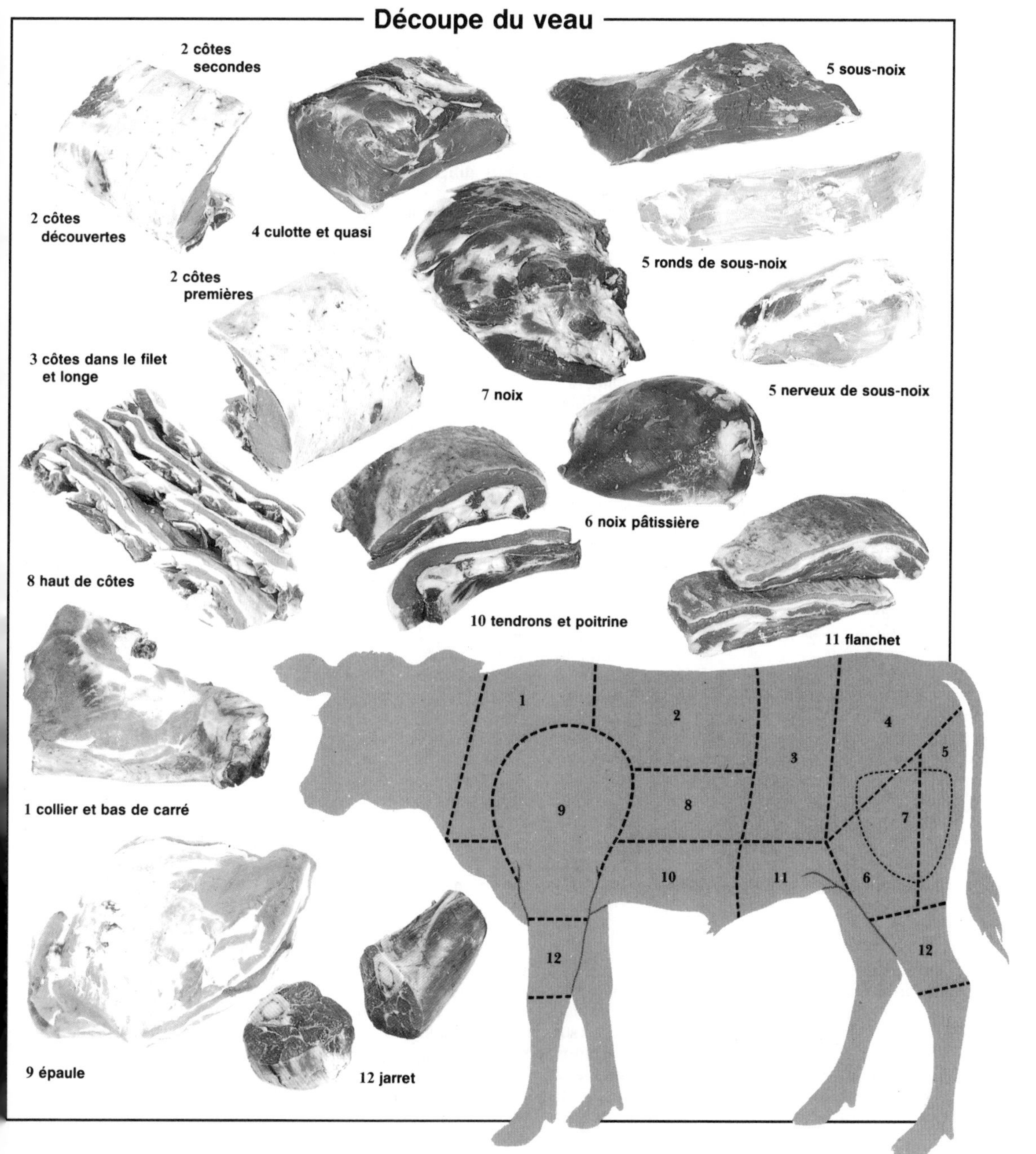

VEDETTE
– Vedette d'un spectacle **artiste, comédien, star, étoile**
– Est indissociable de la vedette **renommée**
– Autrefois, la vedette montait la garde **sentinelle**
– Mettre en vedette **vue, évidence**
– Avoir la vedette **être au premier plan, être en haut de l'affiche**
– Petite vedette rapide de la douane **canot**

VÉGÉTATION
– Une plante en pleine végétation **pousse**
– Une région à la végétation luxuriante **flore**
– Végétation arctique, formée de mousses et de lichens **toundra**
– Vaste plaine à végétation pauvre **steppe**
– Végétation de broussailles et de buissons plus ou moins denses **maquis, garrigue**
– Végétation forestière avec arbustes et lianes **brousse**
– Végétation forestière tropicale inextricable **jungle**
– Végétation tropicale composée de graminées et de petits arbustes **savane**
– Végétation marine **planctonique, benthique**
– Végétation désertique **xérophile**
– Végétation de plantes grasses dans les régions du bord de mer **halophile**
– Végétation qui aime l'humidité **hygrophile**
– Végétation des montagnes **orophyte**
– Action de l'homme sur la végétation naturelle **culture, déboisement, reboisement**

VÉHÉMENCE
– Véhémence de l'expression **force, fougue, vigueur, vivacité, éloquence, emportement**
– Déclarer quelque chose avec une véhémence indignée **fulminer**
– Véhémence des sentiments **passion, intensité, impériosité, ardeur, feu, violence**

VÉHICULE voir aussi **voiture**
– Véhicule servant au transport de personnes ou de marchandises **automobile, camion, poids-lourd**
– Grand véhicule de transport en commun urbain **autobus, bus**
– Véhicule de transport collectif sur rails **train, métropolitain, tramway**
– Véhicule de transport routier et touristique **car, autocar**
– Véhicule de transport aérien collectif ou individuel **avion, planeur, hélicoptère**
– Véhicule à deux roues sans moteur **bicyclette, vélo, tandem**
– Véhicule individuel à trois roues **triporteur**
– Petit véhicule servant à porter des fardeaux **diable**
– Véhicule à deux roues motorisé **cyclomoteur, scooter, vélomoteur, motocyclette**
– Véhicule tiré par des chevaux servant jadis pour le transport urbain **calèche, fiacre, cabriolet, cab, berline, coche**
– Véhicule collectif qui servait autrefois au transport **diligence, malle-poste**
– Véhicule tiré par des animaux utilisé dans les campagnes **charrette, chariot, carriole, fardier**
– Véhicule aménagé en maison **caravane, camping-car, roulotte**
– Véhicule servant au transport de chevaux **van**
– Véhicule militaire **char, tank, fourgon**
– Véhicule utilisé dans les travaux de terrassement **bulldozer**
– Véhicule tout terrain **jeep, 4 × 4**
– Véhicule maritime à coussin d'air **aéroglisseur, hovercraft, hydroglisseur, Naviplane**

VEILLE
– Être en état de veille **éveil**
– Nuit passée en état de veille **nuit blanche**
– État de veille involontaire fort désagréable **insomnie**
– État intermédiaire entre veille et sommeil **hypnagogique**
– Veille d'une fête chrétienne importante **vigile**
– Le jour qui précède la veille **avant-veille**
– Être à la veille de prendre une décision **sur le point de**

VEILLER
– Individu qui veille pour s'amuser **noctambule**
– Veiller sur un enfant **protéger, surveiller, prendre soin de**
– Veiller un malade **s'occuper de, soigner, garder**
– Veiller à tout **faire attention à, être vigilant**
– Veiller à prendre sa part d'une tâche **songer à, s'appliquer à**
– Temps où l'on veille un mort **veillée**
– La sentinelle veille **guette, monte la garde**

VEINE
– L'inflammation d'une veine **phlébite**
– Piqûre faite dans une veine **intraveineuse**
– Nombreuses veines reliées par anastomose **plexus**
– Se saigner aux quatre veines **se sacrifier, peiner**
– Celui qui n'a pas de sang dans les veines **lâche, pleutre, poltron**
– Exploiter une veine dans une mine **gisement**
– Veine très mince d'un minéral dans une roche **délit**
– Extrémité d'une veine, dans une mine **airure**
– Veine de prolongement d'une mine de houille **sillage**
– Veine plus colorée et sinueuse dans le bois **veinure**
– Un texte d'une veine poétique **inspiration**
– Avoir de la veine **chance**

VELOURS voir aussi **étoffe, tissu**
– Tissu proche du velours par la trame **panne, peluche**
– Velours par chaîne, à boucles non coupées pendant le tissage **bouclé, frisé, épinglé**
– Velours uni **plain**
– Velours façonné de plusieurs manières **ciselé, gaufré, cannelé**
– Velours râpé **rêche**
– Velours de coton côtelé **à côtes**
– Velours de coton uni façon soie **velvet**
– Masque de carnaval en velours **loup**
– Peau de velours **douce**
– Jouer sur le velours **facilement, sans risques**
– Attitude de l'individu qui fait patte de velours **hypocrisie, dissimulation**
– Potage onctueux comme du velours **velouté**
– Velours dans la prononciation des liaisons **faute**

VENDANGE
– Matériel de vendange **ciseaux, panier, seau, benne**
– Récipient pour transporter le raisin pendant la vendange **hotte, comporte, bouille**
– Lieu pour entreposer le raisin de vendange ou le vin **cellier**
– Cueillir les petites grappes de raisin après la vendange **grappiller**
– Presser le raisin de la vendange **fouler, damer**
– Pièce ou appareil destiné à fouler le raisin de la vendange **pressoir**

VENDRE **négocier, livrer, fournir**
– Acheter avec l'intention de vendre avec plus-value **spéculer**
– Vendre des marchandises trop cher **survendre**
– Vendre à bas prix, à bon compte **sacrifier**
– Vendre ou acheter en discutant le prix **marchander**
– Vendre ce dont on ne veut plus **colloquer, se débarrasser de**
– Liberté de vendre et d'acheter **libre concurrence**
– Vendre un objet que l'on vient d'acheter **rétrocéder, revendre**
– Vendre des objets d'occasion **brocanter, cameloter**
– Vendre au rabais ou en solde **brader, liquider, solder**
– Vendre par autorisation judiciaire **liciter**
– Pratique consistant à vendre moins cher à l'étranger que dans le pays **dumping**
– Commerçant qui vend en gros **grossiste**
– Commerçant qui vend au détail **détaillant**

VENGEANCE
– Exiger vengeance d'un outrage **châtiment, punition**
– Loi biblique réglementant la vengeance **loi du talion**
– Vengeance par laquelle l'offensé se dédommage **revanche, représailles, réparation**
– Désir de vengeance **rancune, ressentiment**
– Vengeance corse **vendetta**
– Dénonciation par vengeance **délation**
– Le coupable doit redouter la vengeance divine ! **vindicte**

VENGER
– Venger son honneur dans le sang **laver**
– Un individu toujours prêt à se venger **vindicatif**

VENIMEUX
– Propos venimeux **acerbes, aigres, virulents, mordants, piquants, acrimonieux**

VENIN
– Venin mortel d'origine animale, végétale ou minérale **poison**
– Répandre son venin **fiel, bile, calomnies, haine**
– Déverser du venin sur une querelle **envenimer, attiser, aggraver, empoisonner**

VENIR
– Il faut le faire venir rapidement **demander, appeler, convoquer**
– Faire venir une marchandise **commander**
– Venir à l'esprit **se présenter**
– Venir à bout d'une difficulté **surmonter, résoudre, triompher de**
– Venir à la question posée **aborder**
– Venir au monde **naître**
– Génération à venir **future**
– En venir aux derniers arguments **arriver à, passer à**
– En venir à haïr le genre humain **finir par, être réduit à**
– Il vient de Suède **est originaire de**
– Il vient d'une famille aisée **est issu de, descend de, sort de**
– L'égalité vient d'un ordre social juste **découle, émane, procède**
– Cette plante vient même sur un sol ingrat **pousse**

VENT voir aussi tableaux ci-dessous et p. 470
– Vent doux et agréable **brise, zéphyr**
– Vent du nord froid **aquilon**
– Vent accompagné de neige dans le Grand Nord **blizzard**
– Vent violent et froid qui souffle du nord-est sur l'Adriatique **bora**
– Vent de sable en Afrique du Nord **khamsin, sirocco, simoun**
– Vent du nord-ouest **balai du ciel**
– Vent de la pampa, froid et violent **pampero**
– Vent tropical régulier **mousson**
– Vent violent, froid et sec de la vallée du Rhône **mistral**
– Vent froid du Languedoc et du Roussillon **tramontane**

VENT : L'ÉCHELLE DE BEAUFORT

DEGRÉ DE L'ÉCHELLE	TYPE DE VENT	VITESSE (KM/H)	EFFET PRODUIT PAR LE VENT
0	calme	0	La fumée s'élève verticalement.
1	très légère brise	1-5	La direction du vent est donnée par la fumée, mais non par la girouette.
2	légère brise	6-11	On perçoit le souffle du vent sur le visage ; les feuilles bougent ; la girouette tourne.
3	petite brise	12-19	Les feuilles et les petites branches sont agitées ; le vent déploie les pavillons légers.
4	jolie brise	20-28	Le vent soulève la poussière et les papiers ; les branches sont agitées.
5	bonne brise	29-38	Les arbustes balancent ; vaguelettes crêtées sur les lacs ou les étangs.
6	vent frais	39-49	Les grandes branches bougent ; le vent siffle dans les fils téléphoniques.
7	grand frais	50-61	Les arbres entiers sont agités.
8	coup de vent	62-74	Les petites branches sont brisées.
9	fort coup de vent	75-88	Les ardoises et les cheminées sont arrachées.
10	tempête	89-102	Arbres déracinés ; dommages importants aux constructions.
11	violente tempête	103-117	Ravages étendus.
12	ouragan	> 117	Dévastation.

– Vent orageux du midi de la France **autan**
– Vent d'ouest-nord-ouest **galerne**
– Vent du nord-ouest venant de la mer **noroît**
– Vent du sud-ouest **suroît**
– Vent qui tourne rapidement et violemment **tornade, tourbillon, ouragan, typhon, hurricane, cyclone**
– Coup de vent soudain et brutal **rafale, bourrasque**
– Petit vent à peine perceptible **bouffée, souffle, courant d'air**

VENTE
– Vente régulière d'une marchandise **écoulement, débit**
– Vente insuffisante **mévente**
– Marchandise de vente difficile **placement**
– Vente à bas prix **au rabais**
– Vente d'objets d'occasion **regrat**
– Technique de vente **commerce, publicité**
– Étude des ventes possibles **de marché**
– Vente forcée des biens d'un débiteur **saisie, récolement**
– Vente d'un droit ou d'un bien **cession, transfert**
– Annulation d'une vente pour vice rédhibitoire **rédhibition**
– Lieu où se font les ventes publiques **salle des ventes**
– Vente publique **aux enchères, à l'encan**
– Vente aux enchères d'un bien indivis **licitation**

VENTRE **abdomen**
– Partie du ventre **estomac, intestin, foie, rate, diaphragme, ombilic**
– Bas ventre **bassin, sexe**
– Un individu qui a un gros ventre **obèse, ventripotent, pansu, ventru, bedonnant**
– Prendre du ventre **embonpoint**
– Maux de ventre **ballonnements, constipation, diarrhée, colique**
– Pièce d'habillement entourant le ventre **gaine, ceinture, ceinturon, corset**
– Opération chirurgicale du ventre **gastrotomie, laparotomie, splénectomie, appendicectomie, césarienne**
– Se mettre à plat ventre **s'humilier, se soumettre**
– Ventre à terre **vite, rapidement**
– Individu qui n'a rien dans le ventre **faible, lâche, peureux**
– Faire mal au ventre **répugner, écœurer, dégoûter**
– Avoir le ventre creux **faim**
– Avoir le ventre plein **être rassasié, être repu**

VER
– Ver dont le corps est cylindrique et formé d'anneaux **annélide**
– Ver servant d'appât au pêcheur **ver de terre, lombric, vermisseau**
– Ver parasite **oxyure, dragonneau, filaire, entozoaire, bothriocéphale**
– Ver parasite du corps humain **ténia, ascaride, helminthe, cénure, ver des cases**
– Ver parasite des végétaux **phrygane, ver coquin, ver de cœur, ver gris**
– Ver constituant une étape dans le développement d'un insecte **larve, bombyx, chenille, ténébrion, ver à soie**
– Vers issus des œufs de la mouche à viande **asticots**
– Personne qui élève les vers à soie **magnanier**

VÉRACITÉ voir aussi **vérité**
– Un récit d'une grande véracité **fidélité, exactitude**
– J'atteste la véracité de ses propos **authenticité, véridicité, sincérité**

VERBE **conjugaison** voir aussi **intransitif, transitif**
– Paramètre en fonction duquel varient les formes du verbe **personne, nombre, temps, mode, voix**
– Forme nominale de chaque verbe **infinitif**
– Verbe utilisé dans les formes composées **auxiliaire**
– Classement sémantique des verbes **d'état, d'action, de sentiment**

VENTS

alizé	Vent régulier qui souffle toute l'année de l'est des hautes pressions subtropicales vers les basses pressions équatoriales.
auster	Expression littéraire désignant le vent chaud du midi.
bise	Vent froid.
borée	Expression littéraire désignant le vent du nord.
chinook	Vent chaud et sec qui souffle depuis les montagnes Rocheuses dans les vallées affluentes du Missouri.
fœhn	Vent du sud, chaud et sec, qui souffle dans les vallées alpines en Suisse, en Autriche et en Allemagne du Sud.
harmattan	Vent d'est, chaud et sec, venant du Sahara et soufflant sur l'Afrique occidentale en hiver et au printemps.
hegoa	Vent du sud chaud et sec, suivi de pluies, qui souffle dans le Pays basque.
khamsin	Vent de sable venant du sud et qui souffle en Égypte.
leste	Vent chaud soufflant de l'est dans la région de Madère.
lévéché	Vent sec du sud-est soufflant par rafales sur l'Espagne du Sud.
libeccio	Vent du sud-ouest soufflant sur la Côte d'Azur, la Corse et l'Italie.
marin	Vent du sud-est chaud et humide soufflant de la Méditerranée vers le Languedoc et les Cévennes.
notos	Vent du sud dans la Grèce antique.
simoun	Vent violent, chaud et sec du Sahara.
sirocco	Vent du sud, très sec et très chaud, soufflant du Sahara vers le littoral.
typhon	Cyclone tropical du Sud-Est asiatique.
willy-willy	Typhon du nord de l'Australie.

– Verbe de Dieu, pour le christianisme **parole**
– « Et le Verbe s'est fait chair », dans la religion chrétienne **Christ**
– Exprimer sa pensée par le verbe **discours, propos**
– Magie du verbe **langage, style, expression**

VERDICT
– Verdict positif du jury **culpabilité**
– Verdict négatif du jury **acquittement**
– Le verdict sans appel de l'opinion **jugement, appréciation**
– Attendre le verdict des urnes **sentence, décision, arbitrage, réponse**

VÉRIFIER
– Vérifier la valeur d'un résultat par confrontation ou contrôle **analyser, examiner, contrôler**
– Vérifier l'exactitude ou l'authenticité de quelque chose **distinguer, reconnaître, identifier, voir**
– Vérifier un fonctionnement **éprouver, essayer**
– Vérifier un poids ou une mesure **étalonner, calibrer, marquer**
– Vérifier l'ordre des cahiers d'un livre à l'imprimerie **collationner, comparer**
– Vérifier un moteur **expérimenter**
– Vérifier en confirmant **justifier, assurer, affermir**

VÉRITÉ
– Vérité d'un récit **exactitude, authenticité, véracité, fidélité, justesse**
– Vérité première **évidence, banalité**
– Vérité absolue **certitude, croyance, conviction**
– Vérité fondamentale dans une religion **dogme**
– Vérité d'une découverte ou d'une invention **valeur**
– Vérité criante d'une caricature **ressemblance**
– Vérité cachée, ésotérique ou dissimulée par un symbole **arcane**
– Vérité indémontrable **axiome, postulat, principe**
– Accent de vérité **loyauté, franchise, bonne foi, sincérité**
– Vérité évidente **lapalissade, tautologie, truisme**

VERMINE
– Insectes parasites appelés collectivement vermine **punaises, puces, poux**
– La vermine de la société **canaille, racaille**

VERNIS
– Vernis protecteur **enduit, antirouille**
– Vernis de potier **litharge, émail**
– Vernis en peinture **badigeon**
– Vernis qui se dépose avec le temps **patine**
– Vernis pour fixer le colorant en teinture **mordant**
– Vernis de porcelaine **glaçure**
– Elle met du vernis sur les ongles **manucure**
– Sa culture n'est qu'un vernis **apparence, façade**
– Aspect d'un vernis irréprochable **brillance, éclat, clinquant**
– Vernis du Japon **ailante**

VERRE
– En verre silico-calcique **vitre, bouteille, gobelet, flacon**
– Verre potassico-calcique **cristal de Bohême, cristal de Baccarat, cristal de Venise**
– Verre qui arrête les rayons calorifiques **athermane**
– Verre organique **Plexiglas**
– Verre supportant les hautes températures **Pyrex**
– Verre en fibres textiles **Verranne, rayonne de verre**
– Verre en fibres non textiles **soie de verre, laine de verre, ouate de verre**
– Gravure sur verre **lithophanie**
– Peinture sur verre **vitrail**
– Bijoux en verre **verroterie**
– Plaque de verre destinée à obturer une ouverture **vitre, vitrine, parebrise**
– Construction en verre **verrière, véranda, serre**
– Plaque de verre sur laquelle a été appliquée une couche de tain **miroir, glace**

VERROU
– Verrou de porte **fermeture**
– Partie où coulisse la pièce centrale du verrou **gâchette, crampon**
– Anneau ou crampon de porte dans lequel est glissé le verrou **verterelle**
– Petit verrou à tige plate que l'on manœuvre avec un bouton **targette**
– Verrou de sûreté avec clef **serrure**
– Être sous les verrous **en prison**
– Verrou des aiguillages pour un chemin de fer **calage**
– Verrou d'une auge glacière, en géologie **roche**
– Verrou de culasse d'arme à feu **ouverture**

VERRUE
– Verrue au pied **plantaire**
– Verrue au visage **tumeur, excroissance, poireau, kyste**
– Verrue plane **papule**
– Toute plante qui peut guérir les verrues **verrucaire**
– Plante herbacée employée pour faire disparaître les verrues **chélidoine, héliotrope**
– Cet édifice est une verrue sur une si belle ville **laideur**

VERSANT
– Versant de montagne **pente**
– Versant exposé au nord **ubac**
– Versant exposé au sud **adret**
– Versant caillouteux à pente rapide dans les Pyrénées **raillère**
– Les deux versants d'une œuvre **faces, aspects**

VERSER voir aussi **couler**
– Verser un liquide d'un récipient dans un autre **transvaser**
– Verser du vin dans un tonneau **entonner**
– Verser une potion goutte à goutte **instiller**
– Verser en très grande quantité **déverser**
– Verser l'or à pleines mains **prodiguer, dépenser**
– Verser un témoignage supplémentaire à un dossier **déposer**
– Verser une indemnité **payer**
– Verser de nouvelles recrues dans une compagnie militaire **incorporer**
– Verser des pleurs sur une épaule amie **répandre, épandre, épancher**
– Verser dans la facilité **tomber**

VERSION voir aussi **traduction**
– Version différente d'un texte **variante, modification, refonte, remaniement, révision, refaçon**
– Version différente selon la présentation des faits **interprétation**
– Version du fœtus **retournement**
– Version française d'un film **adaptation, doublage**
– Version originale **sous-titrée**

VERT
chloro-

VERT (1)
– Étendre du linge sur le vert **gazon, pré**
– Se mettre au vert **se reposer**
– D'un vert un peu sale et trouble **verdâtre, glauque**

VERT (2)
– Être vert de peur **blême, livide**
– Des yeux bleu-vert **pers**
– Au printemps, on voit les arbres devenir verts **verdoyer, reverdir**
– Pierre de couleur verte **émeraude, jade, olivine, chrysoprase, péridot, smaragdite**
– Un vin encore vert **jeune**
– Il est encore vert pour son âge **vaillant, gaillard**
– Langue verte **argot**
– Matière colorante verte contenue dans les plantes **chlorophylle**

VERTÈBRE
spondyl(o)-
VERTÈBRE
– Ancien nom donné aux vertèbres **spondyle**
– Ensemble des vertèbres de la colonne **rachis**
– Première vertèbre cervicale **atlas**
– Deuxième vertèbre cervicale **axis**
– Les vertèbres du dos **dorsales, costales**
– Vertèbres situées au niveau des reins **lombaires**
– Formé des neuf ou dix vertèbres sacrées ou coccygiennes **coccyx, sacrum**
– Articulation des vertèbres à l'os iliaque **vertébro-iliaque**
VERTIGE
– Avoir un vertige **éblouissement, étourdissement, malaise**
– Perte momentanée des sens qui succède à un vertige **évanouissement, syncope**
– Vertige provoqué par la peur du vide **vacillement, tournoiement, déséquilibre**
– Vertige conduisant à la perte de la maîtrise de soi **folie, égarement, délire**
– Vertige intérieur exaltant **griserie, ivresse, trouble, enivrement**
– Vertige affecté **vapeurs**
– Vertige propre à l'espèce chevaline **vertigo, tournis**
VERTU
– Arriver au bien par la vertu **devoir, morale**
– Vertu qui fait sacrifier l'intérêt personnel **abnégation, bonté, dévouement, générosité, magnanimité**
– Vertu qui rend l'homme capable de vivre dans la paix **sagesse, raison, logique, honneur**
– Vertu de fidélité **chasteté**
– Les quatre vertus cardinales **courage, justice, prudence, tempérance**
– Les trois vertus théologales **foi, espérance, charité**
– La vertu curative des plantes **pouvoir, propriété, efficacité, force**
VESSIE
cysto-
VESSIE
– Expulsion de l'urine de la vessie **miction**
– Inflammation de la vessie **cystite**
– Calculs dans la vessie **gravelle, lithiase urinaire**
– Tension et douleur au col de la vessie **ténesme**
– Traitement chirurgical des calculs de la vessie **lithotomie, lithotritie**

VESTE
– Veste d'homme, croisée ou droite **veston**
– Petite veste d'homme portée sous le veston **gilet**
– Veste de femme, à basques **jaquette**
– Veste de laine tricotée **cardigan**
– Veste courte et cintrée **boléro, spencer**
– Veste ancienne de marin ou de militaire **vareuse, dolman, hoqueton, soubreveste**
– Veste portée pendant la Révolution **carmagnole**
– Veste chaude et imperméable **anorak, caban, paletot, blouson**
– Veste isolant des températures extrêmes **canadienne, saharienne**
– Prendre une veste **échec, fiasco, déconvenue, défaite, four, ratage**
– Retourner sa veste **se raviser, se rétracter, tourner bride, tourner casaque, fluctuer**
VÊTEMENT **habits, affaires, effets, garde-robe**
– Les vêtements en langage familier **fringues, sapes**
– Vêtement de cérémonie **robe du soir, frac, smoking, queue-de-pie, robe longue, redingote**
– Vêtement de travail **bleu, salopette, cotte, blouse, tablier**
– Vêtement religieux **soutane, aube, chasuble**
– Vêtement porté par les militaires **treillis, capote, dolman, vareuse, bougeron**
– Vêtement protégeant des intempéries **anorak, cape, canadienne, parka, duffel-coat, pelisse**
– Vêtement de sport **survêtement, combinaison, fuseau, justaucorps, culotte, training**
– Vêtement féminin provincial **basquine, canezou, guimpe**
– Vêtement exotique **kimono, sari, boubou, djellaba, haïk, paréo**
– Vêtement ancien **souquenille, sarrau, casaquin, carmagnole, pourpoint, crinoline**
– Vieux vêtements **guenilles, loques, oripeaux, hardes, haillons, fripes**
– Vêtements ridicules **accoutrement, harnachement, affublement**
VÉTÉRINAIRE
– Vétérinaire spécialiste du cheval **hippiatre**
– Instrument chirurgical du vétérinaire **lancette, flamme**
– Instrument du vétérinaire servant à administrer les pilules aux animaux **pilulaire**

VEXER
– Vexer quelqu'un dans son amour-propre **dépiter, froisser, offenser, humilier, mortifier, cingler**
– Vexer involontairement quelqu'un **contrarier, déplaire à, heurter, désobliger, blesser**
– Se vexer pour un rien **se formaliser, s'offusquer**
– Une personne qui se vexe très facilement **susceptible**
VIANDE **chair** voir aussi **bœuf, mouton, porc, veau**
– Viande pouvant être consommée dans les cultures occidentales **bœuf, veau, porc, mouton, volaille, gibier**
– Jour où la religion catholique autorise la viande **jour gras**
– Jour où la religion catholique proscrit la viande **jour maigre, jour d'abstinence**
– Viande crue séchée **pemmican**
– Une viande cuite enrobée de chapelure **panée**
– Viande hachée pour garnir une viande, un légume **farce, hachis**
– Plat à base de viande de veau **paupiette, daube**
– Manière de griller la viande au charbon **carbonnade**
– Fine tranche de viande **émincé**
– Ragoût de viande de poulet ou de lapin à la casserole **fricassée, gibelotte**
– Hachis de viande façonné en boulettes oblongues **godiveau**
– Degré de cuisson de la viande grillée **bleu, saignant, à point, cuit**
– Animal qui se nourrit de viande **carnivore, carnassier**
– Laisser se décomposer une viande **faisander**
VICE **imperfection**
– Avoir un vice de prononciation **défaut**
– Vice de fabrication **défectuosité, malfaçon**
– Vice de conformation d'un organe **tare, difformité**
VICTIME
– Être la victime d'une personne malhonnête **dupe, proie**
– Être la victime d'une machination **jouet**
– Personne victime de ses collègues **souffre-douleur, tête de Turc**
– Victime d'une catastrophe naturelle **sinistré**
– Victime d'un naufrage **disparu**
– Victime d'un accident de la route **accidenté**
– Offrir en victime **sacrifice**
– Acte de sacrifice au cours duquel la

victime était intégralement consumée **holocauste**
– Individu victime de persécutions **martyr**
– Prêtre de l'Antiquité romaine qui était chargé de frapper les victimes **sacrificateur, victimaire**
– Victime offerte en sacrifice dans l'Antiquité **hostie**
– Devin de l'Antiquité romaine qui examinait les entrailles des victimes **haruspice**
– Symbolise la victime sacrificielle de la célébration pascale **agneau**

VICTOIRE succès, triomphe, réussite
– Représentation architecturale de la Victoire **femme ailée**
– Crier victoire **se glorifier**
– Prix décerné lors d'une victoire **trophée, médaille, lauriers, palmes**

VIDE (1)
– Cavité naturelle dont le vide attire **gouffre, abîme, précipice**
– Trouble causé par le vide **vertige**
– Un vide en typographie **blanc**
– Vide séparant deux mots **espace**
– Faire le vide autour de soi **s'isoler**
– Vide créé par la mort d'une personne **absence**
– Vide existentiel **néant, béance**

VIDE (2)
– Espace vide **vacuum**
– Caractère de ce qui est vide **vacuité, inanité**
– Un appartement vide **inoccupé, disponible, libre, vacant**
– Petit espace vide **vacuole**
– Un discours vide **futile, creux, insignifiant, vain**
– Des journées vides **insipides, mornes**
– Mot vide de sens **dépourvu, dénué**

VIDER
– Vider un étang **assécher**
– Vider une fosse **vidanger**
– Vider tout le contenu d'une bouteille dans une autre **transvider, transvaser**
– Vider partiellement **désemplir**
– Vider l'eau d'une embarcation **écoper**
– Vider un tronc d'arbre en son centre **évider**
– Vider le contenu d'une assiette **manger, consommer, absorber**
– Vider un immeuble de ses habitants **évacuer**
– Vider un placard **débarrasser**
– Vider le contenu d'un camion **déverser**

VIE
-bio-, -bie, -bius

VIE existence
– Une personne pleine de vie **vitalité, vigueur, énergie**
– Une vraie vie d'ascète **austère, rigoureuse**
– La vie d'un quartier **animation, ambiance, mouvement**
– Écrit relatant la vie ou les souvenirs de son auteur **autobiographie, Mémoires**
– Écrit relatant la vie d'une personne illustre **biographie**
– Propre à la vie **vital**
– Durée de la vie **longévité**
– Hygiène de vie alimentaire **macrobiotique**
– Science traitant des rapports entre la vie et la physique **biophysique**
– Destruction de toute vie humaine, animale et végétale **biocide**
– Vie en l'absence d'air **anaérobiose**
– Étude de la vie animale et végétale sous terre **biospéléologie**
– Propriété de certains êtres vivants pouvant reprendre vie après avoir été desséchés **anabiose, reviviscence**
– Théorie sur la vie **animisme, mécanisme**
– Étude de la vie durant la gestation **embryologie**
– Science et étude des êtres vivants et des phénomènes se rapportant à la vie **biologie**
– Branche de la chimie traitant des phénomènes essentiels à la vie **biochimie**
– Étude et science de la vie **biognose**

VIEILLARD
géront(o)-

VIEILLARD
– Terme amical ou respectueux donné à un vieillard **aîné, aïeul, ancien, vétéran, patriarche**
– Statut social du vieillard **retraité**
– Un vieillard dont la santé est altérée **valétudinaire, égrotant, cacochyme**
– Attirance physique éprouvée à l'égard des vieillards **gérontophilie**
– État gouverné par des vieillards **gérontocratie**

VIEILLESSE déclin, affaiblissement
– Processus biologique provoquant la vieillesse **sénescence**
– Ensemble des perturbations régressives causées par la vieillesse **sénilité**
– Étude des phénomènes liés à la vieillesse **gériatrie, gérontologie**
– Vieillesse prématurée atteignant un enfant, un adulte **gérontisme, sénilisme**
– Déchéance due à la vieillesse **décrépitude**
– Vieillesse d'un édifice **vétusté**
– Vieillesse d'une technologie **obsolescence, désuétude**

VIEILLIR prendre de l'âge, acquérir de la sagesse
– Se sentir vieillir physiquement **se rider, se voûter, perdre ses forces, décliner**
– Fait de vieillir **vieillissement**
– Porter cette tenue va te vieillir **désavantager**
– Vieillir un meuble **patiner**
– Il laisse son vin vieillir en cave **se bonifier**

VIERGE
– Déesse vierge de l'Antiquité romaine qui présidait au feu sacré **Vesta**
– Jeunes filles vierges chargées de servir Vesta **vestales**
– Déesse vierge de l'Antiquité grecque **Hestia, Artémis, Athéna**
– Un linge vierge **immaculé, intact**
– Une terre vierge **inexplorée, inexploitée**

VIEUX antique, archaïque, ancestral
voir aussi **passé**
– Une vieille méthode **démodée, surannée, dépassée**
– Avoir des goûts un peu vieux **vieillots**
– Porter de vieux vêtements **usés, fatigués**
– Une vieille maison **vétuste**
– Une vieille habitude **invétérée**
– Un vieux règlement **caduc**

VIF (1)
– Entrer dans le vif du sujet **fond**
– Être piqué au vif **affecté, blessé, irrité**
– Photo prise sur le vif **au naturel, en situation**

VIF (2) agile, leste, actif, dynamique
– Être brûlé vif **vivant**
– Un esprit vif **éveillé, pénétrant, malicieux**
– Un regard vif **pétillant, mobile**
– Un geste vif **preste, prompt**
– Un caractère vif **emporté, impétueux, fougueux, irascible**
– Un propos vif **mordant, acide**
– Une douleur vive **intense, cuisante**
– Un sentiment vif **ardent**
– Un goût vif **aigre, âpre**
– Une couleur vive **éclatante, soutenue, gaie**
– Une lumière vive **aveuglante, éblouissante, étincelante**
– Marcher d'un pas vif **rapide, allègre, déterminé, décidé**

– Marquer une vive impatience **fébrile**
– Mouvement vif d'un cheval, en termes d'équitation **tride**
VIGILANCE attention
– Être d'une grande vigilance **écouter, observer**
– Faire preuve de vigilance par rapport à un événement **se méfier, être sur ses gardes, réserver son opinion**
– Tromper la vigilance de quelqu'un **déjouer, berner, abuser, duper**
VIGILANT
– Être vigilant **veiller, surveiller**
– Des soins très vigilants **appliqués, assidus**
VIGNE
ampél(o)-, viti-
VIGNE
– Famille de plantes à laquelle appartient la vigne **ampélidacées, vitacées**
– Rameau de vigne **sarment**
– Pied de vigne **souche, cep**
– Branche de vigne feuillée **pampre**
– Vigne sauvage **lambrusque**
– Vigne poussant contre un support **treille**
– Petit filament spiralé de la vigne, lui servant d'attache de fixation **vrille**
– Culture de la vigne **viticulture**
– Région ou terrain planté de vignes **vignoble**
– Ensemble d'un terroir où croît la vigne **cru**
– Maladie de la vigne **mildiou, millerandage, oïdium, black-rot**
– Papillon dont la chenille s'attaque aux feuilles de vigne **pyrale**
– Puceron parasite de la vigne **phylloxéra**
– Parasites qui attaquent la vigne **ampélophages**
– Phase du cycle végétatif de la vigne, faisant suite à la floraison **nouaison**
– Phase du cycle végétatif de la vigne, correspondant à la maturation des raisins **véraison**
– Science de la vigne et des cépages **ampélographie**
– Dieu de la vigne et du vin dans l'Antiquité grecque **Dionysos**
– Dieu de la vigne dans l'Antiquité romaine **Bacchus**
– Vigne vierge **ampélopsis**
VIGOUREUX solide, résistant
– Une attitude vigoureuse **ferme**
– Une proclamation vigoureuse **véhémente**
– Un caractère vigoureux **ardent, fougueux, impétueux**
VIGUEUR force, puissance, énergie, robustesse
– Vigueur d'un style **intensité**
– Se conformer aux lois en vigueur **en cours, en application**
VILAIN méchant
– Une vilaine aventure **désagréable, fâcheuse, déplaisante**
– Un vilain visage **laid**
– Un vilain temps **sale, maussade, mauvais**
VILLAGE
– Village de moyenne importance **bourg, bourgade**
– Plus petit que le village **hameau, lieu-dit**
– Petit village perdu **patelin, bled**
– Habitant d'un village **villageois**
VILLE
– Grande ville **agglomération, zone urbaine, métropole, conurbation**
– Périphérie d'une ville **banlieue**
– Représentation administrative d'une ville **municipalité**
– Premier magistrat d'une ville **maire**
– La pollution des villes **citadine, urbaine**
– Ensemble des questions et techniques d'aménagement d'une ville **urbanisme**
– Ville annexée par Rome mais dont les citoyens conservaient la gestion **municipe**
– Unité politique constituée autour d'une ville indépendante dans l'Antiquité **cité**
– Partie haute d'une ville grecque dans l'Antiquité **acropole**
VIN
œn(o)-, vini-
VIN voir aussi tableaux
– Étape de l'élaboration du vin **foulage, chaptalisation, acidification, tanisage, sulfitation**
– Phase de l'élaboration du vin allant jusqu'à la fin de la fermentation **vinification**
– Ajouter du sucre avant ou pendant la fermentation du vin **chaptaliser**
– Principal alcool du vin **éthanol**
– Composés donnant sa couleur au vin **anthocyanes**
– Substance résultant de l'acidification **ester**
– Ensemble des opérations concernant l'élaboration du vin **viniculture**
– Ensemble des caractères visuel, olfactif et gustatif d'un vin **organoleptiques**
– Science et étude des vins **œnologie**
– Maladie du vin **acescence, graisse, tourne**
– État d'un vin trouble **turbidité**
– Mélange de qualités de vins de même origine ou de même cru **assemblage**
– Terme désignant l'année de récolte d'un vin **millésime**
– Dépôt ou résidu du vin **lie**
– Reste de vin au fond d'un fût **baissière**
– Premier vin tiré de la cuve après fermentation **de goutte**
– Vin non gazeux **tranquille**
– Local aménagé pour la conservation du vin **cellier, chai, cuverie**
– Maître de chai, fin connaisseur en vin **caviste**
– Conditionnement du vin **tonneau, fût, futaille**
– Bonbonne à vin **dame-jeanne, estagnon, Cubitainer**
– Petite coupelle en argent employée pour la dégustation du vin **taste-vin**
– Boisson à base de vin, de sucre et d'épices **hypocras**
– Dieu de la vigne et du vin dans l'Antiquité grecque **Dionysos**

VINS

FRANCE
alsace
beaujolais
bergerac
bordeaux, claret
bourgogne
champagne
côtes-du-rhône
entre-deux-mers
graves
mâcon
médoc
muscadet
muscat
riesling
sancerre
sauternes
sylvaner

ALLEMAGNE
hock
liebfraumilch
moselle
nierstein
sekt

GRÈCE
retsina

ITALIE
asti
barbera
bardolino
barolo
chianti
dolcetto
frascati
lacrima-christi
lambrusco
marsala
orvieto
soave
tocai
valpolicella

PORTUGAL
aveleda
dão
douro
madère
mateus-rosé
vinho verde

ESPAGNE
malaga
moscatel
navarre
rioja
valdepeñas

VOCABULAIRE DU VIN

âcre Le goût âcre est celui qui comporte une âpreté plus ou moins acerbe qui irrite les muqueuses.

aigu À dominante de saveur acide, plutôt désagréable.

aimable Qualificatif d'un vin très agréable, sans caractère trop accusé, souple et bouqueté, appliqué le plus souvent à des « petits » vins ou des vins de carafe ; il risquerait de devenir péjoratif si on l'utilisait pour des grands crus.

bouquet, bouqueté Le bouquet est l'ensemble des caractères odorants du vin, qui se traduit par l'odeur quand on hume le vin, et l'arôme lorsqu'il est mis en bouche.

brut En matière de vins effervescents, qualificatif correspondant à un degré de douceur nul ou très faible.

cachet (avoir du) Se dit d'un vin de qualité qui a du caractère.

caractère On utilise le mot caractère pour indiquer un type ou un trait dominant du vin.

chair, charnu Un vin qui a de la chair ou qui est charnu remplit bien la bouche.

clair Synonyme de limpide. En technologie, ce terme est appliqué au vin isolé de ses lies.

complet Bien équilibré, « bien constitué ».

court Un vin est dit court ou court en bouche s'il n'a pas la persistance aromatique intense qu'on attendait de lui.

creux On dit qu'un vin est creux lorsqu'il donne une impression de vide dans la bouche.

cristallin Très brillant.

décharné Très amaigri, ayant perdu toute sa chair, ce qui résulte parfois de traitements technologiques trop brutaux.

décrépi Très diminué par un trop long vieillissement.

droit, ou droit de goût Qui ne présente aucune anomalie ou goût étranger. Synonyme : franc de goût, net.

empyreume L'empyreume est le goût désagréable, souvent brûlant, qui résulte de certaines distillations.

enveloppé Qui est souple et rond ; s'applique en général à des vins jeunes.

épais Très coloré et qui donne une sensation d'épaisseur, de lourdeur dans la bouche.

épanoui Qui développe bien ses qualités et en particulier son bouquet.

éteint Se dit parfois pour qualifier la disparition des qualités d'un vin.

glissant Qui, par son agrément, se boit facilement.

gouleyant Qui se boit facilement, grâce à sa souplesse et à sa légèreté. Synonyme : coulant.

gras Qui a un caractère onctueux assez marqué et très agréable.

léger Peu alcoolisé, peu corsé, en parlant du vin. Fin, distingué, voire subtil, en parlant du bouquet.

long Dont l'arôme persiste longuement et d'une façon intense dans la bouche.

mâché Qui est amoindri, le plus souvent provisoirement, par une oxydation.

maigre Qui a du tanin en quantité excessive par rapport à sa chair lorsqu'on parle d'un vin rouge. En blanc, qui manque de moelleux.

mèche (goût de) Le goût de mèche est celui de l'acide sulfureux. On brûle des mèches soufrées dans les fûts pour les désinfecter.

mordant D'une acerbité forte ou d'une acidité excessive.

plein Qui, par l'intensité et la qualité de ses caractères, donne une sensation de plénitude dans la bouche.

pleurer On utilise parfois le verbe « pleurer » à propos des écoulements transparents (larmes) que laisse le vin sur les parois du verre.

punais Terme utilisé en Bourgogne pour désigner l'odeur d'œufs pourris.

racé Qui est assez bien typé et original.

riche Chaleureux mais bien équilibré et expansif.

robe Nom donné à l'ensemble de la présentation colorée du vin : couleur, limpidité, brillant.

rondeur, rond Un vin rond est celui qui, avec de la souplesse, possède un caractère charnu bien accusé.

rôti Désigne le caractère très spécial donné par la pourriture noble aux vins liquoreux. Il paraît correspondre à la nuance odorante de peau d'agrumes.

rude D'une astringence importante et d'une qualité en général peu élevée.

tranquille Vin non effervescent.

typicité, typé Le vin typé possède le caractère original de son appellation ou de son cru.

viril Qualificatif d'un vin bien charpenté et de bouquet puissant.

VINAIGRE
acét(o)-
VINAIGRE
– Transformation d'un vin, d'un alcool en vinaigre **acétification**
– Ustensile mesurant la concentration du vinaigre **acétimètre**
– Champignon du vinaigre **acétobacter**
– Dépôt gélatineux se formant lors de la fermentation du vinaigre **mère**
– Fabricant de vinaigre **vinaigrier**
– Aliment conservé dans le vinaigre **cornichon, câpre, oignon**
– Légumes macérés dans du vinaigre **pickles**
– Sirop de vinaigre miellé **acétomel**
– Vase à vinaigre dans l'Antiquité **acétabule**
VINGT
– Système arithmétique basé sur le nombre vingt **vicésimal, vigésimal**
– Une période de vingt ans **vicennale**
– Polyèdre comportant vingt faces **icosaèdre**
– Figure géométrique constituée de vingt côtés **icosagone**
– Vingt fois plus grand **vingtuple**
VINICOLE viticole voir aussi **vigne, vin**
VIOLATION
– Violation perpétrée à l'égard des droits de l'homme **atteinte**
– Violation d'un règlement **inobservance, manquement**
– Violation d'un lieu sacré **profanation**
– Violation de la loi **infraction, transgression, dérogation**
VIOLENCE
– Acte de violence physique **agression, torture, sévices**
– Violence sexuelle **viol**
– Violence morale **oppression, coercition, sadisme, perversité**
– Violence résultant d'une contestation **agitation, émeute, révolte**
– Violence politique **attentat, terrorisme**
– Violence verbale **injure, invective, vitupération**
– Accroître la violence d'une foule **exalter, exacerber**
– Violence d'une tempête **fureur**
– Doctrine et attitude s'opposant au recours à la violence **non-violence, pacifisme**
– Manifestation de non-violence **sit-in**
– Principe de non-violence utilisé par Gandhi comme arme politique **ahimsa**
– S'emparer du bien de quelqu'un par la violence **spolier**
VIOLENT
– Un tempérament violent **agressif, brutal, irascible, belliqueux**
– Discours violent **virulent, acerbe**
– Une colère violente **démente, enragée**
– Une émotion violente **intense, vivace**
– Une violente explosion **terrible, puissante**
– Un combat violent **acharné**
VIOLER
– Violer une femme **abuser de**
– Violer une loi **contrevenir à, enfreindre, détourner, désobéir à**
– Violer un interdit **braver, outrepasser**
– Violer le secret d'une instruction **trahir**
VIOLET améthyste
– Violet clair **lilas, mauve, parme**
– Violet foncé **aubergine, prune, pensée**
– Violet tirant sur le rouge **violine, lie-de-vin, zinzolin**
VIOLON voir aussi dessin
– Famille d'instruments à laquelle appartient le violon **cordes**
– Fabricant de violons **luthier**
– Violon à deux ou trois cordes **rebec**
– Violon de facture italienne **stradivarius, guarnerius, amati**
– Violon arabe **rebab**
– Mauvais violon, en termes familiers **crincrin**
– Morceau exécuté au violon en pinçant simplement les cordes **pizzicato**
– Célèbre joueur de violon **Niccolo Paganini**
– Personne qui jouait du violon dans les fêtes villageoises **violoneux, ménétrier**
VIPÈRE
– Sous-ordre auquel appartient la vipère **ophidiens**
– Famille à laquelle appartient la vipère **vipéridés**
– La vipère et ses semblables **solénoglyphes**
– Variété de vipère **aspic, ammodyte, céraste, péliade**
VIRAGE
– Virage très serré **en épingle à cheveux**
– Suite de virages en angle aigu **lacet, zigzag**
– Prendre un virage en suivant de près le bord intérieur de la route **à la corde**
– En ski, type de virage **stem, christiania**
VIRIL
– Une voix virile **mâle, masculine**
– Un caractère viril **bien trempé**
– Traitement, médicament renforçant les caractères virils d'un individu **virilisant**
VIRUS
– Étude des virus **virologie**
– Virus filtrant **ultravirus**
– Ensemble des composantes d'un virus **nucléocapside**
– Enveloppe protidique autour du noyau génétique d'un virus **capside**
– Maladie provoquée par un virus **virose**
– Substance freinant le développement des virus **virostatique**
VIS
– Vis terminée par un crochet **piton**
– Longue vis à tête carrée **tire-fond**
– Vis qui s'ajuste à un écrou **boulon**
– Corps rainuré d'une vis **filet, filetage, cannelure**
– Distance entre les rainures d'une vis **pas de vis**
– Cette vis tourne à vide **foire**
VISA attestation
– Donner son visa **approbation, autorisation**
VISAGE figure
– Visage d'enfant **frimousse, minois, bouille**
– Visage, en anthropologie **faciès**
– Visage long et maigre **en lame de couteau**
– Visage aux traits anguleux et irréguliers **taillé à la serpe**
– Étude et soins concernant la mise en valeur du visage **visagisme**
– Traits du visage **physionomie**
– Visage représenté sur une monnaie **effigie**
VISER prendre sa mire, coucher en joue, ajuster
– Viser en fermant un œil **bornoyer**
– Viser un poste, un titre **convoiter, ambitionner, briguer**
– Une mesure qui vise un grand nombre de personnes **touche, concerne, s'applique à, intéresse**
VISIBLE
– Les réalités visibles **apparentes, distinctes, observables, perceptibles**
– Un désir, un plaisir visible **évident, manifeste, ostensible, tangible**
– Il est visible qu'ils se plaisent **clair, flagrant**
VISION voir aussi **vue**
– Relatif à la vision **optique**
– Branche de l'ophtalmologie consacrée à la vision **optométrie**

Violon

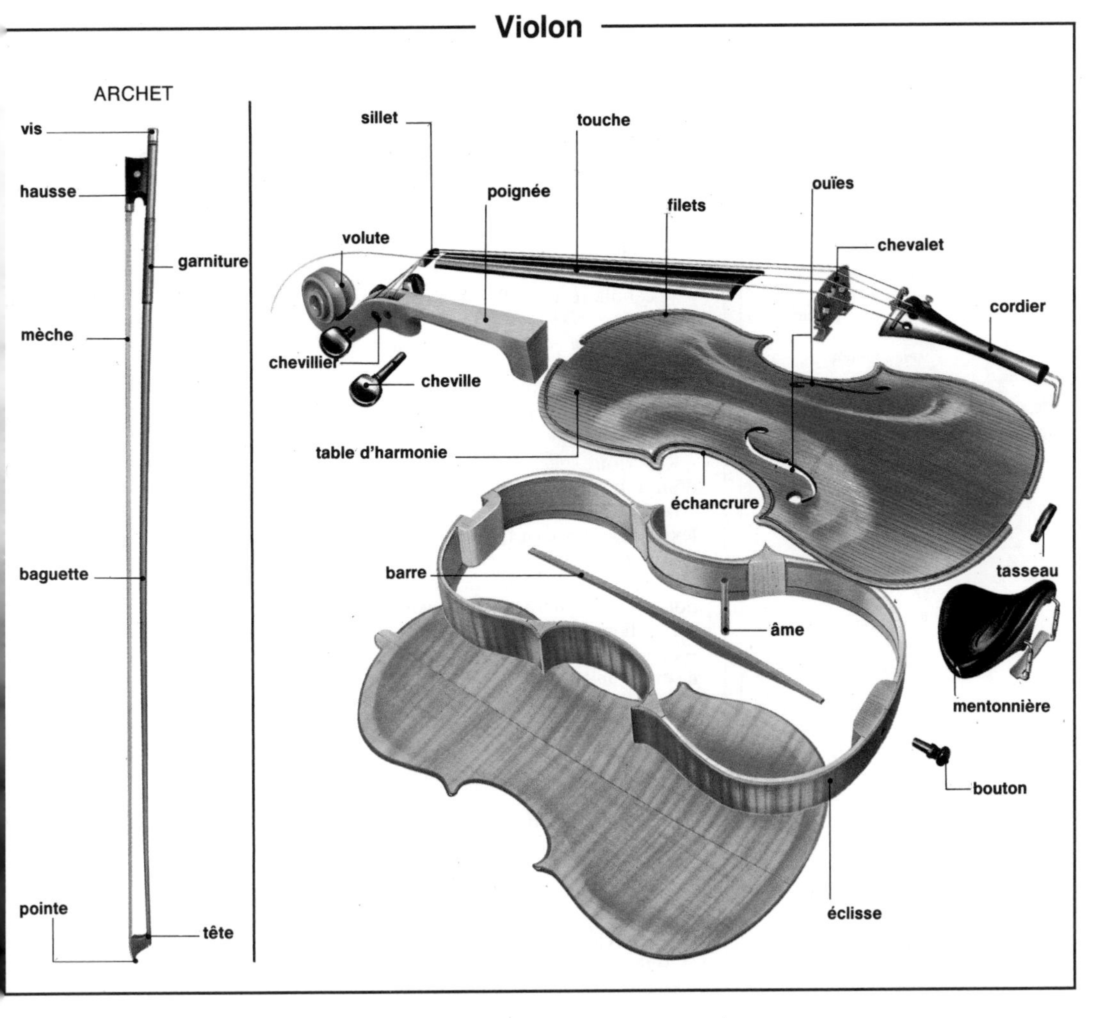

– Vision normale **emmétropie**
– Vision nocturne **nyctalopie**
– Avoir des visions **hallucinations, apparitions, mirages**
– Visions mystiques **révélations**
– Avoir une certaine vision du monde **image, représentation, idée, conception**
– Vision lucide et perspicace des choses **clairvoyance**
– En philosophie, vision métaphysique du monde **Weltanschauung**

VISITE
– Visite officielle, secrète **entrevue**
– Jour de visite **réception**
– Local réservé aux visites dans une prison, un pensionnat **parloir**
– Visite médicale **consultation, examen**
– Visite de la police au domicile d'un inculpé **perquisition**
– Visite des bagages à la douane **inspection, contrôle, fouille**
– Visite de contrôle à bord d'un navire **arraisonnement**

VISITER
– Visiter un pays, une ville **parcourir, découvrir**
– Visiter des terres inconnues **explorer**
– Visiter une région pour en découvrir les richesses naturelles **prospecter**

VITAMINE voir aussi tableau p. 478
– Utilisation des vitamines à des fins thérapeutiques **vitaminothérapie**
– Grave carence en vitamines **avitaminose**
– Maladie provoquée par une carence en vitamine C **scorbut**
– Maladie due à une carence en vitamine D **rachitisme**
– Maladie causée par une carence en vitamine B1 **béribéri**
– Maladie provoquée par une déficience alimentaire sévère en vitamine PP **pellagre**

VITESSE
– Vitesse de déplacement **allure, train**
– Partir à toute vitesse **en toute hâte, ventre à terre, à bride abattue, à tombeau ouvert**
– Course de vitesse sur une courte distance **sprint**
– Unité de vitesse pour les navires **nœud**
– Unité de vitesse utilisée dans l'aviation **nombre de Mach**
– Le moteur tourne à grande vitesse **à plein régime**
– Dispositif mesurant la vitesse de rotation d'un moteur **tachymètre**

VITAMINES	
VITAMINES HYDROSOLUBLES	
B1	**Thiamine**
B2	**Riboflavine**
PP ou B3	**Nicotinamide**
B6	**Pyridoxine**
B12	**Cyanocobalamine**
B9	**Acide folique**
B5	**Acide pantothénique**
B8 ou H	**Biotine**
C	**Acide ascorbique**
VITAMINES LIPOSOLUBLES	
A	**Rétinol, Carotène, Provitamine A**
D2	**Calciférol**
E	**Tocophérol**
K	**Phylloquinone**

VITRAIL
– Grand vitrail **verrière**
– Grand vitrail circulaire dans les églises gothiques **rosace**
– Châssis en plomb d'un vitrail **plombure, résille**
– Pièce métallique servant à tenir les panneaux des vitraux **nille, verge**
– Ensemble des vitraux d'une église **vitrerie**

VITRE **carreau**
– Vitre avant d'un véhicule **pare-brise**
– Vitre arrière d'un véhicule **lunette**
– Dans une voiture, petite vitre latérale orientable **déflecteur**
– Poseur de vitres **vitrier**

VITRINE **devanture**
– Un article en vitrine **en montre**
– Décorateur spécialisé dans l'aménagement des vitrines **étalagiste**

VIVACITÉ
– Vivacité du tempérament **fougue, vitalité, pétulance, exubérance**
– Vivacité du regard **animation, intensité**
– Vivacité d'esprit **pénétration, sagacité, acuité**
– Vivacité des propos **véhémence, mordant, vigueur**

VIVRE **exister** voir aussi **habiter**
– Vivre des jours heureux **couler**
– Vivre une vie médiocre **végéter, vivoter**
– Vivre un grand malheur **endurer, supporter**
– Vivre dans la paresse, le marasme **croupir**
– Vivre pour autrui **se consacrer à, se dévouer à**

VOCABULAIRE **lexique**
– Vocabulaire utilisé régulièrement **actif**
– Vocabulaire compris mais non employé **passif**
– Vocabulaire propre à une science, à une technique **nomenclature, terminologie**
– Répertoire succinct du vocabulaire d'un domaine spécialisé **glossaire**
– Étude du vocabulaire d'une langue **lexicologie, lexicographie**

VOCATION
– Une vocation pour la peinture, pour l'enseignement **disposition, inclination**
– La vocation du médecin, du prêtre **destinée, mission, rôle**

VŒU **engagement**
– Faire le vœu d'accomplir quelque chose **promesse, serment**
– Religieux qui a prononcé ses vœux **profès**
– Vœux de bonheur, de réussite **souhaits**
– En témoignage de l'accomplissement d'un vœu **votif**
– Objet placé dans un sanctuaire en remerciement d'un vœu exaucé **ex-voto**

VOIE voir aussi **passage, route, rue**
– Voie de communication **axe**
– Voie de communication servant à dégager un axe principal **rocade**
– Ensemble de voies de communication **réseau**
– Bon état d'une voie de communication **viabilité**
– Suivre la même voie **direction, ligne**
– Les voies urinaires, lymphatiques **canaux, conduits**

VOILE
– Voile ornant un chapeau de femme **voilette**
– Voile de deuil **crêpe**
– Voile en soie portée par les femmes arabes **haram**
– Voile dont les Touareg et les musulmanes se couvrent le visage **litham**
– Grand voile couvrant le corps et la tête des Iraniennes **tchador**
– Doublure du voile d'une religieuse **velet**
– Voile à quatre angles **misaine, hunier, cacatois, perroquet, brigantine, bonnette**
– Voile triangulaire **foc, clinfoc, trinquette, diablotin, voile à houari, spinnaker**
– Voile supplémentaire utilisée lors d'une tempête **dériveur, tourmentin**
– Longue pièce de bois posée en travers d'un mât et supportant la voile **vergue, antenne, corne**
– Cordage fixé au coin inférieur d'une voile et servant à l'orienter **écoute**
– Coin supérieur d'une voile carrée **empointure**
– Cordage utilisé pour hisser une voile **drisse**
– Équiper un bateau en voiles, en cordages **gréer**
– Fixer une voile au mât **amurer**
– Déployer les voiles **déferler, larguer**
– Abaisser une voile **caler, affaler**
– Replier une voile **carguer, ferler**
– Réduire la surface d'une voile **arriser**
– Virer de bord en changeant l'orientation des voiles **gambeyer**
– Le bateau va faire voile en direction du port **cingler**
– Cette voile bat au vent comme un drapeau **faseye**
– Voile qui ne reçoit pas bien le vent **en ralingue**

VOILIER voir aussi dessins p. 479, 480 et **bateau**
– Voilier à un seul mât **cotre, sloop, cat-boat**
– Voilier à deux mâts **goélette, schooner, brick, ketch, lougre, yawl**
– Voilier multicoque **trimaran, catamaran, prao**
– Voilier mixte **fifty-fifty**
– Voilier expérimental à trois mâts au Japon **daish**
– Voilier arabe **boutre**
– Voilier d'Extrême-Orient **jonque, sampan**
– Voilier d'autrefois **caravelle, clipper, galiote, smack, chébec**
– Course de voiliers **régate**

VOILURE
– Ensemble du matériel permettant de régler une voilure **gréement**
– Centre de voilure **point vélique**
– Partie des voiles pouvant être repliée pour diminuer la surface de voilure **ris**
– Surface de voilure recevant le vent **intrados**

Voilier : trois-mâts carré

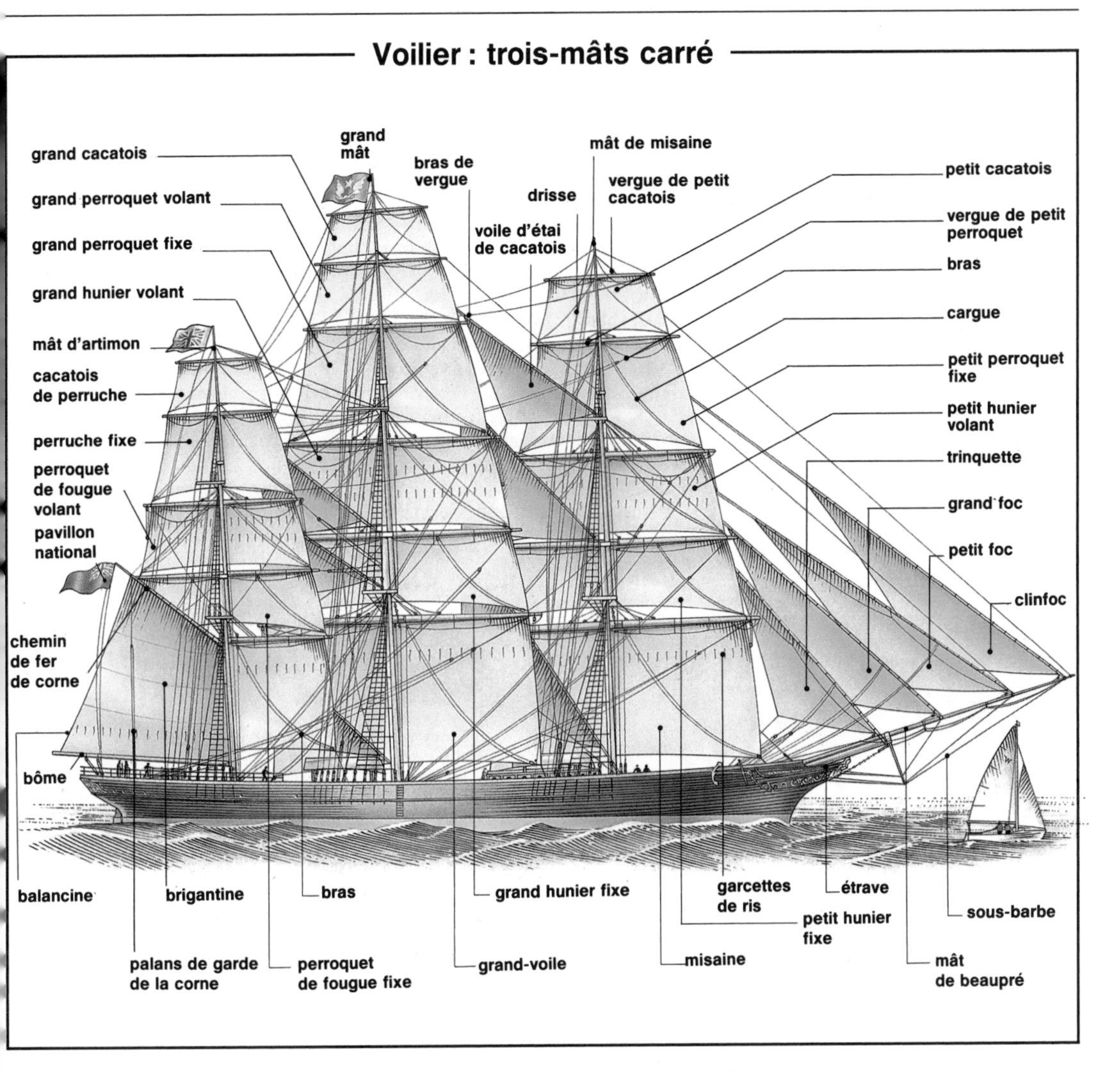

– Surface de voilure opposée au vent **extrados**

VOIR
– Voir un objet, une personne de loin **distinguer, discerner, repérer**
– Voir un paysage d'un seul coup d'œil **embrasser**
– Voir par hasard **surprendre**
– Voir un film d'un œil de technicien **visionner**
– Voir un spectacle **assister à**
– Voir un médecin, un avocat **consulter**
– Voir un problème sous un angle nouveau **envisager, examiner, considérer, aborder**
– Voir de nouvelles perspectives **concevoir, se représenter**
– Ne pas pouvoir voir quelqu'un **souffrir, supporter**

VOISIN
– Un pays voisin **limitrophe**
– Le jardin voisin **contigu, attenant**
– Les rues voisines **adjacentes, avoisinantes, circonvoisines**
– Des espèces voisines **proches, apparentées**

VOITURE voir aussi dessin p. 481 et **automobile**
– Ancienne voiture hippomobile à deux roues **boghei, coucou, cab, tilbury, wiski**
– Ancienne voiture hippomobile à quatre roues **berline, break, coche, diligence, calèche, fiacre, victoria, mail-coach**
– Ancienne voiture hippomobile particulièrement luxueuse **carrosse**
– Ancienne voiture publique en Turquie **araba**
– Aux XVIIIe et XIXe siècles, voiture des services postaux **malle-poste**
– Ancienne voiture hippomobile à quatre places **phaéton**
– Ancienne voiture automobile décapotable **roadster**
– Voiture à deux roues utilisée dans les courses hippiques **sulky**
– Petite voiture automobile qui n'a ni boîte de vitesses, ni carrosserie, ni suspension **kart**
– Voiture d'enfant **poussette, landau**

VOIX
phon(o)-, -phone, -phonie

VOIX organe
– Relatif à la voix **vocal, phonique**
– Production de la voix **phonation**
– Étendue d'une voix **registre, tessiture**

– Changement dans la voix au moment de la puberté **mue**
– Altération de la voix **enrouement, fêlure**
– Perte de la voix **extinction de voix, aphonie**
– Trouble grave de la voix **dysphonie, mussitation, mutité**
– Partie de la médecine consacrée aux troubles de la voix **phoniatrie**
– Il a une voix très puissante **de stentor**
– À voix basse **mezza voce**
– Voix de chanteuse **contralto, mezzo-soprano, soprano**
– Voix de chanteur **basse, baryton, ténor, haute-contre**

VOL rapine voir aussi tableau
– Vol de peu d'importance **larcin, chapardage**
– Vol à main armée **hold-up**
– Vol à l'intérieur d'un bâtiment **cambriolage**
– Prendre son vol **envol, essor**
– Vol à battements rapides comme celui des oiseaux migrateurs **ramé**
– Dans l'Antiquité, présages lus dans le vol des oiseaux **auspices**
– Vol d'un avion moteurs arrêtés **plané**
– Personne pratiquant le vol à voile **vélivole**

VOLAILLE volatile
– Élevage de la volaille **aviculture**
– Partie d'une ferme réservée à la volaille **basse-cour**
– Cage où l'on garde la volaille à engraisser **épinette, mue**
– Mangeoire destinée à la volaille **trémie**
– En termes de cuisine, lier les pattes d'une volaille **brider**
– En termes de cuisine, attacher les membres d'une volaille à son corps **trousser**

VOLANT
– Volant décoratif que l'on ajoutait autrefois au bas des robes **balayeuse, falbala**

VOLCAN voir aussi dessin p. 482-483
– Type de volcan **hawaiien, péléen, strombolien, vulcanien, écossais, cumulo-volcan**
– Volcan de boue **salse**
– Un volcan en activité **en éruption**
– Matières rejetées par un volcan en éruption **lave, bombes, scories, conglomérats, lapilli**
– Émanations gazeuses provenant d'un volcan **fumerolles, mofettes**
– Cratère d'un volcan dont une partie a été emportée lors d'une éruption **égueulé**

Voilier : Trinidad 48

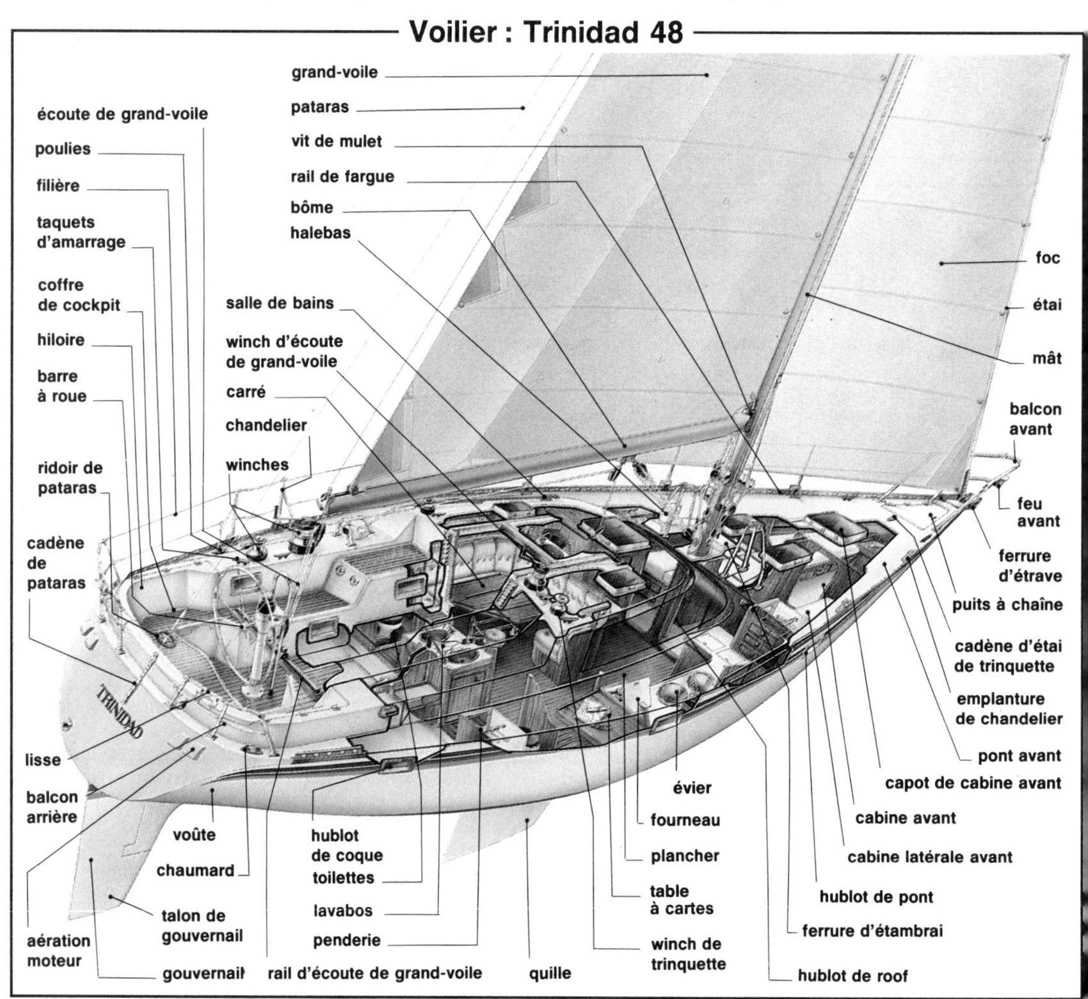

Voiture

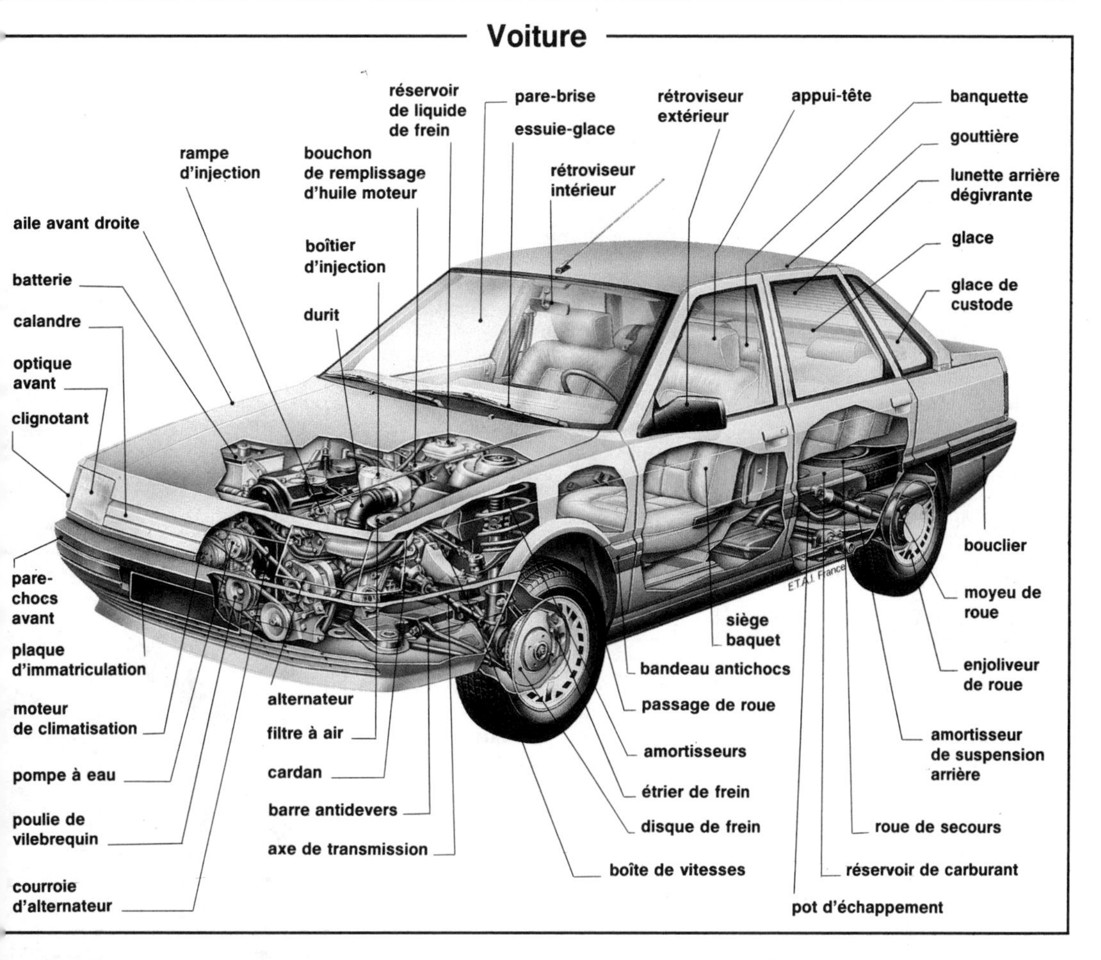

QUELQUES TYPES DE VOLS

vol à l'étalage	Vol commis sur les rayons d'un libre-service ou d'une grande surface.
vol à la tire	Vol commis sur une personne dans un lieu public (portefeuille, sac à main, effets personnels dérobés par un pickpocket).
vol à l'esbroufe	Vol à la tire accompagné de légères violences.
vol à la roulotte	Vol commis à l'intérieur d'un véhicule en stationnement.
vol au radin	Vol d'argent dans un tiroir-caisse.
vol au rendez-moi	Vol commis dans un magasin et qui consiste à payer avec une grosse coupure et à ramasser la monnaie d'un plus gros billet que celui que l'on vient de donner.
vol à l'entôlage	Vol commis par une prostituée sur son client.
vol au poivrier	Vol commis sur un ivrogne.
vol du rat d'hôtel	Vol commis dans une chambre d'hôtel.

– Étude et science des volcans **volcanologie**
– Volcan célèbre **Etna, Stromboli, Vésuve, Krakatau, Fuji-Yama, Mauna Loa**

VOLER dérober
– Voler un bien **s'approprier, s'emparer de**
– Voler quelque chose par ruse **subtiliser**
– Voler à quelqu'un tous ses effets, tout son argent **dévaliser, dépouiller, détrousser**
– Voler quelqu'un en usant de violence ou de moyens frauduleux **spolier**
– Profiter de l'attaque d'une ville, d'un magasin pour en voler les richesses **piller**
– Voler discrètement des fonds, des marchandises **détourner, soustraire**
– Voler quelqu'un dans une affaire **escroquer, gruger, léser**
– Voler un titre **usurper**

VOLET **persienne**
– Grand volet **contrevent**
– Volet à lames mobiles **jalousie**
– Volet d'un hublot, sur un bateau **mantelet**
VOLEUR voir aussi **bandit**
– Voleur à la tire **pickpocket, escamoteur**
– Voleur dans un grand hôtel **rat d'hôtel**
– À la campagne, voleur de fruits, de légumes **maraudeur**
– Voleur professionnel **chevalier d'industrie, aigrefin**
– Nom donné autrefois à un voleur **tire-laine, vide-gousset**
– Au XIXe siècle, voleurs qui sévissaient dans les montagnes grecques **klephtes**
– Voleur obsessionnel **kleptomane**
– Voleur de textes **plagiaire**
VOLONTAIRE
– Un acte volontaire **voulu, intentionnel, délibéré**
– Une attitude volontaire **décidée, résolue, déterminée**
VOLONTÉ
– Acte de volonté **volition**
– Avoir beaucoup de volonté **détermination, force d'âme, persévérance**
– Volonté hésitante, fragile **velléité**
– Manque total de volonté **apathie, aboulie**
– Faire connaître ses volontés **intentions, souhaits, desseins, résolutions, exigences**
– Selon sa volonté **à son gré, à sa guise, selon son bon plaisir**
– Pain et vin à volonté **à discrétion**
VOLUME voir aussi **livre**
– Mesure du volume d'un corps **cubage**
– Volume d'eau écoulé en un temps donné **débit**
– Volume d'un récipient **capacité, contenance**
– En physique, poids du volume unitaire d'un corps **spécifique**
– Format d'un volume, d'un livre **in-folio, in-quarto, in-octavo**
VOMIR
– Vomir son repas **rendre, restituer, régurgiter**
– Envie de vomir **nausée, haut-le-cœur**
– Vomir des insultes **cracher, éructer**
– Vomir une œuvre, un personnage **exécrer, abhorrer, abominer**
VOMISSEMENT
– Vomissement de sang **hématémèse**
– Vomissement glaireux auquel sont sujets les alcooliques le matin **pituite**
– Vomissements importants survenant au cours de certaines grossesses **incoercibles**
– Substance, médicament provoquant les vomissements **vomitif, émétique**
VOTE **voix, suffrage**
– Boîte destinée à recevoir les bulletins de vote **urne**
– Vote par bulletins déposés dans une urne **scrutin**
– Cabine où l'électeur met sous enveloppe son bulletin de vote **isoloir**
– Vote direct du peuple, appelé à exprimer son soutien à un nouveau dirigeant **plébiscite**
– Vote direct de la population sur une question d'intérêt national **référendum**
– Vote qui se fait sur un seul nom **uninominal**
– Système de vote où un même électeur peut disposer de plusieurs voix **plural**
– Recenser les votes obtenus par chaque candidat **dépouiller le scrutin, décompter les suffrages**
– Personne prenant part au dépouillement du scrutin dans un bureau de vote **scrutateur**
VOTER
– Voter un projet de loi **adopter, ratifier**
– Ne pas voter **s'abstenir**
– Ensemble des personnes ayant le droit de voter **électorat**
VOULOIR
– Vouloir obtenir quelque chose **ambitionner, convoiter, aspirer à, prétendre à**
– Vouloir expressément **réclamer, exiger, prescrire**
– Qu'il le veuille ou non, il ira chez le coiffeur ***nolens, volens,*** **bon gré mal gré**
VOÛTE voir aussi dessin p. 484
– Voûte hémisphérique **calotte**
– Surface extérieure d'une voûte hémisphérique **dôme**
– Surface intérieure d'une voûte hémisphérique **coupole**
– Courbure de la voûte **cintre, voussure, arceau**
– Arc de voûte **ogive, formeret, doubleau**
– Base d'une voûte **retombée**
– Pierre taillée servant à l'édification des voûtes **claveau, voussoir, sommier**
– Voûte d'un pont **arche**

Volcan

– Petite voûte de pierre abritant ur statue **dais**
– Voûte de feuillage **berceau**
VOYAGE **périple, excursion**
– Voyage d'agrément en mer **crosière, traversée**
– Voyage maritime autour d'u continent **circumnavigation**
– Voyage long et semé d'embûch **expédition**
– Voyage épique **odyssée**
– Voyage à destination d'un lie saint **pèlerinage**

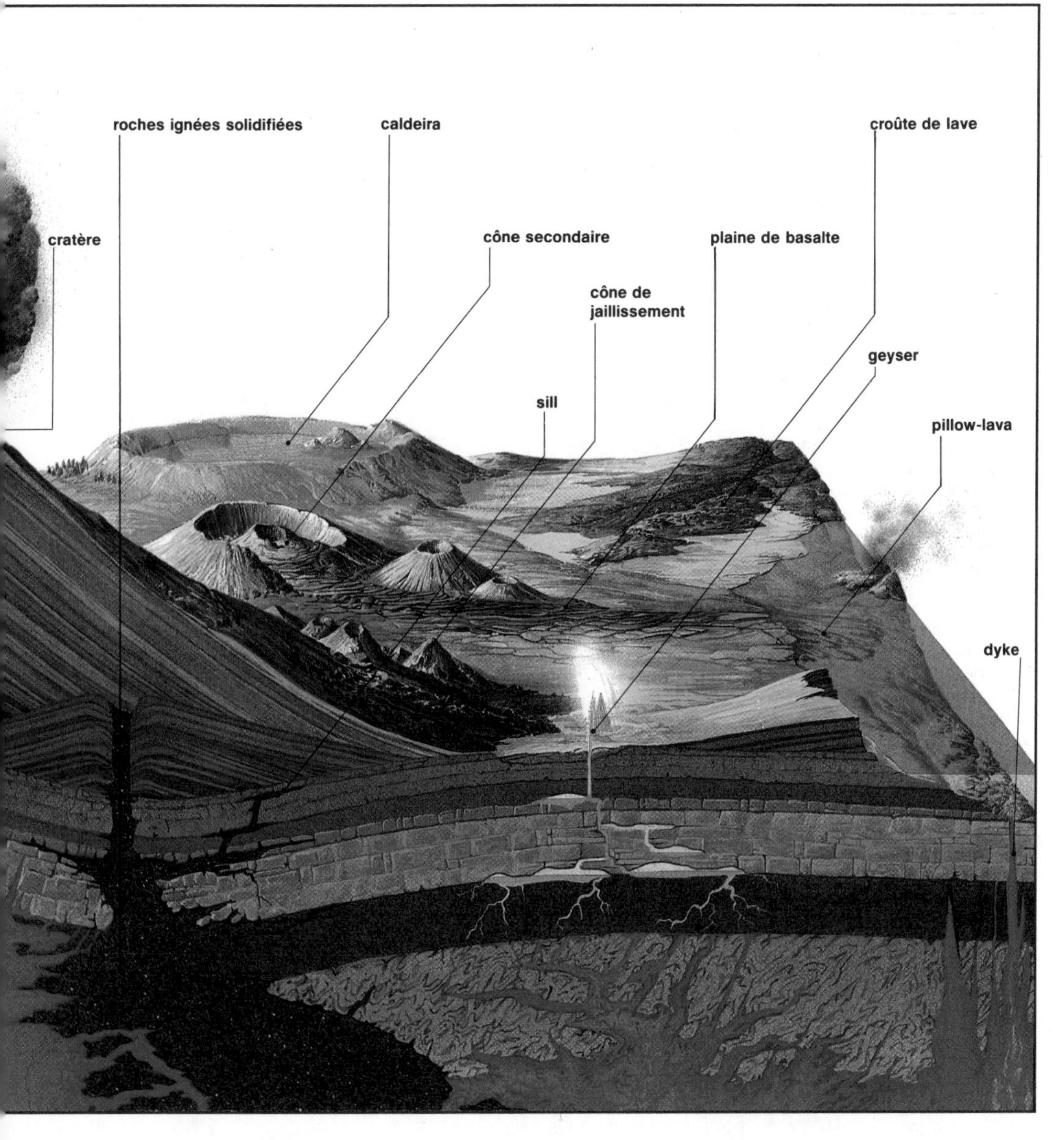

– Un voyage diplomatique **mission**
– Voyage professionnel effectué par étapes **tournée**
– Voyages multiples **pérégrinations**
– Voyage sans but **errance**
– Faire un arrêt lors d'un voyage **escale, étape, halte**
– Manie des voyages **dromomanie**

VOYAGEUR
– Voyageur qui parcourt le monde entier **globe-trotter**
– Voyageur parti à la découverte de pays lointains **explorateur**
– C'est un éternel voyageur **nomade**
– Groupe de voyageurs traversant des régions désertiques **caravane**
– Voyageur de commerce **représentant, démarcheur, placier, V.R.P. (voyageur représentant placier)**

VOYELLE
– Relatif aux voyelles **vocalique**
– Voyelle changeant de timbre au cours de son émission **diphtongue**
– Suppression d'une voyelle finale devant la voyelle initiale du mot suivant **élision**
– Rencontre de deux voyelles contiguës appartenant à deux syllabes distinctes **hiatus**
– Prononciation en deux syllabes de deux voyelles qui n'en forment normalement qu'une seule **diérèse**
– Fusion de deux voyelles distinctes en une diphtongue **synérèse**

VRAI
– Une histoire vraie **authentique, véridique**
– La vraie cause de son malaise **réelle, véritable**

– Les vraies données d'un problème **exactes**
– Un vrai pouvoir **effectif**
– Un fait reconnu comme vrai **confirmé, attesté, incontestable, avéré**

VRAISEMBLABLE
– Une explication vraisemblable **plausible, crédible**
– Il est vraisemblable que la paix est imminente **probable**

VUE voir aussi **œil, vision**
– Trouble de la vue **astigmatisme, presbytie, myopie, hypermétropie, amblyopie, diplopie**
– Perte de la vue **cécité, amaurose**
– Branche de l'ophtalmologie traitant certains problèmes de vue par la gymnastique oculaire **orthoptie**
– À première vue **au premier regard, de prime abord**
– Jouir d'une vue absolument splendide **panorama**
– Un point de vue particulier **optique, approche**

VULGAIRE
– Des propos très vulgaires **grossiers, triviaux, populaciers**
– Les réalités vulgaires d'ici-bas **matérielles, prosaïques, terre à terre**
– L'appellation vulgaire d'une plante **courante, vernaculaire, usuelle**

VULGARITÉ
– Un langage truffé de vulgarités **obscénités**
– Une certaine vulgarité de goût, d'esprit **béotisme, philistinisme**

VULNÉRABLE
– Une personne vulnérable **fragile, sensible, délicate**
– Point vulnérable **talon d'Achille, défaut de la cuirasse**

Voûtes

W.X.Y.Z

WAGON
– Wagon de luxe **pullman**
– Wagon-lit **sleeping**
– Wagon de marchandises **fourgon**
– Wagon circulant dans les égouts **wagon-vanne**
– Wagon servant au transport de certains matériaux **wagon-trémie**
– Wagon spécifique au transport des boissons **wagon-foudre**
– Petit wagon dont la benne est pivotante **wagonnet**
– Petit wagon à plate-forme employé pour la construction ferroviaire **lorry**
– Wagon contenant l'eau et le combustible d'une locomotive à vapeur **tender**
– Wagon à plate-forme **truck**
– Contenu d'un wagon **wagonnée**
WARRANT
– Garantir une marchandise par un warrant **récépissé, caution, ducroire**
WATER-CLOSET W.-C., waters, toilettes, lieux d'aisances, commodités
– Water-closet de soldats en campagne **feuillées, latrines**
– Water-closet public **vespasienne, Sanisette**
WHISKY
– Whisky composé d'orge maltée **de malt**
– Whisky composé d'une bouillie d'orge maltée et d'un mélange de céréales **de grain**
– Whisky américain composé de plus de 50 % de maïs **bourbon**
– Whisky composé uniquement de seigle **rye**
– Whisky issu d'un mélange d'avoine et de grain **whiskey**
– Whisky écossais **scotch**
– Appellation du scotch whisky issu du mélange de whisky de malt et de whisky de grain **blend(ed)**
– Matière des fûts utilisés pour le vieillissement du whisky **chêne blanc**
WIGWAM voir **hutte**
WISHBONE vergue voir aussi **planche à voile**
WOOFER haut-parleur
XÉNOPHOBE voir aussi **phobie**
– Un individu xénophobe **chauvin, nationaliste**
– Le contraire d'un individu xénophobe **xénophile**
XÉNOPHOBIE voir aussi **étranger**
– Sentiment à l'origine de la xénophobie **peur, méfiance, refus**
– Conséquence politique et sociale de la xénophobie **discrimination, ségrégation, apartheid, racisme**
– Sentiment induit par la xénophobie **hostilité, haine, rejet, exclusion**
YACHT
– Type de bateau auquel appartient le yacht **plaisance, compétition**
– Type de fonctionnement d'un yacht **voile, moteur**
– Yacht de compétition **racer**
– Petit yacht de croisière **beluga, cruiser**
– Petit yacht de régate **finn**
– Petit yacht à voile **vaurien**
– Capitaine ou propriétaire d'un yacht **yachtman**
YAOURT yoghourt
– Pays d'origine du yaourt **Bulgarie**
– Agent de fermentation du yaourt **présure**
– Élément nutritif contenu dans le yaourt **protéines, calcium**
– Appareil dans lequel on confectionne les yaourts **yaourtière**
YEUSE chêne vert
YOGA voir tableau
YOURTE voir aussi **hutte, tente**
– Matière de la yourte **peau**
ZÉLATEUR
– Zélateur d'une personne publique **partisan, adepte, défenseur**
ZÈLE
– Zèle religieux **ardeur, ferveur, fanatisme, passion, abnégation**
– Marque de zèle à l'égard de quelqu'un **empressement, dévouement, diligence, émulation, promptitude**
– Travailler avec zèle **application, persévérance**
– Zèle patriotique **civisme**
ZÉLÉ
– Un employé zélé **assidu, actif, consciencieux**
– Une manifestation zélée **enthousiaste, chaleureuse, enflammée**
ZÉNITH
– Propre au zénith **zénithal**
– Point opposé au zénith **nadir**
– Être au zénith de la gloire **sommet, apogée**
ZÉRO (1)
– Réduit à zéro **à rien, à néant**
– Détermination du zéro sur un thermomètre **zérotage**
– Avoir le moral à zéro **au plus bas**
ZÉRO (2)
– Zéro heure **minuit**
ZIGZAG
– Zigzag prononcé d'un fleuve **détour, méandre**
– Route en zigzag **lacet**

YOGA

asana	Postures.	**samadhi**	Concentration suprême.
dharana	Concentration.	**yama**	Refrènements.
dhyna	Méditation ou contemplation.	**yoga-nidra**	Yoga des yeux.
niyama	Astreintes.	**yogasutra**	Textes de Patanjali datant du IIe s. avant J.-C. et présentant la philosophie et la méthode.
pranayama	Discipline du souffle.		
pratyahara	Retrait des sens.	**yogi**	Pratiquant.

– Marcher en zigzag **zigzaguer, tituber, vaciller**

ZINC
– Minerai de zinc **blende, calamine, smithsonite, sphalérite**
– Procédé d'extraction du zinc **voie sèche ou thermique, voie humide ou électrolytique**
– Alliage de cuivre et de zinc **laiton, tombac**
– Alliage d'aluminium et de zinc **zamak**
– Alliage de cuivre, d'étain et de zinc **bronze d'imitation, chrysocale**
– Alliage de cuivre, de zinc et de nickel **maillechort, argentan**
– Composé de zinc utilisé dans l'industrie des couleurs et des vernis **chlorure, chromate, stéarate, sulfate**
– Pigment blanc issu d'un mélange de sulfure de zinc et de sulfate de baryum **lithophone**
– Préservation du zinc contre l'oxydation **galvanisation**
– Un minerai contenant du zinc **zincifère**
– Maladie grave causée par le zinc **zincose**
– Gravure sur zinc **zincographie**

ZIZANIE
– Semer la zizanie dans une réunion **discorde, dispute, mésentente**

ZODIAQUE voir aussi tableau et **astrologie**
– Astres opérant un mouvement apparent dans le zodiaque **Soleil, Lune, planètes**
– Représentation symbolique de chacune des douze divisions du zodiaque **signe**
– Point de départ du déplacement apparent du Soleil dans le zodiaque **point vernal, point gamma**
– Trajectoire apparente du Soleil, dans la bande du zodiaque **écliptique**
– Recueil indiquant les dates d'entrée des planètes dans les signes du zodiaque **éphéméride**
– Position d'une planète d'après les signes du zodiaque **domicile, exaltation, exil, chute**

SIGNES DU ZODIAQUE			
bélier	21 mars au 20 avril	**balance**	23 sept. au 22 oct.
taureau	21 avril au 20 mai	**scorpion**	23 oct. au 21 nov.
gémeaux	21 mai au 21 juin	**sagittaire**	22 nov. au 20 déc.
cancer	22 juin au 22 juillet	**capricorne**	21 déc. au 19 janv.
lion	23 juillet au 22 août	**verseau**	20 janv. au 18 févr.
vierge	23 août au 22 sept.	**poissons**	19 fév. au 20 mars

ZONE voir aussi tableau

ZONES	
Z.A.C.	Zone d'aménagement concerté.
Z.A.D.	Zone d'aménagement différé.
Z.E.P.	Zone d'environnement protégé.
Z.I.	Zone industrielle.
Z.I.F.	Zone d'intervention foncière.
Z.P.I.U.	Zone de peuplement industriel ou urbain.
Z.U.P.	Zone à urbaniser en priorité.

– Zone d'un territoire **espace, région**
– Zone sphérique **ceinture, bande**
– Zone d'exercice **aire, terrain, lieu**
– Portion d'une zone militaire **secteur**
– Zone urbaine **arrondissement, quartier**
– Zone périphérique d'une ville **banlieue, faubourg**
– Zone du bord de mer **littorale, côtière**

ZOOLOGIE voir aussi tableau
– Partie de la zoologie **physiologie, anatomie, embryologie, histologie**
– Branche de la zoologie étudiant la répartition animale **zoogéographie**
– Branche de la zoologie étudiant les comportements des espèces animales **éthologie**
– Branche de la zoologie se rapportant à l'étude des fossiles **paléozoologie, paléontologie**
– Secteur de la zoologie étudiant l'élevage des animaux domestiques **zootechnie**
– Désignation de la classification en zoologie **systématique, zootaxie, taxinomie**

DISCIPLINES D'ÉTUDES SPÉCIFIQUES EN ZOOLOGIE	
carcinologie	Crustacés.
conchyliologie	Coquillages.
entomologie	Insectes.
helminthologie	Vers parasites.
ichtyologie	Poissons.
malacologie	Mollusques.
mammalogie	Mammifères.
ornithologie	Oiseaux.

ZOZOTER zézayer, bléser
– Défaut de prononciation d'une personne qui zozote **blésité**

ZUT flûte
– Sentiment exprimé par un « zut ! » **dépit, colère**
– Membre d'un cercle de poètes qui disaient zut à tout **zutiste**
– Groupe poétique du zut **zutique**

RÉPERTOIRE ANALOGIQUE DES MOTS CIBLES

Complément indispensable du « Dictionnaire de l'idée aux mots », le « Répertoire analogique des mots cibles » est un véritable dictionnaire analogique demots souvent peu courants, qui permet de trouver rapidement les différentes acceptions d'un mot. Mais c'est surtout un formidable outil de recherche du mot, qui permet au lecteur de voyager en suivant les pistes que le répertoire lui indique.

ab absurdo v. raisonnement
abaca v. textile
abacule v. mosaïque
abaissement v. rabais
abaisser v. amener, courber, diminuer, étaler, incliner, pencher
abandon v. démission, friche, isolement, passion
abandonné v. dépeuplé, sauvage, seul
abandonner v. céder, confier, débarrasser, enterrer, éponge, évacuer, exclure, glisser, incliner, lâcher, laisser, livrer, négliger, oublier, reculer, refuser, renoncer, sacrifier, soumettre, suivre
abaque v. colonne, compter, tableau
abasourdi v. ébahi, étonné, renverser, sidéré, stupéfait, surprendre
abat v. pluie
abâtardir v. dégénérer
abats v. issue
abat-son v. clocher
abattage v. mineur
abattement v. découragement, diminution, épuisement, fatigue, malheur, mélancolie, stupeur, torpeur
abattis v. abats, poulet
abattre v. broyer, défaire, démolir, démoraliser, étaler, fondre, renverser, supprimer, tomber, tuer, vaincre
abattu v. broyer, effondrer, sinistre, triste
abatture v. trace
abbaye v. abbé, bénéfice, cathédrale, moine, religieux
abbé v. clergé, curé
abcès v. grosseur, rage
abdication v. démission
abdiquer v. abandonner, couronne, déposer, renoncer
abdomen v. ventre
abdominal v. membre
abduction v. mouvement
abécédaire v. alphabet, lecture
abée v. moulin
abeille v. mouche, pollen
abelmosque v. hibiscus
aber v. golfe
aberrant v. anormal
aberration v. folie
abêtir v. stupide
abhorrer v. dégoût, détester, haïr, horreur, maudire, mépriser, vomir
abies v. sapin
abiétacées v. pin
abîme v. centre, creux, écu, fossé, gouffre, précipice, profond, vide
abîmé v. perdu
abîmer v. absorber, déshonorer, disparaître, ébrécher, endommager, enfoncer, gâter, maltraiter, nuire, partir, plonger, pourrir, saccager, sombrer, user
ab intestat v. succession
ab irato v. colère
abject v. bas, dégoûtant, hideux, honteux, ignoble, mépris, odieux, sale, servile
abjection v. horreur
abjuration v. conversion
abjurer v. abandonner, nier, renoncer
ablation v. chirurgie
ablégat v. pape
ablution v. bain, purification, rite, toilette
abnégation v. oubli, sacrifice, vertu, zèle
aboi v. meute
aboiement v. chien
abolir v. annuler, effacer
abolition v. disparition, extinction, suppression
abominable v. effroyable, exécrable, horrible, mauvais, odieux, supporter
abominer v. détester, haïr, horreur, maudire, vomir
abondamment v. pleuvoir
abondance v. plénitude, quantité, vache
abondant v. épais, généreux, gros, riche
abonder v. accord, pleuvoir
abonné v. réseau
abord v. accès, approche, vue
abordage v. aborder, attaque
aborder v. accrocher, attaquer, évoquer, venir, voir
abords (aux) v. près
aborigène v. autochtone, habitant, indigène, pays
abortif v. avortement
aboucher v. emboîter, joindre
aboulie v. volonté
aboulique v. faible
abouter v. assembler, joindre, placer, unir
aboutir v. déboucher, mener, parvenir, résultat, terminer
aboutissement v. conclusion, fin, illustration, issue, résultat, solution, suite, terme
ab ovo v. commencement
aboyeur v. aboyer
abracadabrant v. bizarre, drôle, singulier
Abraham v. prophète
abraser v. abrasif
abrasif v. frotter, polir
abrasion v. toile émeri
abraxas v. talisman
abrégé v. condensé, livre, manuel, recueil, résumé, schéma, synthèse
abrègement v. diminution
abréger v. bref, déluge, diminuer, raccourcir, simplifier, soulager
abreuver v. accabler, boire, couvrir, nourrir, remplir
abri v. nid, pavillon, refuge, sauvegarde, sécurité
Abribus v. abri
abricotine v. abricot
abriter v. dissimuler, protéger
abrivent v. abri
abrogation v. suppression
abroger v. annuler, casser, loi
abrouti v. taillis
abrupt v. difficile, inopiné, rude
abruti v. idiot
abrutir v. stupide
A.B.S. v. freiner
abscons v. abstrait, clair, difficile, hermétique, incompréhensible, obscur
absence v. défaut, disparition, faute, manque, oubli, pauvreté, privation, sans, vide
absent v. distrait, invisible
absentéisme v. absence
absenter (s') v. partir, quitter, sortir
abside v. chœur
absidiole v. chapelle
absinthe v. liqueur
absolu v. aveugle, catégorique, entier, éternel, infini, majorité, monarchie, nécessaire, nuance, parfait, plein, profond, pur, radical, souverain, strict, total, tyrannique, universel
absolument v. parfaitement
absolution v. confession, faute, pardon, péché
absolutisme v. dictature, soumission
absolutiste v. absolu, autoritaire, régime
absorbant v. exigeant
absorbé v. distrait
absorber v. confisquer, consommer, dissoudre, enfoncer, épuiser, introduire, obséder, occuper, partir, plonger, prendre, préoccuper, recueillir, respirer, sombrer, vider
absorption v. fusion
absoudre v. acquitter, effacer, pardonner, remettre
absoute v. funèbre, pardon
abstème v. boire
abstenir (s') v. déporter, empêcher, éviter, passer, récuser, refuser, renoncer, retenir, voter
abstention v. abstenir (s'), bulletin, neutralité
absterger v. nettoyer
abstinence v. abstenir (s'), austérité, chasteté, jeûne, pénitence, privation, viande
abstinent v. sexuel, sobre
abstraction v. intelligence, réalité
abstraire v. plonger, seul
abstrait v. spirituel, vague
abstrus v. abstrait, difficile, incompréhensible, obscur
absurde v. imaginaire, raison, ridicule, stupide
absurdité v. erreur, folie, sens
abus v. débauche, usage
abuser v. attirer, attraper, embobiner, enjôler, escroquer, exploiter, flatter, illusion, séduire, tromper, vigilance, violer
abusif v. arbitraire, exagéré, excessif, injuste, irrégulier, policier
abuter v. but
abyssal v. gigantesque, océan, profond
abysse v. creux, fond, fosse, gouffre, mer, profondeur
acabit v. sorte
académicien v. immortel
académie v. billard, école, inspecteur, modèle
académique v. conforme, conventionnel
acajou v. bois, brun
acalculie v. calculer
acanthe v. feuille
a capella v. chant
acariâtre v. aigri, difficile, renfrogné, revêche
acarus v. gale
acaule v. chardon, tige
accablant v. fatigant, lourd, orageux
accablement v. découragement, dégoût, stupeur
accabler v. abattre, affliger, assaillir, briser, couvrir, désespérer, désolé, écraser, effondrer, obséder, vaincre
accalmie v. apaisement, calme, repos
accaparer v. confisquer, emparer (s'), prendre, réunir

accastillage v. œuvre
accéder v. parvenir, rendre, souscrire
accéléré v. trucage
accélérer v. emballer, hâter, précipiter
accent v. intonation, rythme, ton
accentuation v. augmentation
accentué v. prononcer
accentuer v. accuser, aiguiser, insister, relief, souligner
acceptable v. passable, plausible, raisonnable, suffisant, valable
acceptation v. réception, reconnaissance, traite
accepter v. consentir, imposer, laisser, permettre, recevoir, rendre, souffrir, subir, supporter, tolérer
acception v. mot, sens, signification
accès v. attaque, brèche, crise, entrée, interdire
accessible v. abordable, compréhensible, facile, familier, sensible
accessit v. concours, récompense
accessoire v. annexe, attribut, incident, marginal, organe, ornement, secondaire, superficiel, supplément
accessoiriste v. décor
accident v. cas, épave, événement, naufrage
accidenté v. victime
accidentel v. conditionnel, extérieur, imprévu, inattendu
acclamer v. applaudir, féliciter, triomphe
acclimatation v. naturalisation, parc
acclimater v. adapter, habituer
accointance v. amitié, analogie, fréquentation, intelligence, relation
accolade v. chevalier
accolure v. lien
accommodant v. agréable, facile, prince, souple
accommodation v. adaptation
accommodement v. compromis
accommoder v. arranger, composer, satisfaire, supporter
accompagner v. assister, doubler, encadrer, suivre
accompli v. admirable, complet, franc, imparfait, passé
accomplir v. bout, consommer, exécuter, faire, finir, mener, réaliser, satisfaire, terme
accomplissement v. achèvement, réussite
accord v. amitié, autorisation, combinaison, contrat, correspondance, entente, harmonie, identité, intelligence, promesse, ressemblance, réunion, traité, unanimité, union, unité
accordé v. fiancé
accordéon v. pli
accorder v. accueillir, comprendre, concéder, concilier, donner, entendre, gratifier, passer, prêter, prodiguer, raccommoder, reconnaître, répondre, supposer
accore v. soutenir
accorte v. affable, gracieux
accoster v. aborder, approcher, toucher
accotoir v. appui, coude, fauteuil
accouchement v. naissance
accoucheur v. sage-femme
accoudoir v. appui, bras, coude, fauteuil
accouplement v. reproduction, sexuel, union
accourir v. précipiter
accoutrement v. uniforme, vêtement
accoutrer v. habiller
accoutumance v. adaptation, besoin, dépendance, drogue, esclavage, habitude
accoutumer v. adapter, faire
accréditer v. comptant
accrétion v. accumulation, addition
accroc v. incident, résistance, trou
accrochage v. engagement, escarmouche
accroche-cœur v. boucle
accrocher v. fixer, pendre, piquer, retenir, suspendre, tenir
accrocheur v. tenace
accroire v. tromper
accroissement v. augmentation, croissance, hausse, multiplication
accroître v. agrandir, développer, perfectionner, prolonger, reculer
accueil v. réception
accueillant v. affable
accueillir v. admettre, bras, recevoir
accul v. impasse
acculer v. amener, conduire, contraindre, dos, entraîner
acculturation v. abandon, assimilation
accumulateur v. pile
accumulation v. foule, quantité, répétition, réunion
accumuler v. amasser, entasser, réserve
accus v. batterie
accusation v. attaque, instruction
accusé v. client
accuser v. attribuer, déclarer, dénoncer, plaider, plainte, prendre, procès, responsable, taxer
ace v. tennis
acéphale v. tête
acerbe v. acide, méchant, mordant, piquant, sarcastique, venimeux, violent
acéré v. piquant, satirique, tranchant
acescence v. acide, cidre, vin
acétabule v. coquillage, vinaigre
acétification v. vinaigre
acétimètre v. vinaigre
acétobacter v. vinaigre
acétomel v. vinaigre
achalander v. boutique, stock
acharné v. serré, tenace, violent
acharnement v. obstination, opiniâtreté
acharner (s') v. accrocher, persécuter, persévérer
Achéménides v. perse
acheminer v. amener, parvenir
Achéron v. enfer
acheter v. dépenser, payer
acheteur v. consommateur, usager
achevé v. franc
achèvement v. conclusion, fin, solution
achever v. finir, terme
Achille v. tendon
Achille (talon d') v. vulnérable
achilléomancie v. chinois, divination
acholie v. bile
achondroplasie v. nain
achopper v. écueil, obstacle, pas
Achoura v. musulman
achromatopsie v. couleur, trouble
achromie v. décoloration
acide v. aigre, piquant, vif
acide sulfurique v. soufre
acidification v. pétrole, vin
acidose v. acide
acier v. alliage, design, pont
aciérie v. usine
acipenséridés v. esturgeon
acmé v. maximum, supérieur
acné v. bouton, éruption
acolyte v. allié, complice, ordre, partenaire
acompte v. avance, dépôt, impôt, paiement, prêt, provision, valoir (à)
acon v. moule
aconier v. marine
à-coup v. brusque, saut, secousse
acouphène v. bourdonnement
acoustique v. microscope, son
acquéreur v. achat, client, propriétaire
acquérir v. apprendre, conquérir, immeuble, vieillir
acquêt v. immeuble
acquiescement v. approbation, complet
acquiescer v. accéder, céder, consentir, permettre, positif, rendre
acquis v. conquête, favorable, savoir
acquisition v. achat
acquit v. paiement, quittance
acquittement v. paiement, verdict
acquitter v. accomplir, éteindre, payer, remplir, rendre, tenir
acra v. beignet
âcre v. aigre, désagréable
acrimonie v. amertume, colère, fiel, humeur
acrimonieux v. agressif, méchant, mordant, sarcastique, venimeux
acroamatique v. hermétique
acrobate v. cirque
acrobatie v. équilibre
acromion v. omoplate
acronyme v. initial, mot
acropole v. ville
acrostiche v. poème
acrotère v. fronton, socle, statue
acrylique v. fibre, fourrure, peinture
acte v. conduite, constatation, contrat, droit, exploit, geste, naissance, pièce, texte
acteur v. interprète, personnage
actif v. comptabilité, dynamique, effectif, efficace, énergique, laborieux, mobilisation, participant, travailleur, vif, vocabulaire, zélé
actinie v. anémone
actinique v. lumière
action v. bouger, exploit, fonction, initiative, intérêt, intrigue, œuvre, opération, part, participation, réaction, récit, scénario, scène, titre, unité, valeur, verbe
actionnaire v. participant
actionner v. fonctionner
activation v. mobilisation
activer v. hâter, précipiter, presser, secouer, souffler
activité v. exercice, fonction, initiative, profession, ressort, service, travail
actuaire v. assurance
actualisation v. illustration
actualité v. chose
actuel v. contemporain, immédiat, réel
acuité v. conscience, pénétration, perspicacité, sensibilité, vivacité
acul v. huître
aculéates v. aiguillon
acuminé v. aigu
acupuncture v. aiguille, chinois, médecine, point, traitement
acutangle v. aigu, triangle
adage v. ballet, formule, pensée, proverbe, raisonnement, réflexion, sentence
adagio v. mouvement
Adam v. paradis
adamantin v. diamant, dur
adamisme v. hérésie
adaptation v. arrangement, assimilation, naturalisation, version
adapter v. adéquat, approprié, conformer, favorable, habituer, porter, rattacher, sociable, transformer
addenda v. addition, complément, livre, supplément
additif v. conservateur
addition v. facture, note, opération, supplément
additionner v. ajouter
adduction v. mouvement
adénome v. glande, tumeur
adepte v. adhérer, certitude, champion, converti, disciple, fidèle, partisan, secte, zélateur
adéquat v. approprié, favorable, juste, spécial
adéquation v. adapter, conformité, propriété
adhérence v. contact
adhérent v. base, membre, parti, participant
adhérer v. accepter, consentir, croire, entrer, inscrire, joindre, souscrire, tenir
adhésif v. collant, coller
adhésion v. approbation, complet, conversion, réunion
ad hoc v. adéquation
adipogenèse v. graisse
adipolyse v. adipeux
adipopexie v. adipeux
adipose v. adipeux, graisse
adiré v. perdu, titre
adjacent v. proche, voisin
adjectif v. variable
adjoindre v. additionner, ajouter
adjoint v. auxiliaire, partenaire, second
adjonction v. addition, complément, réunion, supplément
adjudant v. chef, infanterie
adjudant-chef v. infanterie
adjudicataire v. achat
adjudication v. marché, saisie
adjuger v. accorder, attribuer
adjuration v. demande, prière
adjurer v. ordonner, supplier
adjuvant v. ajouter
admettre v. avouer, croire, imaginer, imposer, intégrer, ordinaire, permettre, raison, recevoir, reconnaître, retenir, souffrir, tolérer

administrateur v. bibliothèque, conservateur, économe, gérant
administratif v. acte, droit, officiel, police
administration v. bureau, gouvernement, intendance, préfecture, public, régime, tutelle
administrer v. conduire, diriger, gouverner, infliger
admirable v. extraordinaire, magnifique, merveilleux, parfait, sensationnel, splendide, superbe
admirateur v. fanatique
admiratif v. enthousiaste
admiration v. culte, extase
admirer v. considérer, piédestal
admissible v. acceptable, passable, permis, valable
admission v. accueil, concours, entrée, initiation, moteur, réception, résultat, soupape
admixtion v. addition
admonestation v. avertissement, blâme, menace, mise, ordre, reproche
admonester v. gronder, leçon, raisonner, sermon
admonition v. conseil, menace
adodoler v. balancer
adolescence v. ingrat
adolescent v. jeune
Adonaï v. dieu
adonis v. adolescent
adoniser v. parer
adonner (s') v. donner, livrer
adopter v. choisir, embrasser, entrer, partager, suivre, voter
adoption v. compagnon, introduction
adorable v. mignon
Adorateurs de l'oignon v. secte
adoration v. amour, culte, passion, prière, religion, respect
adorer v. cher, culte, prier
ados v. talus
adosser v. dos, placer
adoubement v. chevalier, féodal
adoucir v. alléger, apaiser, atténuer, estomper, guérir, soulager, souple, tempérer
adoucissage v. marbre
adoucissement v. consolation
adragante v. gomme
adrénaline v. hormone
adresse v. aptitude, capacité, diplomatie, précaution, savoir-faire, science, talent
adresser v. expédier
adret v. montagne, pente, vallée, versant
adroit v. fée, fin, habile, subtil
adulateur v. féliciter
adulation v. adoration
aduler v. admirer, flatter, piédestal
adultération v. contrefaçon
adultère v. infidélité, trahison
adultérer v. trafiquer
adultérin v. adultère, bâtard, naturel
ad valorem v. douane
advenir v. survenir
adventice v. ajouter, extérieur, externe, incident, mauvais, supplément
adventif v. racine
adversaire v. ennemi, rival
adverse v. contraire, défavorable, opposé, rival
adversité v. accident, épreuve, malchance, malheur, sort

adynamie v. faiblesse, fatigue, perte
adyton v. grec, temple
aède v. chanteur, grec, poète
ægagropile v. poil
Ægipan v. chèvre
ægipan v. homme
ægithale v. mésange
aérer v. air
aérien v. bataille, léger, métro
aérobie v. air
aérodrome v. aéroport, piste
aéroembolisme v. décompression
aérogare v. aéroport
aérogastrie v. air
aéroglisseur v. transport, véhicule
aérogramme v. lettre
aérolithe v. météorite, pierre
aéromobile v. transport
aéronaute v. ballon
aéronef v. avion
aérophagie v. air
aéroplane v. avion
aéroporté v. transport
aérosol v. pollution
aérosolthérapie v. aérosol
aérospatiale v. fusée
aérostat v. ballon
Aérotrain v. train
aérotransporté v. transport
afat v. armée
affabilité v. urbanité
affable v. agréable, aimable, courtois, doux, familier, gentil, poli
affabulation v. invention
affadir v. fade
affaibli v. atténuer
affaiblir v. briser, brouiller, broyer, défaillir, dépérir, ébranler, entamer, éteindre, faible, perdre
affaiblissement v. diminution, épuisement, extinction, fatigue, santé, vieillesse
affaire v. cas, dossier, énigme, entreprise, événement, marché, occupation, rayon, société, vêtement
affairement v. agitation
affairiste v. homme d'affaires
affaissement v. dépression, écroulement
affaisser v. effondrer, enfoncer, plier, sombrer, tomber
affaitage v. faucon
affaiter v. dresser
affaler v. voile
affameur v. faim
affectation v. application, démonstration, destination, détachement, emploi, imitation, mutation, nomination, ostentation, recherche, simagrée
affecté v. artificiel, digne, emphatique, faux, hypocrite, maniéré, pédant, précieux, prétentieux, raffiné, recherché, sérieux, solennel, sophistiqué, tarabiscoté, vif
affecter v. afficher, atteindre, comédie, compatir, composer, destiner, ébranler, émouvoir, frapper, peiner, semblant
affectif v. indépendance, sentimental
affection v. amitié, faveur, intérêt, maladie, penchant, tendresse
affectivité v. sensibilité, sentiment
affectueux v. amical
affenage v. bétail
afférent v. nerf
affermage v. ferme, location
affermer v. bail

affermir v. asseoir, consolider, durcir, fortifier, vérifier
afféterie v. affectation, recherche
affichage v. concurrence
affiche v. avis, distribution, document, information, publicitaire
afficher v. adopter, commettre, confesser, étaler, montrer, spectacle
affichette v. tract
afficheur v. affiche
affichiste v. affiche, dessin
affidé v. complice, espion, partenaire
affilé v. tranchant
affilée (d') v. suite
affiler v. aiguiser
affilier v. adhérer, entrer
affinage v. fromage, plomb
affiner v. compléter, dépouiller, inutile, perfectionner, raffiner, subtil
affinité v. accord, amitié, analogie, communauté, conformité, correspondance, parenté, ressemblance, similitude
affiquet v. bijou
affirmation v. adverbe
affirmer v. assurer, parier, positif, proclamer, soutenir, témoigner
affixe v. addition, mot, particule, racine
affleurer v. niveau, sentir
affliction v. amertume, compassion, désespoir, douleur, malheur, peine, souffrance
affligeant v. cruel, funeste, lamentable, malheureux, mauvais, triste
affliger v. affecter, compatir, désoler, fendre, indigner, mécontenter, peiner, pleurer, souffrir
affluence v. foule, monde
affluent v. fleuve
afflux v. inondation, vague
affolement v. frayeur, panique, peur, terreur
affoler v. effrayer, inquiéter, perdre, troubler
affouage v. bois, forêt
affouiller v. creuser
affouragement v. bétail
affourcher v. ancre
affranchir v. défaire, esclavage, liberté, secouer
affranchissement v. indépendance, timbre
affres v. agonie, angoisse, faim, horreur, mort, supplice
affrètement v. droit
affréter v. louer
affreux v. abominable, épouvantable, exécrable, hideux, horrible, laid, supporter
affriander v. allécher
affrioler v. allécher, tenter
affront v. déshonneur, honte, humiliation, injure, insulte, offense
affrontement v. foire
affronter v. danger, exposer, face, lutter, regarder
affublement v. vêtement
affubler v. habiller
affusion v. baptiser
affût v. canon, guetter, mitrailleuse
affût (chasse à l') v. marais
affûter v. aiguiser, tranchant
aficionado v. course de taureaux, fanatique
A.F.L.-C.I.O. v. syndicat
a fortiori v. raison
agaçant v. supporter

agacement v. acide, impatience, nervosité
agacer v. contrarier, énerver, fâcher, hérissé, irriter, taquiner
agalactie v. lait
agami v. trompette
agape v. banquet, festin, repas
agaric v. couche
agave v. tequila
age v. charrue
âge v. époque, temps, vieillir
agence v. bureau, succursale
agencement v. combinaison, composition, distribution, menuisier, ordonnance, organisation, place, structure, texture
Agence nationale pour l'emploi v. bureau
agencer v. accorder, aménager, arranger, bâtir, composer, disposer, installer, organiser, préparer, unir
agenda v. bureau, cahier, carnet, mémoire, registre, souvenir
agenouilloir v. agenouiller (s')
agent v. bras, bureau, délégué, espion, facteur, fonctionnaire, intermédiaire, principe
Aggada v. recueil
agglomérat v. masse
agglomération v. capitale, centre, concentration, plomb, réunion, urbanisation, ville
aggloméré v. concentré
agglomérer v. entasser
agglutinement v. précipitation
agglutiner v. amasser, assembler, coller, concentrer, entasser, presser
agglutinine v. anticorps
aggravation v. accroissement, escalade, modification, progrès
aggraver v. pire, venin
agha v. turc
agile v. alerte, souple, vif
agileté v. adresse
agio v. banque, commission, intérêt
agiotage v. Bourse, change, trafic
agioter v. spéculer
agir v. initiative, prendre
agissement v. action, conduite, intrigue, machination, manège, manière, pratique
agitateur v. animateur, baguette, révolutionnaire
agitation v. bouillonnement, convulsion, délire, émeute, excitation, frénésie, mouvement, passion, perturbation, soulèvement, trouble, turbulence, violence
agité v. inquiet, irrité, orageux
agiter v. bouillir, brandir, secouer
Aglaé v. grâce
aglyphe v. dent
agnat v. descendant
agnathe v. mâchoire
agneau v. parchemin, victime
agneline v. laine
agnosie v. perception
agnosticisme v. indifférence
agnostique v. non-croyant
agnus-Dei v. cire
agonie v. fin, mort
agonir v. accabler
agonisant v. agonie, malade
agora v. place
agouti v. lièvre
agrafe v. attache, bouton, ceinture, mercerie

agrafer v. fermer
agraire v. terre
agrandir v. développer, étendre, reculer
agrandissement v. extension
agrape v. lance
agraphie v. écrire
agréable v. beau, charmant, facile, plaisant, suave, sympathique
agréer v. accepter, approuver, convenir, recevoir
agrégat v. accumulation, combinaison, masse
agrégation v. réunion
agréger v. concentrer, joindre
agrément v. commodité, complet, distraction, grâce, joie, permission
agrémenter v. accompagner, décorer, embellir, enjoliver, garnir, orner, parer, relever
agrès v. anneau, gymnastique, portique, poutre
agresser v. assaillir, provoquer, sauter
agressif v. ingrat, menaçant, mordant, violent
agression v. attaque, attentat, invasion, pollution, violence
agreste v. campagne, champ, champêtre, rural
agricole v. politique
agriculteur v. cultivateur, fermier, patron, paysan
agriculture v. champ, culture, primaire
agriou v. houx
agripper v. prendre, saisir, tenir
agrologie v. champ
agrométéorologie v. météorologie
agronomie v. agricole, champ
agrume v. citron, fruit, orange
agrumiculture v. agrume
aguerrir v. durcir, former, fortifier, habituer
aguets (aux) v. guetter, méfiant
ahaner v. essouffler, fardeau, respirer
ahimsa v. violence
ahuri v. ébahi, interdit, saisir, sidéré, stupéfait
ahurissant v. étonnant
ahurissement v. surprise
aï v. paresseux, singe
aide v. adjoint, assistance, auxiliaire, défense, faveur, fermier, impôt, ordonnance, protection, provision, renfort, service, subsister, support
Aïd-el-Fitr v. musulman
Aïd-el-Kébir v. musulman
aide-mémoire v. commentaire, souvenir
aider v. bénir, partager, permettre, prêter, réconforter, remettre, rendre, seconder, secourir, soulager, soutenir
aide-soignant v. infirmier
A.I.D.S. v. sida
aïeul v. ancêtre, descendant, famille, parent, race, vieillard
aigle v. intelligent
aigre v. gâté, venimeux, vif
aigrefin v. malfaiteur, voleur
aigrette v. houppe, panache
aigreur v. brûlure, désillusion, fiel
aigri v. amer, corrompu
aigrir v. tourner
aigu v. affection, aigre, douleur, haut, intense, pénétrant, perçant, piquant, sévère
aiguail v. rosée
aiguière v. lavabo, vase
aiguillage v. brancher, train
aiguille v. baromètre, boussole, broderie, dentelle, épine, flèche, montagne, piquant, pointe, sommet, talon, vacciner
aiguiller v. diriger, orienter
aiguillon v. éperon, piquant, scorpion
aiguillonner v. animer, encourager, exciter, stimuler
aiguiser v. accroître, cultiver, éveiller, exaspérer, exciter, ouvrir, stimuler, subtil, tranchant, travailler
aïkido v. art
ail v. soupe
ailante v. vernis
aile v. bâtiment, côté, flanc, maille, poulet
ailé v. souple
aileron v. manche, nageoire
aillade v. ail
ailler v. ail
aimable v. facile, plaisant, poli, sociable, sympathique
aimant v. attraction, boussole
aimanter v. magnétiser
aimer v. cher
aîné v. ancien, fils, premier, vieillard
aïoli v. ail, mayonnaise
air v. azote, démarche, mine, physionomie, sifflet
airain v. alliage, bronze, cuivre
aire v. aigle, cercle, nid, piste, surface, zone
airure v. houille, veine
ais v. planche
aisance v. assurance, bien-être, capacité, comportement, confort, grâce, légèreté
aise v. satisfaction
aisé v. facile, riche, simple
aisselle v. bras
aisy v. gruyère
aîtres v. maison
ajoupa v. hutte
ajournement v. arrêt, convocation, réforme, renvoi, retard, sursis
ajourner v. citer, déplacer, reculer, refuser, remettre, renoncer, suspendre, tard, ultérieur
ajout v. complément, supplément
ajouter v. compléter, insérer, inventer
ajusté v. adéquat, bâiller
ajustement v. accouplement
ajuster v. adapter, diriger, emboîter, placer, serrer, viser
ajusteur v. métallurgie
ajustoir v. balance
ajutage v. tube
akène v. fruit, gland, noisette, pissenlit
Akitou v. babylonien
akkadien v. babylonien
alabastre v. vase
alabastrite v. gypse
alacrité v. gaieté
alaise v. planche
Alamans v. germanique
alambic v. distillation
alambiqué v. affecté, compliqué, confus, précieux, prétentieux, raffiné, sophistiqué, subtil, tarabiscoté
alanguissement v. diminution
alarmant v. grave, sérieux, tragique
alarmer v. effrayer, redouter, tourmenter, troubler
alarmiste v. pessimiste, souci
alaudidés v. alouette
albacore v. thon
albâtre v. blanc, gypse
albédo v. planète
albinisme v. blanc, décoloration, peau
albraque v. mine
albuginé v. testicule
albugo v. blanc, tache
album v. cahier, recueil, sénateur
albumen v. blanc, graine
albumine v. protéine
alcade v. espagnol, juge, maire
alcalescent v. alcalin
alcalin v. savon
alcalino-terreux v. calcium
alcaloïde v. poison
alcarazas v. vase
Alceste v. misanthrope
alchimie v. conversion
alchimiste v. sorcellerie
alcidés v. pingouin
alcool v. thermomètre
alcoolat v. alcool, esprit
alcoolé v. teinture
alcoolémie v. alcool
alcoolification v. fermentation
alcoolique v. ivrogne
alcoolisme v. ivresse
alcoomètre v. densité
alcôve v. chambre, lit, niche
alcyonaires v. corail
ale v. bière
aléa v. destin, fantaisie, fortune, hasard, risque
alea jacta est v. sort
Alecto v. furie
alençon v. lin
alène v. coudre, perçant, poinçon
alentour v. ronde
alentours v. périphérie
Alep v. pin
alépine v. laine
alerte v. alarme, souple
aléseuse v. machine
aleurite v. huile
alevin v. poisson
alevinier v. étang
Alexandre v. trèfle
alexandrin v. douze
alexie v. lire
alexitère v. poison
alezan v. roux
alfa v. papier
alfange v. sabre
alganon v. chaîne
algarade v. querelle, scène, sortie
algèbre v. nombre
algébrique v. rationnel, réel
algébriste v. algèbre
algésie v. douleur
algésiogène v. douleur
algie v. douleur
algol v. langage
algomanie v. douleur
algophilie v. douleur
algorithme v. algèbre
algue v. iode
alibi v. ailleurs
aliboufier v. résine
alidade v. angle
aliénation v. cession, folie
aliéné v. fou, incapable
aliéner v. esclavage, laisser, perdre
aliénisme v. psychiatrie
alignement v. allée
aligner v. conformer
aliment v. chose
alimentation v. arrivée, nutrition, pauvreté
alimenter v. consommer, déposer, entretenir, fournir, manger, nourrir, occuper, pourvoir
alinéa v. paragraphe
aliphatique v. pétrole
aliter v. lit
alizarine v. teinture
alizé v. courant
alkékenge v. amour
allache v. sardine
Allah v. dieu, musulman
allaise v. dépôt
allaiter v. nourrir, sein, téter
allantoïde v. embryon, fœtus
allécher v. séduire, tenter
allée v. chemin
allégation v. affirmation, prétexte, raison
allège v. embarcation
allégeance v. féodal, réconfort, vassal
allégement v. consolation, diminution, impôt
alléger v. inutile, libérer, simplifier
allégorie v. comparaison, figurer, idée, image, personnifier, poésie, réalité, récit, signe, symbole
allégorique v. spirituel
allègre v. gai, vif
allégresse v. enthousiasme, joie
allegretto v. mouvement
alléguer v. avancer, citer, dire, mention
alléluia v. cri
allemand v. germanique
aller v. passer, rendre
allergène v. allergie
allergie v. immunitaire, réaction, rhume, sensibilité
allergologie v. allergie
allergologiste/allergologue v. allergie, médecin
alliage v. amalgame, combinaison, fusion, métal
alliance v. accord, bague, combat, contrat, entente, réunion, société, union
allié v. ami, complice, partenaire, partisan
allier v. conjuguer, mêler, unir
allitération v. répétition
allocataire v. allocation
allocation v. aide, complément, don, indemnité, pension, provision, subsister
allocutaire v. destinataire
allocution v. discours
allogène v. différent, pays
allongement v. extension
allonger v. éclaircir, étaler, étendre, mélanger, sauce, tendre
allopathe v. médecin
allosome v. chromosome
allotir v. répartir
allouer v. accorder, attribuer, gratifier
allumer v. stimuler
allumeur v. bougie
allumière v. allumette
allure v. apparence, démarche, marche, panache, pas, port, régime, rythme, silhouette, vitesse
allusion v. comparaison, indirect, insinuer, périphrase, pique, sous-entendu
alluvial v. vallée
alluvion v. couche, dépôt, fleuve, sable, vase
almanach v. calendrier, recueil, renseignement
almée v. danseur
almicantarat v. horizon
aloès v. amer
aloi v. monnaie, or
alopécie v. cheveu, chute, poil
Alouette v. hélicoptère
alpaga v. lama
alpage v. herbe, montagne, paître, pâturage

alpenstock v. bâton, canne
alphabétique v. mot
alphabétisation v. pauvreté
alpinisme v. altitude, montagne
altérable v. instable, périssable, variable
altération v. accident, affection, bouleversement, déformation, modification, rouille, transformation
altercation v. bagarre, bec, chicane, dispute, échange, querelle
alter ego v. double, partenaire
altérer v. adultérer, attaquer, bouger, bouleverser, brouiller, changer, décomposer, dégénérer, dépérir, dérégler, endommager, gâter, pervertir, ruiner, soif, ulcérer
altérité v. différence
alternance v. retour, rotation, roulement, variation
alternative v. choix, dilemme
alternativement v. tour
alterner v. changer, succéder
altier v. dédain, fier, mépris, noble, royal, superbe
altimètre v. altitude
altimétrie v. altitude, relief
altimétrique v. carte
altitude v. hauteur
alto v. corde
altruisme v. amour, bienfaisance, charité, fraternité
altruiste v. aimable, bon, charité, cœur, désintéressé, généreux
alumine v. aluminium
aluminiage v. aluminium
aluminer v. tôle
alun v. aluminium
alunir v. lune
alutacé v. cuir
alvéographe v. farine
alvéole v. case, dent, miel, poumon, rayon
amabilité v. affabilité, bonté, gentillesse, politesse
amadis v. manche
amadou v. mèche
amadouer v. calmer
amalgame v. addition, combinaison, fusion, groupement, mélange, réunion, union
amalgamer v. confondre, fondre, hétérogène
aman v. pardon
amandaie v. amandier
amande v. cacao, mendiant
amandier v. amande
amandine v. amande
amarante v. pourpre
amareyeur v. huître
amariner v. équipage
amarrer v. attacher, fixer, retenir
amaryllidacées v. jonquille
amaryllis v. lis
amas v. échafaudage, foule, pile, réunion, tas
amasser v. avare, économiser, entasser, recueillir, réserve
amassette v. couteau, peintre
amateur v. admirateur, curieux, gourmand
Amati v. violon
amatir v. or
amaurose v. aveugle, vue
amazone v. cheval, jupe
Amazones v. cavalier, chasseur
ambages v. affirmer, franc, malentendu, net, parler, périphrase
ambassade v. diplomatie, pays, représentation
ambassadeur v. délégué, mission
ambesas v. dé
ambiance v. cadre, climat, décor, environnement, milieu, vie
ambidextre v. deux, main
ambigu v. confus, double, face, faux, figue, indécis, louche, malentendu, sens, suspect
ambiguïté v. affirmer, clair, incertitude, interprétation
ambisexué v. bisexué
ambitieux v. avide, réussite
ambition v. envie, fin
ambitionner v. désirer, souhaiter, viser, vouloir
ambivalence v. deux
ambivalent v. ambigu
amble v. girafe, marcher
amblyopie v. vue
ambon v. tribune
ambre v. cachalot, parfum, résine
ambré v. doré
ambrette v. hibiscus
ambroisie v. boisson, miel
ambrosien v. chant
ambulancier v. infirmier
ambulant v. nomade
âme v. canon, fagot, habitant, inscription, intérieur, intime, noyau
amélioration v. mieux, modification, progrès, réforme, transformation
améliorer v. évoluer, fertile, meilleur, perfectionner, raffiner, relever, réparer
aménagement v. distribution
aménager v. arranger, équiper, installer, urbanisme
amende v. sanction
amendement v. engrais, loi, modification, réforme, révision
amender v. améliorer, changer, corriger, enrichir, fertile, fumer, meilleur, rectifier
amène v. abordable, affable, agréable, aimable, cordial, doux, poli
amener v. convertir, mandat, préparer, provoquer
aménité v. gentillesse
aménorrhée v. menstruation
amenuiser v. affaiblir, diminuer, essouffler
amer v. aigri, cruel, pénible, signal
Amérindiens v. autochtone
amertume v. cidre, déception, dégoût, dépit, désillusion
améthyste v. évêque, quartz, violet
amétropie v. myopie
ameuter v. assembler, déchaîner, meute
ami v. allié, frère, partenaire
amical v. sympathique
amicale v. communauté
amict v. messe
amidon v. maïs
amidonnage v. chemise
amish v. secte
amitat v. tante
amitié v. faveur, lier, union
amitose v. cellule
ammodyte v. vipère
ammoniaque v. alcali
ammonite v. fossile
ammophile v. chenille
amnésie v. mémoire, oubli, perte
amnésique v. souvenir
amnicole v. rivière
amniocentèse v. embryon, fœtus
amnios v. annexe, embryon, membrane, poche
amniotique v. fœtus
amnistie v. droit, oubli, pardon
amodiation v. location
amoindrir v. affaiblir, atténuer, neutraliser, rabaisser, rouiller
amoindrissement v. usure
amonceler v. accumuler, amasser, entasser
amoncellement v. empilage, pile, tas
amont v. fleuve
amorce v. appât, capsule, pêche
amorcer v. aborder, attirer, commencer, ébaucher, pêcher
amorphe v. mou, ressort
Amorrites v. babylonien
amorti v. tennis
amortir v. atténuer, éteindre, étouffer
amortissable v. emprunt
amortisseur v. choc, ressor
amour v. instinct, piété
amourette v. amour, flirt
amoureux v. sentimental
amour-propre v. orgueil, respect
amovible v. mobile
ampélidacées v. vigne
ampélographie v. vigne
ampélophage v. vigne
ampélopsis v. vigne
ampère v. courant, électricité, magnétique
ampèremètre v. courant
amphétamine v. drogue
amphiarthrose v. articulation
amphibie v. batracien
amphibologie v. deux, double, interprétation
amphibologique v. ambigu, figue, obscur, sens
amphigouri v. littérature
amphigourique v. confus, laborieux
amphimixie v. fécondation
amphineures v. mollusque
amphisbène v. deux, serpent
amphithéâtre v. arène, comédie, spectacle, sportif, université
Amphitrite v. mer
amphitryon v. banquet, hôte, maître, réception
amphore v. urne, vase
ample v. grand, immense, large, plein
ampleur v. dimension, étendue, plénitude, proportion
ampliation v. conforme, copie, expédition
amplification v. broderie
amplifier v. accroître, agrandir, élargir, exagérer, gonfler, grossir
amplitude v. degré, grandeur, horizon, variation
ampoule v. brûlure, bulle, cloque, médicament
ampoulé v. affecté, conventionnel, emphatique, gauche, majestueux, précieux, prétentieux, solennel, tarabiscoté
amputation v. ablation, perte, suppression
amputer v. couper, fantôme, membre
amulette v. bonheur, chance, défense, magique, porte-bonheur, talisman
amurer v. voile
amusant v. drôle, intéressant, plaisant, spirituel
amuse-gueule v. buffet, hors-d'œuvre
amusement v. jeu, récréation
amuser v. dissiper, jouer, plaisanter, réjouir
amygdale v. amande
amygdalin v. amande, savon
amygdalite v. gorge
amylase v. salive
ana v. recueil
anabaptisme v. baptême
anabaptiste v. protestant
anabiose v. vie
anabolisme v. assimilation, nutrition
anachorète v. moine, religieux, seul
anachronisme v. chronologie, erreur
anacoluthe v. licence
anaconda v. serpent
anaérobiose v. vie
anaglyphe v. photographie, relief
anagnoste v. lecture
anagramme v. déplacement, lettre, mot, transposition
anal v. anus, nageoire, poisson
analectes v. recueil, sélection
analeptique v. force, stimulant, tonique
analgésie v. anesthésie, insensibilité
analgésique v. adoucissant, apaisement, calmer, douleur, haschisch
analgie v. douleur
analogie v. association, commun, comparaison, correspondance, parenté, relation, ressemblance, similitude
analogique v. montre
analogon v. analogie
analogue v. conforme, identique, mot, pareil, semblable
analphabète v. ignorance, illettré, lire
analyse v. chimie, commentaire, critique, décomposition, essai, examen, point, raccourci, raisonnement, réduction, résumé
analyser v. considérer, décomposer, dépecer, étudier, rechercher, reconstituer, vérifier
analytique v. comptabilité
anamorphose v. cinéma, déformation, image
anapeste v. mètre
anaphore v. répétition
anaphrodisie v. sexuel
anaphylaxie v. allergie, réaction
anaplastie v. greffe
anarchisme v. politique, société
anastomose v. communication, nerf, vaisseau
anastomoser v. joindre
anastrophe v. licence
anastylose v. archéologie
anathématisation v. condamnation, foudre
anathématiser v. malheur, maudire
anathème v. accusation, excommunication, malédiction
anatidés v. canard
anatomie v. corps, médecine, zoologie
anatomiste v. anatomie
ancestral v. ancien, héréditaire, vieux
ancêtre v. descendant, famille, parent, race
ancien v. vieillard
Ancien Testament v. Bible
ancillaire v. amour

ancrer v. consolider, solide
andante v. mouvement
andantino v. mouvement
Andes v. pomme de terre
andésite v. lave
andouiller v. bois, cerf, corne
andrinople v. tenture
androgyne v. bisexué
androïde v. humain, science-fiction
androlâtrie v. culte
andropause v. âge, homme
androphobie v. haine, homme
androstérone v. hormone
âne v. bête
anéantir v. abattre, bras, briser, écraser, effondrer, éteindre, massacrer, néant, neutraliser, périr, pulvériser, rien, ruiner, sidéré, supprimer, user, vaincre
anéantissement v. agonie, destruction, dissolution, écroulement, épuisement, extermination, fin, précipice, stupeur
anecdote v. histoire, récit
ânée v. charge
anémie v. sang
anémier v. dépérir
anémique v. faible, pâle
anémochore v. plante
anémomètre v. météorologie
anémophilie v. pollen
anencéphalie v. monstruosité
anergie v. allergie
ânerie v. bêtise, sottise
anéroïde v. baromètre
anesthésiant v. éther
anesthésie v. chirurgical, corps, dentaire, inconscience, insensibilité, narcotique, sommeil
anesthésier v. endormir, usé
anévrisme v. artère
anfractuosité v. creux
angarie v. guerre
ange v. esprit, manche
angélique v. innocent, luth
angélogonie v. ange
angélographie v. ange
angelot v. ange
angélus v. prière
angine v. gorge, poitrine
angiologie v. anatomie, circulation, vaisseau
angiome v. envie, fraise, tache
angiospasme v. contraction, spasme
angiosperme v. fleur, graine, plante
anglaise v. botte, boucle, parquet
angle v. éclairage, équerre, face, perspective, retour
Angles v. germanique
anglésite v. plomb
anglicisme v. anglais
angliciste v. anglais
anglophone v. anglais
anglo-saxon v. germanique
angoissant v. sinistre, tragique
angoisse v. appréhension, crainte, inquiétude, peur, terreur
angoisser v. anxieux, inquiet, tourmenter
angon v. Francs, javelot
angor v. poitrine
angrois v. marteau
angström v. onde
anguillade v. coup
anguillère v. anguille
angusticlave v. chevalier, toge
anhéler v. respirer
anhydre v. alcool, eau, sec
anhydride v. arsenic
anhydrobiose v. sommeil

anicroche v. difficulté, incident
anima v. âme
animal v. dentelle, pigment, sauvage
animalcule v. animal
animalier v. animal, sculpture
animalité v. brutalité
animateur v. âme, présentateur
animation v. vie, vivacité
animé v. conduire, expressif
animelles v. testicule
animer v. enthousiasmer, éveiller, inspirer, remplir, soutenir, stimuler, urbanisme
animisme v. âme, religion, vie
animiste v. adoration, païen
animosité v. fiel, haine, hostilité, malveillance, travers
anis v. dentifrice, digérer, marqueterie
ankylose v. articulation, engourdissement, insensibilité
ankyloser v. paralysé, rouiller
annales v. année, chronique, chronologie, document, événement, histoire, récit, recueil
annate v. bénéfice, taxe
anneau v. bague, boucle, chevalier, ciseau, course, évêque, gymnastique, nœud, pape, piste
année v. promotion
année-lumière v. longueur
anneler v. anneau
annélide v. ver
annexe v. addition, auxiliaire, bâtiment, complément, dépendance, livre, succursale
annexer v. conquérir, emparer (s'), rattacher, unir
annexion v. conquête, réunion
annihilation v. destruction
annihiler v. anéantir, néant, ôter, rien, supprimer
annonce v. bulletin, déclaration, indication, message, prédiction, publicitaire, réclame, récolte, rubrique
annoncer v. indiquer, manifester, part, prêcher, préparer, proclamer, publier, savoir, signaler, supposer
annonceur v. présentateur, publicité
annotation v. commentaire, marge, réflexion, texte
annuaire v. recueil, renseignement, téléphone
annuité v. paiement
annulable v. illégal
annulaire v. doigt, éclipse, main
annulation v. extinction, radiation, réforme, renvoi, rupture, suppression
annuler v. dénoncer, dissoudre, éteindre, exclure, neutraliser, nul, renoncer, revenir, rompre
anobie v. horloge
anoblir v. noblesse
anode v. pile
anodin v. douleur, innocent, inoffensif
anodonte v. dent, moule
anolis v. lézard
anomalie v. anormal, exception, irrégularité, singularité
anomie v. loi
anone v. pomme
ânonnement v. lecture
ânonner v. balbutier, réciter
anonymat v. secret
anonyme v. ignorer, impersonnel, inconnu, nom

anophèle v. malaria, moustique
anorak v. veste, vêtement
anorchidie v. testicule
anorexie v. amaigrissement, appétit, faim, maigreur, trouble
anorexigène v. appétit, faim
anormal v. bizarre, singulier
anosmie v. diminution, odorat
anoure v. batracien, queue
anoxémie v. altitude, sang
anoxie v. cœur
Anschluss v. annexion
anse v. abri, arc, baie, bouclier, oreille, panier
ansériformes v. oie
anspect v. levier
antagonique v. hostile
antagonisme v. conflit, lutte, opposition
antagoniste v. adversaire, combat, contraire, ennemi, rival
antalgique v. douleur
antan (d') v. passé
antanaclase v. répétition
Antarctique v. sud
antarctique v. pôle
antécédent v. passé, passif, prémisse, relatif
antédiluvien v. Déluge, démodé, suranné
antéglise v. massif
antenne v. succursale, voile
antépénultième v. dernier, syllabe
antérieur v. passé, premier
anthérozoïde v. conception, mâle, reproduction
anthocyane v. vin
anthologie v. choisir, extrait, littérature, manuel, morceau, poème, récit, recueil, sélection
anthracite v. charbon
anthracnose v. charbon, rouille
anthracose v. charbon
anthrax v. abcès, bouton
anthropologie v. homme, peuple, préhistoire
anthropobiologie v. corps
anthropométrie v. corps, identité, police, signalement
anthropomorphisme v. humain
anthroponymie v. nom
anthropophage v. chair, humain, manger
anthropopithèque v. singe
anthyllis vulnéraire v. trèfle
antibrouillard v. brouillard
antichambre v. attente, entrée, hall, pas
antichrèse v. contrat, immeuble
anticipation v. futur, science-fiction
anticiper v. avancer, prévoir
anticlinal v. géologique, pli, relief
anticonceptionnel v. contraceptif
anticonformiste v. marginal
anticorps v. défense, immunitaire
anticyclone v. météorologie
antidater v. date
antidépresseur v. drogue
antidopage v. sportif
antidote v. poison
antienne v. chœur
antiferromagnétisme v. magnétique
antifongique v. champignon
antigène v. anticorps, immunitaire

antilithique v. calcul
Antilles v. île
antilogie v. contradiction
antimycosique v. champignon
antinomie v. conflit, contradiction
antinomique v. contraire, opposé
antioxygène v. conservateur
antiparticule v. particule
antipasti v. hors-d'œuvre
antipathie v. haine, hostilité, travers
antipathique v. désagréable, odieux, sale
antiphlogistique v. inflammation
antiphonaire v. liturgie
antiphrase v. ironie
antipode v. inverse, opposé
antipollution v. pollution
antiprotectionniste v. libéral
antipsorique v. gale
antipsychiatrie v. psychiatrie
antipyrétique v. fièvre, température
antipyrine v. calmer
antiquaire v. meuble
antique v. suranné, vieux
antiquité v. ancien
antirabique v. rage
antirouille v. vernis
antisémitisme v. juif
antisepsie v. infection, microbe
antiseptique v. éther, iode
antispasmodique v. haschisch, spasme
antitétanique v. tétanos
antithermique v. fièvre, température
antithèse v. contraste, dialectique, inverse, relation
antithétique v. contraire, opposé
antitoxine v. anticorps, défense, infection
antitussif v. sirop, toux
antonyme v. contraire, mot, opposé, valeur
antre v. creux, gîte, grotte, tanière
anuité v. nuit
anurie v. colique, urine
anxiété v. angoisse, appréhension, crainte, incertitude, peur, souci
anxieux v. avide, curieux, inquiet, pessimiste, tendu
anxiogène v. anxiété
anxiolytique v. anxiété
anylique v. résine
aorte v. artère
aoûtien v. touriste, vacance
apagogie v. absurde, raisonnement
apaisement v. diminution, tranquillité
apaiser v. accorder, adoucir, alléger, calmer, consoler, délivrer, désarmer, endormir, éteindre, guérir, satisfaire, soulager, tempérer, tomber
apanage v. domaine, faculté, prérogative, propre, sort
a pari v. analogie
aparté v. conversation, écart, privé
apartheid v. colonisation, discrimination, discrimination, isoler, séparation, xénophobie
apathie v. dépression, indifférence, inertie, insensibilité, léthargie, paresse, volonté
apathique v. engourdi, lent, mou
apatride v. étranger, expatrié, nationalité, patrie

apepsie v. digérer, digestion
apercevoir v. entrevoir
aperçu v. connaissance, échantillon, idée, résumé, sommaire
apéritif v. appétit, buffet, repas
apétale v. pétale
à-peu-près v. inexactitude
apeurer v. effrayer
apex v. bout, langue, pointe
aphasie v. comprendre, confusion, expression, langage, muet, parole, perte
aphélie v. comète
aphérèse v. syllabe
aphone v. silence
aphonie v. extinction, voix
aphorisme v. formule, pensée, proverbe, réflexion, sentence
aphrodisiaque v. sexuel, stimulant
aphrodisie v. sexuel
Aphrodite v. amour, beauté
aphte v. ulcéré
aphylle v. feuille
api v. pomme
apiculteur v. miel
apiculture v. abeille
apiéceur v. tailleur
apitoyer v. compatir, émouvoir, pitié, plaindre
aplanir v. dresser, niveau, plat, rouler
aplasie v. moelle
aplat v. lavis, teinte
aplatir v. briser, écraser, humble, rabattre
aplomb v. assurance, audace, confiance, équilibre
apocalypse v. fin, monde
apocalyptique v. terrible
apocope v. syllabe
apocryphe v. écrit, faux, supposé
apode v. batracien, patte, pied
apodictique v. nécessaire, raisonnement
apodose v. période
apogée v. battre, degré, haut, maximum, orbite, période, point, satellite, sommet, zénith
apokinos v. danse
Apollo 11 v. fusée
Apollon v. soleil
apologétique v. apologie, théologie
apologie v. compliment, défense, discours
apologiste v. orateur
apologue v. fable, morale, récit
aponévrose v. gaine, membrane, muscle
apophatique v. négatif, théologie
apophtegme v. formule, parole, proverbe, raisonnement, sentence
apophyse v. os, saillie
apoplexie v. arrêt, congestion, paralysie
aporie v. difficulté, raisonnement
apostasie v. conversion
apostasier v. abandonner, renoncer
apostat v. impie, religion
a posteriori v. connaissance, expérience, raisonnement
apostille v. addition, commentaire, marge, note, renvoi
apostolat v. apôtre
apostolicité v. église
apostolique v. apôtre, mandat
apostrophe v. interpellation
apostropher v. adresser, appeler, évoquer
apothécie v. lichen
apothème v. perpendiculaire
apothéose v. dieu, feu d'artifice, gloire, triomphe
Apothéose de la danse v. symphonie
apôtre v. convertir, disciple, douze, prêcher, saint
apotropaïque v. sacrifice
appalachien v. crête
apparaître v. montrer, sentir
apparat v. appareil, splendeur
appareil v. batterie, instrument, machine, maçonnerie, marque, organe, outil, poste, robot, système
appareillade v. accouplement, saillie
appareillage v. départ, pierre
appareillement v. reproduction
appareiller v. équiper, lever
appareilleur v. maçon
apparence v. allure, composition, forme, genre, mine, phase, phénomène, physionomie, réalité, superficiel, vernis
apparent v. éclipse, façade, visible
apparenté v. voisin
appariage v. saillie
appariement v. perdrix
apparier v. accorder, unir
appariteur v. faculté, huissier
apparition v. approche, fantôme, hallucination, magique, phénomène, présence, révélation, vision
appartenance v. nationalité, relation
appartenir v. partie, relever, revenir
appas v. beauté, charme
appât v. chasse, mordre, vase
appâter v. allécher, briller, engraisser, pêcher, séduire, tenter
appauvrir v. dégénérer
appauvrissement v. épuisement
appeau v. appeler, chasse, piège, sifflet
appel v. convocation, ferme, impitoyable, invitation, mobilisation, recensement, recruter, référendum, renvoi, ressort, signal, tentation
appelant v. piège
appelé v. militaire
appeler v. convoquer, interpeller, nommer, réclamer, remettre, souhaiter, venir
appellation v. nom
appendice v. addition, complément, livre, supplément
appendicectomie v. ventre
appentis v. baraque, cabinet, dépendance
appertisation v. conservation
appesantir v. insister
appétence v. appétit, besoin
appétit v. curiosité, soif
applaudir v. féliciter, réjouir
applaudissement v. battement
application v. exercice, fonction, pratique, réflexion, vigueur, zèle
applique v. lampe, ornement
appliqué v. attentif, régulier, sérieux, soigneux, travailleur, vigilant
appliquer v. attacher, concerner, employer, essayer, imprimer, parvenir, placer, veiller, viser
appoint v. addition, complément, supplémentaire
appointements v. revenu, salaire
appointer v. payer, tailler
appontage v. atterrissage
appontement v. pont, quai
apport v. conquête, participation
apporter v. compléter
apposer v. adjectif, appliquer, imprimer
appositif v. relatif
appréciable v. important, précieux, sensible
appréciation v. bulletin, critique, évaluation, impression, note, supposition, verdict
apprécier v. admirer, aimer, calculer, considérer, croire, déterminer, entendre, estimer, goûter, juger, mesurer, sentir, valeur
appréhensible v. perceptible
appréhender v. apprécier, arrêter, attraper, capturer, comprendre, craindre, embrasser, pénétrer, redouter, saisir, soupçonner, trembler
appréhension v. compréhension, inquiétude, peur
apprendre v. connaître, enseigner, étudier, expliquer, informer, montrer, répéter, retenir, savoir
apprenti v. adolescent, débutant, disciple, écolier, franc-maçon, main, métier
apprentissage v. éducation, initiation, savoir
apprêt v. organisation, préparation, recherche, tissu
apprêté v. manière, papier
apprêter v. disposer, imprimerie, parer
apprivoisement v. conquête
apprivoiser v. assurer, gagner, soumettre
approbateur v. favorable
approbation v. permission, sanction, visa
approchant v. proche
approche v. accès, avance, démarche, lettre, vue
approfondir v. compléter, consciencieux, considérer, creuser, étendre, explorer, fouiller, soigneux
approfondissement v. réflexion
appropriation v. conquête, occupation
approprié v. adéquat, digne, favorable, juste, pertinent
approprier (s') v. conquérir, emparer (s'), faire, ravir, soustraire, voler
approuver v. accord, applaudir, encourager, entériner, positif, raison, rendre, retenir, souscrire
approvisionnement v. réserve, stock
approvisionner v. alimenter, déposer, fournir, manger, servir
approximatif v. grossier, imparfait, vague
approximation v. évaluation
approximativement v. indicatif
appui v. balcon, faveur, patronage, secours, support
appuyé v. regard
appuyer v. fonder, insister, peser, presser, protéger, recommander, seconder, servir, soutenir, spéculer, supporter
apraxie v. trouble
âpre v. brutal, chaud, cruel, désagréable, mordant, pénible, revêche, rude, sévère, vif
après (d') v. selon
après quoi v. peu
âpreté v. argent, dureté, fiel
a priori v. adverbe, connaissance, notion, raisonnement
apsara v. déesse
apside v. comète
apte v. propre
aptère v. fourmi
aptitude v. capacité, étoffe, facilité, instinct, prédisposition, qualité, savoir
apyre v. feu
apyrexie v. fièvre, intermittent
aquamanile v. lavabo
aquanaute v. exploration
aquarelle v. lavis, peinture
aquarelliste v. peintre
aquariophile v. aquarium
aquatinte v. gravure, image
aquatique v. eau
aqueduc v. conduite, hydraulique, pont
aquifère v. eau
aquifoliacées v. houx
aquilidés v. aigle
aquilin v. aigle
aquilon v. nord, vent
ara v. perroquet
araba v. voiture
arabe v. perse
arabesque v. courbe, danse, dessin, ornement
arable v. agricole, labourer
arachnéen v. léger, toile d'araignée
arachnides v. araignée, scorpion
arachnoïde v. membrane, méninge
aragonite v. calcium
araignée v. filet
araire v. charrue, sillon
arak v. liqueur
araliacées v. ginseng
araméen v. rabbin
aranéeux v. toile d'araignée
aranéides v. araignée
arantèle v. araignée, toile d'araignée
araser v. niveau, scier
Aratos v. constellation
arbalète v. flèche
arbalétrier v. ferme, infanterie, soldat
arbitrage v. change, droit, entremise, intervention, verdict
arbitragiste v. arbitrage
arbitraire v. choix, conventionnel, gratuit, illégal, injuste, irrégulier, policier, règle, tyrannique
arbitrairement v. prince
arbitral v. arbitre
arbitre v. médiateur, négocier
arbitrer v. intervenir, juger, trancher
arborer v. afficher, brandir, étaler, montrer, porter
arborescence v. arbre
arboretum v. botanique
arboricole v. arbre
arboriculteur v. jardinier
arboriculture v. arbre, horticulture
arbousier v. maquis
arbre v. axe, buisson, moteur, plante
arbrisseau v. rhododendron
arc v. cercle, circonférence, flèche, pont
arcade v. arc, orbite, sourcil

arcane v. mystère, secret, tarot, vérité
arcanson v. résine, térébenthine
arc-boutant v.appui, barreau, renfort
arc-doubleau v. berceau
arceau v. arc, voûte
arc-en-ciel v. cravate
archaïque v. ancien, déluge, démodé, passé, primitif, retard, usage, vieux
archaïsme v. mot, suranné
archange v. ange
arche v. alliance, arc, saint, synagogue, voûte
archée v. arc
archéologie v. ancien
archéologue v. fouille
archer v. soldat
archère v. fenêtre
archétype v. idéal, modèle, type
archevêché v. archevêque
archevêque v. clergé, religieux
archiatre v. médecin
archidiacre v. diacre
archidiocèse v. archevêque
archiépiscopat v. archevêque
archimandrite v. religieux
archipel v. île
architecte v. design, maison, paysage
architectonique v. architecture, construction
architecture v. design, plastique
architriclin v. banquet
archiver v. manuscrit
archives v. document, histoire, information, recueil
archiviste v. archives, bibliothèque
archivolte v. moulure
arçon v. branche
arçonnage v. nettoyer
arctique v. nord, pôle
arcure v. arc, branche
ardélion v. serviable
ardent v. amoureux, feu, flamme, impatient, impétueux, passionné, profond, vif, vigoureux
ardeur v. bouillonnement, chaleur, empressement, enthousiasme, feu, force, frénésie, intérêt, passion, pétulance, véhémence, zèle
ardillon v. boucle, ceinture, piquant, pointe
ardoise v. dette, écolier, pierre
ardoisier v. ardoise
ardoisière v. ardoise
ardu v. compliqué, difficile, ingrat, laborieux, pénible, savant
are v. hectare
arénacé v. sable
arène v. circulaire, cirque, corrida, sable, spectacle
arénicole v. sable
aréole v. cercle, sein
aréomètre v. densité, liquide
Aréopage v. tribunal
aréopage v. assemblée, savant
aréquier v. palmier
Arès v. guerre
arête v. angle, crête, ligne, montagne
argali v. mouton
argent v. blason, capital, ressource, richesse
argentan v. argent, nickel, zinc
argenterie v. argent
argentier v. argent, buffet, trésorier
argentifère v. argent
argentin v. clair
Argentine v. rodéo
argentite v. argent
Argine v. trèfle
argon v. gaz
argonaute v. mollusque
argot v. communauté, dialecte, vert
argotique v. populaire
arguer v. conclure
argument v. démonstration, objection, raison, scénario
argumentatif v. raisonnement
argumentation v. dialectique
argumenter v. difficulté, raisonner
Argus v. automobile, gardien
argus v. surveiller
argutie v. chicane, finesse, pointilleux, raisonnement, subtil
argyrisme v. argent
argyronète v. araignée
argyropée v. alchimie
argyrose v. argent
aria v. air, chant, difficulté, ennui, opéra
Ariane v. fil
arianisme v. hérésie
aride v. maigre, pauvre, sec, sévère, stérile
aridité v. insensibilité
ariette v. chant
arioso v. chant
aristarque v. critique
aristocrate v. illustre, noble
aristocratie v. société
aristocratique v. raffiné
arithmétique v. chiffre, nombre
arithmographe v. calculer
arithmomancie v. divination
arkan v. musulman
Arlequin v. pantomime
arlequin v. bouffon, comique, losange
armateur v. navire
armature v. âme, relatif, structure
arme v. armement, blason, salle
armée v. ordre, unité
armement v. chevalier
armer v. équiper, garnir, munir
armet v. casque
armille v. anneau, bracelet
armistice v. arme, combat, feu, guerre, paix, trêve
armoire v. bibliothèque, buffet, bureau, chambre
armoiries v. arme, blason, noblesse
armorial v. recueil
Armstrong (Neil) v. Lune
armure v. combinaison, tissu
armurerie v. arme
armurier v. fusil
aromathérapie v. aromate, plante
aromatique v. pétrole, senteur
arôme v. bouquet, odeur, parfum, senteur
aronde v. hirondelle
arpège v. accord
arpent v. terre
arpenter v. marcher, mesurer, parcourir
arpenteuse v. chenille
arpète/arpette v. adolescent, apprenti, couturier
arqué v. tordu
arquebusier v. infanterie, soldat
arquer v. plier
arrachage v. récolte
arrache-pied (d') v. frénésie
arracher v. emporter, enlever, extraire, sauver, soustraire
arraisonnement v. visite
arraisonner v. inspecter, reconnaître
arrangeant v. facile
arrangement v. combinaison, ordonnance, organisation
arranger v. aménager, bricoler, composer, convenir, débrouiller, équiper, installer, inventer, ménager, poser, préparer, remettre, réparer, satisfaire
arrecteur v. poil
arrenter v. louer
arrérages v. intérêt
arrestation v. filet
arrêt v. commandement, condamnation, immobile, jugement, mandat, panne, pause, repos, sentence, silence, stagnation, station
arrêté v. décret, ferme, fixe, ministériel, précis
arrêter v. accord, capturer, cesser, décider, démentir, demeurer, déterminer, établir, immobiliser, insister, neutraliser, prescrire, rattraper, réfléchir, renoncer, retenir, supprimer, surprendre, vapeur
arrhes v. avance, commande, dépôt, paiement, provision
arriat v. compagnon
arrière v. plongeon, retard
arriéré v. démodé, imbécile, retard, suranné
arrière-bec v. éperon
arrière-boutique v. boutique, magasin, stock
arrière-pensée v. derrière, intention, sous-entendu
arrière-plan v. fond, scène
arrière-saison v. automne
arrière-train v. postérieur
arrimage v. cargaison
arrimer v. attacher
arriser v. voile
arrivage v. arrivée, livraison
arrivée v. but
arriver v. atteindre, intervenir, parvenir, produire, résultat, survenir, venir
arriviste v. intrigue
arrogance v. dédain, hauteur, insolence, orgueil, prétention, superbe
arrogant v. désagréable, fier, mépris, suffisant, supérieur
arroger (s') v. attribuer
arrondissement v. division, territoire, zone
arrosage v. irrigation
arroyo v. canal
arsenal v. arme, magasin, munition, quantité, vaisseau
arsenic v. poison
arsin v. incendie
arsine v. gaz
art v. bronze, instinct, recherche, science, style
artefact v. artificiel, humain
Artémis v. chasse, chasseur, vierge
artère v. canal, passage, rue, sang, vaisseau
artériel v. souffle
artériole v. artère
artériologie v. artère
artériopathie v. artère
artériotomie v. artère
artérite v. inflammation
artésien v. puits
arthrite v. articulation, rhumatisme
arthropodes v. crustacé, mouche
arthrose v. rhumatisme
artichaut v. jet
article v. budget, bulletin, dictionnaire, écrit, importation, loi, marchandise, objet, papier, point, produit, récit, variable
articuler v. construire, mot, prononcer, unir
artifice v. affectation, déguisement, ficelle, habileté, piège, ruse, subterfuge
artificiel v. emprunt, faux, inventer, plastique, prairie, sophistiqué, synthétique
artificier v. artillerie
artificieux v. fin, hypocrite, sournois
artillerie v. armée
artilleur v. artillerie, canon
artimon v. mât
artiodactyles v. doigt, hippopotame
artisan v. patron
artisanal v. main
artisanat v. industrie
artiste v. interprète, peintre, vedette
artocarpe v. urticaire
aryballe v. vase
Aryens v. perse
aryténoïde v. larynx
arythmie v. cœur
arythmique v. irrégulier
as v. champion
ASA v. photographie
ascaride v. parasite, ver
ascendance v. arbre généalogique, origine, race
ascendant v. ancêtre, autorité, descendant, empire, famille, force, influence, pouvoir, supériorité
Ascension v. mai
ascension v. alpinisme, astre, course, escalade, excursion, progression, promotion
ascèse v. abstenir (s'), austérité, corps
ascétique v. sexuel
ascétisme v. chasteté
Asclépios v. médecine
asdic v. marine, sous-marin
aséité v. cause, dieu
asepsie v. hygiène, microbe, stérilisation
aseptisation v. désinfection
aseptisé v. stérile
aseptiser v. assainir
Ases v. germanique
ashkénaze v. juif
ashram v. communauté, monastère
asialie v. salive
asile v. bienfaisance, folie, refuge
Asmodée v. diable
aspartame v. sucre
aspect v. apparence, astrologie, conjonction, côté, éclairage, face, forme, phase, physionomie, profil, versant
asperger v. gicler, mouiller
aspérité v. accident
aspersion v. baptiser, purification
asphalte v. goudron, rue, sol
asphalter v. recouvrir
asphyxie v. étouffement
asphyxier v. noyer, paralyser, respirer
aspic v. canon, lavande, serpent, vipère
aspirant v. candidat, chef
aspiration v. ambition, appel, appétit, besoin, désir, idéal, souffle
aspirer v. attirer, désirer, pomper, respirer, rêver,

souhaiter, tendre, vouloir
assa-fœtida v. gomme, résine
assaillant v. adversaire, combattant
assaillir v. assiéger, attaquer, envahir, fondre, harceler, précipiter, presser, sauter, solliciter, tourmenter
assainir v. crever, marais
assainissement v. désinfection, hygiène, purification
assaisonner v. relever, saler
assam v. thé
assassinat v. crime, meurtre
assassiner v. étrangler, périr, supprimer, tuer
assaut v. attaque, match
asseau v. marteau
assec v. sec
assèchement v. épuisement
assécher v. assainir, sécher, vider
assemblage v. accouplement, chaîne, composition, conjonction, réunion, union, vin
assemblé v. danse
assemblée v. assistance, public, représentation, réunion, sénat
Assemblée nationale v. chambre, député, palais, parlement
assembler v. attacher, bâtir, emboîter, joindre, monter, raccorder, réunir, serrer, unir
assembleur v. imprimerie
assener v. donner, frapper
assentiment v. agréer, approbation, complet
asseoir v. consolider, établir, fonder, placer
assermenté v. serment
assertion v. affirmation
asservir v. lier, perdre, soumettre, tyranniser
asservissement v. contrainte, dépendance, esclavage, oppression, servitude
assesseur v. magistrat, second
assibiler v. siffler
assidu v. constant, continu, régulier, soutenu, travailleur, vigilant, zélé
assiduité v. application, fréquentation, ponctualité, présence
assiéger v. bloquer, encercler, siège
assiette v. base, équilibre, imposition, impôt, position
assignat v. banque
assignation v. affectation, convocation
assigner v. accuser, appeler, citer, destiner, fixer, répartir, traduire
assimilation v. adaptation, digestion, fusion, immigré
assimilé v. statut
assimiler v. comprendre, digérer, intégrer, savoir, semblable
assis v. magistrature, stable
assise v. assiette, banc, base, fondation, position, soubassement
assises v. assemblée, parti, réunion, tribunal
assistance v. ambassade, assemblée, bienfaisance, charité, destinataire, orientation, protection, public, réunion, salle, secourir, service, spectateur, témoin
assistant v. adjoint, auxiliaire, chirurgien, pharmacie, second
assister v. accompagner, aider, défendre, paraître, seconder, secourir, soutenir, voir
associatif v. réflexe
association v. amicale, analogie, collaboration, conjugaison, ordre, organisation, parti, société, synthèse, union
Association A.I.D.E.S. v. sida
Association de lutte contre le sida v. sida
association Vaincre le sida v. sida
associationnisme v. raison
associé v. partenaire
associer v. équipe, intéresser, joindre, marier, mêler, partager, unir
assoiffer v. soif
assolement v. agricole, alterner, fertile, rotation
assombrir v. noircir, renfrogné
assommant v. ennuyeux
assommer v. étourdir
assommoir v. bar
assomption v. hypothèse
assonance v. répétition, rime
assortiment v. choix, collection, ensemble, éventail, sélection, stock
assortir v. accompagner, accorder, assembler, combiner, marier
assoupir v. apaiser, calmer, consoler, dormir, endormir
assoupissement v. inaction, indifférence, sommeil
assouplir v. soumettre
assourdir v. adoucir, affaiblir, calmer, diminuer, étouffer, sourd
assourdissant v. bourdonnement, effroyable, fatigant
assouvir v. apaiser, calmer, passer, satisfaire
assuétude v. besoin, dépendance, drogue, esclavage, manque
assujetti v. impôt, servile
assujettir v. assurer, conquérir, esclavage, fixer, immobiliser, lier, soumettre, vassal
assujettissement v. obéissance, occupation, oppression, tutelle
assumer v. reconnaître, supporter
assurance v. aplomb, audace, conviction, espoir, gage
assuré v. évident, ferme, inévitable, précis, solide, stable, sûr
assurer v. brevet, garantir, recommander, répondre, soutenir, vérifier
assureur v. assurance
Assyrien v. Babylonien
astaciculture v. écrevisse
astacidés v. écrevisse
astérisme v. constellation
astérisque v. marque, renvoi
astéroïde v. astre, planète
asthénie v. dépression, diminution, faiblesse, fatigue, perte
asthénopie v. lecture
asthmatique v. asthme
asti v. dessert
asticot v. larve, mouche, ver
asticoter v. taquiner
astigmatisme v. vue
astiquer v. briller, frotter, nettoyer, polir
astragale v. pied
astral v. universel
astre v. comète, corps
astreignant v. exigeant, pénible, strict
astreindre v. contraindre, forcer, obliger, plier, soumettre
astrolabe v. marine
astrolâtrie v. astre
astrologie v. consultation
astromancie v. astrologie
astronaute v. fusée, vaisseau
astronautique v. espace
astronef v. astronautique, vaisseau
astronomie v. astronautique, exact
astronomique v. gros
astrophysique v. astronautique
astroport v. aéroport
astuce v. ficelle, malice, ruse, subterfuge
astucieux v. adroit, débrouillard, fin, fort, habile, intelligent, inventer, malin, subtil
asymétrie v. irrégularité, opposition
asymétrique v. irrégulier
asyndète v. liaison
Atalante v. course
ataraxie v. calme, égalité, impassibilité, indifférence, tranquillité
atavisme v. famille, hérédité, parent, profond
atelier v. aéroport, boutique, confection, fabrique, industrie, local, loge, usine
atellane v. bouffon, farce, théâtre
atemporel v. temps
atermoiement v. délai, retard
atermoyer v. attendre, fois, hésiter, prolonger, remettre, temporiser
athanor v. distillation
athée v. croyant, impie, noncroyant, religion, sceptique
athéisme v. dieu, incroyance, négation
Athéna v. chouette, sagesse, vierge
athermane v. radiation, verre
athlétisme v. gymnastique
athrepsie v. amaigrissement, maigreur
atlante v. colonne, statue, télamon
Atlantique v. océan
Atlas v. géant
atlas v. carte, cou, recueil, relief, vertèbre
atmosphère v. air, ambiance, cadre, climat, condition, décor, enveloppe, environnement, milieu, univers
atoll v. corail, île
atome v. corps, matière, parcelle, partie
atomique v. nombre
atomiseur v. aérosol, bombe
atomisme v. atome
atomiste v. atomique
atomistique v. atome
Aton v. soleil
atone v. neutre
atonie v. énergie, inertie, paresse, torpeur
atour v. toilette
atout v. avantage, chance, réclame
atrabilaire v. colère
Atrabilaire amoureux (l') v. misanthrope
atrabile v. mélancolie
âtre v. feu, foyer
atrichie v. poil
atrium v. cour, foyer
atroce v. abominable, affreux, effroyable, épouvantable, extrême, supporter
atrocité v. horreur, monstruosité
atrophie v. nourriture
atropine v. poison
attachant v. fascinant, intéressant
attache v. articulation, bouton, broche, épingle, lien, relation
attaché v. fidèle
attachement v. adoration, affection, dépendance, piété, préférence, tendresse
attacher v. appliquer, fermer, fixer, immobiliser, rattacher, retenir, réunir, unir
attaque v. attentat, commencement, crise, critique, invasion, malaise, opération, sortie
attaquer v. assaillir, battre, brèche, entamer, insulter, mordre, prendre, procès, provoquer, raisonnement, ronger, rouille, sauter
attarder (s') v. demeurer, traîner
atteindre v. parvenir, pénétrer, toucher
atteint v. éprouver, souffrir
atteinte v. blessure, violation
attelage v. flèche
atteler v. course hippique, livrer, occuper
attelle v. fracture, réduction
attenant v. proche, toucher, voisin
attendre v. poireau
attendrir v. émouvoir, plaindre, toucher
attendrissant v. émouvant
attendu v. motif
attentat v. attaque, crime, faute, tentative, terrorisme, violence
attentatoire v. contraire
attente v. espoir, téléphone
attenter v. offenser
attentif v. alerte, observateur, scrupuleux
attention v. adresse, application, empressement, intérêt, prudence, réflexion, regard, sérieux, soin, veiller, vigilance
attentionné v. galant, serviable, soin
attentiste v. attente
attentivement v. près
atténuer v. adoucir, affaiblir, alléger, cesser, consoler, corriger, diminuer, estomper, neutraliser, soulager, souple, tempérer
atterrer v. indigner
atterrir v. poser
atterrissement v. île, sable
attestation v. acte, bulletin, constatation, déclaration, visa
attesté v. authentique, positif, vrai
attester v. affirmer, assurer, confirmer, garantir, indiquer, révéler, soutenir, témoigner
attiédir v. réchauffer
attique v. grec, grenier
attirance v. attraction
attirer v. allécher, concilier, intéresser, plaire, ravage, ravir, recruter, respect, retenir, séduire, solliciter, tenter
attiser v. exciter, souffler, venin
attitude v. comportement, conduite, danse, façon, genre, maintien, port, position
attouchement v. contact
attractif v. fascinant
attraction v. aimant, corps, envoûtement, parc
attrait v. agrément, désir, grâce,

intérêt, invitation, penchant, piquant, tentation
attraper v. prendre, rattraper, recevoir, reproche, saisir
attrayant v. agréable, plaisant
attribuer v. assigner, destiner, donner, faire, gratifier, prêter, rattacher, reconnaître, répartir, supposer
attribut v. adjectif, charme, signe, symbole, trait
attribution v. affectation, distribution, part, pouvoir, regret
attrister v. affliger, désespérer, désoler, fendre
attrition v. confession, faute, remords
attroupement v. foule
attrouper v. assembler
aubade v. matinal, récital
aubaine v. chance, hasard, occasion
aube v. commencement, hydraulique, jour, lever, matin, messe, moulin, robe, tôt, vêtement
aubépine v. épine, rosacée
auberge v. hôtel
aubergine v. violet
aubette v. kiosque
aubier v. bois
auburn v. brun, châtaigne, roux
Aubusson v. tapisserie
aucun v. nul, pas, plusieurs, un
aucunement v. pas
audace v. aplomb, confiance, front
audacieux v. aventureux, courageux, crâne, hardi, imprudent, osé
audible v. concret, perceptible
audience v. séance
Audimat v. télévision
audimètre v. télévision
audiogramme v. oreille
audiophone v. audition
audiovisuel v. document
audit v. comptable, expert
auditeur v. témoin
audition v. concert, récital, son
auditoire v. assemblée, destinataire, public, réunion, salle, spectateur
auditorium v. audition, concert
auge v. bac, cochon, étable, maçon
auget v. moulin
augmentation v. croissance, dilatation, escalade, hausse, multiplication, supplément
augmenter v. accroître, développer, doubler, élever, enrichir, étendre, perfectionner, prolonger, relever
augure v. avenir, divination, favorable, funeste, malheur, prédiction, prévision, prophète, signe
augurer v. soupçonner, supposer
auguste v. clown, majestueux, sacré, saint, solennel
augustin v. mendiant
augustinisme v. théologie
aula v. cour
aumaille v. bétail
aumône v. bienfait, charité, don, faveur, secours
aumônière v. bourse, sac
aune v. bois, cuivre, longueur
auparavant v. passé
auréole v. couronne, martyr, saint
auréoler v. entouré, succès

auriculaire v. doigt, main, oreille, témoin
aurifère v. or
aurification v. dentaire
aurige v. char
aurore v. commencement, jour, lever, matin, purée, tôt
auscultation v. examen, exploration
auspice v. avenir, divination, patronage, sauvegarde, signe, tutelle, vol
aussitôt v. instant, suite
austénite v. acier
austénitisation v. acier
austère v. dur, grave, nu, puritain, rigide, rigoureux, sérieux, sévère, sobre, strict, vie
austérité v. abstenir (s'), corps, pénitence, sécheresse
Austin v. comète
austral v. hémisphère, pôle, sud
Ausweis v. laissez-passer
autan v. vent
autant v. comparaison
autel v. messe, sacrifice, table
auteur v. artisan, écrivain, rédacteur, reproduction, responsable
authenticité v. réalité, véracité, vérité
authentifier v. confirmer, constater, légaliser, notaire
authentique v. époque, exact, officiel, original, réel, sincère, testament, vrai
autisme v. communication, isolement, psychose
auto v. drame
autobiographie v. biographie, histoire, mémoire, récit, vie
autobus v. véhicule
autocar v. véhicule
autocensure v. refoulement
autochore v. plante
autochtone v. habitant, indigène, pays
autoclave v. conserve, marmite, stérilisation, vapeur
autocoat v. manteau
autoconservation v. instinct
autocrate v. dictateur, souverain, tyran
autocratie v. gouvernement, république
autocratique v. régime
autocritique v. confession
autocuiseur v. vapeur
autodafé v. brûler, feu, Inquisition, supplice
autodétermination v. détermination, liberté, politique
autodidacte v. apprendre, curiosité, fils
autogamie v. bisexué
autogire v. avion, hélicoptère
autographique v. encre
automate v. machine, robot
automation v. automatique
automatique v. inconscient, involontaire, mécanique, spontané
automatisation v. automatique, rationnel, usine
automatiser v. industrialiser
automatisme v. habitude, inconscience, informatique, intelligence artificielle, réflexe
automédon v. chauffeur, conducteur, fiacre
automitrailleuse v. blindé
automnale v. automne
automobile v. véhicule
autonome v. port, règle
autonomie v. détachement, distance, essor, fédéral, indépendance, liberté, personnalité

autonomiste v. nationalisme, séparation
autoplastie v. greffe
autoportrait v. portrait
autopsie v. analyse, cadavre, examen
autorisation v. approbation, dispense, droit, liberté, licence, visa
autorisé v. officiel
autoriser v. accéder, approuver, consentir, permettre, qualifier, tolérer
autoritaire v. dogmatique, ferme, impératif, policier, sévère, tyrannique
autoritarisme v. dictature
autorité v. fermeté, force, importance, influence, pouvoir, puissance, réputation, supériorité
autoroute v. route
autosome v. chromosome
autotomie v. lézard
autovaccin v. vaccin
autre v. différent
autrefois v. passé
autruche v. coureur, panache
autrucherie v. autruche
autruchon v. autruche
autrui v. personne
auvent v. abri, store, toit
auxilia v. auxiliaire
auxiliaire v. adjoint, aide, allié, annexe, complice, second, supplémentaire, verbe
auxine v. hormone
avachi v. mou
avachir v. veau
avachissement v. déformation
aval v. fleuve, garantie
avalaison v. torrent
avalanche v. chute, déluge, neige, quantité
avaler v. consommer, introduire, prendre
avaliser v. garantir
à-valoir v. paiement
avance v. film, ouverture, prêt, progression, provision, tentative
avancé v. mûr
avancée v. éperon
avancement v. promotion
avancement d'hoirie v. héritage
avancer v. affirmer, précipiter, prêter, proposer
avançon v. monture
avanie v. humiliation, offense
avant v. plongeon
avantage v. bénéfice, bienfait, facilité, faculté, faveur, intérêt, mener, prérogative, privilège, profit, succès, supériorité
avantager v. embellir, servir
avantageux v. bon, favorable, heureux, précieux
avant-bec v. briser, éperon
avant-corps v. porche
avant-garde v. pointe
avant-gardiste v. pilote, pionnier, révolutionnaire
avant-propos v. commencement, préface
avant-scène v. scène
avant-veille v. veille
avare v. économe, grippe-sou, intéresser, sobre
avarice v. argent, intérêt, passion
avaricieux v. avare
avarie v. cargaison, dommage
avarié v. corrompu, endommager, gâté
avarier v. pourrir
avaro v. difficulté
avatar v. transformation

aveline v. noisette
aven v. gouffre
avenant v. affable, agréable, aimable, assurance, gentil, soigné, sympathique
avènement v. roi
avenir v. fortune, futur, sort
avent v. Noël, pénitence
aventure v. entreprise, fantaisie, flirt, hasard, incident, rencontre
aventurer v. risquer
aventureux v. audacieux, imprudent
aventurier v. vagabond
aventurine v. quartz
avéré v. authentique, établi, manifeste, positif, sûr, vrai
avérer v. confirmer, montrer, reconnaître
avers v. côté, face, monnaie opposé
averse v. pluie
aversion v. dégoût, détester, haine, horreur, peur
averti v. prudent
avertir v. apprendre, informer, prévenir, recommander, renseignement, savoir, signaler
avertissement v. blâme, crier, impôt, invitation, menace, mise, observation, préface, signe, sommaire
avertisseur v. incendie, signal, sonnette
Avesta v. perse, récit
avette v. abeille
aveu v. confession, révélation, témoignage
aveuglant v. éblouissant, vif
aveugle v. potage
aveuglement v. délire, inconscience
aveuglément v. réflexion
aveugler v. boucher, illusion
aviaire v. peste
aviculteur v. oiseau
aviculture v. volaille
avide v. impatient, intéresser, passionné
avidité v. appétit, cupidité, curiosité, désir, passion
avifaune v. oiseau
avilir v. abaisser, commettre, honte, pervertir, profaner, rabaisser, salir, tomber
avilissant v. dépréciatif
avilissement v. humiliation, prostitution
aviné v. ivre
avion v. parachute, réaction, véhicule
avionique v. avion
avionneur v. avion
avis v. affiche, annonce, avertissement, indication, information, instruction, message, note, opinion, renseignement, sens, sentiment
avisé v. bon, conseil, méfiant, prudent, réfléchi, sage
aviser v. apprendre, avertir, conseiller, informer, permettre, prévenir, regarder, savoir
avitailler v. avion
avitaminose v. vitamine
aviver v. aggraver, animer, exaspérer, exciter
avocasserie v. chicane
avocat v. magistrat, palais, plaider
avoine v. céréale
avoir v. capital, posséder
avoisinant v. voisin
avoisiner v. toucher
avortement v. grossesse
avorter v. échouer, torpiller
avoué v. ministériel, officier

avouer v. concéder, confesser, convenir, faute, reconnaître
avoyer v. scie
avunculaire v. oncle, tante
AWACS v. avion, radar
axe v. centre, ligne, pli, pôle, voie
axel v. patinage, saut
axer v. diriger
axile v. axe
axiome v. abstraction, base, certitude, commencement, condition, définition, démonstration, hypothèse, identité, premier, prémisse, primitif, principe, raisonnement, règle, sentence, théorie, vérité
axis v. axe, cou, vertèbre
axolotl v. larve
axone v. nerveux
axonge v. cochon, graisse
ayant cause v. héritier
ayatollah v. conducteur, théologie
azerolier v. épine
azimuth v. angle
azolla v. marais
azotate v. nitrate
azote v. gaz
azotémie v. azote
azur v. blason, bleu, ciel
azurite v. minéral
azyme v. pain

B

b.a ba v. abc
babil v. bébé, bruit, grive
Babile (saint) v. commère
babillage v. conversation, enfant
babillard v. bavard
babiller v. parler
babine v. lèvre
babiole v. chose, objet, rien, valeur
babiroussa v. porc
bâbord v. bord, côté
babouche v. chaussure, pantoufle
babouvisme v. communisme
babylonien v. gigantesque
bac v. vaisselle
baccalauréat v. diplôme
bacchanale v. débauche, danse
bacchante v. moustache
Bacchus v. saison, vigne
bacciforme v. baie
bachelier v. baccalauréat, chevalier
bachi-bouzouk v. soldat, turc
bachot v. bac, pêche
bachotage v. baccalauréat, révision
bachotte v. bac
bacille v. lèpre, microbe
bacillose v. tuberculose
bâcle v. barre, porte
bâcler v. expédier, gâcher, négliger
Bacon v. alchimiste
bactéricide v. antibiotique
bactérie v. microbe
badaud v. curieux
badauderie v. badaud
badge v. insigne
badiane v. anis, digérer
badigeon v. vernis
badin v. gai
badinage v. conversation
badine v. baguette, canne
baffle v. écran, haut-parleur
bafouer v. fouler, ridiculiser
bafouiller v. balbutier, parler, réciter
bagage v. savoir, valise
bagagiste v. bagage
bagarre v. bataille
bagasse v. sucre
bagatelle v. amour, chose, détail, frivolité, futile, misère, objet, rien, superflu, valeur
bagnard v. caillou, condamné
bagne v. colonie
bagou v. bavardage, parler
baguage v. sève
bague v. anneau
baguenauder v. aller, badaud, promener
baguette v. béret, cadre, fée, orchestre, pain, store
baguettisant v. baguette
baguier v. bague, bijou, boîte
bahut v. buffet, coffre, mur
bai v. brun
baie v. abri, cactus, fenêtre, ouverture
baignage v. irrigation
baigner v. débarbouiller, nager, plonger, remplir, tremper
baigneur v. jouet
baignoire v. bain, loge
bail v. accord, immeuble
baille v. bac
bâillement v. bâiller
baillet v. roux
bailleur v. bail, propriétaire
bâillon v. bâillonner
bâillonner v. silence, taire
baïram v. musulman
baisemain v. baiser
baisement v. baiser
baisse v. reflux
baisser v. défaillir, incliner, pencher
baissier v. baisse, Bourse
baissière v. tonneau, vin
baisure v. pain
bajoue v. joue
bajoyer v. écluse, mur, paroi
bakchich v. accès, commission, don, gratification, malhonnête
baklawa v. miel
bal v. fête, réunion
balader v. promener
baladeuse v. tramway
balafre v. cicatrice, entaille, marque
balafrer v. blesser
balai v. queue, sorcière, train, vent
balance v. attribut, écrevisse, équilibre, filet, justice, organe, peser, pondération, recette, solde
balancé v. marche
balancelle v. balancer
balancement v. mouvement, reflux
balancer v. fois, hésiter, indécision, secouer, vaciller
balancier v. pendule
balane v. gland
balanite v. gland
balayage v. cheveu, mèche
balayer v. écarter, emporter, lever, parcourir, poussière, supprimer, traîner
balayeuse v. volant
bal blanc v. bal
balbutiement v. enfant
balbutier v. réciter
balbuzard v. aigle
balcon v. plate-forme
baldaquin v. autel, ciel, lit, rideau
bal de têtes v. bal
baleine v. corset
baleinier v. bateau
baleinière v. embarcation
balèvre v. saillie
balisage v. signal
balise v. atterrissage, perche, phare, radar, signal
baliser v. tracer
baliste v. fronde, lancer, machine, projectile
balistique v. mécanique, projectile, trajectoire
baliveau v. arbre, échafaudage, forêt, taillis
baliverne v. conte, futile, parole, sottise
balkanisation v. territoire
ballant v. drapeau, mouvement
ballastière v. sable
balle v. cartouche, céréale, épi, grain, paquet, pelote, projectile
ballerine v. ballet, chaussure, danseur
balletomane v. ballet
ballon v. manche, montagne, rugby, sommet, vase
ballonné v. danse, gonfler
ballonnement v. ventre
ballot v. paquet
ballottage v. scrutin
ballotter v. indécision, secouer
ball-trap v. cible, tir
balluchon v. paquet
balnéaire v. station
balnéation v. bain
balnéothérapie v. bain
balourd v. maladroit
balourdise v. sottise
Balthazar v. mage
balthazar v. litre
balustrade v. balcon, barrière
balustre v. clôture, support
balzane v. tache
bambine v. fille
bambocheur v. fête
bambou v. vannerie
bambuseraie v. bambou
ban v. annonce, mariage, vassal
ban (mettre au) v. chasser
banal v. anonyme, commun, impersonnel, médiocre, ordinaire, plat, quelconque, routine, usé
banalité v. platitude, vérité
banane v. hélicoptère
bananeraie v. bananier
bananier v. banane
banc v. brume, fond, île, sable
bancal v. boiteux, sabre
bancelle v. banc
bancher v. couler
bandage v. corset
bandana v. foulard
bande v. groupe, incliner, mercerie, message, pellicule, pneu, zone
bandeau v. bâillonner, couronne, ornement
bander v. arc, ressort, tendre
banderole v. manifestation, publicitaire
bandit v. malfaiteur, vagabond
bandolier v. contrebandier
bandoulier v. bandit
bank-note v. banque
banlieue v. périphérie, ville, zone
Banlon v. fibre, tissu
banne v. charrette, panier, store
banneret v. seigneur
banneton v. caisse, panier
banni v. interdit
bannière v. chemise, drapeau
bannir v. chasser, écarter, effacer, exclure, exiler, expulser, refouler, supprimer
bannissement v. condamnation, déportation
banqueroute v. désastre, faillite, ruine
banquet v. festin, repas
banqueter v. repas
banquette v. banc, parapet, plate-forme, trottoir
banquier v. banque, financier
banquise v. banc, glace
baptême v. avion, bain, catholicisme, initiation, martyre, purification, religieux
baptistaire v. baptême
baptiste v. protestant
baptistère v. baptême, chapelle
baquet v. bac
bar v. atmosphérique, baromètre, loup, météorologie
baragne v. haie
baragouin v. langage
baraquement v. baraque
baratte v. beurre
baratter v. crème
barbacane v. fenêtre
Barbare v. auxiliaire
barbare v. brut, incorrect, inhumain, sauvage
barbarie v. brutalité, massacre
barbarisme v. abus, barbare, faute, grammaire, irrégulier
barbe v. cachette, épi, papier, plume
Barbe (sainte) v. pompier
barbeau v. bleu
barbecue v. broche
barbelé v. clôture, fer, réseau
barbelure v. grille
barbette v. fichu, plate-forme, religieux
barbiche v. barbe, menton
barbillon v. poisson
barboter v. nager, patauger
barbotière v. canard
barbotine v. faïence, pâte
barbouillage v. enfant
barbouiller v. peindre, sale
barbouze v. secret
barbu v. hérissé
barbule v. plume
barcarolle v. chanson
barda v. bazar, paquet
barde v. celtique, chanteur, héroïque, lard, poète, tranche
bardeau v. planche
barder v. blindé
bardot v. âne, cheval, hybride
barefoot v. ski
barème v. tarif
baresthésie v. poids
barge v. foin
barguigner v. décider, hésiter
baril v. pétrole, tonneau
barillet v. horlogerie, revolver
bariolage v. dessin
barkhane v. sable
barlong v. long
barlotière v. barre
barman v. garçon
bar-mitsva v. juif
barographe v. altitude, baromètre
baromètre v. air, atmosphérique, enregistreur, instrument, météorologie
baron v. noblesse
baroque v. bizarre, perle, tarabiscoté
baroscope v. balance
barque v. embarcation, pêche
barquette v. tarte
barrage v. barrière, écluse, hydraulique, irrigation, retenir, tir
barre v. bille, danse, dominer, fermeture, gymnastique, or,

savon, tribunal, vague
barré v. racine
barreau v. avocat, parquet
barrer v. bloquer, conduire, contrarier, fermer, gouverner, obstruer, supprimer
barrette v. cardinal, chapeau, chemise, coiffure, pneu
barreur v. pilote
barricade v. barrage, obstacle
barricader v. fermer
barrière v. fonte, obstacle, sauvegarde, son
barrique v. tonneau
barrissement v. éléphant
bartavelle v. perdrix
barymétrie v. poids
baryon v. particule
baryonique v. masse
barysphère v. terre
baryton v. voix
baryum v. radium
bas v. inférieur, laid, sale, servile, sombre, voix, zéro
bas (mise) v. naissance
basal v. épiderme
basalte v. lave
basane v. cuir, mouton
basané v. brun, hâlé, mat, noir
bas-bleu v. femme, pédant
bas-côté v. allée
bascule v. balance, peser
basculer v. renverser, tomber
bas de casse v. majuscule, minuscule
base v. appui, cause, centre, fondation, inférieur, militaire, niveau, piédestal, siège, socle, soubassement, source
baser v. appuyer, asseoir, fonder
bas-fond v. fond
basic v. langage
basifuge v. croissance
basilic v. canon
basilique v. cathédrale
basipète v. croissance
basket v. chaussure
basket-ball v. ballon
basketteur v. basket-ball
bas latin v. roman
bas peuple v. foule
basquine v. jupe, vêtement
bas-relief v. relief
basse-cour v. ferme, volaille
basse école v. équitation
basse lisse v. tapisserie
basserie v. tannage
bassesse v. lâcheté
bassin v. balance, dépression, étang, fleuve, hanche, parc, pièce, plaine, plateau, port, tronc, vallée, vase, ventre
bassinet v. plateau
bassinoire v. chauffer, lit
basterne v. litière
bastide v. citadelle, fortification, maison
bastille v. fort
basting v. plafond
bastion v. fortification
bastringue v. bazar
bât v. bête, charge
bataille v. rencontre
bataillon v. armée, compagnie, unité
bâtard v. adultère, race, sucre
batardeau v. barrage
batave v. hollandais
batavia v. laitue
bateau v. bâtiment, embarcation, trottoir, vapeur
bateau-citerne v. bateau
bateau-feu v. bateau
bateau-mouche v. bateau
batelage v. bac
batelée v. charge
bateleur v. magicien
batelier v. bac, bateau, conducteur
batellerie v. transport
bat-flanc v. lit
bathymétrie v. profondeur, sonde
bathymétrique v. carte, sous-marin
bathyscaphe v. plonger, profondeur, sous-marin
bathysphère v. plonger, profondeur, sous-marin
bâti v. carrosserie
batifolage v. jeu
batifoler v. plaisanter
batik v. soie
bâtiment v. bateau, menuisier, monument
bâtir v. appuyer, édifier, élever, faire, fonder
bâtisse v. bâtiment, maison
bâtisseur v. architecte, bâtir, pionnier
batiste v. chemise, lin, toile
bâton v. parquet, pèlerin
bâton de chaise (de) v. irrégulier
bâtonnet v. chromosome
bâtonnier v. avocat
battage v. réclame, soie
battant v. cloche, vainqueur
batte v. bâton, battoir, marteau, or
battellement v. toit
battement v. escrime, mouvement, roulement
batterie v. bac, bougie, ensemble, roulement, tir
batteur v. mélanger
batteuse v. vapeur
battitures v. débris, éclat
battologie v. répétition
battre v. brouiller, croiser, épi, fouiller, frapper, mélanger, monnaie, nettoyer, parcourir, pulvériser, record, refouler, rendre, rosser
battu v. battement, chasse
baudrier v. bande, épée
baudruche v. bœuf
bauge v. gîte, maçonnerie, paille, sale, tanière, torchis
baume v. adoucissant, apaisement, composition, consolation, grotte, médicament, pommade, résine
bauquière v. ceinture
baux v. pont
bauxite v. aluminium
bavard v. indiscret, phrase
bavardage v. inutile
bavarder v. parler
bavaroise v. gâteau
bave v. écume, rage, salive
baver v. raconter
bavette v. conversation, cravate, tablier
bavette (tailler une) v. parler
baveux v. boueux
bavure v. faute, imprimerie, pâté
bayadère v. danseur
bayer aux corneilles v. regarder
bayonne v. jambon
bazar v. boutique, marché, ustensile
bazarder v. vendre
B.C.G. v. tuberculose
béance v. vide
beat v. rythme
béat v. tranquille
béatilles v. crête
béatitude v. bonheur, paix, satisfaction
beau v. intéressant, ravir
beaucoup v. nombre, plus
beau-père v. père
beaupré v. mât
beauté v. élégance, perfection
beauté du diable v. jeunesse
Beauvais v. tapisserie
bébé-éprouvette v. fécondation
be-bop v. jazz
bec v. bouche, cap, gourmand, sifflet
bécarre v. accident
bécasse v. alouette, gibier
bécasseau v. bécasse
bécassine v. bécasse
bec-de-cane v. serrure
bec-de-corbeau v. bec
bec-de-corbin v. bec
bec-de-perroquet v. ossification
becerrada v. course de taureaux
bêche v. pelle
bêcher v. creuser
béchot v. bécasse
bécot v. baiser
becquée v. bec
bédane v. ciseau, menuisier
bedeau v. concierge
bédégar v. éponge
bedondaine v. cornemuse
bedonnant v. gros, ventre
Bédouin v. nomade
bée (bouche) v. muet, surprise
béer v. bayer, regarder
beffroi v. cloche, clocher, commune, tour
bégaiement v. expression, prononciation
béguètement v. bouc, chèvre
béguin v. amour, bonnet, flirt
béguinage v. monastère
béguine v. dévot
béhaviorisme v. comportement, psychologie
beige v. marron
beigne v. châtaigne
beignet v. friture
béjaune v. bec, blanc-bec, faucon, sot
bel canto v. opéra
bêlement v. chèvre
belette v. hermine
Bélial v. diable
bélier v. machine
bélière v. clochette, sabre
bélier hydraulique v. hydraulique
bélinogramme v. image, message
bellâtre v. beau
belle v. manche
belle de Fontenay v. pomme de terre
bellicisme v. guerre
belligérant v. adversaire, guerre
belliqueux v. agressif, bagarre, violent
Bellone v. guerre
bellot v. mignon
belluaire v. bête, gladiateur
belon v. huître
belote v. impasse
beluga v. yacht
belvédère v. hauteur, pavillon, paysage, plate-forme
Belzébuth v. ange, diable, mal
bémol v. accident
bénédicité v. bénir, prière
bénédictin v. travail
Bénédictine v. liqueur
bénédiction v. bonheur, don, faveur, imposition, procession, salut
bénéfice v. bienfait, budget, excédent, fruit, intérêt, privilège, produit, profit, succès
bénéfique v. avantageux, favorable
benêt v. naïf, sot
bénévole v. aide, gratuit, participant
Ben-Hur v. conducteur
bénin v. douleur, indulgent, inoffensif, maladie
bénir v. baptiser
bénitier v. bénit
benjamin v. dernier, fils, jeune
benjoin v. benzène, encens, résine
benne v. chariot, vendange
benoît v. douceur
Benoît (saint) v. cavalier
benthique v. mer, végétation
benthos v. fond
benzine v. benzène
benzoate v. benzène
benzoïde v. benzène
benzol v. benzène, carburant
béotien v. barbare, culture, ignorance, sauvage
béotisme v. vulgarité
béquille v. boiter, boiteux, canne, poignée, renfort, serrure
ber v. berceau
bercail v. foyer, maison
berceau v. bébé, enfant, feuillage, origine, tonnelle, vallée, voûte
bercelonnette v. bascule, berceau
bercer v. balancer, entretenir, flatter
berceuse v. bébé, bercer, chanson, enfant, fauteuil
béret v. manche
bergamote v. agrume, poire
berge v. bord, fleuve, plage, rivage, rivière
berger v. gardien, paître, pasteur, troupeau
bergère v. fauteuil
bergerie v. bâtiment, ferme
béribéri v. vitamine
berline v. chariot, mine, véhicule, voiture
berlingot v. bonbon
berme v. chemin, talus
bermuda v. culotte
bernache v. oie
bernacle v. baleine
berne v. deuil
berner v. couverture, tromper, vigilance
berquinade v. fade
berthe v. lait
bertillonnage v. identité, police
béryl v. émeraude
besace v. gibecière, sac
besaiguë v. marteau
besicles v. lunette
besogne v. action, occupation, travail
besogner v. peiner, travailler
besoin v. appétit, envie, manque, misère, nécessité, utilité
besson v. frère
bestiaire v. bête, gladiateur, recueil
bestial v. barbare, inhumain, sauvage
bestialité v. barbarie
bestiau v. bétail
bestiole v. bête
best-seller v. célèbre
bête v. idiot, sot, stupide
bétel v. mâcher, poivrier
bêtise v. bonbon
bétoire v. gouffre
béton v. ciment, pont
bétonnière v. maçon
bette v. blette

bétyle v. pierre
beuglement v. bœuf
beugler v. crier, hurler
beur v. immigré
beurette v. immigré
beurre v. haricot
beurré v. poire
beurre frais v. jaune
beuverie v. débauche
bévatron v. accélérateur, particule
bévue v. démarche, erreur, étourderie, faute, maladresse, négligence, sottise
bey v. gouverneur, souverain, turc
bezet v. dé
B.F. v. onde
bharal v. mouton
bharata-natyam v. danse
biais v. fil, mercerie, oblique
biaiser v. ambigu, indirect, noyer, pot, tergiverser
biathlon v. sportif
bibelot v. objet
biberon v. ivrogne
Bible v. ancien, écriture
bible v. papier, récit
bibliobus v. bibliothèque
bibliographie v. recueil
bibliomanie v. livre
bibliophilie v. livre
bibliothécaire v. bibliothèque
bibliothéconomie v. bibliothèque
bibliothèque v. archives, bureau, collection, conservateur, salon, université
Bibliothèque nationale v. archives
bicéphale v. deux
biceps v. bras
biche v. cerf
bicher v. réjouir
bichonner v. soin
bickford v. mèche
bicolore v. pie
bicoque v. baraque, cabane, maison
bicorne v. académie, chapeau
bicross v. bicyclette
bicyclette v. véhicule
bide v. four
bident v. fourche
bidet v. cheval
bidon v. pot
bidonville v. misère, pauvre, taudis
bief v. canal, écluse, moulin
Biela v. comète
bielle v. manivelle, moteur, tige
bien v. capital, intérêt, richesse, succession, utilité
bien-être v. béatitude, satisfaction
bienfaisance v. charité, œuvre
bienfaisant v. favorable, secours
bienfait v. service
bienfaiteur v. aide
bienséance v. apparence, devoir, formalité, manière, politesse, règle, savoir-vivre, usage
bienséant v. décent, sage
bientôt v. instant, peu
bienveillance v. bienfaisance, bonté, charité, empressement, faveur, gentillesse, intérêt
bienveillant v. abordable, affable, bon, cœur, indulgent
bière v. cadavre, demi
biffer v. barrer, mention, supprimer
biffin v. chiffon, infanterie, soldat
biffure v. correction, trait
bifide v. fente
bifurcation v. brancher
bigame v. deux
bigarade v. agrume, orange
bigarré v. couleur, hétérogène, varié
bigarreau v. cerise
big-bang v. commencement, monde
bige v. char
bighorn v. mouton
bignole v. concierge
bignone de Virginie v. jasmin
bigophone v. flûte
bigorne v. enclume
bigorneau v. escargot
bigot v. croyant, dévot, pieux, pioche
bigoterie v. hypocrisie
bigoudi v. friser, rouleau
bigue v. grue
bijection v. correspondance
bijoutier v. bijou
bikini v. maillot
bilan v. balance, comptabilité, contrôle, état, résumé, synthèse
bilatéral v. réciproque, symétrie
bilboquet v. jouet
bile v. amer, fiel, foie, souci, venin
bilieux v. jaune
biligenèse v. bile
bilirubine v. bile, pigment
bill v. loi
billard v. boule
billardier v. billard
bille v. billard, bloc, bois, chocolat
biller v. aplatir
billet v. change, correspondance, critique, invitation, lettre, numéro, poulet, ticket
billetterie v. billet
billevesée v. futile, sottise
billion v. million
billon v. charrue, sillon
billonner v. labourer
billot v. appui, bille
biloquer v. labourer
bimensuel v. mois
bimestriel v. mois
bimétallisme v. monétaire
binage v. pomme de terre
binard v. charrette
binet v. pointe
binette v. bêche
bingo v. loto
biniou v. cornemuse
binocle v. lunette
binot v. charrue
bintje v. pomme de terre
biochimie v. médecine, vie
biocide v. vie
bioéthique v. éthique, médecin
biognose v. vie
biographe v. biographie
biographie v. récit, vie
biologie v. cellule, exact, vie
biologique v. sain
biomagnétisme v. magnétisme
biomédical v. pharmacie
biophysique v. vie
biopsie v. chirurgical, examen, ponction, prélèvement
biospéléologie v. vie
biosphère v. atmosphère
biotope v. milieu, niche
bipartition v. reproduction
bipède v. pied
bipenne v. hache
bique v. chèvre
biquet v. chèvre
biqueter v. chèvre
birème v. bateau, galère
birgue v. crabe
bis v. brun
bisaïeul v. parent
bisbille v. chicane
biscornu v. singulier
biscuit v. dessert, faïence, galette, pâtisserie, porcelaine
biscuiter v. cuire
biscuiterie v. usine
bise v. baiser, nord
biseau v. ciseau, oblique, sifflet
biseauter v. carte, tailler
biser v. teindre
biset v. pigeon
bisexué v. sexe
bismuth 210 v. radium
bisonne v. toile
bisou v. baiser
bisque v. homard, potage
bisquer v. rage
bisquine v. barque
bissac v. gibecière, sac
bissectrice v. ligne
bisser v. applaudir, recommencer
bissextile v. impair
bistouille v. café
bistouri v. dentiste
bistournage v. castration
bistourner v. tordre
bistre v. brun, mat, suie
bistré v. hâlé
bistrot v. bar
bitume v. goudron, sol
bitumer v. carton, recouvrir
biunivoque v. correspondance
biveau v. équerre, pierre
bivitellin v. jumeau
bivouac v. camp, stationnement
bivouaquer v. feu
biwa v. japonais
bizarre v. anormal, curieux, drôle, étonnant, extraordinaire, incompréhensible, incroyable, original, singulier, spécial, unique
bizutage v. accueil, initiation
blackbouler v. déposséder, exclure
black penny v. timbre
black-rot v. vigne
black tar v. drogue
blafard v. blanc, blême, couleur, livide, pâle
blague v. plaisanterie, sac, tabac
blaguer v. taquiner
blagueur v. farce
blaireau v. brosse, pinceau
blâmable v. coupable
blâme v. avertissement, désapprobation, ordre, peine
blâmer v. condamner, critiquer, désavouer, maltraiter, procès
blanc v. bulletin, but, chauffer, clown, dauphin, deuil, espace, innocent, marge, mariage, neutre, poulet, réserve, silence, vide
blanc-bec v. sot
blanchet v. filtrer
blanchir v. cuire, ébouillanter, excuser, imprimerie, laver, nettoyer, suspect
blanchissage v. lessive, nettoyage
blanc-manger v. gelée
blanc-seing v. signature
blandice v. compliment, tentation
blanque v. loterie
blasé v. aigri, usé
blason v. arme, enseigne, noblesse, poème
blasphémateur v. impie
blasphème v. colère, juron, offense, péché, religion, sacré, sacrilège
blasphémer v. insulter, jurer, profaner
blastula v. embryon
blé v. céréale, malt
bled v. village
bleime v. sabot
blême v. blanc, livide, pâle, vert
blende v. zinc
blend(ed) v. whisky
blépharite v. œil, paupière
blépharoplastie v. paupière
bléser v. cheveu, zozoter
blésité v. prononciation, zozoter
blessant v. désagréable
blessé v. invalide, ulcéré, vif
blesser v. atteindre, choquer, contrarier, irriter, offenser, vexer
blessure v. égratignure, mal
blet v. fruit, gâté, mûr, poire
blettissement v. décomposition
bleu v. apprenti, ivoire, pie, primaire, primitif, recruter, soldat, télégramme, vaisseau, vêtement, viande
bleusaille v. soldat
blindage v. protection
blindé v. immunisé, ivre
blizzard v. vent
bloc v. front, réunion
blocage v. barrage, maçonnerie
blocaille v. brique
bloc-cylindre v. moteur
blockhaus v. abri
blocus v. commercial, isoler, siège
blondir v. cuire, revenir
bloquer v. barrer, fermer, geler, immobiliser, obstruer, serrer
bloquet v. bobine
bloquette v. bille
blottir (se) v. réfugier, serrer
blouse v. billard, buste, chemise, vêtement
blouser v. billard
blouson v. veste
blousse v. déchet, laine
blues v. crise, jazz, mélancolie, regret
blush v. maquillage
blutage v. farine
bluter v. farine
blutoir v. pain, passoire, tamis
boa v. serpent
bobak v. marmotte
bobby v. policier
bobèche v. bougeoir
bobine v. bougie, cartouche, photographie, rouleau, talon
bobinette v. fermeture
bobo v. douleur
bobsleigh v. traîneau
bocage v. bois, haie
bocard v. métallurgie
bodhisattva v. réincarnation
body-building v. muscle
boëte v. appât, maquereau
bœuf v. bête, viande
boghei v. voiture
bogue v. châtaigne, enveloppe, marron
bohémien v. camper
boire v. rafraîchir
bois v. branche, corne, design, forêt, papier, pipe, plante, pont

boiser v. planter
boiserie v. buffet
boisseau v. tuyau
boîte à onglets v. scie
boîte noire v. enregistrement
boiteux v. boiter, cheveu, incomplet, infirme, instable
bol alimentaire v. mâcher
bolée v. cidre
boléro v. veste
bolide v. pierre
bolinche v. sardine
bolomètre v. thermomètre
bombance v. banquet, festin, repas, veau
bombarde v. bombardement, manche, orgue
bombardement v. artillerie
bombarder v. feu
bombardier v. aviateur, bombardement
bombe v. casque, équitation, explosif, projectile, volcan
bombé v. rond
bombe A, H v. atomique
bomber v. buste, gonfler
bombyx v. soie, ver
bon v. sérieux
bonace v. calme, mer, tempête
bonasse v. faible
bonbonne v. bouteille
bonbonnière v. boîte, bonbon
bon-chrétien v. poire
bonde v. étang, trou
bondé v. craquer, plein
bonder v. remplir
bondérisation v. rouille
bondieusard v. dévot
bondieuserie v. bigot
bondir v. indignation, sauter, sursauter
bondon v. bouchon
bongeau v. lin
bongo v. tambour
bon gré mal gré v. vouloir
bonheur v. béatitude, événement, hasard, pie, plaisir, plénitude, satisfaction, veine
bonheur-du-jour v. secrétaire
bonhomie v. bonté
boni v. bénéfice, excédent, recette, supplémentaire, surplus
bonification v. amélioration, rabais, supplément
bonifier v. fertile, meilleur, vieillir
bonite v. thon
bonjour v. saluer
bon matin (de) v. tôt
bonnet v. bœuf, estomac
bonnet-carré v. fusain
bonnet-de-prêtre v. fusain
bonneterie v. tricot
bonnette v. lentille, microphone, voile
bon nombre v. plus
bon plaisir v. volonté
bonsaï v. arbre, japonais, nain
bon sens v. raison, sagesse
bonté v. bienfaisance, charité, sensibilité, vertu
bonus v. assurance, prime
bon vouloir v. initiative
bonze v. moine, religieux
bonzerie v. monastère
boom v. Bourse, explosion, natalité
bootlegger v. contrebandier
boqueteau v. bouquet, forêt
bora v. vent
borborygme v. bruit, intestin
bord v. marge, rivage
bordée v. débordement, équipage, vaisseau
bordelaise v. bouillie
border v. encadrer
bordereau v. bulletin, comptable, état
bordure v. cadre, frontière, limite
boréal v. hémisphère, mésange, nord, pôle
borée v. nord
borgne v. œil
borne v. canalisation, frein, frontière, limite, séparation
borné v. étroit, stupide
borner v. contenir, fermer, tenir
bornoyer v. regarder, tracer, viser
bort v. diamant, polir
bortsch v. soupe
bosquet v. bois, bouquet, massif
bossage v. saillie
bosse v. relief
bosseler v. bosse, relief
bosser v. manœuvre
bossuer v. bosse
botanique v. naturel, plante
bothriocéphale v. ver
botte v. bouquet, équitation, gerbe
botte (chasse à la) v. marais
botteler v. lier
botteur v. rugby
bottier v. chaussure, talon
Bottin v. renseignement, téléphone
botulisme v. conserve, empoisonnement
boubou v. tunique, vêtement
bouc v. barbe, chèvre, menton
boucaner v. fumer, hâlé
boucanier v. bandit, chasseur, malfaiteur, marin, pirate
boucaro v. terre
boucau v. port
boucaud v. crevette
boucaut v. tonneau
bouc émissaire v. accusation
bouchage v. bouteille
boucharde v. maçon, marteau, pierre
bouche v. four, métro, ouvert
bouché v. brouillard
bouche à feu v. canon
bouchée v. peu, rocher
boucher v. bloquer, fermer, obstruer
boucherie v. massacre
bouchon v. capsule
bouchonner v. essuyer, froisser, frotter, paille
bouchot v. moule
bouchure v. haie
Boucicaut (Aristide) v. magasin
boucle v. ceinture, nœud, patinage, saut
bouclé v. velours
boucler v. anneau, compléter, friser, malle
bouclette v. boucle
bouclier v. écu, sauvegarde, tunnel
bouddhisme v. non-violence, réincarnation
boudin v. moulure
boudiner v. tordre
boudinière v. charcuterie
boudoir v. biscuit, salon
bouée v. signal
bouée-phare v. phare
boueur v. boue
boueux v. boue, ordure, sale, trouble
bouffant v. coq, papier
bouffarde v. pipe
bouffée v. souffle, vent
bouffer v. gonfler
bouffette v. nœud, ruban
bouffi v. gonfler, rempli
bouffissure v. enflure
bouffon v. amusant, comique, fou
bouffonner v. plaisanter
bouffonnerie v. facétie
bouge v. sale, taudis
bougeoir v. bougie
bouger v. déplacer
bougeron v. vêtement
bougie v. cierge, sonde
bougnat v. charbon
bougon v. grogner
bougonner v. grogner
bougran v. toile
bougre v. type
bouillabaisse v. soupe
bouillaison v. cidre
bouillant v. chaud, impatient, impétueux
bouille v. lait, perche, vendange, visage
bouiller v. troubler
bouilleur v. alcool, bouillir
bouillon v. journal, pli, potage
bouillonné v. store
bouillonnement v. bruit
bouillonner v. bouillir
bouillotte v. chauffer
boulbène v. argile
boule v. bille, pain, pelote
boulê v. sénat
bouleau v. bois
bouler v. rouler, taureau
boulet v. canon, chaîne
boulevard v. théâtral
bouleversant v. émouvant, pathétique
bouleversement v. perturbation, ravage, révolution
bouleverser v. affecter, atteindre, déranger, ébranler, émouvoir, frapper, renverser, saccager, secouer, toucher, transformer
boulier v. compter
boulimie v. abus, appétit, faim, trouble
boulimique v. consommateur
boulin v. échafaudage, trou
boulingrin v. herbe, pelouse
bouliste v. boule
boulodrome v. boule
bouloir v. maçon
boulon v. vis
boulure v. racine
bouquet v. botte, crevette, feu d'artifice, odeur, parfum, senteur
bouquetier v. vase
bouquetière v. bouquet
bouquetin v. chèvre
bouquin v. bouc, lapin
bouquinage v. accouplement
bouquiniste v. occasion
bourbe v. boue, marais, vase
bourbelier v. poitrine
bourbeux v. boueux, trouble
bourbillon v. pus
bourbon v. whisky
bourdaine v. arbuste
bourdalou v. tresse, vase
bourde v. bêtise, démarche, maladresse, sottise
bourdillon v. chêne
bourdon v. bâton, bourdonnement, broderie, cloche, corde, erreur, faute, pèlerin, perdrix, typographie
bourdonnement v. bruit, rumeur
bourg v. village
bourgade v. village
bourgeois v. drame
bourgeon v. commencement
bourgeonnement v. multiplication
bourgmestre v. maire
bourguignon v. bouillie
bourguignotte v. casque
bourrade v. coup
bourraque v. crevette, crustacé
bourrasque v. orage, turbulence, vent
bourre v. cartouche, chiffon, déchet, fourrure, laine
bourreau v. barbarie, torture
bourrée v. bois, fagot
bourrelé v. tourmenter
bourrelet v. pli
bourrelier v. harnais
bourrellerie v. cuir
bourrer v. emplir, manger, tasser
bourrette v. soie
bourriche v. panier, pêche
bourride v. soupe
bourrin v. cheval
bourriquet v. cisaille
bourroir v. piler
bourru v. brusque, brutal, lait, renfrogné, revêche, rude
Bourse v. palais
bourse v. droit, pension, poche, ressource, sac, testicule, université
Bourse des valeurs v. marché
boursicaut v. bourse
boursicotage v. opération
boursicoter v. acheter, jouer, spéculer
boursouflé v. bouffi, gonfler
boursouflure v. cloque, enflure
bousage v. bain
bousbir v. quartier
bousculade v. foule
bousculer v. pousser, renverser
bouse v. excrément
bousillage v. paille, torchis
bousine v. cornemuse
boussole v. chinois, orientation
boustrophédon v. ligne
bout v. bas, brin, fragment
boutade v. esprit, mot, plaisanterie, saillie, trait
boute-en-train v. comique, gai
bouteille v. plongeur, verre
bouter v. battre
bouterolle v. fourreau, garde
boute-roue v. borne
boute-selle v. cavalerie, signal
boutique v. magasin
boutis v. trou
bouton v. bout, bulle, chemise, mercerie, serrure, sonnette
boutonner v. fermer
boutonnière v. bouton
boutre v. voilier
bouturage v. multiplication
bouture v. plant, reproduction
bouturer v. planter
bouverie v. bœuf, étable
bouvet v. menuisier, rabot
bouvier v. bœuf, conducteur, gardien, paître, troupeau
bouvillon v. bœuf
bovidés v. bœuf, mouton, taureau
bovin v. bétail, bœuf
bowling v. boule, quille
bow-window v. baie, fenêtre, saillie
box v. écurie, loge
box-calf v. veau
boy v. danseur
boyard v. noble
boyau v. abri, chemin, étroit, galerie, passage, pneu, souterrain, tuyau
boycott v. commercial, non-violence

boycottage v. blocus
boycotter v. isoler, refuser
brabançon v. bandit
brabant v. charrue
brachial v. bras
brachycéphale v. race, tête
brachydactyle v. court, doigt
braconnage v. chasse
braconner v. capturer
braconnier v. chasseur, piège
bractée v. fleur
brader v. prix, réaliser, vendre
braderie v. marché
bradypepsie v. digestion
brahmane v. conducteur, religieux
brahmanisme v. réincarnation
brai v. goudron, orge, pétrole
braille v. alphabet, aveugle
braillement v. bébé, bec, beuglement
brailler v. crier
brain-drain v. émigration
brain-trust v. équipe
bramer v. cerf
brancard v. charrette, litière
brancardier v. infirmier
branchage v. branche
branche v. ciseau, classer, domaine, secteur, service
branche chiffonne, gourmande, hardée v. branche
branchement v. installation
brancher v. orienter, rattacher
branchette v. branche
branchie v. poisson
brande v. bois, fagot, friche, terrain
brandebourg v. berceau, bouton, galon
brandir v. agiter
brandon v. bougie, flambeau, germe, torche
branlant v. boiteux, fragile, instable
branler v. balancer
brant v. soufre
braquer v. diriger, dresser, pointer, redresser, tourner
bras v. balance, poulie
bras droit v. confiance, second
braser v. joindre
brasero v. chauffage
brasier v. foyer, incendie
brasillant v. brillant, phosphorescent
brasiller v. mer
brasillement v. lueur
brassage v. mélange
brassard v. deuil, ruban
brasse v. nage
brasser v. agiter, traiter
brasserie v. bière, usine
brasseur d'affaires v. homme d'affaires
brassière v. chemise
bravache v. fanfaron
bravade v. défi
brave v. crâne, fier, valeureux
braver v. affronter, danger, exposer, face, gant, insulter, mépriser, moquer (se), regarder, tenter, violer
bravo v. exclamation
bravoure v. audace, chevalerie, courage, tirade
braye v. boue
brayer v. bande, hernie
break v. jazz, voiture
breakfast v. repas
brèche v. col, creux, enfoncer, ouverture, ruiner, trou, trouée
bredouiller v. balbutier, parler, réciter
bref v. bulle, impératif, lettre, papauté, sommaire
bréhaigne v. stérile
brelan v. dé
breloque v. bijou, tambour
brent v. pétrole
brésiller v. teindre
brétailler v. duel
bretauder v. tondre
bretelle v. accès
bretteur v. escrime
brettor v. pomme de terre
bretzel v. pain
breuil v. bois, buisson, haie
breuvage v. boisson
brevet v. diplôme, propriété
bréviaire v. abréger, liturgie, livre
brévilígne v. court
bribe v. débris, extrait, fragment, morceau, miette, quantité, relief
bric-à-brac v. bazar, désordre, tas
brick v. voilier
bricole v. bricoler, chose
bricoler v. billard
bride v. anneau, bouton, lien, vitesse
bride (tourner) v. veste
brider v. ficelle, gêner, serrer volaille
bridge v. dentaire, impasse
brièvement v. peu
brigade v. cavalerie, équipe, gendarmerie, unité
brigand v. bandit, malfaiteur
brigantine v. voile
brigue v. complot, démarche, intrigue, machination
briguer v. candidat, demander, désirer, solliciter, souhaiter, viser
brillance v. vernis
brillant v. diamant, fort, illustre, intelligent, intéressant, poli, santé, spirituel, splendide, supérieur
brillanter v. diamant, recherché, relief, tailler
brillantine v. crème
briller v. chatoyer, illuminer, rayon, réfléchir, valoir
brimade v. épreuve
brimer v. persécuter
brin v. grain
brindezingue v. ivre
brindille v. branche, brin
bringuebalant v. boiteux
brio v. adresse, habileté, pétulance, savoir-faire, talent
brioche v. moule
brique v. brun, maçonnerie, savon
briquer v. frotter, nettoyer
briquet v. étincelle
briquetage v. brique
briqueter v. brique
briqueterie v. brique
briqueton v. brique
briquette v. charbon
bris v. briser
brisant v. écueil, frange, île
briscard v. soldat
brise v. vent
brisé v. fatigue, pâte
brise-bise v. fenêtre
brise-glace v. briser
brise-lames v. barrage
brisement v. briser
brise-motte v. briser
briser v. casser, démolir, éclater, écraser, enfoncer, forcer, interrompre, renverser, rompre, supprimer
brise-tout v. briser
brise-vent v. abri, haie
briska v. calèche, traîneau
brisoir v. briser
brisure v. éclat
broc v. vase
brocante v. marché
brocanter v. vendre
brocanteur v. occasion
brocard v. cerf, flèche, moquerie
brocarder v. ridiculiser, sarcastique
brocart v. or, soie
brochage v. brochure
broche v. aiguille, dent, fusil, montagne, tige
broché v. brochure
brocher v. assembler, coudre, orner, relief, tisser
brocheter v. broche
brochette v. broche, série
brochoir v. ferrer, marteau
brochure v. imprimer, publication
brodequin v. chaussure, torture
broder v. enjoliver, enrichir, exagérer, inventer, orner
broderie v. art, canevas, dentelle
broie v. briser
broigne v. tunique
bromidrose v. sueur
bromure v. magnésium
bronche v. poitrine
bronchiole v. bronche
bronchite v. bronche
bronchotomie v. bronche
brontéion v. tonnerre
bronthémophobie v. tonnerre
bronze v. alliage, cuivre, étain, insensible, zinc
bronzé v. brun
bronzerie v. bronze
bronzeur v. bronze
bronzier v. bronze
bronzine v. bronze
Brooks v. comète
broquette v. clou
brosse v. peintre
brosse à badigeon v. pinceau
brosse à laquer v. pinceau
brosse à rechampir v. pinceau
brosser v. décrire, nettoyer, peindre
brou v. noix
brouailles v. poisson
brou de noix v. brun, teinture
brouhaha v. bruit, interpeller, rumeur, tapage
brouillage v. parasite
brouillard v. aérosol, comptabilité, précipitation, purée, registre, vapeur
brouillasse v. brouillard, pluie
brouille v. désaccord, dispute
brouiller v. embrouiller, fâcher, séparer, trouble
brouillon v. cahier
brouissure v. gelée
broumet v. pêche
broussard v. brousse
brousse v. végétation
broussin v. arbre
brout v. bourgeon, branche
brouter v. paître
broutier v. veau
broutille v. frivolité, futile, objet
brouture v. branche
brownien v. mouvement
browning v. pistolet
broyage v. chocolat, cidre, farine, ordure
broyer v. briser, brouiller, casser, écraser, piler, poudre, pulvériser, renverser
broyeur v. cylindre
brucelles v. pince
Bruges v. dentelle
bruine v. brouillard, pluie
bruiner v. pleuvoir
bruire v. frémir, murmurer
bruissement v. battement, bruit, frisson
bruit v. environnement, interjection, nouvelle, rumeur
bruitage v. trucage
brûlant v. chaud, passionné
brûlé v. irrité
brûle-gueule v. pipe
brûle-parfum v. brûler
brûle-pourpoint (à) v. soudain
brûler v. chauffer, ébouillanter, fuir, passionner, piquer, rôtir, tuer
brûle-tout v. bout
brûlot v. journal
brumaille v. brume
brumaire v. brume
brumal v. brume
brume v. brouillard, vapeur
brumeux v. brume, humide, sombre
brumisateur v. brouillard
brun v. marron
brunâtre v. brun
brunch v. déjeuner, repas
brune v. chute
brunir v. doré, or, polir
brunissage v. poli
brusque v. bref, épingle, imprévu, soudain, subit, surprise
brusquement v. crier
brusquer v. avancer, bousculer, hâter, précipiter, rudoyer
brut v. formule, naturel, pétrole, premier, sève
brutal v. barbare, brusque, cruel, dur, inhumain, rude, sauvage, soudain, subit, violent
brutaliser v. frapper, maltraiter, persécuter, rudoyer, traiter
bruxisme v. tic
bruxomanie v. grincer
bruyant v. sonore
bryophytes v. mousse
B.T.S. v. diplôme
buandière v. lessive
bubon v. abcès
bubonique v. peste
buccal v. bouche
buccin v. trompette
buccinateur v. joue
bûche v. bois, chute, dessert
bûcher v. brûler
bucoliasme v. chant
bucolique v. berger, campagne, champ, champêtre, pastoral
bucrane v. bœuf
budget v. enveloppe, finances, recette, ressource
budgétivore v. budget
buée v. vapeur
buffet v. caisse, déjeuner, meuble, orgue, réception, repas
Buffon v. botanique
bugaku v. japonais
bugle v. corne, trompette
building v. immeuble
buire v. vase
buis v. arbustes
bulbe v. galaxie, poil, poireau, racine, tête
bulbille v. racine
Bulgarie v. yaourt
bullaire v. bulle, recueil
bulldozer v. véhicule
bulle v. ampoule, cloque, constitution, décret, excommunication, lettre, papauté, sceau
bulletin v. carnet, constatation, organe, publication, recueil
bulteau (en) v. taille
bungalow v. maison, pavillon
bunker v. abri, golf

bunraku v. japonais, théâtral
buraliste v. tabac
burattino v. marionnette
bure v. brun, galerie, mine, religieux
bureau v. pupitre, service, succursale
bureau de tabac v. boutique
bureau politique v. parti
burelage v. timbre
burette v. flacon, huile, vaisselle, vase
Burgonde v. germanique
burin v. ciseau, graver, perçant, pointe
buriner v. ciseau, graver
burlesque v. bouffon, caricature, comique, grotesque
burnous v. manteau
buron v. cabane, fromage
bus v. véhicule
busc v. corset, lame
buse v. canalisation, irrigation, mine, tuyau
bushi v. japonais
businessman v. homme d'affaires
busquer v. courber
buste v. gorge, poitrine, tronc
bustier v. buste
but v. cible, destination, direction, intention, marquer, objectif, projet, raison
butane v. carburant
buté v. têtu
butée v. maçonnerie, ski
buter v. choquer, heurter
butin v. récolte, trophée
butoir v. choc
butor v. grossier
buttage v. pomme de terre
butyreux v. beurre
butyromètre v. lait
buvard v. encre
buvée v. bétail
buvette v. bar, buffet
buveur v. ivrogne
by-pass v. robinet
byssinose v. coton
byssus v. barbe, coquillage, moule

ça v. moi
cab v. véhicule, voiture
cabale v. clandestin, complot, entente, intrigue, machination
cabalistique v. magique, mystérieux, obscur
caban v. manteau, marin, veste
cabaner v. abri
cabaret v. café, cave
cabas v. sac
cabillaud v. morue
cabinet v. archives, buffet, bureau, étude, gouvernement, ministre
câble v. corde, paratonnerre
câbler v. télégraphier
câblerie v. corde, deltaplane
câblodistribution v. télévision
câblogramme v. télégramme
câblot v. corde
caboche v. clou, ferrer
cabochon v. clou
cabosse v. cacao
cabosser v. bosse
cabotin v. acteur
caboulot v. bar
cabrette v. cornemuse
cabri v. chèvre
cabriole v. chèvre, chute, gambade, rouler, sauter
cabriolet v. automobile, véhicule
cacaber v. perdrix
cacaoyer v. cacao
cacaoyère v. cacaoyer
cacarder v. oie
cacatoès v. perroquet
cacatois v. mât, voile
caché v. inconnu, intérieur, secret, souterrain
cache-col v. foulard
cachemire v. chèvre
cache-nez v. foulard
cache-poussière v. manteau
cacher v. disparaître, dissimuler, enterrer, fuir, obstruer, recouvrir, réfugier, regard, réserve, soustraire
cachet v. comprimé, contrôle, marque, médicament, paiement, pastille, salaire, sceau, tampon
cacheter v. boucher, fermer
cachette v. refuge, secret
cachexie v. amaigrissement, constitution, maigreur
cachot v. prison, secret
cachottier v. secret
cacique v. chef, concours, premier
cacochyme v. faible, maladif, vieillard
cacochymie v. constitution
cacographie v. style
cacologie v. construction
cacophonie v. bruit, canard, concert, désaccord, tapage
cactacées v. cactus
cactiforme v. cactus
cactin v. cactus
cactus v. désert, piquant
cadastre v. registre
cadavéreux v. cadavre
cadavre v. autopsie, bouteille
caddie v. golf
cadeau v. don, prime
cadenas v. douane, fermeture
cadenasser v. fermer, malle
cadence v. conclusion, fin, harmonie, mesure, pas, poème, répétition, rythme
cadencé v. nombreux, régulier
cadenette v. tresse
cadet v. adolescent, fils, jeune, moindre, sportif
cadi v. juge, musulman
cadmie v. haut-fourneau, suie
cadran v. baromètre, téléphone
cadre v. milieu, piano, personnel, plan, ruche, transport
caduc v. faible, feuillage, feuille, loi, muet, nul, périmé, suranné, vieux
caducée v. baguette, médecin, serpent
caducité v. vanité
caduque v. membrane
cæcum v. intestin
çà et là v. ici
cafard v. bigot, mélancolie
caf' conc' v. café
café v. repas
caféier v. café
caféine v. café, poison
cafétéria v. buffet
cafetier v. bar, café
cage de Faraday v. paratonnerre
cageot v. caisse
cagerotte v. égouttoir, moule
caget v. fromage
cagibi v. cabinet
cagna v. tranchée
cagneux v. genou, tordu
cagnotte v. boîte, tirelire
cagot v. bigot, dévot
cagoterie v. hypocrisie
cagoule v. religieux
cahier v. écolier, page, registre
cahot v. saut, secousse
cahoter v. secouer
cahute v. cabane
caïeu v. ail
caille v. gibier
caillé v. brousse, fromage
caillebotis v. treillis
caillebotte v. cailler, lait
caillette v. bœuf, estomac
caillot v. cailler
caillou v. pierre
cailloutage v. empierrement
Caïn v. frère
cairn v. terre, tombe
caisse v. batterie, bureau, carrosserie, financier, piano, tambour
caisson v. caisse, compartiment, décompression, plafond
cajoler v. geai
cajolerie v. caresse
cake v. moule
cal v. fracture
calade v. pente, terrain
calage v. verrou
calambac v. bois
calamine v. zinc
calamistrer v. friser
calamite v. argile, résine
calamité v. accident, catastrophe, désastre, événement, malheur, misère, sinistre
calandre v. alouette, papier
calandrer v. moiré
calanque v. baie
calasiris v. tunique
calcaire v. calcium, craie, crustacé
calcanéum v. pied, talon
calcification v. calcaire
calcin v. glace
calcination v. brûler
calciner v. brûler, chauffer, griller
calcite v. marbre
calcium v. yaourt
calcul v. combinaison, compte, intention, intérêt, urine
calculateur v. informatique, intéresser
calculateur électronique v. intelligence artificielle
calculer v. évaluer, extraire, intégrer, mesurer, raisonner, réfléchir
caldarium v. bain
cale v. bassin, quai
calebasse v. ustensile
calèche v. véhicule, voiture
caleçon v. culotte
caléfaction v. chauffage, évaporation
calembour v. esprit, jeu, mot, plaisanterie
calembredaine v. futile, sottise
calendes v. calendrier, jour
calendrier v. chronologie
calendula v. souci
calepin v. cahier, registre, renseignement, souvenir
caler v. bloquer, mât, serrer, voile
calfater v. boucher
calfeutrer v. boucher
calibre v. cylindre, fusil, grosseur, largeur, obus, valeur
calibrer v. mesurer, trier, vérifier
calice v. communion, pétale, vase
caliche v. nitrate
calife v. arabe, musulman
câlin v. affectueux, caresse
calisson v. bonbon
calleux v. main
call-girl v. femme, prostituée
calligraphier v. écrire
Calliope v. poésie
callipyge v. fesse
calmar v. cachalot, encre, mollusque
calme v. équilibre, impassibilité, ordre, paisible, patience, pondération, réfléchi, repos, sécurité, serein, silence
calmer v. apaiser, cesser, désarmer, satisfaire, soif, soulager, tempérer
calo v. dialecte
calomel v. mercure
calomnie v. accusation, commérage, injure, mensonge, venin
calomnier v. charger, cracher, dénigrer, discréditer, mal, noircir, réputation, salir
caloporteur v. centrale nucléaire
calorifère v. chaleur, chauffage
calorification v. chaleur
calorifique v. chaleur
calorifuge v. chaleur
calorique v. chaleur
calot v. bille, bonnet
calotin v. dévot
calotte v. bonnet, capsule, coiffure, hémisphère, sommet, voûte
calotype v. photographie
caloyer v. moine
calque v. copie, imitation, traduction
calquoir v. crayon
calumet v. pipe
calvados v. cidre, pomme
calvaire v. crucifixion, mal, martyre, souffrance, supplice, torture
calville v. pomme
calvinisme v. réforme
calvitie v. chauve
calycotome v. maquis
camaïeu v. couleur, nuance, teinte
camail v. coq
camarade v. ami, frère
camaraderie v. amitié, fraternité, union
camard v. plat
Camarde (la) v. mort
cambiste v. change
cambouis v. graisse
cambrai v. lin, toile
cambrillon v. talon
cambriolage v. vol
cambrioler v. piller
cambrure v. courbe
cambuse v. taudis
came v. drogue, soupape
camée v. graver, sculpter
caméléon v. adaptation, couleur
camélidés v. lama
camélien v. chameau
camelin v. chameau
camelle v. tas
camelot v. chèvre, commerçant, marchand, roi
camelote v. valeur
cameloter v. vendre
caméra-stylo v. cinéma
camérier v. chambre, officier, pape
camérière v. servante
caməriste v. chambre, domestique, servante
camerlingue v. cardinal

camion v. épingle, marmite, véhicule
camionner v. transporter
camionneur v. routier
camisole v. chemise, folie, psychiatrie
Camorra v. Mafia
camouflage v. déguisement
camoufler v. maquiller
camouflet v. humiliation, injure, offense
camp v. base, côté, déportation, parti, réserve, stationnement
campagnard v. rural
campagne v. bataille, expédition, opération, réclame, service
campana v. collier
campane v. clochette
campanile v. cloche, clocher, tour
campanule v. clochette
campêche v. teinture
campement v. installation
camper v. peindre
camping v. camper
camping-car v. véhicule
campos v. congé
campus v. université
camus v. court, écraser, plat
Canadair v. avion
canadensis v. castor
canadienne v. camper, veste, vêtement
canaille v. fripon, malhonnête, vermine
canal v. écluse, intermédiaire, moelle, tuile, voie
canalicule v. canal
canalisation v. conduite
canaliser v. conduire, filtrer
canapé v. fauteuil, repos
canard v. liqueur, sucre
canardeau v. canard
canardière v. étang
canari v. jaune
canasson v. cheval
cancan v. bavardage, commérage
cancaner v. indiscret, raconter
cancanier v. commérage
cancel v. clôture
cancérigène v. cancer
cancérisation v. cancer
cancérogenèse v. cancer
cancérologie v. cancer
cancérologue v. médecin
cancre v. ignorance
candela v. lumière
candélabre v. bougie, cierge, flambeau
candeur v. confiance, ignorance
candi v. sucre
candidat v. concours, participant, sélection
candide v. innocent, naïf, pur, simple
candir v. raffiner
canéphore v. sacrifice
canette v. fil, bobine, bouteille
canevas v. broderie, cadre, charpente, ébauche, plan, projet, récit, scénario, schéma, squelette
canezou v. vêtement
cange v. barque
cangue v. torture
caniculaire v. chaud, excessif, torride
canidés v. loup
canif v. couteau
canin v. chien
canitie v. blanchir, cheveu, décoloration
caniveau v. canalisation, trottoir
cannabis v. haschisch
cannage v. vannerie
cannelé v. velours
cannelle v. bobine, robinet
cannelure v. vis
canner v. chaise, garnir
cannetille v. broderie, or
cannibale v. humain, manger
canoë v. aviron, bateau
canon v. beauté, chant, critère, défilé, loi, mitrailleuse, obus, recueil, règle, statue, type
canonial v. conforme, heure
canonicat v. bénéfice
canonique v. âge, imitation
canonisation v. saint
canonnade v. artillerie, bombardement
canonnier v. canon
canonnière v. bâtiment, tube
canope v. vase
canot v. bateau, embarcation, vedette
canotier v. chapeau
cantabile v. chant
cantaloup v. melon
cantate v. chœur, concert, récit
cantatrice v. chanteur
canthare v. vase
cantilène v. chant, poème
cantilever v. pont
cantine v. bagage, caisse, malle, repas, valise
cantique v. chant, hymne, noël
canton v. département, division, drapeau, écu, État, territoire, unité
cantonal v. État
cantonnement v. camp, installation, quartier, stationnement
cantonner v. enfermer, limiter
cantonnier v. caillou
cantonnière v. fenêtre
canular v. plaisanterie, subterfuge
canule v. tube
canut v. soie
canyon v. gorge, vallée
caouanne v. tortue
caoutchouc v. imperméable, pneu
C.A.P. v. apprentissage, diplôme
capable v. état, nature, qualifié
capacimètre v. capacité
capacité v. aptitude, brevet, contenu, distance, efficacité, faculté, potentiel, puissance, qualité, ressource, savoir, valeur, volume
cape v. cigare, robe, tabac, vêtement
capea v. course de taureaux
capelage v. manœuvre
capendu v. pomme
capharnaüm v. confusion, désordre, mélange
capillaire v. cheveu, sang, vaisseau
capitaine v. patron
Capital (le) v. marxiste
capital v. bien, cardinal, considérable, décisif, dette, essentiel, fondamental, fortune, important, majeur, précieux, premier, principal
capitale v. majuscule, pays
capitaliser v. amasser, capital, économiser
capitalisme v. impérialisme, socialisme
capitation v. impôt, taxe
capiteux v. fort, parfum
capitonner v. fauteuil, garnir, matelas
capitoul v. commune
capitulaire v. chapitre, messe, monastère, religieux
capitulation v. abandon, arme, combat, traité
capitule v. marguerite
capituler v. abandonner, céder, rendre, résistance, soumettre, vaincre
capodastre v. guitare
caponnière v. tunnel
caporal v. tabac
capote v. vêtement
capoter v. basculer
cappa magna v. cardinal
câpre v. vinaigre
capricant v. irrégulier
caprice v. amour, envie, fantaisie, flirt, ironie, irrégularité, variation
capricieux v. gâté, instable, stable, vagabond, variable
capricorne des maisons v. bois
capridés v. chèvre
caprification v. figue
caprifigue v. figue
caprin v. chèvre
caprinés v. bouc, chèvre
capsage v. tabac
capside v. virus
capsule v. cabine, cachet, fruit, parachute, pastille, ricin, vase
capsuler v. boucher
captation v. contrat
capter v. gagner, percevoir, recueillir
captieux v. apparence, faux, malhonnête, perfide, raisonnement, trompeur
captif v. détenu, prisonnier
captivant v. agréable, bon, fascinant, intéressant, pathétique, pittoresque
captiver v. attention, conquérir, enjôler, enlever, ensorceler, intéresser, magnétiser, passionner, plaire, ravir, saisir, séduire, subjuguer
captivité v. esclavage, isolement
capturer v. attraper
capuche v. fichu
capuchon v. phoque
capucin v. lièvre, pigeon
capucinière v. dévot
caque v. hareng, tonneau
caquet v. bavardage
caquètement v. poule
car v. véhicule
carabe v. chenille
carabin v. chirurgien, étudiant, médecine
carabine v. fusil
carabinier v. cavalerie, gendarmerie, policier, soldat
Carabosse v. fée
caraco v. blouse, buste
caracoler v. bondir, sauter
caractère v. individualité, lettre, nature, personnalité, physionomie, signe, tempérament
caractérisation v. détermination
caractériser v. déterminer
caractéristique v. particulier, spécial, trait, typique
caractérologie v. caractère, psychologie
carafe v. bouteille, pot, vase
caramboler v. billard, heurter
caramel v. bonbon, sucre
carapace v. coquille
carassin v. rouge
carat v. diamant, or
caravane v. convoi, série, véhicule, voyageur
caravaneige, caravanier, caravaning v. caravane
caravansérail v. caravane, hôtel, persan
caravelle v. voilier
carbet v. hangar
carbonado v. diamant
carbonarisme v. société
carbonate v. magnésium
carbonate de calcium v. craie
carbone v. azote, diamant
carbone 14 v. dater
carbonifère v. charbon
carbonisation v. charbon
carboniser v. brûler
carbonnade v. griller, viande
carburateur v. moteur
carcan v. cadre, collier, supplice, torture
carcasse v. cadavre, coque, débris, épave, matelas, squelette
carcel v. lampe
carcéral v. prison
carcinogenèse v. cancer
carcinologie v. cancer, crustacé
carcinome v. cancer, tumeur
cardamone v. graine
carder v. laine, matelas
cardère v. chardon
cardia v. estomac
cardialgie v. cœur
cardiaque v. chirurgie, cœur, souffle
cardigan v. veste
cardinal v. adjectif, nombre, prince, religieux
cardinalat v. cardinal
cardinal-évêque v. cardinal
cardinalice v. cardinal
cardiogramme v. cœur
cardioïde v. spirale
cardiologue v. médecin
cardiopathie v. cœur
cardiotonique v. ginseng
cardite v. cœur
carême v. abstenir, jeûne, pénitence
carénage v. carrosserie
carence v. absence, défaut, insuffisance, manque, négligence, pauvreté
carène v. coque, œuvre
caréner v. nettoyer, réparer
caressant v. affectueux, suave
caresse v. contact
caret v. écaille, tortue
car-ferry v. transport
cargaison v. contenu, faculté, marchandise
cargo v. avion, bateau, transport
cargo-liner v. cargo
carguer v. étrangler, serrer, voile
cariatide v. colonne, danse, statue
caribou v. cerf
caricatural v. grotesque
caricature v. imitation, portrait, représentation, satirique
caricaturer v. imiter, représenter, ridiculiser
caricaturiste v. caricature
caridine v. crevette
carie v. blé, dent
carié v. gâté
carillon v. cloche, horloge, sonnette
caritatif v. charité
carline v. chardon
carlingue v. quille
carmagnole v. ronde, veste, vêtement

carmeline v. laine
carme v. mendiant
carminatif v. gingembre
carnage v. boucherie, massacre
carnassier v. chair, viande
carnassière v. gibecière, sac
carnation v. coloration, couleur, teint
carnaval v. bataille, masque, spectacle
carne v. table
carnèle v. légende, monnaie
carnet v. bal, cahier, registre
carnier v. gibecière, sac
carnification v. chair
carnivore v. alimentation, chair, manger, viande
Carolines v. Pacifique
caronade v. canon
caroncule v. chair, fraise
carotide v. artère, cou
carotte v. pétrole, tabac
carpé v. plongeon
Carpe diem v. instant
carpelle v. pistil
carpette v. tapis
carquois v. flèche
carre v. résine
carré v. fichu, foulard
carreau v. brique, coussin, dentelle, fenêtre, fer, flèche, lime, mine, tailleur, vitre
carrefour v. croisement, rencontre, route
carrelage v. pavage, revêtement
carrelet v. filet, lime
carrette v. carreau
carrière v. arène, char, cirque, fonction, manège, profession
carriériste v. métier, réussite
carriole v. charrette, véhicule
carrosse v. voiture
carrossier v. carrosserie
carrousel v. manège, spectacle, tournoi
carroyage v. carré
carroyer v. carreau
carrure v. épaule, largeur, valeur
cartable v. écolier, sac, serviette
carte v. identité, immigré, invitation, orientation, paiement, pouvoir, relief
cartel v. chevalier, compagnie, duel, entreprise, front, fusion, horloge, industrie, monopole, parti, pendule, société, tournoi
carter v. moteur
cartésien v. logique, méthodique, rationnel
cartisane v. broderie
cartomancie v. consultation
carton v. amende, cible, dessin, peinture, punition, tapisserie
carton jaune v. football
cartonnerie v. carton
cartonneux v. carton
carton-pâte v. carton
carton rouge v. football
cartouche v. blason, inscription
cartoucherie v. cartouche
cartouchière v. cartouche, ceinture, sac
cartulaire v. archives, monastère, recueil
carvacrol v. thym
carvi v. anis
caryocinèse v. chromosome
caryolyse v. cellule
caryopse v. grain
caryotype v. chromosome
cas v. dossier, occasion, possibilité
casanier v. pantoufle
Casanova v. amant, séducteur
casaque v. jockey
casaque (tourner) v. veste
casaquin v. buste, vêtement
casbah v. arabe, citadelle, quartier
cascade v. fleuve, saut, série
cascadeur v. doublure
case v. hutte
caséine v. lait
casemate v. abri, blindé, citadelle, fort
caser v. installer
caserette v. moule
caserne v. militaire, stationnement
cash v. comptant
cash-flow v. marge
casier v. bureau, condamnation, panier, passif, vannerie
casoar v. coureur
casque v. sportif
cassant v. brusque, catégorique, fragile, sec, tranchant
cassate v. dessert, glace
casse v. cidre, cuiller, montagne
cassé v. sourd
casse-cou v. imprudent
casse-croûte v. repas
casser v. annuler, démolir, éclater, licencier, rompre
casserolée v. casserole
casserolier v. cuisinier
casse-tête v. masse
cassetin v. loge
cassette v. bijou, cartouche, trésor
casseur v. cambrioler
cassine v. baraque, maison
cassitérite v. étain
cassolette v. brûler, encens
casson v. débris
cassonade v. sucre
cassure v. fracture, rupture
caste v. communauté, condition, division
castel v. château
castelet v. marionnette
castillan v. espagnol
castine v. calcaire
casting v. cinéma, rôle
castor v. rongeur
castoréum v. castor, parfum
castoridés v. castor
castramétation v. camp
castrat v. châtrer, sexe
castration v. ablation
castrer v. sexuel
castrisme v. communisme
casuarina v. fer
casuel v. conditionnel, curé, éventuel, variable
casuistique v. exception, morale, théologie
casus belli v. cas, guerre
catabolisme v. nutrition
cataclysme v. catastrophe, déluge, désastre, malheur, ravage, sinistre
catacombe v. cimetière, souterrain
catadioptre v. lumière, phare
catafalque v. cercueil
cataire v. chat, herbe
catalepsie v. crainte, hypnose, léthargie, sommeil
catalogue v. imprimer, liste, recueil, répertoire
cataloguer v. classer
catalyse v. chimie, réaction
catalyseur v. réaction
catamaran v. voilier
cataménial v. menstruation
cataphote v. lumière
cataplasme v. farine, médicament, moutarde
catapulte v. fronde, lancer, machine
cataracte v. fleuve, œil, pluie, saut, torrent
catarrhe v. inflammation, nez, rhume
catastrophe v. malheur, précipice, sinistre
catastrophique v. désastreux, funeste
cat-boat v. voilier
catch v. boxe, lutte
catéchèse v. catéchisme
catéchiser v. convertir, débiter, prêcher, religion
catéchisme v. enseignement, instruction, règle
catéchiste v. catéchisme
catéchumène v. baptême, religion
catégorie v. abstraction, caste, classer, compartiment, répertoire, rubrique, série, sorte
catégorique v. décidé, dogmatique, franc, net
catégoriquement v. formellement
catgut v. fil
catharisme v. hérésie
catharsis v. tragédie
cathartique v. laxatif
cathédrale v. église, religieux
catherinette v. fille
cathéter v. sonde
cathode v. négatif, pile
cathodique v. télévision
catholicité v. église
catilinaire v. discours, satire
catimini (en) v. cachette, secret
catogan v. nœud, ruban
cattalo v. hybride
cattleya v. orchidée
cauchemar v. rêve
caudal v. nageoire, poisson, queue
caudataire v. féliciter, flatteur, pape
caudrette v. filet
cauri v. coquillage
causalité v. cause, dépendance, relation
cause v. facteur, ferment, mobile, motif, occasion, origine, raison, responsable, semence, source, sujet, suspect
cause commune (faire) v. accorder
cause première v. principe, raison
causer v. créer, déchaîner, inspirer, mettre, produire, provoquer, soulever, susciter
causerie v. conférence, conversation
causeuse v. fauteuil
caustique v. acide, méchant, moqueur, mordant, piquant, sarcastique, satirique
cauteleux v. hypocrite, malin, sournois
cautériser v. brûler
caution v. responsable, warrant
caution (sujet à) v. suspect
caution juratoire v. serment
cautionnement v. dépôt
cavaillon v. charrue, melon
cavalcade v. spectacle
cavale v. jument
cavalerie v. armée, dragon
cavalier v. cheval, clou, danseur, désinvolte, familier, libre, sans-gêne, talus
cave v. creux, jeu, lune, papauté, réserve
caveau v. cave, cimetière, crypte, tombeau
cavée v. chemin
Cavendish (Henry) v. hydrogène
caverne v. creux, grotte
caverneux v. grave, sinistre, sourd
cavet v. moulure
caviar v. esturgeon, œuf
cavicorne v. chèvre
caviste v. cave, vin
cavité v. creux, enfoncement, grotte, niche, orbite, poche, trou
cécidie v. chêne
cécité v. aveugle, perte, vue
céder v. consentir, courber, désarmer, écouter, incliner, obéir, reculer, rendre, résistance, soumettre, transmettre
cédrat v. agrume
cèdre v. marqueterie
C.E.E. v. marché
ceindre v. couronne, embrasser, encercler, entourer
ceinture v. bande, boulevard, cartouche, circulaire, contour, corset, membre, ventre, zone
ceinturon v. ceinture, ventre
célastracées v. fusain
célébrant v. officier
célébration v. anniversaire, réunion
célèbre v. brillant, fameux, illustre, immortel
célébrer v. marquer
célébrité v. figure, gloire, personnage, réputation, succès
celer v. cacher, soustraire, taire
célères v. cavalier
célérifère v. bicyclette
célérité v. accélération, empressement, promptitude
céleste v. ciel, parfait
célibat v. prêtre
cella v. temple
cellérier v. moine
cellier v. abri, cave, pièce, vendange, vin
cellulaire v. vaisseau
cellule v. case, chambre, condamnation, groupement, organisme, parti, section
cellulite v. adipeux
Celsius v. chaleur, température
cément v. dent, métal
cémentite v. acier
cénacle v. chapelle, groupe, réunion, salle
cendre v. cadavre, plomb
cendré v. blond, chèvre, grain, oie
Cène v. repas
cène v. communion
cénesthésie v. conscience, sensation
cénobite v. moine, religieux
cénotaphe v. tombeau
cénozoïque v. géologie
cens v. affranchissement, féodal
censé v. présumer, supposé
censure v. condamnation, filtrer, inconscient, magistrature
censurer v. amputer, bâillonner, contrôler, couper, défendre, interdire, refuser
centaine v. brin
centaure v. cheval, homme
centaurée v. bleu, chardon
centenaire v. cent, siècle
centennal v. cent
centenier v. cent
centiare v. mètre
centième v. cent
centillion v. nombre
centime v. franc, taxe

centon v. fragment, recueil
centrale v. usine
centre v. camp, milieu, nombril, noyau, siège
centrifuge v. centre
centripède v. centre
centriste v. modéré
centuple v. cent
centurie v. légion
centurion v. cent
cénure v. larve, ver
cep v. pied, vigne
cépage v. plant
cépée v. bourgeon, tige
céphalalgie v. migraine, tête
céphalée v. migraine
céphalon v. crustacé
céphalopodes v. mollusque
céramique v. argile, art, poterie
cérasine v. cerisier
céraste v. vipère
cérat v. cire, huile
Cerbère v. chien, enfer
cerbère v. brutal, concierge, dragon, gardien, surveiller
cercle v. boucle, compagnie, étau, groupe, local, onde, réunion, société
cercueil v. cadavre
céréale v. orge, paille
céréaliculture v. culture
cérébral v. intellectuel
cérébroscopie v. cerveau
cérémonial v. culte, formalité, liturgie, politesse, règle, savoir-vivre
cérémonie v. procession, réception, rite, service, simagrée, simple
cérémonieux v. façon
Cérès v. moisson, saison
cerf v. gibier
Cerfs (parc aux) v. parc
cerf-volant v. chinois
cerisier v. rosacée
cerneau v. noix
cerner v. assiéger, encercler, noix, siège, situer
céroplaste v. sculpteur
céroplastie v. cire
certain v. effectif, évident, officiel, plusieurs, positif, réel, sûr
certificat v. acte, bulletin, constatation, diplôme, écrit
certifier v. affirmer, assurer, authentique, brevet, établi, garantir, légaliser, soutenir, témoigner
certitude v. assurance, conviction, croyance, espoir, vérité
céruléen v. bleu, plomb
cérumen v. cire, oreille
céruse v. plomb
cérusite v. plomb
cervaison v. cerf
cervelas v. saucisson
cervelet v. cerveau
cervicalgie v. manipulation
cervidés v. biche, cerf
cervoise v. bière, celtique
C.E.S. v. syndicat
césar v. cinéma
césarienne v. ventre
césarisme v. dictature
cessation v. achèvement, désarmement, divorce, rupture, suppression, trêve
cesse (sans) v. instant
cesser v.démentir, dissiper, interrompre, plus, prescrire
cessez-le-feu v. arme, guerre, paix, trêve
cession v. transmission, vente
ceste v. boxe, gant
césure v. cassure, repos, rythme
cétacés v. baleine
C. F. D. T. v. syndicat
C. F. T. C. v. syndicat
C. G. T. v. syndicat
C. G. T.- F. O. v. syndicat
chabichou v. chèvre
chabler v. noix
chabraque v. chèvre, couverture
chafouin v. hypocrite, sournois
chagrin v. cuir, épreuve, inquiéter, mélancolie, morose, peine, remords, renfrogné, sombre, souffrance, triste
chagriner v. affecter, affliger, dépit, fendre
chah v. perse, souverain
chahada v. musulman
chahut v. bruit, désordre, tapage
chahuteur v. turbulent
chai v. cave, magasin, vin
chaînage v. mur
chaîne v. attache, cou, engrenage, fantôme, succession, tissu, usine
chaîner v. mesurer
chaînetier v. chaîne
chaînette v. broderie
chaînier v. chaîne
chaîniste v. chaîne
chaînon v. anneau
chaintre v. tourner
chair v. viande
chair de poule v. frayeur, frisson
chaire v. fauteuil, messe, tribune
chaisière v. chaise
chaland v. achat, bateau, canal, client, consommateur
chalandage v. shopping
chalazion v. paupière
chalcographie v. cuivre, gravure
chalcolithique v. cuivre
châle v. fichu
chalet v. pavillon
chaleur v. énergie, enthousiasme, reproduction, respect
chaleureusement v. ouvert
chaleureux v. amical, cordial, sympathique, zélé
châlit v. lit
challenge v. compétition, défi, épreuve, sportif
challenger v. champion, compétition
chaloupe v. bateau, embarcation
chalumeau v. flûte, roseau, tuyau
chalutier v. bateau, pêche
chamærops v. nain, palmier
chamaillerie v. dispute
chaman v. guérisseur, sorcier
chamarré v. couleur
chambard v. désordre
chambardement v. désordre, perturbation
chambellan v. chambre, souverain
chambouler v. bouleverser, déplacer
chambranle v. cadre
chambre v. mine, orchestre, représentation
chambre à air v. pneu
Chambre des lords v. pair
chambrée v. chambre
chambre haute v. Sénat
chambrier v. chambre, garde, trésor
chambrière v. chambre, fouet, manège, servante.
chameau v. désert
chamelier v. chameau, conducteur
chamois v. jaune
chamoisage v. tannage
champ v. bouclier, compagnon, course hippique, domaine, écu, instant, sphère, sujet
champagne v. dessert
champagnisation v. champagne
champart v. contribution, seigle
champeau v. pâturage
champenoise v. champagne
champêtre v. bal, campagne, champ, pastoral
champi v. bâtard, enfant
champignon v. mèche
champignonnière v. champignon
champion v. chevalier, record, tournoi, vainqueur
champlever v. creuser, émail
champlure v. gelée
Champollion (Jean-François) v. hiéroglyphe
Champs Élysées v. enfer
chan v. chinois
chance v. événement, fortune, hasard, incertitude, occasion, sort, veine
chancelant v. démarche, fragile, santé
chanceler v. équilibre, vaciller
chancelier v. académie, sceau
chancelière v. boîte
chancellerie v. ambassade, diplomatie, justice
chancissure v. moisissure
chandail v. tricot
chandelier v. bougeoir, bougie, cierge, flambeau
chandelle v. bougie, cierge
chandelle romaine v. feu d'artifice, fusée
Chandrasekhar (limite de) v. trou
chanfrein v. ciseau, oblique
chanfreiner v. menuiserie
change v. agent, banque, Bourse, conversion, couche, officier
changeant v. instable, mobile, vaciller, vagabond, variable
changement v. caprice, passage, péripétie, phase, réforme, retour, revirement, révolution, tournant, variation
changer v. bouger, devenir, évoluer, modifier, pervertir, recommencer, rectifier, renoncer, renouveler, substituer
changer de place v. déménager
change-relevé v. traite
chanlatte v. planche, toit
chanoine v. religieux
chanson v. recueil
chanson de geste v. chanson, chevalerie, médiéval
chansonnier v. caricature, chanson, recueil, spectacle, troubadour
chant v. division, étroit, procession, tranche
chantage v. anonyme, menace, persécution, pression
chantant v. suave
chant du coq v. tôt
chantepleure v. robinet, tonneau
chanter v. produire
chanterelle v. chasse, corde, perdrix, piège
chanter pouilles v. injure
chanteur v. personnage
chant grégorien v. chant, concert
chantier v. archéologie, soutenir
chantignole v. brique, panne
Chantilly v. dentelle
chantourner v. menuiserie, scier, tailler
chantre v. chanter, chœur
chanvre indien v. haschisch
chaos v. anarchie, désordre
chaouch v. huissier
chapardage v. vol
chape v. pneu, poulie, religieux, revêtement
chapeau v. accessoire, saluer
chapeauter v. coiffer
chapelain v. chapelle
chapelet v. prière, série, succession, suite
chapelière v. coffre, malle
chapelle v. caste, crypte, école, four, groupe, intérêt, secte
chapellenie v. bénéfice
chapelure v. miette
chaperon v. accompagnateur, compagnie, faucon, femme, gouvernante, mur
chaperonner v. accompagner
chapiteau v. buffet, cirque, couronnement, ruche, tente
chapitre v. budget, congrès, division, matière, partie, récit, religieux, réunion, sujet
chapitrer v. gronder, leçon, raisonner, sermon
chapon v. coq, poulet
chaponner v. castrer
chapska v. képi
chaptalisation v. sucre, vin
chaptaliser v. vin
char v. blindé, combat, véhicule
charabia v. langage
charade v. énigme
charadriiformes v. bécasse
char à voile v. planche à voile
charbon v. désinfection, noir
charbonner v. noircir
charbonneux v. boueux
charbonnier v. cargo
charbonnière v. mésange
chardonneret v. chardon
charentaise v. pantoufle
charge v. attaque, bête, bras, contenu, dépense, emploi, étude, fardeau, fonction, imitation, immeuble, impôt, mission, moqueur, notaire, occupation, passif, place, poste, pouvoir, présomption, profession, satirique, soin, tambour, témoin
chargé v. tarabiscoté
charge d'âmes (à) v. bénéfice
chargement v. cargaison, faculté
charger v. accuser, fondre, imiter, imposer, procès
chargette v. cartouche
chargeur v. cartouche, pistolet
chariot v. machine, tricoter, véhicule
charisme v. grâce
charitable v. généreux, humain, secours
charité v. bienfaisance, œuvre, pitié, vertu
chariton v. charité
charivari v. bruit, mariage, tapage
charkha v. rouet
charlatan v. docteur
charlotte v. bonnet, dessert, moule
charmant v. délicieux, fascinant, gracieux, joli, mignon, plaisant

charme v. agrément, beauté, délice, envoûtement, grâce, illusion, incantation, sorcier, sort
charmer v. briller, enchanter, enjôler, magnétiser, plaire, plaisir, ravir, séduire, subjuguer
charmeur v. cœur
charmille v. feuillage, haie, tonnelle
charnel v. physique, sensuel, sexuel
charnier v. cadavre, cimetière, fosse
charnière v. pli
charnu v. chair, fruit
charognard v. hyène
charogne v. cadavre
charpente v. architecture, poutre, squelette, structure
charpentier v. bâtiment
charpie v. pansement
charrée v. cendre, lessive
charrette v. véhicule
charrier v. emporter, entraîner
charroi v. convoi
charron v. charrette
Charte v. constitution
charte v. concession
charter v. avion
chartil v. hangar
chartreuse v. liqueur, moine, monastère
chartrier v. recueil
chas v. trou
chasse v. danse, imprimerie, nomade
châsse v. boîte, lunettes, marteau, saint
chassé v. danse
chassepot v. fusil
chasser v. bannir, buisson, capturer, déménager, disparaître, dissiper, éloigner, expulser, glisser, partir, porte, refouler
chasse-roue v. borne
chasseur v. cavalerie, commission, domestique, garçon, hôtel
chassie v. gluant, œil
châssis v. abri, cadre, carrosserie, peinture
chaste v. sage, sexuel, spirituel
chasteté v. abstenir (s'), privation, pudeur, religieux, vertu
chasuble v. messe, vêtement
chat v. fouet, persan, saut
châtaigne v. marron, porc
châtaignier v. parquet
châtain v. brun, châtaigne, marron
château v. pâté
châteaubriant v. bifteck, filet
châtelain v. château
châtelaine v. chaîne, cou, pendentif
châtelet v. château
chat-huant v. chouette
châtier v. condamner, correct, corriger, macérer, maltraiter, polir, pur, rectifier
chatière v. chat, étroit, ouverture, trou
châtiment v. condamnation, damné, pénitence, punir, punition, sanction, supplice, vengeance
chatoiement v. changement
chaton v. bague, poussière
chatouillement v. démangeaison
chatouiller v. caresse
chatouilleux v. susceptible
chatoyant v. brillant, éclatant, lumineux, mobile, moiré, varié
chatoyer v. briller
châtrer v. castrer, sexuel
chatte v. ancre
chattemite v. douceur, hypocrite
chatterie v. friandise
chaud v. plein, récent
chaudeau v. bouillon
chaudière v. chauffage
chaudrée v. soupe
chaudron v. sorcière, ustensile
chaudronnier v. métallurgie
chauffard v. chauffeur
chaufferette v. boîte, chauffage, réchauffer
chauffeur v. routier
chauffeuse v. fauteuil
chaufour v. chaux
chaufournier v. four
chaulage v. fertile
chauler v. blanchir
chaume v. champ, paille, tige
chaumière v. case, maison
chausse v. filtrer
chaussée v. écueil, étang, retenir, rue
chausse-trappe v. chardon, piège
chausson v. gâteau, pantoufle
chaussure v. botte, montagne
chauve v. nu
chauve-souris v. manche
chauvin v. patriote, xénophobe
chauvinisme v. étranger, nationalisme
chaux v. base, calcium, désinfection
chavica v. poivrier
chavirer v. basculer, vaciller, sombrer
chebec v. voilier
chéchia v. coiffure
check-up v. contrôle
chef v. accusation, bureau, cuisinier, industrie, œuvre, premier, président, responsable
chef-d'œuvre v. merveille, œuvre
chefferie v. communauté
chef-lieu v. préfecture
cheftaine v. chef
cheik v. arabe, chef
cheimophobie v. tempête
chelem v. tarot
chélidoine v. verrue
chélifère v. scorpion
chéloniens v. tortue
chéloniomancie v. divination
chemin v. direction, espace, itinéraire, tapis, trajet
chemin de fer v. train
chemin de roulement v. aéroport
chemineau v. chemin, vagabond
cheminée v. couloir, feu, foyer
cheminement v. démarche, itinéraire, trajet
chemise v. bureau, cartouche, enveloppe, revêtement
Chemises brunes v. fascisme
Chemises noires v. fascisme
chênaie v. chêne
chenal v. canal, défilé
chenapan v. coupable, fripon
chêne v. parquet, quille
chéneau v. canalisation, toit
chêneau v. chêne
chêne blanc v. whisky
chêne kermès v. maquis
chêne-liège v. maquis
chenet v. cheminée
chêne vert v. yeuse
chènevis v. pêche
chenil v. chien
chenille v. papillon, ver
chénopodiacées v. blette
chenu v. blanc, cheveu
cheptel v. bétail, troupeau
chèque v. paiement
cher v. précieux
chercher v. essayer, imaginer, rechercher, réfléchir, tenter
chercheur v. savant, scientifique
chergui v. sirocco
chéri v. cher
chérif v. musulman
chérir v. aimer
chérubin v. ange
chétif v. délicat, faible, fragile, maigre, souffrant
cheval v. bétail, bête, compagnon, monture, persan
cheval d'arçons v. gymnastique
cheval de frise v. barbelé
chevalement v. renfort
chevaleresque v. héroïque
chevalet v. peintre, support, torture
chevalier v. accompagnateur, noblesse
chevalier d'industrie v. voleur
chevalière v. bague
chevalin v. cheval
cheval-vapeur v. puissance
chevaucher v. recouvrir
chevau-léger v. cavalerie
chevêche v. chouette
chevelu v. racine
chevelure v. comète
chever v. creuser
chevet v. lit
chevêtre v. mur
cheveu d'ange v. pâte
cheveux (se faire des) v. souci
chevillard v. boucher
cheville v. attache, piano
chevillé v. maquereau
chevillette v. brique
chevillier v. manche
cheviotte v. laine
chèvre v. parchemin
chevreau v. chèvre
chevreton v. chèvre
chevrette v. chenet, support
chevreuil v. gibier
chevrier v. chèvre, gardien, pâtre, troupeau
chevron v. galon
chevronné v. émérite
chevrotement v. chèvre, tremblement
chevrotine v. plomb
chewing-gum v. mâcher
chez-soi v. intérieur
chibouque v. pipe, turc
chic v. élégance
chicane v. incident, pointilleux, raisonnement, subtil
chicaner v. couper, objection
chiche v. avare, compter, économe, mesquin
chichement v. peu
chichi v. façon, manière, simagrée
chicon v. laitue
chicorée (fausse) v. pissenlit
chien v. briquet, frange, front, tarot
chien de faïence (en) v. travers
chiendent v. brosse, herbe
chien volant v. chauve-souris
chiffe v. mou
chiffon v. bouillie, papier
chiffonner v. froisser
chiffonnier v. commode, meuble
chiffre v. code, initial, lettre, marque, nombre, numéro, somme
chiffrer v. calculer, compter, évaluer
chignole v. menuisier, perceuse
chiite v. islam, musulman
chimère v. dragon, esprit, fantôme, idée, illusion, légende, réalité, rêve, songe, vanité
chimérique v. fabuleux, impossible, invraisemblable, vain
chimie v. atome, dioxyde, exact
chimiosynthèse v. synthèse
chimiothérapie v. cancer
chimique v. artificiel, énergie, engrais
chimoine v. coquille
Chine v. empire
chine v. papier
chiné v. couleur
chiner v. chercher, moquer (se), plaisanter, taquiner
chinois v. filtrer, passoire, tamis
chipolata v. saucisse
chipoter v. manger
chique v. tabac
chiquer v. mâcher
chiridium v. membre
chirographaire v. dette
chiromancie v. avenir, consultation, interprétation, ligne
chiromancien v. main
chiropracteur v. manipulation
chiroptères v. chauve-souris
chirurgien-major v. chirurgien
chistera v. gant
chitine v. crustacé
chiton v. chemise, grec, mollusque, tunique
chiure v. excrément
chlamyde v. grec, manteau
chloasma v. masque
chloroforme v. anesthésie
chlorophylle v. feuille, pigment, plante, vert
chlorose v. décoloration, sang
chlorotique v. pâle
chlorure v. magnésium, zinc
chlorure de sodium v. sel
choc v. brusque, coup, émotion, onde, rencontre, secousse, subit
chocker v. perle
chocolat v. brun, marron
chocolaterie v. usine
chocolatier v. chocolat
chœropsis v. hippopotame
chœur v. ensemble
choir v. tomber
choisir v. appeler, décider, désigner, élire, embrasser, extraire, nommer, orienter, prononcer
choix v. alternative, dilemme, éventail, préférence, recueil, sélection
choke-bore v. fusil
cholagogue v. bile
cholémie v. jaunisse
cholérétique v. bile
cholestérine v. bile
chômé v. férié
chondrite v. météorite
chope v. bière, gobelet
choquant v. écœurant, scandaleux
choquer v. atteindre, déplaire, ébranler, frapper, offenser, révolter, secouer, soulever
choral v. hymne
chorale v. chœur
choréa v. chœur
chorée (danse de Saint-Guy) v. agitation
chorège v. chœur
chorégraphe v. ballet

choreute v. chœur
chorion v. embryon, membrane
choriste v. chœur
chorizo v. saucisson
choroïde v. membrane
chorus v. chœur, jazz, répétition
chose v. objet, réalité
chott v. lac
chou v. ruban
chouchou v. nœud
choyer v. aimer, entouré, gâter, soin
chrême v. baptême, huile
chrémeau v. baptême, bonnet
chrestomathie v. choisi, morceau, recueil, sélection
chrismation v. baptême
Christ v. verbe
christiania v. virage
christianisme v. chrétien
christologie v. théologie
chromate v. zinc
chromatine v. noyau
chromatique v. harpe, ton
chromatisme v. couleur
chromolithographie v. affiche
chromosome v. gène, hérédité
chromotypographie v. typographie
chronique v. affection, billet, correspondance, document, récit, recueil, rubrique, tenace
chroniqueur v. archives, journaliste, rédacteur
chronographe v. instrument
chronologie v. antériorité, histoire, temps
chronométrie v. temps
chronophotographe v. cinéma
chrysalide v. chenille, nymphe, papillon, soie
chryséléphantine v. ivoire, sculpture
chrysocale v. étain, or, zinc
chrysopée v. alchimie
chrysoprase v. vert
C.H.U. v. université
chuchotement v. bruit
chuchoter v. bas, murmurer, parler, souffler
chuintement v. chouette
chuinter v. siffler
chut ! v. silence
chute v. baisse, courbe, écroulement, fin, perle, ruine, saut, zodiaque
chuteur v. parachute
chyle v. digestion, liquide
chylifère v. vaisseau
chyme v. bouillie
C.I.A. v. service
ciblage v. concurrence
cible v. but, destinataire, objectif
ciboire v. communion, hostie, vase
cicatrice v. marque, trace
cicatricule v. germe
cicatriser v. fermer
cicérone v. accompagnateur, guide, touriste
cicutine v. poison
cidre v. pomme
cidricole v. cidre
ciel v. lit, paradis, univers
cigarière v. cigare
cigarillo v. cigare
cilice v. ceinture, chemise, chèvre, pénitence
cillement v. battement
cimaise v. moulure
Cimbres v. barbare
cime v. arbre, crête, haut, montagne, pointe, sommet
ciment v. colle
cimenter v. consolider
cimeterre v. sabre, turc
cimetière v. repos
cimier v. casque, cerf, écu
cinabre v. mercure
cinéma v. art, spectacle
CinémaScope v. cinéma
cinémathèque v. film
cinématique v. mécanique, mouvement
cinéphile v. cinéma
cinéraire v. urne
Cinérama v. cinéma
cinérite v. cendre
ciné-roman v. film
cinglant v. sévère
cingle v. fleuve
cingler v. baguette, diriger, vexer, voile
cinnamome v. parfum
cintre v. pendre, voûte
cintrer v. courber, tordre
cipaye v. soldat
cippe v. colonne, funèbre
cirage v. cire
circaète v. aigle
Circé v. magicien
circoncision v. juif, musulman, prépuce
circonlocution v. parler, périphrase, précaution
circonscription v. département, division, territoire
circonscrire v. arrêter, borner, définir, limiter, marquer, tracer
circonscrit v. précis
circonspect v. grave, méfiant, soupçonneux, sournois
circonspection v. adresse, diplomatie, maladroit, maturité, mesure, modération, précaution, prudence, réserve, sagesse
circonstance v. cas, coïncidence, excuse, fait, fois, incident, moment, occasion, position, rencontre, saison, situation
circonstancié v. précis
circonvallation v. siège, tranchée
circonvoisin v. voisin
circonvolution v. spirale
circuit v. circulaire, itinéraire, piste, succession, trajet
circulaire v. avis, instruction, lettre, rond
circulation v. échange, émettre, irrigation, roulement, trafic, urbanisme
circuler v. courir, passer, répandre
circumnavigation v. exploration, tour, voyage
circumpolaire v. pôle
cire v. oiseau
ciré v. imperméable
cirer v. nettoyer
cireux v. jaune, minéral
cirque v. arène, circulaire, enfant, montagne, spectacle, sportif
cirre v. attache
cirrhose v. alcoolisme, foie
cirrus v. nuage
cisaille v. vapeur
ciseau v. brique, graver, poinçon, pointe, rondelle, vendange
ciseler v. ciseau, graver, raffiner, sculpter, travailler, velours
ciselet v. ciseau
C.I.S.L. v. syndicat
cisoir v. ciseau
cisoires v. cisaille
ciste v. maquis, panier
cistre v. luth
cistude v. tortue
citadelle v. fort, place
citadin v. habitant, ville
citation v. convocation, exemple, fragment, inscription, récompense
cité v. capitale, république, ville
citer v. accuser, appeler, assigner, décorer, état, figurer, mention, signaler, traduire
cithare v. plectre
citizen band (C.B.) v. message
citoyen v. usager
citoyenneté v. citoyen
citrate v. magnésium
citron v. jaune
citronnier v. citron
citrus v. agrume, citron
civelle v. anguille
civette v. parfum
civière v. litière
civil v. courtois, droit, majorité, paternité
civilisation v. culture
civiliser v. corriger
civilité v. affabilité, devoir, politesse, relation, respect, saluer, tact
civique v. citoyen
civisme v. zèle
clabaud v. aboyer
clabaudage v. bavardage
clabauder v. crier
clafoutis v. gâteau, tarte
claie v. clôture, treillis
clair v. évident, facile, franc, net, pâle, précis, pur, rigoureux, serein, simple, transparent, usure, visible
claire v. parc
clairet v. clair
clairière v. bois, forêt, toile, trouée
clair-obscur v. contraste, lumière, ombre
clairon v. trompette
claironnant v. fort
clairvoyance v. compréhension, finesse, intelligence, net, nez, vision
clairvoyant v. clair, intuition
clamer v. crier, hurler, proclamer, protester
clameur v. concert, cri, réclamation
clamp v. pince
clan v. caste, chapelle, communauté, division, école, famille, intérêt, parti, réunion, tribu
clandestin v. contrebande, frontière, marché, noir, pirate, secret, sourd, souterrain
clapier v. cage, ferme, lapin
clapir v. lapin
clapotage v. bruit
clapotement v. bruit, vague
clapotis v. bruit, vague
claquage v. farine, fouet, muscle, tendon
claque v. acclamer, chaussure, théâtre
clarifier v. clair, filtrer, sauce
clarine v. bétail, clochette
clarinette recourbée v. basset
clarté v. flamme, lumière
classe v. division, élégance, série, valeur
classement v. distribution, répertoire
classer v. ordonner, placer, répartir, série, situer
classeur v. bureau
classicisme v. littéraire
classification v. hiérarchie
classique v. armement, conventionnel, ordinaire, sobre, standard, type, usage
clastique v. artificiel
claudiquer v. boiter, marcher
clause v. condition
claustra v. paroi
claustral v. religieux
claustration v. isolement
claustrer v. emprisonner, garder, vase
clavaire coralloïde v. barbe
claveau v. voûte
clavecin v. piano
clavicorde v. piano
clavicule v. épaule
clavier v. machine, piano
claymore v. épée
clayon v. égouttoir
clayonnage v. branche
clayonner v. garnir
clef v. bougie, cambrioleur, code, maître, radical, secret, signification, solution
clefs de saint Pierre v. pape
clef de voûte v. capital, fondation
clémence v. humanité, pardon, pitié
clément v. bon, généreux, indulgent
clenche v. bouton, poignée, serrure
clepsydre v. horloge
clerc v. copier, diacre, notaire, portier, religieux, savant
clerc (premier) v. principal
clergé v. Église, ordre
clérical v. clergé
clérouque v. colonisateur
clichage v. empreinte
cliché v. banalité, commun, formule, image, négatif, photographie, phrase, platitude
clicher v. couler
clicheur v. imprimerie
client v. consommateur, patient
clignement v. battement
cligner v. regarder
clignotant v. intermittent
clignoter v. vaciller
climat v. ambiance, condition, temps
climatérique v. neuf
climatisation v. air, conditionnement
climatiser v. conditionner
climatologie v. climat, météorologie
climatothérapie v. climat
clinch v. boxe
clin d'œil v. appel, instant
clinfoc v. voile
clinicien v. médecin
clinique v. investigation
clinomètre v. niveau
clinquant v. agressif, vernis
Clio v. histoire
clip v. boucle, publicitaire
clipper v. voilier
clipser v. emboîter
cliquart v. couche, pierre
clique v. réunion
cliquetis v. choc
clisse v. égouttoir, vannerie
clivage v. minéral, séparation
cliver v. couche, diamant, diviser, fendre
cloaque v. malsain, oiseau, saleté
clochard v. vagabond
cloche v. commune, signal
clocher v. cloche, marcher, paroisse
clocheton v. clocher
cloison v. mur, paroi
cloisonnement v. compartiment, séparation
cloisonné v. émail

cloître v. cour, couvent, moine, monastère
cloîtré v. vase
cloîtrer v. enfermer, enterrer
clonie v. convulsion
clonique v. convulsion
clonus v. contraction
clopiner v. boiter, marcher
cloque v. ampoule, brûlure
clore v. conclure, fermer, terminer
closerie v. jardin
clôture v. contour, fin, panier
clôturer v. entourer, fermer, terminer
clou v. dossier, feu d'artifice
clouer v. immobiliser
clown v. amusant, bouffon, cirque
clownerie v. singe
cloyère v. huître, panier
club v. amicale, canne, compagnie, fauteuil, fer, golf, groupe, local, réunion, société
Cluny v. dentelle
clupéidés v. hareng, sardine
clupéiformes v. hareng
cluse v. défilé, fleuve, vallée
clypeus v. bouclier
cnémide v. jambe
C.N.E.S.E.R. v. université
C.N.P.F. v. syndicat
C.N.R.S. v. recherche
CO_2 v. dioxyde
coagulation v. liquide
coaguler v. cailler, saignement, solide
coaliser v. unir
coalition v. alliance, bloc, entente, front, groupement, parti, réunion, société, union
coaltar v. goudron
cobalt v. bombe
cobaye v. expérience, sujet
cobol v. langage
cobra v. serpent
Cobra Bell v. hélicoptère
cocagne v. mât
cocaïne v. anesthésie, drogue
cocardeau v. giroflée
cocardier v. patriote
cocasse v. bouffon, comique, drôle, grotesque, risible
coccinelle v. bête
coccyx v. bassin, dos, vertèbre
coche v. calèche, cochon, véhicule, voiture
cocheniller v. teindre
cocher v. chauffeur, conducteur, marquer
cochevis v. alouette
cochoir v. hache
cochon v. porc
cochonnaille v. charcuterie
cochonnet v. bouchon, boule, cible, dé, porc
cockpit v. cabine
cocktail v. buffet
cocktail Molotov v. bombe
coco v. jus
cocon v. chenille
coconnage v. soie
cocotier v. palmier
Cocyte v. enfer
coda v. ballet, conclusion, fin
code v. chiffre, loi, phare, reconnaissance, recueil, règle, signal
codé v. difficile
codéine v. drogue, opium, poison
coder v. code
Codex v. catalogue, médicament, pharmacie, recueil
codicille v. addition, complément, testament
coefficient v. nombre
cœlentérés v. corail
coemption v. réciproque
coéquipier v. partenaire
coercibilité v. élasticité
coercible v. comprimé
coercitif v. tyrannique
coercition v. contrainte, étau, oppression, servitude, violence
cœur v. bois, centre, écu, intérieur, intime, milieu, partie, poitrine, sincère
cœuret v. cerise
cœursage v. tannage
coexistence v. identité, relation
coexister v. exister
coffre v. hérisson, serrure, valise
coffre-fort v. banque, chambre
coffrer v. enfermer
coffret v. bijou, boîte
cogiter v. réfléchir, songer
cognat v. descendant
cognée v. fendre, hache
cogner v. battre, frapper
cognitif v. connaissance
cognition v. connaissance
cohérence v. union, unité
cohérent v. compréhensible, conséquent, logique, rationnel
cohéreur v. onde
cohésion v. harmonie, unité
cohobation v. distillation
cohorte v. légion
cohue v. foule
coi v. muet, stupéfait, tranquille
coiffe v. dentaire, fusée, racine
coiffer v. couronne, rafraîchir, surmonter
coiffeuse v. toilette
coin v. angle, fendre, monnaie, poinçon, sceau
coincer v. bloquer, enfermer, étrangler, immobiliser, retenir, serrer
coïncidence v. concours, identité, rencontre
coïncident v. simultané
coing v. gelée
coït v. relation, reproduction, sexuel, union
coke v. charbon
col v. bouteille, dentelle, montagne, vallée
colateur v. irrigation
colature v. liquide
Colbert v. dentelle
col-blanc v. bureaucrate
colchicine v. poison
cold-cream v. crème
colère v. fureur, impatience, indignation, rage, révolte, zut
coléreux v. explosif, fâcher
colibri v. oiseau
colichemarde v. lame
colifichet v. frivolité, objet
colimaçon v. escargot, spirale
colique v. ventre
colis v. paquet
Colisée v. circulaire, sportif
colite v. colique
collaborateur v. adjoint, auxiliaire, compagnon, second
collaboration v. aide, assistance, concours, participation
collaborer v. travailler
collage v. coller, correction
collant v. serrer
collante v. convocation
collapsus v. malaise
collatéral v. allée, famille, parent, parenté
collation v. comparaison, déjeuner, examen, repas, titre
collationner v. contrôler, manuscrit, vérifier
colle v. consigne, dissolution, interrogation, papier, pâte
collecte v. perception, récolte
collecter v. recueillir, réunir
collecteur v. impôt, réception, tuyau
collectif v. commun, général, public
collection v. bibliothèque, cabinet, cargaison, choix, conservateur, couture, ensemble, nombre, recueil, réunion, sélection, variété
collectionner v. accumuler, amasser, réunir
collectivisation v. communisme
collectivisme v. communisme, socialiste
collectivité v. ensemble, nation, société
collège v. compagnie, élection, évêque
collégiale v. église
collègue v. compagnon, métier, partenaire
coller v. refuser
collerette v. col, fraise
collet v. chasse, ciseau, col, dent, nœud, racine
colleter (se) v. misère
colleur v. affiche
collier v. anneau, barbe, cou
colliger v. recueil
collimation v. direction
collision v. rencontre, secousse
colloque v. assemblée, conférence, réunion, savant
colloquer v. vendre
collusion v. accord, complicité, entente, intelligence, secret
collusoire v. fraude
collutoire v. médicament
collyre v. médicament
colmatage v. fertile
colmater v. boucher, fermer
colombage v. maison
colombaire v. incinération
colombe v. paix, rabot
colombier v. colombe
colombin v. pigeon
Colombine v. pantomime
colombine v. excrément
colombophilie v. pigeon
colon v. bail, colonisé, fermier, pionnier
côlon v. intestin
colonialisme v. expansion, impérialisme
colonie v. camp, impérialisme, réunion, vacance
colonisateur v. colonisé
colonisation v. colonie
colonnade v. colonne
colonne v. canalisation, file, support
colonne Morris v. spectacle
colonne vertébrale v. dos, épine
colophane v. résine, térébenthine
colorant v. azote
colorature v. coloration
coloré v. expressif, pittoresque
colorier v. colorer
colorimètre v. coloration
coloris v. couleur
coloriste v. colorer, peintre
colossal v. énorme, extraordinaire, gigantesque, immense, infini, majestueux
colosse v. géant, statue
colostrum v. lait
colporter v. diffuser, propager, répandre, transporter
colporteur v. commerçant, domicile, marchand
colt v. pistolet, revolver
coltinage v. transport
coltiner v. porter
columbarium v. incinération
columbidés v. colombe, pigeon
columbiformes v. pigeon
columelle v. coquillage
colvert v. canard
combat v. bataille, cirque, danse, duel, match, opération, rencontre, rivalité, supprimer
combattant v. soldat
combattre v. attaquer, lutter, réfuter
combe v. vallée
combinaison v. accouplement, amalgame, articulation, batterie, chiffre, conjugaison, fusion, invention, plan, plongeur, réunion, synthèse, union, vêtement
combinat v. entreprise
combinatoire v. combinaison
combine v. malhonnête
combiné v. fantôme, téléphone
combiner v. construire, imaginer, marier, méditer, ménager, monter, projeter
comble v. charpente, maison, maximum, plein, toit
combler v. abondance, boucher, compléter, content, heureux, rattraper, ravi, réaliser, remplir, satisfaire
combrière v. thon
combustible v. carburant, inflammable, pile
combustion v. brûler, incendie, moteur
comédie v. dramatique, invention, pantomime, pièce, représentation, simagrée
comédien v. acteur, interprète, personnage, vedette
comestible v. manger, nourriture
comète v. astre
cométographie v. comète
comice v. réunion
comique v. amusant, caricature, risible
comité v. parti, réunion
comité d'entreprise, comité d'établissement v. syndicat
commandant v. chef, patron
commande v. levier
commandement v. ordre, pouvoir, règle
commander v. conditionner, demander, dicter, imposer, inspiré, ordonner, ordre, prescrire, réclamer, respect, venir
commandite v. participation
commando v. combattant, détachement, groupe
comme v. comparaison, pareil
commedia dell'arte v. comédie, italien, mime, pantomime
commémoraison v. saint
commémoration v. anniversaire, cérémonie, procession, souvenir
commémorer v. célébrer
commencement v. arrivée, départ, ébauche, embryon, enfance, entrée, inauguration, naissance, origine, premier, racine
commencer v. démarrer, entamer, entreprendre, ouvert
commendataire v. abbé
commende v. bénéfice

commensal v. compagnon, habitué, hôte, manger, souris
comment v. pardon
commentaire v. analyse, examen, explication, interprétation, observation
commentateur v. interprète, rabbin
commenter v. étudier
commérage v. commentaire
commerçant v. intermédiaire, marchand
commerce v. boutique, échange, entreprise, exportation, importation, magasin, relation, vente
commercial v. cadre, droit, politique
commercialiser v. lancer
commère v. bavard, commérage
commettant v. commission, mandat
commettre v. accomplir, nommer
comminatoire v. menaçant
commis v. adolescent, boutique, bureau, bureaucrate
commisération v. compassion, pitié
commissaire v. officier, police
commissaire aux comptes v. comptable, expert
commissaire-priseur v. expert, ministériel
commissariat v. police, poste
commission v. brevet, délit, gratification, intérêt, mission, provision, réunion, salaire
commissionnaire v. agent, commerce, mandat
commissure v. coin, lèvre, pli
commissurotomie v. cœur
commis voyageur v. démarcheur
commodat v. prêt
commode v. facile, maniable, meuble, pratique, simple
commodité v. water-closet
Commonwealth v. colonie, impérialisme
commotion v. choc
commotionner v. ébranler, secouer
commuer v. changer, peine, remettre, substituer
commun v. collaboration, général, identique, nom, ordinaire, populaire, public, quelconque, sens, usé, usuel
communal v. municipal
communauté v. couvent, ensemble, État, mariage, nation, ordre, régime, république, ressemblance, réunion, secte, similitude, société, unanimité
commune v. département, division, maire, territoire, unité
communicatif v. contagieux, échange
communication v. annonce, contact, interprétation, liaison, message, note, récit, relation, renseignement, révélation
communier v. approcher
communion v. accord, acte, bénit, harmonie, messe, religion, un, union
communiqué v. annonce, avis, bulletin, déclaration, information
communiquer v. apprendre, délivrer, imprimer, léguer, parler, savoir, transmettre
communisme v. politique
communs v. annexe, bâtiment, dépendance
commutateur v. bouton
commutatif v. contrat
commuter v. substituer
compacité v. densité
compact v. dense, ferme, nombreux, plein, serré, ski
compagne v. femme
compagnie v. armée, danseur, société, troupe, unité
compagnon v. allié, ami, artisan, franc-maçon, frère
compagnonnage v. réunion, société
comparable v. analogue, commun, semblable
comparaison v. adverbe, image
comparaître v. présenter
comparé v. relatif
comparer v. balance, regard, relation, ressemblance, vérifier
comparse v. cinéma, comédien, complice, figurer, personnage, rôle
compartiment v. cabine
comparution v. amener, mandat
compas v. boussole, géométrie, marine, orientation
compassé v. académique, affecté, conventionnel, digne, manière, sérieux, solennel
compassion v. humanité, intérêt, pitié
compatir v. mal, partager, pitié, plaindre
compatissant v. humain, sensible
compatriote v. patrie
compendieux v. concis
compendium v. abréger, concis, résumé, somme
compénétration v. pénétration
compensation v. Bourse, change, échange, indemnité, récompense, retour, revanche, satisfaction
compensatoire v. compenser
compenser v. corriger, équilibre, racheter, rendre, rattraper, réparer
compérage v. parrain
compère v. compagnon, complice, parrain
compère-loriot v. paupière
compétence v. capacité, connaissance, qualité, rayon, ressort, savoir, science, secteur, valeur
compétent v. fin, habile, maître, qualifié, savant, valable
compétiteur v. candidat, concours, participant, sélection
compétition v. défi, épreuve, match, rencontre, ski, yacht
compilation v. collection, recueil, sélection
complainte v. chanson, deuil
complaisance v. satisfaction, vanité
complaisant v. aimable, dévoué, souple
complant v. plant
complanter v. planter
complément v. régime, supplément
complément d'objet (sans) v. intransitif
complément d'objet direct v. transitif
complémentaire v. annexe
complémentarité v. accord
complet v. entier, intact, intégral, intense, plein, profond, radical, réserve, total, universel
complètement v. fond
compléter v. additionner
complétif v. complément
complétude v. complet
complexe v. centre, délicat, difficile, imaginaire, nombre, sophistiqué, système
complexe d'Œdipe v. mère
complexion v. constitution, nature, santé, tempérament
complication v. aggraver, événement
complice v. allié, partenaire
complicité v. collusion, entente, intelligence, secret
complies v. heure, soir
compliment v. éloge
complimenter v. féliciter, flatter, pommade
compliqué v. savant, subtil
compliquer v. embrouiller
complot v. attentat, clandestin, intrigue, machination
componction v. regret, remords
comporte v. bac, vendange
comportement v. allure, attitude, conduite, façon, instinct, manière, pratique
comporter v. agir, comprendre, présenter, user
composant v. élément
composé v. affecté, amalgame, passé
composée v. laitue, marguerite, pissenlit, tournesol
composer v. arranger, combiner, comédie, concession, créer, dresser, écrire, former, téléphone, traiter, transiger
composeuse v. composer
composite v. confus, différent, divers, élément, hétérogène, ordre, varié
compositeur v. auteur, composer, imprimerie, musicien, typographie
composition v. combinaison, constitution, forme, interrogation, ordonnance, préparation, raisonnement, répertoire, réunion, structure, synthèse, texture
compost v. engrais
compostage v. ordure
composter v. trouer
composteur v. métro
compote v. confiture, dessert
compréhensible v. facile, légitime, normal, simple, transparent
compréhensif v. large
compréhension v. intelligence, pénétration, raison
comprendre v. entendre, imaginer, intégrer, ouvrir, réaliser, saisir
compresse v. pansement
compresser v. aplatir
compressibilité v. élasticité
compressible v. comprimé
compression v. moteur
comprimé v. cachet, médicament, pastille
comprimer v. aplatir, condenser, diminuer, étrangler, plat, presser, serrer, tasser
compromettre v. gâcher, nuire, péril, salir
compromis v. accord
comptabilité v. accord, bureau, écriture, finances
comptage v. bulletin
compte v. note, raison, recensement
compte (rendre) v. expliquer, réaliser
compte d'auteur (à) v. édition, publier
compte d'exploitation v. comptabilité
compte-fils v. agrandissement
compter v. calculer, exister, flatter, penser, regarder, spéculer
compte rendu v. critique, état, récit, revue
compte-tours v. enregistreur
compteur v. enregistreur
comptine v. enfant
comptoir v. agence, boutique, bureau, colonie, commerce, compagnie, succursale
compulser v. dossier, examiner, feuilleter, lire, pencher, renseignement
compulsion v. acte
computation v. calcul
computer v. informatique, intelligence artificielle
comte v. noblesse
comté v. État, gruyère
comtoise v. horloge
concasser v. broyer, écraser, piler
concaténation v. réunion
concave v. courbe, myopie, polygone
concéder v. abandonner, avouer, convenir, donner, permettre, reconnaître
concentration v. attention, densité, fusion, groupement, industrie, réflexion, réunion, urbanisation
concentré v. réfléchi
concentrer v. assembler, éparpiller, méditer, recueillir, réfléchir
concept v. abstraction, idée, notion, pensée, raisonnement
concepteur v. architecte, conception, design
conception v. création, design, intelligence, opinion, théorie, vision
conceptualisation v. abstraction
concernant v. relatif
concerner v. appartenir, appliquer, intéresser, porter, regarder, relever, viser
concert v. accorder, intelligence, orchestre, récital, spectacle
concertant v. messe
concerté v. réciproque
concerter v. délibérer, entendre
concerto v. composition, concert, piano
concession v. autorisation, compromis, transiger
concetti v. brillant
concevable v. compréhensible, plausible, possible
concevoir v. engendrer, imaginer, inventer, penser, prévoir, rédiger, représenter, saisir, venir, voir
conche v. baie
conchoïdal v. coquille
conchyliculture v. coquillage
conchylien v. coquille
conchyliologie v. coquillage
concierge v. commérage, curieux
concile v. assemblée, église, réunion, théologie
conciliabule v. conférence, conversation, secret
conciliant v. facile, prince, souple

conciliateur v. arbitre, médiateur, négocier
conciliation v. accord, comité
concilier v. acquérir, attirer, gagner, obtenir, raccommoder
concis v. bref, condensé, dense, formule, nerveux, précis, résumé, serré, sobre, sommaire
concitoyen v. compatriote
conclave v. assemblée, cardinal, congrès, pape, réunion
conclaviste v. cardinal
concluant v. décisif
conclure v. accord, achever, arrêter, compléter, terminer, trancher
conclusion v. conséquence, déduction, fin, raisonnement, récit, résultat, solution, terme
conclusion (rite de) v. messe
concocter v. fabriquer
concomitance v. coïncidence
concomitant v. simultané
concordance v. accord, conformité, correspondance, parenté, relation, ressemblance, similitude
concordat v. compromis, dette, église, faillite, traité
concorde v. communauté, entente, fraternité, harmonie, intelligence, union
concorder v. répondre
concourir v. aider, permettre, tendre
concours v. aide, collaboration, contribution, exposition, participation, rencontre
concret v. effectif, matériel, solide
concréter v. durcir
concrétion v. accumulation, calcul, concret
concrétisation v. application
concrétiser v. réaliser, réel
concubinage v. libre, union
concubine v. femme
concupiscence v. appétit
concupiscent v. avide, sexuel
concurrence v. capitalisme, émulation, rivalité, vendre
concurrent v. adversaire, candidat, participant, rival, sélection
concussion v. corruption, délit, pillage, trafic
concussionnaire v. malhonnête
condamnation v. foudre, peine, sanction, supplice
condamné v. malade
condamner v. attaquer, boucher, défendre, déporter, désavouer, fermer, forcer, interdire, juger, obliger, procès, prohiber, punir
condensateur v. microscope
condensation v. concret, corps, inconscient, pluie, rosée
condensé v. concis, dense, résumé, sommaire
condenser v. abréger
condescendance v. hauteur
condescendant v. dédain, fier, mépris, protecteur, supérieur
condescendre v. abaisser, consentir, rendre
condiment v. aromate
condisciple v. ami, compagnon
condition v. contrat, position, prétention, qualité, réserve, situation, sort
conditionné v. réflexe
conditionnel v. potentiel
conditionnellement v. bénéfice
conditionnement v. marchandise
conditionner v. emballer, traiter
condom v. contraceptif, phallus
condominium v. commun
condor v. vautour
conducteur v. électrique, routier
conductibilité v. aluminium, conduire, métal, transmission
conduction v. conduire
conduire v. agir, amener, animer, entraîner, manier, mener, pousser, rabattre, rouler
conduit v. , tuyau, voie
conduite v. allure, attitude, bulletin, compagnon, genre, influence, manière, pratique, surveillance
cône v. conifère, couleur, pin
confabulation v. conversation
confection v. façon
confectionner v. composer, fabriquer, faire
confectionneur v. tailleur
confédération v. alliance, pays, union
conférence v. discours, interview, leçon, récit, réunion, savant
conférencier v. orateur
conférer v. administrer, comparer, délibérer
confesser v. approcher, avouer, convenir, faute, reconnaître
confesseur v. martyr, saint
confession v. foi, récit, religion
confiance v. croire, espoir, patience, sécurité, sérieux, tranquillité
confiant v. naïf, optimiste, serein, sûr, tranquille
confidence v. révélation
confident v. accompagnateur, compagnie, intime, siège
confidentiel v. secret
confier v. adresser, assigner, déléguer, déposer, laisser, livrer, ouvrir, passer, prêter, remettre
configuration v. forme, relief
confiner v. enfermer, friser, toucher
confins v. extrême, frontière, limite
confirmation v. acte, sanction
confirmer v. approuver, appuyer, entériner, fortifier, garantir, légaliser, maintenir, retenir, sûr, valider, vrai
confiscation v. saisie
confiserie v. friandise, sucre
confisquer v. emparer (s'), priver, ravir, retenir
confit v. oie
confiteor v. prière
conflit v. bataille, combat, crise, désaccord, droit, lutte, opposition, séparation, tension
confluence v. rencontre
confluent v. fleuve
confluer v. tendre
confondant v. accablant
confondre v. brouiller, interdit, surprendre, stupéfait, tromper
conformateur v. tête
conformation v. constitution
conforme v. adéquat, digne, favorable, fidèle, normal
conformément v. selon
conformer v. adapter, aligner, observer, plier, sacrifier, soumettre, suivre
conformisme v. règle, routine
conformiste v. académique, conservateur, hétérodoxe, orthodoxe, traditionaliste
conformité v. rectitude, relation, ressemblance, similitude, unanimité
confort v. bien-être, commodité, urbanisme, utilité
conforter v. relever
confrère v. métier
confrérie v. communauté, ordre, réunion, société
confrontation v. combat, match, rencontre
confronter v. comparer
confucianisme v. chinois
confus v. clair, honteux, indécis, obscur, penaud, trouble, vague
confusion v. accourir, agitation, amalgame, anarchie, bazar, brouillard, délire, embarras, erreur, réseau, réunion, trouble
confusionnel v. confusion
confusionnisme v. confusion
confuso-onirique v. confusion
congé v. fermeture, repos, vacance
congédiement v. renvoi
congédier v. compte, congé, débarquer, expédier, porte, séparer
congeler v. froid
congénère v. pareil, semblable
congénital v. malformation, naissance, naturel
congère v. accumulation, neige
congestion v. sang, vaisseau
congestionné v. rouge, sang
conglomérat v. compagnie, société, volcan
congratulation v. compliment
congratuler v. féliciter
congre v. anguille
congrégation v. assemblée, communauté, doctrine, moine, religieux, réunion
congrès v. assemblée, parti, réunion, savant
congru v. pertinent
conifère v. pin
conique v. engrenage
conjecture v. hypothèse, opinion, présage, présomption, prévision, probabilité, supposition
conjecturer v. entrevoir, estimer, imaginer, présumer, soupçonner, supposer
conjoint v. mari
conjointement v. accord
conjonctif v. réseau
conjonction v. astre, conjugaison, lune, rencontre, réunion
conjonctivite v. œil
conjoncture v. cas, concours, fait, occasion, position, rencontre, situation
conjugaison v. verbe
conjuguer v. joindre
conjungo v. mariage
conjuration v. accord, clandestin, complot, machination, magique
conjurer v. détourner, éviter, malédiction, malheur, prier, supplier
connaissance v. bagage, fréquentation, instruction, marque, raison, relation, sagesse, savoir, science, trace
connaissement v. état, marchandise
connaisseur v. amateur, art
connaître v. diagnostic, entendre, informer, posséder, savoir, subir
connexion v. liaison, relation
connivence v. accord, collusion, communauté, complicité, compréhension, entente, intelligence, secret
connotation v. analogie
connu v. évident, populaire, réchauffé
conque v. coquillage, oreille
conquérant v. amant, cœur, conquérir, soldat, vainqueur
conquérir v. acquérir, emparer (s'), enlever, envahir, gagner, obtenir, passionner, séduire, soumettre, subjuguer
conquêt v. immeuble
conquête v. annexion
conquêter v. conquérir
conquis v. enthousiaste, passionné
conquistador v. colonisateur, conquête
consacré v. bénit, habituel, officiel, saint
consacrer v. bénir, donner, embrasser, livrer, occuper, ordonner, passer, valider, vivre
consanguin v. famille, frère, parent
conscience v. âme, connaissance, intérieur, intime, notion, raison, regard, scrupule, sentiment
Conscience de Krishna v. secte
consciencieux v. bon, laborieux, méticuleux, minutieux, scrupuleux, sérieux, soigneux, zélé
conscription v. appel, inscription, recensement, recruter
conscrit v. apprenti, militaire, recruter, soldat, valide
consécration v. conclusion, couronnement, gloire, imposition, messe, sanction, triomphe
consécutif v. succéder, suivre
consécution v. progression
conseil v. avertissement, conférence, délibération, instruction, orientation, proposition, réunion
Conseil de l'ordre v. médecin
conseiller v. confiance, familier, inspirer, prescrire, recommander, remettre
conseiller d'État v. juge
conseil municipal v. maire
conseil régional v. département
consensuel v. contrat
consensus v. accord, compromis, unanimité
consentant v. favorable
consentement v. agréer, approbation, autorisation, divorce, permission, unanimité
consentir v. abaisser, accéder, approuver, céder, laisser, raison, souffrir, souscrire
conséquence v. déduction, dépendance, importance, réaction, résultat, retour, secondaire, suite
conséquent v. logique, rationnel
conservateur v. administrateur, art, bibliothèque, bourgeois, musée, réaction, traditionaliste

conservation v. abîmer, maintien
conservatisme v. conservateur
conservatoire v. acte, école, musique
conserver v. destiner, maintenir, retenir
conserverie v. usine
considérable v. fabuleux, formidable, grand, gros, nombreux
considérant v. motif
considération v. faveur, note, observation, perspective, raison, réflexion, réputation, respect, révérence, scrupule
considérer v. cas, compte, envisager, étudier, juger, penser, peser, populaire, prendre, réfléchir, regarder, songer, tenir, trouver, voir
consigne v. commandement, dépôt, ordre, procédure, règle
consigner v. arrêt, citer, constatation, enregistrer, inscrire, mention, noter, punir, refuser, retenir
consistant v. épais, solide
consistoire v. assemblée, cardinal, concile, protestant, rabbin, religieux, synagogue
consolation v. réconfort, satisfaction
console v. appui, commode, harpe, meuble, pupitre, rayon, saillant, table
consoler v. calmer, réconforter, relever, soulager
consolidation v. conversion, renfort
consolidé v. dette, emprunt
consolider v. appuyer, assurer, fortifier, réparer, solide
consommable v. sain
consommateur v. usager
consommation v. fin, usage
consommé v. bouillon, franc
consommer v. terminer, utiliser, vider
consomptible v. consommer
consomption v. amaigrissement, épuisement, faiblesse, passion
consonance v. terminaison
consonant v. accord
consonantique v. consonne
consort v. compagnie
consortium v. compagnie, entreprise, fusion, société
conspirateur v. comploter
conspiration v. accord, clandestin, collusion, complot, entente, intrigue, machination
conspuer v. bafouer, crier, huer, mépriser, siffler
constamment v. demeure, permanence
constance v. fermeté, force, obstination, opiniâtreté, permanence
constant v. continu, égal, éternel, ferme, fixe, identique, invariable, normal, perpétuel, régulier, soutenu, stationnaire, uniforme
constantan v. nickel
constante v. propriété
constatation v. conclusion, observation
constater v. acte, apercevoir, enregistrer, éprouver, noter, reconnaître
constellation v. groupe
constellation de la Vierge v. cathédrale
consternant v. affligeant, désastreux, triste
consternation v. découragement, malheur
consterner v. abattre, désespérer, désolé, fendre
constipation v. ventre
constituer v. composer, édifier, établir, fabriquer, former, pied
constitutif v. essentiel, primaire
constitution v. composition, fondation, gouvernement, nature, régime, règle, religieux, république, santé, tempérament, texture
constitutionnel v. droit, monarchie
constricteur v. serpent
constriction v. contraction
constructeur v. architecte
constructif v. positif
construction v. bâtiment, échafaudage, érection, immeuble, intelligence artificielle, monument, production, raisonnement, récit, structure
construire v. bâtir, édifier, élever, faire, fonder, imaginer
consubstantialité v. fusion, identité, unité
consubstantiation v. communion, corps, hostie
consul v. commune, délégué
consulat v. diplomatie, magistrature, pays, représentation
consultant v. client
consultatif v. comité
consultation v. conversation, délibération, médecin, référendum, visite
consulter v. délibérer, demander, dossier, examiner, feuilleter, interroger, questionner, réfléchir, renseignement, soigner, voir
consulteur v. théologie
consumer v. brûler, consommer, dépérir, passionner, ronger, souci, user
consumérisme v. consommateur
contact v. liaison, relation, rencontre, social
contage v. contagieux
contagion v. épidémie, imitation, infection, infiltration, transmission
contamination v. contagion, infection
contaminer v. communiquer, malsain, propager, salir, transmettre
conte v. fable, nouvelle, oral, réalité, récit
contemplation v. extase, paix
contempler v. considérer, regarder
contemporain v. actuel, moderne, temps
contempteur v. critique
contenance v. maintien, volume
conteneur v. transport
conteneurisation v. marchandise
contenir v. calmer, commander, contraindre, étouffer, freiner, posséder, refouler, respect, tempérer
content v. ravi
contentement v. béatitude, plaisir, plénitude, satisfaction
contenter v. arranger, rabattre, satisfaire, tenir
contention v. application, attention, concentration, tension
contenu v. fond, pensée, signification, sourd, substance
conter v. galant, peindre, raconter
contestable v. faible
contestataire v. parti
contestation v. objection, opposition, révolte
contester v. attaquer, démentir, désobéir, difficulté, discuter, nier, protester, récuser, refuser, réfuter, remettre, révolter
contexte v. situation
contexture v. structure
contigu v. proche, toucher, voisin
contiguïté v. contact
continence v. abstenir (s'), chasteté, privation
continent v. sage, sexuel, sobre
continental v. climat
contingence v. accident
contingent v. arbitraire, conditionnel, éventuel, hasard, militaire, part, possible, quantité
contingenter v. limiter
continu v. soutenu
continuel v. éternel, monotone, perpétuel
continuellement v. instant
continuer v. durer, persévérer, poursuivre, pousser, prolonger
continuité v. évolution, permanence
continuo v. continu
continuum v. continu
contondant v. matraque
contour v. forme, ombre, périphérie, profil, silhouette
contourné v. compliqué, sinueux, sophistiqué, subtil, tarabiscoté, tordu
contractant v. contrat
contracter v. abréger, attraper, diminuer, maladie, marier, prendre, serrer, tendre
contraction v. spasme
contractuel v. fonctionnaire, stationnement
contracture v. contraction
contradicteur v. adversaire
contradiction v. désaccord, réfuter
contradictoire v. incompatible, opposé
contraignant v. pénible
contraindre v. abuser, amener, commander, contenir, contrôler, demeure, efforcer (s'), étouffer, forcer, obliger, plier, refouler, retenir, soumettre
contraint v. affecté, gauche, standard
contrainte v. , imitation, impératif, impôt, oppression, pression, règle, servitude
contraire v. défavorable, extrême, incompatible, inverse, opposé, revanche
contralto v. grave, voix
contrapuntiste v. musicien
contrariant v. dommage, ennuyeux
contrarier v. déplaire, déranger, désoler, échec, embarrasser, fâcher, gêner, irriter, mécontenter, nuire, peiner, vexer
contrariété v. souci, tracas
contraste v. opposition, relation, relief
contraster v. trancher
contrat v. abonnement, accord, marché, promesse, régime, société
contravention v. amende, stationnement
contre v. boxe
contre-alizé v. courant
contre-attaquer v. riposter
contrebalancer v. compenser, équilibre
contrebande v. commerce, trafic
contrebandier v. fraude, frontière
contrebasse v. corde
contrecarrer v. confondre, contrarier, déranger, échec, neutraliser, répondre
contrecœur (à) v. regret, rire
contrecoup v. réaction, rebondir, résultat, retour, suite
contrecourant v. retour, sens
contredire v. contester, démentir, nier, refuser, réfuter, répondre
contrée v. nation
contre-enquête v. enquête
contrefaçon v. copie, imitation, signature
contrefacteur v. contrefaçon, fabricateur, malfaiteur
contrefaction v. contrefaçon
contrefaire v. adultérer, déguiser, faux, imiter, représenter
contre-fiche v. ferme
contrefort v. appui, soutenir
contre-fruit v. mur
contre-indication v. médicament
contremaître v. équipe, industrie
contremarque v. ticket
contrepartie v. change, inverse, pendant, registre, revanche
contre-passer v. compenser
contrepèterie v. jeu, mot
contre-pied v.inverse
contre-placage v. ébénisterie
contrepoint v. combinaison
contrepoison v. poison
contrer v. contrarier
Contre-Réforme v. réforme
contre-révolution v. réaction
contre-révolutionnaire v. communisme
contrescarpe v. fossé, talus
contreseing v. signature
contresens v. erreur, interprétation, sens, traduction
contresigner v. signer
contretemps v. accident, événement, syncope
contretype v. négatif, photographie
contrevallation v. siège
contrevenant v. délinquant
contrevenir v. désobéir, entorse, loi, transgresser, violer
contrevent v. fenêtre, volet
contrevérité v. hérésie
contribuable v. impôt
contribuer v. aider, permettre
contribution v. collaboration, impôt, part, participation, quote-part, recette, ressource
contrister v. affliger, mécontenter
contrit v. honteux, penaud
contrition v. acte, confession, faute, pardon, péché, pénitence, regret, remords
contrôle v. arbitrage, examen, immigré, interrogation, réception, registre, révision, université, usine, visite
contrôler v. assurer, encadrer, essayer, filtrer, inspecter, maître, pointer, posséder, raisonner, surveiller, vérifier

contrôleur v. auditeur, impôt
contrôlographe v. contrôle
contrordre v. ordre
controuvé v. faux
controverse v. chicane, point, question
controverser v. contester, raisonner
contumace v. absence, défaut
contusion v. blessure, coup
contusionner v. blesser, meurtrir, pincer
conurbation v. concentration, ville
convaincant v. décisif, démonstratif, pertinent
convaincre v. décider, déterminer, entraîner, persuader, raison, recruter
convaincu v. sûr
convalescence v. maladie
convecteur v. chauffage
convenable v. adéquat, approprié, décent, honnête, juste, sage, suffisant, utile
convenance v. accord, adapter, apparence, formalité, politesse, propriété, règle, relation, savoir-vivre, usage, utilité
convenir v. agréer, appliquer, composer, concéder, confesser, faute, reconnaître, satisfaire, solliciter
convent v. franc-maçon
conventicule v. secret
convention v. accord, compromis, contrat, définition, droit, entente, promesse, règle, statut, traité
conventionné v. médecin
conventionnel v. académique, arbitraire
conventuel v. église
convenu v. conventionnel
convergence v. réunion
convergent v. mouvement
converger v. diriger, tendre
convers v. frère, réciproque, religieux
conversation v. dialogue, échange
converser v. entretenir, parler
conversion v. change, changement, illumination, mutation, pétrole, réduction, tour
converti v. religion
convertir v. gagner, mettre, réaliser, réconcilier, recruter, religion
convertissage v. farine
convertisseur v. centrale nucléaire
convexe v. courbe, polygone
conviction v. assurance, chaleur, confiance, croyance, espoir, opinion, politique, sérieux, vérité
convier v. engager, inviter, prier, recevoir, retenir, réunir
convive v. accueillir, banquet, compagnon, hôte, repas
convivialité v. commodité
convoi v. caravane, groupe, série
convoiter v. désirer, souhaiter, viser, vouloir
convoitise v. ambition, cupidité, désir, envie, passion
convoler v. marier
convoquer v. appeler, assigner, venir
convoyer v. accompagner
convoyeur v. transport
convulsif v. frisson, involontaire, spasme
convulsion v. agitation, bouleversement, spasme, tremblement
coopération v. assistance, collaboration, concours, participation, société
coopératisme v. socialiste
coopérative v. agricole
coopérer v. aider
cooptation v. admission, nomination
coopter v. choisir
coordination v. syndicat
coordonnée v. adresse, point
copeau v. chute, débris, rabot, savon
copermutation v. bénéfice
copie v. contrefaçon, double, exemplaire, expédition, imitation, répétition, reproduction
copier v. imiter, relever
copieux v. abondant, gros, large, riche
copiste v. copier, manuscrit
coppa v. saucisson
coprologie v. excrément
coprophage v. excrément
coprophile v. excrément
copropriétaire v. immeuble
copropriété v. communauté, propriétaire
copulation v. accouplement, sexuel, union
copule v. liaison
copyright v. auteur
coq v. boxe, chef, crête, horlogerie
coq à l'âne (passer du) v. interrompre
coquâtre v. coq
coque v. ruban
coquelin v. innocent
coqueluche v. enfance
coquerelle v. noisette
coqueret v. amour
coquerie v. cuisine
coquet v. joli, soigner
coquetière v. œuf
coquille v. casque, coque, corset, écaille, erreur, faute, impression, œuf, pèlerin, sportif, typographie
coquillette v. pâte
coquin v. fripon, malicieux
cor v. bois, corne, œil, pied
coraillerie v. corail
Coran v. Bible, islam, musulman, récit
corbeau v. anonyme, bec, lettre, saillant, support
corbeille v. balcon, massif, parquet, plateau, vannerie
corbillard v. cercueil, char, funèbre
corbin v. bec
cordage v. bosse, ride
corde v. montagne, piano, potence, violon, virage
cordeau v. brique, corde, ligne, mèche, sillon
cordeler v. tordre
cordelière v. ceinture, religieux
corderie v. corde
cordial v. agréable, amical, boisson, sympathique, tonique
cordialement v. ouvert
cordier v. queue
cordon v. barrage, file, monnaie, moulure, sonnette
cordon-bleu v. cuisinier
cordon de manœuvre v. store
cordonnage v. monnaie
cordonnet v. broderie, monnaie
cordonnier v. chaussure
coreligionnaire v. religion
coriandre v. digérer
corindon v. émeraude
corinthien v. grec, ordre
cornac v. conducteur, éléphant
cornaline v. rouge
corne v. peigne, pli, signal, sonnette, voile
corned-beef v. singe
corne de brume v. brume, signal
cornée v. épiderme, œil
cornemuse v. berger
cornemuseur/cornemuseux v. cornemuse
corner v. football, stock
cornet v. corne, dé, trompette
cornet à bouquin v. corne
cornette v. cavalerie, drapeau, religieux
corniche v. piédestal, saillie
cornichon v. vinaigre
cornière v. équerre
cornue v. flacon, magnésium
corollaire v. conséquence
corolle v. pétale
coron v. maison, mineur
coronarite v. cœur
coroplaste v. sculpteur
corozo v. ivoire, marqueterie
corporal v. autel
corporation v. caste, communauté, compagnie, ensemble, métier, ordre, réunion, société
corporel v. physique
corps v. bâtiment, buffet, chevalier, combattant, imprimerie, lettre, organisme
corps (esprit de) v. solidarité
corps d'armée v. troupe, unité
corps de ballet v. ballet, danseur
corps diplomatique v. diplomatie
corps social v. société
corpulence v. corps, grosseur
corpulent v. gros, massif
corpus v. recueil, renseignement
corpuscule v. corps
corral v. parc
correct v. décent, honnête, juste, normal, passable, pur, raisonnable, régulier, suffisant
correcteur v. correction, imprimerie
correction v. modification, règle, sanction, tenue
correctionnel v. tribunal
corregidor v. espagnol
corrélation v. correspondance, dépendance, liaison, réciproque, relation
correspondance v. analogie, intelligence, lettre, liaison, pondération, réciproque, relation, ressemblance, similitude
correspondant v. journaliste, relatif, réseau
correspondre v. communiquer, répondre, représenter
corricolo v. calèche
corridor v. couloir
corriger v. améliorer, perfectionner, polir, racheter, rattraper, rectifier, redresser, réparer, revoir, rosser, souple, surface
corroborer v. appuyer, confirmer, fortifier
corroder v. attaquer, entamer, ronger, rouille
corrompre v. acheter, argent, payer, pourrir, silence, troubler
corrompu v. immoral
corrosion v. métal, usure
corroyage v. étirage, forge, tannage
corruptible v. périssable
corruption v. décomposition, dissolution, gangrène, malhonnête
corsage v. buste, chemise
corsaire v. bandit
corsé v. noir, salé
corselet v. corset
corset v. bas, ceinture, gaine, ventre
corseter v. corset
corsetier v. couturier, corset
corso fleuri v. carnaval
cortège v. défilé, file, manifestation, nombre, procession, série, succession, suite
cortex v. cerveau, écorce
corticoïde v. immunitaire
cortisone v. hormone
corvéable v. soumettre
corvée v. charge, travail
corvidés v. geai, pie
corybante v. grec
coryphée v. ballet, chœur, danseur
coryza v. foin, inflammation, nez, rhinite, rhume
Cosa Nostra v. Mafia
cosaque v. cavalier
cosmétique v. crème, peau, savon
cosmétologie v. aromate, maquillage
cosmique v. universel
cosmogonie v. monde, planète
cosmographie v. description
cosmologie v. univers
cosmonaute v. fusée, univers, vaisseau
cosmonautique v. astronautique
cosmopolite v. étranger, nationalité
cosmos v. espace, monde, univers
cossard v. paresseux
cosse v. enveloppe, graine
cosser v. heurter
cossu v. riche
costal v. vertèbre
costaud v. robuste
costume v. habit, tenue
costumé v. bal
costumer v. déguiser, habiller
cotation v. Bourse
cote v. Bourse, bulletin, numéro, prix, quote-part, taux
côte v. pente, relief, rivage, tranche, velours
côté v. face, partie, partout, profil
coteau v. côte
côtelette v. barbe
coter v. estimer, évaluer, indiquer, marquer, numéroter
cotereau v. bandit
coterie v. caste, chapelle, famille, intérêt, réunion, secte
cothurne v. chaussure, tragique
coticule v. aiguiser
côtier v. zone
cotignac v. confiture
cotillon v. bal, jupe
cotir v. meurtrir
cotisation v. charge, contribution, dépense, quote-part
cotiser v. acquitter, souscrire
coton v. peinture, pneu
cotonnerie v. coton
cotonneux v. sourd
cotonnier v. coton

ôtoyer v. approcher, fréquenter, suivre
otre v. voilier
otret v. fagot
otriade v. soupe
ottage v. maison
otte v. combinaison, jupe, maille, vêtement
otylédon v. graine
otylosauriens v. reptile
ou v. attache
ouac v. canard
ouaille v. laine
ouard v. lâche, peureux, poltron
ouchant v. ouest
ouche v. banc, film
oucher v. incliner, placer, porter, rabattre, renverser
ouchette v. lit
oucou v. voiture
oudée v. longueur
ou-de-pied v. pied
oudre v. fermer, piquer
oudrier v. noisette
ouenne v. cochon
ouette v. plume, queue
ouffin v. bébé, enfant
oufique v. arabe
ouguar v. lion, puma
ouiner v. grincer
oulant v. filet, fouet, fraisier, indulgent
oule v. moine
ouler v. acier, chanter, disparaître, enfoncer, fondre, glisser, insinuer, mouler, naufrage, noyer, répandre, sombrer, torpiller, vivre
ouleur v. nuance, politique, robe, style
ouleuvre v. paresseux, serpent
ouleuvrine v. canon
oulis v. glisser
oulissant v. mobile
oulisse v. secret
oulisser v. glisser
oulissier v. agent, Bourse, change
ouloir v. allée, défilé, étroit, piste
ouloire v. passoire
oulomb v. électricité
oulpe v. confesser, faute, frapper
oulure v. avortement
oumarine v. parfum
oup v. botte, fait, forcément, informer, malchance
oupable v. auteur, innocent, responsable
oupant v. bref
oup de chien v. tempête
oup de foudre v. passion
oup de grisou v. explosion
oup de pied à la lune v. plongeon
oup de pied de pénalité v. rugby
oup d'État v. attentat, révolte, soulèvement
oup de théâtre v. péripétie, rebondir, récit
oup d'œil v. réflexe, regard
oup droit v. tennis
oupe v. bol, dépendance, façon, plan, profil, relief, représentation, trophée, vase
oupe-file v. accès, laissez-passer
ouper v. additionner, baptiser, barrer, croiser, interrompre, mélanger, suspendre, traverser
ouperet v. boucher, couteau
ouperose v. inflammation, marque, rosacée

coupeur v. tailleur
coup franc v. amende, football, rugby
couple v. deux, réunion
coupler v. unir
couplet v. chanson, division
Coupole v. académie
coupole v. circulaire, hémisphère, tasse, voûte
coupon v. billet, pièce, ticket
coupure v. banque, billet, entaille
cour v. suite, tribunal
courage v. audace, fermeté, persévérance, vaillance, vertu
courageux v. fort, travailleur, valeureux
couralin v. barque
courant v. banal, dynamique, école, électricité, fait, fleuve, fréquent, général, habituel, informer, marée, ordinaire, routine, sensibilité, simple, souffle, standard, tendance, usuel, vent, vulgaire
courantomètre v. courant
courbature v. dos, fatigue
courbe v. chemin, coude, forme, orbite, relief, rivière, silhouette, variation
courber v. humble, incliner, pencher, plier, tordre
courbette v. révérence, saluer, servile
courcaillet v. piège
courçon v. branche
cour d'appel v. tribunal
cour d'assises v. crime
Cour de cassation v. tribunal
coureur v. vagabond
courir v. fréquenter, précipiter, répandre
courir la prétentaine v. galant
cour martiale v. guerre, tribunal
couronne v. bouquet, dent, dentaire, insigne, monarchie, noblesse, pain, récompense, souverain
couronnement v. mariage
couronner v. achever, blesser, conclure, remplir
courre v. chasse
courrier v. rubrique
courriériste v. journaliste
courroie v. attache, bande, entraînement
courroucer v. exaspérer, fâcher, irriter
courroux v. colère
cours v. boulevard, Bourse, circulation, déroulement, école, évolution, fil, leçon, manuel, pendant, prix, récit, recueil, taux, université, valable
cours (en) v. pendant, vigueur
course v. athlétisme, élan, excursion, montagne, mouvement, obstacle, provision
course racing v. planche à voile
coursier v. commission
coursive v. couloir
court v. bref, incomplet, interdit, os, radioélectrique, résumé, sommaire, tennis
court (prendre de) v. improviste
courtage v. commission, salaire
courtaud v. queue
court-bouillon v. bleu, bouillon, nage
courtepointe v. couverture, lit
courtier v. agent, assurance, change, commerce
courtilière v. taupe

courtine v. course hippique, mur, rideau
courtisan v. prostituée, souverain
courtiser v. flatter
courtois v. charmant, délicat, galant, poli, roman, sociable
courtoisie v. affabilité, chevalerie, délicatesse, respect
couru v. recherché
cousette v. apprenti, couturier
cousin v. moustique
cousoir v. coudre
coussin v. oreiller
coussinet v. coussin
coût v. frais, prix, valeur
couteau v. balance, mollusque, pierre, sorcière
couteau (en lame de) v. visage
coutelas v. couteau
coutelier v. couteau
coutelière v. couteau
coûter v. valoir
coûteux v. riche
coutil v. coton, matelas, toile
coutre v. charrue, fendre
coutume v. droit, habitude, mode, mœurs, peuple, règle, rite, tradition, usage
coutumier v. familier, habituel, recueil
couvain v. abeille, œuf
couvaison v. œuf
couvé v. entouré
couvée v. petit
couvent v. communauté, moine, monastère, religieux
couventine v. couvent
couver v. soin
couvert v. cuiller, rempli, sombre
couverte v. couverture, émail
couverture v. déguisement, dépôt, protection, toit
couvre-joint v. battement
couvre-lit v. couverture
couvre-objet v. microscope
couvreur v. bâtiment, toit
couvrir v. excuser, parcourir, parsemer
cow-boy v. conducteur
coxalgie v. articulation, hanche
crabe v. crustacé
crabot v. manivelle
crachat v. salive
cracher v. éjecter, vomir
crachin v. brouillard, pluie
crachoir v. bassin
crack v. champion, drogue
craie v. colorer
craindre v. redouter, souffrir, soupçonner
crainte v. appréhension, inquiétude, peur, respect
craintif v. peureux, sauvage, soupçonneux
cramoisi v. couleur
crampe v. contraction, spasme
crampillon v. clou
crampon v. attache, bout, clou, montagne, pneu, racine, verrou
cramponner v. retenir, tenir
cran v. entaille, irrité
cran (mettre à) v. fâcher
crâne v. fier
crânien v. chirurgie
craniographie v. crâne
craniologie v. crâne
crannoge v. habitation
crapaud v. batracien, bombardement, défaut, diamant, piano, pierre précieuse, sabot
crapaudine v. fossile, grille

crapouillot v. bombardement, canon
crapule v. malfaiteur, malhonnête
craquage v. pétrole
craquelé v. fente
craquelin v. biscuit
craquelure v. peinture
craquer v. basculer, rompre
craquètement v. grue
crase v. contraction
crash v. atterrissage
crassane v. poire
crasse v. écume
crasseux v. malpropre, noir, sale
cratère v. creux, météorite, vase
cravache v. baguette
cravant v. oie
cravate v. accessoire, chemise, corde, drapeau
cravate dorée v. colibri
cravate jaune v. alouette
crawl v. nage
crayère v. champagne
crayeux v. craie, livide
créance v. confiance, croire, dette, influence, titre
créateur v. auteur, couturier, pionnier, positif
créatif v. original
création v. cardinal, couture, design, fondation, institution, invention, ivresse, production
créativité v. création, imagination
crécelle v. jouet
crèche v. étable, noël
Crécy (à la) v. potage
crédence v. buffet, meuble, table
crédible v. plausible, vraisemblable
crédit v. ardoise, avance, banque, bras, budget, confiance, croire, délai, emprunt, faveur, influence, prêt
créditer v. somme
Credo v. règle, symbole
credo v. religion
crédule v. innocent, naïf, simple
crédulité v. confiance
créer v. bâtir, composer, établir, fabriquer, imaginer, inventer, ouvrir, trouver
crema v. haut-fourneau
crémaillère v. installation, marmite
crémant v. champagne, dessert
crémation v. brûler, cadavre, incinération
crématorium v. cadavre, incinération
crème v. dessert, médicament, pâtisserie, perle, pommade
crémerie v. fromage
crémone v. fenêtre
créneau v. parapet
crénelage v. monnaie
créner v. imprimerie, lettre
crénothérapie v. bain
créole v. boucle, île, langue
créophage v. chair
créosote v. dentaire, distillation
crêpe v. deuil, voile
crépi v. chaux, maçon, mur, revêtement
crépine v. frange, membrane
crépinette v. saucisse
crépiter v. craquer
crépuscule v. achèvement, chute, fin, jour
crescendo v. augmentation

crétacé v. craie
crête v. épine, haut, montagne, point, sommet, vague
crétin v. idiot, innocent, stupide
cretonne v. coton
creuser v. fouiller, gratter, maigre, ouvrir, percer
creuset v. fusion, haut-fourneau, poêle
creux v. enfoncement, inutile, pli, vain, vide
crevasse v. accident, cassure, gerçure
crevasser v. fente, sec
crevé v. doublure
crève-cœur v. souffrance
crever v. cœur, éclater, percer
crevettier v. crevette
cri v. appel, devise, éclat, exclamation, interjection, réclamation, réclame
criailler v. oie
criant v. évident
criard v. agressif, aigre
criblage v. chocolat, grain
crible v. passoire, tamis
cribler v. couvrir, nettoyer, trier
cric v. manivelle
cricoïde v. larynx
crier v. proclamer, protester, grincer
crime v. attentat, cas, droit, fait, faute, meurtre
criminaliste v. criminel
criminalité v. criminel
criminel v. délinquant, malfaiteur
criminologie v. criminel
crin v. brosse, poil
crincrin v. violon
crinière v. touffe
crinoline v. jupe, vêtement
crique v. baie
criquet v. sauterelle
crise v. attaque, bouleversement, dépression, malaise, perturbation
crispation v. convulsion, spasme
crisper v. irriter, serrer, tendu
Crispin v. manteau
crissement v. aigu
crisser v. craquer, grincer
cristal v. montre
cristal de Baccarat v. verre
cristal de Bohême v. verre
cristal de Venise v. verre
cristallerie v. cristal
cristallin v. clair, cristal, transparent
cristallisation v. pétrole
critère v. caractère, marque, règle
critériologie v. critère
critérium v. compétition, course cycliste, épreuve, sélection, sportif
critiquable v. imparfait
critique v. art, commentaire, controverse, grave, interprétation, journaliste, manuscrit, objection, observateur, observation, rédacteur, réserve, tragique
critiquer v. attaquer, dénigrer, juger, maltraiter, procès, raisonnement, reproche
croc v. pendre, perche
croche v. rythme
crochet v. boucher, boxe, broderie, clou, dentelle, indirect, pendre
crocheter v. forcer, ouvrir, serrure
crocodile v. train
croire v. imaginer, impression, penser, reconnaître, supposer
croisade v. expédition, guerre
croisé v. bâtard, escrime, métis, race, rime
croisée v. ruche
croiser v. traverser
croisement v. accouplement, fourche, race, rencontre, reproduction
croisière v. voyage
croisillon v. branche
croissance v. accroissement, corps, essor, expansion
croissant v. turc
croisure v. soie
croître v. développer, pousser
croix v. broderie, évêque, fascisme, marque, signature
cromlech v. menhir, pierre
croque-mitaine v. enfant
croquer v. broyer, caricature, mordre
croquet v. billard, boule
croquette v. boule
croquignole v. biscuit
croquis v. caricature, carton, commencement, dessin, ébauche, étude, figure, projet
croskill v. briser
cross-country v. course
crosse v. bâton, évêque, fer, hockey
crossette v. bouture, branche
crotale v. serpent
crotte v. excrément
crotté v. sale
crottin v. chèvre, excrément
crouler v. fardeau
croupe v. fesse, sommet
croupi v. sale
croupion v. oiseau, poulet
croupir v. inaction, pourrir, séjourner, vivre
croupon v. vache
C.R.O.U.S. v. université
croustade v. pâté, tarte
croustiller v. repas
croûte v. couche, écorce, patine
croûtelle v. varicelle
crouth v. celtique
croyance v. confession, conviction, opinion, peuple, religieux, religion, tradition, vérité
croyant v. fidèle, foi, pieux, religion
C.R.S. v. compagnie, police
cru v. brutal, fabrication, grossier, obscène, salé, vigne
cruauté v. barbarie, dureté
cruche v. pot, vase
crucial v. décisif, important, majeur
cruciféracées v. giroflée, moutarde
crucifère v. croix
crucifiement v. crucifixion, supplice
crucifix v. croix
cruciforme v. croix
cruciverbiste v. mot
crudité v. réalisme
crue v. débordement, fleuve, hausse, inondation
cruel v. affreux, brutal, impitoyable, inhumain, malheureux, méchant, pénible, rude
cruiser v. yacht
crûment v. net
crustacéologie v. crustacé
cryochirurgie v. chirurgie
cryométrie v. température
cryophile v. plante
cryothérapie v. froid
crypte v. caveau, cimetière, souterrain
crypter v. cacher
cryptique v. grotte
cryptogame v. plante
cryptogénétique v. maladie
cryptogramme v. secret
cryptographie v. code, écriture
C.S.L. v. syndicat
cubage v. cube, volume
cubèbe v. poivrier
cuber v. mesurer
cubilot v. acier, fourneau
cubique v. cube
Cubitainer v. vin
cubital v. coude, main
cubitière v. coude
cubitus v. bras
cuculle v. moine
cucurbitacées v. concombre, melon
cueillette v. nomade, récolte
cueillir v. baiser
cueilloir v. cisaille
cuir v. carton, liaison
cuirassé v. bâtiment, blindé
cuirasser v. durcir
cuirassier v. cavalerie
cuire v. feu, rôtir
cuisage v. charbon
cuisant v. aigu, amer, cruel, froid, mordant, pesant, piquant, vif
cuisine v. aromate
cuisinière v. fourneau
cuissard v. tube
cuissarde v. botte
cuisse v. poulet
cuisson v. charcuterie
cuistre v. pédant
cuit v. viande
cuivre v. métal, trompette
cuivré v. doré, hâlé
cul v. bouteille
culasse v. moteur, racine
culbute v. cabriole, chute
culbuter v. basculer, battre, bousculer, enfoncer, renverser, rouler, tomber, vaincre
culbuteur v. soupape
cul-de-basse-fosse v. souterrain
cul-de-jatte v. jambe
cul-de-lampe v. chapitre, gravure
cul-de-sac v. impasse, issue, rue
culée v. chef, maçonnerie, pont
culer v. reculer
culex v. moustique
culicidés v. moustique
culinaire v. cuisine
culminant v. haut
culmination v. midi
culminer v. battre, maximum
culot v. cartouche
culotte v. équitation, vêtement
culottier v. couturier, tailleur
culpabilité v. verdict
culte v. adoration, animisme, coutume, liturgie, pèlerin, piété, rabbin, religieux, religion, respect, rite, service
cultisme v. recherche
cultivateur v. agriculteur, fermier, paysan
cultivé v. savant
cultiver v. compléter, enrichir, entretenir, exploiter, pousser, soigner
cultraire v. couteau
culture v. bouillon, civilisation, connaissance, danse, instruction, savoir, science, végétation
culturel v. spirituel
culturisme v. culture, muscle
cumin v. anis
cumulable v. incompatible
cumuler v. réunir
cumulo-volcan v. volcan
cumulus v. nuage
cunéiforme v. babylonien, coin, perse
cunette v. fossé
cuniculiculture v. lapin
cupide v. avare, avide, compter, intéresser
cupidité v. argent, envie, intérêt, passion
Cupidon v. amour, arc, flèche
cuprifère v. cuivre
cuprique v. cuivre
cupronickel v. alliage
cuproplomb v. plomb
cupule v. chêne, gland
cupulifères v. chêne
curaçao v. orange
curage v. canal
curare v. flèche
curatelle v. incapable, majeur
curateur v. défense, tuteur
curatif v. guérir, soigner
cure v. bénéfice, curé, habitation, régime
curé v. clergé, conducteur, prêtre
curée v. meute
curer v. nettoyer, vase
curie v. sénat, tribu
curiethérapie v. radium
curieux v. badaud, bizarre, drôle, étonnant, extraordinaire, incompréhensible, indiscret, intéressant, original, ouvert, piquant, singulier, spécial, unique
curiosité v. appétit, intérêt
cursif v. chinois, sommaire
cursores v. courir
cursus v. cycle, étude
cursus honorum v. magistrat
curule v. chaise, magistrature
curvigraphe v. courbe
curvimètre v. courbe
cuscute v. parasite
cuspide v. pointe
custode v. boîte, hostie, pavillon, vase
cutané v. épiderme, peau
cuticule v. pellicule
cutine v. plante
cuti-réaction v. réaction, tuberculose
cuve v. bac, haut-fourneau
cuvelage v. mine
cuverie v. cave, vin
cuvette v. baromètre, bassin, dépression, vase
cuvier v. bac
cyame v. pou
cyanogène v. gaz
cyanose v. bleu
cyanure v. bleu, poison
Cybèle v. mère
cybernétique v. automatique, communication, robot
cyborg v. science-fiction
cycle v. boucle, femme, récit, répétition, retour, série
cyclique v. circulaire
cyclo-cross v. course cycliste
cyclomoteur v. bicyclette, motocycle, véhicule
cyclone v. catastrophe, dépression, sinistre, tempête, turbulence, vent
cyclope v. œil
cyclopéen v. gigantesque
cyclothymie v. déséquilibre, maniaque
cyclotouriste v. touriste

cyclotron v. accélérateur, particule
cygne v. panache
cylindre v. farine, rouleau, serrure
cylindrée v. capacité
cylindrique v. engrenage, rond
cymbale v. batterie
cyme v. plante
cynégétique v. chasse
cynique v. affreux, immoral
cynisme v. comportement, insolence, réalisme
cynodrome v. champ
cyphose v. bosse, colonne vertébrale, déviation
cyprin v. rouge
cyrillique v. alphabet
cystique v. bile
cystite v. inflammation, vessie
cytologie v. cellule
cytoplasme v. cellule
czardas v. hongrois

D

dactyle v. fourrage, mètre
dactylo v. bureau
dactylographe v. secrétaire
dactylographie v. sténographie
dactylographier v. taper
dactylologie v. doigt, langage, muet
dactylologique v. alphabet
dactyloscopie v. empreinte, identité
dada v. distraction
dagorne v. corne
dague v. bois, cerf, couteau
Daguerre v. photographie
daguerréotype v. image, photographie
daguet v. cerf
daim v. gibier
daïmio v. japonais, noble
daintiers v. cerf, testicule
dais v. ciel, store, voûte
daish v. voilier
daisy chain v. pétrole
dallage v. carreau, pavage
dalmatique v. chemise, tunique
dalot v. trou
daltonisme v. confusion, couleur, trouble
dam v. damné, enfer, mal
damas v. broderie
damasquinage v. métal
damasquiner v. argent
dame v. masse, piler, religieux
dame-jeanne v. bouteille, vin
damer v. tasser, vendange
damnation v. condamnation
damoiseau v. chevalier
damoiselle v. fille
dan v. judo
dandiner v. agiter, balancer
dandy v. homme
dandysme v. élégance, goût
danger v. alerte, écueil, épée, inconvénient, péril, risque
dangereux v. grave, impasse, imprudent, nuisible, sérieux
Daniel v. prophète
danois v. germanique
dansant v. marche
danse v. art, ronde
danse lacédémonienne v. pie
dantesque v. sombre, terrible
dantoniste v. indulgent
daphnie v. aquarium, puce
daraise v. étang
darbouka v. tambour
dard v. javelot, piquant, pique
darder v. émettre, lancer
daresa v. pomme de terre
dariole v. gâteau
darjeeling v. thé
darne v. tranche
darse v. bassin
dartois v. gâteau
darwinisme v. évolution, sélection
dasyure v. kangourou
datation v. date
datcha v. habitation
date v. passé
dater v. déluge
datif v. tuteur
dation v. don
dattier v. palmier
daube v. viande
dauber v. commérage, discréditer, moquer (se)
Dauphin v. héritier
dauphin v. fils, prince
davantage v. plus
David v. pique, prophète
davier v. barre, dentiste, menuisier, pince
dazibao v. affiche, journal
de v. noblesse
dé v. doigt, piédestal
D.E.A. v. diplôme, université
dé d'or v. couture, trophée
déalbation v. blanchir
dealer v. drogue, trafiquant
déambulatoire v. chœur
déambuler v. aller, déplacer, errer, marcher, promener
débâcle v. dégel, faillite, fleuve, fonte, fuite, glace, rivière, ruine
débagouler v. colère, cracher, débiter
déballer v. défaire, étaler
débandade v. désordre, fuite, panique
débander v. arc, éparpiller
débarbouiller v. nettoyer
débarcadère v. débarquer, jetée, port, quai
débardage v. transport
débarder v. débarquer, transporter
débardeur v. port
débarquer v. descendre, survenir
débarrasser v. délivrer, jeter, net, ôter, quitter, soulager, vendre, vider
débat v. compétition, controverse, délibération, duel, examen, face-à-face, rencontre, rivalité, séance
débatteur v. orateur
débattre v. délibérer, discuter, négocier
débauche v. abus, corruption, dissolution, excès, luxure, profusion, quantité, surcharge
débauché v. ivrogne
débet v. dette
débile v. fragile, imbécile, maladif
débilitant v. nuisible
débiliter v. affaiblir
débillarder v. tailler
débit v. boutique, budget, bureau, circulation, dette, régime, rythme, vente, volume
débitage v. bois, marbre
débiter v. couper, découper, dépecer, prononcer, raconter, réciter, scier, somme
déblai v. débris
déblatérer v. débiter
déblayer v. débarrasser, dégager
déblocage v. dégel
déboire v. déception, désillusion, échec, malheur
déboisement v. végétation
déboiser v. dépeuplé
déboîtement v. articulation, déplacement
débonnaire v. bon, doux, faible, indulgent, patient
débord v. doublure
débordement v. coup, expansion, explosion, frénésie, inondation, invasion, sentiment
déborder v. avancer, dépasser, plein, répandre
débotté (prendre au) v. improviste
débotter v. déchausser
débouché v. issue, sortie
déboucher v. jeter, ouvrir, terminer
débouchoir v. déboucher
déboulé v. danse
débouquer v. canal
débourber v. vase
débourrer v. dresser
débours v. dépense, frais
débourser v. dépenser, payer
debout v. magistrature
débouter v. perdre
déboutonner v. détacher
débrancher v. trier
débrayer v. grève
débridé v. fou
débris v. chute, fragment, miette, morceau, relief
débrouillard v. malin, ressource
débrouiller v. débarbouiller, éclaircir, expliquer, séparer
débroussailler v. friche, nettoyer
débucher v. déboucher, sortir
débusquage v. transport
débusquer v. chasser, sortir
début v. arrivée, enfance, époque, inauguration, initial, introduction, origine, ouverture, premier
débutant v. écolier, main
débuter v. entamer
décachorde v. dix
décade v. cycle, dix
décadence v. agonie, fin, ruine
décaisser v. payer
décalage v. retard
décalcomanie v. dessin
Décalogue v. commandement, dix
décalquer v. calque
Décaméron (le) v. conte, dix
décamétrique v. onde
décamper v. aller, compagnie, déménager, fuir
décan v. dix
décanter v. assainir, déposer
décapage v. nettoyage
décaper v. acide, frotter
décapitation v. cou, peine de mort
décapiter v. tête, trancher
décapodes v. crabe, écrevisse
décapodes macroures v. homard
décapsuler v. déboucher
décathlon v. athlétisme, sportif
décavaillonner v. labourer
décaver v. ruiner
décéder v. éteindre, périr
décelable v. perceptible
déceler v. apercevoir, découvrir, percer, percevoir, révéler, trahir, trouver
décélération v. baisse
décembre v. dix, dixième
décemvir v. dix
décence v. pudeur, réserve, tenue
décennie v. cycle, dix
décent v. correct, sage
décentralisation v. capitale
déception v. dépit, désillusion, regret
déception amoureuse v. cœur
décerner v. attribuer, récompense
décerveler v. conditionner
décès v. mort
décevoir v. dépit
déchaîné v. impétueux
déchaînement v. frénésie, fureur
déchaîner v. exciter, provoquer, soulever
décharge v. dépôt, feu, mur, paiement, permission, saleté, témoin
décharger v. débarquer, justifier, libérer, soulager, tirer
déchargeur v. port
décharné v. chair, maigre, sec, squelette
déchaulage v. tannage
déchausser v. racine
déchaussoir v. déchausser
déchéance v. faillite
déchet v. chute, ordure
déchiffrement v. lecture, manuscrit
déchiqueter v. broyer, couper, déchirer, mordre
déchirant v. aigu, émouvant, tragique
déchiré v. blesser, craquer, ulcéré.
déchirement v. souffrance
déchirer v. trouer
déchirure v. trouée
déchlorurer v. sel
déchoir v. abaisser, bas, descendre, tomber
décibel v. son
décidé v. ferme, hardi, vif, volontaire
décider v. arrêter, convenir, déterminer, persuader, proclamer, prononcer, trancher
décidu v. feuille
décimal v. nombre
décimation v. dix
décime v. franc
décimer v. supprimer, tuer
décisif v. capital, considérable, important, majeur
décision v. choix, détermination, ordonnance, organisation, verdict
décisoire v. serment
déclamateur v. orateur
déclamation v. prononciation, récit
déclamatoire v. pompeux
déclamer v. lire, réciter
déclaration v. appel, confession, manifeste, profession, révélation
déclaré v. ouvert
déclarer v. abandonner, confesser, connaître, dire, proclamer, signaler, témoigner
déclarer forfait v. éponge
déclasser v. déranger
déclenchement v. instinct, pluie
déclencher v. attirer, déchaîner, déclarer, entreprendre, ouvrir
déclin v. achèvement, agonie, baisse, chute, décadence, fin, vieillesse
déclinaison v. astre, cas
décliner v. affaiblir, défaillir, dégénérer, dépérir, diminuer, faible, refuser, sombrer, tomber, vieillir
déclive v. pente
déclivité v. descente, pente

décocher v. arc, lancer
décoction v. boisson, bouillir, composition, digestion, tisane
décollage v. départ
décollation v. cou, supplice
décoller v. envoler (s'), tête
décolleté v. nu
décoloration v. raffinage
décolorer v. blanchir
décombres v. débris, tas
décompléter v. incomplet
décomposable v. instable
décomposer v. dissoudre, diviser
décomposition v. analyse, décadence, destruction, moisissure, pourriture
décompression v. dilatation, expansion
décompte v. déduction, soustraction
décompter v. rabattre, supprimer
déconcertant v. étonnant, imprévu, inattendu, incompréhensible, suspect
déconcerter v. confondre, démonter, dépasser, embarrasser, penaud, perdre, renverser, surprendre, troublé
déconfit v. déconcerté, penaud
déconfiture v. échec, faillite
déconforter v. décourager
décongestionner v. dégager
déconseiller v. décourager
déconsidération v. déshonneur
déconsidérer v. dénigrer, discréditer, nuire, perdre
déconstruire v. défaire
décontamination v. radioactivité
décontenancer v. chose, déconcerté, démonter, sidéré, surprendre, troublé
décontracté v. souple
déconvenue v. cœur, déception, désillusion, veste
décor v. cadre, fond, paysage
décorateur v. aménager
décoration v. distinction, honneur, insigne, récompense, signe
décoré v. ouvragé
décorer v. enjoliver, enrichir, garnir, illustrer, orner, parer, préparer
décorticage v. chocolat
décortiquer v. écorce
décorum v. cérémonie, politesse, règle, savoir-vivre
découler v. conditionner, dépendre, provenir, sortir, venir
découpage v. charcuterie, division, film, monnaie, scénario
découper v. débiter, dépecer
découpler v. meute
décourager v. bras, démoraliser, désespérer, effrayer, épuiser, perdre
décousu v. cheveu, structure, stupide
décousure v. sanglier
découverte v. conquête, création, exploration, illumination, invention, nu, reconnaissance
découvreur v. savant
découvrir v. annoncer, apercevoir, apparaître, apprendre, connaître, conscience, déceler, deviner, inventer, nu, percer, regarder, révéler, trouver, visiter
décréditer v. discréditer
décrépitude v. vieillesse
decrescendo v. baisse, diminution
décret v. commandement, loi, ordonnance
décréter v. décider, proclamer
décreusage v. soie
décrier v. critiquer, dénigrer, discréditer, maltraiter
décrire v. développer, évoquer, expliquer, exposer, montrer, peindre, raconter, reconstituer, représenter
décrocher v. accumuler, dépendre, détacher, obtenir, recevoir, reculer
décroissance v. baisse, diminution
décroissement v. diminution
décroître v. descendre, diminuer, tomber
décrotter v. nettoyer
décrottoir v. brosse
décrue v. baisse
décrûment v. lessive
décryptage v. lecture
décrypter v. code
décubitus v. position
déculturation v. abandon
décuple v. dix
décupler v. accroître
décurie v. dix
dédaigner v. cracher, faire, insulter, moquer (se), négliger, refuser
dédaigneux v. altier, fier, supérieur
dédain v. indifférence, mépris, orgueil
dédale v. complication, confusion, labyrinthe, réseau
dedans v. intérieur
dédicace v. église, inauguration
dédier v. offrir
dédire v. démentir, désavouer, refuser, revenir, rompre
dédit v. pantoufle
dédommagement v. indemnité, récompense
dédommager v. compenser, mal, payer, rendre, réparer
déductif v. rationnel
déduction v. conséquence, démonstration, logique, mathématique, raisonnement, reconstituer, soustraction
déduire v. conclure, rabattre, raisonner, retenir, supprimer, tirer
de facto v. fait
défaillance v. éclipse, syncope
défaillir v. évanouir (s'), perdre
défaire v. battre, débarrasser, délivrer, démonter, déranger, enfoncer, jeter, quitter, renoncer, renverser
défait v. souffrant
défaite v. malheur, revers, veste
défaitisme v. pessimisme, vaincu
défaitiste v. futur
défalcation v. déduction
défalquer v. rabattre
défausser v. redresser
défaut v. absence, inconvénient, insuffisance, irrégularité, ombre, penchant, privation, règle, ridicule, vice, vulnérable
défaveur v. hostilité
défavorable v. hostile, mauvais, opposé, péjoratif
défécation v. excrément
défectif v. incomplet
défection (faire) v. trahir
défectueux v. anormal, imparfait, incomplet, incorrect, mauvais
défectuosité v. défaut, vice
défendre v. empêcher, illégal, interdire, plaider, prohiber, refuser, répondre, secourir, soutenir
défendre l'indéfendable v. diable
défenestration v. précipitation
défense v. anticorps, apologie, dent, éléphant, plaider, refoulement, résistance
défenseur v. ami, avocat, champion, partisan, protecteur, zélateur
défensive (sur la) v. alerte
déféquer v. évacuer, filtrer
déférence v. respect, révérence
déférent v. testicule
déférer v. accuser, justice, livrer, traduire
déferlante v. rouleau
déferlement v. déluge
déferler v. tendre, voile
défervescence v. fièvre
défet v. déchet, feuille
défeuillaison v. feuille
défi v. insulte
défiant v. méfiant, soupçonneux
défibreur v. fibre
déficience v. défaut, insuffisance, magnésium
déficient v. santé
déficit v. argent
défier v. affronter, faïence, gant, insulter, provoquer, tenter
défigurer v. changer, déshonorer, massacrer
défilé v. col, couture, étroit, file, gorge, procession, revue, spectacle, succession, vallée
défiler v. fil
défini v. fixe, particulier
définir v. déterminer, situer
définiteur v. religieux
définitif v. appel, catégorique, dent, fixe, retour
définition v. télévision
définitivement v. fois
déflagration v. explosion
déflecteur v. vitre
déflegmer v. rectifier
défloraison v. automne
défloration v. sexuel
défoliant v. feuille
défoliation v. automne, chute, feuille
défoncer v. briser, effondrer, enfoncer, forcer, labourer, rompre
déforestation v. environnement, forêt
déformer v. écorcher, forcer, pervertir, trahir, transformer, user
défourner v. four
défraîchi v. terne
défrayer v. dépense, payer
défricher v. arracher, cultiver, friche, nettoyer
défricheur v. pionnier
défroque v. guenille
défroqué v. moine
défunt v. mort
dégagé v. désinvolte, facile, libre, naturel
dégagement v. accouchement, issue
dégager v. affranchir, découvrir, défaire, délivrer, éclaircir, libérer, répandre, séparer, serment, sortir, soustraire
dégainer v. fourreau, tirer
dégarnir v. dépouiller, nu
dégât v. dommage, ravage
dégauchir v. dresser, menuiserie, redresser
dégauchisseuse v. rabot
dégel v. glace
dégeler v. fondre, réchauffer
dégénéré v. idiot
dégénérer v. aggraver, mal
dégénérescence v. décadence
déglutir v. avaler, salive
dégoiser v. débiter, dire
dégonflement v. diminution
dégorgement v. écoulement
dégorgeoir v. issue, pêche
dégorger v. laver
dégouliner v. couler, goutte
dégourdi v. adroit, malin
dégourdir v. réveiller
dégoût v. impression, indignation, mépris
dégoûtant v. écœurant
dégoûter v. démoraliser, révolter, ventre
dégoutter v. couler, goutte, perler
dégradation v. corruption, décadence, dégât, prostitution, usure
dégrader v. abaisser, abîmer, aggraver, casser, dégénérer, déshonorer, pire, pourrir, profaner, rabaisser
dégrafer v. détacher
dégraissage v. nettoyage
dégravoyer v. déchausser
degré v. chaleur, hiérarchie, marche, niveau, nuance, ordre, parenté, phase, point, rayon, stade, température
degré (premier) v. primaire
dégrèvement v. déduction, diminution, exemption, impôt
dégrever v. alléger
dégringoler v. descente
dégrossir v. ébaucher, grossier, or, sauvage, sculpter
déguerpir v. bagage, courir, déménager, enfuir (s'), fuir, partir
déguerpissement v. cession
déguisement v. carnaval, uniforme
déguiser v. cacher, changer, habiller, maquiller
déguster v. essayer, goûter, manger
déhiscent v. fruit
déicide v. meurtrier
Deimos v. terreur
déisme v. dieu, religion
déité v. déesse
déjection v. excrément
déjeté v. tordu
déjeuner v. repas
déjouer v. confondre, échouer, empêcher, tromper, vigilance
délabrement v. dégât, ruine
délabrer v. abîmer, dépérir
délacer v. détacher
délai v. attente, marge, retard, suite, supplémentaire, urgence
délaissé v. seul
délaissement v. cession, isolement
délaisser v. abandonner, côté, détacher, lâcher, négliger, oublier, renoncer, sacrifier
délaitage v. beurre
délarder v. tailler
délassement v. plaisir, récréation
délateur v. dénoncer

délation v. anonyme, vengeance
délavé v. pâle, terne
délayer v. étendre, mélanger
délectable v. bon, délicieux, suave
délectation v. délice, jouissance, plaisir
délecter v. apprécier, manger, plaire, réjouir
délégation v. ambassade, maire, mandat, mission, représentation
délégué v. agent
déléguer v. confier, envoyer, transmettre
délester v. fardeau
délesteur v. port
délétère v. malsain, nuisible, toxique
délibération v. consultation, examen, réflexion
délibéré v. réfléchi, volontaire
délibérer v. demander, discuter, hésiter, réfléchir, séance
délicat v. bon, délicieux, fragile, gracieux, joli, léger, plaisant, raffiné, recherché, santé, sensible, soigneux, souffrant, suave, subtil, vulnérable
délicatesse v. douceur, élégance, finesse, savoir-faire, savoir-vivre, scrupule, sensibilité, tact
délice v. corps, plaisir
délicieux v. charmant, extrême, joli, mignon, suave
délictueux v. coupable
délié v. menu, mince, subtil
délier v. détacher, libérer, relever, renoncer, serment
délignure v. papier
délimitation v. détermination, séparation
délimiter v. borner, définir, marquer, précis
délinéament v. contour, forme
délinéer v. tracer
délinquant v. coupable, garçon
déliquescence v. décadence, ruine
délire v. enthousiasme, frénésie, pensée, raisonnement, vertige
délirer v. raison
délirium tremens v. alcoolisme, délire, tremblement
délit v. attentat, cas, contravention, criminel, droit, fait, faute, pierre, veine
délit d'initié v. Bourse, corruption
déliter v. couche, pierre
délivrance v. livraison
délivrer v. affranchir, dégager, éviter, libérer, relever, remettre, sauver, soulager
déloger v. déménager
délot v. doigt
déloyal v. faux, fourbe, injuste, lâche, malhonnête, perfide, sournois
déloyauté v. infidélité, trahison
delphinidés v. dauphin
delta v. fleuve, île
deltacisme v. prononciation
deltoïde v. bras, épaule
Déluge v. arche
déluge v. débordement, inondation, pluie
délusoire v. trompeur
démagogie v. peuple
demande v. démarche, interpellation, proposition, réclamation, revendication
demander v. interroger, inviter, mendier, réclamer, recommander, solliciter, souhaiter, supposer, venir
démangeaison v. gratter
démantèlement v. destruction
démanteler v. démolir
démarcage v. imitation
démarcation v. frontière, limite, séparation
démarchage v. démarcheur
démarche v. action, formalité, tentative
démarcher v. porte
démarcheur v. agent, voyageur
démarier v. éclaircir
démarré v. bain
démarrer v. ébranler
démasclage v. écorce
démascler v. liège
démasquer v. confondre, découvrir
démêlé v. difficulté, querelle
démêler v. débrouiller, clair, éclaircir, expliquer, séparer
démêloir v. peigne
démembrement v. partage
démembrer v. découper, dépecer, diviser, émietter
démence v. folie
démener (se) v. agiter, dépenser
dément v. fou, violent
démenti v. contradiction
démentir v. mentir, négatif, nier, réfuter
démesuré v. énorme, excessif, extraordinaire, gigantesque, grand, immense, infini, proportion
Déméter v. moisson, terre
démettre v. licencier, quitter, refuser, renoncer
demeurant (au) v. plus
demeure v. domicile, habitation
demeure (mise en) v. ultimatum
demeuré v. innocent
demeurer v. durer, exister, habiter, loger, séjourner, subsister
demi-dieu v. héros
démieller v. cire
demi-fond v. course, course cycliste
demi-jour v. ombre
démilitariser v. désarmer
demi-mesure v. incomplet
demi-pause v. ponctuation
demi-queue v. piano
demi-sommeil v. sommeil
demi-soupir v. silence
démission v. abandon
démissionner v. abandonner, compte, déporter, quitter, renoncer
démiurge v. architecte
démocratie v. peuple
démocratique v. populaire
démodé v. passé, périmé, retard, rococo, suranné, usé, vieux
demodex v. parasite
démographie v. peuple, population
demoiselle v. masse
démolir v. abattre, battre, bouillie, briser, défaire, renverser, rompre
démolition v. destruction
démon v. diable, dragon, génie, prince
démonétiser v. timbre
démoniaque v. mauvais
démonstrateur v. présentateur
démonstratif v. adjectif, sentiment
démonstration v. déduction, exhibition, investigation, manifestation, raisonnement
démonté v. mer
démonte-pneu v. levier
démonter v. défaire, renverser, troubler
démontrer v. déceler, établir, expliquer, indiquer, justifier, preuve, prouver, réel, témoigner
démoraliser v. décourager
démordre v. renoncer
démotique v. écriture
démunir v. dépouiller, ressource
démystifier v. détromper, réfuter
démythifier v. détromper
dénatalité v. natalité
dénaturé v. ingrat
dénaturer v. additionner, adultérer, changer, forcer, maquiller, massacrer, pervertir, trafiquer, trahir, transformer
dendrite v. arbre, fossile
dénégation v. négation
déni v. négation
denier v. argent, revenu
dénier v. contester, refuser
dénigrer v. critiquer, discréditer, maltraiter, noircir
déniveler v. abaisser
dénombrement v. recensement
dénombrer v. appel, compter
dénominateur v. fraction
dénommer v. désigner, indiquer, nommer
dénoncer v. livrer, rendre, révéler, rompre, savoir, signaler, trahir
dénonciateur v. police
dénonciation v. rupture
dénoter v. dénoncer, indiquer, prouver, signaler, supposer, trahir
dénouement v. comédie, conclusion, fin, récit, solution, stade, terme
dénouer v. débrouiller
denrée v. aliment, chose, marchandise, produit
dense v. concis, épais, nombreux, plein, serré
densimétrie v. densité
densité v. corps, poids
dent v. dentaire, montagne, sommet
dentale v. mollusque
dent-de-lion v. pissenlit
dentée v. sanglier
dentelure v. timbre
dentiforme v. dent
dentisterie v. dentaire
dentition v. dent, éruption
denture v. dent
dénuder v. découvrir, déshabiller
dénué v. manquer, pauvre, stérile, vide
dénuement v. manque, misère, pauvreté
dénutrition v. misère, nourriture, nutrition
déodorant v. transpiration
déontologie v. devoir, éthique, médecin, moral
dépanner v. bricoler, réparer
dépareillé v. incomplet
dépareiller v. séparer
déparer v. déshonorer
déparier v. séparer
département v. division, préfecture, service, territoire, unité
départemental v. élection, inspecteur
départir v. renoncer
dépassé v. bourgeois, démodé, suranné, vieux
dépassement v. budget
dépasser v. défaire, doubler, gagner, pulvériser, record, sortir, supérieur
dépassionner v. serein
dépatouiller v. débarbouiller, débrouiller
dépecer v. couper, découper
dépêche v. information, lettre, malle, message, télégramme
dépêcher v. envoyer, hâter, mission
dépeindre v. décrire, montrer, peindre, raconter, représenter
dépendance v. annexe, besoin, esclavage, manque, relation, soumission, succursale, tutelle
dépendant v. immature, passif
dépendre v. détacher, rattacher, relever, résultat
dépense v. budget, finances, frais, prix
dépenser v. engloutir, prodiguer, verser
dépensier v. fenêtre
déperdition v. diminution, perte
dépérir v. affaiblir, sécher
dépérissement v. agonie, amaigrissement, santé
dépêtrer v. débarbouiller, débrouiller, sortir
dépiauter v. dépouiller, écorcher
dépilatoire v. poil
dépiquer v. épi
dépit v. déception, zut
dépiter v. décevoir, vexer
déplacé v. familier, incorrect, indiscret, insolent, mal
déplacement v. inconscient, mouvement, projection, roulement, substitution
déplacer v. bouger, déranger, éloigner, ôter, pousser, reculer
déplaire v. vexer
déplaisant v. fâcheux, ingrat, odieux, vilain
déplétion v. diminution
déplier v. étaler, étendre
déploiement v. exhibition, extension
déplorable v. affligeant, désastreux, exécrable, fâcheux, lamentable, malheureux, mauvais, minable, pauvre, pitoyable, scandaleux, sombre, triste
déplorer v. affliger, regretter
déployer v. allonger, développer, étaler, prodiguer, tendre
dépolir v. or
déport v. arbitre
déposant v. témoin
déposer v. rendre, témoigner, verser
dépositaire v. commerce, gardien
déposition v. croix, déclaration, descente, témoignage
déposséder v. dépouiller, priver
dépôt v. archives, banque, mandat, patine, prison, stock, succursale
dépotoir v. dépôt, saleté
dépouille v. cadavre, mort, trophée
dépouillé v. austère, nu, pur, sévère, simple, sobre
dépouillement v. bulletin
dépouiller v. déposséder, écorcher, examiner, peler, perler,

quitter, renoncer, ruiner, scrutin, voler, vote
dépourvoir v. dépouiller
dépourvu v. manquer, pauvre, sans, stérile, vide
dépravation v. corruption
dépravé v. corrompu, immoral, mauvais
dépraver v. pervertir
déprécation v. prière
dépréciatif v. péjoratif
déprécier v. dénigrer, déshonorer, diminuer, rabaisser
déprédation v. dégât, foire, pillage
dépression v. baisse, bassin, déséquilibre, fosse, météorologie, nid, tristesse
déprise v. concession
dépriser v. dénigrer, dépréciatif, diminuer
députation v. ambassade, mandat, mission
député v. assemblée
députer v. confier, déléguer, envoyer
déraciner v. arracher, déchausser, racine
dérailler v. déménager
déraison v. raison
déraisonnable v. fou, injuste, raison, ridicule, stupide
déraisonner v. déménager
dérangement v. perturbation, tracas
dérangé v. déréglé
déranger v. bouleverser, bousculer, déplacer, distraire, empêcher, gêner, interrompre, troubler
déraper v. ancre, glisser
déréglé v. immoral, irrégulier
dérèglement v. trouble
dérégler v. fonctionner
déréliction v. douleur, solitude
déridage v. lifting
dérider v. réjouir, rire
dérision v. ironie, satire
dérisoire v. maigre, médiocre, menu, mesquin, minable, misérable, négligeable, petit, ridicule
dérivatif v. distraction, soupape
dérivation v. déviation, mobilisation, racine
dérive v. planche à voile
dériver v. dépendre, provenir
dériveur v. course de bateaux, voile
dermatite v. peau
dermatologie v. peau
dermatologique v. savon
dermatologue v. médecin
dermatose v. affection, peau
derme v. peau
dermite v. inflammation
dermotrope v. peau
dernier v. extrême, fin, moindre
dérobade v. cabriole, fuite, subterfuge
dérobé v. secret
dérobée (à la) v. cachette, secret
dérober v. abriter, acquérir, baiser, détourner, dissimuler, échapper, emporter, escroquer, éviter, fuir, prendre, reculer, refuser, soustraire, voler
dérochage v. nettoyage
dérocher v. rocher
dérogation v. autorisation, contraire, dispense, exception, violation
déroger v. désobéir, entorse, oublier, transgresser
dérompoir v. faux
dérouiller v. battre, réveiller
déroulage v. ébénisterie
dérouler v. développer, étaler, succéder
déroutant v. inattendu
déroute v. combat, désastre, désordre, fuite, panique
dérouter v. déconcerté, dépasser, détourner, embarrasser, surprendre
derrick v. pétrole
déruralisation v. rural
derviche v. religieux
désabusé v. aigri, amer, perdre
désabuser v. détromper
désaccord v. différence, malentendu, opposition, querelle, séparation
désaccoupler v. détacher, séparer
désaccoutumer v. renoncer
désaffection v. détachement
désaffectionner v. détacher
désagréable v. impoli, insolent, vilain
désagrégation v. faillite, ruine, séparation
désagréger v. décomposer, dissoudre, émietter
désagrément v. ennui, inconvénient, souci, tracas
désaltérer v. boire, rafraîchir, soif
désamarrer v. démarrer
désapparier v. séparer
désappointement v. déception, dépit
désappointer v. décevoir
désapprendre v. oublier
désapprobation v. opposition
désapprouver v. condamner, désavouer, regretter
désarçonner v. confondre, démonter, renverser
désarmer v. toucher
désarroi v. incertitude, malheur, trouble
désasphaltage v. pétrole
désassembler v. démonter
désastre v. catastrophe, événement, malheur, précipice, sinistre
désastreux v. funeste
désavantage v. handicap, inconvénient
désavantager v. vieillir
désavantageux v. défavorable
désaveu v. paternité, revirement
désavouer v. démentir, maudire, nier, réfuter
désaxé v. maniaque
desceller v. arracher, briser, défaire, séparer
descendance v. famille, fils, génération, race
descenderie v. galerie, mine
descendre v. pendre, venir
descente v. accouchement, pente, tuyau
descente de lit v. tapis
descriptif v. état, ressemblance
description v. définition, portrait, récit, représentation
désembourber v. vase
désemparé v. déconcerté, troublé
désemplir v. vider
désenchantement v. déception, désillusion, pessimisme
désenchanter v. aigri, décourager, perdre
désencombrer v. débarrasser, dégager
désengorger v. déboucher
désenlacer v. défaire
désenvasement v. canal
désenvaser v. vase
déséquilibre v. vertige
déséquilibré v. fou, instable, maniaque
désert v. dépeuplé, oasis, sauvage, solitude
déserter v. abandonner, ennemi, fantôme, sauver, trahir
déserteur v. rebelle
désertification v. environnement, pollution
désertion v. abandon, résistance
désertique v. chaud, stérile
désespérance v. découragement, désespoir
désespérant v. affligeant
désésperé v. malheureux, pessimiste
désespérer v. décourager, perdre
désespoir v. regret
déshabillé v. robe
déshabiller v. nu
désherber v. nettoyer
déshérence v. héritier, succession
déshérité v. misérable, pauvre
déshériter v. priver, renoncer
déshonneur v. honte
déshonorer v. commettre, face, réputation, salir
déshydratation v. conservation, eau
déshydraté v. sec
desiderata v. manifestation, prétention, revendication
design v. conception
désignation v. affectation, institution, nom, nomination, raison
designer v. aménager, conception, design
désigner v. appeler, choisir, indiquer, nommer, qualifier, représenter
désillusion v. cœur, déception
désillusionner v. détromper
désinence v. addition, cas, conjugaison, fin, terminaison
désinfecter v. assainir, stérile
désinfection v. hygiène, propreté, purification
désintégration v. désagrégation, destruction, explosion, matière, réaction
désintéressé v. généreux, gratuit
désintéressement v. indifférence, oubli
désintéresser v. mépriser, négliger
désintoxiquer v. renoncer
désinvestissement v. deuil
désinvolte v. cavalier, sans-gêne
désinvolture v. familiarité, indiscret, ingratitude, légèreté, négligence
désir v. ambition, appétit, attente, besoin, caprice, curiosité, demande, démangeaison, envie, excitation, fantaisie, impatience, intention, passion, penchant, rêve, soif
désirer v. rechercher, rêver, souhaiter
désireux v. curieux, impatient
désistement v. concession
désister (se) v. bille, renoncer
désobéir v. violer
désobéissance v. opposition, résistance
désobéissant v. rebelle
désobligeant v. incorrect, usage
désobliger v. froisser, susceptible, vexer
désobstruer v. débarrasser, déboucher, dégager
désœuvrement v. disponibilité, ennui, inaction
désolant v. affligeant, lamentable, triste
désolation v. peine, ravage, ruine
désoler v. désespérer, fendre, saccager
désoperculateur v. couteau
désopilant v. amusant, risible
désorbiter v. orbite
désordonné v. déréglé, ébouriffé, fou, vagabond
désordre v. anarchie, bazar, bouleversement, irrégularité, panique, perturbation, scandale, soulèvement, trouble
désorganisation v. désordre, perturbation
désorganiser v. déréglé
désorienté v. déconcerté, troublé
désorienter v. démoraliser, embarrasser, perdre, surprendre
désormais v. maintenant
désoxydation v. réduction
désoxygénation v. réduction
désoxyribonucléique v. noyau
desperado v. bandit, hors-la-loi
despote v. arbitraire, cruel, dictateur, souverain, tyran
despotique v. absolu, autoritaire
despotisme v. gouvernement, soumission
desquamation v. peau
D.E.S.S. v. diplôme
dessaisir v. abandonner, déposséder, renoncer
dessaisissement v. concession, faillite
dessalage v. pétrole
dessécher v. rôtir, sec, squelette
dessein v. but, calcul, fin, intention, pensée, plan, prétention, projet, volonté
desserrer v. écarter, lâcher
desserrer les dents (ne pas) v. taire
desserte v. buffet, table
desservant v. curé
desservir v. débarrasser, enlever, mal, nuire, tort, trahir
dessiccation v. conservation, eau, saucisson, sécher
dessiller v. détromper, ouvrir
dessin v. carton, illustration, image, plan
dessinateur v. design
dessiner v. accuser,former, paraître, représenter
dessoler v. sabot
dessous v. inférieur, secret
dessous de table v. commission, enveloppe, gratification, malhonnête
dessus v. buffet, supériorité
destin v. chance, fatalité, fortune, hasard, sort
destination v. application, direction
destinée v. condition, destin, fortune, sort, vocation
destiner v. adresser, naître
destituer v. débarquer, déposer, licencier, relever, renverser, supprimer

destitution v. renvoi
destrier v. cheval
destructeur v. déluge, meurtrier, nuisible
destruction v. dégât, désagrégation, écroulement, extermination, extinction, passion, pollution, ravage, ruine
désuet v. ancien, démodé, employer, passé, périmé, réchauffé, suranné, usage
désuétude v. vieillesse
désuintage v. nettoyer
désulfuration v. pétrole
désunion v. rupture
désunir v. brouiller, détacher, séparer
détachable v. mobile
détachement v. indifférence, insensibilité, sagesse, troupe
détacher v. découper, dépendre, distraire, isoler, laver, mission, perler, relief
détail v. description, menu, recensement, récit
détaillant v. vendre
détaillé v. consciencieux, méticuleux, précis
détailler v. décrire, raconter
détaler v. aller, courir, partir
détecter v. déceler, découvrir, trouver
détecteur v. radar
dételer v. détacher
détendre v. réchauffer
détendu v. lâche, souple, sympathique
détenir v. garder, occuper, posséder, retenir
détente v. calme, décompression, dégel, passe-temps, récréation, repos, saut
détenteur v. gardien
détention v. arrestation, attente, captivité, peine, prison, propriété
détenu v. captif, condamné, prisonnier
détergent v. laver
déterger v. nettoyer
détérioration v. dégât, dommage
détériorer v. abîmer, aggraver, changer, démolir, dépérir, déshonorer, endommager, gâter, nuire, pire, pourrir, saccager
déterminant v. caractéristique
détermination v. acharnement, choix, diagnostic, force, intention, opiniâtreté, acharner (s'), volonté
déterminé v. ambitieux, décidé, ferme, fixe, hardi, inspiré, particulier, vif, volontaire
déterminer v. décider, définir, engager, mesurer, persuader, prononcer, rechercher, situer
déterminisme v. cause, nécessité
détestable v. affreux, épouvantable, exécrable, odieux, sale
détester v. haïr
détonateur v. capsule, mine
détonation v. explosion
détonique v. explosif
détonner v. chanter, contraste, faux, jurer, trancher
détour v. contour, coude, périphrase, subterfuge, tergiverser, zigzag
détourné v. indirect, sinueux
détournement v. concurrence, crime, déviation, soustraction, terrorisme
détourner v. acquérir, confisquer, contrarier, décourager, détacher, distraire, écarter, éloigner, emparer (s'), éviter, renoncer, violer, voler
détracteur v. adversaire, critique, ennemi
détraction v. accusation
détraqué v. maniaque
détraquer v. démolir, dérégler, fonctionner
détrempe v. colle, peinture
détremper v. trempé
détresse v. danger, désespoir, douleur, malheur, pauvreté, peine, trouble
détritus v. déchet, ordure
détroit v. bras, canal, couloir, défilé, manche, mer
détrôner v. renverser
détroquer v. huître
détrousser v. voler
détrousseur v. bandit, malfaiteur
détruire v. anéantir, brèche, briser, broyer, casser, démolir, effacer, éteindre, néant, nier, pulvériser, réfuter, renverser, supprimer
dette v. ardoise, emprunt, engagement, obligation, passif
détumescence v. diminution
D.E.U.G. v. diplôme, université
deuil v. douleur, malheur, perte
deus ex machina v. scène, théâtre
deutérium v. hydrogène
deuxième partie v. revanche
deux-pièces v. bikini, maillot
dévaler v. descendre
dévaliser v. piller, voler
dévaloir v. ordure
dévalorisant v. dépréciatif
dévaluation v. valeur
dévaluation-constat v. dévaluation
dévaluation défensive v. dévaluation
dévaluation offensive v. dévaluation
dévaluer v. diminuer
devancer v. dépasser, doubler, gagner
devancier v. ancêtre
devanture v. boutique, façade, magasin, vitrine
dévastateur v. meurtrier
dévastation v. dégât, destruction, pillage, ravage, ruine, sac
dévaster v. piller, saccager
déveine v. malchance
développement v. croissance, déroulement, essor, étendue, évolution, expansion, progrès, promotion, rebondir
développer v. accroître, agrandir, cultiver, enrichir, éveiller, former, formule, multiplier, plaire, pousser, présenter, rayonner, traiter
devenir v. évoluer, passer
devergondé v. irrégulier
devers v. pente
déversement v. écoulement
déverser v. évacuer, jeter, verser, vider
déversoir v. issue
dévêtir v. découvrir, déshabiller, nu
déviation v. indirect, variation
déviationnisme v. hérésie
déviationniste v. communisme
dévidage v. soie
dévier v. contrarier, déporter, détourner, écarter, indirect
devin v. divination, mage, prophète, sorcier
deviner v. apercevoir, connaître, découvrir, imaginer, pressentir, reconnaître, sentir, soupçonner
devinette v. énigme
devis v. architecte, évaluer, projet
dévisager v. examiner, fixer, observer, regarder
devise v. blason, cri, inscription, sentence
deviser v. entretenir, parler
dévisser v. rocher
de visu v. adverbe
dévitalisation v. dentaire
dévitaliser v. nerf
dévoiement v. cheminée
dévoiler v. apparaître, déceler, déclarer, découvrir, garder, laisser, livrer, manifester, montrer, nu, présenter, révéler, trahir
devoir v. obligation, religion, respect, saluer, soin, tâche, vertu
devoirant v. compagnon
dévolution v. transmission
devon v. appât
dévorer v. baiser, brûler, engloutir, épuiser, manger
dévot v. adoration, croyant, pèlerin, pie, pieux, procession
dévotieux v. dévot
dévotion v. admiration, amour, foi, passion, pèlerin, piété, prière, reconnaissance, religieux
dévoué v. fidèle, loyal, serviable
dévouement v. sacrifice, vertu, zèle
Dévouement et Discipline v. pompier
dévouer v. dépenser, vivre
dévoyer v. acheter
dextérité v. adresse, habileté, savoir-faire
dextre v. droit
dextrine v. malt
dextrocardie v. droit
dextrorsum v. montre
dextrose v. sucre
D.G.S.E. v. service
diabète v. sucre, urine
diabétogène v. diabète
diabétologie v. diabète
diable v. chariot, mal, tuyau, véhicule
diablerie v. sorcellerie, théâtral
diabloteau v. diable
diablotin v. diable, fripon, malice, voile
diabolique v. démoniaque
diabolo v. jouet
diachronie v. langue
diachronique v. historique
diachylon v. colle, farine, médicament
diaclase v. cassure, géologique
diacode v. sirop
diaconat v. diacre, majeur, ordre, religieux
diacre v. cardinal, clergé, religieux
diadème v. bandeau, couronne
diadoque v. grec
diagnostic v. maladie, médecin
diagnostiquer v. découvrir, symptôme
diagonale v. ligne, oblique
diagramme v. courbe, représentation, schéma
dialecte v. communauté, langue
dialectique v. convaincre, logique, méthode, raisonnement
dialogue v. conversation, ultimatum
dialypétale v. pétale
dialyse v. réaction
diamant v. brillant, caillou
diamantaire v. bijou
diamantifère v. diamant
diamantin v. diamant
diamètre v. cercle, circonférence, largeur, rayon
Diane v. chasse, chasseur
diane v. tambour
dianoia v. raison
diantre v. diable
diapason v. accorder, étendue, musicien, registre, son
diapédèse v. inflammation
diaphane v. clair, lumière, transparent
diaphorèse v. transpiration
diaphorétique v. suer
diaphragme v. contraceptif, membrane, poitrine, sexuel, ventre
diaphyse v. os
diapnophobie v. transpiration
diapositive v. photographie
diapré v. couleur, varié
diaprer v. colorer
diarrhée v. colique, ventre
diarrhéique v. diarrhée
diarthrose v. articulation, os
Diaspora v. juif
diastole v. alternatif, cœur, dilatation
diathermane v. radiation
diathermie v. électricité
diathèse v. corps, prédisposition
diatribe v. attaque, brochure, critique, discours, écrit, satire
diaule v. course, flûte, grec
dibbouk v. esprit
dichotomie v. deux, partage
dicrote v. pouls
dictame v. consolation
dictateur v. arbitraire, souverain, tyran
dictatorial v. tranchant
dictature v. gouvernement, oppression, politique, république, soumission
dicter v. condition, imposer, inspirer, souffler
dictionnaire v. recueil
dicton v. pensée, proverbe, sentence
didactique v. apprendre, enseignement, manuel
didelphe v. kangourou, mammifère
diélectrique v. électrique
diérèse v. voyelle
dièse v. accident
Diesel v. moteur
diète v. abstenir (s'), jeûne, régime
diététique v. alimentation, hygiène, régime, sain
Dieu v. cause, esprit
dieu v. idole, religion
diffa v. réception
diffamation v. accusation, injure, mensonge
diffamer v. charger, déshonorer, discréditer, mal, noircir, réputation, salir
différé (en) v. télévision
différence v. distinction, nuance, relation, soustraction
différenciation v. distinction, personnalité
différencier v. classer, comparer, séparer
différend v. désaccord, difficulté, malentendu, querelle
différent v. divers, plusieurs

différentiel v. engrenage
différer v. attendre, reculer, remettre, suspendre, tard, temporiser
difficile v. impasse, impossible, ingrat, obscur, raffiné, savant
difficilement v. mal
difficulté v. cap, complication, contradiction, embûche, épine, incident, nœud, obstacle, orage, peine, péril, pli, problème, résistance, souci, tracas
difficultueux v. problème
difforme v. affreux, infirme, laid
difformité v. corps, déformation, infirmité, malformation, monstruosité, vice
diffraction v. décomposition, déviation, réseau
diffuser v. circulation, dégager, émettre, propager, répandre, transmettre
diffusion v. distribution, expansion, exportation, invasion, réflexion
digérer v. supporter
digest v. recueil, résumé, sommaire
digeste v. digérer
digestible v. digérer
digestif v. chirurgie, gingembre, liqueur, repas
digestion v. nutrition
digital v. doigt
digitale v. gant
digitiforme v. doigt
digitigrade v. doigt, marcher
digne v. décent, fier, majestueux, respect
dignitaire v. personnalité
dignité v. charge, fonction, grade, honneur, place, réserve, respect, tenue, titre
dignité cardinalice v. pourpre
dignité consulaire v. pourpre
digression v. broderie, écart, éloigner, parenthèse, variation
digue v. barrage, barrière, jetée
diktat v. dicter
dilacérer v. déchirer
dilapider v. argent, balai, dépenser, dissiper, engloutir, éparpiller, épuiser, jeter, prodiguer
dilatation v. agrandissement, augmentation, corps, décompression, expansion, extension, gonflement
dilater v. élargir
dilatoire v. délai, exception, temporiser
dilection v. tendresse
dilemme v. alternative, choix, nœud, problème, raisonnement
dilettante v. amateur
diligence v. calèche, dépêcher (se), fiacre, promptitude, véhicule, voiture, zèle
diligent v. actif, laborieux, soin
diluer v. additionner, étendre, noyer
dîme v. contribution, impôt, islam
dimension v. étendue, format, mesure, perspective, proportion, taille
diminuendo v. diminution
diminuer v. alléger, atténuer, brouiller, dépérir, raccourcir, reculer, résumé, soulager, tomber
diminutif v. nom, petit
diminution v. baisse
dinanderie v. métal, ustensile, vaisselle
dindon v. mensonge
dîner v. repas
dînette v. repas
dinosauriens v. dinosaure, reptile
diocésain v. concile
diodon v. hérisson
dioggot v. huile
dioïque v. sexe
dionée v. plante
Dionysos v. vigne, vin
dioptrie v. lentille
diphtongue v. voyelle
diplodocus v. dinosaure
diploïde v. chromosome
diplomate v. ambassadeur, souple
diplomatie v. adresse, ambassade, État, habileté, politique, précaution, savoir-faire, ultimatum
diplôme v. brevet, pièce
diplopie v. vue
dipsomane v. ivrogne
dipsomanie v. alcoolisme, boire, soif
diptère v. aile, colonne, mouche, moustique
diptyque v. tableau
dire v. énoncer, réciter
direct v. boxe, démocratie, franc, immédiat, interrogation, parenté, rond, spontané, télévision
directement v. ouvert
directeur v. académie, principal
directif v. indication, ordre
direction v. axe, bureau, cap, destination, influence, organisation, orientation, point, politique, sens, surveillance, tendance, tour, voie
dirigeable v. ballon
dirigeant v. mener, responsable
diriger v. administrer, animer, conduire, conseiller, destiner, dominer, encadrer, gouverner, organiser, orienter, pointer, présider, remettre, route
dirigisme v. État, nationaliser
discale v. poids
discernement v. critique, différence, discrimination, intelligence, jugement, raison, réflexion, sagesse, sens
discerner v. apprécier, comprendre, connaître, découvrir, entendre, entrevoir, percevoir, reconnaître, saisir, sentir, voir
disciple v. admirateur, fidèle, imiter, partisan, secte
discipline v. champ, contrainte, influence, matière, ordre, règle, tenue
discipliné v. facile, sage
discipliner v. plier, soumettre
discontinu v. intermittent, irrégulier, variable
discontinuer v. cesser
disconvenir v. refuser
discordance v. contraste, défaut, désaccord, opposition
discordant v. grincer, incompatible
discorde v. conflit, désaccord, zizanie
discothèque v. collection
discount v. diminution, rabais
discourir v. parler
discours v. propagande, représentation, rhétorique, style, verbe
discourtois v. grossier, impoli
discrédit v. réputation
discréditer v. dénigrer, déprécier, déshonorer, face, mal, nuire, perdre
discret v. décent, léger, neutre, sage, secret, sobre
discrétion v. pudeur, réserve, sagesse, savoir-vivre, silence, volonté
discrétoire v. religieux
discrimination v. différence, distinction, séparation, xénophobie
disculper v. acquitter, blanchir, défendre, excuser, innocence, justifier, suspect
discussion v. controverse, délibération, examen, explication
discutable v. imparfait
discuter v. entretenir, négocier, parler, raisonner, traiter
disert v. éloquent
disette v. absence, famine, manque, misère, vache
disgrâce v. infirmité, sort
disgracié v. infirme
disgracieux v. désagréable, ingrat, laid
disharmonie v. défaut, déséquilibre
disjoindre v. démonter, diviser, écarter, isoler, séparer
disjoncteur v. interrompre
dislocation v. désagrégation, séparation
disloquer v. déranger
disparaître v. anéantir, enfuir (s'), envoler (s'), exister, fondre, mourir, naufrage, périr
disparate v. confus, différent, divers, élément, hétérogène
disparité v. déséquilibre, opposition
disparition v. dissolution, extinction, perte, suppression
disparu v. invisible, victime
dispatcher v. planifier
dispendieux v. coût
dispensaire v. santé, soin
dispense v. autorisation, exemption, permission
dispenser v. épargner, éviter, excuser, passer, prodiguer, répandre, répartir, soustraire
disperser v. dissiper, envoler (s'), éparpiller, parsemer, répandre, rompre, semer
dispersion v. fuite
disponibilité v. vacance
disponible v. libre, vide
dispos v. frais
disposer v. arranger, charger, construire, installer, organiser, poser, posséder, préparer, répartir, user
dispositif v. appareil, machine
disposition v. aptitude, distribution, état, facilité, goût, imposition, intention, loi, ordonnance, perspective, place, précaution, qualité, rhétorique, rythme, structure, talent, tendance, vocation
disproportion v. déséquilibre, différence
dispute v. compétition, escarmouche, explication, incident, opposition, plume, querelle, zizanie
disputer v. raisonner
disqualification v. concours
disque v. cercle, frein, galaxie, signal
disquisition v. recherche
disruptif v. étincelle
dissection v. analyse, anatomie, autopsie, examen, recherche
dissemblance v. contraste, déséquilibre, différence, opposition
disséminer v. éparpiller, répandre, semer
dissension v. conflit, désaccord, opposition, séparation, tension
dissentiment v. conflit, désaccord, différence, séparation
disséquer v. décomposer, dépecer
dissertation v. composition, littérature
disserter v. parler
dissidence v. déviation, révolte, séparation
dissident v. adversaire, hétérodoxe, non conformiste, orthodoxe, parti, rebelle, traître
dissimilitude v. différence, opposition
dissimulation v. abus, étouffement, foi, hypocrisie, omission, oubli, velours
dissimulé v. obscur, secret, sournois
dissimuler v. cacher, déguiser, disparaître, fuir, obstruer, recouvrir, refouler, réfugier, silence, soustraire, taire
dissipé v. irrégulier, terrible, turbulent
dissiper v. cesser, dépenser, disparaître, distraire, écarter, endormir, enfuir (s'), engloutir, envoler (s'), estomper, évanouir (s'), fondre, lever, prodiguer
dissocier v. décomposer, séparer
dissolu v. corrompu, irrégulier
dissolution v. désagrégation, divorce, fin
dissolvant v. dissoudre
dissonance v. conflit, imparfait, opposition, relation
dissonant v. accord, grincer
dissoner v. jurer
dissoudre v. fondre, renoncer
dissuader v. conseiller, convaincre, décourager, persuader
dissuasion v. vaccin
dissymétrique v. irrégulier
distance v. écart, espace, étape, intervalle, marge, séparation
distancer v. défaire, dépasser, semer
distant v. dédain, froid, impersonnel, loin
distendre v. allonger, gonfler
distension v. agrandissement, augmentation, entorse
distillation v. alcool, mazout, pétrole, raffinage
distiller v. couler, rectifier, répandre
distillerie v. usine
distinct v. contraire, différent, divers, net, précis, visible
distinctif v. particulier, spécial, typique
distinction v. allure, aristocratie, décoration, différence, discrimination, éducation, élégance, frontière, honneur, prix, récompense, valeur
distingué v. brillant, noble, raffiné, supérieur
distinguer v. apercevoir, briller, choisir, connaître, débrouiller, découvrir, détacher, entendre, entrevoir, illustrer, percevoir, reconnaître, séparer, signaler, vérifier, voir

distorsion v. déformation
distraction v. activité, attention, défaut, étourderie, fête, jeu, négligence, omission, passe-temps
distraire v. déranger, détacher, dissiper, étourdir, évader (s'), interrompre
distrait v. insensible, nuage, vague
distrayant v. amusant
distribuer v. donner, répandre, répartir
distributeur v. poste
distribution v. diffusion, partage, rôle, rythme
dit v. recueil
dithyrambe v. éloge, emphatique, enthousiaste, louange, poème
dithyrambique v. compliment
diurétique v. urine
diurne v. jour
diva v. chanteur, opéra
divagation v. délire
divaguer v. battre, déménager, errer, raison, rêver
divan v. repos
divergence v. différence, rivalité, séparation
divergent v. contraire, mouvement, opposé
divers v. multiple, nombreux, plusieurs, varié
diversifier v. varié
diversion v. indirect
diversité v. richesse, variété
divertir v. dissiper, distraire, jouer, réjouir, rire
divertissant v. amusant, plaisant
divertissement v. activité, attraction, comédie, distraction, fête, jeu, passe-temps, plaisir, spectacle
dividende v. intérêt, nombre
divin v. délicieux, éternel
divination v. avenir, consultation, intuition, prédiction, sorcellerie
divinement v. parfaitement
divinité v. déesse, nymphe, religion
diviser v. débiter, décomposer, découper
diviseur v. nombre
division v. cavalerie, compartiment, décomposition, désaccord, fraction, opération, paragraphe, section, unité
divisionnaire v. inspecteur
divorce v. dissolution, rupture, séparation
divorcer v. noce
divorce-répudiation v. divorce
divulgation v. communication, expansion, fuite, révélation
divulguer v. annoncer, communiquer, connaître, diffuser, garder, manifester, présenter, proclamer, public, répandre, savoir, trahir
dixieland v. jazz
dizygote v. jumeau
djabr v. mari
djami v. islam
djebel v. montagne
djellaba v. musulman, vêtement
djich v. troupe
djihad v. guerre sainte, islam, musulman
djinn v. esprit, génie
docile v. facile, maniable, passif, sage, souple
docilité v. obéissance, pauvreté
docimasie v. test
docimologie v. examen, test
dock v. bassin, hangar, quai
docker v. port
docteur v. médecin, père
doctoral v. dogmatique, grave, savant, sentencieux, solennel
doctorat v. diplôme, docteur, université
doctoresse v. docteur
doctrinaire v. systématique
doctrine v. croyance, idée, parti, pensée, religieux, secte, système
document v. acte, papier, pièce, renseignement
documentaire v. document, film
documentaliste v. archives
documentation v. document, renseignement
documenter v. informer
dodécaèdre v. douze
dodécagyne v. douze
dodécaphonisme v. douze, musique, série
dodécastyle v. douze
dodécasyllabe v. douze
dodeliner v. balancer
dodu v. chair, gras
dogmatique v. affirmation, sentencieux, systématique
dogme v. croyance, doctrine, foi, règle, religieux, vérité
doigt v. goutte, peu, pouce, quantité
doigté v. adresse, habileté, savoir-faire, tact
doigtier v. doigt
dojo v. art, judo
dol v. contrat
doléance v. grief, réclamation, regret
dolent v. souffrant
dolic v. haricot
dolichocéphale v. crâne, race, tête
dolichotis v. lièvre
dolique v. course
dolman v. veste, vêtement
dolmen v. diable, menhir, pierre, table
doloire v. hache
dolomie v. magnésium
dolomite v. marbre
dolorisme v. douleur
dolosif v. fraude
D.O.M. v. département, français
domaine v. activité, capital, matière, perspective, propriété, rayon, ressort, royaume, secteur, sphère, terre, univers
domanial v. État
dôme v. cercle, coupole, four, montagne, sommet, toit, voûte
domestication v. conquête
domesticité v. domestique, personnel
domestique v. bête, chambre, famille
domestiquer v. dresser
domicile v. demeure, maison, zodiaque
dominant v. degré, gène, général, haut
domination v. autorité, conquête, dépendance, empire, force, influence, oppression, puissance
dominer v. commander, contenir, écraser, emporter, gouverner, maître, mener, posséder, raisonner, soumettre, subjuguer, surmonter
dominicain v. mendiant
dominical v. dimanche
domino v. bal, carnaval, déguisement
dommage v. cargaison, compte, dégât, idiot, indemnité, perte, sain, sinistre, tort
dommageable v. défavorable, nuisible
domotique v. robot
dompter v. calmer, dresser, soumettre, surmonter, vaincre
dompteur v. cirque
don v. bienfait, cadeau, capacité, charité, concession, facilité, génie, instinct, noblesse, prédisposition, qualité, récompense, secours, subsister, talent
Don Juan v. séducteur
don Juan v. amant, cœur
doña v. dame
donataire v. héritier
donation v. cession, don
donjon v. tour
donna v. dame
donné v. réel
donnée v. banque, bibliothèque, élément, idée, renseignement, statistique
donner v. confier, déboucher, défaire, embrasser, fournir, infliger, offrir, ouvrir, porter, prêter, prodiguer, produire, propager, reconnaître, rendre, représenter, téter, tuer
dont v. relatif
doper v. fouet, stimulant
doré v. chair, hâlé
dorénavant v. maintenant
dorer v. revenir, rôtir
dorien v. grec
dorine v. doré
dorique v. grec, ordre
dorloter v. soin
dormant v. fixe
dormir v. bras, inaction
dormition v. sommeil
doroir v. pain
dorsal v. dos, épaule, nageoire, parachute, poisson, vertèbre
dorsalgie v. dos, manipulation
dortoir v. chambre
doryphore v. parasite, pomme de terre
dos v. brosse, derrière, revers
dose v. pointe, quantité
dossard v. sportif
dosse v. planche, tranchée
dossier v. bureau, document, identité, renseignement
dossière v. tortue
dot v. mariage
dotation v. pension, revenu, traitement
doter v. équiper, gratifier, munir
douane v. barrière
douanier v. douane, frontière
douar v. tente
doublage v. adaptation, renfort, version
double v. expédition, pendant
doublé v. film
doubleau v. voûte
doubler v. parer, recouvrir
doublet v. mot
doublon v. erreur, faute, répétition, typographie
douceâtre v. doux, fade
doucement v. peu
doucereux v. doux, fade, hypocrite, sournois, suave
douceur v. bonbon, colombe, confiserie, friandise, satisfaction, tendresse
douche v. bain
doucine v. menuisier, moulure, rabot
doucir v. métal, polir
doué v. brillant, fort
douelle v. planche, tonneau
douille v. manche
douillet v. mou
douillette v. manteau
douleur v. mal, pincement, souffrance
douloureux v. amer, lamentable, pénible, pesant, pitoyable, sensible
doum v. palmier
doupion v. soie
doute v. adverbe, crise, embarras, incertitude, incroyance, indécision, inquiétude, réserve, résistance, trouble, vaciller
douter v. désespérer, soupçonner
douteux v. dangereux, indécis, louche, suspect, vague
douvain v. chêne
douve v. fossé, planche, tonneau
douvelle v. planche
doux v. banane, gentil, paisible, pâle, patient, sage, sensible, sourd, suave, velours
douzième provisoire v. budget
doxologie v. dieu
doyen v. aîné, ancien, faculté, université
doyenné v. habitation, poire
drache v. pluie
drachme v. grec
draconien v. austère, cruel, rigoureux, sévère, strict
dragage v. canal
dragée v. bonbon, médicament, pastille, pilule
drageoir v. boîte, bonbon
drageon v. bourgeon
dragon v. cavalerie, légende, soldat
dragonnade v. dragon
dragonne v. galon, sabre
dragonneau v. ver
dragster v. motocyclette
drague v. crustacé, pelle
draguer v. nettoyer, vase
dragueur v. mine
draille v. chemin, montagne, piste
drain v. canalisation, tube
drainage v. empierrement, pétrole
draine v. grive
drainer v. assainir, conduire, marais, sécher
draisienne v. bicyclette
dramatique v. émouvant, grave, tragique
dramatiser v. exagérer, grossir, noircir
dramaturge v. auteur, dramatique, écrivain, théâtre
dramaturgie v. dramatique
drame v. catastrophe, dramatique, événement, malheur, tragédie
drap v. serviette
drapé v. pli
drapeau v. anarchie, capitulation, enseigne, signal
draper v. habiller
draperie v. décor, rideau, tenture
drastique v. actif, laxatif, puissant, radical
drawback v. douane
drayer v. tannage
drêche v. bière, distillation
drège v. lin, peigne
dressage v. selle

dresser v. camper, établir, lever, mettre, passer, placer, planter, polir, préparer, prêter, rédiger, tendre
dressoir v. buffet, meuble
drève v. chemin
drift v. dépôt
drille v. burin, perceuse
dringuelle v. gratification
drinn v. désert
drisse v. voile
drive v. golf
drogue v. narcotique, opium, pharmacie
droguerie v. bazar
droit v. autorisation, devoir, face, faculté, honnête, impôt, juste, liberté, loyal, monnaie, net, piano, plongeon, pouvoir, raison, règle, sincère, université
droit commun v. détenu
droit de préemption v. préférence
droit divin (monarchie de) v. monarchie
Droit humain v. franc-maçon
droitier v. communisme
droiture v. foi, rectitude
drôle v. risible, spirituel
dromadaire v. chameau, désert
drome v. embarcation
dromie v. crabe
dromomanie v. voyage
drone v. avion
dropper v. lâcher
drop-goal v. rugby
drosera v. plante
drosophile v. mouche
drosser v. entraîner
dru v. dense, épais
druide v. celtique
drumlin v. glacier
drupe v. cerise, noyau, prune
dryade v. forêt, nymphe
D.S.T. v. police
dual v. réciproque
dualisme v. âme, double
dualité v. double
dubitatif v. doute, méfiant, perplexe, sceptique
duc v. noblesse
ducasse v. fête, kermesse
Duce v. fascisme
ducroire v. commission, garantie, warrant
ductile v. étendre, scène, souple
ductilité v. métal
duègne v. accompagnateur, compagnie, femme, gouvernante
duel v. combat, face-à-face, rencontre, singulier
duffel-coat v. manteau, vêtement
dugong v. vache
duit v. barrage
dulcifier v. adoucir, corriger
dulcinée v. dame
dulie v. adoration, ange, culte, saint
dumping v. concurrence, exportation, vendre
dune v. sable
dunette v. pont
duo v. concert, deux
duodécimal v. douze
duodénum v. douze, grêle, intestin
dupe v. mensonge, poire, victime
duper v. abuser, attraper, embobiner, enjôler, escroquer, mentir, posséder, tromper, vigilance
duperie v. illusion
duplex v. appartement
duplicata v. copie, expédition, reproduction
duplicité v. double, foi, fourberie, hypocrisie
dur v. brutal, cruel, ferme, froid, impitoyable, inhumain, méchant, porcelaine, rigide, rigoureux, sec, sévère
durable v. éternel, fixe, immortel, sérieux, solide, stable, tenace
durant v. pendant
durcir v. fortifier, solide
durée v. existence, rythme, temps
dure-mère v. membrane, méninge
durer v. continuer
dureté v. brutalité, résistance
durillon v. pied
D.U.T. v. diplôme
duvet v. barbe, oiseau, plume
dynamique v. actif, corps, mécanique, mouvement, vif
dynamisme v. activité, débordement, énergie, initiative
dynamomètre v. force
dynamométrie v. mécanique
dynastie v. famille
dysacousie v. difficulté
dysarthrie v. difficulté, langage, parole, trouble
dysbarisme v. décompression
dyschromatopsie v. couleur, trouble
dyscrasique v. maladie
dysenterie v. colique, diarrhée, intestin
dysfonctionnement v. perturbation
dysgénique v. race
dysgraphie v. difficulté, écriture, trouble
dysidrose v. main
dyskinésie v. trouble
dyslexie v. confusion, lecture, trouble
dysménorrhée v. menstruation
dysorexie v. faim, trouble
dysorthographie v. difficulté, orthographe
dyspepsie v. aigreur, difficile, digérer, digestion, embarras, estomac
dysphasie v. expression
dysphonie v. trouble, voix
dyspnée v. asthme, cœur, étouffement
dystasie v. difficulté
dystocie v. accouchement, difficile
dystomie v. prononciation, trouble
dysurie v. colique, urine

E

eau v. bain, centrale nucléaire, marin, oxygène
eau-de-vie v. alcool, macérer
eau-forte v. acide, gravure
eau lourde v. centrale nucléaire
eau oxygénée v. dentaire, oxygène
eau régale v. acide
ébahir v. déconcerté, interdit, pétrifié, saisir, sidérer, stupéfier
ébahissement v. étonnement, surprise
ébarber v. polir
ébaubi v. sidérer, surprendre
ébauche v. canevas, commencement, contour, façon, jet, premier, projet, schéma
ébaucher v. commencer, sculpter, timide, tracer
ébauchoir v. ciseau
ébène v. bois, marqueterie, noir
ébénier v. ébène
ébéniste v. marqueterie, menuisier, meuble
ébénisterie v. ébène
éberlué v. dépasser, stupéfier, surprendre
éblouir v. briller, fasciner, séduire
éblouissant v. admirable, éclatant, lumineux, magnifique, splendide, superbe, vif
éblouissement v. clarté, vertige
ébonite v. peigne
éborgner v. crever, œil
éboueur v. boue, ordure
éboulement v. accident, chute, écroulement
ébouler v. rouler, tomber
ébouriffant v. invraisemblable
ébouriffé v. hérissé
ébouter v. raccourcir
ébrancher v. branche, couper
ébranlement v. étonnement, secousse, tremblement
ébranler v. brèche, choquer, entamer, secouer
ébrécher v. brèche, briser, casser
ébréchure v. ébrécher
ébriété v. ivresse
ébrouage v. nettoyer
ébrouement v. battement
ébrouer (s') v. secouer
ébruiter v. percer, répandre, savoir, trahir, transpirer
ébrutage v. brut
ébullition v. bouillonnement
éburné v. ivoire
éburnéen v. ivoire
écacher v. plat
écaille v. coquille, marqueterie, peigne
écaillement v. peinture
écailler v. écaille, ouvrir
écaler v. décortiquer, noix
écalure v. pellicule
écang v. lin
écarquiller v. agrandir, ouvrir
écart v. distance, espace, faute, intervalle, irrégularité, maison, règle, rupture, statistique, variation
écarté v. perdu
écartèlement v. supplice, torture
écartement v. ouverture
écarter v. bannir, côté, débarquer, effacer, éliminer, éloigner, éviter, exclure fendre, isoler, lever, pousser, refuser, renoncer, route, sortir, soustraire, supprimer
ecchymose v. blessure, bleu, bosse, coup, marque, vaisseau
ecclésiastique v. prêtre, religieux
ecclésiologie v. théologie
écervelé v. imprudent
échafaud v. supplice
échafaudage v. raisonnement
échafauder v. bâtir, concevoir, construire, méditer, pied
échalas v. maigre, pieu, soutenir, tuteur
échalier v. barrière, haie
échancrer v. tailler
échancrure v. enfoncement
échange v. change, circulation, dialogue, exportation, retour
échanger v. communiquer
échanson v. boire
échantillon v. exemplaire, individu, modèle, statistique
échantillonnage v. échantillon, sélection, sondage
échappatoire v. cabriole, fuite, indirect, issue, refuge, sortie, subterfuge
échappée v. brèche, sortie, trouée
échappement v. moteur, soupape
échapper v. enfuir (s'), évader (s'), éviter, répandre, sauver, sortir, soustraire
échardonner v. chardon, friche
écharpe v. foulard, insigne, oblique
écharper v. blesser
échasse v. bâton
échassier v. bécasse, grue, oiseau
échauder v. ébouillanter, laver
échauffer v. animer, bouillir
échauffourée v. bagarre, combat, échange, escarmouche, foire, rencontre
échauguette v. guérite, sentinelle
échéance v. date, délai, fin, terme
échéancier v. registre
échec v. avortement, déception, four, malheur, perte, résultat, revers, veste
échelage v. servitude
échelier v. échelle
échelle v. broderie, carte, étrier, éventail, garantie, hiérarchie, incendie, relief
échelon v. barreau, degré, échelle, hiérarchie, niveau, phase, stade
échelonner v. étaler, répartir
écheveau v. ficelle, labyrinthe
échevelé v. ébouriffé
échiffre v. guérite
échine v. colonne, colonne vertébrale, dos, épine, saillant
échiner v. battre, démolir, épuiser
échiquier v. maçonnerie
écho v. bruit, nouvelle, orgue, réflexion, répétition, son
échographie v. embryon, fœtus, radiographie
échoir v. accroître, appartenir, concerner, revenir
écholalie v. langage
échoppe v. boutique, burin, graver, magasin
échotier v. écho, journaliste, rédacteur
échouer v. fond, perdre
échute v. héritage
écimage v. taille
écimer v. arbre, couper, raccourcir
éclabousser v. gicler, mouiller, tacher
éclaboussure v. pâté
éclair v. coup, électricité, étincelle, illumination, lueur, orage
éclairage v. illumination, perspective
éclaircie v. brume, trouée
éclaircir v. cesser, débrouiller, dépleuplé, expliquer, illustrer, remettre
éclaircissement v. explication, renseignement

éclairé v. bon, sage
éclairer v. illuminer, illustrer, informer, rayon, remplir
éclaireur v. détachement, soldat
éclampsie v. convulsion
éclat v. éclair, fragment, relief, richesse, scandale, splendeur, vernis
éclatant v. évident, illustre, lumineux, santé, somptueux, sonore, splendide, superbe, vif
éclatement v. explosion
éclater v. colère, crever, élever, emporter, jaillir, partir, rayonner, répandre, sauter
éclectique v. goût
éclectisme v. fusion
éclipse v. astre, disparition, invisible
éclipser v. cacher, compagnie, échapper, enfuir (s'), envoler (s'), partir, sortir, vaincre
écliptique v. zodiaque
éclisse v. éclat, fracture
éclopé v. boiter, infirme
éclore v. épanoui, fleurir
éclosion v. naissance
écluse v. barrage, hydraulique, retenir
éclusée v. écluse
ecmnésie v. mémoire
écobiotique v. écologique
écobuer v. engraisser
écœurant v. dégoûtant, fade
écœurement v. découragement, indignation
écœurer v. révolter, ventre
écographie v. environnement
école v. doctrine, famille, instituteur, tendance
École des chartes v. archiviste
écologie v. environnement, protection
éconduire v. partir, poli, rabrouer, refuser
économat v. intendance
économe v. avare, modération, religieux, trésorier
économétrie v. économie
économie v. bas, marché, organisation, réserve, ressource
économique v. politique
économiser v. épargner, gagner, ménager, regarder
écope v. épuisette, pelle
écoper v. reproche, vider
écoperche v. échafaudage, perche
écorçage v. vannerie
écorce v. bois
écorce cérébrale v. cerveau
écorcer v. écorce, peler
écorché v. statue
écorchement v. supplice
écorcher v. blesser, choquer, déchirer, dépouiller, entamer, exploiter
écorchure v. blessure, égratignure
écorner v. brèche, casser, ébrécher
écornifler v. avare
écornifleur v. mangeur, parasite, repas
écornure v. éclat
écossais v. volcan
écosser v. fève
écosystème v. écologique, milieu
écot v. contribution, dépense, part, quote-part
écoufle v. jouet
écoulement v. circulation, déroulement, infiltration, vente
écouler v. débiter, épuiser, perler, sortir, stock
écoumène v. terre
écourter v. diminuer, raccourcir, résumé
écoute v. voile
écouter v. abréger, suivre, vigilance
écouteur v. téléphone
écouvillon v. balai, brosse, fusil
écouvillonner v. nettoyer
écrabouiller v. bouillie
écran v. télévision
écrasant v. lourd
écrasé v. opprimé
écraser v. anéantir, aplatir, bouillie, piler, pincer, plat, pulvériser, renverser, vaincre
écrémage v. beurre
écrin v. bijou, boîte
écrire v. créer, inscrire, plume, rédiger
écrit v. document, instruction, interrogation, œuvre, positif, publication
écriture v. comptable, forme, représentation, style
Écriture sainte v. Bible
écrivailleur v. écrivain
écrivaillon v. écrivain
écrivain v. auteur
écrou v. cahier, registre
écrouelles v. abcès
écrouer v. emprisonner, inscrire
écrouissage v. forge
écroulement v. fin
écrouler v. céder, effondrer, périr, renverser, sombrer, tomber
écru v. brut
ectasie v. dilatation
ectopique v. grossesse
ectoplasme v. fantôme
ectromélie v. monstruosité
ectropion v. paupière
ectrosomie v. monstruosité
écu v. blason, bouclier, enseigne, pièce
écueil v. danger, difficulté, fond, île, inconvénient, obstacle, péril, rocher
écuelle v. assiette, bol
écuisser v. arbre, éclater
éculé v. usé
écume v. frange, mousse, pipe, salive
écumer v. écume, rage
écumeur v. bandit, marin, pirate
écumeux v. écume
écumoire v. passoire
écureuil v. rongeur
écurie v. bâtiment, équipe, ferme
écusson v. écu, greffe
écuyer v. banquet, cavalier, cheval, cirque, équitation, professeur
eczéma v. peau
édam v. hollandais
éden v. délice, paradis
édenté v. dent
édicter v. annoncer, commander
édicule v. kiosque
édifiant v. exemplaire, modèle, moral, pieux
édification v. construction, échafaudage
édifice v. bâtiment, immeuble, monument
édifier v. bâtir, construire, établir, fonder, renseignement
édilité v. magistrature
édit v. loi
édit de Nantes v. protestant
éditer v. établir, imprimer, inédit, paraître, publier
édition v. exemplaire, publication, reproduction
édition (première) v. original
éditorial v. journal, rubrique
éditorialiste v. commentaire, rédacteur
édredon v. plume
éducateur v. instituteur
éducation v. culture, école, initiation, savoir
Éducation nationale v. instruction
édulcorant v. sucre
édulcorer v. adoucir, adultérer, affaiblir, doux, raffiner
éduquer v. élever, former, impoli, nourrir
éfaufiler v. fil
effacé v. humble, terne
effacer v. cesser, disparaître, dissiper, écarter, estomper, évanouir (s'), ignorer, racheter, rectifier, réparer, supprimer
effarant v. incroyable
effaré v. effrayer, sidérer, stupéfait
effarer v. troubler
effaroucher v. choquer, effaré
effectif v. actif, actuel, concret, nombre, positif, réel, vrai
effectuer v. exécuter, faire, réaliser
effendi v. turc
efférent v. nerf
effervescence v. agitation, bouillonnement, bruit, excitation, turbulence
effet v. change, crever, influence, réaction, résultat, suite, trucage, vêtement
effet de commerce v. argent, droit, traite
effet de serre v. réchauffer
effeuillaison v. feuille
effeuillement v. feuille
effeuiller v. détacher, marguerite
effeuilleuse v. déshabiller
efficace v. actif, bon, énergique, puissant, utile
efficacité v. vertu
efficient v. bon
effigie v. empreinte, figure, image, médaille, monnaie, portrait, représentation, visage
effiler v. fil
efflanqué v. maigre, squelette
effleurage v. massage
effleurement v. caresse, contact
effleurer v. évoquer, toucher
efflorescence v. apparition, éruption, moisissure
effluve v. odeur, parfum
effondrement v. agonie, baisse, chute, dissolution, écroulement, fin, naufrage, ruine
effondrer v. briser, diminuer, fardeau, tomber
effondrilles v. dépôt
efforcer (s') v. appliquer, attacher, chercher, entreprendre, parvenir, tâcher, tenter
effort v. essai, récompense, résistance
effraction v. briser
effraie v. chouette
effrayant v. formidable, immense, sinistre, terrible
effrayé v. effaré
effrayer v. inquiéter, panique, redouter
effréné v. excessif, fou, impétueux
effroi v. crainte, frayeur, horreur, panique, terreur
effronté v. insolent
effronterie v. aplomb, confiance, familiarité, front, insolence
effroyable v. affligeant, affreux, épouvantable, formidable, horrible, mauvais, terrible, tragique
effusion v. débordement, expansion, sentiment
éfourceau v. chariot
efrit v. génie
égailler (s') v. éparpiller, rompre
égal v. invariable, pareil, régulier, semblable, uniforme
égaliser v. aplanir, niveau, polir
égalitarisme v. égalité, socialisme
égalité v. démocratie, proportion, relation, ressemblance
égard v. adresse, attention, honneur, ménager, politesse, respect, scrupule, tact
égaré v. aveugle, effaré, troublé
égarement v. délire, extase, raison, vertige
égarer v. abuser, écarter, noyer, patauger, perdre, route
égayer v. animer, distraire, orner, réjouir, stimuler, tailler
égérie v. conseil, femme, inspirer, muse
égide v. influence, patronage, sauvegarde, tutelle
églantine v. rose
églefin v. morue
église v. culte, paroisse, religieux
Église de scientologie v. secte
églogue v. pastoral, poème
ego v. moi, personnalité
égocentrique v. égoïste, intérieur
égocentrisme v. moi, personnel
égoïsme v. individualité, ingratitude, personnel
égoïste v. ingrat
égosiller (s') v. crier
égotisme v. moi
égout v. canalisation
égoutture v. bouteille
égratigner v. blesser, déchirer, écorcher, entamer, griffer
égrener v. compter
égrésage v. marbre
égrillard v. épicé, fripon
égrisée v. diamant, polir, poudre
égriser v. polir
égrotant v. constitution, faible, maladif, vieillard
égrugeoir v. piler, ustensile
égruger v. écraser, piler, pulvériser
égueulé v. volcan
égueuler v. casser
égyptologie v. archéologie
éhonté v. scandaleux
eh ! v. interpeller
eichhornia v. marais
eider v. canard, oie
éjointer v. rogner
ejusdem farinæ v. conformité
élaboration v. confection, échafaudage, intelligence artificielle, préparation, raisonnement, usine
élaboré v. sève
élaborer v. composer, concevoir, construire, fabriquer
élagage v. taille
élaguer v. branche, couper, inu-

tile, raccourcir, rogner, superflu, supprimer
élan v. cerf, entraînement, essor, souffle
élancé v. grand
élancer v. sauter
élaps v. corail
élargir v. écarter, étendre, libérer, prêter
élargissement v. agrandissement, dilatation, extension
élastique v. mercerie, souple
élastomère v. caoutchouc, plastique, synthétique
eldorado v. délice
électeur (grand) v. sénateur
électif v. choisir, monarchie
élection v. droit, république, sélection
électoral v. majorité
électorat v. voter
électrifier v. électricité
électrique v. usine
électriser v. enthousiasmer
électrobiologie v. électricité
électrocardiogramme v. enregistreur
électrochoc v. psychiatrie
électrocinétique v. électrique
électrocuter v. électricité
électrocution v. peine de mort
électrode v. bougie, pile, pôle
électrodynamique v. microphone
électrodynamomètre v. courant
électroencéphalogramme v. électrique
électrogène v. électricité
électrologie v. électricité
électrolyse v. réaction
électromagnétique v. microphone, onde, radioélectrique
électromètre v. électrique
électron v. atome, électricité
électronarcose v. psychiatrie
électronique v. informatique, microscope
électroscope v. électrique
électrostatique v. électrique, microphone
électrothérapie v. électricité
électuaire v. médicament
élégance v. aristocratie, délicatesse, distinction, finesse, goût, grâce
élégant v. choisir, correct, dandy, gracieux, incroyable, soigner
élégie v. chant, poème, tristesse
élégir v. diminuer
éléis v. huile, palmier
élément v. condition, détail, notion, partie, pièce, principe, résumé, savoir
élémentaire v. facile, grossier, particule, préparatoire, simple, sommaire
éléphant de mer v. morse, phoque
élevage v. nomade
élévateur v. parachute
élévation v. construction, distance, érection, niveau
élève v. disciple, écolier
élevé v. haut, important, noble, soutenu
élever v. bâtir, coûter, dresser, édifier, former, planter, pointer, protester, relever, sortir, soulever
éleveur v. cultivateur
elfe v. conte, enfance, esprit, génie
élimer v. user
élimination v. purge, réduction
éliminatoire v. sélection
éliminer v. défaire, déposséder, écarter, évacuer, exclure, expulser, refuser, supprimer
élire v. appeler, choisir, désigner, habiter, nommer, porter
élision v. apostrophe, voyelle
élite v. aristocratie, fleur, meilleur
élixir v. boisson, concentré, diarrhée, essence, médicament
ellébore v. folie, rose
ellipse v. mot, orbite, raccourci
elliptique v. concis, galaxie
élocution v. rhétorique
éloge v. adieu, approbation, louange, réclame
Élohim v. dieu
éloigné v. étranger, loin, perdu
éloignement v. adieu, écart, intervalle, perspective, séparation
éloigner v. brouiller, détacher, disparaître, exiler, isoler, refuser, sortir
élongation v. blessure, entorse
élonger v. allonger
éloquence v. adresse, orateur, parole, rhétorique, véhémence
éloquent v. démonstratif, expressif, signification
élu v. saint
élucider v. clair, débrouiller, éclaircir, expliquer, trouver
éluder v. échapper, éviter, fuir, parenthèse, passer, soustraire
élytre v. aile
émaciation v. amaigrissement
émacié v. maigre, squelette
émail v. dent, faïence, vernis
émailler v. accompagner, enjoliver, orner, parsemer
émanation v. odeur, parfum, radiation, vapeur
émancipé v. majorité, mineur
émanciper v. affranchir, défaire, esclavage, libérer
émaner v. dégager, dépendre, partir, provenir, répandre, sortir, venir
émargement v. signature
émarger v. pointer, toucher
émasculation v. ablation, castration
émasculer v. sexuel
emballage v. vannerie
emballement v. enthousiasme, ravir
emballer v. conditionner, passionner, ravir
embarcadère v. débarquer, jetée, port, quai
embarcation v. bateau
embardée v. écart
embargo v. blocus, commercial, interdiction
embarquer v. monter
embarras v. complication, difficulté, incertitude, inconvénient, malaise, manière, peine, simagrée, tracas, trouble
embarrassant v. fâcheux, problème
embarrassé v. emprunté, gauche, indécis, inquiet, laborieux, penaud, perplexe, timide
embarrasser v. ennuyer, gêner
embase v. ciseau
embasement v. soubassement
embastiller v. emprisonner
embaucher v. engager, recruter
embauchoir v. chaussure, forme
embaumement v. cadavre
embaumer v. répandre, sentir
embecquer v. gaver, nourrir
embellie v. beau, brume, calme, mer
embellir v. décorer, enjoliver, enrichir, illuminé, orner, parer, urbanisme
embellissement v. amélioration, modification
emblaver v. blé, semer
emblème v. arme, attribut, image, insigne, représentation, signe, symbole
emboîter le pas v. suivre
embolie v. artère, caillot, vaisseau
embonpoint v. corps, grosseur, ventre
embouche v. pâturage, prairie
embouchoir v. bout
embouchure v. bec, bouche, fleuve, mer, trompette
embouquer v. canal
embourber v. empêtrer, enfoncer, vase
embourser v. recevoir
embout v. bout
embouteiller v. bouteille
emboutir v. heurter
emboutisseuse v. machine
embranchement v. fourche, route
embrasement v. allumage, clarté, incendie
embraser v. brûler, flamme, illuminé, passionner
embrasse v. rideau
embrassé v. rime
embrasser v. choisir, comprendre, partager, recouvrir, religion, saisir, serrer, suivre, voir
embrasure v. fenêtre, mur, ouverture
embrever v. emboîter, joindre
embrigader v. recruter
embrocation v. adoucissant, médicament, pommade
embrocher v. broche
embronchement v. tuile
embroncher v. emboîter
embrouillamini v. quiproquo
embrouillement v. mélange
embrouiller v. brouiller, empêtrer, patauger
embrumer v. brouillard
embrun v. brouillard, mer, pluie
embrunir v. sombre
embryogenèse v. embryon
embryologie v. vie, zoologie
embryon v. commencement, conception, ébauche
embu v. peinture, tableau, terne
embûche v. épine, obstacle
embuer v. humide
embuscade v. attaque, embûche, piège
éméché v. ivre
émeraude v. vert
émergence v. sortie
émergent v. rayon
émerger v. apparaître, élever, paraître, sortir, surface, surgir
émeri v. abrasif, frotter, polir
émerillon v. chaîne
émérite v. fin, habile, savant, supérieur
émerveillement v. admiration, éblouissement, extase
émerveiller v. enthousiaste, stupéfier
émétique v. vomissement
émetteur infrarouge v. commande
émettre v. dégager, diffuser, entendre, exposer, lâcher, rendre, répandre
émeu v. coureur
émeute v. révolte, soulèvement, violence
émigration v. changement, population
émigré v. expatrié
émigrer v. installer, partir, patrie, quitter, réfugier
émincé v. tranche
émincer v. couper, viande
éminemment v. parfaitement
éminence v. cardinal, conseil, pli, savant
éminent v. considérable, émérite, haut, supérieur
émir v. arabe
émissaire v. agent, ambassadeur, canalisation, délégué, mission
émission v. banque, éruption, jet, production, projection, radiation
emmagasiner v. déposer, marchandise, stock
emmanchure v. manche
emmêlement v. mélange
emmêler v. brouiller
emmélie v. danse
emmener v. ravir
emmental v. gruyère
emmétrope v. œil
emmétropie v. vision
emmitoufler v. couvrir
emmurer v. vase
émoi v. agitation, émotion, excitation, inquiétude, trouble
émollient v. adoucissant, apaisement
émolument v. fonctionnaire, paiement, revenu, salaire, traitement
émonctoire v. issue
émondage v. taille
émonder v. branche, couper, raccourcir, rogner, trier
émorfiler v. aiguiser
émotif v. nerveux, sensible
émotion v. sensation, sentiment
émotivité v. sensibilité
émotter v. rouler
émoudre v. aiguiser
émousser v. affaiblir, atténuer, lame, user
émoustiller v. ivre
émouvant v. pathétique
émouvoir v. bouleverser, compatir, inquiéter, pitié, secouer
empaillage v. cadavre, naturalisation
empalement v. torture
empaler v. percer
empan v. doigt, longueur, main
empanacher v. panache
empaqueter v. conditionner, emballer
emparer (s') v. obtenir, prendre, ravir, saisir, voler
empâter v. gaver, grossir
empêchement v. inconvénient
empêcher v. contraindre, défendre, incapable, interdire, neutraliser, prohiber, refuser, retenir, supprimer
empeigne v. chaussure
empenne v. flèche
empereur v. souverain
empesage v. amidon, chemise
empesé v. sérieux, solennel
empester v. empoisonner, répandre, sentir
empêtrer v. embarrasser, patauger

emphase v. enflure, pathétique
emphatique v. compliment, gauche, majestueux, pompeux, sentencieux, solennel
emphysème v. enflure, gonflement, poumon
emphytéose v. bail
empiéter v. mordre
empiler v. entasser, mettre
empire v. autorité, colonie, dépendance, impérialisme, pays, république
Empire du Milieu v. chinois
empirer v. aggraver, pire
empirique v. pratique, raison, scientifique
empirisme v. connaissance, expérience, raison
emplacement v. lieu, place, point, position, situation
emplâtre v. médicament
emplette v. achat
emplir v. occuper, répandre
emploi v. charge, destination, fonction, place, poste, profession, situation, usage, utilité
emploi du temps v. organisation, programme
employé v. bureau, bureaucrate, personnel
employer v. manier, œuvre, passer, prendre, remplir, servir, user, utiliser
employeur v. patron
empocher v. recevoir
empoignade v. bagarre
empoigner v. prendre, saisir, serrer
empointure v. voile
empois v. colle
empoisonnement v. poison
empoisonner v. traître, troubler, venin
emport v. charge
emporté v. impétueux, vif
emportement v. excitation, fureur, passion, promptitude, véhémence
emporte-pièce (à l') v. satirique
emporter v. déchaîner, entraîner, fâcher, indigner, munir, usure, vaincre
emposieu v. gouffre
empourprer v. rougir
empreindre v. colorer, rempli
empreinte v. influence, marque, pas, reconnaissance, revoir, sceau, signe, trace
empressé v. dévoué, galant, serviable, soin
empressement v. accourir, impatience, politesse, précipitation, zèle
empresser (s') v. dépêcher, hâter
emprise v. empire, force, influence, pouvoir
emprisonner v. retenir, vase
emprunt v. imitation, introduction
emprunté v. gauche, timide
emprunter v. disposer, imiter, prendre, répéter, suivre, tiré, utiliser
empuantir v. empoisonner, répandre, sentir
empyrée v. ciel
empyreume v. feu, odeur
ému v. affecté, ébranler, saisir, toucher, troublé
émulation v. concurrence, zèle
émule v. adversaire, compétition, concours
émulsifiant v. conservateur
émyde v. tortue
E.N.A. v. école
enamourer (s') v. amoureux
en-avant v. rugby
en-but v. rugby
encadrer v. accompagner
encaissement v. banque
encaisser v. percevoir, recevoir, recouvrer, supporter, toucher
encan (à l') v. vente
encart v. publicitaire
encarter v. insérer
en-cas v. collation, repas
encastelure v. sabot
encastrer v. emboîter
encaustique v. cire
enceinte v. contour, fortification, haut-parleur, intéressant, limite
encens v. gomme, mage, résine
encensement v. compliment
encenser v. accorder, couvrir, flatter, louange
encensoir v. brûler, encens
encéphale v. nerveux
encéphalocèle v. monstruosité
encercler v. siège
enchaînement v. déroulement, fil, ordre, réunion, succession
enchaîner v. esclavage, fer, rattacher, retenir, soumettre, succéder, unir
enchanté v. heureux, ivre
enchantement v. bonheur, charme, éblouissement, illusion, incantation, ivresse, sort
enchanter v. plaire, ravir, réjouir
enchanteur v. agréable, magicien, pittoresque, splendide
enchâsser v. bague, emboîter, insérer, monter
enchatonner v. bague, insérer
enchère v. offre, saisie, vente
enchérisseur v. achat
enchevêtrement v. complication, désordre, mélange, réseau
enchevêtrer v. brouiller, difficile, embrouiller
enchifrené v. rhume
enchifrènement v. embarras
enchondral v. ossification
Encke v. comète
enclaver v. entourer
enclin v. porter, sujet, tendance
enclos v. barrière, parc
enclume v. forge
enclume maréchale v. enclume
encoche v. entaille, marque
encocher v. arc
encoder v. code
encoignure v. angle, coin, meuble
encollage v. peinture
encombrant v. fatigant, pesant
encombrement v. bouchon
encombrer v. bloquer, embarrasser, gêner, obstruer
encorbellement v. balcon, maison, saillie
encoubler (s') v. empêtrer
encouragement v. excitation
encourager v. accompagner, applaudir, appuyer, participer, protéger, seconder, soutenir, stimuler, supporter
encourir v. exposer, mériter, subir
encrasser v. sale
encrassement v. peinture
encrivore v. encre
encyclique v. bulle, constitution, décret, lettre, papauté
encyclopédie v. connaissance, dictionnaire
endémie v. épidémie
endémique v. maladie
endêver (faire) v. rage
endiablé v. impétueux, joyeux
endiguer v. arrêter, contenir
endimancher v. habiller
endocarde v. enveloppe, membrane
endocardite v. cœur
endocarpe v. fruit
endoctrinement v. secte
endoctriner v. conditionner
endogamie v. caste
endogène v. mortalité, roche
endommager v. abîmer, accrocher, ébrécher, meurtrir, nuire, user
endormi v. engourdi, silencieux
endormir v. apaiser, calmer, vaincre
endos v. dos
endoscope v. éclairage, exploration
endosser v. chèque, mettre, signer
endroit v. adresse, côté, lieu, opposé, place, point
enduire v. frotter, recouvrir
enduit v. émail, impression, peinture, résine, vernis
endurance v. fond, force, persévérance, résistance, santé, souffle
endurant v. patient
endurci v. insensible
endurcir v. durcir, former, fortifier, habituer
endurer v. accepter, essuyer, infliger, recevoir, souffrir, soutenir, subir, supporter, vivre
enduro v. motocyclette
endymion v. jacinthe
***Énéide* (l')** v. récit
énergétique v. énergie
énergie v. électricité, force, mordant, ressort, sève, vie, vigueur
énergique v. décidé, dynamique, puissant, robuste
énergumène v. furieux
énervant v. supporter
énervation v. supplice
énervé v. irrité
énervement v. impatience, nervosité
énerver v. exaspérer, fâcher
enfance v. âge
enfant v. descendant
enfantement v. accouchement, reproduction
enfanter v. accoucher
enfantillage v. enfant
enfantin v. elémentaire, facile
enfer v. bibliothèque, damné, diable, souffrance, supplice
enfermer v. emprisonner, isoler
enferrer v. mensonge
enfieller v. fiel
enfilade v. file, suite
enfin v. bref
enflammé v. flamme, irrité, zélé
enflammer v. allumer, animer, brûler, enthousiasmer, passionner, remplir, rougir, stimuler
enflé v. bouffi, gonfler, prétentieux,
enfler v. exagérer, grossir, remplir
enfleurer v. parfum
enfoncement v. dépression, niche
enfoncer v. appuyer, briser, empêtrer, pénétrer, planter, plonger, presser, renverser, sombrer
enforcir v. consolider
enfouir v. enfoncer, enterrer, garder, plonger
enfourchement v. menuiserie
enfourner v. four
enfourneuse v. pelle
enfreindre v. désobéir, entorse, oublier, passer, transgresser, violer
enfuir (s') v. bout, cesser, courir, envoler (s'), évader (s'), partir, réfugier (se)
engagé v. militaire
engageant v. familier, sociable, sympathique
engagement v. accouchement, escarmouche, obligation, participation, promesse, recruter, rencontre, serment, vœu
engager v. choisir, déterminer, embaucher, entreprendre, inviter, lancer, loger, mettre, participer, pénétrer, prendre, recruter, solliciter
engeance v. catégorie, race
Engels v. marxiste
engelure v. froid
engendrement v. reproduction
engendrer v. concevoir, naître, produire, provoquer, soulever
engin v. appareil, instrument, machine, outil
engineering v. usine
englober v. comprendre, compter, embrasser
engloutir v. absorber, avaler, dépenser, enfoncer, enterrer, manger, noyer, sombrer
engoncer v. gêner
engorgement v. bouchon
engorger v. obstruer
engouement v. admiration
engouer (s') v. passionner
engouffrer v. consommer, engloutir, entrer, manger
engourdi v. immobile, insensible
engourdir v. paralyser, rouiller
engourdissement v. inaction, sommeil, stupeur, torpeur
engrais v. azote, nitrate
engraisser v. gaver, grossir, nourrir
engranger v. réserve
engraver v. échouer, fond, sable
engrenage v. entraînement
engrener v. emboîter, engraisser
enguichure v. bouclier
enhardir v. encourager, permettre, stimuler
énigmatique v. difficile, incompréhensible, mystérieux, obscur
énigme v. complexe, problème
E.N.I.T.A. v. école
enivrant v. fort
enivrement v. vertige
enivrer v. boire, étourdir, ivre, passionner, remplir
enjambée v. marcher, pas
enjamber v. franchir, passer, sauter
enjeu v. jeu, mise
enjoindre v. commander, demander, ordonner, prescrire, prier
enjôler v. attirer, attraper, charme
enjôleur v. affectueux
enjoliver v. décorer, embellir, orner

enjoué v. gai, joyeux
enjouement v. gaieté, humeur
enlacement v. caresse
enlacer v. embrasser, entourer, serrer, tenir
enlaidir v. gâter
enlèvement v. délit, stationnement
enlever v. arracher, confisquer, découvrir, déposer, déposséder, disparaître, emparer (s'), emporter, extraire, ôter, priver, quitter, ravir, sortir
enlevure v. relief
enliser v. empêtrer, enfoncer
enluminer v. colorer, majuscule, rouge
enlumineur v. manuscrit, peintre
enluminure v. décoration, illumination, illustration, ornement
ennéade v. neuf
ennéagone v. neuf
ennemi v. rival
ennoblir v. relever
ennui v. épine, événement, inconvénient, misère, souci, tracas
ennuyer v. déplaire, inquiéter, interrompre
ennuyeux v. dommage, monotone, mortel, second, sinistre
énoncé v. phrase, raisonnement
énoncer v. dire, entendre, exposer, fixer, mention, poser, réciter
énonciation v. énoncer
enoplion v. danse
enorgueillir v. flatter, vanité
énorme v. excessif, extraordinaire, immense, infini
enquérir (s') v. chercher, demander, informer, interroger, questionner, savoir
enquête v. consultation, inquisition, interrogation, investigation, questionnaire, recherche, sondage
enquêter v. informer, renseignement
enquêteur v. police
enraciner v. consolider, installer, racine, solide
enragé v. fanatique, furieux, irrité, violent
enrager v. rage
enrayer v. arrêter, freiner, neutraliser
enrayure v. charrue
enrégimenter v. recruter
enregistrement v. acte, avion
enregistrer v. constatation, inscrire, noter, pointer, recueillir
enrichir v. embellir, fertile, gagner, nourrir, orner
enrichissement v. illustration, profit
enrober v. entourer, recouvrir
enrôlement v. recruter
enrôler v. embaucher, recruter
enrouement v. voix
enrouer v. sourd
enroulement v. spirale
enrouler v. embobiner, entourer, rouler
E.N.S.A. v. école
ensabler v. échouer, fond, sable
ensacher v. emballer
ensanglanter v. rougir
ensecter v. conditionner
enseignant v. éducateur, professeur, rabbin
enseigne v. commerce, drapeau, faveur
enseignement v. conclusion, doctrine, leçon, morale, rabbin, récit
enseigner v. apprendre, expliquer, indiquer, montrer, perpétuer, prêcher, propager, savoir
ensemble v. batterie, compagnie, gros, orchestre, pâté, répétition, réunion, système, tricoter, univers, variété
ensemblier v. décor, ensemble
ensemencement v. reproduction
ensemencer v. planter, répandre, semer
enserrer v. contenir, emprisonner, entourer, serrer
enseuillement v. fenêtre
ensevelir v. cadavre, recouvrir
ensevelissement v. enterrement
E.N.S.I v. école
ensilage v. fourrage, maïs
ensimer v. huiler
ensoleillé v. illuminé
ensorceler v. briller, enchanter, fasciner, jeter, magnétiser, ravir, séduire, subjuguer
ensorcellement v. charme
enstérage v. empilage
ensuite v. peu
ensuivre (s') v. résultat
entablement v. couronnement, saillie
entablure v. ciseau
entacher v. déshonorer, honneur, salir
entaille v. blessure, marque
entailler v. fente
entailleur v. sculpture
entame v. jambon, morceau
entamer v. aborder, acide, attaquer, brèche, ébaucher, ébranler, ébrécher, engager, entreprendre, initiative, mordre, ouvrir
entamure v. entaille
entassement v. accumulation, empilage, foule, pile, pyramide, réunion
entasser v. amasser, concentrer, presser, serrer
ente v. branche, greffe, manche
entendement v. compréhension, esprit, intellectuel, intelligence, penser, phénomène, raison
entendre v. comprendre, percevoir, reconnaître
entente v. amitié, compréhension, fraternité, intelligence, réunion, terme, union
enter v. assembler, insérer
entérinement v. sanction
entériner v. adopter, approuver, confirmer, valider
entérite v. colique, intestin
enterrement v. funèbre
enterrer v. recouvrir
entêté v. tenace, têtu
entêtement v. obstination, opiniâtreté
entêter v. persévérer
enthousiasme v. chaleur, cœur, excitation, feu, frénésie, fureur, ivresse
enthousiasmer v. emballer, plaire, ravir, séduire
enthousiaste v. cordial, fanatique, romantique, zélé
enticher (s') v. amoureux, fou, passionner
entier v. brutal, intact, intégral, nombre, nuance, plein, réserve, rond, total
entièrement v. fond, parfaitement
entièreté v. complet
entité v. abstraction
entomologie v. insecte, naturel
entomophage v. insecte
entomophile v. plante
entomophilie v. pollen
entomostracés v. crustacé
entonner v. chanter, commencer, tonneau, verser
entonnoir v. trou, ustensile
entorse v. articulation, blessure, brèche, contravention, écart, fouler
entortiller v. compliqué
entourage v. environnement, milieu
entourer v. embrasser, encadrer, encercler
entournure v. manche
entozoaire v. ver
entracte v. intervalle, pause, repos
entraide v. bienfaisance, solidarité
entrailles v. sein
entrain v. activité, cœur, enthousiasme, gaieté, humeur
entraînant v. gai, joyeux
entraînement v. pratique
entraîner v. amener, emporter, former, mener, pousser, produire, provoquer, résultat, soulever
entrait v. ferme
entrapercevoir v. apercevoir
entrave v. complication, contradiction, lien, obstacle
entraver v. arrêter, contraindre, contrarier, échec, empêtrer, gêner
entre autres v. notamment
entrebâillement v. ouverture
entrebâiller v. ouvrir
entrebâilleur v. fenêtre
entrechat v. danse, gambade, saut
entrechoquer (s') v. heurter
entre-deux v. broderie, intermédiaire
entrée v. ballet, dictionnaire, hall, porche, repas
entrefilet v. commentaire, journal, paragraphe
entregent v. habileté, savoir-faire, tact
entrelacement v. nœud
entrelacs v. réseau
entremetteur v. intermédiaire, mariage
entremettre (s') v. intervenir, introduire, mêler
entremise v. intermédiaire, intervention, réconcilier
entreposer v. marchandise
entrepôt v. abri, dépôt, douane, hangar, magasin, réserve, stock
entreprenant v. actif, dynamique, positif
entreprendre v. attaquer, démarrer, engager, initiative, ouvrir
entrepreneur v. homme d'affaires, industriel, maison, nationaliser, patron
entreprise v. fabrique, industrie, organisation, société
entrer v. intégrer, pénétrer
entretenir v. animer, conserver, cultiver, maintenir, nourrir, occuper, ruminer, soigner, soutenir
entretenu v. propre
entretien v. conversation, dialogue, entrevue, interview
entrevoir v. apercevoir, deviner, pressentir, soupçonner
entrevous v. plâtre
entrevue v. réconcilier, rencontre, visite
entrisme v. pénétration
entropion v. paupière
entrouvert v. bâiller, fente
entrouvrir v. ouvrir
énucléer v. enlever, noyau, œil
énumération v. compte, compter, description, liste, recensement, répertoire
énumérer v. indiquer, nommer
énurésie v. urine
envahir v. emparer (s'), entrer, remplir, répandre
envahissant v. sans-gêne
envahissement v. infiltration, inondation, invasion, occupation
envaser v. échouer, vase
enveloppe v. bulletin, capsule, coque, couverture, mur, pellicule, revêtement, robe
enveloppement v. escrime
envelopper v. baigner, entourer, recouvrir, rouler
envenimé v. fiel
envenimer v. aggraver, gâter, venin
envergure v. étendue, largeur, rayon, valeur
envers v. derrière, inférieur, monnaie, opposé, revers
envi (à l') v. mieux
enviable v. bon, brillant
envider v. bobine
envie v. ambition, besoin, caprice, cupidité, démangeaison, fantaisie, fraise, ongle, soif, tache
envieux v. jaloux
environ v. près
environnement v. ambiance, cadre, milieu, nature
environnementaliste v. environnement
environner v. embrasser, encercler, entouré, entourer
environ v. périphérie
envisageable v. possible
envisager v. imaginer, penser, prendre, prévoir, projeter, regarder, songer, supposer, voir
envoi v. expédition
envol v. départ, essor, vol
envoler (s') v. évanouir (s')
envoûtement v. charme, hypnose, incantation, magique
envoûter v. conquérir, enchanter, ensorceler, fasciner, jeter, séduire, subjuguer
envoyé v. ambassadeur, délégué
envoyer v. adresser, diriger, expédier, jeter, lancer, rabrouer
enzootie v. épidémie
enzyme v. biochimie, digestion, ferment, protéine
éolien v. grec
éolienne v. énergie
épacte v. âge, lune
épais v. lourd, pesant, profond, sirop
épaisseur v. densité, dimension
épaissir v. condenser, durcir, engraisser, prendre
épanchement v. débordement, écoulement, expansion, sentiment
épancher v. communiquer, confier, couler, répandre, verser

épandeur v. fumier
épandre v. étaler, répandre, verser
épanneler v. ébaucher, sculpter
épanoui v. gai, gros, heureux, large, ouvert
épanouir v. fleurir, ouvrir, réaliser
épanouissement v. adulte, expansion, naissance, plénitude
épar v. barre
épargne v. accumulation, bas, économie, réserve
épargner v. éviter, ménager
éparpiller v. dissiper, envoler (s'), jeter, répandre, rompre, semer
épartir v. répandre
épatant v. étonnant, formidable, unique
épaufrure v. éclat
épaule v. attache, bras, plateforme
épaulement v. pneu
épauler v. appuyer, recommander, soutenir, supporter
épave v. débris, ruine
épaviste v. épave
épeautre v. blé
épée v. Académie, escrime, fer, noblesse
épeire v. araignée
épeler v. lire, mot
épenthèse v. lettre
éperdu v. extrême, troublé
éperdument v. folie
éperon v. appui, griffe
éperonner v. exciter, piquer, stimuler
éperverie v. épervier
épervier v. filet
éphèbe v. adolescent, garçon
éphélide v. peau, son, tache
éphémère v. court
éphemère v. fragile
éphémère v. court, fragile, jour, moment, mouche, passager, périssable, variable
éphéméride v. bureau, calendrier, chronologie, jour, zodiaque
éphémérophyte v. plante
éphod v. hébreu
épi v. touffe
épiage v. épi
épicarpe v. fruit
épice v. aromate, don
épicé v. fort
épicéa v. parquet, sapin
épicène v. genre
épicentre v. tremblement de terre
épicer v. relever
épicurien v. sensuel
épicurisme v. jouissance, plaisir
épidémie v. contagion, maladie, peste
épidémiologie v. épidémie
épiderme v. enveloppe, peau
épididyme v. testicule
épier v. contrôler, épi, espionner, fixer, guetter, observer, surveiller
épieu v. bâton
épigastre v. abdomen, estomac
épigénie v. géologique
épiglotte v. larynx
épigone v. héritier
épigramme v. attaque, flèche, moquerie, mot, satirique, trait
épigraphe v. inscription, monument
épigraphie v. archéologie, inscription
épilepsie v. convulsion, spasme
épillet v. épi
épilogue v. conclusion, fin
épiloguer v. conclure, objection
épinaie v. buisson
épine v. piquant, pointe
épine dorsale v. colonne vertébrale
épinette v. cage, piano, poulet, sapin, volaille
épingle v. chemise, cravate, virage
épinglé v. velours
épingler v. piquer
épinglerie v. épingle
épinglette v. broche
épinglier v. épingle
Épiphanie v. apparition, carnaval, fève, jour, mage, roi
épiphénomène v. phénomène
épiphonème v. exclamation
épiphora v. larme
épiphyse v. cerveau, os
épiphyte v. orchidée
épiphytie v. épidémie, maladie
épiploon v. foie
épique v. héroïque, romanesque
épirogenèse v. géologique
épiscopat v. évêque, majeur
épisode v. division, événement, incident, péripétie, phase, récit
épisser v. assembler, joindre
épissoir v. poinçon
épistasie v. gène
épistaxis v. hémorragie, nez, saignement, sang
épistémologie v. science
épistolaire v. correspondance, lettre
épitaphe v. inscription, tombe
épithalame v. chant, mariage
épithélioma v. cancer
épithélium v. épiderme, membrane, tissu
épithète v. adjectif
épitoge v. magistrat, robe, toge
épitomé v. abréger, livre, résumé
épître v. apôtre, lettre
épitrope v. concession
épizootie v. épidémie, maladie
éplucher v. décortiquer, dépecer, peler
épluchure v. déchet
épode v. satirique
époi v. bois
épointer v. aiguiser, casser, user
éponge v. plomb
éponger v. essuyer, tamponner
éponte v. paroi
éponyme v. héros, nom
épopée v. chanson, conte, geste, récit
époque v. étape, période, saison, siècle, temps
épouiller v. pou
époumoner (s') v. essouffler (s'), hurler, poumon
épousailles v. mariage, noce
épouser v. autel, embrasser, mouler, soutenir
épousseter v. battre, essuyer, poussière
époussette v. brosse
épouvantable v. affreux, exécrable, formidable, mauvais, supporter
épouvante v. crainte, frayeur, horreur, panique, peur, terreur
épouvanter v. effrayer, inquiet
époux v. mari, prince
épreindre v. citron
épreintes v. colique
éprendre (s') v. amoureux, passionner, tomber
épreuve v. cliché, compétition, contrôle, essai, examen, exemplaire, expérience, image, interrogation, mal, photographie, rencontre, reproduction, sursis, test
épris v. aimer, fou, passionné
éprouvé v. malheureux, sûr
éprouver v. constater, essuyer, peiner, percevoir, recevoir, sentir, subir, vérifier
éprouvette v. essai, tube, vase
épuisant v. fatigant
épuisé v. bout
épuisement v. extinction
épuiser v. crever, essouffler (s'), flanc, peiner, surmener, user
épuisette v. filet, pêche
épulide v. tumeur
épuration v. parti, pétrole, plomb, purge
épure v. architecte, condensé, dessin
épuré v. simplifié
épurer v. assainir, filtrer, perfectionner, raffiner, rectifier
équanimité v. égalité, humeur, indifférence, sagesse
équarrir v. carré, dresser, polir, tailler
équarrissage v. bois
équateur v. cercle, ligne
équatorial v. chaud, climat, équateur, tropical
équerre v. angle, appui, géométrie, potence
équiangle v. triangle
équidistant v. égal
équilatéral v. égal, triangle
équilibre v. assiette, égalité, nageoire, plongeon, pondération, proportion, rythme, unité
équilibré v. stable
équilibrer v. assainir, compenser, neutraliser
équinoxe v. égal, équateur, jour, saison
équipage v. convoi, suite, vaisseau
équipe v. collaboration
équipée v. escapade, folie
équipement v. armement, bagage, installation, matériel, organe, outil
équiper v. aménager, industrialiser, monter, munir, pourvoir, prendre
équitable v. égal, exact, juste
équité v. justice
équivalence v. identité, ressemblance
équivalent v. analogue, conforme, égal, identique, semblable
équivaloir v. valoir
équivoque v. ambigu, clair, double, énigmatique, faux, figue, indécis, interprétation, louche, malentendu, obscur, sens, suspect, vague
érable v. marqueterie, quille
éradiquer v. arracher
érafler v. accrocher, blesser, déchirer, écorcher, griffer
éraflure v. égratignure
éraillement v. paupière
éraillure v. marque
Érard v. harpe
Érato v. poésie
ère v. âge, civilisation, époque, géologique, période, temps
érection v. construction
éreintant v. dur, fatigant, pénible, rude
éreinter v. briser, démolir, épuiser, flanc, maltraiter, surmener, travailler
éréthisme v. excitation, passion, tension
éreuthophobie v. rougir
erg v. désert
ergastule v. prison
ergocratie v. travail
ergométrie v. travail
ergonomie v. travail
ergot v. branche, champignon, éperon, griffe, noir, seigle
ergoter v. bête, couper, objection, tailler
ergoterie v. chicane
ergoteur v. chicaner, pointilleux
ergothérapie v. travail
éricacées v. rhododendron
ériger v. bâtir, construire, dresser, édifier, élever, faire, fonder, poser
Érinyes v. déesse, furie
éristique v. controverse
ermite v. moine, religieux, seul
éroder v. user
érogène v. sexuel
Éros v. arc, flèche
érosion v. relief, usure
érotique v. sensuel
érotisme v. plaisir
errance v. nomade, voyage
errant v. vagabond
errata v. erreur, faute, liste
erratique v. douleur, intermittent
errer v. aller, battre, déplacer, marcher
erres v. cerf, piste, trace
erreur v. étourderie, faute, ignorance, illusion, impression, inexactitude, infidélité, irrégularité, négligence, statistique, vanité
erroné v. faux, mauvais
ersatz v. produit, substitution
érubescence v. rougir
éructation v. renvoi, rot
éructer v. aboyer, cracher, vomir
érudit v. compétent, culture, puits, savant
érudition v. connaissance, savoir, science
éruption v. activité, apparition, inflammation, jet, volcan
érythème v. congestion
ès v. docteur
esbigner (s') v. partir
escabeau v. échelle, tabouret
escabelle v. banc
escadre v. flotte
escadrille v. avion, flotte
escadron v. armée, cavalerie
escalade v. alpinisme
escalader v. franchir, grimper, passer
escale v. arrêt, étape, halte, voyage
escalope v. tranche
escamotage v. prestidigitation, tour
escamoter v. disparaître, éviter
escamoteur v. adresse, voleur
escapade v. folie
escarbille v. cendre, houille
escarcelle v. bourse, sac

escargot v. mollusque
escargotière v. escargot
escarmouche v. combat, engagement, rencontre
escarpe v. fossé
escarpé v. difficile
escarpin v. chaussure
escarpolette v. balancer
escarre v. brûlure
eschatologie v. dernier, fin
esche v. appât, pêche
Eschyle v. tragédie
esclaffer (s') v. éclater, rire
esclandre v. scandale, scène
esclavage v. servitude, soumission
esclave v. prisonnier, valise
escompte v. avance, banque, diminution, intérêt, rabais
escompter v. attendre
escorte v. convoi, garde du corps, suite
escorter v. accompagner, conduire, encadrer, suivre
escouade v. armée, équipe, groupe
escourgeon v. orge
escrimer (s') v. efforcer (s')
escroc v. malfaiteur, malhonnête, pirate
escroquer v. tromper, voler
escroquerie v. abus, fraude
Esculape v. médecine
ésotérique v. difficile, enseignement, hermétique, initiation, mystérieux, obscur, secret
ésotérisme v. religion
espace v. astronautique, blanc, durée, étendue, fente, ouverture, place, Univers, vide, zone
espacement v. distance
espadon v. épée
espagnol v. roman
espagnolette v. fenêtre
espalier v. galère
espar v. drapeau
espèce v. catégorie, classer, comptant, effectif, essence, genre, nature, race, série, sorte
espérance v. ancre, espoir, héritage, ressource, vertu
espéranto v. langue
espérer v. désirer, penser
esperluette v. signe
espiègle v. astucieux, fripon, malicieux
espion v. agent, glace, renseignement
espionnage v. crime
espionner v. contrôler, épier, observer, renseignement, surveiller
esplanade v. place
espoir v. attente
esponton v. pique
espringale v. fronde
esprit v. âme, fantôme, humeur, humour, imagination, intellectuel, intelligence, pensée, raison, sel
esprit-de-bois v. alcool
esprit de corps v. fraternité
esquif v. bateau, embarcation
esquille v. éclat, os
esquinter v. démolir, maltraiter
esquipot v. tirelire
esquisse v. abréger, commencement, contour, dessin, ébauche, étude, façon, jet, premier, projet, schéma
esquisser v. timide, tracer
esquiver v. échapper, enfuir (s'), éviter, fuir, parer, sortir, soustraire
essai v. audition, épreuve, étude, expérience, marquer, recherche, rugby, tentative
essaim v. groupe, météorite, quantité
essaimer v. ruche
essanger v. laver
essart v. terrain
essartage v. friche
essarter v. arracher
essayer v. vérifier
essayiste v. auteur, écrivain
esse v. accrocher, pendre
essence v. carburant, concentré, distillation, extrait, idée, nature, parfum, qualité, racine, raffiné, substance
essentage v. mur
essentiel v. capital, caractéristique, cardinal, élémentaire, fait, fondamental, important, majeur, nécessaire, premier, principal, radical, substance, universel
esseulé v. seul
esseulement v. isolement
essieu v. axe
essor v. croissance, vol
essorer v. exprimer
essorillement v. supplice
essoriller v. couper, oreille
essoucher v. arracher
essouffler v. haletant, souffle
essuie-mains v. serviette
essuyer v. poussière, recevoir, reproche, subir
est v. orient
estacade v. barrage, jetée
estafilade v. blessure, entaille
estagnon v. huile, vin
estaminet v. bar, café
estampe v. figure, gravure, image
estamper v. exploiter, imprimer, relief, sceau
estampille v. cachet, contrôle, marque, poinçon, sceau, tampon
estancia v. domaine
ester v. justice, poursuivre, procès, vin
esthète v. amateur, art
esthétique v. art, beauté, civilisation, plastique, urbanisme
estimation v. coût, détermination, évaluation, statistique, supposition
estime v. faveur, réputation, respect, sympathique
estimer v. admirer, apprécier, calculer, cas, compter, considérer, croire, déterminer, juger, mesurer, penser, peser, populaire, regarder, sentir, trouver, valeur, valoir
estivant v. touriste, vacance
estivation v. chaleur
estive v. charge, montagne
estoc v. épée, pointe
estocade v. corrida
estomac v. ventre
estomper v. cesser
estrade v. plate-forme, scène
estran v. marée
estrapade v. torture
estrope v. fouet
estropier v. amputer, blesser, écorcher
estuaire v. bouche, fleuve, golfe
estudiantin v. étudiant
étable v. bâtiment, ferme
établer v. étable
établi v. fixe, menuisier, ordinaire, sûr, table
établir v. bâtir, constater, constituer, créer, démontrer, dresser, édifier, fixer, fonder, habiter, installer, ouvrir, poser, prouver, rédiger
étage v. géologique, marée
étagère v. buffet, rayon
étai v. appui, renfort, support
étaim v. laine
étain v. métal
étainier v. étain
étal v. boucher, table
étalage v. boutique, débauche, démonstration, exhibition, haut-fourneau, ostentation, rayon
étalagiste v. décor, vitrine
étale v. lisse, marée, mer, stationnaire
étaler v. afficher, appliquer, briller, couler, développer, étendre, exposer, montrer, proposer, répartir, valoir
étalingure v. chaîne
étalon v. cheval, critère, modèle, monétaire, type, unité
étalonner v. vérifier
étamage v. étain
étamine v. drapeau, filtrer, fleur, mâle, pollen, reproduction, sauce
étampure v. trou
étanche v. hermétique, imperméable
étancher v. apaiser, calmer, éteindre, passer, satisfaire, sécher, tamponner
étançon v. appui, charrue, renfort, support
étançonner v. appuyer, soutenir
étang v. lac, pièce
étape v. arrêt, course cycliste, degré, époque, halte, pas, période, phase, stade, voyage
État v. droit, nation, pays, province, public, république
état v. facture, situation, sort, verbe
état civil v. archives, droit, mairie
étatisation v. État
étatisme v. capitalisme, communisme, État, socialiste
état-major v. commandement, direction, militaire
étayer v. appuyer, assurer, consolider, justifier, maintenir, soutenir
été v. vacance
éteignoir v. cierge, trouble-fête
éteindre v. annuler, apaiser, cesser, décéder, étouffer, expirer, mourir
éteint v. terne, usé
étendard v. enseigne
étendre v. agrandir, allonger, appliquer, développer, élargir, gagner, mélanger, prolonger, propager, reculer, renverser, répandre
étendu v. grand, large
étendue v. dimension, domaine, espace, plaine, proportion, rayon, registre surface
Étéocle v. frère
éternel v. immortel, perpétuel
éterniser v. demeurer, durer, traîner
éternité v. dieu, futur, religion, temps
étésien v. périodique
étêtage v. taille
étêter v. arbre, couper
éteuf v. balle
éteule v. paille
éthanol v. vin
éther v. air, anesthésie, ciel, espace
éthéré v. léger
éthérisation v. éther
éthérisme v. éther
éthéromanie v. éther
éthique v. morale
ethnie v. humain, peuple, race
ethnocide v. anéantissement, destruction, extermination
ethnographie v. description peuple
ethnologie v. homme, mœurs, peuple, société
ethnologue v. culture
ethnopsychiatrie v. psychiatrie
éthologie v. animal, zoologie
éthylisme v. alcoolisme, ivresse
étiage v. baisse, fleuve, régime, rivière
étincelant v. brillant, éclatant, lumineux, splendide, vif
étinceler v. briller, chatoyer
étincelle v. éclair, flamme, rayon
étiolement v. décoloration, épuisement, ruine, santé
étioler v. affaiblir, dégénérer, dépérir, faible, perdre
étiologie v. cause, maladie
étique v. chair, maigre, sec, squelette
étiqueter v. classer, désigner, enregistrer
étiquette v. cérémonie, contenu, description, formalité, politesse, règle, savoir-vivre
étirer v. allonger, étendre
Etna v. volcan
étoc v. rocher
étoffe v. dossier, rideau, sujet, valeur
étoffer v. nourrir
étoile v. astre, ballet, croisement, danseur, vedette
étole v. fourrure
étonnant v. drôle, exception, extraordinaire, incroyable, inouï, original, pair, sensationnel, singulier
étonné v. ébahi, stupéfait
étonnement v. diamant, stupeur, surprise
étouffant v. lourd
étouffé v. mat, sourd
étouffement v. asthme
étouffer v. bâillonner, écraser, enterrer, éteindre, étrangler, noyer, opprimer, refouler, respirer, retenir, taire, vaincre
étouffoir v. pain
étouper v. boucher
étourderie v. attention, défaut, distraction, imprudence, oubli
étourdi v. distrait, imprudent, insouciant
étourdir v. évader (s')
étourdissant v. fatigant, sensationnel
étourdissement v. éblouissement, vapeur, vertige
étrange v. curieux, drôle, énigmatique, étonnant, inattendu, incroyable, inouï, mystérieux, singulier, spécial
étranger v. inconnu
étranglement v. cou, étouffement, fleuve
étrangler v. étouffer, respirer
être v. personne, réalité, sujet
être aux anges v. joie
étreindre v. embrasser, entourer, saisir, serrer, tenir
étreinte v. caresse, étau
étrenne v. cadeau, don, gratification, salaire
étrenner v. employer
étrésillon v. appui, tranchée
étresse v. carte

étrier v. montagne, renfort, store
étrille v. brosse, crabe
étriller v. battre, frotter
étriqué v. borné, étroit, juste, médiocre, mesquin, minable
étrivière v. étrier
étroit v. borné, mesquin, stupide
étroitesse v. petitesse
étronçonner v. tailler
étude v. agence, analyse, bureau, carton, conception, critique, délibération, dessin, enquête, examen, notaire, observation, piano, recherche, réflexion, sondage, traité
étudiant v. université
étudié v. affecté, faux, recherché, soigné, sophistiqué
étudier v. apprendre, cultiver, explorer, réfléchir, tâter, traiter
étui v. boîte, cartouche, fourreau, gaine
étuve v. bain, chaud, sécher, stérilisation, vapeur
étuvée (à l') v. cuire
étymologie v. mot, origine, racine
eucaryote v. cellule
eucharistie v. autel, bénit, catholicisme, communion, fraction, hostie, messe, pain
euchromosome v. chromosome
eucologe v. liturgie, livre, paroisse
eudémonisme v. bonheur, plaisir
eudiomètre v. gaz
eugénate v. amalgame
eugénisme v. humain, race, sélection
eugénol v. dentaire
Euménides v. furie
eunuque v. châtrer, gardien, homme, neutre, sexe
eupeptique v. digérer, digestion
euphémisme v. mot, périphrase, précaution
euphonie v. harmonie, son
euphorbiacées v. ricin
euphore v. caoutchouc
euphorie v. béatitude, bien-être, joie, plaisir, satisfaction
euphorisant v. drogue
Euphrosyne v. grâce
euphuisme v. langage, recherche
eurasien v. métis
eurêka ! v. trouver
Euripide v. tragédie
European Currency Unit (écu) v. monétaire
Eurovision v. télévision
eurythmie v. équilibre, harmonie, rythme, son
Euterpe v. musique
euthanasie v. abréger, mort
euthérien v. mammifère
évacuation v. écoulement, issue
évacuer v. abandonner, éliminer, expulser, partir, quitter, sortir, vider
évader (s') v. cadre, échapper, enfuir (s'), étourdir, libérer, partir, sauver
évaluation v. coût, détermination, recensement, statistique
évaluer v. apprécier, calculer, comparer, compter, considérer, estimer, examiner, juger, mesurer, peser, valeur
évanescent v. évanouir (s')
évangéliaire v. liturgie, messe
évangélisation v. apôtre, colonisation, disciple, mission
évangéliser v. convertir, prêcher, religion
évangéliste v. convertir, saint
Évangiles v. nouveau, récit
évanouir (s') v. cesser, défaillir, échapper, enfuir (s'), envoler (s'), fondre, perdre
évanouissement v. malaise, syncope, vertige
évaporation v. eau
évasé v. large
évaser v. élargir
évasif v. ambigu
évasion v. fuite
Ève v. paradis
évêché v. bénéfice, évêque, palais
éveil v. veille
éveillé v. intelligent, malin, ouvert, réincarnation, vif
éveiller v. allumer, donner, évoquer, naître, piquer, réveiller, solliciter, stimuler, susciter
événement v. cas, épisode, fait, péripétie, rencontre
événementiel v. événement
éventail v. choix, collection, registre, sélection
éventaillerie v. éventail
éventaire v. panier, plateau, rayon
éventer v. éventail, répandre
éventration v. hernie
éventrer v. forcer
évent v. narine
éventualité v. cas, hypothèse, perspective, possibilité, rencontre
éventuel v. conditionnel, variable
éventuellement v. occasion
évêque v. cathédrale, catholicisme, clergé, pape, prince, religieux
évertuer (s') v. appliquer, chercher, efforcer (s'), épuiser, parvenir, peiner, tâcher, tenter
évidence v. certitude, raisonnement, réalité, vedette, vérité
évident v. apparent, connu, crever, éclatant, transparent, visible
évider v. creuser, vider
évincer v. déposséder, écarter, éliminer, exclure, refuser, supprimer
éviter v. échapper, épargner, interdire, passer, supprimer
évocateur v. pittoresque, suggérer
évocation v. incantation, représentation
évoé v. cri
évolué v. raffiné
évoluer v. modifier, perfectionner
évolution v. adaptation, adolescence, déroulement, devenir, progrès, tour, variation
évolutionnisme v. évolution
évoquer v. aborder, allusion, citer, éveiller, imaginer, montrer, penser, personnifier, représenter, suggérer
evzone v. grec, soldat
exacerbation v. augmentation
exacerber v. accroître, aggraver, aiguiser, exaspérer, exciter, violence
exact v. correct, juste, précis, réel, régulier, rigoureux, sincère, vrai
exactement v. plus
exaction v. action, délit, injuste, malhonnête
exactitude v. horaire, ponctualité, rectitude, véracité, vérité
exagération v. broderie
exagéré v. emphatique, excessif, injuste, raisonnable
exagérer v. forcer, gonfler, grossir, inventer, noircir
exaltant v. ravir
exaltation v. chaleur, convulsion, enthousiasme, excitation, feu, frénésie, ivresse, passion, zodiaque
exalté v. fanatique, inquiet, ivre, romantique
exalter v. accroître, animer, bénir, célébrer, courage, louer, plaire, porter, relever, stimuler, valoir, violence
examen v. analyse, autopsie, brevet, chinois, consultation, contrôle, critique, délibération, enquête, investigation, observation, recherche, renvoi, révision, revue, université, visite
examinateur v. examen
examiner v. assurer, considérer, décortiquer, envisager, étudier, explorer, inspecter, pencher, plonger, réfléchir, regarder, scruter, traiter, vérifier, voir
exanthème v. éruption, urticaire
exaspérant v. supporter
exaspération v. impatience, nervosité
exaspérer v. agacer, énerver, fâcher, irriter
exaucer v. réaliser, satisfaire
excavation v. archéologie, creux, fosse, fouille, grotte, nid, puits, recherche, souterrain, trou
excavatrice v. pelle
excaver v. creuser
excédent v. bénéfice, excès, stock, supplément, surchage, surplus, trop-plein
excéder v. agacer, dépasser, énerver, exaspérer, irriter, passer
excellemment v. parfaitement
excellence v. perfection
excellent v. admirable, unique
exceller v. briller
excentricité v. singularité
excentrique v. bizarre, extraordinaire, original, raisonnable
excepté v. part, sauf
exception v. brèche, réserve
exceptionnel v. anormal, considérable, extraordinaire, fameux, formidable, imprévu, inattendu, merveilleux, singulier, spécial, splendide, unique
excès v. abus, débauche, précipitation, profusion
excessif v. effroyable, emphatique, enfer, énorme, exagéré, extrême, raisonnable
exciper v. exception
excipient v. médicament
excision v. ablation
excitabilité v. sensibilité
excitant v. piquant, stimulant
excitation v. convulsion, ivresse, passion
excité v. turbulent
exciter v. agacer, allumer, animer, attirer, déchaîner, dresser, encourager, éveiller, ouvrir, piquer, provoquer, stimuler, susciter
exclamatif v. adjectif
exclamation v. interjection
exclure v. abstraction, bannir, écarter, éliminer, expulser, interdire, parenthèse, prohiber, refouler, refuser
exclusif v. jaloux, seul, unique
exclusion v. alternative, choix, renvoi, xénophobie
exclusive v. interdit
exclusivité v. monopole
excommunication v. condamnation, foudre
excommunié v. religion
excommunier v. église, exclure
excorier v. blesser, écorcher
excrément v. ordure
excréter v. éliminer
excrétion v. écoulement
excroissance v. grosseur, nœud, relief, verrue
excursion v. voyage
excursionner v. parcourir
excuse v. prétexte, raison, ressource
excuser v. défendre, indulgent, justifier, pardonner, regret, tolérer
exécrable v. désagréable, épouvantable, horrible, lamentable, odieux, sale
exécration v. haine, malédiction
exécrer v. dégoût, détester, haïr, horreur, maudire, vomir
exécutant v. musicien
exécuter v. arme, commande, consommer, faire, fusiller, jouer, mener, obéir, peindre, réaliser, remplir, saisir, satisfaire
exécuteur des basses œuvres v. bourreau
exécuteur des hautes œuvres v. bourreau, torture
exécuteur testamentaire v. testament
exécutif v. comité, pouvoir
exécution v. expédition, façon, facture, interprétation, opération, pratique, saisie, supplice, travail
exécutoire v. acte
exèdre v. conversation
exégèse v. analyse, Bible, commentaire, explication, interprétation, texte
exégète v. interprète
exemplaire v. bon, modèle, numéro, pieux, pilote
exemple v. échantillon, illustration, modèle, règle
exemplifier v. exemple
exempt v. immuniser, net
exempter v. excuser, soustraire
exemption v. amnistie, autorisation, dispense, permission, réforme
exercé v. habile
exercer v. activité, apprendre, entretenir, essayer, étudier, remplir, tenir
exercice v. entraînement, étude, pratique
exérèse v. ablation
exergue v. inscription
exfoliation v. chute
exfolier v. diviser
exhalaison v. odeur, parfum
exhalation v. évaporation
exhaler v. dégager, échapper, pousser, rendre, répandre, respirer, sentir, sortir, suer
exhaure v. épuisement
exhausser v. élever
exhaustif v. complet
exhaustion v. épuiser
exhéréder v. héritier
exhiber v. afficher, étaler, montrer, offrir, porter, pro-

duire, proposer, spectacle
exhibitionnisme v. exhibition, sexualité
exhortation v. appel, conseil, excitation, invitation, sermon
exhorter v. conseiller, encourager, engager, persuader, pousser, prêcher, recommander, solliciter, supplier
exhumer v. cadavre, sortir
exigeant v. difficile, sévère, strict
exigence v. caprice, contrainte, demande, désir, impératif, manifestation, nécessité, obligation, prétention, revendication, volonté
exiger v. demander, prescrire, réclamer, supposer, vouloir
exigu v. étroit, minuscule
exiguïté v. petitesse
exil v. adieu, changement, condamnation, départ, déportation, renvoi, séparation, zodiaque
exilé v. expatrié, immigré, interdit
exiler v. bannir, chasser, déporter, enfuir (s'), expulser, partir, patrie
existant v. réel
existence v. présence, vie
existentialisme v. absurde, existence, littéraire
exister v. demeurer, réalité, vivre
ex-libris v. inscription, livre
exode v. émigration, fuite
exogène v. extérieur, externe, mortalité
exonération v. dispense, exemption
exonérer v. alléger
exophtalmie v. saillie
exorbitant v. effroyable, excessif, incroyable, invraisemblable
exorbité v. orbite
exorcisme v. diable
exorciste v. ordre
exorde v. commencement, entrée
exotérique v. enseignement
exotique v. île
expansif v. communiquer, démonstratif, sentiment
expansion v. décompression, diffusion, dilatation, essor
expansionnisme v. expansion, impérialisme
expansionniste v. colonie, conquérant
expatriation v. changement, émigration
expatrié v. immigré
expatrier v. enfuir (s'), exiler, partir, patrie, quitter, réfugier
expectative v. attente
expectorant v. sirop
expectoration v. toux
expectorer v. cracher, évacuer
expédient v. invention, issue, ressource, soulager
expédier v. adresser, congé, diriger, envoyer, négliger, terminer
expéditif v. sommaire
expédition v. campagne, copie, excursion, exploration, voyage
expérience v. apprentissage, épreuve, goûter, habitude, métier, pratique, recherche, sagesse, tâter, test
expérimental v. chirurgie, expérience, pratique, raison
expérimentation v. essai, expérience, test
expérimenté v. habile
expérimenter v. connaître, éprouver, vérifier
expert v. assurance, compétent, comptable, conseiller, fin, maître, savant, technicien
expertise v. constatation, évaluation
expertiser v. estimer, examiner
expiation v. pénitence
expiatoire v. sacrifice
expier v. compenser, racheter, réparer
expirant v. agonie
expiration v. bail, délai, fin, souffle, soupir, terme
expirer v. âme, cesser, décéder, mourir, respirer
explication v. description, détail, introduction, raison
explicite v. exprimer, facile, franc, net, précis
expliquer v. débrouiller, définir, démontrer, éclairer, exprimer, illustrer, interprétation, justifier, montrer
exploit v. action, arme, fait, performance, record, réussite, succès, vaillance
exploitant v. cultivateur, fermier
exploitation v. colonisation, entreprise, ferme, industrie, terre
exploiter v. cultiver, opprimer, profit, servir, utiliser, valoir
explorateur v. voyageur
exploration v. conquête, découverte, examen, reconnaissance
explorer v. battre, fouiller, inspecter, rechercher, scruter, visiter
exploser v. éclater, emporter, sauter
explosif v. azote, orageux
explosion v. réaction
exportation v. douane, expédition
exposant v. exposition, nombre, puissance
exposé v. argument, compte, conférence, description, état, programme, récit, sujet
exposer v. affronter, danger, découvrir, décrire, définir, développer, énoncer, étaler, expliquer, fixer, flanc, indiquer, jouer, mériter, péril, présenter, publier, raconter, représenter, révéler, spectacle, traiter
exposition v. art, exhibition, foire, manifestation, orientation, récit, salon, situation
exprès v. précis
expressif v. démonstratif, éloquent, signification
expression v. démonstration, forme, formule, locution, parole, physionomie, signe, style, terme, verbe
exprimer v. communiquer, connaître, émettre, énoncer, exposer, manifester, marquer, montrer, parler, peindre, personnifier, présenter, réaliser, refléter, rendre, représenter, respirer, témoigner, tirer, traduire
expropriation v. saisie
expulser v. bannir, déménager, éliminer, évacuer, exclure, partir, refouler, sortir
expulsion v. choix, droit, éruption, renvoi
expurger v. supprimer
exquis v. admirable, bon, délicieux, recherché, suave
exsangue v. blême, livide, sang
exsuder v. couler, suer, transpirer
extase v. béatitude, bonheur, ivresse
extasier (s') v. admirer
extensibilité v. élasticité
extension v. accroissement, agrandissement, dilatation, mouvement
exténuant v. fatigant
exténuation v. épuisement
exténuer v. abattre, accabler, flanc, surmener
extérieur v. boulevard, externe
extériorisation v. expression
extérioriser v. communiquer, connaître, manifester, marquer, montrer
extermination v. anéantissement, destruction
exterminer v. massacrer, périr, pulvériser, supprimer, tuer
externe v. extérieur, médecine, oreille
extincteur v. feu, incendie
extinction v. disparition, extrémité, suppression, voix
extirper v. arracher, extraire
extorquer v. acquérir, arracher, conquérir, escroquer, obtenir
extorsion v. malhonnête
extra v. dépense
extraction v. condition, marbre, naissance, origine, pétrole, race, sang
extrader v. expulser, livrer
extrados v. voilure
extra-fort v. mercerie, ruban
extraire v. arracher, dégager, enlever, isoler, pomper, sortir, tirer
extrait v. essence, fragment, identité, passage, résumé
extra-muros v. mur
extranéité v. étranger
extraordinaire v. énorme, étonnant, exception, extrême, fabuleux, formidable, illustre, imprévu, incroyable, inouï, insolent, invraisemblable, merveilleux, romanesque, sensationnel, singulier, spécial, splendide, superbe, unique
extrasystole v. cœur
extravagance v. conduite, singularité
extravagant v. bizarre, drôle, extraordinaire, fou, grotesque, impossible, original, raisonnable, spécial, stupide, unique
extravaguer v. battre
extravaser (s') v. couler, répandre
extraverti v. démonstratif, échange, extérieur
extrême v. excessif, extraordinaire, haut, infini, intense, profond, record
extrême-onction v. agonie, bénir, communion
extrémiste v. radical, révolutionnaire
extrémité v. bout, partie, pointe, pôle, ressort
extrinsèque v. ajouter, arbitraire, extérieur, externe
exubérance v. débordement, pétulance, vivacité
exubérant v. communiquer, démonstratif
exulcérer v. ulcéré
exultation v. délire, gaieté, joie
exulter v. réjouir
exutoire v. soupape
ex-voto v. reconnaissance, vœu
eye-liner v. maquillage
Ézéchiel v. prophète

Fable v. mythologie
fable v. imagination, invention, légende, récit
fabliau v. fable, récit
fablier v. fable, récit, recueil
fabricant v. industriel
fabrication v. confection, façon, invention, préparation, production
fabricien v. conseil, fabrique
fabrique v. atelier, industrie, jardin
fabriquer v. artificiel, construire, créer, faire, imaginer, inventer
fabuler v. fable, inventer, raconter
fabuleux v. extraordinaire, incroyable, inouï, invraisemblable, romanesque, splendide
fabuliste v. fable
façade v. apparence, mine, vernis
face v. côté, opposé, physionomie, regard, versant
face à face v. nez
face-à-face v. duel, rencontre
face-à-main v. lunette
facétie v. plaisanterie
facétieux v. drôle, facétie, moqueur
facette collée v. dentaire
facetter v. diamant, tailler
fâcher v. brouiller, déchaîner, exaspérer, indigner, irriter, piquer
fâcherie v. désaccord, dispute
fâcheusement v. malheur
fâcheux v. affligeant, désastreux, dommage, fatigant, mauvais, sombre, vilain
facial v. face
faciès v. face, figure, visage
facile v. élémentaire, simple
facilement v. velours
facilitation v. transport
faciliter v. simplifier
façon v. confection, fabrication, facture, invention, manière, simagrée, simple, sorte, travail
faconde v. débordement, éloquence
façonnage v. marbre, vannerie
façonné v. travaillé
façonner v. bâtir, fabriquer, modeler, sculpter
façonnier v. artisan, façon
fac-similé v. copie, reproduction
factage v. facteur, lettre, prix, transport
facteur v. orgue, piano, statistique
factice v. artificiel, emprunt, faux, synthétique
factieux v. rebelle, révolutionnaire
faction v. machination, parti, surveillance
factionnaire v. garde, sentinelle

factorage v. facteur
factorerie v. agence, colonie, commerce
factoriel v. facteur
factotum v. agent, domestique
factuel v. fait
factum v. attaque, critique, récit, satire
facture v. art, compte, écrit, état, fabrication, façon, note, style, technique, travail
facturier v. facture
facule v. soleil
facultaire v. faculté
faculté v. aptitude, capacité, facilité, marchandise, possibilité, pouvoir, prérogative, ressource
fadaise v. conte, frivolité, futile, inutile, platitude, sottise
fade v. doux, goût, pâle, terne
fadeur v. platitude
fagacées v. hêtre
fagette v. hêtre
fagne v. marais
fagoter v. lier
fagotier v. fagot
fagoue v. pancréas
Fahrenheit (degré) v. chaleur, température
faible v. fragile, indécis, mou, pâle, pauvre, ressort, vaciller, ventre
faiblesse v. défaut, faute, infirmité, insuffisance, lâcheté, penchant
faiblir v. défaillir, sombrer, tomber
faïence v. poterie, vaisselle
faïencerie v. faïence
faille v. cassure, fracture, géologique, soie
failli v. faillite
faillible v. faillir, faute
faillir v. défaut, manquer, mentir, péché
faillite v. avortement, droit, échec, ruine
faim v. famine, instinct, ventre
faim-calle/faim-valle v. faim
faine v. hêtre, porc
fainéantise v. inaction, paresse
faire v. facture, manière
faire état v. fixer
faire face v. satisfaire
faire fort de (se) v. flatter
faire machine arrière v. vapeur
faire-part v. annonce, billet, information, invitation
fair-play v. sportif
fairway v. golf
faisable v. possible
faisan v. gibier
faisandage v. faisan
faisandé v. putride
faisandeau v. faisan
faisander v. décomposer, viande
faisanderie v. faisan
faisanneau v. faisan
faisceau v. botte, fascisme, fusil, gerbe, rayon
fais-dodo v. bal
faisselle v. égouttoir, fromage, moule
fait v. cas, événement, exploit, faute, mûr, phénomène, réalité
fait divers v. rubrique
faîte v. arbre, degré, haut, montagne, point, pointe, sommet, supérieur, toit
faîtière v. toit
fait-tout v. marmite, ustensile
faix v. charge, fardeau, fœtus, maison, poids
Falachas v. juif
falaise v. côte
falbala v. volant
falconidés v. épervier, faucon
faldistoire v. évêque, fauteuil
fallacieux v. apparence, faux, malhonnête, mensonge, perfide, raisonnement, trompeur
falot v. terne
falourde v. bois, fagot
falsificateur v. contrefaçon, fabricateur, malfaiteur
falsification v. contrefaçon, copie, fraude
falsifier v. adultérer, déguiser, faux, maquiller, trafiquer
faluche v. béret
falun v. dépôt, sable
faluner v. engraisser
FAMAS 5,56 F1 v. fusil
famélique v. faim, maigre
fameux v. brillant, célèbre, illustre
familial v. famille
familiariser v. adapter, habituer
familiarité v. liberté
familier v. désinvolte, habitué, habituel, introduire, sans-gêne, simple, usuel
famille v. catégorie, classer, oncle, proche
Famille de l'amour v. secte
famine v. manger
fanal v. feu, phare, signal
fanatique v. admirateur, furieux, passionné
fanatisme v. dogmatique, enthousiasme, religieux, religion, zèle
fanchon v. fichu
fane v. pomme de terre
fané v. sec
faner v. dépérir, foin
fanfare v. orchestre
fanfaronner v. exagérer
fanfreluche v. frivolité, ornement
fange v. boue, vase
fangeux v. boueux, sale, trouble
fangothérapie v. boue
fanon v. baleine, pli, touffe
fantaisie v. amour, caprice, idée, imagination, imitation, initiative, invention, ironie, vannerie
fantaisiste v. cheveu, marginal, original, spécial
fantasmagorie v. fantôme, illusion, magique
fantasme v. illusion, rêve
fantasque v. bizarre, fantaisie, original, singulier
fantassin v. infanterie, soldat
fantastique v. drôle, étonnant, fabuleux, incroyable, invraisemblable, romanesque, sensationnel, singulier
fantoche v. marionnette
fantôme v. apparition, esprit, illusion, imagination, membre, semblant
fanum v. culte, temple
F.A.O. v. fabrication
faquin v. fripon
faraud v. malin
farce v. bêtise, facétie, plaisanterie, saucisse, théâtral, tour, viande
farceur v. bouffon
farci v. rempli
farcir v. emplir
fard v. déguisement, maquillage
farde v. café
fardeau v. charge, poids
farder v. colorer, maquiller
fardier v. charrette, véhicule
farfadet v. esprit, fée, génie, malice, nain
farfelu v. bizarre, singulier, spécial
faribole v. futile, sottise
farigoule v. thym
farine v. amidon, bouillie, porc
farinet v. dé
farniente v. paresse, pause
faro v. bière
farouch v. trèfle
farouche v. convaincu, misanthrope, rude, sauvage
farsi v. perse
fart v. ski
Far West v. cow-boy
fascia v. muscle
fascicule v. livret
fasciculé v. racine
fascinant v. éblouissant
fascination v. admiration, attraction, envoûtement, influence, tentation
fascine v. bois, fagot
fasciner v. charme, conquérir, magnétiser, plaire, séduire, stupéfier, subjuguer
fascisme v. gouvernement
faseyer v. flotter, voile
faste v. brillant, chronologie, éclat, luxe, registre, richesse, splendeur
fastidieux v. ennuyeux, fade, fatigant, mortel
fastueux v. magnifique, royal, somptueux, superbe
fat v. content, fier, important, pédant, suffisant
fatal v. funeste, grave, inévitable, mortel
fatalement v. forcément
fatalisme v. acceptation, fatal
fatalité v. condition, destin, hasard, malédiction, sort
fatidique v. destin, fatalité
fatigant v. pesant
fatigue v. épuisement, résistance, usure
fatigué v. souffrant, vieux
fatiguer v. étourdir, peiner, salade, user
fatras v. accumulation, confusion, désordre, mélange, tas
fatuité v. confiance, présomption, prétention, satisfaction, vanité
fatum v. destin, fatalité, fortune, sort
faubert v. balai
fauberter v. nettoyer
faubourg v. périphérie, quartier, zone
faucard v. faux
Faucheuse v. mort
faucheuse v. faux
fauchon v. faux
faucille v. coq, faux, moisson
fauconneau v. faucon
fauconnerie v. chasse, épervier, faucon,
fauconnier v. chasseur, faucon
fauconnière v. gibecière
faufiler v. coudre, entrer, fil, glisser, insinuer, introduire
faune v. animal, champêtre, homme, ressource
faussaire v. contrefaçon, fabricateur, faux, imitation, malfaiteur, monnaie
fausse couche v. avortement
fausser v. forcer, maquiller, plier, tordre
fausser compagnie v. fuir
fausseté v. foi
faute v. coquille, dictée, erreur, fait, imprudence, infidélité, irrégularité, offense, péché, règle, velours
faute de quoi v. sans
fauteuil v. académie, bureau, place
fautif v. incorrect
fauve v. bête, blond, jaune, panthère, roux, sauvage
faux v. apparent, copie, fourbe, hypocrite, imitation, incorrect, invraisemblable, moisson, signature, sournois, vain
faux-col v. mousse
faux-filet v. filet
faux-fuyant v. fuite, indirect, sortie, subterfuge, tergiverser
faux-monnayeur v. monnaie
faux pas v. faute
faux saunage v. contrebande
faux saunier v. sel
faux-semblant v. apparence
faux-sens v. erreur, interprétation, traduction
favela v. taudis
faveur v. amnistie, bénéfice, bienfait, grâce, honneur, préférence, prérogative, privilège, protection, ruban, service, succès
favissa v. temple
favorable v. adéquat, approprié, avantageux, bon
favori v. barbe, mignon, souverain
favoriser v. encourager, protéger, seconder, servir, soutenir, supporter
favoritisme v. faveur, malhonnête
favus v. teigne
fax v. message
fayard v. hêtre
fazenda v. domaine, ferme
féal v. chevalier, fidèle, loyal
fébrifuge v. fièvre, température
fébrile v. fièvre, vif
fébrilité v. nervosité
fèces v. cidre, excrément
fécond v. abondance, fertile, généreux, inventer, riche, succès
fécondation v. commencement, unique
fécondité v. danse, démographie
fécule v. amidon, farine
fédéral v. État
fédération v. amicale, communauté, fédéral, groupement, parti, réunion, sport, union
fédéré v. soldat
fédérer v. unir
fée v. conte, déesse, enfance
feeder v. pétrole
féerique v. merveilleux, splendide
feindre v. boiter, comédie, composer, déguiser, dissimuler, semblant
feint v. apparent, artificiel, faux, hypocrite, imaginaire
feinte v. escrime
feldspath v. minéral, porcelaine
fêle v. tube
fêlé v. fente
félibre v. langue, poète
félicitation v. approbation, éloge
félicité v. béatitude, bonheur, délice, plaisir
féliciter v. couvrir, réjouir

félidés v. lion, panthère, puma
félin v. chat, souple
fellah v. arabe, paysan
félon v. traître
félonie v. foi, trahison
fêlure v. étonnement, fracture, voix
Femina v. concours, littérature
féminin v. rime, syllabe
féminisme v. femme
femme v. beau
femme ailée v. victoire
femme de chambre v. domestique
fémur v. jambe
F. E. N. v. syndicat
fenaison v. foin, récolte
fendage v. fendre, vannerie
fendant v. fanfaron
fenderie v. fendre
fendeur v. fendre
fendeuse v. fendre
fendillé v. fente
fendiller v. casser
fendre v. casser, cœur, diviser, escrime, foule
fenêtre v. ouverture
fenêtrer v. fenêtre
fenil v. ferme, foin, grenier, hangar, récolte
fenouil v. digérer
fente v. espace, fendre, intervalle, ouverture
féodalité v. chevalerie
fer v. bronze, lame, métal, pomme de terre
fer (paille de) v. frotter
fer-blanc v. tôle
ferblanterie v. quincaillerie
férié v. repos
ferler v. embrouiller, voile
fermage v. ferme, impôt
ferme v. bail, charpente, constant, décidé, dur, énergique, fort, invariable, panne, précis, solide, stable, vigoureux
fermé v. rebelle, syllabe
fermement v. formellement
ferment v. germe
fermentatif v. fermentation
fermentation v. acide, alcool
fermenter v. travailler
fermentescible v. fermentation
fermer v. boucher, entourer, plier
fermeté v. ancre, force, impassibilité, opiniâtreté, persévérance, rectitude, résistance
fermette v. barrage
fermeture v. verrou
fermier v. bail, brosse, colon, finances, paysan, poulet
féroce v. agressif, bête, cruel, impitoyable, inhumain, sauvage
férocité v. barbarie, brutalité
ferrade v. fer, marquer
ferraille v. débris
ferrailler v. discuter, duel
ferrailleur v. épave, occasion
ferratier v. ferrer, marteau
ferrer v. pêcher
ferreux v. fer
ferrière v. serrurier
ferrifère v. fer
ferrimagnétisme v. magnétique
ferrique v. fer
ferrite v. acier
ferromagnétisme v. magnétique
ferronnerie v. fer, métal
ferronnier v. serrurier
ferronnière v. chaîne, front
ferroutage v. transport
ferroviaire v. réseau, train
ferrugineux v. fer
ferrure v. charnière
Ferry (Jules) v. instruction
Ferry-boat v. bac, train
fertile v. abondance, bon, fécond, généreux, riche
fertilisant v. engrais
fertiliser v. enrichir, fumer
féru v. fou
férule v. autorité
fervent v. passionné, pieux, profond
ferveur v. amour, chaleur, enthousiasme, foi, passion, piété, zèle
fesse v. postérieur
fesse-mathieu v. grippe-sou
festin v. banquet, repas, veau
festival v. art, fête, manifestation
feston v. broderie, courbe, décoration
festoyer v. banquet, repas
fête v. carnaval, réception
fêter v. célébrer, marquer
fétiche v. bonheur, chance, idole, magique, porte-bonheur, talisman
fétichisme v. animisme, idole, image, sexualité
fétichiste v. adoration
fétide v. dégoûtant, écœurant, mauvais, sale
fétu v. brin, paille
fétuque v. fourrage
feu v. amour, désir, diamant, éclat, étincelle, flamme, force, incendie, mort, passion, phare, signal, véhémence
feu (grand) v. faïence
feu (mise à) v. allumage
feu (unité de) v. munition
feu d'artifice v. chinois, illumination
feudataire v. vassal
feuillage v. arbre, branche
feuillagiste v. feuillage
feuillaison v. feuille
feuillard v. saule
feuille v. bouture, bulletin, éventail, film, imprimer, page
feuillée v. abri, commodité, fosse, tranchée, water-closet
feuillet v. bœuf, estomac
feuilletage v. feuilleter
feuilleter v. parcourir
feuilletis v. ardoise
feuilleton v. épisode, récit
feuilletoniste v. rédacteur
feuillette v. tonneau
feutrage v. feutre
feutre v. crayon
feutré v. silencieux
fève v. cacao
féverole v. fève
février v. vacance
fez v. coiffure, musulman
fi v. bafouer, mépriser, moquer (se), négliger
fiable v. ferme, fidèle, sérieux, sûr
fiacre v. calèche, véhicule, voiture
Fiacre (saint) v. jardinier
fiançailles v. promesse
fiasco v. échec, veste
fiasque v. bouteille
fiber v. castor
fibre v. sensibilité
fibrille v. fibre, racine
fibrociment v. ciment
fibrome v. fibre, tumeur
fibule v. broche
ficelle v. ruse
fiche v. bulletin, charnière, identité
ficher v. enfoncer, fixer
fichier v. renseignement, répertoire
fictif v. fabuleux, faux, imaginaire, inventer
fiction v. conte, fable, histoire, imagination, invention, mensonge, réalité, récit
ficus v. caoutchouc
fidéisme v. raison, révélation
fidéjussion v. garantie
fidèle v. catholicisme, correct, croyant, dévoué, exact, foi, loyal, partisan, pèlerin, religion, sincère, solide, sûr
fidélité v. réalisme, ressemblance, véracité, vérité
fiduciaire v. monnaie
fief v. féodal, royaume, secteur, seigneur
fieffé v. franc, parfait
fiel v. amer, bile, haine, venin
fielleux v. empoisonner, hostile, méchant, perfide
fiente v. excrément, oiseau
fier v. altier, marbre
fier (se) v. croire, remettre
fier-à-bras v. fanfaron
fierté v. amour-propre, honneur, orgueil, satisfaction, superbe
fièvre v. excitation, frénésie, impatience, passion, rage, turbulence
fiévreux v. fièvre
fifre v. flûte
fifty-fifty v. moitié, voilier
figatelle v. saucisson
figé v. fixe, immobile, standard
figer v. cailler, demeurer, immobiliser, paralyser, pétrifier
fignoler v. détail, lécher, ouvragé, polir, raffiner
figue v. mendiant
figuline v. vase
figurant v. cinéma, comédien, figurer, personnage, rôle
figuratif v. abstrait
figuration v. représentation
figure v. buste, comparaison, face, image, physionomie, portrait, schéma, signe, silhouette, ski, symbolique, visage
figuré v. spirituel
figurer v. compter, flatter, imaginer, paraître, peindre, personnifier, représenter, supposer
figurine v. cible, sujet
figuriste v. sculpture
fil v. brin, épée, fleuve, lame
filage v. rouet
filaire v. fil, parasite, ver
filament v. brin
filandreux v. nerveux
filanzane v. chaise
filature v. broche, fil, soie, textile, usine
fildeféristе v. corde, danseur
file v. suite
filer v. aller, emboîter, épier, espionner, fuir, fumer, lâcher, suivre, surveiller
filet v. badminton, ceinture, épuisette, fraisier, frein, langue, ligne, piège, poche, réseau, sac, vis
filetage v. étirage, vis
filiale v. agence, annexe, maison, succursale
filiation v. ancêtre, arbre généalogique, descendance, ordre, parenté, reconnaissance, succession
filière v. étirage, procédure, succession, toile d'araignée
filiforme v. grêle, maigre, mince
filigrane v. papier
filin v. corde
filleul v. marraine, parrain
film v. image, pellicule, photographie, production
filmographie v. film
filmothèque v. film, image
filon v. minerai
filou v. malfaiteur
filouter v. tricher
fils de la Vierge v. fil
filtrat v. filtrer
filtration v. désinfection
filtre v. écran, passoire
filtrer v. assainir, barrage, débarrasser, percer, transpirer, traverser
fin v. arrivée, astucieux, bon, brillant, but, délicat, disparition, expirer, extinction, habile, intention, intuition, issue, joli, malicieux, mieux, mince, pertinent, raffiné, raison, résultat, ruine, solution, stade, subtil, tuer
final v. ballet, bouquet, conclusion, dernier, extrême, fin
finale v. fin, terminaison
finalité v. destination, instinct
finance v. budget, droit
financement v. banque
financer v. payer, produire
financier v. banque, finances, politique
finasser v. subterfuge
finaud v. malin
fineamor v. courtois
fine bouche v. gourmand
fine de claire v. huître
fine mouche v. malin
finesse v. délicatesse, diplomatie, élégance, ficelle, goût, nuance, pénétration, perspicacité, psychologie, sensibilité, subterfuge, tact
fini v. franc, soigné
finir v. bref, cesser, interrompre, venir
finissage v. façon
finisseur v. fin
finition v. façon
finitude v. borne
finn v. yacht
fiole v. bouteille, flacon
fioriture v. broderie, décoration, ornement
firmament v. ciel
firme v. société
fisc v. finances, impôt, trésor
fish-eye v. photographie
fissile v. fendre
fission v. atome, centrale nucléaire, division, réaction
fissiparité v. reproduction
fissure v. cassure
fissurer v. fente
fistuline v. foie
fivete v. conception
fixage v. empilage
fixation v. détermination
fixe v. ferme, invariable, régulier, salaire, stable, stationnaire
fixer v. attacher, coller, convenir, date, décider, définir, déterminer, enregistrer, établir, examiner, graver, habiter, immobiliser, imposer, indiquer, installer, mettre, observer, piquer, planter, poser, prescrire, regarder, renseignement, retenir, suspendre
fjord v. baie, golfe, mer
flabellé v. éventail
flabelliforme v. éventail
flache v. dépression, trou

flacon v. bouteille, verre
flagellation v. pénitence, supplice
flageller v. fouet
flageoler v. trembler
flageolet v. flûte, haricot
flagorner v. encenser, flatter, plaire, pommade
flagornerie v. louange
flagorneur v. féliciter
flagrant v. crever, délit, manifeste, visible
flagrant délit v. délit
flair v. instinct, intuition, odorat
flairer v. pressentir, sentir
flamand v. germanique, tuile
flambeau v. bougie, savoir, torche
flambée v. accroissement, escalade, hausse
flamber v. brûler
flamberge v. épée
flamboiement v. éclat
flamboyer v. briller
flamme v. tampon, vétérinaire
flammèche v. flamme
flammerole v. feu
flan v. dessert, gâteau
flanc v. côté, face, pneu
flâner v. aller, errer, marcher, promener, traîner
flâneur v. badaud, curieux, passant
flaque v. trou
flash v. actualité, éclair, information
flash-back v. film
flasque v. flacon, mou
flatter v. bercer, embellir, encenser, encourager, illusion, plaire, pommade
flatterie v. compliment
flatteur v. avantageux
flatulence v. gaz
flatuosité v. colique
flavescent v. jaune
fléau v. balance, catastrophe, désastre, épi, fouet, malheur, sinistre
flèche v. branche, hauteur, lard, mât, moquerie, pointe, sommet
fléchir v. désarmer, ébranler, incliner, plier, reculer, soumettre, souple, vaciller
flegmatique v. calme, lent, mou, serein
flegme v. distillation, impassibilité, indifférence
flemmard v. paresseux
fléole v. fourrage
flétri v. sec
flétrir v. déshonorer, gâter, réputation, salir
flétrissure v. marque, tache
fleur v. aristocratie, reproduction, rose
fleurage v. pain, tapis
fleur bleue v. romanesque, sentimental
fleurdelisé v. fleur
fleur de vin v. moisissure
fleurer v. répandre, sentir
fleuret v. épée, escrime, fer
fleurette v. crème, lait
fleuri v. frais
fleuron v. fleur, marguerite, meilleur, ornement
fleuve v. rivière
flexibilité v. adapter, élasticité
flexible v. maniable, souple
flexion v. mouvement, racine
flexionnel v. racine
flexueux v. sinueux
flibuste v. pirate
flibustier v. bandit, malfaiteur, marin, pirate
flip v. patinage, saut
flipper v. billard
flirt v. relation
floche v. houppe
flocon v. brume
floculation v. précipitation
floraison v. fleur
floral v. dentelle
floralies v. fleur
Flore v. jardin, saison
flore v. plante, ressource, végétation
florès (faire) v. briller
floricole v. fleur
floriculture v. fleur, horticulture
florifère v. fleur
florilège v. littérature, morceau, poème, recueil, sélection
florissant v. abondance, brillant, santé
flot v. défilé, inondation, quantité, suite, vague
flottant v. dette, indécis, lâche, pont, vagabond, variable
flotte v. naval, filet
flottement v. hésitation, incertitude
flotter v. indécision, nager
flotteur v. bouchon, planche à voile, signal
flottille v. avion, flotte
flou v. brume, indécis, vague
flouer v. tromper
fluctuant v. instable
fluctuation v. élasticité, incertitude, reflux, retour, variation
fluctuer v. veste
fluet v. faible, grêle, maigre, menu, mince
fluide v. liquide, magnétique
fluidité v. légèreté
fluor v. dentifrice
fluorescence v. radioactivité
fluorescent v. phosphorescent
fluorine v. minéral
flûte v. pain, zut
flûteau v. flûte
fluvial v. pêche, régime
fluviatile v. rivière
flux v. écoulement, marée
fluxion v. congestion, gonflement, poitrine, sang
F.M.I. v. monétaire
foc v. voile
focale v. cravate, foyer, photographie
focaliser v. concentrer
F.O.D. v. mazout
foène v. fourche, pêche
fœtopathie v. fœtus
fœtus v. commencement, embryon
foggara v. galerie
foi v. chaleur, confession, confiance, conviction, croyance, franc, patience, religieux, religion, sincère, témoignage, vérité, vertu
foie v. bile, ventre
foirail v. foire
foire v. exposition, Salon, vis
foison v. abondance, profusion, quantité
foliation v. feuille
folie v. délire, frénésie, imagination, inconscience, maison, passion, pavillon, vertige
folilet v. cerf
folio v. livre, page
foliole v. feuille
foliotage v. page
folioter v. numéroter
folklore v. légende, peuple, tradition
folklorique v. paysan
folle du logis v. imagination
follet v. génie
folliculaire v. journaliste
follicule v. crypte, fruit, poil
folliculine v. hormone, ovaire
fomenter v. comploter, machination, préparer, susciter
foncé v. noir, obscur, sombre
foncer v. fond, fondre, précipiter
foncier v. fondamental, radical
fonction v. charge, emploi, exercice, faculté, poste, profession, qualité, raison, rôle, selon, service, servir, utilité, variable
fonctionnaire v. État, public
fonctionnel v. paralysie, rationnel
fonctionnement v. marche
fonctionner v. marcher, remplir, répondre
fond v. bouteille, course, impression, marge, sauce, substance, sujet, vif
fond (donner) v. mouiller
fond (faire) v. spéculer
fond (grand) v. marge
fondamental v. capital, élémentaire, essentiel, important, majeur, premier, primaire, principal, radical
fondamentaliste v. traditionaliste
fondant v. bonbon, confiserie, émail, fusion
fondation v. base, inférieur, institution, soubassement
fond de teint v. maquillage
fondé v. gratuit, juste, justifier, légitime, raison, sérieux
fondé de pouvoir v. agent, mandat, pouvoir
fondement v. cause, centre, condition, inférieur, principe, règle, soubassement, source
fonder v. appuyer, asseoir, bâtir, constituer, créer, édifier, établir, former, ouvrir
fonderie v. haut-fourneau, métal, monnaie, usine
fondeur v. forge, métallurgie
fondre v. abattre, attaquer, couler, jeter, mouler, pleurer, précipiter
fondrière v. boue, trou
fonds v. argent, capital, disponibilité, ressource, stock
fonds commun de placement v. valeur
fondu v. teinte, transition, trucage
fondue v. fromage
fongiforme v. champignon
fontaine v. illumination, jeunesse, source
fontanelle v. tête
fonte v. dégel, fourreau, selle
fonture v. tricoter
football v. ballon
forain v. camper, commerçant, conducteur, domicile, foire, nomade
forban v. bandit, malfaiteur, marin, pirate
forçat v. caillou
force v. capacité, cardinal, ciseau, combattant, densité, dynamique, élément, énergie, importance, inertie, poids, pression, résistance, ressort, sève, signification, véhémence, vertu, vigueur, volonté
forcé v. inévitable, involontaire
forcené v. furieux
forceps v. fer, pince
forcer v. briser, contraindre, contrarier, enfoncer, exagérer, hâter, obliger, poursuivre, rabattre, soumettre, surmener, vaincre
forcir v. engraisser, grossir
forer v. ouvrir, puits
foret v. burin, fraise, mèche, perçant
foreuse v. perceuse
forfait v. abandonner, abonnement, action, délit, fait, faute, impôt, prime
forfaiture v. corruption, crime, faute, foi, trahison
forfanterie v. fanfaron
forge v. ferrer, haut-fourneau, usine
forger v. acier, construire, fabriquer, imaginer, inventer, raconter
forgeron v. forge
forjet v. saillie
forjeter v. dépasser
formalisation v. abstraction
formaliser v. offenser, piquer, scandaliser, vexer
formalisme v. règle
formaliste v. forme, pointilleux, scrupuleux
formalité v. règle
formant v. racine
format v. dimension, taille
formation v. apprentissage, avion, communauté, éducation, fondation, instruction, orchestre, organisation, parti, préparation, production, savoir
forme v. chaussure, design, façon, genre, imparfait, infinitif, lièvre, moule, patron, structure, variété
formel v. catégorique, net, précis, valide
former v. composer, enseigner, nourrir
formeret v. voûte
formication v. fourmi
formicidés v. fourmi
formidable v. étonnant
formique v. fourmi
formulaire v. catalogue, questionnaire, recueil
formule v. chimie, composition, locution, modèle, pharmacie, recette, règle, terme
formuler v. concret, définir, émettre, énoncer, poser, présenter, rédiger
fornication v. sexuel
fort v. épais, gros, impétueux, important, intense, noir, robuste, solide, valide
forteresse v. citadelle, fort, militaire, place
fortifiant v. cordial, stimulant, tonique
fortification v. architecture, château, réseau
fortifier v. accroître, asseoir, consolider, solide
fortin v. abri, citadelle, fort
fortraiture v. fatigue
fortran v. langage
fortuit v. conditionnel, imprévu, inattendu, inopiné, soudain, variable
fortuitement v. accident, hasard
fortune v. bien, capital, chance, impôt, mât, ressource, richesse, simple, sort, succès
fortuné v. riche
forum v. assemblée, place, réunion

fosbury flop v. saut
fosse v. cimetière, dépression, gouffre, piège, profond
fossile v. empreinte, fouille
fossilifère v. fossile
fossiliser v. pétrifier
fossoyeur v. fosse, mort
Fossoyeuse v. mort
fou v. bouffon, raison
fouace v. pain
fouaille v. sanglier
foucade v. caprice, désir, manie
foudre v. éclair, électricité, reproche, tonneau
foudroyant v. explosif, soudain, terrible
foudroyer v. fusiller, interdire, renverser, sidérer
fouet v. fraisier, pâtisserie, queue
fouetter v. battre, brouiller, stimuler
fougasse v. pain
fouger v. fouiller
fougue v. acharnement, acharner (s'), chaleur, feu, force, mordant, pétulance, promptitude, véhémence, vivacité
fougueux v. amoureux, audacieux, emporter, impétueux, nerveux, passionné, vif, vigoureux
fouille v. archéologie, examen, recherche, tranchée, visite
fouiller v. chercher, gratter, inspecter, rechercher, scruter, sculpter, travailler
fouillis v. mélange
fouiner v. chercher, fouiller, rechercher
fouir v. fouiller
fouisseur v. creuser, taupe
foulage v. imprimerie, tannage, vin
foulard v. accessoire, fichu
foule v. masse, monde, nombre
foulée v. pas, piste, trace
fouler v. bafouer, blesser, écraser, mépriser, presser, vendange
fouloir v. fouler
foulon v. feutre
foulonner v. fouler
foulure v. entorse
four v. échec, pain, théâtre, veste
fourbe v. cacher, face, faux, perfide, sournois, traître
fourberie v. hypocrisie
fourbi v. désordre
fourbir v. frotter, nettoyer, polir
fourbure v. sabot
fourche v. commune, diable, supplice
fourchette v. sabot
fourchon v. fourche
fourgon v. camion, chariot, four, véhicule, wagon
fourgonner v. feu
fouriérisme v. socialiste
fourmilier v. fourmi
fourmi-lion v. fourmi
fourmillement v. fourmi
fournaise v. chaud, four
fourneau v. chauffage, mine, pipe, poêle
fourni v. abondant, épais
fournier v. four
fournil v. boulanger, four, pain
fourniment v. bagage
fournir v. alimenter, indiquer, pourvoir, produire, servir, vendre
fournisseur v. marchand
fourrage v. foin, paille
fourrager v. chercher, fouiller
fourragère v. chariot, militaire
fourré v. bois
fourreau v. gaine, robe
fourrer v. garnir
fourreur v. fourrure
fourrier v. militaire
fourrure v. doublure
fourvoiement v. erreur
fourvoyer v. diriger, écarter, perdre, route, tromper
fouteau v. hêtre
foyau v. hêtre
foyer v. bienfaisance, centre, domicile, feu, institution, intérieur, maison, siège, source
frac v. habit, vêtement
fracasser v. briser
fraction v. part
fractionnaire v. nombre
fractionnement v. partage, raffinage
fractionner v. diviser
fracturation v. pétrole
fracture v. cassure, enfoncement
fracturer v. briser, casser, forcer
fragile v. instable, sensible, vulnérable
fragilité v. incertitude, infirmité
fragment v. débris, écaille, éclat, extrait, miette, morceau, parcelle, partie, passage, pièce
fragmentaire v. incomplet, sommaire
fragmentation v. cassure, partage
fragmenter v. diviser
fragon v. épine, houx
fragrance v. odeur, parfum, senteur
frai v. batracien, poisson
fraîcheur v. jeunesse
fraîchin v. poisson
fraîchir v. lever
frairie v. banquet, fête, kermesse
frais v. dépense, impôt, prix, récent
frais (faire les) v. inconvénient
fraise v. burin, col, dentifrice, dentiste, lime, mèche, roulette
fraiseraie v. fraisier
fraiseur v. métallurgie
fraiseuse v. machine
fraisière v. fraisier
fraisiériste v. fraisier
fraisil v. cendre
fraisure v. fraise
framboisé v. cidre
framée v. javelot
franc v. brique, brutal, cordial, loyal, naturel, net, port, rond, sincère, spontané
français v. boxe, roman
franc C.F.A. v. franc
Francfort v. saucisse
franchement v. ouvert
franchir v. croiser, dépasser, parcourir, passer, raison, sauter, surmonter, traverser, vaincre
franchise v. dispense, exemption, liberté, rectitude, valise, vérité
franchissement v. passage
francique v. Francs
franciscain v. mendiant
franciser v. français
francisque v. Francs, hache
franc-maçonnerie v. orient, société
francophile v. français
francophobe v. français
francophonie v. français
franc-parler v. liberté
franc-tireur v. soldat
frange v. dossier, front
franquette (à la bonne) v. simple
frappant v. saillant
frappe-devant v. marteau
frapper v. affliger, atteindre, battre, briller, éprouver, imposer, maltraiter, monnaie, rafraîchir, recevoir, rosser, saisir, trépigner
frasque v. conduite, écart, escapade, folie
frater v. chirurgien, illettré
fraternité v. amitié, démocratie, franc-maçon, solidarité, union
fratricide v. frère, meurtrier
fraude v. commerce, concurrence, contrebande, crime, délit
frauder v. tromper
fraudeur v. fabricateur
frauduleux v. honnête
frayer v. fréquenter, immature, lier, ouvrir, tracer, user
frayère v. poisson
frayeur v. crainte, panique, peur
fredaine v. conduite, écart, escapade, folie
fredonner v. chanter
free jazz v. jazz
free-lance v. travailleur
free-martin v. jumeau
free-style v. ski
frein v. langue, obstacle, vaccin
freiner v. arrêter, contrarier, immobiliser
freinte v. déchet, poids
frelater v. additionner, trafiquer
frêle v. délicat, menu, mince
frelon v. guêpe
freluche v. houppe
frémir v. craindre, murmurer, trembler
frémissement v. bruit, frisson, secousse
frénésie v. agitation, délire, enthousiasme, fureur, passion, précipitation
frénette v. frêne
Fréon v. froid
fréquence v. cycle, nombre, phénomène, radio, régime, répétition
fréquent v. courant, régulier, usuel
fréquentation v. connaissance, relation
fréquenté v. passager
fréquenter v. approcher, courir, lier
frère v. religieux
fret v. cargaison, contenu, faculté, marchandise, prix, transport
fréter v. équipier, vaisseau
fretin v. poisson
frette v. anneau, baguette
Freyr v. mythologie
friand v. gourmand, pâté
friandise v. confiserie, sucre
fricassée v. sauce, viande
friche v. brut, repos
fricotage v. trafic
friction v. massage
frictionner v. frotter
frigidarium v. bain
frigidité v. sexualité
frigorifier v. froid
frileux v. froid
frimas v. brouillard, froid, geler, hiver
frimousse v. visage
fringale v. faim
fringue v. vêtement
fripe v. vêtement
friper v. froisser
fripier v. commerçant
fripon v. coupable, malicieux
friquet v. moineau
frise v. bandeau, ornement, parquet, relief
frisé v. velours
friselis v. frisson
friser v. approcher
frisette v. boucle, parquet
frison v. germanique
frisquet v. frais, froid
frisson v. frayeur, sensation, tremblement
frissonner v. frémir, trembler
frivole v. insouciant, souci, superficiel, vain
frivolité v. dentelle, vanité
froc v. moine, robe
froid v. désaccord, impersonnel, inhumain, sec, sévère
froideur v. impassibilité, indifférence
froissement v. escrime
froisser v. blesser, choquer, dépit, déplaire, heurter, offenser, piquer, scandaliser, susceptible, ulcéré, vexer
froissure v. pli
frôlement v. contact
frôler v. approcher, friser, serrer, toucher
fromagerie v. abri
froment v. blé, céréale
fronce v. bouillon, pli
froncer v. renfrogné
frondaison v. arbre, feuillage, feuille
fronde v. jouet
Fronde des princes v. fronde
Fronde parlementaire v. fronde
frondeur v. moqueur, soldat
front v. groupement, parti
frontal v. cerveau
frontalier v. frontière
fronteau v. front, religieux
frontière v. contour, extrême, limite, partage, séparation
frontispice v. façade, gravure, livre, titre
frottement v. résistance
frotter v. polir
frottis v. prélèvement
frottoir v. brosse
frouer v. imiter
fructifère v. fruit
fructification v. accroissement
fructifier v. agrandir, valoir
fructose v. fruit, sucre
fructueux v. fécond, heureux, succès, utile
frugal v. léger, manger, sobre
frugalité v. modération
frugivore v. fruit
fruit v. bien, coquillage, mur, noisette, semence
fruiticulteur v. fruitier
fruitier v. abri, cargo
fruitière v. fromage
fruition v. jouissance
frusques v. guenille
fruste v. brut, grossier, rude, sauvage
frustrer v. déposséder, priver
FSA 49-56 v. fusil
fucus v. algue
fuel-oil v. mazout
fugace v. court, évanouir (s'), fragile, moment, passager

fugitif v. court, évanouir (s'), passager, variable
fugue v. escapade, orgue, sujet
fuguer v. fuir
Führer v. fascisme
fuie v. colombe, pigeon
fuir v. disparaître, évader (s'), sauver, soustraire
fuite v. démission, émigration, infiltration
Fuji-Yama v. volcan
fulgurant v. explosif, terrible
fulguration v. éclair, foudre, lueur
fuligineux v. noir, suie
fulmination v. explosion
fulminer v. colère, éclater, emporter, excommunication, indigner, menace, rage, véhémence
fumage v. charcuterie, fertile
fumagine v. noir, suie
fumé v. gravure
fumée v. excrément, vanité, vapeur
fumer v. engraisser
fumerolle v. fumée, volcan
fumeron v. fumer
fumet v. odeur, parfum, senteur
fumier v. engrais
fumigateur v. fumée, médicament
fumigation v. désinfection, vapeur
fumigène v. fumée
fumimètre v. fumée
fumivore v. fumée
fumoir v. salon
fumure v. fumier
funambule v. corde, danseur, marcher
funambulesque v. bizarre
fun-board v. planche à voile
funèbre v. noir, sinistre, sombre, triste
funérailles v. convoi, enterrement, funèbre, service
funeste v. affligeant, défavorable, désastreux, fatal, mauvais, mortel, noir, nuisible, sinistre, sombre, triste
funiculaire v. corde
furet v. brosse
fureter v. chercher, fouiller, rechercher
fureteur v. curieux
fureur v. frénésie, rage, violence
furibond v. furieux
furie v. rage, sorcière
Furies v. déesse
furieux v. impétueux
furoncle v. abcès, bouton
fusain v. charbon, colorer, crayon, dessin
fusainiste v. fusain
fuscine v. fourche
fuseau v. broche, dentelle, fil, mollusque, taille, vêtement
fusée v. astronautique, cartouche, feu d'artifice, monture,projectile, réaction, roue, signal
fuser v. élever, jaillir, partir
fusette v. bobine
fusibilité v. métal
fusible v. fondre
fusil v. boucher, étincelle, feu
fusilier v. infanterie, marin
fusillade v. feu, peine de mort
fusiller v. arme
fusil-mitrailleur v. feu
fusion v. alliage, amalgame, atome, combinaison, corps, liquide, plomb, réaction, réunion, un, union
fusionner v. confondre, fondre
fustanelle v. grec, jupe
fustiger v. baguette, corriger, fouet
fustine v. teinture
fût v. colonne, tige, tonneau, tronc, vin
futaille v. tonneau, vin
futaine v. matelas
futé v. débrouillard, habile, malin, ressource
futile v. frivole, négligeable, superficiel, vain, vide
futilité v. vanité
futur v. avenir, devenir, fiancé, immortel, passé, postérieur, ultérieur, venir
futurible v. futur
futurologie v. prévision
futurologue v. futur
fuyant v. instable, profil

gabardine v. imperméable, manteau
gabare v. embarcation
gabarit v. forme, modèle
gabegie v. désordre
gabelle v. contribution, fermier, impôt, sel, taxe
gabier v. marin
gabion v. panier
gable v. fronton
gâchage v. maçon
gâche v. plâtre, serrure
gâcher v. empoisonner, mortier, perdu
gâchette v. verrou
gâchis v. bouillie, pâte, plâtre
gadget v. chose
gadiformes v. morue
gadoue v. boue, engrais
gadouiller v. patauger
gaffe v. bêtise, démarche, impair, maladresse, perche, sottise
gage v. amende, domestique, engager, immeuble, otage, paiement, punition, salaire, témoignage
gager v. parier
gagnage v. cerf, pâturage
gagnant v. vainqueur
gagne-pain v. fonction
gagner v. attirer, concilier, conquérir, convertir, emparer (s'), envahir, mériter, obtenir, propager, recueillir, répandre, usure, vaincre
gai v. drôle, ivre, joyeux, vif
Gaïa v. terre
gaillard v. pont, sain, type, vert
gaillardise v. plaisanterie
gaillet v. cailler
gaillette v. charbon
gain v. bénéfice, économie, produit, profit, recette, récolte, revenu, satisfaction, succès
gaine v. bas, caisse, ceinture, corset, enveloppe, fourreau, horloge, marionnette, poil, ventre
gala v. cérémonie, fête, réception, repas, spectacle
galactomètre v. lait
galactophore v. sein, vaisseau
galactose v. sucre
galandage v. brique, paroi
galant v. admirateur, amant, aventure, beau, charmant, poli, sentimental
galanterie v. respect
galapiat v. fripon
galaxie v. corps, Univers
galbanum v. gomme
galbe v. contour, courbe, forme, silhouette, vase
galbule v. conifère
galéasse v. galère
galéjade v. plaisanterie
galène v. plomb, radioélectrique
galénique v. médicament
galère v. bateau
galerie v. art, balcon, collection, couloir, passage, peinture, portique, souterrain, spectateur
galeriste v. art
galerne v. vent
galet v. caillou, pierre, roulette
galetas v. couche, chambre, grenier, habitation, maison, sale, taudis
galgal v. terre
galibot v. manœuvre, mineur
galimatias v. confus, littérature, style
galiote v. bateau, galère, voilier
galipette v. gambade, rouler
galipot v. conifère, pin, résine, térébenthine
galle v. chêne
gallérie v. teigne
gallicisme v. français, langue, locution
galliformes v. faisan
gallinacés v. coq, faisan, perdrix, poule
gallinule v. poule
gallomanie v. français
gallup v. interrogation
galoche v. menton, poulie, sabot
galon v. frange, grade
galonner v. orner
galoubet v. flûte
galuchat v. ange, cuir, fourreau
galvanisation v. nickel, zinc
galvaniser v. accroître, courage, enthousiasmer, métal, passionner, stimuler, tôle
galvanoplastie v. empreinte, nickel
galvanotype v. cliché
galvauder v. gâcher
galvaudeux v. vagabond
gambade v. cabriole
gambader v. sauter
gambas v. crevette
gambeyer v. voile
gamelle v. assiette, repas
gamète v. cellule, conception, fécondation, reproduction, sperme
gamine v. fille
gaminerie v. enfant
gamma v. zodiaque
gammaglobuline v. immunitaire
gammare v. crevette
gamme v. échelle, éventail, musique, registre
gamopétale v. pétale
ganaderia v. taureau
Gandhi v. non-violence
gandin v. dandy
gandoura v. tunique
gang v. bande, malfaiteur
gangster v. malfaiteur
gangue v. minerai
ganse v. broderie, mercerie, ruban
gant v. accessoire, main
gantelet v. gant
ganymède v. homosexuel
garancer v. teindre
garant v. otage
garantie v. gage, protection, sauvegarde
garantir v. affirmer, assurer, conserver, parrain, précaution, recommander, répondre
garbure v. soupe
garcette v. tresse
garçon v. boucher, repas
garçon d'honneur v. noce
garçonnière v. appartement
garde v. factionnaire, interne, méfiant, monture, sentinelle, service, surveillance, tarot, vigilance
garde (mettre en) v. prévenir
garde (mise en) v. mobilisation
garde à vue v. arrestation
garde-botte v. manège
garde-chiourme v. surveiller
garde des Sceaux v. magistrat
garde du corps v. protection, sécurité
garde-fou v. barrière, mur, parapet
garde-malade v. infirmier
garde-notes v. notaire
garden-party v. fête
garder v. défendre, destiner, éviter, inviter, maintenir, réserve, retenir, retenir, taire, veiller
Garde républicaine v. police
garde-robe v. vêtement
gardian v. conducteur
gardien v. concierge, conservateur, cow-boy, police, sentinelle, surveiller
garenne v. lapin
Gargantua v. mangeur
gargantua v. glouton
gargantuesque v. abondant, énorme, gigantesque
gargariser (se) v. gorge, rincer
gargarisme v. bain, médicament
gargote v. bar
gargouillade v. saut
gargouille v. affreux, cathédrale, monstre
gargouillis v. bruit, intestin
gargoulette v. vase
garnement v. diable, fripon
garnir v. bouquet, charger, décorer, emplir, munir, remplir
garnison v. militaire
garniture v. brosse, dossier
garrigue v. buisson, friche, terrain, végétation
garrot v. lien, supplice
garrotage v. étrangler
garrotter v. bâillonner
gasconnade v. fanfaron
gas-oil v. mazout
gaspacho v. potage
Gaspard v. mage
gaspiller v. dépenser, dissiper, éparpiller, gâcher, prodiguer
gastéropodes v. mollusque
gastralgie v. estomac
gastrectomie v. estomac
gastrite v. estomac
gastrocèle v. estomac
gastro-entérite v. intestin
gastro-entérologue v. médecin
gastrolâtre v. cuisine
gastronome v. amateur, gourmand, manger
gastronomie v. cuisine
gastroscopie v. estomac
gastrotomie v. ventre
gastrula v. embryon
gâté v. corrompu, endommager
gâteau v. pâtisserie, rayon
gâter v. brouiller, empoisonner, mal, pourri, troubler, usuer

gâte-sauce v. cuisinier
gauche v. emprunté, laborieux, maladroit, timide, tordu
gauchement v. mal
gaucherie v. faute, maladresse
gauchir v. courber, travailler
gauchissement v. déformation
gaucho v. cow-boy
gaude v. teinture
gaudir (se) v. réjouir
gaufre v. cire
gaufrer v. relief, velours
gaule v. baguette, canne, pêche, perche
gauler v. cueillir, noix
gaulis v. forêt, taillis
gaulois v. libre
gauloiserie v. plaisanterie
gausser (se) v. bafouer, moquer (se), rire
gausserie v. plaisanterie
gave v. torrent
gaver v. engraisser, manger, nourrir
gaz v. oxygène, vapeur
gaze v. pansement
Gazelle v. hélicoptère
gazeux v. piquant
gazoduc v. tuyau
gazole v. carburant
gazon v. herbe, pelouse, vert
gazouillis v. bébé, bruit, chant, enfant
Gê v. terre
géant v. immense, pas
gégène v. torture
géhenne v. damné, enfer, torture
geindre v. gémir, plaindre
geisha v. japonais
gélatine v. colle, protéine
gelée v. brouillard, confiture, dessert
geler v. bloquer
gélinotte v. coq, poule
gélivure v. fente, gerçure
gélule v. cachet, comprimé, médicament, pastille, pilule
géminée v. consonne, double
gémir v. plaindre, réclamer
gémissement v. cri, plainte, soupir
gemmage v. pin, résine
gemmation v. multiplication, reproduction
gemme v. conifère, minéral, pierre précieuse, pin, résine, sel
gemmothérapie v. homéopathie, plante
gemmule v. graine
gémonies v. cadavre, maudire, supplice
génal v. joue
gênant v. fâcheux, fatigant
gendarme v. diamant, pierre précieuse
gendarmerie v. police
gêne v. difficulté, embarras, étouffer, malaise, misère, obstacle, pauvreté
gêné v. penaud
généalogie v. ancêtre, descendance, famille, histoire, parenté
gêner v. contraindre, déranger, échec, empêcher, encombrer, ennuyer, nuire, obstruer, troubler
général v. comptabilité, inspecteur, ordinaire, public, religieux, total, universel, vague
générale v. répétition, tambour
généralisation v. abstraction
généraliser v. répandre
généraliste v. médecin
générateur v. pile, source
génération v. descendant, race, reproduction
générer v. engendrer, produire
généreux v. abondant, bon, cœur, désintéressé, fécond, fertile, gros, indulgent, large, noble, riche, romantique
générique v. général
générosité v. bienfaisance, faveur, grandeur, vertu
Gênes v. dentelle
genèse v. commencement, fondation, monde, naissance, origine
génésique v. génération
genêt v. arbuste
généthliaque v. horoscope
génétique v. gène, hérédité, manipulation
gêneur v. fâcheux
génial v. original
génie v. communication, conte, fée, militaire, munition, talent
génique v. gène
génisse v. vache
génital v. reproduction, sexuel
géniteur v. père
génocide v. anéantissement, destruction, extermination, massacre
génome v. gène
génotype v. gène, héréditaire
genouillère v. genou, sportif
genre v. accord, catégorie, classer, manière, nature, série, sorte
gens v. personne
gentil v. chrétien, impie, juif, religion, sage
gentilhomme v. illustre, seigneur
gentilhommière v. maison
gentillesse v. bonté
gentleman v. homme
gentleman-rider v. jockey
gentry v. noblesse, société
génuflexion v. genou, saluer, servile
géochimie v. Terre
géodésie v. géographie, Terre
géodésique v. satellite
géographie v. relief
geôlier v. gardien, prison
géologie v. naturel, préhistoire, Terre
géomagnétisme v. magnétisme
géomètre v. chenille
géométrie v. angle
géométrique v. dentelle, rationnel
géomorphologie v. forme, géographie, morphologie, relief, Terre
géophage v. terre
géophysique v. relief, Terre
géophyte v. plante
géorama v. carte
Georges (saint) v. cavalier
géostationnaire v. satellite
géosynclinal v. dépression, fosse
gérance v. agence
géraniacées v. géranium
géraniol v. géranium
geranos v. danse
gérant v. administrateur, agent
gerbe v. botte, bouquet, composition, jet
gerbier v. gerbe
gerbière v. charrette
gerce v. défaut, teigne
gercer v. fente, sec
gérer v. administrer, conduire, diriger, mener, tenir
gériatre v. médecin
gériatrie v. vieillesse
germain v. frère, parent
germe v. commencement, conception, embryon, ferment, microbe, semence, source, sperme
germen v. reproduction
germination v. malt
germon v. thon
gérontisme v. vieillesse
gérontocratie v. dictature, vieillard
gérontologie v. vieillesse
gérontophilie v. vieillard
gerousia v. sénat
gésier v. estomac, oiseau
gésine v. accouchement, couche
gesse v. fourrage
gestalt v. psychologie
gestaltisme v. forme
gestation v. attente, grossesse, préparation
geste v. oral, récit, signe
gesticuler v. agiter
gestion v. direction, intendance
gestionnaire v. comptable, conservateur, économe, gérant
gestuelle v. comportement, langage
geyser v. gerbe, source
ghetto v. concentration, discrimination, quartier
gibbosité v. bosse, déformation
gibecière v. sac
gibelotte v. fricassée, viande
giberne v. cartouche
gibet v. fourche, potence, supplice
gibier v. viande
giboulée v. pluie
giboyeur v. chasseur
giboyeux v. gibier
gibus v. chapeau
gicler v. couler, jaillir
G.I.E. v. groupement
gigaku v. japonais
gigantesque v. énorme, grandiose, immense
gigantisme v. agrandissement, glande
gigantomachie v. combat, géant
gigot v. manche, rôti
gigoter v. agiter
gilet v. veste
giletier v. couturier
gimblette v. biscuit
gindre v. boulanger, pain
gingivite v. inflammation
giobertite v. magnésium
gipsy v. bohémien
girafe v. perche
girafeau v. girafe
girafidés v. girafe
girafon v. girafe
girandole v. grappe, illumination, pendentif, taille
giration v. rotation
giratoire v. circulaire, rotation, tourner
giravion v. hélicoptère
girl v. danseur
girodyne v. hélicoptère
giron v. bras, sein
gironné v. marche
girouette v. coq
gisant v. statue
gisement v. bassin, minerai, pétrole, veine
gitan v. bohémien, nomade
gîte v. abri, lièvre, maison minerai, refuge
gîtologie v. sol
giton v. homosexuel
givre v. gelée, glace
givrure v. pierre précieuse
glabelle v. sourcil
glabre v. barbe, lisse, nu, poil
glace v. diamant, froid, pâtisserie, pierre précieuse, verre
glacé v. neige, paralysé
glacer v. geler
glaciaire v. période, régime
glacial v. dur, froid, insensible, sec
glacis v. peinture, pente, talus
glaçure v. émail, faïence, vernis
gladiateur v. arène
glaireux v. gluant
glaise v. argile, terre
glaive v. attribut
glanage v. épi
gland v. chêne, porc
glande v. cerveau, prostate, sein
glaner v. recueillir
glapir v. aboyer, hurler
glapissant v. aigre
glapissement v. chien, grue
glaréole v. hirondelle
glas v. cloche, funèbre, mort, sonner
glasnost v. communisme
glaucome v. œil
glauque v. vert
glèbe v. sol, terre
glial v. cellule
gliome v. tumeur
glissement v. mouvement
glisser v. échapper, insinuer, introduire, mettre, souffler
glissière v. mercerie, tricoter
glissoir v. chaussure
global v. total
globalement v. bloc, gros
globe v. ampoule, sphère, terre
globe-trotter v. voyageur
globule v. cellule
globule blanc v. immunitaire
globuleux v. saillant
globuline v. protéine
gloire v. béatitude, grandeur réputation, splendeur, succès
gloria v. café, hymne
gloriette v. abri, jardin, kiosque, pavillon, salon, tonnelle
glorieux v. célèbre, fameux, illustre, immortel, saint
glorification v. apologie
glorifier v. bénir, célébrer, défense, flatter, gloire, louange, vanité, victoire
gloriole v. ostentation
glose v. analyse, commentaire, explication, interprétation, note
gloser v. illustrer, traduire
glossaire v. catalogue, dictionnaire, mot, recueil, vocabulaire
glossateur v. commentaire
glossite v. langue
glossolalie v. langue, parole
glossoplégie v. langue
glossotomie v. langue
glotte v. larynx
gloussement v. poule
glousser v. rire
glouton v. gaver, mangeur
gloutonnerie v. appétit
glu v. colle
gluant v. collant
gluau v. chasse, piège
glucagon v. pancréas
glucose v. maïs, sucre

glui v. paille
glume v. balle, céréale, épi, graine
glumelle v. balle
gluten v. maïs
glutineux v. gluant
glycémie v. sucre
glycérine v. savon
glycosurie v. diabète, urine
glyphe v. graver, trait
glyptique v. graver, sculpter
glyptothèque v. art, musée, sculpture
G.M.T. v. méridien
gneiss v. quartz
gnome v. conte, enfance, fée, génie, nain, petit
gnomique v. sentence
gnomon v. cadran
gnon v. châtaigne
gnose v. religion
gnosie v. sens
gnosticisme v. religion
go v. chinois
gobelet v. verre
gobelière v. gobelet
gobelin v. génie
Gobelins v. tapisserie
gobe-mouches v. badaud
gober v. comptant
gobetis v. plâtre
godage v. pli
godet v. capsule, gobelet, peintre
godiche v. sot
godille v. aviron
godiller v. conduire
godiveau v. pâté, viande
godron v. fraise, pli
godronnoir v. ciseau
goélette v. voilier
goémon v. algue
goétie v. magie
goguenard v. moqueur, sarcastique
goguenardise v. plaisanterie
goguenot v. vase
goguette v. ivre
goinfre v. gaver, glouton, mangeur
goinfrerie v. débauche
goitre v. cou, glande, gorge
golden v. pomme
golfe v. baie
Golgotha v. crucifixion
Goliath v. géant
Gomina v. crème
gomme v. caoutchouc, colle, conifère, résine
gommose v. gomme
Goncourt v. concours, littérature
gond v. charnière, fâcher
gondolage v. déformation
gondole v. barque, bateau
gondoler v. travailler
gonfalon v. drapeau
gonfler v. bouffi, grossir, remplir
gonflement v. enflure
gong v. batterie, signal
gongorisme v. langage, recherche
goniométrie v. angle
gonosome v. chromosome
goret v. balai, cochon, porc
gorge v. buste, cou, couloir, creux, défilé, étroit, poitrine, vallée, vase
gorger v. engraisser, remplir
gorgerette v. col
gorget v. menuisier
Gorgones v. pétrifier
gorille v. accompagnateur, garde du corps, protection, sécurité
gosette v. gâteau
gosier v. gorge
gothique v. architecture
Goths v. germanique
gotique v. germanique
gouache v. peinture
gouailleur v. moqueur, sarcastique
goualante v. chanson
gouda v. hollandais
goudron v. sol
goudronner v. carton, recouvrir
gouffre v. creux, précipice, profond, tourbillon, vide
gouge v. ciseau, graver, menuisier
gougère v. fromage
goujat v. grossier, impoli
goujon v. clou, menuiserie
goulag v. camp, déportation
goulasch v. hongrois
goulet v. étroit, piste, vallée
gouleyant v. cidre
goulot v. bouteille, col, vase
goulu v. gaver, glouton
goum v. troupe
goumier v. cavalier
goupille v. serrure
goupillon v. bouteille, brosse, rincer
goura v. pigeon
gourd v. engourdi, gelé, immobile, insensible
gourde v. bouteille, pèlerin
gourdin v. bâton, matraque
goure v. drogue
gourmander v. bousculer, gronder, reproche
gourmandise v. friandise
gourmé v. grave
gourmet v. amateur, cuisine, gourmand, manger
gourmette v. bracelet
gourou v. conducteur, guide, secte
gousse v. ail
gousset v. bourse, manche, montre, poche
goût v. fantaisie, penchant, sens
goûter v. admirer, aimer, apprécier, essayer, repas, sentir, tâter
goutte v. articulation, doigt, grain, peu, médicament, pied, quantité, vin
gouttereau v. mur
gouttière v. canalisation, fracture, toit
gouvernail v. direction
gouvernante v. bonne, domestique, servante
gouverne v. règle
gouvernement v. constitution, pouvoir, public, régime, république
gouvernemental v. officiel
gouverner v. administrer, conduire, diriger, dominer
gouverneur v. colonie
goy v. chrétien, juif, religion
G.R. v. marche
grabat v. couche, lit
grabataire v. infirme, invalide, malade
graben v. bloc, fossé
grâce v. agrément, amnistie, conversion, délicatesse, don, douceur, élégance, esprit, exemption, faute, faveur, finesse, honneur, légèreté, pardon, perfection, reconnaissance, salut, service
gracier v. épargner, remettre
gracieux v. agréable, courtois, délicat, gratuit, joli, mignon, plaisant, sociable
gracile v. grêle, mince
gradation v. degré, ordre, passage, progression
grade v. avancer, galon
gradient v. météorologie
gradin v. banc, cirque, degré, stade
gradine v. ciseau
graduation v. degré, échelle
graduel v. insensible
graduellement v. étape, pas, petit, proche
gradus v. dictionnaire
graffiti v. dessin, inscription, interdire
grailler v. appeler, sonner
graillon v. lard, repas
grain v. brin, mercerie, photographie, pluie, pointe, quantité, tempête, whisky
graine v. embryon, reproduction, semence
graisse v. cidre, vin
graisser v. huiler
graisseux v. adipeux, sale
graminée v. céréale, herbe, maïs
grammaire v. accord, règle
grand v. illustre, important, intense, noble, seigneur
grand-angle v. objectif
grand-angulaire v. photographie
grand duc v. hibou
Grande Loge de France v. franc-maçon
Grande Loge féminine de France v. franc-maçon
grandeur v. dimension, étendue, splendeur, statistique
grandiloquent v. affecté, compliment, emphatique, majestueux, pompeux
grandiose v. admirable, magnifique, majestueux, royal
grandir v. pousser, relever
grand-livre v. organe
Grand Orient de France v. franc-maçon
grand-parent v. parent
grange v. bâtiment, ferme, grenier, récolte
granulat v. maçon, mortier
granule v. comprimé, pastille, pilule
granulé v. médicament
granuleux v. épiderme, grain
granulie v. tuberculose
granulome v. tumeur
grape-fruit v. pamplemousse
graphème v. écriture
graphie v. écriture
graphique v. courbe, document, schéma
graphisme v. design
graphite v. centrale nucléaire, colorer, crayon, mine, plomb
graphologie v. écriture
graphomètre v. équerre
grappe v. plante, régime
grappiller v. avare, vendange
grappin v. ancre
gras v. bouffi, obscène, sale
gras-double v. abat
grassette v. plante
grasseyement v. prononciation
grassouillet v. chair, rond
graticulation v. carré
graticule v. treillis
graticuler v. diviser
gratification v. cadeau, don, récompense, salaire
gratifier v. attribuer, donner
gratinée v. soupe
gratis v. adverbe, gratuit
gratitude v. reconnaissance
gratte-ciel v. immeuble
grattement v. démangeaison
gratte-papier v. bureaucrate
gratuit v. désintéressé
grau v. col, défilé
gravat v. débris, tas
grave v. dangereux, digne, important, majestueux, profond, sérieux, solennel
graveleux v. cru, gras, obscène, sale
gravelle v. calcul, urine, vessie
graver v. ciseau, inscrire
gravette v. huître
gravidique v. grossesse
gravier v. caillou, calcul, pierre, urine
gravir v. grimper, monter
gravissime v. malin
gravitation v. attraction, corps
gravité v. corps, importance
graviter v. tourner
gravure v. figure, illustration, image, impression, reproduction
gré v. accord, grâce, gratitude, volonté
grec v. orthodoxe
gréco-romain v. lutte
grecque v. dessin
gredin v. fripon
gréement v. manœuvre, voilure
green v. golf
Greenwich v. méridien
gréer v. équiper, garnir, voile
greffe v. bouture, branche, dépôt, organe, tribunal
greffer v. cœur
greffier v. bureaucrate
grégaire v. instinct, troupeau
grégarisme v. groupe
grège v. brut, soie
grégorien v. moine
grêle v. faible, glace, maigre, mince, orage, pluie, précipitation
grelot v. clochette
grelotter v. trembler
grenadille v. passion
grenadine v. sirop
grenaille v. grain, plomb
grenat v. rouge
grené v. grain
grènetis v. bord, monnaie
grenier v. ferme, récolte, réserve
grenouillage v. intrigue
grenouille v. batracien, tirelire
grenouillette v. langue, tumeur
grenu v. grain
gréou v. houx
grès v. poterie
gréser v. polir
grésil v. glace, grêle, pluie
grésillement v. friture
gressin v. pain
grève v. côte, jambe, jeûne, mer, occupation, plage, rivage, sable
grever v. charger, imposer
gribane v. barque
gribouillage v. dessin, enfant
gribouiller v. écrire, rédiger
grief v. accusation
griffe v. caractère, genre, ongle, patte, sceau, signature
griffer v. écorcher
griffon v. canalisation, légende, vautour
griffonnement v. sculpture
griffonner v. écrire, rédiger
griffure v. égratignure
grigne v. pain
grignoter v. manger, ronger
gri-gri v. défense, magique, porte-bonheur, talisman
grillage v. clôture, plomb
grille v. barreau, code

grillé v. rôti
griller v. brûler, cuire, geler
grillon v. sauterelle
grimace v. expression, physionomie, singe
grimaud v. pédant
grimer v. colorer, maquiller
grimoire v. livre, magicien, sorcellerie
grimper v. monter
grincer v. craquer
grincheux v. renfrogné
gringalet v. maigre
griotte v. aigre, cerise
gripper v. fonctionner
gris v. deuil, imprimerie, ivre, perle, tabac, terne
grisard v. peuplier
griser v. boire, étourdir, ivre, passionné, ravir
griserie v. vertige
grisette v. fille
grisoller v. alouette
grisonnant v. poivre
grisou v. gaz, mine
grivelé v. tache
grivois v. cru, épicé, fripon
grivoiserie v. plaisanterie
grizzli v. ours
grognard v. soldat
grognement v. ours, porc
grogner v. plaindre
grogneur v. grogner
grognon v. grogner
groin v. museau, nez, porc
grommeler v. barbe, grogner, murmurer
grondement v. ours, tonnerre
gronder v. attraper, colère, rabrouer, reproche
groom v. adolescent, chasseur, domestique, garçon, hôtel
gros v. mer
groseillier v. arbuste
grosse v. copie, douzaine, expédition
grosserie v. vaisselle
grossesse v. attente
grosseur v. dimension
grossier v. barbare, brut, bulle, épais, imparfait, impoli, incorrect, lourd, malpropre, ordinaire, primaire, salé, sauvage, vulgaire
grossièrement v. substance
grossièreté v. brutalité, écart, excès, insulte, ordure, saleté
grossir v. engraisser, exagérer, gonfler
grossissement v. dilatation
grossiste v. commerce, marchand, vendre
grosso modo v. adverbe, substance
grossoyer v. copier
grotesque v. absurde, bouffon, caricature, ridicule, risible
grotte v. crypte
groupe v. camp, catégorie, classer, ensemble, équipe, noyau, pâté, réunion, série, unité
groupement v. centre, réunion, union
grouper v. amasser, plongeon
groupie v. fanatique
grouse v. coq
gruau v. farine
gruger v. exploiter, voler
grume v. écorce, grain, tronc
grumeau v. cailler, caillot
gryphée v. huître
guai v. hareng
guanaco v. lama
guano v. engrais, excrément, fumier, oiseau
guarnerius v. violon

gué v. rivière
Guèbres v. perse
guède v. colorant, teinture
guelte v. gratification, salaire
guenille v. chiffon, misérable, vêtement
guêpe v. bourdonnement
guêpier v. nid
guère v. peu
guéret v. labourer
guéri v. sauver
guéridon v. table
guérilla v. guerre
guérillero v. adversaire
guérir v. remettre, revenir, sortir
guérite v. abri, sentinelle
guerre v. combat, expédition, soulèvement
guerre (pied de) v. mobilisation
guerrier v. soldat
guet v. divorce, factionnaire, surveillance
guet-apens v. attaque, embûche, piège
guêtre v. bas, jambe
guette v. sentinelle
guetter v. attendre, épier, surveiller, veiller
guetteur v. garde, infanterie, sentinelle
gueulard v. haut-fourneau
gueule v. bouche, four
gueules v. blason
gueuleton v. repas
gueulin v. pêche
gueuse v. fonte
gueux v. vagabond
gui v. chêne, parasite
guiche v. bouclier
guichet v. bureau, ouverture
guide v. accompagnateur, conducteur, phare, recueil
guideau v. filet
guide-fil v. tricoter
guider v. conduire, orienter
guidon v. cavalerie, drapeau
guigne v. cerise, malchance
guigner v. désirer, observer, regarder
Guignol v. marionnette
guignol v. bouffon, comique, enfant, spectacle
guignolet v. cerise
guilde v. communauté, médiéval, société
guillaume v. menuisier, rabot
guilleret v. gai
guilloche v. burin
guilloché v. graver
guillocher v. orner
guillotiner v. trancher
guimauve v. bonbon
guimbarde v. chariot, menuisier
guimpe v. buste, fichu, religieux, vêtement
guinche v. bal
guindant v. drapeau
guindé v. académique, affecté, conventionnel, emprunté, manière, solennel
guinder v. lever
guinée v. livre sterling
guingois (de) v. travers
guinguette v. bal, fête
guipage v. frange
guipon v. balai
guipure v. broderie, dentelle
guirlande v. couronne
guisarme v. lance
guise v. façon, volonté
guitare v. plectre
guivre v. serpent
gustatif v. goût
guttural v. gorge, sourd
gymnase v. sport

gymnasiarque v. gymnase
gymnastique v. éducation, exercice, physique
gymnosperme v. graine, plante
gymnote v. anguille
gynécée v. appartement, femelle, femme, pistil
gynécologue v. accoucher, femme, médecin
gypaète v. vautour
gypse v. calcium, plâtre
gyroscope v. instrument
gyrovague v. moine

H

H v. bombe, hydrogène
ha v. hectare
habeas corpus v. liberté
habile v. débrouillard, fée, fin, fort, malin, raffiné, réfléchi, ressource, savant, subtil
habileté v. aptitude, capacité, diplomatie, savoir-faire, science, tact
habiliter v. autoriser
habiller v. recouvrir
habit v. tenue, uniforme, vêtement
habitat v. urbanisme
habitation v. appartement, domicile, immeuble, intérieur
habiter v. demeurer, loger, séjourner
habitude v. expérience, mœurs, pli, pratique, règle, routine, usage
habituel v. courant, familier, fréquent, général, inévitable, naturel, normal, régulier, standard, usuel
habituellement v. ordinaire
habituer v. faire
habit vert v. Académie
hâblerie v. fanfaron
hachage v. charcuterie
hache v. fendre
hachis v. farce, saucisse, viande
hachoir v. boucher, charcuterie
hacienda v. agricole, domaine, ferme
haddock v. morue
Hadès v. enfer, mort
hadjdj v. musulman
hadji v. islam
hadron v. particule
Haffner v. symphonie
hagard v. effaré, perdu
hagiographie v. biographie, compliment, histoire, louange, saint
Hahnemann (Samuel) v. homéopathie
haie v. barrière, clôture, course hippique, équitation, file
haïk v. musulman, vêtement
haïku v. japonais
haillon v. chiffon, guenille, misérable, vêtement
haine v. malveillance, venin, xénophobie
haineux v. méchant
haïr v. détester
haire v. chemise, pénitence
haïssable v. odieux, sale
halage v. servitude, traction
halbi v. cidre, poire
hâlé v. brun, noir
haleine v. haletant, souffle
haler v. tirer
haletant v. souffle

haleter v. essouffler (s'), respirer
halieutique v. pêche
haliotide v. oreille
halite v. sel
halitueux v. moite
hall v. attente, entrée, porche
hallal v. boucherie
hallali v. chasse, cri, sonner
halle v. marché
hallebarde v. lance, pique
hallebardier v. infanterie
Halley v. comète
hallier v. buisson
hallucination v. apparence, délire, erreur, illusion, perception, rage, vision
hallucinogène v. haschisch
halo v. cercle, couronne, galaxie
halophile v. végétation
halte v. arrêt, étape, pause, refuge, station, voyage
haltère v. gymnastique
hamac v. filet, lit, repos
hamada v. désert
Hamadryade v. arbre
hamartome v. kyste
hamburger v. bifteck
hameau v. maison, paroisse village
hameçon v. mordre
hammam v. bain, suer, turc, vapeur
hammerless v. fusil
hampe v. bâton, cerf, drapeau, lance, lettre, manche, pinceau, tige
hand-ball v. ballon
handicap v. corps, inconvénient, surcharge
handicapé v. infirme
hangar v. abri, baraque, bâtiment, ferme
hansart v. couteau, hache
hanté v. fantôme, habiter, proie
hanter v. courir, fréquenter, obséder, poursuivre
hantise v. fixe, frayeur, idée, manie, peur
hapax v. mot
happening v. art, exposition
happer v. attraper, prendre, saisir
happy end v. conclusion
haquenée v. cheval, jument
haquet v. charrette
hara-kiri v. japonais, suicide
haram v. mosquée, voile
harangue v. discours, sermon
haranguer v. parler
haras v. cheval
harassant v. fatigant, pénible
harasse v. caisse
harasser v. accabler, briser, flanc
harceler v. acharner (s'), assaillir, attaque, briser, demander, obséder, persécuter, poursuivre, presser, proie, solliciter, tourmenter, tyranniser
harde v. biche, cerf, troupe
hardé v. œuf
hardées v. taillis
hardes v. chiffon, guenille, vêtement
hardi v. cavalier, chevalier, osé
hardiesse v. aplomb, audace, confiance, courage, front, imprudence
hardware v. matériel
harem v. femme, sultan
harenguier v. pêche
haret v. chat
harfang v. chouette

hargne v. fiel
hargneux v. agressif, méchant, revêche
haricot v. mouton
haridelle v. cheval
harijan v. caste
harle v. gibier
harmonie v. accord, combinaison, communion, composition, élégance, ensemble, entente, équilibre, intelligence, musique, proportion, relation, ressemblance, rythme, similitude, son, unanimité, union, unité
harmonieux v. heureux, joli, nombreux, régulier, suave
harmoniser v. combiner, marier
harnachement v. vêtement
harnacher v. équiper, harnais
harnais v. deltaplane, parachute
haro v. indignation
Harpagon v. avare
harpagon v. grippe-sou
harpail v. biche, cerf, troupe
harpe v. griffe, mur
harpie v. femme, furie, sorcière
hart v. fagot, pendre
haruspice v. divination, funeste, présage, victime
hasard v. cas, chance, coïncidence, destin, fortune, imprévu, incertitude, réflexion, rencontre, risque, sort
hasarder v. aventure, jouer, lancer, parier, risquer
hasardeux v. dangereux, fou, imprudent
haschisch v. drogue
hassid v. religieux
hastaire v. légion
haste v. javelot
hâte v. accourir, impatience, précipitation, urgence, vitesse
hâtelet v. broche, ustensile
hâter v. accélérer, courir, dépêcher, presser
hâtier v. broche, chenet
hâtif v. tôt
hâtiveau v. poire
Hathor v. vache
hauban v. mât
haubert v. chemise, combinaison, maille
hausse v. barrage, escalade, ruche
hausser v. élever, lever, monter, relever, soulever
haussier v. Bourse
haut v. important
hautain v. altier, dédain, fier, mépris, superbe, supérieur
haute-contre v. voix
haute couture v. mode
haut de l'affiche v. vedette
haute école v. équitation
haute lisse (de) v. tapisserie
haute trahison v. trahison
hauteur v. concurrence, dimension, intonation, niveau, perpendiculaire, ton
haut-fond v. fond, île, plateau
haut-fourneau v. usine
haut-le-cœur v. vomir
haut-le-corps v. frisson, saut, sursauter
haut-mal v. convulsion
haut-parleur v. woofer
haut-relief v. relief
hauturier v. pêche
havage v. mineur
havane v. cigare, marron, tabac
hâve v. blanc, blême, livide, maigre, pâle, squelette
haveneau v. crevette, épuisette
haveuse v. mineur
havre v. oasis, refuge
havresac v. sac
hawaiien v. volcan
hazzan v. synagogue
hé ! v. interpeller
heaume v. casque
hebdomadaire v. mois, périodique, semaine
hebdomadier v. religieux
Hébé v. jeunesse
héberger v. abriter, accueillir, loger, recevoir, recueillir
hébertisme v. gymnastique
hébété v. sidérer
hébétude v. ivresse, stupeur, torpeur
hébraïque v. hébreu, israélite
hébreu v. rabbin
Hécate v. magie
hécatombe v. boucherie, cent, massacre, sacrifice
hectique v. fièvre
hectométrique v. onde
hédonisme v. jouissance, plaisir
hégémonie v. pouvoir, supériorité
hégémonique v. absolu
hégire v. chronologie, musulman
heiduque v. hongrois
heimatlos v. étranger, expatrié, nationalité, patrie
hélépole v. tour
héler v. aborder, adresser, apostropher, appeler, interpeller
hélianthe v. soleil, tournesol
héliaste v. juge
hélice v. courbe
héliciculture v. escargot
hélicier v. hélice
hélicoïdal v. engrenage, hélice, mouvement, spirale
Hélicon v. muse
hélicoptère v. véhicule
hélicostat v. hélicoptère
héligrue v. hélicoptère
hélio v. papier
héliochromie v. reproduction
héliofuge v. soleil
héliographe v. soleil, télégraphie
héliogravure v. imprimerie
héliomètre v. lunette
héliophile v. plante
héliophobe v. soleil
héliophotomètre v. soleil
héliostat v. four, soleil
héliosynchrone v. satellite
héliothérapie v. bain, soleil
héliotrope v. tournesol, verrue
héliotropisme v. tournesol
héliport v. aéroport
héliportage v. transport
hélium v. gaz
hélix v. oreille
hellénique v. grec
helminthe v. ver
helminthiase v. parasite
Héloïse et Abélard v. amant
hélophyte v. plante
hématémèse v. hémorragie, vomissement
hématine v. pigment
hématite v. fer
hématologiste v. médecin
hématopoïétique v. moelle
hématose v. poumon
hématurie v. colique, sang
hémérocalle v. lis
hémicrânie v. migraine
hémimélie v. monstruosité
hémione v. âne
hémiplégie v. moitié, paralysie
hémisphère v. cerveau, équateur, moitié
hémistiche v. moitié
hémodilution v. sang
hémogénie v. hémorragie
hémoglobine v. pigment, sang
hémogramme v. sang
hémophile v. sang
hémophilie v. hémorragie
hémophtalmie v. saignement
hémoptysie v. tuberculose
hémorragie v. perte, sang, vaisseau
hémorroïde v. anus
hémostase v. hémorragie
hémostatique v. saignement
henné v. colorant, teinture
hennin v. fée
hénothéisme v. dieu
hépatite v. foie, jaunisse
hep ! v. interpeller
hépatocèle v. hernie
hépatologie v. foie
hépatomégalie v. foie
Héphaïstos v. feu, forge
heptathlon v. athlétisme
héraldique v. blason
héraut v. délégué, message
herbage v. bétail, pâturage, prairie
herbager v. élevage
herbe v. aromate, chinois, futur
herbicide v. pollution
herbier v. botanique, collection, plante, recueil
herbivore v. manger
herborisation v. botanique
herboriste v. plante
herboristerie v. pharmacie
herbu v. terre
herchage v. mineur
Hercule v. douze, fort
hercule v. géant
herculéen v. extraordinaire, force
herd-book v. bœuf, race, registre
hère v. cerf, diable, misérable, type
héréditaire v. monarchie, naturel
hérédité v. caste, famille, héritage, reproduction, transmission
hérédofamilial v. héréditaire
hérésiarque v. hérésie, religion
hérésie v. déviation, faux, péché, religion
hérétique v. excommunication, hérésie, hétérodoxe, impie, non conformiste, orthodoxe
hérissé v. ébouriffé
hérisson v. balai, bouteille, brosse, cheminée, égouttoir, suie
héritage v. bien, succession
hériter v. acquérir, recevoir, recueillir
héritier v. descendant, disciple
hermaphrodite v. bisexué, deux, sexe
herméneutique v. explication, interprétation, texte
hermétique v. initiation, mystérieux, obscur, secret
hermine v. blason, fourrure, magistrat
herminette v. hache
héroïne v. drogue
héroïque v. admirable
héroïsme v. courage
héros v. acteur, figure, personnage, principal
herpes v. corail
herpès v. bouton, peau
herse v. cierge, grille
herser v. labourer
hertz v. électricité
hertzien v. radioélectrique
hésitant v. indécis, timide, vaciller
hésitation v. démarrer, doute, incertitude, indécision, réserve, résistance, retard
hésiter v. décider, reculer, remettre
Hestia v. vierge
hétaïre v. grec, prostituée
hétairie v. complot
hétérocerque v. nageoire
hétérochromosome v. chromosome
hétéroclite v. confus, différent, élément, hétérogène, varié
hétérodoxe v. non conformiste
hétérodoxie v. hérésie, religion
hétérogamie v. fécondation
hétérogène v. différent, divers, élément
hétérogénéité v. déséquilibre
hétérogenèse v. génération
hétéroneures v. papillon
hétéronome v. extérieur
hétéroplastie v. greffe
hêtraie v. hêtre
hêtre v. parquet
heure v. suite
heureux v. ravi, serein
heurt v. choc, conflit, coup, rencontre
heurter v. accrocher, affronter, choquer, écorcher, éprouver, obstacle, offenser, tamponner, vexer
heurtoir v. frapper
hévéa v. caoutchouc
hexaèdre v. cube
Hexagone v. français
hezbollah v. islam
H.F. v. onde
Hg v. mercure
hiatal v. hernie
hiatus v. interrompre, rencontre, voyelle
hibernation v. engourdissement, froid, hiver, marmotte, sommeil
hidalgo v. espagnol, noble
hideux v. affreux, horrible, laid
hidrorrhée v. sueur
hie v. dame, masse, mouton, piler
hier v. passé
hiérarchie v. caste, droit, échelle, grade
hiérarchiser v. série
hiératique v. sacré
hiéroglyphe v. signe
hiéroglyphite v. hiéroglyphe
hiérogramme v. hiéroglyphe
hiérophante v. mystère
hilarant v. amusant, comique, risible
hilare v. joyeux
himation v. grec, manteau
hindouisme v. réincarnation
hipparchie v. cavalerie
hipparque v. cavalier
hippiatre v. vétérinaire
hippique v. cheval
hippisme v. équitation
Hippocrate v. médecin, serment
Hippocrène v. muse
hippodrome v. champ, cirque, course hippique, piste
hippomobile v. cheval
hippophage v. cheval
hippophagique v. boucherie
hippotechnie v. cheval
hircine v. bouc, chèvre

Hiroshima v. atomique
hirsute v. ébouriffé, hérissé
hirsutisme v. poil
hispanique v. espagnol
hispide v. hérissé
hisser v. élever, gloire, grimper, lever, monter, soulever
Histadrouth v. syndicat
histogenèse v. tissu
histogramme v. statistique
histoire v. aventure, chronologie, conte, évolution, intrigue, passé, récit, relation
histologie v. anatomie, cellule, médecine, tissu, zoologie
histolyse v. tissu
historicité v. historique
historier v. raconter
historiette v. nouvelle, récit
historiographe v. archives, histoire
historiographie v. biographie
historique v. réel
histrion v. acteur, bouffon, pantomime
H.I.V. v. sida
hivernage v. hiver
hivernant v. touriste
H.L.M. v. modéré
hobby v. activité, distraction, occupation, passe-temps
hobereau v. noble
hocher v. balancer, secouer
hochet v. jouet
hockey v. patin
hogan v. habitation, hutte
Hogier v. pique
hoirie v. succession
holding v. industrie, société
hold-up v. vol
hollandais v. germanique
Hollande v. papier
hollande v. toile
holocauste v. feu, sacrifice, victime
hologramme v. laser
holographie v. photographie, tridimensionnel
holophrastique v. langue
holoprotéine v. protéine
holothurie v. concombre
homard v. crustacé
home v. demeure
homélie v. discours, messe, sermon
homéopathe v. médecin
homéotéleute v. répétition
homéotherme v. température
homérique v. héroïque
homicide v. crime, meurtre
hominisation v. homme
hommage v. honneur, saluer, vassal
homme d'équipage v. marin
homme-grenouille v. plongeur
homme-sandwich v. publicité
homocerque v. nageoire
homogène v. nombre, régulier, semblable, uniforme
homogénéité v. accord, unité
homographe v. mot, orthographe
homographie v. ressemblance
homologation v. performance, sanction
homologue v. semblable
homologuer v. approuver, confirmer, entériner, valider
homoneures v. papillon
homonyme v. mot, nom, prononciation
homonymie v. ressemblance
homophile v. homosexuel
homophone v. mot
homophonie v. ressemblance
homosexualité v. sexe
homothétie v. similitude
homozygote v. jumeau
homuncule v. petit, sorcellerie
hongre v. cheval
hongrer v. castrer
Hongrie (points de) v. parquet
honnête v. droit, fidèle, franc, normal, passable, propre, rond, scrupuleux, suffisant
honnêteté v. foi, rectitude
honneur v. duel, figure, gloire, prérogative, réputation, respect, succès, vertu
honnir v. mépriser
honorable v. respect, suffisant
honoraire v. membre
honoraires v. salaire
honorer v. décorer, encenser, gratifier, payer
honoris causa v. docteur
honte v. dégoût, déshonneur, humiliation, indignation, scrupule
honteux v. laid, scandaleux
hoplite v. grec, soldat
hoplomachie v. combat, gladiateur
hoquet v. bruit
hoqueton v. veste
horion v. coup
horizon v. perspective
Horloge v. symphonie
hormis v. exception, sauf
hormonémie v. hormone
hormoniurie v. hormone
hormonothérapie v. cancer
horodaté v. heure
horodateur v. horaire, stationnement
horreur v. abominable, bête, injure, monstruosité, peur
horrible v. abominable, affreux, effroyable, épouvantable, exécrable, extrême, hideux, laid, mauvais, tragique
horrifiant v. horrible, terrible
horrifier v. scandaliser
horripilant v. supporter
horripilateur v. poil
horripilation v. frisson, hérissé
horripiler v. agacer, irriter
hors v. sans
hors-bord v. bateau
hors de soi (être) v. irrité
hors d'état v. incapable
hors-d'œuvre v. repas
hors du commun v. merveilleux
horse-guard v. soldat
hors-jeu v. football
hors-la-loi v. malfaiteur
horst v. bloc
horticulteur v. arbre, jardinier
hortillonnage v. légume
Horus v. soleil
hosanna v. cri, hymne, joie
hospice v. hôpital, invalide, refuge
hospitalier v. pharmacie
hospitalisation v. admission
hospitalité v. refuge
hostie v. communion, victime
hostile v. agressif, cruel, défavorable, ingrat, opposé
hostilité v. guerre, malveillance, nuire, xénophobie
hôte v. accueillir, banquet, compagnon, inviter, maître, réception, repas
hôtel v. chevalier
hôtel de ville v. commun, commune, mairie
hôtel-Dieu v. hôpital
hotte v. panier, vannerie, vendange
hottée v. contenu
houari v. voile
houblon v. bière
houe v. bêche, pioche
hougnette v. ciseau
houille v. charbon
houille blanche v. hydraulique
houille bleue v. hydraulique
houillère v. houille, mine
houille verte v. hydraulique
houka v. pipe
houle v. agitation, mer, vague
houlette v. bâton, berger, pelle
houppa v. mariage
houppe v. cheveu, panache, poudre
houppette v. maquiller
hourd v. plate-forme
hourdage v. maçonnerie
hourdis v. brique
hourra v. cri
hourvari v. bruit, cri, tapage
houseau v. jambe
houspiller v. harceler, tourmenter
houssaie v. houx
housse v. couverture
housser v. nettoyer
housset v. malle
houssine v. baguette
houssiner v. battre
houssoir v. balai, plume
houteau v. fenêtre
houvet v. crabe
houx v. piquant
hovercraft v. transport, véhicule
hoyau v. pioche
H.S.T. (G.-B.) v. train
Hubert (saint) v. chasseur
hublot v. fenêtre
huche v. boulanger, caisse, coffre, pain
hucher v. appeler
huchier v. rabot
huer v. bafouer, crier, hibou, siffler
huguenot v. protestant
huile v. essence, parfum, peinture
huile de pierre v. pétrole
huileux v. gras
huissier v. bureau, constater, ministériel, officier, portier
huitain v. huit
huitaine v. semaine
huitante v. quatre-vingts
huître v. mollusque
huître marteau v. croix
huîtrier v. pie
hulotte v. chouette
humain v. pitoyable
humanisme v. littérature
humaniste v. savant
humanité v. bonté, latin, monde, sensibilité
humanoïde v. science-fiction
humble v. modeste, simple
humecter v. humide, mouiller
humer v. respirer, sentir
huméral v. messe
humérus v. bras
humeur v. état, fantaisie, mélancolie
humide v. moite
humidificateur v. humidité
humidifier v. mouiller
humidité v. vapeur
humiliation v. dépit, déshonneur, honte, injure, persécution
humilier v. abaisser, anéantir, courber, offenser, oprimer, rabaisser, ventre, vexer
humoristique v. spirituel
humour v. esprit, ironie
humus v. sol
hune v. mât
hunier v. voile
Huns v. barbare
huppe v. coq, houppe, panache
huppé v. mésange
hure v. museau, porc, tête
hurlement v. beuglement, cri
hurler v. aboyer, jurer, pleurer, pousser
hurricane v. cyclone, vent
hussard v. cavalerie, soldat
hutinet v. marteau
hutte v. case, esquimau
hutte (chasse à la) v. marais
hyacinthe v. jacinthe
hyades v. nymphe
hyalin v. quartz
hyaloïde v. transparent
hyaloplasme v. matière
hybridation v. accouplement, croisement, reproduction, variété
hybride v. bâtard, métis
hydracide v. hydrogène
hydrant v. borne
hydrargyre v. mercure
hydratation v. eau
hydraule v. hydraulique
hydraulique v. eau, énergie, roue
hydravion v. avion
hydre de Lerne v. serpent
hydrémie v. eau, sang
hydrocarbure v. pollution, raffiné, réchauffer
hydrocéphale v. crâne
hydrocéphalie v. monstruosité
hydroélectrique v. usine
hydrofuge v. humidité
hydrofuger v. protéger
hydrogène v. azote, eau, gaz, soufre
hydroglisseur v. véhicule
hydrographie v. géographie, mer, océan
hydrolat v. distillation
hydromel v. boisson, miel
hydrophile v. eau
hydrophobie v. eau, rage
hydrophyte v. plante
hydrostatique v. équilibre, mécanique
hydrothérapie v. bain, eau
hydrure v. hydrogène
hyénidés v. hyène
Hygie v. santé
hygiène v. désinfection, pauvreté, urbanisme
hygiénique v. sain
hygromètre v. air, humidité, météorologie
hygrophile v. humidité, végétation
hygrophyte v. humide
hygrostat v. humidité
hylésine v. olive
hylozoïsme v. matière
hymen v. mariage, membrane, union
Hyménée v. mariage
hyménoptères v. fourmi, guêpe
hymnaire v. hymne
hymne v. chant
Hymne à la joie v. symphonie
hyoglosse v. langue
hypallage v. licence
hyperbilirubinémie v. sang
hyperbolique v. spirale
hyperboloïde v. engrenage
hyperchlorhydrie v. estomac
hypercholestérolémie v. sang
hypérémie v. congestion
hyperespace v. espace
hyperglycémie v. diabète, excès
hypermétrope v. myopie
hypermétropie v. vue
hypermnésie v. mémoire
hyperréalisme v. réalité
hypersensibilité v. allergie
hypersialie v. salive
hyperthermie v. fièvre

hypertrichose v. poil
hypertrophie v. agrandissement, expansion, grosseur
hypertrophié v. développer
hypèthre v. toit
hypnagogique v. hallucination, sommeil, veille
hypne v. mousse
hypnose v. sommeil
hypnotiser v. endormir, fasciner, magnétiser
hypoacousie v. diminution
hypocauste v. bain, chauffage
hypocentre v. tremblement de terre
hypochlorhydrie v. estomac
hypochlorite de sodium v. dentaire
hypocondriaque v. imaginaire, malade
hypocoristique v. affectueux, terme
hypocras v. vin
hypocrisie v. fourberie, simagrée, velours
hypocrite v. bigot, cacher, dévot, faux, pieux, sournois
hypoderme v. peau
hypogastre v. abdomen
hypogée v. caveau, crypte, tombeau
hypoglycémie v. malaise, sang
hypokhâgne v. préparatoire
hypokhâgneux v. étudiant
hypophyse v. cerveau
hypoplasie v. moelle
hyposodé v. sel
hypostase v. personne
hypostyle v. colonne
hypotaupin v. étudiant
hypotenseur v. tension artérielle
hypoténuse v. triangle
hypothèque v. garantie, immeuble
hypothermie v. température
hypothèse v. cas, conjecture, démonstration, diagnostic, possibilité, présage, prévision, principe, supposition, théorie
hypothétique v. conditionnel, éventuel, imaginaire
hypoxémie v. sang
hypsométrie v. altitude, relief
hystérocèle v. hernie

I

Iago v. traître
iambe v. mètre
ibérique v. espagnol
Icare v. ailé
ICE (Allemagne) v. train
iceberg v. bloc, glace
ichor v. pus
ichtyocolle v. colle
ichtyoïde v. poisson
ichtyolithe v. poisson
ichtyologie v. poisson
ichtyophage v. manger, poisson
ichtyosisme v. poisson
icoglan v. turc
icone v. représentation, symbolique
icône v. image
iconoclasme v. sacrilège
iconoclaste v. art, briser, image, religieux, représentation
iconographie v. archéologie, image
iconographique v. document
iconolâtre v. religieux, représentation
iconolâtrie v. image
iconologie v. représentation
icosaèdre v. vingt
icosagone v. vingt
ictère v. bile, foie, jaunisse, sang
ictus v. accès
idéal v. ambition, canon, ivresse, parfait, perfection, réel, rêve
idéaliser v. embellir, spirituel
idéalisme v. réalisme
idéaliste v. romanesque, romantique
idée v. conscience, indicatif, intellectuel, intention, manie, notion, pensée, proposition, raisonnement, réflexion, signification, vision
idem v. répétition
identification v. assimilation, diagnostic, identité, personnalité
identifier v. déterminer, reconnaître, vérifier
identique v. commun, conforme, égal, fidèle, météorologie, pareil, semblable, stationnaire, uniforme
identité v. caractère, individualité, principe, relation, ressemblance, similitude
idéogrammatique v. mot
idéogramme v. chinois, hiéroglyphe, représentation, signe
idéographique v. écriture
idéologie v. parti, secte, système
ides v. calendrier
idiolecte v. langue
idiome v. langue, particulier, style
idiopathie v. essentiel
idiosyncrasie v. nature, particulier, réaction, tempérament
idiot v. innocent, sot, stupide
idiotisme v. expression, langue, locution
ido v. langue
idoine v. approprié, juste
idolâtre v. admirateur, fou, païen
idolâtrie v. adoration, culte, idole, image
idole v. dieu, faux, image, représentation, veau
idylle v. amour, flirt, pastoral, poème
I.G.F. v. impôt
igloo v. esquimau, glace
ignare v. ignorance
ignifuger v. feu
ignition v. brûler
ignivome v. feu
ignoble v. affreux, dégoûtant, hideux, laid, mauvais, mépris, odieux, sale
ignominie v. déshonneur, horreur, laideur
ignominieux v. bas, honteux
ignorance v. inconscience, instruction, insu, insuffisance
ignorant v. étranger, illettré, incapable, innocent, sauvage
ignorantin v. doctrine
ignoré v. inconnu
ignorer v. compte
igue v. gouffre
ikebana v. bouquet, composition, japonais
ilang-ilang v. parfum
île flottante v. dessert
iléon v. grêle, intestin
***Iliade* (l')** v. récit
iliaque v. hanche
illégal v. injuste, interdit, noir
illégalité v. irrégularité
illégitime v. adultère, bâtard, irrégulier, naturel
illégitimement v. tort
illettré v. lire
illettrisme v. illettré
illicite v. clandestin, honnête, illégal, interdit, souterrain
illimité v. aveugle, immense, infini
illisible v. difficile, impossible
illogique v. cheveu, invraisemblable, stupide, suite
illogisme v. raisonnement
illumination v. conversion, éclairage, extase, religieux, révélation
illuminer v. briller, orner
illusion v. apparence, erreur, espoir, esprit, fantôme, mensonge, pessimiste, songe
illusionnisme v. prestidigitation
illusionniste v. adresse, cirque, illusion, magicien
illusoire v. apparent, faux, imaginaire, vain
illustrateur v. dessin
illustration v. figure, image, représentation
illustre v. brillant, célèbre, fameux, grand
illustrer v. interprétation, orner, signaler
illutation v. bain
îlot v. île, pâté
ilote v. esclave, soumission
image v. cliché, conscience, dessin, exemple, illustration, ombre, pensée, perception, portrait, reproduction, signe, silhouette, symbolique, vision
imagé v. pittoresque
imagerie v. radiographie
imagier v. sculpture
imaginaire v. conte, fabuleux, fantôme, faux, inventer
imaginatif v. fécond, inventer
imagination v. création, illusion, invention, pensée, représentation
imaginé v. improvisé
imaginer v. chercher, concevoir, croire, fabriquer, figurer, illusion, impression, inventer, présumer, prévoir, raconter, réaliser, représenter, rêver, songer, supposer, trouver, venir
imam v. culte, musulman, religieux
imbécile v. manche, sot
imberbe v. barbe, poil
imbiber v. absorber, mouiller, trempé
imbibition v. pénétration
imbrex v. tuile
imbriquer v. emboîter, recouvrir
imbroglio v. complication, malentendu, maquis, mélange, quiproquo
imbu v. plein, rempli
imitateur v. imitation
imitation v. contrefaçon, copie, influence, répétition, représentation, reproduction
imiter v. inspirer, répéter, suivre
immaculé v. net, propre, vierge
immanent v. appartenir
immangeable v. dégoûtant, mauvais
immanquable v. fatal, inévitable
immanquablement v. forcément
immatériel v. fantôme, léger, spirituel
immatriculation v. inscription
immature v. mûr
immaturité v. retard
immédiatement v. comptant, démarrer, séance, suite, urgence
immémorial v. ancien
immense v. considérable, effroyable, énorme, extraordinaire, grand, infini, profond
immensité v. dieu
immergent v. rayon
immerger v. baigner, plonger, tremper
immérité v. injuste
immersion v. baptiser
immeuble v. bâtiment, bien
immigration v. changement, droit, population
immigré v. étranger
imminent v. immédiat, menaçant, près
immiscer (s') v. entrer, intervenir, introduire, mêler, participer
immixtion v. intervention
immobile v. fixe, invariable, repos, stationnaire
immobilier v. immeuble
immobiliser v. comptabilité, gelé, neutraliser, paralysé, retenir
immobilisme v. changement, inertie, stagnation
immobilité v. impassibilité, stagnation
immodéré v. excessif
immolation v. sacrifice
immoler v. tuer
immonde v. dégoûtant, hideux, ignoble, mauvais, sale
immondice v. ordure
immoral v. obscène
immoralité v. dissolution
immortaliser v. conserver, durer, perpétuer
immortalité v. âme, futur
immortel v. Académie, éternel
immotivé v. gratuit, inopiné
immuabilité v. permanence
immuable v. constant, ferme, fixe, immobile, invariable, solide, stable
immuniser v. garantir
immunité v. amnistie, anticorps, dispense, exemption, privilège, vaccin
immunité parlementaire v. député
immunodéficience v. immunitaire
immunoglobuline v. immunitaire
immunostimulant v. immunitaire
immunosuppresseur v. immunitaire
immunothérapie v. cancer
immutabilité v. dieu
impact v. conséquence, influence, projectile
impair v. erreur, faute, maladresse
impaludé v. paludisme
impardonnable v. pardonner
imparfait v. grossier, incomplet, passé, vague
imparfaitement v. demi, mal
impartial v. choix, désintéressé, égal, juste, neutre, objectif, serein
impartir v. accorder, répartir
impasse v. issue, rue
impassibilité v. calme, indifférence

impassible v. calme, ferme, froid, serein
impatience v. désir, nervosité, précipitation
impatient v. avide, inquiet
impatienter v. bouillir, énerver, irriter
impatroniser (s') v. maître
impavide v. ferme, peureux
impavidité v. calme
impeccable v. net, parfait, propre
impécunieux v. pauvre
impécuniosité v. pauvreté
impedimenta v. bagage
impénétrable v. dense, hermétique, incompréhensible, mystérieux
impénitent v. impitoyable, terrible
impensable v. invraisemblable
impense v. amélioration, dépense
impératif v. bref, catégorique, obligation
imperator v. empereur
imperceptible v. insensible, invisible, léger, petit, vague
imperfection v. défaut, infirmité, insuffisance, vice
impériale v. barbe, menton
impérialisme v. colonie, expansion
impérialiste v. colonie
impérieux v. absolu, autoritaire, dédain, impératif, intense, tranchant, tyrannique
impériosité v. véhémence
impérissable v. éternel, immortel
impéritie v. habileté, ignorance
imperméabilité v. insensibilité
imperméable v. manteau
impersonnel v. anonyme
impertinence v. familiarité, insolence
impertinent v. désinvolte, impoli, incorrect
imperturbable v. calme, ferme, serein
impétrant v. bénéfice, diplôme
impétration v. bénéfice
impétueux v. audacieux, brusque, colère, emporter, explosif, vif, vigoureux
impétuosité v. feu, force, mordant, pétulance, précipitation
impie v. athée, blasphème, noncroyant, païen, religion
impiété v. sacrilège
impitoyable v. cruel, inhumain, insensible, sévère, sourd
implacable v. cruel, fatal, impitoyable, inhumain, malheureux, rigoureux, sévère
implant v. pilule
implanter v. cœur, fixer, insérer, introduire, ouvrir, racine
implicite v. allusion, silencieux, sous-entendu
impliquer v. accuser, mêler, participer, supposer
implorer v. appeler, demander, pardon, prier, réclamer, solliciter, supplier
impluvium v. pluie
impoli v. incorrect, insolent
impolitesse v. brutalité, ingratitude
impondérable v. hasard, léger, poids
importance v. dimension, étendue, intérêt, réputation, valeur
important v. conséquent, gros, imprévu, intéressant, pesant, précieux, sensible, vain
importation v. douane, introduction
importer v. exister, introduire
import-export v. importation
importun v. fâcheux, fatigant, indiscret, sans-gêne, troublefête
importuner v. accrocher, bousculer, déplaire, déranger, distraire, embarrasser, ennuyer, étourdir, gêner, harceler, interrompre, poursuivre, solliciter, tourmenter
imposable v. impôt
imposant v. formidable, grand, grandiose, grave, majestueux, noble, solennel
imposé v. inspiré, patinage
imposer v. dicter, exiger, infliger, ordonner, prescrire, taxer
imposeur v. imposition, imprimerie, typographie
imposition v. charge, droit, page
impossible v. vain
imposteur v. mensonge, prophète
impôt v. recette, relief, ressource
impotent v. invalide
impraticable v. difficile
imprécation v. blasphème, malédiction
imprécis v. général, imparfait, indécis, obscur, vague
imprégnation v. pénétration
imprégner v. absorber, baigner, mouiller, pénétrer
imprenable v. fort, siège
imprésario v. art
impression v. critique, édition, empreinte, perception, reproduction, sensation, sentiment
impressionnable v. émotif
impressionnant v. éblouissant, grandiose, majestueux
impressionner v. briller, exposer, frapper, imposer, saisir, troublé
imprévoyant v. insouciant, souci
imprévu v. extraordinaire, fantaisie, inattendu, inédit, inopiné, péripétie, rebondir, soudain, subit, surprise
imprimatur v. approuver
imprimé v. programme
imprimer v. graver, publier
imprimerie v. chinois, impression
improductif v. stérile
impromptu v. improvisé, soudain, surprise
impropre v. incorrect
impropriété v. abus, barbare, faute, mot
improvisation v. imagination, variation
improviser v. improviste, inventer
imprudence v. délit, étourderie, légèreté, pas
imprudent v. aventureux
impudence v. aplomb, audace, familiarité, front
impudent v. insolent
impudique v. obscène
impuissance v. sexualité
impulsif v. spontané
impulsion v. appel, élan, entraînement, influence, penchant
impunité v. amnistie
impureté v. défaut
imputation v. accusation, destination
imputer v. attribuer, budget, charger, compte, donner, gratifier, prêter, responsable
in v. mode
in vitro v. conception, fécondation
inabordable v. savant
inacceptable v. lamentable
inaccessible v. difficile, imperméable, savant
inaccoutumé v. anormal, nouveau
inachevé v. immature, imparfait, incomplet
inactif v. bras, dormir, immobile, passif, repos
inaction v. inertie
inactivité v. disponibilité, inaction
inadéquat v. mauvais
inadmissible v. inacceptable, injuste
inadvertance v. étourderie
inaltérabilité v. permanence
inaltérable v. fixe, invariable, stable
inaltéré v. intact, sauf
inamical v. hostile
inamovibilité v. magistrat
inanimé v. immobile
inanité v. futilité, néant, vanité, vide
inanition v. aliment, mourir, nourriture
inappétence v. dégoût, faim
inapprivoisable v. sauvage
inapte v. incapable
inassouvissable v. glouton
inattendu v. brusque, étonnant, exceptionnel, imprévu, inédit, inopiné, soudain, subit, surprise
inattentif v. distrait
inattention v. distraction, étourderie, négligence
inaudible v. entendre, léger
inauguration v. ouverture
inaugurer v. employer
inauthentique v. faux
inavouable v. honteux, trouble
incalculable v. infini
incandescent v. rouge
incantation v. magique
incapable v. imbécile, inconscient, inoffensif
incapacité v. ignorance, insuffisance
incarcération v. admission, arrestation, captivité
incarcérer v. emprisonner, enfermer, inscrire
Incarnation v. catholicisme, mystère
incarnation v. expression, réincarnation, symbole
incarner v. corps, figurer, jouer, personnifier, réaliser, représenter
incartade v. conduite, écart, folie, irrégularité
incassable v. solide
incendiaire v. brûler, feu, incendie
incendie v. sinistre
incendier v. brûler
incération v. cire
incertain v. ambigu, éventuel, fragile, indécis, obscur, timide, vague, variable
incertitude v. doute, embarras, hésitation, indécision, vaciller
incessamment v. peu, suite, tôt
incessant v. continu, éternel, perpétuel
inchangé v. intact, invariable, stationnaire
incidemment v. parenthèse, passant
incidence v. influence
incident v. accident, aventure, chose, épisode, événement, panne, péripétie
incinération v. brûler, cadavre, cendre, ordure
incinérer v. mort
incipit v. livre
incise v. incident
inciser v. ouvrir
incisif v. aigu, concis, nerveux, sarcastique, satirique, tranchant
incision v. abcès, chirurgie, entaille
incitation v. appel, excitation, invitation
inciter v. déterminer, encourager, engager, entraîner, incliner, inviter, pousser, solliciter
inclémence v. dureté
inclément v. rude
inclinaison v. pente, planète
inclination v. affection, amitié, appétit, faible, penchant, sentiment, sympathique, tendance, vocation
incliné v. oblique
incliner v. agenouiller (s'), capituler, courber, effacer, pencher, plier, renverser, soumettre, subir
inclure v. comprendre, contenir
incoercible v. contenir, retenir, vomissement
incognito v. ignorer, secret
incohérent v. cheveu, confus, invraisemblable, structure, stupide, suite
incolore v. terne
incomber v. accroître, appartenir, concerner, dépendre, peser, revenir
incombustible v. feu
incommensurable v. considérable, excessif, gigantesque, nombre, nombreux
incommodant v. fâcheux
incommoder v. embarrasser, gêner, malade, souffrant
incomparable v. égal, pareil, parfait, unique
incompatible v. contraire, opposé
incompétence v. ignorance
incompétent v. incapable
incomplet v. imparfait
incomplexe v. simple
incompréhensible v. mystérieux, obscur, suite
incompréhension v. barrière
inconcevable v. incompréhensible, incroyable
inconciliable v. contraire, incompatible, opposé
inconditionné v. nécessaire
inconditionnel v. fidèle, systématique
inconduite v. faute
incongru v. mal
inconnu v. anonyme, étranger, ignorer, inouï, neuf, nouveau, obscur, original
inconsciemment v. insu, réflexion
inconscience v. insensibilité, légèreté
inconscient v. fou, spontané
inconséquence v. légèreté
inconséquent v. fou
inconsidéré v. imprudent
inconsidérément v. tort
inconsistant v. fragile, frivole, indécis

inconstance v. incertitude, infidélité
inconstant v. frivole, instable, léger, stable
incontestable v. évident, manifeste, positif, réfuter, rigoureux, vrai
incontinent v. suite
incontournable v. inévitable
inconvenant v. désinvolte, familier, grossier, impoli, incorrect, indiscret, malpropre, obscène, usage
inconvénient v. défaut, handicap, objection, risque
incorporation v. annexion, appel, convocation, fusion, identité, réunion
incorporel v. spirituel
incorporer v. intégrer, joindre, mélanger, rattacher, recruter, verser
incorrect v. impoli, mauvais, usage
incorrectement v. mal
incorrection v. barbare, faute, irrégulier, rugby
incorrigible v. terrible
incorruptible v. honnête
incrédule v. méfiant, sceptique
incrédulité v. incroyance
incriminer v. accuser, attribuer, charger, compte, plainte, prendre, procès, soupçonner, suspect
incroyable v. étonnant, fabuleux, inouï, invraisemblable, sensationnel
incroyant v. athée, impie, incrédule, païen, sceptique
incrustation v. décor, marqueterie, trucage
incrusté v. introduire
incruster v. graver, insérer, orner
incubation v. commencement, maladie, œuf
incube v. diable, sorcellerie
inculpation v. arrestation, instruction
inculpé v. détenu
inculper v. accuser, condamner
inculquer v. apprendre, enseigner, expliquer, persuader, savoir
inculte v. brut, illettré, sauvage, stérile
incultivable v. stérile
incunable v. livre
incurable v. condamné, malade, perdu
incurie v. organisation
incursion v. descente, invasion, pillage
incurvé v. courbe
indécent v. incorrect, insolent, malpropre, obscène, osé, sale
indéchiffrable v. difficile
indécidable v. indécis
indécis v. ambigu, instable, lent, perplexe
indécision v. hésitation, incertitude
indéclinable v. invariable
indécomposable v. simple
indéfectible v. continu, défaillir, éternel, solide, sûr
indéfini v. adjectif, vague
indélébile v. feutre
indélicat v. incorrect, malhonnête
indélicatesse v. déception
indémaillable v. maille
indemne v. compte, intact, sain, sauf, sauver
indemniser v. compenser, mal, payer, réparer
indemnité v. prime, salaire
indéniable v. évident, manifeste, réfuter
indépendance v. autonomie, essor, liberté
indépendant v. libre, non conformiste, proposition, relation
indépendantiste v. nationalisme, séparation
indéracinable v. tenace
indestructible v. éternel, solide
indétermination v. incertitude
indéterminé v. inconnu, indécis, vague
Index v. censure, interdit, liste, papauté
index v. aiguille, catalogue, condamnation, doigt, main, recueil, répertoire, table
indexation v. échelle, garantie
indexer v. emprunt
indicateur v. dénoncer, espion, horaire, itinéraire, police
indication v. adresse, définition, indicatif, information, ordre, recette, renseignement, signe
indice v. annonce, chiffre, indicatif, racine, reconnaissance, renseignement, signe, statistique, symptôme
indicible v. dire, extrême, grand, impossible, parfait
indiction v. convocation
Indien v. autochtone, océan
indien v. nage
indienne v. toile
indifférence v. impassibilité, insensibilité
indifférent v. insouciant, passif, sec, souci, sourd
indigence v. besoin, manque, nécessité
indigène v. autochtone, habitant, pays
indigent v. misérable, pauvre
indigeste v. lourd, pesant
indignation v. révolte
indigner v. irriter, scandaliser, soulever
indignité v. injure, insulte, lâcheté
indigo v. primitif, teinture
indigoterie v. usine
indiposer v. fâcher
indiquer v. déceler, déclarer, démontrer, dénoncer, désigner, fixer, marquer, montrer, ponctuer, prouver, refléter, révéler, signaler, supposer
indirect v. démocratie, interrogation
indiscipline v. désobéissance
indiscipliné v. rebelle
indiscret v. fâcheux
indiscrétion v. curiosité, fuite
indiscutable v. catégorique
indispensable v. essentiel, fondamental, inévitable, nécessaire, premier, utile
indisposé v. gêner, malade, souffrant
indisposer v. déplaire, froisser
indistinct v. indécis, obscur, sourd, trouble, vague
individu v. élément, personne, sujet
individualisme v. individualité, intérêt
individualiste v. égoïste
individualité v. singularité, unité
individuation v. personnalité
individuel v. particulier, spécial
indivis v. commun
indivisible v. simple
indocile v. rebelle
indocilité v. indépendance
indo-iranien v. perse
indolence v. indifférence, inertie, insensibilité, négligence, paresseux
indolent v. lent, mou
indomptable v. sauvage
indu v. injuste
indubitable v. authentique, doute, réel, rigoureux
inductance v. inertie
inductif v. raisonnement
induction v. analogie, courant, mathématique
induire v. conditionner, raisonner, tromper
indulgence v. compréhension, gentillesse, grâce, humanité, intérêt, patience
indult v. bénéfice, pape
indûment v. tort
induration v. tissu
indurer v. durcir
industrialisation v. capitalisme
industrialiser v. équiper
industrie v. entreprise, intelligence
industriel v. pharmacie, politique
induvie v. chêne
inébranlable v. bâtir, calme, constant, épreuve, ferme, invariable, solide
inédit v. inconnu, nouveau, singulier
ineffable v. dire, extraordinaire, fameux, grand, inouï, parfait
inefficace v. stérile, superflu, vain
inégal v. imparfait, irrégulier, raboteux
inégalé v. pair
inégalité v. irrégularité
inéluctable v. fatal, inévitable, nécessaire, sûr
inéluctablement v. forcément
inemployé v. dormir
inepte v. absurde, idiot, stupide
ineptie v. bêtise, folie
inépuisable v. fécond
inéquitable v. injuste
inerme v. épine
inerte v. immobile, passif, repos, ressort
inertie v. paresse, stagnation, torpeur
inertie (principe de l') v. dynamique
inespéré v. imprévu, inattendu
inesthétique v. laid
inestimable v. précieux
inévitable v. fatal, nécessaire, sûr
inévitablement v. forcément
inexact v. faux, incorrect, mauvais
inexactitude v. erreur, infidélité
inexécutable v. impossible
inexistant v. fantôme, nul
inexorable v. cruel, fatal, impitoyable, insensible, sévère, sourd
inexpérience v. ignorance
inexpérimenté v. neuf
inexplicable v. incompréhensible, mystérieux, singulier
inexploité v. vierge
inexploré v. inconnu, vierge
inexpressif v. froid, terne
inexprimable v. dire, parfait
inexprimé v. sous-entendu
inexpugnable v. château, fort, impossible, siège
in extenso v. complet
inextinguible v. éteindre, impossible
inextirpable v. tenace
in extremis v. adverbe
inextricable v. compliqué, difficile
infaillible v. souverain, sûr
infailliblement v. forcément
infaisable v. impossible
infâme v. exécrable, honteux, ignoble, odieux, sale
infamie v. déshonneur, injure, réputation
infant v. fille, prince
infanterie v. armée, soldat
infanticide v. enfant, meurtre
infantile v. mortalité
infarctus v. cœur, malaise
infatigable v. impitoyable, robuste
infatuation v. orgueil
infatué v. plein, suffisant
infécond v. maigre, stérile
infect v. dégoûtant, écœurant, exécrable, horrible, mauvais
infecter v. communiquer, salir
infection v. rage
inféodation v. soumission
inféoder v. féodal, obéir
inférence v. analogie, conséquence, déduction, raisonnement
inférer v. conclure, tirer
inférieur v. moindre, planète
infernal v. crayon, démoniaque, épouvantable
infertile v. maigre, pauvre, sec, stérile
infester v. envahir
infidèle v. frivole, impie, perfide, religion
infidélité v. adultère, trahison
infighting v. boxe
infiltration v. pénétration, souterrain
infiltrer v. couler, entrer, glisser, insinuer, introduire
infime v. insensible, léger, minuscule, négligeable, petit
infini v. absolu, éternel, immense, perpétuel
infinitésimal v. homéopathie, minuscule, petit
infinitif v. impersonnel, verbe
infirmation v. renvoi
infirme v. invalide
infirmer v. annuler, contester, démentir, négatif, nier, nul, réfuter
infirmité v. malformation
infixe v. mot, racine
inflammation v. immunitaire
inflation v. accroissement, augmentation, prix
inflexible v. constant, ferme, impitoyable, rigide, sourd, strict
inflexion v. déviation, intonation, ton, tournant
infliger v. administrer, donner, imposer, prononcer
inflorescence v. fleur, grappe
influençable v. maniable
influence v. autorité, bras, empire, force, importance, poids, pouvoir, pression, supériorité
influencer v. conditionner
influent v. gros, important, puissant
influenza v. grippe
influer v. agir, conditionner

in-folio v. volume
information v. bulletin, élément, enquête, instruction, nouvelle, renseignement
informatique v. document
informatiser v. automatique
informer v. apprendre, avertir, connaître, courant, déclarer, éclairer, initiative, interroger, part, prévenir, renseignement, savoir
infortune v. misère, revers, sort
infortuné v. malheureux
infra v. loin
infraction v. contraire, contravention, criminel, délit, fait, faute, violation
infrangible v. solide
infrason v. phénomène, son
infrastructure v. organisation
infructueux v. ingrat, inutile, résultat, stérile, vain
infule v. bandeau
infuser v. macérer, transmettre
infusion v. tisane
ingambe v. alerte, jambe, marcher, sain
ingénier (s') v. tâcher
ingénierie v. usine
ingénieur v. architecte, cadre, technicien
ingénieux v. adroit, astucieux, débrouillard, fin, fort, habile, intelligent, inventer, lumineux, pratique, savant, subtil
ingéniosité v. imagination, intelligence
ingénu v. innocent, naïf, simple
ingénuité v. confiance, ignorance
ingérence v. intervention, pays
ingérer v. absorber, avaler, intervenir, introduire, mêler, participer, prendre
ingestion v. assimilation
ingrat v. désagréable, laid, stérile
ingression v. invasion
inguinal v. aine
ingurgiter v. avaler, consommer
inhabileté v. maladresse
inhabité v. dépeuplé, sauvage
inhabituel v. anormal, extraordinaire, nouveau, spécial
inhaler v. respirer
inhérent v. appartenir, essentiel
inhiber v. empêcher, freiner, paralyser, supprimer
inhibition v. barrage, refoulement, sexualité
inhospitalier v. hostile
inhospitalité v. dureté
inhumain v. impitoyable
inhumanité v. barbarie, massacre
inhumation v. enterrement
inhumer v. cadavre, recouvrir
inimaginable v. incroyable, invraisemblable
inimitié v. haine, hostilité, malveillance, nuire
ininflammable v. feu
inintelligible v. clair, incompréhensible
ininterrompu v. continu, monotone
inique v. illégal, injuste
initial v. premier, primitif
initiale v. signature
initiation v. adolescence, apprentissage, éducation, savoir
initiative v. proposition, tentative
initié v. disciple
initier v. apprendre, enseigner, essayer, premier, transmettre
injecté v. sang
injecter v. introduire
injection v. piqûre, vaccin
injonction v. commandement, consigne, demande, mise, ordre
injure v. colère, écart, excès, insulte, interpellation, offense, violence
injurier v. insolence, insulter
injustement v. tort
injustifié v. arbitraire, gratuit, injuste
inlandsis v. glacier
inlassable v. patient
inlay v. dentaire
inné v. naissance, naturel
innervation v. nerf
innocence v. ignorance
innocent v. blanc, chasteté, inoffensif, pur, simple
innocenter v. blanchir, justifier, suspect
innombrable v. considérable, infini, nombreux
innommable v. nom
innovation v. inédit
inobservance v. violation
inoccupé v. libre, vide
in-octavo v. volume
inoculation v. vaccin
inoculer v. communiquer, germe, introduire, maladie, transmettre
inoffensif v. gentil
inondation v. débordement, déluge, sinistre
inondé v. envahir, noyer, trempé
inonder v. remplir
inopiné v. imprévu, inattendu, soudain, subit, surprise
inopinément v. accident, beau, improviste
inopportun v. fâcheux, fatigant, mal, mauvais
inorganique v. minéral, pétrole
inoubliable v. fameux
inouï v. énorme, exceptionnel, extraordinaire, fabuleux, inconnu, incroyable, insolent, sensationnel, singulier, unique
in pace v. prison
inpensable v. incroyable
in petto v. intérieur
in quarto v. volume
inquiet v. anxieux, pessimiste
inquiétant v. ennuyeux, sérieux, sinistre, sombre
inquiéter v. préoccuper, tourmenter
inquiétude v. agitation, angoisse, appréhension, impatience, incertitude, peur, souci
inquisiteur v. inquisition, regard
Inquisition v. hérésie, persécution, religion, sorcier
inquisition v. condamnation
I.N.R.I. v. croix
inro v. kimono, médicament
insalubre v. dangereux, ignoble, malpropre, nuisible
insane v. absurde, fou, raison
insatiable v. consommateur, glouton, impossible
insatisfaction v. besoin
insatisfait v. inquiet
inscription v. engagement
inscrire v. écrire, marquer, noter, porter
insculper v. marquer, poinçon
insecte v. puce
insecticide v. insecte, pollution
insectifuge v. insecte
insectivore v. hérisson, insecte
I.N.S.E.E. v. statistique
insémination v. accouplement, fécondation
insensé v. fou, idiot, impossible, raison, ridicule, stupide
insensibilisation v. anesthésie, chirurgical
insensibilité v. impassibilité, inconscience, indifférence
insensible v. cruel, imperméable, impitoyable, inhumain, sec, sourd
insensiblement v. peu
inséparable v. éternel, inévitable, intime
insérer v. ajouter, comprendre, joindre, mettre, parenthèse
insermenté v. serment
insert v. chauffage, feu
insidieux v. apparence, hypocrite, malhonnête, perfide, sournois, trompeur
insigne v. fameux, magnifique, signaler, signe, symbole
insignifiance v. néant, vanité
insignifiant v. banal, frivole, futile, léger, maigre, médiocre, mesquin, mince, misérable, négligeable, peu, quelconque, ridicule, secondaire, superficiel, terne, vain, vide
insinuant v. sournois
insinuation v. indirect, sous-entendu
insinuer v. allusion, couler, demi, dire, entendre, entrer, glisser, introduire, suggérer
insipide v. fade, goût, monotone, quelconque, second, terne, vide
insipidité v. platitude
insistance v. crier, obstination
insistant v. regard
insister v. persévérer, souligner
insociable v. misanthrope, sauvage, seul
insolation v. brûler
insolence v. audace, familiarité, injure, insulte
insolent v. dédain, désagréable, impoli, incorrect
insolite v. anormal, bizarre, drôle, énigmatique, étonnant, extraordinaire, mystérieux, singulier, spécial
insoluble v. compliqué, impossible, inacceptable, solution
insolvable v. dette
insomnie v. endormir, passion, sommeil, veille
insondable v. gigantesque, incompréhensible, mystérieux
insonore v. son
insouciance v. légèreté
insouciant v. frivole, souci
insoucieux v. insouciant, souci
insoumis v. rebelle
insoumission v. désobéissance, résistance, révolte
insoutenable v. abominable, horrible, terrible
inspecter v. contrôler, regarder, scruter, surveiller
inspecteur v. détective, douane, impôt, police
inspection v. contrôle, reconnaissance, revue, ronde, visite
Inspection générale de la police nationale v. police
inspirateur v. âme, animateur, muse
inspiration v. enthousiasme, esprit, illumination, imagination, instinct, intuition, révélation, veine
inspirer v. conduire, conseiller, illuminer, imiter, persuader, respirer, souffler, suggérer
instabilité v. déséquilibre, incertitude, infidélité
instable v. fragile, mobile, variable
installer v. arranger, disposer, équiper, établir, fixer, mettre, placer
instance v. organisme, pendant, tribunal
instant v. durée, suite
instantané v. immédiat, photographie, soudain, subit
instantanément v. suite
instar v. exemple, imitation
instauration v. institution
instaurer v. commencer, établir, fonder
instigateur v. animateur
instiller v. couler, goutte, insinuer, verser
instinct v. appétit, fibre, intuition
instinctif v. inconscient, spontané
instinctivement v. réflexe
instituer v. constituer, créer, établir, fonder
institut v. beauté, institution, règle, religieux
instituteur v. école, enfance, maître
institution v. école, nomination, pension, régime
institutionnel v. psychiatrie
instructeur v. équitation, professeur
instructif v. bon, manuel
instruction v. apprentissage, bagage, commande, commandement, enquête, enseignement, information, initiation, ordre, préparation, savoir, science
instruire v. apprendre, cultiver, éclairer, étudier, informer, renseignement
instruit v. savant
instrument v. appareil, objet, organe, outil, résultat
instrumentiste v. chirurgien, orchestre
insubmersible v. flotter, surface
insubordination v. désobéissance, rebelle, révolte
insuccès v. avortement, échec, four, revers
insuffisance v. défaut, ignorance
insuffisant v. imparfait, incomplet, médiocre
insuffler v. inspirer, souffler
insulaire v. habitant, île
insuline v. diabète, hormone, pancréas
insulte v. attaque, injure, interpellation
insulter v. insolence
insupportable v. impossible, odieux
insurgé v. adversaire, rebelle, révolutionnaire
insurger (s') v. désobéir, dresser, protester, révolter
insurmontable v. majeur
insurrection v. agitation, émeu-

te, fronde, rebelle, résistance, révolte, soulèvement
ntact v. complet, entier, pur, sauf, vierge
ntaille v. sculpter
ntailler v. graver
ntangible v. sacré
ntarissable v. impitoyable
ntégral v. entier, total
ntégralement v. fond
ntégralité v. complet, intégral, plénitude
ntégration v. abandon, adaptation, assimilation, fusion, immigré, intégral
ntègre v. consciencieux, devoir, droit, fidèle, honnête, propre, pur, scrupuleux
ntégrer v. joindre
ntégrisme v. catholicisme
ntégriste v. liturgie, traditionaliste
ntégrité v. conscience, foi
ntellect v. penser
ntellection v. compréhension, intelligence
ntellectuel v. indépendance, spirituel
ntelligence v. accord, amitié, communauté, esprit, imagination, penser, raison, réflexion, union
ntelligence Service (G.-B.) v. service
ntelligent v. raisonnable
ntelligentsia v. intellectuel
ntelligible v. abordable, compréhensible, facile, transparent
ntempérance v. abus, débauche, excès, ivresse
ntempérant v. gourmand, manger
ntempérie v. temps
ntempestif v. fâcheux, familier, mal
ntemporel v. éternel, spirituel, temps
ntenable v. terrible, turbulent
ntendance v. agence, direction
ntendant v. administrateur, agent, domestique, gérant
ntense v. cru, dense, extraordinaire, froid, grand, profond, vif, violent
ntensification v. augmentation, escalade
ntensifier v. aggraver, souligner
ntensité v. degré, densité, force, point, véhémence, vigueur, vivacité
ntenter v. engager, entreprendre, plaider
ntention v. adresse, but, cause, détermination, motif, pensée, prétention, programme, projet, volonté
ntentionnel v. délit, volontaire
nter v. intérieur
nterallié v. littérature
ntercaler v. ajouter, insérer, mettre
ntercéder v. agir, influence, intervenir, parler, réclamer
ntercepter v. arrêter, prendre, saisir
ntercesseur v. avocat, défense
nterclasse v. pause
nterdiction v. consigne
nterdire v. barrer, défendre, empêcher, prohiber, refuser
nterdit v. censure, ébahi, illégal, immobile, incapable, père, pirate, refoulement, sidéré, stupéfait
intéressant v. avantageux, important, valable, viser
intéressé v. utilitaire
intéressement v. participation, salaire
intéresser v. appliquer, pencher, penser, regarder, songer
intérêt v. argent, banque, bien, coeur, curiosité, importance, indemnité, inoffensif, revenu, utilité, valeur
interférence v. rencontre
interféron v. immunitaire
interglaciaire v. période
intérieure v. domestique
intérim v. intermittent
intérimaire v. provisoire, temporaire
intériorisation v. identité
intériorité v. personnalité
interjection v. appel, exclamation
interkraft v. papier
interligne v. espace, intervalle
interlingua v. langue
interlocuteur v. destinataire, dialogue
interlope v. clandestin, contrebande, fraude, louche, suspect
interloqué v. déconcerté, démonter, ébahi, interdit, sidérer, stupéfait, surprendre
interlude v. entracte, intervalle, plage, transition
intermède v. entracte, intervalle, plage, transition
intermédiaire v. défense, entremise, intervalle, intervenir, médiateur
interminable v. infini, long
intermittence v. intervalle
intermittent v. circulaire, double, éclipse, irrégulier
internat v. pension
international v. droit
Internationale v. communisme
interne v. intérieur, médecine, oreille
internement v. admission, déportation
interner v. emprisonner, enfermer
interpellation v. demande, parlement
interpeller v. adresser, apostropher, arrêter, évoquer, interroger
Interpol v. police
interpoler v. texte
interposer v. écran, insérer, intervenir
interprétation v. regard, version
interprète v. acteur, comédien, intermédiaire, musicien
interpréter v. exécuter, jouer, représenter, traduire
interrogatif v. adjectif
interrogation v. adverbe, examen
interrogatoire v. enquête, inquisition, instruction, interrogation
interroger v. demander, informer, questionner
interrompre v. arrêter, briser, cesser, déranger, distraire, plus, suspendre
interrupteur v. bouton, interrompre
interruption v. feu, panne, pause, silence, vacance
intersection v. croisement
interstice v. brèche, espace, fente, intervalle, ouverture
intertrigo v. inflammation
intervalle v. arrêt, battement, blanc, distance, écart, entracte, espace, marge, pause, période, plage, rythme
intervenant v. orateur
intervenir v. entrer, influence, participer
intervention v. acte, action, changement, entremise, initiative, interjection, interprétation, opération, pays
interventionnisme v. État, intervention, nationaliser
interversion v. transposition
intervertir v. changer, déplacer, renverser, substituer
interview v. dialogue
interviewé v. interroger
interviewer v. questionner
intestat v. testament
intestin v. domestique, ventre
intime v. étroit, familier, particulier, personne, personnel, privé
intimer v. commander, convoquer, inviter, ordonner
intimidation v. menace
intimider v. crainte, gêner, paralysé, troublé
intimité v. amitié, union
intituler v. titre
intolérable v. extrême, horrible, supporter
intolérance v. dogmatique, religion
intolérant v. étroit, fanatique
intonation v. interrogation, ton
intouchable v. sacré
intoxication v. conditionnement, empoisonnement, poison
intoxiquer v. conditionner
intrados v. voilure
intraitable v. difficile, entier, rigide, sévère, têtu
intra-muros v. adverbe, intérieur, mur
intramusculaire v. piqûre
intransigeance v. dogmatique, dureté
intransigeant v. absolu, autoritaire, entier, ferme, nuance, rigide, sévère
intransitif attributif v. transitif
intraveineuse v. piqûre, veine
intrépide v. courageux, hardi
intrigant v. comploter, intrigue
intrigue v. action, aventure, charpente, comédie, démarche, machination, péripétie, récit, relation, scénario
intriguer v. bas, combiner, curiosité, piquer
intrinsèque v. appartenir
intrinsèquement v. essence, nature
introduction v. entrée, importation, initiation, interjection, pénétration, sommaire
introduire v. admettre, entrer, insérer, insinuer, intégrer, loger, mettre, pénétrer, plaider, plonger, présenter
introjection v. identité
intromission v. introduction, pénétration
intronisation v. admission, couronnement, installation, roi
introspection v. analyse, conscience, examen, intérieur, regard
introverti v. intérieur
intrus v. indiscret, introduire
intrusion v. intervention
intuition v. connaissance, conscience, initiative, instinct, pensée, perception, phénomène, pressentiment, psychologie, sensation
intumescence v. chair, enflure
Inuit v. esquimau
inupik v. esquimau
inusable v. solide
inusité v. employer, singulier
inutile v. pieux, résultat, stérile, superflu, vain
inutilisable v. usage, valoir
inutilité v. futilité
invalidation v. renvoi
invalide v. infirme
invalider v. annuler, nul
Invar v. nickel
invariabilité v. permanence
invariable v. égal, ferme, immobile, stationnaire
invariablement v. fixe
invasion v. descente, diffusion, infiltration, inondation
invective v. attaque, colère, injure, insulte, pique, violence
invectiver v. crier
invendu v. bouillon, retour
inventaire v. catalogue, compte, description, état, liste, recensement
inventer v. chercher, fabriquer, improvisé, raconter, trouver
inventeur v. auteur, savant, trésor
inventif v. fécond, original
invention v. création, découverte, fabrication, imagination, rhétorique
inventivité v. initiative, intelligence
inventoriage v. compter
inventorier v. enregistrer
inverse v. contraire, opposé, réciproque
inverser v. changer, déplacer, renverser
investigation v. enquête, étude, inquisition, recherche, reconnaissance
investiguer v. renseignement
investir v. assiéger, capital, engager, entrer, envahir, siège
investissement v. blocus, exportation, mise
investiture v. bénéfice, féodal
invétéré v. tenace, terrible, vieux
inviolable v. sacré
invisible v. insensible
invitation v. appel, faveur
invite v. conseil, invitation
invité v. hôte
inviter v. engager, prier, recevoir, retenir, réunir, solliciter
in vitro v. conception, fécondation
invocation v. incantation
involontaire v. automatique, instinct, spontané
involontairement v. insu, réflexe
invoquer v. appeler, avancer, citer, évoquer, prier, réclamer, supplier
invraisemblable v. extraordinaire, fabuleux, impossible, incroyable, inouï, sensationnel
invulnérable v. immuniser
Io v. vache
iode v. algue, mer, pomme de terre
iodisme v. iode
iodure v. iode, magnésium
ionien v. grec
ionique v. grec, ordre
iouler v. tyrolien
iranien v. perse

Iraniens v. perse
irascibilité v. nervosité
irascible v. brutal, colère, difficile, emporter, explosif, fâcher, vif, violent
ire v. colère
irénisme v. pacifique
ironie v. esprit, humour
ironique v. acide, malicieux, moqueur, satirique
ironiser v. esprit
irradiant v. douleur
irradiation v. atomique, radiation, transmission
irradier v. briller, rayon, rayonner
irraisonné v. arbitraire, raison
irrationnel v. gratuit, instinct, nombre, suite
irréalisable v. vain
irrecevable v. inacceptable
irrécusable v. nécessaire, témoignage
irrédentisme v. territoire
irréductible v. absolu, simple
irréel v. fabuleux, imaginaire
irréfléchi v. imprudent, instinct, involontaire, raisonnable, spontané
irréflexion v. étourderie, inconscience, légèreté
irréfragable v. nécessaire, récuser, témoignage
irréfutable v. accablant, décisif, manifeste, rigoureux, témoignage
irrégularité v. exception, règle, singularité
irrégulier v. anormal, galaxie, illégal, impair, incorrect, intermittent, variable
irréligieux v. athée, blasphème, impie, incrédule, non-croyant, sceptique
irrémédiablement v. fois
irrémissible v. pardonner
irremplaçable v. précieux, unique
irrépréhensible v. innocent
irrépressible v. contenir, retenir
irréprochable v. honnête, innocent, parfait, reproche
irrésistible v. intense, retenir
irrésolu v. indécis, lent, perplexe
irrésolution v. doute, embarras, hésitation, incertitude, indécision
irrespect v. comportement, insolence
irrespectueux v. impoli, insolent
irresponsable v. immature, inconscient
irrévérence v. comportement, injure, sacrilège
irrévérencieux v. impoli
irréversible v. retour
irréversiblement v. fois
irrévocable v. fatal, ferme
irrévocablement v. fois
irritable v. colère, difficile, emporter, susceptible
irritant v. supporter
irritation v. brûlure, démangeaison, impatience, nervosité
irrité v. exaspérer, hérissé, vif
irriter v. agacer, contrarier, déplaire, énerver, fâcher, indigner, piquer
irroration v. rosée
irruption v. brusque, entrer, invasion, surgir
isabelle v. jaune
Isaïe v. prophète
isba v. habitation
I.S.B.N. v. livre
ischémie v. sang
ischiatique v. hanche
ischurie v. urine
Ishtar v. babylonien
islam v. arabe, musulman
islamisme v. islam
islandais v. germanique
ISO v. photographie
isobare v. atmosphérique, météorologie
isobathe v. égal
isocèle v. égal, triangle
isochrone v. temps
isochronisme v. égalité
isogone v. angle
isolant v. électrique
isolé v. loin, perdu, unique, vase
isolement v. solitude
isoler v. dégager, enterrement, extraire, séparer, seul, vide
isoloir v. cabine, vote
isomère v. formule
isomérisation v. pétrole
isométrique v. contraction, égal
isomorphe v. forme
isotherme v. météorologie, température
isotonique v. contraction
isotope v. atomique
israélite v. juif
issu v. venir
issue v. farine, impasse, résultat, solution, sortie, stade, terme
isthme v. île, mer, péninsule
italianisme v. italien
italien v. roman, store
itératif v. récurrent
ithyphallique v. phallus
itinéraire v. route, trajet
itinérant v. domicile
I.U.T. v. université
I.V.G. v. avortement
ivoire v. dent, marqueterie, peigne
ivoirin v. blanc, ivoire
ivoirine v. ivoire
ivraie v. céréale, herbe
ivresse v. vertige
iwan v. mosquée

jable v. planche
jabot v. col, dentelle, estomac, oiseau, poche
jacasser v. pie
jacasserie v. bavardage
jachère v. agricole, friche, repos, terre
jacinthe v. clochette
jacket v. dentaire
jacquard v. tricot
jacquerie v. révolte
jacques v. agriculteur
Jacques le Majeur v. pèlerin
jacquot v. perroquet
jactance v. vanité
jaculatoire v. prière
jade v. vert
jadis v. passé
jaguapard v. hybride
jaillir v. couler, élever, partir, pointer, sortir, surgir
jaillissement v. jet, passion
jaïnisme v. non-violence
jais v. noir
jalon v. marque, ruban
jalonner v. tracer
jalousie v. dépit, envie, fenêtre, passion, rivalité, treillis, volet
jambage v. lettre
jambe v. patte
jambière v. bas, jambe
jamboree v. réunion
jam-session v. jazz
janissaire v. garde, soldat, turc
jansénisme v. grâce
jante v. poulie, roue
Janus v. janvier
Japon v. empire
japon v. papier
japonette v. soie
jappement v. chien
jaquemart v. horloge
jaquet v. dé
jaquette v. veste
jardin v. parc, secret
jardin d'enfants v. maternel
jardinage v. diamant
jardiniste v. paysage
jargon v. dialecte, langage
jarre v. vase
jarres v. fourrure
jarret v. genou, saillie
jarretière v. bas, mariage
jars v. oie
jas v. marais
jaser v. commérage, geai, indiscret, pie
jaseran v. chaîne, chemise, maille
jaserie v. conversation
jaseur v. bavard
jaspe v. quartz
jaspé v. couleur, marbre
jaspin v. bavardage
jatte v. bol
jauge v. tonnage
jauger v. considérer, évaluer, juger, mesurer, tenir
jaune v. grève, primaire, primitif, syndicat
jaunet v. or, pièce
jaunet d'eau v. jaune
jaunisse v. foie, sang
javeau v. dépôt, sable
javeline v. javelot
javelle v. fagot
javellisation v. stérilisation
jean-doré v. dorée
jectisse v. pierre, terre
jeep v. véhicule
Jéhovah v. dieu
jéjunum v. grêle
jenny v. coton
jérémiade v. gémissement, plainte
Jérémie v. prophète
jéroboam v. litre
jersey v. maille
jésuitique v. hypocrite
jésus v. saucisson
Jésus-Christ v. fils, pasteur
jet v. avion, bourgeon, gerbe, projection, rayon
jetage v. écoulement
jeté v. danse
jetée v. barrage
jeter v. construire, débarrasser, plonger, poser, renverser, répandre
jeter (se) v. fondre, précipiter, réfugier
jeter l'ancre v. fond
jeter le gant v. duel
jeter l'éponge v. capituler
jeter un sort v. ensorceller
jeteur de sort v. malédiction
jeton v. numéro, salaire
jet-society v. société
jettatore v. jeter
jettatura v. malédiction
jeu v. attraction, orgue, puzzle, récréation, rodéo, série
jeu (vieux) v. démodé
jeu de société v. intelligenc artificielle
jeune v. nouveau, récent, vert
jeûne v. abstenir (s'), islam non-violence, pénitence, pr vation
jeûner v. manger
jeunesse v. beau, printemps
jingle v. indicatif, publicitaire
jingo v. patriote
jiu-jitsu v. art, judo
joaillier v. bijou, diamant
jobard v. sot
jobarder v. embobiner
jocasse v. grive
jockey v. cavalier, cheval
jocrisse v. sot
jodel v. tyrolien
jodler v. tyrolien
joie v. enthousiasme, pie, pla sir, satisfaction
joindre v. conjuguer, emboîte mêler, participer, raccorde serrer, unir
joint v. rondelle
jointoiement v. accouplement
jointure v. articulation
joker v. carte
jonc v. bague, baguette, brac let, canne, panier
joncer v. chaise
jonchée v. quantité
joncher v. couvrir, parseme recouvrir
jonction v. nœud, rencontr réunion, union
jongler v. jouer
jongleur v. adresse, poète
jonkheer v. hollandais
jonque v. bateau, voilier
jonquille v. jaune
joue v. viser
jouer v. bafouer, bricoler, pa rier, produire, remplir, ri quer
jouet v. victime
jouette v. trou
joueur v. partenaire
joufflu v. bouffi, rond
joug v. dépendance, oppre sion, servitude
jouir v. disposer, posséde user
jouissance v. satisfaction
jouissance (action de) v. va leur
jouisseur v. sensuel
joule v. énergie
jour v. brèche, broderie, décora tion, dimanche, ouvertur perspective, tôt, trou
jour (mise à) v. révision
jour gras, maigre v. viande
journal v. bulletin, carne comptabilité, document, in formation, organe, périodiqu récit, registre
journalier v. agriculteur, ou vrier, travailleur
journaliste v. présentateur, ré dacteur
Journal officiel v. bulletin
journées des Barricades v. fronde
joute v. chevalier, comba compétition, concurrenc controverse, duel, face-à face, lance, médiéval, riva lité, tournoi
Jouvence v. fontaine
jouvenceau v. jeune, fille
jouxter v. toucher
jovial v. gai, joyeux
jovialité v. gaieté
joyau v. bijou
joyeux v. content, plaisant
joyeux drille v. gai

jubé v. clôture
jubilation v. enthousiasme, gaieté, joie
jubilé v. anniversaire, pardon
jubiler v. réjouir
juché v. grimper
juchée v. faisan
judaïsme v. arche, israélite, juif
Judas v. baiser
judas v. guichet, ouverture, traître
judiciaire v. police, pouvoir
judicieux v. adéquat, adroit, bon, conseil, juste, pertinent, prudent, raisonnable, sage
judo v. art
judoka v. judo
jugement v. arrêt, avis, condamnation, intelligence, position, préjugé, raison, regard, sagesse, sens, sentence, verdict
juger v. considérer, critiquer, décider, penser, prononcer, reconnaître, regarder, trancher, trouver
jugulaire v. casque, cou, gorge, menton
juguler v. arrêter, étouffer
juif v. hébreu
juillettiste v. vacance
jujubier v. épine
julep v. boisson, médicament, potion
julienne v. potage
jumeau v. deux, mollet, ressemblance
jumeler v. joindre
jungle v. végétation
junior v. sportif
junker v. noble
jupe de fils v. frange
Jupiter v. foudre, planète, symphonie
juré v. magistrat
jurement v. juron
jurer v. affirmer, éclater, prêter
juridiction v. justice, rayon, tribunal
juridique v. acte, institution, légal
jurisprudence v. justice
juron v. exclamation
jury v. examen
jus v. pomme
jusant v. marée, reflux
jusqu'alors v. ici
jusqu'à présent v. ici
jussion v. commandement
justaucorps v. combinaison, maillot, vêtement
juste v. approprié, bien, correct, étroit, exact, légitime, pertinent, précis, raison, sage, sincère
justesse v. raison, rectitude, vérité
justice v. cardinal, vertu
justificatif v. facture, preuve
justification v. apologie, argument, compte, démonstration
justifier v. défendre, excuser, expliquer, imprimerie, légitime, vérifier
jute v. peinture, textile
Jutes v. germanique
juvénile v. jeune
juxtalinéaire v. traduction
juxtaposer v. mettre
Ka'ba v. musulman
Kabbale v. juif, rabbin, recueil, tradition
kabbaliste v. théologie
kabuki v. japonais, théâtral
kaddish v. juif, prière
kaïnophobie v. changement
kaiser v. empereur
kakemono v. japonais
kaki v. brun, figue, jaune
kamala v. teinture
kame v. glacier
kamikaze v. avion, suicide
kana v. japonais
kanji v. japonais
kaolin v. argile, faïence, papier, porcelaine
kapok v. soie
kaptah v. pomme de terre
karakul v. mouton
karaté v. art
karatéka v. karaté
karma v. condition
karstique v. calcaire
kart v. voiture
kasher v. boucherie, juif, rabbin
Kasperl v. marionnette
kata v. karaté
katana v. karaté
kathak v. danse
kathakali v. danse
kawa v. poivrier
kayak v. aviron, bateau, esquimau
kefta v. boule
Kelvin v. température
kendo v. art
kentia v. palmier
kentrophyle v. chardon
képhir v. lait
kératine v. poil, protéine
kératite v. œil
kerdomètre v. téléphone
kères v. déesse, destin, génie
kérion v. teigne
kermès v. chêne, teinture
kermesse v. fête
kérosène v. avion, carburant
ketch v. voilier
ketmie v. hibiscus
K.G.B. (U.R.S.S.) v. service
khadi v. rouet
khâgne v. préparatoire
khâgneux v. étudiant
khalife v. islam
khamsin v. désert, sirocco, vent
khan v. souverain
kharidjisme v. musulman
Khepri v. soleil
khôl v. maquillage
kiaï v. karaté
kibboutz v. agricole, ferme
kick v. motocyclette
kidnapper v. capturer, emparer (s'), enlever, ravir
kif v. drogue, haschisch
kilim v. tapis
kilohertz v. radioélectrique
kilométrique v. onde
kilt v. jupe
kimono v. japonais, manche, vêtement
kinesthésie v. corps, muscle, sensation
kiosque v. concert, jardin, pavillon, salon
kiosquier v. kiosque
kippa v. juif
kipper v. hareng
kirsch v. cerise
kit v. pièce
kitchenette v. cuisine
klaxon v. signal, sonnette
klephte v. voleur
kleptomane v. voleur
knickerbockers v. culotte, golf
knock-out v. boxe
knout v. fouet, torture
kobold v. esprit, génie
Koch v. tuberculose
kodiak v. ours
kohen v. rabbin
koinè v. langue
kolkhoze v. agricole, ferme
kormos v. danse
korrigan v. diable, esprit, génie, nain
koto v. japonais
koubba v. tombe
koudourrou v. babylonien
kouglof v. gâteau
koulak v. paysan
koumis v. lait
kouros v. statue
kraal v. parc
krach v. baisse, Bourse, chute
kraft v. papier
krak v. citadelle
Krakatau v. volcan
krill v. baleine
krypton v. gaz
ksar v. citadelle, fortification
kumikata v. judo
kwas v. fermentation
kyogen v. japonais
kyrielle v. nombre, quantité, série, succession, suite
kyste v. dent, grosseur, verrue
kystectomie v. kyste
kyu v. karaté
kyudo v. arc, art, tir

là-bas v. ici
label v. contrôle, marchandise, marque, poinçon, sceau
labelle v. orchidée
labeur v. travail
labial v. lèvre
labiées v. lavande, menthe, thym
labile v. faillir
labium v. lèvre
laborantin v. laboratoire, pharmacie
laboratoire v. pharmacie
laborieusement v. peine
laborieux v. ardu, difficile, populaire, travailleur
labourer v. creuser, cultiver, effondrer
labre v. abeille, lèvre
labyrinthe v. complication, confusion, réseau
lac v. étang, pièce
laccase v. laque
lacédémonien v. pie
lacer v. serrer
lacérer v. déchirer
lacertiliens v. lézard
lacet v. attache, contour, corset, nœud, sinueux, tournant, virage, zigzag
lâche v. clair, mou, peureux, vague, veine, ventre
lâcher v. lancer, rompre
lâcheté v. autruche
lacis v. confusion, labyrinthe, réseau
laconique v. bref, concis, formule, sommaire
lacrymal v. larme
lacrymogène v. fumée, larme
lacs v. chasse, nœud
lactate v. magnésium
lactéal v. mamelle
lactescent v. blanc, lait
lactomètre v. lait
lactose v. lait, sucre
lactucarium v. laitue, opium
lacune v. ignorance, insuffisance, manque, omission, oubli, sabot, trou
lacustre v. lac, pêche
lad v. cheval, écurie, garçon
ladanum v. gomme
ladre v. avare, compter, grippe-sou
ladrerie v. hôpital, petitesse, porc
lady v. dame
lagomorphes v. lapin, lièvre
lagon v. lac
lagopède v. perdrix
lagunaire v. lagune
lagune v. étang, mer
lai v. frère, poème, religieux
laid v. ingrat, vilain
laideron v. affreux
laideur v. verrue
laie v. chemin, forêt, marteau, pierre
lainage v. tricot
laine v. verre
lainerie v. usine
laïque v. religion
lais v. arbre, taillis
laisse v. corde, tirade
laissées v. excrément
laisser v. donner, épargner, quitter, remettre, renoncer
laisser-aller v. négligence, organisation
laisser entendre v. allusion
laissez-passer v. accès, autorisation, permission
lait v. beurre, bouillie, dent
laitance v. poisson, sperme
laite v. poisson
laiteux v. blanc
laitier v. déchet
laiton v. cuivre, zinc
laïus v. récit
laize v. largeur
lallation v. bruit
Lama v. hélicoptère
lama v. moine, religieux
lamaneur v. pilote
lamarckisme v. évolution
lamaserie v. monastère
lambeau v. chiffon, débris, écaille
lambic v. bière
lambin v. lent, paresseux
lambiner v. traîner
lambourde v. parquet, pierre
lambrequin v. fenêtre
lambris v. parquet, plafond, revêtement
lambrissage v. menuiserie
lambrusque v. vigne
lame v. ciseau, mer, microscope, vague
lamé v. doré
lamellaire v. lame
lamelle v. microscope
lamellibranches v. mollusque, moule
lamentable v. affligeant, mauvais, minable, misérable, sinistre, sombre, triste
lamentation v. cri, gémissement, plainte, pleur, regret
lamenter (se) v. gémir
lamie v. taupe
laminage v. étirage, monnaie
laminer v. acier, aplatir, étendre, lame, presser
laminoir v. machine, métallurgie
lampadédromie v. course
lamparo v. lampe
lampas v. soie
lamper v. boire
lampion v. bougie, illumination
lampiste v. cheminot, lampe
lampsane v. mamelle

lance v. canne, pique
Lancelot v. trèfle
lancement v. départ, orbite, sortie
lance-pierres v. fronde
lancer v. athlétisme, circulation, émettre, envoyer, excommunication, jet, jeter, lâcher, pêche, projeter, publicité, regard, répandre
lancette v. coq, dentiste, flamme, vétérinaire
lanceur v. fusée
lancinant v. aigu, douleur
land v. État, province
landau v. calèche, enfant, voiture
lande v. buisson, friche, terrain
landier v. chenet
langage v. informatique, pensée, représentation, verbe
lange v. couche
langoureux v. caresse
langouste v. crustacé
langoustine v. homard
langue v. français, goût, langage, péninsule, pensée, représentation, style
langue (prendre) v. convenir
langue-de-bœuf v. chêne, maçon
languette v. planche
langueur v. énergie, ennui, épuisement, paresseux, torpeur
languir v. affaiblir, attendre, dépérir, sécher, traîner
languissant v. fade
lanice v. laine
lanière v. bande
lanigère v. laine
laniste v. gladiateur
lanoline v. pommade, savon
lanterne v. bougie, cinéma
lanugineux v. laine
lapalissade v. évident, vérité
laparocèle v. hernie
laparotomie v. ventre
laper v. boire
lapiaz v. ruisseau
lapidaire v. affirmation, bijou, concis, diamant, formule, pierre précieuse, résumé, tailleur
lapidation v. supplice
lapider v. pierre, tuer
lapidification v. pierre
lapidifier v. pétrifier
lapilli v. volcan
lapis v. bleu
laps v. durée, espace, moment, temps
lapsang v. thé
lapsus v. acte, faute
laque v. résine
laqueur v. laque
laquier v. laque
laraire v. autel
larbin v. valise
larcin v. vol
lard v. cochon, graisse
larder v. percer, serrure
larderasse v. corde
lare v. domestique, esprit, familier, foyer
large v. généreux, grand, haut, rond, vague
largesse v. bienfait, distribution, gratification
largeur v. dimension, étendue
larghetto v. mouvement
largo v. mouvement
largue v. allure
larguer v. démarrer, lâcher, lancer, voile
laricio d'Autriche v. pin
larigot v. flûte
larme v. goutte, peu, pleur, quantité, vallée
larmoiement v. larme, plainte
larmoyer v. gémir, plaindre, pleurer
larron v. complice
larsen v. microphone
larve v. chenille, fantôme, mort, ver
laryngectomie v. larynx
laryngite v. gorge, larynx
laryngotomie v. larynx
lascar v. type
lascif v. amoureux, sensuel, sexuel
lascivité v. bouc, luxure
lasérothérapie v. laser
lassant v. fatigant, monotone
lasser v. décourager, déplaire, épuiser, usé
lassitude v. amertume, découragement, dégoût, ennui
lasso v. nœud
Lastex v. mercerie
latanier v. palmier
latent v. muet, sous-entendu
latéralement v. côté
latéralité v. côté
latex v. caoutchouc, gomme, résine
laticlave v. bande, sénateur, tunique
latifundium v. agricole, domaine
latin v. alphabet
latinisme v. latin
latitude v. carte, équateur, facilité, liberté, point
latitudinaire v. large
lato sensu v. large
Latran (accords du) v. papauté
latrie v. adoration, culte
latrines v. commodité, fosse, water-closet
latte v. sabre
laudanum v. calmer, opium
laudatif v. compliment, louange
laudes v. heure, louange, moine
lauréat v. récompense, vainqueur
Laurent (saint) v. pompier
laurier v. gloire, poète, victoire
lavage v. cidre, nettoyage
lavallière v. cravate
lavande v. bleu
lavandière v. lessive
lavandin v. lavande
lave v. fusion
lavé v. lavis
lave-dos v. brosse
lave-mains v. lavabo
lave-pont v. brosse
laver v. débarbouiller, réparer, rincer, venger
laverie v. fabrique
lavis v. peinture
laxatif v. purge
laxiste v. faible, indulgent, large
layer v. marquer
layetier v. caisse
layette v. coffre, linge
layon v. chemin, forêt
Lazare (saint) v. peintre
lazaret v. contagieux
lazariste v. mission
lazzi v. facétie, moquerie, pantomime, plaisanterie
lé v. bande, chemin, largeur
leader v. animateur, conducteur, mener, parti
leadership v. supériorité
leasing v. location
lebel v. fusil
lécanore v. lichen
léché v. minutieux, ouvragé, soigné
lèchefrite v. broche, four, ustensile
lécher v. finir
lèche-vitrines v. shopping
leçon v. conclusion, lecture, récit
lecteur v. ordre
lecture v. comité, messe, prononciation
lécythe v. vase
légal v. permis
légaliser v. constater, constituer
légalité v. justice
légat v. ambassadeur, délégué, gouverneur, pape
légataire v. héritier, succession, testament
lège v. charge
légendaire v. célèbre, fabuleux
légende v. explication, fable, monnaie, récit
léger v. boxe, digérer, frivole, immoral, insensible, insouciant, osé, pâle, plume, raisonnable, sobre, souple, superficiel, tort, vain
légèreté v. douceur, finesse, grâce, inconscience, infidélité, ingratitude
leggings v. jambe
légiférer v. loi, prescrire
légion v. gendarmerie, troupe
Légion d'honneur v. ruban
législatif v. acte, élection, parlement, pouvoir
législation v. fédéral, loi
légiste v. loi, médecin
légitimation v. reconnaissance
légitime v. juste, justifier, légal, loi, normal, paternité, permis, raison
légitimer v. légaliser
legs v. cession, concession, don, héritage, succession
léguer v. confier, passer, transmettre
légumier v. vaisselle
Leibniz v. dynamique
leitmotiv v. motif, répétition, revenir, thème
lemme v. raisonnement
lemniscate v. spirale
lémure v. fantôme, mort
lénifiant v. apaisant, calmer
lénifier v. adoucir, calmer
léninisme v. communisme
lent v. engourdi
lente v. œuf, pou
lentement v. peu
lenteur v. paresse, retard
lenticulaire v. galaxie
lenticule v. lentille, marais
lentigo v. grain, tache
lentillon v. lentille
lentisque v. maquis
léonin v. injuste, lion
léontocéphale v. lion
léopard v. panthère
léopon v. hybride
lépidodendron v. fossile
lépidoptères v. écaille, papillon
léporidés v. lapin, lièvre
lépride v. lèpre
léprome v. lèpre
léproserie v. hôpital, lèpre
leptocéphale v. anguille
lepton v. particule
lequel v. relatif
lesbianisme v. homosexuel
lesbienne v. sexe
lèse-majesté v. majesté
léser v. blesser, mal, nuire, voler
lésiner v. avare, compter, dépense
lésion v. blessure, contrat, coup, tort
lessiver v. laver
lest v. charge
leste v. adroit, agile, alerte, cru, cavalier, désinvolte, épicé, familier, hardi, libre, osé, souple, vif
let v. tennis
létalité v. mortalité
léthargie v. dépression, engourdissement, hypnose, insensibilité, sommeil
Léthé v. enfer, fleuve, oubli
lettre v. billet, chapitre, coquille, pli, poulet, représentation
lettré v. compétent, culture, savant
lettre de change v. argent, billet, paiement
lettres v. littérature, université
lettrine v. chapitre, lettre, majuscule, renvoi
leucémie v. cancer, sang
leucocyte v. blanc
leucocytose v. sang
leucome v. tache
leurre v. appât, chasse, faucon, illusion, piège
leurrer v. abuser, attirer, attraper, bercer, flatter, illusion, séduire, tromper
levain v. ferment, pain
levant v. est, orient
levée v. fin, perception, pli
lever v. aplanir, brandir, cesser, gonfler, naître, recueillir, relever, travailler
lever le camp v. déménager
lever son verre v. trinquer
Léviathan v. baleine
levier v. machine, manivelle
léviger v. poudre
lévite v. hébreu, rabbin, religieux
lévogyre v. gauche
lèvre v. blessure, bord
lévulose v. fruit, sucre
levure v. fermentation, pain
lexicographe v. dictionnaire
lexicographie v. vocabulaire
lexicologie v. vocabulaire
lexie v. phrase
lexique v. catalogue, dictionnaire, mot, recueil, vocabulaire
lézard v. paresseux
lézarde v. étonnement, mur
lézarder v. fente
li v. chinois
liais v. calcaire
liaison v. amour, aventure, conjonction, dépendance, relation, réunion, service, transition, union
liaisonner v. lier
liant v. familier, sociable
liard v. peuplier, poire
liarder v. compter, dépense
liasse v. tas
libation v. boire, cadeau, sacrifice
libelle v. attaque, brochure, critique, écrit, satire, tract
libellé v. formule, lettre, terme
libeller v. passer, rédiger
libelliste v. journaliste
liber v. plante, tissu
libéral v. généreux, infirmier, large
libéralisme v. capitalisme, concurrence, politique, socialisme

libéralité v. bienfait, gratification
libération v. résistance
libérer v. affranchir, délivrer, élargir, évader (s'), prescrire, racheter, sauver, secouer, soulager
libertaire v. anarchie, socialisme
liberté v. autonomie, bâillonner, démocratie, droit, facilité, faculté, familiarité, indépendance
libertin v. athée, galant, impie, religion, séducteur
libertinage v. débauche
libidineux v. avide, sexuel
libido v. énergie, sexuel
libration v. lune
libre v. désinvolte, disponible, gratuit, naturel, osé, patinage, pensée, vide
libre arbitre v. libre
libre-échange v. commercial, échange, libéral
libre-penseur v. athée, incrédule
librettiste v. livret, opéra
libretto v. opéra
lice v. arène, château, chien, tournoi
licence v. brevet, débauche, diplôme, importation, permission, université
licenciement v. balai, départ, renvoi
licencier v. chômage, congé, perdre
licencieux v. gras, immoral, malsain, obscène, osé, sale
lichen v. champigon
licier v. tisser
licitation v. vente
licite v. légal, permis
liciter v. vendre
licol v. corde
licorne v. corne, légende
licou v. corde, lien
licteur v. garde
lie v. cidre, dépôt, écume, vin
lied v. chant, poème
lie-de-vin v. violet
liège v. enveloppe
liement v. escrime
lien v. attache, fil, relation
lienterie v. diarrhée
lier v. empêtrer, inaction, sauce, unir
liesse v. joie
lieu v. espace, place, point, position, raison, station, unité, zone
lieu (tenir) v. servir
lieu commun v. banalité, formule, platitude
lieu de séjour v. station
lieu-dit v. village
lieue v. itinéraire
lieutenant v. chef
lieux d'aisances v. commodité, water-closet
lièvre v. gibier
liftier v. domestique, hôtel
lifting v. étirage, ride
ligament v. articulation
ligature v. conjonction, lien
lige v. fidèle, partisan, seigneur
lignage v. race, sang
ligne v. base, budget, dimension, direction, douane, équateur, forêt, forme, front, moteur, orientation, parenté, pêche, silhouette, tactique, tremblement de terre, voie
lignée v. arbre généalogique, descendant, famille, origine, race
ligneul v. brosse, fil
lignicole v. bois
lignine v. plante
lignite v. charbon
ligot v. fagot
ligoter v. attacher, entourer
ligre v. hybride
Ligue v. Réforme
ligue v. alliance, communauté, entente, parti, société, union
liguer v. unir
lilas v. violet
liliacées v. ail, jacinthe, lis, poireau
lilial v. blanc, lis
lilium v. lis
Lille v. dentelle
lilliputien v. minuscule, nain, petit
lilule v. crustacé
limace v. mollusque
limaille v. débris, métal
liman v. lagune
limbe v. astre, bord, cercle, feuille
limbes v. baptême, enfer
lime v. polir
limer v. user
limier v. chien, détective
limite v. borne, bout, frein, frontière, partage, plafond, possibilité
limité v. modeste, stupide, tiède
limiter v. fermer, tenir
limitrophe v. frontière, limite, proche, voisin
limnade v. nymphe
limnologie v. lac
limogeage v. départ
limoger v. débarquer, licencier, relever
limon v. boue, citron, dépôt, sable, terre, vase
limonadier v. bar
limonaire v. orgue
limonite v. fer
limousinage v. maçonnerie
limousine v. manteau
limpide v. clair, lumineux, propre, pur, simple, transparent
lin v. peinture
linacées v. lin
linaire v. lin
linceul v. fantôme, linge, mort
linéaire v. ligne, magasin
linéament v. ligne
linette v. lin
lingerie v. dentelle
lingot v. barre, fonte, or
lingotière v. acier
lingual v. langue
linguistique v. grammaire, langage
liniculture v. lin
liniment v. adoucissant, médicament, pommade
links v. golf
Linné v. botanique
linoléum v. revêtement, tapis
Linotype v. composer
linotypie v. composition
linotypiste v. imprimerie
linteau v. manteau
Linz v. symphonie
lion v. cinéma
lipide v. gras
lipoïde v. graisse
lipolyse v. graisse
lipome v. tumeur
lipothymie v. malaise, syncope
lipotrope v. gras
lippe v. grimace, lèvre
lippu v. gros
liquation v. fondre
liquéfaction v. corps, liquide
liquéfier v. allonger, fondre
liqueur v. repas
liquidambar v. résine
liquidation v. Bourse, imposition, solde
liquide v. comptant, panier
liquider v. expédier, payer, réaliser, vendre
liquidité v. capital, disponibilité
liquoreux v. sirop
liquoriste v. liqueur
lire v. réciter
liséré v. ruban
lisible v. soigné
lisier v. fumier
lisière v. bois, bord, forêt, frontière, limite, tutelle
lissage v. étirage, lifting, ride
lisse v. égal
lissoir v. polir
liste v. catalogue, rôle, téléphone
listel v. baguette, filet, inscription, monnaie, moulure
lit v. banc, fleuve, repos
litanie v. chant, prière, saint, série, succession, suite
liteau v. baguette, gîte, loup
litham v. voile
litharge v. plomb, vernis
lithiase v. calcul, urine, vessie
lithique v. pierre
lithoclase v. pierre
lithogène v. pierre
lithographie v. gravure, image, impression, imprimerie, reproduction
lithographier v. imprimer
lithoïde v. pierre
lithologie v. roche
lithophanie v. porcelaine, verre
lithophone v. zinc
lithosphère v. terrestre
lithotomie v. vessie
lithotritie v. vessie
litière v. étable, excrément
litière (faire) v. bafouer, fouler
litispendance v. tribunal
litorne v. grive
litre v. funèbre, seigneur
littéraire v. écrit
littéral v. exact, mot, propre, sens, strict, traduction
littérarité v. littéraire
littérature v. récit
littoral v. bord, côte, pêche, rivage, zone
liturgie v. culte, messe, religieux, rite, sacré, service
liturgique v. prière
liure v. charrette
livide v. blanc, blême, couleur, pâle, vert
living v. salon
livraison v. numéro
livre v. cahier, comptabilité, kilogramme, œuvre
Livre révélé v. Bible
livrée v. habit, insigne
livrer v. activité, communiquer, confier, dénoncer, engager, fournir, prisonnier, remettre, rendre, soumettre, trahir, vendre
livresque v. littéraire
livret v. cahier, identité, opéra, programme, scénario
livreur v. garçon
LL. MM. v. majesté
Lloyd v. assurance
lob v. tennis
lobby v. groupe, pression
lobe v. cerveau, foie, oreille, poumon
lobectomie v. cerveau
lobotomie v. cerveau, psychiatrie
lobule v. poumon
local v. lieu, salle
localiser v. déterminer, limiter, situer
locataire v. bail
loch v. lac, marine
loch Ness v. monstre
lock-out v. grève
locomotion v. membre, nageoire, transport
locomotive v. vapeur
locomotrice v. locomotive
locotracteur v. locomotive
locule v. loge
locuteur v. dialogue, usager
locution v. expression, formule
loden v. manteau
lœss v. sable
loft v. local
logarithmique v. spirale
loge v. cabane, franc-maçon, local, place
logement v. appartement, habitation
loger v. descendre, habiter, installer
loggia v. appartement, balcon
logiciel v. informatique
logicien v. logique
logique v. abstrait, conséquent, fil, méthode, méthodique, raison, raisonnement, rationnel, rectitude, règle, science, systématique, vertu
logis v. intérieur, maison
logisticien v. munition
logistique v. armée, intendance
logogramme v. signe
logographie v. sténographie
logogriphe v. énigme, langage
logomachie v. combat, mot
logopathie v. parole
logorrhée v. abondance, débordement, excès, langage, parole, profusion
logos v. dieu
logo(type) v. commerce, marque, symbole
loi v. armée, autorité, code, commandement, conduite, contrainte, égalité, Francs, impératif, ordre, père, principe, raison, règle
lointain v. fond, inhumain, scène
loir v. paresseux, rongeur
loisible v. permis
loisir v. attraction, faculté, occupation, passe-temps, permission, possibilité, récréation, repos, urbanisme
lolo v. chinois
lombaire v. vertèbre
lombalgie v. manipulation
lombes v. bassin
lombric v. ver
londrès v. cigare
long v. os, radioélectrique
longanimité v. patience
longe v. corde, lien
longer v. suivre
longeron v. poutre
longévité v. résistance, vie
longitude v. carte, méridien, point
longitudinal v. longueur
longtemps v. beau
longueur v. dimension, étendue
longue-vue v. lunette
lonzo v. saucisson

looch v. potion, sirop
look v. composition, image
looping v. avion, boucle
lophira v. fer
lopin v. morceau, parcelle, terre
loquace v. bavard
loquacité v. abondance, débordement, éloquence, parler
loque v. affreux, chiffon, débris, épave, misérable, ruine, vêtement
loquet v. fermeture
lord v. noblesse
lord-maire v. maire
lordose v. colonne vertébrale, déviation
lorgner v. désirer, observer, regarder
lorgnon v. lunette
lori v. perroquet
lorry v. wagon
lorsque v. pendant
lot v. livraison, sort
lotier v. fourrage, trèfle
lotissement v. maison, parcelle, part
louable v. bon
louage v. contrat, location
louange v. apologie, compliment, éloge
louanger v. flatter
loubine v. loup
louche v. borgne, cuiller, pot, suspect, trouble
louchet v. bêche, pelle
louer v. accorder, applaudir, bénir, célébrer, embaucher, encenser, porter, prêcher, prendre, retenir
loueur v. bail
loufoque v. bizarre
lougre v. voilier
louis v. or, pièce
Louis XV v. biche, talon
loup v. bal, bar, carnaval, déguisement, enfant, masque, pas, velours
loup de mer v. marin
loupe v. agrandissement, arbre, kyste, nœud, pierre précieuse
loup-garou v. légende
lourd v. boxe, brut, engourdi, épais, fort, gauche, impératif, orageux, pesant, profond, transparent
lourdaud v. maladroit
lourdement v. mal
lourdeur v. laideur, poids
louvard v. loup
louveteau v. loup
louveter v. loup
louvoyer v. ambigu, noyer, pot, tergiverser
Lovelace v. séducteur
loyal v. dévoué, droit, fidèle, franc, rond, sincère, spontané
loyauté v. chevalerie, foi, vérité
L.S.D. v. drogue
lubie v. caprice, envie, fantaisie, folie, manie
lubin v. bar, loup
lubricité v. luxure
lubrifier v. huiler
lubrique v. sexuel
Luc (saint) v. peintre
lucarne v. fenêtre, œil, regard, toit
lucide v. clair, pénétrant, perçant
lucidité v. conscience, net, perspicacité, raison
Lucifer v. ange, diable, mal
lucifuge v. lumière
lucilie v. mouche
lucratif v. argent, bénéfice, bon, salaire
lucre v. recherche
ludion v. jouet
ludisme v. jeu
lueur v. clarté, éclair, étincelle, flamme, trace
luffa v. éponge
luge v. neige
lugubre v. enterrement, funeste, sinistre, triste
luire v. briller, chatoyer, lumière, rayonner, réfléchir
luisant v. phosphorescent
Lulle v. alchimiste
lumachelle v. coquille
lumbago v. dos, manipulation
lumen v. lumière
lumière v. flamme, perspective, renseignement, savoir
Lumières v. raison
lumignon v. bougie, lampe, mèche
luminaire v. cierge, éclairage, lampe
luminescent v. lumière, phosphorescent
lumineux v. clair, simple, transparent
luministe v. peintre
luminosité v. éclat
lunaison v. Lune, mois, phase
lunatique v. bizarre, humeur, stable
lunch v. déjeuner, repas
Lune v. astre, zodiaque
lunette v. fenêtre, plongeur, vitre
lunule v. ongle
lupercales v. loup
lupus v. tuberculose
lustrage v. marbre
lustral v. laver
lustration v. purification
lustre v. éclat, perle, poli, relief, splendeur
lustroir v. polir
lut v. vase
luter v. boucher
luth v. corde, poète, tortue
luthéranisme v. réforme
luthérien v. protestant
luthier v. violon
lutin v. diable, esprit, fée, génie, malice, nain
lutiner v. agacer, taquiner
lutrin v. livre, pupitre
lutte v. duel, résistance, rivalité, saillie, sexuel
lutz v. patinage, saut
lux v. lumière
luxation v. articulation, blessure, hanche, malformation
luxe v. quantité, richesse, splendeur, superflu
luxer v. blesser
luxueux v. magnifique, somptueux
luxure v. débauche
luxuriant v. abondance
luzerne v. fourrage
lycanthropie v. loup
lycaon v. hyène
Lycra v. tissu
lyctus v. bois
lymphatique v. mou, vaisseau
lymphe v. ampoule
lymphocyte v. immunitaire
lymphocytose v. sang
lyncher v. battre, massacrer
lynx v. loup
lyophilisation v. café, conservation, sécher
lyre v. harpe, piano, poète
lyrique v. passion
lys v. monarchie

M

macabre v. funèbre, sinistre, sombre
macadam v. rue
macadamisage v. empierrement
macareux v. perroquet, pingouin
macaron v. biscuit, tresse
macaroni v. italien
macaronique v. latin
macassar v. huile
maccarthysme v. sorcier
macédoine v. dessert, fruit
macération v. digestion, pénitence
macérer v. maltraiter, tremper
Mach v. nombre, vitesse
machaon v. papillon
mâchefer v. déchet, houille
mâcher v. broyer
machiavélique v. démoniaque, scrupule
machiavélisme v. foi, malveillance, ruse
machinal v. automatique, habituel, inconscient, involontaire, mécanique
machinalement v. réflexe
machination v. batterie, combinaison, intention, intrigue, ressort
machine v. appareil, instrument, outil, robot
machiner v. préparer
machiniste v. décor
machisme v. homme
mâchoire v. dent
mâchonner v. mordre
mâchure v. coup
mâchurer v. sale, tacher
mackintosh v. imperméable
maçon v. bâtiment
macque v. lin
macquer v. casser
macramé v. dentelle, ficelle
macreuse v. gibier
macro v. photographie
macrobiotique v. vie
macrocéphale v. gros
macrocosme v. monde, univers
macrodactyle v. doigt
macrophotographie v. agrandissement
macropode v. nageoire
macropodidés v. kangourou
macrorhine v. éléphant
macroséisme v. tremblement de terre
macrostomie v. bouche
macroure v. queue
maculage v. imprimerie
macule v. tache
maculer v. malpropre, noircir, sale, tacher
madapolam v. chemise, coton
madjoun v. haschisch
madras v. foulard, soie
madrasa v. musulman
madré v. malin
madrépore v. corail
madrier v. plafond
madrigal v. chant
maelström v. tourbillon
maestria v. habileté, talent
maestro v. chef, musicien
mafflu v. bouffi, joue, rond
Mafia v. société
mafia v. bande
mafioso v. Mafia
mafioter v. Mafia
magasin v. boutique, grenier, réserve
magasinage v. shopping
magazine v. périodique, revue
mage v. sorcier
magicien v. illusion, sorcier
magie v. animisme, incantation, prestidigitation, sorcellerie
magique v. merveilleux
magistral v. admirable, médicament, parfait, pharmacie, solennel, supérieur, université
magistrat v. juge, palais, président, robe
magistrature debout v. ministère
Maglev v. train
magma v. bouillie, fusion, lave, masse
magnan v. fourmi
magnanier v. ver
magnanime v. bon, fier, généreux, indulgent, noble
magnanimité v. grandeur, vertu
magnat v. homme d'affaires, hongrois, seigneur
magnésie v. magnésium
magnésite v. écume, magnésium
magnétiser v. fasciner
magnétiseur v. hypnose
magnétisme v. aimant, attraction, influence
magnétophone v. enregistreur
magnétoscope v. enregistreur, film, télévision
magnificat v. chant
magnificence v. brillant, éclat, luxe, richesse
magnifier v. louer
magnifique v. grandiose, merveilleux, ravir, royal, somptueux, splendide, superbe
magnifiquement v. prince
magnitude v. éclat, grandeur
magnolia v. castor
magnum v. litre
magot v. trésor
magouille v. intrigue
magyar v. hongrois
Mahabharata v. récit
mah-jong v. chinois
Mahomet v. prophète
mahométan v. musulman
mahonne v. galère
mai v. fille
maïa v. araignée, crabe
maianthemum v. mai
maie v. boulanger, caisse, coffre, pain, table
maïeur v. maire
maïeutique v. accouchement
maigre v. médiocre, modeste, pauvre, sec, sobre
mail v. boulevard, rue
mail-coach v. voiture
maille v. combinaison, perdrix, réseau, tache
maille à partir v. querelle
maillechort v. cuivre, nickel, zinc
maillet v. marteau
mailleton v. bouture
mailloche v. marteau, tambour
maillon v. anneau
maillot v. tricot
maillot de bain v. bikini
maillotin v. olive
main (mettre la dernière) v. finir
main (petite) v. couturière
main (seconde) v. occasion
main ataxique v. main
main bote v. main
main-brune v. carte
main d'accoucheur v. main
main de Fatma v. main

main de prédicateur v. main
main de singe v. main
main-d'œuvre v. bras, façon, immigré
main forte v. seconder
mainmise v. commercial, confisquer
mainmorte v. féodal, héritage, moine
main succulente v. main
maint v. beaucoup, plusieurs
maintenance v. machine
maintenir v. affirmer, appuyer, attacher, continuer, durer, perpétuer, poursuivre, retenir, soutenir, subsister
main thalamique v. main
maintien v. allure, attitude, comportement, port, tenue
maire v. officier, président, ville
mairie v. commune
maïs v. céréale
maïsiculteur v. maïs
maïsine v. maïs
maison v. astrologie, bâtiment, mairie, immeuble, société
maison centrale v. prison
maison d'arrêt v. prison
maistrance v. marin
maître v. champion, école, franc-maçon, génie, instituteur, notaire, savant, seigneur
maître-autel v. autel
maître chanteur v. chantage
maître coq v. cuisinier
maître-cylindre v. frein
maître d'armes v. escrime
maître de ballet v. ballet
maître de conférences v. université
maître de maison v. hôte
maître d'hôtel v. domestique
maître d'œuvre v. architecte
maître nageur v. professeur
maître queux v. chef, cuisinier
maîtresse v. favori
maîtrise v. cadre, contrôle, diplôme, empire, industrie, université
maîtriser v. calmer, commander, dominer, éteindre, gouverner, posséder, soumettre, surmonter, vaincre
Maïzena v. farine, maïs
majesté v. roi, souverain
majestueux v. grandiose, noble, royal, solennel, splendide
majeur v. considérable, doigt, main, mode, plus, prémisse
majolique v. faïence
major v. concours, infanterie, premier
majoration v. addition, augmentation, banque, hausse, impôt
majordome v. administrateur, domestique, hôtel
majorer v. élever, relever
majoritaire v. scrutin
majorité v. âge, masse, nombre, plus
makhzen v. sultan
makimono v. japonais
makroud v. beignet
mal v. affection, douleur, souffrance
mal (tourner) v. dégénérer
malachite v. minéral
malacostracés v. crustacé
malade v. patient
maladie v. corps
maladie auto-immune v. immunitaire
maladie de Bouillaud v. rhumatisme
maladie de Kahler v. moelle
maladie mentale v. psychiatrie
maladif v. souffrant
maladrerie v. hôpital
maladresse v. bêtise, erreur, faute, ignorance, imprudence, sottise
maladroit v. grossier, incapable
maladroitement v. mal
malaire v. joue
malaise v. éblouissement, embarras, inquiétude, vapeur, vertige
malaisé v. ardu, laborieux
malaisément v. mal
malandre v. nœud
malandrin v. bandit, malfaiteur, vagabond
malappris v. grossier, impoli
malard v. canard
malaria v. marais, paludisme
malariologie v. paludisme
malavisé v. imprudent
malaxage v. beurre
malaxation v. massage
malaxer v. mélanger, pâte
maldonne v. malentendu
mâle v. viril
malédiction v. malchance
maléfice v. fée, magique, sorcier, sort
maléfique v. malin
malencontreusement v. malheur
malencontreux v. fâcheux
malentendu v. erreur, interprétation, quiproquo
malfaçon v. défaut, façon, vice
malfaisance v. nuire
malfaisant v. dangereux, mauvais, méchant, sinistre
malfamé v. borgne, louche
mal fondé v. faux
malformation v. déformation, infirmité, monstruosité
malfrat v. malfaiteur
malgré v. dépit, involontaire
malhabile v. gauche, incapable, maladroit
malheur v. épreuve, sort
malheureux v. idiot
malhonnête v. immoral, injuste
malhonnêteté v. infidélité
malicieux v. astucieux, fripon, spirituel, vif
malignité v. malice, malveillance
malin v. astucieux, débrouillard, habile, intelligent, maladie, malicieux, sournois
Malines v. dentelle
malingre v. délicat, faible, fragile, maladif
malle v. bagage, caisse, valise
malléabilité v. métal
malléable v. maniable, mou, souple
malle-poste v. véhicule, voiture
malletier v. malle
mallette v. bagage, valise
malmener v. maltraiter, rudoyer, traiter
malnutrition v. manger, nutrition
malotru v. grossier
Malpighi (couche de) v. épiderme
malpropre v. sale
malsain v. immoral, louche, maladif, malpropre, nuisible, trouble
malséant v. familier
malsonnant v. malpropre
malt v. whisky
maltage v. orge
malter v. malt
malterie v. usine
malthusianisme v. contrôle, naissance, sélection
maltose v. malt, sucre
maltraiter v. bousculer, frapper, rudoyer, traiter
malus v. assurance
malvacées v. hibiscus
malveillance v. malice, nuire
malveillant v. hostile, mauvais, méchant
malversation v. crime, délit, injuste, malhonnête, pillage
malvoisie v. madère
mamelle v. sein
mamelon v. bout, sein, sommet
mamelouk v. cavalier, garde du corps
mamilloplastie v. sein
mammectomie v. sein
mammifère v. baleine, phoque
mammite v. mamelle
mammographie v. sein
mammoplastie v. sein
mammouth v. éléphant
man v. larve
manade v. troupeau
manager v. gérant
manant v. féodal
mancelle v. chaîne
manche v. brosse, ciseau, marteau, poignée, tuyau
mancheron v. charrue
manchette v. chemise, couverture, journal, marge, titre
manchon v. anneau, fourrure, main
manchot v. ablation, pingouin
manchy v. chaise
mancoliste v. timbre
mandant v. mandat
mandarin v. chinois, patron
mandat v. charge, colonie, député, maire, mission, paiement, représentation
mandataire v. agent, délégué, député, mandat, pouvoir
mandat d'arrêt v. arrestation
mandater v. confier, déléguer, envoyer
mandature v. mandat
mander v. appeler, communiquer, convoquer
mandibule v. crustacé, mâchoire, menton
mandoline v. plectre
mandore v. luth
mandragore v. magique
mandrin v. poinçon
manducation v. manger
manécanterie v. chœur
manège v. cheval, équitation, vapeur
mânes v. esprit
maneton v. manivelle
manette v. levier
mangeaille v. repas
manger v. baiser, brique, vider
mange-tout v. haricot
mangouste v. pinceau
mangrove v. forêt, marais
Mani v. perse
maniable v. pratique, souple
maniaque v. méticuleux, pointilleux, scrupuleux
manichéisme v. mal, perse
manicle v. gant, manche
manie v. défaut, excessif, fixe, folie, habitude, idée, psychose, rage, tic, user
manier v. tâter
manière v. conduite, façon, genre, immitation, politesse, prétentieux, relation, simagrée, sorte, technique, urbanité, usage
maniéré v. affecté, façon, poli, suffisant, tarabiscoté
maniérisme v. affectation
manifestation v. apparition, démonstration, explosion, expression, marche, phénomène, révélation, signe
manifeste v. affiche, apparent, crever, déclaration, éclatant, évident, marchandise, ouvert, profession, public, visible
manifester v. annoncer, apparaître, communiquer, déceler, dénoncer, marquer, montrer, paraître, preuve, répandre, sentir, survenir, témoigner, traduire
manigance v. action, collusion, combinaison, complot, intrigue, machination, manière
manigancer v. bas, combiner
manille v. anneau, chaîne
manipulateur v. télégraphie
manipule v. légion
manipuri v. danse
maniveau v. panier
manne v. frêne, nourriture, panier
mannequin v. fruit, panier
manœuvrable v. maniable
manœuvre v. armée, équipage, évolution, exercice, industrie, intrigue, machination, manège, manipulation, opération, ouvrier, retard, tactique, travailleur
manœuvrer v. fonctionner, manier
manomètre v. tension
manoque v. botte, pelote, tabac
manouvrier v. manœuvre
manque v. besoin, faute, ignorance, insuffisance, omission, pauvreté, privation
manqué v. imparfait, moule
manque de tact v. indiscret
manquement v. irrégularité, violation
manquer v. défaillir, défaut, gâcher, oublier
mansarde v. chambre, grenier, toit
mansion v. mystère
mansuétude v. bonté, compréhension
mante v. amant, manteau
manteau v. blason, mollusque, sorcier
mantelet v. volet
mantille v. fichu
mantra v. formule, parole
manucure v. main, ongle, vernis
manuel v. artisan, livre, ouvrier, recueil, traité
manufacture v. atelier, confection, fabrique, industrie, usine
manuluve v. bain
manumission v. affranchissement, esclave
manuscriptologie v. correction
manuscrit v. écrit, inédit, parchemin, texte
manuterge v. linge
maoïsme v. communisme, marxiste
mappemonde v. carte, globe, sphère
maquereau v. prostituée
maquette v. conception, modèle, projet
maquignon v. bétail, cheval, trafiquant

maquignonnage v. trafic
maquiller v. cacher, déguiser, trafiquer, tricher
maquis v. défense, friche, terrain, végétation
maquisard v. maquis, partisan
mara v. lièvre
marabout v. musulman, saint
maraîchage v. horticulture
maraîcher v. jardinier, légume
marais salant v. sel
marasme v. changement, crise, dépression, malaise, stagnation
marasque v. cerise
marasquin v. cerise, liqueur
marathon v. athlétisme, course
marâtre v. enfant
maraud v. drôle, fripon
maraudeur v. voleur
marbre v. froid, marqueterie
marbrure v. marque
marc v. cidre
marcassite v. fer
marchand v. art
marchand à la sauvette v. marchand
marchand des quatre-saisons v. légume, marchand
marchander v. prix, vendre
marchandisage v. marchandise
marchandise v. cargaison, produit
marche v. évolution, formule, méthode, orgue, pas, progression, tactique, trace
marche (mettre en) v. ébranler
marché v. bazar, vente
marché (étude de) v. sondage
marché noir v. trafic
marche nuptiale v. mariage
marchepied v. servitude
marcher v. fonctionner, mordre, passer, promener
marcher sur les pas v. imiter
marcottage v. multiplication
marcotte v. bouture, branche, plant
mardi gras v. masque
mare v. étang, point
marécage v. boue, marais
maréchale (enclume) v.enclume
maréchalerie v. ferrer
maréchal-ferrant v. ferrer, forge
maréchaussée v. gendarmerie
marée v. reflux
maremme v. marais
marennes v. huître
margaille v. désordre
marge v. espace
marge au pli v. marge
margelle v. bord
marger v. imprimerie
marginal v. écart, marge, non conformiste
marginer v. marge
margotin v. bois, fagot
margouillis v. boue
margoulin v. marchand
marguillier v. conseil, fabrique
mariage v. noce, religieux, réunion, union
Mariannes v. Pacifique
marier v. assembler, unir
marieur v. mariage
marigot v. boue, fleuve
marijuana v. drogue, haschich
marinade v. macérer
marine v. bleu, équipage, naval, peinture
mariner v. tremper
maringouin v. moustique
marinier v. bateau
marinière v. blouse, nage
marital v. mari
maritime v. droit, naval, pêche
maritorne v. malpropre
marivaudage v. comédie, galant, relation
marketing v. commerce, concurrence, marché
marli v. assiette, bord
marmande v. tomate
marmelade v. confiture, dessert
marmenteau v. arbre, bois
marmiton v. cuisinier
marmonner v. barbe, grogner, murmurer
marmoréen v. froid, marbre
marmotte v. bagage, malle, rongeur
marmotter v. barbe, grogner, murmurer
marmouset v. chenet
marnage v. fertile, marée
marne v. argile
marner v. engraisser
marneux v. craie
maronner v. rage
maroquin v. cuir, ministre
maroquinerie v. cuir
marotte v. bataille, folie, fou, habitude, idée, manie, tic
marouflage v. peinture
maroufle v. fripon
marquant v. fameux, majeur
marque v. caractéristique, chiffre, genre, indicatif, initial, insigne, manifestation, numéro, point, preuve, reconnaissance, renvoi, sceau, témoignage, trace
marqué v. net
marquer v. borner, but, colorer, écrire, époque, imprimer, indiquer, pointer, ponctuer, prononcer, signaler, vérifier
marqueté v. tache
marqueterie v. décor, ébène, ébénisterie, ivoire, menuiserie, meuble
marqueteur v. marqueterie
marquette v. cire
marqueur v. feutre
marquis v. noblesse
marquise v. bague, tente
marquoir v. tailleur
marraine v. baptême, parent
marrane v. juif
marron v. brun, châtaigne, médecine, pain, personne
marron d'Inde v. marron
Mars v. guerre, planète
marsèche v. orge
Marshall v. pacifique
marsouin v. tente
marsupial v. kangourou, mammifère, souris
marsupium v. kangourou
martagon v. lis
marteau v. broyer, masse, montagne, piano
martelage v. forge
marteler v. acier
marteline v. marteau
martellement v. choc
martensite v. acier
martial v. loi
Martien v. terrestre
martinet v. fouet, hirondelle
martingale v. plan
martre v. hermine, pinceau
martyr v. saint, victime
martyre v. baptême, souffrance, supplice, torture
martyriser v. acharner (s')
martyrium v. chapelle, martyr
martyrologe v. catalogue, liste, martyr, saint
Marx (Karl) v. Internationale, marxiste
marxisme v. communisme
marxologie v. marxiste
maryland v. tabac
mas v. ferme, maison
MAS 36-51 v. fusil
mascara v. maquillage
mascarade v. carnaval, hypocrisie, spectacle
mascaret v. marée, vague
mascaron v. fontaine, masque, monstre
mascotte v. bonheur, chance, porte-bonheur
masculin v. rime, viril
masdjid v. islam
maser v. laser
masochisme v. douleur, sexualité, souffrance
masochiste v. souffrir
masque v. déguisement
masqué v. bal
masquer v. déguiser, dissimuler, obstruer, recouvrir
massacrant v. épouvantable
massacre v. boucherie, destruction, extermination, sac, trophée
massacrer v. anéantir, supprimer, tuer
masse v. bloc, corps, faillite, foule, marteau, nombre, réunion, somme
masser v. frotter, serrer
masséter v. joue
massette v. brique, marais, roseau
masseur-kinésithérapeute v. massage
massicot v. marge, plomb
massicoter v. rogner
massier v. huissier
massif v. carré, composition, épais, gros, lourd, pesant, plein, solide
massorah v. hébreu
massue v. gourdin, masse
mastaba v. tombeau
mastectomie v. sein
mastic v. colle, craie, erreur, transposition, typographie
masticatoire v. mâcher, salive
mastigadour v. salive
mastiquer v. mâcher
mastoc v. massif
mastodonte v. géant
mastodynie v. sein
mastroquet v. bar, café
masturbation v. sexuel
masure v. baraque, maison, taudis
mat v. poterie, sourd
mât v. deltaplane
matabiche v. don
matamata v. tortue
matamore v. fanfaron
match v. basket-ball, épreuve, rencontre
maté v. houx, thé
matelasser v. garnir
matelassure v. matelas
matelotage v. solde
mater v. refouler
Mater dolorosa v. statue
mâtereau v. mât
matérialiser v. concret, désigner
matérialisme v. âme, matière, réalité
matérialisme dialectique v. marxiste
matérialisme historique v. dialectique, marxiste
matérialiste v. athée, matériel
matérialité v. réalité
matériau v. design, matière
matériel v. armement, indépendance, outil, sensible, terrestre, vulgaire
maternel v. mortalité
maternelle v. instituteur
materniser v. maternel
maternité v. grossesse
mathématique v. abstrait, exact
mathématiques spéciales v. supérieures, préparatoire
mathusalem v. litre
matière v. catégorie, concret, domaine, étoffe, fond, objet, substance, sujet
matière première v. ressource
matiérisme v. matière
mâtiné v. chien, croisement, race
matinée v. après-midi, représentation, spectacle
matines v. heure, matin, moine
matineux v. matinal
matinier v. matinal
matir v. mat
matoir v. ciseau
matois v. malin
matoiserie v. fourberie
maton v. prison
matraque v. bâton, gourdin
matras v. flèche, vase
matrice v. forme, moule, registre, sceau
matricide v. mère
matricule v. numéro
matrilinéaire v. maternel, mère
matrone v. sage-femme
matronyme v. mère
matthiole v. giroflée
maturation v. maturité
maturité v. adulte, plénitude, raison, sagesse
matutinal v. matinal
maudire v. indigner, malheur
maudit v. damné
maugréer v. grogner, murmurer, plaindre, rage
maul v. rugby
Mauna Loa v. volcan
maure v. brun
Maures v. arabe
mausolée v. tombeau
maussade v. mauvais, morose, renfrogné, sinistre, sombre, triste, vilain
maussaderie v. humeur
mauvais v. empoisonner, nuisible, odieux, vilain
mauve v. deuil, violet
mauviette v. alouette
mauvis v. grive
maxillaire v. menton
maxille v. crustacé
maxime v. devise, formule, morale, parole, pensée, proverbe, raisonnement, réflexion, sentence
maximiser v. perfectionner
maye v. olive
mayonnaise andalouse, collée, maltaise v. mayonnaise
mazagran v. café
mazarinade v. fronde
mazdéisme v. perse
mazurka v. danse
M.B.A. v. marge
mea culpa v. faute, péché, prière
méandre v. boucle, contour, coude, fleuve, labyrinthe, rivière, sinueux, variation, zigzag
mécanicien v. conducteur, machine
mécanique v. automatique, corps, familier, onde, piano, tuile
mécaniser v. industrialiser

mécanisme v. instinct, organe, scénario, vie

mécène v. art, généreux, protecteur

méchanceté v. dureté, ingratitude, pique

méchant v. sinistre, vilain

mèche v. perceuse

mécher v. tonneau

méchoui v. broche, mouton

mécompte v. erreur

méconium v. excrément

méconnaissable v. différent

méconnaissance v. ignorance, ingratitude

méconnaître v. ignorer, négliger

méconnu v. ignoré

mécontentement v. révolte

mécontenter v. contrarier, fâcher

mécréant v. athée, impie, incrédule, religion

médaille v. insigne, récompense, trophée, victoire

médailler v. décorer

médaillier v. médaille

médaillon v. portrait

médecine v. université

médecin légiste v. autopsie

Médée v. magicien

Mèdes v. perse

média v. actualité, propagande, publicité

médian v. main, milieu, symétrie

médiane v. statistique

médianoche v. minuit, repas

médiante v. degré

médiastin v. poumon

médiat v. intermédiaire

médiateur v. arbitre, intermédiaire, négocier

médiation v. entremise, indirect, intermédiaire, intervention, réconcilier

médiator v. guitare, plectre

médiatrice v. perpendiculaire

médicament v. pharmacie, potion

médicastre v. docteur

médication v. soigner, traitement

médicinal v. bouillon, savon, soigner

Médicis v. concours, littérature

médiévisme v. médiéval

médiéviste v. médiéval

médina v. fortification, quartier

médiocre v. incapable, pitoyable, plat, quelconque, second, valeur

médiocrité v. insuffisance, pauvreté, petitesse, platitude

médire v. mal, nuire, raconter

médisance v. accusation, bavardage, commentaire, commérage, injure

méditation v. pensée, réflexion

méditer v. concentrer, recueillir, réfléchir, songer, spéculer

médium v. esprit, fantôme, intermédiaire, peinture

médius v. doigt, majeur

médullaire v. moelle

Méduse v. statue

médusé v. ébahi, immobile, pétrifié, sidérer, surprise, stupéfait

meeting v. parti, réunion

méfait v. action, faute

méfiance v. doute, xénophobie

méfiant v. soupçonneux, sournois

méfier v. vigilance

méforme v. forme

mégahertz v. onde, radioélectrique

mégalithe v. fée, pierre

mégalithisme v. menhir

mégalomanie v. ambition, folie, grandeur

mégalopole v. urbanisation

mégalosaure v. dinosaure

mégarde v. étourderie, omission

mége v. guérisseur

Mégère v. furie

mégère v. commérage, furie, sorcière

mégisserie v. tannage

mégot v. bout

mégoter v. dépense

méhari v. chameau

meilleur v. premier, prince

méiose v. noyau

méjuger v. tromper

mélampyre v. vache

mélancolie v. amertume, dépression, ennui, psychose, tristesse, vague

mélancolique v. imaginaire, morose, noir, pessimiste, sombre

mélange v. amalgame, carburant, fusion, recueil, réunion, variété

mélangé v. varié

mélanger v. brouiller

mélangeur v. plongeur, robinet

mélanine v. pigment

mélasse v. sirop, sucre

Melchior v. mage

méléagrine v. huître

mêlé v. rime, varié

mêlée v. bagarre, bataille, foire, rugby

mêler v. battre, confondre, embrouiller, entrer, fondre, intervenir, mélanger, occuper, participer

mélèze v. sapin, térébenthine

méli-mélo v. mélange

mélisse v. alcool, digérer

mellâh v. juif, quartier

mellifère v. miel

mellification v. instinct, miel

melliflue v. douceur, fade, miel, suave

mellite v. miel

mélodie v. air, chant, intonation, musique

mélodieux v. suave

mélodrame v. drame

mélomane v. amateur, musique

melon v. cachalot, chapeau

melon de garde v. melon

melonnière v. melon

mélopée v. chant, récit

mélophage v. mouton

Melpomène v. tragédie

Mélusine v. fée

membrane v. enveloppe

membranelle v. membrane

membranophone v. membrane, tambour

membranule v. membrane

membre v. parti, participant, sexe

membron v. baguette

même v. comparaison, identique, semblable

mémento v. abréger, agenda, carnet, mémoire, résumé, souvenir (se)

memento mori v. tête

mémoire v. brochure, catalogue, chronique, compte, imagination, note, passé, recueil

Mémoires v. biographie, document, histoire, récit, vie

mémorable v. célèbre, fameux, historique

mémorandum v. agenda, carnet, communication, mémoire, note

mémorial v. monument

mémoriser v. retenir

menaçant v. agressif, funeste, sinistre, sombre

menace v. danger, épée, péril

menacer v. brandir, respect

ménage v. foyer

ménagement v. mesure, précaution

ménager v. amener, arranger, économiser, épargner, gant, organiser, percer, préparer, soin

ménagerie v. cirque, fauve, parc

ménarche v. menstruation

mendélisme v. croisement, hérédité

mendiant v. fruit, vagabond

mendier v. solliciter

ménechme v. jumeau, ressemblance

menées v. action, intrigue, machination, manière

ménées v. saint

mener v. achever, déboucher, manier, présider

ménestrel v. chanteur, musicien, poète, troubadour

ménétrier v. musicien, violon

meneur v. animateur

menhir v. pierre

méninge v. cerveau

méningite v. méninge

méningocèle v. méninge, monstruosité

ménologe v. catalogue

menon v. bouc, chèvre

ménopause v. âge, femme, menstruation

menora v. juif, synagogue

ménorragie v. menstruation

menotte v. main

mense v. évêque

mensonge v. imagination, inexactitude, invention, vanité

mensonger v. faux, trompeur

mens sana in corpore sano v. sain

menstruation v. adolescence

menstruel v. femme

menstrues v. cycle, règle

mensualisation v. impôt, mois

mensualité v. paiement

mensuel v. mois, périodique

mensur v. duel

mensuration v. dimension, mesure

mentagre v. poil

mental v. intellectuel, prière

mentalité v. esprit, état

menthe v. digérer

menthol v. dentifrice, menthe

mention v. communication, concours, nomination, récompense

mentionner v. citer, énoncer, état, figurer, représenter, signaler

mentir v. inventer

mentonnière v. bandage, menton

mentoplastie v. menton

mentor v. conseil, guide, sage

menu v. contenu, fin, grêle, programme, repas

menuise v. plomb, poisson

menuisier v. bâtiment, rabot

ménure v. oiseau

ményanthe v. trèfle

Méphistophélès v. diable, mal

méphistophélique v. démoniaque, mauvais

méphitique v. malsain

méphitisme v. pollution

méplat v. plan, tempe

méprendre (se) v. compte, tromper

mépris v. dédain, dégoût

méprisable v. honteux, lâche, rien

méprisant v. altier, supérieur

méprise v. erreur, malentendu, quiproquo

mépriser v. cracher, dépréciatif, faire, insulter, moquer (se)

mer v. océan

Mercalli (échelle de) v. tremblement de terre

mercanti v. commerçant, marchand, trafiquant

mercantilisme v. capitalisme, commerce, cupidité

mercatique v. commerce, marché

mercenaire v. argent, soldat

merchandising v. commerce, marchandise

Mercure v. planète

mercure v. baromètre, thermomètre

mercure argental v. amalgame

mercurescéine v. mercure

mercuriale v. prix, sermon

mercurobutol v. mercure

mère v. déesse, religieux, vinaigre

mère (roche) v. pétrole

mère laine v. laine

merguez v. saucisse

mergule v. pingouin

méridien v. cercle, équateur, ligne, midi, point, pôle

méridienne v. après-midi, dormir, fauteuil, pause, repos

méridional v. hémisphère, midi, pôle, sud

mérinos v. laine, mouton

merise v. cerise

mérite v. gloire, qualité, récompense, utilité, valeur

mériter v. digne, valoir

merle à plastron, bleu, de roche, noir v. merle

merleau v. merle

Merlin v. magicien

merlin v. fendre, hache, marteau

merluche v. morue

merrain v. bois, chêne

merveille v. miracle

merveilleux v. conte, délicieux, incroyable, parfait, sensationnel, splendide, superbe, unique

mésaventure v. accident, aventure, malchance, péripétie

mescaline v. drogue

mesclun v. salade

mésentente v. tension, zizanie

mésentère v. fraise, intestin

mésentérite v. intestin

mésestime v. mépris

mésintelligence v. tension

mésinterprétation v. interprétation

mésocarpe v. chair, fruit

mésocéphale v. race

mésolithique v. âge

mésolittoral v. marée

mésosphère v. couche

mésoyage v. bêche

mésozoïque v. géologie, secondaire

mesquin v. bas, borné, étroit, médiocre
mesquinerie v. petitesse
mess v. repas
message v. annonce, délégué, pli, poulet, renseignement
messagerie v. transport
messe v. concert, secret, service, sorcier
mesure v. échelle, équilibre, état, modération, nuance, pondération, pouls, précaution, rythme
mesuré v. modéré, raisonnable, régulier, relatif, sage, sobre
mesurer v. juger, lutter, ménager
métabolisme v. biochimie, corps, nutrition
métacarpe v. main
métagramme v. énigme
métairie v. bâtiment
métal v. argent, étain, or, plomb
métalangage v. langage
métalepse v. périphrase
métallique v. minéral
métalliser v. métal
metallochromie v. coloration
métallurgie v. acier, plomb
métamorphique v. roche
métamorphisme v. transformation
métamorphose v. changement, magique, modification, transformation
métamorphoser v. changer, différent, forme, neuf, substituer
métaphore v. correspondance, image, relation
métaphrase v. interprétation
métaphraste v. interprète
métaphysique v. abstrait, pensée
métapsychique v. transmission
métastase v. cancer
métathèse v. déplacement, transposition
métayage v. ferme, location
métayer v. bail, colon, fermier, paysan
méteil v. seigle
métempsycose v. âme, futur, réincarnation
météore v. atmosphère, pierre
météorisme v. gonflement
météoroïde v. météorite
météorologie v. astronautique, atmosphérique, prévision, temps
Météosat v. météorologie
méthadone v. drogue
méthane v. gaz, marais
méthanier v. bateau, cargo, transport
méthathérien v. mammifère
méthode v. conduite, démarche, formule, manière, marche, organisation, procédure, recette, règle, système
méthodique v. rationnel, systématique
méthodiquement v. point
méthodisme v. protestant
méthodologie v. méthode, scientifique
méthylation v. mercure
méticuleux v. consciencieux, minutieux, rigoureux, scrupuleux, soigneux
métier v. dentelle, fonction, place, profession, rôle
métis v. deux, hybride
métissage v. croisement, fusion, mélange, race
métonomasie v. traduction
métonymie v. correspondance, relation
métoposcopie v. trait
métrage v. film
mètre v. radioélectrique
métrique v. poésie, style, unité
métrocèle v. hernie
métronome v. mesure, musicien, rythme
métropole v. capitale, pays, ville
métropolitain v. compatriote, métro, véhicule
métrorragie v. hémorragie
mets v. repas
mettable v. passable
mettre v. déposer, disposer, installer, plonger, poser, préparer, recevoir, verser
meuble v. amoureux, bien, ébénisterie, écu, mou, pupitre, terre
meubler v. occuper, remplir
meuglement v. beuglement, bœuf
meule v. aiguiser, broyer, cylindre, farine, foin, fromage, moulin, paille, polir, tas
meulière v. maçonnerie, pierre
meulon v. paille
meunerie v. farine, meunier
meunière v. mésange
meurtre v. crime, délit
meurtrière v. fenêtre, ouverture, parapet
meurtrir v. blesser, pincer, ulcéré
meute v. troupe
mévente v. vente
mezuzah v. hébreu
mezzanine v. balcon
mezza voce v. voix
mezze v. hors-d'œuvre
mezzotinto v. gravure, image
mezzo-soprano v. voix
M.F. v. onde
Mg v. magnésium
miao v. chinois
miasmatique v. malsain
miasme v. odeur, pollution
mica v. minéral
mi-carême v. masque
micaschiste v. quartz
miche v. pain
micheline v. train
microbe v. stérilisation
microbicide v. microbe
microbiologie v. microbe
microclimat v. climat
microcosme v. monde
micro-édition v. édition
microfilm v. archives
micrographie v. microscope
micro-organisme v. microbe, organisme
microphone v. instrument, téléphone
microscope v. agrandissement
microscopique v. menu, minuscule, petit
microséisme v. tremblement de terre
micro-trottoir v. sondage
miction v. urine, vessie
Midi v. sud
midinette v. apprenti, couturier, fille
mielleux v. compliment, douceur, hypocrite, sournois
miette v. fragment, parcelle, peu, pouce, relief
mièvre v. fade
mièvrerie v. recherche
mignard v. recherché
mignardise v. façon, grâce, recherche
mignon v. favori, homosexuel
mignonnette v. poivre
migraine v. tête
migrateur v. nomade
migration v. démographie, déplacement, mouvement, population
migratoire v. instinct
mihrab v. mosquée
mijaurée v. manière
mijoter v. cuire, réfléchir
mikado v. empereur
mil v. mille
mildiou v. champignon, pomme de terre, rouille, vigne
mile v. longueur
miler v. coureur
miliaire v. gale
milice v. combattant, commando
milieu v. ambiance, cadre, environnement, intermédiaire, orbite, partie, société, sphère
militant v. base, parti, partisan
militer v. lutter
mille v. itinéraire, marin
mille (mettre dans le) v. but
mille-fleurs v. tapisserie
millénaire v. mille, siècle
millerandage v. avortement, vigne
millésime v. année, date, mille, monnaie, vin
milliard v. million
millibar v. baromètre
millier v. mille
millime v. franc
million de centimes v. brique
milord v. calèche
milouin v. canard, gibier
mi-lourd v. boxe
mime v. comique, pantomime
mimer v. copier, imiter, représenter
mimétisme v. adaptation, imitation
mimique v. expression, geste, grimace, mime, pantomime, physionomie, singe
mimodrame v. drame, mime
mimographe v. mime
mimolette v. hollandais
mimologie v. imitation
minable v. misérable, pitoyable
minaret v. mosquée, tour
minauder v. mine, simagrée
minauderie v. façon, geste, grimace, manière
minbar v. mosquée
mince v. fin, peu, plat, subtil
mine v. apparence, crayon, explosif, face, figure, grimace, trésor
miner v. brèche, ronger, ruiner, souci, user
minéral v. pigment
minéralier v. minerai
minéraliser v. minerai
minéralogie v. géologie, minéral, naturel, pierre
minéralurgie v. minéral
Minerve v. sagesse
minerve v. cou
minerviste v. typographie
minestrone v. soupe
mineur v. adolescent, incapable, inférieur, mode, moindre, prémisse, relatif, secondaire
miniature v. décoration, illustration, minuscule, ornement, tableau
miniaturiste v. peintre
minimal v. élémentaire
minime v. médiocre, misérable, pauvre, peu, sportif
miniski v. ski
ministère v. cabinet, département, fonction, gouvernement, intervention, police, religieux
ministre v. pasteur, prêtre, rabbin, religieux
ministre des Finances v. argent
minium v. plomb, rouille
minnesinger v. chanteur, poète, troubadour
minois v. visage
minorité v. frange
Minotaure v. homme, Labyrinthe, taureau
minoterie v. farine
minotier v. meunier
minuit v. zéro
minuscule v. majuscule, menu, petit
minute v. écrit, instant, original, récit
minutie v. application
minutier v. notaire, registre
minutieusement v. point
minutieux v. consciencieux, délicat, méticuleux, pointilleux, scrupuleux, soigneux
mirabelle v. prune
Miracle v. symphonie
miracle v. extraordinaire, phénomène, théâtral
miraculeux v. magique
mirador v. observation, poste
mirage v. apparence, désert, erreur, hallucination, illusion, rêve, vision
mire v. tir, viser
mirer v. œuf, regarder
mirifique v. splendide
mirliton v. flûte, roseau
mirmillon v. gladiateur
miroir v. glace, microscope, rayon, verre
miroitant v. mobile, moiré
miroiter v. briller, chatoyer, réfléchir
misaine v. mât, voile
misandrie v. haine, homme
misanthrope v. ours, sauvage
misanthropie v. haine, homme, humanité
miscellanées v. mélange, recueil, variété
mise v. application, tenue, toilette
miser v. jouer, parier
misérabilisme v. misère
misérable v. minable, pitoyable, plaindre, sinistre
misère v. besoin, malheur, pauvreté, peine
miséreux v. misérable
miséricorde v. appui, charité, compassion, grâce, pitié
misogyne v. femme
misogynie v. haine
misonéisme v. routine
misonéiste v. ennemi, nouveau
missel v. liturgie, livre, messe, prière
missile v. artillerie, dragon, fusée, projectile
mission v. ambassade, charge, déplacement, député, diplomatie, expédition, exploration, fonction, mandat, pouvoir, religion, représentation, rôle, soin, tâche, vocation, voyage
missionnaire v. convertir, païen
missive v. billet, correspondance, lettre, message, pli, poulet
mistigri v. trèfle
mistral v. nord, vent
mitaine v. gant, main
mitard v. prison

mite v. teigne
mi-temps v. entracte, pause
miteux v. minable
mithraïsme v. perse
mithridatisation v. poison
mithridatiser v. immuniser
mitigé v. tiède
mitiger v. adoucir
mitigeur v. robinet
mitonner v. cuire
mitose v. cellule, chromosome, multiplication, noyau
mitoyen v. commun
mitraillade v. mitrailleuse
mitraille v. canon, feu
mitrailler v. feu
mitrailleuse v. automatique
mitre v. bonnet, chapeau, coiffure, évêque
mitre d'Hippocrate v. bandage
mitron v. adolescent, apprenti, boulanger, pain
mi-welter v. boxe
mixeur v. mélanger, robot
mixte v. émail, mariage
mixtionner v. mélanger
mixture v. mélange
M.J.C. v. commun
Mnémosyne v. mémoire
mnémotechnique v. aider, mémoire, souvenir (se)
mobile v. cause, expressif, instable, intention, motif, nomade, pont, raison, vagabond, vif
mobilier v. design
mobilisation v. action, appel, convocation
mobiliser v. recruter
mobilité v. adapter
moblot v. soldat
Moby Dick v. baleine
mocassin v. chaussure
moche v. vilain
modalité v. condition
mode v. coutume, genre, scrutin, statistique, valeur, verbe
mode (à la) v. cri, fureur, recherché
mode d'emploi v. explication
modelage v. argile, plastique, poterie
modèle v. cas, comparaison, échantillon, exemple, idéal, imitation, patron, règle, représenter, type
modelé v. forme, relief
modeler v. conformer, fabriquer, pâte, sculpter
modeleur v. modèle, sculpture
modélisation v. modèle
modéliste v. modèle
modérantiste v. modéré
modération v. mesure, pondération, prudence, réserve, sagesse
moderato v. modéré
modéré v. raisonnable, relatif, sobre, tiède
modérément v. peu
modérer v. adoucir, atténuer, borner, contenir, diminuer, freiner, ménager, profil, retenir, tempérer
moderne v. contemporain, neuf, nouveau, récent
moderniser v. adapter, réparer
modernité v. moderne
modeste v. décent, effacé, humble, médiocre, simple
modicité v. petitesse
modification v. assimilation, réforme, révision, transformation, variation, version
modifier v. évoluer, rectifier
modillon v. appui
modique v. médiocre, modeste
modiste v. chapeau, couturier
modulable v. souple
modulation v. ton
module v. fleuve
modus vivendi v. accord, compromis
moelle v. os, substance
moelle épinière v. nerveux
moelleux v. amoureux, doux, mou
moellon v. maçonnerie
moere v. lagune
mœurs v. coutume, habitude, mode, usage
mofette v. fumée, volcan
mohair v. chèvre
mohatra v. contrat
moi v. personnalité
moignon v. dentaire, membre
moindre v. inférieur, secondaire
moine v. chauffer, clergé, phoque, religieux
moins-value v. diminution
moire v. soie
moirer v. chatoyant
Moires v. déesse, destin, fatalité, fil
moirure v. moiré
mois v. douze
Moïse v. prophète
moïse v. bébé, berceau
moisi v. gâter
moisir v. pourrir
moisissure v. décomposition
moisson v. céréale, récolte
moissonneuse v. faux
moissonneuse-batteuse v. moisson
moite v. humide
moitié v. demi
molaire v. mâcher
môle v. jetée, port
molécule v. atome, corps, matière, partie
moleskine v. coton, cuir, toile
molester v. maltraiter, persécuter, rudoyer, traiter
molette v. éperon, roulette
molinisme v. grâce
mollah v. musulman, religieux
mollah (brut) v. pétrole
mollesse v. énergie
mollet v. mou
molletière v. bande, jambe
molluscum v. tumeur
mollusque v. coquillage, escargot
molysmologie v. pollution
moment v. bout, durée, épisode, époque, état, événement, instant, intervalle, occasion, saison
momentané v. court, moment, passager, provisoire, temporaire
momerie v. hypocrisie
momification v. cadavre
momordique v. pomme
monachisme v. moine
monade v. unité
monarchie v. politique, régime, république, royaume
monarchiste v. monarchie
monarque v. monarchie, prince, roi, souverain
monastère v. communauté, couvent, moine, religieux
monastique v. religieux
monceau v. foule, pile, quantité, tas
mondain v. social
monde v. domaine, nature, réalité, société, sphère, Terre, univers
mondé v. orge
monder v. nettoyer
mondial v. international, universel
mondovision v. télévision
monème v. racine
mongolien v. mongolisme
mongoloïde v. mongolisme
monisme v. unité
moniteur v. animateur, écran, professeur
monition v. censure
monitoring v. contrôle
monnaie fiduciaire v. banque, billet
monnayer v. négocier
monocoque v. course de bateaux
monocorde v. monotone, neutre
monocotylédone v. palmier
monoculture v. agricole
monodelphe v. mammifère
monodie v. chant
monogramme v. abréviation, chiffre, initial, lettre, marque, signature
monographie v. traité
monoïque v. bisexué
monokini v. maillot
monolithe v. bloc, menhir, pierre
monologue v. comédien, tirade
monologuer v. parler, seul
monométallisme v. monétaire
mononucléaire v. noyau
monoplacophores v. mollusque
monopole v. capitalisme, empire, exclusivité
monopoleur v. monopole
monopoliser v. acheter, réunir
monopoliste v. monopole
monoptère v. colonne
monorail v. train
monoski v. ski
monosyllabe v. syllabe
monothéisme v. dieu, unique
monothéiste v. religion
monotone v. ennuyeux, fade, terne, uniforme
monotrème v. mammifère
Monotype v. composer
monotypie v. composition
monovalent v. univalent
monstrueux v. abominable, affreux, épouvantable, excessif, hideux, inhumain
monstruosité v. horreur
montage v. chaîne, fabrication, installation
montanisme v. hérésie
montant v. coût, prix, somme, tarif
Montbéliard v. saucisse
mont-de-piété v. gage, municipal, prêt
monte v. reproduction, saillie, sexuel
monte à l'américaine, à l'obstacle v. équitation
monté v. course hippique
montée v. côte, croissance
monte-en-l'air v. cambrioler
monter v. assembler, bague, battre, constituer, créer, dresser, élever, établir, irriter, ivre, manche, représenter, veiller
Montesquieu v. persan
montgolfière v. ballon
monticule v. bosse, tas
montre v. afficher, course cycliste, vitrine
montrer v. désigner, exprimer, indiquer, offrir, paraître, preuve, produire, proposer, révéler, rendre, signaler, spectacle
montreur v. marionnette
monture v. brosse, éventail
monument v. bâtiment, immeuble
monumental v. gigantesque, grandiose, majestueux, splendide
Moon v. secte
moquer (se) v. plaisanter, ridiculiser, rire, satire
moquette v. revêtement
moraillon v. malle
moral v. impératif, spirituel, vaillance
morale v. conclusion, conduite, éthique, vertu
moraliser v. raisonner
moralité v. fable, morale, témoin
morasse v. épreuve, journal, page
moratoire v. délai
morbide v. maladif, malsain, sinistre
morceau v. bout, brin, éclat, élément, extrait, fraction, fragment, parcelle, part, pouce, sélection
morceler v. dépecer, émietter
morcellement v. désagrégation
mordache v. serrer
mordancer v. mordant
mordant v. aigre, aigu, grinçant, pénétrant, perçant, piquant, sarcastique, satirique, teinture, venimeux, vernis, vif, vivacité
mordiller v. mordre
mordoré v. brun, couleur
mordre v. acide, entamer
moreau v. noir
morfil v. lame
morfondre (se) v. attendre, ennuyer
morfondu v. froid
morganatique v. mariage, union
Morgane v. fée
morgue v. cadavre, chambre, hauteur, insolence, mort, orgueil, suffisant, superbe
moribond v. agonie, malade, mourir
morigéner v. corriger, débiter, gronder, leçon, reproche
morillon v. canard, émeraude
mormon v. secte
morne v. éteint, lance, mélancolie, morose, terne, triste, vide
morose v. mélancolie, renfrogné, sinistre, sombre, triste
Morphée v. sommeil
morphème v. mot
morphine v. drogue, opium, poison
morphologie v. anatomie, forme, mot
morphologique v. forme
morphopsychologie v. morphologie, trait
morpion v. pou
Morris v. colonne
mors v. étau, menuiserie
morse v. langage, télégraphie
morsure v. piqûre
mort v. disparition, fin, ivoire, vallée
mort (mettre à) v. exécuter
mortadelle v. saucisson
mortaille v. héritage
mortaise v. entaille, menuiserie
mortaiseuse v. machine
mortalité v. démographie
Morteau v. saucisse
morte-eau v. marée
mortel v. dangereux, fatal, funeste, nuisible, péché,

périssable, sinistre
mortier v. bombardement, bonnet, broyer, canon, chaux, colle, maçonnerie, magistrat, obus, pâte, piler, sable
mortifère v. mortel
mortification v. abstenir (s'), austérité, corps, gangrène, humiliation, pardon, pénitence
mortifier v. abaisser, blesser, décomposer, froisser, honte, macérer, maltraiter, offenser, vexer
mortinatalité v. mortalité
morula v. embryon
morutier v. pêche
morve v. nez
mosaïque v. combinaison, parquet, varié
mosaïque (loi) v. rabbin
mosaïste v. mosaïque
mosquée v. arabe, communauté, culte, islam, temple
Mossad (Israël) v. service
mot v. accès, parole, phrase, saillie, secret
motel v. hôtel
motet v. chant, chœur
moteur v. ressort, yacht
motif v. argument, dessin, excuse, intention, mobile, occasion, origine, prétexte, raison, registre, représenter, sujet, thème
motion v. délibération, proposition
motivation v. cause, motif
motiver v. expliquer, juste, justifier, légitime
motoball v. motocyclette
motociste v. motocycle
motocross v. motocyclette
motoculteur v. tracteur
motocyclette v. motocycle, véhicule
motoneige v. motocycle, neige
motoriste v. moteur
motoski v. motocycle
mototracteur v. tracteur
mots croisés v. combinaison
mottereau v. hirondelle
motus v. silence
mot-valise v. accouplement
mou v. immobile, incapable, souple
moucharabieh v. balcon, treillis
mouchard v. espion, radar
moucharder v. dénoncer
mouche v. barbe, beauté, bourdonnement, boxe, pêche
mouche (faire) v. but, toucher
mouche (fine) v. malin
mouche du coche v. fâcheux
moucher v. éteindre, flamme, mèche
moucheron v. mèche
mouchette v. anneau, ciseau
moucheture v. tache
mouchèvre v. hybride
mouchoir v. fichu
moudre v. poudre, pulvériser
moue v. expression, grimace
moufle v. gant, main, porcelaine, poulie
mouflon v. mouton
mouille-bouche v. poire
mouiller v. additionner, ancre, couper, étendre, fond, mélanger, mine, sauce, toucher
mouillette v. pain, tartine
mouillure v. humidité
moujik v. paysan
moulage v. empreinte, poterie
moulant v. collant, serrer
moule v. forme, mollusque
mouler v. couler, fondre
moulin v. meunier, prière
moulinage v. soie
mouliner v. ronger, tordre
Mouloud v. musulman
moulu v. fatigue
moulure v. bandeau, ceinture, ébénisterie, ornement
mourir v. âme, décéder, éteindre, expirer, périr, rendre
mouron v. souci
mousquetaire v. infanterie
mousqueton v. montagne
mousse v. apprenti, bulle, dessert, écume, jeune, marin, pâté
mousseline v. purée
mousser v. valoir
mousseux v. dessert
mousson v. tropical, vent
moustiquaire v. rideau
moût v. fermentation, malt
moutardier v. moutarde
moutier v. monastère
mouton v. masse, parchemin, poussière, viande
moutonné v. nuage
mouture v. céréale
mouvement v. bouillonnement, déplacement, devenir, école, élan, entraînement, état, évolution, parti, réflexe, révolution, rythme, souffle, tendance, vague, variation, vie
mouvementé v. orageux
mouvoir v. bouger, conduire, déplacer
moxa v. chinois
moyen v. boxe, faculté, intermédiaire, normal, ordinaire, oreille, passable, possibilité, pouvoir, radioélectrique, raison, recette, relatif, ressort, ressource, résultat, système
moyenâgeux v. médiéval
moyen duc v. hibou
moyenne v. statistique
moyeu v. hélice, poulie, roue
mozarabe v. chrétien
M.S.K. (échelle) v. tremblement de terre
M.S.T. v. sexuel
M.T.S. v. unité
mucilage v. purge, solution
mucoviscidose v. pancréas
mucron v. pointe
mudéjar v. musulman
mue v. adolescence, cage, poil, voix, volaille
muer v. changer, dépouiller, substituer, transformer
muet v. silencieux, syllabe
muette v. pavillon
muezzin v. appel, mosquée, prière, religieux
mufle v. grossier, impoli, museau, nez
mufti v. musulman, religieux
mugir v. hurler
mugissement v. beuglement, bœuf, mer
muguet v. champignon, dandy, mai
muid v. tonneau
mulard v. canard
mulassière v. jument
mulâtre v. métis
mule v. pantoufle
mule-jenny v. laine
mulet v. âne, bête, cheval, hybride
muletier v. conducteur
mulette v. moule, perle
mulsion v. traite
multicoque v. course de bateaux
multidisciplinaire v. plusieurs
multinationale v. industrie
multipare v. accoucher, femelle
multiple v. divers, nombreux, plusieurs, varié
multiplicande v. facteur, multiplication, nombre
multiplicateur v. facteur, multiplication, nombre
multiplication v. génération, opération
multiplier v. entasser, fleurir, répéter
multitude v. armée, foule, nombre, quantité
municipal v. élection
municipalité v. commune, maire, ville
municipe v. ville
munificent v. généreux
munir v. équiper, pourvoir, prendre
munition v. armement, cartouche, provision
muntjac v. cerf
muqueuse v. membrane
mur v. appui, obstacle
mûr v. raisonnable, réfléchi
muraille v. château, sabot
murer v. aveugle, boucher, enfermer, fermer
muret v. parapet
murex v. pourpre
muridés v. souris
mûrir v. méditer, perfectionner, préparer, réaliser, réfléchir
mûrissage v. maturité
murmel v. marmotte
murmure v. bruit, frisson, gémissement
murmurer v. parler, souffler
mur-pignon v. mur
musagète v. muse
musaraigne v. souris
musarder v. badaud, traîner
musc v. parfum
muscadelle v. poire
muscadet v. melon
muscadin v. dandy, incroyable
muscari v. jacinthe
muscicapidés v. merle
muscidés v. mouche
muscinées v. mousse
muscle amoureux v. œil
muscle oculaire v. amoureux, muscle
musculeux v. muscle
muse v. art, femme, inspirer
museau v. nez
musée v. art, conservateur, peinture
museler v. bâillonner, opprimer, silence, taire
muselière v. mordre, museau
muséographie v. musée
muséologie v. musée
muser v. badaud, cerf
musette v. bal, berger, gibecière, sac
muséum v. musée
music-hall v. café, spectacle, variété
musicien v. interprète
musicographe v. musique
musicologie v. musique
musicothérapie v. musique
musique v. art
musoir v. jetée
musqué v. recherché
mussif v. étain
mussitation v. parole, voix
mustang v. cheval
mustélidés v. hermine
musth v. reproduction
musulman v. islam
mutagène v. mutation
mutant v. mutation, science-fiction
mutation v. adaptation, affectation, changement, détachement, passage, révolution, transformation, transmission, variation
mutationnisme v. évolution
muter v. ajouter, déplacer, devenir
mutilation v. ablation, suppression
mutilé v. infirme, invalide
mutiler v. amputer, blesser, couper
mutin v. prisonnier, rebelle, révolutionnaire
mutiner v. désobéir
mutinerie v. émeute, résistance, révolte, soulèvement
mutisme v. expression, muet, parler, silence, stupeur
mutité v. muet, voix
mutualisme v. mutuel
mutualité v. mutuel, solidarité
mutuel v. échange, réciproque
mutuelle v. compagnie
mycélium v. champignon
mycoderme v. fleur
mycographie v. champignon
mycologie v. champignon
mycorhize v. racine
mycose v. champignon, parasite
myélite, myélogramme, myélographie, myélomatose v. moelle
mygale v. araignée
myiase v. mouche
myographe v. contraction
myologie v. anatomie
myome v. muscle
myopathie v. muscle
myopie v. vue
myosite v. muscle
myosotis v. bleu, oreille
myriade v. nombre, quantité
myrica v. cire
myrmécophile v. fourmi
myrmidon v. fourmi, petit
myrrhe v. gomme, mage, parfum, résine
myrte v. maquis
mystagogie v. initiation, mystère, religion
mystagogue v. grec
mystère v. énigme, extraordinaire, farce, pot, problème, théâtral
mystérieux v. incompréhensible, inconnu, invisible, obscur, suspect
mysticètes v. baleine
mysticisme v. raison
mystificateur v. farce
mystification v. facétie, plaisanterie, subterfuge
mystifier v. abuser, mentir, tromper
mystique v. adoration, croyant, dieu, illuminer, inspirer, religieux, spirituel
mythe v. légende, poésie, récit, religion
mythique v. fabuleux
mythologie v. dieu, fable
mythomanie v. mensonge
mytiliculture v. moule
mytilotoxine v. moule
myxœdème v. glande
myxomatose v. lapin

nabab v. colonisateur, riche
nabi v. prophète
nabuchodonosor v. litre
nacelle v. bébé, panier

nacre v. marqueterie
nacré v. chair, minéral
nadir v. point, zénith
nævus v. envie, fraise, grain, peau, tache
Nagasaki v. atomique
nage v. sueur
nage-wasa v. judo
naguère v. passé
naïade v. nymphe
naïf v. poire, simple, sot
nain v. petit
naissain v. huître, larve
naissance v. commencement, fondation, racine, sang
naisseur v. jument
naître v. paraître, résultat, surgir, venir
naître (faire) v. inspirer, susciter
naïveté v. bêtise, confiance, ignorance
naja v. serpent
nandou v. autruche
nanifier v. nain
nanisme v. nain
nankin v. jaune
nansouk v. chemise
nanti v. puissant, riche
nantir v. gratifier, munir, pourvoir, prendre
nantissement v. contrat, gage
naos v. grec, temple
napalm v. bombe
napée v. nymphe
naphtaline v. fourrure
naphte v. pétrole
napoléon v. or, pièce
nappe v. eau, vague
napper v. couvrir
narcisse des prés v. jonquille
narcissique v. regarder
narcissisme v. amour, image, moi, personne
narcolepsie v. dormir, sommeil
narcose v. anesthésie, hypnose, inconscience, narcotique, sommeil
narcothérapie v. sommeil
narcotine v. opium
narcotique v. drogue, sommeil
nard v. parfum
narguer v. insolence, moquer (se)
narguilé v. pipe
narquois v. fripon, moqueur, sarcastique
narration v. description, récit
narrer v. raconter
narthex v. porche, portique
narval v. corne
naseau v. narine, nez
nasillement v. prononciation
nasiller v. nez
nasse v. écrevisse, filet, panier, vannerie
natalité v. démographie
natif v. autochtone, brut, indigène, pays
nation v. droit, État, patrie, pays
national v. armée, concile
nationalisation v. État, industriel
nationalisé v. industrie
nationaliste v. autonomie, patriote, xénophobe
nationalité v. droit
nativité v. naissance, thème
natron v. conservation
nattage v. vannerie
natte v. tapis, tresse
naturalisation v. droit, immigré, nationalité
naturaliser v. étranger
naturalisme v. littéraire, réalisme
naturaliste v. drame
nature v. accord, essence, motif, personnalité, réalité, sorte, tempérament, univers
naturel v. bâtard, brut, humeur, indigène, légitime, naissance, nature, normal, paternité, plastique, prairie, raisonnable, sain, simple, soie, spontané, tempérament, vif
naufrage v. épave, ruine, sombrer
naumachie v. cirque, combat, spectacle
naupathie v. mal, mer
nauplius v. crustacé, larve
nauséabond v. dégoûtant, écœurant, mauvais, putride
nausée v. malaise, vomir
nautile v. mollusque
nautique v. naval, parc
nautonier v. conducteur, pilote
navaja v. sabre
naval v. bataille
navarin v. mouton
navarque v. commandant
navette v. dentelle, Sénat, service, transport
navicert v. laissez-passer
navigant v. aviateur
navigateur v. marin
navigation v. équipage
Naviplane v. transport, véhicule
navire v. bateau, bâtiment
navrant v. affligeant, lamentable, pitoyable, triste
navrer v. désespérer, désoler, mécontenter
nazisme v. fascisme
néant v. rien, vanité, vide, zéro
nébuleux v. brume, comète, confus, malentendu, nuage, vague
nébulisateur v. aérosol
nec plus ultra v. fin, meilleur, mieux, parfait
nécessaire v. essentiel, important, inévitable, utile
nécessité v. pauvreté, utilité
nécessiter v. demander, réclamer
nécessiteux v. misérable
nécrologe v. mort
nécrologie v. journal, mort, registre, rubrique
nécromancie v. consultation, esprit, sorcellerie
nécrophagie v. cadavre
nécropole v. cimetière, souterrain
nécropsie v. autopsie
nécrose v. dent, gangrène
nectar v. boisson, fleur, miel
néerlandais v. hollandais
nef v. allée, vaisseau
néfaste v. défavorable, fatal, funeste, malin, mauvais, nuisible
négatif v. algèbre, cliché, photographie
négation v. adverbe
négativisme v. négatif
négaton v. négatif
négligé v. malpropre
négligeable v. médiocre, menu, mince, pauvre, secondaire
négligence v. défaut, omission, organisation, oubli
négligent v. insouciant
négliger v. abstraction, faire, laisser, mépriser, parenthèse, sacrifier
négoce v. boutique, commerce, entreprise
négociant v. commerce, marchand
négociateur v. intermédiaire, médiateur
négociation v. Bourse, conversation, réconcilier, ultimatum
négocier v. accord, discuter, intervenir, poire, traiter, vendre
nègre v. auteur
négrier v. trafiquant
négritude v. noir
negro spiritual v. jazz
nègue-chien v. barque
négus v. souverain
neige v. précipitation
nekromanteion v. consultation
Nemrod v. chasseur
nénies v. chant, deuil
nénuphar v. marais
néolithique v. âge, pierre
néologisme v. mot, nouveau
néoménie v. Lune
néon v. ampoule, gaz
néophyte v. débutant
néopilina v. mollusque
néoplasme v. tumeur
Néoprène v. caoutchouc, synthétique
nèpe v. scorpion
néphélion v. tache
néphrétique v. colique
néphrite v. inflammation
néphrocèle v. hernie
néphrologue v. médecin
népotisme v. faveur, malhonnête, pape, parent
Neptune v. mer, planète
Nérée v. mer
néréide v. nymphe
néroli v. huile
nerprun v. épine
nerveux v. brusque, émotif, impatient, soudain
nervi v. gage
nervure v. broderie, feuille, moulure, nerf
net v. précis, régulier, sensible, soigné, tennis
netsuke v. kimono
netteté v. propreté
nettoiement v. nettoyage
nettoyer v. débarbouiller, essuyer, laver, propre, rafraîchir, rincer
neuf v. inconnu, nouveau, récent
neurasthénie v. dépression, mélancolie, tristesse
neurochirurgie v. chirurgie, nerf, psychiatrie
neurologue v. médecin
neuromédiateur v. médiateur
neuronal v. cellule
neurone v. nerveux
neuropsychiatrie v. psychiatrie
neurovégétatif v. nerf
neutraliser v. annuler, calmer, compenser, corriger, exclure, paralyser
neutraliste v. neutralité
neutralité v. indifférence
neutre v. anonyme, impersonnel, objectif
neutrino v. neutre
neutron v. atome, bombe, neutre, noyau, particule
neutrophile v. neutre
neuvain v. neuf
neuvaine v. neuf
névé v. montagne, neige
névralgie v. nerf
névralgique v. sensible
névraxe v. axe, cerveau, nerveux
névrilème v. gaine, nerf
névrite v. nerf
névrose v. caractère, déséquilibre, hystérie, mental, personnalité
névrotomie v. nerf
newasa v. judo
newton v. force
nez v. narine
niais v. imbécile, innocent, naïf, sot, stupide
niaiserie v. bêtise
niche v. chien, facétie, plaisanterie, tour
nichée v. nid, petit
nicher v. nid
nichet v. œuf
nichrome v. nickel
nickelage v. nickel
nickélifère v. nickel
nicodème v. sot
Nicolaïer v. tétanos
nicotine v. poison
nicotinisme v. tabac
nictation v. paupière, tic
nid-d'abeilles v. broderie
nid-de-poule v. trou
ni dieu ni maître v. anarchie
nidification v. instinct
nidifier v. nid
nielle v. blé, charbon, émail
nieller v. orner
Niepce v. photographie
nier v. contester, démentir, négative, refuser
nife v. terre
nigaud v. sot
nihilisme v. négation, pessimisme
nille v. bobine, manivelle, vitrail
nimbe v. couronne, martyr, saint
nimbus v. nuage
ninas v. cigare
nippon v. japonais
nique v. figue
nitescence v. clarté, lueur
nitrate v. azote
nitrification v. nitrate
nitrogène v. azote
nitruration v. azote
nival v. régime
nivéal v. neige
niveau v. degré, force, relief, stade
niveler v. aplanir, niveau, plat
nivo-pluvial v. neige
nivôse v. janvier
nixe v. déesse, génie
nizeré v. rose
nô v. japonais, théâtral
no man's land v. espace, sauvage
NO_2 v. dioxyde
Nobel v. concours
noble v. altier, fier, illustre, majestueux, soutenu
noblesse v. aristocratie, beauté, chevalerie, distinction, grandeur, hauteur, ordre
noce v. mariage, union
noceur v. fête
nocher v. pilote
nocif v. malin, malsain, nuisible, toxique
nocivité v. nuisible
noctambule v. marcher, nuit, veiller
noctiflore v. nuit
noctuélien v. papillon
noctuelle v. nuit, papillon
noctule v. chauve-souris
nocturne v. nuit, piano
nocuité v. nuisible
nodosité v. arbre, nœud
noduleux v. nœud
Noël v. vacance
noêsis v. raison

nœud v. bois, centre, chemise, filet, fond, itinéraire, péripétie, vitesse
noir v. deuil, ivoire, ivre, malheureux, perle, profond, sombre, suie
noirceur v. laideur
noircir v. réputation
noire v. rythme
noisetier v. noisette
noisette v. mendiant
noix (huile de) v. peinture
noix d'arec v. noix, palmier
noix de cajou, noix de coco, noix de kola, noix de muscade v. noix
nolens, volens v. vouloir
nolis v. prix
noliser v. avion, louer
nom v. raison, variable
nomade v. camper, conducteur, déplacement, domicile, instable, vagabond
nombre v. accord, chiffre, numéro, unité, verbe
nombre complexe v. nombre
nombre d'or v. nombre
nombreux v. nombre
nomenclature v. dictionnaire, liste, minéral, mot, recueil, répertoire, vocabulaire
nominal v. nom, phrase, réel
nominataire v. bénéfice
nomination v. affectation, institution, promotion
nommer v. appeler, choisir, élire, figurer, indiquer, porter
nomographie v. loi
non aedificandi v. servitude
nonagénaire v. quatre-vingt-dix
non-agression v. pacifique
non-aligné v. neutralité
non altius tollendi v. servitude
nonante v. quatre-vingt-dix
nonce v. ambassadeur, délégué, pape
nonchalance v. négligence, paresseux
nonchalant v. lent, mou, souci
non-conformisme v. indépendance
non-contradiction v. principe
non-dit v. sous-entendu
none v. après-midi, heure, moine
non-engagement v. neutralité
nones v. calendrier
non-être v. néant
non-lieu v. instruction
nonne v. religieux
nonnette v. mésange
nonobstant v. dépit
non-sens v. faute, interprétation, sens
non-violence v. pacifique, violence
noologie v. esprit
nopal v. figue
nord v. boussole
nordique v. nord
nordir v. nord
nordiste v. nord
noria v. hydraulique
normal v. naturel, raisonnable, règle, régulier, usage
normalement v. ordinaire
normalisation v. rationnel
normalisé v. standard
normatif v. règle
norme v. autorité, canon, critère, principe, standard
noroît v. nord, vent
norrois v. germanique
norvégien v. germanique
nosographie v. description
nostalgie v. mal, regret, tristesse
nota bene v. commentaire, complément, note
notable v. bourgeois, considérable, important, personnalité, saillant, sensible, signaler
notaire v. ministériel, officier
notarial v. notaire
notarié v. acte, authentique, notaire
notation v. bulletin, représentation
note v. canard, communication, état, explication, facture, instruction, interprétation, référendum, réflexion, style
noter v. écrire, inscrire, marquer, percevoir, relever, souligner
notice v. explication, mode, note, sommaire
notification v. information
notifier v. annoncer, communiquer, informer, savoir
notion v. connaissance, conscience, élément, idée, pensée, raisonnement, résumé, savoir
notoire v. célèbre, connu, évident, fameux, manifeste, officiel, public
notomèle v. dos
notonecte v. dos
notoriété v. gloire, réputation
notule v. note, texte
nouaison v. fruit, vigne
noue v. prairie, ruisseau, terre, tuile
nouer v. rattacher, serrer
noueux v. nœud
nougat v. bonbon, miel
nouille v. chinois, pâte
nourrain v. poisson, porc
nourri v. tir
nourricerie v. bétail
nourrir v. enrichir, entretenir, manger, ruminer
nourrissant v. fortifier, riche
nourrisson v. bébé
nourriture v. aliment
nouveau v. dernier, inconnu, inédit, inouï, neuf, original, récent
nouveau-né v. bébé
nouveauté v. curiosité
Nouveau Testament v. Bible
nouvelle v. information, récit, renseignement
nouvelliste v. auteur, nouvelle
novateur v. audacieux, avant-garde, hardi, marginal, moderne, neuf, nouveau, révolutionnaire, singulier
novénaire v. neuf
nover v. renouveler
novial v. langue
novice v. débutant, écolier, expérience, jeune, neuf, religieux
noviciat v. couvent
novillada v. course de taureaux
novillero v. corrida
noxologie v. nuisible
noyau v. âme, atome, cellule, centre, comète, galaxie, partie, pli, syllabe
noyau de voûte v. support
noyautage v. pénétration
noyauter v. Mafia
noyer v. démoraliser, marqueterie
N.T.S.C. v. télévision
nu (mettre à) v. déchausser
nuage v. brouillard, goutte, peu, quantité, vague
nuance v. coloration, degré, différence, note, teinte
nuancier v. teinte
nubile v. fille
nubilité v. adolescence, âge
nucléaire v. armement, atomique, énergie, usine
nucléé v. noyau
nucléocapside v. virus
nucléon v. particule
nucléoprotéine v. noyau
nucléus v. noyau
nudité v. nu
nue v. ciel
nuée v. armée, nuage, quantité
nuire v. brèche, mal, porter, tort
nuisance v. pollution
nuisible v. contraire, dangereux, malsain
nuit v. bleu, veille
nuitée v. nuit
nul v. bulletin, ignorance, incapable, invalide, négatif, un, valeur
nullité v. néant
numbles v. cerf
numéraire v. comptant
numéral v. nombre
numérateur v. fraction
numération v. nombre
numérique v. nombre
numéro v. chiffre, nombre
numérologie v. nombre
numérus clausus v. nombre
numismate v. médaille
numismatique v. archéologie, monnaie
nunatak v. glacier
nuptialité v. démographie
nuque v. cou
Nuremberg (tribunal de) v. criminel
nurse v. bonne, domestique, enfance, gouvernante
nursery v. chambre
nutation v. balancement, pôle, terre, tête
nutritif v. nutrition, riche
nutrition v. digestion
nyctage v. nuit
nyctalope v. nuit
nyctalopie v. vision
Nylon v. fibre
nymphe v. champêtre, déesse, femme, lèvre, papillon, soie
nymphée v. fontaine, grotte, nymphe
nymphomane v. femme
nymphomanie v. sexualité

oaristys v. amoureux
oasien v. oasis
oasis v. désert, refuge
obédience v. confession, obéissance, religieux, soumission
obédiencier v. religieux
obéir v. écouter, exécuter, plier, rendre, répondre, sacrifier, soumettre, subir, suivre
obéissance v. observation
obéissant v. facile, gentil, sage, servile
obélisque v. colonne
obérer v. accabler, charger
obèse v. gros, ventre
obésité v. adipeux, excès, grosseur
obi v. bande, ceinture, japonais, kimono
obit v. service
obituaire v. registre
objectal v. objet
objecter v. désobéir, raisonner, réfuter, remettre, répondre
objectif v. but, choix, cible, fin, intention, microscope, neutre, scientifique, serein
objection v. contradiction, critique, inconvénient, observation, opposition, reproche, résistance
objectiver v. objectif
objet v. chose, intention, réalité, substance, sujet
objurgation v. convaincre, désapprobation, reproche, sermon
oblat v. moine, religieux
oblation v. don, offre
oblats v. messe
obligation v. contrainte, demeure, devoir, emprunt, engagement, nécessité, reconnaissance, religion, servitude, tâche, titre, valeur
obligé v. inévitable, nécessaire
obligeance v. bonté, gentillesse
obligeant v. aimable, dévoué, flatteur, gentil, poli, serviable
obliger v. contraindre, exiger, forcer, secourir
oblique v. fracture, indirect, symétrie
obliquer v. pencher
obliquité v. pente
oblitération v. cachet
oblitérer v. obstruer, tamponner
oblong v. amande, long
obole v. charité, don, maille, mendiant, secours
obombrer v. ombre
obreptice v. mensonge
obreption v. obtenir, omission
obscène v. gras, immoral, malsain, sale
obscénité v. injure, ordure, vulgarité
obscur v. abstrait, borgne, brouiller, compliqué, difficile, embrouiller, énigmatique, foncé, humble, ignorer, incompréhensible, inconnu, malentendu, mystérieux, noir, profond, sombre, souterrain, vague
obscurantisme v. instruction
obscurcir v. embrouiller
obscurément v. ombre
obscurité v. brouillard, incertitude, nuit
obsécration v. prière
obsédé v. maniaque
obséder v. assiéger, harceler, poursuivre, préoccuper, proie
obsèques v. convoi, enterrement, funèbre
obséquieux v. esclave, flatteur, humble, poli, servile
observable v. visible
observance v. couvent, obéissance, observation, règle, religieux
observateur v. spectateur
observation v. constatation, contrôle, note, recherche, reconnaissance, réflexion, reproche
observatoire v. poste
observer v. enregistrer, épier, étudier, examiner, fixer, obéir, plonger, promener, réfléchir, regarder, remplir, scruter, signaler, soumettre, suivre, vigilance
obsession v. bête, fixe, idée, manie, passion
obsidional v. siège
obsolescence v. vieillesse
obsolescent v. périmé, suranné
obsolète v. ancien, démodé,

employer, périmé, suranné, usage
obstacle v. barrage, barrière, complication, course hippique, difficulté, embûche, équitation, inconvénient, objection, opposition, résistance, selle
obstétricien v. accoucher, médecin, mère, sage-femme
obstination v. entêtement, fermeté, opiniâtreté, patience
obstiné v. constant, tenace, têtu
obstiner (s') v. accrocher, acharner (s'), continuer, insister, persévérer
obstruction v. rugby
obstruer v. bloquer, boucher, encombrer, fermer
obtempérer v. désobéir, exécuter, obéir, rendre, soumettre
obtenir v. cueillir, réaliser, recevoir, recueillir
obtention v. bénéfice
obturer v. fermer
obtus v. borné, épais, étroit, stupide
obtusion v. attention
obus v. artillerie, bombe, canon, cartouche, explosif, projectile
obusier v. bombardement, canon, obus
obvers v. côté, monnaie
obvier v. éviter, parer
oc v. dialecte
occasion v. fois, moment, possibilité, rencontre, sujet
occasionnel v. conditionnel, éventuel, exceptionnel, variable
occasionner v. créer, déchaîner, entraîner, produire
occident v. ouest
occipital v. cerveau
occiput v. tête
occitan v. roman
occlure v. fermer
occultation v. astre, disparition, éclipse
occulte v. clandestin, inconnu, perception, secret
occulter v. cacher
occultisme v. magie
occupation v. colonisation, travail
occuper v. envahir, pencher, prendre, remplir, tenir, veiller
occurrence v. fois, rencontre
océanaute v. exploration
océanide v. océan
océanique v. océan, régime
océanographie v. océan, sous-marin
océanologie v. océan
ocelle v. tache
ochlophobie v. foule
ocre v. argile, jaune
octave v. huit, piano
octavin v. flûte
octavon v. métis
octet v. huit
octogénaire v. quatre-vingts
octroi v. concession, entrée, municipal
octroyer v. accorder, attribuer, donner, répartir
octuor v. groupe, huit, orchestre
oculaire v. équipage, microscope, témoin
oculi v. dimanche
oculiste v. œil
oculus v. fenêtre, œil
odalisque v. esclave, sultan
ode v. concert, hymne, poème
odieux v. bas, dégoûtant, désagréable, exécrable, ignoble, injuste, laid, sale
Odin v. mythologie
odobénidés v. morse
odontocètes v. baleine, cachalot
odontologiste v. dentiste
odontomètre v. timbre
odorat v. odeur, sens
odoriférant v. odeur, senteur
***Odyssée* (l')** v. récit
odyssée v. voyage
œcuménique v. universel
œcuménisme v. religion
œdème v. enflure, gonflement
œil v. fromage, imprimerie, marteau, nombril
œil de bœuf v. fenêtre
œil-de-chat v. quartz
œil-de-perdrix v. pied
œillade v. appel, œil, regard
œillère v. vase
œillet v. marais, trou
œilleton v. fille
œillette v. peinture
œil torve v. travers
œnolisme v. alcoolisme
œnologie v. vin
œstradiol v. hormone
œstral v. femme
œstre v. mouche
œstrogène v. ovaire
œuf v. boule, embryon, montre, reproduction, ski
œufrier v. œuf
œuvé v. œuf
œuvre v. écrit, pratique, production, répertoire, résultat, travail
œuvre (mettre en) v. employer
offensant v. désagréable
offense v. attentat, injure, insulte, péché
offenser v. blesser, choquer, froisser, heurter, indigner, insolence, piquer, scandaliser, susceptible, vexer
offensif v. agressif, attaque, opération
offertoire v. messe
office v. cuisine, culte, entremise, fonction, intervention, liturgie, religieux, service
official v. juge
officialiser v. légaliser
officiel v. authentique, public, régulier, solennel
officier v. célébrer
officier public v. notaire
officieux v. privé, serviable
officinal v. pharmacie
officine v. boutique, laboratoire, magasin, pharmacie
offrande v. cadeau, don
offre v. ouverture, proposition
offrir v. donner, proposer, souhaiter, soumettre, tendre
offset v. imprimerie, papier
offshore v. bateau, course de bateaux, marin, pétrole
offusquer v. choquer, déplaire, heurter, offenser, piquer, scandaliser, vexer
oflag v. camp
ogac v. morue
ogive v. fusée, obus, tête, voûte
ognette v. burin
ogre v. conte, enfant, géant
ohm v. électricité, résistance
oïdium v. vigne
oignon v. montre, pied, racine, vinaigre
oïl v. dialecte, français
oindre v. bénir, frotter, huile
oiseau v. maçon
oiseau mouche v. colibri
oiseler v. oiseau
oiseleur v. oiseau
oisellerie v. oiseau
oiseux v. inutile, stérile, superflu, vain
oisiveté v. disponibilité, inaction
oison v. oie
okapi v. girafe
okoumé v. bois
oléacées v. jasmin
oléagineux v. huile
oléoduc v. conduite, pétrole, transport, tuyau
oléomètre v. huile
oléum v. acide sulfurique
olfaction v. nez, odeur, odorat
oliban v. encens, gomme, résine
olifant v. chevalier, corne
oligarchie v. gouvernement, politique
oligiste v. fer
oligothérapie v. médecine
olim v. registre
olivacé, olivade, olivaire, olivaison, olivâtre v. olive
olive v. bouton
oliverie v. moulin, olive
olivette v. tomate
oliveur v. olive
olivine v. vert
olographe v. écrit, testament
Olympe v. ciel, dieu, mythologie
olympiade v. jeu
olympien v. majestueux
olympique v. splendide
omade v. voyageur
ombellifères v. anis
ombilic v. nombril, ventre
ombrage v. ombre
ombragé v. ombre
ombrageux v. difficile, inquiet, jaloux, méfiant, soupçonneux, susceptible
ombre v. semblant, silhouette, trace
ombrer v. estomper, ombre
ombreuse v. obscur
ombudsman v. médiateur, protecteur
oméga v. fin
omelette v. dessert
omettre v. abstraction, laisser, négliger, oublier, passer, sauter, silence
omission v. délit, inexactitude, manque
omnibus v. fiacre, train
omnipotence v. puissance
omnipotent v. souverain
omnipraticien v. médecin
omniprésence v. partout
omniscience v. science
omniscient v. culture, savoir, tout, universel
omnium v. course cycliste, handicap, société
omnivore v. manger
omoplate v. dos, épaule
onagata v. acteur
onagre v. âne, fronde
onanisme v. sexuel
once v. étincelle, grain, panthère, parcelle, trace
oncogenèse v. cancer
oncologie v. cancer
onction v. baptême, religieux, sacrement
onctueux v. doux
onctuosité v. amour
onde v. phénomène, radio, ride, son, vague
ondé v. moiré
ondée v. pluie
ondin v. génie, déesse
on-dit v. commérage, information, rumeur
ondoiement v. baptême, mouvement
ondoyant v. sinueux
ondoyer v. flotter, onde
ondulant v. serpent, souple
ondulation v. boucle, mouvement, pli
ondulatoire v. mécanique
ondulé v. tôle
onduleux v. sinueux
one-man-show v. spectacle
onéreux v. coût, lourd
onglée v. engourdissement, froid
onglet v. équerre, lame, menuiserie, planche
onglette v. burin
onglier v. ongle
onglon v. sabot
onguent v. adoucissant, composition, crème, médicament, pommade, sorcière
onguligrade v. marcher
onirique v. rêve
onirocrite v. songe
onirologie v. rêve
oniromancie v. divination, interprétation, songe
onlay v. dentaire
onomastique v. nom
onomatopée v. bruit, interjection, mot
onopordon v. chardon
ontologique (preuve) v. existence
O.N.U. v. droit
onychophagie v. ongle, ronger
onyxis v. ongle
Oolong v. thé
oosphère v. conception, reproduction
O.P.A. v. offre
opalin v. blanc
ope v. trou
O.P.E. v. offre
open v. compétition
opéra v. art, comédie, récit, spectacle
opéra-comique v. opéra
opérant v. efficace
opérateur v. chirurgien
opération v. arbitrage, intervention, poste, règle, résultat
opératoire v. chirurgie
opérer v. agir
opérette v. récit
ophidiens v. serpent, vipère
ophidisme, ophiographie, ophiolâtrie, ophiologie v. serpent
ophrys v. orchidée
ophtalmie v. œil
ophtalmologiste v. médecin, oculiste, œil
ophtalmoplastie v. œil
ophtalmoscopie v. œil
opiacer v. opium
opiat v. médicament
opiner v. accord, approuver
opiniâtre v. constant, soutenu, tenace, têtu
opiniâtreté v. acharnement, entêtement, fermeté, obstination, patience, persévérance
opinion v. attitude, avis, croyance, doctrine, idée, impression, jugement, pensée, point, politique, position, préjugé, présomption, regard, sensibilité, sentiment
opinion (étude d') v. sondage
opiomanie v. opium
opisthodome v. grec
opisthographe v. écrit
opium v. drogue, poison

opodeldoch v. savon
opopanax v. gomme, parfum, résine
opothérapie v. glande, organe
oppidum v. citadelle, fortification
opportun v. adéquat, approprié, bon, favorable, heureux, utile
opportunément v. point
opportunisme v. réalisme
opportunité v. occasion, possibilité
opposant v. adversaire
opposé v. contraire, extrême, incompatible, inverse, rebelle
opposer v. affronter, démentir, dresser, élever, empêcher, interdire, protester, réfuter, répondre, révolter
opposition v. astre, contraste, désaccord, désobéissance, fin, majorité, objection, réaction, rebelle, relation, relief, résistance, rivalité, rupture, saisie
oppressant v. lourd
oppresser v. étouffer, gêner
oppresseur v. dictateur, injuste, tyrannique
oppression v. violence
opprimer v. autorité, écraser, soumettre, tyranniser
opprobre v. déshonneur, honte
optatif v. conditionnel
opter v. adopter, choisir, décider
opticien v. lunette
optimaliser v. perfectionner
optimiser v. perfectionner
optimiste v. futur
option v. alternative
optique v. mandat, microscope, perspective, vision, vue
optométrie v. vision
opulence v. abondance, luxe
opulent v. généreux, gros, puissant, riche
opus v. musique
opuscule v. brochure, livre
opus incertum v. maçonnerie
or v. blason, mage, métal, nombre, pétrole
oracle v. ambigu, prédiction, sacré, savant
orage v. éclair, tempête
oraison v. adieu, discours, funèbre
oral v. bouche, interrogation
orangé v. primitif
orangeat v. orange
orangerie v. jardin
orangette v. orange
orant v. prière, statue
oratoire v. chapelle
oratorio v. récit
orbe v. comète
orbiculaire v. paupière
orbital v. orbite
orbite v. astre, comète, œil, satellite, trajectoire
orcanette v. teinture
orchestique v. pantomime
orchestral v. orchestre
orchestration v. arrangement
orchestre v. ensemble, fanfare
orchestrer v. présider
orchidacée v. orchidée
orchis v. orchidée
orchite v. testicule
architectomie v. testicule
ordalie v. duel, épreuve, jugement, preuve
ordinaire v. banal, fréquent, général, grossier, médiocre, normal, quelconque, second, simple, standard, usuel
ordinal v. adjectif, nombre
ordinateur v. informatique, intelligence artificielle
ordination v. prêtre
ordonnance v. décret, distribution, loi, médecin, soigner
ordonnateur v. funèbre
ordonné v. méthodique, systématique
ordonner v. arranger, classer, exiger, organiser, placer, prescrire, prier
ordre v. bataille, Bourse, catégorie, communauté, consigne, hiérarchie, impératif, instruction, règle, relation, religieux, sécurité, signal, sorte, structure, style, tenue
ordure v. déchet, injure
ordurier v. grossier, sale
oréade v. nymphe
orée v. bois, bord, forêt, frontière, limite
oreillard v. chauve-souris, oreille
oreille v. pli, vase
oreiller v. plume
oreillons v. enfance
orfèvre v. bijou, forge
orfèvrerie v. métal
organe v. banque, information, journal, parti, pièce, service, voix
organeau v. anneau
organiciste v. psychiatrie
organier v. orgue
organigramme v. organisation
organique v. organe, paralysie, physique
organisateur v. animateur
organisation v. constitution, direction, économie, méthode, ordonnance, parti, plan, préparation, relation, réseau, réunion, structure, système, texture
organisé v. méthodique, systématique
organiser v. arranger, constituer, ménager, pied, planifier, unir
organisme v. corps, droit
organiste v. orgue
organogenèse v. organe
organoleptique v. vin
organothérapie v. organe
organsin v. soie
organza v. soie
orgasme v. sexuel
orge v. bière, céréale, malt, porc
orgeat v. amande, sirop
orgelet v. bouton, paupière
orgie v. débauche, quantité, repas
orgueil v. amour-propre, dédain, insolence, ostentation
orgueilleux v. altier, suffisant, superbe
oribus v. cheminée, résine
oriel v. baie, fenêtre
orient v. est, perle
orientaliste v. peintre
orientation v. axe, cap, destination, direction, exposition, sens, situation, tendance, tour
orienter v. boussole, destiner, diriger, pointer, tourner
orienteur v. orientation
Orient-Express v. est, train
orifice v. bouche, brèche, ouverture
oriflamme v. drapeau
originaire v. indigène, venir
original v. audacieux, curieux, écrit, édition, étonnant, fantaisie, film, hardi, inédit, intéressant, marginal, neuf, non conformiste, nouveau, particulier, personnel, piquant, pittoresque, premier, singulier, spécial
originalité v. caractère, individualité, initiative
origine v. cause, départ, naissance, point, principe, racine, raison, sang, source
originel v. brut, indigène, initial, péché, premier, primaire, primitif
orignal v. cerf
orillon v. maçonnerie
oripeaux v. affreux, broderie, chiffon, guenille, vêtement
O.R.L. v. médecin
orle v. bouclier, écu
Orlon v. fibre, tissu
ormeau v. mollusque
orne v. frêne
ornemaniste v. décor, dessin, ornement, sculpture
ornement v. décoration, motif, panache, rosace
orner v. colorer, décorer, enjoliver, enrichir, garnir, illustrer, sculpter
ornière v. trace, tramway, trou
ornithischiens v. dinosaure
ornithodelphe v. mammifère
ornithologie v. oiseau
ornithomancie v. interprétation
ornithose v. oiseau
orogenèse v. géologique, montagne
orographie v. géographie, montagne
orographique v. carte
orophyte v. végétation
orpailleur v. or, paillette
orphéon v. fanfare
orphie v. bécasse
orpiment v. arsenic
orseille v. lichen, teinture
orteil v. doigt, pied, pouce
orthocentre v. triangle
orthodontiste v. dentiste
orthodoxe v. conforme, sage, traditionaliste
orthoépie v. prononciation
orthogénie v. naissance
orthogonal v. droit, perpendiculaire, symétrie
orthographe v. dictée
orthographier v. écrire
orthopédiste v. médecin
orthophonie v. articulation, prononciation
orthoptère v. droit, sauterelle
orthoptie v. vue
ortie v. piquant, urticaire
orviétan v. drogue
oryza v. riz
os v. bassin, omoplate, patin
oscar v. cinéma, trophée
oscillation v. incertitude, mouvement, pendule, période, secousse, variation
osciller v. balancer, hésiter
os de seiche v. biscuit
osé v. épicé, hardi, imprudent
oser v. permettre, risquer, tenter
oseraie v. osier
osier v. panier, saule, vannerie
osiériculture v. osier
osiériste v. osier
osmologie v. odeur
osmose v. diffusion, influence
ossature v. charpente, squelette, structure
osséine v. os
osselet v. étrier
ossement v. cadavre, os, squelette
osseux v. chirurgie
ossification v. calcaire
ossuaire v. cimetière
ostéite v. os
ostensible v. visible
ostentation v. luxe, vanité
ostentatoire v. suffisant
ostéogenèse v. os, ossification
ostéologie v. os
ostéomalacie v. os
ostéomyélite v. moelle, os
ostéopathe v. manipulation
ostéopathie v. médecine, os
ostéophyte v. ossification
ostéosarcome v. cancer, os
ostéotomie v. os
ostique v. germanique
ostracion v. hérisson
ostracisme v. bannir, condamnation, isoler
ostracite v. huître
ostréiculture v. huître
ostréidés v. huître
otage v. captif, détenu, prisonnier, terrorisme
otalgie v. oreille
otarie v. morse, phoque
ôter v. arracher, déposer, dépouiller, disparaître, dissiper, enlever, lever, priver, quitter, sortir, supprimer, taire
otite v. oreille
otologie v. oreille
oto-rhino-laryngologiste v. médecin
otorrhée v. oreille
otoscope v. oreille
ottoman v. turc
ottomane v. fauteuil
où v. relatif
ouaille v. curé, paroisse
ouate v. doublure, verre
ouaté v. silencieux
ouatiner v. garnir
oubli v. étourderie, négligence, ombre, omission, pensée, refoulement
oublier v. dissiper, enterrer, éponge, indulgent, pardonner, passer, perdre, sauter, seul
oubliette v. souterrain
oublieux v. ingrat
ouche v. jardin, terrain
oudler v. tarot
oued v. rivière
ouï-dire v. rumeur
ouïe v. audition, sens, son
ouigour v. chinois
ouiller v. remplir, tonneau
oukase v. ordre
ouragan v. cyclone, orage, sinistre, tempête, vent
ourdir v. combiner, comploter, intrigue, machination, monter, préparer, tisser
ourlet v. bord
ours v. cinéma, misanthrope, symphonie
oursin v. châtaigne, hérisson
oursinade v. soupe
ourson v. ours
outil v. instrument, objet
outillage v. matériel
outiller v. équiper, munir, out[illegible]
outilleur v. outil
outrage v. attentat, blasphème, déshonneur, injure, insulte, offense, sacrilège
outragé v. ulcéré
outrager v. abaisser, cracher
outrancier v. excessif, extrême, scandaleux
outre v. bouc, sac
outre (en) v. ailleurs, plus
outré v. excessif, indigner
outrecuidance v. confiance, orgueil, présomption

outrecuidant v. ambitieux, suffisant
outremer v. bleu
outrepasser v. dépasser, franchir, passer, sortir, transgresser, violer
outrer v. exagérer, forcer, scandaliser
outrigger v. aviron
outsider v. favori
ouvert v. épanoui, sociable, syllabe
ouvertement v. franc
ouverture v. autopsie, bouche, brèche, commencement, creux, inauguration, introduction, issue, messe, offre, porte, regard, verrou
ouvrable v. férié
ouvrage v. écrit, maçonnerie, œuvre, production, publication, résultat, travail
ouvragé v. travaillé
ouvré v. férié, travaillé
ouvreur v. cinéma
ouvrier v. artisan, personnel, populaire, travailleur
ouvrière v. abeille
ouvriérisme v. ouvrier
ouvrir v. bal, confier, entamer, fleurir, fonder, stimuler
ouvroir v. atelier, bienfaisance, charité
ovaire v. pistil, reproduction
ovale v. contour, œuf
ovalisé v. ovale
ovariectomie v. ovaire
ovarien v. grossesse, ovaire
ovarite v. ovaire
ovation v. acclamation, cri
ovationner v. applaudir, triomphe
ove v. œuf
ové v. ovale
ovibos v. bœuf
oviforme v. œuf
ovin v. bétail, mouton
ovipare v. œuf, reproduction
ovocyte v. reproduction
ovoïde v. œuf, ovale
ovoir v. ciseau
ovovivipare v. œuf, reproduction
ovule v. conception, femelle, médicament, ovaire, reproduction
Oxford v. symphonie
oxydation v. patine
oxyde v. oxygène, plomb
oxyde de baryum v. paratonnerre
oxyde de fer v. rouille
oxyder v. rouiller
oxygène v. azote, eau, gaz
oxygénothérapie v. oxygène
oxyphylle v. frêne
oxyton v. syllabe
oxyure v. parasite, ver
oyat v. sable
ozène v. rhinite
ozone v. gaz, oxygène

P

pacage v. bétail, paître, parc, prairie
pacemaker v. cœur, stimuler
pacha v. cachalot, gouverneur, turc
pachalik v. pacha
pachyderme v. éléphant
pacifier v. apaiser, calmer, paix, soumettre
Pacifique v. océan
pacifique v. tranquille
pacifisme v. paix, politique, violence
pâtis v. bétail
pack v. rugby
pacotille v. camelote, imitation, quincaillerie, valeur
pacte v. alliance, combat, contrat, entente, traité
pactiser v. composer, traiter, transiger
pactole v. richesse
paddock v. cheval, jument
paddy v. riz
padichah v. empereur, souverain, sultan, turc
pagaie v. aviron
pagaille v. désordre, perturbation
Paganini (Niccolo) v. violon
paganisme v. païen
page v. garçon
page de garde v. livre
pageux v. page
pagination v. page
paginer v. numéroter
pagne v. jupe
pagode v. manche, temple
paie v. salaire
paiement v. récompense
païen v. impie, religion
paillasse v. bouffon, comédien, couche, matelas
paillasson v. tapis
paille v. défaut, jaune, paillette
pailler v. couvrir, ferme, grenier, paille, récolte, tas
paillet v. clair, paillette
pailleté v. doré
pailleteur v. paillette
paillette v. or, savon
paillon v. bouteille, paille, paillette, pierre précieuse
paillote v. case, hutte
pain v. savon
pain d'épice v. miel
pair v. semblable, taux
pair (hors) v. supérieur
paire v. deux, réunion
paisible v. serein, tranquille
paisseau v. pieu
paisson v. porc
paix v. colombe, ordre, repos, sécurité, silence, union
Pal v. télévision
pal v. pieu, torture
palabre v. conversation
palace v. hôtel
paladin v. chevalier, héros
palafitte v. lac
palais v. goût, tribunal
palais Bourbon v. député
palançon v. torchis
palangre v. pêche
palanque v. obstacle
palanquin v. chaise, litière
palatin v. hongrois, palais
pale v. hélice, linge
palefrenier v. cheval, écurie, garçon
palefroi v. cheval
palémon v. crevette, crustacé
paléobotanique v. botanique, fossile
paléogéographie v. géographie
paléographie v. ancien, archéologie, écriture, inscription
paléolithique v. âge, période, pierre
paléontologie v. géologie, préhistoire, zoologie
paléontologue v. fossile, fouille
paléozoïque v. ancien, géologie, primaire
paléozoologie v. fossile, zoologie
palestre v. gymnase
palet v. marelle
paletot v. veste
palette v. distribution, maquillage, peintre
pâleur v. frayeur
palier v. carré, degré, phase, stade, transition
palière v. marche
palilalie v. langage
palimpseste v. manuscrit, parchemin, texte
palindrome v. mot
palingénésie v. âme, futur, réincarnation, retour
palinodie v. changement, poème, revirement
palis v. pieu
palissade v. barrière, château, clôture
palissandre v. rose
paliure v. épine
palladium v. garantie
Pallas v. pique
palliatif v. soulager
pallier v. manque, pourvoir
pallium v. archevêque, manteau
palma-christi v. ricin
palmaire v. main
palmarès v. liste, récompense
palme v. cinéma, martyr, patte, plongeur, récompense, ruban, victoire
palmeraie v. palmier
palmette v. taille
palmipède v. oiseau, pingouin
palmiste v. palmier
palmite v. palmier
palombe v. colombe, gibier
palonnier v. charrue
palot v. bêche, pelle
palourde v. mollusque
palpable v. matériel, réel, sensible
palpation v. examen
palpébral v. paupière
palper v. tâter, toucher
palpitant v. intéressant
palpitation v. battement, cœur
palpiter v. frémir
paltoquet v. insolent
paludéen v. marais, paludisme
paludier v. marais
paludisme v. marais
paludologie v. paludisme
paludologue v. paludisme
palustre v. marais
palustre (fièvre) v. paludisme
palynologie v. pollen
pâmer (se) v. admirer, défaillir, évanouir (s'), perdre
pâmoison v. malaise, syncope
pampa v. plaine
pampero v. vent
pamphlet v. attaque, brochure, critique, écrit, satire, tract
pamphlétaire v. journaliste
pamplemoussier v. pamplemousse
pampre v. grappe, vigne
Pan v. berger, chèvre, flûte
pan v. côté
panacée v. alchimiste, formule, guérir, médicament, soulager
panache v. houppe, lampe, relief
panaché v. varié
panade v. pain, soupe
panaris v. abcès, doigt, inflammation, ongle
panatela v. cigare
panax v. ginseng
pancrace v. lutte
pancréatite v. pancréas
pandectes v. recueil
pandémie v. contagion, épidémie, maladie
pandémonium v. capitale, enfer
pandore v. luth
pandour v. brutal, hongrois
pané v. viande
panégyrique v. compliment, discours, éloge, emphatique, louange
panel v. sondage, statistique
panerée v. panier
panetière v. berger, pain
paneton v. pain
pangolin v. fourmi
panicaut v. chardon
panicule v. épi
panier v. basket-ball, jupe, marquer, vannerie, vendange
panification v. pain
panique v. désordre, frayeur, inquiétude, peur, terreur
paniquer v. perdre
panne v. cochon, graisse, immobile, lard, marteau, rôle, soie, tuile, velours
panneau v. enseigne
panneau alvéolé v. ruche
panneau radiant v. chauffage
panneton v. clef
pannicule v. peau
panonceau v. écu, enseigne, inscription
panoplie v. arme, collection
panorama v. horizon, paysage, spectacle, vue
panorpe v. scorpion
panoufle v. sabot
panse v. bouteille, estomac, lettre, vase
panser v. soigner
pansu v. gros, ventre
pantagruélique v. gigantesque
Pantalon v. pantomime
pantalon v. culotte
pantalonnade v. farce
pantelant v. haletant, souffle
panteler v. respirer
panthéisme v. dieu, religion, tout
panthéon v. dieu, gloire, mythologie, temple
pantière v. filet
pantin v. bouffon, girouette, marionnette
pantographe v. locomotive
pantois v. déconcerté, interdit, muet, penaud, stupéfait
pantomime v. geste, mime
pantouflard v. pantoufle
pantouflier v. pantoufle
pantoum v. poème
panure v. chapelure, friture, miette
Panurge v. foule, mouton, suivre
P.A.O. v. publication
paon v. panache
papalin v. papauté
papamobile v. pape
papas v. prêtre
papavérine v. opium
pape v. catholicisme, Église, religieux
papegai v. arc, cible, perroquet, tir
papelard v. dévot
paperassier v. bureaucrate
paperole v. correction
papier v. document, peinture, photographie, récit
papier de verre v. toile émeri
papier-monnaie v. billet
papilionacées v. haricot, lentille, trèfle

papille v. goût, langue
papillome v. peau, tumeur
papillon v. nage, soupape, tract
papillonner v. éparpiller
papillote v. bonbon
papotage v. bavardage
paprika v. piment
papule v. peau, varicelle, verrue
papyrus v. manuscrit, papier
paquebot v. bateau, transport
Pâques v. dimanche
Pâques (cierge de) v. bénit
paquetage v. bagage, militaire
paquis v. parc
par v. golf
parabellum v. pistolet
parabiose v. greffe
parabole v. comparaison, fable, image, trajectoire
Paracelse v. alchimiste
paracentèse v. ponction
parachèvement v. perfection
parachever v. compléter, finir, terminer
parachronisme v. chronologie
parachutage v. nomination, parachute
parachuter v. lâcher
parachutisme v. altitude
parachutiste v. infanterie
Paraclet v. esprit
parade v. défense, démonstration, escrime, exhibition, ostentation, revue
parader v. afficher, roue, rouler
paradiastole v. assimilation
paradigme v. exemple, modèle
paradis v. balcon, ciel, délice, galerie, religion, royaume
paradisiaque v. paradis
parador v. hôtel
parados v. chant, parapet
paradoxe v. contradiction
paraffine v. graisse
parage v. approche, race
paragraphe v. division, point
paraître v. impression, répandre, sembler
Paralipomènes v. chronique
parallèle v. comparaison, équateur
paralogisme v. faux, raisonnement
paralysé v. pétrifié
paralyser v. immobiliser, supprimer
paralysie v. crainte, engourdissement, inertie, insensibilité, rage
paralytique v. paralysie
paramètre v. statistique
paramnésie v. mémoire
parangon v. comparaison, idéal, modèle
paranoïa v. délire, persécution, psychose, raisonnement
parapente v. altitude, parachute
parapet v. barrière, mur, talus
paraphe v. signature
parapher v. approuver, déposer
paraphernal v. bien
paraphrase v. fantaisie, interprétation, phrase
paraplégie v. jambe, paralysie
paraplégique v. infirme
parapsychologie v. transmission
parascève v. juif
parasélène v. cercle
parasite v. inutile, mangeur, nuisible, perturbation, pou, réception, repas
parasitologie v. parasite
parasitose v. parasite
paraski v. parachute
parasol (pin) v. pin
paratonnerre v. foudre
parâtre v. enfant, père
parc v. automobile, réserve
parcellaire v. sommaire
parcelle v. écaille, étincelle, fraction, miette, morceau, pouce, quantité, terre
parceller v. diviser
parcelliser v. part
parchemin v. cuir, diplôme, manuscrit, papier, titre
parcimonieusement v. peu
parcimonieux v. avare, économe, mesquin
parcmètre v. horaire, stationnement
parcourir v. battre, feuilleter, franchir, lire, regarder, suivre, traverser, visiter
parcours v. course, démarche, itinéraire, trajet
pardessus v. manteau
pardevant v. carte
pardonner v. éponge, indulgent, racheter, réconcilier, remettre, tolérer
pare-brise v. verre, vitre
parèdre v. déesse
pare-étincelles v. écran
pare-feu v. incendie
parégorique v. calmer
pareil v. comparaison, identique, réciproque, semblable, supérieur, uniforme
parement v. maçonnerie, mur, revers
parémiologie v. proverbe
parenté v. analogie, oncle, origine, ressemblance, similitude
parentéral v. médicament
paréo v. jupe, vêtement
parer v. couvrir, décorer, embellir, emprunter, enjoliver, éviter, face, habiller, orner
parésie v. paralysie
paresse v. inertie, négligence
paresser v. traîner
paresseux v. bras, singe
parfaire v. achever, compléter, finir, soigner
parfait v. accord, beau, franc, glace, infini, nombre, plein, pur, reproche, rêve, total
parfum v. concentré, odeur, senteur
parfumer v. remplir, répandre
pari v. prévision
paria v. banni
pariade v. oiseau
parian v. marbre
paridés v. mésange
parier v. jouer
pariétaire v. urticaire
pariétal v. cerveau, paroi, roc
Paris v. dentelle
paritaire v. comité, syndicat
parité v. conformité, égalité, ressemblance, similitude, taux
parjure v. faux, foi, serment, traître
parjurer (se) v. jurer
parka v. manteau, vêtement
parking v. parc
Parkinson v. tremblement
parlant v. éloquent, expressif, signification
parlement v. représentation
parlementaire v. assemblée, démocratie, député, monarchie
parlementer v. discuter, traiter
parler v. bec, exprimer, indiscret
parleur v. bavard
parloir v. conversation, prison, visite
parlote v. bavardage
Parme v. jambon
parme v. violet
parmélie v. lichen
parmenture v. revers
parmi v. nombre
Parnasse v. littéraire
parodie v. caricature, comédie, contrefaçon, imitation, représentation, satirique
parodier v. imiter
parodontose v. dent
paroi v. face
paroissial v. église
paroissien v. liturgie, paroisse
parole v. pensée, promesse, prophète, représentation, serment, verbe
parolier v. auteur
paromologie v. concession
paronomase v. répétition
paronyme v. mot
paronymie v. ressemblance
parosmie v. odorat
paroxysme v. aggravation, crise, degré, extrême, période
paroxyton v. syllabe
parpaing v. maçonnerie
Parques v. déesse, destin, fatalité, fil
parquet v. ébénisterie, magistrat, ministère, parc, tribunal
parqueterie v. parquet
parrain v. baptême, parent, père
parrainage v. parrain, patronage
parrainer v. parrain
parricide v. meurtrier, père
parsec v. longueur
parsemer v. couvrir, recouvrir, répandre
Parsis v. perse
part v. bout, participation, titre, travers, valeur
partage v. distribution
partager v. découper, divers, entrer, mutuel, poire, réciproque, répartir
partance v. départ
partenaire v. compagnon, compétition, complice, danseur
partenariat v. accord
parterre v. carré, fleur, jardin, massif, spectateur
parthénogenèse v. fécondation, reproduction
Parthes v. perse
parti v. camp, communauté, côté, ivre, organisation, rudoyer, union
parti (prendre) v. choisir
parti (tirer) v. utiliser
partial v. injuste, partisan
participant v. sélection
participation v. concours, contribution, fédéral, salaire
participation aux acquêts v. mariage
participe passé v. impersonnel, variable
participe présent v. impersonnel
participer v. part
particularisme v. indépendance, particulier
particularité v. attribut, caractéristique, différence, qualité, singularité, trait
particule v. atome
particulier v. exception, individu, intime, part, personnel, privé, propre, seul, spécial
particulièrement v. notamment, plus
partie v. détail, domaine, élément, fraction, morceau, parcelle, part, rencontre, secteur, section
partiel v. interrogation, relatif, sommaire, université
partiellement v. demi
parti pris v. opinion, préjugé
partir v. bouger, déménager, disposer, valise
partisan v. adhérer, ami, certitude, champion, disciple, fidèle, participant, secte, zélateur
partition v. musique, partage, représentation
parturiente v. femme
parturition v. accouchement, bas, couche, naissance
parulie v. inflammation
parure v. bijou, ensemble, mise, ornement, panache, toilette
parution v. publication, sortie
parvenir v. accéder, atteindre
parvenu v. nouveau, riche
parvis v. cathédrale, place
pas v. empreinte, montagne, scie
pascal v. atmosphérique, langage
pas de basque v. danse
pas de bourrée v. danse
pas de vis v. vis
paseo v. corrida
passacaille v. orgue
passade v. amour, caprice, fantaisie, flirt, manège
passage v. barrière, brèche, chemin, défilé, évolution, extrait, fragment, ouverture, partie, péninsule, piste, porte, transition
passager v. client, passant, périssable, provisoire, temporaire
passant v. badaud, parenthèse, passager
passation v. transmission
passavant v. douane, laissez-passer, pont
pass book v. laissez-passer
passe v. prostituée
passe (mot de) v. reconnaissance
passé v. périmé, terne
passe-debout v. laissez-passer
passe-droit v. accès, faveur, injuste, irrégularité, privilège
passée v. bécasse, trace
passée (chasse à la) v. marais
passefiler v. raccommoder
passéiste v. conservateur
passementer v. décorer
passementerie v. broderie, mercerie, meuble
passe-montagne v. bonnet
passe-partout v. brosse, cadre, clef, scie, serrure
passe-passe v. prestidigitation, tour
passepoil v. doublure
passeport v. identité
passer v. éteindre, figure, mettre, permettre, priver, projeter, raison, recevoir, remettre, renoncer, traverser, venir
passer au crible v. filtrer
passer en revue v. inspecter, parcourir
passereau v. étourneau, hirondelle, merle, mésange, moineau
passerelle v. pont
passériformes v. geai, grive, pie

passe-temps v. hobby, occupation, récréation
passe-thé v. passoire
passeur v. bac
passible v. mériter
passif v. comptabilité, mobilisation, non-violence, vocabulaire
passiflore v. passion
passing-shot v. tennis
passion v. amour, coup, délire, désir, enthousiasme, flamme, frénésie, rage, relation, véhémence, zèle
passionnaire v. passion
passionnant v. intéressant
passionné v. curieux, extrême, fanatique, raisonnable, romantique
passionnément v. folie
passionner v. intéresser, stimuler
passivité v. inertie
passoire v. filtrer, tamis
pastel v. colorer, crayon, dessin, teinture
pastèque v. melon
pasteur v. berger, culte, prêtre, protestant, religieux
pasteurisation v. fermentation, microbe, stérilisation
pasteur suprême v. pape
pastiche v. contrefaçon, copie, faux, imitation, style
pasticher v. peindre
pasticheur v. contrefaçon, copier
pastillage v. confiserie, pastille
pastille v. chocolat, médicament
pastorale v. berger, poème
pastoralisme v. montagne
pastorat v. pasteur
pastourelle v. berger, pastoral, troubadour
Patagonie v. feu
pataquès v. abus, faute, liaison
patate v. ensemble
pataud v. maladroit
patauger v. marcher
patchwork v. morceau
pâte v. crème, dentifrice, pommade
pâté v. encre
patelin v. douceur, fourbe, hypocrite, village
patelle v. mollusque
patène v. hostie
patent v. évident, manifeste, ouvert, positif, réel
patente v. contribution, impôt
patère v. accrocher, pendre
pater familias v. famille, tyrannique
paternalisme v. père
paterne v. bon, paternité
paternel v. père
pâteux v. épais
pathétique v. émouvant, passion, tragique
pathogène v. maladie, microbe
pathologie v. maladie, médecine
pathos v. littérature, style
patibulaire v. funeste, potence, sinistre
patience v. persévérance, réussite
patient v. client, indulgent
patin v. ski
patine v. bronze, poli, vernis
patiner v. glisser, vieillir
patio v. cour, maison
pâtir v. souffrir
pâtis v. friche, paître, parc
pâtisserie v. religieux
patissoire v. pâtisserie
patois v. communauté, dialecte
pâton v. pain, pâte
patouiller v. patauger
pâtre v. paître, pasteur, troupeau
patriarcat v. père
patriarche v. chef, famille, père, vieillard
patriciat v. aristocratie
patricien v. noble, père
patrie v. territoire
patrilinéaire v. père
patrilocal v. père
patrimoine v. bien, capital, domaine, droit, famille, fortune, héritage, immeuble, monument, père, succession
patriotisme v. amour, nation, nationalisme, patrie
patristique v. père, théologie
patrologie v. père
patron v. baptême, forme, industriel, saint
patronage v. aide, bienfaisance, tutelle
patronat v. patron
patronner v. aider, recommander, soutenir
patronnet v. pâtisserie
patronyme v. famille, nom, père, propre
patrouille v. détachement
patte v. brosse
patte de lapin v. barbe, favori
patte-d'oie v. croisement, fourche, œil, ride, route
pattern v. instinct
pâturage v. herbe, parc, prairie
pâture v. bétail, nourriture
pâturer v. paître
paume v. main, pelote
paumelle v. charnière, orge
paumoyer v. coudre, tirer
paupérisation v. pauvreté
paupérisme v. misère, pauvreté
paupiette v. alouette, viande
pause v. arrêt, attente, battement, entracte, halte, intervalle, ponctuation, récréation, rythme, silence, station
pauvre v. plaindre, ressource, stérile
pauvreté v. nécessité, religieux
pavage v. empierrement
pavaner (se) v. roue, vanité
pavé v. bloc
pavement v. carreau, mosaïque, pavage
paver v. recouvrir, répandre
pavillon v. communion, drapeau, maison, mât, navire, trompette
pavimenteux v. pavage
pavois v. bouclier, drapeau, gloire
pavoiser v. réjouir
pavot v. opium
payer v. verser
pays v. cru, ici, nation, patrie
paysage v. peinture
paysagiste v. aménager, décor, dessin, jardin, paysage
paysan v. agriculteur, fermier
pays de cocagne v. abondance
Pb v. plomb
P.C. v. commandement
P.C.V. v. téléphone
P.-D.G. v. chef, industriel, patron, président
péage v. droit, passage
péan v. chant, hymne
peau v. cuir, écorce, enveloppe, pellicule, yourte
peau d'âne v. diplôme
peaufiner v. polir
peausserie v. tannage
pécari v. porc
peccable v. faute, péché
peccadille v. faute, péché
pechblende v. radium, uranium
pêche v. primaire
péché v. faute, mal, offense
pêcher v. appât, rosacée
pêchette v. filet
pécheur v. faute
pécore v. sot
pectoral v. nageoire, poisson, poitrine, sirop
péculat v. délit, malhonnête
pécule v. économie
pécuniaire v. argent
pédagogie v. éducation, enseignement
pédagogue v. éducateur, maître
pédale v. levier, orgue, piano
pédant v. bas, conventionnel, savant, solennel, suffisant
pédérastie v. homosexuel, sexe
pédestre v. pied
pédiatre v. bébé, enfance, médecin
pédiculaire des marais v. pou
pédicule v. queue
pédiculidés v. pou
pédiculose v. pou
pédicurie v. pied
pedigree v. chien
pédiluve v. bain, moutarde
pédipalpe v. scorpion
pédologie v. géologie, sol
pédoncule v. fleur, fruit, queue
Pégase v. ailé, cheval
pègre v. milieu
peigne v. mollusque, tricoter
peignoir v. robe
peille v. chiffon
peindre v. exprimer, représenter
peine v. amende, difficulté, peu, punition, remords, sanction, souffrance, supplice, tristesse
peine capitale v. peine de mort
peiner v. affecter, affliger, désoler, essouffler, fendre, veine
peint v. émail
peinture v. image
peinturlurer v. peindre
péjoratif v. dépréciatif, mépris
pékiné v. tissu
pekoe v. thé
pelade v. chauve, teigne
pelage v. fourrure, poil, robe
pélagianisme v. hérésie
pélagique v. mer, océan, pollution
pélamide v. thon
pelanage v. tannage
pélargonium v. géranium
pelé v. nu
péléen v. volcan
pêle-mêle v. mélange
pèlerin v. faucon, procession
pèlerinage v. islam, procession, voyage
pèlerine v. manteau
péliade v. serpent, vipère
pelisse v. fourrure, manteau, vêtement
pellagre v. vitamine
pelle v. bêche, cheminée, four
pellet v. pilule
pelleterie v. fourrure
pelleteuse v. pelle
pellicule v. couche, film, photographie
pellucide v. transparent
pelote v. boule, épingle, ficelle
pelote basque v. fronton
peloton v. armée, fusiller, groupe, pelote
pelotonner v. boule, serrer
pelouse v. herbe
peltaste v. grec
pelte v. bouclier
peluche v. velours
pelure v. déchet, écorce, robe
pelvien v. membre, nageoire, poisson
pemmican v. viande
pénal v. droit, majorité
pénalisation v. amende, sanction
pénalité v. peine, punition, sanction
penalty v. amende, football, sanction
pénates v. appartement, domestique, foyer, maison
penaud v. confus, honteux
penchant v. affection, aptitude, faible, goût, prédisposition, sentiment, sympathique, tendance
pencher v. incliner, oblique, renverser
pendable v. mauvais
pendaison v. peine de mort, potence
pendant v. boucle
pendard v. fripon
pendeloque v. pendentif
pendoir v. pendre
pendule v. alternatif
pêne v. serrure
Pénélope v. attente
pénétrant v. aigu, délicat, froid, intense, intuition, perçant, profond, regard, subtil, vif
pénétration v. finesse, intelligence, invasion, perspicacité, vivacité
pénétré v. sûr
pénétrer v. baigner, comprendre, enfoncer, entrer, insinuer, parvenir, percevoir, saisir, scruter, traverser
pénible v. affligeant, amer, ardu, cruel, dur, impossible, ingrat, laborieux, mortel, pesant, rude
péniblement v. mal
péniche v. bateau, canal
pénicilline v. antibiotique
péninsule v. île
pénis v. phallus, sexe
pénitence v. acte, austérité, confession, faute, pardon, punition, regret, remords
Pénitencerie v. péché, tribunal
pénitencier v. condamnation, prison
pénitent v. procession
pennage v. plume
penne v. aile, oiseau
penniforme v. plume
penny v. livre sterling
pénombre v. lumière, ombre
penon v. girouette
pensable v. plausible
pensant v. intelligent, raisonnable
pense-bête v. mémoire, souvenir
pensée v. conscience, idée, imagination, intellectuel, intelligence, intention, itinéraire, note, opinion, raison, réflexion, violet

penser v. concevoir, croire, délibérer, imaginer, présumer, raisonner, réfléchir, songer, venir
pension v. allocation, école, hôtel
pensionnaire v. comédie, interne
pensionnat v. institution, pension
pensum v. punition, tâche
pentadécagone v. quinze
pentagone v. cinq
pentamètre v. cinq
pentane v. thermomètre
pentarchie v. gouvernement
pentathlon v. athlétisme, sportif
pente v. côte, descente, versant
Pentecôte v. dimanche, esprit
penthiobarbital v. anesthésie
penture v. charnière
pénultième v. dernier, syllabe
pénurie v. absence, dépression, épuisement, faute, manque, misère
péon v. agriculteur, travailleur
pep v. mordant
pépie v. langue, oiseau
pépinière v. plant
pépiniériste v. arbre, jardinier
pépite v. or
péplum v. film, grec
pépon v. concombre
péponide v. concombre
peppermint v. menthe
pepperoni v. saucisson
perçant v. aigre, aigu, intense, pénétrant, regard
percée v. brèche, passage, trouée
perce-neige v. clochette
percepteur v. impôt, recette
perceptible v. concret, sensible, visible
perception v. appréhension, connaissance, conscience, intelligence, recette, représentation, sensation
percer v. cœur, creuser, crever, déceler, déchirer, découvrir, fendre, ouvrir, paraître, sortir, trouer
percevoir v. apercevoir, connaître, découvrir, enregistrer, entendre, recevoir, recouvrer, recueillir, saisir, sentir, subir, toucher
perche v. microphone
percher v. brancher, grimper, poser
perchoir v. président
percidés v. bar, loup
perciformes v. bar, maquereau
percnoptère v. vautour
percolateur v. café
percoptéris v. fossile
percussion v. batterie, choc, fusil, massage, rythme, secousse
percutant v. affirmation, catégorique
percuter v. heurter, tamponner
perdant v. marée, reflux
perdition v. naufrage
perdre v. démolir, noyer, patauger, renoncer, sombrer
perdreau v. perdrix
perdre connaissance v. évanouir (s')
perdre contenance v. troubler
perdre ses forces v. vieillir
perdrigon v. prune
perdrix v. gibier

perdu v. invisible, profil
perdurer v. exister, subsister, survivre
père v. docteur, religieux
père conscrit v. sénateur
père Fouettard v. enfant
pérégrination v. voyage
péréion v. crustacé
péremption v. date, perte
péremptoire v. affirmation, catégorique, dogmatique, tranchant
pérennité v. durée, permanence
péréquation v. impôt
Pères de l'Église v. théologie
père spirituel v. parrain
perfectible v. perfectionner
perfection v. réussite
perfectionnement v. progrès
perfectionner v. compléter, cultiver, polir, sophistiqué
perfectionniste v. perfection
perfide v. dangereux, empoisonner, fourbe, méchant, sournois, traître
perfidie v. dureté, foi, hypocrisie, infidélité, malice, malveillance
perforant v. obus, piquant
perforation v. pétrole, trou
perforatrice v. perceuse, tunnel
perforer v. percer, trouer
performance v. action, arme, exploit, record, représentation, réussite, succès
performant v. ski
perfusion v. transfusion
pergola v. jardin, tonnelle
péri v. génie
périanthe v. balle, enveloppe, fleur
péricarde v. enveloppe, membrane
péricardite v. cœur
péricarpe v. chair, fruit
périchondre v. membrane
périclase v. magnésium
péricliter v. dépérir, sombrer
péridot v. vert
péridurale v. anesthésie
périgée v. orbite, satellite
périhélie v. comète
péril v. alerte, exposer, risque
périlleux v. dangereux
périmé v. démodé, retard, suranné
périmer (se) v. prescrire
période v. cycle, durée, époque, étape, géologique, intervalle, phase, répertoire, répétition, retour, rythme, saison, stade, temps, tirade, vague
périodique v. alternatif, intervalle, publication, régulier, revenir, revue
périodisation v. période
périoste v. enveloppe, membrane, os
périostique v. ossification
péripatéticienne v. femme, prostituée
péripétie v. accident, action, épisode, événement, incident, récit, subit
périphérie v. contour, extérieur
périphérique v. boulevard
périphrase v. parler, phrase
périple v. exploration, voyage
périptère v. colonne
périr v. mourir, naufrage
périscope v. sous-marin
périssable v. variable
périssoire v. aviron, barque, embarcation

périssologie v. pléonasme, répétition
péristaltique v. digestion
péristaltisme v. onde
péristyle v. colonne, galerie
péritoine v. abdomen, intestin, membrane
péritonéal v. grossesse
perle v. goutte
perlé v. orge
perlèche v. lèvre
perler v. soigner
perlot v. huître
permanence v. demeure, service
permanent v. constant, continu, fixe, perpétuel, prairie, stable
permanente v. friser
perméabilité v. échange
permettre v. consentir, laisser, passer, souffrir, tolérer
permis v. immigré, licence
permission v. autorisation, congé, dispense, droit, liberté
permutation v. changement, transposition
permuter v. changer, déplacer, substituer
pernicieux v. malin, malsain, nuisible
péroné v. jambe, tibia
péronnelle v. bavard, sot
péronospora v. parasite
péroraison v. conclusion, fin
pérorer v. parler
per os v. bouche
peroxyde v. oxygène
perpendiculaire v. droit, normal
perpétrer v. accomplir, commettre, consommer, meurtre
perpétuel v. continu, éternel
perpétuer v. conserver, continuer, durer, poursuivre, survivre, transmettre
perpétuité v. durée
perplexe v. indécis, inquiet, sceptique
perplexité v. doute, embarras, hésitation, incertitude, indécision, trouble
perquisition v. descente, inquisition, investigation, recherche, visite
perquisitionner v. fouiller
perré v. mur
perrière v. lancer
perroquet v. mât, voile
perruche v. perroquet
perruque v. artificiel
pers v. bleu, vert
Perse v. persan
persécuter v. acharner (s'), tyranniser
persécution v. martyre
persévérance v. fermeté, patience, volonté, zèle
persévérant v. ambitieux, constant, tenace
persévérer v. acharner (s'), continuer, insister, poursuivre
persienne v. fenêtre, volet
persiflage v. humour, ironie, trait
persifler v. esprit, ridiculiser
persifleur v. moqueur, sarcastique
persistant v. continu, tenace
persister v. accrocher, acharner (s'), continuer, demeurer, durer, exister, insister, persévérer, subsister, traîner
persona non grata v. personne
personnalisme v. personne
personnalité v. caractère, figure, identité, individualité, personnage, présence, tempérament
personne v. droit, individu, sujet, verbe
personnel v. égoïste, équipage, original, particulier, personne, privé, spécial
personnification v. expression, symbole, type
personnifier v. réaliser, représenter, respirer
perspective v. horizon, idée, profondeur, raccourci
perspicace v. aigu, clair, intelligent, pénétrant, perçant, subtil
perspicacité v. critique, finesse, intelligence, intuition, jugement, net
perspicuité v. clarté
persuader v. convaincre, décider, déterminer, sûr
persulfure v. soufre
perte v. comptabilité, deuil, disparition, naufrage, privation, ruine, sinistre, vain
pertinent v. adéquat, approprié, correct, juste
pertuis v. brèche, canal, fleuve
pertuisane v. lance, pique
pertuisanier v. soldat
perturbation v. bouleversement, orage, parasite, trouble
perturber v. déranger, inquiéter, troubler
pervenche v. bleu, stationnement
pervers v. corrompu, mal, mauvais, perfide
perversité v. violence
pervertir v. adultérer, forcer
pesant v. épais, impératif, lourd, massif, valoir
pesanteur v. attraction, chute, poids
pèse-acide v. densité
pèse-lait v. densité
peser v. appuyer, enregistrer, réfléchir
peseta v. espagnol
pesette v. balance
peson v. balance, peser
Pessah v. juif
pessimiste v. futur, sombre, souci
pester v. colère, dépit, jurer
pesticide v. pollution
pestiféré v. peste
pestilence v. infection, pollution
pestilentiel v. exécrable, malsain
pétalisme v. bannir
pétanque v. boule
pétard v. explosif, feu d'artifice
pet-de-nonne v. beignet, friture
pétéchie v. peste
péthidine v. drogue
pétillant v. piquant, spirituel, vif
pétiller v. briller, chatoyer
pétiole v. feuille, queue
petit v. bébé, court, étroit
petit-bourgeois v. bourgeois
petit duc v. hibou
petite v. tarot
petit-gris v. écureuil
pétition v. demande, réclamation
pétitionnaire v. pétition
petit-maître v. dandy
pétri v. rempli
pétrification v. pierre
pétrifié v. immobile, saisir, sidéré, stupéfait, surprise

pétrifier v. immobiliser, paralyser
pétrin v. boulanger, coffre, pain
pétrir v. modeler, pâte, travailler
pétrissage v. massage
pétrochimie v. pétrole
pétrogale v. kangourou
pétroglyphe v. pierre
pétrographie v. géologie, pierre, roche
pétrole v. carburant, peinture
pétroléochimie v. pétrole
pétroleuse v. feu, incendie
pétrolier v. bateau, cargo, transport
pétrologie v. pierre, roche
pétulance v. vivacité
pétuner v. fumer
peu v. brin
peulven v. menhir, pierre
peuplade v. peuple, tribu
peuple v. droit, masse, nation, public, race
peuplement v. population
peupler v. planter, remplir
peupleraie v. peuplier
peuplier v. bois
peur v. panique, sensation, xénophobie
peureux v. lâche, poltron, ventre
phacochère v. porc, sanglier
phaéton v. voiture
phagédénisme v. ulcérer
phagocyte v. cellule
phagocytose v. immunitaire
Phalange v. fascisme
phalange v. combattant, doigt, main
phalangette v. doigt
phalangine v. doigt
phalangiste v. soldat
phalanstère v. communauté, groupe
phalène v. papillon
phallique v. phallus
phallocentrisme v. phallus
phallocratie v. homme, phallus
phallodynie v. phallus
phalloïde v. phallus
phallus v. sexe
phanère v. épiderme
phanérogame v. fleur, plante
pharaon v. pyramide
phare v. feu, gloire, savoir, signal
pharisaïsme v. hypocrisie
pharisien v. bigot, rabbin
pharmaceutique v. pharmacie
pharmacie v. aromate, université
pharmacien v. pharmacie
pharmacodépendance v. dépendance, drogue
pharmacologie v. médecine
pharmacopée v. médicament, pharmacie, recueil
pharyngite v. gorge
phase v. apparence, durée, épisode, étape, état, période, stade
phaseolus v. haricot
phasianidés v. faisan, perdrix
Phébus v. soleil
phellogène v. liège
phénakistiscope v. cinéma
phénix v. génie, supérieur
phénol v. benzène
phénoménal v. extraordinaire, fabuleux, formidable
phénomène v. accident, concret, fait, psychologie
phénoplaste v. plastique
philanthrope v. aimable, charité
philanthropie v. amour, humanité
philatéliste v. timbre
philharmonie v. fanfare
philibeg v. jupe
Philippidès v. coureur
philippique v. discours, satire
philistinisme v. vulgarité
philocalie v. texte
philologie v. langue, texte
philosophe v. savant
philosopher v. raisonner
philosophie v. abstrait, pensée
philtre v. amour, boisson, magique, sorcière
phimosis v. prépuce
phlébite v. inflammation, veine
phlébotomie v. saignée
Phlégéton v. enfer
phlegmon v. abcès
phloème v. plante
phlogistique v. feu
phlogose v. inflammation
phlyctène v. ampoule, brûlure, cloque
phobie v. crainte, excessif, frayeur, horreur, manie, peur
phocomélie v. monstruosité
phonation v. voix
phonème v. assimilation, représentation
phonéophobie v. tuer
phonétique v. langage, prononciation, représentation, son
phoniatrie v. voix
phonique v. voix
phonocapteur v. lecture
phonologie v. langage, son
phonomètre v. son
phonothèque v. collection
phoque v. morse, veau
phormium v. lin
phosphate v. calcium
phosphène v. migraine
phosphore v. bombe, poison
phosphorescent v. lumineux
phot v. lumière
photocomposition v. composition
photocopie v. copie, reproduction
photoélectrique v. pile
photogénie v. lumière
photographie v. image
photographier v. représenter
photon v. lumière
photophobe v. soleil
photophobie v. lumière
photophore v. lampe
photoplanète v. planète
photosynthèse v. assimilation, réaction, synthèse
phototélégraphie v. photographie
photothèque v. collection
phototypie v. imprimerie
phragmite v. roseau
phraséologie v. phrase
phraseur v. bavard, orateur, phrase
phrastique v. phrase
phratrie v. groupe, tribu
phrénologie v. bosse
phrygane v. fourreau, ver
phrygien v. bonnet
phtiriasis v. pou
phtirius v. pou
phtisiologue v. tuberculose
phycologie v. algue
phylactère v. juif
phylarque v. tribu
phyllotaxie v. feuille
phylloxéra v. parasite, vigne
phylogenèse v. évolution
physétéridés v. cachalot
physicalisme v. science
physiocrate v. libéral
physiognomonie v. morphologie
physiologie v. corps, médecine, zoologie
physiologique v. physique
physionomie v. face, figure, mine, trait, visage
physique v. atome, exact, noyau, sexuel
physostomes v. sardine
phytogéographie v. géographie
phytographie v. botanique
phytopathologie v. botanique, plante
phytopharmacie v. plante
phytothérapie v. médecine, plante, traitement
phytotron v. botanique
pi (3,14) v. circonférence
piaculaire v. sacrifice
piaffer v. trépigner
piaillement v. bébé
pianoforte v. piano
piassava v. textile
piat v. pie
piaulement v. poulet
pibale v. anguille
pible v. mât
piblokto v. hystérie
pibrock v. cornemuse
pic v. montagne, pioche, point, pointe, sommet
pica v. appétit
Pica pica v. pie
piccolo v. flûte
pichet v. vase
picholine v. olive
picker v. coton
pickles v. vinaigre
pickpocket v. voleur
picot v. broderie, marteau
picotement v. démangeaison, fourmi, pincement
picoter v. piquer
picoteux v. barque
picotin v. mesure
pictogramme v. représentation, signe, symbole
pictographique v. écriture
pictural v. peinture
pidgin v. langue
pièce v. bureau, document, écrit, parcelle, partie, repas, répertoire, salle
pièce d'acier v. briquet
pièce d'identité v. identité
pièce maîtresse v. capital
pièce thermocollante v. mercerie
pied v. bas, étrier, longueur, maille, rythme, socle, trace, vase
pied (mettre à) v. chômage
pied à coulisse v. équerre
pied-à-terre v. appartement, maison
pied-bot v. pied
pied-de-biche v. levier
piédestal v. socle, statue
pied-fort v. pièce
piédouche v. piédestal, socle, statue
piédroit v. manteau
piège v. danger, écueil, embûche, pétrole
piéger v. capturer, surprendre
pie-mère v. membrane, méninge
Pierre (saint) v. paradis, portier
pierre v. bronze, calcul, insensible, maçonnerie, œil, pont, préhistoire, roc
pierre de taille v. maçonnerie
pierre philosophale v. alchimiste
Pierrot v. pantomime
pierrot v. moineau
pietà v. statue
piété v. affection, amour, foi
piétinement v. retard, stagnation
piétiner v. fouler, marcher
piétiste v. protestant
piéton v. passant
piètre v. lamentable, maigre, médiocre, mesquin, misérable, pauvre, triste
pieuvre v. mollusque
pieux v. pie, religieux
piézoélectrique v. microphone
piézomètre v. liquide
pige v. page, paiement, salaire, tâche
pigeon v. plâtre
pigeonneau v. pigeon
pigeonnier v. paradis, pigeon
pigiste v. journaliste
pigment v. colorant, poil
pigmentation v. coloration, teint
pigne v. pin
pignocher v. manger, peindre
pignon v. engrenage, maison, mur
pignoratif v. contrat
pilastre v. colonne, grille
pilchard v. sardine
pile v. centrale nucléaire, échafaudage, opposé, paquet, pont, pyramide, tas
piler v. broyer, écraser, poudre, pulvériser
pilet v. canard
pilier v. bar, colonne, musulman
pilier de bar v. fréquenter, habitué
pilifère v. poil
pillage v. crime, foire, ravage, sac
pillard v. malfaiteur
piller v. saccager, voler
pilon v. broyer, jambe, mortier, piler, poudre
pilonnage v. artillerie, bombardement
pilonner v. tasser
pilori v. torture
pilosisme v. poil
pilosité v. poil
pilot v. chiffon, pieu
pilote v. aviateur, chauffeur
piloter v. conduire
pilotis v. colonne, pieu
pilulaire v. vétérinaire
pilule v. contraceptif, pastille
pilulier v. pilule
pilum v. javelot
piment v. piquant, sel
pimenter v. épicé, piquant, relever
pimpant v. joli
pin v. parquet, résine
pinacle v. sommet
pinacothèque v. art, collection, musée, peinture
pinailler v. bête, couper
pinailleur v. chicaner
pinasse v. embarcation
pinastre v. pin
pince v. cravate, dent, épingle, patte, pli
pince à avoyer v. scie
pincée v. grain
pincelier v. peintre, pinceau
pincement v. massage, taille
pince-monseigneur v. cambrioleur
pince-nez v. lunette
pincer v. fleur, serrer
pince-sans-rire v. moqueur, sérieux
pincette v. pince
pinçon v. pincement
pinède v. pin

pinène v. térébenthine
pineraie v. pin
pingre v. avare, compter
pinnipèdes v. morse, phoque
pinnothère v. moule
pin's v. broche
pins v. dentaire
pintadine v. huître
pinyin v. chinois
piocher v. creuser
piolet v. canne, montagne, pioche
pion v. étude
pionnier v. colon, infanterie, soldat
pioupiou v. infanterie
pipe v. cible
pipeau v. bambou, berger, chasse, flûte, piège, roseau, sifflet
pipée v. chasse, piège, pipe
pipelet v. concierge
pipeline v. conduite, pétrole, transport, tuyau
piper v. tricher
pipéracées v. poivrier
piperade v. piment
piperie v. fourberie
pipette v. tube
pipier v. pipe
pipistrelle v. chauve-souris
piquant v. épine, fort, froid, intéressant, malicieux, mordant, perçant, sel, spirituel, venimeux
pique v. blessure, lance, piquant
piqué v. avion
pique-assiette v. mangeur, parasite, réception, repas
pique-feu v. pince
pique-nique v. déjeuner, repas
piquer v. éveiller, ferrer, flatter, fondre, fort, irriter, plonger, profession, ronger, susciter
piquer au vif v. froisser
piquet v. pieu, punition
piqueter v. tacher, tracer
piquier v. infanterie
pirate v. bandit, malfaiteur, marin
pirater v. piller
piraterie v. pirate
piriforme v. poire
pirogue v. aviron, barque, bateau
pirouette v. cabriole, gambade, revirement, tour
pis v. mamelle, pire
pis-aller v. attente, fortune
pisciculture v. poisson
pisciforme v. poisson
piscivore v. poisson
pisé v. maçonnerie, paille
pissat v. urine
piste v. chemin, cirque, course, trace
pister v. chercher, épier, suivre, surveiller
pistil v. femelle, fleur
pistolet v. feu
pistolet-mitrailleur v. feu
piston v. alternatif, moteur
pistonner v. recommander
pistou v. soupe
pitance v. repas
pitchpin v. pin
piteux v. confus, lamentable, parfum, pitoyable, triste
pithécanthrope v. singe
pithiatique v. hystérie
pithiviers v. gâteau
pitié v. grâce, humanité, indulgent
piton v. clou, montagne, vis
pitoyable v. affligeant, lamentable, minable, pauvre, triste
pitre v. amusant, bouffon, comédien, comique
pitrerie v. singe
pittoresque v. expressif, piquant
pituite v. vomissement
pivot v. axe, base, centre, racine
pivotant v. racine
pivoter v. rotation, tourner
pizza v. italien
pizzicato v. pincer, violon
placage v. application, ébénisterie, marqueterie, revêtement
placard v. affiche, avis, épreuve, information, reproduction, tract
place v. carré, fonction, poste, situation
placé (haut) v. puissant
placebo v. médicament
placement v. banque, exportation, mise, vente
placenta v. annexe, embryon, fœtus
placentaire v. mammifère, souffle
placer v. capital, déposer, disposer, engager, installer, or, poser, situer
placette v. forêt
placide v. calme, pacifique, paisible, serein, tranquille
placier v. commerce, voyageur
placodontes v. reptile
plafond v. limite, niveau, supérieur
plafonner v. maximum
plage v. radio, rivage
plagiaire v. copier, voleur
plagiat v. contrefaçon, copie, emprunt, faux, imitation
plagier v. imiter
plaid v. couverture
plaider v. convaincre, difficulté, intervenir, parler, procès
plaideur v. plaider
plaidoirie v. avocat, défense, plaider
plaidoyer v. avocat, défense, plaider
plaie v. blessure
plaignant v. client
plain v. velours
plain-chant v. liturgie, moine
plaindre v. pitié, réclamer
plainte v. cri, gémissement, grief, pleur, réclamation, regret, soupir
plaire v. aimer, convenir, réjouir, satisfaire
plaisance v. yacht
plaisant v. agréable, charmant, gracieux, risible
plaisanter v. taquiner
plaisanterie v. bêtise, saillie, tour
plaisantin v. bouffon, farce
plaisir v. bien-être, délice, intérêt, plaire, récréation, satisfaction
plamée v. tannage
plan v. architecte, bataille, batterie, cadre, calcul, canevas, comptable, dimension, division, ébauche, économie, lisse, machine, plat, programme, projet, représentation, scénario, schéma, squelette, tactique
plan (premier) v. vedette
planche v. dessin, pâtisserie, scène, théâtre
planche de salut v. ressource
plancher v. échafaudage, niveau, parquet, plafond
planchiste v. planche à voile
plançon v. bouture, branche, plant, tronc
plancton v. baleine, mer
planctonique v. végétation
plané v. vol
planer v. polir
planétaire v. planète
planète v. astre, astrologie, corps, zodiaque
planétoïde v. planète
planétologie v. planète
planétologue v. planète
planeur v. véhicule
planification v. rationnel, usine
planifier v. systématique
planique v. nombre
planisphère v. carte, globe, sphère
planning v. calendrier, emploi, organisation, plan
plansichter v. moulin, tamis
plantain v. banane
plantaire v. verrue
plantard v. bouture, plant
plante v. pied, ricin
plante brumale v. hiver
plante hiémale v. hiver
planter v. camper, enfoncer, fixer, semer
planteur v. agriculteur, colon
plantigrade v. marcher, pied
plantoir v. planter, semer
plantule v. embryon, germe, plant
plantureux v. abondant, fertile, généreux, gras, riche
plaque v. inscription, photographie, urticaire
plaquemine v. figue
plaquer v. accord, aplatir, jeter, recouvrir, renverser, rugby
plaquette v. brochure, livre, recueil
plasma v. liquide, sang
plasmodium v. paludisme
plasticage v. attentat
plasticité v. élasticité
plastique v. design, forme, mou, résine, vaisselle
plastron v. cravate, tortue
plat v. course, course hippique, égal, facile, moteur, os, plateau, pli, repas, rime, terne, tricot
platanistidés v. dauphin
plateau v. balance, bassin, film, scène
plate-bande v. fleur, manteau
plate-forme v. base, quai
platine v. horlogerie, microscope, plateau
platiné v. blond
platinite v. nickel
platitude v. banalité, pauvreté
platonique v. spirituel
plâtrage v. fertile
plâtras v. plâtre
plâtre v. calcium, fracture, maçonnerie, réduction
platycnémie v. tibia
plausible v. bon, vraisemblable
plaza v. corrida
plèbe v. foule, magistrature
plébiscite v. consultation, référendum, vote
plébisciter v. élire
plectre v. guitare
pléiade v. groupe
plein v. intense, obus, parfait, rond, total
plénier v. adoption, général
plénipotentiaire v. ambassadeur, délégué, plein, pouvoir
plénitude v. adulte, complet, maturité
plénum v. assemblée
pléon v. crustacé
pléonasme v. abus, répétition
pléthore v. abondance, congestion, excessif, profusion, sang, trop-plein
pleur v. larme, sève
pleurer v. regretter
pleurnicher v. pleurer
pleurodynie v. point
pleutre v. lâche, peureux, poltron, veine
pleuvocher v. pleuvoir
pleuvoter v. pleuvoir
plèvre v. enveloppe, membrane, poitrine, poumon
Plexiglas v. verre
plexus v. abdomen, nerf, réseau, veine
pli v. correspondance, lettre, message, ride
pliant v. siège
plier v. conformer, habituer, humble, incliner, soumettre, souple
plinthe v. colonne, statue
plissement v. accident, mouvement, pli, ride
plisser v. plier
pliure v. pli
ploc v. goudron
plocéidés v. moineau
plomb v. cartouche, métal, sceau
plomb 214 v. radium
plombage v. dentaire
plombagine v. crayon, mine, plomb
plombé v. blême, livide, plomb
plombée v. filet
plomber v. boule, ferrer
plombier v. bâtiment, fuite
plombière v. dessert, glace
plombifère v. plomb
plombure v. vitrail
plommée v. masse
plongeoir v. plonger
plonger v. baigner, enfoncer, jeter, sombrer, tremper
plongeur v. vaisselle
ploquer v. laine
ploutocratie v. gouvernement, riche
ployer v. courber, pencher, plier
P.L.S. v. malaise
pluie v. orage, précipitation
plumage v. plume
plumasseau v. tampon
plume v. boxe
plumeau v. balai, plume
plumet v. panache
plumetis v. broderie
plumitif v. bureaucrate, écrivain
plumule v. plume
plupart v. nombre, partie, plus
plural v. vote
pluraliste v. plusieurs
pluridisciplinaire v. nombreux, plusieurs
plurinominal v. scrutin
plurivoque v. plusieurs
plusieurs v. beaucoup, divers, nombre, un
plus-que-parfait v. passé
plus-value v. recette, valeur
Pluton v. mort, planète
plutonique v. roche
plutonium v. centrale nucléaire, uranium
plutôt v. préférence
pluvial v. pluie
pluvier v. gibier

pluvieux v. humide
pluviomètre v. météorologie
pluviométrie v. pluie
pluviôse v. janvier
pneu v. roue
pneumatique v. air, comprimé, message
pneumoconiose v. poumon
pneumographie v. poumon
pneumologue v. médecin
pneumonectomie v. poumon
pneumonie v. congestion, poitrine, poumon
pneumothorax v. tuberculose
poche v. acier, billard, cuiller, paquet
pocher v. meurtrir
pochette v. poche
pocheuse v. ustensile
pochon v. poche, pot
pochouse v. soupe
podagre v. pied
podestat v. italien
podium v. scène
podologie v. pied
podzol v. sol
pœcile v. portique
poêle v. chauffage, feu
poêlée v. poêle
poêlon v. casserole, ustensile
poème v. chant, rhapsodie, roman
poète v. écrivain
poétereau v. poète
poétesse v. poète
pogrom v. attaque, juif, persécution
poids v. charge, corps, fardeau, importance, influence, pression
poids-lourd v. véhicule
poignant v. dramatique, émouvant, pathétique, pénible, tragique
poignard v. couteau
poigne v. fermeté, main
poignée v. bouton, oreille
poignet v. attache, bras
poïkilotherme v. température
poil v. brosse, fourrure
poilu v. guerre, soldat
poinçon v. aiguille, bijou, broderie, ciseau, contrôle, ferme, garantie, graver, marque, or, perçant, pointe, sceau
poinçonner v. percer, trouer
poindre v. lever, paraître, sortir, surgir
point v. imprimerie, interrogation, question, sujet, viande
point (mise au) v. explication
point (ne) v. pas
point de (sur le) v. veille
pointage v. contrôle
point culminant v. sommet
point de départ v. prétexte
point de mire v. but
point de vue v. attitude, avis, éclairage, pensée, perspective
point d'Irlande v. dentelle
point d'orgue v. ponctuation
point du jour v. lever, matin
point zéro v. niveau
pointe v. avant-garde, bout, burin, cap, clou, épine, fer, fichu, foulard, grain, ironie, moderne, piquant, sommet
pointeau v. poinçon
pointe en cuivre v. paratonnerre
pointer v. boule, sortir
pointe-sèche v. burin
pointeuse v. pointer
pointille v. pointilleux
pointilleux v. maniaque, méticuleux, minutieux, scrupuleux
pointu v. perçant, piquant, subtil
pointure v. dimension, taille
poire v. bouton, perle, sonnette
poiré v. cidre, poire
poireau v. verrue
poire d'angoisse v. torture
poirée v. blette
poiret v. poire
poison v. sorcière, venin
poisse v. malchance
poisseux v. collant, gluant, gras, sale
poisson de saint Christophe v. dorée
poissonnière v. ustensile
poitrail v. poitrine
poitrine v. buste, gorge
poivrade v. poivre
poivré v. épicé, menthe, piquant
poivrière v. guérite, tour
poivron v. piment
poix v. colle, goudron
poker d'as v. dé
polaire v. pôle
polar v. policier
polatouche v. écureuil
polder v. mer
pôle v. borne, foyer, pile
polémique v. bagarre, chicane, combat, controverse, question
polémologie v. guerre
polenta v. bouillie, italien, maïs
poli v. gentil, lisse, patine, raffiné, sociable, soigner, tiède
police v. assurance, droit, ordre
policer v. corriger, raffiner
Polichinelle v. marionnette
polichinelle v. bosse, bouffon, comique
policier v. régime
poliomyélite v. moelle, paralysie
poliorcétique v. siège
polir v. abrasif, corriger, éclaircir, finir, frotter, travailler, user
polissage v. marbre, toile émeri
polissoir v. polir
polissoire v. brosse
polisson v. fripon, malice
polissure v. poli
poliste v. guêpe
politesse v. devoir, éducation, manière, relation, respect, urbanité
politique v. extérieur, institution, public, tactique
politique-fiction v. science-fiction
politologie v. politique
polka v. danse
pollakiurie v. urine
pollen v. fleur, poussière
pollénographie v. pollen
pollicitation v. offre
pollinie v. pollen
pollinique v. pollen
pollinisation v. pollen
pollinose v. foin, rhume
polluer v. empoisonner
pollution v. environnement
polochon v. oreiller
polonium 218 v. radium
poltron v. lâche, peureux, veine
polyandre v. femme, homme, mari, plusieurs
polychrome v. couleur
polycopie v. cliché, copie, reproduction
polyèdre v. pyramide
Polyester v. fibre
polyéthylène v. planche à voile, plastique
polygame v. bisexué, homme, plusieurs
polyglotte v. langue
polygraphe v. écrivain
polymère v. résine
Polymnie v. poésie
Polynice v. frère
polynucléaire v. noyau
Polyphème v. géant
polyphonie v. chœur
polyphonique v. messe
polypier v. corail
polysarcie v. grosseur
polysémique v. mot, plusieurs, sens
polystyrène v. plastique, résine
polysulfure v. soufre
polythéisme v. dieu
polythéiste v. païen, religion
polyuréthanne v. planche à voile, plastique
polyurie v. urine
polyvalence v. instituteur
polyvalent v. nombreux, plusieurs
pomate v. tomate
pomélo v. pamplemousse
pommade v. crème, médicament
pomme v. boule, mât, pin, quille
pommeau v. canne, monture, pomme
pomme d'Adam v. cou
pomme de terre v. porc
pommelé v. tache
pommette v. joue
pommier v. rosacée
pomoculture v. pomme
pomologie v. fruit
Pomone v. fruit
pompe v. enflure, incendie, luxe, poste, solennel, splendeur, vanité
Pompéi v. pétrifié
pomper v. attirer
pompeux v. affecté, compliment, majestueux, sentencieux
pompier v. incendie
ponant v. ouest
ponçage v. toile émeri
ponce v. polir
ponceau v. pont
poncer v. abrasif, frotter, polir
poncho v. manteau
poncif v. banalité, commun, formule
poncire v. citron
ponction v. piqûre, prélèvement
ponctionner v. pomper
ponctualité (manque de) v. inexactitude
ponctuation v. point
ponctuel v. exact, heure, régulier
ponctuer v. marquer
pondérable v. peser, poids
pondération v. équilibre, mesure
pondéré v. calme, réfléchi, sage, sérieux, sobre
pondéreux v. lourd, pesant, poids
pongé v. soie
pongitif v. douleur
ponce v. abrasif
pont v. intermédiaire, transition
pont aérien v. transport
pontifiant v. majestueux, savant, solennel
pontificat v. papauté
ponton v. pont
pontuseau v. papier
pont volant v. bac
pool v. équipe, société
pop-corn v. maïs
pope v. culte, prêtre
popeline v. chemise
populace v. foule
populacier v. vulgaire
populariser v. peuple, populaire, répandre
popularité v. image, réputation, succès
population v. démographie, personne, public, réunion
populationniste v. population
populéum v. pommade
populeux v. pauvre
populisme v. peuple
populiste v. populaire
Pop Wuh v. récit
poquer v. boule
poquet v. semer, trou
porc v. cochon, pinceau, viande
porcelaine v. mollusque, pipe, vaisselle
porcelainier v. porcelaine
porcelet v. cochon, porc
porchaison v. sanglier
porche v. cathédrale
porcherie v. cochon, ferme
porcin v. bétail, hippopotame, porc
pore v. trou
porion v. contremaître, équipe, mineur
pornographique v. obscène, sexuel
porphyre v. pierre, pourpre, rouge
port v. col, démarche, maintien, transport
portage v. aviron, transport
portail v. porte
portant v. valide
portatif v. maniable
port de guerre v. préfecture
porte v. issue, vallée
porté v. sujet, tendance
porte à porte v. démarcheur
porte-bouquet v. vase
porte cochère v. porte
porte-conteneurs v. transport
porte-documents v. serviette
portée v. distance, étendue, femelle, importance, musique, petit, ressort, signification, valeur
portefeuille v. ministre
porte-greffe v. sujet
porte-jarretelles v. bas
porte-parole v. interprète
porte pleine v. buffet
porte-vent v. tuyau
porte-virus v. nuisible
porter v. bière, diriger, incliner, inviter, parvenir, produire, regard
porter atteinte v. tort
porter au pinacle v. admiration, gloire, louer
porter au rouge v. chauffer
porter aux nues v. admiration, louer
porter le coup de grâce v. achever
porter un coup v. frapper
porter un toast v. trinquer
porteur v. bagage, valeur
portier v. concierge, ordre
portière v. porte, rideau, tenture
portion v. bout, élément, fraction, morceau, parcelle, part
portrait v. image, peinture

portraitiste v. portrait
portrait-robot v. description, signalement
portraiturer v. peindre, portrait, représenter
portugais v. roman
portulan v. carte, livre, marin, recueil
portune v. crabe
pose v. application, attitude, position, recherche
posé v. grave, réfléchi, sérieux, tranquille
Poséidon v. mer
posemètre v. photographie
poser v. camper, installer, mettre, regard
poseur v. suffisant
positif v. algèbre, effectif, optimiste, orgue, photographie, réel, utilitaire
position v. attitude, état, orientation, pensée, place, point, sens, situation, sort, station, statut, tranchée
positionner v. situer
positivisme v. science
positron v. positif
posologie v. médicament
posséder v. disposer, habiter
possesseur v. propriétaire
possessif v. adjectif
possession v. fureur, occupation, port, religieux
possibilité v. chance, hypothèse, occasion, pouvoir, rencontre
possible v. éventuel, plausible, réel
postdater v. date
poste v. barrière, budget, bureau, charge, fonction, situation, usine
poster v. établir, placer
postérieur v. futur
postérieurement v. tard
postérité v. avenir, descendance, famille, fils, race, suite
posthite v. prépuce
posthume v. mariage, mort
postiche v. artificiel
postillon v. conducteur, salive
post-scriptum v. addition
postsynchroniser v. doubler
postulat v. base, commencement, démonstration, hypothèse, logique, principe, raisonnement, règle, théorie, vérité
postuler v. candidat, demander, représenter, solliciter
posture v. attitude, position, situation, tenue
pot v. bille, vase
potable v. boire
potage v. bouillon
potager v. jardin, légume
potamochère v. porc
potamologie v. fleuve
potasse v. alcali, algue, base
potassium v. pomme de terre
pot-au-feu v. bouillon
pot de chambre v. mariage, vase
pot-de-vin v. commission, don, gratification
poteau v. potence
poteau (mettre au) v. fusiller
potée d'émeri v. aiguiser
potée d'étain v. étain
potelé v. chair
potence v. accrocher, supplice
potentat v. dictateur, important, souverain, tyran
potentialité v. facilité, possibilité, prédisposition, puissance
potentiel v. réel
potentiomètre v. potentiel
poterie v. argile, vase
poterne v. fortification, porte
potin v. bavardage, chronique, commérage, plomb, rumeur
potion v. boisson, sorcière
potlatch v. cadeau, don
potorou v. kangourou
pot-pourri v. mélange
potron-jaquet v. matin
potron-minet v. jour, matin, tôt
pou v. vermine
poubelle v. ordure
pouce v. doigt, longueur, main, pinceau
poucier v. doigt, pouce
poudre v. cartouche, chocolat, dentifrice, maquillage, or, poussière, riz
poudre d'escampette v. fuir
poudreuse v. neige, toilette
poudreux v. poudre
poudrier v. poudre
poudrière v. magasin
poudrin v. mer, pluie
pouf v. coussin, marbre
pouffer v. éclater
pouillard v. faisan, perdrix
pouillé v. liste, registre
poulailler v. ferme, galerie, paradis
poulain v. dauphin
poulaine v. chaussure
poularde v. poule, poulet
poule v. compétition, jeu, mise
poule de mer v. dorée
poulet v. billet, correspondance, lettre, poule
poulette v. poule
pouliche v. jument
poulie v. machine, roue
pouliethérapie v. poulie
poulinière v. jument
pouliot v. charrette
poulpe v. cachalot, mollusque
poumon v. poitrine
poupart v. crabe
poupée v. cigare
poupon v. bébé
pourboire v. gratification, récompense
pourceau v. cochon
pourcentage v. addition, intérêt, proportion, taux
pourchasser v. courir, poursuivre, rechercher
pourlécher (se) v. lécher
pourparlers v. conversation
pourpoint v. vêtement
pourpre v. cardinal, teinture
pourpré v. pourpre
pourri v. corrompu, gâter, neige, putride
pourriture v. gangrène, moisissure, rot
poursuite v. course cycliste, impôt, procès, recherche
poursuivre v. accuser, continuer, courir, obséder, perpétuer, persécuter, persévérer, pousser, prolonger, rattraper, rechercher, solliciter, suivre
pourtour v. circonférence, périphérie
pourvoi v. appel
pourvoir v. aider, fournir, garnir, gratifier, munir, satisfaire
pourvoyeur v. canon
pousse v. bourgeon, branche, tarot, végétation
poussée v. accès, apparition, croissance, éruption, poids
pousse-pousse v. taxi
pousser v. encourager, entraîner, incliner, inviter, précipiter, venir
pousser à bout v. fâcher
poussette v. enfant, voiture
pousseux v. crevette
poussier v. houille, poussière
poussière v. écaille, poudre
poussiéreux v. sale
poussif v. souffle
poussin v. poule, sportif
poussoir v. bouton, soupape
poutrage v. poutre
poutraison v. poutre
poutre v. plafond, pont, support
poutrelle v. poutre
pouture v. bétail, fourrage
pouvoir v. autorité, capacité, droit, empire, envoûtement, influence, régime, supériorité, vertu
pouvoir d'achat v. valeur
pouvoir exécutif v. démocratie
pouvoir législatif v. démocratie
p.p.c.m. v. multiple
pragmatique v. concret, pratique, utilitaire
pragmatisme v. réalisme
Prague v. symphonie
praire v. mollusque
prairie v. pâturage
pralinage v. confiserie
praline v. bonbon
prao v. voilier
praticable v. facile
praticien v. chirurgien, médecin
pratiquant v. croyant, religieux, religion
pratique v. application, exercice, expérience, facile, habitude, maniable, métier, mode, raison, rite, usage, utile, utilitaire
pratique (mettre en) v. employer
pratiquer v. percer, utiliser
pré v. prairie, vert
préambule v. commencement, entrée, préface
préau v. abri, cour, monastère
préavis v. avertissement, délai
prébende v. revenu
précaire v. fil, fragile, instable, passager, périssable, santé, temporaire
précarité v. incertitude
précaution v. prudence
précautionneux v. méfiant, sournois
précédent v. dernier, premier
précelle v. dentiste
précepte v. code, commandement, conduite, enseignement, formule, instruction, réflexion, règle, sentence
précepteur v. éducateur, instituteur, maître, professeur
précession v. pôle
prêche v. discours, sermon
prêcher v. convaincre, convertir, débiter, répéter
prêcheur v. orateur
précieuse v. manière
précieux v. avantageux, cher, noble, recherché, utile
préciosité v. affectation, littéraire, recherche
précipice v. profond, vide
précipitation v. accourir, agitation
précipité v. brusque, mélange
précipiter v. accélérer, avancer, courir, fondre, hâter, jeter, plonger, presser
préciput v. avantage
précis v. concis, livre, méticuleux, net, particulier, résumé, rigoureux, serré
préciser v. définir, ponctuer, souligner
précision v. détail, renseignement
précoce v. tôt
précocité v. maturité
préconiser v. prêcher, prescrire, recommander
précontraint v. pont
précurseur v. avant-garde
prédateur v. proie
prédécesseur v. ancêtre
prédelle v. autel, tableau
pré d'embouche v. bétail
prédestination v. condition, fatalité, futur
prédestiner v. destiner
prédicant v. pasteur
prédicat v. attribut, phrase, procès
prédicateur v. orateur
prédication v. apôtre, discours, prêche, sermon
prédiction v. divination
prédilection v. affection, faible, goût, préférence
prédisposition v. aptitude
prédire v. prévoir
prééminence v. avantage, supériorité
préemption v. antériorité
préexcellence v. supériorité
préexister v. exister
préfabriqué v. maison
préface v. commencement, introduction, sommaire
préfacier v. préface
préfecture v. département
préférable v. mieux
préféré v. favori
préférence v. distinction
préférer v. adopter, choisir
préfet v. département
préfixe v. addition, mot, particule, racine
préfixion v. délai
préhensile v. saisir
préhension v. main, membre
préhistorien v. préhistoire
préjudice v. dommage, mal, perte, sinistre, tort
préjudiciable v. contraire, funeste, malheureux
préjudicier v. nuire
préjugé v. opinion
prélat v. évêque, religieux
prélèvement v. banque, ponction
prélever v. confisquer, percevoir, pomper, retenir, rogner, soustraire
prélibation d'hérédité v. prélèvement
préliminaires v. commencement
prélude v. commencement, introduction, ouverture
prématuré v. immature, tôt
préméditation v. intention, malveillance, meurtre
prémédité v. réfléchi
préméditer v. calculer, préparer, projeter, réfléchir
prémices v. commencement
premier v. indigène, initial, nécessaire, nombre, primaire, primitif, prince, un, urgent, vainqueur
première v. inauguration, performance
premier-né v. aîné
prémisse v. annonce, base, commencement, condition, logique, principe, raisonnement
prémonition v. avenir, intuition, pressentiment
prémunir v. abriter, assurer, garantir, parer, précaution

prévenir, vacciner
prendre v. conquérir, déchaîner, munir, recevoir, regarder, suivre, utiliser
preneur v. bail
prénom v. nom
prénommer v. nommer
prénuptial v. mariage
préoccupant v. ennuyeux, grave
préoccupation v. souci
préoccupé v. penser, soigneux
préoccuper v. inquiéter, intéresser, obséder, occuper, songer
préparateur v. laboratoire, pharmacie
préparation v. composition, confection, entraînement, introduction, mélange, organisation, pharmacie, recette, saut
préparer v. amener, disposer, étudier, fabriquer, organiser
prépondérance v. supériorité
prépondérant v. décisif, poids
préposé v. facteur
prépuce v. gland
prérogative v. avantage, bénéfice, distinction, droit, facilité, faculté, faveur, honneur, privilège
près v. allure, pas
présage v. annonce, avenir, divination, prédiction, prévision, signe, symptôme
présager v. préparer, prévoir, soupçonner, supposer
pré-salé v. mouton
presbyte v. myopie
presbytère v. curé, habitation
presbyterium v. pasteur
presbytie v. vue
prescience v. avenir
prescription v. acte, commandement, indication, instruction, médecin, obligation, ordonnance, règle
prescrire v. demander, dicter, imposer, positif, vouloir
préséance v. prérogative
présence v. existence, participation
présence d'esprit v. réflexe
présent v. don, immédiat
présentation v. exhibition, exposition, introduction, port, position
présentement v. maintenant
présenter v. fournir, introduire, montrer, nommer, offrir, produire, proposer, soumettre, survenir, tendre, venir
préservatif v. contraceptif, phallus, sexuel
préservation v. défense, sauvegarde
préserver v. abriter, assurer, conserver, garantir, garder, protéger, sauver, soustraire, vacciner
président v. république, université
président du Conseil v. ministre
présidentiel v. élection
présider v. siéger
présomption v. confiance, opinion, présage, prétention, prévision, supposition
présomptueux v. ambitieux, blanc-bec, fier, prétentieux, suffisant
presque v. demi, près
presqu'île v. île, péninsule
pressant v. impératif, urgent
presse v. foule, impression, journal
pressé v. impatient, tasser, urgent
pressentiment v. conscience, instinct, intuition, sensation
pressentir v. attendre, connaître, deviner, entrevoir, interroger, pénétrer, prévoir, sentir, soupçonner
presser v. appuyer, assaillir, bousculer, dépêcher, écraser, extraire, harceler, hâter, insister, interroger, peser, pincer, serrer
pression v. contrainte, escrime, massage, mercerie, poids, résistance, tension, tension artérielle
pressoir v. cidre, vendange
pressurage v. cidre
pressurer v. exploiter, presser
pressuriser v. pression
prestance v. allure, maintien, présence
prestation v. allocation, impôt, numéro, taxe
preste v. adroit, agile, vif
prestidigitateur v. adresse, doigt, illusion, magicien, manipulation
prestidigitation v. tour
prestige v. image, importance, influence
présumé v. supposé
présumer v. penser, soupçonner, supposer
présupposition v. supposition
présure v. cailler, fromage, yaourt
prêt v. avance
prêt-à-porter v. confection
prétendant v. accompagnateur, admirateur
prétendre v. affirmer, candidat, flatter, piquer, réclamer, soutenir, vouloir
prétendu v. fiancé, supposé
prête-nom v. homme
prétentieux v. ambitieux, fier, suffisant
prétention v. ambition, présomption, revendication, simple, vanité
prêter v. donner, passer, supposer, tendre
prétérition v. omission
prétexte v. cause, excuse, motif, occasion, origine, raison, refuge, toge
prétoire v. tribunal
prétorien v. garde
prêtre v. cardinal, catholicisme, culte, curé
prêtrise v. majeur, religieux
préture v. magistrature
preuve v. argument, charge, conviction, démonstration, gage, illustration, marque, raison, raisonnement, signe, témoignage
preux v. héros
prévaloir v. emporter, flatter
prévarication v. corruption
prévariquer v. trahir
prévenance v. attention, délicatesse, empressement
prévenant v. aimable, charmant, délicat, dévoué, flatteur, galant, poli, serviable, soin
prévenir v. avertir, empêcher, éviter, informer, parer, vacciner
préventif v. police
prévention v. précaution, préjugé
préventorium v. santé
prévenu v. détenu
prévision v. calcul, diagnostic, présage, supposition
prévoir v. attendre, connaître, entrevoir, envisager, organiser, planifier, pressentir, projeter, soupçonner
prévôt v. sécurité
prévôt d'armes v. escrime
prévôté v. gendarmerie
prévoyance v. nez
prévoyant v. prudent, réfléchi
priapée v. poème
priapisme v. phallus
prie-dieu v. agenouiller (s')
prier v. insister, recommander, recueillir, supplier
prière v. demande, incantation, invitation, islam, messe
prieur v. couvent, religieux
prieuré v. bénéfice, moine, monastère, religieux
prima donna v. chanteur, opéra
primaire v. délinquant, instituteur, racine, simple
primate v. singe
primauté v. supériorité
prime v. addition, gratification, heure, moine, prière, récompense, salaire, supplément
primesautier v. spontané
primeur v. exclusivité, légume
primevère v. printemps
primipare v. accoucher, femelle
primitif v. brut, immédiat, initial, premier, radical, sauvage
primogéniture v. descendant
primordial v. cardinal, essentiel, fondamental, nécessaire, premier, principal
primus v. premier
prince v. noblesse, souverain
prince héritier v. fils
princeps v. édition, premier
princier v. somptueux, splendide
principal v. dette, important, inspecteur, proposition, substance
principalement v. plus
principat v. prince
principauté v. prince
principe v. base, cause, certitude, élément, moral, prémisse, primitif, racine, raison, raisonnement, sentence, soubassement, source, théorie, vérité
printanier v. printemps
printemps v. jeunesse, vacance
priorité v. antériorité
prise v. religieux
prisée v. évaluation
priser v. admirer, apprécier, goûter, nez, tabac
prisme v. arc-en-ciel, microscope, rayon
prison v. chambre, verrou
prisonnier v. captif, détenu
privation v. interdiction, pauvreté
privatisation v. industriel
privatiser v. privé
privauté v. familiarité, liberté
privé v. détective, droit, intime, particulier, personne, personnel
priver v. déposséder, dépouiller, passer, refuser, renoncer, sans
privilège v. avantage, bénéfice, distinction, droit, facilité, faculté, faveur, préférence, prérogative
privilégié v. exception, part
prix v. acheter, échange, récompense, valeur
prix de Rome v. prix
probabilité v. chance, combinaison, perspective, statistique
probable v. plausible, possible, vraisemblable
probant v. décisif
probation v. épreuve, essai
probe v. consciencieux, devoir, droit, fidèle, honnête, loyal, propre, scrupuleux
probité v. conscience, foi
problématique v. problème
problème v. inconvénient, ombre, pli, point, proposition, question
proboscidiens v. éléphant
procaïne v. anesthésie
procédé v. conduite, formule, manière, méthode, queue, recette, règle, résultat, système, tactique
procéder v. célébrer, dépendre, prendre, provenir, venir
procédure v. formalité, instruction, intelligence artificielle, méthode, procès
procès v. cas
procession v. défilé, file, série, succession, suite
processionnal v. procession
processus v. évolution, inconscient, marche, procès, scénario, schéma
procès-verbal v. récit, stationnement
prochain v. futur
proche v. analogue, intime, près, récent, voisin
proclamation v. affiche, annonce, appel, discours, manifeste
proclamer v. affirmer, annoncer, confesser, déclarer, dénoncer
proconsul v. gouverneur, province
procrastination v. futur
procréateur v. parent, père
procréer v. concevoir, engendrer, produire
proctalgie v. anus
proctologie v. anus
procurateur v. gouverneur
procuration v. mandat, mariage
procurer v. acquérir, donner, édition, fournir, offrir, pourvoir
procureur v. religieux
procureur de la République v. magistrat
procureur général v. magistrat, parquet
prodigalité v. débauche, dépense
prodige v. extraordinaire, génie, miracle, phénomène
prodigieux v. exceptionnel, extraordinaire, fabuleux, incroyable, inouï, magique, majestueux, merveilleux, parfait, sensationnel, singulier, splendide
prodigue v. compter, généreux
prodiguer v. abondance, verser
prodrome v. prémisse, signe, symptôme
productif v. actif, fécond, fertile, généreux
production v. usine
produire v. construire, créer, dégager, engendrer, fabriquer, faire, intervenir, porter, rendre, résultat, survenir
produit v. fruit, marchandise, multiplication, recette, revenu
proéminence v. bosse, relief, saillie
profanateur v. cimetière, impie

profanation v. religion, sacré, sacrilège, violation
profane v. étranger, religion
proférer v. cracher, dire, jeter, prononcer
profès v. moine, vœu
professer v. proclamer, savoir
professeur v. école, université
profession v. fonction, issue, métier, moine
profession de foi v. islam, manifeste, messe
professionnaliser v. profession
professionnel v. technicien
professorat v. professeur
profil v. contour, fleuve, silhouette
profilage v. profil
profilé v. profil
profiler v. découper, paraître
profit v. accroissement, bénéfice, capitalisme, comptabilité, intention, intérêt, produit, recette, récolte
profit (mettre à) v. employer, exploiter
profit (tirer) v. utiliser
profitable v. avantageux, favorable, fécond, précieux, succès, utile
profond v. extrême, foncé, immense, intime, pénétrant
profondeur v. dimension, enfoncement, fond
profondeur de champ v. perspective
profusion v. abondance, débauche, plénitude, quantité, surcharge
progéniture v. descendance, enfant
progestérone v. grossesse, hormone, ovaire
prognathe v. mâchoire, menton
programme v. contenu, emploi, informatique, propagande, radio
programmer v. automatique, planifier
programmeur v. programme
progrès v. amélioration, essor, mieux
progresser v. avancer, développer, évoluer, gagner, passer, perfectionner, propager, résultat
progressif v. insensible
progression v. avance, croissance, mouvement, progrès, succession, suite
progressisme v. socialisme
progressiste v. partisan
progressivement v. étape, petit, proche
prohibé v. clandestin, interdit, illégal
prohiber v. défendre, empêcher, interdire, refuser
prohibition v. interdiction
proie v. victime
projecteur v. feu, illumination, phare, projection
projectif v. test
projectile v. cartouche
projection v. conjecture, identité, jet, relief
projectionniste v. cinéma, projection
projecture v. saillie
projet v. architecte, calcul, conception, ébauche, intention, plan, programme, rêve
projeter v. comète, concevoir, éjecter, envisager, penser, planifier, songer
prolapsus v. descente
prolégomènes v. commencement, condition, préface
prolepse v. objection
prolétariat v. ouvrier, travailleur
prolétarien v. populaire
prolifération v. multiplication
proliférer v. fleurir
prolifique v. fécond
prolixe v. bavard, long
prolixité v. abondance
prolog v. langage
prologue v. argument, commencement, préface
prolongation v. supplémentaire
prolongement v. procès
prolonger v. allonger, continuer, durer, pousser, soutenir, traîner
promenade v. excursion, sortie
promener v. regard
promeneur v. badaud, passant
promesse v. engagement, gage, obligation, serment, vœu
Prométhée v. supplice
promettre v. assurer, destiner
promis v. fiancé
promissoire v. serment
promontoire v. cap
promoteur v. maison, pionnier
promotion v. affectation, grade, mutation, nomination, progression, réclame, solde
promouvoir v. élever
prompt v. immédiat, soudain, vif
prompteur v. télévision
promptitude v. accélération, esprit, présence, zèle
promu v. passer
promulgation v. publication
promulguer v. annoncer, loi
pronaos v. grec, temple
pronation v. mouvement
prône v. discours, sermon
prôner v. célébrer, louer, prêcher, prescrire, recommander
pronom v. relatif, variable
pronominal v. réfléchi
prononcer v. déclarer, entendre, juger, réciter, rendre, trancher
prononciation v. articulation
pronostic v. maladie, prédiction, prévision
pronunciamiento v. attentat, coup d'État, État, manifeste, militaire, révolte
propagande v. conditionnement, parti
propagandiste v. partisan
propagation v. contagion, diffusion, expansion, exportation, extension, invasion, phénomène, progrès, transmission
propager v. connaître, courir, diffuser, écho, étendre, gagner, populaire, rayonner, répandre, semer, souffler, transmettre
propane v. carburant
proparoxyton v. syllabe
propension v. aptitude, penchant, prédisposition, tendance
propergol v. fusée
prophète v. Dieu, mage, sorcier
prophétie v. divination, prédiction, prévision
prophétiser v. deviner, prévoir
prophylactique v. hygiène
prophylaxie v. contagion, maladie, médecine, précaution, protection, vacciner
propice v. adéquat, beau, bon, favorable, prêter, utile
propitiation v. pardon
propitiatoire v. rite, sacrifice
propolis v. résine
proportion v. analogie, équilibre, raison, taux
proportionnel v. scrutin
proportionner v. répartir
propos v. affirmation, conversation, information, instant, intention, parole, point, verbe
proposer v. présenter, soumettre, suggérer
proposition v. avance, infinitif, offre, ouverture, parlement, prémisse, raisonnement
propre v. net, nom, particulier, personnel, soigner, spécial
propre à v. nature
propriété v. attribut, domaine, faculté, immeuble, pouvoir, qualité, terre, vertu
propulser v. éjecter
propylée v. entrée, grec, temple
prorogation v. délai
proroger v. allonger, cesser, durer, prolonger, renouveler, tard
prosaïque v. plat, vulgaire
prosateur v. écrivain
prosauriens v. reptile
proscription v. condamnation
proscrire v. chasser, défendre, exiler, interdire
proscrit v. banni, interdit
prose v. chant, poème, roman
prosecteur v. anatomie
prosélyte v. converti, païen, partisan, religion
prosélytisme v. apôtre, propagande, secte
prosodie v. intonation, poésie
prosopopée v. évoquer
prospecter v. examiner, explorer, reconnaître, visiter
prospection v. étude, fouille, pétrole, préparatoire, recherche
prospective v. intuition, prévision
prospectus v. publicitaire
prospère v. beau, brillant, riche
prospérer v. agrandir, engraisser, plaire
prospérité v. bonheur, fortune, grandeur, réussite
prostatectomie v. prostate
prostatique v. prostate
prostatisme v. prostate
prostatite v. prostate
prosternation v. servile
prosterner v. agenouiller (s'), courber, incliner
prostration v. désespoir, fatigue, léthargie, paralysie, stupeur
prostré v. effondrer
prostyle v. colonne
protagoniste v. acteur, film, héros, personnage, pionnier, principal
protase v. période
prote v. contremaître, équipe, typographie
protecteur v. favorable, patron
protection v. aide, appui, chevalerie, défense, faveur, patronage, sauvegarde, secours, sécurité, vaccin
protectionnisme v. commercial, concurrence, échange, nationalisme, protection
protectorat v. colonie
protée v. girouette
protégé v. immuniser
protège-dents v. sportif
protéger v. assurer, bénir conserver, encadrer, garantir garder, réfugier, supporter veiller
protège-tibia v. sportif
protéinémie v. protéine
protéine v. yaourt
protéinurie v. protéine
protèle v. hyène
protestation v. démonstration objection, pétition, plainte, réclamation, serment
protester v. contester, dire, élever, indigner, réclamer, refuser, répondre
prothèse v. ablation, appareil artificiel, dentaire, membre
protocole v. accord, cérémonie formalité, politesse, registre, règle, savoir-vivre, traité
protohistoire v. histoire, préhistoire
proton v. atome, hydrogène, noyau, particule
protonéma v. mousse
protonotaire v. papauté
protophyte v. microbe
protoplasme v. cellule
protothérien v. mammifère
prototype v. essai, exemplaire, modèle
protoxyde d'azote v. anesthésie, gaz
protozoaire v. animal, microbe
protubérance v. bosse, relief, saillie
proue v. nez
prouesse v. action, exploit, fait, performance, réussite, succès, vaillance
prouver v. confirmer, déceler, démontrer, établir, justifier, montrer, révéler
provenance v. origine
provende v. fourrage
provenir v. dépendre, naître partir, sortir, tenir
proverbe v. pensée, sentence
proverbial v. connu
provin v. plant
province v. division, État, pays
provincial v. État, religieux
provision v. aliment, avance, chèque, dépôt
provisoire v. court, fortune, passage, temporaire
provocant v. agressif, désinvolte
provocation v. défi
provoquer v. allumer, attirer, créer, déchaîner, engendrer, entraîner, entreprendre, éveiller, exciter, initiative, inspirer, mettre, naître, produire, réveiller, soulever, susciter
proxénète v. prostituée
proximité v. approche, distance, ressemblance
prude v. chasteté, puritain
prudence v. cardinal, modération, précaution, réserve, vertu
prudent v. adroit, attentif, méfiant, réfléchi, timide
pruderie v. pudeur
prudhommesque v. sentencieux
prud'hommes (conseil de) v. arbitrage, travail
pruine v. pellicule, prune
prune v. violet
pruneau v. prune

prunelée v. prune
prunelle v. prune
prunellier v. arbuste, épine
prurigo v. gratter, inflammation
prurit v. démangeaison
prytanée v. école
P.S. v. complément
psallette v. chœur
psalliote v. couche
psammophyte v. plante
psaume v. chant, hymne, messe, poème
psautier v. livre
psellion v. bracelet
pseudogley v. sol
pseudonyme v. emprunt, nom, plume
psilocybine v. drogue
psittacidés v. perroquet
psittacisme v. langage, parole, perroquet
psittacose v. oiseau
psychanalyse v. rêve
psyché v. âme, glace
psychiatre v. médecin, mental
psychiatrique v. folie
psychique v. mental
psychisme v. intérieur, mental
psychodrame v. drame
psychokinésie v. transmission
psycholinguistique v. psychologie
psychologie v. intention
psychométrie v. psychologie
psychométrique v. test
psychopompe v. conducteur
psychose v. caractère, mental, personnalité
psychosomatique v. maladie
psychostasie v. jugement
psychotechnique v. psychologie
psychotrope v. drogue
psychromètre v. thermomètre
psylle v. serpent
psyllion v. puce
ptéridophyte v. plante
ptérosauriens v. reptile
ptérylie v. plume
Ptolémée v. constellation
ptôse v. corset, descente
ptyalisme v. salive
puanteur v. bouc, infection
pub v. bar
pubère v. fille
puberté v. adolescence
public v. assemblée, assistance, destinataire, droit, État, officiel, ouvert, salle, solennel, spectateur
publicain v. fermier
publication v. annonce, communication, écrit, édition, organe, sortie
publicitaire v. conception, publicité
publicité v. imprimer, propagande, réclame, vente
publier v. afficher, communiquer, déclarer, diffuser, imprimer, paraître, public
publiphobe v. publicité
publivore v. consommateur, publicité
puce v. marché, occasion, peste, vermine
pucelle v. fille
pucheux v. cuiller
puck v. hockey
pudding v. dessert
pudeur v. réserve, scrupule, tenue
pudibonderie v. pudeur
pudique v. décent
puéricultrice v. enfance
puériculture v. bébé
puérilité v. enfant
pugilat v. bagarre, boxe, combat, échange
pugnacité v. opiniâtreté
puîné v. fils, frère
puisard v. puits
puisatier v. puits
puiser v. pomper, tirer
puiseur v. plongeur
puissance v. autorité, efficacité, énergie, force, grandeur, influence, potentiel, pouvoir, vigueur
puissant v. éclatant, énergique, important, violent
puits v. mine, point
pulicidés v. puce
pullman v. wagon
pull-over v. tricot
pullulement v. multiplication, quantité
pulluler v. pleuvoir
pulmonaire v. peste, souffle
pulpe v. bouillie, chair, dent
pulpite v. dent
pulque v. tequila
pulsatif v. douleur
pulsation v. battement, cœur, pouls
pulsion v. inconscient, instinct, tendance
pulvérisation v. désagrégation
pulvériser v. briser, écraser, piler, poudre
pulvérulent v. poudre
Puma v. hélicoptère
puma v. lion
pumicin v. huile
punaise v. vermine
Punch v. marionnette
punch v. mordant
punition v. amende, consigne, peine, pénitence, sanction, supplice, vengeance
puntarelle v. bracelet, corail
pupazzo v. marionnette
pupille v. orphelin, tuteur
pupitre v. musique, table
pur v. brut, chasteté, innocent, naturel, propre, raffiné, serein, simple
pureau v. ardoise, tuile
pureté v. colombe
purgatif v. laxatif, purge, ricin
purgatoire v. accès, paradis
purge v. parti, potion
purger v. débarrasser, subir
purgeur v. purge, robinet
purification v. désinfection
purifier v. assainir, débarrasser, filtrer, raffiner
purin v. fumier
purisme v. grammaire, langage
puritain v. austérité, protestant
puritanisme v. strict
puron v. lait
purpura v. hémorragie
purpurin v. pourpre
pur-sang v. race
purulent v. pus
pusillanime v. faible, méfiant, peureux, poltron, prudence, timide
pusillanimité v. lâcheté
pustule v. ampoule, bouton
putatif v. père, supposé
putréfaction v. décomposition, destruction, pourriture
putréfiable v. pourrir, putride
putréfié v. cadavre, gâté, putride
putrescence v. décomposition
putrescent v. cadavre
putrescible v. pourrir, putride
putride v. dégoûtant, pourriture
putsch v. attentat, complot, coup d'État, État, militaire, révolte
Puy v. dentelle
puy v. montagne
puzzle v. assembler, combinaison
pygargue v. aigle
Pygmées v. nain
pylône v. échafaudage, support
pylore v. estomac
pyogène v. pus
pyorrhée v. dent, pus
pyrale v. papillon, vigne
pyramide v. bille, échafaudage
pyramidion v. pyramide
Pyrée v. autel
pyrèthre v. poudre
Pyrex v. feu, verre
pyrite v. fer, plomb
pyrogravure v. gravure
pyromane v. brûler, feu, incendie
pyromètre v. température
pyromorphite v. plomb
pyrophore v. inflammable
pyrosis v. estomac
pyrotechnie v. explosif, feu d'artifice
pyrrhique v. danse
pyrrhonisme v. sceptique
Pythagore v. multiplication, triangle
pythie v. sorcier
pythiques (jeux) v. jeu
python v. serpent
pythonisse v. divination, sorcier
pyurie v. pus
pyxide v. coffre, tortue

Q.C.M. v. multiple
Q.H.S. v. condamnation, prison
Q.I. v. mental
quad v. motocyclette
quadragénaire v. quarante
quadrature v. lune, marée
quadrige v. char
quadrilatère v. carré, polygone, quatre
quadrillage v. carré
quadrille v. danse
quadrillé v. carreau
quadrivium v. mathématiques
quadrumane v. main, quatre
quadrupède v. quatre
quadruplex v. quatre
quaker v. protestant
qualification v. nom, titre
qualifier v. désigner, traiter
qualité v. attribut, droit, étoffe, pouvoir, propriété
quand v. pendant
quant-à-soi v. réserve
quantième v. date, jour
quantile v. statistique
quantique v. mécanique
quantité v. adverbe, nombre, régime, somme
quantum v. particule, quantité
quarantaine v. contagieux, écart, giroflée, interdire, isolement, peste
quarantenaire v. quarante
quark v. particule
quart v. gobelet, service
quartanier v. quatre
quarteron v. métis
quartier v. boucher, chaussure, militaire, noble, tranche, zone
quartier général v. base
quart monde v. pauvreté
quartz v. cristal, minéral, porcelaine
quasar v. galaxie, trou
quasi v. tranche
quasi-délit v. délit
quatrain v. quatre
quatre v. véhicule
quatre-cent-vingt-et-un v. dé
quatre-saisons v. légume, marchand
quatre-temps v. jeûne
quatrillion v. million
quatuor v. concert, groupe, orchestre
que v. relatif
quel v. relatif
quelconque v. banal, médiocre, ordinaire, second
quelque v. plusieurs, un
quelqu'un v. personne
quémander v. mendier, réclamer, solliciter
quenotte v. dent
quenouille v. fil, lit, taille
quercitron v. chêne, teinture
querelle v. bagarre, dispute, échange, escarmouche, incident, scène, séparation
quereller v. affronter
querelleur v. agressif
quérulence v. revendication
question v. inquisition, interpellation, objet, point, problème, sujet, torture
questionner v. demander, remettre
questure v. magistrature
quête v. recherche
quêter v. mendier, rechercher, recueillir, solliciter
quetsche v. prune
queue v. billard, comète, piano, poignée
queue (quart de) v. piano
queue-d'aronde v. menuiserie
queue-de-morue v. pinceau
queue-de-pie v. habit, vêtement
queue-de-rat v. lime
queue leu leu (à la) v. file
queuter v. billard
queux v. aiguiser
qui v. relatif
quiconque v. tout
quidam v. individu
quiddité v. essence
quiddoushim v. mariage
quiétude v. bien-être, douceur, paix, repos, sécurité, silence, tranquillité
quignon v. morceau
quillard v. course de bateaux
quillier v. quille
quinaud v. confus
quincaillerie v. bazar, ustensile
quine v. loto
quinine v. amer, malaria
quinquennal v. cinq
quinquet v. lampe
quinquina d'Europe v. frêne
quintaine v. cible
quintal v. cent, kilogramme
quinte v. accès, cinq, crise, toux
quintessence v. concentré, essence, meilleur, substance
quintessencié v. raffiné, subtil
quintette v. concert, groupe, orchestre
quintillion v. million
quintuple v. cinq
quinzaine v. semaine

quinziste v. quinze, rugby
quiproquo v. erreur, malentendu
quipu v. corde
quittance v. facture
quitter v. compagnie, dépouiller, évacuer, lâcher, laisser, ôter, renoncer, rompre
qui-vive (sur le) v. méfiant
quoaillant v. queue
quoi v. relatif
quolibet v. moquerie, plaisanterie
quote-part v. contribution, dépense, part
quotidien v. jour, journal, périodique, usuel
quotient familial v. impôt
quotient intellectuel v. mental
quotité v. part, quote-part

rabâcher v. répéter
rabais v. acheter, baisse, prix, promotion, solde, vente
rabaisser v. dénigrer
rabat v. cravate, rabais
rabat-joie v. renfrogné, trouble-fête
rabattre v. buisson, plier, retenir
rabbin v. culte, juif, religieux, synagogue, théologie
rabibocher v. raccommoder
râble v. dos
râblé v. solide
raboter v. menuiserie, polir
raboteur v. rabot
raboteux v. rude
rabotin v. rabot
raboture v. rabot
rabougri v. maigre
rabouillère v. gîte, lapin
rabouter v. raccorder
rabrouer v. brusque
racaille v. vermine
raccastiller v. réparer
raccommoder v. coudre
raccourci v. chemin, résumé
raccourcir v. bref, diminuer
raccoutrer v. raccommoder
raccrocher v. raccorder, rattraper
race v. genre, sang
racé v. altier
racer v. yacht
racheter v. compenser, rattraper, réparer, sauver
rachicentèse v. ponction
rachidien v. racine
rachis v. colonne vertébrale, épi, épine, vertèbre
rachitique v. constitution, maigre
rachitisme v. vitamine
racine v. attache, bouture, dent, mot, origine, pied, poil, radical
raciner v. racine, teindre
racisme v. colonisation, étranger, immigré, race, xénophobie
racler v. gratter
racolage v. prostituée
racoler v. aborder, attirer, recruter
racon v. radar
raconter v. répéter
racornir v. sécher
radar v. écho, onde
rade v. baie, port
radeau v. bateau
radiaire v. rayon
radial v. main
radiant v. point
radiation v. radioactivité
radical v. catégorique, fondamental, mot, racine, total
radicalisme v. radical
radicelle v. racine
radiculaire v. racine
radicule v. graine, racine
radié v. contrôle, rayon
radier v. pont, supprimer
radiesthésie v. baguette, pendule, radiation
radiesthésiste v. source
radieux v. content, éclatant, épanoui, heureux, joyeux, rayonner, somptueux, splendide
radioactivité v. atomique, uranium
radiodiffusion v. diffusion, radiocommunication
radioélément v. radioactif
radiogramme v. télégramme
radiographie v. radio
radio-isotope v. radioactif
radiologie v. radiographie
radiologue v. médecin
radionavigant v. radiocommunication
radiophonie v. radiocommunication
radioplomb v. radium
radioscopie v. radio
radiosonde v. sonde
radiotélégraphiste v. radiocommunication
radiothérapie v. cancer
radium v. uranium
radius v. bras
radon v. gaz, radium
radoter v. répéter
radouber v. filet, réparer
radula v. escargot
rafale v. feu, mitrailleuse, vent
raffermir v. ferme
raffinage v. chocolat, distillation, pétrole
raffiné v. courtois, dandy, délicat, extraordinaire, noble, recherché, spirituel, subtil
raffinement v. aristocratie, délicatesse, distinction, élégance, goût, perfection, recherche
raffiner v. acier, traiter
raffoler v. passionner
raffut v. tapage
rafiot v. bateau
rafistoler v. réparer
rafle v. dé, filet, maïs
rafler v. accumuler, cueillir
ragaillardir v. force, fortifier, fouet
rage v. fureur
rager v. colère, dépit
raglan v. manche
ragot v. bavardage, chronique, commérage, rumeur
ragoût v. fricassée, sauce
ragoûtant (peu) v. dégoûtant
ragréer v. réparer
rag-time v. jazz
raguer v. user
rahba v. lutte
rai v. rayon, roue
raid v. attaque, descente, expédition
raide v. brusque, engourdi, rigide, rude, sérieux
raidillon v. chemin, côte
raidir v. relever, tendre
raie v. sillon
rail v. parapet
railler v. bafouer, esprit, plaisanter, ridiculiser, rire, satire
raillère v. versant
raillerie v. flèche, plaisanterie
railleur v. moqueur, sarcastique
rainette v. batracien
rainure v. entaille
raire v. cerf
raisin v. mendiant
raisin de mer v. œuf
raisiné v. confiture
raison v. argument, but, cause, esprit, excuse, explication, intellectuel, intelligence, logique, motif, occasion, pensée, prétexte, sagesse, satisfaction, sens, sujet, surmonter, vertu
raisonnable v. intelligent, légitime, modéré, mûr, normal, réfléchi, sage, sérieux, suffisant
raisonnement v. dialectique, pensée, raison
raisonner v. penser
rajeunir v. rafraîchir, renouveler
rajuster v. réconcilier
raki v. liqueur, turc
râle v. bruit, gémissement, soupir
ralenti v. trucage
ralentir v. freiner, retenir, supprimer
ralentissement v. retard, stagnation
râler v. plaindre, réclamer
ralingue v. voile
rallier v. adhérer, assembler, convertir, croire, gagner, mêler
ralliformes v. grue
rallonge v. complément
ramadan v. abstenir (s'), jeûne, musulman, pénitence
ramage v. chant, feuillage
ramassage v. récolte
ramassé v. concis, serré
ramasse-miettes v. brosse
ramasser v. cueillir, relever
ramassis v. mélange, réunion
rambour v. pomme
ramdam v. bruit
rame v. aviron, métro, train, tuteur
ramé v. vol
rameau v. arbre, bénit, bouture, branche, osier
rameau d'olivier v. paix
Rameaux v. dimanche
ramée v. branche, feuillage
ramener v. rabattre, reculer, remettre, rendre
ramequin v. bol, fromage
ramer v. nager
ramie v. urticaire
ramier v. colombe, pigeon
ramification v. nerf
ramille v. branche
ramonage v. nettoyage
ramoner v. suie
rampant v. fronton, servile
rampe v. chemin, fusée, main, pente, scène
ramper v. humble, traîner
ramure v. arbre, bois, branche, cerf, corne
ranch v. cow-boy, ferme
ranci v. aigre
rancœur v. amertume, dégoût, dépit, désillusion
rançon v. otage
rancune v. grief, vengeance
randonnée v. excursion, marche, selle
randonneur v. cavalier
rang v. condition, degré, file, place, situation, statut
ranger v. accepter, ordonner, placer, rabattre, rendre, répartir, routier, série, situer
ranimer v. réchauffer, recommencer, relever, renouveler, réveiller, souffler
ranine v. langue
ranule v. langue
raout v. réception, réunion
rapace v. aigle, épervier, oiseau, proie
rapatriement v. changement
rapatrier v. patrie
râpe v. lime, maïs, ustensile
râpé v. clair
râper v. gratter, peler, user
rapetasser v. coudre, raccommoder, réparer
rapetisser v. tasser
râpeux v. rude
raphia v. fibre, palmier, vannerie
rapide v. bref, immédiat, sommaire, soudain, subit, vif
rapidement v. ventre
rapidité v. promptitude, rythme
rapiécer v. raccommoder, réparer
rapière v. épée
rapin v. apprenti
rapine v. vol
rappel v. réclame, tambour
rappeler v. allusion, rafraîchir, recommander, reconnaître, reconstituer, remettre, représenter, souvenir
rappointis v. pointe
rapport v. analogie, bénéfice, bulletin, communication, contact, dépendance, échelle, état, fil, inspecteur, intérêt, parenté, produit, proportion, raison, récit, relation, représentation, respect, ressemblance, similitude, taux, terme
rapporter v. dénoncer, indiscret, raconter, relation, remettre, rendre, répéter
rapporteur v. géométrie
rapprochement v. comparaison, ressemblance, réunion
rapprocher v. relation, ressemblance, unir
raptus v. acte
raquette v. badminton, battoir, cactus, neige
rare v. cher, étonnant, exceptionnel, extraordinaire, original, pair, précieux, recherché, singulier
raréfaction v. épuisement
rarement v. peu
rareté v. curiosité
ras v. près
raser v. abattre, approcher, démolir, serrer, tondre
rassasié v. plein, ventre
rassasiement v. faim
rassasier v. manger, satisfaire
rassemblement v. manifestation, mobilisation, parti, réunion, union
rassembler v. amasser, entourer, ordonner, reconstituer, recueillir, unir
rasséréner v. calmer, consoler, tranquille
rassir v. durcir
rassurant v. apaisant
rat (petit) v. ballet, danseur
ratafia v. liqueur
ratage v. veste
ratatiner v. tasser
rat d'hôtel v. cambrioler, voleur
rate v. ventre
râtelier v. bétail, étable, foin, fourrage

rater v. échouer, gâcher, imparfait
ratière v. piège
ratification v. sanction
ratifier v. accord, adopter, approuver, confirmer, entériner, valider, voter
ratiner v. friser
ratio v. taux
ratiociner v. couper, raisonner
ration v. mesure
rational v. hébreu
rationalisation v. industrie, intelligence
rationaliser v. rationnel
rationalisme v. raison
rationnel v. fraction, logique, méthodique, positif, raison, scientifique
rationnement v. régime
rationner v. répartir
ratisser v. chercher, nettoyer, rugby
ratites v. autruche
rat noir v. peste
raton v. fromage
rattachement v. annexion, réunion
rattacher v. appartenir, brancher, raccorder
ratte v. pomme de terre
rattraper v. redresser, relever, retenir
rature v. correction, trait
raucheur v. mineur
ravage v. dégât, dommage, sac
ravager v. piller, ruiner, saccager
ravageur v. meurtrier
ravalement v. mur, nettoyage, propreté, taille
ravaler v. branche, rabaisser, retenir
ravauder v. coudre, raccommoder, réparer
ravenelle v. giroflée
ravi v. content, enthousiaste, heureux
ravier v. hors-d'œuvre
ravière v. terrain
ravin v. creux, défilé, vallée
ravine v. torrent
raviner v. creuser, ride
ravioli v. pâte
ravir v. accumuler, confisquer, emporter, enchanter, obtenir, plaire, plaisir, rayonner, réjouir, soustraire
raviser (se) v. veste
ravissant v. charmant, joli, mignon, ravir, splendide
ravissement v. admiration, bonheur, délice, extase, plaisir
ravitaillement v. provision
ravitailler v. fournir, manger
raviver v. rafraîchir, recommencer, renouveler, réveiller
rayer v. supprimer
ray-grass v. fourrage
rayon v. cercle, circonférence, cire, gâteau, radiation, secteur, semer, sillon
rayonnage v. bibliothèque, rayon
rayonnant v. épanoui, joyeux
rayonne v. pneu, verre
rayonnement v. radiation, radioactivité, rayon, réflexion
rayonner v. briller
rayons gamma v. radiation
rayons ultraviolets v. radiation
rayons X v. radiation, trou
rayure v. marque
raz de marée v. marin, tremblement de terre
razzia v. pillage
Rê v. Soleil
réa v. poulie
réacteur v. atomique, réaction
réactif v. réaction
réaction v. défense, réflexe, résistance
réactionnaire v. conservateur, réaction, traditionaliste
réagir v. relever, rendre, répondre, riposter, secouer
réale v. galère
réalgar v. arsenic, minéral
réalisable v. facile, possible
réalisation v. application, façon
réaliser v. apercevoir, compte, conclure, concret, conscience, créer, éprouver, exécuter, faire, mener, réel
réalisme v. ressemblance
réaliste v. populaire, positif, pratique
réalité v. indicatif
Realpolitik v. réalisme
réapparition v. retour
rebab v. violon
rébarbatif v. brusque, ennuyeux, ingrat, revêche, sévère
rebâtir v. relever
rebattre v. matelas, répéter
rebattu v. usé
rebec v. violon
rebelle v. adversaire, révolutionnaire
rebeller (se) v. désobéir, refuser
rébellion v. agitation, désobéissance, émeute, fronde, indépendance, opposition, rebelle, résistance, révolte, soulèvement
rebiffer (se) v. refuser
reboisement v. végétation
rebondi v. bouffi, rond
rebondissement v. récit, vague
rebot v. pelote
rebours (à) v. sens
rebouteux v. guérisseur, médecin
rebrousse-poil (à) v. sens
rebrousser v. revenir
rébus v. complexe, énigme
rebut v. écume
rebut (mettre au) v. jeter
rebutant v. ennuyeux
rebuter v. choquer, décourager, déplaire, effrayer, rabrouer, refuser
récalcitrant v. rebelle, revêche, têtu
recaler v. refuser
récapitulation v. répétition, résumé
récapituler v. revue
recarreler v. réparer
recel v. délit, détention
receler v. abriter, cacher, comprendre, contenir, garder, posséder
récemment v. date
recensement v. compter, population
recenser v. appel, compter, parcourir, revue
recension v. comparaison, examen
récent v. frais, neuf, nouveau
recepage v. taille
récépissé v. bulletin, facture, quittance, warrant
récepteur v. poste, réception, téléphone, télévision
récepteur-émetteur v. radio
réceptif v. sensible
réception v. accueil, cérémonie, compagnon, fête, invitation, permanence, saut, visite
réceptionner v. recevoir
réceptionniste v. hôte
récessif v. gène
récession v. baisse, crise, dépression, mouvement, production
recette v. budget, bureau, finances
recevable v. acceptable, bon, plausible, possible, valable
receveur v. douane, impôt, recette
recevoir v. loger, subir, toucher
réchapper v. échapper, revenir, sortir
recharge v. cartouche
réchaud v. réchauffer, ustensile
réchauffement v. dégel
rêche v. dur, revêche, rude, velours
recherche v. délicatesse, enquête, inquisition, investigation, reconnaissance
recherché v. raffiné, soigné, sophistiqué
rechercher v. poursuivre, souhaiter
rechigner v. hésiter, morose, renfrogné
rechute v. répétition, retour
récidive v. délit, répétition
récidiver v. recommencer
récidiviste v. délinquant, faute
récif v. banc, écueil, île, rocher
récipiendaire v. académie, diplôme, nomination
récipient v. bassin, pot, vase
récipient florentin v. vase
réciproque v. échange, inverse, mutuel
réciproquement v. retour
récit v. aventure, biographie, chronique, compte, conte, description, information, nouvelle, orgue, relation, représentation
récital v. concert, tour
récitatif v. chant, opéra, récit
réciter v. raconter
réclamation v. demande, pétition, plainte, revendication
réclame v. faucon, publicité
réclamer v. demander, exiger, prescrire, recommander, solliciter, vouloir
reclus v. seul
réclusion v. arrestation, captivité, peine, prison
récolement v. vente
récoler v. témoin
recoller v. unir
récolte v. moisson
récolter v. amasser, cueillir, recevoir
recommandation v. avertissement, faveur, introduction, patronage
recommander v. adresser, prêcher, réclamer
recommencement v. retour
recommencer v. remettre, renouveler, répéter
récompense v. bénir, indemnité, prime, prix, retour
réconciliation v. péché
réconcilier v. accorder, raccommoder, remettre, réunir
reconduire v. renouveler
réconfort v. appui, consolation, secours
réconfortant v. apaisant, cordial, fortifier
réconforter v. aider, consoler, réchauffer, relever, remettre, soulager, soutenir
reconnaissance v. examen, exploration, gratitude, routine
reconnaissant v. obligé
reconnaître v. admettre, avouer, concéder, établir, inspecter, recevoir, remettre, vérifier
reconnu v. établi
reconstituant v. stimulant, tonique
reconstituer v. recouvrer
reconstitution v. récit, synthèse
reconstruire v. relever
reconversion v. conversion
reconvertir v. réconcilier
record v. performance
recordman v. champion, record
recoudre v. raccommoder, réparer
recoupe v. éclat, farine
recoupement v. reconstituer
recourir v. employer, manier, œuvre, passer, prendre, utiliser
recours v. appel, refuge, ressource
recouvrable v. perceptible
recouvrement v. impôt, perception
recouvrer v. guérir, percevoir, santé
recouvrir v. regard
récréance v. bénéfice
récréatif v. plaisant
récréation v. distraction, passe-temps, pause, repos
recrépir v. réparer
récrier v. réclamer
récrimination v. grief, plainte, reproche
récriminer v. maudire, réclamer, répondre
récrire v. transformer
recroqueviller v. tasser
recru v. fatigue
recrudescence v. accroissement, aggravation
recrue v. partisan, recruter, soldat
recrutement v. appel
recruter v. embaucher, engager
rectangle v. triangle
recteur v. oiseau, plume, président
rectification v. correction, modification
rectifier v. améliorer, perfectionner, redresser
rectiligne v. droit
rectitude v. raison
recto v. côté, feuille, opposé, page
rectum v. anus, intestin
reçu v. bulletin, état, quittance, reconnaissance
recueil v. bulletin, catalogue, commentaire, réunion
recueillir v. amasser, enregistrer, extraire, méditer, percevoir, recevoir, réfléchir, réunir
recuit v. acier, monnaie
recuite v. raffinage
recul v. mouvement, reflux
reculade v. fuite
reculé v. ancien
reculer v. battre, éloigner, vaincre
reculons (à) v. reculer
récupérer v. racheter, recouvrer
récurer v. laver

récurrent v. revenir
récursif v. récurrent
récusable v. témoignage
récuser v. contester, déporter, fuir, nier, refuser, réfuter
recyclage v. conversion, université
rédacteur v. journaliste
rédaction v. forme
redan v. saillant
reddition v. abandon, arme, capitulation, combat
Rédemption v. catholicisme, mystère
redevable v. impôt
redevance v. abonnement, charge, droit, impôt
rédhibition v. vente
rédhibitoire v. appel
rédiger v. dresser, écrire
rédimer v. racheter
redingote v. manteau, vêtement
redire v. répéter
redite v. banalité, répétition
redondance v. pléonasme, répétition
redondant v. récurrent, superflu
redonner v. rendre
redoublé v. fréquent, rime
redoublement v. augmentation, répétition
redoubler v. recommencer
redoutable v. dangereux, rude
redoute v. bal, fête, fortification
redouter v. craindre, soupçonner, trembler
redresser v. rectifier, relever, remettre, réparer
réducteur v. simple
réductible v. comprimé
réduction v. baisse, déduction, désarmement, diminution, prix, raffinage, solde
réduire v. aplanir, atténuer, conduire, diminuer, ébrécher, forcer, piler, rabaisser, raccourcir, rattraper, résumé, rogner, sauce, soumettre, taire, venir
réduit v. cabinet, étroit, local
réduplicatif v. récurrent
réduplication v. répétition
réel v. effectif, exact, objectif, positif, propre, réalité, sérieux, surface, vrai
réexpédition v. retour
refaçon v. version
réfaction v. diminution
refaire v. rattacher, recommencer, renouveler, réparer, répéter
réfection v. abîmer
réfectoire v. repas
refend (mur de) v. mur
refendre v. scier
référence v. autorité, mention, renvoi, source
référendum v. consultation, vote
référer v. feuilleter
réfléchi v. mûr, réciproque, sérieux
réfléchir v. creuser, délibérer, demander, méditer, penser, recueillir, répéter, songer, spéculer
reflet v. orient, réflexion, reproduction
refléter v. réfléchir, représenter
réflexe v. involontaire, mouvement, réaction
réflexif v. réfléchi
réflexion v. arc-en-ciel, concentration, délibération, écho, intelligence, note, observation, pensée, pondération, prudence
refluer v. reculer, refouler
reflux v. marée
refondre v. changer
refonte v. correction, modification, réforme, version
reformage v. pétrole
Réformation v. réforme
réforme v. amélioration
réformé v. contrôle, hétérodoxe, protestant
réformer v. changer, moderniser, rectifier, transformer
réformiste v. réforme
refoulement v. inconscient, oubli, sexualité
refouler v. commander, contraindre, dissiper, écarter, effacer, empêcher, étouffer, reculer, refuser, retenir, taire
réfractaire v. argile, serment
réfracter v. briser, rayon
réfraction v. arc-en-ciel, déviation
refrain v. répétition
refréner v. borner, calmer, contenir, contraindre, étouffer, freiner, refouler, tempérer
réfrigérer v. froid, geler, rafraîchir
réfringence v. rayon
refroidir v. rafraîchir
refuge v. abri, gîte, montagne, oasis, ressource, rue, sauvegarde
réfugié v. étranger, expatrié, immigré
réfugier v. cacher
refus v. désobéissance, fin, négatif, rebelle, résistance, xénophobie
refuser v. désavouer, fermer, interdire, récuser, regarder, répondre
réfutable v. faible
réfutation v. contradiction, objection, raison, raisonnement, réfuter, reproche
réfuter v. contester, défendre, raisonnement, récuser, regarder, répondre
reg v. désert
regagner v. revenir
regain v. herbe, retour, souffle
régal v. plaisir
régaler v. manger, offrir, plaire, réjouir
régalien v. royal
régalis v. trace
regard v. vue
regarder v. réfléchir, tenir
régate v. bateau, cravate, planche à voile, voilier
régence v. gouvernement
régénérer v. reconstituer, renouveler
régent v. souverain
régenter v. autorité, commander, dominer
régicide v. meurtrier, roi
régie v. direction, impôt, monopole
regimbement v. résistance
regimber v. contester, refuser, révolter
régime v. banane, constitution, fleuve, gouvernement, grappe, pouvoir, règle, système, vitesse
régiment v. cavalerie, troupe, unité
reginglette v. piège
région v. département, division, État, nation, partie, pays, province, territoire, unité, zone
régional v. élection
régionalisation v. division
régir v. diriger
régisseur v. administrateur, agent, domestique, gérant, théâtre
registre v. cahier, comptabilité, étendue, imaginaire, niveau, orgue, recueil, rôle, son, voix
règle v. autorité, code, couvent, critère, cycle, définition, enseignement, instruction, intelligence artificielle, principe, procédure, standard
réglé v. uniforme
règlement v. conclusion, consigne, contrainte, décret, paiement, règle, statut
réglementaire v. légal, règle, valable, valide
réglementation v. droit
régler v. acquitter, expédier, finir, intervenir, juger, organiser, payer, présider, trancher
réglisse v. bonbon
règne v. durée, royaume
régner v. gouverner
regorger v. plein
regrat v. vente
régresser v. inverse, reculer
régression v. mouvement, retour
regret v. excuse, remords
regrettable v. dommage, fâcheux, malheureux, sombre
regretter v. affliger
regros v. chêne
regrouper v. ordonner, réunir
régularité v. harmonie, ponctualité, règle, unité
régulateur v. pendule
régulier v. alternatif, beau, bénéfice, chinois, clergé, constant, égal, imitation, moine, monotone, naturel, net, normal, périodique, plat, polygone, prêtre, règle, religieux, uniforme
régulièrement v. fixe
régurgitation v. renvoi
régurgiter v. vomir
réhabilitation v. abîmer, renvoi
réhabiliter v. conserver, racheter, suspect
rehausser v. améliorer, embellir, illustrer, relever, valeur
réhoboam v. litre
réincarnation v. futur
Reine v. symphonie
reine v. abeille, dame
reine-claude v. prune
reinette clochard v. pomme
reinette du Canada v. pomme
reinettes (reine des) v. pomme
reis v. turc
réitérer v. multiplier, recommencer, renouveler, répéter
reître v. soldat
rejaillir v. rebondir
rejaillissement v. conséquence
rejet v. bourgeon, choix, plant, refoulement, xénophobie
rejeter v. écarter, éjecter, éliminer, évacuer, exclure, faire, rabrouer, récuser, refuser, réfuter, rendre, renoncer
rejeton v. bourgeon, branche
réjoui v. épanoui, gai, heureux, joyeux
réjouir v. féliciter, plaire, rire
réjouissance v. fête, joie, plaisir
réjouissant v. amusant, plaisant
relâche v. fermeture, interrompre, pause, repos, théâtre
relâché v. souple
relâcher v. élargir, libérer, négliger, toucher
relais v. athlétisme, travail
relaps v. hérésie, religion
relater v. exposer, raconter
relatif v. arbitraire, majorité proposition
relation v. analogie, attache brancher, compte, connaissance, contact, dépendance diplomatie, fréquentation identité, parenté, récit, ressemblance, terme, valeur
relativité v. relatif, valeur
relaxation v. calme
relaxe v. renvoi
relaxer v. acquitter, élargir libérer
relayer v. alterner, relever, sentinelle, succéder
relégation v. condamnation déportation, peine
reléguer v. exiler, plan
relent v. odeur
relevé v. compte, épicé, fort piquant, recensement, résumé rôle
relèvement v. hausse
relever v. appartenir, concerner, dépendre, élever, embrouiller, monter, noter, partie, racheter, réconforter redresser, remettre, saler sentinelle, souligner, valoir
releveur v. paupière
relief v. bosse, repas, saillie splendeur, tridimensionnel
relier v. assembler, raccorder rattacher, unir
religieux v. civilisation, clergé institution, pie, pieux
religion v. confession, foi
reliquaire v. boîte, saint
reliquat v. solde, soustraction
relique v. ancien, cadavre, martyr, saint
reluire v. briller
reluquer v. regarder
remâcher v. ruminer
remailleuse v. bas
rémanence v. magnétique
remaniement v. correction modification, réforme, version
remanier v. améliorer, arranger, changer, réparer, revoir transformer
remarquable v. admirable bon, éblouissant, étonnant, exceptionnel, exemplaire, extraordinaire, insigne, magnifique, merveilleux, particulier saillant, sensationnel, spécial superbe
remarque v. critique, explication, objection, observation réflexion, reproche
remarquer v. apercevoir, intéressant, noter, percevoir, reconnaître, regarder, relever, signaler
rembarrer v. brusque, remettre répondre
remblayer v. boucher
remboîter v. remettre
rembouger v. remplir, tonneau
rembourrer v. garnir
rembourser v. payer, rendre
rembrunir v. sombre, triste
remède v. consolation, drogue médicament, pharmacie, potion, ressource, soulager
remédier v. compenser, parer réparer

remembrement v. droit
remémorer v. évoquer, parcourir, penser, représenter, souvenir
remerciement v. reconnaissance
remercier v. bénir, porte, refuser, séparer
réméré v. acheter
remettre v. adresser, délivrer, déplacer, déposer, laisser, pardonner, passer, recommencer, reconnaître, relever, rendre, renoncer, sauver, suspendre
remiage v. cidre
rémige v. aile, coq, oiseau, plume
réminiscence v. pensée, souvenir
remise v. abri, baisse, baraque, cabinet, commission, ferme, hangar, livraison, prix, rabais, renvoi, retard, solde, taillis
rémission v. apaisement, calme, confession, intervalle, maladie, pardon
rémittence v. calme, maladie
rémiz v. mésange
remmailler v. raccommoder
remodelage v. lifting
remontant v. cordial, reconstituer, stimulant, tonique
remontée mécanique v. téléski
remonte-pente v. ski, téléski
remonter v. force, relever, ressort, soutenir
remontrance v. blâme, mise, observation, reproche, sermon
rémora v. pilote
remords v. regret, reproche
remorquage v. traction
remorquer v. tirer
rémoulade v. mayonnaise
remoulage v. farine
rémouleur v. aiguiser, tranchant
remous v. agitation, mouvement, tourbillon, vague
rempailler v. garnir
rempailleur v. chaise
rempart v. château
rempiéter v. réparer
remplacement v. substitution
remplacer v. alterner, doubler, relever, représenter, succéder
remplage v. réseau
rempli v. plein
remplir v. charger, satisfaire, tenir
remporter v. gagner, obtenir
remuant v. turbulent
remue-ménage v. mouvement
remuement v. mouvement
remuer v. brouiller, ébranler, émouvoir, secouer
remueuse v. bercer
remugle v. odeur
rémunérateur v. argent
rémunération v. paiement, revenu, salaire
rémunérer v. donner, payer
renaissance v. réincarnation, retour
renaître v. recommencer, relever, renouveler
Renaudot v. concours, littérature
renchéri v. fier
renchérissement v. hausse
rencontre v. aventure, conjonction, contact, entrevue, épreuve, match, réunion
rencontrer v. croiser, éprouver, rendre
rendement v. efficacité, production, usine
rendez-vous v. entrevue, maison, rencontre
rendre v. livrer, prisonnier, prononcer, répondre, représenter, résistance, soumettre, vaincre, vomir
rêne v. guide
renégat v. religion, traître
renfermé v. secret, silencieux, sobre
renfermer v. comprendre, contenir, posséder
renflouer v. remettre
renforcer v. asseoir, fortifier, majorité, raccommoder, solide
renformir v. mur
renfort v. auxiliaire, secours
renfrogné v. morose
renfrogner (se) v. grimace, sombre
rengaine v. répétition
rengorger (se) v. roue, vanité
reniement v. conversion
renier v. abandonner, désavouer, nier, renoncer
reniflard v. soupape
renifler v. respirer, sentir
rénitence v. résistance
renne v. cerf
renom v. réputation
renommé v. fameux, célèbre
renommée v. gloire, nom, réputation, succès, vedette
renoncement v. concession, détachement
renoncer v. désarmer, détacher, enterrer, reculer, refuser, sacrifier
renonciation v. cession, démission
renonculacées v. anémone
renouer v. réconcilier
renouveler v. recommencer, répéter
rénovation v. abîmer, amélioration, transformation
rénover v. bricoler, changer, moderniser, neuf, rafraîchir, renouveler, réparer
renseignement v. élément, indication, information, nouvelle
Renseignements généraux v. police
renseigner v. courant, éclairer, initiative, interroger, questionner, renseignement, savoir
rentable v. succès
rente v. impôt, intérêt, revenu
rentier v. bourgeois
rentoilage v. peinture
rentoiler v. tableau
rentré v. sourd
rentrée v. inauguration, recette, retour
rentrer v. concerner, refouler
renversé v. accord, plongeon
renversement v. avion, bouleversement, coup d'État, revirement
renverser v. basculer, battre, bousculer, démolir, démonter, vaincre
renvoi v. indication, retour, rot
renvoyer v. exclure, expulser, porte, rabrouer, réfléchir, refuser, remettre, rendre, renoncer, séparer
réorientation v. conversion
repaire v. abri, bandit, gîte, nid, tanière
repaître v. nourrir
répandre v. couler, courir, dégager, diffuser, écho, éparpiller, étendre, parsemer, pleur, propager, rayonner, remplir, renverser, semer, souffler, verser
répandu v. général
réparation v. amélioration, raison, satisfaction, vengeance
réparer v. bricoler, compenser, corriger, état, neuf, raccommoder, rattraper, rectifier, remettre
repartie v. retour
repartir v. répondre
répartir v. classer, disposer, diviser, étaler
répartition v. distribution, partage, pondération
repas v. veau
repasser v. répéter
repasseur v. aiguiser
repêchage v. rattraper
repentance v. remords
repentir v. confession, faute, pardon, pénitence, regret, regretter, remords
répercussion v. conséquence, écho, retour, son, suite
répercuter v. réfléchir
repère v. marque, signe
repérer v. apercevoir, voir
répertoire v. cahier, catalogue, liste, recueil, registre, renseignement
répertorier v. classer, enregistrer
répéter v. étudier, fréquent, imiter, multiplier, réclamer, recommencer, renouveler
répétitif v. récurrent
répétition v. entraînement, pléonasme, retour, rythme
repiquage v. peinture
repiquer v. planter
répit v. arrêt, délai, entracte, feu, halte, intervalle, repos
replacer v. remettre, situer
replanter v. redresser
replat v. plate-forme
replâtrer v. réparer
replet v. chair, gras, rond
repli v. combat, isolement, nœud
repliable v. mobile
replier v. isoler, recueillir, reculer
réplique v. comédien, copie, double, pendant, répétition, retour, tirade
répliquer v. raisonner, répondre, riposter
répondant v. otage, responsable
répondeur v. téléphone
répondeur-enregistreur v. téléphone
répondre v. garantir, relever, remplir, rendre, responsable, riposter, satisfaire
répons v. chœur
réponse v. acte, écho, immunitaire, réaction, résultat, verdict
report v. renvoi, sursis
reportage v. correspondance, récit
reporter v. déplacer, journaliste, remettre, tard
repos v. récréation, sommeil
reposant v. tranquille
reposée v. tanière
reposer v. pendre, remettre, vert
reposoir v. autel
repoussant v. affreux, dégoûtant, hideux, laid, sale
repoussé v. relief
repousser v. choquer, écarter, éloigner, exclure, reculer, refouler, refuser, renouveler, tard
répréhensible v. coupable
reprendre v. défaut, raisonner, rattraper, recommencer, recouvrer, relever, remettre
représailles v. attaque, expédition, réciproque, revanche, vengeance
représentant v. agent, délégué, démarcheur, marchand, rabbin, voyageur
représentatif v. typique
représentation v. ambassade, dessin, exhibition, image, inconscient, projection, signe, spectacle, symbole, vision
représenter v. donner, enregistrer, évoquer, exprimer, figurer, imaginer, peindre, personnifier, réaliser, rendre, voir
répressif v. police, policier
répression v. étouffement, sanction
réprimande v. avertissement, blâme, observation, ordre, reproche
réprimander v. attraper, corriger, gronder, leçon, raisonner, remettre, sermon
réprimer v. calmer, commander, contenir, contraindre, dominer, étouffer, freiner, punir, refouler, retenir, surmonter
repris de justice v. condamné
reprise v. équitation, réclame, répétition, retour, souffle
repriser v. coudre, raccommoder, réparer
réprobation v. blâme, désapprobation, foudre, malédiction
reproche v. critique, désapprobation, foudre, observation
reproducteur v. sexuel
reproduction v. copie, imitation, répétition, représentation
reproduire v. imiter, peindre, perpétuer, refléter, rendre, renouveler, répéter
réprouvé v. damné
réprouver v. condamner, critiquer, désavouer, juger, maudire
reptation v. serpent
reptile v. serpent
repu v. manger, plein, ventre
république v. État, pays, politique
répudiation v. mari
répudier v. renoncer
répugnance v. dégoût, impression, opposition
répugnant v. écœurant, hideux, horrible, ignoble, laid, mauvais, sale
répugner v. dégoût, déplaire, ventre
répulsion v. abominable, dégoût, horreur, peur
réputation v. image, marque, nom
réputé v. célèbre, fameux
requérir v. demander, exiger, occuper, réclamer, solliciter
requête v. appel, demande, démarche, pétition, plainte, réclamation
requiem v. chant, concert, deuil, funèbre, messe
requis v. compétent
réquisition v. saisie
réquisitoire v. accusation, avocat, discours, reproche
rescapé v. sauf, sauver, survivre
rescinder v. casser
rescision v. contrat, renvoi

rescousse v. secourir
rescrit v. bulle, lettre, papauté
réseau v. dentelle, labyrinthe, sphère, texture, voie
réséquer v. couper
réservataire v. succession
réserve v. bénéfice, concentration, dépôt, économie, entier, hésitation, magasin, marge, mesure, modération, parc, provision, pudeur, résistance, respect, ressource, sauf, stock, tenue, territoire, trésor
réservé v. effacé, froid, grave, secret, silencieux, sobre
réserver v. destiner, garder, prendre, retenir, vigilance
réserviste v. militaire, mobilisation, réserve
réservoir v. cartouche, lac, pétrole, réserve
résidence v. domicile, habitation, maison, université
résident v. colonie, étranger, immigré, pays
résidentiel v. stationnement
résider v. demeurer, descendre, habiter, loger, séjourner
résidu v. chute, déchet, issue
résignation v. acceptation, pauvreté
résigné v. passif
résigner v. accepter, céder, courber, dos, incliner, plier, quitter, raison, renoncer, soumettre
résiliation v. bail
résilier v. annuler, contrat, marché, renoncer, rompre
résille v. cheveu, filet, réseau, vitrail
résine v. conifère, dentaire, encens
résineux v. résine
résipiscence v. faute, pénitence, regret, remords
résistance v. défense, dureté, fatigue, fin, force, hésitation, opposition, réaction, rebelle, ressort, ressource, santé, souffle, vaillance
résistant v. maquis, partisan, puissant, robuste, solide, vigoureux
résister v. désobéir, durer, face, inertie, persévérer, supporter, survivre
résistivité v. résistance
résolu v. ambitieux, convaincu, décidé, hardi, volontaire
résolument v. ferme
résolution v. choix, délibération, détermination, force, intention, solution, volonté
résonance v. écho, son
résonner v. sonner
résorption v. disparition
résoudre v. conclure, débrouiller, décider, déterminer, finir, solution, trancher, trouver, venir
respect v. honneur, observation, piété, politesse, révérence, saluer
respectable v. digne, majestueux, sacré
respecter v. cas, épargner, obéir, suivre, tenir
respectueux v. poli
respiration v. souffle
respirer v. santé, sentir, suer
resplendir v. briller
resplendissant v. éclatant, frais, santé, splendide, superbe
responsabilité v. charge, devoir, faute, obligation, occupation, soin
responsable v. artisan, auteur, digne
ressac v. vague
ressaisir v. bête, rattraper
ressasser v. répéter, ruminer
ressaut v. saillie
ressemblance v. analogie, réalisme, similitude, vérité
ressembler v. imiter, tenir
ressemeler v. réparer
ressentiment v. déception, dépit, haine, hostilité, vengeance
ressentir v. éprouver, sentir, subir
resserre v. abri, hangar, magasin, pièce
resserrer v. étrangler
ressort v. concerner, dépendre, énergie, mordant, rayon, ressource, secteur, store, trancher
ressortir v. dégager, détacher, relever, relief, ressort, résultat, valeur, valoir
ressortissant v. citoyen, immigré
ressource v. capacité, existence, invention, potentiel, refuge, ressort, richesse
ressouvenir (se) v. souvenir
ressuer v. humidité, transpirer
ressusciter v. relever, sauver
restant v. soustraction
restaurant v. repas, université
restauration v. abîmer, amélioration, monument, réaction, roi
restaurer v. conserver, consommer, corriger, état, manger, neuf, rafraîchir, réparer
reste v. déchet, excédent, relief, repas, surplus
reste (du) v. ailleurs
rester sourd v. fermer
restituer v. remettre, rendre, vomir
restreindre v. alléger, borner, diminuer, limiter
restreint v. étroit, modeste
restrictif v. relatif
restriction v. entier, exception, réserve
résultat v. illustration, issue, solution, succès, suite
résulter v. dégager, dépendre, naître, provenir, sortir, tenir
résumé v. bref, condensé, contraction, synthèse
résumer v. raccourcir, représenter, simplifier, tenir
résurgence v. sortie, source, surgir
résurrection v. âme, catholicisme
retable v. autel, tableau
rétablir v. compenser, guérir, recouvrer, rectifier, relever, remettre, réparer, sauver
rétamer v. ivre
retaper v. rafraîchir, réparer
retard v. inexactitude
retardement v. retard
retarder v. reculer, remettre
retenir v. étouffer, intéresser, inviter, maintenir, parer, rattraper, refouler, solliciter, supprimer
retenter v. recommencer
retentissant v. éclatant, fort, sonore
retentissement v. retour
retenu v. décent
retenue v. consigne, mesure, modération, pudeur, punition, réserve, retenir
rétiaire v. gladiateur
réticence v. hésitation, omission, sous-entendu
réticule v. cheveu, filet, sac
réticulé v. réseau
rétif v. revêche, têtu
rétine v. membrane, œil
rétinite v. œil
rétinoblastome v. cancer
retiré v. invisible, loin
retirer v. bagage, bille, dégager, dépouiller, disposer, enlever, enterrer, évacuer, exiler, extraire, isoler, ôter, partir, quitter, recueillir, réfugier, seul, sortir
retombée v. poussière, voûte
rétorquer v. répondre, riposter
retors v. fil, fin, hypocrite, sinueux, sournois
retouche v. modification
retoucher v. améliorer, arranger, corriger, défaut, perfectionner, revoir
retour v. échange, renvoi, répétition
retournement v. avion, revirement, version
retourner v. face, labourer, plongeon, rattraper, rendre, revenir
retracer v. décrire, exposer, raconter, représenter
rétractation v. revirement
rétracter v. désavouer, refuser, revenir, veste
rétraction v. contraction
retrait v. privation, reflux
retraite v. gîte, pension, refuge, solitude, tanière
retraité v. vieillard
retranchement v. fortification
retrancher v. abriter, amputer, distraire, ôter, soustraire, supprimer
rétrécir v. diminuer, étrangler
rétribuer v. donner, payer
rétribution v. récompense, salaire
rétroactif v. passé
rétrocéder v. céder, vendre
rétrocession v. concession
rétrociter v. rendre
rétrogradation v. mouvement
rétrograde v. conservateur, moderne, suranné
rétrograder v. frein, inverse, reculer
rétrogression v. mouvement
rétrospectif v. passé
retrousser v. manche, relever
retroussis v. revers
retrouvailles v. rencontre
retrouver v. rattraper, recouvrer
Retrovir v. sida
rétroviseur v. derrière
rets v. réseau
retsina v. grec
réunion v. course hippique, mobilisation, rencontre, union
réunir v. assembler, entourer, inviter, réconcilier, recueillir, unir
réussi v. heureux
réussir v. bout, parvenir, rattraper, remplir, résultat
réussite v. fortune, résultat, succès, triomphe, victoire
revaloriser v. relever
revanche v. manche, retour, vengeance
rêvasser v. bayer
rêve v. espoir, illusion
revêche v. aigri, morose, renfrogné
réveil v. retour, tambour
réveiller v. renouveler, repos, secouer
réveillon v. Noël
révélateur v. caractéristique, signification
révélation v. annonce, apparition, autopsie, conversion, déclaration, découverte, dieu, initiation, vision
révéler v. accuser, annoncer, apparaître, communiquer, confier, déceler, découvrir, démontrer, dénoncer, indiquer, livrer, manifester, montrer, présenter, proclamer, prouver, public, sentir, signaler, témoigner, trahir, transmettre
revenant v. apparition, esprit, fantôme
revendeur v. trafiquant
revendication v. manifestation, pétition, plainte, prétention, réclamation
revendiquer v. exiger, réclamer
revendre v. vendre
revenir v. appartenir, coûter, inverse, refuser, retour
revenu v. impôt, recette, salaire
rêver v. comète, méditer
réverbération v. écho, lumière, réflexion
réverbère v. bec, gaz
réverbérer v. réfléchir
reverchon v. cerise
reverdir v. vert
reverdissage v. tannage
reverdissement v. feuille
révérence v. respect, saluer
révérencieux v. poli
révérend v. pasteur, religieux
révérer v. admirer, considérer
rêverie v. idée, illusion, imagination, pensée
revers v. accident, côté, derrière, dos, échec, malheur, monnaie, tennis
réversion v. retour
revêtement v. pavage, protection
revêtir v. mettre
rêveur v. distrait, nuage, romanesque
revigorant v. tonique
revigorer v. force, fouet, fortifier
revirement v. retour
réviser v. bricoler, revoir
révision v. réforme, version
révisionniste v. communisme
revivifier v. rafraîchir
reviviscence v. vie
révocation v. démission, renvoi, sursis
revoir v. rectifier
révoltant v. écœurant, horrible, scandaleux
révolte v. désobéissance, émeute, fronde, indignation, opposition, soulèvement, violence
révolté v. hérissé, rebelle
révolter v. bouger, contester, désobéir, dresser, refuser
révolu v. achèvement, complet, passé
révolution v. astre, brusque, conversion, coup d'État, cycle, imagination, période, rotation, satellite, soulèvement, tour
Révolution française v. démocratie
révolutionnaire v. audacieux, avant-garde, neuf, non conformiste, radical, réforme, socialisme

révolutionner v. transformer
revolver v. feu, pistolet
révoquer v. contrat, licencier, refuser, relever, supprimer
revue v. bulletin, contrôle, périodique, publication, spectacle
revuiste v. revue
révulsif v. iode
rhabdoïde v. baguette
rhabdomancie v. baguette, divination
rhabdomancien v. source
rhabiller v. renouveler
rhagade v. gerçure
rhapis v. palmier
rhapsode v. chanteur, poète
rhapsodie v. poème
rhéologie v. écoulement
rhéomètre v. écoulement
rhéostat v. résistance
rhésus v. immunitaire
rhéteur v. orateur
rhétorique v. apostrophe, art, convaincre, éloquence, interrogation, règle, style
rhéto-roman v. roman
rhinite v. rhume
rhinologie v. nez
rhinolophe v. chauve-souris
rhinoplastie v. nez
rhinopome v. chauve-souris
rhinovirus v. rhume
rhizoïde v. mousse
rhizome v. fraisier, roseau, tige
rhizostome v. gelée
rhododendron v. arbuste
rhombique v. losange
rhomboèdre v. losange
rhomboïdal v. losange
rhoncus v. ronflement
Rhovyl v. tissu
rhumatisant v. rhumatisme
rhumatisme v. articulation, immunitaire
rhumatoïde v. rhumatisme
rhumatologie v. rhumatisme
rhumatologue v. manipulation, médecin
rhume v. inflammation, nez, rhinite
rhyolithe v. lave
rhythm and blues v. jazz
rhyton v. corne
ria v. golfe, mer
riant v. gai
ribambelle v. nombre, suite
ribaudequin v. chariot
riblon v. déchet
ribonucléique v. noyau
ribot v. lait
ribote v. festin
ricaner v. rire
riche v. brillant, puissant
richelieu v. chaussure
richesse v. bien, densité, fortune, ressource, succès
richissime v. riche
Richter (échelle de) v. tremblement de terre
riciné v. ricin
ricocher v. rebondir
ricochet v. conséquence
rictus v. contraction, grimace
ride v. onde, peinture, pli, ravage
rideau v. brume, fenêtre, mur, tablier
ridée v. alouette, filet
ridelle v. charrette
rider v. vieillir
ridicule v. bouffon, grotesque, incroyable, minable, risible
ridiculiser v. bafouer, face
ridule v. ride
rien v. futile, zéro
rieur v. oie
riflard v. ciseau, laine, lime, menuisier
rifloir v. lime
rift v. fossé
rigide v. austère, dur, grave, puritain, rigoureux, strict
rigidifier v. rigide
rigidité v. dureté
rigole v. creux, fossé, irrigation, sillon
Rigollot v. moutarde
rigorisme v. strict
rigoriste v. absolu, puritain
rigoureusement v. formellement
rigoureux v. austère, devoir, énergique, exact, exigeant, fidèle, froid, méthodique, minutieux, parfait, précis, rationnel, rigide, rude, scrupuleux, serré, sévère, vie
rigueur v. dureté, rectitude, sérieux
Rilsan v. tissu
rimailleur v. poète
rime v. poème, rythme, terminaison
Rimmel v. maquillage
rince-doigts v. vaisselle
rinçure v. rincer
ring v. boxe, plate-forme
ringard v. barre
riokan v. hôtel
ripaille v. débauche, repas, veau
riper v. glisser, gratter
riposte v. attaque, défense
riposter v. répondre
Ripuaires v. Francs
rire v. moquer (se), plaisanter, réjouir
ris v. voilure
risée v. fable
risible v. grotesque, ridicule
risotto v. italien
risque v. danger, inconvénient, velours
risqué v. osé
risquer v. aventure, exposer, jouer, parier, péril, tenter
risque-tout v. audacieux, imprudent
rissole v. pâté
rissoler v. cuire, revenir
ristourne v. assurance, baisse, diminution
rital v. italien
rite v. coutume, culte, règle, religieux
ritournelle v. répétition, ronde
rituel v. cérémonie, habituel, inévitable, pratique, religieux, rite
rivage v. bord, côte, mer, plage
rival v. adversaire, combat, concours, ennemi, opposé
rivaliser v. affronter, soutenir
rivalité v. compétition, concurrence, émulation, foire
rive v. bord, fleuve, plage, rivage
rivelaine v. mineur, pioche
river v. immobiliser, rabattre
riveur v. métallurgie
rivière v. collier, cou, équitation, obstacle
rivulaire v. ruisseau
rixe v. bagarre, échange, foire
riz v. céréale, malt
rizerie v. riz, usine
riziculture, rizière v. riz
roadster v. voiture
rob v. fruit
robe v. cigare, déshabillé, enveloppe, poil, vêtement
Roberval v. balance
robine v. canal
robinetier v. robinet
robinetterie v. robinet
robotique v. machine, robot
robotiser v. robot
robuste v. puissant, sain, solide, sûr, valide
robustesse v. force, vigueur
roc v. pierre
rocade v. voie
rocaille v. jardin, rococo
rocailleux v. rude
rocambolesque v. bizarre, drôle, romanesque
rocelle v. lichen
rochassier v. rocher
roche v. verrou
roche-magasin v. roche
roche mère v. roche
rocher v. chocolat, pierre, roc
roche-réservoir v. roche
rochet v. bobine, horlogerie, tunique
rocking-chair v. balancer, bascule, fauteuil
rococo v. tarabiscoté
rocouer v. teindre
roder v. user
rôdeur v. vagabond
rodomontade v. fanfaron
rogatoire v. commission
rogaton v. déchet, repas
rognage v. taille
rogne v. gale, rage, sabot
rogner v. avare
rognure v. déchet
rogomme v. ivrogne
rogue v. appât, œuf, pêche, suffisant
rohart v. hippopotame, ivoire
roi v. bleu, chevalier, monarchie, souverain
rôle v. cahier, emploi, fonction, influence, inscrire, liste, mission, registre, vocation
rôle (premier) v. principal
roller-skate v. patin
rollier v. geai
rollmops v. hareng
rom v. nomade
romain v. catholicisme, tuile
romaine v. laitue
romaïque v. grec
roman v. architecture, latin, récit
roman (nouveau) v. littéraire
romance v. chanson
romancero v. recueil
romancier v. auteur, écrivain
romanesque v. fleur, sentimental
romantique v. drame
Roméo et Juliette v. symphonie
rompre v. casser, céder, déchirer, défaire, dénoncer, détourner, dissoudre, éclater, engagement, fâcher, habituer, interrompre
ronce artificielle v. barbelé
roncin v. cheval
rond v. bouffi, épaule, gras, ivre, perle, tricot
rond (grand) v. épaule
rondache v. bouclier
rond-de-cuir v. bureaucrate
ronde v. rythme
rondelet v. conséquent, gros, rond
rondelle v. hockey, tranche
rondement v. mener
rondin v. bois
ronfler v. respirer
ronger v. acide, attaquer, entamer, mordre, rouille, souci, tourmenter
rongeur v. marmotte, souris
rongicide v. rongeur
ronin v. japonais
ronronnement v. ronflement
roquetin v. bobine
roquette v. artillerie, fusée
Rorschach v. test
rosa v. pomme de terre
rosace v. vitrail
rosacée v. fraisier
rosaire v. chapelet, prière
rosalbin v. perroquet
rosâtre v. rose
rosbif v. rôti
rose v. cathédrale, dentelle, diamant, rosace
rosé v. perle
roseau v. marais, vannerie
Rose-Croix v. société
rosée v. matin
roselet v. hermine
roselière v. roseau
rosette v. boucle, légion, nœud, ruban, saucisson
Rosette (pierre de) v. hiéroglyphe
roseval v. pomme de terre
Rosh Haschana v. juif
rosière v. fille
rosse v. cheval
rosser v. maltraiter
rossignol v. cambrioleur, camelote, livre, serrure
rossolis v. rose
rostre v. bec, éperon
Rostres v. tribune
rot v. bruit, renvoi
rotang v. palmier
rotary v. pétrole
rotation v. astre, conversion, cycle, mouvement, période, révolution, rotation, roulement, tour
rotatoire v. circulaire, tourner
rote v. papauté
rôtie v. tartine
rotin v. panier, vannerie
rôtir v. cuire, griller
rôtisseur, rôtissoire v. rôti
rotonde v. circulaire, hangar, pavillon
rotondité v. corps
rotor v. hélicoptère, moteur
rotruenge v. poème
rotule v. genou
roturier v. féodal
rouable v. pain, perche
rouanne v. tonneau
roue v. engrenage, torture
roué v. habile, malin
rouelle v. citron, rondelle, tranche
rouerie v. ruse
rouet v. fil
rouette v. branche, fagot
rouf v. pont
rouflaquette v. favori
rouge v. encre, perdrix, primaire, roux
rougeâtre v. brique
rougeaud v. rouge
rouge-brun v. puce
rouge foncé v. pourpre
rougeole v. bouton, enfance
rougeoyer v. rouge
rouget v. porc
rougeur v. brûlure
rough v. golf
rougissure v. rouille
rouille v. champignon, charbon, fer
rouillé v. rouille
rouir v. lin
roulade v. massage
roulage v. camion, mineur, transport
roule v. rouleau
rouleau v. briser, cylindre, machine, manuscrit, pâtisserie, saut, vague
roulé-boulé v. rouler

roulement v. battement, rotation, tonnerre, travail
rouler v. plier
roulette v. fraise, sifflet
roulier v. conducteur
roulis v. balancement, mouvement
rouloir v. cierge
roulotte v. véhicule
roumain v. roman
roumi v. chrétien
round v. boxe
rouspéter v. rage
rousselet v. poire
roussette v. chauve-souris
rousseur v. piqûre
roussin v. cheval
roussir v. brûler, revenir
route v. direction, étape, itinéraire
routier v. bandit
routine v. habitude
rouvieux v. gale
rouvre v. chêne
roux v. rouge
royal v. altier
Royale v. marine
royale v. barbe
royan v. sardine
royaume v. monarchie, pays
rtem v. désert
ru v. ruisseau
ruban v. attache, bande, faveur, machine, mercerie, phoque
rubanerie v. ruban
rubanier v. ruban
rubéole v. enfance, malformation
rubescent v. rouge
rubicond v. couleur, rouge
rubigineux v. rouille
rubis v. rouge
rubricateur v. rubrique
rubrique v. sujet
rubrique mondaine v. écho
rude v. ardu, barbare, brutal, grossier, revêche
rudération v. caillou, empierrement, pavage
rudesse v. brutalité, dureté
rudiment v. abc, connaissance, élément, notion, principe, résumé, savoir
rudimentaire v. élémentaire, grossier, imparfait, primitif, sauvage, simple, sommaire
rudoyer v. bousculer, maltraiter, traiter
rue v. passage
ruelle v. lit, passage
ruer v. fondre, précipiter
ruflette v. mercerie
rugby v. ballon, ovale
rugbyman v. rugby
rugir v. hurler
rugueux v. dur, raboteux, revêche, rude
ruiler v. plâtre, raccorder
ruine v. destruction, dissolution, écroulement, faillite, fin, naufrage, périr, précipice, ravage, réputation
ruiner v. anéantir, battre, briser, démolir, épuiser, gâter, saccager
ruisseau v. rivière
ruisseler v. couler, répandre
ruisselet v. ruisseau
ruissellement v. jet
rumen v. bœuf
rumeur v. bourdonnement, commérage, information, nouvelle
ruminer v. penser, réfléchir
rumsteck v. bifteck
ruolz v. argent
rupestre v. roc, rocher
rupicole v. coq, roche
rupture v. adieu, cassure, divorce, entorse, séparation
rural v. agricole, campagne, champ, paysan
ruraliste v. rural
ruse v. fourberie, malice, piège
rusé v. astucieux, fin, sournois
ruser v. subterfuge
rush v. épreuve
russe v. orthodoxe
rusticage v. mur
rustique v. champ, marteau, rude, rural, sauvage
rustiquer v. tailler
rustre v. barbare, grossier, ours, sauvage
rut v. chaleur, reproduction
rutilant v. éclatant, splendide
rutiler v. briller, chatoyer
rye v. whisky
rythme v. mesure, régime, ressort, retour, son
rythmé v. nombreux
rythmer v. rythme

sabbat v. congé, diable, jour, juif, sorcière
sabbatique v. année
sabéisme v. astre
sabir v. langue
sable v. blason, calcul
sablé v. biscuit, pâte
sabler v. boire, champagne
sablier v. chinois
sablière v. sable
sablon v. polir, sable
saborder v. torpiller
sabot v. bain, chaussure
sabotage v. malveillance
sabot de Denver v. stationnement
sabot-de-Vénus v. orchidée
saboter v. gâcher
sabre v. escrime
sabretache v. sabre
sac v. accessoire, bagage, foire, paquet, pillage, poche, ravage, saccager
saccade v. brusque, saut, secousse
saccadé v. irrégulier
saccager v. briser, piller, ruiner
saccharine, saccharoïde, saccharose v. sucre
sacculine v. parasite
sacerdoce v. ministère, ordre, religieux
sachem v. chef
sachet v. paquet, poche
sacre v. couronnement, religieux
sacré v. religieux
Sacré Collège v. cardinal
sacrement v. bénir, liturgie
sacrer v. bénir, jurer
sacrificateur v. victime
sacrifice v. cadeau, don, oubli, victime
sacrifier v. donner, obéir, offrir, renoncer, soumettre, suivre, vendre
sacrilège v. blasphème, impie, péché, sacré
sacripant v. coupable, fripon
sacro-saint v. sacré
sacrum v. bassin, dos, vertèbre
sadique v. cruel, souffrir
sadisme v. barbarie, sexualité, souffrance, violence
sadjada v. islam
safran v. jaune
saga v. conte, récit
sagace v. aigu, conseil, malin, subtil
sagacité v. adresse, finesse, intuition, nez, pénétration, perspicacité, vivacité
sagaie v. javelot
sage v. facile, gentil, rabbin, raisonnable, réfléchi, savant, sérieux
sage-femme v. accoucher
sagesse v. chouette, maturité, prudence, raison, vertu
sagette v. flèche
sagittaire v. arc, flèche
sagittal v. symétrie
sagou v. palmier
sagoutier v. palmier
sagum v. manteau
saharien v. torride
saharienne v. veste
saie v. cochon
saignant v. viande
saignée v. bras, congestion, fossé, pli
saignement v. sang
saigner v. sacrifice
saillie v. accouplement, éperon, mot, poche, relief, reproduction, sexuel, trait
saillir v. avancer, dépasser, sortir
sain v. valide
saindoux v. cochon, graisse
sain et sauf v. compte, sauver
sainfoin v. fourrage
saint v. religieux
Saint-Cyr v. militaire
saint des saints v. sacré
sainte ampoule v. huile
Sainte Croix v. croix
sainteté v. église
Sainteté (Sa) v. pape
Saint-Office v. inquisition, tribunal
saint-pierre v. dorée
Saint-Siège v. église, papauté
saint-simonisme v. socialiste
saisi v. pétrifié
saisie v. entrée, impôt, prélèvement, vente
saisine v. héritage, saisie
saisir v. apercevoir, apprécier, attraper, capturer, confisquer, conscience, embrasser, emparer (s'), entendre, évoquer, frapper, pénétrer, prendre, réaliser, retenir
saisissable v. perceptible
saisissant v. dramatique, étonnant
saisissement v. émotion, impression, stupeur, subit
saison v. époque, spectacle, temps
saisonnier v. temporaire
saké v. bière, riz
Salaam v. tic
salace v. cru, sexuel
salage v. charcuterie
salaire v. impôt, paiement, revenu
salaison v. saler
salamandre v. batracien, poêle
salami v. saucisson
salangane v. hirondelle
salarié v. ouvrier, travailleur
salat v. musulman
salchow v. patinage, saut
salé v. amer
sale v. ignoble, malpropre, noir, usé, vilain
salicacées v. peuplier, saule
salicine v. saule
salicoque v. crevette
salicoside v. saule
saliculture v. sel
Saliens v. Francs
salification, salignon, salin, salinage v. sel
saline v. marais, sel
salinisation v. sel
salinité v. sel
salique (loi) v. héritage
salir v. déshonorer, tacher
salle v. bureau, parquet, spectateur, train, vente
salmanazar v. litre
salmigondis v. accumulation, confusion, mélange
salmonellose v. empoisonnement
saloir v. coffre, sel
salon v. art, concert, conversation, exposition, foire, manifestation
saloon v. bar, cow-boy
salopette v. combinaison, vêtement
salorge v. sel
salpêtre v. moisissure, nitrate
salse v. volcan
saltation v. danse, pantomime
saltigrade v. saut
salto v. saut
salubre v. sain
salubrité v. désinfection, hygiène
saluer v. courber
salure v. sel
salut v. religion, révérence
salutaire v. avantageux, favorable, précieux, sain, utile
salutation v. saluer
salve v. coup, feu, saluer, tir
salvinia v. marais
samare v. frêne, fruit
sambuque v. grec
samouraï v. japonais
samovar v. thé
sampac v. jasmin
sampan v. embarcation, voilier
Samson v. fort
sanatorium v. hôpital, santé, tuberculose
sancir v. couler
Sanctificateur v. esprit
sanctifier v. saint
sanction v. avertissement, blâme, peine, pénitence
sanctionner v. adopter, approuver, conclure, condamner, punir, valider
sanctuaire v. réserve, sacré, temple
sanctus v. hymne
sandale v. chaussure, religieux
sandwich v. repas
sang v. banque, race, sida, souci
sang (prise de) v. piqûre
sang-froid v. aplomb, contrôle, fermeté, impassibilité, réflexe
sanglant v. meurtrier
sangle v. attache, bande
sangler v. malle
sanglier v. brosse, cochon, gibier, porc
sanglot v. larme, pleur, soupir
sangloter v. pleurer
sangria v. orange
sangsue v. saignée
sanguin v. vaisseau
sanguinaire v. agressif, barbare, bête
sanguine v. crayon, dessin, fusain, orange
sanhédrin v. assemblée, juif, tribunal
sanie v. pus
Sanisette v. water-closet
sanitaire v. hygiène, santé

sans-cœur v. ingrat
sans-fil v. télégramme
sans foi ni loi v. incroyance
sans-gêne v. curiosité, désinvolte, façon, indiscret
sansonnet v. étourneau
sans-souci v. insouciant
santon v. religieux
sanve v. moutarde
sapaie v. sapin
sape v. pioche, tranchée, vêtement
sapèque v. chinois
saper v. démolir, ébranler, entamer, éteindre, renverser, ruiner, torpiller
sapeur v. incendie, soldat
sapeur-pompier v. pompier
saphir v. bleu
saphisme v. amour, homosexuel, sexe
sapidité v. goût
sapin v. calèche, parquet
sapine v. plafond, planche, sapin
sapinière v. sapin
saponacée, saponaire, saponification v. savon
saponine v. savon
saprophyte v. microbe
sarbacane v. flèche, tube
sarcasme v. flèche, humour, ironie, moquerie, trait
sarcastique v. acide, méchant, mordant, satirique
sarcelle v. gibier
sarcler v. arracher, herbe
sarcloir v. charrue
sarcome v. cancer, tumeur
sarcophage v. cadavre
sarcopte v. gale, parasite
sardinelle v. sardine
sardinier v. pêche
sardonique v. démoniaque, méchant, moqueur, sarcastique
sari v. vêtement
sarisse v. lance
sarment v. branche, vigne
sarong v. jupe
saros v. éclipse
sarracinie v. plante
Sarrasin v. arabe
sarrasin v. blé
sarrasine v. tuile
sarrau v. blouse, vêtement
sas v. cabine, décompression, écluse, sous-marin, tamis
sashimi v. japonais
sassage, sasser v. farine
Satan v. ange, diable, enfer, esprit, mal
satanique v. démoniaque, mauvais
satellite v. astre, astronautique, communication, fusée, planète
satiété v. faim, profusion, soif
satin v. soie
satiné v. brillant, chair, douceur, papier
satire v. caricature, comédie, critique, écrit, ironie, moqueur
satirique v. piquant
satisfaction v. béatitude, pénitence
satisfaire v. accéder, remplir, répondre, soif, souscrire, tenir
satisfaisant v. honnête, suffisant
satisfait v. content, ravi
satisfecit v. récompense, satisfaction
satrape v. gouverneur, perse, province
saturateur v. humidité
saturation v. pluie
saturé v. plein
saturer v. condenser, emplir
saturnale v. débauche
Saturne v. planète, saison
saturnisme v. colique, plomb
satyagraha v. combat, nonviolence
satyre v. bouc, champêtre, chèvre, homme, obscène
sauce v. crayon, dessin, jus
saucière v. vaisselle
saucisson v. pain
sauf v. intact
sauf-conduit v. laissez-passer, permission
saugrenu v. bizarre, impossible, ridicule, spécial
saulaie v. saule
saule v. bois, osier
saule-amandier v. saule
saulée v. saule
sauleraie, saulsaie v. saule
saumâtre v. amer, désagréable
saumon v. fonte, métal, plomb
Saumur v. équitation
saumurage v. saler
saumure v. salé
sauna v. bain, suer
saunage v. sel
saunaison v. sel
saunière v. sel
saupoudrer v. parsemer
saur v. hareng, salé
saure v. jaune
saurer v. fumer
sauriens v. lézard
saurin v. hareng
saurischiens v. dinosaure
saurisserie v. usine
sauroptérygiens v. reptile
saussaie v. saule
saut v. athlétisme, fleuve, planche à voile, plongeon, ski
saut battu v. danse
saut de l'ange v. plongeon
saut-de-lit v. déshabillé, robe
saut-de-loup v. fossé
saute v. variation
sauter v. éclater, franchir, passer, plonger, rebondir
sauterelle v. équerre
saute-ruisseau v. notaire
sautoir v. chaîne, collier, cou, pendentif
sauvage v. brut, dur, ours, seul, soie
sauvageon v. greffe
sauvagerie v. barbarie, brutalité
sauvagine v. fourrure
sauvegarde v. défense, garantie, tutelle
sauvegarde de justice v. majeur
sauvegarder v. conserver, sauver
sauve-qui-peut v. fuite
sauver v. courir, danger, délivrer, disparaître, échapper, évader (s'), sauf, partir, racheter, réfugier
sauveur v. refuge
savane v. steppe, végétation
savant v. scientifique
savarin v. moule
savate v. boxe
savetier v. chaussure
saveur v. goût
savoir v. bagage, connaissance, connaître, imaginer, informer, instruction, sagesse, science
savoir-faire v. adresse, intelligence, métier, savoir
savoir-vivre v. éducation, manière, politesse, tact
savon v. dentifrice
savonnerie v. tapis, usine
savonnette v. montre
savonnier v. savon
savourer v. délice, goûter, manger
savoureux v. bon, délicieux, suave
sawm v. musulman
saxatile v. rocher
saxicole v. rocher
saxifrage v. désespoir
Saxons v. barbare
saynète v. comédie, scène
scabieux v. gale
scabreux v. dangereux, délicat, osé
scaferlati v. tabac
scalde v. chanteur, poète
scalène v. triangle
scalpel v. anatomie
scampi v. crevette
scandale v. indignation, réputation
scandaliser v. choquer, indigner, soulever
scander v. marquer, ponctuer, réciter, rythme
scanner v. exploration, radio
scansion v. mètre, rythme
scaphandrier v. plongeur
scaphopodes v. mollusque
Scapin v. fourberie
scapulaire v. épaule, membre, moine, religieux
scarabée v. graver, talisman
scare v. perroquet
scarification v. congestion, entaille, marque, saignée
scarifier v. brûler, labourer
scarlatine v. enfance
scat v. jazz
scatologique v. excrément
sceau v. bulle, cachet, commune, marque, signature, trace
scélérat v. malfaiteur, perfide
sceller v. consolider, fermer
scellé v. faillite, sceau
scénario v. canevas, film, intrigue, récit, résumé
scène v. description, partie, paysage, planche, plateau, récit, spectacle
scénique v. dramatique, théâtral
scénographie v. mise, scène
scénologie v. scène, théâtre
scepticisme v. doute, indifférence
sceptique v. athée, incrédule, méfiant, non-croyant, perplexe, pessimiste
sceptre v. bâton, insigne, souverain
schappe v. soie
Schéhérazade v. conte
schéma v. canevas, figure, plan, projet, représentation
schématique v. simple
schématiser v. simplifié
schibboleth v. épreuve
schismatique v. hétérodoxe
schisme v. parti, religion, séparation
schiste v. ardoise
schizophrénie v. délire, psychose
schlass v. ivre
schlich v. minerai
schlitte v. traîneau
schnorchel v. sous-marin
schofar v. corne, juif
schooner v. voilier
schuhl v. rabbin, religieux
Scialytique v. éclairage
scialytique v. ombre
sciaphile v. soleil
sciathérique v. cadran
scie v. répétition
sciemment v. réflexion
science v. connaissance, sagesse, savoir
science fulgurale v. foudre
sciences v. université
scientifique v. civilisation, savant
scientisme v. science
scille v. jacinthe
scinder v. couper, diviser, partager
scintigraphie v. radiographie
scintillement v. lueur
scintiller v. briller, chatoyer
sciographie v. heure, ombre
scion v. arbre, branche, greffe, plant
scissile v. fendre
scission v. division, parti, séparation
scissiparité v. bourgeon, microbe, multiplication, reproduction
scissure v. cerveau, poumon
sciure v. débris
sciuridés v. écureuil, marmotte
sclérose en plaques v. immunitaire
scléroser v. durcir, immobiliser
sclérotique v. membrane, œil
scolarisation v. colonisation, pauvreté
scolarité v. étude
scolastique v. dogmatique, théologie
scoliaste v. commentaire
scolie v. commentaire, explication, note
scoliose v. colonne vertébrale, déformation, déviation
scolopacidés v. bécasse
scombridés v. maquereau, thon
scoop v. actualité, exclusivité, information, nouvelle
scooter v. motocycle, véhicule
scorbut v. conserve, vitamine
score v. point
scorie v. chute, déchet, écume, houille, lave, métal, volcan
scorpioïde v. scorpion
scorpion v. fouet
scorpionidés v. scorpion
scotch v. whisky
scotie v. colonne, moulure
scotome v. éblouissement, migraine
scoubidou v. tresse
Scrabble v. combinaison
scramasaxe v. Francs
scrap v. caoutchouc
scriban v. bibliothèque, secrétaire
scribe v. copier, manuscrit
scribouillard v. bureaucrate
script v. canevas, scénario
scripteur v. bulle
scriptural v. monnaie
scrofule v. abcès
scrotum v. testicule
scrupule v. hésitation, honte
scrupuleux v. consciencieux, devoir, fidèle, honnête, méticuleux, minutieux, pointilleux, précis, régulier
scrutateur v. vote
scruter v. chercher, examiner, fixer, inspecter, observer, plonger, promener, regarder
scrutin v. élection, référendum, représentation, résultat, vote
scubac v. liqueur
sculpteur v. sculpture
sculptural v. splendide
sculpture v. plastique
scutum v. bouclier
sea-line v. pétrole

séance v. consultation, parlement, réunion, siéger
séance tenante v. délai, suite
séant v. décent, pertinent
seau v. vendange
sébile v. mendiant
sebkha v. lac
sébum v. gras
sec v. bref, brut, impératif, insensible, sévère
Secam v. télévision
sécante v. circonférence
sécateur v. cisaille
sécession v. séparation
sécessionniste v. autonomie, nationalisme
sécher v. immortel
sécherie, sécheur v. sécher
séclusion v. défense
second v. auxiliaire
secondaire v. annexe, dinosaure, incident, inférieur, marginal, moindre, superficiel
seconde v. instant
seconder v. assister, soutenir
secouer v. bouleverser, bousculer, ébranler
secourable v. humain, secours, serviable
secourir v. défendre, délivrer, soulager, soutenir
secours v. assistance, charité, défense, protection, refuge, renfort, ressource, subsister, support, utilité
secousse v. brusque, perturbation, saut
secret v. énigme, inconnu, inexactitude, intérieur, intime, invisible, mystère, obscur, pot, renseignement, silence, souterrain
secrétaire général v. syndicat
secrétaire perpétuel v. académie
secrétariat v. bureau
secrètement v. ombre
sectaire v. absolu
sectarisme v. religion
sectateur v. adhérer, certitude, secte
secte v. communauté, religion
secteur v. activité, compartiment, domaine, lieu, partie, service, zone
section v. armée, paragraphe, parti, service, unité
sectionner v. couper, diviser
sectoriser v. secteur
séculaire v. ancien, cent, siècle
séculariser v. clergé
séculier v. abbé, bénéfice, prêtre, règle, régulier, religieux
sécurité v. malaise, ordre, tranquillité
sédatif v. calmer, haschisch, narcotique
sédentaire v. fixe
sédiment v. dépôt
sédimentaire v. roche
sédimentation v. accumulation
sédimentologie v. roche
séditieux v. rebelle
sédition v. agitation, complot, désobéissance, émeute, fronde, résistance, révolte, soulèvement
séducteur v. cœur, premier
séduction v. attraction, influence
séduire v. allécher, attraper, briller, charme, conquérir, emballer, enjôler, enlever, ensorceler, plaire, ravage, ravir, subjuguer, tenter
séduisant v. agréable, charmant, éblouissant, fascinant, plaisant, splendide
séfarade v. juif
ségala v. terre
segment v. côté, morceau
segmenter v. diviser
ségrairie v. bois
ségrégation v. colonisation, discrimination, isolement, race, séparation, xénophobie
seiche v. encre, lac, mollusque, vague
séide v. adhérer, fanatique, main, secte
seigle v. céréale
seille v. bac
sein v. bras, buste, poitrine
seine, senne v. filet, pêche
seing v. signature
séisme v. catastrophe, tremblement de terre
seizaine v. corde
séjour v. salon
séjourner v. demeurer, habiter, passer
sel v. bile, dentifrice
sélect, sélectif v. choisir
sélection v. accouplement, choix, reproduction
sélectionné v. international
sélectionner v. barrage, choisir, extraire, trier
sélectionneur v. sportif
Séléné v. Lune
Sélénite v. terrestre
sélénite v. Lune
sélénographie v. Lune
Séleucides v. perse
self-control v. contrôle
selle v. excrément
sellerie v. cuir, harnais
sellette v. tabouret
semailles v. semence
semaine v. bague, bracelet, sept
semainier v. commode, religieux, semaine
semaison v. semence
sémantique v. langage, sens
sémaphore v. signal, télégraphie
sémasiologie v. langage
semblable v. analogue, commun, comparaison, égal, identique, pair, pareil
semblant v. fantôme
sembler v. impression, paraître, selon
semé v. rempli
semelle v. bas, ski, soubassement
semence v. clou, graine, reproduction, sperme
semencier v. semence
sémentines v. semence
semer v. éparpiller, mettre, planter, répandre
semestriel v. mois
séminaire v. assemblée, congrès, préparation, prêtre, religieux, réunion, université
séminariste v. curé, religieux
sémiologie v. signe, symptôme
Sémiramis v. babylonien
semi-remorque v. camion
semis v. plant, semer
semoir v. semer
semonce v. avertissement, blâme, désapprobation, invitation, menace, mise, ordre, reproche, sermon
semoncer v. raisonner
semoule v. farine
semper virens/sempervirent v. feuillage, forêt
sempiternel v. continu, éternel
Sénat v. Parlement
sénateur v. conseiller
sénatorerie v. sénateur
sénatorial v. élection
sénatus-consulte v. sénat
senau v. mât
sénescence v. vieillesse
sénestrogyre v. gauche
sénevé v. moutarde
sénilisme v. vieillesse
sénilité v. enfance, vieillesse
senior v. sportif
senisse v. houille
sens v. accord, but, contenu, définition, enfer, intelligence, interprétation, logique, pensée, raison
sensation v. connaissance, conscience, état, impression, pensée, perception, pressentiment, sentiment
sensationnel v. formidable
sensé v. juste, logique, pertinent, raison, sage
sensibilité v. délicatesse, humanité, perception, phénomène, sentiment
sensible v. degré, émotif, important, intuition, nerveux, net, perceptible, sentimental, susceptible, vulnérable
sensiblerie v. sensibilité
sensitif v. sensible
sensoriel v. sens
sensorimétrie v. sensation
sensualisme v. raison
sensualité v. caresse, chair, plaisir
sente v. chemin, passage
sentence v. arrêt, condamnation, délibération, devise, formule, jugement, proverbe, raisonnement, réflexion, verdict
sentencieux v. dogmatique, grave, majestueux, solennel
senteur v. odeur, parfum
sentier v. chemin, piste
sentiment v. avis, connaissance, conscience, état, instinct, jugement, opinion, point, sens, sensation, verbe
sentimental v. bleu, fleur, romanesque
sentimentalisme v. sensibilité
sentimentalité v. sensibilité
sentine v. saleté
sentinelle v. factionnaire, garde, vedette
sentir v. apercevoir, éprouver, percevoir, reconnaître, respirer
seoir v. convenir
sep v. charrue
sépale v. pétale
séparation v. décomposition, désagrégation, discrimination, distinction, divorce, frontière, paroi, perte, pétrole
séparation de biens v. mariage
séparation de corps v. divorce
séparatisme v. indépendance
séparatiste v. autonomie, nationalisme, séparation
séparer v. brouiller, détacher, distraire, diviser, écarter, éloigner, extraire, isoler, quitter, renoncer, rompre
sépia v. encre, lavis
sépiolite v. écume
seppuku v. japonais
septante v. soixante-dix
septembrisades v. massacre
septentrional v. hémisphère, nord, pôle
septicémie v. infection, sang
septuor v. groupe, orchestre
sépulcral v. funèbre, grave, sinistre, sourd
sépulcre v. tombeau
sépulture v. cimetière, tombe
séquanien v. oie
séquelle v. conséquence, maladie, secondaire, suite, trace
séquence v. division, scène, suite
séquestration v. arrestation, captivité, délit, isolement
séquestre v. commercial, gardien, saisie
séquestrer v. emprisonner, enfermer, garder
sérac v. glacier
sérail v. femme, sultan, turc
séraphin v. ange
sercial v. madère
serdab v. tombe
serein v. clair, pacifique, paisible, sûr, tranquille
sérénade v. récital, soir
sérénité v. bien-être, douceur, égalité, patience, sagesse, silence
séreuse v. membrane
serf v. esclave, féodal
sergent v. infanterie
sergent-chef v. infanterie
serial, sérialisme v. série
sériculture v. soie
série v. catégorie, composition, cycle, échelle, liste, ordre, succession, suite
sérier v. classer, série
sérieux v. application, attentif, digne, grave, important, soigneux, sûr, valable
sérigraphie v. écran, impression
seriner v. répéter
seringa v. jasmin
serment v. affirmer, engagement, jurer, obligation, promesse, vœu
sermon v. discours, prêche
sermonner v. leçon
séropositivité v. sida
sérosité v. ampoule, cloque
sérotine v. chauve-souris
serpe v. faux
serpe (taillé à la) v. visage
serpenteau v. fusée
serpentin v. serpent, sinueux, souple, tube
serpolet v. thym
serratifolié v. scie
serratiforme v. scie
serre v. abri, griffe, ongle, patte, verre
serré v. épais, épingle, étroit, méthodique, noir
serre-bouchon v. bouteille
serrement v. pincement
serrer v. approcher, entasser, étrangler, pincer, poursuivre, suivre, tasser
serrure v. fermeture, verrou
sertir v. bague, emboîter, insérer, monter
sertissure v. bague
sérum v. immunitaire, liquide, sang
servant v. frère, religieux
servante-maîtresse v. servante
serveur v. garçon, repas
serviable v. dévoué, gentil
service v. culte, recruter, religieux, saillie, usage
serviette v. sac
serviette-éponge v. serviette
servile v. esclave, humble
servilité v. acceptation
servir v. disposer, employer, manier, seconder, user, utiliser

serviteur v. domestique, fidèle
servitude v. contrainte, dépendance, esclavage, immeuble, soumission
servofrein v. frein
sésame v. formule, magique
sessile v. fleur
session v. concile, congrès, séance, université
set v. manche
seuil v. pas, porte
seul v. privé, simple, unique
sève v. plante
sévère v. dur, exigeant, impitoyable, puritain, rigide, sérieux, strict
sévérité v. dureté
sévices v. barbarie, fait, torture, traitement, violence
sévir v. rage, sanction
sevrer v. lait, priver
sexagénaire v. soixante
sexagésimal v. soixante
sexdigitaire v. six
sexdigitisme v. malformation
sexe v. ventre
sexisme v. sexe
sexologie v. sexualité
sexothérapie v. sexualité
sextant v. angle, marine
sexte v. heure, moine
sextuor v. groupe, orchestre
sexualité v. instinct
sex-appeal v. sexuel
sex-ratio v. sexe
S.F.I.O. v. socialisme
sgraffite v. peinture
shaker v. mélanger
shako v. képi
shamisen v. japonais
shantung v. soie
sherpa v. guide
shilling v. livre sterling
Shinkansen (Japon) v. train
shintoïsme v. japonais
shirting v. chemise
shoot v. tir
short v. culotte
short-program v. patinage
show v. spectacle
show-business v. spectacle
shrapnell v. artillerie, obus
S.I. v. unité
sial v. terrestre
sialagogue, sialogène, sialorrhée v. salive
siam v. quille
siamois v. deux, frère, jumeau
sibilant v. siffler
sibyllin v. énigmatique, hermétique, incompréhensible, initiation, mystérieux, obscur
sicaire v. gage, meurtrier
siccatif v. peinture
siccité v. sécheresse
sicinnis v. danse
sida v. immunitaire
sidéral v. planète
sidérer v. ébahi, étonné, immobile, stupéfait, surprendre
sidérite v. météorite
sidérodromophobie v. train
sidérolithe v. météorite
sidérose v. fer
sidéroxylon v. fer
sidérurgie v. acier, fer, métallurgie
side-car v. motocyclette
siècle v. cent
siège v. bain, blocus, direction, lieu, magistrat
sien v. adopter
sierra v. montagne
sieste v. après-midi, dormir, repos
sifflement v. merle, serpent
siffler v. huer, respirer
sifflet v. signal
siffloter v. siffler
sigillaire v. arbre, chinois
sigillé v. sceau
sigillographie v. archéologie, sceau
sigisbée v. accompagnateur
sigle v. abréviation, initial, lettre
signal v. indicatif, radioélectrique, réclame, reconnaissance, signe
signalement v. description, reconnaissance
signaler v. citer, déceler, déclarer, dénoncer, désigner, indiquer, manifester, observer, souligner
signalétique v. signalement
signaleur v. signal
signalisation v. signal
signataire v. signature
signe v. annonce, astrologie, chiffre, code, identité, image, indication, insigne, manifestation, marque, nouvelle, présage, preuve, représentation, signal, signalement, symbolique, symptôme, zodiaque
signer v. bénit, nom, souscrire
signet v. livre, marquer
signifiant v. expression, signe
significatif v. démonstratif, éloquent, expressif, signification
signification v. définition, mot, raison, sens, valeur
signifié v. signe
signifier v. condition, déclarer, définir, prouver, savoir
sika v. cerf
sil v. argile
silence v. intervalle, pause
silencieux v. muet, pot
silène acoule v. mousse
silésienne v. laine
silex v. étincelle, feu
silhouette v. contour, ombre, profil
silice v. quartz
siliceux v. maquis
silicose v. mineur
silique v. fruit
sillage v. orbite, trace, veine
sillon v. ride, semer, tranchée
sillonner v. parcourir, traverser
silo v. abri, ferme, grain, magasin, récolte
silybe v. chardon
sima v. terrestre
simagrée v. cérémonie, façon, grimace, manière
simbleau v. corde
simiens v. singe
simiesque v. affreux, singe
similaire v. analogue, pareil, semblable, uniforme
similarité v. similitude
simili v. imitation
similicuir v. cuir
similitude v. analogie, commun, comparaison, conformité, égalité, identité, relation, ressemblance
simonie v. trafic
simoun v. désert, sirocco, vent
simple v. adoption, brut, facile, herbe, immédiat, innocent, modeste, naïf, passé, plante, primitif, pur, sobre
simplement v. ouvert
simplet v. simple, sot
simplifié v. résumé
simpliste v. facile, primaire, simple
simulacre v. apparence, fantôme, imitation, semblant
simulateur v. comédien, machine
simulation v. imitation
simulé v. faux, mariage
simuler v. comédie, composer, exagérer, imiter, reconstituer, représenter, semblant
simultané v. temps
simultanéité v. coïncidence, correspondance
simultanément v. front
sinanthrope v. singe
sinapisé v. bain, moutarde
sinapisme v. moutarde
sincère v. compliment, exact, fidèle, franc, loyal, réel, régulier, sérieux, solide, spontané
sincérité v. foi, véracité, vérité
sinciput v. tête
sinécure v. emploi, repos, travail
sine die v. date
sine qua non v. essentiel
singer v. copier, imiter, représenter
singerie v. imitation, simagrée, singe
singularité v. caractère
singulier v. admirable, anormal, bizarre, curieux, étonnant, exception, marginal, non conformiste, original, particulier, personnel, seul, spécial, unique
singulièrement v. notamment
sinistre v. borgne, enterrement, fatal, funeste, incendie, naufrage, ravage, sombre, triste
sinistré v. sinistre, victime
sinogramme v. chinois
sinologie v. chinois
sinople v. blason
sinuosité v. boucle, contour, coude, pli, rivière
sinusoïdal v. spirale
sionisme v. juif
siphon v. baromètre, tube
sire v. roi, seigneur
sirène v. brume, femme, signal
sirocco v. désert, vent
sirop v. médicament
siroter v. boire
sirupeux v. collant, doux, sirop, suave
sirventès v. poème
sisal v. textile
sismique v. mouvement, secousse, tremblement de terre
sismogénique v. tremblement de terre
sismographe v. instrument, météorologie
sismologie v. tremblement de terre
sissonne v. danse
site v. lieu, paysage
sit-in v. manifestation, résistance, violence
situation v. cas, chose, conjonction, droit, emploi, état, fait, fonction, incident, métier, orientation, place, position, rencontre, sort, statut, vif
situationnisme v. société
sixties v. soixante
skaï v. cuir
sketch v. scène
ski v. altitude, neige
ski-bob v. ski
skip v. mine
slab v. caoutchouc
slalom v. planche à voile, ski
slang v. dialecte
sleeping v. wagon
slip v. culotte
slogan v. affiche, cri, devise, formule, interdire, manifestation, publicitaire
sloop v. voilier
slum v. taudis
smack v. voilier
smaragd v. émeraude
smaragdin v. émeraude
smaragdite v. vert
smash v. tennis
smectique v. argile
smille v. marteau, pierre
smithsonite v. zinc
smocks v. broderie, décoration, pli
smog v. dioxyde, fumée
smoking v. vêtement
snow-boot v. chaussure, neige
sobre v. austère, concis, dense, nu, simple, strict
sobriété v. abstenir (s'), modération
sobriquet v. diminutif, nom, petit
soc v. bêche, charrue, fendre
sociabilité v. société
sociable v. échange, facile, sympathique
social v. institution, politique
socialisant v. socialisme
socialisation v. communisme
socialiser v. sociable
socialisme v. politique
socialisme utopique v. société
socialité v. social
sociétaire v. comédie, participant
sociétal v. social
société v. amicale, civilisation, communauté, compagnie, droit, État, ordre, relation
socinianisme v. hérésie
sociocentrisme v. social
sociodrame v. drame
sociologie v. social
sociométrie v. société
socius v. société
socle v. base, piédestal, statue
socque v. chaussure, sabot
socratique v. ironie
sodomie v. anus
sœur v. religieux
sofa v. fauteuil, repos
soffite v. plafond
soi v. nature, personnalité
soi-disant v. supposé
soie v. brosse, chemise, cochon, doublure, maïs, manche, poil, porc, verre
soif v. curiosité, désir
soiffard v. ivrogne
soignant v. soin
soigné v. léché, minutieux, net, ouvragé, recherché
soigner v. conserver, recueillir, traiter, veiller
soigneur v. soin
soigneux v. consciencieux, méticuleux, sérieux
soin v. entremise, pauvreté, propreté, recherche, traitement
soin (prendre) v. veiller
soir v. brun
soirée v. réception, réunion, soir
soissons v. haricot
soixantaine v. soixante
solaire v. abdomen, énergie
solanacées v. piment, pomme de terre, tomate
solarisation v. trucage
soldat v. renfort
soldatesque v. soldat
solde v. paiement, prêt, provision, rabais, réclame, salaire, soldat
solder v. payer, vendre
sole v. four, sabot
soléaire v. mollet
solécisme v. abus, barbare,

faute, grammaire, irrégulier
Soleil v. astre, zodiaque
soleil v. pli, tournesol
solennel v. authentique, grave, majestueux, sentencieux, sérieux
solenniser v. célébrer
solénoglyphes v. vipère
solénoïde v. bobine
solfège v. musique
solfier v. chanter
solidaire v. responsable
solidariser v. partager, unir
solidarité v. équipe, fraternité, réciproque, relation, résistance, union
solide v. dur, épais, épreuve, ferme, robuste, sérieux, stable, sûr, vigoureux
solidification v. concret, corps
solidifier v. durcir, solide
solidité v. résistance
soliflore v. vase
solifluxion v. sol
soliloquer v. parler, seul
solipède v. âne, sabot
soliste v. musicien
solitaire v. bague, diamant, misanthrope, sauvage, seul
solitairement v. ombre
solitude v. isolement
solive v. parquet, plafond, support
sollicitation v. demande, invitation, tentation, tentative
solliciter v. prier, rechercher
sollicitude v. attention, compassion, intérêt, tendresse
solstice v. nuit, saison
soluble v. dissoudre, fondre
soluté v. liquide, médicament, solution
solution v. impasse, issue, liquide, possibilité, résultat
solutionner v. solution
solvant v. éther
somatique v. corps
somatotrope v. corps
sombre v. enterrement, foncé, funeste, mélancolie, morose, noir, nuit, obscur, pessimiste, sinistre, sourd, triste
sombrer v. abîmer, anéantir, disparaître, enfoncer, engloutir, glisser, naufrage, noyer
sommaire v. abréger, argument, catalogue, concis, description, élémentaire, grossier, primaire, primitif, simple, superficiel
sommairement v. substance
sommation v. commandement, demande, demeure, impôt, invitation, mise, ultimatum
somme v. dormir, récit
sommeil v. repos
sommeiller v. dormir, inertie
sommelier v. repas
sommer v. commander, exiger, interpeller, ordonner
sommet v. conférence, crête, point, pointe, supérieur, zénith
sommier v. cheval, comptabilité, identité, matelas, piano, registre, voûte
sommital v. sommet
sommité v. personne, savant
somnambule v. marcher
somnambulisme v. hypnose, sommeil
somnifère v. dormir, drogue, sommeil
somno v. table
somnolence v. sommeil
somnoler v. dormir
somptuaire v. luxe
somptueux v. magnifique, riche, splendide, superbe
somptuosité v. luxe
son v. céréale, issue, porc, rythme
sonal v. indicatif, publicitaire
sonar v. marine, onde, sous-marin
sonate v. composition, piano
sondage v. consultation, enquête, interrogation, questionnaire, statistique
sonde v. astronautique, perceuse, tube
sonder v. chercher, explorer, interroger, mesurer, profondeur, questionner, reconnaître, scruter, tâter
songe v. illusion, prophète, rêve
songe-creux v. songe
songer v. méditer, penser, réfléchir, soin, spéculer, veiller
sonnaille v. bétail, clochette
sonnette v. clochette
sonneur v. cornemuse
sonnez v. dé
sonomètre v. son
sonore v. document, fort
sonorité v. son
sonothèque v. collection, son
sophisme v. argument, faux, logique, raisonnement
sophiste v. rhétorique
sophistication v. perfection
sophistique v. convaincre
sophistiqué v. raffiné, soigner, subtil
sophistiquer v. raisonner
Sophocle v. tragédie
sophrologie v. médecine
sopor v. sommeil
soporifique v. dormir, ennuyeux, narcotique, sommeil
soprano v. haut, voix
sorbet v. dessert, glace
sorcellerie v. animisme, incantation
sorcier v. conte, enfant, magicien
sordide v. dégoûtant, mesquin, sale
sorgho v. céréale, fourrage, vannerie
sorite v. raisonnement
sornette v. conte, sottise
sororité v. solidarité
sort v. chance, charme, destin, fatalité, fée, fortune, hasard, sorcier
sorte v. genre, nature, race, série
sorte (en) v. tâcher
sortie v. attaque, issue, siège
sortilège v. illusion, incantation, magique, sorcier, sort
sortir v. déboucher, venir
S.O.S. v. appel, signal
sosie v. double, jumeau, ressemblance
S.O.S. M.S.T. S.I.D.A. v. sida
sot v. idiot, imbécile, vain
sottie v. farce, théâtral
sottise v. bêtise, folie, ignorance
sou v. franc
souchong v. thé
soubassement v. base, fondation
soubise v. purée
soubresaut v. brusque, convulsion, frisson, intermittent, saut, secousse, sursauter
soubrette v. domestique, servante
soubreveste v. veste
souche v. cierge, condition, famille, origine, pied, race, racine, sang, tronc, vigne
souchet v. canard
souci v. ennui, misère, nuage, problème, tracas
soucier (se) v. inquiéter, occuper, penser, préoccuper
soucieux v. inquiet, soigneux
soucoupe v. vaisselle
soudain v. brusque, imprévu, subit, surprise
soudard v. soldat
soude v. alcali, algue, base, cendre, poison
souder v. coller, joindre, serrer
soudière v. usine
soudoyer v. acheter, argent, corrompre, payer
soue v. cochon, étable
souffle v. bruit, esprit, soupir, vent
soufflé v. dessert
souffler v. expirer, insinuer, ravir, respirer, taire
soufflet v. cheminée, forge
soufflетier v. orgue
souffleur v. dauphin
souffrance v. douleur, mal, malheur
souffrant v. malade
souffre-douleur v. victime
souffreteux v. faible, fragile, maladif, souffrant
souffrir v. admettre, endurer, permettre, recevoir, subir, supporter, voir
soufisme v. islam
soufré v. soufre
soufrière v. soufre
souhait v. attente, demande, envie, espoir, impératif, vœu, volonté
souhaiter v. désirer, rêver
souillard v. trou
souille v. sable, sale
souillé v. sale, usé
souiller v. déshonorer, profaner, salir
souillon v. malpropre
souillure v. tache
souk v. arabe, bazar, marché
soûl v. content, ivre
soulagement v. consolation, diminution
soulager v. adoucir, alléger, délivrer, endormir, guérir, libérer
soulane v. montagne
soulèvement v. agitation, émeute, mouvement, rebelle, révolte
soulever v. aborder, bouger, déchaîner, provoquer, relever, susciter
soulier v. chaussure
souligner v. accuser, insister, marquer, ponctuer, relever, relief, signaler, valoir
soûlographe v. ivrogne
soulte v. échange, supplément
soumettre v. capituler, céder, conquérir, consentir, exposer, obéir, proposer, raison, rendre, résistance, respect, subir, suggérer, ventre
soumis v. humble, passif, servile
soumission v. acceptation, contrainte, dépendance, pauvreté, reconnaissance, servitude
sounder v. signal
soupçon v. allusion, doute, ombre, présomption, quantité, trace
soupçonner v. deviner, entrevoir, intuition, pressentir, sentir
soupçonneux v. jaloux, méfiant, sournois
soupe v. potage
souper v. repas
soupeser v. peser
soupir v. ponctuation, regret, rythme, silence, souffle
soupirail v. ouverture, regard
soupirant v. accompagnateur, admirateur, amant
souple v. maniable
souplesse v. adapter, élasticité
souquenille v. blouse, vêtement
source v. cause, ferment, idée, naissance, origine, point, principe, trésor
sourcier v. baguette, source
sourcilleux v. sévère
sourd v. jaillir, mat, rebelle, sonore, sortir, vague
sourdine v. adoucir, silence, son
sourdre v. couler, surgir
souriceau v. souris
souricière v. piège
sourire v. favorable
souris v. rongeur, cambrioler
sournois v. empoisonner, faux, fourbe, hypocrite, malin, perfide
sous-alimentation v. insuffisance
sous-cape v. cigare
souscription v. abonnement, appel, Bourse, emprunt, signature
souscrire v. accepter, acquitter, adhérer, approuver, consentir, convertir
sous-développé v. retard
sous-diaconat v. ordre
sous-directeur v. inférieur
sous-entendre v. suggérer
sous-entendu v. allusion, indirect, silence
sous-espèce v. race
sous-lieutenant v. chef
souslik v. marmotte
sous-marine v. bataille
sous-marinier v. sous-marin
sous-payer v. exploiter
sous-production v. insuffisance
sous-prolétariat v. pauvreté
sous-qualification v. insuffisance
sous-race v. race
soussigné v. signature
sous-titrage v. adaptation, traduction
sous-titrer v. film, version
soustractif v. soustraire
soustraction v. opération
soustraire v. acquérir, arracher, confisquer, détourner, dissimuler, distraire, échapper, emporter, escroquer, évader (s'), fuir, libérer, ôter, prendre, sauver, supprimer, voler
soutache v. broderie, galon
soutane v. robe, vêtement
soutènement v. mur, revêtement, soutenir
souteneur v. prostituée
soutenir v. accompagner, affirmer, aider, appuyer, assurer, bénir, encourager, maintenir, parier, plaider, porter, protéger, raison, recommander, réconforter, répondre, seconder, supporter
soutenu v. continu, correct, égal, noble, vif
souterrain v. galerie, secret, sourd, sournois
soutien v. aide, appui, assistance, faveur, parrain, protec-

tion, refuge, secours, support
soutier v. marin
soutirer v. arracher, escroquer
souvenance v. souvenir
souvenir v. conséquence, passé, pensée
souvenir (se) v. penser, rafraîchir, reconnaître, remettre, représenter, retenir
souvenir-écran v. souvenir
souverain v. empereur, libre, livre sterling, monarchie, prince, roi, seigneur, supérieur
souveraineté v. autonomie, autorité, liberté, pouvoir
souverain pontife v. pape
soviétique v. rouge
sovkhoze v. ferme
soyer v. champagne
soyeux v. amoureux, brillant, délicat, doux, drap, soie
spacieux v. grand
spadassin v. gage
spaghetti v. italien
spahi v. cavalerie, soldat
spalter v. pinceau
sparadrap v. collant, colle
spardeck v. pont
sparganier v. ruban
spart v. panier
Spartiate v. austérité
spartiate v. chaussure, sandale, sévère
spasme v. contraction, convulsion, rage
spasmodique v. frisson, spasme
spasmolytique v. spasme
spasmophilie v. magnésium, spasme
spath v. cristal
spathe v. maïs
spationaute v. fusée, vaisseau
spatule v. cuiller, dentiste, peintre
speaker v. présentateur
spécial v. exception, particulier, seul
spécialisation v. docteur, industrie
spécialiser v. éducateur
spécialiste v. conseiller, technicien, valable
spécialité v. champ, domaine, secteur
spécieux v. apparence, malhonnête, perfide, raisonnement, trompeur
spécification v. détermination
spécificité v. caractéristique, différence, qualité, singularité
spécifier v. définir, déterminer
spécifique v. douane, particulier, propre, spécial, typique, volume
spécifiquement v. notamment
spécimen v. cas, échantillon, exemplaire, individu, modèle
spectacle v. exhibition, numéro, production, récital, représentation, revue, scène
spectaculaire v. éclatant
spectateur v. assister, client, destinataire, observateur, témoin
spectre v. apparition, arc-en-ciel, décomposition, fantôme
spéculatif v. pur
spéculation v. arbitrage, calcul, opération, pensée, raisonnement, recherche, trafic
spéculer v. acheter, Bourse, capital, jouer, méditer, songer, vendre
speed-sail v. planche à voile
spéléologie v. exploration, grotte
spencer v. veste
spéos v. temple
spermaceti v. cachalot
spermathèque v. sperme
spermatogenèse v. sperme
spermatozoïde v. conception, mâle, reproduction, sperme
sperme v. banque, reproduction, semence, sida
spermicide v. contraceptif, sexuel, sperme
spermie, spermoculture, spermocytogramme, spermogramme v. sperme
sphacèle v. gangrène
sphaigne v. mousse
sphalérite v. zinc
sphère v. condition, orbite, société, univers
sphérique v. rond, sphère
sphéroïdal v. sphère
sphex v. guêpe
sphincter v. anus
sphinx v. femme
sphygmographe v. pouls
sphygmomanomètre v. enregistreur, tension artérielle
spiciforme v. épi
spicilège v. recueil
spinal v. colonne vertébrale
spina-ventosa v. tuberculose
spinnaker v. voile
spirale v. boucle, galaxie
spire v. spirale
spirille v. microbe
spiritisme v. consultation, esprit
spiritualiser v. spirituel
spiritualisme v. âme, réalité
spirituel v. brillant, intéressant, malicieux, plaisant, raffiné, religieux
spiritueux v. alcool, liqueur
spirochète v. microbe
spiroïde v. fracture
splanchnologie v. anatomie
spleen v. crise, ennui, mélancolie, tristesse
splendeur v. éclat
splendide v. magnifique, merveilleux, somptueux, superbe
splendidement v. prince
splénectomie v. ventre
spolier v. acquérir, dépouiller, emparer (s'), violence, voler
spondée v. mètre
spondyle v. vertèbre
spongiculture v. éponge
spongieux v. mou
spontané v. automatique, désintéressé, improvisé, inconscient, instinct, involontaire, naturel
sporadique v. maladie
sporange v. capsule
sporozoaire v. paludisme
sport v. éducation, exercice
sportule v. don
sporulation v. multiplication, reproduction
spot v. feu, illumination, message, publicitaire
Spoutnik 1 v. fusée, satellite
sprint v. athlétisme, vitesse
sprinter v. coureur
spumescent v. écume
spumeux v. écume
squamate v. serpent
squameux v. écaille
squamifère v. écaille
squamule v. écaille
square v. carré, jardin, parc
squat v. occupation
squatter v. pionnier
squelette v. charpente, os, plan, structure
squelettique v. chair, maigre, sec, squelette
squille v. sauterelle
squirrhe v. cancer
stabilisant v. conservateur
stabiliser v. assainir, consolider, équilibre
stabilité v. assiette, permanence
stable v. ferme, fixe, identique, solide, stationnaire
stabulation v. étable
stade v. course, durée, itinéraire, phase, sport
staff v. plâtre
stagflation v. baisse, crise
stagnant v. dormir
stagnation v. arrêt, changement
stagner v. évoluer, séjourner
Stahl v. animisme
stakhanovisme v. rendement, travail
stalactite v. calcaire, grotte, pétrifié
stalag v. camp
stalagmite v. calcaire, grotte, pétrifié
stalinisme v. communisme
stalle v. chaise, course hippique, écurie, loge
stance v. poème
stand v. baraque, boutique, rayon
standard v. téléphone, uniforme
standardisation v. industrie, rationnel
standing v. confort, niveau, statut
stannifère v. étain
staphisaigre v. pou
star v. vedette
starter v. course
starting-block v. course, marque
starting-gate v. course hippique
stase v. arrêt, stagnation
stathouder v. gouverneur, hollandais
station v. croix, halte, milieu
stationnaire v. invariable, maintenir, stable
statique v. équilibre, mécanique, stationnaire
statistique v. état, recensement, sondage
stator v. moteur
statuaire v. sculpture, statue
statue v. idole, niche
statue-bloc v. statue
statue-cube v. statue
statuer v. décider, juger, prononcer, trancher
statuette v. sujet
statufier v. pétrifier
stature v. taille, valeur
statut v. règle
statutaire v. statut
stayer v. coureur, fond
steak v. bifteck
steamer v. bateau
stéarate v. zinc
stéarine v. graisse
stéatite v. magnésium
stéatopyge v. fesse
stéatose v. foie
steeple-chase v. course hippique, obstacle
stégomyie v. moustique
stèle v. colonne
stella v. pomme de terre
stellaire v. rayon
stellionat v. fraude
stem v. virage
sténogramme v. sténographie
sténographe v. secrétaire
sténographie v. abréger
sténographier v. dictée
sténose du pylore v. malformation
sténotyper v. sténographie
sténotypie v. abréger
stentor v. voix
steppe v. désert, plaine, végétation
stercoral v. excrément
stère v. mètre
stéréobate v. soubassement
stéréométrie v. géométrie
stéréoscope v. relief
stéréoscopie v. photographie
stéréoscopique v. tridimensionnel
stéréotomie v. taille
stéréotype v. cliché, commun, formule, image
stéréotypé v. standard, uniforme, usé
stéréotyper v. couler
stéréotypie v. imprimerie
stérer v. mesurer
stérile v. ingrat, inutile, maigre, pauvre, résultat, sec, vain
stérilet v. contraceptif
stérilisateur v. stérilisation
stérilisation v. désinfection, propreté
stériliser v. assainir, bouillir
sterlet v. esturgeon
sterne v. hirondelle
sternutation v. éternuer
sternutatoire v. éternuer
stéthoscope v. médecin
Stetson v. chapeau
steward v. garçon
stichomythie v. poème
stick v. baguette, bâton, équipe, hockey
stigmate v. crucifixion, marque, pistil, trace
stigmatiser v. blâme, imprimer
stillatoire v. goutte
stilligoutte v. goutte
stimulant v. drogue, ginseng, reconstituer, sain, tonique
stimuler v. aiguiser, animer, encourager, éveiller, exciter, fouet, inviter, réconforter, réveiller, soutenir
stimulus v. acte, instinct, réaction
stipe v. palmier, tige
stipendiaire v. solde
stipendier v. acheter, argent, corrompre, payer
stipulation v. condition, contrat
stipuler v. dicter, énoncer, fixer
stoa v. grec
stochastique v. statistique
stock v. provision, réserve
stocker v. déposer, marchandise
stockfish v. morue
stoïcien v. austérité
stoïque v. courageux, ferme, fort, héroïque
stolon v. filet, fraisier, tige
stomatite v. bouche
stomatologie v. dentaire
stomatologiste v. bouche, dentiste, médecin
stomatoscope v. bouche
stomoxe v. mouche
stopper v. raccommoder, réparer
store v. fenêtre
stot v. mine
stout v. bière
strabisme v. regard
Stradivarius v. violon
stramonium v. pomme
strangulation v. cou
strapontin v. métro, siège

Strasbourg v. saucisse
strass v. cristal
stratagème v. combinaison, ruse, subterfuge
strate v. banc, couche, forêt
stratège v. conducteur, manœuvre
stratégie v. bataille, calcul, plan, politique, tactique
stratification v. accumulation
stratigraphie v. archéologie, géologie
stratosphère v. atmosphère, couche
stratus v. nuage
stressant v. fatigant
stretch v. tissu
strict v. exigeant, rigoureux, sévère
strictement v. formellement
stricto sensu v. étroit, strict
strident v. aigu, perçant
stridulation v. aigu
strie v. ligne
strige v. fantôme
strigidés v. chouette, hibou
strigiformes v. chouette
strigile v. frotter
strip-tease v. spectacle
strip-teaseuse v. déshabiller
striquer v. dentelle
strix v. chouette
strobile v. conifère, pin
stroboscope v. cinéma
Stromboli v. volcan
stronk v. pêche
strontium v. paratonnerre
strophe v. division, poème
strouille v. pêche
structuralisme v. relation
structure v. appareil, architecture, cadre, constitution, économie, forme, organisation, programme, régime, relation, schéma, soubassement, squelette, système, texture, unité
strychnine v. poison
stuc v. marbre, plâtre
studieux v. attentif, étude, travailleur
studio v. appartement, atelier, film, intérieur
stud-book v. cheval, race, registre
stupéfaction v. étonnement, surprise
stupéfait v. ébahi, étonné, surprendre
stupéfiant v. drogue, étonnant, formidable, opium, sensationnel
stupéfier v. confondre, sidéré, stupéfait
stupeur v. étonnement, subit, surprise
stupide v. brut, idiot, imbécile, pesant, ridicule, sot
stupre v. luxure
sturnidés v. étourneau
style v. aiguille, cadran, école, écriture, facture, forme, genre, manière, ordre, pistil, poinçon, répertoire, technique, verbe
stylet v. aiguille, poinçon
stylicien v. conception, design
stylique v. design
styliser v. simplifié
styliste v. conception, couturier, mode
stylistique v. style
stylobate v. colonne, socle, temple
stylométrie v. style
stylomine v. crayon
styrax v. résine
Styx v. enfer, fleuve
suaire v. fantôme, linge, mort
suave v. parfum
suavité v. délicatesse, douceur
subalterne v. inférieur, moindre, secondaire
subconscient v. conscience
subdiviser v. partager
subdivision v. section
suber v. liège
subir v. croix, endurer, éprouver, essuyer, infliger, passer, recevoir, reproche, souffrir, supporter
subit v. brusque, immédiat, imprévu, inopiné, soudain, surprise
subjectif v. choix, personnel, support
subjectivité v. identité
subjuguer v. conquérir, enjôler, ensorceler, fasciner, imposer, passionner, séduire
sublime v. admirable, éblouissant, extraordinaire, grandiose, noble, splendide, superbe, supérieur
sublimer v. raffiner, spirituel
subliminal v. conscience
submerger v. accabler, assaillir, envahir, noyer
submersion v. inondation
subodorer v. connaître, deviner, intuition, pressentir, soupçonner
subordination v. dépendance, hiérarchie, obéissance
subordonné v. inférieur, proposition, valise
suborner v. corrompre
subrécargue v. transport
subreptice v. clandestin, sournois
subrepticement v. secret
subreption v. obtenir
subroger v. substituer
subrogé tuteur v. tuteur
subséquent v. suivre
subside v. aide, allocation, appui, complément, don, pension, secours, subsister
subsidiaire v. supplémentaire
subsister v. demeurer, durer, exister, maintenir, survivre, traîner
subsonique v. avion
substance v. absolu, concentré, concret, contenu, essence, matière, réalité
substantiel v. fortifier, important, solide
substantif v. commun, nom
substituer v. place, succéder
substitut v. magistrat, parquet
substrat v. substance
subterfuge v. piège, ruse
subtil v. aigu, astucieux, délicat, extraordinaire, habile, léger, malin, parfum, pénétrant, perçant, raffiné, spirituel
subtiliser v. raffiner, voler
subtilité v. finesse, perspicacité
subulé v. aigu
subvenir v. aider, fournir, pourvoir
subvention v. aide, allocation, appui, complément, don, secours, subsister
subversif v. révolutionnaire
suc v. jus, liquide, pancréas, plante, sève, substance
succédané v. produit, substitution
succéder v. alterner, suivre
succès v. événement, fortune, résultat, réussite, triomphe, vain, victoire
successeur v. dauphin, héritier
successible v. héréditaire, succession
successif v. alternatif, postérieur
succession v. défilé, déroulement, dynastie, échelle, héritage, ordre, phase, révolution, série, suite
successivement v. tour
succin v. résine
succinct v. bref, résumé, sommaire
succinctement v. peu
succomber v. céder, mourir, péché, vaincre
succube v. diable, sorcellerie
succulence v. délicatesse
succulent v. admirable, bon
succursale v. agence, annexe, magasin, maison
suçoir v. bouche, racine
sucrage v. sucre
sucre v. cabane, savon
sucré v. sournois, suave
sucrerie v. bonbon, cabane, friandise
sucrin v. melon
Sud v. midi
sudation v. malaise, sueur, transpiration
sudatorium v. bain
sudorifère v. sueur
sudorifique v. suer
sudoripare v. sueur
suédois v. germanique
suer v. nage, transpirer
sueur v. écume, frayeur, transpiration
suffire v. satisfaire
suffisance v. dédain, orgueil, satisfaction, superbe, vanité
suffisant v. content, fier, important, pédant, prétentieux, supérieur
suffixe v. addition, fin, mot, particule, racine, terminaison
suffocant v. lourd
suffocation v. asthme, étouffement
suffoquer v. essouffler, respirer, stupéfait
suffrage v. élection, référendum, vote
suggérer v. allusion, dicter, évoquer, insinuer, inspirer, penser, persuader, proposer, souffler, sous-entendu
suggestif v. suggérer
suggestion v. conseil
sui generis v. spécial
suicide v. désespoir
suicider (se) v. tuer
suicidologie v. suicide
suidés v. cochon, porc
suie v. noir
suif v. graisse, mouton
suint v. laine
suintant v. humide
suinter v. couler, perler, répandre, suer, transpirer
suisse v. concierge, écureuil, portier
suite v. appartement, cycle, déroulement, échelle, progression, résultat, secondaire, série, succession
suitée v. jument
suites v. sanglier, testicule
suivant v. accompagnateur, selon, servante, ultérieur
suiveur v. suivre
suivi v. charge
suivre v. assister, emboîter, imiter, obéir, observer, occuper, sacrifier, soumettre, succéder
sujet v. élément, étoffe, fond, habitant, idée, matière, objet, occasion, patient, personne, point, porter, prêter, question, représenter, substance, thème, vassal
sujétion v. contrainte, dépendance, servitude, soumission, tutelle
sulcature v. sillon
sulciforme v. sillon
sulfate v. papier, soufre, zinc
sulfitation v. vin
sulfite, sulfure, sulfureux, sulfurifère v. soufre
sulfurique (acide) v. poison
sulfurisé (papier) v. parchemin
sulky v. voiture
sultan v. empereur, musulman, souverain, turc
sultane v. galère, mésange
sumac v. laque
sumérien v. babylonien
summum v. degré, extrême, fin, maximum, perfection, période, point, sommet
sumo v. lutte
sunna v. recueil
sunnite v. islam, musulman
superbe v. fier, magnifique, merveilleux, ravir, somptueux, splendide
superbement v. prince
supercarburant v. carburant
supercherie v. fraude, ruse, subterfuge
superfétatoire v. ajouter, inutile, superflu
superficie v. espace, surface
superficiel v. apparent, externe, façade, frivole, général, sommaire
superflu v. ajouter, inutile, superficiel, vain
superfluité v. luxe, répétition, superflu
Super Frelon v. hélicoptère
supérieur v. couvent, exceptionnel, meilleur, planète, protecteur, religieux, souverain, superbe
supérieurement v. parfaitement
supériorité v. avantage
superlatif v. supériorité
super-lourd v. boxe
superman v. supérieur
supermassif v. trou
superposer v. mettre, recouvrir
supersonique v. avion, son
superstitieux v. malheur
superstition v. religieux, religion
superviser v. conduire
super welter v. boxe
supination v. mouvement
supplanter v. déposséder, place, succéder, vaincre
suppléant v. adjoint
suppléer v. manque, pourvoir, succéder
supplémenter v. supplément
supplétif v. supplément
supplétoire v. serment
supplication v. incantation, prière
supplice v. damné, enfer, impatience, mal, martyre, peine, persécution, souffrance, torture
supplicier v. infliger
supplier v. prier
supplique v. demande, prière
support v. base, dossier, fondation, piédestal, socle, store
supportable v. passable
supporter v. admettre, endurer, maintenir, permettre, porter,

recevoir, souffrir, soutenir, subir, tolérer, vivre, voir
supposé v. faux
supposer v. imaginer, impression, penser, présumer, réclamer
supposition v. conjecture, hypothèse, opinion, présomption, prévision
suppositoire v. médicament
suppôt v. agent, fidèle, secte
suppression v. désarmement, disparition, extinction, privation
supprimer v. aplanir, cesser, disparaître, écarter, effacer, éliminer, enlever, ôter, tuer
suppuration v. pus
supputation v. calcul, conjecture, diagnostic, présage, supposition
supputer v. calculer, estimer, évaluer
suprématie v. pouvoir, supériorité
suprême v. dernier, extrême, haut, royal, souverain, supérieur
sûr v. invariable, parier, positif, précis, sérieux, souverain, refuge
surabondance v. excessif, profusion, surcharge
sural v. mollet
suranné v. ancien, bourgeois, démodé, employer, périmé, rococo, usage, vieux
surata v. division
surcharge v. excédent, supplément, surplus, trop-plein
surcharger v. écraser
surclasser v. dépasser, dominer
surcroît v. excédent, supplément, surcharge, surplus
surdi-mutité v. muet, sourd
surdité v. audition, entendre, perte, sourd
surdoué v. génie, intelligent
surélever v. élever
sûreté v. aplomb, assurance, sécurité
surexcitation v. délire
surface v. étendue, sol, vernis
surface de réparation v. but, football
surfiler v. coudre, fil
surge v. laine
surgeler v. froid
surgénérateur v. centrale nucléaire
surgeon v. bourgeon
surgir v. apparaître, déboucher, jaillir, naître, paraître, pointer
surgras v. savon
surhomme v. héros, supérieur
surhumain v. impossible
suri v. aigre, corrompu
surimpression v. imprimerie, trucage
surintendant v. trésorier
surir v. tourner
surjeter v. coudre
surlé v. résine, térébenthine
sur-le-champ v. comptant, maintenant, séance, suite
surligneur v. feutre
surmenage v. excès, fatigue, travail
surmoi v. moi
surmonter v. bout, dominer, franchir, venir
surnager v. flotter, nager, subsister
surnaturel v. magique
surnom v. diminutif, nom, petit
surnuméraire v. fonctionnaire
suroît v. marin, vent
surpasser v. dominer, supérieur
surplomber v. dominer, surmonter
surplus v. excédent, excès, stock, supplément, surcharge, trop-plein
surprenant v. admirable, étonnant, inattendu, incroyable, inopiné, original, singulier
surprendre v. improviste, voir
surpris v. renverser
surprise v. étonnement, improviste, stupeur
surproduction v. production, stock
surréalisme v. littéraire, raison
sursaut v. réaction, saut
surseoir v. attendre, remettre, suspendre, tard
sursis v. délai, renvoi
sursitaire v. sursis
surtaxe v. taxe
surtout v. charrette, milieu
surveillance v. arbitrage, contrôle, observation
surveillant v. étude, gardien, prison, sentinelle
surveiller v. contrôler, épier, espionner, guetter, inspecter, occuper, veiller, vigilant
survendre v. vendre
survenir v. apparaître, déclarer, intervenir, paraître, présenter, produire
survêtement v. vêtement
survivant v. survivre
survivre v. subsister
survoler v. feuilleter, parcourir
survolter v. stimuler
sus v. supplément
susceptible v. épiderme, nature, pointilleux, sensible, vexer
susciter v. allumer, attirer, donner, engendrer, éveiller, évoquer, mettre, naître, produire, provoquer, réveiller, soulever
suscription v. adresse
susdit v. répétition
sus-épineux v. épaule
sushi v. japonais
suspect v. anormal, louche
suspecter v. responsable, soupçonner
suspendre v. accrocher, cesser, défendre, fixer, interrompre, neutraliser, pendre, refuser, relever, remettre
suspendu v. pont
suspens v. souffrance
suspense v. censure, ressort, sanction
suspension v. arrêt, interdiction, pause, ressort, rupture, saut, trêve, vacance
suspensoir v. bandage
suspicieux v. méfiant, soupçonneux
suspicion v. doute, passion
sustentation v. membre
sustenter v. alimenter, consommer, manger, nourrir
susurrement v. bruit
susurrer v. dire, murmurer, parler
sutra v. recueil, règle
suture v. os, point
suturer v. coudre, fermer
suzerain v. féodal, seigneur
svelte v. menu, mince
sweating-system v. travailleur
sweepstake v. loterie
swing v. boxe, jazz, rythme
sybarite v. sensuel
sycophante v. dénoncer, figue, sournois
syllabaire v. mot
syllabe v. rythme
syllabique v. écriture, syllabe
syllabus v. papauté
syllepse v. licence
syllogisme v. argument, déduction, logique, majeur, raisonnement
sylphe v. esprit, génie
sylphide v. femme
sylvain v. forêt
sylve v. cirque, forêt
sylvestre v. pin
sylvicole v. forêt
sylviculture v. arbre, forêt
sylvie v. anémone
sylviidés v. hirondelle
symbiose v. communion
symbole v. abréviation, chimie, correspondance, idée, image, insigne, poésie, représentation, signe
symboliser v. désigner, figurer, personnifier, représenter
symétrie v. accord, équilibre, pondération, ressemblance
symétrique v. opposé, pendant, semblable
sympathie v. amitié, penchant, respect, sensibilité
sympathique v. encre, plaisant
sympathisant v. parti
symphonie v. composition, concert
symphoniste v. symphonie
symphyse v. os
symposium v. assemblée, congrès, réunion, savant
symptomatique v. typique
symptomatologie v. symptôme
symptôme v. diagnostic, indicatif, indication, maladie, signe
synagogue v. communauté, culte, juif, rabbin, temple
synallagmatique v. contrat, féodal, réciproque
synarthrose v. articulation, os
synchrone v. simultané, temps
synchronie v. contemporain, correspondance
synchronique v. simultané
synclinal v. géologique, pli, relief
syncope v. arrêt, évanouir (s'), malaise, rythme, syllabe, vertige
syncopé v. impair
syncrétisme v. fusion, mélange, religion, réunion
syndic v. faillite, immeuble
syndicaliste v. syndicat
syndicat v. droit, société
syndicat d'initiative v. touriste
syndiqué v. syndicat
syndrome v. maladie, signe, symptôme
syndrome de Bywaters v. muscle
syndrome de Kwashiorkor v. protéine
syndrome de West v. spasme
syndrome immuno-déficitaire acquis v. sida
synérèse v. contraction, voyelle
synodal v. concile
synode v. assemblée, concile, congrès, évêque, protestant, réunion, théologie
synodique v. année, planète
synonyme v. mot, valeur
synonymie v. ressemblance
synopsis v. abréger, condensé, film, projet, résumé, scénario
synoptique v. général, tableau
synovie v. articulation
syntaxe v. construction, ordre, phrase
synthèse v. chimie, combinaison, compte, dialectique, résumé, réunion, somme
synthétique v. artificiel, fourrure, plastique
synthétiser v. abréger, condenser
syrinx v. flûte, roseau
syrtes v. sable
systématique v. conforme, méthodique, périodique, routine, zoologie
système v. appareil, doctrine, ensemble, régime, relation, théorie, univers
système cérébro-spinal v. nerveux
système D v. débrouillard
système international v. unité
système neuro-végétatif v. nerveux
systole v. alternatif, cœur, contraction
syzygie v. lune, marée

tabagisme v. tabac
tabard v. manteau
tabatière v. fenêtre, toit
tabellaire v. impression
tabellion v. notaire
tabernacle v. autel, hébreu, tente
table v. bureau, catalogue, marteau, pupitre
tableau v. chasse, comédie, œuvre, portrait, récit, représentation, scène, spectacle, vanité
tableautin v. tableau
table d'écoute v. espionner
table des matières v. contenu, sommaire
table d'orientation v. orientation, sommet
tabler v. spéculer
tabletier v. marqueterie
tablette v. papier, rayon
tabletterie v. ébène
tablier v. balance, écolier, pont, rideau, ruche, vêtement
tabou v. interdiction, interdit, sacré
tabouret v. bureau
tabulaire v. iceberg, table
tabulateur v. machine
tache v. envie, fraise, odorat, pâté
tâche v. action, entreprise, fonction, occupation, œuvre, travail
taché v. sale
tacher v. noircir
tâcher v. efforcer (s')
tâcheron v. marque, travailleur
tachycardie v. battement, cœur
tachylalie v. parole
tachymètre v. enregistreur, vitesse
tacite v. allusion, silencieux, sous-entendu

taciturne v. muet, silencieux, sombre
tact v. adresse, délicatesse, diplomatie, goût, maladroit, politesse, précaution, savoir-faire, savoir-vivre
tactique v. marche, plan, politique
tadorne v. canard
taël v. chinois
taffetas v. soie
tag v. dessin, inscription
tagal v. textile
tagète v. rose
taïaut v. chasse, cri
tai chi chuan v. chinois
taie v. oreiller, tache
taïga v. forêt
taillade v. entaille
taillader v. blesser
tailladin v. citron
taillanderie v. quincaillerie
taille v. épée, étendue, fil, format, importance, impôt, taxe
tailler v. branche, conduire, diamant, raccourcir, rafraîchir, rogner, sculpter, tondre
tailleur v. couturier
taillis v. bois, forêt
tailloir v. découper
tain v. étain, glace, mercure
taire v. cacher, dissimuler, silence
talc v. magnésium, papier
talent v. capacité, génie, instinct, science
talentueux v. fort
taler v. meurtrir
talion (loi du) v. réciproque, vengeance
talisman v. bonheur, défense, magique, porte-bonheur
talith v. juif
talitre v. puce
Talmud v. juif, rabbin, recueil
talmudiste v. théologie
talon v. charrue, jambon, pied
talonner v. harceler, marcher, poursuivre, rugby, suivre, toucher
talonnette v. bas, ruban
talonnière v. ski
talpidés v. taupe
talus v. obstacle, parapet
talweg v. vallée
tamandua, tamanoir v. fourmi
tambour v. batterie, caisse, dentelle, frein
tambourin v. tambour
tambouriner v. frapper
tamia v. écureuil
tamis v. passoire, tennis
tamiser v. doux, farine, filtrer, pâle
tampico v. brosse
tampon v. bâillonner, choc
tamponnoir v. montagne
tam-tam v. tambour
tan v. chêne
tancer v. gronder, reproche
tanche v. dorée
tandem v. bicyclette, véhicule
tandis que v. pendant
tangage v. balancement, mouvement
tangente v. circonférence
tangible v. concret, effectif, manifeste, matériel, perceptible, réel, sensible, sérieux, visible
tangram v. chinois, combinaison, puzzle
tanière v. abri, gîte, ours
tanisage v. vin
tank v. blindé, char, véhicule
tanka v. japonais
tanker v. cargo, transport
tannage v. cuir
tanne v. kyste
tanné v. hâlé, mat
tanrec v. hérisson
tan-sad v. motocyclette
Tantale v. supplice, tentation
tantième v. quote-part
taoïsme v. chinois
tapage v. bruit, scandale
tapageur v. agressif
tapas v. repas
tape v. bouchon
tape-à-l'œil v. vanité
tapette v. tampon
taphophilie v. tombe
tapinois v. cachette, secret
tapioca v. farine
tapisser v. recouvrir
tapisserie v. art, décor
tapissier v. décor, fauteuil, meuble
tapon v. bouchon
tapuscrit v. taper
taquin v. malicieux
taquiner v. plaisanter
taquinerie v. misère
târa v. lit
tarabiscot v. rabot
tarabuster v. ennuyer, harceler
tarasque v. dragon, légende
taraud v. perceuse
taraudant v. aigu, perçant
tarauder v. persécuter, tourmenter
taraudeuse v. perceuse
taravelle v. planter
tarbouch v. coiffure, turc
tardiveté v. maturité
tare v. infirmité, poids, vice
tarentule v. araignée
tarer v. peser
targe v. bouclier
targette v. verrou
targuer (se) v. flatter, fort
targum v. traduction
tari v. sec, source
tarière v. perceuse, sonde
tarif v. coût, prix
tarir v. cesser, finir
tarissement v. épuisement
tarlatane v. coton
tarot v. carte
taroupe v. poil, touffe
tarpan v. cheval
Tartare v. damné
tartare v. bifteck
tartarin v. fanfaron
tarte v. dessert, moule
tartre v. calcaire
tartufe v. cacher, hypocrite
tartuferie v. hypocrisie
tas v. paquet, pile, réunion
tasse v. vaisselle
tasseau v. appui
tasser v. dense, serrer
taste-vin v. tasse, vin
tatami v. art, karaté, tapis
tâter v. fois, goûter, toucher
tatillon v. maniaque, minutieux
tâtonnement v. incertitude, recherche
tâtonner v. hésiter, tâter
tatouage v. inscription, peau
tatouer v. marquer
taud v. tente
taudis v. habitation, maison, sale
taupe v. agent, espion, renseignement, secret, tunnel
taupin v. étudiant
taupinière v. taupe
taure v. vache
taureau v. barque
taurillon v. taureau
taurobole v. sacrifice, taureau
tauromachie v. arène, combat
tautologie v. logique, pléonasme, répétition, vérité
taux v. tarif
tauzin v. chêne
T.A.V. (Espagne) v. train
tavaïolle v. linge
tavelé v. fruit, tache
taxe v. contribution, droit, impôt
taxer v. charger, imposer, qualifier, traiter
taxi-bâche v. taxi
taxidermie v. cadavre, empailler, naturalisation
taximètre v. taxi
taxinomie v. botanique, zoologie
taylorisme v. machine, rendement, travail
tchador v. musulman, voile
tchernoziom v. fertile, sol, terre
tchogan v. hockey
té v. équerre, géométrie
technicien v. industrie
technicité v. technique
technique v. façon, facture, manière, méthode, science
technocrate v. technicien
technologie v. technique
teckel v. basset
tectonique v. géologie
tectrice v. oiseau, plume
Te Deum v. chant, hymne
tee v. golf
teenager v. jeune
tèguement v. toux
tegula v. tuile
tégument v. enveloppe, graine, peau
teigne v. chauve
teille v. écorce
teindre v. colorer
teint v. teinture
teinte v. couleur, nuance
teinture v. iode
teinturier v. nettoyage
tel v. pareil, semblable
télamon v. colonne, statue
téléaste v. télévision
télébande v. télégraphie
télécommander v. robot
télécommunication v. astronautique, radio
télécopie v. communication, message
télécran, télédistribution, télégénique v. télévision
télégramme v. message
téléguidé v. robot
téléinformatique v. télécommunication
télékinésie v. transmission
télématique v. document, télécommunication
télénaute v. robot
téléobjectif v. objectif, photographie
télépathie v. communication, pensée, transmission
téléphérage v. transport
téléphérique v. corde, ski
téléphonage v. télégramme
téléphone v. instrument
téléphonie sans fil v. radiocommunication
téléphonomètre v. téléphone
télépsychie v. transmission
télescopage v. rencontre, secousse
télescope v. instrument, lunette, observation
télescoper v. heurter, tamponner
téléscripteur v. téléimprimeur
télésiège v. ski, téléski
téléski v. ski
télésouffleur v. télévision
téléspectateur v. télévision
télesthésie v. transmission
télésurveillance v. surveillance
télétraitement v. traitement
télétransmission v. communication
télétype v. téléimprimeur
téléviseur v. écran, poste, télévision
télex v. communication, télé, imprimeur
tellurien v. terrestre
tellurique v. secousse, terrestre
tellurisme v. influence
Tellus v. terre
téméraire v. aventureux, courageux, imprudent, osé
témérité v. audace, confiance, imprudence
témoignage v. démonstration, gage, information, manifestation, marque, preuve, récit, relation
témoigner v. accuser, confesser, connaître, déposer, exprimer, prouver
témoin v. assister, mariage, observateur, spectateur
Témoins de Jéhovah v. secte
tempe v. tête
tempera v. colle, peinture
tempérament v. caractère, humeur, individualité, nature, personnalité, santé
tempérance v. cardinal, modération, sagesse, vertu
tempérant v. sobre
température v. corps, fièvre
tempéré v. tiède
tempérer v. adoucir, atténuer, calmer, corriger, couper, profil
tempête v. cyclone, inondation, orage
tempêter v. éclater, emporter, hurler, jurer
temple v. communauté, culte, pasteur
tempo v. mouvement, répétition, rythme
temporaire v. court, fortune, passager, prairie, provisoire
temporal v. cerveau, tempe
temporalité v. bénéfice
temporel v. terrestre
temporisation v. compromis, retard
temporiser v. attendre
temps v. dimension, instant, patience, rythme, siècle, unité, verbe
tempura v. japonais
tenace v. ambitieux, constant, soutenu
ténacité v. acharnement, entêtement, fermeté, force, métal, obstination, opiniâtreté, patience, persévérance, résistance
tenaille v. étau, forge, pince, torture
tenailler v. tourmenter
tenancier v. café
tenant v. blason, chevalier, disciple, partisan, tournoi
tendance v. aptitude, orientation, penchant, prédisposition, sens, sensibilité
tendelle v. piège
tender v. wagon
tenderie v. chasse, piège
tendineux v. nerveux
tendinite v. tendon
tendon v. muscle
Tendre v. relation
tendre v. affectueux, chercher, doux, fleur, mendier, porcelaine, prêter, sentimental

tendresse v. amitié, colombe, relation
tendu v. orageux
ténèbres v. nuit
ténébreux v. mélancolie, noir, obscur, sombre, sourd, souterrain
ténébrion v. farine, ver
tènement v. terre
ténesme v. colique, tension, vessie
teneur v. contenu, fond, lettre, texte
ténia v. parasite, ver
tenir v. gouverner, maintenir, recevoir, rédiger, regarder, remplir, réserve, retenir, satisfaire, supporter
tenir coi (se) v. taire
tenno v. empereur
tenon v. menuiserie
tenonneuse v. machine
ténoplastie v. tendon
ténor v. haut, voix
ténosite v. tendon
tensif v. douleur
tensiomètre v. tension artérielle
tensiométrie v. tension
tension v. crise, potentiel, pression
tenson v. poème
tentaculaire v. gigantesque
tentation v. désir, diable, invitation, soif
tentative v. démarche, entreprise, essai
tente v. camper
tenter v. allécher, efforcer (s'), entreprendre, risquer, séduire
tenture v. décor, rideau, tapisserie
ténu v. fin, léger, menu, mince, petit, subtil
tenue v. attitude, concile, genre, mise, toilette
tenure v. seigneur
teocalli v. temple
tephillim v. juif
tepidarium v. bain
téraphim v. talisman
tératogène v. monstre
tératologie v. botanique, monstre
tercet v. trois
térébenthène v. térébenthine
térébenthine v. peinture, pin, résine
térébinthe v. térébenthine
térébrant v. aigu, perçant, piquant
Tergal v. fibre
tergiversation v. incertitude
tergiverser v. ambigu, décider, délibérer, fois, hésiter, noyer, pot, prolonger
terme v. achèvement, arrivée, bail, borne, but, cible, date, délai, emprunt, fin, limite, stade, statue
terminaison v. fin
terminal v. aéroport, extrême
terminateur v. lune
terminer v. finir
terminologie v. langage, mot, vocabulaire
terminologique v. banque
Terminus v. terrestre
termite v. bois
termitière v. nid
ternaire v. trois
terne v. dé, éteint, mat, morose, pâle, trois
ternir v. éteindre, gâter
terrage v. contribution
terrain v. friche, sol, zone
terramare v. engrais
terrasse v. plate-forme, statue
terrasser v. abattre, creuser, jeter, renverser
Terre v. planète
terre v. capital, domaine, pipe, sol
terre à foulon v. argile
terre à terre v. matériel, vulgaire
terreau v. terre
terreautage v. fertile
terre de Sienne v. ombre
terre d'ombre v. brun, ombre
terrestre v. bataille
terreur v. crainte, frayeur, horreur, panique, peur
terreux v. brun, couleur, sale
terrible v. dramatique, tragique, violent
terrien v. paysan
terrier v. abri, gîte
terrifiant v. abominable, épouvantable, formidable, sinistre
terril v. mine, tas
terrine v. pâté
terrir v. tortue
territoire v. domaine, droit, province, réserve, secteur
terroir v. cru, sol
terroriser v. crainte, terreur, tyranniser
terrorisme v. crime, impérialisme, violence
tertre v. terre
terzetto v. trois
tesla v. magnétique
tesselle v. mosaïque
tessiture v. registre, voix
tesson v. bouteille, débris, vaisselle
test v. audition, coquille, épreuve, essai, expérience, interrogation
testament v. affranchissement, dernier
testateur v. testament
tester v. testament
testimonial v. témoignage
testostérone v. hormone
testudinidés v. tortue
tétanie v. magnésium, malaise, spasme
tétaniser v. paralysé
tétanos v. contraction
têtard v. batracien, larve, saule
tête v. avant-garde, comète, initial, maille
tête-à-tête v. dialogue, fauteuil, rencontre
tête-bêche v. timbre
tête-de-loup v. balai, brosse
tête-de-Maure v. hollandais
tête-de-moineau v. houille
tête de Turc v. victime
tête d'ivoire v. timbre
tétée v. téter
téterelle v. sein, téter
têtière v. serrure
tétine v. mamelle
tétradactyle v. quatre
tétragramme v. dieu, lettre
tétralogie v. opéra, quatre, récit
tétramètre v. mètre
tétraplégie v. paralysie, quatre
tétrarque v. gouverneur
tétras v. coq
tétrodon v. hérisson
tette v. mamelle
têtu v. marteau
Teutons v. barbare
textile v. étoffe
textuel v. exact
texture v. constitution
T.G.V. (France) v. train
thaï v. chinois
thalassothérapie v. bain, médecine, mer
thaler v. argent
Thalès v. triangle
Thalie v. comédie, grâce
thallophyte v. lichen, plante, racine
thanatologie v. mort
thanatos v. mort
thaumatrope v. cinéma
thaumaturge v. magicien, miracle
théâtral v. dramatique
théâtre v. art, lieu, spectacle
thébaïde v. lieu, solitude
thébaïne v. opium
théier v. thé
théisme v. dieu, religion
thématique v. thème
thème v. fond, objet, sujet, traduction
thénar v. main
théobromine v. cacao
théocratie v. dieu, gouvernement, religieux
théodicée v. dieu, théologie
théodolite v. angle, lunette
Théogonie v. déesse
théogonie v. dieu, religion
théologie v. dieu
théologien v. docteur, père, théologie
théomachie v. combat
théomorphes v. reptile
théophanie v. dieu
théophylline v. thé
théorbe v. corde, luth
théorème v. définition, intelligence artificielle, mathématique, proposition, raisonnement, règle
théorie v. doctrine, idée, nombre, pensée, règle, système
théorique v. pur
théoriquement v. principe
théorisation v. intelligence
thérapeute v. médecin
thérapeutique v. guérir, maladie, traitement
thérapie v. traitement
thériaque v. médicament
thermes v. bain
thermique v. bouclier, chaleur, énergie, usine
thermodurcissable v. plastique
thermodynamique v. chaleur
thermoélectrique v. pile
thermogène v. chaleur
thermographe v. thermomètre
thermomètre v. instrument
thermoplastique v. plastique
Thermos v. vase
thermoscope v. température
thermosiphon v. chauffage
thermostat v. chauffage, température
thésaurisation v. accroissement, accumulation
thésauriser v. amasser, capital, économiser, épargner
thésaurus v. dictionnaire, recueil
thèse v. dialectique, doctrine, système, théorie
Thespis v. tragédie
thiase v. danse
thibaude v. tapis
tholos v. grec, temple
thomisme v. théologie
thonaire v. thon
thonier v. bateau, pêche, thon
thonine v. thon
Thor v. mythologie, tonnerre
Thora v. Bible
thoracique v. membre
thorax v. poitrine, tronc
thorium v. centrale nucléaire, paratonnerre
thrène v. chant
thridace v. laitue
thriller v. film
thrombose v. caillot
thuriféraire v. admirateur, encens, féliciter
thymique v. humeur
thymol v. thym
thymus v. cou
thyroïde v. cou, larynx
thyrse v. baguette
thysanie v. papillon
tiare v. coiffure, couronne, pape
tibia v. jambe
tic v. geste, manie
tic de Salaam v. spasme
ticket v. billet
tie-break v. tennis
tierce v. heure, moine
tiercelet v. faucon
tiercer v. labourer
tiers état v. bourgeois, ordre
tiers-exclu v. principe
tiers monde v. pauvre
tiers-point v. lime, scie
tiers provisionnel v. impôt
tige v. bouture, chaussure, paratonnerre, poil, soupape
tignole v. embarcation
tigron v. hybride, lion
tilbury v. voiture
tillac v. pont
tille v. hache
tillole v. barque
timbale v. batterie, gobelet, tambour
timbre v. coloration, écu, impôt, son, sonnette, tampon
timide v. effacé, peureux, tiède
timing v. emploi
timon v. barre, charrette, charrue, direction, flèche
timonier v. marin, pilote
timoré v. indécis, méfiant, peureux, prudence, timide
tin v. appui, soutenir
tinctorial v. teindre
tinéidés v. teigne
tinette v. tonneau
tintamarre v. bruit, tapage
tinter, tintinnabuler v. sonner
tipi v. habitation, tente
tique v. parasite
tiqueté v. tache
tirade v. comédien, phrase
tirage v. édition
tirailleur v. infanterie, soldat
tirant v. tendon
tirasse v. chasse, filet, piège
tiré v. traite
tire-bouchon v. plongeon
tire-fesses v. ski
tire-fond v. vis
tire-laine v. voleur
tire-lait v. sein
tire-larigot (à) v. beaucoup
tirer v. boule, brèche, envoyer, feu, pomper, recevoir, sortir
tireur v. traite
tisane v. boisson, champagne
Tisiphone v. furie
tisonné v. tache
tisonner v. feu
tisonnier v. barre, cheminée, pince
tissage v. textile, usine
tisserand, tisseur v. tisser
tissu v. enveloppe, étoffe, mélange, texture
tissulaire, tissutier v. tissu
titan v. géant
titanesque v. énorme, gigantesque
titillation v. démangeaison
titisme v. communisme
titre v. charge, couverture, degré, document, écrit, grade,

nom, obligation, qualité
titré v. titre
titre de transport v. ticket
titubant v. fragile, vaciller
titubation v. démarche
tituber v. équilibre, zigzag
titulaire v. auxiliaire, titre
titulature v. titre
toast v. boire, tartine
toasté v. rôti
toboggan v. traîneau
toc v. camelote, imitation
tocane v. champagne
toccata v. orgue
tocsin v. alarme, cloche, signal, sonner
toe loop v. patinage
toge v. magistrat
tohu-bohu v. bruit
toile v. écran, mercerie, œuvre, peinture
toilette v. mise
toiletter v. toilette
toilettes v. water-closet
toise v. longueur, mesurer, potence
toiser v. considérer, dédain, examiner, faïence, regarder
toison v. fourrure, mouton, poil
Toison d'or v. trésor
toiture v. couverture
tokay v. hongrois
tôlée v. neige
tolérance v. ouverture, patience
tolérant v. facile, large
tolérer v. admettre, indulgent, permettre, souffrir, supporter
tôlier v. carrosserie
tollé v. bouclier, cri, exclamation, indignation
tölt v. cheval
toluène v. thermomètre
T.O.M. v. français
tomahawk v. hache
tombac v. zinc
tombeau v. pyramide, vitesse
tomber v. basculer, cesser, échapper, fondre, pendre, rendre, sombrer, verser
tombereau v. charrette
tombeur v. séducteur
tombola v. loterie
tombolo v. sable
tomenteux v. coton, poil
tomer v. diviser
tommy v. soldat
tomographie v. exploration
ton v. coloration, couleur, intervalle, intonation, nuance, style, teinte
tonalité v. son, téléphone
tonétique v. ton
tonique v. convulsion, degré, gingembre, reconstituer, sain, stimulant
tonitruant v. sonore, tonnerre
tonitruer v. crier, hurler
tonnage v. contenu
tonnant v. sonore
tonne v. kilogramme, mille, tonneau
tonneau v. avion, vin
tonnelet v. tonneau
tonnelier v. tonneau
tonnelle v. abri, feuillage, jardin, pavillon, salon
tonner v. gronder, hurler
tonnerre v. orage
tonométrie v. tension artérielle
tonsure v. cheveu, moine, tête
topaze v. jaune
toper v. taper
topique v. pansement, pommade, sujet
topoagnosie v. lieu
topographie v. géographie, lieu, relief
topographique v. carte
topologie v. géométrie
topométrie v. carte
toponyme v. lieu, nom
toquade v. caprice, fantaisie
toque v. bonnet, coiffure, cuisinier, fourrure, jockey
toquer v. frapper
Torah v. hébreu, recueil
torche v. bougie, flambeau, panier, plongeur
torcher v. torchis
torchère v. cierge, flambeau, torche
torchis v. maçonnerie, paille
tordu v. sinueux
tore v. colonne, moulure
toreutique v. ciseau, ivoire, sculpter
tori v. judo
torii v. temple
tornade v. cyclone, tempête, turbulence, vent
torpédo v. automobile
torpeur v. engourdissement, inaction, léthargie, sommeil
torpide v. torpeur
torpillage v. pétrole
torpille v. bombe, explosif, sous-marin
torque v. celtique, collier, fil
torréfaction v. chocolat
torréfier v. brûler, café, griller, malt
torrent v. inondation
torrenticole v. torrent
torrentiel v. déluge
torride v. chaud, excessif
torsader v. tordre
torse v. buste, jambe, poitrine, tordu, tronc
torsion v. mouvement
tort v. dommage, mal
torticolis v. cou
tortilla v. beignet
tortillard v. train
tortiller v. tordre
tortionnaire v. barbarie, bourreau, torture
tortis v. tordu
tortoir v. charrette
tortu v. sinueux
tortue v. légion, pas
tortueux v. sinueux
torture v. barbarie, impatience, inquisition, martyre, persécution, recherche, souffrance, supplice, violence
torturer v. infliger, tourmenter
torula v. beurre
toscan v. ordre
total v. admirable, aveugle, entier, général, intégral, intense, interrogation, parfait, plein, profond, pur, radical, réserve, somme, strict
totalement v. fond
totaliser v. additionner
totalitaire v. absolu, autoritaire, régime, tyrannique
totalitarisme v. dictature, gouvernement
totalité v. bloc, plénitude, unanimité
totem v. tribu
totocalcio v. loto
toton v. jouet
touage v. traction
Touareg v. conducteur, déplacement, nomade
touchant v. émouvant, viser
touche v. note, style
toucher v. affecter, atteindre, désarmer, ébranler, émouvoir, éprouver, intéresser, membre, recevoir, recouvrer, regarder, relever, résultat, secouer, sens
toue v. bac
touer v. tirer
touffu v. abondant, dense, épais
touiller v. agiter
toujours v. permanence
Toulouse v. saucisse
toundra v. désert, plaine, végétation
toupet v. aplomb, audace, cheveu, houppe, touffe
toupie v. taille
tour v. circonférence, fagot, poterie, prestidigitation, récital, style, subterfuge
touraillage v. malt
tourbe v. charbon
tourbière v. marais
tourbillon v. turbulence, vent
tourbillonner v. tourner
tour de Babel v. babylonien
tour de force v. succès
tour d'ivoire v. isolement
tourelle v. blindé, tour
touret de nez v. masque
tourie v. bouteille
tourisme v. vacance
touriste v. étranger
tourment v. agitation, angoisse, enfer, peine, souci, souffrance, supplice, torture
tourmente v. tempête
tourmenté v. anxieux, proie
tourmenter v. acharner (s'), affliger, assaillir, harceler, inquiéter, irriter, obséder, persécuter, poursuivre, préoccuper, ronger, taquiner
tourmentin v. voile
tournage v. poterie
tournant v. pas
tourne v. vin
tourne-à-gauche v. scie
tournebouler v. ravage
tournebroche v. broche, four, rôti
tournedos v. bifteck, filet
tournée v. excursion, récital, ronde, voyage
tourne-fil v. aiguiser
tournemain v. instant
tourner v. diriger, rotation
tourniole v. doigt, ongle
tournis v. vertige
tournoi v. basket-ball, chevalier, combat, match, médiéval, rivalité
tournoiement v. vertige
tournoyer v. tourner
tournure v. expression, forme, formule, style, tendance, tour
tourte v. pâté, tarte
tourteau v. crabe, engrais, gâteau
tourtereau v. amoureux
tourterelle v. colombe
tourtière v. pâtisserie
touselle v. blé
Toussaint v. saint, vacance
toussotement v. toux
tout v. ensemble, impossible
tout à l'heure v. instant
tout de suite v. instant
tout-puissant v. souverain
toxémie v. poison, sang
toxicologie v. empoisonnement, poison
toxicologique v. autopsie
toxicomanie v. drogue
toxicophilie v. toxique
toxicophore v. toxique
toxine v. microbe, poison, stérilisation, toxique
toxique v. dangereux, nuisible, poison
toxoplasmose v. malformation
trabée v. chevalier, toge
traboule v. passage, rue
trabuco v. cigare
traçant v. racine
tracas v. agitation, ennui, misère, souci
tracasser v. inquiéter, préoccuper, tourmenter
trace v. empreinte, indicatif, marque, pas, piste, revoir
tracé v. piste, schéma
tracer v. représenter
trachée v. bronche
trachéotomie v. gorge
trachyte v. lave
tract v. interdire
tractation v. compromis, conversation
tracter v. tirer
tracteur-navette v. tracteur
tractif v. traction
traction v. poids
tractoire v. traction
tractoriste v. tracteur
trader v. pétrole
trade-union v. syndicat
tradition v. coutume, culture, mœurs, passé, transmission, usage
traditionalisme v. routine
traditionaliste v. conservateur, orthodoxe
traditionnel v. conventionnel, habituel, ordinaire
traducteur v. interprète
traduction v. signe
traduire v. exprimer, interprétation, justice, manifester, réaliser, refléter, rendre
trafic v. circulation, commerce, contrebande, mouvement
tragédie v. catastrophe, dramatique, événement, pièce
tragi-comédie v. tragédie
tragique v. dramatique, émouvant, funeste, grave, sombre, tragédie
tragoscèle v. jambe
trahir v. accuser, bout, décevoir, démentir, dénoncer, ennemi, laisser, manifester, renoncer, révéler, signaler, transformer, violer
trahison v. adultère, crime, déception, foi, infidélité, passion
trail v. motocyclette
traille v. bac
train v. atterrissage, onde, suite, véhicule, vitesse
traîne (à la) v. retard
traîneau v. neige
traîner v. errer, injure, pendre, tirer
training v. vêtement
trait v. barre, blessure, caractéristique, éclair, flèche, mot, physionomie, rayon, scie, signe
traitable v. maniable
trait de génie v. illumination
trait d'esprit v. saillie
traite v. argent, change, esclave, fermier, trafic
traité v. alliance, capitulation, combat, contrat, entente
traitement v. fonctionnaire, paiement, revenu, salaire, soigner
traiter v. aborder, conditionner, négocier, qualifier, rectifier, soigner, user
traître v. guerre, perfide
traîtrise v. foi
trajectoire v. chemin, mouvement, orbite
trajet v. course, espace, étape, itinéraire
tramail v. crustacé, filet

trame v. canevas, chauffage, récit, tissu
tramer v. combiner, comploter, intrigue, machination, monter, préparer, tisser
traminot v. tramway
tramontane v. nord, vent
tramp v. cargo, transport
tramway v. véhicule
tranchage v. ébénisterie, marbre
tranchant v. affirmation, catégorique, ciseau, dogmatique, fil, lame, sec
tranche v. bout, livre, loterie, part, rondelle, série
tranchée v. abri, fossé, réseau
tranche-lard v. charcuterie
tranche-montagne v. fanfaron
trancher v. choisir, contraste, couper, débiter, découper, détacher, juger
tranchoir v. découper
tranquille v. paisible, sage, serein, vin
tranquillité v. ancre, repos, sécurité, silence
transaction v. accord, Bourse, circulation, commerce, compromis, opération
transatlantique v. bateau
transborder v. transporter
transbordeur v. train, transport
transcendant v. réel, unique
transcender v. supérieur
transcoder v. traduire
transcription v. adaptation
transcrire v. copier, dictée, enregistrer
transe v. angoisse, hypnose
Trans-Europe-Express v. est
transférer v. céder
transfert v. banque, cession, convoi, déplacement, importation, projection, substitution, transmission, transport, vente
transfigurer v. transformer
transformation v. déformation, rotation
transformer v. changer, différent, évoluer, modifier, réaliser, renouveler, rugby, substituer
transfuge v. guerre, traître
transfusion v. piqûre
transgresser v. cadre, dépasser, désobéir, entorse, franchir, mépriser, oublier, passer
transgression v. contraire, violation
transhumance v. bétail, troupeau
transi v. engourdi, froid, gelé, saisir
transiger v. composer, concession, poire
transistor v. radio
transit v. déplacement, douane, transport
transitif v. objet
transition v. adolescence, passage
transitoire v. court, intervalle, passager, provisoire, temporaire
translation v. cession, déplacement, procession, transport
translittération v. alphabet
translucide v. clair, émail, lumière, transparent
transmettre v. adresser, apprendre, communiquer, conduire, déléguer, délivrer, diffuser, enseigner, envoyer, expédier, imprimer, léguer, parvenir, passer, perpétuer, propager
transmigration v. âme, changement, réincarnation
transmissible v. contagieux, héréditaire
transmission v. cession, contagion, diffusion, engrenage
transmuer v. changer, modifier
transmutation v. alchimie, changement, conversion, matière, métal, mutation
transmuter v. changer, transformer
transparaître v. apparaître, sentir
transpercer v. pénétrer, percer, traverser
transpiration v. évaporation
transpirer v. nage, percer, suer
transplanter v. transporter
transport v. cession, enthousiasme, extase, fureur, ivresse
transportation v. déportation
transporté v. heureux, ivre
transporter v. déménager, emporter, enchanter, plaire, ravir, soulever
transposer v. changer, renverser, substituer
transsexuel v. sexe
Transsibérien v. est
transsubstantiation v. communion, transformation
transsuder v. transpirer
transvaser v. verser, vider
transversal v. fracture
transversalement v. travers
transvider v. vider
trapèze v. gymnastique
trapéziste v. cirque
trappe v. chasse, moine, rideau, tablier
trappeur v. fourrure
trapu v. massif
traque v. chasse
traquenard v. embûche, piège
traquer v. chercher, forcer, poursuivre, rechercher, suivre
traquet v. chasse, piège
trauma v. blessure
traumatiser v. ébranler, secouer
traumatisme v. choc, état
travail v. emploi, entreprise, facture, mai, occupation, œuvre, opération, profession, résultat, université
travaillé v. ouvragé, recherché, sophistiqué
travailler v. bricoler, modeler, occuper, préoccuper
travailleur v. bras, immigré, ouvrier
travaillisme v. socialisme
travée v. plafond, poutre
traveller check v. chèque
travelling v. film
travers v. défaut, ridicule
travers-banc v. mine
traverse v. barre, fortune
traversée v. passage, trajet, voyage
traverser v. croiser, fendre, parcourir, passer, pénétrer, percer
traversier v. bac
traversin v. oreiller
travertin v. calcaire
travesti v. bal, sexe
travestir v. adultérer, changer, forcer, habiller, maquiller, pervertir, trahir, transformer
travestissement v. carnaval, déguisement
trayeuse v. traite
trayon v. mamelle
trébucher v. équilibre, pas
trébuchet v. balance, lancer, monnaie, peser, piège
tréfilage v. étirage
tréfiler v. acier, étendre
tréfilerie v. fil, métal
trèfle v. fourrage
tréflière v. trèfle
tréfonds v. secret
treille v. vigne
treillis v. habit, militaire, toile, vêtement
treize-douze v. treize
treiziste v. rugby, treize
trekking v. course, excursion
trémater v. dépasser
tremble v. bois, peuplier
tremblement v. frisson, secousse
tremblement de terre v. sinistre
trembler v. craindre, indignation, vaciller
trembloter v. vaciller
trémie v. four, plâtre, volaille
trémolo v. tremblement
trémousser v. agiter
trempe v. acier, valeur
trempé v. viril
tremper v. baigner, durcir, fortifier, plonger
trempette v. pain
trempeur v. plongeur
tremplin v. plonger
trémulation v. tremblement
trémuler v. agiter
trench-coat v. imperméable
trentain v. trente
Trente v. concile
trentenaire v. trente
trépan v. burin, perceuse, sonde
trépanation v. cerveau
trépaner v. trouer
trépas v. mort
trépasser v. cesser, décéder
trépidation v. agitation, secousse, tremblement
trépied v. support
trépigner v. colère, comédie
trépointe v. chaussure
Trésor v. financier
trésorerie v. disponibilité, impôt, ressource
trésorier v. bibliothèque
tressage v. vannerie
tressaillement v. convulsion, frisson, saut
tressaillir v. bondir, sursauter, trembler
tressautement v. saut
tressauter v. bondir, sursauter
tresse v. couronne, mercerie
tréteau v. comédie, planche, plateau
treuil v. machine
treuilles v. hareng
trêve v. arme, combat, feu, guerre, interrompre, paix, pause
tri v. sélection
triade v. trois
triaire v. légion
trial v. motocyclette
triangle v. bille, polygone
triathlon v. sportif, trois
tribade v. sexe
tribord v. bord, côté, droit
tribraque v. mètre
tribu v. chapelle, communauté, division, peuple, réunion
tribulation v. épreuve, fortune, malheur
tribun v. orateur
tribunal v. criminel, droit
tribunal d'exception v. révolutionnaire
tribunat v. magistrature
tribune v. plate-forme, scène, stade
tribut v. contribution, obligation
tricennal v. trente
triceps v. bras
trichinose v. empoisonnement, porc
trichoclastie v. tic
trichodecte v. pou
trichomanie v. tic
trichotillomanie v. tic
triclinium v. lit
tricorne v. chapeau
tricot de peau v. maillot
tricoteuse v. tricoter
trictrac v. dé
tride v. vif
trident v. bêche, fourche
trièdre v. trois
triennat v. trois
trier v. classer, débrouiller
trière v. galère
trifolié v. trèfle
triforium v. galerie
trigonométrie v. angle
trigramme v. trois
triller v. chanter
trillion v. million
trilobé v. trèfle
trilobite v. crustacé, fossile
trilogie v. récit, trois
trimaran v. voilier
trimer v. travailler
trimestriel v. mois
trimètre v. mètre
tringle v. barre, pendre
Trinité v. mystère, trois
trinité v. catholicisme
trinquart v. pêche
trinquer v. boire, choquer
trinquette v. voile
trio v. concert, groupe, orchestre, trois
triolet v. chant
triomphant v. éclatant
triomphateur v. vainqueur
triomphe v. réussite, satisfaction, succès, victoire
triompher v. bout, emporter, gagner, réjouir, vaincre, venir
trionyx v. tortue
tripe v. abats, cigare
tripier v. abats
triplure v. mercerie
tripoli v. polir
triporteur v. véhicule
tripotage v. Bourse, intrigue, manipulation, trafic
triptyque v. carnet, douane, tableau, trois
trique v. bâton, gourdin, matraque
triqueballe v. charrette
triquet v. battoir
trirègne v. couronne
trirème v. bateau, galère
triskaidekaphobie v. treize
trisme v. contraction
trismus v. contraction, tétanos
trisomie 21 v. mongolisme
Tristan et Yseult v. amant
triste v. noir, sinistre
tristesse v. déception, douleur, misère, regret, souffrance
triticale v. blé, hybride
triticite v. blé
triton v. batracien
triturer v. broyer, écraser, poudre
triumvirat v. trois
trivial v. banal, commun, grossier, vulgaire
troc v. change, commerce, échange, monnaie
trocart v. tige
trochée v. mètre, tige
trochet v. grappe
trochilidés v. colibri
trochure v. corne

troglodyte v. grotte, habitant
troglodytique v. roc
troïka v. traîneau, trois
trois-huit (les) v. travailler
troll v. fée, génie
trolley, trolleybus v. tramway
trombe v. brusque, cyclone, pluie, torrent, tourbillon, turbulence
trombone v. attache
trompe v. bouche, brume, corne, signal, support
trompe-l'œil v. apparence, illusion
tromper v. attraper, décevoir, embobiner, enjôler, illusion, mentir, posséder, séduire
tromperie v. abus, adultère, déception, fourberie, fraude, illusion, infidélité
trompeur v. apparent, façade, faux
tronc v. boîte, nerf, tirelire
Tronchin v. table
tronçon v. morceau
tronçonner v. couper, diviser
trône v. fauteuil, souverain
trôner v. siéger
tronquer v. adultérer, amputer, couper
trophée v. arme, chasse, victoire
trophologie v. alimentation
tropical v. chaud, climat, régime, torride
tropique v. cercle
tropisme v. orientation
troposphère v. couche
troquer v. acquérir, défaire
trotskisme v. communisme
trottin v. couturière
trou v. brèche, oubli, ouverture, puits
troubadour v. chanteur, courtois, poète
troublant v. suspect
trouble v. désordre, embarras, émeute, indécis, ivresse, louche, malaise, nuage, orage, panique, rebelle, sentiment, soulèvement, vertige
trouble (rendre) v. brouiller
troublé v. déconcerté, inquiet
troubleau v. filet
trouble neurologique v. magnésium
troubler v. bouleverser, brouiller, déranger, déchirer, embrouiller, émouvoir, gêner, inquiéter, interrompre, perdre, renverser
trou de vol v. ruche
trouée v. brèche, passage, trou
trouer v. percer
trou noir v. explosion
troupe v. caravane, compagnie, ensemble, illustre, renfort
troupier v. soldat
trousse v. écolier, valise
trousseau v. linge, mariage
trousser v. ficelle, volaille
troussis v. pli
trouvaille v. création, découverte, inédit, invention
trouver v. découvrir, diagnostic, imaginer, reconnaître, regarder
trouvère v. chanteur, poète, troubadour
truand v. malfaiteur
truble v. filet
trublion v. trouble
truc v. chose, prestidigitation, recette
truca v. trucage
truchement v. entremise, intermédiaire
truck v. chariot, wagon
truelle v. cuiller, maçon
truffe v. chocolat, museau
truffer v. parsemer, rempli, remplir
truie v. cochon, porc
truisme v. évident, platitude, vérité
truité v. porcelaine, tache
trumeau v. glace
truquer v. faux
truquiste v. trucage
trusquin v. menuisier
trust v. capitalisme, empire, entreprise, fusion, groupement, industrie, monopole, société
trypanosome v. parasite
trypanosomiase v. sommeil
tsar v. empereur
tsé-tsé v. mouche, sommeil
Tsiganes v. bohémien, déplacement, nomade
tsunami v. marin, tremblement de terre
tuba v. plongeur
tubaire v. grossesse
tube v. ampoule, pot
tubercule v. pomme de terre, racine, saillie
tuberculose v. poitrine, poumon
tuberculostatique v. tuberculose
tubérosité v. saillie
tubulaire v. serrure
tuer v. disparaître, non-violence, noyer, occuper, ôter, périr, rectifier, supprimer
tuerie v. boucherie, massacre
tueur à gages v. main, meurtrier
tuf v. calcaire
tuile v. ardoise
tuileau, tuilerie v. tuile
tuméfaction v. chair, enflure, gonflement, marque
tumescence v. érection, gonflement
tumeur v. grosseur, verrue
tumulaire v. tombe
tumulte v. agitation, bruit, cri, désordre, orage, tapage
tumultueux v. orageux, turbulent
tumulus v. terre, tombe
tunicelle v. tunique
tunique v. artère, chemise, enveloppe
tunnel v. couloir, galerie, passage, souterrain
tunnelier v. tunnel
tupinambis v. lézard
tuque v. bonnet
turban v. bandeau
turbeh v. tombeau
turbide v. troublé
turbidité v. vin
turbine v. réaction
turboforage v. pétrole
turbot v. faisan
turbotrain v. train
turbulence v. agitation, pétulance, soulèvement
turbulent v. terrible
turc v. larve
turdidés v. grive
turf v. course hippique
turgescence v. congestion, érection, gonflement
turion v. bourgeon
turlutte v. pêche
turpide v. honteux
turquin v. bleu
turriculé v. tour
tussah v. soie
tussipare v. toux
tutélaire v. favorable, protecteur
tutelle v. colonie, contrainte, garde, incapable, majeur, mandat
tuteur v. administrateur, baguette, défense, mineur, protecteur, soutenir
tuteurer v. conduire
tuyau v. fraise, information, pipe, pli, pot, renseignement
tuyauterie v. canalisation
tuyère v. haut-fourneau, tuyau
tweeter v. haut-parleur
twill v. soie
twin-set v. tricot
tympan v. fronton, hydraulique, membrane, oreille, réception
tympaniser v. discréditer
tympanisme v. gonflement
type v. cas, échantillon, genre, imprimerie, monnaie, sorte, standard, variété
typha v. marais
typhon v. catastrophe, cyclone, tempête, vent
typique v. caractéristique, pittoresque, propre
typochromie v. typographie
typographe v. composer, typographie
typographie v. impression, imprimerie
tyran v. arbitraire, barbarie, cruel, dictateur, souverain
tyranneau v. tyran
tyrannie v. gouvernement, oppression, république, soumission
tyrannique v. absolu, injuste, intense, policier
tyranniser v. autorité, contraindre
tyrosémiophile v. boîte

U

ubac v. montagne, pente, vallée, versant
ubiquité v. lieu, partout, présence
U.E.R., U.F.R. v. université
uhlan v. cavalier
U.I.T. v. télécommunication
uke v. judo
ulcère v. estomac
ulcérer v. blesser
uléma v. musulman, théologie
uligineux v. humide
ultérieur v. futur, postérieur
ultérieurement v. suite, tard
ultimatum v. condition, consigne, demeure, menace
ultime v. dernier, extrême, fin
ultra v. traditionaliste
ultrason v. phénomène, son
ultravirus v. virus
ululer v. hibou
umiak v. Esquimaux
unanime v. général, universel
unanimisme v. littéraire
unanimité v. complet, unité
unau v. paresseux
une v. couverture
uni v. égal, lisse, plat
uniate v. pape
unicité v. personnalité, singularité
uniforme v. continu, égal, habit, monotone, régulier, unique
unijambiste v. ablation
unilatéral v. stationnement
uninominal v. scrutin, vote
union v. colonie, conjonction, entente, faillite, parti, relation, réunion, un
unipare v. femelle
unique v. égal, impair, pareil, seul, un
unir v. conjuguer, marier, raccorder
unisexe, unisexué v. sexe
unisson v. accord, harmonie
unité v. Église, troupe
univers v. monde, nature, réalité, société
universaliser v. répandre
universel v. commun, général
université v. faculté
univitellin v. jumeau
univoque v. uniforme
upas v. flèche
uppercut v. boxe
urane, uranifère v. uranium
uranisme v. sexe
uraniste v. homosexuel
uranium v. bombe, centrale nucléaire
Uranus v. planète
urbain v. ville
urbanisme v. aménagement, ville
urbanité v. affabilité, manière
urbi et orbi v. pape, partout
uretère, urètre v. canal
urgence v. interne
urinal v. bassin, flacon, vase
uriner v. évacuer
urne v. boîte, bulletin, cendre, vote
urne cinéraire v. incinération
urobiline v. pigment
urodèles v. batracien, queue
urologue v. médecin
uropode v. queue
uropygien v. oiseau
ursidés v. ours
urticaire v. bouton, démangeaison, gratter, peau
urtication v. urticaire
urubu v. vautour
us v. habitude, mœurs, règle, rite, usage
usage v. coutume, destination, droit, emploi, expérience, habitude, jouissance, mœurs, politesse, règle, savoir-vivre, tradition
usagé v. usure
usager v. client, passager
usé v. clair, facile, vieux
user v. consommer, servir, souci, surmener, utiliser
us et coutumes v. tradition
usinage v. chaîne
usine v. fabrique, industrie
usité v. user
usnée v. lichen
ustensile v. batterie, instrument, objet, outil
usuel v. courant, familier, fréquent, habituel, ordinaire, vulgaire
usufruit v. jouissance
usure v. argent, commerce, intérêt
usurier v. prêt
usurpation v. injuste
usurpatoire v. illégal
usurper v. acquérir, attribuer, emparer (s'), faux, obtenir, prendre, ravir, voler
U. T. C. v. méridien
utérin v. frère, mère, parent
utérus v. fœtus
utile v. avantageux, important, pratique, précieux, succès
utilisateur v. usager
utilisation v. application, destination, usage
utiliser v. disposer, employer, exploiter, imiter, manier, œuvre, prendre, profit, servir, user

utilitarisme v. réalisme, utilitaire
utilité v. fonction, intérêt, rôle
utopie v. espoir, esprit, idéal, illusion, rêve, songe
utopique v. impossible
utriculaire v. plante
uve v. pommade
uvée v. œil

V v. moteur
vacance v. repos
vacancier v. touriste, vacance
vacant v. bien, disponible, libre, vide
vacarme v. bruit, désordre, tapage
vacataire v. auxiliaire
vacation v. justice, salaire, séance
vaccin v. immunitaire
vaccination v. contagion, piqûre
vacciner v. immuniser, maladie
vaccinostyle v. vacciner
vacher v. gardien, vache
vacherie v. étable
vacherin v. gruyère
vaches maigres v. famine
vachette v. vache
vacillant v. démarche, fragile
vacillation v. mouvement
vacillement v. vertige
vaciller v. balancer, équilibre, trembler, zigzag
vacuité v. vide
vacuole v. cellule, vide
vacuum v. vide
vadrouille v. balai
va-et-vient v. bac, mouvement, reflux
vae victis v. malheur
vagabond v. domicile
vagabondage v. nomade
vagabonder v. aller, errer, marcher
vagissement v. bébé, bruit, cri, enfant, pleur
vague v. général, imparfait, indécis, obscur, trouble
vague à l'âme v. mélancolie, tristesse
vaguelette v. vague
vaguement v. peu
vahé v. caoutchouc
vaillance v. fermeté, opiniâtreté
vaillant v. courageux, fort, héroïque, valeureux, vert
vain v. inutile, négligeable, pieux, résultat, stérile, succès, superflu, vide
vaincre v. conquérir, emporter, franchir, parvenir, perdre, raison, renverser, surmonter
vainqueur v. champion, maillot, premier, récompense
vair v. blason
vaisseau v. astronautique, bateau, bâtiment, canal, sang, vase
vaisselier v. buffet, meuble
vaisselle v. assiette
Val v. métro
val v. vallée
valable v. sérieux, valide
Valenciennes v. dentelle
valet v. domestique, valise, vassal
valetaille v. domestique
valétudinaire v. constitution, faible, maladif, vieillard
valeur v. coût, durée, étoffe, importance, impôt, poids, prix, relief, signification, titre, université, vérité
valeureux v. courageux, fort, héroïque
validation v. performance, sanction
valide v. sain, valable
valider v. approuver, entériner
validité v. valider
valise v. bagage, correspondance
vallée v. dépression
valleuse v. vallée
vallon v. vallée
vallum v. citadelle
Valmont v. séducteur
valoir v. briller, coûter
valorisation v. hausse
valoriser v. accorder
valve v. écaille, registre
valvulopathie v. cœur
valvulotomie v. cœur
vamp v. fatal
vampire v. fantôme
van v. noblesse, panier, vannerie, véhicule
Vandales v. barbare, germanique
vandalisme v. barbarie
vandel v. pomme de terre
Vanes v. germanique
vanesse v. papillon
vanilla v. orchidée
vanité v. futilité, ostentation, présomption, prétention
vaniteux v. content, fier, important, pédant, prétentieux, suffisant, superbe, vain
vanity-case v. valise
vannage v. grain
vanneau v. gibier
vanner v. nettoyer
vannerie v. osier
vannier v. vannerie
vantail v. buffet, porte
vantardise v. fanfaron
vanter v. célébrer, exagérer, flatter, fort, louer, piquer, porter, vanité
vapeur v. brouillard, bulle, malaise, rosée, sifflet, suer, vertige
vaporetto v. bateau
vaporeux v. délicat, léger
vaporisateur v. aérosol
vaporisation v. évaporation
vaporiser v. pulvériser
vaquer v. activité, livrer
vaquero v. cow-boy
varaigne v. marais
varappe v. alpinisme, escalade, montagne
varech v. algue
vareuse v. blouse, marin, veste, vêtement
variable v. argument, instable, statistique
variance v. statistique
variante v. texte, variété, version
variation v. caprice, écart, élasticité, nuance, répétition, retour, rotation
varicelle v. bouton, enfance
varié v. divers, multiple
varier v. alterner, modifier
variété v. race, recueil, sorte, spectacle
variole v. bouton, varicelle
variolette v. varicelle
varlope v. rabot
varloper v. menuiserie, polir
varroase v. abeille
vasculaire v. sang, vaisseau
vase v. bassin, boue, pot, urne
vasectomie v. testicule
vaseline v. graisse
vasière v. marais
vasomoteur v. vaisseau
vasque v. bassin, fontaine
vassal v. féodal, seigneur
vassalité v. soumission
vaste v. grand, immense, large
Vatican v. Église, pape
vaticinateur v. mage, sorcier
vaticination v. prédiction
Vauban v. fortification
vaudeville v. comédie, variété
vaudou v. magie, sorcellerie
vaurien v. fripon, garçon, yacht
vautrer v. traîner
vavasseur v. féodal, vassal
veau v. viande
veau (oreille de) v. pinceau
veau marin v. phoque
vedette v. bateau, embarcation, observation, sentinelle
végétal v. botanique, dentelle, iode, pigment
végétalien v. alimentation, manger, régime
végétalisme v. légume
végétarien v. alimentation, manger, régime
végétarisme v. non-violence
végétation v. plante
végéter v. inaction, inertie, subsister, vivre
véhémence v. chaleur, force, opiniâtreté, vivacité
véhément v. énergique, impétueux, intense, vigoureux
véhiculaire v. langue
véhicule v. automobile
véhiculer v. propager, transmettre, transporter
veille v. nuit
veillée v. réunion, soir, veiller
veiller v. feu, garder, présider, soin, tâcher, vigilant
veilleur v. sentinelle
veilleuse v. phare
veine v. canal, marbre, minerai, sang, vaisseau
veineux v. souffle
veinure v. veine
vêlage v. iceberg
vélanède v. chêne
vélani v. chêne
velarium v. tente
veld v. plaine, steppe
vêler v. veau
velet v. voile
vélin v. cuir, papier, parchemin, veau
véliplanchiste v. planche à voile
vélique v. voilure
vélite v. soldat
vélivole v. vol
velléitaire v. faible
velléité v. désir, volonté
vélo v. bicyclette, véhicule
vélocipède v. bicyclette
vélocité v. accélération
vélodrome v. bicyclette, course cycliste, stade
vélomoteur v. bicyclette, motocycle, véhicule
vélo-pousse v. taxi
véloski v. ski
velours v. faute, liaison
velouté v. douceur, soupe, velours
velte v. tonneau
velvet v. coton, velours
venaison v. gibier
vénal v. argent, corrompu, intéresser
vendange v. récolte
vendanger v. cueillir
vendangette v. grive
vendetta v. vengeance
vendeur v. démarcheur
vendre v. céder, débiter, défaire, dénoncer, épuiser, réaliser, transmettre, valoir
vénéfice v. sorcellerie
venelle v. passage, rue
vénéneux v. champignon, mortel, nuisible, toxique
vénérable v. majestueux, sacré, saint
vénération v. adoration, culte, passion, religion, respect, révérence
vénéréologie v. sexuel
vénérer v. admiration, considérer, culte, religieux
vénerie v. chasse
vénérien v. sexuel
venette v. peur
vengeance v. réciproque, revanche
venger v. rendre, réparer
véniel v. léger, péché, rugby
venimeux v. empoisonner, méchant, nuisible
venin v. poison
venir v. résultat
venir à bout v. franchir, sortir, surmonter
Venise v. dentelle
vénitien v. blond, store
vent v. allure, atmosphérique, informer, nord
vente v. écoulement, exportation, impôt
ventiler v. air, évaluer
ventouse v. déboucher, saignée
ventral v. parachute
ventre v. bouteille, haut-fourneau
ventre à terre v. vitesse
ventricule v. cerveau, estomac, oiseau
ventriloque v. magicien
ventripotent v. gros, ventre
ventru v. ventre
venue v. approche
Vénus v. amour, beauté, planète
vénus v. femme
Vénusien v. terrestre
vénusté v. charme, grâce
vêpres v. après-midi, heure
ver v. larve, pêche
véracité v. réalisme, vérité
véraison v. vigne
véranda v. abri, verre
ver à soie v. chenille, ver
verbal v. adjectif, oral, phrase
verbaliser v. punir
verbe v. parole, variable
verbeux v. long
verbiage v. bavardage, inutile
verdâtre v. vert
verdeur v. jeunesse, retour
verdict v. arrêt, condamnation, déclaration, délibération, jugement, sentence
verdoyer v. vert
verdunisation v. stérilisation
verdure v. tapisserie
véreux v. malhonnête
verge v. baguette, horlogerie, phallus, prépuce, sexe, vitrail
vergé v. papier
vergeoise v. sucre
verger v. fruitier, jardin
vergeture v. marque
vergeure v. papier
verglas v. glace
vergobret v. juge
vergogne v. honte, scrupule
vergue v. voile, wishbone
véridicité v. véracité
véridique v. authentique, exact, sincère, vrai

vérificateur v. comptable, douane, expert
vérification v. contrôle, déduction, descente, épreuve, essai, révision
vérifier v. assurer, confirmer, contrôler, pointer, surveiller
vérine v. lampe
vérisme v. réalisme
véritable v. authentique, réel, sincère, vrai
vérité v. matériel, réalisme, réalité, ressemblance
verjus v. jus
ver luisant v. phosphorescent
vermeil v. argent, doré, frais, or
vermicelle v. pâte
vermiller v. fouiller
vermillonner v. fouiller
vermine v. saleté
vermisseau v. ver
vermoulu v. ronger
vermoulure v. piqûre
vernaculaire v. autochtone, langue, vulgaire
vernal v. printemps, zodiaque
vernis v. apparence, connaissance, émail, patine, peinture, résine, superficiel, teinture
vernissage v. exposition, peinture
vernissé v. poterie
vérole v. bouton, varicelle
Verranne v. verre
verrat v. cochon, porc
verre v. design, vaisselle
verrière v. verre, vitrail
verroterie v. verre
verrou v. fermeture
verrouiller v. fermer
verrucaire v. lichen, verrue
versant v. face, pente
versatile v. changer, humeur, scène, stable
versatilité v. incertitude
versé v. savant
versement v. dépôt
verser v. donner, glisser
verset v. division
versification v. poésie
version v. interprétation, relation, traduction
verso v. côté, derrière, dos, feuille, inférieur, opposé, page, revers
versoir v. charrue
vert v. ivoire, jeune, nouveau, perle, primitif
vert-de-gris v. bronze, patine
vertébré v. squelette
vertébro-iliaque v. vertèbre
verterelle v. verrou
vertical v. droit, perpendiculaire
vertige v. éblouissement, malaise, sensation, vapeur, vide
vertigo v. vertige
vertu v. faculté, pouvoir, prudence, qualité
vertueux v. bien, chasteté, devoir, sage
vertugadin v. herbe, jupe, panier, pelouse
Vertumne v. fruitier, jardin
verve v. adresse, éloquence, parole
vervelle v. faucon
vésanie v. folie
vesce v. fourrage, graine
vésicule v. ampoule, bouton, bulle, cloque, foie
vesou v. jus, sucre
vespasienne v. water-closet
vespéral v. soir
vespertilion v. chauve-souris
vespidés v. guêpe
Vesta v. vierge
vestale v. feu, religieux, vierge
veste v. équitation
vestibule v. attente, entrée, hall, maison, porche
vestige v. ancien, ruine, trace
veston v. veste
Vésuve v. volcan
vêtement v. robe
vétéran v. expérience, routier, soldat, sportif, vieillard
vétérinaire v. bête, médecin
vétille v. détail, frivolité, futile, misère, rien
vétilleux v. maniaque, minutieux, pointilleux, scrupuleux
vêtir v. couvrir, équiper, habiller, parer
veto v. fin, interdit, opposition
vêture v. moine, religieux
vétuste v. vieux
vétusté v. vieillesse
veuf v. mari
veuglaire v. canon
veule v. faible, léger, mou
veulerie v. lâcheté
vexation v. dépit, humiliation
vexer v. choquer, froisser, offenser, piquer, susceptible, ulcéré
vexille v. drapeau
vexillologie v. drapeau
viabiliser v. maison
viabilité v. voie
viaduc v. conduite, pont
viande v. rôti
viander v. paître
viandis v. cerf, pâturage
viatique v. communion
vibice v. hémorragie
vibration v. massage, onde, secousse, son, tremblement
vibrato v. tremblement
vibratoire v. phénomène
vibrer v. frémir
vibrisse v. moustache, narine, nez, poil
vicaire v. adjoint, clergé, curé, pape, prêtre
vice v. débauche, défaut, péché
vicennal v. vingt
vice-roi v. gouverneur
vicésimal v. vingt
vice versa v. inverse
viciation v. pollution
vicié v. corrompu, malsain
vicier v. adultérer
vicieux v. affreux, immoral
vicissitude v. accident, fortune, malchance, retour, revers
vicomte v. noblesse
victimaire v. sacrifice, victime
victime v. proie
victoire v. succès, triomphe
victoria v. voiture
victorieux v. vainqueur
victuailles v. aliment, bouche, provision
vidange v. purge
vidanger v. évacuer, vider
vide v. buisson, éteint, fente, nu
vide-bouteille v. ivrogne
vide-gousset v. voleur
vider v. évacuer, net
vidimer v. comparer
vidimus v. conforme
vidiréal v. cinéma
viduité (délai de) v. divorce, marier
vie v. existence
vieillesse v. ravage, retour
vieilli v. usé
vieillir v. gâter
vieillissement v. vieillir
vieillot v. démodé, passé, rococo, suranné, vieux
vierge v. tropical
vieux v. rococo
vif v. agile, aigu, alerte, brusque, cru, gai, grand, impatient, impétueux, intense, malicieux, mordant, nerveux, net, ouvert, pénétrant, perçant, piquant, profond, spirituel, turbulent
vif-argent v. mercure, métal
vigésimal v. vingt
vigie v. alerte, marin, observation, poste, sentinelle, signal
vigilance v. sérieux, soin, surveillance
vigilant v. alerte, attentif, prudent, veiller
vigile v. sentinelle, surveiller, veille
vignette v. figure, gravure, image, ornement
vignoble v. vigne
vigogne v. lama
vigoureux v. énergique, puissant, robuste, sain, solide, valide
vigueur v. adulte, débordement, élasticité, exercice, force, jeunesse, pétulance, sève, véhémence, vie, vivacité
viguier v. juge
vil v. affreux, bas, corrompu, honteux, lâche, mépris, rien, servile
vilain v. féodal
vilebrequin v. arbre, manivelle, menuisier, moteur, perceuse
vilenie v. horreur, laideur
vilipender v. accuser, mépriser, réputation
villa v. maison
village v. paroisse
villageois v. village
villanelle v. chanson, pastoral, poème
ville v. centre
ville d'eaux v. station
villégiature v. séjourner, station, touriste
villeux v. poil
vimaire v. dommage
vinaigrette v. chaise
vinaigrier v. vinaigre
vinasse v. distillation
vin blanc v. dessert
vindicatif v. agressif, venger
vindicte v. affranchissement, vengeance
viner v. ajouter
vingtuple v. vingt
viniculture v. vin
vinification v. fermentation, vin
viol v. crime, violence
violateur v. cimetière
violation v. sacrilège
violence v. brutalité, désespoir, fait, force, traitement, véhémence
violent v. agressif, brutal, cru, cruel, emporter, énergique, enfer, explosif, fort, grand, impétueux, intense, passionné, terrible
violenter v. contraindre
violer v. abuser, désobéir, engagement, profaner, trahir, transgresser
violet v. primitif, prune
violier v. giroflée
violine v. violet
violon v. corde, prison, table
violoncelle v. corde
violon d'Ingres v. activité, distraction, hobby, occupation, passe-temps
violoneux v. violon
vipère d'Ursini v. serpent
vipéridés v. vipère
virage v. tournant
virago v. femme
virelai v. poème
virement v. banque, paiement
virer v. tourner
vireux v. mortel, toxique
virevolter v. tourner
virginal v. piano
virginie v. tabac
virilisant v. viril
virilité v. homme
virole v. anneau, bout, monnaie, pinceau
virologie, virose, virostatique v. virus
virtualité v. possibilité, prédisposition, puissance
virtuel v. particule, potentiel, réel
virtuose v. champion, génie, musicien, savant
virtuosité v. habileté, savoir-faire, talent
virulence v. mordant
virulent v. venimeux, violent
virus v. épidémie, microbe
vis v. machine, spirale
visage v. face, figure, mine, physionomie
visagisme v. visage
vis à glace v. montagne
vis-à-vis v. regard
viscosité v. coller, mazout, résistance
visée v. ambition, but, cible, fin, intention, objectif, projet, tir
viser v. diriger, pointer, poursuivre, regarder, souhaiter, tendre
visible v. apparent, matériel, perceptible, positif, réel, sensible
visière v. casque, poumon
vision v. apparence, apparition, autopsie, hallucination, illusion, image, prophète, révélation, scène, songe, spectacle
visionnaire v. illuminer
visionner v. voir
visiophone v. téléphone
visite v. consultation, passer, ronde
visiter v. fouiller, inspecter, parcourir
visqueux v. collant, gluant, sirop
visser v. immobiliser, serrer
visualisation v. représentation
visuel v. document
vitacées v. vigne
vital v. fondamental, important, nécessaire, vie
vitalité v. activité, débordement, énergie, pétulance, sève, vie, vivacité
vitamine C v. pomme de terre
vitaminothérapie v. vitamine
vite v. ventre
vitelline (membrane) v. embryon
vitesse v. course, course cycliste, régime, rythme, vapeur
viticole v. vinicole
viticulture v. vigne
vitrail v. fenêtre, verre
vitre v. carreau, fenêtre, verre
vitrerie v. vitrail
vitreux v. minéral, terne
vitrier v. vitre
vitrine v. boutique, façade, verre
vitriol v. acide sulfurique, satirique
vitulaire v. fièvre
vitupération v. violence

vitupérer v. indigner, maltraiter
vivace v. robuste, tenace, violent
vivacité v. activité, énergie, esprit, mordant, précipitation, présence, promptitude, ressort, véhémence
vivaha v. mariage
vivant v. expressif, organisme, vif
vivat v. acclamation, cri, exclamation
vive-eau v. marée
viveur v. fête
Viviane v. fée
vivier v. étang, réserve
vivifiant v. sain
vivipare v. reproduction
vivisection v. anatomie, expérience
vivoter v. subsister, vivre
vivre v. respirer, subsister
vivres v. aliment, bouche, provision
vizir v. ministre, turc
vocabulaire v. dictionnaire
vocal v. prière, voix
vocalique v. voyelle
vocalise v. chant, exercice
vocaliser v. chanter
vocation v. appel, mission, rôle
vocero v. chant, funèbre
vocifération v. cri
vociférer v. hurler
vœu v. serment
vogue v. coutume, cri, faveur, fureur, mode, réputation, succès
voguer v. diriger
voie v. cap, chemin, piste, trace
voie buccale v. vaccin
voie humide ou électrolytique, sèche ou thermique v. zinc
Voie lactée v. galaxie
voie lactée v. chemin
voilage v. fenêtre, rideau
voile v. couvent, deltaplane, dentelle, deuil, masque, planche à voile, prononcer, religieux, yacht
voilé v. doux, filtrer, sourd
voiler v. déguiser, dissimuler, estomper, recouvrir
voilette v. accessoire, voile
voilier v. course de bateaux
voilure v. parachute
voir v. connaître, imaginer, vérifier
voirie v. rue
voisé v. sonore
voisin v. proche
voiture v. automobile, menuisier
voïvode v. gouverneur
voix v. organe, verbe, vote
vol v. crime, délit, soustraction
volage v. frivole, léger
volaille v. oiseau, viande
volant v. aile, badminton, marge
volapük v. langue
volatile v. oiseau, volaille
volatiliser v. envoler (s'), fondre
vol à voile v. altitude
volcanique v. explosif, impétueux, roche
volcanologie v. volcan
voler v. baiser, prendre, sauter
volerie v. chasse, faucon
volet v. transition
volière v. cage
volige v. planche, toit
volition v. état, volonté
volley-ball v. ballon
volontaire v. aide, décidé, libre
volonté v. fantaisie, initiative, intention, persévérance, ressort
volontiers v. grâce
volt v. électricité, potentiel
voltaire v. fauteuil
volte v. tour
volte-face v. changement, revirement
voltige v. équitation, saut
voltigeur v. infanterie
volubile v. bavard
volubilité v. abondance, débordement, parole, précipitation
volume v. contenu, design, dimension, étendue, livre, perspective, somme
volumineux v. gros
volupté v. corps, ivresse, jouissance, plaisir, satisfaction
voluptuaire v. dépense, luxe
voluptueux v. amoureux, délicieux, sensuel
volute v. courbe, dessin, fumée, spirale
volvation v. hérisson
vomir v. dire, évacuer, rendre
vomitif v. vomissement
vomitoire v. cirque
vomito negro v. fièvre
von v. noblesse
vorace v. avide, glouton
voracité v. appétit, désir
vortex v. tourbillon
votation v. référendum
voter v. urne
votif v. procession, vœu
vouer v. destiner, donner, employer, offrir
vouivre v. serpent
vouloir v. demander, désirer, souhaiter
voulu v. volontaire
voussoir v. voûte
voussure v. voûte
voûte v. arche, coupole
voûter v. tasser, vieillir
voyage v. excursion, expédition, itinéraire
voyager v. rendre
voyageur v. domicile, passager, pèlerin, vagabond
voyant v. illusion
voyeur v. spectateur
voyeurisme v. sexualité
voyou v. garçon
vrai v. éclipse, sincère, sûr
vraisemblable v. plausible, possible
vraisemblance v. réalisme
vrille v. attache, avion, hélice, perceuse, spirale, vigne
vriller v. tordre
vrillette v. bois, horloge
vrombissement v. bourdonnement, bruit, ronflement
V.R.P. v. démarcheur, marchand, voyageur
vue v. ambition, horizon, paysage, sens, sentiment, spectacle, vedette
Vulcain v. boiteux, feu, forge
vulcain v. soufre
vulcanien v. volcan
vulcanisation v. caoutchouc, soufre
vulgaire v. brut, grossier, ordinaire, simple
vulgarisation v. diffusion, savoir
vulgariser v. connaître, peuple, populaire, répandre
Vulgate v. Bible, traduction
vulnérable v. fragile, sensible
vulnéraire v. blessure
vulnérant v. nuisible
vultueux v. bouffi, gonfler
VV. MM. v. majesté

W.X

wade v. chinois
waders v. pêche
wagon-foudre, wagonnée, wagonnet v. wagon
wagonnier v. cheminot
wagon-trémie v. wagon
wagon-vanne v. wagon
wahhabisme v. musulman
walhalla v. mythologie, paradis
walkyrie v. déesse
wallaby v. kangourou
Walpurgis v. sorcier
Wankel v. moteur
warrant v. gage
waterproof v. imperméable, maquillage
watt v. électricité, puissance
wattman v. tramway
wayang v. théâtre
W.-C. v. water-closet
weltanschauung v. vision
welter v. boxe
wergeld v. Francs
westbau v. massif
western v. cow-boy, film
wharf v. pont, quai
whig v. libéral
whiskey v. whisky
wigwam v. habitation, hutte, tente
wind skating v. patin
wishbone v. planche à voile
wiski v. voiture
woofer v. haut-parleur
X v. école
xanthie v. jaune
xanthophylle v. pigment
xanthopsie v. jaunisse
xénélasie v. bannir, étranger
xénophile v. xénophobe
xénophobie v. étranger, haine, immigré, nationalisme
xérophagie v. jeûne
xérophile v. végétation
xérus v. écureuil
XX v. femme
xylème v. plante
xylographie v. gravure, impression
xylologie v. bois
xylophage v. bois
xyste v. gymnase

Y.Z

yacht v. bateau
yachtman v. yacht
Yahvé v. dieu
yakuza v. japonais
Yama v. enfer
yang v. chinois, médecine
yaourtière v. yaourt
yatagan v. sabre, turc
yawl v. voilier
yearling v. cheval
yen v. japonais
yeshiva v. rabbin, religieux
yéti v. monstre
yeuse v. chêne
yiddish v. germanique, juif
yin v. chinois, médecine
Yijing, Yi-king v. chinois
yodler v. chanter
yoghourt v. yaourt
yogi v. réincarnation
yole v. aviron, embarcation
Yom Kippour v. abstenir (s'), jeûne, juif, pardon
yourte v. hutte, tente
youyou v. embarcation
ypérite v. gaz, moutarde
ypréau v. peuplier
ysopet v. fable, recueil
yunnan v. thé
yupik v. Esquimaux
zafu v. coussin
zakat v. musulman
zakouski v. hors-d'œuvre, repas
zamak v. zinc
zapper v. télévision
Zarathoustra v. perse
zarzuela v. théâtral
zébrure v. marque
zéen v. chêne
zélateur v. champion, partisan
zèle v. cœur, empressement, enthousiasme, foi
zélé v. actif, consciencieux, dévoué, laborieux, pieux, serviable
zénith v. haut, midi, période, point, sommet
zénithal v. zénith
zéphyr v. toile, vent
zeppelin v. ballon
zerbia v. tapis
zeste v. citron, fruit, orange
zeugma v. licence
zézaiement v. prononciation
zézayer v. cheveu, zozoter
ziggourat v. babylonien, temple
zigzag v. contour, tournant, virage
zigzaguer v. zigzag
zinc v. bar
zincifère, zincographie, zincose v. zinc
zingibéracées v. gingembre
zinzolin v. violet
zipper v. fermeture
zlebia v. miel
zoanthropie v. transformation
zodiaque v. douze
zoé v. crustacé, larve
zoïle v. critique, jaloux
zombi v. mort
zona v. bouton
zone v. secteur, sphère, stationnement
zoo v. parc
zoochimie v. biochimie
zoogéographie v. zoologie
zoolâtrie v. animal
zoolithe v. fossile
zoologie v. animal, naturel
zoom v. objectif, photographie
zoomorphe v. animal
zoonose v. animal
zoophilie v. animal, sexualité
zoophobie v. animal
zoopsie v. hallucination
zootaxie v. zoologie
zootechnie v. zoologie
zootrope v. cinéma
Zoroastre v. perse
Zosime le Panopolitain v. alchimiste
zouave v. infanterie
zutique, zutiste v. zut
zwanze v. histoire, humour
zygomatique v. joue
zygote v. fécondation, œuf
zymotechnie v. fermentation
zymotique v. fermentation
zython v. bière

Seconde partie

PETIT DICTIONNAIRE DES MOTS DIFFICILES, SURPRENANTS OU MAL CONNUS

Ce lexique contient 1 500 mots (et expressions) issus de la première partie et qui ont conservé dans l'explication la même acception. Cependant, vous allez découvrir leur histoire, et serez surpris et amusé par les glissements de sens de certains d'entre eux. Vous comprendrez par exemple pourquoi on appelait la Chine « l'Empire du Milieu » ; l'origine des expressions « éminence grise », « faire un four » ou celle du mot « boycottage » vous étonneront. Rédigées de façon vivante, parfois anecdotiques ou métaphoriques, les explications vous feront découvrir ces mots sous un jour nouveau.

ABAQUE *n. m.* Table de calcul, en usage dès l'Antiquité, constituée d'une planchette munie de tringles sur lesquelles étaient enfilées des boules ; l'abaque provient vraisemblablement du boulier chinois, inventé au IXe siècle avant J.-C. Le principe de l'abaque fut utilisé vers le Xe siècle sous la forme d'un tableau à colonnes marqué de chiffres arabes afin de faciliter les opérations arithmétiques. Peut-être est-ce par analogie qu'en architecture l'abaque désigne une tablette surmontant une colonne.

ABLUTION *n. f.* Purification rituelle. Cet acte, préliminaire nécessaire des différents cultes, juif, grec, romain, islamique, marque véritablement la frontière entre le sacré et le profane. Tout fidèle doit, avant la prière, se purifier. Le rituel catholique diffère ; l'ablution est un moment du rituel, celui de la purification par le prêtre du calice et de ses mains, après la communion. Cependant, le mot n'appartient plus seulement à la sphère religieuse. Il désigne non plus comme dans l'islam la purification totale ou partielle du corps, mais la toilette. Prosaïquement, la pureté a fait place à la propreté.

ABOMINER *v. tr.* Abominer un être ou une chose signifie éprouver une profonde aversion à son égard. Ce verbe, dans l'acception actuelle, a perdu sa connotation religieuse originelle. Au XIIe siècle, en effet, abominer appartenait surtout au vocabulaire ecclésiastique et exprimait le sentiment d'horreur que pouvait provoquer un acte impie ou sacrilège. Le terme est un emprunt au latin *abominari,* « rejeter comme un mauvais présage ».

ABRACADABRANT *adj.* Une aventure abracadabrante est tout à la fois invraisemblable et extravagante, voire hors de toute compréhension rationnelle. À l'origine, aussi bien en grec (*abraxas,* voir ce mot) qu'en latin (*abracadabra*), ce mot appartient au monde kabbalistique. *Abracadabra* était une formule employée au Moyen Âge comme talisman contre diverses maladies. Les médecins du XVIe siècle, tel Ambroise Paré, caustiques à l'égard de ces pratiques, auraient créé l'adjectif abracadabrant !

ABRAXAS *n. m.* Un abraxas est une pierre précieuse talismanique dont le pouvoir émane du mot mystique des gnostiques, abraxas, qui y est gravé. En effet, les lettres du mot abraxas, créé vraisemblablement à partir de l'hébreu *beraka* (bénédiction) par le célèbre gnostique alexandrin Basilide, au IIe siècle, représentent, selon la numérologie grecque, la valeur symbolique 365. Ce nombre correspondait, pour les basilidiens, au nombre de cieux ou émanations, issus du Dieu suprême. Les vertus magiques conférées au nom furent ensuite attribuées à la gemme qui le portait.

ABSINTHE *n. f.* L'absinthe est une liqueur alcoolisée de couleur verte, à base de fenouil, d'anis et d'une variété d'armoise très amère : la grande absinthe. Si la plante était autrefois recommandée pour soigner le mauvais caractère, la liqueur, baptisée « la fée verte », peut provoquer de graves intoxications et sa consommation abusive entraîner une accoutumance et des désordres mentaux. Interdite en France depuis 1915, l'absinthe connut une vogue considérable à la fin du XIXe siècle. L'usage de cette boisson était tel que l'on a vu apparaître de nombreuses locutions, aujourd'hui disparues, témoins de cette popularité. Celui qui « avalait son absinthe » supportait ses ennuis en silence, tandis que celui qui l'avait « renversée » était parti pour l'autre monde.

ABYSSE *n. m.* Un abysse est une zone sous-marine de plus de 2 kilomètres de profondeur. Les abysses occupent plus de la moitié de la surface de la Terre ! Privés de lumière, ils sont dépourvus de toute végétation et peuplés de créatures étranges.

ACABIT *n. m.* Ce n'est guère à l'honneur d'un individu d'être jugé aujourd'hui de même acabit que tel autre. Autrefois, en revanche, une marchandise dite de bon acabit était évaluée comme étant de bonne qualité. Le mot acabit signifiait en ancien provençal achat. L'expression « de bon acabit » (de bonne qualité) a peu à peu glissé vers son sens actuel.

ACCASTILLAGE *n. m.* Ce terme, emprunté à la marine, désigne aujourd'hui la partie du bâtiment s'élevant hors de l'eau ou bien encore l'équipement du navire. La navigation s'étant considérablement modernisée, ces lourdes structures nommées châteaux, dont on équipait les navires *(accastillar,* de l'espagnol *castillo,* château), ont disparu, faisant place à des équipements plus légers et plus performants. Le mot demeure, qui évoque la vaillance et la noblesse de la marine.

ACCOINTANCE *n. f.* Ce mot, qui désignait jadis la fréquentation familière, intime, d'une personne, a vu son sens quelque peu dévoyé. L'amitié s'est muée en intérêt, et si le sens premier n'a pas disparu, le second prévaut aujourd'hui. Ainsi, l'on dira : « Il a des accointances dans tel milieu » (connaissances, relations), plutôt que : « Il a des accointances certaines avec cette personne » (affinités).

ACCOUTREMENT *n. m.* Le terme accoutrement, qui stigmatise un habillement bizarre, trouve son origine dans un verbe latin populaire, *accosturare,* « coudre ensemble » ; cette forme donne en ancien français le verbe *accostrer,* puis *accoutrer* au XVIIe siècle, qui signifient arranger, disposer. Le dérivé accoutrement apparaît au XVe siècle, chez Commynes, avec un sens spécialisé dans l'habillement. C'est au XVIIe que le sens péjoratif actuel s'installe et l'emporte, jusqu'à rapprocher accoutrement de déguisement ridicule !

ACCRÉTION *n. f.* Ce terme en vigueur dans les sciences recouvre les phénomènes de rassemblement, sinon d'agglutinement, de particules de matière. Ainsi parlera-t-on d'accrétion de nuages, de planètes.

ACCULTURATION *n. f.* Rencontre et assimilation par un groupe humain d'une culture qui lui est autre. Cette intégration d'une culture étrangère et souvent dominante entraîne parfois un abandon de la culture initiale.

ACERBE *adj.* L'emploi du mot au sens figuré (acide) a fait resurgir tout le piquant contenu dans la racine (du latin *acus,* pointe). Froissement, offense, telles sont bien les blessures infligées par ce mot, effilé comme une lame.

ACHALANDER *v. tr.* Lorsqu'une boutique attire beaucoup de clients, cela suppose qu'elle est bien approvisionnée en marchandises. Ainsi peut-on expliquer le glissement de sens du verbe achalander, qui signifiait à l'origine « fournir de la clientèle ». Vers la fin du XIXe siècle, achalandé apparaît pour qualifier un lieu « pourvu de marchandises ». Ce verbe, dont la première apparition connue remonte à 1383, a pour radical chaland (ami, protecteur, client), participe présent substantivé de l'ancien verbe *chaloir,* « être d'intérêt pour ».

ACMÉ *n. f.* L'acmé est l'apogée, le point culminant d'un développement. On parle ainsi de l'acmé d'une civilisation, d'une doctrine... Ce terme, aujourd'hui littéraire, était réservé autrefois au domaine de la médecine. Il désignait le paroxysme d'une maladie. L'origine du mot est hellénique : en grec, *akmê* signifie sommet.

ACOLYTE *n. m.* Compagnon sinon complice ; la fidélité est sa marque. Le motif de l'alliance s'est certes quelque peu avili ; la grand-messe n'est plus de mise, qui faisait jadis de l'acolyte l'assistant dévoué du prêtre. Désormais, ce sont plutôt les messes basses qui n'en finissent pas de célébrer une connivence obscure, profonde.

ACRA *n. m.* Les acras (ou acrats) sont des beignets consommés très couramment aux Antilles. À base de pâte à frire (farine, lait, œufs), ils peuvent contenir différentes denrées (morue, crevettes, chou caraïbe) et sont surtout parfumés de différentes épices et de piment. Doivent-ils leur nom créole à l'âcre fumée de l'huile bouillante où on les plonge ?

ACRIMONIE *n. f.* Humeur vive, sombre, présageant l'imminence d'un éclat ; blessante pour qui en subit les foudres. De son sens premier, âcre, le mot conserve l'amertume et la violence. Impudent qui s'y expose !

ACRONYME *n. m.* La langue anglaise, elle aussi, emprunte au grec : *acronym* est formé de *acr-*, début, et de *-onym,* nom. Le français a adopté ce mot, en 1970, en l'orthographiant avec un *e* final, pour désigner les sigles qui se prononcent comme un mot : T.U.C. (Travaux d'utilité collective), par exemple, se prononce comme il se lit.

ADAMANTIN *adj.* Ce terme comporte un cœur très dur, réputé même infrangible (du latin *adamas,* diamant), d'où le sens donné à l'adjectif adamantin : dont la dureté est celle du diamant.

ADAMISME *n. m.* L'adamisme est une doctrine hérétique qui a vu le jour au IIe siècle. Les adamites (ou adamiens) assistaient nus à leurs assemblées religieuses, afin d'être à l'image d'Adam au moment de la Création et de retrouver le même état d'innocence. Les adeptes du mouvement étaient de fervents adversaires du mariage et rejetaient tout lien d'exclusivité entre l'homme et la femme. Selon certains, l'adamisme aurait réapparu en Bohême au XVe siècle.

ADONISER *v. tr.* Adoniser un enfant équivaut à l'embellir et s'adoniser à prendre soin de sa parure avec un souci extrême, voire excessif. La beauté d'Adonis (jeune dieu de la mythologie grecque, tant aimé pour sa beauté) n'est-elle pas inégalable ?

ADULATION *n. f.* Bassesse et hypocrisie sont les mamelles de l'adulation. Caresse flatteuse et vile tout juste bonne pour un chien, disait la racine latine *adulari* (caresser à la façon d'un chien). Le mot ne s'est guère élevé au cours des siècles : humiliant celui qui en est l'objet, l'adulation n'en finit pas d'avilir qui la dispense.

ADVENTICE *n. et adj.* Fléau des agriculteurs, les adventices sont des plantes nuisibles qui parasitent les champs cultivés. Ce nom commun vient de l'adjectif adventice, qui est lui-même tiré du latin *adventicius,* accessoire, supplémentaire. On parle, par exemple, des paragraphes adventices d'un développement, des occupations adventices d'un individu... Descartes a donné à ce qualificatif une acception philosophique. Selon lui, les idées adventices viennent de l'extérieur, elles sont fournies par les sens.

AFFÉTERIE *n. f.* Comportement ou style manquant singulièrement de naturel. Loin de susciter un effet agréable ou esthétique, l'afféterie agace, ennuie, tant éclatent, trop évidents, la construction, les apprêts, les façons. En cela, le mot ne renie point ses origines : il vient de l'ancien français *affaiter,* façonner.

AFFOUAGE *n. m.* L'affouage est le droit accordé aux habitants d'une localité de couper leur bois de chauffage dans la forêt communale. Grâce à cette coutume, la commune bénéficie d'un entretien gratuit de ses espaces forestiers par ceux qui viennent s'y procurer leur bois. Le terme est un dérivé de l'ancien verbe *affouer,* qui signifie chauffer.

AFFRES *n. f. pl.* Issu d'un mot germanique, ce terme désignait les angoisses, les tourments, les transes qui pouvaient accompagner la souffrance ou l'épouvante. Aux XIVe et XVe siècles, on aurait même désigné du nom d'affres une sorte de torture en vigueur dans la ville de Genève. Le mot n'est plus guère employé aujourd'hui que dans l'expression « les affres de la mort », ou sous sa forme adjectivale : affreux.

AGAPE *n. f.* N'organisez plus de festin, mais des agapes ! Vous ajouterez à la bonne chère une ambiance conviviale. Une agape, en effet, était un repas fraternel que prenaient en commun les premiers chrétiens. L'étymologie du mot souligne l'atmosphère chaleureuse de ces temps de partage : en grec, *agapê* signifie amour.

AGAVE *n. f.* L'agave est une grande plante à longues feuilles charnues appartenant à la famille des amaryllidacées et originaire du continent américain. Appréciées depuis l'époque précolombienne, les différentes variétés d'agave ont été largement utilisées tant pour leurs fibres textiles que pour leur sève. C'est à partir d'*Agave tequilana* que l'on prépare aujourd'hui cette eau-de-vie fort prisée des Mexicains : la tequila. Les très gros fruits de la plante sont cuits à la vapeur, puis pressés pour en extraire un jus que l'on mettra à fermenter avec du sucre et des levures. Une première distillation donnera le mescal et une seconde, la tequila.

AGENDA *n. m.* L'agenda a aujourd'hui perdu son sens religieux pour n'être plus qu'un carnet consignant des activités. Religieux, en effet, car une locution du latin ecclésiastique *(agenda diei)* désignait, à la fin du XIVe siècle, les « offices du jour » compilés dans un registre. Agenda, synonyme de carnet vers le début du XVIIIe siècle, rejoint son acception actuelle, conforme à la racine même du mot latin *agenda,* « ce qui doit se faire ».

AGIO *n. m.* L'agio est un terme de banque qui représente, aujourd'hui, l'ensemble des retenues, commissions et intérêts prélevés par un établissement financier à l'occasion d'une opération bancaire. À l'origine, ce mot, emprunté à l'italien *aggio,* plus-value, désignait la différence entre la valeur réelle d'une monnaie métallique et la valeur nominale d'une autre monnaie, le papier-monnaie par exemple. Par extension, le terme s'est ensuite appliqué au bénéfice réalisé sur les opérations de change et les transactions en général. On a ensuite appelé agio la spéculation, licite ou non, sur la hausse ou la baisse des effets publics. De cette dernière acception sont nés les dérivés agiotage et agioteur.

AGNOSTIQUE *n. et adj.* Pour l'agnostique contemporain, la certitude est désormais acquise des limites de notre connaissance. L'ignorance affirmée à l'origine (ce mot vient du grec *agnôstos,* qui ne sait pas) s'est muée en une doctrine selon laquelle l'esprit humain ne peut accéder à l'absolu. L'agnostique ne nie pas l'existence d'une réalité transcendante mais affirme l'impossibilité pour nous de la pénétrer.

AGNUS-DEI *n. m.* L'agnus-Dei, ou agnus, est une petite médaille en cire blanche sur laquelle figure l'agneau mystique, médaille bénie par le pape. Rappelons que *Agnus Dei* sont les premiers mots de la prière « Agneau de Dieu qui enlevez les péchés du monde, prenez pitié de nous ». Dans la liturgie catholique, l'Agnus Dei ouvre le rite de la communion, destiné à renouveler le mystère de la Passion, et nombreux sont les compositeurs de musique religieuse ayant intégré cette prière dans leurs œuvres.

AGORA *n. f.* Dans l'Athènes antique, l'agora était le centre politique, religieux et commercial. Outre ces fonctions, l'agora était le lieu de tous les débats propres à la cité. Peu à peu l'influence mercantile l'emporta et fit de cette place publique un centre principalement commercial. La foule redoubla sur l'agora !

AGRAFE *n. f.* Le mot agrafe (1421) – comme son dérivé le verbe agrafer (1546), qui voulait dire accrocher – résulte d'un emprunt à l'ancien haut allemand *krâpfo,* devenu *grafe* en ancien français (1313), dont le sens était crochet, crampon. L'agrafe d'une veste peut, aujourd'hui encore, être formée d'un crochet passé dans un anneau ; il est plus curieux d'observer que le sens d'origine perdure toujours en médecine pour désigner ces petits éléments métalliques utilisés pour suturer les plaies.

AIGREFIN *n. m.* Un aigrefin est un homme rusé, un filou sans scrupules, qui vit d'escroqueries et d'expédients malhonnêtes. L'origine de ce mot est tout aussi douteuse que l'individu qu'il désigne. Aigrefin viendrait peut-être de l'ancien français *agrifer,* « prendre avec les griffes », altéré sous l'influence des qualificatifs aigre et fin. Ce personnage peu recommandable aurait ainsi trois défauts majeurs : il serait voleur, acrimonieux et retors.

ALAMBIC *n. m.* La pratique de la distillation daterait de plus de 3 000 ans. L'un des premiers alambics, découvert chez les Coptes d'Alexandrie, était composé d'une cornue *(cucurbite),* d'un vase à distiller *(ambix),* et d'un réceptacle des produits distillés *(phiale).* Le terme grec *ambix* (que l'arabe, en lui gardant le même sens, va transformer en *al ambîq,* puis l'espagnol en *alambique)* finit par désigner l'appareil tout entier. Au cours des siècles, alchimistes, apothicaires et médecins améliorèrent l'alambic.

ALAMBIQUÉ *adj.* « Style trop alambiqué », dit la critique, faisant de l'écrivain l'alchimiste des mots. Las, la préparation a raté ! Trop de tours et de détours dans des formules à l'image du serpentin de l'alambic. Rien de direct, de brut, mais un style trop raffiné, devenu précieux à force de subtilité. L'arôme a disparu, et avec lui la quintessence de l'écriture : ne restent qu'obscurité et affectation !

ALBINISME *n. m.* L'albinisme est une anomalie congénitale caractérisée par l'absence d'un pigment, la mélanine. Les sujets albinos ont une peau très blanche, un système pileux décoloré et un iris pâle, légèrement rosé. Ils souffrent d'une sensibilité excessive au soleil et à la lumière, ainsi que de troubles oculaires. La forme atténuée de la maladie, plus répandue, se manifeste par un albinisme partiel, localisé aux cheveux, aux yeux ou à certaines parties du corps.

ALCHIMISTE *n. m.* Longtemps l'alchimie, parce que sa pratique était entourée de mystère et restait hermétique au profane, a été apparentée à la magie. Les alchimistes ne cherchaient qu'à percer les secrets de la nature. Ils travaillaient à la fabrication de la pierre philosophale, qui pourrait guérir tous les maux, et à la transmutation des métaux vulgaires en or-métal, qu'ils jugeaient parfait. Ces apprentis sorciers prétendaient qu'en ajoutant à 2/3 d'or 1/3 d'un alliage composé de plomb, de cuivre et d'arsenic, on obtenait de l'or à 100 %.

ALCÔVE *n. f.* Malgré la clarté de son sens en arabe (*al-qubba* signifie « la petite chambre »), l'alcôve a successivement désigné une pièce de réception séparée de la chambre, au XVIIIe siècle un petit réduit, puis le renfoncement pratiqué dans un mur pour recevoir un lit, qui est son acception actuelle.

ALÉA *n. m.* Les aléas désignent les hasards plus ou moins favorables de l'existence, les imprévus que nous réserve toute activité... sans doute parce que rien n'est plus imprévisible, plus aléatoire, qu'un lancer de dés. En latin, en effet, *alea* signifie « jeu de dés ».

ALEA JACTA EST *loc. lat.* Prononcer *« Alea jacta est »* – comme le fit César avant de franchir le Rubicon, violant ainsi une loi romaine – montre que le temps des hésitations n'est plus et que la décision est prise, irrévocablement. Cette expression, traduite par : « Le sort en est jeté », signifie littéralement « les dés sont jetés » (voir ci-dessus).

ALEURITE *n. f.* L'aleurite est une plante oléagineuse d'Extrême-Orient appartenant à la famille des euphorbiacées. Deux variétés d'aleurite sont particulièrement appréciées : *Aleurite molucana,* ou bancoulier des Moluques, et *Aleurite cordata,* ou abrasin. La première produit une huile purgative que l'on extrait de ses noix et la seconde, nommée aussi « arbre à huile », fournit une huile alimentaire servant également de siccatif pour les peintures.

ALEXANDRIN *n. m.* Le vers héroïque doit son nom au fait qu'il apparut au XIIe siècle dans le *Roman d'Alexandre* de Lambert le Tort, remanié ensuite par Alexandre de Paris. Tombé dans l'oubli, il fut remis à l'honneur par Ronsard et les autres poètes de la Pléiade. Mais c'est à l'époque classique qu'il connut son heure de gloire. Il ne se caractérisait alors plus seulement par ses douze syllabes, mais aussi par ses quatre accents également répartis, ses quatre mesures et son fort arrêt à l'hémistiche. La structure de ce vers perdit avec le temps de sa rigidité. Victor Hugo, déjà, préférant l'alexandrin à trois mesures, écrivait : « J'ai disloqué / ce grand niais / d'alexandrin. »

ALGÈBRE *n. f.* Ce qu'on appelle aujourd'hui l'algèbre constituait, chez les anciens Grecs notamment, une science visant à étudier la structure des opérations arithmétiques. Il en résulta un édifice théorique donnant les résolutions générales des équations du premier, du second, et du troisième degré. Les Babyloniens résolvaient déjà des équations du second degré, les Grecs (Euclide, Thalès...) en développèrent la théorie, mais c'est essentiellement par l'intermédiaire des mathématiciens arabes de la période médiévale que l'algèbre se répandit en Europe. *Al-djabr* (qui a donné en latin médiéval *algebra*) désigne, en arabe, la restauration, c'est-à-dire la réduction des termes semblables dans l'expression d'un des deux membres d'une équation. Le terme fut introduit dans un traité d'Al-Khawarizmi (IXe siècle), dont il constituait le titre.

ALGOL *n. m.* L'algol, acronyme anglais de *algo[rithmic] l[anguage],* est un langage de programmation essentiellement destiné aux calculs numériques sur ordinateur. Apparu sous une première forme en 1958, il connut une réécriture et d'importantes modifications en 1968. Si son succès ne franchit pas les limites des milieux scientifiques, son influence fut cependant considérable sur les langages qui lui ont succédé, comme le basic ou le pascal.

ALIBI *n. m.* Mot latin signifiant ailleurs. C'est au Moyen Âge que ce terme s'est chargé du sens juridique que nous lui connaissons aujourd'hui : il fournit la preuve de la présence d'un accusé dans un lieu autre que celui où un délit a été commis. Ce faisant, le mot a acquis une dimension nouvelle et essentielle, la temporalité, qui seule établit la véracité de la preuve.

ALLÉGORIE *n. f.* L'allégorie est un système de symboles, de métaphores, visant à exprimer une idée, un point de vue. Loin d'être une digression, l'allégorie est au contraire parole autre (du grec *allêgorein,* « parler autrement »), fiction qui, par ses tours et ses détours, aide à une meilleure compréhension. Ainsi Platon utilisa-t-il l'allégorie de la caverne pour dépeindre la condition des hommes enfermés dans les ténèbres de l'ignorance. Tel le sommet de l'iceberg signalant la masse sous lui engloutie, l'allégorie nous apparaît crête signifiante, mise en relief de l'innommé, de l'invisible, grâce à quoi paraît le visible.

ALLÉLUIA *n. m.* Invitation à la louange de Dieu, l'alléluia est un cri fervent fréquemment employé dans certains psaumes. Originaire du latin ecclésiastique dérivé de l'hébreu « acclamez Yahvé », l'alléluia fut introduit dans la liturgie catholique à l'occasion des fêtes pascales. Ainsi nomme-t-on alléluia l'oxalide (genre de petite oseille), qui pousse à l'époque où l'on chante des alléluias.

ALMANACH *n. m.* L'almanach est un calendrier lunaire. Le mot arabe *al-mânakh* désigne en effet à l'origine la lunaison. Jusqu'au XVIIe siècle, almanach eut en France le sens de prédiction, de « livre de prévision astrologique », car il était utilisé par bon nombre d'astrologues et autres devins de cette époque. Aussi nomme-t-on « faiseur d'almanach » une personne se livrant à des prévisions quelque peu fantaisistes.

ALMICANTARAT *n. m.* Almicantarat, ou cercle de hauteur, est un terme d'astronomie qui s'applique à tout cercle imaginaire de la sphère céleste, parallèle à la ligne d'horizon et reliant les points d'égale hauteur. Ce mot tire son origine de l'arabe *al-muqantara,* terme qui désignait l'astrolabe, cet instrument utilisé dans l'Antiquité pour mesurer la hauteur des astres au-dessus de l'horizon.

ALOI *n. m.* Une remarque de bon aloi se caractérise par sa pertinence. À l'origine, le mot aloi était un terme technique qui désignait le titre d'une monnaie, c'est-à-dire la proportion de métal précieux qu'elle renfermait. Ainsi, une monnaie de bon aloi avait une concentration légale d'or ou d'argent, tandis qu'une monnaie de mauvais aloi était frauduleuse.

ALOPÉCIE *n. f.* Chute des cheveux, et quelquefois des poils, l'alopécie est souvent d'origine héréditaire. Mais elle peut être aussi la conséquence d'une maladie, d'un accouchement ou d'un choc nerveux. Ce terme médical tire curieusement son origine du mot grec *alôpêx,* qui signifie renard, la chute des cheveux ayant été comparée à la chute annuelle des poils de cet animal !

ALTRUISME *n. m.* Disposition individuelle à se soucier de l'autre sans rien en attendre pour soi. Il est à espérer que cette ouverture à l'autre existait avant sa désignation par Auguste Comte, en 1830 ! La doctrine comtienne, le positivisme, dégagée de toute croyance et morale héritées, s'exprime parfaitement dans ce mot. Préoccupation désintéressée du bien d'autrui, qui ne se laisse pas confondre avec la charité, inculquée et obligée. Comme l'égoïsme, son contraire, l'altruisme est une dimension de la personnalité.

AMADOU *n. m.* L'amadou est une substance spongieuse, très inflammable, avec laquelle on fabrique des mèches. Il est tiré d'un champignon, l'amadouvier, qui parasite certains arbres. Parce que l'amadou est prompt à s'enflammer, le mot proviendrait du terme provençal *amadou,* qui signifie amoureux.

AMALGAME *n. m.* Réunissez plusieurs objets, plusieurs idées, plusieurs éléments, mélangez-les bien, vous obtiendrez un amalgame. L'idée de fusion, ou d'association, contenue dans ce terme (par ailleurs également employé pour désigner un alliage à base de mercure, utilisé notamment en dentisterie) s'explique d'un point de vue étymologique. Amalgame viendrait, en effet, de l'arabe *'amal al-djama'a,* « union charnelle ».

AMAN *n. m.* Mot arabe du Maghreb, l'aman recouvre les sens de sauvegarde, sécurité, protection, ainsi que la notion de pardon. « Demander l'aman » consistait à faire acte de soumission, cependant que « accorder l'aman » équivalait à laisser la vie sauve à un ennemi vaincu.

AMAZONE Aujourd'hui, ce terme est attribué aux cavalières. Mais d'aucuns, voire d'aucunes, en référence aux Amazones de l'Antiquité, définissent ainsi les femmes énergiques et combatives. Dans la mythologie grecque, le groupe des Amazones formait un peuple uniquement constitué de femmes. Elles ne rencontraient les hommes qu'à des fins de procréation. La légende dit que ces guerrières s'amputaient du sein droit (d'où leur nom grec signifiant « celles qui n'ont pas de sein ») pour faciliter le maniement de l'arc et de la lance. Cependant, cette amputation n'est guère confirmée dans les œuvres d'art, où les belles Amazones présentent une poitrine intacte. Grandes guerrières, chasseresses et prêtresses, les Amazones vouaient un culte à Artémis, déesse de la chasse.

AMBAGES *n. f. pl.* Il va droit au but celui qui parle sans ambages (du latin *amb-,* autour, et *agere,* aller). Les équivoques ne sont point son fort. Aux méandres et circonlocutions, il préfère la franchise et, pour ce faire, n'emprunte qu'un seul chemin : le plus direct.

ÂME *n. f.* L'âme d'une sculpture est l'armature sur laquelle on coule une figure ou une statue de bronze. L'acception donnée ici au mot ne déroge en rien à la tradition. L'âme demeure bien ce principe qui anime, donne corps ; sans âme point de vie, de sculpture, de beauté.

AMORRITES Le nom d'Amorrites fut donné à plusieurs populations sémitiques du Moyen-Orient ancien. Dans la Bible, ils sont identifiés aux tribus soumises par les Hébreux lorsqu'ils envahirent le pays de Canaan, et parfois confondus avec les Cananéens. Mais des textes cunéiformes plus anciens parlent du pays d'Amurru, enjambant les territoires de la Syrie et de l'Arabie. Selon ces sources, les Amorrites représentent cette légendaire civilisation de pasteurs nomades sémites qui firent d'Ebla, en Syrie, la capitale de leur royaume à la fin du IIIe millénaire avant J.-C., puis participèrent au renversement de la IIIe dynastie sumérienne d'Ur et à l'établissement du premier empire babylonien. Hammurapi (XVIIIe siècle avant J.-C.), mythique souverain de Babylone, marqua l'apogée de la Ire dynastie amorrite et de la civilisation babylonienne.

AMPHIBOLOGIQUE *adj.* Une construction amphibologique est une construction à double sens. Découvrant l'origine du mot (du latin *amphibolia,* « action de lancer des deux côtés à la fois »), nous mesurons l'embarras du lecteur, jeté dans la confusion. Quelle direction emprunter ? Il ne le sait plus ! Un exemple : « Je vais donner des livres à mes enfants qui sont dans la voiture. »

AMPHITRYON Le nom d'Amphitruôn, personnage mythologique grec, objet d'une comédie de Plaute, est passé dans la langue française au XVIIe siècle par l'intermédiaire des dramaturges Rotrou et Molière. Le mythe relate la mésaventure d'Amphitryon, roi de Tirynthe, et de sa femme, Alcmène ; après le départ du roi pour la guerre, Zeus, pour séduire Alcmène, emprunte les traits d'Amphitryon. Comment distinguer le véritable Amphitryon de son contrefacteur ? Réponse de Rotrou dans *les Sosies* (1636) : « Dans ces doutes enfin, l'avis où je m'arrête / Est de suivre celui chez qui la table est prête », reprise par Molière pour la postérité dans *Amphitryon* (1668) : « Le véritable Amphitryon / Est l'Amphitryon où l'on dîne. » Le terme, devenu commun, désigne aujourd'hui un hôte à la table bien garnie.

AMPOULÉ *adj.* Emphatique, enflé, guindé : des synonymes qui définissent bien l'excès d'un style ampoulé. Ce mot ne dit-il pas en effet la vanité, la vacuité ? Qu'y a-t-il derrière l'enflure du style sinon le vide ? Les ornements sont là comme des excroissances monstrueuses et désagréables, des aspérités sur lesquelles butent le bon goût, le plaisir.

AMULETTE *n. f.* L'amulette, petit objet que l'on porte sur soi, est tout à la fois fétiche, gri-gri et talisman (voir fétichisme et gri-gri). Ultime recours pour se préserver des maladies et autres sortilèges, réels ou imaginaires. Point de magie dans sa source latine *(amuletum),* pas plus que dans son origine arabe (*hamala,* porter). Mais la magie dépasse les mots, car de tout temps et dans toutes les civilisations l'amulette fut portée, et avec elle son mystère.

ANABAPTISME *n. m.* L'anabaptisme est la doctrine d'une secte chrétienne née au XVIe siècle, avec la Réforme. Le mouvement anabaptiste prônait le retour à un christianisme primitif et préconisait le communisme religieux, prêché, selon lui, par l'Évangile. Les adeptes niaient toute validité au baptême des enfants et recevaient donc, à l'âge adulte, un second baptême, administré par immersion totale. C'est ce nouveau baptême (du grec *ana-*, de nouveau, et *baptizein*, baptiser) qui a donné son nom à la doctrine. L'anabaptisme est le précurseur des Églises baptiste et mennonite.

ANABOLISME *n. m.* Ce terme, usité en biologie, désigne les processus d'assimilation et de transformation des substances nutritives par les êtres vivants.

ANACHORÈTE *n. m.* Un anachorète est un moine qui se livre à une vie contemplative et ascétique dans la solitude, contrairement au cénobite, qui vit en communauté. L'origine du mot est grecque : le verbe *anakhôrein* signifie « se mettre à l'écart ». Les premiers anachorètes se retirèrent dans le désert pour consacrer toute leur vie à la prière et parfois pour échapper aux persécutions des empereurs romains.

ANALGÉSIE *n. f.* Absence de douleur ? certes non ! l'action n'est pas aussi radicale que la racine grecque (*an-*, sans, et *algos*, douleur). L'analgésie est avant tout abolition de la sensibilité à la douleur. La suppression de celle-ci n'est donc qu'une voie de conséquence.

ANATHÈME *n. m.* Qui jette l'anathème sur autrui le blâme, le condamne vivement pour ses actes ou ses opinions. À l'origine, pourtant, nulle connotation négative dans ce mot, qui désignait la victime offerte en sacrifice à un dieu et, à ce titre, exposée dans le temple (du grec *ana-*, en haut, et *thêma*, posé). La victime, devenue sacrée, est désormais retranchée du monde des hommes. L'Église catholique n'a retenu que l'idée de retrait : l'anathème désignait une sentence d'excommunication prononcée contre les adversaires de la foi catholique et, par extension, la personne frappée d'excommunication.

ANCIEN TESTAMENT La dénomination Ancien Testament est d'origine chrétienne : saint Paul nomme ainsi les livres saints, lus et commentés dans les offices, à la synagogue, et que les rabbins juifs désignent seulement par le terme d'écrits. Ces vingt-quatre livres forment la Bible hébraïque, appelée TaNaKa, terme créé à partir des initiales des trois ensembles qui la composent. Le premier, le plus important, est la Torah, dont les cinq livres (la Genèse, l'Exode, le Lévitique, les Nombres et le Deutéronome) contiennent la révélation divine. Le deuxième ensemble présente essentiellement les Nabiim, c'est-à-dire les Prophètes, et le troisième est formé des Ketubim, ou Hagiographes, ce qui signifie les Saints Écrits, comme par exemple le livre des Psaumes ou le livre de Job. L'Ancien Testament est également une source inépuisable de prières et de méditations pour les chrétiens.

ANDRINOPLE L'andrinople est une étoffe d'ameublement en coton de couleur rouge vif, appelée autrefois rouge turc ou rouge d'Andrinople. Le tissu, comme la couleur, doit son nom à la ville grecque d'Andrinople, rebaptisée Édirne par les Turcs, dont le principal produit textile était cette cotonnade écarlate.

ANDROGYNE *n. et adj.* Un être androgyne est un individu qui présente dans sa morphologie ou son comportement des caractéristiques propres à chacun des deux sexes. Cet adjectif trouve son origine dans la mythologie grecque, qui avait imaginé des humains à deux corps, dont une moitié était féminine et l'autre masculine : les androgynes. Pour avoir tenté de déloger les dieux de l'Olympe, ces êtres fabuleux furent coupés en deux par Zeus, qui sépara ainsi *anêr, andros*, l'homme, de *gunê*, la femme.

ANNALES *n. f. pl.* Ouvrage relatant des événements historiques année par année. Ce mot, formé sur l'adjectif latin *annalis*, « qui dure un an, annuel », prit le sens, sous sa forme plurielle, d'« ouvrage par ordre chronologique ». Par extension, les annales désignent aujourd'hui des recueils ou des revues périodiques consacrés à divers domaines : religieux, politique, scientifique, économique... L'auteur d'annales est un annaliste.

ANNÉE-LUMIÈRE *n. f.* L'année-lumière, plus justement appelée année de lumière, est l'unité astronomique de longueur équivalant à la distance parcourue en une année par la lumière dans le vide, soit 9 461 milliards de kilomètres. Son symbole est al.

ANODIN *adj.* Un médicament anodin (du grec *an-*, sans, et *odunê*, douleur) a la propriété d'apaiser la douleur. Cependant, nous sommes portés à croire qu'au XVIIe siècle ce genre de remède était peu efficace. Dès cette époque, cet adjectif devint en effet synonyme d'inoffensif, insignifiant. Par analogie, il qualifia un fait ou des propos de peu d'importance. C'est actuellement ce sens qui prédomine.

ANOREXIE *n. f.* Impossibilité pathologique de se nourrir, constatée en majorité chez les jeunes filles. L'anorexie se manifeste par une perte de l'appétit pouvant aller jusqu'à la suppression de toute nourriture. L'anorexie peut avoir comme ultime conséquence la mort.

ANTHROPOLOGIE *n. f.* L'anthropologie (du grec *anthrôpos*, homme, et *logos*, discours) est une discipline qui, à partir des données de l'ethnographie, établit les lois régissant la vie sociale aussi bien dans notre société industrielle que dans les sociétés traditionnelles. Cette étude s'applique à divers secteurs : biologique, culturel, économique, etc.

ANTHROPOMÉTRIE *n. f.* L'anthropométrie judiciaire est une technique d'identification des malfaiteurs qui repose sur les mensurations de certaines parties du corps, comme le crâne. Ce système, créé par le criminologue français Alphonse Bertillon, fut appelé le bertillonnage. Jugé imparfait, il fut remplacé peu à peu par la dactyloscopie, procédé d'identification à partir des empreintes des doigts et de la paume de la main.

ANTIENNE *n. f.* L'antienne est un bref refrain liturgique chanté après chaque verset ou au début et à la fin d'un psaume. De l'antienne émane la manifestation du présent par rapport au psaume qui, lui, est éternel. On doit ce style de « chant alternatif de deux chœurs » à, entre autres, Saint-Benoît de Nuroie et Grégoire de Tours (tous deux du VIe siècle).

ANTINOMIE *n. f.* L'antinomie exprime une opposition issue de deux conceptions, ou notions, prouvées par des arguments d'égale force. En philosophie, et notamment chez Kant, l'antinomie est source d'un conflit dialectique.

ANTIPSYCHIATRIE *n. f.* Ce terme, apparu dans les années soixante, désigne la tentative, à l'origine anglaise, de porter sur la folie un autre regard. L'antipsychiatrie est issue d'une violente contestation de la psychiatrie traditionnelle, accusée d'être un instrument de la répression sociale et une institution normative qui éteint, étouffe les « fous » au lieu de leur rendre leur expression propre et donc de les écouter. Contre ces lieux où la parole est réduite au silence, les tenants de l'antipsychiatrie, Laing, Cooper, Esterson, vont créer des « lieux communautaires » où la liberté est rendue aux « fous », qui deviennent alors des résidents. Plus d'emploi du temps, plus de médicaments, suppression du rapport médecin/malade. Cette liberté n'est cependant pas une fin mais un moyen, sorte de catharsis au terme de laquelle le malade est rendu à lui-même.

ANTONYME *n. m.* Véritables frères siamois, et ennemis, de cette famille nombreuse qu'est la langue, les antonymes offrent le paradoxe d'être liés par cela même qui les oppose. Laideur et beauté, maître et valet : « et » devient alors cet abîme qui disjoint et unit inéluctablement.

APANAGE *n. m.* L'apanage est ce qui appartient en propre à une personne. Avoir l'apanage d'un privilège, par exemple, équivaut à en avoir l'exclusivité. Le mot trouve ses origines dans le vocabulaire féodal. L'apanage était la part du domaine royal que le souverain attribuait parfois à ses fils cadets ou à ses frères pour assurer leur subsistance. *Apaner* (du latin *ad panis*) signifiait en ancien français « donner du pain, nourrir ». Cette terre, léguée de père en fils, devait revenir à la Couronne après l'extinction des descendants de sexe masculin.

APARTHEID *n. m.* En afrikaans (néerlandais d'Afrique du Sud), le mot signifie séparation. Les principaux textes régissant la politique de ségrégation raciale mise en œuvre à partir de 1948 en République sud-africaine ont été abrogés sous le mandat du président Frédérik De Klerk : propriété foncière et habitat, conditions d'accès aux lieux publics et classement des individus en fonction de leur appartenance à un groupe racial. Au terme de ces réformes, l'élection unique d'une assemblée au suffrage universel (constituante ou législative) n'était pas acquise, non plus que la suppression des bantoustans, États créés par Prétoria pour regrouper des populations noires sur des territoires définis et que la communauté internationale n'a jamais reconnus.

APHASIE *n. f.* L'aphasie est la perte, totale ou partielle, du langage, due à des lésions cérébrales d'origines variées. *Aphasia,* en grec, signifie « mutisme, impuissance à parler » ou, plus exactement, « absence (*a* privatif) de parole *(phasis)* ».

APHRODISIAQUE *n. et adj.* Bien que les aphrodisiaques, ces substances propres à exciter le désir et à prolonger le plaisir, nous soient en grande partie venus d'Orient, le terme, lui, est issu du grec. Il a été formé sur le nom de la divinité mythologique de l'amour, Aphrodite. Selon la légende, la déesse fut la première à posséder un aphrodisiaque : une ceinture magique qui procurait à celui qui la portait un appétit sexuel inassouvissable.

APOCALYPSE *n. f.* L'apocalypse évoque les catastrophes de la fin du monde. Ne dit-on pas avoir une vision d'apocalypse devant un spectacle effroyable et cauchemardesque ? Ce terme est d'origine judéo-chrétienne. Il désigne, d'une part, le dernier livre de la Bible, qui, rempli d'images effrayantes, prophétise le triomphe du christianisme à la fin des temps, et, d'autre part, une littérature de « révélation » (tel est le sens du mot grec *apokalupsis),* qui a circulé dans les milieux juifs aux approches de l'ère chrétienne.

APOCRYPHE *adj.* L'adjectif apocryphe signifie, aujourd'hui, inauthentique, faux. Il se dit de n'importe quel récit, écrit ou oral, à caractère suspect : par exemple, d'un testament douteux. Jusqu'au XVIe siècle, ce qualificatif était réservé au langage religieux. Il désignait un texte imitant les Écritures, dont l'origine était inconnue et qui, par conséquent, ne faisait pas partie du canon biblique, juif ou chrétien.

APODICTIQUE *adj.* Une proposition apodictique était, chez Aristote, une proposition incontestable puisque objet de démonstration. Kant nuancera le propos : un jugement apodictique sera celui dont l'affirmation ou la négation sont nécessaires. Cette évidence, qui, de l'extérieur, s'impose à l'objet, devient avec Husserl une dimension de l'objet. Ainsi, une vérité apodictique se dit d'une vérité qui, par son évidence même, est irrécusable, indubitable.

APOPHATIQUE *adj.* Au cœur d'une théologie apophatique : un Dieu indicible. Comme il est infini, toute détermination de sa nature est une limite, donc une négation de sa personne. Cette problématique de l'indicible traverse toutes les grandes religions. Dans le védisme, les textes, telle une litanie entêtante, ne cessent de répéter : « Il n'est ni ceci ni cela. » Dans l'islam, le vocable *hu* (lui) se charge de tout l'ineffable divin. Comme l'amoureux ne peut que balbutier « toi » devant l'Aimée, le musulman module le *hu.* Le dogme chrétien rejoint par la « théologie négative » le védisme. Mais c'est dans le judaïsme que s'affirme avec éclat l'adage : « La parole est d'argent, mais le silence est d'or. » Ici un blanc, un vide, très plein : l'imprononçable nom de Dieu.

APOPHTEGME *n. m.* L'apophtegme (du grec *apophtegma,* sentence) est une maxime mémorable émise par un personnage illustre. Par extension, elle exprime une vérité pleine de bon sens.

APORIE *n. f.* L'emploi de ce mot (du grec *aporia : a-,* sans, et *poros,* passage) apparaît vers le début du XIXe siècle. En logique et en philosophie, l'aporie représente une difficulté d'ordre rationnel n'ayant point d'issue. L'aporie est, par ailleurs, un procédé littéraire.

APOSTASIER *v. tr. et intr.* Ce terme appartient presque exclusivement au dogme chrétien. Pour les Indiens ou les Africains, invités par les missionnaires à renoncer à leur religion, point d'apostasie, mais une conversion. En revanche, un catholique qui, publiquement, renonçait à sa confession se voyait accusé d'apostasie et, selon les époques, frappé de sanctions. La privation du droit de cité était parmi les châtiments les plus répandus. De très vigoureux édits furent ainsi promulgués par Louis XIV à l'encontre des catholiques choisissant la Réforme.

APOSTILLE *n. f.* Qu'elle soit recommandation complétant une lettre ou simple annotation faite en marge d'un texte, l'apostille est dans tous les cas de figure un ajout ; en cela, elle est fidèle à ses origines (du latin *post,* après, et *illa,*« ces choses »).

APOTHÉOSE *n. f.* Un spectacle ou une œuvre se terminent en apothéose lorsque la fin revêt un aspect grandiose et semble être le couronnement de ce qui précède – tout comme le bouquet final d'un feu d'artifice. Avec l'apothéose, la création atteint un degré supérieur. Cette notion d'élévation se rapproche du sens premier de ce mot d'origine grecque. Dans la mythologie, l'apothéose était l'admission d'un mortel au rang des dieux. L'homme, immortalisé lors d'un sacrifice, devenait un héros.

AQUATINTE *n. f.* L'aquatinte, de l'italien *acqua tinta,* eau-forte, est à la fois un procédé de gravure imitant le lavis et la gravure ainsi obtenue. Élaborée à la fin du XVIIIe siècle, cette technique consiste à appliquer sur la plaque gravée une couche de résine pulvérisée que l'on fera cuire pour obtenir des grains, séparés entre eux par des points de cuivre laissés à nu. Ensuite, les parties que l'on voudra garder blanches seront protégées par un vernis à l'alcool et les autres passées à l'eau-forte. L'action de l'acide sur le cuivre donnera alors à l'épreuve l'aspect d'un lavis.

ARBORER *v. tr.* Que l'on arbore, aujourd'hui, des insignes, des drapeaux ou des opinions, on peut retrouver dans ce mot l'image de l'arbre (*arbor* en latin), qui se tient droit. Le verbe arborer se rattache effectivement à cette racine latine, mais par le biais de l'italien *arborare,* qui signifiait « dresser un mât ». Vers 1320 déjà, des textes français imprégnés d'italien utilisent arborer pour « munir de mâts », mais c'est au XVe siècle que le mot s'installe dans la langue avec les sens figurés que l'on connaît aujourd'hui.

ARCANE *n. m.* Aujourd'hui, on se perd dans les arcanes d'une science, d'un domaine, c'est-à-dire dans ses mystères, ses secrets. Ce terme (maintenant employé au pluriel) tire son origine du vocabulaire des sciences occultes. Les alchimistes appelaient arcane une préparation mystérieuse, un remède infaillible et universel, dont ils gardaient le secret.

ARCHE D'ALLIANCE L'arche d'alliance est le coffre qui renfermait les tables de la Loi, dans la tradition judaïque. Symbole de la présence divine, elle accompagna le peuple hébreu durant sa marche dans le désert et suivit l'armée dans ses combats. Placée dans le temple de Jérusalem, elle disparut à la fin du VIe siècle avant J.-C., lors de la destruction de la ville par le roi babylonien Nabuchodonosor. C'est maintenant, dans les synagogues, le nom de l'armoire, appelée aussi arche sainte, où sont conservés les rouleaux de la Torah.

ARCHÉTYPE *n. m.* Être aujourd'hui l'archétype du héros romantique, ou devenir l'archétype de la réussite, c'est en représenter le modèle type, l'image exemplaire, idéale et commune à tous. L'universel a ainsi remplacé peu à peu l'original. En effet, ce terme, autrefois littéraire, désignait un ouvrage modèle qui devait servir à l'élaboration d'œuvres futures. Le grec *arkhetupon* signifie « le mot du commencement ».

ARÈNE *n. f.* D'aucuns se retrouvant aujourd'hui sur le sable savent-ils qu'hier ils se fussent trouvés sur l'arène ? En effet, dans son sens premier, arène (du latin *arena*) signifie sable, fin gravier. Lequel sable recouvrait l'aire centrale de l'amphithéâtre romain destiné aux combats des gladiateurs. Par extension, les arènes (la forme du pluriel apparaît au XVIe siècle) désignent l'amphithéâtre lui-même.

ARÉOPAGE Ce terme, aujourd'hui littéraire, parfois employé avec ironie, désigne une assemblée de savants, d'hommes de lettres, de personnages importants, qui ont à débattre une question, à juger une œuvre, etc. L'Aréopage fut le premier tribunal d'Athènes, qui siégeait sur la colline d'Arès, dieu de la guerre. Ayant tout d'abord eu un grand pouvoir politique, ce tribunal ne se chargea ensuite que des affaires criminelles.

ARGENTIN *adj.* Alors que le mot latin *argentum* désigne le métal, le mot grec *argos* signifie l'éclat et la blancheur. L'adjectif argentin porte en lui ces deux sources ; un son argentin aura ainsi une couleur claire, brillante, métallique en somme !

ARGONAUTE *n. m.* L'argonaute, mollusque octopode (« à huit pieds ») de la sous-classe des dibra (comme les poulpes notamment), vit dans les mers chaudes du globe. Il possède un système de reproduction très particulier : le mâle, beaucoup plus petit que la femelle, utilise l'un de ses bras, transformé en membre reproducteur, pour féconder les œufs que la femelle a déposés dans une coquille de sa fabrication. L'appellation d'argonaute vient de la mythologie grecque. Les Argonautéi étaient les marins du navire *Argo,* qui partirent sous la conduite de Jason à la recherche de la légendaire Toison d'or.

ARGUS Qui a des yeux d'Argus a une vue perçante, un regard pénétrant. Un argus est un surveillant particulièrement vigilant ou un espion efficace. Ce terme littéraire trouve son explication dans la mythologie grecque. Argus (ou Argos) était un prince argien, surnommé Panoptès, c'est-à-dire « qui voit tout », et pour cause ! Ce géant avait cent yeux, dont cinquante restaient toujours ouverts. Avec une telle morphologie, il était évidemment considéré comme un veilleur infaillible.

ARIA *n. m.* Aria est un terme familier, synonyme d'embarras, de tracas, de petite difficulté, provenant d'un verbe de l'ancien français, *harier,* qui signifie harceler, tourmenter.

ARIANISME *n. m.* L'arianisme est la doctrine hérétique propagée par le prêtre alexandrin Arius au IVe siècle. Les adeptes du mouvement arien niaient la consubstantialité du Père, du Fils et du Saint-Esprit et refusaient, par conséquent, d'admettre la nature divine du Christ. L'arianisme fut condamné par l'empereur Constantin au premier concile œcuménique de Nicée, en 325.

ARISTARQUE *n. m.* L'aristarque est un critique, certes sévère, mais juste, contrairement au zoïle (voir ce mot). Attesté dans son sens figuré au XVIe siècle (il apparaît en 1549 chez du Bellay), ce mot est issu du nom d'un grammairien alexandrin du IIe siècle avant J.-C., Aristarkhos, auteur d'éditions critiques des œuvres de Pindare et d'Homère.

ARITHMÉTIQUE *n. f.* L'arithmétique s'attache, depuis l'Antiquité, à étudier les propriétés des nombres, d'abord entiers, puis, à partir du XIXe siècle, de différents types (irrationnels, complexes...). « Science des nombres » (du grec *arithmêtikê*) et du calcul, l'arithmétique se répandit dans l'Europe médiévale par les travaux des mathématiciens arabes, qui transmirent et développèrent les œuvres théoriques fondamentales des Grecs, dont notamment les *Éléments* d'Euclide, qui demeurent l'une des plus grandes sommes mathématiques de tous les temps.

ARKAN *n. m.* Les *arkan,* ou piliers de l'islam, sont les cinq devoirs religieux que doit respecter tout musulman pratiquant. Il s'agit de la profession de foi (ou *chahada*), de la prière rituelle (ou *salat*) dite cinq fois par jour, de l'aumône légale (ou *zakat*), du jeûne du ramadan (ou *sawm*) et enfin du pèlerinage à La Mecque (ou *hadjdj*).

ARMISTICE *n. m.* Un armistice marque une trêve et non la fin d'un conflit. Il s'agit d'un accord conclu par les chefs militaires, qui suspend les hostilités entre les belligérants, d'un cessez-le-feu, comme l'indiquent les deux mots latins : *arma,* armes, et *sistere,* arrêter.

ARMSTRONG (NEIL) L'astronaute américain Neil Armstrong, commandant du vaisseau Apollo 11, fut le premier homme à poser le pied sur la Lune, le 21 juillet 1969. Au moment de quitter le véhicule spatial, il prononça cette phrase : « C'est un petit pas pour l'homme, mais un grand bond pour l'humanité. »

ARRHES *n. f. pl.* Les arrhes représentent une somme d'argent versée à titre d'acompte pour garantir l'exécution d'un marché, d'un contrat. Ce mot vient de l'hébreu *erabôn,* qui signifie gage et figure dans la Genèse (XXXVIII, 17, 18, 20).

ARTEFACT *n. m.* Artefact est un terme didactique qualifiant tout objet ou phénomène d'origine artificielle, c'est-à-dire produit ou transformé par l'homme, par opposition aux faits strictement naturels. Le mot est emprunté à l'anglais *artifact,* formé sur le latin *artis facta,* « effets, ouvrages de l'art ».

ASCÈSE *n. f.* Les stoïciens pensèrent juste en formant ce terme à partir du mot grec *askêtês,* athlète. En effet, les efforts déployés par les sages pour atteindre la vertu sont comparables aux exercices des athlètes concourant pour la palme olympique. Dans l'acception contemporaine du mot, corps et âme sont désormais mêlés. Le corps est, en effet, partie prenante des exercices spirituels. Macération, mortification, purification, méditation, telles sont quelques-unes des pratiques mises en œuvre dans l'ascèse.

ASEPTISER *v. tr.* Aseptiser n'est pas guérir mais prévenir. L'asepsie est une pratique visant non pas à détruire les germes d'une plaie mais à en empêcher la contamination. Aseptiser des instruments, des locaux revient donc à les stériliser, à les rendre exempts de toute altération (du grec *a-*, non, et *septikos,* putréfié). À ce titre, cette opération est une étape nécessaire pour tout soin prétendant à l'efficacité.

ASHRAM *n. m.* L'ashram est aujourd'hui une communauté rassemblée autour d'un maître (gourou). C'était autrefois un ermitage destiné aux renonçants hindous. Lieu de refuge, l'ashram était aussi celui de toutes les austérités. Cela est encore vrai. Si les disciples cherchent désormais refuge auprès d'un maître, l'ashram est demeuré un lieu d'ascèse (voir ce mot), d'effort, comme l'indique le mot sanskrit formé sur le verbe *çram,* se fatiguer, s'efforcer.

ASSA-FŒTIDA *n. f.* L'assa-fœtida est une gomme-résine médicinale extraite de la racine et de la tige d'une ombellifère orientale : la férule. De saveur et d'odeur très désagréables, cette substance résineuse fut néanmoins longtemps appréciée pour ses vertus antispasmodiques. Son nom vient du latin médical *asa,* « résine de silphium », et *fœtida,* fétide, puante.

ASSIETTE *n. f.* Le sens de base du mot assiette, dans le domaine du droit, est très ancien. En 1280, on trouve l'« assiette d'une rente ». Le mot viendrait du latin populaire *assedita,* « manière d'être assis, posé, disposé », participe passé substantivé du verbe *assedere.* Aujourd'hui, le sens usuel montre un glissement depuis « l'action de placer les convives à table » (XIVe siècle), vers « service de table » (1378) et enfin « pièce de vaisselle » (1507). Désormais, le mot assise remplace souvent assiette au sens figuré.

ASSIGNAT *n. m.* L'assignat est un billet de banque émis sous la Révolution. À sa création, c'était en fait une obligation hypothécaire, une sorte de bon du Trésor portant un intérêt de 5 % et garanti par les biens nationaux, provenant de la mise en vente, en 1789, des biens du clergé. Ce taux d'intérêt est rapidement baissé à 3 % et, dès 1790, l'assignat ne porte plus intérêt et devient simple papier-monnaie. Les émissions ne cessent alors de se multiplier et le billet connaît une dépréciation telle qu'en 1795 sa valeur est fixée à 1/100 de sa valeur nominale. On mit fin à cette expérience malheureuse en brûlant publiquement la planche aux assignats sur la place Vendôme, le 19 février 1796.

ASSUÉTUDE *n. f.* Accoutumance, dépendance d'une personne à l'égard d'une substance toxique, médicament ou drogue. L'assuétude désigne également l'adaptation de l'organisme à certaines modifications du milieu ambiant. Ce mot, récemment créé (1969), est une forme empruntée au latin (*assuetudo,* habitude) pour traduire le terme anglais *addiction,* dépendance.

ASSYRIENS Au XXIIIe siècle avant J.-C., les Akkadiens, population sémite occupant le centre de la Mésopotamie, fondèrent le premier grand empire du Moyen-Orient. Vers 2000 avant J.-C., de nombreux Akkadiens, ainsi que les Amorrites, s'établirent à Babylone, après la conquête du pays de Sumer. Mais des Akkadiens du Nord en acquirent du même coup leur indépendance et firent de la ville sainte d'Assur (prononcer Ashour), située sur la rive gauche du Tigre, le cœur de cette nouvelle puissance : l'Empire assyrien était né. À travers conquêtes et invasions, l'énergie guerrière des Assyriens servira une rivalité millénaire avec Babylone, laquelle, après avoir été soumise plusieurs fois, renversera finalement l'Empire assyrien, en 614-612 avant J.-C.

ASTÉRISQUE *n. m.* Un astérisque est un signe typographique en forme de petite étoile (tel est le sens du mot grec *asteriskos*). Si, dans un texte, l'astérisque renvoie à une note, un glossaire, un index..., en linguistique, l'astérisque, placé avant un groupe de mots, indique qu'il s'agit d'une phrase agrammaticale, tandis qu'en philologie il précède les formes hypothétiques. En mathématiques, l'astérisque accolé au signe qui symbolise un ensemble de nombres précise que l'on considère tous les éléments de l'ensemble, sauf le zéro. Enfin, l'astérisque est également utilisé en informatique, où, dans certains langages, il remplace le symbole de multiplication.

ASTÉROÏDE *n. m.* Mot formé sur le terme grec *asteroeidês* (de *astêr,* étoile, et *eidos,* aspect, semblable). On nomme astéroïdes de très petits corps célestes semblables à des planètes. Ils sont invisibles à l'œil nu, et leur trajectoire orbitale est principalement située entre Mars et Jupiter. Les astronomes ont répertorié plus de trois mille cinq cents astéroïdes, mais ils estiment leur nombre à plusieurs dizaines de milliers.

ASTROLABE *n. m.* L'astrolabe est un instrument de mesure utilisé autrefois pour déterminer la position des astres et se situer par rapport à eux. Les Grecs en auraient pensé le fonctionnement, mais c'est aux Arabes que l'on en doit la création, au VIIIe siècle. Il fut utilisé par les astrologues mais aussi par les voyageurs et les navigateurs. De nos jours, l'astrolabe impersonnel de Danjon est un instrument d'observatoire perfectionné, grâce auquel on calcule l'instant du passage d'une étoile à une hauteur donnée.

ASTRONEF *n. m.* Le préfixe *astro-*, qui vient du grec *astron,* astre, a servi à composer des mots savants, comme astrologie vers 1370. Aujourd'hui, des néologismes sont créés sur des éléments anciens de la langue, pour nommer les découvertes et les inventions de la physique spatiale : astronef est littéralement un vaisseau (nef) interplanétaire (astro).

ATARAXIE *n. f.* L'ataraxie (du grec *ataraxia,* « absence de trouble ») est la paix de l'âme, une quiétude absolue. Elle représente, dans les philosophies épicurienne et stoïcienne, le souverain bien. Pour les adeptes d'Épicure, on atteignait cet état en se contentant des plaisirs naturels et nécessaires, tandis que les philosophes du Portique pensaient que l'ataraxie résidait dans l'effort de la volonté pour vaincre les passions et la douleur.

ATAVISME *n. m.* L'atavisme est l'héritage social, idéologique et culturel que chaque individu reçoit de ses aïeux. Ce mot n'est plus guère employé dans son premier sens, qui désignait, en génétique, la réapparition après plusieurs générations de certains caractères ancestraux. Les deux acceptions ont gardé l'empreinte du nom latin *atavus,* ancêtre.

ATELLANE *n. f.* Née dans la ville campanienne d'Atella, l'atellane est une forme de farce romaine. Totalement improvisée, elle donnait lieu à des scènes au comique facile, voire licencieux. Acrobaties, bouffonneries, mimiques, lazzis remportaient un vif succès auprès du public. La comédie latine s'inspira de l'atellane, et ses personnages traditionnels furent les ancêtres de certains types célèbres de la commedia dell'arte.

ATERMOYER *v. intr.* Mieux vaut, en toute circonstance, éviter d'atermoyer et ne jamais remettre à plus tard, user de subterfuges pour obtenir des délais, ou avoir tendance à la procrastination (voir ce mot). Ce verbe, aujourd'hui intransitif, mais qui fut longtemps employé transitivement, vient de l'ancien français *termoyer,* qui signifie « vendre à terme, ajourner, tarder ».

ATLAS Géant immortel, fils du Titan Japet et de l'océanide Clyméné, Atlas appartient à la première génération des dieux de la mythologie hellénique. Avec l'aide de ses frères, il voulut combattre Zeus, qui, pour le punir de son audace, le condamna à porter la voûte du ciel sur ses épaules. En souvenir du géant, le géographe Gerhardus Mercator baptisa du nom d'*Atlas* sa collection de cartes du ciel, publiée en 1595, et dont le frontispice présentait le héros soutenant le globe céleste. Depuis lors, le mot atlas désigne tout recueil de cartes géographiques.

AUBADE *n. f.* Pour honorer quelque accointance amicale ou faire la cour à l'élue de votre cœur, d'elle malade, soyez musicien et matinal, donnez, sous ses fenêtres, une aubade. Aubade a pour ancêtre provençal *aubada,* qui signifie « concert donné à l'aube ».

AUBAINE *n. f.* L'aubaine qualifie un avantage, un profit inespéré, signe de chance que l'on ne croyait pas voir se révéler. Autrefois, le droit d'aubaine (de l'ancien français *aubain,* étranger) attribuait au seigneur ou au roi la succession d'un étranger mort dans ses États. Ces étrangers... quelle aubaine !

AUBE *n. f.* Comme l'écrivait Victor Hugo, l'aube est « l'heure où blanchit la campagne », l'instant du petit matin où l'on peut admirer les premières lueurs du jour. La couleur blanchâtre qui apparaît à l'horizon, avant même le lever du soleil, explique la formation du mot : aube vient de l'adjectif latin *alba,* qui signifie blanche.

AUGURE *n. m.* Êtes-vous un oiseau de mauvais augure, aussitôt on vous évite, car vous portez malheur et vous annoncez des événements fâcheux ! Une décision de bon augure prédit, elle, une issue heureuse. Ces expressions proviennent de la Rome antique. L'augure cherchait à juger de l'avenir par l'observation de certains signes traditionnels. Ce prêtre devin tirait ainsi des présages non seulement du tonnerre, de la foudre et autres météores, mais également de l'appétit des poulets sacrés, du vol et du chant des oiseaux.

AUGUSTE L'auguste est le clown par excellence. Drôle, tant par sa gaucherie que par ses pitreries incessantes, il est le bouffon du cirque moderne. Le costume et les facéties de ce clown auraient été empruntés à un garçon de piste du cirque Renz, fort maladroit, qui était surnommé Auguste.

AURIGE *n. m.* L'aurige (du latin *aureae,* bride, et *agere,* conduire) était, dans l'Antiquité, le conducteur de char qui prenait part aux courses. Lors des fouilles du site de Delphes fut exhumée la statue en bronze d'un cocher et, avec elle, ce mot oublié : l'aurige.

AUSPICE *n. m.* Dans l'Antiquité romaine, l'auspice (du latin *auspicium,* composé de *avis,* oiseau, et *spicere,* regarder) était un présage tiré de l'observation du comportement des oiseaux. La prise des auspices précédait toute action importante. Elle permettait de savoir si les dieux étaient favorables.

AUSTÉRITÉ *n. f.* La rugosité, la sécheresse de ce mot (du latin *austerus,* sec, âpre), loin de s'atténuer avec le temps, se sont accentuées. Devenues plurielles et religieuses, les austérités désignent désormais des pratiques de mortification, des pénitences offertes à Dieu. Le mot peut alors se déployer sous toutes ses acceptions, tant il est vrai que les austérités ne se pratiquent pas sans quelque sévérité, rigueur et rudesse.

AUTO *n. m.* Ce drame sacré espagnol est particulièrement attaché aux XVIe et XVIIe siècles. Le terme espagnol *auto,* signifiant acte, est celui-là même que nous retrouvons dans le portugais *auto da fé,* acte de foi, autodafé (voir ce mot).

AUTOCHTONE *n. m.* Il est des origines qui ne peuvent être remises en cause. Ainsi en est-il des autochtones (du grec *autos,* même, et *khthôn,* terre), nommés aussi aborigènes ou indigènes. Tous sont originaires du sol sur lequel ils vivent, et ce de génération en génération. Tels les Amérindiens, les Esquimaux, les Adivasis...

AUTODAFÉ *n. m.* Faire un autodafé, c'est-à-dire détruire par le feu, semble criminel aujourd'hui alors qu'il s'agit, par exemple, de brûler des livres. Jadis, c'étaient des hommes qui périssaient sur le bûcher pour avoir été reconnus impies ou hérétiques par l'Inquisition (voir ce mot). Au cours de la cérémonie qui accompagnait la proclamation et l'exécution publiques de ce jugement, les condamnés étaient conviés – avant de monter au bûcher – à faire *auto da fé,* « acte de foi » en portugais, pour mériter leur salut dans l'autre monde. L'usage actuel du mot a oublié la question de la foi pour ne retenir que le scandale du feu.

AUTOGAMIE *n. f.* L'autogamie, ou autofécondation, est l'union de deux éléments de sexe différent provenant du même individu, animal ou végétal. Ce mode de reproduction, qui est assez rare, engendre une lignée génétiquement uniforme et est réservé à des espèces bien adaptées à un milieu suffisamment stable. Parmi les organismes pluricellulaires autogames, on rencontre certains végétaux, comme la violette cleistogame, ainsi que quelques parasites, le ténia par exemple.

AUTOMÉDON Un automédon est un cocher, un conducteur de fiacre. L'origine de ce terme, aujourd'hui littéraire ou ironique, est homérique. Dans l'*Iliade,* le conducteur de char du héros légendaire Achille s'appelle Automédon.

AVARO *n. m.* Pour n'être qu'une petite avarie (de l'arabe *awar,* dommage), cet avaro, familier et populaire, n'en comporte pas moins embarras, difficultés et soucis...

AVATAR *n. m.* Un avatar est une métamorphose, une transformation souvent malheureuse. L'acception actuelle du terme s'écarte considérablement du sens premier. À l'origine, en effet, les avatars – du sanskrit *avatara,* « descente sur terre » – étaient les différentes incarnations des dieux de l'hindouisme. Par la suite, le mot s'est appliqué uniquement aux incarnations de Vishnou, l'une des divinités de la triade suprême du panthéon hindou.

AVENT *n. m.* L'homonymie l'a emporté, qui fait désormais de l'avent la période précédant la naissance de Jésus. Cette période de quatre semaines est traditionnellement un temps voué à la préparation, la pénitence. Chez les religieux, il est de coutume d'observer le jeûne. Cela n'a pas toujours été : jusqu'au VIe siècle, le mot signifiait l'avènement de l'Enfant Jésus (du latin *adventus,* arrivée).

AXIOME *n. m.* L'évidence, caractérisant l'axiome, lui donne valeur et raison d'être. Indémontrable parce que tellement évident (par exemple : « La partie est plus petite que le tout »), il s'impose comme principe premier, base des raisonnements les plus complexes. Les mathématiques en sont riches, mais aussi la logique ou la philosophie. Depuis leur origine, tout crédit leur est accordé et leur vérité est universellement acceptée (du grec *aksiôma,* « que l'on juge convenable, à quoi l'on reconnaît de la valeur »).

AYATOLLAH *n. m.* Dans la tradition chiite, l'ayatollah (de l'arabe *âyat,* signes, et *allâh,* d'Allah : « versets d'Allah ») est le porte-parole de l'Imam caché (voir ce mot). Pendant l'occultation de l'Imam, l'ayatollah est considéré comme le guide spirituel, car il est intérieurement en contact avec l'Imam caché. De ce fait, il est jugé comme le plus compétent et le plus apte à interpréter le Coran et la Sunna (recueil des enseignements et des actions du Prophète), ainsi qu'à enseigner la doctrine de l'islam aux croyants, c'est-à-dire aux musulmans.

AZYME *n. m.* Le pain azyme (du grec *a-,* sans, et *zumê,* levain) est consommé lors de la célébration de la Pâque juive (Pessah) pour commémorer le dernier repas pris par les Hébreux avant leur départ d'Égypte. La coutume veut que l'on vide la maison de tout pain fermenté pour y substituer le pain sans levain. Par ailleurs, dans le rituel catholique, les hosties sont faites avec du pain azyme.

B

BABEL (TOUR DE) Dans la Bible, la tour de Babel est un immense édifice que les descendants de Noé, par ambition, tentèrent d'élever jusqu'au ciel. Tous parlaient alors le même idiome ; la punition divine de leur orgueil fut justement la confusion des langues. La ziggourat qui dominait Babylone (le nom de la ville est formé sur la même racine que Babel : en akkadien, *bab-ilum,* « la porte du dieu »), dédiée au dieu Bêl Marduk, et qui symbolisait pour les juifs l'idolâtrie, n'était autre que la tour de Babel.

BAIGNEUR *n. m.* Ce terme désigne aujourd'hui la poupée d'enfant ou la personne qui prend un bain, mais plus l'individu qui tient les bains publics. Au XVIIe siècle, cependant, le baigneur devait être prospère puisqu'il tenait une maison de bains et de plaisir. La morale et le progrès l'ont laissé sur le sable.

BAKCHICH *n. m.* Autrefois expression de générosité laissée à la discrétion du donateur (du persan *bakchiden,* donner), le bakchich est devenu avec l'usage un don obligé. La nature du rituel a été modifiée. Le bakchich n'est plus ce don offert en remerciement d'un service. Désormais, il est la condition même de ce service et, comme tel, le précède... Sans bakchich, rien ne se fait, ou si lentement !

BALAFRE *n. f.* Souvenir cuisant d'une rixe, une balafre, selon qui la porte, enlaidit ou embellit un visage. Ce terme provient de l'ancien français *leffre,* lèvre, par association avec les lèvres d'une plaie.

BALDAQUIN *n. m.* Sorte de dais, garni d'étoffe, que l'on suspend au-dessus d'un lit (ou d'un autel) et sur lequel sont fixés les rideaux, le baldaquin vient de l'ancien italien Baldacco, qui désignait Bagdad. Sur cette forme fut créé *baldacchino,* étoffe de soie de Bagdad.

BALKANISATION *n. f.* Le terme balkanisation désigne le processus de morcellement en petites entités autonomes d'un ensemble territorial présentant jusqu'alors une unité géographique ou historique. La balkanisation conduit généralement à l'affaiblissement de la puissance qui en a fait l'objet. Ce mot, apparu pour la première fois en 1941, fut créé en référence à l'éclatement de la péninsule balkanique en États indépendants : Albanie, Bulgarie, Grèce, Roumanie, Turquie, Yougoslavie.

BANAL *adj.* De nos jours, qui est encore attiré par un objet banal ? Au Moyen Âge, les installations banales attiraient, elles, tous les gens d'une même seigneurie. Ainsi, un moulin banal, ou moulin à ban (c'est-à-dire appartenant au suzerain), était mis au service de la collectivité, qui devait verser, en contrepartie, une redevance au seigneur du fief. Le sens de ce terme féodal s'est, petit à petit, transformé : de commun à tous, le banal est devenu trop commun.

BANQUEROUTE *n. f.* La banqueroute d'un commerçant est une forme de faillite aggravée par des actes qui tombent sous le coup de la loi. On distingue, en droit pénal, la banqueroute simple de la banqueroute frauduleuse. Le mot vient de l'italien *banca rotta,* « banc rompu ». Cette expression est anecdotique : elle tire son origine du fait que les banquiers faillis voyaient leur comptoir brisé.

BANQUISE *n. f.* La banquise est une large étendue de glace résultant de la congélation de l'eau de mer, dans les régions polaires. Il existe une banquise permanente, que l'on trouve au centre de l'Arctique et en certains points de l'Antarctique, une banquise côtière formée dans les mers peu profondes et attachée au rivage, ainsi qu'une banquise dérivante, sorte de champ de glace déplacé par les courants. En hiver, la banquise atteint 38 millions de kilomètres carrés et se réduit à 11,2 millions de kilomètres carrés après la fonte estivale.

BAPTISTE *n. et adj.* La secte baptiste est une secte protestante issue de la Réforme. Son principe réside dans son appellation même. À l'image de Jésus choisissant de se faire baptiser par Jean-Baptiste, l'Église baptiste revendique pour les adultes le baptême conscient et volontaire. Fidèle à la lettre, leur rite est donc celui des origines : le baptême par immersion. L'Église baptiste affiche en outre un fort aspect militant. Ses adeptes, ou professants, ont pour devoir spirituel de mettre leur foi en pratique.

BAR *n. m.* Le bar, souvent remplacé par l'hectopascal, est une unité de pression équivalant à 100 000 pascals (Pa) et utilisée, notamment, en météorologie.

BARBARISME *n. m.* On appelle barbarisme la forme ou l'emploi d'un mot contraires aux normes de la langue, à une époque donnée. Les formes grammaticales telles que « vous faisez » ainsi que, pour un puriste, certains verbes, comme « solutionner » (pour résoudre), sont des barbarismes. Le terme est un dérivé du grec *barbaros,* mot qui désignait le barbare, c'est-à-dire l'étranger, qui ne parlait pas le grec.

BARDE *n. m.* Les bardes étaient les poètes et les chanteurs des peuples celtiques. « Récitants » ou « inventeurs de mélodies », ils appartenaient à la classe sacerdotale ; les secrets de leur art se transmettaient de père en fils, au cours d'une formation qui durait douze ans. Ils avaient pour fonctions de célébrer les exploits de leurs chefs et de leurs héros et de composer les hymnes guerriers ; ils tenaient parfois aussi le rôle de conciliateur. Les bardes ont disparu peu à peu, avec la christianisation, mais leur nom reste encore un élégant synonyme de poète.

BARÈME *n. m.* Un barème est un ensemble de tarifs ou de tableaux numériques permettant de connaître, par lecture directe, le résultat de certaines opérations. Ce recueil de calculs porte le nom de son inventeur, François Barrême, expert royal à la Chambre des comptes sous Louis XIV. Négociant de son état, cet arithméticien ingénieux avait imaginé de faire imprimer, sous forme de tableaux, les résultats des opérations de conversion des monnaies, pour s'éviter de recommencer sans cesse ces calculs fastidieux. C'est ainsi qu'à la fin du XVIIe siècle parut le *Livre des comptes faits du grand commerce,* qui devait faire la renommée de son auteur. Le terme barème ne fut cependant attesté qu'au début du XIXe siècle.

BARGUIGNER *v. intr.* Barguigner est un verbe quelque peu tombé en désuétude, que l'on ne rencontre plus que dans l'expression « sans barguigner », qui signifie « sans hésiter ». Apparu à la fin du XIIe siècle, dans l'œuvre de Marie de France, le terme eut d'abord le sens de marchander, et ce n'est qu'au XVIIe siècle que s'effectua le glissement vers hésiter.

BARTAVELLE *n. f.* La bartavelle est une perdrix rouge vivant dans les bois. Elle doit son nom à son cri. En vieux provençal, en effet, *bartavelo* signifie loquet, et le cri de la bartavelle imite à s'y méprendre le bruit d'un loquet qui crisse !

BARYSPHÈRE *n. f.* Barysphère est le nom que l'on a donné au noyau central de la Terre. Aujourd'hui, on emploie de préférence les termes de « noyau externe » (ou souple) et de « graine », afin de marquer la distinction entre la partie extérieure et fluide de ce noyau et celle, plus solide, qui en constitue le cœur. Ce centre, très dense, serait composé essentiellement de nickel et de fer, d'où l'ancien terme nife, qui précéda celui de barysphère.

BASANÉ *adj.* Une peau basanée est une « peau couleur de peau ». Lapalissade ? redondance ? Non, si l'on s'en tient à la racine du mot : il vient de l'arabe *bithana,* repris par l'espagnol *badana,* doublure. Cette doublure, en peau de mouton tannée, passa à la postérité sous le nom de basane. De là le qualificatif basané. Tant la couleur d'un visage longtemps hâlé par le soleil rappelle celle du cuir travaillé.

BAS-BLEU *n. m.* Par dénigrement, une femme pédante ou qui s'affiche comme un bel esprit est appelée bas-bleu. L'expression est traduite de l'anglais *blue stocking* : au XVIIIe siècle, une femme de lettres anglaise, Mrs. Montague, recevait chez elle, à Londres, des femmes aux goûts littéraires reconnus ; parmi les rares hommes acceptés dans ce salon, un certain Mr. Stillingfleet portait, dit-on, des bas bleus ! C'est pourquoi les rivales de ces femmes savantes appelèrent ce groupe « le cercle des bas-bleus ».

BAS-DE-CASSE *n. f.* Les bas-de-casse désignent, en typographie, les lettres minuscules. La casse, divisée en casiers appelés cassetins, était l'un des tiroirs du petit meuble dans lequel le compositeur répartissait ses caractères d'imprimerie en plomb. Les minuscules étaient rangées dans les cassetins du bas, tandis que les autres caractères, moins utilisés, étaient rangés dans les cassetins du haut, d'où leur nom de haut-de-casse.

BASIC *n. m.* Le basic, sigle de l'anglais *Beginner's All purpose Symbolic Instruction Code,* est un langage de programmation à l'usage des personnes non spécialistes de l'informatique. Appelé aussi BXI, le basic a été conçu, en 1965, pour permettre l'exécution des programmes sur un mode conversationnel. Son vif succès correspond à l'essor de la micro-informatique.

BASILIQUE *n. f.* Le latin *basilica* fut emprunté au mot grec *basilikê* (« portique royal ») désignant dans l'ancienne Athènes un édifice civil constitué de colonnes. Le sens de basilique, en latin ecclésiastique, fut synonyme d'église au IVe siècle, à la suite de la fondation de la Basilica Constantini, érigée sur le tombeau du Christ.

BASSE-COUR *n. f.* La basse-cour de la ferme, où l'on élève poules et lapins, était autrefois la cour du château destinée à recevoir chevaux et équipages. Située au niveau inférieur des fortifications, elle prit le nom de basse cour, ou cour des communs, par opposition à la haute cour qui était, elle, la cour d'honneur. À cette époque, on appelait familièrement des rumeurs sans fondement ni valeur des « nouvelles de basse cour ».

BASSE LISSE (DE) Le métier de basse lisse (ou lice) est un métier à tapisserie traditionnel dans lequel les fils de chaîne, dirigés au moyen de pédales, se déplacent horizontalement, contrairement aux ouvrages exécutés sur des métiers de haute lisse. La tapisserie de basse lisse est travaillée à l'envers ; le basse-lissier consulte le modèle, qu'il doit reproduire, posé sous la chaîne, en écartant les fils à la main. Le terme lisse est emprunté au latin *licia,* « fils de trame ».

BASSERIE *n. f.* La basserie est la première opération du tannage végétal. Les peaux à tanner sont mises à tremper dans une série de bassins contenant des jus de tanin (extraits tannants de châtaignier, de chêne, de mimosa, etc.) à concentration de plus en plus forte. Les peaux reposent un ou plusieurs jours dans chacune des cuves. Le travail de basserie dure généralement de vingt à trente jours.

BASSESSE *n. f.* Avant de signifier absence de dignité ou manque d'élévation des sentiments, ce mot désignait sous l'Ancien Régime un défaut de noblesse ou de naissance. Aujourd'hui, avec ce qu'elle comporte de petites lâchetés et de servilité, la bassesse s'est « démocratisée ».

BATELEUR *n. m.* Bouffon dans les foires ou sur les places publiques, le bateleur amusait les spectateurs par ses pitreries et les impressionnait par ses tours d'adresse et de magie. Si l'un était baladin ou bonimenteur, l'autre était paradiste ou dresseur : chacun avait sa spécialité. L'ancien français *baastel,* à l'origine du mot bateleur, ne désignait pas l'escamoteur lui-même, mais un de ses tours, comme si le personnage, qui s'effaçait d'abord derrière ses clowneries, avait peu à peu pris de l'importance au regard du public.

BÂTON DE CHAISE Pourquoi une vie agitée serait-elle le lot des bâtons de chaise ? Il s'agit des chaises à porteurs, couvertes ou entièrement fermées, dont l'idée fut importée d'Angleterre, en 1639, pour permettre aux élégants de ne pas se salir dans les rues de Paris quand ils n'avaient pas de carrosse. Comme les bâtons de ces chaises pouvaient être ôtés et remis, ils servaient, à l'occasion, d'armes défensives : Molière donne un exemple de cette utilisation dans *les Précieuses ridicules,* où un porteur brandit le bâton pour forcer Mascarille à payer la course. Ces mésaventures sont peut-être à l'origine de l'expression.

BATTOLOGIE *n. f.* On désigne par battologie la répétition d'un mot due à un bégaiement. L'origine de ce terme provient de Battos, roi de Cyrène (l'actuelle Libye) et bègue de son état, et de *logos,* discours.

BAUDRUCHE *n. f.* La baudruche est une mince pellicule extensible provenant du gros intestin du bœuf ou du mouton. Elle servait jadis à la confection d'objets divers, et plus particulièrement à celle des ballons. Par métaphore, on appelle baudruche tout personnage sans consistance ou toute théorie aisément réfutable.

BEDEAU *n. m.* Le bedeau est un laïc chargé de la bonne tenue d'une église. Cependant, tel n'est pas le sens premier de ce terme, qui, au XIIe siècle, s'appliquait à un sergent de justice subalterne, puis, au XIVe siècle, à l'huissier d'université.

BÉDÉGAR *n. m.* Le bédégar est une maladie parasitaire qui affecte les rosiers et les églantiers. Elle se manifeste par une galle chevelue qui étouffe la plante. À l'origine de cette affection, un insecte nommé le cynips de la rose.

BÉDOUINS Les Bédouins sont les Arabes nomades d'Afrique du Nord et du Proche-Orient. Le désert est « leur lieu » (le mot vient de l'arabe *bedoui,* « habitant du désert »), qu'ils parcourent en d'incessantes pérégrinations, tant ils sont attachés à leur liberté.

BÉE *adj.* Si l'on est muet lorsque, frappé d'admiration ou de stupeur, on reste bouche bée, c'est sans doute parce qu'il est impossible de rien articuler la bouche grande ouverte ! Bé est le participe passé du verbe bayer, signifiant « être largement ouvert ». Aujourd'hui réduit à quelques expressions, comme « à gueule bée », qui s'applique à un tonneau dont un côté est éventré, ou « bayer aux corneilles », ce verbe nous a néanmoins légué son participe présent, béant, et deux dérivés, baie et ébahi.

BÉHAVIORISME *n. m.* Le béhaviorisme (de l'anglais *behaviour,* comportement) est une théorie selon laquelle la psychologie se réduit à une étude du comportement. L'objet d'étude n'est plus intérieur (le psychisme) mais extérieur (le comportement humain) : c'est une psychologie descriptive. Le maître ouvrage de ce courant est le livre de Thorndike *l'Intelligence animale,* paru en 1898. Les travaux postérieurs de Watson étayent la théorie en montrant l'apprentissage possible des comportements. La psychologie comportementale trouve encore effet aujourd'hui, dans certaines cures de désintoxication, pour le traitement des phobies...

BEL CANTO *n. m.* Ce style de chant apparut en Italie au cours des XVIIe et XVIIIe siècles. Quintessence du chant selon ses admirateurs, le bel canto donne à entendre la beauté du son et la virtuosité de l'artiste.

BÉLIER HYDRAULIQUE Inventé en 1772 par un horloger suisse, le bélier hydraulique fut automatisé en 1796 par Joseph et Étienne de Montgolfier. Cette machine utilise la surpression, due à l'arrêt brusque d'une conduite d'eau – c'est ce que l'on appelle le coup de bélier –, pour élever, par pulsations successives, une partie de cette masse liquide à une hauteur supérieure à la hauteur de chute.

BELLOT *n. et adj.* Autrefois, on traitait ironiquement de bellot un individu de petite taille qui faisait le beau, et on appelait affectueusement bellotte une petite fille attendrissante et pleine de charme. Cet adjectif, vieilli, mais encore employé dans certaines régions, est un diminutif de beau (du latin *bellus*).

BELLUAIRE *n. m.* Le belluaire, ou bestiaire, était le gladiateur qui combattait les bêtes fauves dans les arènes des amphithéâtres romains. Le mot est un dérivé du latin *bellua,* bête sauvage.

BELVÉDÈRE *n. m.* Autrefois petit pavillon de jardin, le belvédère désigne désormais une construction érigée sur des hauteurs afin de pouvoir admirer le paysage ; notion que contient le mot italien d'origine (*belvedere,* de *bello,* beau, et *vedere,* voir). Équivalent du français « belle vue ».

BELZÉBUTH Force du mal dans la tradition judéo-chrétienne, au même titre que Léviathan et Satan, Belzébuth (ou Belzébul) incarne, dans la Bible, le prince des démons. Son nom hébreu proviendrait de l'altération du nom du dieu cananéen Ball-Zeboub (Ball le Prince) en Baal-Zeboul (Seigneur du Fumier), appellation méprisante attribuée aux monothéistes, qui réprouvaient le culte rendu à cette divinité.

BÉNÉDICTIN (TRAVAIL DE) Un travail de bénédictin est un travail intellectuel de longue haleine, exigeant une grande minutie. Cette expression, trouvée dans un texte français de 1566, fait allusion à l'abnégation et à la patience des religieux de l'ordre des Bénédictins, fondé en 529 par saint Benoît de Nursie. Ces moines, et particulièrement ceux de la congrégation de Saint-Maur, au XVIIe siècle, sont en effet célèbres pour leurs importants travaux de recherche et de copie, grâce auxquels de nombreux textes anciens ont pu être conservés.

BENÊT *n. et adj.* « Heureux les simples d'esprit car ils sont bénis de Dieu ! » Parole d'Évangile que cette sentence ! Cette assertion est tout entière légitimée par la racine (du latin *benedictus,* béni). Ainsi, de béni à benêt il n'y a qu'un pas ! Mais que l'on se rassure : si les lumières de l'intelligence semblent un peu vacillantes chez le benêt, la flamme divine y pourvoira !

BÉOTIEN Le terme béotien évoque, aujourd'hui, un personnage aux goûts grossiers, imperméable aux arts et particulièrement obtus. Cette fâcheuse réputation est le fait des Athéniens de l'Antiquité. En effet, les habitants de la Béotie – province qui fut pourtant le berceau de grands maîtres, tels le poète Hésiode et l'écrivain Plutarque, et le pays des élégantes tanagras – étaient considérés par leurs fiers voisins athéniens comme rustres et incultes. Le terme fit son apparition en France dès le XVIIIe siècle, mais ne connut de réel succès qu'après la parution, en 1831, du livre de Louis Desnoyers *les Béotiens à Paris*. L'ouvrage dépeignait, d'un ton railleur, l'arrivée des provinciaux dans la capitale.

BERCAIL *n. m.* Rentrer au bercail, c'est, aujourd'hui, retrouver maison et famille. Or, à l'origine, le bercail est une bergerie. Une métaphore des Écritures explique cet étrange glissement de sens. Dans la Bible, le peuple des croyants est souvent comparé à un troupeau. Dieu, qui se soucie de remettre dans le droit chemin tout homme qui s'éloigne de lui, fait figure de bon pasteur : il ramène au bercail toute brebis égarée.

BERCELONNETTE *n. f.* Petit berceau léger que l'on balance pour endormir un enfant et, régionalement, fauteuil à bascule. Le mot bercelonnette a aussi désigné, par contiguïté, la couverture posée sur le berceau. Ce dernier sens lui a donné un doublet, barcelonnette, par rapprochement avec la ville de Barcelone, où se faisaient de belles couvertures de laine.

BERNER *v. tr.* Berner une personne équivaut à la duper, la ridiculiser, se jouer d'elle. Autrefois, le verbe berner signifiait « vanner le blé » ; par analogie, il désigna une brimade consistant à faire sauter quelqu'un dans une couverture appelée berne.

BERQUINADE *n. f.* On affuble du sobriquet de berquinade une œuvre à l'eau de rose, moralisante et truffée de mièvreries, qui évoque, par sa fadeur et son ingénuité, les recueils de l'écrivain français du XVIIIe siècle Arnaud Berquin.

BÉTEL *n. m.* Masticatoire apprécié des Orientaux, le bétel augmente la sécrétion de salive et la teint en rouge. Il est préparé avec une noix d'arec, de la chaux en poudre et des condiments, enveloppés dans une feuille aromatique de poivrier grimpant, le bétel. On prête à ce mélange, très parfumé, des vertus tonifiantes et astringentes.

BÊTISE *n. f.* Les bêtises, qui font, depuis 1923, la renommée de la ville de Cambrai, sont des berlingots à la menthe, en forme de minuscule coussin. Selon certains, ces confiseries doivent leur nom à l'erreur qui serait à l'origine de leur invention. Pour d'autres, cette dénomination rappelle simplement que ces berlingots ne sont que des petites choses sans importance.

BÉVATRON *n. m.* Le bévatron est un accélérateur de particules chargées positivement. Il permet l'étude des particules élémentaires. À très haute énergie, des collisions sont provoquées, permettant ainsi l'étude des plus petites particules. L'autre intérêt présenté par le bévatron est sa capacité à fournir une énergie d'un très grand ordre – un milliard d'électronvolts.

BÉVUE *n. f.* « Un bon regard vaut mieux que deux hâtifs. » Voilà ce que semble dire le mot bévue (le latin *bis,* deux, a donné en ancien français *bé,* particule péjorative). L'irréflexion, la précipitation, parfois même la bêtise sont sources de bévues. Alors, pour ne pas commettre d'impair, regardons-y à deux fois.

BICOQUE *n. f.* Du « petit château » italien *(bicocca)* qu'elle était à l'origine, la bicoque de jardin, de bord de mer ou de banlieue n'est plus que l'ombre : solidité et confort ont disparu.

BIG-BANG *n. m.* Expression anglaise synonyme d'explosion primordiale, le big-bang désigne, dans la théorie cosmologique contemporaine, le point de départ de l'Univers par suite d'une explosion intense, que l'on présume s'être déroulée il y a dix à vingt milliards d'années. Cette explosion serait à l'origine de l'expansion de l'Univers, qui se poursuit encore. Cette théorie fut proposée en 1931 par l'abbé Lemaître, puis développée à partir de 1948 par l'Américain G. Gamow, et rendue populaire sous l'appellation de « théorie du big-bang ».

BILLEVESÉE *n. f.* Ce mot, né dans l'Ouest, a une étymologie controversée, fort surprenante et peu ragoûtante ! Il vient soit de *beille,* boyau, et *vezé,* gonflé, soit de « belle vessie »... Quoi qu'il en soit, il désignait un objet rempli d'air, et aujourd'hui, par extension, il qualifie une idée creuse, une parole vide de sens.

BIOTOPE *n. m.* Le biotope est un milieu écologique délimité, habité par une communauté d'êtres vivants, animaux et végétaux, appelée biocénose. Biocénose et biotope entretiennent d'étroites relations : les modifications qui interviennent sur l'une des parties ne manquent pas d'affecter l'ensemble, qui a pour nom écosystème.

BISTRE *n. et adj.* Qui a mauvaise mine a souvent le teint bistre. C'est en faisant référence au mélange du même nom, utilisé comme encre ou en lavis, du Moyen Âge au XIXe siècle, que l'on emploie cet adjectif. Le bistre était, en effet, une couleur qui tirait sur le brun, le gris et le jaunâtre, et que l'on fabriquait en faisant bouillir dans de l'eau un mélange de suie et de gomme.

BISTROT *n. m.* Bistrot, terme d'origine argotique, est aujourd'hui fort courant pour qualifier un débit de boissons. On a pensé que bistrot venait du russe *bistro,* vite ! D'autres soutiennent que le terme vient du poitevin *bistraud,* « petit domestique, aide d'un marchand de vin », qui aurait donné bistringue, en argot parisien. Un autre synonyme de bistrot, bistroquet, vient de la contraction des mots bistrot et troquet.

BIWA *n. m.* Le biwa est un luth japonais à quatre ou cinq cordes, souvent orné d'incrustations de nacre ou de miniatures peintes, dont on joue avec un plectre de buis. C'est un instrument traditionnel qui accompagne encore certains spectacles de danses anciennes comme le bugaku (voir ce mot).

BIZUTAGE *n. m.* Le bizutage est l'initiation rude, et souvent brutale, que doit subir tout étudiant des classes préparatoires aux grandes écoles. La réussite de cette tapageuse cérémonie est fonction des brimades infligées aux néophytes.

BLACK PENNY Le black penny, ou one penny noir, est le premier timbre émis dans le monde. Les nombreux problèmes de perception rencontrés par les services de poste depuis le Moyen Âge avaient rendu nécessaire la création d'un mode de paiement par l'expéditeur. C'est ainsi qu'en 1840 fut adopté, en Grande-Bretagne, sur la proposition du directeur des Postes, Sir Rowland Hill, le black penny, timbre-poste d'une valeur d'un penny, de couleur noire et à l'effigie de la reine Victoria.

BLAGUE *n. f.* La blague est le petit sac dans lequel le fumeur garde son tabac. Autrefois faite d'une vessie de porc, la blague à tabac est aujourd'hui en cuir ou en caoutchouc. Le mot proviendrait du néerlandais *balg,* enveloppe, sac de cuir, ou *blagen,* se gonfler.

BLANDICE *n. f.* Dans la langue littéraire, on qualifie de blandices (le mot prend souvent la marque du pluriel dans ce cas) tout ce qui revêt un charme un peu trompeur, ou exerce une irrésistible séduction. Le mot s'est affaibli au fil du temps, et les juristes ne considèrent plus, aujourd'hui, les blandices comme condamnables. Au siècle dernier, cependant, quiconque avait extorqué un bien ou un consentement « par blandices », c'est-à-dire par « caresses artificieuses », pouvait être poursuivi devant les tribunaux. Le terme est un emprunt au latin *blanditia,* qui signifie à la fois caresse, parole doucereuse et séduction.

BLÉSITÉ *n. f.* Ce terme recouvre les défauts de prononciation comme le chuintement et le zézaiement. L'observation s'est affinée, le défaut d'élocution (du latin *blaesus,* bègue) a fait place à un vice de prononciation aujourd'hui identifié. La blésité, ou blèsement, est la substitution aux consonnes *ch* et *g* des consonnes *s* et *z* : sanson pour chanson, zerbe pour gerbe.

BLUES *n. m.* Né aux États-Unis, le blues est l'enfant d'un choc, d'une rencontre forcée du chant africain et de la musique populaire des immigrants européens, dans le creuset sanglant de l'esclavage. Apparu dès la fin du XIXe siècle à la suite du *spiritual,* le blues est d'abord compagnon de travail et expression d'une culture naissante où se heurtent douleur d'un peuple asservi et énergie de l'existence quotidienne, humour, amour et sexe. L'origine du mot est incertaine : peut-être vient-il des *blue devils*, sortes de lutins qui peuplaient, dit-on, le folklore des pionniers irlandais. Peut-être encore de l'expression *« to be blue »,* « broyer du noir », car le blues est aussi un état d'âme, parfois comparé au spleen baudelairien, sentiment intraduisible qui inspira les plus grands *bluesmen* et *blues-women,* de Blind Lemon Jefferson et Big Mama Thornton à John Lee Hoocker. Musicalement parlant, la gamme du blues est caractérisée par les *blue* notes, altérations des 3e et 7e degrés de la gamme diatonique.

BOBINETTE *n. f.* « Tire la chevillette, la bobinette cherra ! » Cette réplique célèbre du *Petit Chaperon rouge* de Perrault explique le fonctionnement du système de fermeture des portes utilisé autrefois dans les campagnes. En actionnant, depuis l'extérieur, une petite cheville, on faisait tomber une pièce de bois mobile, appelée bobinette. Il ne restait plus alors qu'à pousser la porte. À la bobinette a succédé le loquet.

BONGO *n. m.* Les bongos sont deux petits tambours à une peau, juxtaposés et parfois montés sur un support. L'instrumentiste les tient entre ses genoux et les frappe avec les mains. D'origine cubaine, les bongos étaient destinés à accompagner la rumba, mais de nos jours ils sont également utilisés par certains groupes de rock.

BONNET *n. m.* Le bonnet, ou réseau, est le deuxième compartiment de l'estomac des ruminants. Plus petit que la panse, il a une structure de type œsophagien et sa muqueuse interne présente un réseau de plis saillants. Pendant la rumination, les herbes grossièrement broyées passent de la panse dans le bonnet, puis sont renvoyées dans la bouche, où elles seront réduites en une pulpe qui pénétrera alors dans la troisième cavité de l'estomac : le feuillet.

BONZERIE *n. f.* Une bonzerie est un lieu où vivent des bonzes, prêtres bouddhistes de l'Asie orientale. Comme les monastères ou abbayes de nos contrées, les bonzeries relèvent d'obédiences diverses. Toutes ont cependant en commun d'obéir à une règle fixée par les textes ou la tradition.

BORBORYGME *n. m.* Lorsque les gaz se déplacent dans l'estomac ou dans l'intestin d'un organisme humain, ils peuvent produire des bruits que le chirurgien Ambroise Paré propose, au XVIe siècle, d'appeler borborygmes, en empruntant le mot au grec *borborugmos.* Ce terme ne fait plus partie du vocabulaire médical aujourd'hui, mais il peut désigner toutes sortes de bruits confus venus de l'intérieur du corps.

BOUCANIER *n. m.* Le terme boucan désigne la viande fumée *(muken)* par les Tupi-Guarani d'Amazonie. À la fin du XVIIe siècle, l'appellation de boucaniers fut donnée aux chasseurs qui conservaient la viande par fumage. L'extension de ce mot, appliqué par la suite aux pirates, écumeurs des mers, procure quelques frissons !

BOUCICAUT Aristide Boucicaut est le fondateur du premier des grands magasins : *Au Bon Marché,* qu'il fit ouvrir à Paris en 1852. L'événement fut à l'origine d'une véritable révolution dans le commerce de l'époque. Émile Zola le relate dans un de ses romans des *Rougon-Macquart* datant de 1883, *Au bonheur des dames.*

BOUGNAT *n. m.* Les bougnats étaient des marchands de charbon, souvent débitants de boissons, qui devaient leur nom à leurs origines : nombreux étaient ceux qui venaient d'Auvergne et avaient un accent très marqué. En imitant, sur un mode comique, leur parler pittoresque, on aurait appelé ces charbonniers charbougnas, mot qui serait devenu bougna(t).

BOUILLON *n. m.* Dans le langage de la presse, les bouillons représentent l'ensemble des exemplaires invendus d'une publication. Cette acception du terme apparut pour la première fois sous la plume de Balzac dans *les Illusions perdues* (1843). L'expression populaire « prendre (ou boire) un bouillon », qui signifie essuyer un échec financier, fut certainement à l'origine de cette acception.

BOULÊ *n. f.* Haute assemblée d'Athènes (fondée en 594 avant J.-C.), la boulê prit aussi le nom de Conseil des Quatre-Cents, car elle fut composée, à l'origine, de quatre cents membres représentant les dix tribus. Elle soumettait les projets de loi au vote de l'Assemblée du peuple, l'ecclésia. Son rôle était aussi de contrôler l'administration et la politique extérieure.

BOULIMIE *n. f.* La boulimie est un dérèglement du comportement alimentaire qui pousse celui qui en est atteint à absorber d'énormes quantités d'aliments. Cette maladie, bien souvent d'origine névrotique, se manifeste par des crises aiguës. D'ordinaire, on dit « avoir une faim de loup » lorsqu'on est très affamé, mais, à en croire l'étymologie du mot, la boulimie est un besoin encore plus impérieux, puisqu'il s'agit d'une faim de bœuf ! Boulimie vient en effet du grec *boulimia,* composé de *bous,* bœuf, et *limos,* faim.

BOULINGRIN *n. m.* Le boulingrin (de l'anglais *bowling-green,* pelouse pour le jeu de boules) désigne, par extension, des parterres de gazon cernés de bordures, utilisés pour l'ornement des jardins.

BOURDON *n. m.* L'origine onomatopéique de ce mot nous renvoie aux « supputations » de l'ouïe... Depuis le XIIIe siècle, en effet, le bourdon désigne d'une part le ton de certains instruments de musique employé comme continuo, d'autre part l'insecte du même nom, dont le chant spécifique est proche de la basse continue. Le bourdon est une très grosse cloche dont le son est particulièrement grave et profond.

BOUSTROPHÉDON *n. m.* Le boustrophédon est un mode d'écriture archaïque dont les lignes se traçaient alternativement de gauche à droite, puis de droite à gauche, à la manière du bœuf (*bous,* en grec) creusant ses sillons en tournant *(strephein* signifiant tourner, en grec) au bout du champ. Le boustrophédon s'utilisait dans diverses langues, comme le grec ancien, l'étrusque, le latin ou encore le cananéen. Ce procédé était employé dans des systèmes aussi bien hiéroglyphiques qu'alphabétiques.

BOYCOTTAGE *n. m.* Le boycottage (ou boycott) d'un individu, d'une entreprise ou d'un pays représente sa mise à l'index, à titre de représailles ou d'intimidation, par ses interlocuteurs habituels, et notamment ses partenaires commerciaux. Cette forme d'exclusion doit son nom au sort de Charles Cunningham Boycott, l'un des redoutables landlords anglais qui exploitaient outrageusement leurs fermiers irlandais au siècle dernier. Intendant intraitable et tyrannique des domaines du comte d'Erne, le capitaine Boycott s'était attiré une hostilité telle que la Ligue agraire irlandaise avait demandé sa mise en quarantaine. Privé de main-d'œuvre, d'approvisionnement et de courrier, menacé et insulté, Boycott partit se réfugier en Amérique. Le *Times* inventa alors le terme *boycott,* qui fut repris en France par *le Figaro* dès 1880.

BRABANÇON *n. m.* Mercenaires exercés au maniement des armes, les brabançons étaient originaires, pour la plupart, de l'ancienne région du Brabant, partagée aujourd'hui entre la Belgique et les Pays-Bas. Ils acquirent leur réputation de brigands en formant des compagnies redoutables qui pillèrent et dévastèrent de nombreuses provinces françaises au XIIe siècle.

BRACONNIER *n. m.* Avec la perte ou l'abandon de ses chiens, le braconnier est devenu hors la loi vers le XVIIe siècle. Le titre de braconnier caractérisait auparavant le valet de vénerie chargé de dresser les braques. Le mot braconnier est dérivé de l'ancien provençal *bracon,* une espèce de chien de chasse.

BRANCARDIER *n. m.* Ce mot, signifiant « porteur de civière », se rencontre au XVIIe siècle chez Scarron : il est dérivé de brancard, qu'on trouve dans Rabelais, en 1534, au sens de « grosse branche ». Le mot brancard, qui désignait les bras de la civière, désigne la civière elle-même par synecdoque.

BRANDEBOURG Des soldats étrangers introduisirent en France, vers 1656, la mode de porter une chemise à longues manches et ornée de galons : comme ils venaient de l'État de Brandebourg, la chemise prit ce nom. Puis, de la casaque à galons, le mot a désigné, par synecdoque, à partir de 1708, le galon qui orne désormais une boutonnière.

BREF *n. m.* Un bref est une courte lettre officielle du pape, qui se distingue de la bulle par son caractère privé. Cette différence est marquée par l'absence, sur le bref, du sceau papal, en forme de petite boule, d'où la bulle tire son nom.

BRÉTAILLER *n. m.* Combattre en duel, croiser le fer dont était faite la brette, sorte de longue épée. Sur celle-ci est forgé le mot bretteur.

BRETZEL *n. m.* Le bretzel est une sorte de biscuit salé, parfois parsemé de cumin, dont la forme est semblable à deux bras entrelacés. Le mot allemand d'origine, *brezel,* est à rapprocher du latin *bracchium,* bras.

BRÉVIAIRE *n. m.* À l'origine du bréviaire, le livre de l'office divin que devaient réciter tous les membres du clergé régulier. Les moines passaient ainsi leurs jours à chanter et à réciter psaumes, hymnes, versets... Le clergé séculier ne pouvait, faute de temps, suivre cette règle, aussi l'Église décida-t-elle de réviser et d'abréger le livre, créant ainsi le terme de bréviaire. La lecture à haute voix du bréviaire est désormais une obligation quotidienne pour tout religieux.

BRIBE *n. f.* Souvenirs épars, fragments d'un texte, miettes d'un pécule, les bribes sont, au sens propre, les restes insignifiants d'un repas. Autrefois, une bribe était un gros morceau de pain. Si on a prêté à ce mot une origine onomatopéique, il a parfois aussi été rapproché de certains termes anciens ou régionaux, et notamment du picard *briber,* manger, et *brife,* morceau de pain, de l'ancien français *briban,* vagabond, et de l'ancien wallon *brimber,* mendier.

BRIDE *n. f.* Si une bride peut désigner toute sorte de lien servant à retenir agrafes et boutons, c'est par extension du sens premier, qui vient d'un mot emprunté au moyen haut allemand : en 1265, J. de Meung emploie *bridel* (forme apparentée à *britill,* bretelle) pour désigner les rênes qui permettent de diriger un cheval. Ce sens équestre, on le sait, mena à de nombreuses expressions de sens figuré : « la bride sur le cou », « lâcher la bride », « à bride abattue ».

BRISE-LAMES *n. m.* Sorte de barrage sur lequel viennent se briser les vagues, le brise-lames est généralement établi à l'entrée d'un port ou d'une rade, pour les protéger de la houle du large. Le terme est un calque du mot anglais *break-water,* formé de *to break,* briser, et *water,* eau.

BRODEQUIN *n. m.* Symbole du genre comique dans le théâtre antique, le brodequin, simple chaussure de peau ou d'étoffe, prit, au cours de l'histoire, une couleur tragique, en prêtant son nom à un instrument de torture des plus cruels. Le malheureux à qui l'on infligeait le supplice des brodequins avait le pied et la jambe pris dans une boîte formée de quatre pièces de bois que le bourreau pouvait serrer à son gré, au moyen d'une corde. À moins de passer bien vite aux aveux, le supplicié avait alors les ligaments et les os broyés. L'usage des terribles brodequins fut définitivement aboli en 1789.

BROUHAHA *n. m.* Le mot brouhaha semble fabriqué pour imiter le bruit confus s'élevant, par exemple, d'une grande assemblée. Il s'agirait de l'emprunt – déformé – d'une formule hébraïque tirée du psaume 113 et souvent répétée à la synagogue : « *Baruk habba* », qui signifie « béni soit Celui qui vient ».

BROUILLARD *n. m.* Un brouillard est un livre de commerce où l'on note les tractations au fur et à mesure qu'elles se font. Ce terme est formé sur brouillon, qui vient de l'ancien français *broillier,* mélanger, salir. Il existait au XIXe siècle une sorte de papier non collé (en feuilles libres) dit papier brouillard.

BRÛLE-POURPOINT (À) *loc. adv.* On se contente aujourd'hui de lancer des plaisanteries à brûle-pourpoint ; autrefois, c'étaient des coups de feu que l'on tirait à brûle-pourpoint... ou encore à bout portant, c'est-à-dire à une distance si proche que cela brûlait le pourpoint, vêtement masculin en usage du XIIIe au XVIIe siècle. « Tirer sur quelqu'un à brûle-pourpoint » a ensuite pris un sens figuré : il ne s'agissait plus alors que d'attaquer autrui verbalement, de lui parler sans ménagement.

BUCOLIQUE *n. et adj.* Le mot bucolique apparaît chez J. de Meung en 1265. Il vient du latin *bucolica,* lui-même emprunté au grec *boukolikos,* de *boukolos,* bouvier. Le sens de poème pastoral évoquant la vie aux champs est évidemment celui des *Bucoliques* de Virgile (42-39 avant J.-C.) : à travers des dialogues de bergers, Virgile montre les difficultés des paysans et exalte leurs qualités d'hommes.

BUFFON Un style travaillé et recherché, une multitude d'informations scientifiques précises, tel est l'héritage qu'a laissé Buffon, qui figure, de ce fait, aussi bien dans les anthologies de littérature que dans les manuels de sciences. Ce naturaliste bourguignon (1707-1788), auteur d'une *Histoire naturelle* en trente-six volumes, multiplia les expériences et récusa bon nombre de théories préétablies, partant du principe que « la seule vraie science est la connaissance des faits ». C'est ainsi qu'il rejeta la classification des espèces de Linné (voir ce mot), qu'il jugeait arbitraire et trop systématique, et qu'il remit en cause la fixité des espèces vivantes. Il affirma, en précurseur des théories évolutionnistes, que l'Univers était né d'une lente transformation.

BUGAKU *n. m.* Le bugaku est un répertoire de danses et de musiques anciennes japonaises, venues de la Chine des T'ang, du Viêt-nam et de Corée. Spectacle très élaboré et réservé autrefois aux dignitaires de la cour, le bugaku se déroule sur un rythme lent, et chaque geste semble hérité de quelque rituel séculaire. Il commence généralement par une danse guerrière et s'achève par une musique traditionnelle où la harpe et le biwa font écho aux tambours et au gong.

BUNRAKU *n. m.* Le bunraku est un théâtre de marionnettes créé à Osaka, au Japon, à la fin du XVIIIe siècle. Dans le bunraku, les poupées articulées, hautes de 1 à 2 mètres, sont manipulées par un maître assisté de deux aides vêtus de noir. Tous trois sont visibles, ce qui permet d'admirer à la fois le spectacle et l'habileté des manipulateurs. Sur le côté de la scène, des récitants délivrent le texte et des musiciens accompagnent au shamisen (voir ce mot) le jeu subtil des marionnettes.

BUSHI *n. m.* Guerrier japonais de l'époque féodale, le bushi était de noble ascendance et avait le privilège de porter deux sabres. Il devait une entière fidélité à son suzerain et suivait un code d'honneur très strict : le bushido (la voie du bushi). Les règles essentielles du bushido étaient la courtoisie, la maîtrise de soi, le mépris de la souffrance et le suicide rituel, ou seppuku (voir ce mot), en cas de déshonneur. L'ordre des bushi se divisait en deux classes : les grands feudataires du shogun (les daimyo) et la petite aristocratie guerrière (les samouraïs).

BUTOR *n. m.* Personnage brutal, stupide et vulgaire, le butor est une grossière caricature de l'oiseau auquel il a emprunté le nom. Cet échassier aux formes lourdes et au cou épais produit, en outre, un cri rappelant le beuglement du taureau. C'est sans doute plutôt ce mugissement peu agréable qui a conduit à l'emploi métaphorique du terme.

C

CABALE *n. f.* Ensemble de menées secrètes, une cabale est ourdie par un groupe d'individus contre une personne, un objet, ou au contraire en sa faveur. Le terme cabale vient de l'hébreu rabbinique *quabbala,* tradition. La cabale (ou kabbale) est, pour le peuple juif, un recueil de commentaires et d'interprétations des textes bibliques. Le sens actuel et commun du mot s'appuie sur le caractère ésotérique et impénétrable de cette exégèse juive pour traduire l'aspect secret des manœuvres.

CACIQUE *n. m.* Comme ses ancêtres, le cacique est toujours le premier, non plus d'une tribu (en langue amérindienne arawak, *cacique* signifie chef) mais d'une promotion. Les armes ont aussi changé : intelligence, intuition, mémoire ont remplacé la force et la ruse.

CACOPHONIE *n. f.* C'est Ronsard qui, en 1587, introduit en français le mot cacophonie, tiré du grec *kakophônia.* Si l'association discordante des syllabes de ce mot fait penser à une onomatopée, la langue grecque porte seule la responsabilité de cette impression auditive française : *kakos* signifie mauvais, et *phônê,* son !

CADUCÉE *n. m.* Emblème du corps médical, le caducée est composé d'un faisceau de baguettes entouré du serpent d'Asclépios (dieu grec de la médecine) et surmonté du miroir de la prudence. Il apparaît sous une forme très stylisée sur l'autocollant que les médecins apposent sur le pare-brise de leur voiture. Dans l'Antiquité, le caducée était, curieusement, l'insigne des ambassadeurs et des hérauts grecs (*kêrukeion* signifiant emblème du héraut). C'était l'attribut principal de la divinité qui les protégeait, Hermès. Celui-ci serait un jour intervenu avec une baguette dans une lutte entre deux serpents. Son caducée rappelait cet épisode légendaire.

CAGE DE FARADAY Le principe de la « cage de Faraday » doit son nom au physicien et chimiste anglais du même nom, qui vécut de 1791 à 1867. Il consiste en un grillage métallique dont les mailles serrées constituent un écran contre les phénomènes électrostatiques tels que la foudre.

CAGEOT *n. m.* Le cageot est aux légumes ce que la cage est aux oiseaux ! En effet, ce terme est dérivé du latin *cavea,* cage ; lequel eut pour synonyme le mot geôle jusqu'au XVIe siècle.

CAILLETTE *n. f.* La caillette, ou abomasum, est la quatrième cavité de l'estomac des ruminants. Elle constitue le dernier lieu de passage des aliments avant leur pénétration dans l'intestin. C'est dans ce compartiment que l'herbe, réduite en pulpe au cours de la rumination, subira l'action du suc gastrique et que les protéines seront digérées. On a baptisé cette dernière poche « caillette » en raison de la présure – substance qui fait cailler le lait – qu'elle contient.

CAIRN *n. m.* Un cairn est un tumulus de grande taille, fait de terre et de pierres et recouvrant une ou plusieurs sépultures mégalithiques. L'architecture de ce monument funéraire était parfois très élaborée ; certains cairns présentent un étagement en gradins, des bordures, etc. Le terme est un emprunt au gaélique *cairn,* tas de pierres.

CALEMBOUR *n. m.* Le calembour est un jeu de mots reposant sur l'équivoque créée par une similitude de sons entre des mots de sens différents. Cette forme d'humour est connue depuis l'Antiquité, mais elle a dû attendre la plume de Diderot, au XVIIIe siècle, pour voir son nom entrer dans le vocabulaire français. L'étymologie du mot est obscure ; certains supposent, cependant, que l'abbé de Calemberg, joyeux personnage des vieux contes allemands et grand amateur de jeux de mots, pourrait être à l'origine du terme. Le calembour, malgré Victor Hugo, qui le considérait comme « la fiente de l'esprit qui vole », demeure un exercice très populaire.

CALENDES *n. f. pl.* Dans la division du calendrier romain, les calendes désignaient le premier jour de chaque mois. L'expression « renvoyer aux calendes grecques » fait référence à une époque qui jamais n'arrivera : les calendes n'ont jamais existé chez les Grecs !

CALEPIN *n. m.* À l'origine du calepin, le moine et lexicographe italien Calepino, auteur en 1502 d'un dictionnaire latin-italien (qui, parce qu'on pouvait l'utiliser comme une encyclopédie, donna l'expression « consulter son calepin »). Son succès fut tel que, par analogie, calepin devint synonyme de dictionnaire, pour ensuite s'appliquer à un recueil de notes. Attention ! aujourd'hui, le calepin belge est un cartable.

CALFATER *v. tr.* Le verbe calfater est utilisé depuis fort longtemps par les marins. Il apparaît au XVe siècle, composé sur calfat. Ce radical, que l'on date du XIVe siècle pour le français, vient du grec *kalaphatês,* lui-même issu de l'arabe *jalfaz,* qui désignait l'ouvrier chargé de boucher, avec le fer à calfat, les interstices entre les joints des ponts des bateaux. Une forme altérée de ce mot, *calfetrer,* a été rapprochée du mot feutre pour donner, au XVIe siècle, calfeutrer, qui a gardé le sens originel de calfater jusqu'au XIXe siècle.

CALISSON *n. m.* Cette spécialité d'Aix-en-Provence est une friandise en forme de losange, faite d'une couche de pâte d'amande, glacée sur le dessus et posée sur une mince tranche de pain azyme. Le terme calisson vient du mot provençal *calissoun,* variante de *canissoun,* qui désigne le clayon du pâtissier, sorte de plateau d'osier où l'on place, notamment, les savoureux calissons.

CALUMET *n. m.* Le calumet est la pipe cérémonielle à long tuyau qu'utilisaient les Indiens d'Amérique. Le terme, adopté très tôt par les Européens installés sur le continent américain, est d'origine normande. *Calumet* est, en effet, la forme normando-picarde de chalumeau, et désignait autrefois le roseau qui servait à faire les tuyaux de pipe. Les colons normands l'ont importé au Canada en 1655, l'employant d'abord dans le sens de pipe en général, puis exclusivement dans celui de pipe des Indiens.

CALVAIRE *n. m.* Le paroxysme de la douleur et de l'épreuve (physique ou morale) est atteint lorsque l'on souffre le calvaire. Ce mot a une origine religieuse : il est tiré du latin chrétien *calvarium,* signifiant crâne, calqué sur le mot hébreu Golgotha, « lieu du crâne », nom de la colline où Jésus-Christ fut crucifié.

CAMELOT *n. m.* Partisan du roi et vendeur de journaux qui n'étaient point camelote... Non, mais, tout comme le camelot d'origine, marchand ambulant qui vendait sa camelote (marchandise de peu de valeur), le camelot royaliste, porté par sa foi, déambulait au travers des rues en criant sa conviction.

CAMÉRIER *n. m.* Officier de la chambre papale, le camérier a pour tâche l'administration des finances publiques. Cette fonction finalement très banale était autrefois plus singulière. Au Ve siècle, un règlement fit obligation au pape d'engager un clerc ; non pour le servir, mais pour veiller à la bonne observance de l'austérité qui sied à un pape. L'idéal de pauvreté et d'austérité a disparu, et avec lui cette étonnante charge !

CANDIDE *n. et adj.* Est-ce Voltaire qui par son ironie mordante a définitivement fait d'un candide un être niais, crédule, sot en somme ? À l'origine, rien de cela, mais la pureté (du latin *candidus,* blanc). Blanche, immaculée, innocente est l'âme qui n'a point péché. Mais le monde n'est point candide : trop de candeur confine à l'ingénuité, à la bêtise, et suscite railleries et déboires.

CANGUE *n. f.* La cangue était un instrument de torture en usage en Extrême-Orient. L'appareil était constitué d'une planche percée de trois trous dans lesquels on plaçait la tête et les poignets du condamné. Le terme est emprunté au portugais *canga,* dérivé du chinois *k'ang (hia),* « portant sur les épaules (une cangue) ».

CANUT *n. m.* Peut-être parce qu'ils excellaient dans l'art de manier la canette, pièce du métier à tisser la soie, les ouvrières et ouvriers des fabriques de soieries lyonnaises furent baptisés canuses et canuts. Ces ouvriers entrent dans l'histoire en 1831. Luttant contre des conditions de travail très rudes, associées aux difficultés économiques, ils réclament des augmentations de salaire. Les fabricants refusent tout accord. Les grèves éclatent ; la ville devient alors le théâtre d'une véritable émeute où les canuts jouent le rôle de mutins. L'insurrection sera finalement écrasée, mais la révolte des canuts restera néanmoins une illustration exemplaire des idéologies et des mouvements socialistes naissants.

CAPHARNAÜM S'il est difficile de remettre la main sur quoi que ce soit dans un capharnaüm, c'est parce qu'il devait être malaisé de retrouver qui que ce fût dans la foule qui s'agglutinait autour de Jésus à Capharnaüm ! Les Évangiles rapportent en effet que les prédications et les miracles du Christ dans cette ville de Galilée provoquèrent des mouvements de foule inhabituels. L'étymologie d'un mot qui désigne un lieu de désordre où s'entassent pêle-mêle des objets divers, serait ainsi trop limpide... Aussi, capharnaüm a-t-il été rapproché du mot berrichon *cafourniau,* cabinet de débarras obscur.

CAPITEUX *adj.* D'obstiné, qui était son sens au XIVe siècle, l'adjectif capiteux a évolué vers son acception moderne *via* l'italien (*capitoso,* qui monte à la tête). N'est-ce point précisément l'effet d'un vin, d'un parfum capiteux ?

CAPOTER *v. intr.* Depuis le début de notre siècle, on admet que capotent les voitures qui basculent et se renversent : auparavant, ce verbe était un terme de marine. Le radical en est capot, qui vient peut-être de l'expression « faire capot », du provençal *faire cabot,* dont le sens propre est saluer, mais que les marins employaient par plaisanterie quand un bateau chavirait. Par ailleurs, le capot des automobiles est lui-même dérivé de cape (XVe siècle), sorte de manteau à capuchon ; utilisé aussi par les marins au XIXe siècle pour désigner toute construction légère de protection, il est ce qui protège le moteur d'une voiture depuis la fin du XIXe siècle. Quand deux mots se rapprochent par leur forme, leurs sens en font autant !

CAPRICANT *adj.* Une allure capricante est saccadée, inégale : l'adjectif capricant est dérivé du latin *capra,* chèvre, et son sens évoque les sauts de l'animal. Du XVIe au XVIIIe siècle, on disait *caprisant* ; la forme avec un *c,* capricant, est apparue au XIXe siècle soit à cause d'une faute de lecture, soit par analogie avec le mot – voisin – capricorne.

CAPRIFICATION *n. f.* La caprification est une technique employée en horticulture pour favoriser la pollinisation des figuiers. Chez les figuiers sauvages, ou caprifiguiers, cette pollinisation est assurée par un insecte, le blastophage. Les horticulteurs utilisent les services de cet insecte. En effet, dans les branches de leurs figuiers, ils suspendent quelques figues sauvages, ou caprifigues, déjà parasitées par des larves de blastophages. Ces larves devenues insectes se chargeront bientôt de la pollinisation des figuiers cultivés.

CAPSAGE *n. m.* Le capsage est l'opération qui précède le hachage du tabac. Il consiste à aligner les feuilles de façon que toutes les côtes soient parallèles afin de pouvoir les trancher perpendiculairement, sans produire de bûches ni d'aiguilles.

CAPUCINIÈRE *n. f.* Le mot capucinière a été construit par ironie sur capucin et désigne un lieu où résident des individus particulièrement dévots. En effet, la dévotion, l'austérité, l'esprit de pauvreté des Capucins et leur observation très rigoureuse de la règle de saint François d'Assise ont donné lieu à bon nombre de railleries.

CARABIN *n. m.* Ce sobriquet moqueur désigne un étudiant en médecine ou un mauvais médecin. Au XVIIIe siècle, on désignait par « carabin de Saint-Côme » les aides-chirurgiens de l'école dont saint Côme était le patron. Ce terme semble être dérivé de *escarrabin,* « ensevelisseur des pestiférés ».

CARAT *n. m.* Le carat est l'unité de masse employée pour estimer la valeur d'un diamant ; elle équivaut à 2 décigrammes : un petit poids, comme l'indique sa racine arabe (*qirat,* petit poids) !

CARCAN *n. m.* Les pierres précieuses n'ont pas toujours orné le carcan, et par-là même le cou des femmes. À l'origine, ce collier était en fer et enserrait le cou d'un prisonnier attaché à un poteau pour être exposé à la vindicte publique. La peine du carcan fut proscrite en 1832. Le carcan d'orfèvrerie fut quant à lui très répandu entre le XIVe et le XVIIe siècle, et les frissons qu'il procurait étaient suscités par la fierté, et non l'humiliation !

CARDER *v. tr.* Lors de la réfection d'un matelas, il est nécessaire de carder la laine qu'il contient, c'est-à-dire de la démêler pour l'aérer et en ôter toutes les impuretés. Le cardage, qui redonne au matelas forme, fraîcheur et moelleux, est effectué mécaniquement. Quelques artisans, cependant, travaillent encore à la main et utilisent des cardes (ou peignes de cardeur) composées d'une planche garnie de pointes d'acier. Autrefois, les cardeurs peignaient la laine avec les inflorescences séchées de certains grands chardons, baptisés « chardons à foulon ». Cette utilisation explique la formation du verbe carder et des mots de la même famille, qui viennent du latin *carduus,* chardon.

CARÊME *n. m.* Ce rituel catholique observé pendant plus de quarante jours (du latin *quadragesima,* quarantaine) débute le mercredi des Cendres et s'achève le jour de Pâques. Institué vers le IIIe siècle, le carême est une période d'abstinence, de jeûne. Mise en pratique de la vertu, le jeûne a aussi pour fin l'imitation du Christ jeûnant dans le désert. Le carême a au cours des siècles subi de nombreuses codifications. Les lois civiles ont parfois relayé les lois religieuses ; ainsi, en 1595, un décret proclamait la peine capitale pour tout boucher qui vendrait sa viande pendant le carême. Ces lois sont aujourd'hui tombées en désuétude ; la sévérité du carême s'est atténuée, le jeûne a fait place à des restrictions moins austères.

CARMAGNOLE *n. f.* À l'origine de la carmagnole, une ville du Piémont italien, Carmagnola. Au XVIIIe siècle, des habitants de Carmagnola émigrèrent vers le sud de la France. Alors naquit le mot français carmagnole, qui désigna la veste de ces ouvriers. Adoptée par les fédérés puis par les révolutionnaires, la carmagnole monte à Paris, où gronde l'émeute. Devenue l'emblème des révolutionnaires, la carmagnole désigna finalement un chant accompagné d'une danse. Très en vogue durant la Terreur, où elle accompagnait les exécutions, elle fut interdite sous le Consulat.

CARNAVAL *n. m.* À vos masques et vos déguisements ! Le carnaval bouleverse les règles de la vie quotidienne, suspend interdits et tabous... Donnant lieu, depuis des siècles, à de joyeux cortèges, des danses, des jeux et des ripailles, ce temps de réjouissances s'étend de l'Épiphanie au mercredi des Cendres, les principales festivités se déroulant les trois jours gras. Curieusement, le mot carnaval, dérivé du bas latin *carnelevamen* (composé de *caro,* chair, et de *levare,* ôter), signifie littéralement « temps où l'on interdit la consommation de viande ». Par son étymologie, il évoque donc davantage l'abstinence que les plaisirs... Sans doute parce que chacun gardait présent à l'esprit que la fête était éphémère, et qu'aux fastes succédaient les quarante jours de carême (voir ce mot) et leur cortège de privations, de jeûne et d'effort.

CARROUSEL *n. m.* Si les carrousels de chevaux de bois font aujourd'hui la joie des enfants, ils étaient autrefois une attraction pour adultes. Importés d'Italie au XVe siècle, il s'agissait de parades équestres à grand spectacle, de représentations aussi grandioses que fastueuses, données lors d'une naissance ou d'un mariage royal ou pour fêter une grande victoire. Les carrousels étaient parfois aussi l'occasion d'honorer une dame. La place du Carrousel, à Paris, doit ainsi son nom au magnifique carrousel que Louis XIV y fit organiser en 1662 pour une de ses favorites, Mlle de La Vallière.

CASEMATE *n. f.* La casemate est un abri souterrain propre à résister à un bombardement. L'origine de ce mot est inconnue. Le grec *khasma* signifie cependant gouffre, abîme et l'italien *casamatta,* « maison folle ». La sensation d'abîme et de folie doit certes étreindre tout être enfermé dans une casemate.

CASSETTE *n. f.* La cassette particulière d'un roi ou d'un prince représentait son trésor personnel. Cet emploi de cassette est un bel exemple de métonymie, où le contenant a donné son nom au contenu. À l'origine, en effet, la cassette était un coffret, souvent très orné, dans lequel on rangeait ses effets précieux, lettres ou bijoux de valeur.

CASTE *n. f.* Le terme de caste est issu du portugais *casta,* pur. La pureté est en effet le critère essentiel de distinction dans l'ensemble socio-religieux qu'est l'Inde. Il convient cependant de dissiper une confusion. Ce que les Portugais appelèrent castes sont les quatre ordres qui régissent la société hindoue. Issus du sacrifice primordial, ces ordres sont : l'ordre des brahmanes, ou prêtres ; l'ordre des ksatriya, ou guerriers ; l'ordre des vaisya, ou artisans; l'ordre des sudra, ou cultivateurs. Ce que les Indiens, en revanche, entendent par castes et qui se dénombrent par milliers sont les catégories socio-professionnelles, dont l'organisation en système recoupe plus ou moins exactement les varna. Héritage indissoluble et parfois pesant, le système des castes a, en théorie, été aboli lors de l'indépendance de l'Inde ; dans la pratique, il demeure et continue d'imposer son ordre et sa loi.

CASTRAT *n. m.* Bien que tous deux châtrés, castrat et eunuque (voir ce mot) ne sont pas à confondre. Les castrats vont naître et mourir « par » l'Église. En effet, à la fin du XVIe siècle, la chapelle Sixtine reconnaît officiellement l'emploi de castrats dans la musique religieuse. Leur prédominance sur le monde musical s'accroît à la fin du XVIIe siècle par les interdictions papales faites aux femmes de chanter à l'église ainsi que sur scène à l'opéra. Ainsi le XVIIIe siècle devint-il l'âge d'or des castrats tant dans la musique religieuse qu'à l'opéra, où ils assumaient les rôles féminins et masculins, jusqu'en 1902, date à partir de laquelle l'Église les rejette. En outre, les castrats se taillaient une belle réputation de don Juan ; s'ils ne pouvaient procréer, ils n'en avaient pas moins des relations avec les femmes.

CASUISTIQUE *n. f.* Domaine fort contesté de la morale ou de la théologie, la casuistique a pour objet les « cas de conscience ». Cas particuliers où l'intangibilité de la règle ne peut faire loi. La casuistique consiste alors, après examen de ces cas litigieux, à accorder une dérogation à la loi. Injuste et néfaste pour certains, la casuistique ne ruine pas la règle, elle l'ébranle seulement ou la renforce même, selon cet adage bien connu : l'exception confirme la règle.

CATACOMBE *n. f.* Enchevêtrement de galeries étroites et basses qui s'élargissaient en vastes pièces, les catacombes romaines furent un lieu de refuge, puis celui où l'on déposa les sépultures des premiers chrétiens. Le latin *catatumba* désignait les inscriptions chrétiennes portées sur ces sépultures. Par extension, le terme de catacombes désigne le sous-sol parisien, constitué d'anciennes carrières et utilisé comme ossuaire pour désencombrer les cimetières de la capitale.

CATAFALQUE *n. m.* Il s'agit aujourd'hui d'une estrade funéraire élevée dans une église ou devant un monument, sur laquelle est déposé un cercueil. Cependant, au XVIIe siècle le catafalque désignait une estrade d'un tout autre genre : l'échafaud, lieu d'exécution des condamnés à mort.

CATALEPSIE *n. f.* La catalepsie est un état morbide caractérisé par la perte momentanée de tout mouvement volontaire des muscles et la conservation, pendant des heures, des postures données aux membres et au tronc. La manifestation la plus spectaculaire de ce syndrome est le sommeil cataleptique, susceptible de durer des jours, voire des mois. Les crises de catalepsie peuvent être déterminées par un choc émotionnel, par des désordres névrotiques ou psychotiques, ou encore par une lésion du cerveau ; elles sont parfois un signe de démence précoce.

CATARACTE *n. f.* Plus importante qu'une cascade, une cataracte est une violente et longue chute d'eau intervenant sur le cours d'un fleuve. Signifiant à l'origine herse – grille mobile interdisant l'accès d'une forteresse –, ce mot a glissé vers son sens actuel par l'intermédiaire des ouvrages de style biblique, dans lesquels les cataractes désignaient les immenses portes retenant les eaux du ciel.

CATGUT *n. m.* Le catgut est un fil chirurgical totalement résorbable par les tissus de l'organisme. Présenté en bobine stérilisée, il est utilisé pour ligaturer des vaisseaux ou suturer une plaie. On ne le fabrique plus avec du boyau de chat (tel est le sens du mot *catgut* en anglais), mais à partir de la sous-muqueuse des intestins du mouton.

CATHARISME *n. m.* Implanté à partir de la fin du XIe siècle dans le sud de la France, principalement dans le Languedoc, le catharisme est une doctrine chrétienne reflétant le développement en France des idées manichéennes qui traversèrent une partie de l'Europe au Moyen Âge. Albi en fut un des centres les plus actifs, d'où le nom d'albigeois donné aux adeptes du catharisme. Hanté par un idéal de pureté (le terme vient du grec *katharos,* pur), le dogme cathare repose sur une dualité irréductible entre le bien, créateur de l'esprit, et le mal, créateur de la matière. Entraînant un rejet violent de la vie matérielle, puis de la réalité de l'Église, de ses rites, et même du pouvoir politique, le catharisme se vit très vite frappé d'hérésie. Entre 1208 et 1244, la croisade des albigeois prêchée par le pape Innocent III, et conduite par le tristement célèbre Simon de Montfort, prit rapidement le visage d'une campagne d'annexion du Languedoc orchestrée par les seigneurs du nord de la France. Cette vague de massacres sonna le glas des cathares, mais aussi celui de l'indépendance de la civilisation d'oc.

CATHARSIS *n. f.* Le philosophe grec Aristote désignait sous le nom de catharsis (du grec *katharsis,* purification) l'effet purificateur de la tragédie sur le public. En s'identifiant aux acteurs d'une représentation dramatique, le spectateur éprouverait, en quelque sorte par procuration, les émotions mises en scène par les protagonistes et évacuerait ainsi ses propres passions, notamment la crainte et la pitié. Le terme fut repris, à la fin du XIXe siècle, par les médecins Josef Breuer et Sigmund Freud pour qualifier leur première méthode psychanalytique, qui procédait par rappel à la conscience d'une situation traumatique refoulée.

CATILINAIRE *n. f.* Ce terme désigne des propos violents à l'égard d'une personne. L'origine de ce mot provient de l'Antiquité : en 63 avant J.-C., Cicéron prononça une série de discours particulièrement virulents. Ceux-ci visaient à dénoncer le complot de Catilina contre la République romaine.

CAUDATAIRE *n. m.* Un caudataire est un individu qui flatte servilement ses supérieurs, un flagorneur, un adulateur. Ce sens actuel n'est pas si loin de l'acception plus ancienne du mot. Le caudataire était autrefois le dignitaire de la cour papale qui avait pour fonction de porter la traîne du pape. Cette mission l'obligeait, de fait, à suivre pas à pas le prélat... Ce qui pouvait être interprété comme un excès de zèle servile, l'exemple même de l'obséquiosité.

CAUTÉRISER *v. tr.* Il y a longtemps que les médecins ne cautérisent plus les plaies pour éviter l'infection comme pouvaient le faire ceux de Molière. Le verbe cautériser a été fabriqué anciennement en français sur le radical cautère, qui désigne l'instrument à pointe chauffante permettant de brûler les tissus du corps. Ce cautère vient du grec *kautêrion,* qui est un dérivé du verbe *kaiein,* brûler. Si la chirurgie a changé, le mot garde son sens originel dans d'autres domaines.

CÉNACLE *n. m.* Un cénacle est un cercle d'intellectuels, un petit comité de personnes qui partagent les mêmes opinions et les mêmes goûts. À l'origine, le cénacle était la pièce dans laquelle Jésus prit son dernier repas avec ses apôtres. Victor Hugo reprit ce nom pour baptiser le groupe de jeunes écrivains romantiques qu'il animait en 1823-1824.

CÈNE Provenant du latin *cena,* signifiant repas du soir, la Cène désigne le dernier repas pris par Jésus avec ses disciples à la veille de la Passion et au cours duquel il institua l'eucharistie. Lors même de ce repas, le Christ baigna les pieds de ses disciples et annonça la trahison de Judas Iscariote.

CENTON *n. m.* Le centon est une forme de poème constitué de fragments empruntés à plusieurs auteurs. Le sens premier du latin *cento* désignait un « habit fait de plusieurs morceaux ».

CERBÈRE Le gardien brutal et dangereux qu'est un cerbère dans la langue française depuis le XVIe siècle tire son profil peu aimable de l'histoire de Cerbère dans la mythologie : ce nom désigne le chien à trois têtes qui se tenait à l'entrée des Enfers, lieu souterrain où se rendaient les humains après la mort et sur lequel régnaient Hadès et Perséphone. Hermès, protecteur des voyageurs, était chargé d'accompagner le défunt pour qu'il franchisse le seuil jalousement gardé par le monstre ; celui-ci était si redoutable qu'un des douze exploits d'Hercule fut de le maîtriser ! Le nom propre s'est donc banalisé en nom commun, qui peut servir d'épithète ironique à l'adresse de tout individu censé veiller sur un lieu.

CHAMAN *n. m.* Grand sorcier des peuplades primitives de l'Asie centrale et de l'Arctique, le chaman rendait un culte à la nature, exécutait des danses rituelles autour d'un feu, communiquait avec les esprits des morts grâce aux états de transe. Personnage central de la tribu, il jouait également le rôle de prêtre, de conseiller, d'artiste, d'herboriste et de guérisseur.

CHAMBARDEMENT *n. m.* Quel remue-ménage que le chambardement ! Bouleversement dans lequel est perdue l'origine de ce mot. Un indice peut-être : le terme chambardement pourrait provenir du français régional *chambe,* jambe, et *barder,* glisser.

CHAMPI *n. m.* Le roman de George Sand *François le Champi* (1849) a fait connaître au grand public ce mot un peu archaïque et régional (originaire du Berry). À l'origine, évidemment, champi est formé sur champ et désigne un enfant trouvé dans les champs. Enfant de parents inconnus, puis enfant naturel, illégitime, le champi est devenu le bâtard.

CHANDRASEKHAR (LIMITE DE) La limite de Chandrasekhar représente la masse maximale que peut atteindre une étoile froide avant de s'effondrer en trou noir, soit 1,4 fois celle du Soleil. Elle a été définie par l'astrophysicien Subrahmanyan Chandrasekhar, spécialiste de la structure interne des étoiles et lauréat du prix Nobel de physique en 1983.

CHANSON DE GESTE Genre littéraire en vogue du XIe au XIVe siècle, la chanson de geste se présentait sous la forme de longs poèmes épiques. Elle racontait les exploits (en latin, *gesta*) extraordinaires de héros historiques ou légendaires. Écrite pour être déclamée comme une mélopée, parfois au son d'une vielle, elle pouvait compter jusqu'à dix mille vers, le plus souvent des décasyllabes. Ceux-ci étaient groupés en tirades assonancées, ou laisses.

CHANT *n. m.* On appelle chant le côté le plus étroit d'une brique, d'une pierre équarrie. Le terme s'emploie dans l'expression « mettre de chant », qui signifie poser la pièce sur sa face la plus étroite de façon qu'elle soit placée horizontalement dans le sens de la longueur et verticalement dans le sens de la largeur. Le mot vient du latin *canthus,* bande de la jante (d'une roue).

CHAOS *n. m.* Nul désordre, nulle confusion, dans le chaos originel. Personnification du vide primordial dans la mythologie grecque, le chaos est antérieur à la création ainsi qu'à l'ordre régissant l'Univers. Du chaos naquirent l'Érèbe (personnification des ténèbres infernales) et Nyx (la nuit), qui engendrèrent l'Aether (personnification du ciel supérieur) et Héméra (le jour).

CHARABIA *n. m.* Ce terme s'applique aujourd'hui à tout langage particulièrement inintelligible et confus, soit du fait de ses nombreuses incorrections, soit du fait de la technicité du vocabulaire employé. Autrefois, cependant, seuls le patois auvergnat et, par extension, l'émigrant qui parlait ce patois avaient le privilège douteux d'être taxés de charabias. L'origine du mot est incertaine. Il viendrait peut-être de l'espagnol *algarabia,* transcription de l'arabe *al'arabiya,* langue arabe, sans doute parce que celle-ci résonnait comme un jargon confus aux oreilles de celui qui ne la comprenait pas.

CHARISME *n. m.* En théologie, le terme charisme (du grec *kharisma,* grâce, faveur) désigne les dons octroyés au croyant par l'Esprit saint pour le bien commun. Le charisme se distingue ainsi de la grâce divine, accordée à l'individu pour son propre salut. Le don de prophétie ou celui de guérison sont des exemples de charisme. Par extension, on a ensuite qualifié de charisme l'influence ou l'attrait irrésistibles exercés par une personnalité exceptionnelle sur un groupe.

CHARIVARI *n. m.* Le mariage entre époux mal assortis ou antipathiques était salué, dans certaines régions, par un tapage traditionnel : le charivari. Les habitants se rassemblaient devant la maison des mariés, qu'ils conspuaient en donnant un concert cacophonique, à grand renfort de casseroles, de sifflets, de trompes, etc. Des huées aux jeux de mains, il n'y avait qu'un pas, qui fut souvent franchi, à tel point que cette coutume, à l'origine de violents incidents, fut condamnée par conciles et synodes au XIVe siècle. Elle subsiste cependant encore dans certaines campagnes, où elle garde toutefois un tour pacifique ! Le mot charivari a une étymologie très incertaine. On lui a prêté une origine onomatopéique (en Picardie, les enfants criaient « *caribari, caribara* »), mais il vient peut-être du grec *karêbaria,* mal de tête !

CHARPIE *n. f.* La charpie était anciennement un pansement constitué de fils tirés d'une vieille étoffe. Ce terme dérive de l'ancien français *charpir,* déchirer, d'où l'expression « mettre en charpie », réduire en pièces... De nos jours, gaze et coton ont remplacé la charpie.

CHÂTEAUBRIANT Chateaubriand n'était pas végétarien. La preuve en est, son cuisinier Montmireil lui servait du filet de bœuf préparé d'après une recette de son invention. Il coupait une tranche épaisse de filet, la grillait et l'accommodait d'une sauce béarnaise et de frites ou de légumes frais. À moins que tout cela ne soit que pure fiction et que ce plat soit, plus simplement, originaire de la ville de Châteaubriant, en Loire-Atlantique. Quoi qu'il en soit, on déguste toujours du châteaubriant (ou chateaubriand).

CHATTEMITE *n. f.* On dit d'une personne qu'elle « fait la chattemite » lorsqu'elle affecte des manières humbles et doucereuses. Pauvre chatte, à nouveau associée à la sournoiserie ! Pourtant, ce terme est doublement affectueux : *mite,* terme enfantin et populaire du Moyen Âge, redoublant le sens de chatte.

CHAULAGE *n. m.* L'excès d'acidité des sols rend la terre plus difficile à travailler et perturbe la croissance des cultures. Le chaulage (ou chaudage) est une technique agricole qui vise à éviter ces inconvénients. Il a lieu, en général, avant le labour. Les agriculteurs déposent dans leurs champs des petits tas de marne ou de craie qu'ils laissent se déliter peu à peu à l'air avant de les étaler.

CHEIK *n. m.* Le titre de cheik est attribué à un chef de tribu arabe. Cependant, ce terme peut n'être qu'une marque de respect à l'égard d'une personne. En arabe, *cheikh* signifie vieillard.

CHEMINEAU *n. m.* Le mot chemineau, vagabond des grands chemins, est clairement dérivé du mot chemin, du latin populaire *camminus.* Il est amusant de voir, dans l'histoire de ce mot, que la création du chemin de fer (en 1787, dans la région de Saint-Étienne-Le-Creusot) a donné une seconde forme, cheminot, qui, malgré sa différence orthographique, a entraîné un changement sémantique dans le premier des deux termes : le vagabond est devenu un employé de chemin de fer allant de chantier en chantier. Aujourd'hui, les deux homonymes risquent de voir leurs sens ou leur graphies confondus.

CHEVAL DE FRISE Ancêtre des réseaux de barbelés, le cheval de frise est une pièce mobile munie de croisillons à bouts pointus. Ce système de défense militaire, particulièrement efficace contre la cavalerie, doit son nom à la province hollandaise où il fut mis au point à la fin du XVIe siècle, la Frise.

CHIITE *n. et adj.* Les chiites sont des partisans d'Ali Ibn Abi Talib, le troisième parmi les quatre califes qui ont succédé au prophète Mahomet : selon eux, les trois autres califes sont des usurpateurs. Les chiites ont introduit dans l'islam la conception de l'imam, chef religieux et politique de la communauté et qui doit être un des descendants d'Ali : doté de grâces particulières par Dieu, l'imam est infaillible et interprète la Révélation. C'est la reconnaissance de l'imam qui divise les chiites : les imamites, majoritaires, en reconnaissent douze ; les ismaéliens n'acceptent que sept imams, dont le dernier, Ismaël, qui n'est pas mort, est attendu comme Mahdi, c'est-à-dire Messie ; les zaydites sont les plus modérés ; il y a encore les druzes, les azéris. Tous ces courants du chiisme se retrouvent dans les pays musulmans.

CHIMÈRE Monstre fabuleux de la mythologie grecque souvent dépeint et représenté, chimériquement il est vrai. Homère lui reconnaissait un buste de lion, un corps de chèvre et une queue de serpent, tandis qu'Hésiode lui accordait trois têtes vomissant des flammes. La chimère ne se soucie pas de vraisemblance ; sa source n'est pas la réalité mais l'imagination, aux ressources infinies, prodigieuses.

CHIROPRACTEUR *n. m.* Le chiropracteur (ou chiropraticien) remédie à des affections vertébrales par des manipulations brèves et brusques. Il opère soit directement sur la vertèbre douloureuse, soit sur le cou, le tronc ou les membres. Comme son nom l'indique, il a son savoir entre les mains ! En effet, le terme chiropracteur est formé sur les mots grecs *kheir,* main, et *praxis,* action.

CHLOROTIQUE *adj.* Un teint chlorotique est un teint d'une pâleur verdâtre. Cette couleur est due à la chlorose (du grec *khlôros,* vert), appelée encore « anémie essentielle des jeunes filles » !

CHRÊME *n. m.* Le chrême est un mélange d'huile et de baume aromatique, consacré par l'évêque le jeudi saint. On emploie le saint chrême en onction pour le baptême, la confirmation, l'ordination et la consécration des objets du culte.

CHRESTOMATHIE *n. f.* Recueil de morceaux choisis d'auteurs classiques, la chrestomathie est, si l'on en croit l'étymologie, l'ancêtre des manuels scolaires ! Formée sur le grec *khrêstos,* utile, et *manthanein,* apprendre, la chrestomathie était un ouvrage qui présentait aux élèves une sélection de textes jugés profitables à leur enseignement.

CHRYSÉLÉPHANTIN *adj.* L'adjectif qui qualifie des sculptures ou des statuettes d'or et d'ivoire est composé du préfixe chryso- tiré du grec *khrusos,* or, et du radical éléphantin, issu du grec *elephas,* qui signifie aussi ivoire à cause des défenses de l'animal. Le français médiéval avait une autre forme, *olifant,* obtenue par transformation orale populaire, qui est restée dans la mémoire littéraire parce qu'elle désignait le cor d'ivoire que Roland faisait retentir à Roncevaux.

CICÉRONE *n. m.* On appelle cicérone, de façon ironique, les personnes qui se proposent comme guides auprès des touristes. C'est au XVIIIe siècle que les Italiens ont commencé à nommer *ciceroni* les guides, appointés ou non, qui signalaient les curiosités de Rome aux étrangers. Leur verve rappelait en effet l'éloquence du célèbre homme politique et orateur latin Cicéron (106-43 avant J.-C.), le maître dans l'art oratoire de l'Antiquité romaine.

CILICE *n. m.* Le cilice, ceinture ou chemise (haire) faite dans une étoffe grossière et rêche, est porté par pénitence ou mortification. À l'origine de cette appellation, une région, la Cilicie, d'où provenaient des peaux de chèvres au poil réputé pour sa rudesse.

CINABRE *n. m.* Le cinabre (sulfure naturel de mercure) se présente sous la forme d'un minéral translucide d'une superbe couleur rouge. Cette substance eut très tôt en

Orient, et particulièrement en Chine, une valeur extrême. En effet, les alchimistes taoïstes n'eurent de cesse de transmuer le cinabre.

CINÉMATIQUE *n. f.* La cinématique étudie les mouvements (du grec *kinêma*) d'un corps solide ou d'un fluide dans l'espace et dans le temps, sans se préoccuper des causes qui les provoquent. Cette partie de la mécanique donne des informations quant à la trajectoire, à la vitesse et à l'accélération de l'objet considéré.

CIRCONSPECTION *n. f.* Prudence, retenue, observation avisée, telle est la circonspection. Comme l'animal aux aguets hume, flaire alentour, l'homme plein de circonspection (du latin *circumspicere,* regarder autour), sur la réserve, soupèse, évalue avant de parler ou d'agir.

CLABAUDAGE *n. m.* Des bavardages criards peuvent être qualifiés de clabaudages, par association avec les aboiements intenses et répétés du chien appelé clabaud (terme du XVe siècle). Mais le nom de ce chien comme le verbe clabauder ont en commun avec le verbe clapper un radical, sans doute onomatopéique, *clap,* qu'on retrouve dans *clabet,* crécelle. Ce radical est à l'origine, en français, de tout un paradigme de mots comme clapet, clappement, clapoter, qui nous font entendre le joli clapotis des vagues.

CLAN *n. m.* Le terme de clan peut actuellement exprimer une division, une séparation sociale ou culturelle. Cependant, nulle division dans le clan d'origine. L'irlandais *clann,* descendant, famille, désignait une tribu constituée par un groupe de familles. En ethnologie, le clan désigne un groupe formé de plusieurs lignages ou d'individus liés par filiation unilinéaire sans qu'une généalogie précise puisse être établie.

CLEPSYDRE *n. f.* La clepsydre était l'horloge à eau du monde antique. Cet instrument qui, littéralement, « vole l'eau » (du grec *kleptein,* voler, et *hudôr,* eau), était particulièrement ingénieux. Un récipient muni d'une échelle horaire recueillait l'eau qui s'écoulait, de façon régulière, par un orifice ménagé dans un vase placé au-dessus de cette cuve ; des flotteurs permettaient de lire l'heure correspondant au niveau atteint par l'eau. Après son invention par les Égyptiens, la clepsydre s'est répandue dans tout l'Occident.

CLIO Fille de Zeus et de la Titanide Mnémosyne (la mémoire), Clio est l'une des neuf Muses. L'histoire est placée sous son patronage, car Clio célèbre la gloire des peuples et consigne les faits historiques sur un rouleau de papyrus qu'elle garde à la main. On la représente parfois tenant une clepsydre (voir ce mot), symbole de l'ordre chronologique des événements.

CLOAQUE *n. m.* Ce mot, aujourd'hui masculin, qui désigne n'importe quel endroit infect et repoussant de saleté, est d'origine latine. La Grande Cloaque (Cloaca maxima), commencée sous Tarquin l'Ancien et terminée sous Tarquin le Superbe, était un égout voûté par lequel s'écoulaient les eaux et toutes les immondices de Rome.

COBOL *n. m.* Le cobol, acronyme anglais de Common Business Oriented Language, est un langage informatique créé en 1960. Il a été conçu pour répondre aux besoins des gestionnaires. Sa facilité de lecture et l'appui des constructeurs d'ordinateurs ont largement contribué à son succès, jusqu'aux années soixante-dix.

COCKTAIL MOLOTOV voir MOLOTOV.

CODA *n. f.* En chorégraphie, la coda est le final d'un ballet classique où les interprètes principaux apparaissent ensemble ou séparément devant le public. Ce terme est un emprunt à l'italien, *coda,* qui signifie littéralement queue.

CODICILLE *n. m.* Au même titre que le testament dont il constitue l'addenda, le codicille fait loi (en latin, diminutif de *codex,* loi). Ainsi vont les codicilles, sortes de points de suspension du testament. La mort est là, pourtant, qui y oppose un point final.

COERCITION *n. f.* La coercition est une contrainte, légale ou non, exercée sur un individu ou une communauté. Gangue, étau qui se resserre autour du prévenu ou de la victime, la coercition est une impitoyable main de fer qui comprime, parfois jusqu'à l'étouffement (du latin *coercere,* comprimer, condenser).

CŒURSAGE *n. m.* Le cœursage est l'opération qui précède le tannage. Il consiste à éliminer les résidus, chairs et graisses, qui adhèrent encore à la face interne des peaux après l'ébourrage (nettoyage de la face externe). Le cœursage, aujourd'hui mécanique, s'effectuait autrefois à la main, au moyen d'un couteau à lame émoussée appelé cœurse.

COGITER *v. tr.* Si l'on dit aujourd'hui de quelqu'un qu'il cogite, c'est souvent plus par ironie que par respect, comme si c'était le signe d'un effort vain ou maladroit. Le verbe vient pourtant du très sérieux verbe latin *cogitare,* signifiant penser, réfléchir, qui fut l'argument de l'impérissable credo cartésien *« Cogito, ergo sum », « Je pense donc je suis. »*

COI *adj.* Un chasseur averti apprécie l'aide d'un chien coi qui ne laisse échapper aucun aboiement intempestif. Si le qualificatif coi signifie très souvent silencieux, muet, il a cependant gardé l'empreinte de son origine latine. L'adjectif *quietus,* dont il est dérivé, signifiait « qui est au repos ». Corneille employait d'ailleurs l'expression « de pied coi » pour dire « sans bouger ». Aussi, si l'on vous enjoint de vous tenir coi, ne vous contentez pas de vous taire, mais efforcez-vous également de rester tranquille.

COLISÉE Amphithéâtre gigantesque, puisqu'il, pouvait accueillir 50 000 spectateurs, le Colisée de Rome fut construit au Ier siècle après J.-C., sous Vespasien et Titus. Lieu des jeux du cirque et des combats de gladiateurs, il vit aussi les premiers chrétiens livrés aux fauves.

COLLIGER *v. tr.* Colliger des textes revient à les réunir en une collection ou un recueil. C'est aussi, par extension, relier des idées entre elles. Le terme vient du verbe latin *colligere,* réunir, qui a donné aussi cueillir en français.

COLLUSION *n. f.* Entente secrète au préjudice d'un tiers reconnue comme délit et sanctionnée par la loi. Le jeu des origines a bien mal tourné (du latin *colludere,* « jouer ensemble »). Nul n'a le droit de nuire à autrui, fût-ce en se jouant de lui, telle est la règle !

COLOMBE *n. f.* Symbole de pureté, la colombe est aussi le symbole du Saint-Esprit dans la religion catholique. Mais elle est avant tout porteuse de paix et d'harmonie, selon l'épisode biblique (Genèse, VIII, 11). En effet, après le Déluge vint la décrue. Noé lâcha la colombe hors de l'Arche, celle-ci y revint, ne trouvant nul endroit sec où se poser. Lors d'un deuxième retour, elle rapporta dans son bec un rameau d'olivier (symbole de paix et d'harmonie) : ainsi Noé sut que la végétation renaissait sur la Terre. Enfin, une troisième fois Noé lâcha la colombe, et celle-ci ne revint pas.

COMMEDIA DELL'ARTE *n. f.* La commedia dell'arte est une création italienne apparue à la fin du XVIe siècle à Mantoue. Les acteurs étaient des professionnels de l'art *(dell'arte).* La particularité de cette nouvelle forme théâtrale, considérée comme une lointaine descendance de l'atellane (voir ce mot), était l'improvisation et l'emploi de masques. En effet, les acteurs se concertaient sur un canevas à partir duquel chacun, selon son personnage, brodait et improvisait. Une autre caractéristique de cette *commedia* était la création de personnages caricaturés, illustrant le caractère prédominant de certaines régions italiennes. Arlequin est un bouffon cynique et poltron (Bergame) ; Polichinelle, un ivrogne querelleur et glouton (Naples) ; Pierrot, un nigaud sentimental ; Colombine, une soubrette frétillante ; Pantalon, un vieillard avare et débauché (Venise) ; Scapin, une canaille astucieuse... Outre le jeu purement théâtral, la commedia dell'arte incluait acrobatie et pantomime, formant ainsi un ensemble tendre et cruel, particulièrement sarcastique.

COMMENDE *n. f.* « Donner une abbaye en commende » signifie « accorder à un ecclésiastique l'administration temporaire d'un bénéfice ». Ce mot est ancien dans le vocabulaire ecclésiastique (il remonte au XVe siècle). L'Église, qui a utilisé le latin exclusivement jusqu'au milieu du XXe siècle, a fait large emploi du verbe *commendare,* confier. On peut remarquer que si des textes de prières en latin invitent le croyant à « confier son esprit à Dieu », il s'agit ici de confier des biens plus temporels.

COMMENSAL *n. et adj.* La souris des villes est le commensal de l'homme, tout comme le pique-bœuf est celui du rhinocéros, mais celui qui a coutume de partager mes repas est aussi le mien. Alors que le mot désigne aujourd'hui soit une espèce animale qui vit associée à une autre en profitant de sa nourriture, soit un convive, le commensal était au Moyen Âge un intime du roi admis à sa table (du latin *commencialis,* de *cum,* avec, et *mensa,* table).

COMMISSAIRE-PRISEUR *n. m.* Le commissaire-priseur a pour fonction de procéder à l'estimation et à la vente aux enchères de biens mobiliers. Nommé par arrêté du ministre de la Justice, cet officier ministériel prête serment et ne peut en aucun cas se livrer à un acte de commerce.

COMPENDIUM *n. m.* Fidèle à sa vocation d'épargne (du latin *compendium,* abrégé) le compendium est l'outil nécessaire à tout étudiant soucieux d'économiser son temps.

COMPULSION *n. f.* Mouvement violent, irrésistible, qui pousse un individu à faire un acte malgré lui. Contraint (du latin *compulsare,* pousser, contraindre), le sujet devient l'objet de sa pulsion et est « agi » plutôt qu'il n'agit. Angoisse et culpabilité accompagnent généralement la résistance à la compulsion.

CONCEPT *n. m.* La définition d'un concept comme un objet de pensée pose dans la philosophie la question du rapport de la pensée avec la réalité. Se demander comment se forme un concept, c'est aussi mettre en évidence le lien étroit entre la notion du concept et le langage. Le linguiste Ferdinand de Saussure désigna le concept comme la partie d'un signe relevant de la pensée, tandis que l'image acoustique constituait son support, sa forme communicable. Un concept se construit dans l'exercice du langage et de la pensée. C'est une entité mouvante et déformable, engagée dans une médiation permanente entre la réalité et l'individu. C'est aussi un lieu de confrontation essentiel entre l'individu et les autres : définir un concept, c'est essayer de s'approprier une représentation collective (tout en possédant sa propre interprétation).

CONCETTI *n. m. pl.* Ce mot a été emprunté à l'italien au XVIIIe siècle pour remplacer le mot français *concet* (XVIe siècle). En italien, *concetto* a le sens propre de notre concept (pensée) ; mais son entrée en langue française (uniquement au pluriel) lui donne ce brio, cette affectation légèrement dépréciative du trait d'esprit un peu vain.

CONCIERGE *n. m. ou f.* Dès le Moyen Âge, le terme de concierge a le sens général de gardien. Cependant, ce mot provient du latin populaire *conservius,* lui-même issu de *conservus,* compagnon d'esclave (de *cum,* avec et *servus,* esclave) !

CONCUSSION *n. f.* Synonyme de prévarication et d'exaction, la concussion est une malversation frappée d'amende, d'emprisonnement et de l'interdiction d'exercer certains droits. Elle consiste en l'abus d'autorité d'un fonctionnaire pour exiger et percevoir de l'argent qui n'est pas dû. Ce terme, attesté dans le sens de « forte secousse » au XVIe siècle, provient du latin juridique *concussio,* extorsion d'argent, issu de *concutere,* secouer.

CONDUCTIBILITÉ *n. f.* La conductibilité est la propriété qu'ont certains corps de transmettre, à des degrés divers, la chaleur ou l'électricité.

CONFUCIANISME *n. m.* Le confucianisme n'est pas à confondre avec une religion, ni avec une morale sectaire. Cet enseignement philosophique se fonde sur une morale (publique et privée), sur le respect de soi et d'autrui. Ces préceptes ne sont pas pure théorie, mais morale « agissante » aussi bien dans la vie sociale que dans la vie quotidienne. Pour cela, le confucianisme tient compte de la vertu propre à chaque être humain dont le perfectionnement personnel ne peut être dissocié du perfectionnement commun. Kongfuzi, latinisé en Confucius (Ve-IVe siècle avant J.-C.), est considéré comme le maître du confucianisme. Ses aphorismes furent compilés après sa mort par ses disciples sous l'appellation *Entretiens.* Parmi eux, le fameux : « Ce que vous ne désirez pas qu'on vous fasse, ne le faites pas à autrui » !

CONJECTURE *n. f.* Suppositions plus ou moins fondées, supputations énoncées pêle-mêle (du latin *cum,* avec, et *jacere,* jeter), les conjectures forment la base d'une réflexion. Éléments disparates et non organisés, les conjectures exigent alors d'être ordonnées pour former des hypothèses, et comme telles être soumises à l'examen de la raison.

CONJONCTURE *n. f.* Qui attend une conjoncture favorable pour agir, doit parfois faire preuve de patience. Du latin *conjunctus,* lié ensemble, la conjoncture est une réunion de circonstances, d'occasions, qui concourent à une même fin.

CONJURATION *n. f.* Noble et méritoire, telle était autrefois la conjuration : un serment prêté par les Romains de mourir pour la patrie. Le serment est toujours de rigueur, mais la conjuration est désormais une action concertée, un complot mené par des individus contre un pouvoir, un État. Si des conjurés meurent encore aujourd'hui, ce n'est plus pour la défense de la patrie mais pour son renversement, sa perte.

CONNOTATION *n. f.* Terme d'origine latine désignant un principe qui est celui... des poupées russes ! Comme la poupée, le mot s'ouvre sur une multitude de termes, contenus en lui, induits par lui ; termes qui le qualifient sans pour autant le déterminer. Un exemple : « été » et ses connotations sécheresse, chaleur, soif, brûlure, coup de soleil...

CONSIGNER *v. tr.* Citer, noter, faire mention d'un fait par écrit, tel est l'un des sens du verbe consigner. Ce verbe, attesté au milieu du XIVe siècle dans le sens de « délimiter par une borne », prit au XVIe le sens que nous lui connaissons actuellement, conforme en cela au latin *consignare,* mettre un sceau, sceller.

CONSOMPTION *n. f.* Consomption de la bûche par les flammes, mais aussi consomption du corps en proie à la maladie, la fièvre, la passion ; amenuisement, anéantissement progressif, telle est la consomption. Si elle n'est pas stoppée, la consomption trouve une issue fatale, celle pour le corps de n'être plus rien, réduit en cendres, emporté (du latin *cumsumere,* « prendre avec »).

CONSPIRATION *n. f.* Qui souffle la trame secrète d'une conspiration ? Le terme latin *conspiratio* est dérivé du verbe *conspirare,* « souffler ensemble ». Avant d'être le signe d'une sédition, d'une machination, la conspiration désignait autrefois un effort commun tendant vers un même but.

CONSUBSTANTIALITÉ *n. f.* La consubstantialité de la Trinité est un des grands mystères de la religion catholique, selon lequel le Père, le Fils et le Saint-Esprit ne font qu'un et sont de même substance (tel est le sens du latin *consubstantialis*). Cette croyance fut remise en cause au IVe siècle par Arius, prêtre d'Alexandrie. Selon lui, Jésus-Christ ne pouvait être de la même nature que Dieu puisqu'il était homme. Jugé hérétique, il fut condamné en 325 par les pères du concile de Nicée, qui furent appelés les homoousiens (du grec *homoousios,* consubstantiel), c'est-à-dire les défenseurs de la consubstantialité.

CONSULTER *v. tr.* Dire aujourd'hui que l'on a besoin de consulter un spécialiste est tout à fait banal ; que ce soit dans le domaine de la médecine, celui du droit ou encore du commerce, il s'agit d'interroger, de prendre un avis autorisé. Le verbe latin qui est à l'origine de ce mot, *consultare,* avait déjà ce sens ; mais il en possédait un autre : celui de délibérer, que le français a connu jusqu'au XVIIIe siècle et qui a disparu du français moderne. Il a persisté, sous forme d'archaïsme, dans le monde de la médecine, où de grands professeurs peuvent examiner un cas en délibérant avec des confrères (en consultant).

CONTINGENCE *n. f.* La contingence est la possibilité pour un événement d'être ou de ne pas être. Formé sur le latin *contingentia* (hasard), le concept de contingence fut développé par la scholastique médiévale pour désigner la latitude de choix et d'action de l'homme face à un tissu d'événements nécessairement prévus par Dieu. De manière générale, un événement contingent n'est pas déterminé, une chose contingente est accidentelle, non nécessaire. La contingence peut être imprévu, incertitude, signe de notre impuissance face au déroulement du temps. Elle peut se faire hasard, richesse des possibles, liberté de choix, de rencontres et de coïncidences. Notons que l'emploi de ce terme se fait souvent à contresens. L'expression courante « les contingences matérielles » en est un exemple, où le mot contingences est utilisé comme synonyme de... nécessités !

CONTREPÈTERIE *n. f.* La contrepèterie, autrefois appelée antistrophe, consiste à permuter les lettres ou les syllabes d'un groupe de mots afin d'en changer le sens pour produire un effet comique, parfois lié à une certaine grivoiserie. Par exemple : il préfère des assiettes de Picasso à des assauts de pique-assiette. Ce terme proviendrait d'une variante de l'ancien français *pieter,* « aller à pied, frapper du pied ». Faire une contrepèterie serait donc prendre à contre-pied un ensemble de termes. La locution angevine « à la contrepétasse », qui signifie « à l'envers », conforterait cette hypothèse.

CONTRE-RÉFORME La Contre-Réforme, ou Réforme catholique, réaction violente aux bouleversements causés par le protestantisme au début du XVIe siècle, toucha l'Allemagne, la Suisse et l'Autriche, provoquant massacres, exils et excommunications. Postérieure aux guerres dites de Religion (1562-1598), la Réforme catholique fut favorisée par Ferdinand Ier, empereur du Saint Empire germanique et frère de Charles Quint, et par ses successeurs. Elle sera notamment la cause du soulèvement des Tchèques en 1618 et de la guerre de Trente Ans qui s'ensuivit et laissa en 1648, aux traités de Westphalie, l'Allemagne morcelée en trois cent cinquante États différents.

CORDIAL *n. et adj.* Un cordial est une boisson alcoolisée destinée à prodiguer un certain réconfort. Cette acception du terme est une allusion plaisante aux potions et remèdes qualifiés autrefois de cordiaux en raison de leur action stimulante sur le cœur. Cordial est en effet dérivé du latin *cor,* cœur.

CORON *n. m.* Les corons sont ces groupes de maisons de brique, noires d'anthracite et de misère, qui servirent de cadre à la révolte de *Germinal* d'Émile Zola. L'écrivain naturaliste, qui popularisa ainsi ce terme issu du dialecte picard (formé sur le picardo-wallon *corn,* coin, angle, lui-même formé sur le latin *cornu,* corne d'animal), sut peindre avec une dramatique exactitude la grandeur et la peine des mineurs de fond du nord de la France à la fin du XIXe siècle.

CORSÉ *adj.* Le plaisir d'un café corsé ? un corps à corps, savoureux, voluptueux. Non, le plaisir ne nous égare pas ! un café corsé est bien un café qui a du corps, de la présence, de la force (de l'ancien français *cors,* corps).

CORYPHÉE *n. m.* Coryphée est le nom donné au troisième échelon dans la hiérarchie du corps de ballet à l'Opéra de Paris. La position du coryphée se situe entre le second quadrille et les petits sujets. Dans l'opéra moderne, on appelle également coryphée le danseur qui dirige le corps de ballet. Le terme vient du grec *koruphaios,* qui désignait le chef du chœur dans la tragédie antique.

COSMÉTOLOGIE *n. f.* La cosmétologie est aujourd'hui l'étude des procédés de fabrication des cosmétiques. Essences, plantes, huiles essentielles, résines sont les ingrédients nécessaires à cet art dont l'origine se perd dans la nuit des temps, l'art d'embellir et d'entretenir le corps.

COTERIE *n. f.* Les membres d'une coterie se regroupent en petits comités pour défendre et faire prévaloir leurs intérêts ou leurs opinions. La coterie existait déjà au Moyen Âge. C'était alors une association de paysans tenant en commun les terres d'un seigneur.

COTIR *v. tr.* Lorsqu'un fruit tombe sur le sol, il arrive qu'il reste apparemment intact mais qu'il soit abîmé à l'intérieur : il est alors coti. À cause de ses cotissures, on ne pourra pas le conserver, il sera tout juste bon, dans le meilleur des cas, à être consommé très rapidement. Le verbe cotir, aujourd'hui réservé aux fruits, signifiait autrefois heurter, frapper. Ainsi, on disait de deux cerfs en train de se battre qu'ils cotissaient l'un contre l'autre.

COUARD *n. et adj.* Quel poltron que le couard se sauvant tête basse ! À l'origine, cependant, point question de tête mais de queue. En effet, ce terme, attesté au XIe siècle, signifie littéralement « qui porte la queue basse ».

COULISSIER *n. m.* Courtier en Bourse dont la spécificité est de traiter en coulisse des valeurs non officiellement cotées sur le marché des agents de change.

COULPE *n. f.* Qui reconnaît ses torts et cherche à se disculper bat sa coulpe. Cette expression, employée en langue soutenue, est d'origine religieuse. Avant le concile de Vatican II, les catholiques, au début de la messe, dite alors en latin, avait pour rite de se frapper la poitrine en proclamant : *« Mea culpa »* (« par ma faute ») pour confesser leurs péchés. Le mot coulpe n'est plus utilisé, en dehors de cette locution, que pour désigner l'aveu public que profère un moine (ou une moniale) lorsqu'il (ou elle) a manqué à la règle de son ordre.

COUPE-FILE *n. m.* Sorte de sésame destiné à éviter les queues, les foules, les embouteillages, le coupe-file constitue un fameux gain de temps pour qui en est l'heureux possesseur. Mais peu nombreux sont les élus : c'est avec une grande parcimonie que la préfecture délivre ces cartes de priorité.

CRAPAUDINE *n. f.* Pierre recherchée, la crapaudine provient de la pétrification d'une dent de poisson, le loup marin. Son nom surprenant est dû à d'anciennes croyances selon lesquelles elle provenait de la tête d'un crapaud.

CRAPOUILLOT *n. m.* On appela les mortiers employés dans les tranchées pendant la Première Guerre mondiale des crapouillots par analogie avec un autre canon de forme courte en usage au XVe siècle, le crapaudeau ; le support du mortier était nommé crapaud.

CRÉCELLE *n. f.* Une crécelle est un jouet d'enfant constitué d'un moulinet de bois dont la languette mobile fait entendre une succession de bruits secs lorsqu'elle tourne sur son axe denté. Jadis, cet objet avait une fonction moins ludique. En effet, les lépreux utilisaient les crécelles pour prévenir de leur arrivée.

CRÈCHE *n. f.* À l'origine de cette tradition, aujourd'hui séculaire, une très modeste mangeoire : celle qui était destinée aux animaux et dans laquelle Jésus fut déposé après sa naissance. Ce berceau de fortune est aujourd'hui à Rome, et la crèche est devenue l'étable qui abrita la Sainte Famille. Le rituel de confection de la crèche est assez tardif, il fut instauré par saint François d'Assise.

CRÉMAILLÈRE *n. f.* Symbole traditionnel du foyer, la crémaillère était une tige métallique fixée au-dessus de l'âtre d'une cheminée. Munie de crans, elle permettait de suspendre un récipient à la hauteur souhaitée. On distinguait la crémaillère à dents, souvent décorée, répandue dans le nord de la France, de la crémaillère à crocs, plus méridionale, composée d'anneaux et de crochets. Aujourd'hui, la crémaillère n'est plus, bien souvent, qu'un objet décoratif ou une pièce de musée. Cependant, on y fait souvent allusion, au sens figuré, dans une expression familière. En effet, lorsque l'on fête son installation dans un nouveau logement, on a coutume d'inviter ses proches pour « pendre la crémaillère ».

CRÉMATORIUM *n. m.* Le terme de crématorium provient du latin *cremare,* brûler. La crémation s'effectue dans un four porté de 700 à 1 200 degrés. Les cendres sont recueillies dans une urne qui est remise à la famille du défunt.

CRÉNOTHÉRAPIE *n. f.* La crénothérapie, du grec *krênê,* source, et *therapeia,* soin, est l'utilisation thérapeutique des eaux de source. Les cures internes et externes se font au point d'émergence de la source et sont souvent assorties de soins annexes tels que la kinésithérapie, les massages, etc.

CRITÉRIUM *n. m.* Le critérium, manifestation sportive de grande envergure, sert à établir le classement et l'élimination des concurrents. Ainsi discerne-t-on les meilleurs, voire les futurs champions. Critérium est un synonyme suranné de critère.

CUL-DE-BASSE-FOSSE *n. m.* Les basses-fosses d'un château étaient les cellules profondes, humides et obscures dans lesquelles étaient jetés les prisonniers. On creusait parfois en supplément, au fond même d'une basse-fosse, un cachot souterrain : le cul-de-basse-fosse.

CUL-DE-LAMPE *n. m.* Les culs-de-lampe sont de petites gravures placées à la fin des chapitres ou dans les blancs de page. Ils ont été nommés ainsi en raison de leur forme triangulaire qui rappelle le culot des lampes d'église.

CUNÉIFORME *adj.* Apparue entre le Tigre et l'Euphrate quelque trente-cinq siècles avant J.-C., l'écriture cunéiforme est la plus ancienne forme d'expression connue et déchiffrée d'une langue sur un support matériel. Les Sumériens la mirent au point ; les Akkadiens l'adaptèrent à leur langue sémitique. Passage historique, charnière entre le symbole – religieux ou mathématique – et le signe écrit, le signe cunéiforme fut d'abord pictogramme (représentation stylisée d'objets renvoyant à des mots), puis idéogramme (représentation de l'idée par le signe écrit). Sa phonétisation progressive (processus de représentation écrite des sons de la langue) ouvrit la voie aux syllabaires puis à l'alphabet phénicien, qui inspira l'alphabet grec : l'écriture cunéiforme est la source de tous les systèmes d'écriture occidentaux. Le scribe sumérien écrivait sur des tablettes d'argile au moyen de calames, tiges de roseau coupées en V : d'où la dénomination des signes sumériens « en forme de coin » (du latin *cuneus,* coin).

CURULE *adj.* Dans l'Antiquité, certains hauts magistrats romains étaient dits curules à cause du privilège qui leur était accordé eu égard à leurs fonctions : ils disposaient, en effet, d'un siège incrusté d'ivoire, aux pieds recourbés disposés en X, appelé « siège curule ».

CYCLONE *n. m.* Jadis, le cyclone fut « une » ! Ce mot est dû au savant anglais Piddington en 1845 et est formé sur le grec *kuklos,* cercle. Le terme de cyclone s'applique à des dépressions tropicales et est caractérisé par des « rues de nuages ». Celles-ci se déplacent sur la mer en direction de l'ouest mais sont susceptibles de brusques changements de trajectoire. Par ailleurs, l'œil du cyclone, d'un diamètre de 5 à 50 kilomètres, est une zone calme et peu nuageuse au sein de laquelle les vents circulaires sont de faible importance. L'énergie déployée par un cyclone peut être de dix à quinze fois plus élevée que celle malheureusement dégagée par la bombe d'Hiroshima.

CYCLOPE Les Cyclopes sont des monstres de la mythologie grecque dont le nombre varie selon les légendes. Les auteurs s'accordent cependant sur leur œil, unique et rond. (Le mot cyclope vient du grec *kuklos,* rond, et *ôps,* œil.) Colosse et bon travailleur, le Cyclope n'a qu'un défaut : l'anthropophagie. Ulysse le savait, aussi inventa-t-il une ruse contre le Cyclope Polyphème pour s'échapper de la caverne où lui et ses compagnons étaient prisonniers.

CYNÉGÉTIQUE *n. et adj.* La cynégétique désigne l'art de la chasse. Ce mot est formé sur le terme grec *kunêgetikos* (de *kuôn, kunos,* chien, et *agein,* mener), signifiant mener les chiens, chasser.

CYNODROME *n. m.* Le cynodrome (du grec *kuôn, kunos,* chien, et *dromos,* terrain de course) est une piste aménagée pour la course des lévriers.

D

DAM *n. m.* Au grand dam de tout un chacun, certains mots, jugés obsolètes, sont tombés en désuétude. Dam est de ceux-ci. Il n'est plus guère attesté que dans la locution littéraire susnommée. Du latin *damnum,* « punition qui entraîne perte ou amende », dam signifie dommage, préjudice.

DAMASQUINAGE *n. m.* Originaire d'Orient, cet art décoratif, qui date de l'Antiquité, consiste à incruster des filets de cuivre, d'or ou d'argent à la surface d'objets métalliques divers (plateaux, écritoires, chandeliers...). Le damasquineur procède à froid. Il trace en creux un dessin, insère les fils de son choix avec un ciselet, puis martèle, lime et polit la pièce qu'il travaille. Le nom même de cette technique atteste l'importance qu'elle eut en Syrie, et notamment à Damas, au XIIe siècle.

DAME-JEANNE *n. f.* Quand dame-jeanne quitte son cellier, c'est bien souvent alourdie d'un bon vin de terroir. Cette « dame-bonbonne » protégée d'un panier d'osier doit son nom à une déformation phonétique du provençal *damajano,* demi-bouteille.

DANDYSME *n. m.* Le dandysme désigne un comportement social caractérisé par un raffinement et une élégance extrêmes. Les dandys répandirent au début du XIXe siècle une mode vestimentaire et esthétique. Ce groupe de jeunes aristocrates britanniques, dont le plus célèbre est George Brummell, s'érigeait avec impertinence en juge de la mode et du bon goût. Aujourd'hui, dandy reste synonyme d'homme suprêmement élégant.

DANTESQUE *adj.* Un paysage, un spectacle sont qualifiés de dantesques quand ils inspirent à la fois un sentiment de grandeur et un respect mêlé d'horreur. Cet adjectif fait référence aux terribles visions de l'au-delà évoquées par Dante Alighieri dans *la Divine Comédie* (1307-1321). Cette vaste fresque morale est un long poème de cent chants qui racontent le voyage du poète à travers les neuf cercles de l'enfer, puis sur la montagne du purgatoire, pour atteindre enfin les neuf cieux du paradis. En 1828, cinq siècles après la parution de ce chef-d'œuvre de l'humanisme chrétien médiéval, le terme dantesque fit son entrée dans la langue française, sous la plume de Charles Nodier.

DANTONISTE *n. et adj.* Par quelles étranges tribulations le nom de Danton est-il lié à l'idée d'indulgence ? La Révolution française, qui fit couler beaucoup d'encre et de sang, fit, contre toute attente, des partisans de Danton des modérés, des indulgents. Lorsque Robespierre instaura le régime de la Terreur, Danton en réclama la fin ; les dantonistes se retrouvèrent donc parmi les modérés, opposés aux enragés, partisans d'Hébert.

DARBOUKA *n. f.* La darbouka (ou derbouka), également appelée tabla, est un petit tambour en forme de cruche, à la sonorité sourde et sèche, très répandu dans les pays arabes. En terre glaise ou en cuivre, il est recouvert d'une membrane en peau de chèvre, de mouton ou de poisson, que l'instrumentiste frappe des doigts et de la paume.

DARIOLE *n. f.* La dariole est une petite pâtisserie feuilletée, garnie soit d'un flan au fromage, soit de crème frangipane ou de confiture légèrement parfumée à la liqueur. Par extension, on nomme également dariole le moule qui sert à la confection de ce gâteau.

DARWINISME *n. m.* Véritable révolution dans les théories sur l'origine et l'évolution du vivant, le darwinisme est à la base d'immenses progrès en biologie, parfois entachés de terribles dérives, comme la notion de déterminisme héridítaire (aujourd'hui réfutée). Le naturaliste anglais Charles Darwin, s'appuyant sur la théorie de l'évolution des espèces, de Lamarck, et sur ses propres observations, postula que les populations évoluent selon une « sélection naturelle », où seuls les sujets individuellement supérieurs survivent, transmettant ainsi les caractères favorables au fil des générations. On a aujourd'hui drastiquement remis en cause la thèse lamarckiste développée par Darwin sur « l'hérédité des caractères acquis », qui peut parfois mener à une conception raciste de l'évolution. Les changements biologiques sont aujourd'hui conçus comme des mutations par modification des structures génétiques, et non par conservation des variations à l'intérieur d'une même espèce.

DAZIBAO *n. m.* De tout temps, en dépit des répressions successives, l'influence de l'opinion publique eut en Chine une importance certaine. En effet, il était de règle d'exprimer au pouvoir, parfois à l'empereur lui-même, son opinion par voie d'affiches placardées dans toutes les rues ou sur les portes du tribunal. Tel fut, pendant un temps, le rôle du dazibao (journal en grands caractères) dans la Chine contemporaine. D'ailleurs son affichage fut garanti par la Constitution jusqu'en 1980. C'est un moyen et un symbole de contestation, de critique, mais aussi de revendication. Le dazibao affiché à Pékin, sur ce qui devait devenir le célèbre mur de la Démocratie, au cours du premier Printemps de Pékin (1978-1979), fut interdit en ce lieu lors de la répression et déplacé dans un jardin au nord de Pékin, plus difficile d'accès.

DÉBÂCLE *n. f.* Si l'on parle davantage, à l'heure actuelle, de la débâcle d'une entreprise, la débâcle désigne en fait au sens propre la rupture des glaces des cours d'eau gelés, qui se produit au printemps. D'ailleurs, une société en pleine débâcle ne voit-elle pas ses capitaux s'en aller à vau-l'eau ?

DÉBOIRE *n. m.* Dans son sens figuré, déboire (qui s'emploie surtout au pluriel) est synonyme de désagrément et de déception ; lesquels, si l'on voulait les oublier dans l'alcool, nous feraient rencontrer le « vrai » déboire : celui de l'arrière-goût désagréable d'une boisson. Jadis existait le verbe déboire, qui signifiait littéralement « rendre, vomir une boisson ».

DÉBONNAIRE *adj.* Nulle bonhomie, nulle bienveillance à l'origine de ce mot, mais la haute naissance. En effet, ce terme, attesté dans *la Chanson de Roland,* en 1080, désignait la bonne extraction : « de bon aire », du latin *area,* aire, nid. Faut-il penser, au vu du sens actuel, que bienveillance et clémence étaient considérées comme l'apanage des chevaliers et autres gens de haute lignée ? L'histoire du mot incite à le penser.

DÉCAMÉRON Recueil de contes de l'Italien Boccace (1313-1375), dont le titre, issu du grec *(deka,* dix, et *hêmera,* jour), situe l'œuvre dans sa durée. En effet, *le Décaméron* relate dix journées, qui fondent les dix contes de cette œuvre. Le thème : dix jeunes gens (sept femmes et trois hommes) se retirent dans les environs de Florence pour échapper à la peste, qui, en cette année 1348, sévit dans la ville. Prêts à mourir d'un instant à l'autre, ils décident de mener joyeuse vie. Chaque jour se passe ainsi en banquets, et le programme des festivités est fixé par le roi ou la reine de la journée. Au terme de ces dix jours, la peste régressant, chacun retourne à Florence, fort de cette expérience. Cette œuvre, modèle de prose pour tous les conteurs italiens, est une peinture des mœurs et de la vie au XIVe siècle.

DÉCHAULAGE *n. m.* Le déchaulage est une des opérations du tannage. Il consiste à nettoyer les peaux de la chaux dont elles ont été enduites, au cours du pelanage (voir ce mot), pour en faciliter l'épilation. Les cuirs sont échaulés au moyen d'agents chimiques acides (acides lactique, acétique, etc.).

DÉCONFITURE *n. f.* Une personne tombée en déconfiture se retrouve dans l'impossibilité de payer ses dettes : son actif est inférieur à son passif. Dans le langage courant, déconfiture est synonyme d'échec, de ruine, de délabrement. Le mot vient du verbe déconfire, qui, en ancien français, signifie « détruire, briser, défaire un ennemi ». On disait ainsi d'une armée victorieuse qu'elle avait infligé une déconfiture à l'ennemi. Du vocabulaire guerrier, ce terme est donc passé au vocabulaire juridique et économique, puis à la langue parlée.

DÉCULTURATION *n. f.* La déculturation est l'altération de l'identité culturelle d'un groupe ethnique. Plus de reflet des traditions, qui tombent dans l'abandon, dans l'oubli. Face au miroir ne reste que le vide, la perte.

DÉDALE Ce nom, aujourd'hui commun, vient de la mythologie grecque : Dédale, architecte, sculpteur et inventeur, est le héros légendaire auquel on attribue le début des arts. Coupable du meurtre de son neveu Thalos, il fut exilé d'Athènes et vint se placer sous la protection du roi Minos, en Crète, dont il devint l'architecte. Il réalisa alors le Labyrinthe, dans lequel Minos enferma le Minotaure. Pour avoir inspiré à Ariane l'idée du fil conducteur qui permettra à Thésée de sortir du Labyrinthe, il fut accusé de complicité et fut à son tour emprisonné, avec son fils Icare. N'étant pas à bout d'inventions, il fabriqua deux paires d'ailes, qui leur permirent de se sauver. On sait ce qu'il advint d'Icare.

DÉDIT *n. m.* Révocation d'une parole ou non-exécution d'un engagement, tel est le dédit, synonyme également de somme versée en compensation. Dans l'argot des grandes écoles et des fonctionnaires depuis le XIXe siècle, le dédit payé par toute personne qui quitte le service de l'État pour entrer dans des sociétés privées se nomme pantoufle.

DÉDUCTION *n. f.* Une déduction est un type de raisonnement qui cherche, à partir de propositions données (prémisses), à aboutir à une conclusion respectant les règles logiques du raisonnement effectué. Un exemple de déduction formelle est la transivité de l'égalité en mathématiques : si $A = B$ et $B = C$, alors $A = C$.

DEGRÉ CELSIUS Le degré Celsius (°C), appelé autrefois degré centigrade, est une unité de température correspondant à la centième partie de l'intervalle compris entre le point de fusion de la glace (0) et le point d'ébullition de l'eau (100). Cette échelle centésimale porte le nom du physicien et astronome suédois Anders Celsius : il fut le premier savant à imaginer un système de mesure des températures à partir de ces deux points fixes. Notons cependant que son thermomètre à mercure, fabriqué en 1741, marquait 0 au point d'ébullution et 100 au point de congélation de l'eau. Ce n'est que quelques années plus tard que Linné (voir ce mot) présenta le thermomètre à mercure à échelle ascendante, qui fut adopté officiellement en 1794.

DEGRÉ FAHRENHEIT Le degré Fahrenheit (°F) est une unité de température utilisée, en particulier, dans les pays anglo-saxons et correspondant aux 5/9 du degré Celsius. Les deux points fixes retenus pour l'échelle Fahrenheit sont le point de fusion de la glace (32 °F) et la température normale du sang (98,6 °F). Ce système dut sa popularité initiale au fait qu'en toute saison la température pouvait être donnée en nombres positifs. Par la suite, la fiabilité des instruments construits, au début du XVIIIe siècle, par le physicien allemand Daniel Fahrenheit, premier fabricant de thermomètres à mercure utilisant cette échelle, assura au degré Fahrenheit un succès durable.

DÉLÉTÈRE *adj.* Nuisances, intoxications, ravages, tels sont les effets des gaz délétères (du grec *dêlêtêrios,* destructeur). Nés avec le siècle, les gaz délétères sont parfois utilisés dans les conflits.

DÉLIRE *n. m.* Chemins de traverse empruntés de façon plus ou moins heureuse, plaisir de l'égarement, de la déraison, voire de l'ultime création, ou refuge de l'innommable douleur humaine près de divins fantômes, le délire fait battre la campagne autant que divaguer... Le sillon est quitté ! Tel est le sens de délire, dérivé du verbe latin *delirare,* « sortir du sillon ».

DELTACISME *n. m.* Trouble de la prononciation qui porte sur le son [t] et parfois le [d]. Ce mot est construit sur la lettre grecque *delta* (Δ), qui est l'équivalent du *d* français.

DÉMÉTER Fille de Cronos et de Rhéa, Déméter est la déesse grecque de la terre cultivée et du blé. Symbole de la fertilité, elle est l'une des divinités majeures du panthéon grec. En effet, son influence bénéfique sur les moissons est gage de prospérité pour la Grèce antique. Dans la mythologie romaine, elle sera identifiée avec la déesse Cérès.

DÉNÉGATION *n. f.* Principe mis en évidence par Freud, selon lequel l'individu, tout en exprimant des désirs et des pensées jusqu'alors refoulés, s'en défend en les niant. « Je ne dis pas que je veux sa mort. »

DENIER *n. m.* Autrefois monnaie romaine, le denier eut des fortunes diverses. Sous Saint Louis, des deniers en or, en argent, en bronze furent émis. Les deniers ne sont plus aujourd'hui monnaie sonnante et trébuchante ; sous leur forme plurielle, ils désignent désormais la monnaie, les sommes numéraires.

DÉONTOLOGIE *n. f.* La déontologie est l'ensemble des règles que les membres des professions libérales sont tenus d'appliquer dans leurs rapports avec leurs confrères et avec leurs clients ou patients. Du grec, *deon, deontos,* « ce qu'il convient », et *logos,* discours, la déontologie, dans le domaine médical, est énoncée dans un Code que tout médecin en exercice doit respecter sous peine d'être radié du tableau de l'Ordre.

DÉSINENCE *n. f.* Comme l'indique sa racine (du latin *desinere,* finir), la désinence est la terminaison d'un mot – substantif, adjectif ou verbe. Les désinences sont de deux sortes : casuelles pour les substantifs et les adjectifs, elles indiquent le cas, le genre, le nombre ; personnelles pour le verbe, elles marquent alors la personne, la voix, le temps et le mode.

DESSILLER *v. tr.* Dessiller les yeux de quelqu'un équivaut à le détromper, le désabuser, l'amener à voir un fait qui lui était caché ou l'éclairer sur ce qu'il ignorait. Cette expression est empruntée à la technique de dressage des faucons, auxquels on cousait les paupières. Par la suite, la vue leur était rendue.

DESTRIER *n. m.* Au Moyen Âge, lorsqu'un chevalier ne montait pas son cheval, en particulier avant le combat, il confiait sa monture à son écuyer, qui guidait l'animal de la main droite (*destre,* en ancien français), d'où le nom de destrier donné au cheval de bataille.

DÉTERMINISME *n. m.* Le déterminisme (de l'allemand *Determinismus*) est un concept philosophique développé à la fin du XVIIIe siècle par les Allemands et repris au XIXe siècle en France. Contrairement à la contingence, le déterminisme postule que lorsque sont réunies les conditions nécessaires à l'existence d'un événement, cet événement est lui-même nécessaire : il ne peut pas ne pas se produire. En épistémologie, le déterminisme est la base de l'explication de la méthode inductive des sciences expérimentales, « les mêmes causes produisent les mêmes effets », qui fonde la possibilité de donner à une expérience le statut de loi générale. Au XXe siècle, les sciences humaines ainsi que les progrès de certaines sciences expérimentales (mécanique quantique) et des mathématiques (probabilité) ont profondément remis en cause cette conception du monde, qui ferait de l'homme et de son Univers un simple ensemble de mécanismes immuables.

DÉTRACTEUR *n. et adj.* Critique de mauvaise foi dont le principal dessein est de diminuer quelqu'un, de lui nuire. Rien de positif dans la personne du détracteur. Loin d'ajouter, d'apporter quelque chose, ses jugements déprécient, rabaissent (du latin *detractor,* de *detrahere,* tirer en bas, retrancher de) celui qui en est l'objet.

DÉTREMPE *n. f.* Jadis, la peinture en détrempe était aussi nommée peinture à la colle. La détrempe est parmi les plus anciens procédés picturaux, la peinture à l'huile n'ayant été inventée par les Flamands qu'au XVe siècle. Cette substance est constituée de pigments broyés dans de l'eau auxquels on ajoute de la colle de peau ou de la gomme, liant et épaississant la matière ainsi obtenue.

DEUS EX MACHINA *n. m.* Le deus ex machina est, littéralement, « le dieu [descendu] au moyen d'une machine » ; ce terme de théâtre désigne toute intervention inattendue qui apporte une issue heureuse à une situation inextricable. L'expression comme le procédé nous viennent du théâtre antique. La tragédie grecque avait, en effet, souvent recours à un dieu pour résoudre des difficultés apparemment insurmontables. Ce dieu arrivait sur scène à l'aide d'une machine suspendue à une sorte de grue. L'apparition de Diane dans l'*Iphigénie en Tauride* d'Euripide ou celle d'Héraclès dans le *Philoctète* de Sophocle sont des exemples types de deus ex machina. Par extension, l'expression s'est ensuite appliquée à tout personnage ou tout événement inespéré venant dénouer une situation délicate, au théâtre ou dans la vie courante.

DEXTÉRITÉ *n. f.* Un gaucher plein de dextérité ? la chose eût paru autrefois impensable, paradoxale, tant la dextérité (du latin *dextre,* à droite) était considérée comme l'apanage des droitiers. Nulle habileté, nulle adresse chez le gaucher, auquel étaient dévolues la gaucherie et la maladresse. Ces préjugés ont disparu, la dextérité n'est plus soumise à aucune discrimination latérale.

DIACONAT *n. m.* Dans l'église catholique, le diaconat est le ministère, inférieur à la prêtrise, qu'exerce le diacre. Il est accessible aux célibataires et aux hommes mariés. Le diacre (du grec *diakonos,* serviteur) reçoit l'imposition des mains lors de son ordination. Il peut alors baptiser, distribuer l'eucharistie, bénir un mariage, présider le culte des fidèles, porter le viatique aux mourants, organiser les rites funèbres, mais il ne peut célébrer la messe ni donner l'absolution. Il porte un vêtement liturgique distinctif, une aube à manches courtes, la dalmatique, et une bande d'étoffe appelée étole sur l'épaule gauche.

DIANTRE *interj.* Jadis, si le nom de Dieu était sacré, celui du diable était tabou, d'où la pléthore de substituts nominaux pour désigner le « grand maléfique » ! Ainsi, diantre est une altération euphémique de diable, apparue au XVe siècle. Cependant, ce terme, qui était un juron, exprime depuis le XVIIe siècle l'exclamation, l'admiration, l'étonnement, voire l'affirmation.

DIAPASON *n. m.* Le diapason d'une voie, ou d'un instrument, est le registre des sons que celle-ci, ou celui-ci, peut produire, du plus grave au plus aigu. Ce terme vient, par l'intermédiaire du latin *diapason*, du grec *diapasôn*, qui constitue en fait l'abréviation de l'expression *dia pasôn khordôn*, « à travers toutes les notes ».

DIAPHANE *adj.* Un teint diaphane semble laisser passer la lumière, donnant à la peau une sorte de transparence. Ce terme littéraire confère en effet aux choses qu'il qualifie une certaine luminosité, un éclat subtil, puisqu'il signifie littéralement « qui brille à travers » (du grec *dia*, à travers, et *phainein*, briller).

DIASPORA Culture millénaire, la *diaspora* (exil, en grec) est de nos jours le résultat de la dispersion du peuple juif à travers l'Orient et l'Occident, qui débuta, en 587 avant J.-C., par l'exil forcé des Juifs à Babylone, après la destruction du premier temple d'Israël. La Grande Diaspora fit suite à la révolte ratée de Bar-Kokhba, en 132 après J.-C., et à la destruction de Jérusalem qui s'ensuivit. Pour un grand nombre, la Diaspora prit fin en 1948 avec la création de l'État moderne d'Israël. On utilise aujourd'hui le terme diaspora pour désigner la dispersion de tout peuple hors de son territoire historique.

DIATRIBE *n. f.* C'est Voltaire, le philosophe pourfendeur des idées de l'Ancien Régime, qui, au XVIIIe siècle, donne au mot diatribe son sens actuel de critique, satire, pamphlet. Le XVIe siècle était moins belliqueux, qui conservait au mot le sens originel du grec *diatribê*, c'est-à-dire « discussion, entretien philosophique ».

DICHOTOMIE *n. f.* Un des sens de dichotomie (du grec *dikha*, « en deux parties », et *tennein*, couper) provient du langage médical du début de ce siècle. En effet, ce terme désigne le partage illicite des honoraires consenti par le médecin consultant ou le chirurgien opérant au confrère lui ayant procuré le client, ou encore le partage illicite des honoraires entre le médecin et le laboratoire d'analyses.

DICTAME *n. m.* Le dictame (du grec *dictamnon*, de Dicta, montagne de Crète) est une plante aromatique d'Asie occidentale, proche de l'origan. Les Anciens le considéraient comme un vulnéraire puissant. Le langage poétique en fit une métaphore de la consolation.

DIFFAMER *v. tr.* Pour affaiblir leurs adversaires, certains n'hésitent pas à les couvrir d'infamie, à les accabler de calomnies, à les perdre de réputation, en un mot à les diffamer. Ce verbe vient du latin *diffamare*, décrier, formé sur le nom commun *fama*, renommée. Dans la société romaine, l'importance accordée à la *fama* de chaque homme libre était telle que la perdre était un terrible déshonneur.

DIGITALE *n. f.* La digitale pourprée, dite gant de Notre-Dame, est une plante de la famille des scrofulariacées, dont les fleurs, réunies en longues grappes, ont la forme de petits doigtiers écarlates. La digitaline, substance hautement toxique que l'on extrait de la plante, est utilisée, à petites doses, dans le traitement de certaines maladies du cœur.

DILAPIDER *v. tr.* Dilapider n'est point seulement se ruiner, mais effacer jusqu'aux traces de la ruine, jusqu'au souvenir de ce qui a été une fortune colossale semblable à un édifice (du latin *dilapidare*, « disperser les pierres d'un édifice »). Disperser les biens à tout vent anéantit ainsi les chances de reconstitution de l'avoir originel.

DILEMME *n. m.* Dans le dilemme – mise en présence de deux propositions contraires qui s'excluent l'une l'autre –, aucun compromis n'est possible. D'où la perplexité et l'embarras pour l'individu qui serait contraint à une solution radicale.

DINANDERIE *n. f.* Cet art doit son nom à la ville belge de Dinant, dans laquelle il prit son essort au Moyen Âge. La dinanderie consistait alors à couler des ustensiles ou des sujets décoratifs en laiton. On appelle aujourd'hui dinanderie la création d'objets divers en feuilles de métal martelées et incrustées.

DIPLODOCUS *n. m.* Le diplodocus était le principal représentant de la famille des diplodicidés. Gigantesque animal herbivore, le diplodocus vivait au bord des lagunes mais pouvait également « nager » dans des eaux peu profondes. Le moulage reconstitué d'un squelette de diplodocus mesure près de 26 mètres de longueur pour un poids d'environ 30 tonnes. Le mot diplodocus, de formation récente (1890) est composé des termes grecs *diploos*, double, et *dokos*, poutre, en raison des os doubles qui constituaient les vertèbres de l'animal.

DIPTYQUE *n. m.* Le diptyque est un ouvrage comprenant deux volets, sculptés ou peints, reliés par une charnière et pouvant se replier l'un sur l'autre (du grec *diptukhos*, plié en deux). Représentant essentiellement des sujets religieux, les diptyques se répandirent au Moyen Âge : les voyageurs les transportaient avec eux, le système de rabats assurant la protection des œuvres.

DISETTE *n. f.* La disette décime encore de nombreuses populations privées du minimum vital. L'origine du mot souligne combien l'état de manque qu'il désigne est un fléau. Disette viendrait du grec *disekhtos*, année bissextile, qui, dans l'esprit des Grecs, annonçait de grands malheurs.

DISQUISITION *n. f.* Une disquisition est une recherche, une investigation minutieuse. Le terme a été formé au XIVe siècle à partir des mots latins *disquisitio*, recherche, enquête, et *disquiere*, « rechercher en tous sens ».

DISRUPTIF *adj.* Ce qualificatif usité en physique désigne une décharge électrique brusque accompagnée d'une étincelle. La production de cette étincelle constitue une perte importante d'énergie.

DISSIDENCE *n. f.* D'un usage rare avant le XVIIIe siècle, le terme de dissidence, et plus particulièrement l'adjectif dissident, appartenait au vocabulaire ecclésiastique. Son emploi dans le domaine politique date de 1787 mais conserve le sens du verbe latin *dissidere*, « s'écarter, être en désaccord par rapport au dogme établi », et est toujours synonyme d'hérésie, de scission, de rébellion.

DITHYRAMBIQUE *adj.* Cet adjectif, chargé d'enthousiasme, d'ivresse, est un compliment des plus élogieux. Le dithyrambe était, dans l'Antiquité grecque, un chant choral en l'honneur de Dionysos (d'où l'appellation de Dithyrambos, surnom de Dionysos), d'une excessive passion. La tragédie est issue du dithyrambe dialogué.

DIVA *n. f.* Chanteuse sublime et fameuse au point d'être sacralisée, divinisée par son public (de l'italien *diva*, déesse). Voix prodigieuse, surhumaine, pourrait-on dire, tant l'éclat de la diva illumine la sphère musicale et éclipse les voix plus ordinaires.

DIXIELAND *n. m.* Le « pays de Dixie » (Dixieland) désigne l'ensemble des États du sud des États-Unis. À La Nouvelle-Orléans, ville principale de l'un d'eux, la Louisiane, se popularisa l'une des premières expressions de la musique populaire américaine : le dixieland jazz. Mêlant la jeune tradition du blues aux rythmes populaires européens (gavotte, polka, quadrille), les orchestres de dixieland se constituèrent un répertoire qui donna au jazz ses premières lettres de noblesse et ses premiers enregistrements (1917). Les *marching bands* (orchestres à pied) de La Nouvelle-Orléans se produisaient aussi bien pour des défilés de fête que pour des enterrements, aux cris de *He was a good timer !* (« C'était un bon vivant ! ») et *Put him in the hole !* (« Mettez-le dans le trou ! ») : retentissait alors un joyeux – et majestueux – *ramble* (littéralement, vagabondage).

DJAMI *n. f.* Ce terme de la langue arabe signifie mosquée. À l'origine, il désigne le lieu où se réunit l'assemblée des sages pour discuter et prier ; construite comme une simple habitation, d'abord semblable à celle du Prophète, la mosquée est moins le temple de Dieu que le lieu de réunion des croyants, pour la prière et l'adoration. La salle de prière est orientée vers La Mecque, et elle est marquée d'une niche dans le mur, le mihrab.

DJIHAD *n. m.* Tout musulman est appelé à une lutte permanente pour que soit appliquée sur terre la loi de Dieu. Le djihad désigne l'ensemble des efforts qu'il accomplira dans ce sens. Petit à petit, ce terme a été, à tort, appliqué exclusivement à l'effort militaire fait par la communauté islamique pour défendre son territoire. On a alors traduit abusivement ce mot arabe par « guerre sainte ».

DOCIMASIE *n. f.* Ce terme désigne aujourd'hui, dans le vocabulaire médico-légal, les tests qui sont pratiqués sur un cadavre afin de déterminer les circonstances de la mort. À l'origine, la docimasie (du grec *dokimasia*, épreuve) n'avait rien de macabre. Il s'agissait de l'examen que devaient subir les citoyens d'Athènes appelés à des emplois de fonctionnaires (archontes, stratèges, bouleutes, etc.).

DODÉCAPHONISME *n. m.* Le dodécaphonisme est une technique de composition créée entre 1908 et 1923 par Arnold Schönberg. Fondée à l'origine sur l'égale harmonie des douze demi-tons de la gamme chromatique, cette composition reposa ensuite (1923) sur le principe nouveau de la série, d'où l'appellation de musique sérielle. Succession fondamentale de douze sons différents, la série, sans répétition, peut se présenter sous quatre formes différentes, qui admettent elles-mêmes une transposition sur chacun des douze degrés. Outre Schönberg, les pionniers du dodécaphonisme sont Berg, Webern, Hauer et Krenek.

DOGMATIQUE *adj.* Tranchants, décisifs, sentencieux, ainsi sont perçus les propos dogmatiques. Désagréables pour qui les subit, ils témoignent néanmoins de la vanité et de la sottise de qui les produit. Intransigeance et intolérance ne sont alors jamais loin, rappelant ainsi le caractère originel du dogme (du grec *dogma*, opinion, décret).

DOLMEN *n. m.* Les dolmens (du breton *tol*, table, et *men*, pierre) sont un agencement de pierres en forme de table. Ils constitueraient une sépulture collective. On en distingue différents types : les dolmens à couloir (notamment dans l'ouest de la France), les dolmens à allées (Finistère, Morbihan), les dolmens simples (Morbihan). Déjà à l'époque de la pierre polie, de nombreux cimetières bretons étaient constitués par des dolmens.

DOMANIAL *adj.* Les biens domaniaux relèvent, par leur nature ou leur affectation, du domaine public, de l'État. À ce titre, ces biens ne peuvent devenir propriété privée.

DOMOTIQUE *n. f.* Si ce néologisme n'est pas encore rentré dans les têtes, il a pourtant depuis longtemps pénétré les foyers. Sans le savoir, des milliers d'individus bénéficient des avantages de la domotique, c'est-à-dire de l'application de l'informatique et de l'électronique au patrimoine domestique. Robots ménagers, télécommande, détecteurs divers : tels sont les fruits de cette science aujourd'hui en plein essor.

DON JUAN S'inspirant peut-être d'un fait divers relevé dans la *Chronique de Séville*, le dramaturge espagnol Tirso de Molina crée, au début du XVIIe siècle, le personnage de Don Juan, séducteur et impie, châtié par les foudres célestes. Les œuvres littéraires et les auteurs se succèdent, Don Juan devient une figure de légende. La pièce de Molière et *Don Giovanni*, l'opéra de Mozart, sont les interprétations les plus belles – sinon les plus connues – du mythe de Don Juan. Don Juan n'incarne pas seulement le séducteur, épris de toutes les femmes et multipliant les succès amoureux, mais le libre-penseur, le héros en quête d'absolu, qui revendique sa liberté jusque dans la mort.

DRACONIEN *adj.* L'histoire n'a guère rendu justice à Dracon, législateur athénien du VIIe siècle avant J.-C. En effet, une loi draconienne est aujourd'hui une loi répressive et empreinte d'une rigueur excessive. Mais cela ne reflète pas ce que fut l'homme. Chargé par le gouvernement de mettre fin au désordre et à l'injustice orchestrés par l'aristocratie, il édicta un Code, qui n'est resté célèbre que par la sévérité et la rigueur de ses peines.

DRAPEAU BLANC Le drapeau blanc n'est pas forcément le signe d'une capitulation ou d'une soumission. Ce drapeau peut être le signe d'une demande de pourparlers, ou bien garantir contre toute attaque les officiers qui vont parlementer.

DRUPE *n. f.* Ce terme scientifique désigne les fruits pourvus d'un noyau, qui renferme la graine, ou amande. Le modèle de ces fruits est l'olive, qui, selon certaines sources, serait le sens premier du mot drupe.

DUCASSE *n. f.* La ducasse est une fête patronale dont les attractions font la joie des petits et des grands dans le nord de la France. Si elle ressemble aujourd'hui à une fête foraine, elle avait autrefois un caractère religieux et s'appelait fête de la Dédicace. (Ducasse est une forme dialectale de l'ancien français *dicasse,* abréviation de dédicace.) Annuelle, elle avait toujours lieu à la même date, en mémoire de la consécration de l'église locale à un saint.

DUGONG *n. m.* Surnommé vache de mer, le dugong est un mammifère marin herbivore vivant dans l'océan Indien. La femelle du dugong, dotée d'une nageoire caudale et de mammelles pectorales proéminentes, est notamment à l'origine des mythes marins concernant les sirènes. Par référence à cet imaginaire populaire, les zoologistes ont appelé sirénien l'ordre auquel appartiennent le dugong ainsi que son cousin, le lamantin. Le terme vient du nom malais de l'animal, *douyoûng.*

DUPE *n. et adj.* Cet escroc cherche un pigeon, gardez-vous d'en devenir la dupe ! Le mot pigeon vous choque dans cette acception, il vous semble bien familier, tandis que le mot dupe n'a pas retenu votre attention. Et pourtant, lui aussi était, à l'origine, argotique. Pour vous, un pigeon est un volatile et rien d'autre. Mais une dupe, avant d'être une personne facile à abuser, était le nom que l'on donnait à la huppe, oiseau qui passait pour être des plus stupides. Les mots sont décidément bien trompeurs, ne soyons pas dupes !

E

EAU-FORTE *n. f.* L'eau-forte, ou plus scientifiquement l'acide nitrique, désigne aujourd'hui une technique de gravure, ou son résultat. Le procédé consiste en ceci : l'acide mord la plaque de cuivre – recouverte de vernis – aux endroits où une pointe a mis à nu le métal. Celui-ci, sous l'effet de l'acide, se creuse et ainsi permet l'impression. Le résultat obtenu est une estampe (voir ce mot).

EAU RÉGALE L'eau régale est un mélange d'acide nitrique et d'acide chlorhydrique. Cette composition possède le pouvoir de dissoudre l'or et est donc utilisée dans la technique de dorure à froid. Les fines particules d'or obtenues étaient-elles un privilège du roi ? Nul ne le sait, mais l'origine, elle, est royale (du latin *regalis,* royal).

ÉBRANLER *v. tr.* Dès *la Chanson de Roland* (1080) apparaît le verbe branler (contraction de *brandeler,* agiter). D'où viennent la force et la violence du sens contemporain d'ébranler : « faire trembler, secouer vivement, saper l'équilibre » ? Faut-il penser qu'elles sont inhérentes à toute mise en mouvement ? Des traces du sens ancien dans « ébranler l'imagination », c'est-à-dire « éveiller, mettre en mouvement, mettre en branle », témoignent en faveur de cette interprétation.

ÉBRÉCHER *v. tr.* Au XIIIe siècle, ce verbe est construit avec le préfixe *é-* ajouté au radical brèche (XIIe siècle), fracture. Le verbe *brécher* a sans doute existé, en ancien français, au sens de briser, mais de cette fracture interne, de cette faille ouverte, seul témoigne aujourd'hui le mot brèche, tandis qu'ébrécher se réduit à « écorcher l'extérieur, le bord ».

ÉCLECTISME *n. m.* L'éclectisme (du grec *eklektikos,* « qui choisit ») est une méthode philosophique qui cherche à établir une doctrine cohérente en choisissant des thèses diverses, empruntées à différents systèmes. La démarche éclectique existe aussi en art : elle s'appuie sur l'exploitation du mélange des styles du passé.

ECMNÉSIE *n. f.* L'ecmnésie est une maladie qui fait revivre au sujet qui en est atteint des scènes de son passé comme si elles étaient présentes. Ce trouble de la mémoire affecte notamment certains épileptiques et certains hystériques.

ÉCOLE (HAUTE) Le terme de haute école désigne l'équitation savante telle qu'elle est enseignée dans les écoles de Saumur ou de Saint-Cyr. Réservée aux cavaliers accomplis, cette pratique est celle qui, véritablement, confère à l'équitation ses lettres de noblesse.

ÉCROUER *v. tr.* Écrouer un individu revient certes à le mettre sous les verrous, mais c'est proprement dresser un acte d'écrou le concernant, c'est-à-dire inscrire sur un registre spécifique son état civil, ainsi que la date et le motif de son emprisonnement. L'écrou était à l'origine un bout de parchemin (du francique *skrôda,* morceau).

ÉCULÉ *adj.* Ce mot, apparu au XVIe siècle, est fabriqué à partir du préfixe *é-* et du radical cul (du latin *culus*) ; le sens actuel reste d'ailleurs très proche de l'origine : « usé jusqu'au talon, jusqu'au bout ».

ÉCUME *n. f.* Le mot écume vient d'un croisement étymologique entre la racine germanique *skum* (écume) et le latin *spuma* (écume, boue). L'écume désigne un certain nombre de phénomènes ou d'objets naturels qui ont pour point commun l'aspect d'une mousse blanchâtre. Ce terme s'applique aussi bien à la mousse qui se forme sur un liquide bouillant ou agité, ou à la surface des vagues, qu'à la bave de certains animaux, ou encore aux scories apparaissant sur les métaux en fusion. Suivant la même analogie, on a baptisé écume divers minéraux, et surtout une variété de magnésite qui sert à la fabrication de certaines pipes.

ÉDIT DE NANTES Cet édit, promulgué le 13 avril 1598 par Henri IV, témoigne de la volonté d'assurer légalement la condition de l'Église réformée et de ses membres. Il déclarait l'amnistie pleine et entière pour les anciens condamnés et le libre exercice de la religion. Cette liberté n'était cependant pas totale puisque interdiction était faite aux protestants d'exercer leur culte à Paris et dans ses environs ainsi que dans les résidences royales. L'autorisation leur fut donnée de construire des temples. Enfin, la discrimination autrefois en vigueur dans les universités disparut. Paix et justice semblaient désormais acquises aux protestants. Pourtant, le 17 octobre 1685, Louis XIV, pressé de toutes parts, révoquait l'édit de Nantes.

ÉDULCORER *v. tr.* Adoucir une substance amère en y ajoutant un élément sucré, doux. Employé au figuré, le terme développe cette même intention. Ainsi, on peut édulcorer ses propos, c'est-à-dire en atténuer la violence et émousser l'aspect par trop tranchant de certains mots.

EFFET DE SERRE L'effet de serre est un réchauffement de l'atmosphère provoqué indirectement par l'accroissement récent de la pollution atmosphérique. Ses conséquences écologiques sont néfastes et encore incalculables : modifications des écosystèmes, fonte des glaces polaires et augmentation du niveau des mers... Dans la serre du jardinier, les vitres laissent passer les rayons du soleil et retiennent la chaleur dégagée en retour par le sol : d'où augmentation et maintien de la température intérieure. Le dioxyde de carbone (CO_2) de l'atmosphère terrestre joue le même rôle à l'échelle de notre planète : la pollution industrielle a augmenté considérablement la proportion de CO_2 dans l'atmosphère, modifiant ainsi l'équilibre thermique Terre-espace.

EFFLORESCENCE *n. f.* Poétique est la racine (du latin *efflorescens*, fleur), mais peu esthétique l'acception moderne, qui désigne une éruption de pustules. Le phénomène d'épanouissement est similaire mais les conséquences sont bien différentes : tandis que les fleurs enchantent un paysage, les pustules défigurent un visage.

ÉGÉRIE L'inspiratrice d'un écrivain ou d'un artiste, la conseillère d'un homme politique est appelée une égérie, en souvenir de la déesse du Latium Égérie (Egeria en latin). Nymphe des eaux, elle donna, selon la légende, de précieux conseils au deuxième roi de Rome, Numa, pour établir les rites de la civilisation romaine. À la mort de ce législateur avisé, elle fut métamorphosée en source.

ÉGIDE *n. f.* Être sous l'égide d'une personne signifie être sous sa protection. Cette expression provient de la mythologie grecque. L'égide était le nom que portait le bouclier merveilleux de Zeus et d'Athéna.

ÉGOTISME *n. m.* L'égotisme est une manie qui consiste à mettre sans cesse en avant son moi (*ego*, en latin), à parler toujours de soi. Ce mot, d'origine anglaise, a parfois été confondu, à tort, avec le mot français égoïsme, qui signifie amour excessif de sa personne.

ÉGRUGEOIR *n. m.* Ce mot, qui date du XVIIe siècle, est un dérivé technique d'égruger, qui signifie réduire en poudre. L'égrugeoir est un petit mortier dans lequel on écrase le grain.

ÉLECTROCHOC *n. m.* Cette pratique, dite thérapeutique, est largement utilisée en France. Elle consiste à provoquer, à l'aide du courant électrique, une crise d'épilepsie artificielle. Le traitement par les électrochocs, ou sismothérapie, est employé notamment dans le cas de catatonie ou dans certains cas de schizophrénie.

ÉMAILLER *v. tr.* Émailler un discours de mots brillants consiste, tout comme dans la technique des émaux, à mettre en valeur l'objet initial, à en rehausser l'éclat.

EMBARGO *n. m.* Lorsque, à la suite d'une décision internationale, l'embargo est décrété contre un État, cela signifie que l'on suspend les exportations vers ce pays afin de faire pression ou à titre de sanction. Emprunté à l'espagnol (*embargar*, empêcher, saisir), ce terme désigna tout d'abord, en droit maritime, l'interdiction pour les navires étrangers de quitter le port dans lequel ils séjournaient.

EMBELLIE *n. f.* Ce nom, dérivé au XVIIIe siècle du verbe embellir, a d'abord un sens précis dans le langage des marins : « amélioration momentanée du temps et de l'état de la mer, dissipation de la brume, bonne visibilité, et apaisement du vent », il est proche du mot accalmie. Ce mot n'appartient plus au seul vocabulaire maritime et a des emplois figurés dans toutes sortes de domaines : économique, financier, voire artistique.

EMBROCATION *n. f.* Ce terme emprunté à la médecine désignait autrefois l'application d'un liquide gras sur une partie du corps malade. Passé dans l'officine, le mot désigne aujourd'hui le liquide lui-même.

EMBU *adj.* L'adjectif embu, du verbe emboire, qualifie une peinture ou un tableau dont les couleurs se sont ternies. Cette dégradation est due à l'absorption de l'huile, de l'essence par la toile. Généralement, on restaure le tableau endommagé en recouvrant les parties embues d'un vernis à retoucher.

ÉMINENCE GRISE Individu influent, conseiller secret qui, dans l'ombre, pèse sur les décisions et agissements publics d'une personne politique ou d'un parti, telle est l'éminence grise, à l'instar du père François Joseph du Tremblay, ministre (occulte) des Affaires étrangères sous Richelieu. Intime, mais plus encore « double » de Richelieu (l'Éminence), il s'en distinguait cependant par la couleur de sa robe (grise) et, par métaphore, par sa personnalité, « couleur de muraille », disait-on...

ÉMOLUMENT *n. m.* Autrefois profit, l'émolument devint peu à peu un dû. Les émoluments (au pluriel) désignent aussi bien le salaire perçu par tout travailleur que les honoraires encaissés par un avocat ou un notaire. L'émolument (au singulier) est le bénéfice retiré d'une succession. À l'origine, en effet, l'émolument était le profit que tirait le meunier de la vente de son grain (du latin *emolumentum,* entièrement moulu).

ÉMORFILER *v. tr.* Éliminer les aspérités restant sur le tranchant d'une lame après l'affûtage. Ces arêtes vives, inutiles, sont nommées morfil, d'où le terme émorfiler, ôter le morfil.

EMPIRE DU MILIEU L'Empire du Milieu désignait autrefois la Chine. Au VI-Ve siècle avant J.-C., on appelait « principautés du Milieu » *(zhongguo)* les territoires où résidaient des populations chinoises ; ils étaient bordés par la mer, le désert, mais également entourés de barbares (peuples non chinois). L'appellation *zhongguo,* pays central, sera conservée pour désigner l'espace chinois lors de son unification en 221 avant J.-C. L'idéogramme *zhong* représente une cible traversée par une flèche. Il désigne le centre, exprimant « justesse et précision », et le milieu, « modération et maîtrise ». Le « pays central », situé au milieu des barbares, est donc celui où règne la « juste modération de la civilisation », opposée aux débordements extérieurs.

EMPORTE-PIÈCE (À L') *loc. adj.* Une formule est à l'emporte-pièce lorsqu'elle est d'un style mordant, incisif. L'emporte-pièce est un outil qui sert à découper d'un seul coup des pièces dans des feuilles de diverses matières, métal, cuivre, etc. Il désigne également, aujourd'hui, l'instrument de cuisine qui permet de dessiner des formes dans de la pâte.

EMPYRÉE *n. m.* Si, dans l'Antiquité, cette partie supérieure du ciel passait pour être le séjour des dieux, l'empyrée désignait aussi, dans certains systèmes cosmologiques, la sphère céleste où se trouvait l'élément igné, comme l'atteste l'étymologie même du mot. Empyrée vient, en effet, du grec *empurios,* enflammé, brûlant, formé sur le mot *pur,* feu.

EMPYREUME *n. m.* Cette odeur, désagréable et écœurante, est caractéristique des matières organiques telles que les cheveux, les ongles, la peau en contact avec le feu.

ÉMULE *n.* L'ambition des candidats a bien changé depuis les origines (du latin *aemulus,* « qui cherche à égaler »). Désormais, il ne s'agit plus d'égaler mais de surpasser ; si la préparation de l'épreuve se fait solidairement, c'est bien seul que l'émule entend monter sur le podium.

ENCENS *n. m.* L'encens, ou oliban, est une gomme-résine que l'on extrait de l'écorce de certains arbres tropicaux de la famille des burséracées. Lorsqu'on le brûle, le plus souvent mélangé à d'autres résines aromatiques, il dégage une fumée très parfumée. Depuis l'Antiquité, il a été utilisé en l'honneur des dieux dans tous les cultes et en magie. L'Église l'adopta, dès le IVe siècle, pour symboliser l'élévation de la prière.

ENCYCLIQUE *n. f.* Une encyclique est une sorte de lettre circulaire (en grec, le mot *egkuklos* signifie circulaire) que le pape adresse aux évêques du monde et, par leur intermédiaire, aux fidèles. Ces textes ont donc valeur d'enseignement et parfois de mise en garde. Chaque pontificat est marqué par une ou plusieurs encycliques, que l'on désigne par ses premiers mots en langue latine : l'appréhension par les catholiques du monde ouvrier et des questions sociales, par exemple, est fondée sur l'encyclique de Léon XIII *Rerum novarum,* du 16 mai 1891, et sur celle de Paul VI *Populorum progressio,* du 26 mars 1967. Cent ans après l'encyclique de Léon XIII, Jean-Paul II a rendu publique une encyclique sur la question ouvrière, appelée *Centesimus annus.*

ÉNÉIDE (L') *L'Énéide,* œuvre maîtresse de l'Antiquité latine et symbole de l'identité romaine, fut composé par le poète Virgile (70-19 avant J.-C.) pendant les dix dernières années de sa vie. Inachevé, ce poème de douze mille vers fut publié sur ordre de l'empereur Auguste contre les dernières volontés de son auteur. Fortement inspiré de l'*Iliade* et de l'*Odyssée, l'Énéide* relate en deux parties de six chants chacune les aventures d'Énée, gendre du roi de Troie Priam ; chassé par la victoire des Grecs, il fonde la ville de Lavinium en Italie, au terme d'un fantastique périple méditerranéen. Virgile fit des descendants d'Énée les illustres fondateurs de Rome. Geste mythique et politique de la naissance de la culture romaine, *l'Énéide* fut perçu en son temps comme une épopée nationale ; l'œuvre n'en demeura pas moins un modèle poétique en Europe, jusqu'à la Renaissance.

ÉNERGUMÈNE *n. m.* « Quel énergumène ! » dit-on d'un enfant excité. Moins familièrement, on traite aussi d'énergumène un individu qu'agite une vive passion et qui la manifeste par des gestes furieux ou des discours exaltés. Ces acceptions sont édulcorées par rapport au sens étymologique du mot. L'*energoumenos,* en grec, était un homme tourmenté par de mauvais esprits. Ce sens reste employé en théologie pour désigner une personne possédée du démon.

ENFER *n. m.* Il est inutile de rappeler le sens de ce mot dans la religion chrétienne. Dans l'imaginaire, c'est un lieu souterrain, sombre, dont s'est inspiré Dante pour le premier livre de *la Divine Comédie.* Il n'est pas étonnant que ce terme ait été choisi pour désigner le département de la Bibliothèque nationale où sont déposés les livres interdits au public.

ENSEIGNE *n. f.* Lorsqu'un tournoi avait lieu, au Moyen Âge, les femmes encourageaient à leur façon le chevalier de leur choix. Elles détachaient de leur parure, qui un ruban, qui une écharpe, qui un colifichet, et le remettaient à l'élu. Ce porte-bonheur s'appelait enseigne ou faveur.

ENTER *v. tr.* L'opération que désigne ce verbe est une greffe qui insère un scion. Ce verbe (du XIIe siècle) a pour racine le mot grec *emphutos,* « planté dans ». C'est par la colonisation grecque de la Provence que ce verbe a dû autrefois s'installer dans notre langue, mais il a été évincé, d'abord par insérer (du latin *inserere*), pendant une époque, puis par greffer, à partir du XVIe siècle. Il reste aujourd'hui un terme spécialisé.

ENTÉRINER *v. tr.* Nul acte n'est juridiquement effectif s'il n'a été entériné, c'est-à-dire ratifié par une autorité compétente. Cet acte est donc bien le maillon dernier et essentiel d'une chaîne qui va de l'élaboration d'un projet jusqu'à l'affirmation de sa validité. Rendu entier (de l'ancien français *enterin,* entier), le texte a désormais les moyens de sa pleine effectivité ; pour l'efficacité, d'autres paramètres sont requis !

ENTITÉ *n. f.* Autrefois essence, nature d'un être, l'entité est devenue pour les modernes une idée abstraite et à ce titre un peu dépréciée. Il est certes permis de douter de la réalité des entités mais du moins peut-on les penser. Ainsi pourra-t-on aisément, en faisant abstraction de toute situation concrète, penser la force, la justice, la famille.

ENTREGENT *n. m.* Telle personne qui s'insinue de manière adroite dans une société, s'y créant des relations utiles, possède de l'entregent. Cette expression, empruntée au vocabulaire de la fauconnerie, désigne la période durant laquelle le jeune faucon doit apprendre à rester « entre les gens » sans s'effrayer de leur présence. En ce qui concerne les individus, la science de se conduire parmi les gens a abouti à l'art de les manipuler subtilement.

ÉPACTE *n. f.* L'épacte est l'âge de la lune au 1er janvier de l'année. Pour compter, on a institué le jour de la nouvelle lune comme point zéro. Cet âge donne le nombre de jours à ajouter à l'année lunaire pour qu'elle s'accorde à l'année solaire.

ÉPATANT *adj.* Ce participe présent, devenu adjectif, est récent en français : il date du milieu du XIXe siècle. Le verbe épater, lui, est ancien (XVe siècle) avec le sens propre de « priver d'une patte » (formé de *é-* et patte), puis celui de « aplatir en élargissant la base ». Ce sens est conservé dans un nez épaté, ou l'épatement d'une silhouette. Le sens figuré d'étonner, d'émerveiller apparaît en 1835, c'est celui du verbe aujourd'hui ; épatant, en revanche, après avoir connu un emploi glorieux de superlatif dans la langue courante, s'est un peu érodé ou est passé de mode.

ÉPICURIEN *n. et adj.* L'épicurien d'aujourd'hui est un homme qui recherche assidûment les plaisirs sensuels, un jouisseur, un hédoniste, qui fait du plaisir une valeur suprême. À l'origine, pourtant, la philosophie épicurienne se situait à l'opposé d'une telle morale. Les disciples du philosophe grec Épicure s'appliquaient à mener une vie frugale et austère, à réduire leurs besoins et leurs désirs, à atteindre la paix de l'âme grâce à un certain ascétisme. Le poète latin Horace voulut tourner en dérision les prétendus adeptes d'Épicure, qui résumaient sa doctrine à une jouissance sensuelle, en les appelant les « pourceaux d'Épicure ». C'est ce sens qui est passé à la postérité.

ÉPIGONE L'épigone d'un artiste, d'un maître à penser n'est qu'un pâle successeur, un imitateur sans grand talent personnel. Le terme comporte très souvent, aujourd'hui, une connotation péjorative. À l'origine, pourtant, Épigone, du grec *epigonos,* descendant, était le nom donné à chacun des héros mythiques de la seconde expédition contre Thèbes. Ils étaient les fils des sept célèbres chefs partis à l'assaut de Thèbes pour rendre à Polynice, le fils incestueux d'Œdipe, le trône usurpé par son frère, Étéocle. Dix ans plus tard, à l'instar des sept guerriers, les Épigones marchèrent sur Thèbes, dont ils parvinrent, cette fois, à s'emparer, vengeant ainsi leurs pères morts lors de la première expédition.

ÉPIGRAMME *n. f.* À l'origine, une épigramme n'était pas ce bon mot, aussi laconique qu'incisif, qu'on lance dans une conversation. Il s'agissait, dans l'Antiquité, d'un texte assez court pour être gravé sur une pierre (le mot grec *epigramma* signifie inscription). Mais, au fil des siècles, l'épigramme devint un petit poème terminé par un trait piquant. L'acception actuelle du mot vient de cette pointe finale satirique.

ÉPIGRAPHE *n. f.* Le mot épigraphe est d'origine savante, en français, c'est-à-dire qu'il a été emprunté tardivement (XVIIe siècle) au grec *epigraphê.* On reconnaît d'ailleurs le suffixe -graphe, écrire, et le préfixe épi-, sur. Une épigraphe est une inscription sur un monument ou une tombe : certaines des grandes découvertes sur l'écriture ou les civilisations anciennes doivent beaucoup à l'épigraphie, science qui complète l'histoire en déchiffrant les traces du passé.

ÉPIPHANIE L'Épiphanie est une fête chrétienne, d'origine orientale, célébrée au début du mois de janvier. Appelée aussi jour des Rois, elle commémore la manifestation (tel est le sens du mot grec *epiphania*) de Jésus aux Mages. L'Évangile raconte comment trois rois étrangers, guidés par une étoile, allèrent trouver l'Enfant Jésus pour se prosterner devant lui. Dans de nombreux pays, on mange, ce jour-là, une galette dont on fait attribuer les parts aux convives par un enfant caché sous la table (appelé le petit roi ou l'enfant-soleil) ; le sort désigne ainsi le roi de la tablée. Cette tradition remonte peut-être au culte solaire pré-chrétien, dont une des fêtes majeures avait lieu le 6 janvier.

ÉPISCOPAT *n. m.* L'épiscopat est la fonction qu'exerce l'évêque à la tête de son diocèse. Ce rôle est triple. L'évêque (du grec *episkopos,* surveillant), en tant que successeur des apôtres, se voit confier des tâches d'enseignement, de sanctification et de gouvernement. En pratique, il donne le sacrement de confirmation, consacre les églises, bénit le saint chrême, ordonne les prêtres, les diacres, etc.

ÉPITOMÉ *n. m.* L'épitomé est à l'histoire ce que le bréviaire est à la religion : un abrégé (du grec *epitomê,* abrégé).

ÉQUANIMITÉ *n. f.* Cette sérénité, calme intérieur que connaissent certaines personnes et que rien ne parvient à troubler, est liée à une humeur toujours stable. Ce terme vient du latin *aequus,* égal, et *animus,* âme, et signifiait en effet « âme égale ».

ÉREINTANT *adj.* Labeur dur, harassant et par trop exténuant, dont le corps sort vermoulu, les reins rompus... Tel était également le sens du verbe *érener,* « rompre les reins », en ancien français.

ERGASTULE *n. m.* Bâtiment romain, souvent souterrain, utilisé comme prison. Destinés tout d'abord aux esclaves agricoles – afin d'éviter la sédition, on les y enfermait la nuit –, les ergastules accueillirent plus tard toutes sortes de captifs ; parmi eux, des condamnés aux travaux forcés et publics. Les hommes libres n'avaient en principe pas place dans les ergastules, mais des abus divers entraînèrent la présence de certains d'entre eux dans ces lieux.

ÉRISTIQUE *n. f.* Choc des idées, éclats verbaux, stimulation intellectuelle. L'éristique (du grec *erizein,* disputer, débattre) qualifie l'art de la controverse. De même nommait-on éristiques dans l'Antiquité grecque les philosophes de l'école de Mégare.

ERRATIQUE *adj.* Vagabondage incessant d'une douleur erratique (du latin *erraticus,* errant), qui s'apaise en un point pour s'activer en un autre.

ERSATZ *n. m.* Ce mot, banal en allemand (remplacement), est chargé d'une sinistre mémoire en français. Tristement immortalisé par la Seconde Guerre mondiale, ce terme désignait les produits alimentaires de remplacement. La guerre est finie mais l'ersatz a gardé son goût de « si peu » et aujourd'hui encore évoque l'absence, le manque.

ESBIGNER (S') *v. pr.* S'enfuir précipitamment, détaler à toutes jambes, en somme : s'esbigner (de l'italien *svignare,* « s'enfuir de la vigne » comme un voleur).

ESCARCELLE *n. f.* Si c'est au sens figuré que l'argent tombe aujourd'hui dans notre escarcelle, les espèces sonnantes et trébuchantes étaient au Moyen Âge véritablement déposées dans une bourse appelée escarcelle. Portée à la ceinture, l'escarcelle dut son nom à sa fonction de gardienne du pécule : le mot italien *scarcella* signifie « petite avare ».

ESCHATOLOGIE *n. f.* L'eschatologie (du grec *eskhatos,* dernier, et *logos,* discours) est l'étude, d'une part, de la destinée de l'homme après sa vie terrestre, d'autre part, de la fin du monde. On distingue ainsi l'eschatologie individuelle de l'eschatologie collective. L'au-delà suscite tant d'interrogations que nombreuses sont les religions qui proposent des explications eschatologiques.

ÉSOTÉRIQUE *adj.* Les disciples de Pythagore se divisaient en deux groupes dont l'un, le groupe ésotérique (du grec *esôterikos,* intérieur), était celui des initiés. Pour qui avait le privilège d'y entrer, les ténèbres de l'ignorance se dissipaient, découvrant la lumière. Plus tard, le terme ésotérique qualifia les doctrines enseignées aux seuls élus, et donc obscures aux profanes. Ce sont eux qui, de l'extérieur, ont donné au terme ésotérique le sens d'obscur, d'incompréhensible, que nous lui connaissons aujourd'hui.

ESSE *n. f.* Une esse est un crochet de métal en forme de... *s.* Parfaite homonymie ? oui, mais fortuite et tardive : l'origine est *helza,* qui en haut allemand signifie « poignée d'épée ».

ESTACADE *n. f.* L'estacade (de l'italien *stecca,* pieu) était un obstacle destiné à interdire l'accès d'un port à une flotte ennemie. Ce barrage se composait de poutres de bois, pilotis et flotteurs, reliés entre eux par des chaînes de fer et parfois munis de chevaux de frise (voir cheval). Pour être efficace, cette arme défensive devait être complétée par des filets sous-marins. Prenant peu à peu la forme d'une digue, l'estacade ne protège plus aujourd'hui la côte que des vagues trop violentes.

ESTAMPE *n. f.* Estampe est le terme général désignant toute image reproduite au moyen d'un procédé permettant sa duplication (sérigraphie, lithographie, pointe-sèche, eau-forte...). Une estampe est dite originale lorsque la planche (papier, bois, cuivre, zinc, pierre) destinée à son impression a été exécutée intégralement à la main par l'artiste. L'estampe est apparue en Occident à la fin du XIVe siècle. En Chine, l'estampe la plus ancienne date de 868, époque de la dynastie Tang, au cours de laquelle l'imprimerie xylographique vit le jour.

ESTRAPADE *n. f.* L'estrapade est un supplice qui consiste à hisser le supplicié en haut d'un mât et à le laisser retomber, à plusieurs reprises, à une faible distance du sol. Outre la peur, ce supplice causait de grandes douleurs dans les membres. En usage dans les armées françaises au Moyen Âge, l'estrapade cessa d'être employée en 1687, mais donna son nom à la place parisienne pourvue de cette potence, où, sous les yeux du public, les soldats rebelles payaient le prix de leur insoumission.

ÉTALON *n. m.* Les unités de mesure ont toujours été rapportées à des étalons, objets ou instruments de référence. L'usage des étalons universels ne s'est imposé qu'aux XVIIIe et XIXe siècles. Aujourd'hui, les unités du système international (voir système) sont définies à partir d'étalons fondamentaux, en petit nombre, et d'étalons auxiliaires, intermédiaires qui transmettent la valeur des fondamentaux aux utilisateurs. Ils doivent être invariables ou soumis à des variations très faibles et reproductibles. Les méthodes et mesures des étalons se renouvellent toujours. L'étude des étalons se fait dans les laboratoires nationaux de métrologie, supervisés par le Bureau international des poids et mesures.

ETHNOLOGIE *n. f.* L'ethnologie est l'étude descriptive et comparative des différents groupes humains. Au carrefour de nombreuses disciplines (sociologie, linguistique, ethnographie), l'ethnologie s'attache à dégager les lignes générales des structures et de l'évolution des sociétés. Plusieurs courants coexistent : certains étudient plus particulièrement les aspects socio-religieux, d'autres les aspects linguistiques. Étranger et étrangeté ont longtemps été les maîtres mots de l'ethnologie, qui n'étudiait alors que les sociétés non occidentales. Aujourd'hui, les ethnologues français s'intéressent à leurs origines, et les provinces de l'Hexagone deviennent à leur tour des objets d'étude.

ETHNOPSYCHIATRIE *n. f.* Fondée sur le postulat de l'universalité des mécanismes psychiques, l'ethnopsychiatrie est le regard porté par la psychiatrie sur les sociétés non occidentales. L'enjeu est la mise en relief des facteurs ethniques et de leur importance dans l'apparition des maladies mentales. Différence et singularité des cultures ; ainsi, des rites de guérison instaurés par certaines sociétés traditionnelles se reflètent dans le miroir de l'ethnopsychiatrie, lui permettant un retour permanent sur ses propres pratiques. Sorte de dialectique où la vie se déploie en investigations, en hypothèses multiples.

ÉTHOLOGIE *n. f.* Introduit par le naturaliste I. Geoffroy Saint-Hilaire (1772-1844), le terme éthologie désigne étymologiquement l'« étude des mœurs ». Consacrée par les naturalistes à l'observation des mœurs animales dans leur milieu naturel, l'éthologie se heurta aux tenants de la psychologie scientifique, qui ne considéraient le comportement animal que comme le résultat d'une mécanique, un ensemble de réflexes conditionnés (Pavlov, 1902). Les fondateurs de l'éthologie moderne, K. Lorenz et N. Tinbergen, réintroduisirent la notion d'instinct en étudiant l'évolution des comportements animaux propres à chaque espèce. La théorie de Lorenz suppose l'existence de « déclencheurs » innés régissant les rapports sociaux et environnementaux d'une espèce, ainsi que la spontanéité de l'instinct (l'appétit, notamment).

ÉTIAGE *n. m.* À l'inverse de la décrue, qui est la baisse normale du niveau des eaux d'un fleuve ou d'un cours d'eau après une crue, l'étiage est une diminution exceptionnelle du débit des eaux résultant d'une absence prolongée de précipitations.

ÉTIOLER *v. tr. et pr.* Comme la plante, qui, privée de lumière et d'air, dépérit progressivement, l'individu qui s'étiole devient exsangue et sans forces. Affaibli, pâle et chétif, il est alors comme la tige de chaume (en latin, *stipula,* qui a donné en français éteule et étioler) laissée à terre.

ÉTOUPER *v. tr.* Ce verbe désigne la même activité que calfater (voir ce mot), dans l'entretien des bateaux. Boucher avec de l'étoupe, c'est garnir les joints et les interstices de la coque avec de la filasse de chanvre ou de lin pour la rendre étanche.

ÉTUVE *n. f.* Cette pièce est une étuve ! Chaleur, vapeur, en cette étuve on étouffe à peine moins qu'aux bains... de vapeur, l'*estuve* en ancien français.

EUCHARISTIE *n. f.* Commémorant le geste du Christ lors de son dernier repas avec les apôtres, l'eucharistie est le sacrement par lequel le chrétien reçoit une nourriture spirituelle, à savoir le corps et le sang de Jésus, sous la forme du pain et du vin. Si les catholiques croient en la transsubstantiation (voir ce mot), les protestants la rejettent.

EUGÉNISME *n. m.* L'eugénisme – terme dans lequel on retrouve la racine du latin *gens,* race – est une théorie qui vise à améliorer le patrimoine génétique des populations ou des familles en effectuant une sélection des gènes. Deux tendances se dégagent. L'eugénisme positif prône la reproduction de gènes bénéfiques (par exemple le fort quotient intellectuel). L'eugénisme négatif a pour objectif de supprimer les gènes désavantageux (malformations congénitales...). La constitution de banques de sperme offre déjà quelques possibilités allant dans ce sens. Mais la systématisation de cette théorie est inenvisageable aujourd'hui et semble incompatible avec l'éthique médicale.

EUNUQUE *n. m.* Surveillants et gardiens du harem ou du gynécée chinois, tel était le cruel destin des eunuques (du grec *eunê,* lit, et *ekhein,* garder, « gardien du lit des femmes »). L'opération qu'ils subissaient était des plus brutales et irréversibles, puisqu'ils étaient émasculés. Illustres figures des palais orientaux, les eunuques ont eu souvent une influence prépondérante dans les affaires de l'État.

EUNUQUE GARDIEN Les eunuques gardiens sont des insectes atteints d'une atrophie des organes reproducteurs et non victimes d'une castration comme leurs homologues humains. Leur tâche est cependant plus ardue : leur principale fonction est certes d'être des gardiens, mais elle n'est pas la seule. Ils sont aussi constructeurs et défenseurs du nid ; travailleurs infatigables dont l'importance n'avait pas échappé aux Anciens, qui les nommaient mulets.

EUPHUISME *n. m.* Emprunté à l'anglais *euphuisme,* ce terme d'usage littéraire vient du titre d'un ouvrage célèbre de John Lyly, *Euphues, or the Anatomy of Wit* (*Euphues, ou l'Anatomie de l'Esprit,* 1758). L'auteur y fait l'éloge d'un style maniéré très en vogue dans l'Angleterre élisabéthaine, mélange de sentences moralistes et d'une prose saturée d'allitérations et d'assonances. Le nom d'Euphues fut lui-même formé sur le grec *euphuês* (« qui est vigoureux, a de bonnes dispositions »).

EURYTHMIE *n. f.* Comme l'exprime l'étymologie (du grec *eu,* bien, et *ruthmos,* rythme), l'eurytmie est une harmonieuse combinaison de sons, agréable à entendre.

ÉVANGILES Les Évangiles sont les livres canoniques des quatre évangélistes, Matthieu, Marc, Luc et Jean. Ils contiennent l'enseignement de Jésus destiné aux hommes. Cet enseignement fut consigné et divulgué par les apôtres de Jésus, chargés de diffuser la bonne parole (du grec *euaggelos,* « qui apporte une bonne nouvelle »). Ce terme est encore employé pour désigner le Nouveau Testament, par opposition aux Écritures (Ancien Testament).

EXACTION *n. f.* L'individu se livrant à des exactions outrepasse ses droits. S'arrogeant des droits sur des biens ou des personnes, il s'en empare par la force ou la violence. Exigence autrefois légitime, puisqu'il s'agissait de la procédure de recouvrement d'une dette, l'exaction (du latin *exactum,* supin de *exigere,* « pousser jusqu'au bout, exiger ») est désormais délit, crime, reconnu et sanctionné.

EXÉCUTEUR DES BASSES ŒUVRES La langue fonctionne souvent par antithèse ; la preuve en est, l'exécuteur des hautes œuvres désignant le bourreau (voir ci-dessous), par ironie, l'expression « l'exécuteur des basses œuvres » est apparue, manifestant plutôt le point de vue du condamné !

EXÉCUTEUR DES HAUTES ŒUVRES Dès 1953, le bourreau était appelé l'« exécuteur de la haute justice » puisqu'il accomplissait le jugement prononcé ; l'expression était à la fois plus solennelle et moins brutale que le mot bourreau, dérivé du verbe *bourrer,* frapper. Victor Hugo écrit dans la préface du *Dernier Jour d'un condamné* « l'exécuteur des hautes œuvres » ; mais, de

nos jours, l'expression est ironique ou métaphorique, cependant que le mot exécuteur est un terme juridique précis.

EXHORTATION *n. f.* Incitation verbale, discours plein de fougue et de conviction qui se veut lui-même convaincant, ou encouragements très pressants qui, parfois, prennent l'allure d'un sermon.

EXISTENTIALISME *n. m.* Ce terme, créé en 1927 par Heidegger, désigne les doctrines philosophiques dont l'objet est « l'existence de l'homme dans le monde ». À l'homme, l'existence est d'emblée donnée mais pas l'essence, forgée au fil de la vie. Trouver, donner sens à sa vie, telle est l'essence de l'homme. Cette tâche est aussi liberté suprême, celle de « se choisir par un libre engagement ». Situation absurde donc, où l'homme est condamné à être libre. Néant et angoisse sont les corollaires de l'existence. Les grands représentants de l'existentialisme, outre Heidegger, sont : Kierkegaard, Jaspers, Marcel, Sartre, Merleau-Ponty.

EXPÉDIENT *n. m.* Ce mot du XVIe siècle est tiré du verbe expédier, « terminer rapidement une affaire ». En revanche, un expédient est un moyen d'arriver à ses fins ou de se sortir d'embarras. On voit comment s'est fait le glissement de sens : l'idée de rapidité contenue dans le verbe s'est changée, dans le nom, en celle d'ingéniosité, de créativité, d'astuce dans la recherche de solutions à quelque difficulté. Un expédient peut aussi prendre une couleur péjorative, peu recommandable.

EXTRINSÈQUE *adj.* Comme l'exprime la racine (du latin *extrinsecus,* de dehors), l'élément extrinsèque est un élément adventice, n'appartenant pas à la chose mais s'y ajoutant pour la compléter ou l'enrichir. Cette extériorité n'invalide pas l'importance des caractères extérieurs, mais leur confère un aspect arbitraire et relatif.

EX-VOTO *n. m.* Un ex-voto est un objet auquel on confère une vocation religieuse en le marquant d'une formule de reconnaissance en remerciement d'une grâce obtenue ou d'un vœu exaucé. L'ex-voto est ensuite placé dans un lieu saint. Le mot vient d'une formule de dédicace en langue latine, courante dans les inscriptions monumentales : *ex-voto suscepto,* « suivant le vœu fait ».

FABRICIEN *n. m.* Membres de la fabrique d'une église, les fabriciens avaient pour charge d'administrer les biens paroissiaux, avec les marguilliers. À la différence de ceux-ci, qui appartenaient au clergé, les fabriciens étaient laïques. Tandis que, sous l'Ancien Régime, ils étaient élus par les paroissiens, après la Révolution, ils étaient nommés par l'évêque et le préfet. Ils formaient alors une assemblée délibérante, appelée conseil de fabrique. Ces conseils disparurent en 1905, au moment de la séparation des Églises et de l'État ; ils furent remplacés par des conseils paroissiaux.

FACTOTUM *n. m.* Autrefois homme à tout faire (du latin *fac,* fais, et *totum,* tout), le factotum a vu sa fonction évoluer. Désormais, il est majordome, intendant, et veille à ce que tout soit fait dans un domaine ou une demeure. L'exécution n'est plus sa tâche, il en laisse le soin à d'autres.

FACTUM *n. m.* À l'origine, recueil consignant les actes d'un procès : attaques et défenses, le factum est devenu au fil des siècles un pamphlet, une diatribe. Autrefois très pratiqué, le factum se fait aujourd'hui plus rare. Information de masse, privilège accordé aux joutes oratoires et télévisées plutôt qu'aux débats de plume semblent être les raisons de sa rareté.

FAIM-VALLE *n. f.* On dit d'un individu affamé qu'il a une faim de loup, on pourrait tout aussi bien dire de lui qu'il a une faim de cheval ! En effet, la faim-valle, qui désigne une faim impérieuse, était, dans le langage des vétérinaires, le trouble qui obligeait certains chevaux à s'arrêter subitement et à ne repartir qu'après avoir mangé tout leur soûl. Aussi a-t-on vu dans faim-valle une déformation du latin *fames caballi,* « faim de cheval ». Cependant, ce mot vient plus probablement du nom faim et du bas breton *gwall,* mauvais. Ces deux mots réunis se seraient également transformés en *faimvale* et *faim-gale,* qui ont donné faim-valle et fringale.

FAISANDAGE *n. m.* Le faisandage consiste à conserver à l'air libre, pendant plusieurs jours, du gibier fraîchement tué pour ne le préparer qu'au moment où sa décomposition est amorcée. Cette technique culinaire, peu hygiénique, donne à la viande tendreté et saveur.

FALUCHE *n. f.* Ce béret plat, en velours noir, que portaient traditionnellement les étudiants a disparu des universités françaises ; daté de la fin du XIXe siècle, rare jusqu'en 1940, le mot vient sans doute d'une métaphore alimentaire tirée d'un dialecte du Nord, où la faluche désignait une galette.

FANFRELUCHE *n. f.* Bagatelle, ornement de peu de valeur porté pour rehausser l'éclat d'un vêtement. Parures légères, fragiles comme des bulles d'air (du bas latin *famfaluca,* dérivé du grec *pompholux,* bulle d'air), les francheluches passent très vite, destinées au seul plaisir de l'instant.

FANTASMAGORIE *n. f.* La fantasmagorie, créée à Paris par le physicien Étienne-Gaspard Robert à la fin du XVIIIe siècle, est sans doute un des ancêtres du cinéma. Ce spectacle reposait sur des illusions d'optique dont l'effet sur les spectateurs était renforcé par une série de bruitages et de trucages. Les Parisiens furent très vite conquis par l'atmosphère troublante et surnaturelle de ces représentations. C'est en masse qu'ils allaient frissonner dans une salle obscure, devant un écran transparent sur lequel apparaissaient et s'évanouissaient des fantômes lumineux et des créatures diaboliques.

FARFADET *n. m.* Lutin espiègle, esprit taquin, le farfadet, qui prend souvent l'apparence d'un feu follet, appartient au monde merveilleux des fées. Le mot farfadet vient d'ailleurs du provençal *fadet,* feu follet, dérivé de *fado,* fée.

FATUM *n. m.* Le fatum symbolise l'inflexibilité de la destinée humaine, tracée d'avance. Dans la mythologie romaine, le fatum est l'expression sacrée du destin, l'oracle qui traduit la volonté divine, face à laquelle l'homme ne peut que se soumettre.

FAX *n. m.* Le fax est un système de communication appelé à se développer de plus en plus, étant donné sa facilité d'emploi et sa rapidité d'exécution. Abréviation de téléfax, le mot fax est dérivé de fac-similé, qui vient de la phrase latine *fac simile,* « fais la même chose ». Qu'attend-on d'autre de son télécopieur ?

FELLAH *n. m.* Ce terme désigne un paysan ou un petit propriétaire agricole du Maghreb et des pays arabes (de l'arabe *fallâh,* cultivateur, laboureur).

FESSE-MATHIEU *n. m.* N'attendez pas un sou d'un fesse-mathieu ! Ce ladre cherche à thésauriser, et tous les moyens lui sont bons pour amasser du gain, même battre saint Mathieu, qui passait pour avoir été changeur avant sa conversion.

FÉTICHISME *n. m.* Ce terme, aujourd'hui péjoratif, témoigne de l'incompréhension et de l'intolérance de l'Occident chrétien à l'égard des sociétés traditionnelles. En effet, le fétichisme désignait autrefois la vénération, le culte des fétiches, c'est-à-dire des idoles symbolisant ou personnifiant les puissances révérées dans ces sociétés. Masques, totems, statues : tous objets de peu de valeur aux yeux des Occidentaux, qui ne leur reconnaissaient aucune dimension sacrée ni magique... jusqu'à l'apparition de la psychanalyse. Le fétichisme fut dès lors conçu comme l'attachement excessif et exclusif manifesté par un individu à l'égard d'un objet ou d'une pratique. Le caractère sacré, magique, est présent au sens où cette conduite est vécue comme efficiente, agissante, par le seul fétichiste.

FEUILLET *n. m.* Le feuillet, ou psaltérium, est la troisième poche de l'estomac des ruminants. Le paroi interne de cette cavité présente de multiples plis, semblables à des feuillets. En glissant les uns sur les autres, ces replis râpeux produisent une friction qui termine la trituration des aliments.

FI (FAIRE) L'interjection fi !, synonyme du plus trivial pouah !, paraît bien inoffensive. Pourtant, l'expression « faire fi de », belle et un peu précieuse, exprime un dégoût et un dédain des plus marqués.

FIASQUE *n. f.* Une fiasque est une bouteille à col long et à large panse recouverte de paille, qui contient souvent du vin d'Italie. Ce mot, du XIXe siècle, vient de l'italien *fiasco,* bouteille, dont l'origine est le mot germanique *flaska,* qui a donné aussi le flacon français.

FIBULE *n. f.* Le mot fibule (du XVIe siècle) est calqué sur le latin *fibula.* Cette agrafe remonte à une haute antiquité : vers 400 avant J.-C., elle est en bronze et présente des formes variées (arc simple ou crénelé). Dans la Grèce antique, les hommes l'utilisent pour retenir des pans de vêtements, les femmes pour fixer ou orner leur tunique (le *peplos*). Dans certaines cultures du Proche-Orient où les costumes restent traditionnels, la fibule est un bijou.

FIEFFÉ *adj.* D'aucuns semblent avoir reçu en fief plus de tares que de terroirs (de l'ancien français *fieffer,* « pourvoir d'un fief ») ! Un fieffé coquin est parfait dans son défaut, qu'il « habite » comme un fief.

FIEL *n. m.* Bile du bœuf et de la volaille, réputée pour son amertume très désagréable, sinon insupportable.

FILS DE LA VIERGE Les fils de la Vierge, ou fils de Notre-Dame, sont des fils d'araignées qui voltigent dans l'air en automne. Alourdis par la rosée, ils retombent au sol vers le soir et s'accrochent à la végétation des campagnes. Les jeunes araignées qui les sécrètent s'en servent comme d'un appareil de sustentation pour migrer. Selon l'imagination populaire, ces fils argentés, soyeux et cotonneux, se seraient échappés du fuseau que tient la Vierge Marie dans de nombreuses représentations.

FINITUDE *n. f.* Ce mot, de la famille du verbe finir, est récent en français ; il a été emprunté, au milieu de notre siècle, à l'anglais *finitude,* plus ancien et probablement issu de la racine latine *finis,* fin. La finitude, caractère de ce qui est borné, est essentiellement un mot de la langue philosophique moderne. Il désigne la conscience qu'a l'être humain de son impossibilité à franchir les bornes du temps et de l'espace, à sortir de la discontinuité nécessaire de sa condition.

FIORITURE *n. f.* Les arpèges, trilles et autres ornements musicaux sont des fioritures : ce mot du XIXe siècle est venu d'Italie (avec l'influence de la musique italienne), où *fiore,* fleur, avait donné *fioritura.* Les fioritures deviennent, selon les domaines de l'art où elles s'inscrivent, arabesques et volutes, masques et bergamasques ; elles peuvent être parfois excessives ou mièvres et devenir de très mauvais goût.

FLIBUSTIER *n. m.* On traite familièrement de flibustier un fieffé filou qui vit d'escroqueries, en souvenir des pirates qui écumèrent les côtes des colonies espagnoles de l'Amérique centrale et méridionale du XVIe au XVIIIe siècle. Le nom de ces redoutables forbans est probablement dérivé du néerlandais *vrijbuiter,* « individu qui fait du butin librement ».

FLOCULATION *n. f.* Ce terme désigne le phénomène de regroupement de particules sous forme de flocons (du latin *floculus,* petit flocon), propre aux solutions colloïdales. La floculation n'est pas à confondre avec la coalescence : ici, les particules conservent leur individualité.

FLORÈS (FAIRE) *loc. v.* Cette expression, qui date de 1638, désigne d'abord celui qui fait des dépenses éclatantes pour prendre l'avantage sur ses égaux, dépasser ses pairs. De là, l'expression a servi à ratifier le succès, la réussite. Quant à son étymologie, d'aucuns y voient une origine provençale, où *faire flori* signifiait être prospère.

FLORILÈGE *n. m.* Avant d'être un recueil de morceaux choisis d'œuvres poétiques, le florilège était le nom des livres dont usaient les botanistes : il s'agissait d'ouvrages traitant de plantes se distinguant par l'extrême beauté de leurs fleurs – *florilegus,* en latin, signifie « qui cueille les fleurs ».

FOLIE *n. f.* Dans ce pavillon de plaisance, l'ambiance était festive ! En effet, les fêtes nocturnes, concerts, spectacles et ballets qui s'y déroulaient lui valurent peut-être (outre sa construction bizarre) son nom de folie ! À la fin du XVIIIe siècle, le terme folie désignait les petites maisons qui furent créées sous la Régence par des membres de la noblesse. On adjoint à ce terme soit le nom de l'architecte, soit celui du lieu où elles sont construites, d'où la Folie Méricourt, les Folies Bergère...

FOMENTER *v. tr.* Provoquer, entretenir, envenimer une discorde, c'est la fomenter. Ce verbe appartenait autrefois, curieusement, au vocabulaire médical. Fomenter signifiait appliquer une compresse chaude (du latin *fomentum,* compresse). Cette pratique, qui avait pour objectif de soulager le malade, se révélait parfois désastreuse. En effet, au lieu de guérir, elle entretenait le mal, ou l'aggravait, d'où le sens figuré actuel.

FORBAN *n. m.* Cet aventurier exerçait jadis la piraterie pour son propre compte et attaquait tous les vaisseaux qu'il rencontrait. Aujourd'hui, le forban, sans foi ni loi, capable de tous les méfaits, ne sévit plus seulement sur les mers, il bafoue le droit, partout où il se trouve. Le mot forban, avant de désigner ce malfaiteur, signifiait d'ailleurs bannissement.

FORCE D'INERTIE L'usage linguistique ne se trompe pas quand il dit de quelqu'un d'apathique qu'il oppose une force d'inertie à tout ce qu'on lui propose. Trois principes de dynamique fondent cette notion, en décrivant et en prédisant le mouvement d'objets familiers, comme la chute des corps, le balancement d'un pendule ou la rotation des planètes autour de la Terre. En 1638, l'Italien Galilée énonce la première formulation du principe de l'inertie : une particule libre soumise à aucune force demeure en repos ou se déplace de façon rectiligne et uniforme. Newton formule, cinquante ans plus tard, les deux autres axiomes : la force agissant sur une particule est le produit de sa masse par l'accélération ; enfin, à chaque action correspond une réaction égale et opposée. Cette dynamique classique doit aujourd'hui céder la place soit à une dynamique relativiste formulée par Einstein, soit à la mécanique quantique.

FORCEPS *n. m.* Le forceps est un instrument en forme de pince (*forceps,* en latin, signifie tenailles) auquel a recours l'obstétricien, ou la sage-femme, lors d'un accouchement difficile. Il permet de saisir et de tirer la tête du fœtus pour hâter la naissance, dans l'intérêt de la mère et de son enfant.

FORMALISATION *n. f.* Cette opération de l'esprit consiste à ramener un système de connaissance à ses structures formelles. La formalisation est donc une sorte de « mise en squelette » d'une théorie, abstraction de la chair, de la matière. Cela fait, les données apparaissent suffisamment isolées pour être traitées scientifiquement.

FORTRAN *n. m.* Le fortran, sigle de l'anglais *Formula Translation,* est le premier langage informatique de haut niveau. Conçu en 1956 et remanié plusieurs fois, ce langage, particulièrement bien adapté à la programmation scientifique, repose sur l'utilisation de conventions mathématiques.

FORUM *n. m.* Le forum est à l'Antiquité romaine ce que l'agora (voir ce mot) est à l'Antiquité grecque. Immense place découverte, le forum était, à Rome, à la fois place du marché et champ de foire ; fêtes, jeux et repas publics y étaient donnés. Sa situation et son espace en firent un centre de débats politiques, religieux, commerciaux et juridiques ; on y plaidait de grandes causes... Sur le forum, le « milliaire d'or » (sorte de borne zéro) symbolisait le centre de l'Empire romain : de cet endroit « borné » étaient censées partir toutes les routes. Au XIXe siècle, le forum servit de pâturage, d'où sa dénomination de *campo vaccino.*

FOU *n. m.* Le bouffon chargé d'amuser des rois ou des princes était appelé fou (du latin *follis,* ballon). À croire que cet individu avait l'esprit plein d'air ! Le fou du roi était presque un personnage officiel au Moyen Âge ; son costume le désignait à tous : il portait une livrée résonante de grelots, un bonnet à clochettes et avait à la main une marotte. Il était choisi soit parce qu'une difformité naturelle ou un esprit faible donnaient matière à plaisanterie, soit parce que sa verve et son impertinence pouvaient distraire la cour. Certains ont laissé leur nom à l'histoire, comme L'Angely, le fou de Louis XIV.

FOUACE *n. f.* Nul mystère dans ce nom que les gourmands autant que les nostalgiques évoquent les yeux brillants. Connotant l'été, le soleil, le Midi et Giono, la fouace ou fougasse (du latin *focacius,* foyer, *et panis,* pain) n'est que cette simple galette de pain doré cuite sous la cendre !

FOUCADE *n. f.* Faites-vous preuve d'impétuosité, on dira alors sans doute de vous que vous agissez par foucades. Une foucade est un élan capricieux et passager, un mouvement irréfléchi. Altération de fougade, dérivé de fougue, ce mot, d'un emploi littéraire, vient du latin *fuga,* fuite.

FOULER *v. tr.* Ce verbe, désignant l'action de presser, d'écraser, est à l'origine un terme de blanchisserie. Fouler consistait à nettoyer les draps, les étoffes. Cette opération était réalisée par une machine, appelée foulon, animée d'un mouvement de batte, alternatif et régulier ; c'est ce mouvement cadencé que rappellent les pieds du vigneron foulant le raisin.

FOUR *n. m.* En termes de théâtre, un four désigne une représentation dramatique qui a peu ou pas de succès et, par extension, tout spectacle boudé par le public. Apparue pour la première fois en 1656, dans l'expression « faire four », cette métaphore doit sans doute son origine à une ancienne pratique des théâtres : lorsque les spectateurs faisaient défaut, on éteignait toutes les chandelles, et la salle devenait alors noire comme un four.

FRAIRIE *n. f.* La frairie est le nom que l'on donnait autrefois aux fêtes populaires qui rassemblaient les habitants d'un village et étaient célébrées avec force festins et réjouissances. Ces fêtes conviviales correspondaient peut-être au besoin ancestral de reformer l'unité du groupe : le grec *phratria,* qui a donné frairie, signifie phratrie.

FRANC-MAÇONNERIE *n. f.* Introduite en France au XVIIIe siècle, la franc-maçonnerie est née en Angleterre au siècle précédent, et non pas, comme le prétendent de nombreuses légendes, au temps des croisades, voire à l'époque de la construction du temple de Salomon. Fraternité des anciens maçons de profession, la franc-maçonnerie moderne n'envisage plus le métier que de façon symbolique. Cette société secrète s'organise en sections appelées loges. La loge est à la fois le temple, lieu des assemblées des maçons, et un espace spirituel qui se détache du monde profane. Volontiers partisans de l'ésotérisme, les francs-maçons s'entourent de symboles, codes, signes de reconnaissance, accessibles à celui seul qui aura subi les épreuves initiatiques.

FULMINER *v. tr. et intr.* À en croire l'étymologie de ce verbe, fulminer contre son ennemi personnel, c'est tenter de le foudroyer ! En effet, fulminer, dérivé du latin *fulminare,* signifiait à l'origine lancer non pas des imprécations mais la foudre.

FUNESTE *adj.* Dans le sillage de cet adjectif flotte une odeur de mort (du latin *funestus,* de *funus,* funérailles). Puis le mot a fini par désigner un événement sinon mortifère, du moins triste, malheureux, désastreux.

G

GAIA Surgie du néant après le chaos, la divinité grecque Gaia personnifie la Terre-Mère, source de toute vie. Elle conçut le ciel, Ouranos, le flot, Pontos, les montagnes et toute une génération de dieux et de monstres. Par sa nombreuse progéniture, elle symbolise le principe même de la fécondité. Les Romains l'identifieront plus tard avec la déesse Tellus.

GALÉJADE *n. f.* Mystification d'autrui sous la forme d'une plaisanterie, telle est la galéjade (de l'ancien français *galer,* s'amuser, se réjouir).

GALÈRE *n. f.* Comme ces bâtiments de guerre à voiles et à rames qui sillonnaient la mer Méditerranée ou se lançaient à la conquête du Nouveau Monde, les mots voyageaient et passaient les frontières linguistiques. D'un mot byzantin, l'italien créa *galea* au IXe ou au Xe siècle ; ce mot devint en français la galée, terme attesté dans la *Chanson de Roland,* en 1080. En outre, la même *galea* italienne passait en catalan sous la forme *galera,* au XIe siècle : le français en fit la galère, en 1402, et ce mot l'emporta sur la galée.

GALETAS *n. m.* « Du haut de mon galetas, je contemple dix mille étoiles », pouvait jadis clamer l'heureux élu au chaud dans sa chambre princière ! Car en ce temps le galetas (du nom d'une tour de Constantinople, Galata) désignait un logement situé en haut d'un édifice, voire d'un palais. Certes, les combles font encore office de galetas, et on peut y admirer les « dix mille étoiles », mais le confort a fait place à la misère.

GALGAL *n. m.* Ce terme emprunté au gaélique, qui signifie littéralement « caillou-caillou », est utilisé en archéologie. Il sert à désigner en Bretagne un amas de pierres formant un tumulus élevé au-dessus d'une sépulture.

GALIMATIAS *n. m.* Amphigouri, charabia... ces termes expriment bien le galimatias, qu'il soit verbal ou écrit. L'origine de ce mot est douteuse, voire confuse. Une hypothèse parmi d'autres : il pourrait être issu du latin *gallus,* coq, qui désignait les étudiants participant à des discussions universitaires, et du grec *mathos,* science. Plaisanterie sur la rhétorique des « jeunes coqs » ?

GALIOTE *n. f.* Une galiote est une petite galère (voir ce mot), alors qu'une galéasse en est le grand modèle.

GALOCHE *n. f.* On dit d'une personne qu'elle a un menton en galoche quand celui-ci est accusé et recourbé, par analogie de forme avec les chaussures en cuir et en bois que l'on portait autrefois par-dessus ses souliers, appelées galoches.

GALVANISER *v. tr.* L'acception courante de « galvaniser » désigne le fait de donner temporairement de l'énergie à quelqu'un. Pour retrouver l'origine de ce terme, il faut remonter à son sens technique : galvaniser de la tôle, par exemple, c'est la recouvrir d'une couche d'un autre métal par galvanisation, procédé qui permet de fixer un dépôt métallique par électrolyse. Cette électrolyse s'effectue en faisant passer dans une solution des courants continus à basse tension, dits courants galvaniques. Le physicien Galvani (1737-1798) fut le découvreur de ces courants et de l'électricité animale : il observa en effet ceux-ci en étudiant les muscles et les nerfs de certains animaux.

GANYMÈDE C'est en référence à la mythologie grecque que l'on qualifie de ganymède un jeune garçon qui accepte les faveurs d'un homme d'âge mûr. Le prince troyen Ganymède, d'une grande beauté, eut raison de bien des cœurs. Zeus lui-même s'en éprit : il se métamorphosa en aigle pour ravir sa victime, qu'il entraîna entre ses serres jusque sur l'Olympe, où il en fit l'échanson des dieux.

GARDE DES SCEAUX Si c'est aujourd'hui le magistrat placé à la tête du ministère de la Justice que l'on appelle garde des Sceaux, autrefois, il s'agissait du chancelier du roi. Ce personnage devait son nom au fait qu'il était responsable des sceaux royaux qu'il apposait sur les lettres patentes pour les authentifier ou les fermer de façon inviolable.

GARGANTUA Le géant Gargantua est le héros du roman *Vie inestimable du grand Gargantua,* que Rabelais fit paraître en 1534. Inassouvissable dès son plus jeune âge, il tient de ses parents, aux noms suggestifs, Grandgousier et Gargamelle, un appétit d'ogre, ce qui lui vaut d'incarner pour la postérité la goinfrerie et la gloutonnerie. De fait, on peut traiter aujourd'hui de gargantua un convive insatiable, ou qualifier de gargantuesque un repas plantureux.

GARGOUILLE *n. f.* Figure monstrueuse d'une gouttière au travers de laquelle coulent les eaux de pluie. Le Moyen Âge fit de la gargouille un véritable ornement, puisant son inspiration dans les légendes ou tout simplement dans l'imagination, parfois très débridée, des sculpteurs. Un motif récurrent est pourtant observé : celui du dragon ailé, qui rappelle cette figure chimérique exhibée à Rouen lors des processions et qui symbolise la victoire sur le paganisme.

GARROT *n. m.* Supplice de la strangulation autrefois en vigueur en Espagne et fondé sur un principe qui pour être très simple n'en était pas moins mortel. À l'origine de cette pratique, un bâton appelé garrot, passé dans une corde et que l'on faisait tourner pour serrer celle-ci. Un collier de fer et une vis ont remplacé la corde et le bâton dans l'appareillage réservé à la peine capitale.

GAUCHERIE *n. f.* Gaucherie, maladresse, embarras : ce qui concerne le côté gauche a été de tous les temps connoté négativement. L'histoire de la langue nous permet ici de retrouver un ensemble de croyances touchant parfois à la superstition. Le premier sens de gauche en français était déjà maladroit, de travers ; il ne fut utilisé dans son sens propre actuel que lorsqu'il remplaça l'ancien adjectif *senestre* (qui a donné sinistre !). Gauche est dérivé du verbe gauchir, déformer, issu de l'ancien français *guenchir,* « faire des détours ». On remonte ainsi jusqu'à la racine francique *wenkjan,* vaciller. Exemplaire parcours étymologique, où ce qui apparaît comme un sens figuré (gaucherie) retrouve son sens propre originel désignant, au-delà de l'erreur et de la maladresse, tout ce qui est hors norme.

GAUSSERIE *n. f.* Plaisanterie moqueuse à l'égard de la maladresse d'une personne. Ce terme a été formé sur le verbe du dialecte normand se gausser : s'amuser ; cependant, son origine reste inconnue.

GÉGÈNE *n. f.* La gégène est une torture pratiquée au moyen d'un générateur électrique et de pinces conductrices, qui fut notamment employée pendant la guerre d'Algérie, comme l'explique Henri Alleg dans *la Question* (1957). Le terme est dérivé de génératrice, soumis à une apocope (abréviation du mot) et à un redoublement de la première syllabe – procédés couramment employés dans la constitution de l'argot.

GÉHENNE *n. f.* La géhenne est une torture anciennement pratiquée dans le monde chrétien pour des motifs religieux, et en cela comparable à la question, appliquée pendant l'Inquisition (voir ce mot) aussi bien aux criminels qu'aux personnes jugées hérétiques. Utilisé en ce sens par référence au latin *gehenna,* le séjour des Enfers dans la Bible, le terme vient de *ge-Hinnom,* nom hébreu de la vallée de l'Hinnom, située près de Jésuralem et considérée dans les temps bibliques comme un lieu maudit.

GEISHA *n. f.* À la fois méprisées et adulées, ces courtisanes rompues à l'art de la danse, du chant, de la poésie – *geisha* signifie « celle qui pratique les arts » – jouent les hôtesses de charme dans les salons de thé et les restaurants de renom où elles louent leurs services. L'argent qu'elles gagnent sert en grande partie à rembourser leur garde-robe, fort coûteuse, ainsi que leurs années de formation. On choisit une future geisha dès l'âge de dix ans. Elle est envoyée dans une école spéciale, où il lui sera enseigné, sous l'égide d'une gardienne très stricte, l'*okami san* – l'art de servir le thé selon les rites, de faire la conversation, de jouer d'instruments de musique, etc. Au bout de cinq ans, l'apprentie geisha (la *maiko*) atteindra le rang de geisha à part entière ; elle sera alors *geigo san.* Derniers témoins de la société japonaise traditionnelle, les geishas ne sont plus aujourd'hui que deux mille.

GEMMOTHÉRAPIE *n. f.* Méthode thérapeutique proche de l'homéopathie, la gemmothérapie fait usage des principes actifs contenus dans les tissus végétaux jeunes – bourgeons, pousses, radicelles –, qui sont administrés sous forme de dilutions infinitésimales. Le terme est formé sur le latin *gemma,* bourgeon, et le grec *therapeia,* soin.

GÉMONIES *n. f. pl.* Vouer ou traîner un individu, ou une chose, aux gémonies revient à le mépriser, le couvrir de honte, le maudire, l'accabler d'opprobre. Cette expression littéraire, attestée pour la première fois chez Lamartine, trouve son origine dans une coutume de la

Rome antique : les cadavres des condamnés étaient exposés sur le *gemoniae scalae*, l'escalier des gémissements, du mont Capitolin avant d'être jetés dans le Tibre. C'était la pire des marques d'infamie.

GENÈSE Introduction de la Torah et de la Bible, la Genèse contient, d'une part, le récit des origines (tel est le sens du mot grec *genesis*) et, d'autre part, l'histoire des patriarches, en particulier d'Abraham, d'Isaac et de Jacob. Ce premier livre a fourni, jusqu'au XVIIIe siècle, à la science et à la philosophie occidentales leurs principales idées sur l'homme et l'Univers.

GÉNÉTIQUE *n. f.* Le naturaliste français Lamarck, le premier, s'est posé de manière scientifique le problème de la transmission de caractères entre les êtres et leurs descendants : l'hérédité. Il étudia l'incidence de l'hérédité sur l'évolution d'une espèce entière. Pour lui, les caractères acquis dans l'expérience par les individus d'une espèce les mieux aptes à survivre étaient transmis à leurs descendants. Le mécanisme de cette transmission demeurait mystérieux, et pour cause : Mendel a montré que les facteurs de l'hérédité étaient innés. Ces facteurs sont les gènes (du grec *genos*, origine), unités informatrices constituées d'un segment d'une molécule d'A.D.N., laquelle, avec des protéines, forme un chromosome. L'ensemble des gènes d'un individu est son génome. La création d'un nouvel être est déterminée par la rencontre du patrimoine génétique de ses parents, rencontre dans laquelle le hasard joue un rôle majeur : l'hérédité culturelle n'a donc aucun rapport avec l'hérédité naturelle.

GENTIL *n. et adj.* Hébreux et chrétiens employaient autrefois le terme de gentil pour désigner étrangers et païens. Usité par les seuls juifs, ce mot ne désigne plus aujourd'hui que les chrétiens.

GÉOCHIMIE *n. f.* La géochimie a pour but l'étude des éléments chimiques dont les objets du système solaire, et surtout la Terre, sont formés, ainsi que les lois qui régissent ces éléments (proportions, fréquence, distribution). Si la composition chimique de l'écorce terrestre est globalement connue, celle des couches internes (manteau magmatique et noyau) demeure difficile à déterminer, si ce n'est par l'étude des roches dites ultrabasiques produites par des éruptions de laves volcaniques. Les principaux éléments de l'écorce terrestre sont l'oxygène (46 %), le silicium (28 %), l'aluminium (8 %), le fer (5 %), le calcium (3,5 %), le sodium (3 %), le potassium (2,5 %), le magnésium (2 %).

GÉODÉSIE *n. f.* Le terme géodésie est une transcription du grec *geôdaisia*, de *gê*, terre, et *daiein*, diviser, partager. Comme son étymologie l'indique, la tâche de la géodésie est de décrire la Terre par la mesure de la forme et de l'importance de ses parties. La géodésie est précieuse pour l'établissement de relevés cartographiques homogènes ; elle permet de prendre en compte des caractéristiques physiques (comme la courbure de la Terre) difficilement représentables sur une carte à deux dimensions. On établit pour ce faire un réseau géodésique, réseau de correspondance entre certains points de l'espace et leurs coordonnées géographiques (latitude, longitude et azimut), par rapport auquel sont effectuées toutes les mesures. Le point géodésique fondamental pour les mesures de distance en France est la croix du Panthéon, à Paris.

GHETTO *n. m.* Assignation à résidence pratiquée à l'échelle d'une communauté, tel est le ghetto. Ce terme désigna tout d'abord un lieu : les quartiers des fonderies où vivaient au XVIe siècle les juifs de Venise ; puis un phénomène, celui de l'enfermement et de l'obligation pour les juifs de vivre dans ces quartiers. Ce phénomène apparut plus particulièrement dans les pays où les communautés juives, se sentant menacées par le reste de la population, se regroupaient d'elles-mêmes. Dépassant le seul contexte des communautés juives, le ghetto désigne aujourd'hui toute ségrégation exercée à l'égard des individus en raison de leur identité ethnique, sociale ou culturelle.

GIBBOSITÉ *n. f.* Ce mot, qui désigne une déformation de la colonne vertébrale, est un dérivé savant du latin *gibbosus*, formé sur *gibbus*, bosse. Ce terme médical s'applique à une grosseur provoquée par un coup reçu, à une anomalie éphémère, donc, et non congénitale.

GIGANTOMACHIE *n. f.* La gigantomachie évoque un des épisodes fameux de la mythologie grecque : celui du combat (du grec *makhê*) des géants (du grec *gigas*, *gigantos*) contre les dieux de l'Olympe. Ces géants redoutables furent défaits par Zeus et Athéna, aidés par Héraclès. En effet, comme tous les demi-dieux, les géants pouvaient périr sous les coups conjoints d'un dieu et d'un mortel. La gigantomachie fut un thème privilégié de l'art grec, en architecture notamment, où les frontons des temples s'ornaient de telles scènes.

GITAN *n. et adj.* Ce terme, qui désigne les Tsiganes d'Espagne, est le fruit de l'erreur. En effet, *gitano*, en espagnol, est une altération de *egyptano*. L'assimilation était facile, et les gitans devinrent sémites. Des recherches historiques ont dissipé l'erreur, l'origine des Tsiganes se situerait en Inde... mais le terme est resté.

GITON On qualifie de giton tout jeune homosexuel entretenu par un homme plus âgé. Ce terme littéraire trouve son origine dans le *Satiricon* de l'écrivain latin Pétrone. Cette œuvre licencieuse raconte les voyages du jeune libertin Encolpe et de ses deux acolytes Ascylte et Giton. Ce dernier, ravissant adolescent qui n'affectionne que les hommes, est sans doute l'un des plus fameux mignons de la littérature.

GLACIS *n. m.* Le glacis est une couche transparente de peinture à l'huile (diluée avec de l'huile de lin et de l'essence de térébenthine) appliquée au pinceau et destinée à servir de base à une couleur ou bien à en reprendre une déjà posée. Semblable dans ses effets à l'aquarelle, il s'effectue par superposition de plusieurs couches. Le glacis permet un jeu de transparence et de lumière d'une extrême finesse, et les maîtres de l'école flamande, notamment Van Eyck, furent les précurseurs de cette technique.

GLAS *n. m.* Le glas est le tintement d'une cloche annonçant la mort ou les funérailles d'une personne. Sonnerie de trompette, bruit, tumulte, tels étaient les sens de l'ancien français *clas* et du latin *classicum*.

GLORIETTE *n. f.* La gloriette, autrefois palais, est devenue un petit pavillon ou cabinet de verdure luxueusement agencé dans un parc ou un jardin. L'exiguïté de celle-ci est attestée par le suffixe diminutif « -ette ».

GLOSSAIRE *n. m.* Lecteur, sais-tu que, présentement, entre tes mains... glossaire tu tiens ? Tu l'auras compris, je suis un dictionnaire donnant l'explication de mots anciens, obscurs ou peu connus d'une langue. Et, à ce titre, de m'expliquer sur moi en moi-même ! Mais je puis être également un catalogue : un recueil de mots spécifiques à une profession, à une science.

GLOSSOLALIE *n. f.* La glossolalie ou le « parler en langue » (du grec *glôssa,* langue, et *lalein,* parler) est la production individuelle d'une pseudo-langue, suffisamment élaborée pour donner l'illusion d'une vraie langue. Pour les pentecôtistes, les médiums ou même certains mystiques, la glossolalie n'est pas considérée comme une illusion de langue mais bien plutôt comme la langue de Dieu.

GLUME *n. f.* Glume est le nom donné, en botanique, à chacune des deux petites feuilles, ou bractées, qui enveloppent entièrement ou partiellement l'épillet des graminées telles que le blé.

GMT *abrév.* Le sigle GMT signifie en anglais Greenwich Mean Time. Son équivalent français, moins usité, est T.M.G. : temps moyen de Greenwich. Cette abréviation est utilisée abusivement pour donner l'heure d'un événement en temps universel coordonné (UTC), en tenant compte des fuseaux horaires. On dit, par exemple, qu'il est 15 heures GMT en un point donné du globe, au lieu de dire, comme il conviendrait, 15 heures UT (temps universel) ou 15 heures UTC.

GOÉTIE *n. f.* Dans l'Antiquité grecque, la goétie était une pratique occulte qui consistait à invoquer les mauvais esprits, et non les dieux comme dans la théurgie. Cette magie incantatoire était particulièrement lugubre, comme en témoigne l'étymologie même du mot. Goétie, en effet, vient du grec *goêteia,* sorcellerie, dérivé de *goos,* gémissement.

GOLIATH Goliath est le célèbre géant de la Bible (I Samuel XVII) dont triompha David, le jeune berger qui deviendra roi d'Israël. Champion de l'armée philistine, ce colosse de près de 3 mètres, protégé par une lourde cuirasse, avait défié le peuple d'Israël de lui trouver un homme capable de se mesurer à lui en combat singulier ; le camp du vainqueur réduirait alors en esclavage celui du vaincu. Seul David osa se présenter, et, armé d'une simple fronde, il parvint à terrasser le puissant guerrier philistin d'une seule pierre en plein front. Cet épisode symbolise la victoire du plus faible sur le plus fort.

GONG *n. m.* Cet instrument de percussion composé d'un disque de métal suspendu sur lequel on frappe avec une baguette à tampon vient d'Extrême-Orient. Son nom est issu du malais *gung.* Le mot est entré dans la langue française au XVIIe siècle. Le gong peut être un élément d'une batterie.

GONGORISME *n. m.* Terme formé sur un nom propre, un gongorisme désigne en littérature une affectation exagérée dans le style, assez proche de la grandiloquence. Le modèle – et l'origine étymologique – du gongorisme fut le poète espagnol Gongora y Argote (1561-1627), qui se distingua en effet par la préciosité de son style et ses métaphores peu subtiles.

GORGONES Ces trois sœurs de la mythologie grecque s'appelaient Sthéno, Euryale et Méduse (voir ce mot). Seules les deux premières étaient immortelles. Avec leur chevelure entourée de serpents, leurs défenses semblables à celles des sangliers, leurs ailes et leurs mains de bronze, elles étaient particulièrement effrayantes. Mais le plus redoutable était leur regard : quiconque le croisait était changé en pierre.

GOULASCH *n. m.* Cette spécialité hongroise est un ragoût de bœuf longuement mijoté avec des légumes (pommes de terre, oignons, etc) et relevé de paprika. Le terme est emprunté au hongrois *gulyas,* abréviation de *gulyas hus,* « viande cuite par les bouviers ».

GOUM *n. m.* Ce mot arabe signifiant troupe servit à désigner les formations militaires recrutées au temps de l'Empire colonial au sein des villages du Maghreb et de l'Afrique noire, ralliés à la cause française. Les goums prirent part à la pacification du Maroc de 1908 à 1934. Portés au nombre de 22 000, les goumiers s'illustrèrent durant la Seconde Guerre mondiale.

GOURDIN *n. m.* Ce bâton court et solide était autrefois une corde utilisée sur les galères pour frapper les forçats. Le mot gourdin provient d'ailleurs de l'italien *cordino,* diminutif de *corda,* la corde.

GOURMETTE *n. f.* La gourmette, portée en bijou, bracelet ou chaîne de montre, est, à l'origine, la chaînette que l'on pose au cheval pour fixer le mors dans sa bouche. Le mot vient de la gourme, maladie se développant dans la bouche du cheval.

GOUROU *n. m.* Gourou est le titre donné au maître et chef spirituel dans l'Inde hindoue. Personnage fondamental de la vie indienne, le gourou est cet homme de poids (du sanskrit *guru,* lourd, grave, vénéré) dont la force morale est reconnue par ses disciples. La relation établie entre le maître et ces derniers n'est cependant point de force mais de respect, de dévotion et d'amour. Quittant sa famille après son initiation, le jeune disciple entre au service du gourou, qu'il devra désormais servir et honorer comme un dieu. Dans l'Inde contemporaine, ces relations privilégiées se sont raréfiées sans toutefois disparaître. En effet, toute communauté spirituelle hindoue est nécessairement placée sous l'autorité d'un gourou.

GOY *n. m.* Ce terme (parfois employé de façon péjorative) que les juifs appliquent à toute personne ne pratiquant pas leur culte, et principalement aux chrétiens, provient de l'hébreu *goï,* peuple non juif.

GRAND-ANGLE *n. m.* Objectif photographique de courte distance focale permettant de couvrir une grande largeur de champ. Il est utilisé pour les photos d'intérieur, d'architecture. Palliant le manque de recul lors de certaines prises de vue, le grand-angle peut toutefois entraîner certaines déformations.

GRANDILOQUENT *adj.* Emphatique, pompeux, outré, excessif, en bref, peu crédible est le discours grandiloquent. Trop grands pour être vrais (du latin *grandis,* grand, et *loqui,* parler), les propos grandiloquents, gonflés de vacuité, ne suscitent qu'agacement et scepticisme.

GRAVELEUX *adj.* On qualifie des discours ou des écrits de graveleux lorsqu'ils sont licencieux, voire pornographiques. Ce terme, issu du vocabulaire médical, est dérivé du mot gravelle, désignant une maladie urinaire fort douloureuse. Il prit son sens actuel au XVIIe siècle : tout comme une affection graveleuse était pénible pour le corps, un langage graveleux était blessant pour la conscience.

GRAVIDIQUE *adj.* Les nausées que peut éprouver une femme durant sa grossesse sont des nausées gravidiques ; la femme enceinte, elle, est dite gravide. Ce terme d'obstétrique, qui a tout d'abord désigné, en français, un utérus contenant un embryon ou un fœtus, signifiait déjà en latin femme enceinte *(gravida),* c'est-à-dire femme alourdie (de *gravis,* lourd).

GRAVITATION *n. f.* Encore une histoire de pomme ? oui, mais celle-ci n'est point de discorde ni d'exclusion. Loin de fermer les portes – du paradis –, elle ouvre toutes grandes les voies de la science... L'anecdote dit qu'assistant à la chute d'une pomme Newton découvrit le phénomène d'attraction universelle. Cette force d'attraction mutuelle entre les corps est directement proportionnelle au produit de la masse et inversement proportionnelle au carré de la distance qui les sépare.

GRÉGARISME *n. m.* Ce terme issu du vocabulaire de la zoologie s'applique, dans les sociétés humaines, à la tendance qui pousserait certains individus à se soumettre aveuglément aux habitudes du milieu où ils vivent. Comment, quand le latin *grex,* à l'origine du mot actuel, signifie troupeau, ne pas penser aux moutons de Panurge (voir ce mot), qui illustrent si parfaitement l'instinct grégaire ?

GRÉGORIEN *n. et adj.* Le chant grégorien doit son nom au fait qu'on l'a longtemps cru, à tort, inventé par le pape Grégoire Ier. Monodique, ce chant liturgique est ponctué de séquences musicales stéréotypées. Sa mélodie a toujours pour fonction de mettre en valeur le sens du texte latin. Depuis le Moyen Âge, il est transcrit de façon simplifiée, en écriture dite neumatique. Les principales œuvres en grégorien ont été composées entre le VIIe et le XIe siècle. Par la suite, le grégorien a pris le nom de plain-chant. Aujourd'hui, le répertoire de ces chants est groupé en deux livres : l'antiphonaire de l'office et le graduel de la messe.

GRI-GRI *n. m.* Un gri-gri, ou grigri, est une amulette destinée à conjurer le mauvais sort et à éloigner les maladies. Les gris-gris peuvent revêtir diverses formes. Dans les pays musulmans, ce sont des petits papiers sur lesquels le marabout a inscrit certains versets du Coran, tandis qu'en Afrique occidentale les gris-gris sont des objets (griffe, fragment d'os, etc.) tenus pour magiques. Le terme, vraisemblablement d'origine sénégalaise ou guinéenne, fut d'abord attesté, au XVIe siècle, dans le sens de diable, « esprit malfaisant », puis dans celui d'« idole représentant un diable ». Aujourd'hui, gri-gri est un synonyme courant de talisman ou de porte-bonheur.

GRIMOIRE *n. m.* Attribut traditionnel du sorcier et du magicien, le grimoire rassemblait les procédés d'évocation et de conjuration utiles dans toute pratique occulte. Cet ouvrage, truffé de formules secrètes cabalistiques, était particulièrement hermétique, comme le souligne l'étymologie même du mot : grimoire est une altération de grammaire, au sens de « grammaire latine », inintelligible pour le vulgaire.

GROTESQUE *adj.* Ce qualificatif résonnant aujourd'hui comme un verdict sans appel a pourtant des origines très nobles et très sérieuses. En effet, le mot, tout d'abord substantif, désignait les ornements décorant les chambres des demeures dans l'Antiquité romaine. Figures chimériques, humaines ou animales, entrelacées en d'étranges arabesques, telles étaient les grotesques, empruntant leur nom aux chambres appelées grottes. Avec les beaux-arts, les grotesques connurent une postérité certaine, les arts flamand et allemand en firent grand usage... Devenu adjectif, le mot reflète désormais les qualificatifs dont on affublait autrefois les grotesques : extravagant, étrange, bizarre.

GUÉ *n. m.* Endroit très recherché d'une rivière, si peu profond que l'on peut le franchir sans avoir à nager, le gué est l'occasion d'éviter un bain peu apprécié.

GUEULES *n. m.* En héraldique, gueules est l'appellation de la couleur rouge de l'écu représentée en gravure ou en dessin par des hachures verticales. Le terme désignait à l'origine les morceaux de fourrure découpés dans le gosier des animaux à robe fauve – notamment la martre – pour servir d'ornement.

GUILDE *n. f.* Au Moyen Âge, les guildes (du néerlandais *gilde,* troupe) étaient des associations de marchands exerçant la même activité. Corporations confraternelles, elles devinrent très rapidement économiques et se dotèrent d'une juridiction particulière. Leurs membres bénéficièrent bientôt de nombreux privilèges, à tel point qu'elles furent réservées, dès la fin du XIIe siècle, à des professionnels aisés, et qu'elles aidèrent au développement du grand commerce au détriment du petit. Plusieurs guildes se regroupèrent même et formèrent des hanses.

GUILLOCHER *v. tr.* Cette pratique, le plus souvent d'orfèvrerie, consiste à orner de lignes droites ou sinueuses, régulièrement entrelacées, un objet ou un bijou. Pour ce faire, on utilise un burin nommé guilloche.

GUINGOIS (DE) *loc. adv.* Un esprit qui va de guingois s'égare, divague. Un individu qui va de guingois avance de travers. En effet, on marche de guingois lorsqu'on lance la jambe sur le côté comme on le ferait en dansant. Cette expression vient de l'ancien français *guinguer,* signifiant sautiller, dérivé de gigue, danse au rythme très rapide.

GYROVAGUE *n. m.* Dans les premiers temps du monachisme, le gyrovague, également appelé messalien, était un moine qui voyageait de monastère en monastère, de cellule en cellule. Ne restant dans chaque communauté que quelques jours, il vivait d'aumônes. L'étymologie du mot souligne le caractère vagabond de la vie de ce religieux. Gyrovague vient du latin *gyrovagus,* formé de *gyrare,* tourner, et de *vagus,* errant.

H

HABEAS CORPUS *n. m.* L'habeas corpus est une institution anglo-saxonne, datant de 1679, qui prévient les détentions abusives, garantissant ainsi la liberté individuelle. Toute personne appréhendée peut obtenir le droit de se faire conduire auprès d'un juge qui vérifiera le bien-fondé de l'arrestation. Emprunté au latin, la locution complète est *abeas corpus ad subjiciendum* et signifie « que tu aies ton corps pour le présenter » (devant le juge).

HAGARD *adj.* Au XVIe siècle, l'adjectif hagard (de l'allemand *hagerfalk,* faucon sauvage) qualifiait un faucon que l'on ne pouvait dresser parce qu'il était resté sauvage et farouche. Effroi et terreur se lisent toujours dans un regard hagard.

HAÏKU *n. m.* Le haïku (du japonais *haï,* divertissement, et *ku,* vers) est un petit poème de trois vers composés respectivement de cinq, sept et cinq syllabes. Écrit dans une langue accessible à tous, il est l'expression dépouillée d'un état d'âme, d'une émotion fugitive suscitée par une simple scène de la vie quotidienne.

HALLAL *adj.* Ce mot se lit sur certaines boucheries, pour signifier qu'on y vend de la viande d'animaux tués selon les rites de la religion musulmane. La racine de ce mot arabe veut dire permis, licite : le musulman peut donc consommer la viande hallal sans enfreindre les règles de sa religion.

HALLALI *n. m.* En vénerie, l'hallali est le cri poussé par les chasseurs pour annoncer que la bête poursuivie est aux abois. Il est aujourd'hui remplacé par une sonnerie de cor. On sonne l'« hallali sur pied » tant que l'animal reste debout et l'« hallali par terre » lorsqu'il est tombé. Ce terme serait la contraction d'un mot francique, *nara* (signifiant par ici), et de « à lui ».

HAMMAM *n. m.* Venez soumettre votre corps aux bienfaits d'un bain chaud, c'est ce que signifie le mot arabo-turc *hammam.* Établissement de bains turcs, le hammam traditionnel conserve les caractéristiques des thermes romains : vestibule, salle tiède, salle chaude dans laquelle se dégage une vapeur aveuglante mais délicieusement parfumée à l'eucalyptus.

HARA-KIRI *n. m.* Le hara-kiri – littéralement « ouverture du ventre » – est un mode de suicide pratiqué au Japon qui consiste à s'ouvrir l'abdomen. L'appellation hara-kiri est uniquement employée par les Occidentaux, qui l'ont créée en inversant les caractères chinois et en les lisant à la japonaise. La lecture correcte de ces caractères est seppuku (voir ce mot), seul terme utilisé par les Japonais et les spécialistes de la civilisation nipponne.

HARANGUER *v. tr.* Haranguer une foule, une personne, équivaut à l'interpeller, la sermonner vivement, voire parfois violemment... tels les prédicateurs d'antan. Ce verbe, de l'italien *aringare*, est issu d'*aringo,* qui désignait une place publique réservée aux courses de chevaux et aux assemblées populaires.

HARCELER *v. tr.* Harceler quelqu'un jusqu'à le briser : l'expression n'est pas exagérée mais conforme à l'étymologie du verbe ; harceler vient de *herceler* ou *herser,* c'est-à-dire soumettre à l'action de la herse, qui brise les mottes de terre. Très tôt, le verbe harceler a signifié tourmenter, alors que briser a gardé, seul, le sens matériel.

HAREM *n. m.* Dérivé de l'arabe *haram,* « défendu et sacré », le harem désigne, chez les musulmans, la partie d'une habitation totalement réservée aux femmes et interdite d'accès à tout homme étranger à la famille.

HARIJAN Si Gandhi n'eut de cesse de lutter contre l'impérialisme anglais, il n'en combattit pas moins le système de discrimination fondé sur des critères socio-religieux. Proprement hindou, ce système dit « des castes » (voir ce mot) comporte des exceptions. Lesquelles sont les hors-castes ou intouchables, tribus non hindoues ou bien individus ayant dérogé aux lois de caste (endogamie). Considérés comme impurs et donc dangereux pour les castes supérieures, ces individus vivent à l'écart des quartiers et des villages et se voient interdire l'accès à de nombreux lieux et postes. De même, du fait de leur « impureté », certains travaux leur sont dévolus : corroyage, tannage, ramassage des ordures constituent ainsi leurs emplois les plus fréquents. Ces intouchables, Gandhi, soucieux de leur donner identité et honorabilité, les appela harijans : fils de Dieu. Le nom leur est resté, l'intouchabilité aussi, en théorie abolie depuis l'indépendance mais qui reste aujourd'hui encore un prétexte aux pires exactions.

HARPAGON Qui cherche à amasser davantage d'or qu'un harpagon ? Rendu célèbre par Molière, dans *l'Avare,* ce personnage grippe-sou, calqué sur le protagoniste d'une pièce de Plaute intitulée *la Marmite,* a un nom particulièrement suggestif, qui souligne sa ladrerie et son extrême cupidité. Harpagon vient, en effet, du grec *harpaks,* crochet, grappin.

HARPIE En proie à la colère, certaines personnes se livrent à de tels excès de violence qu'on les traite de harpies, en référence aux divinités funéraires de ce nom de la mythologie grecque. Particulièrement cruelles, Aello (Bourrasque), Ocypété (Vole-Vite) et Celæno (Obscure) avaient notamment la sinistre réputation d'enlever des âmes et des enfants. Représentés avec un visage de femme et un corps d'oiseau de proie, ces trois monstres furent parfois confondus avec les furies, divinités infernales romaines.

HARUSPICE *n. m.* Dans l'Antiquité romaine, un haruspice était un devin qui prédisait l'avenir, prévoyait l'issue heureuse ou malheureuse d'un événement, d'après l'inspection des entrailles d'animaux sacrifiés. Le nom *haruspex,* du latin classique, à l'origine du terme français, parlait de lui-même. Il était, en effet, formé du mot archaïque *haru,* entrailles, et de *spex,* observateur.

HÂTELET *n. m.* Ce mot apparaît au XVIIIe siècle comme diminutif de *hâte,* broche à rôtir. Il signifie donc « petite broche », tandis que la hâtelette est un petit morceau de viande rôtie. Toute cette famille de mots n'est plus très usitée mais un petit restaurant peut s'appeler, coquettement, le Hâtelet.

HATHOR Hathor est une secourable déesse égyptienne incarnée dans une vache. On sait que les Égyptiens, d'abord répartis dans quarante petits États jusqu'au IIIe millénaire avant J.-C., conservèrent tous leurs dieux quand l'Égypte s'unifia, tout en instaurant entre eux une hiérarchie semblable à celle qui existait entre les cités. Tous ces dieux vivent des passions et des aventures comme les hommes, alors qu'ils ont souvent une tête et même un corps d'animal. Hathor, déesse de l'amour et de la joie, aime la musique : c'est pourquoi cette femme à tête de vache est représentée à côté d'un sistre. Le sanctuaire où elle est le plus vénérée est Denderah.

HAVANE *n. et adj.* Un objet marron clair est dit havane parce que sa couleur ressemble à celle du tabac produit à Cuba, au sud-ouest de La Havane, avec lequel on fabrique de célèbres cigares.

HÉBERTISME *n. m.* L'hébertisme est le nom que l'on donne à la méthode d'éducation physique fondée par Georges Hébert (1875-1957), qu'il avait appelée méthode naturelle. Celle-ci préconisait un retour aux activités primitives de l'homme, à une pratique plus naturelle du sport, et s'inscrivait dans une doctrine d'éducation à la fois physique et morale. S'opposant d'une part à la gymnastique conventionnelle suédoise et d'autre part à la spécialisation sportive, Hébert proposait dix types d'exercices : marche, course, quadrupédie (locomotion à quatre pattes), grimper, équitation, saut, porter, lancer, lutte et natation.

HÉBÉTUDE *n. f.* L'état d'hébétude est d'abord un signe clinique caractérisé par une obnubilation des fonctions intellectuelles, et qui peut être causé par un abus de tranquillisants ou par une émotion violente. La forme a-t-elle permis de rapprocher ce mot de bête ? Aujourd'hui, c'est vers le sens d'abrutissement – naturel ou artificiel – de torpeur, qu'est tiré le terme d'hébétude.

HÉCATOMBE *n. f.* Devant le meurtre de nombreuse victimes, ou le saccage d'une grande quantité d'objets, on parle d'hécatombe. Ce mot, d'origine grecque, composé de *hekaton,* cent, et de *bous,* bœuf, désignait à l'origine un sacrifice de cent bœufs (ou autres animaux) que pratiquaient les Anciens en l'honneur des dieux.

HÉDONISME *n. m.* L'hédonisme (du grec *hêdonê,* plaisir) est une doctrine philosophique qui reconnaît la prééminence du plaisir chez l'être humain. Cette doctrine est à distinguer de l'eudémonisme (du grec *eudaimonia,* bonheur), doctrine selon laquelle le bonheur constitue le bien suprême.

HÉGÉMONIQUE *adj.* Conducteur et seul maître à bord, tel était l'*hêgemôn* grec. L'adjectif qui en dérive indique la prépondérance politique et militaire d'un pouvoir. Face à l'hégémonie, nulle possibilité de participer aux décisions, à la direction... à moins de s'emparer des rênes, au risque de créer une autre hégémonie.

HEIDUQUE *n. m.* Les heiduques (ou haïdouks) sont les soldats hongrois, regroupés en milice, qui furent envoyés, à la fin du XVe siècle, à la frontière méridionale du pays afin de la protéger des envahisseurs. En 1604, ils se rallièrent à Étienne Bocskai, prince de Transylvanie, lorsqu'il organisa un soulèvement contre l'Autriche, et se transformèrent alors en bandes de pillards. Le mot hongrois vient d'ailleurs du turc *haydut,* qui signifie brigand.

HEIMATLOS *n. et adj.* Le terme allemand *heimatlos* (sans patrie), synonyme d'apatride, désigne ou qualifie un individu qui ne dispose pas légalement d'une nationalité par suite de la perte de sa nationalité d'origine.

HÉLIUM *n. m.* L'hélium (symbole : He) est le premier des gaz dits rares en raison de leur faible concentration dans l'atmosphère. Inflammable et très léger (densité : 0,138), l'hélium est utilisé notamment pour gonfler les ballons et les aérostats. À l'état liquide, c'est un réfrigérant très employé en cryogénie (production des très basses températures). Son existence fut mise en évidence en 1868, au cours d'une observation du spectre solaire par l'astronome anglais Norman Lockyer ; c'est à cette occasion que ce gaz fut baptisé hélium, à partir du grec *hêlios,* soleil.

HÉRAUT *n. m.* Après avoir été sept ans poursuivant d'armes, le héraut d'armes (du francique *heriwald,* chef d'armée) était, au Moyen Âge, un officier chargé de missions solennelles. Il portait les déclarations de guerre et les sommations, donnait le signal du combat, proclamait la paix. C'est lui encore qui vérifiait titres, droits nobiliaires, armoriaux et généalogies. Le premier héraut s'appelait le roi d'armes. Il était élu par tous les hérauts de France, soit dix à trente officiers.

HERCULE Hercule est le demi-dieu romain identifié au héros légendaire grec Héraclès. Doué de capacités physiques extraordinaires, il incarne la force. Il est surtout célèbre pour les douze travaux qu'il dut accomplir en expiation du meurtre de son épouse et de ses fils. C'est en faisant référence aux exploits de cet athlète qu'on appelle hercule de foire l'individu qui exécute des tours de force spectaculaires, dans une fête foraine, et qu'on qualifie d'herculéenne la force d'un homme particulièrement robuste.

HÈRE *n. m.* Sous l'aspect d'un pauvre hère, le diable est bien à plaindre ! Mais plus encore l'individu qu'on qualifie ainsi, parce que pauvre et malheureux. La pitié n'est pas toujours dénuée de dérision. En effet, ce terme du XVIe siècle proviendrait de l'allemand *herr,* signifiant seigneur ! D'aucuns ont tendance à lui préférer l'ancien adjectif *haire,* malheureux.

HÉRÉSIE *n. f.* Opinion, doctrine différente, divergente, jugée contraire au dogme, l'hérésie (du grec *hairein,* choisir, préférer), condamnée au sein de l'Église catholique, est considérée par celle-ci comme s'opposant à la vérité enseignée. Le tribunal ecclésiastique chargé de pourchasser l'hérésie au Moyen Âge se dénommait Inquisition (voir ce mot) ou Saint-Office. Ses méthodes d'enquête, d'espionnage et de torture sont restées tristement célèbres. La découverte par Galilée de la rotation de la Terre autour du Soleil au XVIIe siècle ou la théorie de l'évolution des espèces par Darwin au XIXe siècle sont de fameux exemples d'hérésie.

HERMAPHRODITE On qualifie d'hermaphrodite tout être vivant doté à la fois d'organes reproducteurs mâles et femelles et, plus généralement, tout individu présentant des caractères des deux sexes. La mythologie grecque, riche en allégories sur l'ambivalence sexuelle, est à l'origine de ce terme. Fils d'Hermès et d'Aphrodite, Hermaphrodite, qui porte déjà en son nom sa double nature, était un adolescent d'une rare beauté. Un jour qu'il se baignait dans la source de Salmacis, il fut surpris par la nymphe des lieux. Éblouie par sa beauté, celle-ci éprouva pour le jeune homme un amour si violent qu'elle pria Zeus de confondre à jamais leurs deux corps en un seul. La naïade amoureuse fut exaucée : c'est ainsi que naquit le mythe de l'hermaphrodite.

HÉTAÏRE *n. f.* Compagne (du grec *hetaira*), puis dame de compagnie et enfin courtisane, telle était l'hétaïre. Femme d'assez haut rang, l'hétaïre mettait sa beauté, ses talents, son érudition au service des souverains et des grands hommes.

HEZBOLLAH *n. m.* Le mot arabe *hezbollah* a été porté à la connaissance des Français lors de la révolution islamique de l'Iran. Il désigne un mouvement extrémiste qui se nomme lui-même « parti de Dieu ». Violence et radicalisation sont ses armes.

HIATUS *n. m.* Ce terme appartient aujourd'hui à la linguistique et désigne la rencontre de deux voyelles, soit à l'intérieur d'un mot, comme « haï », soit entre deux mots, comme « il a éteint ». Ce sens existe depuis le XVIIe siècle (du latin *hiatus,* ouverture). Au sens figuré, un hiatus désigne une interruption dans une continuité, voire une contradiction.

HIÉRATIQUE *adj.* Un air figé peut être hiératique. Un objet qui appartient au prêtre ou un art qui est conforme à la liturgie sont eux aussi hiératiques. Du grec *hieros,* sacré, hiératique signifiait à l'origine sacerdotal.

HIÉROPHANTE *n. m.* Dans l'Antiquité grecque, l'hiérophante était le grand prêtre qui présidait aux mystères d'Éleusis, célébrés chaque année en l'honneur de Déméter. Comme son nom (composé de *hieros,* sacré, et de *phainein,* montrer) l'indique, l'hiérophante était chargé d'enseigner les choses sacrées aux initiés. Ceux-ci, que l'on appelait les mystes, se préparaient aux révélations secrètes par des rites de purification, des processions et des prières.

HIPPOCRATE voir SERMENT D'HIPPOCRATE.

HOGAN *n. m.* L'hogan est la maison traditionnelle des Indiens Navahos. De forme conique ou polygonale, cette habitation est généralement constituée d'une charpente en bois recouverte de terre ; la pièce unique est précédée d'un petit porche qui en protège l'entrée. L'hogan est immédiatement abandonné à la mort de l'un de ses occupants.

HOLOCAUSTE *n. m.* Dans l'ancien Israël, l'holocauste était un sacrifice religieux pratiqué par les Juifs, à l'occasion duquel l'animal offert en offrande à Dieu était entièrement consumé (comme l'indique l'étymologie du mot grec, formé de *holos,* entier, et *kaustos,* brûlé). Par un triste revers de l'histoire, ce terme désigne de nos jours l'extermination de millions de juifs par les nazis pendant la Seconde Guerre mondiale.

HOLOGRAPHIE *n. f.* Ce procédé de photographie en trois dimensions fut mis au point en 1947 par D. Gabor, qui devait recevoir en 1971 le prix Nobel pour son invention. Une impression holographique (mot formé de graphie et du préfixe holo, entier, compact) résulte de l'interférence, sur une émulsion photo-sensible qui tient lieu de pellicule, de deux faisceaux de lumière émis par le même laser. L'un des faisceaux est dirigé sur la plaque photosensible, l'autre sur l'objet, qui réfléchit en retour la lumière vers la plaque. La rencontre des deux faisceaux provoque en quelque sorte l'enregistrement sur la plaque des informations définissant le « volume de lumière » de l'objet, permettant de restituer après développement son image holographique. Un hologramme possède une propriété extraordinaire, remettant en cause notre conception d'une image photographique et même de la perception : chaque point lumineux de la plaque photosensible contient l'information de tous les points de l'hologramme.

HOMÉLIE *n. f.* Dans la liturgie catholique, l'homélie (du grec *homilia,* conversation) est la prédication qui a lieu au cours de la messe. L'officiant, pendant ce sermon, explique les textes des lectures et donne aux fidèles une ligne de conduite pour mieux vivre leur foi.

HOMÉOTHERME *n. et adj.* Les animaux homéothermes ont la capacité de maintenir constante leur température interne, indépendamment de la température de leur environnement. Ces animaux, principalement les oiseaux et les mammifères, sont dits « à sang chaud ». C'est ce que désigne l'étymologie du terme, construit d'après les mots grecs *homoios,* semblable, constant, et *thermê,* chaleur.

HOMOLOGUER *v. tr.* Homologuer une découverte, un record, un projet, revient à les approuver, les reconnaître juridiquement. Sorte de point final, l'homologation confère à l'objet autonomie et efficience. Identifié, validé, l'objet homologué peut désormais sans risque être livré au public.

HORRIPILER *v. tr.* Ce verbe, synonyme d'agacer, d'exaspérer, vient du latin *horripilare,* lui-même composé de *horrere,* hérisser, et *pilus,* poil. L'expression – familière en français contemporain – « hérisser le poil » a donc un noble antécédent.

HOSANNA *n. m.* Cette adresse à Yahvé dans l'Ancien Testament (psaume CXVIII, 25 « Accorde le salut ») est devenue dans le Nouveau Testament (Matthieu XXI, 9 ; Jean XII, 13) acclamation, cri de joie et d'allégresse. Lors du rituel hébraïque, l'hosanna signifie « sauve donc ! » ; cette prière est récitée lors de la fête des Tabernacles. Dans le rituel catholique, l'hosanna est une hymne chantée le jour des Rameaux, en souvenir du cri de la foule venue au-devant de Jésus aux portes de Jésuralem.

HOUILLE BLANCHE La houille blanche est l'énergie des cascades et des chutes d'eau dont on utilise le courant produit grâce aux roues et turbines pour alimenter un moteur électrique. C'est l'ingénieur français Aristide Bergès qui créa l'expression. S'inspirant de ce modèle, on appela ensuite l'énergie des marées et des vagues la houille bleue et celle des cours d'eau, la houille verte.

HOULETTE *n. f.* Ce joli nom du bâton de berger est dérivé, au XIIIe siècle, du verbe *houler,* qui signifiait jeter. Ce bâton, en effet, avait une extrémité recourbée grâce à laquelle le berger pouvait jeter des mottes de terre sur les brebis qui s'écartaient du troupeau. La houlette n'existe plus que dans le langage imagé, les histoires, ou l'expression « sous la houlette de ».

HYALOPLASME *n. m.* Chaque cellule vivante est formée d'un noyau entouré d'une membrane plasmique et remplie d'un liquide visqueux : le cytoplasme. L'hyaloplasme est la substance fondamentale de ce cytoplasme. Composé à 85 % d'eau mais aussi de molécules protéiques, d'A.R.N. (acide rybonucléique), d'acides aminés, d'acides gras, de nucléotides, de monosaccharides, de sels, de lipides, de glycogène..., l'hyaloplasme est le milieu où baignent toutes les structures intracellulaires. C'est le carrefour de toutes les réactions chimiques de la cellule.

HYBRIDATION *n. f.* Viol, outrage aux lois de la nature, accouplement contre nature, tels devaient être les sentiments ressentis par les premiers savants qui se livrèrent à l'hybridation (du grec *hubris,* outrage, sévices). La chose est devenue anodine : l'hybridation, union de deux espèces végétales ou animales différentes, est aujourd'hui fort répandue. Employée à des fins eugéniques, l'hybridation relève pour une grande part du domaine de la génétique.

HYDROCARBURE *n. m.* L'étymologie du mot hydrocarbure mêle les racines grecque et latine : le préfixe hydro vient du grec *hudôr,* eau, et carbure du mot latin *carbo,* charbon. Le charbon est un composé du carbone, tout comme les hydrocarbures, composants principaux des pétroles, qui sont composés d'atomes de carbone et d'hydrogène.

HYDROMEL *n. m.* L'hydromel simple est une boisson fermentée à base d'eau et de miel. Il existe également un hydromel vineux, additionné de levure de bière et utilisé en pharmacie comme boisson adoucissante. Le terme provient du grec *hudôr,* eau, et *meli,* miel.

HYLOZOÏSME *n. m.* Ce terme, forgé au XVIIe siècle par le philosophe anglais Cudworth à partir des mots grecs *ulê,* matière, et *zoon,* être vivant, désigne tout système philosophique qui fait du monde un seul être vivant et prétend que la matière est douée de vie. Le stoïcisme, notamment, est une exemple d'hylozoïsme.

HYPOCONDRIAQUE *n. et adj.* L'hypocondriaque éprouve une anxiété excessive au sujet de sa santé. Se croyant attaqué des maux les plus divers, il tombe dans une profonde tristesse, devient atrabilaire et cherche à se faire soigner par tous les moyens. L'origine de ce mot repose sur le fait que la médecine ancienne plaçait le siège de cette affection nerveuse dans les hypocondres, c'est-à-dire les parties latérales de l'abdomen, sous les côtes.

HYPOCRITE *n. et adj.* Combien d'hypocrites, sur scène, auraient peut-être un franc succès ? En effet, à l'origine de ce mot grec (*hupokritês,* « celui qui répond ») : l'acteur. Semblable à l'acteur, l'hypocrite feint de vrais sentiments, respectant en cela l'hypocrisie qu'il joue (du grec *hupokrisis,* « jeu de l'acteur »).

HYPOGÉE *n. m.* Le terme d'hypogée (du grec *hupo,* sous, et *gê,* terre) désigne plus particulièrement les sépultures souterraines des civilisations antiques (égyptienne, mésopotamienne, hellénique, romaine). L'hypogée était constitué d'une ou de plusieurs salles sépulcrales où la dépouille mortelle reposait sur un lit funèbre, ou dans un sarcophage. Il pouvait s'agir également d'un caveau recouvert d'un tumulus.

I

IAGO Dans la tragédie d'*Othello* (1604), Iago, génie du mal et de la vengeance, incarne la trahison, thème de prédilection du théâtre shakespearien. Officier et homme de confiance du général maure Othello, le fourbe Iago tente de séduire l'épouse de ce dernier. Repoussé par la belle Desdémone, il décide alors de se venger et éveille les soupçons de l'ombrageux Othello, provoquant ainsi la mort de l'épouse innocente et le suicide du trop jaloux seigneur.

ICONE *n. f.* En linguistique, une icone est un signe dont la forme entretient un lien naturel avec ce qu'il représente, c'est-à-dire l'évoque directement : des onomatopées comme *aïe* ou *cocorico* sont des signes iconiques. L'icone est un des trois types fondamentaux de signes distingués par Charles Sanders Peirce.

ICÔNE *n. f.* Le terme icône est un emprunt au russe *ikona,* désignant une image sainte – en général un portrait de saint ou de sainte peint sur un panneau de bois –, objet religieux typique de la liturgie chrétienne orthodoxe. Le mot russe remonte au grec byzantin *eikôn* (image, portrait), à une époque où Byzance s'appelait Constantinople et était le siège de l'Église chrétienne grecque orthodoxe, et a donné les dérivés iconolâtre (« qui adore les images saintes ») et iconoclaste (« qui détruit les images saintes »).

ICTUS *n. m.* Ictus, mot choc dont la brièveté évoque la soudaineté. Affection subite dont l'effet est comparable à celui d'un coup, disent les manuels de médecine. Ictus épileptique et ictus apoplectique provoquent des crises qui, dans leur brutalité, sinon leur violence, étonnent et effraient.

IDENTITÉ (PRINCIPE D') En logique, le principe d'identité exprime la relation nécessaire que tout objet entretient avec lui-même. L'identification d'un objet conduit à l'affirmation de son unité. Même si cela paraît a priori tautologique, il est essentiel dans un système logique de poser l'identité de deux occurrences d'un même objet. Le principe peut s'énoncer ainsi : « ce qui est est ; ce qui n'est pas n'est pas ».

IDIOME *n. m.* Ce terme fut emprunté au grec *idiôma,* particularité, qui vient lui-même de *idios,* « qui est propre à ». Un idiome est un système d'expression linguistique à usage local ; c'est aussi, dans une autre acception, un type d'expression particulier à une langue (expression idiomatique). La définition linguistique du terme est à la vérité très floue, surtout lorsqu'on l'emploie pour une variété régionale d'une langue. Elle se heurte à l'impossibilité théorique de différencier, selon des critères scientifiques, une langue et un dialecte (ou variété de langue).

IDIOSYNCRASIE *n. f.* Ce terme fut emprunté au grec *idiosugkrasia,* composé de *idios,* « qui est propre à », et de *sugkrasis,* tempérament, mélange. L'idiosyncrasie décrit la réaction propre à chaque individu face aux influences et aux stimulations du monde extérieur. Les variations des effets secondaires d'un médicament selon les individus constituent un exemple de manifestation d'idiosyncrasie. Par extension, on emploie le terme idiosyncrasie pour faire référence aux réactions psychologiques définitoires du caractère d'une personne.

IDYLLE *n. f.* Aujourd'hui histoire d'amour tendre et naïve, l'idylle (du grec *eidullion,* petit tableau) était, dans l'Antiquité, un cour poème qui évoquait des scènes de la vie pastorale et chantait l'amour.

IGNOMINIE *n. f.* Opprobre, outrage fait au nom d'une personne ou à sa réputation, l'ignominie (du latin *in,* préfixe négatif, et *nomen,* nom) est la marque suprême du déshonneur.

IGNORANTIN *n. et adj.* L'ordre des frères ignorantins fut fondé au XVe siècle par le Portugais saint Jean-de-Dieu. Cette désignation choisie en signe de modestie et d'humilité fut plus tard employée péjorativement pour qualifier les frères des écoles chrétiennes, dont on disait qu'ils prônaient l'ignorance.

IKEBANA *n. m.* Ce mot japonais désigne l'ensemble des lois de la composition florale selon la tradition japonaise. Depuis le XVIe siècle, en effet, l'art de faire un bouquet a été élaboré et codifié au Japon selon des règles qui ont une signification symbolique et philosophique et qui s'enseignent aujourd'hui bien au-delà de leur pays d'origine. Les principes qui fondent cet art de disposer des branches et des tiges de hauteurs inégales visent le plus grand naturel à partir de la plus grande recherche.

ILIADE L'*Iliade,* poème fleuve de seize mille vers dont on situe la composition au début du VIIIe siècle avant J.-C., fut un des fondements de la civilisation grecque classique et, au-delà, du monde latin. Cette épopée influença de tout temps, par sa qualité dramatique et ses thèmes héroïques, les écrivains et les artistes européens. Attribué à Homère, ce chef-d'œuvre fondateur, qui relate en vingt-quatre chants le siège de Troie (Ilion en grec), fut-il œuvre d'auteur inspirée de plusieurs cultures ou poésie anonyme issue du génie populaire ? On y décèle les mythes, bien antérieurs à sa composition, des Mycéniens et des Minoens, mythes que les aèdes, bardes voyageurs, répandirent à la source du monde grec. L'*Iliade* conserve, malgré son style élaboré et épuré, toute la vigueur épique d'une littérature orale, œuvre première – et non pas primitive – où se mêlent et se querellent presque à égalité hommes et dieux.

ILOTE *n. m.* C'est au dernier degré de l'ignorance, de l'abaissement ou de la sujétion que l'on rencontre aujourd'hui l'ilote. Les Spartiates (voir ce mot), après avoir fait la conquête de la Laconie, réduisirent ses habitants à la condition d'esclaves (*heilôs,* ilote, signifie captif en grec). Ces serfs, payés par l'État et attribués aux citoyens, cultivaient la terre et suivaient leur maître sur les champs de bataille. Ils ne souffraient pas d'une mauvaise condition matérielle mais, n'étant pas protégés par la loi, ils devenaient les victimes toutes désignées d'humiliations et de mauvais traitements.

IMAM *n. m.* Ce responsable religieux musulman n'a pas la même importance pour les sunnites et les chiites (voir ces mots). Chez les sunnites, l'imam est le chef de prière d'une mosquée : il préside à la prière rituelle et interprète le Coran. Les chiites, quant à eux, voient en l'imam la principale autorité religieuse, chargée, en tant que messager infaillible de Dieu, d'actualiser la vérité de Mahomet.

IMMANENT *adj.* En théologie et en philosophie, ce terme désigne la profonde intériorité, l'appartenance. Une cause immanente sera donc une cause qui appartient en propre à l'objet, ne lui est ni extérieure ni supérieure. Forts de ce postulat, les panthéistes, et tout particulièrement Spinoza, parleront donc de Dieu comme d'une « cause immanente de l'Univers ».

IMMOLER *v. tr.* Ce verbe qui s'appliquait à l'origine à un animal que l'on tuait afin de l'offrir en sacrifice doit son nom à une coutume antique. En effet, on présentait toujours la victime à la divinité en même temps qu'un gâteau (du latin *in,* dans, et *mola,* gâteau de farine).

IMMUNITÉ *n. f.* Immunité parlementaire ou immunité virale, l'effet est le même : exemption et protection (du latin *immunitas,* de *immunis,* exempt) à l'égard de certaines charges ou peines pour la première, à l'égard de certains microbes pour la seconde.

IMPÉTRANT *n. m.* Heureux l'impétrant pourvu des lauriers du succès. L'impétrant (du latin *impetrare,* obtenir), aujourd'hui bénéficiaire ou lauréat, a obtenu un titre ou un diplôme.

INANITION *n. f.* Privation d'aliments, contrainte ou volontaire, l'inanition (du latin *inanitio,* de *inanis,* vide) prolongée conduit très sûrement au vide. Cependant, l'inanition ne désigne plus seulement le manque, mais ses conséquences. Ainsi, affaiblissement, épuisement provoqués par l'absence de nourriture sont les acceptions modernes du mot.

INCINÉRATION *n. f.* Dans le mot incinération, on reconnaît le radical latin *cinis,* cendre. L'action d'incinérer, de réduire en cendres, est nommée par un terme rare en français avant la fin du XVIIIe siècle. Un mot en est proche, crémation, qui donne au XIXe siècle le crématorium, où se font les incinérations des morts dans certains cimetières.

INCIPIT *n. m.* « Il commence », tel est le sens de ce verbe latin. Premiers mots d'un livre, premières notes d'une composition musicale, l'incipit a le pouvoir de séduire ou de rebuter. Aussi se doit-il d'être accrocheur et prometteur. Il sert également de titre à bon nombre de manuscrits anciens, et notamment aux documents ecclésiastiques.

INCUBATION *n. f.* La période d'incubation d'une maladie contagieuse correspond à la multiplication sournoise de microbes dans un organisme jusqu'à l'apparition des premiers symptômes. L'étymologie de ce mot explique qu'il soit employé non seulement en médecine mais aussi en aviculture. *Incubatio,* en latin, signifie « action de couver ». On parle ainsi également de l'incubation des œufs.

INCUBE *n. m.* Dans le panthéon infernal de la religion et de l'imaginaire chrétiens, les incubes avaient une place de choix comme produits symboliques de l'enfer et de la luxure. Un incube était un démon qui profitait du sommeil des femmes pour abuser d'elles. L'étymologie du terme est on ne peut plus claire : le mot latin *incubus,* cauchemar, est un dérivé du verbe *incubare,* « coucher sur ». Les incubes avaient leur pendant féminin, les succubes (voir ce mot).

INCUNABLE *n. m.* On appelle incunable tout ouvrage datant des débuts de l'imprimerie. On classe les incunables en deux catégories : les incunables tabellaires (ou xylographiques), imprimés avec des planches de bois gravées, et les incunables typographiques, obtenus au moyen de caractères mobiles en bois ou en métal. Le terme incunable est tiré d'*incunabula typographiae* – littéralement le berceau, les « débuts de la typographie » –, titre du catalogue des premiers ouvrages imprimés, publié à Amsterdam en 1688.

INDEX L'*Index librorum prohibitorum* fut créé par une congrégation pontificale de Rome en 1557, édité jusqu'en 1960, et enfin supprimé en 1965. « Liste indicative » où figuraient les livres jugés immoraux, antireligieux ou « induisant en erreur » (sic), en bref, interdits, sauf pour motifs professionnels, lesquels devaient être soumis à l'évêque diocésain. Les *Pensées* de Pascal, au XVIIe siècle, Diderot au XVIIIe puis au XXe les livres de Gide, Sartre et *le Deuxième Sexe* de Simone de Beauvoir figurèrent dans l'*Index.* L'expression « mettre à l'index » est issue de cet interdit historico-religieux et signifie par extension exclure, condamner une chose ou une personne.

INDIGENCE *n. f.* Ce terme, qui signifiait autrefois besoin, a vu son sens évoluer : le besoin a fait place au manque, et l'indigence désigne aujourd'hui un état de pauvreté extrême, où tout, y compris le plus vital, le plus nécessaire, manque. L'indigence n'est plus le lot de tout humain, mais seulement des plus infortunés.

INDUCTION *n. f.* Dans les domaines philosophique et scientifique, l'induction est un type de raisonnement qui consiste à remonter de faits particuliers à une loi ou règle générale, de construire une théorie uniquement à partir des données observables dans l'étude choisie. Il faut distinguer ce raisonnement de la déduction, qui cherche, à partir de propositions données (prémisses), à aboutir à une conclusion respectant les règles logiques du raisonnement effectué. En ancien français, induction avait le sens de suggestion : il fut dérivé du latin *inductio,* « qui amène », que l'on retrouve dans la locution *erroris inductio* : « action d'induire en erreur ».

INFÉRENCE *n. f.* L'inférence est une des bases de l'opération consciente de l'esprit que l'on nomme raisonnement. Cette opération est également le postulat essentiel de la logique. Travailler par inférence, c'est passer d'une proposition donnée, quelle que soit sa valeur de vérité, à une autre proposition, en appliquant une relation ou loi donnée. La déduction et le raisonnement par analogie sont des types d'inférence. Le terme vient du latin *inferre,* « porter ou jeter dans, vers, contre », qui se spécialisa ensuite, avec le sens de « mettre en avant une conclusion ».

INFINITÉSIMAL *adj.* Le terme est composé du latin *infinitus,* « non limité », augmenté des suffixes *-esimus* (destiné aux nombres ordinaux comme *vigesimus,* vingtième) et *-alus* (qui marque les adjectifs). Une quantité infinitésimale est donc infiniment petite. En mathématiques, le calcul infinitésimal a permis d'appréhender les notions d'infini et de continuité. L'infinitésimalité est d'autre part l'un des trois principes de la médecine homéopathique, selon lequel une dose infiniment petite d'un médicament surdiluée dans l'eau développe paradoxalement ses effets thérapeutiques ainsi que leur durée.

INFULE *n. f.* L'infule était, dans l'Antiquité romaine, le bandeau sacré, blanc et rouge, qui ornait le front des prêtres, des vestales et des victimes de sacrifices.

INGÉNIERIE *n. f.* Ce mot a été forgé vers 1964 sur ingénieur, terme ancien dans la langue, dérivé d'engin, qui signifiait, au XIIe siècle, machine de guerre, mais aussi, et jusqu'au XVIIe siècle, adresse, talent. Ce sens se retrouve dans l'adjectif ingénieux. L'ingénierie est l'étude d'un projet industriel sous ses aspects techniques, économiques et financiers. Ingénierie a un rival déconseillé, certes, dans l'anglais *engineering,* contre lequel (à l'instar duquel ?) il a été fabriqué.

INGÉNU *adj.* Ce terme aujourd'hui empreint de sarcasme et de moquerie désignait pourtant dans l'Antiquité romaine les « hommes nés libres ». Cette attitude déconcertante pour plus d'un est désormais considérée comme preuve d'une assez grande sottise.

INHÉRENT *adj.* Dire d'une qualité ou d'une faculté qu'elles sont inhérentes à l'homme, c'est dire le caractère viscéral, intime, nécessaire du lien qui les unit à celui-ci (du latin *inhaerere,* être fixé dans). Ainsi dira-t-on du désir qu'il est inhérent à l'homme, ou de l'étendue qu'elle est inhérente à la matière.

INIQUE *adj.* L'adjectif inique est attesté au XIVe siècle en français (du latin *iniquus,* le contraire de *aequus,* égal). Alors que fonctionne le couple injuste-juste en français, inique est l'antonyme d'un mot qui n'existe plus.

INQUISITION L'Inquisition fut une instance judiciaire ecclésiastique qui chercha à lutter, par tous les moyens, contre les hérésies, et notamment contre le catharisme. Instituée par la papauté, elle sévit surtout du XIIIe au XVIe siècle dans l'Europe chrétienne. La peine infligée aux hérétiques qui refusaient d'abjurer pouvait aller jusqu'au bûcher. Parce que les inquisiteurs procédaient à des interrogatoires minutieux et pratiquaient la mise à la question, on dit aujourd'hui d'un questionnaire indiscret qu'il est inquisitorial et d'un regard fureteur et scrutateur qu'il est inquisiteur.

INTAILLE *n. f.* À l'inverse du camée, l'intaille est une pierre fine gravée en creux. L'art de l'intaille, déjà répandu chez les Égyptiens, les Grecs et les Romains, sera redécouvert à la Renaissance. Objet d'ornement, bijou, il fut aussi utilisé comme sceau pour authentifier des actes officiels.

INTERLOPE *adj.* Une opération frauduleuse, un commerce illégal et, par extension, une affaire louche ou un milieu équivoque sont qualifiés d'interlopes, sous l'influence du mot anglais *interloper,* qui signifie « commerçant marron ».

INTERSTICE *n. m.* Le mot interstice vient du latin de basse époque *interstitum,* dérivé du verbe *interstare,* qui signifiait « se trouver entre ». Le préfixe *inter,* entre, se retrouve dans de nombreux mots français. Quant au verbe *stare,* « se tenir debout », il a donné des formes du verbe être.

INTRINSÈQUE *adj.* Ce terme synonyme d'inhérent, d'essentiel désigne ce qui est propre à un individu, à un objet. Aujourd'hui qualificatif, il était autrefois utilisé comme substantif et s'employait pour désigner... les intimes d'une maison !

IO La mythologie grecque raconte les amours de Zeus et d'Io, jeune prêtresse d'Héra. Séduite par Zeus, Io fut transformée en génisse soit par Héra elle-même, qui voulait la soustraire aux poursuites de son époux, soit par Zeus, qui l'aurait ainsi protégée de la vengeance d'Héra. En Égypte, Io retrouva forme humaine – grâce à Zeus – et eut un fils qui fut l'ancêtre de Danaos. Io fut ensuite confondue avec Isis, déesse égyptienne dont le culte s'étendit dans le monde romain.

IRÉNISME *n. m.* L'irénisme (du grec *eirênê,* paix) désigne une attitude, un comportement pacifique des chrétiens de confessions différentes qui acceptent de débattre entre eux de questions théologiques sur lesquelles ils s'opposent.

IRRÉDENTISME *n. m.* Après l'unification du royaume de Naples et du Piémont par Garibaldi (1860) et la proclamation du royaume d'Italie (1861), les nationalistes italiens commencèrent à réclamer la réintégration des territoires demeurés sous domination étrangère. La doctrine issue de ces revendications trouva son nom dans le mot d'ordre *Italia irredenta,* « l'Italie non encore délivrée ». On appelle par extension irrédentisme toute doctrine qui s'appuie sur le même type de revendications territoriales.

ISHTAR Ishtar, la Grande Déesse, est la divinité babylonienne de l'amour, de la fécondité et des combats. Cette belle déesse eut de nombreux époux, dont Tammuz, le dieu de la fertilité, et fut l'objet de cultes licencieux (prostitution sacrée) à Babylone ainsi que dans tout le Proche-Orient antique. Connue sous le nom d'Ashtart en Phénicie et d'Astarté en Grèce, Ishtar fut assimilée, plus tard, à Aphrodite, la déesse de l'amour et de la beauté.

ISLAM *n. m.* L'islam naquit au VIIe siècle en Arabie. C'est à La Mecque que Mahomet reçut de l'ange Gabriel la mission de prêcher un dieu unique, tout-puissant et miséricordieux : Allah. Rencontrant une vive opposition chez ses concitoyens, ce prophète s'enfuit à Médine en 622. Son expatriation marque le début de l'ère musulmane, l'ère de l'hégire. Toutes les révélations qu'il eut sont regroupées dans le Coran, qui établit les principaux dogmes de l'islam : la soumission à Dieu (tel est le sens littéral du mot islam, en arabe) et la croyance à une vie future. L'islam, cependant, n'est pas seulement une religion mais une loi qui règle la conduite de chaque musulman dans le quotidien de son existence. La Sunna, dans laquelle sont rassemblées les paroles du Prophète, est en cela un guide précieux pour toute communauté islamique.

ISOGONE *n. et adj.* Issu des mots grecs *isos,* égal, et *gônia,* angle, isogone a conservé en français le sens de « qui a des angles égaux ». Deux figures géométriques sont donc isogones si elles possèdent des angles égaux ou si elles forment des angles égaux les unes par rapport aux autres. En géographie, une isogone est une ligne qui réunit tous les points d'un territoire (ou de la surface terrestre) de même déclinaison magnétique.

ITÉRATIF *adj.* Un acte itératif est un acte soumis à une répétition ; le terme vient d'une forme adjectivale en bas latin, *iterativus,* du verbe *iterare,* recommencer, renouveler, répéter. Le verbe réitérer en est dérivé. Certains termes dérivés ne sont toutefois pas purement synonymes de l'idée de répétition, comme en psychiatrie, où l'itération désigne une répétition involontaire et inutile d'une parole ou d'un acte.

J

JAÏNISME *n. m.* Le jaïnisme est une religion née en Inde vers le VIe siècle avant J.-C., qui doit son nom au fondateur, Jina, le Vainqueur, encore appelé Mahavira, le Grand Héros, ou Vardhamana. Les postulats énoncés par le jaïnisme sont : l'éternité et l'indestructibilité de l'Univers, la réalité de la substance, la croyance en l'éternel retour, la croyance en la transmigration, la croyance en la délivrance finale. Les jaïns sont moines ou laïcs. La discipline et l'ascèse varient en fonction du choix ; cependant, tous ont en commun la quête de la libération de l'âme, la mise en pratique des cinq vœux : ne tuer en aucune façon, ne pas voler, ne pas mentir, ne pas se livrer à la débauche, ne pas s'attacher aux biens matériels. Morale rigoureuse et souvent contraignante aux yeux des profanes.

JALOUSIE *n. f.* La fonction de ce type de fermeture orientable, dont on équipe certaines fenêtres, consiste à moduler la lumière du jour afin d'obtenir un éclairage plus ou moins direct. Autrefois, il ne s'agissait pas de filtrer les rayons du soleil, mais les regards... L'ancêtre du système actuel était un treillis fixe, en bois ou en métal, au travers duquel on pouvait observer à l'extérieur, sans être vu. Ce dispositif, qui permettait de satisfaire sa curiosité et d'épier avec zèle (tel est le sens originel du mot jalousie, dérivé du latin *zelus*), doit peut-être son nom au fait qu'il a dû faire bien des jaloux parmi les guetteurs indiscrets !

JAMBOREE *n. m.* Le jamboree est une réunion internationale de scouts. Il se tient tous les quatre ans, dans un lieu toujours différent. Ce terme, d'origine inconnue, apparu au XIXe siècle, avait alors le sens de « grande fête joyeuse ».

JANISSAIRE *n. m.* Les janissaires constituaient le corps d'élite de l'infanterie ottomane, attaché à la garde personnelle du sultan. Il était formé d'enfants enlevés chez les peuples soumis et élevés pour la vie militaire. Instituée au XIVe siècle par le sultan Orhan Gazi, cette milice fut dissoute en 1826.

JANSÉNISME *n. m.* Le jansénisme, dont on a surtout retenu la morale rigoureuse, est la doctrine religieuse du théologien néerlandais Jansénius, qui rétablit au début du XVIe siècle la conception de saint Augustin sur la grâce et la prédestination (voir ce mot). En France, ses thèses furent défendues par son allié, l'abbé saint Cyran, qui fit de l'abbaye féminine de Port-Royal-des-Champs le foyer du jansénisme. Pascal, le plus célèbre des « solitaires de Port-Royal », rédigea un ensemble de lettres polémiques, les *Provinciales,* afin de répondre aux attaques des Jésuites.

JASPIN *n. m.* Le mot jaspin est dérivé du verbe jaspiner (XVIIIe siècle). Celui-ci est un croisement argotique de jaser et de japper, aboyer. Le jaspin est un bavardage inintéressant ; sa connotation péjorative est confirmée par l'étymologie !

JAUNE *n. et adj.* Un salarié qui ne suit pas un mot d'ordre de grève est traité de jaune par les partisans de l'arrêt total du travail. L'origine de ce quolibet péjoratif remonte à la fin du XIXe siècle. Alors que la plupart des syndicats furent qualifiés de rouges parce qu'ils adhérèrent au socialisme, certains patrons créèrent des

« syndicats maison ». Celui de Montceau-les-Mines avait pour insigne une bannière à gland jaune. Cette couleur fut reprise, dès lors, pour qualifier tous les syndicats proches des positions du patronat.

JÉRÉMIADE *n. f.* Plainte, pleurnicherie, lamentation incessante et jugée importune, voilà la jérémiade ! Ce terme attesté au XVIIe siècle a été forgé, par allusion, sur les lamentations du prophète Jérémie, figurant dans l'Ancien Testament. Ces lamentations constituent cinq chants de douleur et de deuil composés après la prise de Jésuralem par le roi de Babel Nabuchodonosor en 587 avant J.-C. (II Rois XXV, 7 à 11).

JETON DE PRÉSENCE Le jeton de présence est la somme accordée aux membres du conseil d'administration d'une société lorsqu'ils participent à une séance. Il est aujourd'hui considéré comme une rémunération ou comme une indemnité de remboursement de frais. Cette expression prend naissance à l'époque où les membres de certaines compagnies recevaient effectivement, pour leur présence à une réunion du conseil, un jeton de métal qui leur permettait de recevoir une somme forfaitaire.

JIU-JITSU *n. m.* Méthode de combat japonaise dont est dérivé le judo, le jiu-jitsu, d'origine très ancienne, était autrefois une discipline réservée aux samouraïs. Cette technique d'attaque et de défense développe l'adresse ainsi que la connaissance de la vulnérabilité de certaines parties de l'organisme. Les combats se composent de projections, de luxations, d'étranglements et de coups frappés sur les points vitaux du corps.

JONQUE *n. f.* Ce petit bateau d'Extrême-Orient, dont les voiles de natte sont cousues sur des lattes horizontales en bambou, a un nom qui vient de loin : les marins italiens et portugais ont sans doute emprunté un mot malais de Java, *jong.* La forme romane de ce mot, *juncque,* arrive en France à la fin du XVIe siècle. L'évolution phonétique et orthographique fera le reste pour donner la jonque, qui garde toujours son caractère exotique.

JOUVENCE La légende selon laquelle la fontaine de Jouvence donne à ceux qui se baignent dans ses eaux jeunesse et vitalité est tirée de la mythologie latine. Jupiter passe, en effet, pour avoir métamorphosé, après l'avoir aimée, la nymphe Juventa (jeunesse, en latin) en une fontaine magique.

JUDAÏSME *n. m.* Le judaïsme est la première grande religion monothéiste de l'histoire. Il apparaît chez les Hébreux, peuple de Mésopotamie apparenté aux Araméens, qui émigrèrent vers le pays de Canaan (Palestine) puis l'Égypte, entre le XIXe et le XVIIe siècle avant J.-C. Le passage des Hébreux à la croyance en un dieu unique se fit probablement dès cette époque, mais c'est lors de la fuite d'Égypte que leur prophète Moïse, avec la révélation des tables de la Loi, conféra à la religion des Hébreux un système véritablement théocratique. La Loi fonde une alliance (de l'hébreu *bérith*) entre Yahveh (Dieu, en hébreu) et le peuple hébreu, faisant des Juifs le peuple élu, dévoué au règne de Dieu sur la Terre. Revenus à Canaan, les Hébreux se répartirent en douze tribus, dont celle de Juda, laquelle instituera un royaume rival et indépendant d'Israël (vers 930 avant J.-C.) dont la capitale, Jérusalem, devint la ville sainte du judaïsme. C'est du nom de cette tribu que viennent les termes judaïsme et juif *(yehuddi),* apparus dans les derniers livres de l'Ancien Testament. Le sentiment religieux demeurera l'élément essentiel de l'identité juive, renforcé lors de la Diaspora par l'absence d'une nation séculaire et géographique. Sur la tradition judaïque s'appuient le christianisme et l'islam.

JUDAS Un judas est une ouverture discrète, pratiquée dans un mur, sur une porte ou un plancher ; en bref, est judas tout ce qui sert à voir sans être vu. Le terme est un emprunt à Judas, célèbre traître de la Bible. À partir du XIVe siècle, Judas était déjà employé comme nom commun dans le sens de fourbe, traître : où l'on voit combien le lien entre la langue et la culture – religieuse, entre autres – d'un peuple est intime.

JUGULER *v. tr.* L'action était autrefois plus radicale, puisqu'il s'agissait d'égorger (*jugulare,* en latin). Au fil des siècles, les méthodes sont devenues moins sanglantes et moins sûres. Ainsi, le mot a signifié étrangler, puis finalement étouffer, réfréner.

JULEP *n. m.* Le julep est une préparation pharmaceutique utilisée comme base dans les potions. Il n'entre dans sa composition que des sirops et de l'eau distillée. Le mot persan *gul-ab,* qui signifie eau de rose, évoque la couleur rosée de la préparation.

JURISPRUDENCE *n. f.* Examinant des multitudes de cas, les juges sont sans cesse confrontés à des points de détail épineux. Ils ont souvent besoin, pour appliquer la loi, de l'interpréter et de faire un choix entre différentes orientations possibles. Ils se réfèrent alors à la jurisprudence, ensemble des principes juridiques se dégageant des décisions prises antérieurement face à de tels cas et qui font force de loi.

K

KABUKI *n. m.* Constitué de trois caractères, *ka,* le chant, *bu,* la danse, et *ki,* le personnage, ce mot japonais désigne un genre théâtral dans lequel les dialogues sont entrecoupés d'intermèdes chantés et dansés. À l'origine, les représentations en plein air étaient données par des actrices qui alternaient pantomimes et danses érotiques. Jugées trop licencieuses par les autorités de l'époque, les femmes se virent interdire l'accès de la scène en 1629. Elles furent alors remplacées par de jeunes acteurs, puis par des hommes d'âge mûr, les onagatas, qui constituent aujourd'hui le pivot du théâtre kabuki.

KAKI *n. et adj.* Cette teinte marron clair tirant sur le jaune et le vert était à l'origine utilisée dans la confection de tenues de chasse et d'uniformes militaires. Ce furent les Anglais qui l'adoptèrent les premiers durant la Première Guerre mondiale. Le kaki fut par la suite élu par de nombreuses armées pour leurs tenues de campagne. Il offrait en effet les avantages de ne pas être salissant et de se fondre au décor. Quoi de plus naturel pour cette couleur qui signifie littéralement « couleur de poussière » (de l'hindi *khaki*) ?

KARMA *n. m.* Le karma (du sanskrit acte, action) est le principe induisant le cercle des vies (en sanskrit, *samsara*), ou principe régi par le désir (en sanskrit, *kama*). L'homme animé par le karma est donc voué à des réincarnations successives. Possibilité lui est donnée cependant de rompre ce cercle par l'ascèse et de parvenir éventuellement à la libération finale. L'action présente est due à l'action passée, de même que l'action future sera due à l'action présente. Ce concept fondamental de l'hindouisme et du bouddhisme est indissociable d'un autre concept : le dharma (du sanskrit porter, tenir), qui désigne la loi de l'être, la règle intérieure d'action. En effet, le dharma ne peut être réalisé que dans les limites du karma incombant à l'être humain.

KASHER *adj.* Ce mot est hébreu (XIXe siècle), c'est pourquoi son orthographe française peut varier (cashère, cachère ou encore cawcher) . Les boucheries kasher proposent de la viande d'animaux tués selon les prescriptions du judaïsme. Kasher se dit aussi de tout aliment préparé selon les règles diététiques de la Loi hébraïque ; par exemple, l'interdiction de mélanger la viande et le lait dans un plat ou dans un repas tire sa force d'une injonction qui recommande de ne pas « manger le veau dans le lait de sa mère ». La Loi, cependant, n'est respectée que si la préparation est effectuée de bout en bout par des personnes de religion juive, le rabbin de préférence.

KELVIN Unité de mesure de la température, le kelvin (symbole K), anciennement appelé « degré Kelvin », doit son nom au physicien britannique lord Kelvin. Celui-ci mit au point, au cours de ses travaux de thermodynamique, une échelle de température absolue et démontra que la température était non seulement repérable sur une échelle, mais aussi mesurable : 273,15 K correspondant à 0 °C.

KHARIDJISME *n. m.* Le kharidjisme est un mouvement musulman puritain qui n'est plus guère représenté qu'en Afrique du Nord. Il est né des suites de la bataille qui eut lieu en 657 à Siffin entre les chiites, partisans d'Ali (cousin du Prophète), et les sunnites, représentant le courant majoritaire de l'islam. Alors que les sunnites étaient sur le point d'essuyer une défaite, les deux camps décidèrent d'arrêter les hostilités et d'opter pour un arbitrage. L'arbitrage fut défavorable à Ali, qui perdit le pouvoir. Certains de ses partisans l'abandonnèrent parce qu'il avait accepté l'arbitrage. On les appela les kharidjites (c'est-à-dire les sortants).

KIBBOUTZ *n. m.* Ce terme hébreu désigne un village communautaire en Israël. Le kibboutz offre le paradoxe d'être établi sur des principes communautaires, voire communistes, et ce en pays capitaliste. Ses principes sont : l'égalité entre les membres, l'absence de propriété privée, la collectivisation des biens, la non-existence de l'argent (sauf l'argent de poche), la fourniture de tous les biens de consommation. L'argent gagné à l'extérieur revient en principe au kibboutz, les enfants sont élevés dans des maisons d'enfants et non en famille, les membres dirigeants sont élus tous les six mois, n'importe quel kibboutznik pouvant accéder à ce poste. Ces principes constituent la théorie du kibboutz. Leur mise en pratique diffère selon l'obédience des kibboutz (athée ou religieuse), selon l'origine (ashkénaze ou sépharade), et selon la tendance (conservatrice ou progressiste).

KIMONO *n. m.* Le kimono, costume traditionnel japonais, est une longue tunique, aux larges manches, dont les pans sont croisés sur le devant et maintenus par une large ceinture nommée obi.

KIOSQUE *n. m.* Le kiosque (du persan *kouchk,* belvédère) était au Moyen-Orient, et notamment en Turquie, un pavillon de jardin ouvert sur chacun de ses pans. Il fut à la mode en Europe au XVIIIe siècle.

KNOUT *n. m.* Dans la Russie impériale, le knout était à la fois le supplice traditionnel et le fouet qui servait à l'infliger. Ce fouet (*knut,* en russe) était constitué de lanières de cuir terminées par des crochets ou des boules de métal.

KOLKHOZE *n. m.* Les kolkhozes sont des coopératives agricoles instituées en U.R.S.S. en 1930. Structure où la terre, les instruments de production, la force de travail et les produits (cheptel, céréales) sont mis en commun sous la direction d'un comité élu, les kolkhozes devinrent en fait des instruments de travail au service du Parti communiste soviétique. Ils représentèrent néanmoins plus de 50 % de la production globale de céréales et de viande jusqu'au début de la perestroïka. Kolkhoze est formé par l'abréviation de *kollektivnoïe khoziaïstvo,* « économie collective ».

KOTO *n. m.* Le koto est un instrument japonais traditionnel ressemblant à une cithare : on en joue avec un plectre ou avec les doigts. Les cordes – six, treize ou vingt-cinq, selon les types de kotos – sont en soie et enduites de cire.

KOUBBA *n. f.* Ce terme sert à désigner, dans les pays du Maghreb, un mausolée de dimensions modestes surmonté d'une coupole (*qubba,* en arabe).

KOULAK *n. m.* Le terme désignait les paysans russes qui s'enrichirent à la fin du siècle dernier en rachetant les terres des nobles ou des paysans ruinés. En russe, *koulak* signifie poing et fut attribué à ces riches paysans dont on disait qu'ils avaient « le poing fermé sur l'argent gagné ».

KRYPTON *n. m.* Le krypton (symbole Kr) est un gaz rare, ainsi dénommé parce qu'on le trouve en très faible proportion dans l'atmosphère. Le terme a été formé, et pour cause, sur le grec *kruptos,* caché. Tous les gaz rares (hélium, xénon, radon) ont des propriétés physiques exceptionnelles ; ils sont notamment très peu volatils (inertes). Le krypton, comme le néon ou l'argon, a également des propriétés électriques remarquables. Ces gaz sont couramment utilisés dans la fabrication des éclairages à filaments et fluorescents.

KYOGEN *n. m.* Les kyogen sont des intermèdes comiques, sortes de courtes farces jouées entre chacune des cinq pièces d'une représentation de nô (voir ce mot). Ces petites comédies sont des parodies populaires, souvent burlesques, des traditionnelles pièces de nô, chargées de lyrisme et de symbolisme. Leur rôle est d'atténuer la tension engendrée par la solennité du nô.

KYRIELLE *n. f.* Ce terme provient de la liturgie catholique. Aujourd'hui profane, il désigne une litanie fastidieuse, une énumération ennuyeuse et lassante qui semble ne devoir jamais finir. À l'origine était la litanie, du nom des saints, introduite par le Kyrie eleison (Seigneur, aie pitié). Le Kyrie a donné son nom à la kyrielle, et on le chanterait presque aujourd'hui pour faire cesser la kyrielle...

L

LABILE *adj.* Votre mémoire est défaillante ? Dites plutôt qu'elle est labile ! Tout en faisant preuve d'originalité, vous contribuerez peut-être à réhabiliter cet adjectif tombé en désuétude. Dérivé du latin *labilis,* « sujet à tomber, à glisser », celui-ci reste toutefois employé fréquemment en chimie pour qualifier un composé peu stable.

LABYRINTHE En référence au fameux Labyrinthe de la mythologie grecque, ce terme désigne des difficultés, des complications dont l'issue semble sans cesse reculer. Un réconfort, cependant, car Dédale (voir ce mot) comme Thésée purent en sortir ! Le labyrinthe symbolise le voyage initiatique dont le centre (lieu de la révélation) est « réservé » à l'initié capable d'y accéder après des détours (épreuves de l'initiation).

LACONIQUE *adj.* La forme de cet adjectif, assez recherché pour caractériser un discours concis, ne dit rien de l'anecdote à l'origine de sa création. Dans la Grèce antique, les Laconiens, ou Lacédémoniens, habitants de Lacédémone, plus connue sous le nom de Sparte, étaient réputés pour leur manière de parler brève ; il y avait donc un mot, *lakonikos,* qui signifiait « à la manière des Laconiens ». C'est ce mot grec qui, au XVIe siècle, a donné laconique, puis le substantif laconisme. Entre spartiate, qui signifie austère, et laconique, bref, l'image de Sparte qui est véhiculée par la langue moderne n'est pas très avenante !

LACUNE *n. f.* Vous déchiffrez un vieux manuscrit et le texte, très peu lisible, est tronqué à certains endroits. Ne vous découragez pas à la première lacune, sautez-la, comme on saute à pieds joints un fossé rempli d'eau (tel est le sens de *laguna* en latin).

LAGUNE *n. f.* La lagune (de l'italien *laguna*) est une étendue d'eau, peu profonde, souvent saumâtre et séparée de la mer par un cordon littoral constitué des dépôts laissés par la mer.

LAÏUS *n. m.* Le mot laïus, désignant en général un discours prononcé devant une assemblée, est parfois d'un usage ironique ou même péjoratif. Il s'agit d'un nom propre passé dans l'argot scolaire puis dans la langue courante, après la première dissertation donnée à la toute nouvelle École polytechnique, en 1804, sur un sujet mythologique : le discours de Laïos, roi de Thèbes et infortuné père d'Œdipe.

LAMARCKISME *n. m.* Le naturaliste français Jean-Baptiste de Monet, chevalier de Lamarck (1744-1829), fut le premier à formuler une théorie cohérente sur l'évolution de la vie, il est en cela un des pères de la biologie moderne. Influencé par Buffon (voir ce mot), Lamarck affirma tout d'abord l'unité du vivant face aux substances inorganiques. Il soutint ensuite que non seulement la vie était dotée d'une organisation régulée, mais que les espèces constituant le monde vivant évoluaient graduellement en fonction de leur environnement extérieur ; les caractères d'une espèce étant ainsi progressivement acquis en fonction des besoins que crée le milieu extérieur et de l'adaptabilité de l'espèce à ce milieu. L'idée fondamentale que ces caractères acquis sont héréditaires, provoquant une évolution de l'espèce au fil des générations, est le fondement de la doctrine lamarckiste, appelée transformiste.

LAPALISSADE *n. f.* Capitaine de l'armée, né vers 1470 et mort en héros à la bataille de Pavie (1525), Jacques de Chabannes, seigneur de La Palice, a donné son nom à ce qui, avant d'être un truisme, fut une fameuse chanson populaire. Cette chanson, relatant les hauts faits du sieur de La Palice, se terminait par ce qui devait être la première lapalissade : « Un quart d'heure avant sa mort, il était encore en vie. » Ainsi le nom de M. de La Palice fut-il associé à ces propos qui, par leur évidence, prêtent à sourire ou à moquerie.

LAPIDAIRE *adj.* On dit d'une remarque particulièrement brève qu'elle est lapidaire (du latin *lapis,* pierre) parce qu'elle rappelle par sa concision le style des inscriptions que l'on gravait sur la pierre.

LAPSUS *n. m.* Faute, erreur de langage ou d'écriture consistant à prononcer ou à écrire un mot à la place d'un autre. Sorte de glissade, de chute (du latin *labi,* glisser, tomber) au long d'un discours ou d'une missive, le lapsus est interprété par la psychanalyse comme une expression de l'inconscient déjouant la censure. L'espace d'un instant très court, la conscience se dérobe et... se faufile le lapsus.

LARE *n. et adj.* À la différence des pénates (voir ce mot), protecteurs des provisions, les lares étaient les dieux domestiques romains qui veillaient sur le foyer. Ils étaient généralement représentés sous l'aspect de jeunes hommes à tunique courte portant une corne d'abondance, un panier ou une coupe... Chaque famille, voyant en eux les esprits des ancêtres devenus bons génies, leur consacrait un autel spécifique, le laraire, et leur offrait des libations, des couronnes de fleurs, de la nourriture, etc.

LASCAR *n. m.* Le terme lascar s'applique, en langage familier, à tout individu particulièrement malin, résolu et audacieux. Le sens actuel du mot, apparu pour la première fois dans l'argot troupier du XVIIIe siècle, reflète la représentation traditionnelle du soldat dans l'imagerie populaire. Lascar, dont l'acception première était « matelot des Indes », nous vient en effet du persan *laskar,* troupe militaire, par l'intermédiaire de l'hindoustani *kachkari,* soldat, matelot.

LASCIF *adj.* Enjouée, folâtre, débordante de vie, cette personne lascive ? Oui, tel était autrefois le sens de ce terme, si innocent qu'il s'appliquait même aux animaux. Victor Hugo parlait ainsi d'une chèvre lascive. Mais la volupté, passée sous les fourches de la morale, est devenue impudicité, vice, et le terme aujourd'hui résonne comme une condamnation.

LATRAN Les accords du Latran furent conclus le 11 février 1929 entre le pape Pie XI et Mussolini, président du Conseil italien. Les points principaux de ces accords étaient, d'une part, la reconnaissance de la souveraineté temporelle du pape sur la cité du Vatican (dont la superficie représente 0,44 km^2), d'autre part, la reconnaissance du catholicisme en tant que religion d'État en Italie. Une indemnisation financière de l'État italien fut versée au Vatican en dédommagement de la perte des anciens États pontificaux. En effet, Mussolini refusa de concéder une superficie dépassant celle de la cité du Vatican, contrairement à la proposition faite par le roi d'Italie Victor-Emmanuel III. Le concordat du 18 février 1984 a remplacé les accords du Latran et établit de fait la séparation entre l'Église et l'État italien.

LAVIS *n. m.* Le lavis est l'ancêtre de l'aquarelle. Cette technique picturale est obtenue par la dilution d'une unique couleur avec plus ou moins d'eau. La couleur est renforcée par couches successives ou amoindrie en utilisant le blanc du papier.

LAZARET *n. m.* Le lazaret, principalement établi dans un port, un aérodrome ou un poste frontière, est le lieu de mise en quarantaine des voyageurs contagieux. Ce terme (de l'italien *lazaro,* ladre) provient du nom de l'église Santa Maria di Nazareth, près de laquelle se trouvait au XVe siècle un hôpital de lépreux.

LAZZI *n. m.* Facétie bouffonne mais aussi propos acide et moqueur, le lazzi ne renie en rien son ancêtre comique. Cependant, dans la commedia dell'arte (voir ce mot) les lazzis (jeux de scène burlesques) étaient introduits pour reposer momentanément les acteurs de leur improvisation continue.

LEITMOTIV *n. m.* En musique, ce mot allemand signifiant « motif conducteur » fut adopté par Wagner pour désigner une brève formule mélodique ou harmonique qui caractérise un personnage, une situation, un objet, un sentiment, etc. La réapparition de leitmotive dans une composition musicale sert de guide (tel est le sens du mot *Leiter*) au mélomane, en ce sens qu'elle lui souligne les péripéties du drame.

LÉMURE *n. m.* À la différence des mânes, que les Romains étaient parvenus à se concilier, les lémures étaient les esprits des morts qui, n'ayant pas reçu une sépulture convenable, revenaient sur terre tourmenter les vivants sous la forme de spectres maléfiques. Pour les apaiser et les éloigner des habitations, les Romains célébraient tous les ans des fêtes archaïques, les lémuries, au cours desquelles ils tentaient de se racheter en jetant des fèves noires.

LÉNIFIER *v. tr.* Ce verbe, qui signifie calmer, adoucir une douleur au moyen d'un lénitif, provient par dérivation du latin *lenis,* « doux ».

LÉONIN *adj.* Cet adjectif est évidemment dérivé du mot latin *leo,* lion, mais c'est en calquant l'expression latine *societas leonina* que l'on dit, en français, une société léonine, un contrat léonin, lorsque l'un des partenaires s'octroie tous les avantages. Il faut voir, dans cet emploi, une référence à la fable antique, et particulièrement à celle de Phèdre, imitée d'Ésope, où le lion, ayant fait association avec la vache, la génisse et la brebis, s'attribue toutes les parts du butin uniquement parce qu'il est le plus fort.

LÉSER *v. tr.* Léser un individu consiste à ne pas lui attribuer une part qui lui est échue. Le tort, la blessure (du latin *laedere,* blesser) ne sont en effet jamais directs mais se font toujours par l'entremise d'un bien ou d'un droit. Partage non équitable, spoliation, telles sont les pratiques de l'individu désireux de léser son partenaire, sa famille, son ami.

LÉSINER *v. intr.* Ce verbe indique une avarice sans nom et parfois sordide. Son substantif eût pu être l'enseigne des cordonniers si ceux-ci n'avaient de tout temps été « les plus mal chaussés ». En effet, l'italien *lesina* signifie alêne. Ce terme provient d'un ouvrage du XVIe siècle, *Della famosissima compagnia della lesina,* dans lequel des avares raccommodent eux-mêmes leurs chaussures et forment un groupe du nom de Compagnie de l'alêne, laquelle était leur emblème !

LÉTHÉ Le Léthé est, dans la mythologie grecque, le fleuve de l'oubli (du grec *lêthê,* oubli) coulant en enfer. Les morts, soucieux d'oublier leur vie terrestre, s'y abreuvaient, tandis que (selon Platon) les âmes en passe de renaître s'y immergeaient pour effacer ce qui avait été vu dans le monde souterrain. Vierges de tout passé, de toute mémoire, ces âmes pouvaient alors renaître.

LÉVIGER *v. tr.* Léviger une matière consiste à la réduire en poudre par délayage. Rendre cette poudre aussi fine que possible, tel est l'enjeu (du latin *levigare,* de *levis,* lisse). Après délayage, il convient de laisser se déposer la substance.

LÉVITE Les Lévites sont les membres d'une des douze tribus d'Israël, celle de Lévi. Ils furent, d'après le Deutéronome, choisis par Jéhovah pour porter l'arche d'alliance (voir arche) et « le servir et bénir en son nom ». Les descendants de la tribu de Lévi constituèrent donc le premier sacerdoce du judaïsme ; ils étaient les servants du temple de Jéhovah. Ainsi le troisième livre de la Torah, dit Lévitique, contient les règles cultuelles essentielles du judaïsme, telles que le rituel de sacrifice ou les règles de pureté. À la fin du VIIe siècle avant J.-C., on distingua les prêtres du Temple des Lévites, chargés désormais des sacrifices ; ces derniers cumuleront, ensuite, des charges religieuses aussi diverses que celles de juge, d'enseignant, de scribe, de chantre, de portier...

LIBELLE *n. m.* Écrit de nature satirique ou diffamatoire, parfois même véritable bouquet d'injures, le libelle était autrefois fort pratiqué. Les lois incitant aujourd'hui à plus de retenue, le libelle n'a plus guère de place ni d'existence.

LIBERTIN *n. et adj.* Grivois et licencieux, tels sont les qualificatifs qui vont de pair avec libertin lorsque l'on veut décrire une œuvre. Ce terme a tout d'abord été appliqué aux esprit du XVIIe siècle qui revendiquaient le droit de douter des vérités établies et aux libres penseurs, qui manifestaient leur indépendance par rapport au dogme et à l'Église. Le libertinage exprimait donc originellement non pas un dérèglement des mœurs, mais une tendance intellectuelle. La forme latine du mot, *libertinus,* signifiait « esclave affranchi » et a servi à désigner dans les Actes des Apôtres (VI, 9) une secte juive regroupant des descendants d'anciens esclaves et fortement hostile aux disciples chrétiens.

LICORNE *n. f.* Ce mot est une altération de l'italien *alicorno,* unicorne. Animal fabuleux à corps de cheval et à corne frontale, la licorne est le symbole de la fécondation spirituelle. Au Moyen Âge, elle symbolisait l'incarnation du verbe de Dieu dans le sein de la Vierge Marie. En outre, *la Dame à la licorne* est une série de tapisseries du XVe siècle que l'on peut admirer, à Paris, au musée de Cluny.

LIGE *adj.* Au Moyen Âge, un vassal qui prêtait un hommage simple ne s'engageait vis-à-vis de son seigneur que sous réserve du service dû. Le système féodal, au contraire, attendait d'un vassal lige qu'il promette à son suzerain une fidélité absolue en toutes circonstances. C'est pourquoi un vassal attaché à plusieurs seigneurs ennemis était tenu de combattre exclusivement au côté du suzerain dont il était lige.

LILLIPUTIEN Petit, minuscule, certes, mais enfin tout dépend à quelle aune on compare les choses... Car au pays de Lilliput, les Lilliputiens ont une taille des plus normales : 6 pouces de haut, et à leur côté Gulliver fait alors figure de monstre difforme. Ce terme est tout simplement issu du roman de l'Irlandais Jonathan Swift *le Voyage de Gulliver.*

LIMBE *n. m.* Terme d'astronomie, le limbe est le bord extérieur du disque d'un astre. On emploie ce nom surtout à propos du Soleil et de la Lune. Dans l'Antiquité romaine, le limbe était la bordure d'un vêtement (du latin *limbus,* frange, lisière).

LIMBES *n. m. pl.* Ce terme désignait chez les théologiens scholastiques le séjour des âmes des enfants morts sans avoir reçu le sacrement du baptême. Il représentait d'autre part dans l'Ancien Testament le lieu où les âmes des justes attendaient la venue rédemptrice du Christ, qui leur ouvrirait les portes du paradis. En latin ecclésiastique, *limbis* signifie « séjour au bord du paradis ».

LIMOGER *v. tr.* Limoger signifie relever un officier de son commandement et, de façon plus générale, révoquer ou déplacer tout haut fonctionnaire jugé indésirable. Si, aujourd'hui, les limogés ne sont plus envoyés à Limoges, cette ville est pourtant bien à l'origine du verbe. En août 1914, alors que l'armée française bat en retraite, le général Joseph Joffre, commandant en chef des armées du Nord et du Nord-Est, s'engage dans la bataille de la Marne et, dans le même temps, relève de leur commandement plusieurs officiers supérieurs qu'il estime incompétents. Ces officiers furent affectés loin du front, à Limoges ; le terme limoger se répandit alors dans les tranchées et ne tarda pas à entrer dans la langue. Seuls les Limougeauds ont montré quelque réticence, demandant même, en 1975, que ce verbe, qui jetait le discrédit sur leur ville, soit supprimé des dictionnaires.

LINIMENT *n. m.* Un liniment est un médicament d'aspect onctueux (crème ou pommade), ayant notamment pour effet de soulager la douleur, appliqué par onction ou friction. Le terme vient du latin *linimentum*, dérivé du verbe *linire*, oindre, frotter.

LINNÉ Ce naturaliste suédois, qui vécut de 1707 à 1778 et occupa les fonctions de médecin puis de botaniste du roi, laissa à la postérité des informations détaillées sur une multitude de plantes et d'animaux qu'il observa minutieusement et dota d'un double nom latin. Mais c'est surtout à sa classification des êtres vivants qu'il doit sa célébrité. Les catégories qu'il établit sont aujourd'hui encore de mise, à savoir, dans l'ordre croissant : l'espèce, le genre, la famille, l'ordre, l'embranchement et le règne.

LISSE voir BASSE LISSE (DE).

LITRE *n. f.* Large bande noire décorée d'armoiries servant à orner les murs d'une église en signe de deuil, la litre fut peinte à même les murs du XVIe siècle à la Révolution. De grands dommages furent d'ailleurs causés à certaines fresques par cette pratique ! On peut encore apercevoir dans quelques églises ou chapelles des traces de peinture noire, ou distinguer certains blasons. Par la suite, la litre fut réalisée en tissu et tendue sur les murs au moment des funérailles d'une personnalité.

LOBOTOMIE *n. f.* D'un point de vue strictement neurochirurgical, la lobotomie (de lobe et du grec *tomê*, incision) est une opération consistant à sectionner les fibres thalamo-frontales (lobes frontaux du cerveau humain). Mais la justification et la finalité psychiatriques de la lobotomie en ont aujourd'hui (presque ?) stoppé la pratique. Destinée à supprimer les impulsions agressives des psychotiques considérés comme dangereux, la lobotomie eut la plupart du temps pour effet de détruire les malades qui y furent soumis, les réduisant à un état quasi végétatif.

LOGICIEL *n. m.* Alors que le programme existait avant et en dehors du domaine de l'informatique, le mot logiciel a été créé, par anologie avec matériel, entre 1970 et 1980, pour traduire le mot américain *software* (de *soft*, mou, et *ware*, marchandise). Le logiciel est l'ensemble des programmes, procédures, et même documentation nécessaires à la résolution d'un problème de l'utilisateur par l'ordinateur. Le logiciel système est fourni avec la machine, les logiciels d'application répondent à des demandes de services particuliers.

LOGOGRIPHE *n. m.* Un logogriphe est une énigme littéraire en vers qui consiste à définir un mot (comme dans les mots croisés), et à faire deviner d'autres mots relatifs au premier, lesquels sont presque composés des mêmes lettres. Pratiqué depuis l'Antiquité grecque et romaine, le logogriphe connut une certaine vogue à l'instigation du périodique littéraire *le Mercure de France*, qui en proposa à partir de 1727 à ses lecteurs. Un logogriphe s'exprimait souvent en un seul vers : « Je brille avec six pieds, avec cinq je te couvre. » Le mot à deviner est étoile, tandis que son composé était toile. *Logos*, en grec, signifie discours ; *griphos* veut dire littéralement filet, qui prit métaphoriquement le sens d'énigme.

LOGOMACHIE *n. f.* La logomachie (du grec *logomakhia*, de *logos*, parole, discours, et *makhê*, combat) désigne une querelle, un combat portant sur les mots, le langage, et, tout comme la logorrhée verbale, une accumulation de mots vides de sens.

LOISIBLE *adj.* Cet adjectif, synonyme de licite et issu comme lui du latin *licere*, « être permis », est dérivé du verbe *loisir* de l'ancien français.

LONGANIMITÉ *n. f.* Indulgence sans borne ou masochisme ? La longanimité est l'infinie patience avec laquelle on supporte, on souffre des offenses ou des injures qu'il serait aisé de punir. Ce terme provient du bas latin *longanimitas*, de *longus*, patient, et *anima*, âme, ainsi l'éternité de l'âme rend peut-être compte de cette patience infinie !

LOTISSEMENT *n. m.* Dérivé du francique *hlot*, héritage, sort, puis du verbe *lotir*, tirer au sort. Au XIVe siècle, le sens premier de lotissement était « tirage au sort », d'où l'expression « être bien (mal) loti » ! Le sens actuel de ce mot date de 1931.

LOUPE *n. f.* La loupe, très recherchée en ébénisterie et en marqueterie, est pourtant à l'origine une maladie. Inoculée à l'arbre par certains insectes, elle se manifeste par une excroissance ligneuse qui se développe sur le tronc et parfois même sur les branches.

LOVELACE *Loveless*, en anglais, signifie « sans amour ». Jouant avec les sonorités, l'écrivain Samuel Richardson appela Lovelace le personnage qui incarnait, dans son roman *Clarisse Harlowe* (1748), le libertin pervers et cynique. Employé comme nom commun, le terme de lovelace reste associé à l'idée du séducteur cruel et sans scrupule.

LUCIDITÉ *n. f.* Cette faculté lumineuse (du latin *lucidus*, clair, lumineux) possédée a priori par tous les hommes permet de discerner, de démêler les fils parfois confus de la vie. Mais, chez certains, la lucidité est parfois si forte, si intense, qu'elle fait d'eux des illuminés, des voyants, des prophètes alors objets de la critique ou de la risée, tant il est vrai que d'aucuns préfèrent les zones d'ombre.

LUDION *n. m.* Lorsque vous êtes ballotté par les événements, vous êtes tel le ludion, cette petite figurine d'émail accrochée à une boule creuse flottant dans un vase rempli d'eau et fermé par une membrane, que l'on fait monter et descendre en modifiant la pression.

LUFFA *n. m.* Le luffa est une éponge végétale faite à partir des fibres qui entourent le fruit appelé *louff* en arabe. Après mutation, les fibres se détachent et sont alors récupérées.

LUGUBRE *adj.* Dans son acception courante, l'adjectif lugubre exprime un sentiment de profonde tristesse. Un paysage, un visage particulièrement sinistres seront qualifiés de lugubres. Dans une langue plus littéraire, lugubre conserve son sens étymologique et évoque l'idée de la mort. On parlera ainsi d'un cortège ou d'un glas lugubre. En effet, cet adjectif emprunté au latin *lugubris,* funèbre, vient du verbe *lugere,* être en deuil.

LUPERCALES *n. f. pl.* La fête des lupercales, l'une des plus anciennes de la Rome antique, était célébrée par les luperques (prêtres-loups) en l'honneur de Faunus Lupercus, le dieu-loup, protecteur des bergers et des troupeaux. Cette cérémonie avait lieu tous les ans, le 15 février, sur le Palatin. Elle comportait en particulier des rites sacrificiels et purificatoires ainsi que des séances de flagellation destinées à prévenir la stérilité féminine.

LUTHÉRIEN *n. et adj.* Fondée par Martin Luther (1483-1546), l'Église luthérienne est la première institution religieuse issue de la réforme du christianisme au début du XVIe siècle. La révolte du prêtre Luther, provoquée par une profonde crise mystique, mais aussi par la situation de décadence matérielle dans laquelle se trouvait le clergé catholique, éclata en 1517 lors de l'affaire des Indulgences à Wittenberg et trouva des adeptes puissants en la personne des princes allemands, qui utilisèrent la Réforme pour s'arroger les biens de l'Église catholique. La règle luthérienne prêche notamment l'abolition du culte des saints, le retour à la stricte observance de la Bible et des paroles du Christ ; elle a également aboli le célibat des prêtres.

LYMPHE *n. f.* La lymphe est ce liquide organique semblable à l'eau (du latin *lympha,* eau) contenu dans les vaisseaux lymphatiques et riche en protéines et lymphocytes. Liquide intermédiaire entre le sang et les composants des cellules, elle constitue pour celles-ci un véritable milieu intérieur.

LYNCHER *v. tr.* Ce verbe doit son origine à un juge de Virginie, Mr. Lynch, qui institua au XVIIe siècle une loi américaine draconienne (dite « loi de Lynch ») selon laquelle tout malfaiteur pris sur le fait devait être jugé, condamné et mis à mort séance tenante.

M

MACARONIQUE *adj.* Le style macaronique se dit de la poésie burlesque dans laquelle on affuble les mots de terminaisons latines. L'inventeur du genre est l'Italien Tifi Odassi, vers 1490, mais c'est Merlin Coccaie, dit Merlin le Cuisinier, qui porta à sa perfection cet art de manier le « latin de cuisine ».

MACCARTHYSME *n. m.* Le maccarthysme est un programme de lutte anticommuniste qui se répandit aux États-Unis dans les années cinquante. Nommé à la tête de la Commission sénatoriale d'investigations, le sénateur McCarthy entreprit l'élimination systématique des communistes et de leurs sympathisants, plus particulièrement dans les milieux artistiques et administratifs. Il fit régner un climat de répression, de suspicion générale, provoquant une pluie de dénonciations, qui n'étaient pas sans rappeler les procès de sorcellerie qui eurent lieu à Salem à la fin du XVIIe siècle. C'est en référence à cet épisode historique que l'on qualifie cette période de « chasse aux sorcières ».

MACÉRER *v. tr.* Du latin *macerare,* amollir, ce verbe très connu sous son acception culinaire signifie aussi affliger son corps par des jeûnes, des disciplines sévères, des austérités, voire des châtiments. C'est par esprit de pénitence et pour soumettre leur corps aux exigences spirituelles que certains religieux ont recours à ces pratiques ascétiques.

MACHIAVÉLIQUE *adj.* La conduite perfide et sans scrupules de celui qui cherche à parvenir à ses fins par n'importe quel mensonge, ruse ou trahison peut être qualifiée de machiavélique. Cet adjectif est formé sur le nom de l'écrivain et homme d'État florentin Niccolo Machiavel. Dans son ouvrage *le Prince* (1513), celui-ci développe l'idée que le souverain doit, pour bien gouverner, faire passer la raison d'État avant toute considération morale.

MACROCOSME *n. m.* Le mot macrocosme a été forgé d'après microcosme et pour lui faire pendant. Le microcosme (mot du XIVe siècle) représente le corps humain comme un univers aux dimensions réduites, le macrocosme est l'Univers lui-même. On voit la formation quasi redondante de ce nom : macro-, préfixe tiré du grec *makros,* signifie grand, et -cosme, issu du grec *kosmos,* monde.

MADAPOLAM Le madapolam est une étoffe de coton blanc d'une texture plus lisse et plus résistante que le calicot. Il doit son nom à une ville de l'Inde au sud de l'ancien État de Madras, où il est fabriqué.

MADRAS Ce tissu aux vives couleurs, dont on trouve aujourd'hui de nombreuses imitations, était à l'origine composé de coton pour la trame, et de soie pour la chaîne. L'étoffe tient son nom de la ville d'Inde où fut créée sa fabrication : Madras.

MADRASA *n. f.* Une madrasa (école, en arabe ; également transcrit *medersa*) est une école coranique où l'on dispense l'enseignement islamique. On y forme les imams et les mollahs. Dans l'islam classique, chaque madrasa dépendait d'une mosquée et était souvent organisée en internat. Certaines madrasa prirent la dimension de véritables universités, ainsi qu'en témoignent la Zaytunä de Tunis ou la Qarawiyyîn de Fès. La madrasa d'Al-Azhar, au Caire, demeure aujourd'hui l'un des grands foyers de la culture islamique.

MADRÉ *n. et adj.* Ce terme littéraire qualifie tout individu qui, sans le laisser paraître, est particulièrement rusé. De l'ancien français *madre,* bois tacheté, il se disait autrefois de certaines essences d'arbres veinées et marbrées, et par extension de tout objet bigarré. Le sens de « qui a plus d'une couleur » est tombé en désuétude au profit du sens actuel de « qui a plus d'un tour dans son sac ».

MAGNANIME *adj.* Bon, clément. Le sens de magnanime s'est banalisé, même si cet adjectif reste plutôt rare dans le langage courant. Banalisé ou affadi car, fabriqué au XIIIe siècle sur le latin *magnanimus,* formé de *magnus,* grand, et *animus,* esprit, il désignait donc littéralement un individu au cœur noble, à l'esprit élevé.

MAHABHARATA Grand poème épique (200 000 vers répartis en dix-huit chants) le *Mahabharata* retrace le conflit entre les descendants de Bharata, les Kaurava, et leurs cousins les Pandava. Au terme d'un jeu truqué, les Kaurava, qui ont usurpé le pouvoir, l'emportent sur les Pandava, contraints de s'exiler durant douze années à l'issue desquelles leurs biens et territoires devront leur être rendus. Les Kaurava manquent à leur parole. Une bataille s'engage, qui dure dix-huit jours. C'est pendant celle-ci que se place l'épisode de la Bhagavad-Gîtâ, cœur véritable du récit, où Krishna, avatar de Vishnou, enseigne à Arjuna les devoirs du Dharma. Ainsi, il est du devoir du guerrier de combattre, fût-ce dans la guerre la plus fratricide. Voilà ce que Krishna revèle à Arjuna, défaillant de peur et de tristesse. Nul ne peut échapper à la loi qui gouverne le monde. À l'issue du combat, tous les guerriers sont tués, sauf trois de chaque clan, qui scellent alors la paix. Ce texte, sacré pour les Indiens, rencontre aujourd'hui encore une large audience. Traductions, adaptations théâtrales et même cinématographiques déroulent ainsi depuis des siècles la légende fondatrice.

MAÏEUTIQUE *n. f.* Le philosophe grec Socrate, dont la mère était sage-femme, se considérait aussi comme un accoucheur. La délivrance n'était cependant pas celle des corps mais celle des âmes. Tout l'enseignement n'était, selon Socrate, qu'« art d'accoucher » (du grec *maieutikê,* art de faire accoucher) et consistait à faire découvrir à ses interlocuteurs la vérité qu'ils portaient en eux mais qu'ils ignoraient ou avaient oubliée.

MAIN DE FATMA La main de Fatma représente de façon stylisée la main de Fatima, fille de Mahomet et de Khadidja et épouse d'Ali. Par superstition, certaines femmes musulmanes en portent une et en font porter une à leurs enfants. Ce fétiche aurait le pouvoir d'éloigner certains mauvais esprits, appelés djinns.

MAINMORTE *n. f.* Au Moyen Âge, un serf ne pouvait transmettre ses biens par testament. Aussi, lorsqu'il mourait sans héritiers directs, toute sa fortune revenait de droit au seigneur. Cette pratique était appelée mainmorte car, selon Voltaire, les seigneurs exigeaient la main droite des cadavres des serfs qui décédaient sans laisser de richesses ! Cette interprétation anecdotique tombe dès l'instant où l'on sait que main signifiait possession, propriété, dans les textes juridiques de l'époque. Le serf était donc dit « homme de mainmorte » parce qu'il n'avait que la jouissance de ses biens.

MAJORDOME *n. m.* Littéralement, « chef de maison » (du latin *major,* plus grand, chef, et *domus,* maison), le majordome est concrètement l'intendant qui veille à la bonne tenue d'un domaine ou d'une demeure. À ce titre, il dirige les domestiques et régit tous les services et les biens.

MALANDRIN *n. m.* Ce nom, dérivé de l'italien *malandrino,* voleur de grands chemins, fut donné aux pillards qui, ravageant la France en bandes organisées, semèrent la terreur pendant la guerre de Cent Ans.

MALTHUSIANISME *n. m.* La doctrine du malthusianisme est due à l'économiste anglais Thomas Robert Malthus (1766-1834), qui préconisa la limitation volontaire des naissances (par la continence et le civisme moral) afin de réduire l'accroissement constant de la population du globe, que la faible production alimentaire ne permettait pas de nourrir.

MAMELOUK *n. m.* En arabe égyptien, *mamloûk* est dérivé de *malak,* posséder, et signifie « celui qui est possédé » non par des esprits, mais par des hommes. Tel était le nom des esclaves blancs qui constituaient les milices de mamelouks, notamment au Moyen Âge.

MANDARIN *n. m.* Le titre de mandarin désignait les hauts fonctionnaires chinois ayant satisfait aux examens impériaux. Déjà, à l'époque de Confucius, leurs qualités intellectuelles et leur intégrité morale devaient être, après celles de l'empereur, un exemple pour tous... Cette appellation, qui leur fut donnée par les Portugais (d'après le verbe *mandar,* mander, ordonner), provient du sanskrit *mantrin,* « conseiller d'État ». Dans le domaine médical et universitaire, l'emploi de ce mot, par dérision ou contestation, désigne la toute-puissance, voire le despotisme d'un grand patron.

MANDRAGORE *n. f.* La racine charnue de cette herbe aux grandes feuilles de la famille des solanacées a donné lieu à de nombreuses superstitions, sans doute parce que sa forme rappelle grossièrement un corps humain. Les uns la conservaient comme une petite poupée, en guise de porte-bonheur. Les autres lui prêtaient des vertus aphrodisiaques. (Machiavel se souvint d'ailleurs de cette croyance lorsqu'il écrivit sa comédie intitulée *la Mandragore.)* Autrefois utilisée en chirurgie comme anesthésique, elle est encore cultivée dans le bassin méditerranéen parce qu'elle permet de dilater la pupille en ophtalmologie.

MANICHÉISME *n. m.* Religion fondée par Mani au IIIe siècle, au sein de l'Empire perse sassanide, le manichéisme est issu de la tradition zoroastrienne, alors religion officielle. Le manichéisme fut plus qu'une doctrine opposant irréductiblement le Bien et le Mal ; c'est en effet ce qui a été retenu dans le sens actuel du terme, qui désigne dans l'usage courant une conception des choses dualiste et simplificatrice. Si la doctrine de Mani est fondée sur un dualisme, le Bien et le Mal y sont indissolublement liés. Ceux-ci sont partie intégrante de l'Univers comme de l'homme, qui en est le reflet. La pratique et l'objectif du manichéisme étaient pour l'adepte de combattre la partie mauvaise, de l'extirper pour avancer vers une meilleure compréhension du monde et une plénitude de la vie sociale – donc de reconnaître le conflit et la complexité inhérents à ce dualisme. Se voulant porteur d'un message conciliateur et universel, le manichéisme fit sentir son influence de l'Europe (bogomiles en Bulgarie, cathares en France) à l'Inde et à la Chine, jusqu'à la fin de la période médiévale.

MANIÉRISME *n. m.* Le maniérisme est le manque de naturel, de simplicité, affecté par une personne dans son comportement, sa tenue, ses paroles. Attitude jugée excessive et ressentie comme un défaut, le maniérisme qualifie aussi le style de certains peintres et écrivains jouant par trop de l'emphase et de la sophistication.

MANNE *n. f.* La manne est à l'origine une nourriture divine et providentielle envoyée aux Hébreux affamés dans le désert. Le terme manne est tout d'abord une question (de l'hébreu *man hou,* qu'est-ce que c'est ?), celle-là même que posèrent les Hébreux éberlués de voir cette sorte de givre qui recouvrait le sol. Ce *man hou* était la nourriture qui durant quarante jours tomba du ciel. « Pareille au grain de coriandre, son goût ressemblait à celui d'une galette de miel », dit le texte (Exode, XVI). Désormais, la manne n'est plus seulement ce don divin et alimentaire mais désigne tout secours, toute aide inattendue et bienvenue.

MANTRA *n. m.* Dans la religion hindoue, le mantra est une formule ou une parole sacrée transmise par le gourou au disciple. Le mantra symbolise, en tant que son et parole-syllabe, le dieu ou idéal choisi (Ishta-Deva) par le disciple et peut n'être que le Nom même de Dieu. Son rôle est de permettre la concentration sur l'idéal indissociable de l'amour, de purifier la pensée et d'amener le disciple à la conscience de Dieu, à sa réalisation au sein de Brahman (l'absolu immuable).

MAPPEMONDE *n. f.* La *mappa mundi* en latin médiéval, c'est la « nappe du monde », le monde entier à portée, étalé là, devant soi.

MARABOUT *n. m.* Un marabout (de l'arabe dialectal *marâbut,* saint, guerrier, pieux) était au temps de l'expansion de l'Islam un moine guerrier dévoué à la guerre sainte (*djihad,* voir ce mot). En Afrique du Nord, les marabouts étaient de saints ermites, parfois fondateurs de confréries mystiques. Le terme, issu de l'arabe classique *murâbit,* devint aussi en français moabite, au sens de musulman pratiquant. C'est probablement à la suite de l'islamisation d'une partie de l'Afrique noire que marabout vint à désigner ces guérisseurs populaires qui, ajoutant un paradoxe de plus à la fusion des cultures et des langues, sont souvent de tradition animiste.

MARAÎCHER *n. et adj.* Le terme maraîcher, désignant un cultivateur, signifie littéralement « qui vit dans les marais ». Il vient du quartier parisien du Marais. Ce quartier, situé sur une ancienne zone marécageuse, un bras mort de la Seine, fut en effet, après son assainissement, occupé par des maraîchers.

MARASME *n. m.* Au sens figuré, le marasme est synonyme de crise. Il désigne, en effet, une diminution d'activité, une stagnation économique, politique ou commerciale. Cependant que, conforme à son origine (du grec *marasmos,* consomption), son sens premier fait référence à un dépérissement de l'organisme, à un extrême amaigrissement.

MARCOTTAGE *n. m.* Cette technique horticole permet d'obtenir plusieurs plantes à partir d'un même pied mère. Elle consiste à enraciner une tige encore rattachée à son pied d'origine puis à l'en séparer lorsqu'elle a des racines. La tige racinée ainsi obtenue est appelée marcotte. Les méthodes de marcottage varient en fonction des espèces. On distingue le couchage des rameaux, pratiqué sur des végétaux à rameaux longs et souples ; le marcottage en butte, applicable aux variétés faciles à recéper ; et enfin le marcottage aérien, adapté aux plantes de serre et aux espèces rares.

MARGAILLE *n. f.* Désordre où règne la saleté... et pour cause ! Margaille est dérivé de l'ancien français *margouiller,* salir ; tandis que le margouillis désigne un mélange de boue et d'ordures.

MARGOULIN *n. m.* Ce sobriquet dont on affuble un individu peu scrupuleux en affaires désignait au milieu du XIXe siècle un petit marchand forain. Dérivé du verbe *margouliner,* « vendre de bourg en bourg », il était surtout appliqué aux femmes qui proposaient, dans l'ouest de la France, mouchoirs, coupons, bonnets féminins (tel était le sens de *margouline*)...

MARIGOT *n. m.* On appelle marigot un endroit creux, rempli d'eau stagnante ou de boue, une sorte de mare ou de ruisseau sujet aux inondations. Ce mot a été d'abord un terme de géographie désignant le bras mort d'un fleuve, dans les régions tropicales. L'origine en est obscure : peut-être est-il tiré d'un mot d'une langue caraïbe qui aurait été rapproché de *mare,* mer. Il sert aujourd'hui à certaines métaphores éloquentes comme « le marigot de la politique ».

MARITORNE Une femme laide, sale et revêche se voit affublée de ce sobriquet très péjoratif en référence à un personnage de Cervantès. Dans le célèbre *Don Quichotte de la Manche,* Maritorne est une fille d'auberge particulièrement repoussante.

MARIVAUDAGE *n. m.* Élégant badinage ou manège galant, le marivaudage se distingue par un certain raffinement, frisant l'affectation, dans le discours amoureux. Diderot inventa le terme, en 1760, en référence à l'œuvre de Pierre Carlet de Chamblain de Marivaux. Après avoir été ruiné par la banqueroute de Law, en 1720, cet écrivain français s'est consacré à la comédie, à laquelle il a insufflé une vigueur nouvelle. Peintre subtil des amours naissantes, il a créé des intrigues légères caractérisées par une grande finesse dans l'analyse et l'expression des sentiments. C'est le style délicat et précieux des dialogues, dans *le Jeu de l'amour et du hasard* ou dans *les Fausses Confidences*, que l'on a baptisé marivaudage.

MARMENTEAU *n. et adj.* En termes de droit, un marmenteau ou un bois marmenteau est un bois de haute futaie servant à la décoration d'un domaine et que les usufruitiers n'ont pas le droit de couper.

MARMORÉEN *adj.* Un visage marmoréen est très peu avenant. Pâle, figé, dur, il a l'aspect du marbre ; tel est le sens du nom latin *marmor*, sur lequel a été formé cet adjectif.

MARMOUSET *n. m.* Ce mot est une variante de *marmot*, qui au XVIe siècle désignait une figure grotesque servant d'ornement architectural. La rue des Marmousets, à Paris, doit son nom à ces figures.

MARNAGE *n. m.* Cette technique agricole consiste à épandre sur une terre de la marne, mélange naturel composé de calcaire, de sable et d'argile, et à la laisser se déliter à l'air libre avant de labourer.

MAROTTE *n. f.* Avoir une marotte, une idée fixe, pourquoi pas ? Le mot marotte est un diminutif de Marie, comme Mariole, Mariotte, Marion. Il nommait d'abord une figure sainte, une poupée, et par analogie il désigna la tête qui surmontait le bâton du bouffon du roi. Du coup, ce bâton prit le nom de marotte. Mais comme cette marotte-là devenait l'attribut, le signe de la folie (le bouffon est le fou du roi), elle est devenue elle-même une idée folle.

MARRON *adj.* Cet adjectif qualifie une personne qui exerce une profession sans en avoir la qualité ou le titre. L'origine de ce terme provient de l'espagnol d'Amérique *cimarron*, « réfugié dans un fourré ». Cette expression désignait les animaux domestiques qui s'étaient enfuis (dans les fourrés) et, par analogie (!), les esclaves noires fugitifs qui avaient trouvé refuge dans les bois.

MARSUPIAL *n. et adj.* Les marsupiaux forment un groupe de mammifères caractérisés par une placentation courte : le développement intra-utérin de l'embryon est très bref et se poursuit dans la poche ventrale extérieure, appelée marsupium (du grec *marsipion*, bourse), où le petit s'accroche à une mamelle. On trouve des marsupiaux en Nouvelle-Guinée et en Amérique, mais c'est en Australie qu'ils sont le plus représentés. Profitant de l'absence des autres mammifères sur ce continent isolé, les marsupiaux ont occupé la plupart des niches écologiques. Ainsi, à côté des espèces les plus connues, comme le kangourou ou le koala, il existe des ours, des taupes, des écureuils, des fourmiliers, des souris, des chats marsupiaux et même un loup marsupial, appelé loup de Tasmanie.

MASCOTTE *n. f.* Originaire du Midi (du provençal *masco*, sorcière), la mascotte en a conquis plus d'un, et ce sans discrimination régionale. Qu'elle soit objet, bijou ou même personne, la mascotte, considérée comme porte-bonheur, est l'élément indispensable pour la réussite de toute entreprise.

MASTODONTE *n. m.* Le mastodonte, ce mammifère à l'allure d'éléphant dont l'espèce s'est éteinte au début de l'ère quaternaire, doit son nom non pas à sa grande taille, mais... à ses dents : les molaires du mastodonte présentent sur leur surface triturante des crêtes transversales rappelant la forme d'un mamelon (du grec *mastos*, mamelle, et *odous*, dent).

MATAMORE Ne vous laissez pas abuser par les récits extraordinaires d'un hâbleur qui vous conte des exploits purement imaginaires et cache sa couardise sous des dehors de brave ! Vous avez affaire à un matamore, du nom d'un personnage type de la comédie espagnole : Matamoros, « tueur de Maures », qui se glorifiait sans cesse de ses hauts faits (fictifs !) contre les Maures. Par ses fanfaronnades, il rappelait le Capitan du théâtre italien et avait le même ancêtre latin : le soldat fanfaron (*miles gloriosus*).

MATÉRIALISME HISTORIQUE Le marxisme se présente comme une science que Marx lie au mot matérialisme. Le matérialisme historique (ou social) est fondé sur l'assertion selon laquelle la réalité sociale, c'est-à-dire l'ensemble des rapports de production, est la base matérielle qui conditionne le processus de vie social, politique et intellectuel. L'histoire elle-même est celle des modes de production, de leur fonctionnement et des formes de transition qui font passer d'un mode à un autre.

MATINES *n. f. pl.* Premier office du bréviaire romain fixé au XVIe siècle par saint Pie V, les matines étaient célébrées de nuit. Suivaient sept autres offices qui ponctuaient la journée des moines toutes les trois heures : les laudes, prime à la première heure (soit vers six heures), tierce à la troisième heure, sexte à la sixième heure, none à la neuvième heure, puis les vêpres, célébrées le soir. Les complies terminaient le cycle de prière. Depuis le concile de Vatican II, les matines sont devenues l'office de lecture et prime a été supprimée.

MATOIS *n. et adj.* Un individu à l'esprit retors est dit matois. Dans l'argot des malfaiteurs, ce terme signifiait coupe-bourse. Il équivalait à l'expression « enfant de la mate », la mate étant à Paris le rendez-vous des voleurs.

MAZAGRAN Sorte de petit bol de faïence de forme conique à pied bas, le mazagran était à l'origine non pas le contenant, mais le contenu. C'était du café noir, chaud ou froid, parfois allongé d'eau-de-vie, servi dans un verre profond, que goûtèrent les soldats français défendant la ville algérienne de Mazagran lors d'un siège mené par Abd El-Kader, en 1840. Ils en rapportèrent l'usage en France et donnèrent au café le nom de la ville, en souvenir.

MÉANDRE Courbes, lacet d'un fleuve, d'une route ou de la pensée, après quoi la voie initiale est reprise. Tels sont aussi les contours et sinuosités du Méandre (Menderes, aujourd'hui), fleuve de l'ancienne Phrygie.

MÉCÈNE Le premier mécène, ou protecteur des arts et des lettres, fut Caïus Clinius Maecenes (Mécène en français). Homme d'État romain et favori d'Auguste, il devint plus tard l'éminence grise d'Octave. Outre son rôle politique important, il était connu comme « l'ami des poètes ». Virgile et Horace étaient au nombre des artistes que sa maison accueillait sans réserve.

MÉCHOUI *n. m.* La coutume de cuire un agneau ou un mouton entier à la broche, donc de faire un méchoui, vient des pays du Maghreb : en arabe, en effet, la racine *machwi* signifie griller et désigne toutes sortes de grillades ; à la fête de l'Aïd, par exemple, les familles qui le peuvent font un méchoui.

MÉDUSE Des trois Gorgones (voir ce mot), seule Méduse était mortelle. Son regard pétrifiant n'eut pas raison de Persée, venu dans l'antre des Gorgones pour la tuer. Profitant de son sommeil, il la décapita. Du cou tranché de Méduse naquirent Pégase, le cheval ailé, et Chrysaor, l'homme à l'épée d'or, tous deux engendrés par Poséidon, seul dieu n'ayant pas craint de s'unir à Méduse.

MÉDUSÉ *adj.* Lorsqu'un spectacle inouï vous laisse cloué sur place, médusé, vous subissez le même sort que les victimes de Méduse, l'une des trois Gorgones. Cette créature monstrueuse de la mythologie avait en effet le pouvoir de changer en statue de pierre quiconque rencontrait son regard.

MÉGALOPOLE *n. f.* La vaste urbanisation de la côte nord-est des États-Unis a créé, en anglais, le mot *megalopolis,* à partir du grec *megalos,* grand, et *polis,* cité. Le français a repris ce mot : une mégalopole est une énorme agglomération qui s'est constituée autour d'une ville et de sa banlieue.

MÉGALOSAURE *n. m.* Non, ce dinosaure n'avait pas la folie des grandeurs ! Le mégalosaure doit son nom à son immense taille (il signifie en grec « gigantesque lézard ») et fut le premier dinosaurien théropode identifié en 1824 par W. Buckland.

MÉGÈRE Qui traite une femme hargneuse et cruelle de mégère ne sait peut-être pas toujours qu'il fait référence à la mythologie grecque. En effet, Alecto, Tisiphonè et Mégère formaient le redoutable trio des Érynies, chargées de châtier les criminels. Ces déesses de la vengeance, au corps ailé et aux cheveux grouillants de serpents, faisaient preuve d'une grande cruauté. Leur plus célèbre victime fut Oreste, qu'elles frappèrent de folie.

MÉGOT *n. m.* Le fumeur qui tire l'ultime bouffée du bout de sa cigarette peut-il être comparé au nourrisson qui tète vigoureusement le sein presque tari parce que sa mère est enceinte ? Le verbe dialectal *mégauder,* « sucer le lait d'une femme enceinte », est à l'origine du bout de cigarette... comme le mégaud est le petit-lait, ou le jus qui sort d'un fromage qu'on égoutte. La langue s'autorise des raccourcis osés !

MÉLANCOLIE *n. f.* Ce sentiment de vague à l'âme, que les romantiques portaient bien, est un terme clinique au XIIIe siècle. Il est vrai que le grec *melagkholia* signifie littéralement « bile noire » ; or, pour la médecine antique, cette bile noire, produite par la rate, était responsable de l'anxiété excessive d'un individu dépressif. Et pourtant, le mot est devenu un synonyme de tristesse vague, sans raison ni objet ; en même temps, la psychanalyse, aujourd'hui, évoque le soleil noir de la mélancolie.

MÉLANINE *n. f.* La mélanine est le pigment colorant la peau, les yeux et les cheveux. De l'abondance de cette substance émane la coloration foncée de la peau. Ce mot est composé sur le grec *melas, melanos,* noir.

MELLIFLUE *adj.* Cet adjectif, péjorativement employé dans le sens de doucereux, fade, signifie littéralement « qui s'écoule, tel le miel » (*mellifluus,* de *mel,* miel, et *fluere,* couler).

MÉMENTO *n. m.* Tout d'abord marque destinée à se souvenir, puis agenda où l'on consignait ce qui ne devait pas être oublié, le mémento a fini par désigner un livre où sont résumés les éléments essentiels d'une science : brièveté et concision se faisant ici les gages du souvenir.

MEMENTO MORI *n. m.* Un memento mori est un objet symbolique, généralement une tête de mort en ivoire rongée par les vers, destiné à évoquer l'idée du néant et de la mort. Ce nom est emprunté à l'expression latine *memento mori,* qui signifie « Souviens-toi que tu es mortel. »

MÉMORANDUM *n. m.* « Ce dont il faut se souvenir », voilà ce qu'est littéralement le mémorandum. Marque ou note, peu importait, pourvu que la mémoire en soit gardée. Puis, petit à petit, l'usage est venu du carnet sur lequel sont portés les choses et événements à ne pas oublier.

MENDÉLISME *n. m.* Les mécanismes de l'héridité ont été mis en évidence par le scientifique tchèque G.J. Mendel (1822-1884), qui en démontra les principes en étudiant... le pois. Les caractères héréditaires du pois sont particulièrement faciles à observer (différences de couleur, aspect des graines), et on peut à volonté obtenir des lignées pures ou des hybrides. En opérant divers croisements et en observant la descendance des pois, Mendel mit en évidence le rôle de déterminants précis dans la transmission des caractères innés propres aux individus d'une espèce. Ces déterminants sont aujourd'hui appelés gènes, et les mécanismes de transmission héréditaire, lois de Mendel.

MÉNECHME Deux personnes qui se ressemblent comme deux gouttes d'eau sont appelées ménechmes, par référence à une comédie de Plaute truffée de quiproquos engendrés par la ressemblance confondante de deux frères jumeaux portant tous les deux le nom de Ménechme.

MENORA *n. f.* Cet objet de culte présent dans toutes les synagogues était, à l'origine, un grand chandelier en or massif situé dans le Temple de Jérusalem. Considéré comme le symbole du judaïsme, il sert également aujourd'hui d'emblème à Israël.

MENTOR Un homme mûr qui dispense ses conseils éclairés et expérimentés à une jeune personne devient son mentor. Personnage créé par Homère dans l'*Odyssée,* Mentôr est un ami d'Ulysse dont la déesse Athéna revêt les traits afin de veiller secrètement sur le fils d'Ulysse, Télémaque. Fénelon reprit la figure de Mentôr dans son œuvre *Télémaque,* pour en faire le précepteur du jeune homme.

MÉPHISTOPHÉLÈS Suppôt de Satan, Méphistophélès est venu sur terre pour assister Faust, avec qui il a conclu un pacte diabolique : il lui a transmis son savoir, en échange de quoi Faust a consenti à lui vendre son âme. Fascinés par ce génie du mal légendaire, dont le nom d'origine grecque signifie « qui hait la lumière », de nombreux écrivains donnèrent leur version du mythe. Parmi les plus grands, le dramaturge anglais Marlowe insista sur la souffrance de l'ange déchu qui se cachait derrière la perversité du tentateur, tandis que Goethe relata l'échec du démon intellectuel qui cherchait à donner à l'homme l'illusion de pouvoir tout comprendre.

MÉRIDIENNE *n. f.* Ce canapé de repos doit son nom à la sieste (autrefois appelée méridienne, du latin *meridies,* midi) que l'on s'accorde au milieu de la journée dans les pays chauds.

MÉSOZOÏQUE *n. et adj.* Le mésozoïque est le terme qui désigne en géologie l'ère secondaire. Il vient du grec *mesos,* « situé au milieu », et *zôon,* animal. C'est en effet durant cette ère qu'apparurent un grand nombre d'animaux qui peuplent encore la Terre aujourd'hui (oiseaux, reptiles, mammifères...).

MÉTAPHYSIQUE *n. et adj.* Avant de désigner un domaine de la philosophie, ce terme désignait des livres, ceux-là mêmes écrits par Aristote, et qui venaient, selon la classification d'Andronicos de Rhodes, après la physique (du grec *meta,* après, et *phusis,* nature, physique). Ces ouvrages ont pour contenu la « philosophie première », qui porte sur l'Être, la cause première. Pendant de longs siècles, métaphysique et théologie se distinguèrent à peine tant leurs objets, Dieu et la cause première, étaient proches. L'affirmation kantienne (au XVIIe siècle) de l'impossibilité pour l'homme de connaître le monde de la transcendance mettra fin à cette ambiguïté. Le monde des « choses métaphysiques » est affaire de croyance et non de savoir, tel sera le verdict kantien énoncé au terme de la *Critique de la raison pure.* La métaphysique moderne, inaugurée par Fichte, prendra l'homme pour objet fondamental d'étude. L'homme et son rapport au monde, l'homme engagé dans l'histoire, l'homme dans son rapport à autrui, voilà les questions de la métaphysique contemporaine.

MÉTEMPSYCOSE *n. f.* Réincarnation, transmigration, la métempsychose (du grec *meta,* après, et *empsukhôsis,* « action d'animer ») est le passage d'une âme d'un corps dans un autre, humain, animal ou végétal. Cette conviction selon laquelle l'âme d'un être qui meurt renaît à une nouvelle vie est très profonde chez les hindous et les bouddhistes, qui croient en une ronde sans fin d'existences influencée par les actions, ou le karma (voir ce mot), de tout un chacun.

MÉTHODISTE *n. et adj.* La légende veut que l'origine de ce mot soit un quolibet lancé au XVIIIe siècle par les étudiants d'Oxford à l'adresse des frères Wesley et de leur ami Whitfield. L'aspect méthodique et scrupuleux de leur pratique religieuse était objet de risée dans le monde estudiantin. Ils fondèrent pourtant l'Église méthodiste, secte protestante très militante. Le principe était de susciter le réveil de la foi. Pour cela, les prédicateurs les plus enflammés furent requis. Grâce aux sociétés méthodistes, nombreuses en Amérique du Nord, le méthodisme essaima à travers le monde. Les groupes se divisent en pasteurs et laïques. Niant la prédestination, les méthodistes affirment que le salut vient de la foi. Mouvement minoritaire, le méthodisme peut cependant se targuer de posséder l'édifice religieux le plus haut du monde : 173 mètres. Celui-ci, érigé en 1924, se trouve à Chicago.

MÉTONYMIE *n. f.* La métonymie (du grec *meta,* exprimant le changement, et *onoma,* nom) est une figure de rhétorique consistant à substituer à un mot un autre terme exprimant une équivalence de sens. Exemple : un café pour un « débit de boisson ».

MÉTROPOLE *n. f.* La métropole désigne tout à la fois la capitale d'un État ou l'État lui-même par rapport aux colonies qu'il administre. En ce sens, la métropole est une autorité matriarcale telle la *mêtropolis* grecque, qui signifie « ville mère ».

MEZZOTINTO *n. m.* Cette technique de gravure en taille douce, également appelée « matière noire », consiste à enduire uniformément une plaque de cuivre d'un grain qui donne un noir profond à l'impression, puis à le racler pour dégager les parties qui apparaîtront sur les épreuves en blanc ou en demi-teinte (en italien, *mezzo tinto*).

MIGNON *n. m.* Un mignon désigne aujourd'hui encore dans le langage littéraire un homosexuel. C'est de ce terme que l'on affublait, vers 1576, les comtes de Quélus, de Saint-Mégrin et de Guiche ainsi que les ducs d'Épernon et de Joyeuse, qui étaient les favoris du roi Henri III.

MILLIBAR *n. m.* L'atmosphère, bien qu'en perpétuel mouvement, est un fluide qui exerce une pression constante sur la surface terrestre. En 1643, alors qu'il réalisait des expériences sur le vide à l'aide de tubes en verre, Toricelli découvrit par hasard l'effet de la pression atmosphérique : poids exercé par une colonne d'air de hauteur théoriquement infinie sur une surface donnée. L'unité de mesure de cette pression est le millibar, qui correspond sur le tube en verre d'un baromètre à une hauteur de 0,75 mm de mercure. Le terme de millibar, ou un millième de bar, vient du grec *baros,* pesanteur. L'unité de mesure internationale de pression atmosphérique est l'hectopascal, qui équivaut à 1 millibar.

MIMÉTISME *n. m.* Le mimétisme est la ressemblance qu'affecte une espèce animale ou végétale à l'égard d'une autre espèce ou de son milieu. Interprété comme un procédé de défense, le mimétisme constitue, contre les prédateurs, un habile subterfuge. Deux formes de mimétismes sont distinguées : l'homochromie, qui consiste en une variation de couleur (ainsi certains animaux verront-ils leur pelage blanchir en hiver) ; et l'homotypie, situation où l'animal épouse une forme autre que la sienne (c'est le cas des insectes appelés phasmes, qui, devant un danger, imitent, par leur position, leur immobilité, les brindilles environnantes).

MINOTAURE Monstre mythologique au corps d'homme et à la tête de taureau, le Minotaure est le fruit des amours de Pasiphaé, la reine de Crète, et d'un taureau blanc envoyé par Poséidon. Horrifié par pareille progéniture, le roi Minos, époux de Pasiphaé, fit enfermer le Minotaure dans un palais aux pièces et aux couloirs multiples : le Labyrinthe. Là, le monstre se nourrissait de la chair de sept jeunes hommes et de sept jeunes filles livrés en tribut à Minos, chaque année, par Athènes. Il fut tué par Thésée, le fils d'Égée, qui avait proposé d'être du nombre des quatorze jeunes gens pour mettre fin à cet impôt effroyable.

MISANTHROPE *n. et adj.* Ressentiment, haine à l'égard du genre humain, tels sont les sentiments du misanthrope (du grec *misein,* haïr, et *anthrôpos,* homme). Sa vie est solitaire et plutôt sauvage, tant la compagnie des hommes lui est odieuse. Dans le monde animal, l'ours, retiré dans sa caverne, bourru et peu sociable, est son alter ego.

MOHATRA *n. m.* Dans le droit du Moyen Âge, un contrat mohatra (de l'arabe *mokhatara,* chance, risque) permettait de contourner la prohibition du prêt à intérêts. Il consistait en un contrat usuraire par lequel on achetait à crédit une marchandise immédiatement revendue à perte au vendeur lui-même, la différence entre le prix d'achat et le prix de vente constituant ainsi l'intérêt. Ce type de contrat fut annulé au XVIe siècle.

MOIRES Divinités grecques du destin, les Moires formaient un trio indissociable de fileuses qui disposaient du sort de chaque individu. Clotho, tenant la quenouille, décidait de la naissance d'un homme ; Lachésis, tournant le fuseau, enroulait le fil de sa vie ; Atropos, enfin, coupant le fil, déterminait l'instant de sa mort. Dans la mythologie romaine, les trois Parques, Nona, Decima et Morta, jouaient le même rôle.

MOÏSE La Bible raconte, dans les premières pages de l'Exode, comment, alors que Pharaon avait ordonné aux Hébreux de jeter leurs garçons nouveau-nés dans le Nil, une femme de la maison de Lévi mit son fils dans une corbeille en papyrus enduite de bitume et de poix qu'elle déposa sur le fleuve. La fille de Pharaon trouva la corbeille au milieu des joncs, et y découvrit le petit garçon qui pleurait ; prise de compassion, elle décida de le garder et lui donna le nom de Moïse, c'est-à-dire « Sauvé des eaux ». Et voilà pourquoi un panier capitonné qui sert de berceau pour les bébés s'appelle un moïse.

MOLÉCULE *n. f.* Tous les états de la matière de notre Univers connu sont produits à partir d'une centaine d'atomes différents, les éléments chimiques ; le rassemblement des différents atomes en molécules, étape supérieure d'organisation, permet cette diversité incroyable qui a notamment mené à l'apparition de molécules capables de reproduction, en d'autres termes, à la vie. Une molécule est donc un ensemble d'atomes liés entre eux par un certain nombre de liaisons chimiques, et disposés selon une organisation spatiale précise. Les liens entre les molécules d'une matière donnée définissent les principaux états de cette matière. Une matière à l'état gazeux contient des molécules totalement indépendantes les unes des autres. À l'état solide, d'importantes forces intermoléculaires garantissent l'immobilité des molécules.

MOLINISME *n. m.* La doctrine du molinisme doit son nom à un jésuite espagnol, Luis Molina (1535-1600). Le molinisme est la tentative de concilier la prescience divine et la nécessité de la grâce. Sans rien entamer de la toute-puissance divine ni du caractère surnaturel de la grâce, le molinisme affirme la possibilité pour l'homme d'exercer son libre arbitre. Cette doctrine provoqua de nombreux remous au sein de l'Église catholique. Les Jésuites y souscrivirent, tandis que les Dominicains s'y opposèrent. Des congrégations furent même érigées en tribunal pour décider de la vérité du molinisme. Dans l'impossibilité de trancher, un non-lieu fut décrété.

MOLLAH *n. m.* Les mollahs (de l'arabe *maulä,* protecteur) sont des docteurs de la loi islamique, des conseillers religieux – surtout dans les communautés orientales chiites (Iran, Pakistan, Inde). Il n'existe pas, en effet, dans l'islam de clergé structuré et hiérarchisé ; les mollahs font partie (de même que les imams, les muftis et les quadis) d'un corps de lettrés cumulant les charges de juriste et de théologien. Jouissant d'une autorité considérable au sein de leur communauté, les mollahs furent souvent des intermédiaires entre le pouvoir séculaire des cheiks et le peuple.

MOLOTOV (COCKTAIL) Un cocktail Molotov est un engin explosif de fabrication artisanale constitué d'une bouteille emplie d'un liquide inflammable. Ce cocktail détonant fut baptisé ainsi en souvenir de l'homme politique soviétique Viatcheslav Mikhaïlovitch Skriabine, connu sous le nom de Molotov (dérivé du russe *molot,* marteau). Militant révolutionnaire clandestin, plusieurs fois déporté en Sibérie avant la révolution de 1917, Molotov fut commissaire aux Affaires étrangères sous Staline et devint vice-président du comité d'État à la Défense nationale en 1942. Il représentait la tendance dure du stalinisme et fut définitivement exclu du Parti communiste en 1964.

MOMIFICATION *n. f.* Le terme de momification est dérivé du persan *moûm,* cire, d'où *moûnia,* désignant le bitume dont étaient enduits les cadavres embaumés en Égypte. Pour les Égyptiens de l'Antiquité, la vie de l'âme dans l'autre monde était subordonnée à la conservation du corps du défunt, conservation réalisée par dessiccation au moyen d'alun ou de natron. À l'âge d'or de la momification en Égypte, il était d'usage de recourir à trois sortes d'embaumeurs : les parashites (du grec *paraskhizein,* « fendre sur le côté »), qui pratiquaient une incision sur le cadavre pour en ôter les viscères ; les taricheutes (du grec *tarikheuein,* saler), qui étaient chargés de plonger le corps dans un bain de natron pendant soixante-dix jours après l'avoir oint d'huile odoriférante telle que cèdre, myrrhe ou cinnamome (camphrier) ; enfin, les coachytes, qui étaient chargés de coucher la momie dans un sarcophage après l'avoir emmaillotée et enveloppée dans deux linceuls.

MONITION *n. f.* La monition est un avertissement ecclésiastique précédant une censure (voir ce mot) ou une excommunication. L'origine de ce terme provient du latin *monere,* avertir, d'où est également issu le mot prémonition.

MONODELPHE *n. et adj.*Les monodelphes (du grec *monos,* seul, et *delphus,* matrice) constituent une sous-classe de mammifères qui, comme leur nom l'indique, ont un utérus unique, à la différence des didelphes et des ornithodelphes. Les didelphes, ou marsupiaux, ont deux utérus, tandis que les ornithodelphes, ou monotrèmes, ont, littéralement, un « utérus d'oiseau » (du grec *ornis,* oiseau, et *delphus,* matrice) : comme les volatiles, ils n'ont pas d'utérus, mais un cloaque.

MONOGRAMME *n. m.* Une seule lettre, dit l'étymologie (du grec *monos,* seul, et *gramma,* lettre), et telle est bien l'impression que donne le monogramme. Ce sigle composé d'initiales entrelacées fut utilisé en guise de signature jusqu'au XIIe siècle, puis tomba peu à peu en désuétude. Les artistes – graveurs, peintres – en réintroduisirent l'usage. Dürer, Rembrandt, Schiele apposèrent des monogrammes sur leurs œuvres.

MONOTHÉISME *n. m.* Ce mot, créé tardivement en français (vers 1834) à partir de *monos,* préfixe grec qui signifie seul, et de *theos,* dieu, désigne les religions qui n'admettent qu'un seul dieu. La première des trois grandes religions monothéistes issues d'Abraham est le judaïsme (587 avant J.-C.), les deux autres étant l'islam et le christianisme (voir ces mots).

MONOVALENT *adj.* Cet adjectif est de formation dite savante : le préfixe mono- vient du grec *monos,* seul, unique, et -valent se rattache à la famille de valoir. Il est amusant de voir que monovalent et univalent, qui sont synonymes, ont pour seule différence l'étymologie de leurs préfixes : l'un est tiré du grec, l'autre du latin *(unus).*

MONTANISME *n. m.* Le montanisme est un mouvement hérétique fondé en Phrygie au IIe siècle par Montan, prêtre de Cybèle converti au christianisme. Ce moine affirmait avoir reçu des révélations du Saint-Esprit et prophétisait l'imminence de la fin du monde. Les montanistes rejetaient la hiérarchie ecclésiastique ; ils préconisaient un ascétisme rigoureux et exaltaient les vertus du martyre.

MORASSE *n. f.* La morasse est la dernière épreuve d'une page de journal, faite à la brosse après la mise en page et sur laquelle sont effectuées les ultimes corrections du texte.

MORGANATIQUE *adj.* Cet adjectif qualifie non seulement le mariage légitime que contracte un roi ou un prince avec une femme de condition inférieure, mais aussi, par extension, l'épouse elle-même et les enfants issus d'une telle union. L'origine de ce mot est très conjecturale. Selon certains, il viendrait du francique *morgangeba,* « don du matin » : le nouveau marié offrait souvent un douaire à sa femme. Selon d'autres, ce terme serait dérivé de l'allemand *Morgen,* matin, la cérémonie d'un mariage morganatique ayant souvent lieu en matinée sans la grande pompe des mariages célébrés à midi.

MORPHÉE Vous tomberez dans les bras de Morphée en glissant dans un sommeil peuplé de rêves. Dieu des songes dans la mythologie grecque, Morphée est le fils du Sommeil et de la Nuit. Il endort les mortels en les touchant d'une fleur de pavot.

MORTIER *n. m.* Le mortier est la coiffure que portent les magistrats de la Cour des comptes et de la Cour de cassation. Ainsi appelé à cause de sa forme initiale, qui rappelait approximativement celle d'un mortier à piler, cet élément de costume honorifique était autrefois l'emblème de la puissance souveraine. Aussi figure-t-il au-dessus de certaines armoiries.

MORTIFICATION *n. f.* La mortification est une pratique ascétique très rigoureuse puisqu'elle vise à « faire mourir » (du latin *mors,* mort, et *facere,* faire) le corps. Symboliquement, mais aussi concrètement, l'ascète doit dominer son corps et donc faire taire ses sens, les contraindre afin de les subordonner au but visé : la libération de l'âme. Selon les religions et les individus, les mortifications diffèrent, mais toutes ont en commun d'être monstrueuses aux yeux des profanes. Port du cilice (voir ce mot), supplice du feu, flagellation, endurance au froid, jeûne prolongé, telles sont les mortifications les plus pratiquées.

MOT-VALISE *n. m.* Sont-ils dans quelque « fictionnaire » non encore écrit, ces mots dits valises ? Non point, mais dans l'imaginaire, la littérature, et parfois même les dictionnaires. Fondés sur le principe de l'imbrication entre deux ou plusieurs termes, les mots-valises condensent le sens, donnant au terme créé un autre sens. Ainsi ces mots en usage aujourd'hui : motel *(motor + hotel),* brunch *(breakfast + lunch),* franglais (français + anglais). Jeux de mots, d'esprit, de langue, les mots-valises ont trouvé place dans la littérature. Lewis Caroll, Raymond Queneau, André Martel, entre autres, en inventèrent qui, « aujourd'encore », nous font « pleurire ».

MOUCHE DU COCHE S'insinuant dans des affaires qui lui sont étrangères, la mouche du coche se croit, à tort, indispensable et déploie inutilement un zèle excessif. Son sobriquet lui vient d'une fable de La Fontaine : *le Coche et la Mouche,* qui raconte comment, lors de la pénible ascension d'une côte par un coche, une mouche vient s'attribuer l'entière responsabilité de la lente mais sûre progression du convoi. Alors qu'elle ne fait que s'agiter vainement, elle se targue d'exciter les chevaux et de faire avancer les voyageurs qui suivent l'attelage à pied. Lorsque celui-ci parvient enfin au sommet, elle se félicite et réclame son dû. La morale de la fable invite tout un chacun à chercher à se débarrasser de tout importun qui joue ainsi l'empressé.

MOZARABE *n. et adj.* La défaite des Wisigoths d'Espagne, face à l'expansion islamique au début du VIIIe siècle, inaugura sept siècles de culture arabo-berbère en Espagne, dont l'influence s'étendit également dans tout le sud de la France. Certaines communautés, désormais soumises à la juridiction islamique, continuèrent cependant de pratiquer la religion chrétienne : les mozarabes. De culture et de langue arabes (une partie d'entre eux parlaient un dialecte roman, dénommé également mozarabe), ils pratiquaient leur propre rite et développèrent au sein de la culture arabo-andalouse un art et une architecture originaux, où les traditions wisigothiques se mêlaient aux influences arabes.

M.T.S. Ce sigle, formé des initiales du mètre, de la tonne et de la seconde, désigne l'ancien système physique d'unités absolues à trois fondamentales : le mètre (longueur), la tonne (masse), et la seconde (temps). On avait aussi le M.K.S.A. (mètre, kilogramme, seconde, ampère) et le C.G.S. (continuité, gramme, seconde). Le choix de ces unités et des relations de définition était arbitraire, mais par la convention du mètre signée en 1875 et à laquelle quarante pays avaient adhéré en 1970, ces unités avaient une portée universelle (voir le mot système). Le Comité international de poids et de mesures assure la mise en pratique des définitions des unités de base. Des unités dérivées se déduisent par des relations de définition à partir de ces unités absolues.

MUDÉJAR *n. et adj.* Après la reconquête de l'Espagne par les catholiques (qui dura de la fin du XIe siècle à la fin du XVe siècle) demeurèrent des îlots de sujets musulmans dans un royaume désormais chrétien. Les Espagnols les appelaient *mudejares.* À Tolède et à Séville, les mudéjars firent sentir l'influence de la culture arabe, notamment dans l'architecture gothique et jusqu'à la Renaissance. Leurs techniques font preuve d'un syncrétisme architectural remarquable par sa finesse. Les dernières communautés de mudéjars, placées par les autorités catholiques devant l'ultimatum de la conversion ou de l'exil (et même la mort), disparurent à la fin de la Renaissance (fin XVIIe siècle).

MUETTE *n. f.* Ce terme du XVIIIe siècle est l'ancienne orthographe de *meute,* qui désignait en vénerie le logis des chiens de chasse et également un petit pavillon construit dans un parc et réservé à la mue des cerfs ou des faucons. Par analogie, cette dénomination fut appliquée pendant la Régence à une petite maison de rendez-vous galants. Dans le bois de Boulogne, le château de La Muette a ainsi donné son nom au quartier du XVIe arrondissement de Paris.

MUFTI *n. m.* Le mufti (« celui qui prend les décisions » en arabe) est un juriste de l'islam, chargé de l'interprétation de la loi traditionnelle édictée dans le Coran (« l'appel » en arabe). La loi islamique (*shari'äh*) est considérée par les musulmans comme énoncée une fois pour toutes. Il n'est pas question de la modifier, puisqu'elle est constituée de la parole du Prophète. Elle peut en revanche être soumise à des variations, parfois importantes, dans l'interprétation. À un problème juridique, le mufti est loisible de répondre par la promulgation d'un avis de droit, ou *fatwä.*

MULÂTRE *n. et adj.* L'origine de ce terme souligne à quel point il put être péjoratif : mulâtre vient de l'espagnol *mulato,* mulet ; à croire qu'un métis n'était pas mieux considéré que cet animal hybride !

MUSC *n. m.* Le musc ou porte-musc (du persan *muchk*) est un petit cervidé d'Asie, de l'espèce des chevrotins. Le mâle est porteur d'une glande de la grosseur d'une orange, située sous la peau de l'abdomen. Celle-ci contient une substance granuleuse de couleur rougeâtre ou noirâtre lorsqu'elle est sèche, qui est employée en pharmacologie et en parfumerie. Plus que les contestations écologiques, le coût élevé de ce produit inscite à lui substituer le musc artificiel.

MYCODERME *n. m.* Ce champigon nuisible qui attaque le vin, la bière ou toute autre boisson fermentée transforme l'alcool en eau et en acide carbonique. Il se développe à la surface du liquide et apparaît sous l'aspect d'une mince pellicule blanchâtre.

MYRIADE *n. f.* D'origine grecque *(murioi),* le terme myriade signifie, dans le langage courant, une grande quantité, une quantité innombrable. Il désignait en fait dans l'Antiquité un nombre précis : 10 000. Il se trouve également comme préfixe, soit dans son sens de quantité globale (myriapode, communément appelé mille-pattes), soit dans son sens exact (myriamètre, ancienne mesure utilisée à l'époque de la Révolution française et valant 10 000 mètres).

MYRRHE *n. f.* Cette gomme-résine odoriférante provient de certaines espèces de commiphoras, des arbres d'Afrique tropicale. Si on lui a prêté des vertus antispasmodiques et stimulantes, elle est surtout utilisée, depuis l'Antiquité, pour son parfum. Considérée dans les Évangiles comme un bien précieux, elle apparaît à la naissance et à la mort du Messie : un mage en offre en présent à l'Enfant Jésus, et Nicodème embaume le corps du Christ avec un mélange de myrrhe et d'aloès.

N

NABAB *n. m.* Un nabab est aujourd'hui une personne jouissant d'une fortune considérable, mais le mot, d'origine arabe (de *naïb,* lieutenant, vice-roi), désignait autrefois les grands officiers et gouverneurs de l'Inde à l'époque de la domination moghole. L'empire des Indes étant passé à d'autres mains, le terme s'employa alors pour tout Européen qui avait fait fortune dans ce très vaste et très riche pays. Puis les références historico-géographiques disparurent.

NANSOUK *n. m.* Le nansouk est une étoffe de coton léger semblable à la soie, employée particulièrement dans la confection de lingerie. Ce mot hindi est attesté en Europe vers le milieu du siècle dernier.

NARCISSISME *n. m.* Admiration excessive de sa propre personne, le narcissisme correspond à une étape normale du développement de l'enfant mais dénote souvent chez l'adulte un trouble du comportement sexuel. Ce terme de psychanalyse trouve son origine dans la mythologie grecque. Le beau Narcisse, insensible à l'amour de la nymphe Écho (qui en mourut de chagrin), tomba amoureux de lui-même quand il découvrit le reflet de son visage dans l'eau d'une fontaine. Il était tellement épris de sa personne qu'il passa sa vie à se contempler dans l'eau des rivières et finit par périr de langueur. On donna alors son nom à certaines fleurs jaunes ou blanches qui vivent au bord des ruisseaux.

NARGHILÉ *n. m.* Cette pipe orientale est constituée d'un long tuyau relié à un flacon de verre ou de cristal, empli d'eau aromatisée, dans laquelle la fumée passe avant d'être aspirée par le fumeur. Narghilé vient d'un mot persan, *narghils,* « noix de coco ». En effet, une noix de coco remplaçait souvent le flacon.

NARVAL *n. m.* Le narval appartient à la famille des delphinidés, et il vit principalement dans l'océan Arctique. Seul le mâle possède une défense, qui est en fait le prolongement d'une des deux dents de sa mâchoire supérieure. Cette défense torsadée peut atteindre 2 mètres, ce qui vaut au narval son surnom de licorne de mer.

NAUMACHIE *n. f.* Ce mot date de l'Antiquité romaine. En effet, lors des jeux du cirque, un bassin recouvrait l'aire centrale de l'arène (voir ce mot) lors de la représentation d'un combat naval (du grec *naumakhia,* de *naus,* navire, et *makhê,* combat). La naumachie désignait à la fois le bassin et cette représentation.

NEC PLUS ULTRA *loc. adv. et n.* L'expression comble l'absence du superlatif pouvant exprimer ce qui est insurpassable et ne saurait être égalé. Cette locution latine signifiant « rien au-delà » provient de l'inscription figurant sur les colonnes d'Hercule élevées par le héros mythiquede part et d'autre du détroit séparant la Libye de l'Europe, sur les monts Calpé et Abylla. Cette inscription marquait l'achèvement des travaux et l'impossibilité pour tout autre mortel d'aller au-delà de ces bornes.

NEGRO SPIRITUAL *n. m.* Dans la culture afro-américaine se constituèrent à l'origine deux types de musique : les chants de travail des *field hollers* (« brailleurs des champs »), premiers blues décrivant l'univers des esclaves du coton ; et les chants religieux issus de l'évangélisation des Noirs, dans lesquels, à travers le christianisme des Blancs, transparaît encore l'influence des griots d'Afrique. Au milieu du XVIIIe siècle, ces derniers devinrent ce que l'on nomme aujourd'hui le negro spiritual. Sur des thèmes bibliques récrits traduisant la misère du monde noir, les negro spirituals apportent à la musique religieuse la puissance du rythme et le déchirement des *blue notes.* Ils servaient aussi de code permettant de faire passer des messages et d'organiser des évasions au nez et à la barbe des esclavagistes. Ainsi le *jive* (jargon, baratin, mais aussi danse, swing) trouva-t-il sa terre d'élection dans les spirituals, qui deviendront ensuite, sous une forme plus commerciale, les *gospel songs.*

NEMROD On peut parfois désigner sous le nom de nemrod un chasseur habile et infatigable. En effet, Nemrod, personnage biblique (genèse, x, 9), passe pour être un « puissant chasseur devant Yahvé ».

NÉPOTISME *n. m.* Le népotisme est l'abus qu'une personne occupant une position importante fait de son autorité et de son crédit pour accorder certaines prérogatives à son entourage. Du latin *nepos,* neveu ou petit-fils, ce terme désigna d'abord le traitement de faveur dont bénéficiaient les neveux, puis les autres parents de certains papes.

NÉRÉIDES Nymphes de la mer, les Néréides étaient, selon la mythologie grecque, filles de Nérée, dieu marin, et de Doris l'océanide. Au nombre de cinquante, elles composaient le cortège de Thétys. Personnification des mouvements marins, les Néréides sont présentées comme de gracieuses jeunes filles chevauchant des dauphins ou des chevaux marins.

NERVI *n. m.* Dans l'argot marseillais, le nervi était un portefaix, un homme grossier et brutal. Aujourd'hui, le nervi, guère plus civilisé, est un homme de main, tueur à l'occasion. Utilisé pour sa force (du latin *nervu,* nerf), il n'a pour seul langage que la violence et les coups.

NEUTRON *n. m.* Le neutron est l'un des deux éléments de base (l'autre étant le proton) du noyau atomique. Il fut découvert en 1932 par le physicien James Chadwick.

Particule dénuée de charge électrique – d'où son nom – le neutron est instable à l'air libre. Ses propriétés sont utilisées en physique nucléaire, et notamment pour la fission de l'atome.

NEUVAINE *n. f.* Rituel catholique consistant en la répétition, neuf jours durant, de prières et d'actes de dévotion. Expression de foi témoignée à l'égard de la Vierge ou d'un saint, la neuvaine a pour but l'obtention d'une grâce et est, à ce titre, exceptionnelle.

NEWTON La force qui fait accélérer de 1 mètre par seconde carrée un corps dont la masse est de 1 kilo est égale à 1 newton. Cette unité de mesure du système international a été ainsi nommée en hommage au célèbre physicien, mathématicien et astronome anglais Isaac Newton (1642-1727).

NIAIS *n. et adj.* Ce terme utilisé en fauconnerie désignait un animal gauche, non dégourdi, qui n'avait pas quitté son nid (du bas latin *nidacem,* de *nidus,* nid). Espoir était donc donné aux niais : leur niaiserie n'était point indécrottable sottise mais inexpérience, malhabileté. Mais les siècles ont eu raison de la patience et de la compréhension ; aujourd'hui, le niais est tout bonnement un idiot.

NICODÈME Affubler quelqu'un du nom de nicodème équivaut à lui déclarer qu'on l'estime sot et borné. On raconte dans les Évangiles que lorsque Nicodème, chef juif pharisien, rencontra Jésus, il ne parvint pas à comprendre le sens de ses paroles. Cet épisode fut largement répandu au Moyen Âge, tandis que se développèrent les représentations des mystères. Nicodème, qui signifiait à l'origine « vainqueur des peuples », devint peu à peu synonyme de bêtise et d'étroitesse d'esprit.

NIFE *n. m.* Le nife est le nom que l'on avait autrefois attribué au centre de la Terre, aujourd'hui appelé noyau. Très dense, il n'occupe que 16 % du volume du globe mais représente 32 % de sa masse. Il avait été ainsi baptisé car il serait composé de nickel (Ni) et de fer (Fe) en fusion.

NITESCENCE *n. f.* Attesté chez Balzac dès 1835, ce terme provient du latin *nitescere,* « se mettre à briller », et désigne une clarté plus ou moins intense.

NÔ *n. m.* Le nô est une forme de théâtre lyrique créé au Japon au cours du XIVe siècle. Les cinq pièces d'une représentation de nô sont de longs poèmes chantés ou psalmodiés et entremêlés de danses hiératiques. Les acteurs – exclusivement des hommes –, revêtus de lourds costumes somptueux, portent des masques de bois laqué et évoluent dans un décor d'une extrême sobriété. Le nô, spectacle où le sacré et le profane se fondent, était à l'origine destiné à illustrer les divers aspects de la doctrine bouddhiste. Aujourd'hui encore, il conserve sa spiritualité première et demeure généralement hermétique pour l'Occidental non initié.

NŒUD GORDIEN Situation inextricable qui semble ne pouvoir être résolue qu'à l'aide d'une solution radicale. Cette expression très éloquente doit son nom à la légende de Gordias, simple laboureur devenu miraculeusement roi de Phrygie. Reconnaissant, il dédia à Zeus sa charrue après en avoir lié solidement le joug. Les devins prédirent alors la conquête de l'Asie à qui dénouerait ce lien. Alexandre le Grand, parvenu à Phrygie et ignorant l'oracle, décida, après de vaines tentatives, de trancher le nœud d'un coup d'épée. La conquête de l'Asie lui fut acquise !

NOMBRE COMPLEXE Dans l'ensemble $\mathbb{R}$ des nombres réels – constitué des nombres *rationnels* (entiers et fractions, positifs et négatifs) et des nombres *irrationnels* (fractions ou racines non finies comme le nombre π ou $\sqrt{2}$), il est impossible d'extraire une racine carrée d'un nombre négatif : il n'y existe pas de nombre p tel que $p = \sqrt{-q}$, p et q appartenant à $\mathbb{R}$. On a pourtant posé l'existence d'un nombre i tel que $i^2 = -1$ (donc $i = \sqrt{-1}$). Si l'on multiplie ce nombre par un nombre réel x, on obtient un nombre dit *imaginaire, xi.* Si l'on ajoute un nombre réel y au précédent résultat, on obtient un nombre dit *imaginaire composé.* Les nombres résultant du calcul $xi + y$, où x et y sont réels et $i^2 = -1$, constituent un nouvel ensemble appelé $\mathbb{C}$, ensemble des nombres complexes. Le calcul des nombres complexes a permis, en mathématiques, de simplifier une grande partie de l'algèbre (notamment dans la résolution des équations) et de concrétiser le lien entre calcul algébrique et géométrique (représentation des fonctions).

NOMBRE D'OR Dans l'Antiquité, sciences et arts étaient inséparables ; la voie royale de la connaissance, comme en témoigne par exemple l'œuvre de Pythagore, passait par la musique aussi bien que par les mathématiques et l'architecture. Ainsi, les idées de proportion et d'harmonie – plus que celle de dimension – régnaient dans les théories scientifiques et artistiques. On recherchait la proportion idéale ; les anciens Égyptiens en possédaient déjà une approximation. Euclide en trouva l'expression, celle du nombre d'or : le rapport d'un côté d'un pentagone à sa diagonale, qu'il appliqua à la théorie mathématique de la musique et à l'architecture. Cette conception influença le Moyen Âge jusqu'à Galilée, et nombreux furent les traités sur la « proportion dorée » et l'*harmonia mundi,* l'harmonie du monde.

NONCE *n. m.* Messager du pape, le nonce a pour fonction de le représenter auprès des gouvernements étrangers. Véritable ambassadeur du Saint-Siège, le prélat reçoit pour lettre de créance une bulle papale lui édictant les devoirs de sa charge. Depuis le XVIe siècle, la nonciature est réservée aux cardinaux.

NON-CONTRADICTION (PRINCIPE DE) En logique classique, le principe de non-contradiction, intimement lié au principe du tiers exclu (voir tiers), pose que l'on ne peut affirmer en même temps deux propositions contradictoires à propos du même objet. Soient, par exemple deux propositions p et q ; si p implique q, on ne peut affirmer simultanément que *non-p* implique q.

NON-ÊTRE *n. m.* Cette notion, avant tout philosophique, désigne l'absence d'être ou de réalité. Platon ou Aristote parleront ainsi du non-être de la matière, faisant de celle-ci non pas du pur néant mais de l'indéterminé. Ce terme, remplacé de longs siècles durant par celui de néant, retrouvera sa place avec les existentialistes (voir existentialisme) et deviendra alors synonyme de néant.

NORIA *n. f.* La noria (de l'arabe *na'ura,* machine élévatoire) est un appareil composé d'une chaîne sans fin de godets qui descendent dans un puits et en remontent pleins d'eau. Très utile pour l'irrigation, elle est employée par bon nombre d'agriculteurs dans les pays méditerranéens.

NOSTALGIE *n. f.* Avant d'être regret d'une époque révolue, désir insatisfait, la nostalgie (du grec *nostos,* retour, et *algos,* souffrance) désigne le vague à l'âme, la langueur, voire le dépérissement de celui qui souffre de ne pas pouvoir retourner dans son pays natal et retrouver les lieux et les êtres qui lui sont chers.

NOTOIRE *adj.* « Qui fait connaître », dit l'étymologie (du latin *notorius*). Cela fut d'une telle efficacité qu'un fait notoire est désormais un fait connu de tous, porté à la connaissance publique à grand renfort de bruits, de rumeurs, de ragots.

NOUVEAU TESTAMENT Cette expression désigne, dans la Bible des chrétiens, des écrits dont la rédaction s'étend d'environ 50 après J.-C. à la fin du premier siècle. Le Nouveau Testament comprend les quatre Évangiles (de Matthieu, Marc, Luc et Jean), les Actes (ou Hauts Faits) et les Épîtres des apôtres. Ces textes relatent la vie de Jésus moins comme une biographie que sous la forme de témoignages affirmant la foi en Jésus-Christ le Sauveur, et ils posent la question de distinguer vérité historique et vérité de foi. Le Nouveau Testament se termine par l'Apocalypse de saint Jean, texte hautement symbolique et visionnaire qui ne cesse d'inspirer artistes et créateurs.

NUMÉROLOGIE *n. f.* La numérologie est une méthode de divination fondée, comme son nom l'indique, sur l'analyse des nombres. Tout individu possède ses nombres caractéristiques : date de naissance, nom, prénom. Pour les noms et prénoms, un système de correspondance lettre-chiffre est mis en place. La numérologie procède par extraction du « nombre d'expression », calculé par addition des chiffres précités. À l'issue de l'analyse numérique, on obtient un chiffre à partir duquel sont tirées les conclusions et prédictions propres à toute divination.

NUREMBERG voir TRIBUNAL DE NUREMBERG.

NUTATION *n. f.* L'incertitude ou la perplexité ne sont pas ses motifs, mais la pathologie. En effet, la nutation désigne ce dodelinement, cette oscillation incessante et anormale de la tête exécutée par certaines personnes, surtout les enfants.

OBÉDIENCE *n. f.* À l'origine, l'obédience était l'obéissance, la soumission qu'un membre du clergé devait à son supérieur. Elle est désormais profane, mais le lien de subordination n'a pas disparu puisque le terme désigne de nos jours la reconnaissance d'une autorité spirituelle, morale ou politique.

OBÉLISQUE *n. m.* L'obélisque est un quadrangulaire dont l'extrémité est surmontée d'un pyramidion. Ce monument égyptien était ordinairement placé par paires à l'entrée des temples et tombeaux. Le grec *obeliskos* signifie « petite broche (à rôtir) » ; cette désignation fut attribuée au monument égyptien par analogie mais aussi par dérision.

OBIT *n. m.* L'obit est, dans la liturgie catholique, le service religieux que l'on célèbre à la mémoire d'un défunt le jour anniversaire de sa mort.

OBLITÉRATION *n. f.* L'oblitération désigne l'empreinte faite sur un document, un objet, afin que celui-ci ne puisse être utilisé une seconde fois. Ce terme est dérivé du verbe latin *obliterare* qui signifie « effacer, biffer, faire oublier ».

OBOLE *n. f.* Don modeste ou souscription à une œuvre collective, l'obole n'a pas vu croître sa valeur. Jusqu'au XVIIIe siècle, ce mot a désigné une pièce de monnaie en cuivre équivalant à un demi-denier.

OBREPTION *n. f.* Faute morale consistant à dissimuler un fait qui devrait être révélé. Cet oubli volontaire de la vérité n'est pas innocent et vise à l'obtention d'un bien, d'une grâce, d'un statut.

OBSTÉTRICIEN *n. m.* Si aujourd'hui un homme ou une femme peuvent indifféremment aider au bon déroulement d'un accouchement, ce rôle fut, pendant des siècles, exclusivement réservé aux femmes. Le terme masculin d'obstétricien vient d'ailleurs d'un nom latin féminin *obstetrix,* accoucheuse, dérivé du verbe *obstare,* « se tenir devant », le médecin étant amené à se placer devant la parturiente pendant le travail.

OBUSIER *n. m.* Un obusier est une arme à feu, une sorte de canon court permettant de tirer verticalement ou en plongée des projectiles cylindriques à tête ogivale. Le terme obus, utilisé autrefois pour désigner aussi bien le canon que le projectile, est un exemple surprenant de déformation d'un emprunt ; il vient en effet de l'allemand *Haubitze,* lui-même emprunté au tchèque *haufnice,* catapulte.

OBVIER *v. tr.* Parer à un danger, à une difficulté en prenant les précautions ou dispositions adéquates, tel est le sens de ce verbe. Comme l'indique le terme latin *obviare,* « aller à la rencontre », mieux vaut aller au-devant des difficultés que de les fuir !

OC *adv.* La langue d'oc, langue des troubadours, fut en France langue de culture bien avant le français. C'est une langue romane à part entière, au même titre que le catalan, l'italien ou le roumain ; seul le rattachement politique du sud de la France au royaume, à partir du XIIIe siècle, a pu faire penser que ce n'était qu'un dialecte du français. La langue d'oc, couramment appelée occitan, comprend six dialectes principaux : limousin, auvergnat, provençal, alpin, languedocien et gascon. S'ils ont perdu beaucoup de leur influence, ils sont toujours pratiqués. En occitan, *oc* signifie oui. On employa ce terme pour différencier les dialectes occitans des dialectes d'oil (voir ce mot), au nord.

OCCULTER *v. tr.* Traduction littérale du latin *occultare,* cacher. Le premier sens de ce verbe indique en astronomie le fait qu'un astre soit caché temporairement par un autre dont le diamètre apparent est supérieur. Ainsi, l'occultation d'une étoile, d'un astre, est synonyme de disparition momentanée.

ODYSSÉE L'*Odyssée,* attribué au poète Homère et vraisemblablement composé après l'*Iliade,* relate en douze mille vers le retour d'Ulysse (en grec, Odusseus) vers son royaume d'Ithaque, où l'attendra, dix ans durant, son épouse Pénélope. Périple où les dieux se jouent des hommes, et où l'homme affronte les multiples forces qui le dépassent. Quête d'absolu, mais aussi conquête maritime : on retrouve dans l'*Odyssée* des thèmes inspirés par d'anciens conquérants de la Méditerranée, les Phéniciens et les Égyptiens. Tout comme son œuvre sœur l'*Iliade,* l'*Odyssée* semble dépositaire d'une tradition orale remontant bien avant l'époque d'Homère. Mais, contrairement à l'exaltation des vertus et à la morale fruste du monde de Troie, l'*Odyssée* est aussi une histoire d'amour et d'initiation religieuse, passionnée et mystique.

ŒCUMÉNIQUE *adj.* L'adjectif œcuménique a été fabriqué à la fin du XVIe siècle par le latin d'église, sur le mot grec *oikoumenê,* qui signifie « terre habitée ». L'adjectif insiste sur le caractère universel des activités de l'Église catholique. Les conciles œcuméniques, par exemple, sont des assemblées réunissant tous les évêques du monde ; le dernier concile œcuménique fut réuni par le pape Jean XXIII entre 1962 et 1965, et travailla sur la question des relations entre tous les chrétiens.

OFFUSQUER *v. tr.* Choquer, troubler ou froisser une personne, tel est le sens actuel du verbe offusquer, datant du XVIIIe siècle. Auparavant, fidèle à son étymologie (du bas latin *offuscare,* obscurcir), ce verbe signifiait « cacher, rendre terne, empêcher de voir ou d'être vu », et enfin « troubler l'esprit ». Il est vrai qu'une personne offusquée est une personne troublée.

OÏL *adv.* Les langues d'oïl constituaient un ensemble de dialectes parlés pour la plupart au nord de la Loire. Parmi ceux-ci : normand, champenois, lorrain, saintongeois, berrichon, poitevin et angevin. De ces dialectes romans plus ou moins enrichis d'apports germaniques, le francien fut celui des détenteurs du pouvoir politique. Les rois de France, et surtout Napoléon, n'eurent de cesse d'unifier les pratiques linguistiques, en commençant par les langues d'oïl – *oïl* signifie oui, et s'oppose à *oc* (voir ce mot), qui fait référence aux langues parlées au sud de la Loire. Si bien qu'il ne reste aujourd'hui, outre le francien devenu le français moderne, que deux dialectes d'oïl encore pratiqués : le gallo (en haute Bretagne) et le picard.

OISEAU *n. m.* Récipient en bois muni de deux bras, l'oiseau servait à transporter du mortier sur les épaules, tâche ingrate, souvent dévolue à un apprenti ; de là l'expression « porter l'oiseau », qui signifiait être manœuvre auprès d'un maçon.

OISEUX *adj.* Tout le monde est amené à entendre des propos oiseux. Cet adjectif péjoratif vient pourtant du mot latin *otium,* qui signifie loisir. Loisir rimerait plutôt avec plaisir ! Mais l'évolution du sens d'oiseux l'a mené de « qui ne fait rien » à vain. Un changement de suffixe a donné oisif, qui aujourd'hui évoque quelqu'un qui ne travaille pas.

OLIM *n. m.* Les olim furent les registres du parlement médiéval de Paris, de 1254 à 1318. C'est un terme latin qui signifie autrefois, jadis, et fait référence à la réforme administrative entreprise par Saint Louis et Philippe le Bel, dont le Parlement fut issu, et qui s'appuyait sur le droit romain !

OLYMPIEN *adj.* Affectez un air olympien, vous semblerez divin ! Cet adjectif qui dénote grandeur, noblesse, prestance, majesté et solennité trouve son origine dans la mythologie grecque. Il qualifiait les douze principaux dieux et déesses qui résidaient au sommet du mont Olympe : Zeus, Apollon, Arès, Hadès, Héphaïstos, Poséidon, Aphrodite, Artémis, Athéna, Déméter, Héra et Hestia.

OMBRE CHINOISE Bien que largement répandues dans tout l'Orient depuis le XIe siècle, les ombres chinoises – qui ne viendraient peut-être pas de Chine, mais de l'Inde ou du Tibet – ne furent introduites en France que dans les années 1770. Le premier théâtre d'ombres s'installa tout d'abord à Versailles, à la cour, puis sous les galeries du Palais-Royal. Ces spectacles connurent un regain d'intérêt à la fin du XIXe siècle dans les cabarets de Montmartre.

ONANISME *n. m.* Aujourd'hui curieusement synonyme de masturbation, ce mot vient du nom d' Onan (Genèse, XXXVIII). Selon la loi hébraïque du lévirat, Onan dut épouser la femme de son frère décédé, afin de lui donner une descendance. Se refusant à faire un enfant qui ne serait pas reconnu comme sien, il fit en sorte, à l'insu de sa nouvelle femme, d'éviter toute grossesse en se retirant prématurément lors de leurs rapports.

ONDOIEMENT *n. m.* Dans la religion catholique, l'ondoiement est le baptême simple et rapide d'une personne mourante. Célébré dans l'urgence, il est réduit à l'essentiel : il se limite à l'affusion d'eau et à la formule sacramentelle : « Je te baptise au nom du Père, du Fils, et du Saint-Esprit. »

ONIROMANCIE *n. f.* L'oniromancie (du grec *oneiros,* rêve, et *manteia,* divination) est l'art de tirer des rêves une interprétation, une divination, ou une prédiction de l'avenir. La cartomancie fait de même à partir des figures du jeu de cartes.

OPÉRA (GRAND) Le grand opéra, qui est en France tout simplement l'opéra, correspond en Italie à l'*opera seria* (voir opéra sérieux). Il est construit selon une technique qui prévaut pour tous les autres types d'opéras, avec des variations. Il est composé d'une ouverture ou prélude (*sinfonia* en italien), d'un morceau d'orchestre de différents airs (solo, duo, trio, quatuor, quintette, sextuor vocaux), séparés par des récitatifs ; et d'un finale, qui est la plupart du temps un ensemble. Le premier spectacle d'opéra eut lieu en mars 1671, mais c'est Lully, au XVIIe siècle, qui donna aux Français le goût de ce genre musical.

OPÉRA BOUFFE Cet opéra correspond à la farce et à la comédie. Son allure est piquante, légère et gaie. Il est construit avec beaucoup d'ensembles, c'est-à-dire des scènes où les personnages chantent en même temps, à l'exclusion des chœurs. Ce genre est lié à l'histoire de l'école napolitaine de l'opéra : il calque le caractère enjoué et satirique de Naples. Le grand nom qui illustre l'opéra bouffe est Scarlatti.

OPÉRA-COMIQUE *n. m.* Ce genre d'opéra (voir aussi opéra [grand]), également appelé opérette, rassemble les œuvres dans lesquelles les épisodes parlés alternent avec les airs chantés, sans tenir compte du caractère plus ou moins comique du livret. Par exemple, *Carmen,* qui est pourtant une œuvre dramatique, appartient au répertoire comique.

OPÉRA SÉRIEUX À l'origine, cet opéra est, pour l'Italie, la tragédie en musique, *dramma in musica.* Il est né à Florence, au début du XVIIe siècle, par un retour aux origines du théâtre lyrique ; mais c'est à Venise que s'ouvre le premier théâtre public d'opéra. Ce spectacle restait grave et solennel, mais le caractère de délassement lié à l'opéra fit préférer aux dénouements du drame des conclusions heureuses, pour laisser aux spectateurs une impression agréable. L'opéra sérieux correspond à ce que la France appelle le grand opéra (voir opéra [grand]).

OPINIÂTRETÉ *n. f.* Compagne de la patience, l'opiniâtreté va cependant plus loin. Elle suppose en effet la persévérance, la ténacité, l'acharnement, l'entêtement, mais aussi l'attachement, sinon la fidélité à une opinion. En effet, le terme opiniâtreté est issu de l'adjectif opiniâtre (dérivé savant du latin *opinius,* opinion), qui signifiait « attaché à une opinion » au XVIIe siècle.

OPOPANAX *n. m.* L'opopanax (du grec *opos,* suc, et *panax,* plante) est une gomme-résine, également appelée bissabol, obtenue par incision faite au collet des racines de la plante du même nom. Odoriférant, il est utilisé en parfumerie et est employé en pharmacie pour ses vertus antispasmodiques et expectorantes.

OPPROBRE *n. f.* L'opprobe (du latin *opprobrium,* honte, déshonneur, dérivé de *probrum,* « action honteuse, infamie ») désigne un affront, une humiliation subie publiquement.

ORDALIE *n. f.* L'ordalie (dérivé de l'ancien anglais *ordâl,* jugement) était au Moyen Âge une épreuve judiciaire nommée « jugement de Dieu » au cours de laquelle un accusé, pour prouver son innocence, devait soit combattre en duel son adversaire, soit subir sans « cillement » l'épreuve de l'eau bouillante ou du fer rouge ; sa défaite ou sa non-résistance prouvait sa culpabilité...

OROGRAPHIE *n. f.* L'orographie est une subdivision de la géographie dont la tâche spécifique est de décrire le relief. Le terme orographie fut formé sur les termes grecs *oros,* montagne, et *graphein,* décrire.

ORTHOGRAPHE *n. f.* L'orthographe ne fut pas de tout temps une norme infranchissable. Les règles orthographiques datent du XIXe siècle, époque à laquelle la norme surpassa l'usage, instituant ainsi la notion de « faute » d'orthographe et figeant la langue écrite, tandis que la langue parlée continuait d'évoluer. En 1539, les décrets de Villers-Cotterêts imposent l'emploi de la langue française pour rédiger les actes juridiques. De cette époque date la première attestation du mot orthographe – qui était l'art d'écrire en langue française. Le mot orthographie, quant à lui, désignait la langue écrite latine, jugée comme la plus noble. Ainsi, le terme orthographe, qui signifie littéralement « qui écrit droit, bien, correctement » occupe aujourd'hui la place qui aurait dû revenir à orthographie. Du XVe au XIXe siècle, l'orthographe française, bien qu'imposée, ne fut pas codifiée. Il n'était pas rare de rencontrer deux ou trois graphies d'un même mot. Savoir l'orthographe consistait simplement dans le choix d'une de ces graphies. Ainsi, pendant plusieurs siècles, la notion de faute d'orthographe fut-elle inconnue.

OSMOSE *n. f.* Le phénomène clinique de diffusion entre deux solutions différentes séparées par une membrane semi-perméable donne une base réelle, objective à l'interpénétration suggérée par l'osmose quand il s'agit de deux civilisations, de deux œuvres d'art, de deux individus. Mais il y a plus : l'origine grecque de ce mot (*ôsmos,* impulsion) souligne l'élan, la poussée nécessaires pour qu'il y ait influence, donc osmose. Du sens propre, on passe au figuré.

OSTÉOPATHIE *n. f.* L'ostéopathie, structurée au siècle dernier par l'Américain Still, apparut en France dès 1920. Cette thérapie naturelle traite les troubles fonctionnels et prévient certains déséquilibres par des interventions manuelles sur la colonne vertébrale mais aussi sur toutes les articulations, tous les tisssus et les organes palpables (foie, reins, appareil digestif, crâne...). Le rôle de l'ostéopathe est de libérer en douceur les structures qui ont perdu leur mobilité par des manipulations indolores qui réclament une grande dextérité et une fine palpation. Nombre de sportifs font appel aux bienfaits de cette médecine parallèle pour préparer leur corps avant l'effort, obtenir une récupération plus rapide après une compétition et soigner leurs douleurs diverses. Mais tout un chacun peut consulter un ostéopathe qui, s'il ne prétend pas tout soigner ni tout guérir, soulage de bien des maux, en considérant l'individu dans sa globalité et en recherchant avant tout les causes du dysfonctionnement.

OSTRACISME *n. m.* La notion d'ostracisme, qui désigne la mise à l'écart d'un individu par un groupe donné pour des raisons sociales, raciales, etc., remonte à une institution de la Grèce antique. Les réformes de Clisthène à Athènes, en 508 avant J.-C., instituaient un bannissement de dix ans *(ostrakismos)* pour tout citoyen dont l'action était jugée dangereuse pour l'ordre public. Le terme vient de l'*ostrakon,* la coquille, le fragment de pierre ou le tesson de poterie sur lequel tout citoyen pouvait écrire, pendant l'assemblée du peuple, le nom de la personne qu'il désirait voir bannir ; il fallait 6 000 *ostraka* pour que soit décidé un bannissement.

OUAILLE *n. f.* Les ouailles d'une paroisse sont au curé ce que les brebis sont au berger... indispensables ! Le sens actuel de ce mot ne désigne plus les paisibles brebis (altération de l'ancien français *oeille,* brebis), mais les fidèles chrétiens à l'égard de leur curé ou de leur évèque.

OUILLER *v. tr.* Pour une meilleure conservation du vin, les viticulteurs cherchent à garder leurs tonneaux toujours pleins. Aussi jouent-ils les Danaïdes ! En effet, même si leurs fûts ne sont pas sans fond, ils sont obligés de les ouiller régulièrement pour remplacer l'écume qu'ils extraient et la part de liquide qui s'évapore naturellement. À cette fin, ils utilisent un broc spécial appelé ouillette. Ouiller et ouillette viennent de l'ancien français *aoeiller,* qui signifie « remplir jusqu'à l'œil », c'est-à-dire jusqu'à la bonde.

OUKASE *n. m.* Ce mot d'origine russe (d'*oukazat,* publier) désignait les édits promulgués par le tsar. Impérieux et sans appel, les oukases reflétaient bien l'autoritarisme et l'arbitraire du régime tsariste. Ce régime a disparu mais le terme n'en est pas moins passé à la postérité et exprime aujourd'hui un ordre brutal n'admettant pas de réplique.

OURDIR *v. tr.* Prépare-t-il un complot, il l'ourdit. Derrière le sens figuré de ce verbe, qui sent l'intrigue et le mystère, se cache un sens propre moins usel. Ourdir est un terme technique qui désigne le premier travail des ouvriers du textile. Ceux-ci, avant de tisser, mettent en place la chaîne de l'étoffe en assemblant une multitude de fils de même longueur. Ainsi, en ourdissant, qui ébauche la confection d'un tissu, qui esquisse le synopsis d'un mauvais coup... Il s'agit bien toujours, toutefois, de préliminaires (ourdir vient du latin *ordiri,* commencer).

OUTRECUIDANCE *n. f.* Mot rebondi, soufflé comme la grenouille de la fable, au point d'éclater et de s'en aller au-delà de ce que l'on peut encore penser (d'outre, au-delà, et *cuider,* penser, en ancien français). L'outrecuidance est cette présomption excessive, cette confiance en soi si démesurée qu'elle en devient insolente, sinon indécente.

OUTSIDER *n. m.* Miser sur un outsider est une entreprise risquée qui peut rapporter gros. Ce terme anglais, composé de *out,* dehors, et de *side,* côté, signifie « qui n'appartient pas à un certain groupe », « qui se tient en dehors ». Il désigne, dans une course hippique, un cheval, a priori non favori, qui peut toutefois réserver de très bonnes surprises, et, dans toute compétition, un concurrent dont les chances de gagner sont réduites mais non négligeables.

P

PACTOLE Avant d'être une quelconque source de grandes richesses, le Pactole était un fleuve de Lydie qui, dit-on, recelait de grandes quantités d'or. Selon la légende, Midas, roi de Phrygie, condamné à changer tout ce qu'il touchait en or, obtint de Dionysos de perdre cet embarrassant privilège. Pour ce faire, il s'immergea dans le Pactole pour se purifier. Le fleuve hérita alors de cette précieuse qualité et il y roule, depuis, des pépites d'or.

PAGANISME *n. m.* Ce mot datant du milieu du XVIe siècle est dérivé du latin *paganus,* paysan, que le latin ecclésiastique reprit dans le sens de païen. Le terme de paganisme, employé par les chrétiens du IIIe siècle, désignait aussi bien les croyances locales que les religions polythéistes ou animistes. Il fut ensuite appliqué par les chrétiens du XVIe siècle aux mœurs de la société gréco-romaine antique.

PALATIN Dans sa valeur adjectivale, palatin (du latin médiéval *palatinus,* « qui appartient au palais ») qualifiait les dignitaires, les officiers de la cour royale. Par ailleurs, le terme latin *palatium,* palais, désignait le mont Palatin, à Rome, où Auguste (63 avant J.-C.-14 après J.-C.) fit construire la première demeure impériale, qui devint le palais.

PALINGÉNÉSIE *n. f.* Ce terme, hérité de la philosophie, désigne la renaissance (du grec *palin,* à nouveau, et *genesis,* naissance), la régénération symbolique ou réelle des êtres et du monde. Pour Platon, la palingénésie était l'incessante réincarnation des âmes impures. Pour les stoïciens, elle était ce retour périodique et éternel des mêmes événements, mouvement qui, chez Nietszche, prendra le nom d'« éternel retour ». Cette notion, fort féconde en philosophie, se rencontre aussi en sociologie : elle exprime alors l'idée de cycle, de retour régulier d'une culture, d'une civilisation.

PALINODIE *n. f.* Le sens moderne de palinodie exprime un changement fréquent d'opinion, la rétractation ou le désaveu de ce que l'on a dit précédemment. Au sein de ces revirements, nulle musique, et pourtant ce mot (du grec *palinôdia,* de *palin,* « en sens inverse, à nouveau », et *ôdê,* « chant repris sur un autre ton ») est dû au poète Stésichore (640-550 avant J.-C.). Celui-ci, ayant récité un chant injurieux à l'égard d'Hélène, devint immédiatement aveugle. Il reprit alors son chant « sur un autre ton », en clamant tout le bien qu'il pensait d'Hélène ; la vue lui fut alors rendue.

PALLADIUM Dans une langue littéraire, le palladium d'un droit, d'une liberté, représente l'élément qui en garantit la sauvegarde. C'est Montesquieu, au XVIIIe siècle, qui employa pour la première fois le terme en ce sens, qualifiant la loi civile de « palladium de la propriété ». À l'origine, le Palladium était la statue sculptée par Athéna en hommage à son amie Pallas, la fille de Triton. La légende rapporte que cette statue tomba de l'Olympe aux pieds du fondateur de Troie, Ilos, et devint un gage de protection pour la ville. Par extension, le terme s'est ensuite appliqué à tout objet symbolisant le salut d'une cité.

PALMARÈS *n. m.* Le terme palmarès vient du latin *palmaris,* « qui mérite la palme ». La palme en question était à l'époque romaine une branche de palmier, emblème de victoire et honneur suprême récompensant les conquérants ; par extension, le mot en est venu à désigner une récompense académique.

PALME *n. f.* Dans la religion catholique, la consécration de l'homme (ou de la femme) persécuté par sa foi est appelée palme ou martyre, en souvenir des premiers saints martyrs qui furent représentés avec une feuille de palmier à la main et dont les pierres tombales étaient ornées de ce symbole de gloire.

PÂMOISON *n. f.* Le terme pâmoison, dérivé du verbe se pâmer (du latin *spasmare,* « avoir un spame, s'évanouir »), est surtout employé dans l'expression « tomber en pâmoison », dont le sens littéral désigne un évanouissement dû à une émotion vive, et le sens figuré, l'exaltation, l'enthousiasme éprouvés à l'égard d'une personne ou d'une œuvre d'art. Tomber en pâmoison était auparavant un art (non dénué de grâce) pratiqué par les dames de la cour et des cercles mondains. En effet, celles-ci utilisaient cette syncope fictive en signe d'une extrême sensibilité qui ne manquait pas d'être remarquée, mais également auprès des hommes dont elles étaitent éprises, lesquels s'empressaient de les ranimer.

PAMPA *n. f.* Ce mot espagnol est dérivé de la langue quechua d'Amérique du Sud : *bamba,* plaine. Ainsi, la pampa désigne les vastes plaines herbeuses qui sont situées entre les Andes et l'Atlantique et sur lesquelles paissent d'immenses troupeaux de bovins gardés et conduits par les gauchos.

PAMPHLET *n. m.* Ce mot, à l'origine très innocent (de l'anglais *pamphlet,* brochure, qui serait lui-même issu du français palme-feuillet, feuillet que l'on tient dans la main), s'est aiguisé et acéré au cours des siècles jusqu'à devenir un écrit violent, satirique et bref. Arme autrefois très en vigueur (Sénèque, Rabelais, Pascal, Voltaire, entre autres, en firent bon usage), le pamphlet a aujourd'hui presque disparu.

PAN Dans la mythologie grecque, Pan (qui signifie tout) est à la fois le protecteur des bergers et des troupeaux et le dieu de la fécondité et de la puissance sexuelle. D'une apparence monstrueuse avec ses cornes, sa queue et ses pieds de bouc, il fut la risée de *tous* les dieux (ce qui lui aurait valu son nom) lorsque son père, Hermès, l'emmena sur l'Olympe. Sauvage, brutal dans ses désirs, il déclenchait lors de ses brusques apparitions des peurs « paniques ». Pan serait aussi l'inventeur de la flûte rustique, faite de roseaux de tailles inégales, qui porte maintenant son nom. Plus tard, il entra dans le cortège de Dionysos, et, sous l'influence de la philosophie, devint le dieu de la vie universelle et du grand tout.

PANACÉE *n. f.* La panacée (du grec *panakeia,* « remède universel » ; de *pan,* tout, et *akos,* remède) est une plante imaginaire à laquelle est attribué le pouvoir de guérir toutes les maladies. Par extension, la panacée est le remède à toutes les difficultés. L'expression « panacée universelle » est donc pléonastique.

PANÉGYRIQUE *n. m.* À l'origine discours de fête prononcé dans la joie et l'exaltation (du grec *panêgurikos,* « qui se tient un jour de fête »), le panégyrique est devenu une sorte de rituel obligé et parfois ennuyeux. Autrefois célébration des dieux ou de la cité, cette apologie s'adresse aujourd'hui aussi bien aux hommes qu'aux saints. Cependant, l'ambiance festive qui suscitait les panégyriques n'est plus de mise : la solennité s'en est mêlée, rendant souvent peu crédibles les fougueux éloges des orateurs.

PANTAGRUÉLIQUE *adj.* Une table, un festin pantagruéliques se distinguent par la profusion des mets et des boissons. L'adjectif fut créé par Rabelais en l'honneur du héros de son livre *Horribles et Épouvantables Faits et Prouesses du très renommé Pantagruel* (1532). Ce livre raconte les aventures du digne fils de Gargantua, Pantagruel, géant doué d'un appétit féroce. Le terme pantagruélique dut cependant attendre Sainte-Beuve, en 1829, pour être repris et utilisé sans référence directe à l'œuvre de Rabelais.

PANTALONNADE *n. f.* Pitrerie, farce burlesque, subterfuge grotesque, la pantalonnade doit son nom au vieillard Pantalon. Personnage de la commedia dell'arte (voir ce mot), ce marchand de Venise était célèbre pour ses bouffonneries. S'il incarna tout d'abord la sagesse populaire, il fut rapidement tourné en ridicule à cause de sa vanité, de son avarice et de ses penchants amoureux. Il était reconnaissable à sa « culotte longue », dont on connaît l'essor !

PANTHÉISME *n. m.* Le panthéisme (du grec *pan,* tout, et *theos,* dieu) affirme au travers de diverses doctrines théologiques et philosophiques (les stoïciens, Giordano Bruno, Spinoza) l'unité de Dieu avec l'ensemble de la nature. Toute différence est donc abolie entre l'Être et la substance divine : les religions ont souvent confondu panthéisme et athéisme dans une même condamnation. Chez Spinoza, le panthéisme se révèle dans un système unitaire du monde ; l'individu se conçoit comme s'intégrant à un tout qui est la nature, et atteint, par là, la conscience de soi et la liberté. Il n'y a pas de distinction entre Dieu et la nature : Dieu est identifié à la substance unique, primordiale, dont toute chose découle. Le panthéisme est devenu, dans le langage courant, une croyance en la nature et en l'Univers comme unité irréductible.

PANURGE Ami de Pantagruel, Panurge est un personnage haut en couleur dont Rabelais relate les aventures. Un épisode célèbre du *Quart Livre* a fait passer ce héros rusé et sans scrupules à la postérité. Embarqué sur le navire du marchand de moutons Dindenault, Panurge ne supporte pas les railleries de ce dernier. Il se venge en achetant au bonhomme une de ses bêtes et en la jetant à la mer. Tout le troupeau suit et se noie, entraînant bergers et marchand... Voilà pourquoi on traite de mouton de Panurge un individu moutonnier, à l'esprit grégaire, qui suit aveuglément la foule et se range à l'avis du plus grand nombre.

PAPYRUS *n. m.* Le latin *papyrus* fut forgé sur le grec *papuros,* roseau d'Égypte. L'origine égyptienne *per-âa* signifie « celui du roi », car, à l'époque ptolémaïque, la fabrication du papyrus était un monopole royal. Le papyrus est une plante de la famille des cypéracées. Coupées en tronçons d'environ 40 centimètres après avoir été écorcées, les tiges de papyrus étaient taillées en fines lamelles disposées en deux couches perpendiculaires dont l'adhésion se faisait grâce à la sève. Ces deux couches étaient ensuite battues avec un maillet. Après quoi la surface de la feuille était lissée à l'aide d'une pierre. Un rouleau était confectionné avec environ vingt feuilles. Ce support fut remplacé par le parchemin (voir ce mot) et plus tard par le papier – dont l'origine chinoise date du IIe siècle –, introduit en Europe au XIIe siècle.

PARALOGISME *n. m.* Étymologiquement parlant, le terme peut se traduire par « autour du discours ». Un paralogisme est un raisonnement faux mais qui, à la différence du sophisme, est énoncé de bonne foi, sans intention de tromper.

PARAMNÉSIE *n. f.* Trouble de la mémoire d'ordre qualitatif, la paramnésie (du grec *para,* « en marge de », et *mnêmê,* mémoire) peut être définie comme une évocation de « souvenirs à côté ». Ce phénomène neuropsychologique est aussi appelé confabulation.

PARANGON *n. m.* Un parangon est un modèle, une référence en son domaine : un parangon de vertu excelle en la matière, est vertueux au-delà de toute comparaison. Le terme fut emprunté à l'espagnol *parangón,* de l'italien *paragone,* qui ont tous deux le sens de comparaison, mais aussi de « pierre de touche ». En effet, le verbe grec *parakonan* signifie aiguiser ; en France, au XVIIe siècle, on appelait d'ailleurs pierre de parangon les pierres à aiguiser.

PARANOÏA *n. f.* La paranoïa (du grec *para,* contre, et *noûs,* esprit), trouble de l'esprit, fut distinguée par la psychiatrie et plus tard par la psychanalyse comme un type de psychose. Ses caractéristiques sont, le plus souvent, une hypertrophie du moi et un délire de persécution accompagné de phobies et d'impulsions. Une des paranoïas les plus célèbres fut celle du président Schreber, décrite par Freud. Cette étude marqua une étape importante dans l'histoire de cette psychose.

PARAPHER *v. tr.* Parapher consiste à signer de manière concise, en ne portant sur le document que les initiales du nom. Tout abrégé qu'il soit, le paraphe a cependant valeur officielle, et cette marque de reconnaissance et d'approbation est exigée lors de la conclusion d'un accord ou d'un contrat.

PARAPHRASE *n. f.* La paraphrase est en musique un genre d'œuvre composé à partir d'un thème emprunté, ou par transformation d'une œuvre préexistante. Les messes et motets polyphoniques des XVe et XVIe siècles étaient construits autour d'un *cantus firmus* (mots latins signifiant « chant résistant »), emprunté, puis soumis à des variations. C'est probablement cette idée de variation autour d'un thème qui a fait appeler les œuvres paraphrastiques du XIXe siècle des fantaisies. La fantaisie musicale suppose en effet une œuvre aux structures très libres, parfois même de l'improvisation. Ainsi Liszt paraphrasa – réarrangea – des opéras célèbres *(Rigoletto, Tannhaïser),* des lieder de Schubert *(la Truite, le Roi des aulnes)...*

PARCHEMIN *n. m.* Le parchemin (du grec *pergamênos*) doit son nom à l'ancienne ville de Pergame, en Asie Mineure. En effet, pour s'opposer au monopole égyptien du papyrus (voir ce mot), le roi Eumène II aurait favorisé le traitement des peaux de chèvre et de mouton. Les peaux étaient tannées, épilées, puis plongées dans un bain de chaux. Après leur blanchiment, elles étaient amincies et polies avec des agates spécialement taillées. Ainsi fut obtenu un support d'écriture dont la souplesse et la manipulation plus aisées supplantèrent progressivement l'emploi du papyrus. À ces caractéristiques devait s'ajouter ultérieurement l'utilisation des couleurs (grâce à l'emploi de sels minéraux) et de l'or, qui devait rendre le parchemin encore plus fascinant.

PARÉGORIQUE *n. et adj.* Un parégorique était autrefois un médicament propre à calmer la douleur. L'élixir parégorique de nos arrière-grands-parents était une préparation à base d'opium et de camphre destinée à calmer les douleurs intestinales et à soigner les diarrhées. Le terme français, dérivé du latin scientifique tardif *paregoricus,* vient du grec *parêgoreîn,* soulager.

PARNASSE Le Parnasse est un mouvement littéraire lancé dans les années 1860 par de jeunes poètes et l'éditeur Alphonse Lemerre, qui publia une série d'anthologies sous le titre *Parnasse contemporain, recueil de vers nouveaux*. Le terme fait référence au mont Parnasse de la mythologie grecque, où séjournaient Apollon et les Muses, inspiratrices des arts. Le Parnasse, critique et pourtant proche parent du romantisme, regroupa momentanément des écrivains en fait fort différents. Sous l'influence de Baudelaire, de Lecomte de Lisle ou encore de José Maria de Heredia, des poètes et prosateurs tels que Théophile Gautier, Charles Cros, Villiers de l'Isle-Adam se croisèrent au « mont Parnasse » parisien. Alphonse Daudet pasticha magistralement le style parnassien dans son *Parnassiculet contemporain* (1866).

PAROXYSME *n. m.* Le paroxysme d'une maladie est cette phase d'aggravation durant laquelle les symptômes se manifestent avec le maximum d'intensité. Le résultat est souvent une exacerbation de la douleur et des troubles. Fort heureusement, ce phénomène n'est pas propre à la seule pathologie mais se rencontre en d'autres occasions. Ainsi parlera-t-on du paroxysme d'une passion, de la colère ou encore d'une éruption volcanique.

PARSEC *n. m.* Utilisée en astronomie et en astrophysique, cette unité de longueur correspond à environ 3,26 années-lumière et à 30 857 milliards de kilomètres. Son nom est une abréviation des mots parallaxe et seconde.

PARTICULE *n.f.* Depuis le début du XXe siècle, on sait que l'atome, qu'on crut longtemps indivisible, se décompose en particules élémentaires : tout d'abord, un noyau, autour duquel gravitent des électrons ; le noyau à son tour contient des protons et des neutrons, qui se divisent en quarks. Les substances considérées comme immatérielles sont aussi des agrégats de particules : c'est le cas de la lumière, constituée de photons. Les particules élémentaires sont en constante interaction, échangeant des particules, ou se transformant en d'autres particules ; vision hallucinante où le monde matériel fini se révèle ancré dans l'instabilité et le chaos...

PASSEPOIL *n. m.* Le passepoil est un liséré étroit d'une couleur différente de celle des deux étoffes entre lesquelles il est cousu. Ainsi les passepoils des pantalons militaires ont-ils servi à distinguer les différents corps d'armée. À l'origine, cependant, le passepoil était une fente pratiquée sur un vêtement pour permettre d'apercevoir la fourrure de la doublure.

PASTICHE *n. m.* Satire, dérision ou simple imitation, le pastiche peut contrefaire toute forme d'expression. À l'origine, ce terme ne désignait que la copie d'une œuvre picturale. Dérivé de l'italien *pasticcio,* pâté, il s'agissait sans doute d'une plaisanterie associant peinture pastichée et pâtisserie.

PATAQUÈS *n. m.* L'origine de ce mot repose sur une anecdote. Il serait né, dit-on, au XVIIIe siècle, d'une discussion galante et futile entre un homme et deux femmes. Monsieur, ayant trouvé un éventail, s'enquit de sa provenance auprès de ses voisines. L'une lui répondit : « Il n'est point-z-à moi », l'autre : « Il n'est pas-t-à moi »... Interloqué, l'homme s'écria à son tour, en accumulant les fautes de liaison : « Puisqu'il n'est point-z-à vous et qu'il n'est pas-t-à vous, ma foi, je ne sais pas-t-à qu'est-ce ! »

PATENT *adj.* Point de mystère ni de secret dans ce qui est patent. Au contraire, le terme (issu du verbe latin *patere,* « être ouvert ») désigne un fait évident, manifeste, dont la compréhension s'ensuit ipso facto.

PATIBULAIRE *adj.* Une physionomie patibulaire vous inquiète. Votre appréhension est légitime si l'on en croit l'étymologie de ce qualificatif... Qui affiche un air patibulaire mérite en effet le *patibulum* romain, c'est-à-dire le gibet sur lequel on fouettait tout esclave coupable d'un méfait.

PATIO *n. m.* Cour intérieure, d'origine hispanique (*patio* signifie cour en espagnol), le patio s'impose comme une caractéristique de l'architecture méditerranéenne. Souvent entouré d'arcades, il donne accès aux différentes pièces d'une habitation. Le péristyle, toujours délimité par des colonnes (d'où le sens actuel de ce mot), est son ancêtre gréco-romain, et le cortile son équivalent italien.

PATRIMOINE *n. m.* Que ce soit pour l'individu, la famille ou la nation, le patrimoine représente l'ensemble des biens qui leur reviennent, par héritage ou droit historique. En latin (n'oublions pas que le droit religieux et traditionnel français trouve ses racines dans le droit romain), le *patrimonium* (bien de famille) est le bien du père (du latin *pater*). La notion de patrimoine tendrait à indiquer que, dans l'histoire de la société occidentale, l'idée de propriété est inséparable de l'autorité patriarcale.

PATRISTIQUE *n. et adj.* On appelle patristique (du grec *pater, patros,* père [de l'Église]) la connaissance des Pères de l'Église obtenue par l'étude conjointe de leurs œuvres et de leur biographie, dont l'ensemble constitue la patrologie. Les écrivains de l'Antiquité chrétienne, qui s'étend du IIe au VIIe siècle, sont ceux auxquels se réfère la patristique, domaine de la théologie.

PAUPÉRISME *n. m.* Le paupérisme (de l'anglais *pauperism,* formé sur le latin *pauper,* pauvre) désigne l'état de pauvreté exrême dans lequel se trouve la population d'un État ou une partie d'entre elle.

PECCADILLE *n. f.* Qui vous en voudrait pour une peccadille, puisque, comme son nom (dérivé de l'espagnol *pecadillo,* diminutif de *pecado,* faute) le laisse entendre, il ne s'agit que d'une petite faute... vite réparée, vite oubliée, vite pardonnée.

PÈGRE *n. f.* Ramassis de malfaiteurs, la pègre est un milieu louche et inquiétant. L'origine du mot est aussi douteuse que les individus qu'il désigne. Pègre vient peut-être de l'argot marseillais *pego* (poix), surnom dont on affublait les voleurs des quais qui passaient pour avoir de la poix plein les mains. Mais il est peut-être d'origine italienne, auquel cas il serait dérivé de *pegro,* paresseux.

PÉLAGIANISME *n. m.* Le pélagianisme est une doctrine hérétique répandue à la fin du IVe siècle par un moine brittonique du nom de Pélage. Les pélagiens niaient l'existence du péché originel et la nécessité de la grâce divine ; ils mettaient l'accent sur le libre arbitre et la bonté naturelle de l'homme. Pélage fut excommunié, et le pélagianisme, fermement combattu par st Augustin, fut condamné par plusieurs conciles de 411 à 431.

PÉLAGIQUE *adj.* Ce terme emprunté à la zoologie désigne les animaux vivant en haute mer. Parmi la faune pélagique, on rencontre les méduses, dont la présence sur nos rivages constitue une anomalie ou un accident.

PELANAGE *n. m.* Le pelanage, ou plamage, est une opération de peausserie qui précède et favorise le tannage. Il consiste à plonger les peaux en poil dans un bain (le pelain) à base de chaux et de sulfure de sodium. L'action chimique de ces produits provoquera à la fois un relâchement du poil, qui facilitera l'épilation, et un gonflement du cuir, qui permettra la fixation des agents tannants.

PÈLERINAGE À LA MECQUE Le cinquième pilier ou *arkan* de l'islam invite le musulman à se rendre en pèlerinage à La Mecque une fois dans sa vie, s'il en a les moyens. Ce rite a été fixé par Mahomet : purifiés par des ablutions et tous vêtus de la même façon, les pèlerins parcourent 20 kilomètres de La Mecque au mont Arafat, où ils passent la journée face à Dieu. La nuit, ils restent en prière au sanctuaire de Muzzdalifa, et, le lendemain matin, ils repartent vers Mina, où a lieu un sacrifice qui rappelle celui d'Abraham prêt à immoler son fils. Ce grand pèlerinage, le hadjdj, est fixé au septième jour du dernier mois de l'hégire et le dernier jour, fête de l'islam, toutes les familles tuent le mouton pour s'unir moralement aux pèlerins. Celui qui a fait le pèlerinage est hadji pour la vie.

PÉNATES *n. m. pl.* Aujourd'hui, « regagner ses pénates », c'est réintégrer son domicile. Pour les Romains, c'était retrouver deux divinités tutélaires qui veillaient sur les provisions (du latin *penus*) et assuraient la prospérité d'une maison. Chaque famille consacrait à ces dieux domestiques un autel situé dans l'atrium et leur offrait tous les jours des aliments.

PENSIONNAIRE *n.* Les pensionnaires de la Comédie-Française (née au XVIIe siècle) sont des acteurs salariés, à la différence des sociétaires qui, eux, perçoivent une part des bénéfices du théâtre.

PENSUM *n. m.* À l'origine tâche réservée aux esclaves, le pensum devint, par quelque perversion de l'histoire, le lot de générations d'écoliers. C'est aux indisciplinés et aux récalcitrants qu'il revenait de produire des pensums, ou rédactions supplémentaires. Prétexte à de longues et souvent vaines cogitations, le pensum a fini par disparaître, pour le plus grand bonheur des élèves !

PÉPLUM *n. m.* Ce film à grand spectacle doit son nom à une tunique féminine portée dans l'Antiquité : le *peplos,* dont les actrices s'affublent pendant le tournage.

PERCHOIR *n. m.* Privilège du seul président, le perchoir est ce lieu élevé d'où il domine l'Assemblée nationale.

PERCOLATEUR *n. m.* Nul mystère dans le mot percolateur, si ce n'est dans l'appréciation du nectar qu'il distille. Le latin *percolare* signifie filtrer.

PERCUTANT *adj.* Des propos percutants sont des propos tranchants qui heurtent comme des coups, faisant des mots l'instrument du choc. L'auditeur ou l'interlocuteur se voit alors réduit à quia, abasourdi par la sûreté, l'efficacité de cette force de frappe insolite qu'a parfois le langage.

PÉREMPTOIRE *adj.* Comme l'indique l'étymologie (du latin *peremptorius,* « qui abat, détruit »), les propos péremptoires sont violents, sans réplique, décisifs, catégoriques. Rompant le dialogue, ils ruinent tout échange par leur dogmatisme.

PERGOLA *n. f.* Une pergola (de l'italien *pergola,* treille) est constituée d'un assemblage à claire-voie de poutres horizontales posées sur des colonnes. Couverte de rosiers ou de plantes grimpantes telles que la glycine, le chèvrefeuille, la vigne d'ornement, cette petite construction de jardin, qui protège du soleil et des regards indiscrets, est particulièrement décorative.

PÉRIANTHE *n. m.* Sous ce terme de botanique, on désigne l'ensemble des enveloppes florales (calice et corolle) protégeant les organes reproducteurs mâles (étamines) et femelles (pistil) des plantes à fleurs. Ce mot est formé à partir du grec *peri,* autour, et *anthos,* fleur.

PÉRIPATÉTICIENNE *n. f.* Avant de s'apparenter au commerce des charmes, ce terme relevait du commerce des esprits. En effet, à l'origine, il désignait les philosophes de l'école d'Aristote qui, dit-on, philosophaient en marchant (du grec *peripateîn,* se promener). La promenade et ses motifs sont devenus moins spirituels, plus vénaux, et la prostituée arpentant le trottoir s'est retrouvée péripatéticienne.

PÉRIPÉTIE *n. f.* La péripétie, bien avant de prendre son sens commun d'action imprévue, de rebondissement, fut l'une des règles du théâtre grec antique. Formé sur les termes grecs *peri,* autour, et *piptein,* tomber, *peripeteia* désignait le passage soudain d'un état de choses à un autre, voire à son contraire. La *peripeteia* théâtrale des Grecs correspondait à l'ultime rebondissement dans la trame tragique d'une pièce.

PÉRISSOLOGIE *n. f.* Cette redondance ou cette évidence est tout à fait digne de La Palice, comme en témoignent ces quelques exemples : monter en haut, voler en l'air, un vrai lion véritable... La périssologie (du grec *perissos,* superflu, et *logos,* langage) est aussi parfois un procédé littéraire permettant notamment des effets comiques ou caricaturaux.

PÉRISTALTISME *n. m.* Le péristaltisme est un phénomène de contraction musculaire provoquant la progression des aliments dans le tube digestif. Ce phénomène agit suivant le principe de propagation des ondes. Ainsi les aliments sont-ils poussés par l'œsophage dans l'estomac puis par l'intestin dans le rectum.

PÉRONNELLE Lorsque Molière écrit : « Taisez-vous, péronnelle ! », il donne définitivement le ton : une péronnelle est une jeune fille sotte et bavarde. Il y a d'ailleurs, au XVIIe siècle, une expression « chanter la péronnelle » qui signifie dire des sottises. Péronnelle était auparavant un prénom, féminin de Perron (diminutif de Pierre). De la même origine, mais plus populaire, il reste le prénom de Pétronille.

PERSPICACE *adj.* Redoutable est l'esprit perspicace. Pour lui, point de coin d'ombre puisque, plein d'acuité, de sagacité, de clairvoyance, il débusque l'invisible, perçant les apparences (du latin *per,* à travers, et *spicere,* voir). Ainsi, au plus fort de l'obscurité et du trouble, la vérité se dévoile, lumineuse.

PESANTEUR *n. f.* La pesanteur est un phénomène résultant de l'attraction universelle s'exerçant entre la Terre et les corps qui sont à sa surface. Cette force d'attraction exercée par la Terre est proportionnelle à la masse des corps et se caractérise par l'accélération transmise à ces corps lors de leur chute dans le vide. Il est à noter que la pesanteur varie en fonction de l'altitude.

PÉTALISME *n. m.* Le pétalisme était le mode d'ostracisme en vigueur à Syracuse. Ce châtiment sévère doit son nom, somme toute poétique (du grec, *petalon,* feuille), aux feuilles de figuier ou d'olivier sur lesquelles les juges inscrivaient leurs sentences.

PHALANSTÈRE *n. m.* Le phalanstère désigne aujourd'hui un groupe ou le lieu où vit une communauté. Dans le système du phalanstère préconisé par le penseur Charles Fourier (1772-1837), une phalange était constituée par un groupe de cent familles. À chacun de ses membres était attribué un rôle en adéquation avec sa personnalité. Par désir d'égalité, cette communauté pratiquait l'autogestion ; l'objectif commun était l'harmonie sur le plan tant social que privé. L'idéal fouriériste a donné naissance aux jardins d'enfants, aux maisons de la culture, au scoutisme, au coopératisme...

PHARISAÏSME *n. m.* Synonyme littéraire d'hypocrisie, le pharisaïsme désignait à l'origine la pratique religieuse des pharisiens. Ce glissement de sens s'explique par le portrait que donnent les Évangiles de ces membres d'une secte juive apparue au IIe siècle avant J.-C. Critiqués pour leur intransigeance et leur rigidité morale, condamnés pour leur orgueil et leur pratique ostentatoire de la vertu et de la piété, ces hommes, comparés par Jésus-Christ à des « sépulcres blanchis », apparaissent, en effet, sous les traits de parfaits faux dévots.

PHÉNIX C'est tout à l'avantage d'une personne que d'être comparée au Phénix. Cela revient à lui accorder une certaine supériorité, à reconnaître en elle « l'oiseau rare » ! Oiseau légendaire aux larges ailes rouges (*phoiniks* en grec signifie rouge), cet animal, unique en son genre, jouissait d'une longévité de plusieurs siècles : il prenait place sur un bûcher, où il se consumait entièrement, puis renaissait de ses cendres.

PHILANTHROPE *n. et adj.* Ami des hommes (du grec *philos,* ami, et *anthrôpos,* homme), tel est le philanthrope. Cette disposition, si exigeante, à aimer le genre humain, sans distinction de race, de couleur, de culture, est rare. En effet, si beaucoup sont disposés à aimer leur prochain, peu sont prodigues de cet amour altruiste, désintéressé, et, il faut bien l'avouer, assez utopique.

PHILIPPIQUE Ce discours violent, satirique, polémique que l'on prononce aujourd'hui contre une personne, une institution, etc., était à l'origine adressé à un personnage bien précis. On appela, en effet, Philippiques les harangues virulentes que l'orateur et homme d'État Démosthène formula de 351 à 340 avant J.-C., afin de dénoncer la politique de Philippe, roi de Macédoine.

PHILOCALIE *n. f.* Le grec *philokalia* se traduit littéralement par « amour de la beauté ». Recueils de textes à vocation ascétique ou spirituelle écrits par les chrétiens et, plus particulièrement, les adeptes de l'Église orthodoxe, les philocalies sont surtout l'expression d'expériences mystiques. Guides de « prière intérieure », elles célèbrent la beauté de Dieu et celle des créatures transfigurées par son amour.

PHILOLOGIE *n. f.* Les racines grecques de ce mot signifient : « amour du logos » (c'est-à-dire amour du discours). Ce terme était employé par les Grecs pour désigner, à l'époque alexandrine, l'étude des textes, laquelle conduisit aux premières grammaires. La philologie fut, jusqu'à l'apparition de la linguistique moderne, une méthode d'analyse critique empruntant à des disciplines diverses (grammaire, histoire, philosophie, poétique...) visant « à fixer, à interpréter et à commenter les textes ». Aujourd'hui, un travail philologique se restreint souvent à l'établissement de la version originale d'un texte.

PHLOGISTIQUE *n. m.* Le phlogistique (du grec *phlogistos,* inflammable) fut inventé par les anciens chimistes (notamment par le scientifique allemand Stahl) pour expliquer le principe de la combustion. D'après eux, tout corps était composé de ce fluide étrange et d'un radical. Lorsque le phlogistique s'échappait du radical, le corps prenait feu. À la fin du XVIIIe siècle, Lavoisier démontra l'absurdité d'une telle théorie, en prouvant que la combustion est une réaction chimique.

PHLOGOSE *n. f.* Autrefois, lorsqu'un médecin parlait de phlogose, c'est qu'il avait constaté, chez un patient, une inflammation aseptique sur une partie de l'épiderme. Aujourd'hui, ce terme désuet est utilisé par les vétérinaires pour désigner certaines affections des membres chez les animaux. En grec, *phlox, phlogos,* signifie flamme. Par ailleurs, les laboratoires pharmaceutiques fabriquent des produits antiphlogistiques, recommandés en dermatologie pour atténuer l'inflammation d'une cicatrice.

PHONÉTIQUE *n. f.* La phonétique est l'étude des sons produits par l'être humain servant de support physique à l'expression du langage à travers les diverses langues naturelles. La phonétique expérimentale étudie les propriétés acoustiques des sons linguistiques : la phonétique articulatoire les étudie du point de vue de leur production par l'appareil phonatoire (les organes de la parole sont les lèvres, la langue, les cavités buccale et nasale, le pharynx et les cordes vocales). Une fois les sons linguistiques caractérisés individuellement entre eux dans la prononciation, ils s'influencent alors les uns les autres. C'est l'objet d'étude de la phonétique combinatoire.

PHONOLOGIE *n. f.* La phonologie est l'étude des systèmes de sons linguistiques propres à chaque langue naturelle. En effet, une langue donnée s'exprime au moyen d'un ensemble d'unités vocales pertinentes : les phonèmes. Ceux-ci peuvent se réaliser diversement d'un point de vue phonétique selon le contexte de leur production ; on observe alors des variantes phonétiques d'un même phonème. Est considéré comme une unité phonologique pertinente d'une langue un son qui permet de construire un sens et dont la réalisation n'est pas dictée par le contexte. Si l'on compare deux sons différents employés dans un même contexte (par exemple, en français, « pas » et « bas »), on voit que le changement de son occasionne un changement de sens : ces deux sons sont alors posés comme des phonèmes différents de la langue considérée.

PHOTOSYNTHÈSE *n. f.* Formé à partir des mots grecs *phôs, phôtos,* lumière, et *sunthesis,* action de mettre ensemble, le terme de photosynthèse désigne le processus par lequel les plantes vertes, les algues et certaines bactéries se nourrissent en captant l'énergie lumineuse des rayons du soleil grâce à la chlorophylle. La plante provoque ainsi des échanges gazeux permettant la formation des composés organiques (glucides, acides aminés, lipides) nécessaires à sa survie. Par cette réaction, au cours de laquelle elles absorbent du dioxyde de carbone (gaz carbonique) et rejettent de l'oxygène, les plantes vertes contribuent au renouvellement de l'atmosphère terrestre.

PHRYGIEN (BONNET) Coiffure d'origine anatolienne confondue par les patriotes avec le bonnet d'affranchi des anciens esclaves romains, le bonnet phrygien devint très vite l'emblème de la Révolution. Adopté par les sans-culottes dès 1789, ce bonnet rouge fut imposé comme sceau de l'État par décret de l'Assemblée législative en août 1792. Malgré les réticences de Robespierre, qui lui préférait la cocarde tricolore, sa mode ne cessa de s'étendre (Louis XVI lui-même en fut coiffé, le 20 juin 1792) et le couvre-chef révolutionnaire fut institué coiffure officielle par la Commune.

PHYSIOCRATE *n. et adj.* La liberté est le maître mot des économistes physiocrates. Laisser faire la nature, la terre, qui est l'unique source de richesse ; accorder à l'homme ce qu'il acquiert librement par son travail ; autoriser la libre circulation des biens, du commerce ; enfin assurer légalement à l'homme la liberté et la propriété ; tels sont les principes fondamentaux de cette doctrine énoncée par Quesnay vers 1750 et adoptée par Mirabeau, Turgot, Trudaine et Malesherbes.

PHYTOTHÉRAPIE *n. f.* Du grec *phuton,* plante, et *therapeia,* soin, la phytothérapie est une médecine douce et naturelle qui permet de traiter certaines affections grâce aux plantes, que le médecin prescrit fraîches ou séchées. Elles sont administrées sous forme de décoctions, d'infusions, de gélules d'extraits secs, de pommades, de nébulisats, etc. La phytothérapie comprend la gemmothérapie, c'est-à-dire l'utilisation des bourgeons, des jeunes pousses et des radicelles des plantes ; et l'aromathérapie, c'est-à-dire l'utilisation des huiles essentielles particulièrement riches en principes actifs.

PICTOGRAMME *n. m.* Chez les Indiens d'Amérique, par exemple, ou encore chez les Esquimaux, il existe des systèmes d'écriture qui reposent sur l'utilisation des pictogrammes, dessins qui représentent des scènes de façon figurative ou symbolique. Formé d'une racine grecque *(gramma)* et d'une racine latine *(pictus),* le mot signifie littéralement « écriture peinte ».

PIGNORATIF *adj.* Contrat usuraire, et à ce titre frappé de nullité, le contrat pignoratif (du latin *pignorare,* engager) était, comme le contrat mohatra (voir ce mot), une façon de détourner la prohibition du prêt à intérêt. Il consistait en la vente d'un bien par un débiteur à son créancier, qui le lui laissait ensuite en location.

PILOTIS *n. m.* Un pilotis est un ensemble de gros pieux ou pilots servant d'assise à une construction lacustre telle que le palafitte préhistorique (de l'italique *pilafitta,* pilotis), découvert par l'architecte français Delsor au XIXe siècle, dans les lacs suisses.

PINACLE *n. m.* Aujourd'hui, « être au pinacle » signifie être au sommet, et « porter quelqu'un au pinacle », le placer au-dessus de tout le monde. Le pinacle, mentionné dans l'épisode de la tentation de Jésus (Matthieu, IV,5), était la partie la plus élevée du temple de Jérusalem.

PINACOTHÈQUE *n. f.* La pinacothèque (du grec *pinax, pinakos,* tableau, et *thêkê,* boîte, « lieu où l'on serre ») était dans l'Antiquité romaine située à l'entrée de l'atrium (pièce centrale des maisons). Elle était ornée de tableaux, de statues, et d'objets d'art. La pinacothèque est aujourd'hui un musée de peinture.

PINCEMENT *n. m.* Le pincement (ou pinçage) a pour objectif de régulariser la croissance de la vigne et de favoriser le développement des ramifications. Il consiste à sectionner, à la floraison, l'extrémité des jeunes pousses. Pour ce travail, le vigneron utilise tout simplement ses ongles ou un pince-sève. Pincement tardif, le rognage consiste à couper tous les sarments qui dépassent des tuteurs.

PITHÉCANTHROPE *n. m.* Lorsqu'en 1891 on découvrit des ossements fossiles qui présentaient des caractéristiques très archaïques (faible capacité de la boîte crânienne, fortes arcades sourcilières, dents longues, etc.), on pensa avoir trouvé l'espèce intermédiaire entre les grands singes et l'homme. Aussi, on dénomma les représentants de cette espèce les pithécanthropes (du grec *pithêkos,* singe, et *anthrôpos,* homme). Le pithécanthrope appartient bien au genre humain, c'est l'un des plus vieux modèles de l'*Homo erectus* : les plus vieux fossiles remontent à 1,5 million d'années.

PITTORESQUE *n. et adj.* Le pittoresque est pictural. Tel panorama, tel lieu pittoresques sont dignes d'être peints ou produisent l'agréable effet d'une peinture... Le mot italien d'origine, *pittoresco,* est dérivé de *pittore,* peintre.

PLAIN-CHANT *n. m.* La musique religieuse chrétienne fut d'abord vocale. Dès le haut Moyen Âge apparut une forme de chant liturgique exécutée par les moines, désignée par l'expression latine *planus cantus* (littéralement, « chant uni légal »). Le plain-chant, qui succéda au chant grégorien (voir ce mot) du XIe au

XVIIe siècle, et communément admis comme équivalent de ce dernier, est monodique : on ne chante qu'une note à la fois et toutes sont de même durée, ce qui lui valut sa dénomination.

PLANISPHÈRE *n. m.* Une carte est une représentation plane d'une partie de la surface terrestre. Un planisphère est une représentation de l'ensemble du globe terrestre sur une seule carte. Quant aux cartes qui exposaient l'ensemble de la Terre (et parfois de l'espace céleste) divisé en deux hémisphères, elles se dénommaient mappemondes.

PLANSICHTER *n. m.* Le plansichter (de l'allemand *Plan,* plan, et *Sichter,* blutoir) est une machine utilisée pour trier les moutures de blé en fonction de leur grosseur. Elle est constituée de plusieurs modules empilés les uns sur les autres, chacun d'entre eux étant composé d'un tamis plan et d'un plateau réceptacle. La mouture à traiter passe successivement dans ces blutoirs actionnés par un mécanisme.

PLÉONASME *n. m.* Redondance, surabondance langagière inutile qui parfois confine à l'erreur, tel est le pléonasme. Les expressions telles que : « descendre en bas », « voler en l'air » en sont de très beaux exemples. Superflu en apparence, le pléonasme peut cependant être tout à fait délibéré : « voir de ses propres yeux », « aimer d'amour » ne sont point fautes de goût, mais témoignent de la volonté d'insistance de l'auteur.

PLEUTRE *n. et adj.* Individu peu courageux, cousin du poltron, voilà le pleutre ! L'origine flamande de ce mot n'est pas certaine ; *pleute* signifie mauvais drôle et chiffon... il est vrai que la peur n'habille pas de cuir !

POCHEUSE *n. f.* Cet ustensile de cuisine comparable à une cuiller sert à pocher les œufs, c'est-à-dire à les cuire sans coquille, en les plongeant entiers dans un liquide bouillant pour que le blanc enveloppe le jaune, comme une poche.

POGROM *n. m.* Les éléments constituant ce mot russe (*po,* entièrement, et *gromit,* détruire) « parlent » d'eux-mêmes. Les pogroms de la Russie tsariste, notamment entre 1881 et 1921, ont été d'incessantes et acharnées persécutions antisémites, au cours desquelles, avec l'assentiment des autorités et de l'armée, s'exerçaient massacres, pillages, et exactions. Des villages entiers furent détruits, provoquant l'exode des populations juives. Cette pratique, russe à l'origine, se répandit dans toute l'Europe de l'Est, et notamment en Pologne.

POÏKILOTHERME *n. et adj.* La température des animaux poïkilothermes est tributaire de leur milieu ambiant : elle est identique ou légèrement supérieure à celle de leur environnement. Lorsque la température extérieure baisse, ces animaux – parfois appelés « à sang froid » (poissons, amphibiens et reptiles) – subissent une baisse proportionnelle de leur chaleur interne, qui s'accompagne d'un ralentissement de leurs fonctions vitales, pouvant parfois aller jusqu'à l'hibernation. Le terme vient du grec *poikilos,* variable, et *thermê,* chaleur.

POLICHINELLE Polichinelle est encore le personnage préféré des enfants, au théâtre de marionnettes. Sa voix un peu nasillarde et son rire insolent annoncent son entrée en scène ; les multiples farces qu'il invente et qui se soldent souvent pour lui par des coups de bâton réjouissent les habitués, mais avec son nez crochu et ses deux bosses (l'une formant le dos, l'autre, le ventre), il inquiète un peu. Cette caricature des marionnettes du temps d'Henri IV diffère du Pulcinella de la commedia dell'arte (voir ce mot), personnage haut en couleur et ambigu. L'usage populaire de son nom – un polichinelle – ne retient pourtant que l'aspect dérisoire et bouffon.

POLYPHÈME Fils de Poséidon et de la nymphe Thoosa, Polyphème est le célèbre Cyclope anthropophage dont triompha Ulysse dans l'*Odyssée.* Ce géant monstrueux avait fait prisonniers le héros d'Ithaque et ses compagnons, qu'il dévorait au cours de ses repas. Pour lui échapper, Ulysse, qui s'était prudemment présenté sous le nom de Personne, enivra le Cyclope et, à l'aide d'un long pieu rougi au feu, lui creva son unique œil. Polyphème appela alors ses frères à son secours contre Personne, mais en vain. Seul son père, Poséidon, lui apporta son soutien, provoquant les terribles tempêtes qu'Ulysse eut ensuite à affronter.

POMMADE *n. f.* Utilisée aujourd'hui pour ses vertus thérapeutiques et de composition très variée, la pommade était, à l'origine, appliquée comme produit de beauté. Elle était fabriquée avec de la pulpe de pomme additionnée à de la graisse (du latin *pomum,* fruit).

POMPÉI Ville de la province de Naples située au pied du Vésuve, Pompéi fut ensevelie sous une pluie de cendres et de lapilli en 79. Des fouilles archéologiques entreprises pour la première fois en 1748 ont permis de mettre au jour une saisissante évocation de cette ville. Peintures murales, mosaïques, maisons et meubles sont intégralement conservés grâce à la cendre qui les a littéralement pétrifiés. Ainsi nous sont restitués l'art et le mode de vie de Pompéi, lieu de villégiature des riches Romains.

PONCIF *n. m.* Il était une fois une expression inédite, pleine de piquant, qui remporta un tel succès qu'elle fut bientôt de toutes les conversations. À force d'être rabâchée, elle perdit peu à peu de sa saveur. Un jour même elle se mit à ennuyer, à faire sourire... Usée, dépassée, comme passée à « la pierre ponce de la répétition », d'originale qu'elle était, elle devint un fade poncif... Tous les mots sont-ils voués à pareil triste sort ?

PONTIFIANT *adj.* Redoutables sont les orateurs pontifiants : ils se distinguent par leur discours sentencieux, ampoulés et d'une solennité prétentieuse. Malheureux sont les pontifes à l'origine de cet adjectif, qui laisse supposer que ces prélats ne péchaient pas par excès de simplicité... au moins en paroles !

POPELINE *n. f.* La popeline est une étoffe légère dont la chaîne est de soie et la trame de coton ou de laine. L'origine de ce mot (de l'ancien français *papeline)* est dérivée de l'italien *papalino,* papal. En effet, cette étoffe aurait été tout d'abord fabriquée dans la cité des papes, en Avignon.

PORTULAN *n. m.* Un portulan est une carte ancienne de navigation maritime (étymologiquement, de port à port) ; le plus vieux portulan connu est un parchemin dressé à Gênes en 1285. Le terme provient de l'italien *portolanq,* pilote, formé lui-même sur « port ». L'emploi de la boussole dans la navigation maritime, à partir du XIIIe siècle, permit de dresser des cartes où des réseaux de points fixes et de directions facilitaient la détermination des caps.

POSITIVISME *n. m.* S'opposant à la métaphysique, le positivisme est une doctrine philosophique qui repose sur la « science positive ». Est positive une science qui s'appuie sur des faits réels, vérifiés par l'expérience, et autorise à formuler des lois. Elle seule permet d'accéder à la connaissance et d'instaurer un ordre social adapté à l'« âge industriel ». Fondateur du positivisme, Auguste Comte est aussi le père de la sociologie, qu'il considérait comme une « physique sociale ».

POSTILLON *n. m.* Le postillon (de l'italien *postiglione,* de *posta,* poste) était autrefois le conducteur d'une voiture attelée, et notamment de celle des postes. Cet homme était ordinairement installé sur l'un des chevaux ou à l'avant de la voiture.

POTLATCH *n. m.* Le terme potlatch est issu du chinook et signifie « action de donner ». Cette cérémonie était pratiquée dans la seconde moitié du XIXe siècle par les Indiens pêcheurs-chasseurs-collecteurs des côtes du Pacifique américain jusqu'en Alaska. Plusieurs occasions donnaient lieu à cette pratique rituelle : funérailles, intronisation, mariage, changement de statut d'un individu (puberté, menstruation), pacte de paix entre rivaux, humiliation d'un rival... Les populations célébrant le potlatch étaient constituées de « groupes familiaux ou résidentiels » *(numaym)* vivant dans le même village pendant l'hiver, et se dispersant au printemps sur leurs territoires de pêche, de chasse. Les chefs des *numaym* voisins ainsi que les alliés matrimoniaux étaient conviés à ces cérémonies au cours desquelles le *numaym* célébrant offrait des dons aux invités. Nourriture, couvertures et huile de poisson composaient l'essentiel de ces dons. Il est à noter que la théorie du potlatch compris comme un « don contre don » n'est qu'une généralisation d'un cas très particulier d'échange.

POTRON-MINET *n. m.* À la campagne, en vous levant aux premières lueurs, vous verrez peut-être un chat (ou un écureuil, que l'on appelait jaquet dans certaines régions) partir en quête de nourriture, à moins que vous n'aperceviez que son derrière lorsqu'il furète à la dérobée. De là viendrait la double étymologie que l'on prête à l'expression « dès potron-minet » (ou « dès potron-jaquet »). Soit, altération de « dès le paître au minet » (ou « au jaquet »), elle signifie « dès que le minet va au paître », c'est-à-dire dès qu'il va chercher de quoi manger, soit elle vient de l'ancien français *poistron,* derrière, et minet, auquel cas elle indique le moment où l'on commence à voir le derrière du chat sorti de sa cachette nocturne.

POUILLES (CHANTER) « Se faire chanter pouilles » (injurier, reprocher quelque chose) est une expression littéraire datée du XVIIe siècle, que l'on trouve encore sous la plume d'André Gide. Elle fut précédée au XVIe siècle par « dire des pouilles » attestée chez Montaigne. Le dictionnaire de Furetière définit les pouilles comme « de vilaines injures et des reproches ». L'origine de ce mot semble pourtant être *pouil,* forme ancienne de pou. Pourquoi cette petite bête parasite des cheveux serait-elle depuis longtemps associée à des reproches mêlés d'injures ? On peut seulement rappeler que, dès le XVIe siècle, la langue française disait « laver la tête » pour « traiter avec rigueur », et que « chercher pouilles » (début du XXe siècle), pour injurier, coexiste avec « chercher des poux dans la tête de quelqu'un » au sens de « chercher querelle ».

POULET *n. m.* Si le mot poulet existe depuis le XIIIe siècle pour désigner le petit de la poule (du latin *pullus*), c'est seulement au XVIe siècle que ce mot commence à être utilisé pour désigner les billets doux écrits par un galant à sa belle. Un papier plié en triangle ne ressemble-t-il pas à un poulet ? Ceux qui font des cocottes en papier le savent bien !

PRÉCIOSITÉ *n. f.* La préciosité apparut au début du XVIIe siècle en réaction contre la grossièreté de la cour d'Henri IV. Cette volonté de distinction, cette tendance au raffinement dans les manières, dans l'art d'aimer et dans l'expression littéraire se développa dans les salons mondains de Paris, notamment ceux de la marquise de Rambouillet et de Mlle de Scudéry. En 1659, dans *les Précieuses ridicules,* Molière tournera en dérision le style précieux, qui, encombré de procédés rhétoriques, cultive l'art de la surcharge et de l'affectation, et l'esprit précieux, qui, en quête d'élégance et de perfection, dénigre le commun, le bourgeois et le vulgaire.

PRÉCONISER *v. tr.* Le terme préconiser appartenait autrefois au registre du droit ecclésiastique et signifiait proclamer la nomination en consistoire d'un nouvel évêque. Pour ce faire, force était de reconnaître les mérites de l'homme, de vanter ses qualités, en bref de le « préconiser » au sens contemporain du terme.

PRÉDESTINATION *n. f.* Issu du latin *praedestinare,* qui signifie « réserver par avance », ce mot désigne le décret divin réglant, pour l'éternité, le salut ou la damnation de chaque créature humaine. La prédestination, qui pose le problème de la grâce et de la liberté, est un des thèmes centraux de la théologie chrétienne.

PRÉDICAT *n. m.* Dès Aristote, la notion de prédicat est inséparable du sujet. Tous deux sont complémentaires, constituant ensemble un énoncé complet. Le prédicat aristotélicien est d'abord l'attribut d'un sujet linguistique – le sujet est « ce dont on parle », le prédicat, « ce qui se dit du sujet ». En logique, le prédicat appartient au sujet ; si j'énonce : « A est blanc », alors, « la blancheur appartient à A ». La logique moderne (pour Frege notamment) considère un prédicat comme une fonction appliquée au sujet, lequel est alors un élément de départ du graphe de cette fonction.

PRÉDILECTION *n. f.* La prédilection est une préférence marquée pour une personne, un lieu, une activité... Le caractère affectif de cette disposition explique sa quasi-inconditionnalité (du latin *diligere,* choisir). Aussi la raison triomphe-t-elle rarement et difficilement des prédilections, tant il est vrai que « le cœur a ses raisons que la raison ne connaît point ».

PRÉÉMINENCE *n. f.* Supériorité, prérogative, avantage reconnu à une personne en raison de son rang, titre, statut ou valeur, la prééminence se rencontre dans toutes les sociétés, qu'elles soient traditionnelles ou modernes.

PRÉHENSION *n. f.* La préhension (du latin *prehensio,* fait de saisir quelque chose) est la faculté propre à la main d'attraper, d'agripper, de retenir un objet. Également appelée saisie, cette fonction essentielle est rendue possible grâce aux mouvements du pouce, opposable aux autres doigts, et à la flexion des cinq doigts.

PRÉJUDICIER *v. intr.* Préjudicier à quelqu'un consiste à lui nuire, à lui porter tort. La rareté de ce verbe ne signifie nullement la disparition de tels actes, mais la préférence accordée à son synonyme nuire.

PRÉLIBATION *n. f.* Heureux qui se voit accorder le droit de prélibation, ou droit de jouir d'avance d'un bien qui lui revient. Cependant, si l'attente lui est épargnée, la prudence ne doit point l'être. En effet, cette part échue constitue, certes, momentanément, un « plus », mais, pour l'avenir, un « moins », puisqu'elle correspond à un prélèvement, sur l'héritage par exemple.

PRÉMISSE *n. f.* Conformément à l'étymologie (du latin *praemissus,* « mis en avant »), les prémisses constituent les annonces, les signes avant-coureurs d'un événement, d'une situation.

PRÉROGATIVE *n. f.* La prérogative était à l'origine, dans l'Antiquité romaine, le droit reconnu à une centurie d'exprimer son suffrage en premier. Avec le temps, la signification de ce mot s'est élargie : la prérogative correspond désormais à un avantage, à un privilège consenti à une personne ou à un groupe en raison de leur rang, titre ou statut. Ainsi l'immunité pénale est-elle une prérogative reconnue aux membres de l'Assemblée nationale.

PRESCIENCE *n. f.* Savoir d'un événement non encore advenu, telle est la prescience. Disposition longtemps considérée comme un des attributs essentiels de Dieu, la prescience se rencontre aussi parmi les hommes. Si les voyants et autres devins la possèdent plus que quiconque, il est cependant donné à tous de l'éprouver.

PRESTIDIGITATEUR *n. m.* Cet illusionniste a plus d'un tour dans son sac, et surtout une dextérité manuelle déconcertante qui lui vaut son nom. Prestidigitateur (composé de l'adjectif preste et du nom latin *digitus,* doigt) signifie en effet « habile de ses doigts ».

PRÉTEXTE La toge, le vêtement romain par excellence, symbolisait à la fois la citoyenneté et la paix : en campagne, les soldats l'abandonnaient pour porter une casaque, le sagum. Blanche, rectangulaire ou taillée en demi-cercle, elle était tissée avec de la laine épaisse. La toge prétexte (du latin *praetexere,* border) était en plus bordée d'une bande pourpre. Elle était portée par les jeunes garçons jusqu'à l'âge de seize ans et par certains magistrats au cours des cérémonies officielles.

PRÉVARICATION *n. f.* La prévarication est synonyme d'une malversation commise dans l'exercice de sa fonction. Ce manquement grave concerne notamment les fonctionnaires et les parlementaires. Le sens du terme latin *praevaricari* est explicite. Il signifie « s'écarter de la ligne droite en labourant ».

PRINCEPS *adj.* Ce terme, aujourd'hui réservé aux ouvrages anciens, désigne la première édition. Ainsi évoquera-t-on l'édition princeps du *Gargantua* de Rabelais ou celle des *Essais* de Montaigne, mais non point celle des derniers Goncourt ou Médicis.

PRISME *n. m.* Un prisme est, dans son sens premier, une figure géométrique : un polyèdre constitué de deux faces égales et parallèles, reliées par deux parallélogrammes latéraux. Sa base détermine le type du prisme, triangle, carré, etc. Prisme vient du grec *prizein,* issu du verbe *priein,* scier ; Euclide reprit le terme pour désigner cette figure géométrique, un polyèdre à pans coupés réguliers. En physique optique, un prisme est un solide polyédrique à base triangulaire, dont les arêtes sont obliques. Constitué de verre transparent ou de cristal, un tel prisme réfracte la lumière qui le traverse, décomposant celle-ci en ses couleurs primitives, de même qu'un arc-en-ciel avec la pluie. D'où les idées de déformation et d'éclat illusoire que connote le mot prisme.

PRIVAUTÉ *n. f.* Ce terme est plus couramment employé au pluriel, dans l'expression « prendre des privautés ». Il désigne la liberté, la grande familiarité de gestes ou de langage avec lesquelles une personne s'adresse à une autre. Dérivé de l'adjectif privé (du latin *privatus,* particulier, intime), le mot privauté désignait également au XVIIe siècle les caresses échangées par des amants. D'où le second emploi de ce mot, exprimant l'extrême liberté que prend un homme à l'égard d'une femme.

PRIX DE ROME À l'origine de ce prix des beaux-arts, deux hommes : Louis XIV et Colbert. Poursuivant leur initiative, la France établit en 1803 l'Académie de France à Rome. L'école a pour siège la désormais célèbre Villa Médicis. Le prix (un séjour de six à dix-huit mois avec traitement) est acquis à l'issue d'un concours réunissant des artistes de toute discipline et de toute obédience.

PROCRASTINATION *n. f.* « Il ne faut pas remettre au lendemain ce qu'on peut faire le jour même. » Ce proverbe bien connu dénigre la procrastination (du latin *cras,* demain), cette tendance qui consiste précisément à tout ajourner.

PRODROME *n. m.* Désignant une introduction à une œuvre scientifique, un préambule, ou même les symptômes d'une maladie, un prodrome est, en logique, la base de départ d'un raisonnement. Le terme vient du grec *prodromos,* avant-coureur.

PROFANE *n. et adj.* Hors du temple (du latin *pro,* en avant, et *fanum,* temple), le profane était par excellence le non-initié, l'étranger au rituel, au culte sacré. Par extension, ce terme désigne toute personne ignorant les règles d'une communauté, les principes d'une science ou d'une technique.

PROFESSION DE FOI La profession de foi s'appelle *chahada* en arabe. C'est la première des cinq observances ou piliers de l'islam, qui résument l'essentiel des devoirs du musulman. Elle consiste en une double affirmation et elle suffit à intégrer dans la communauté islamique celui qui la prononce sincèrement devant témoins : *chahada* signifie témoignage. La *chahada* atteste donc qu'Allah est le seul Dieu et que Mahomet est son prophète. Cinq fois par jour, en appelant les croyants à la prière, le muezzin reprend cette profession de foi.

PROGRAMME *n. m.* Le traitement automatique de l'information a été sensiblement amélioré quand on a pu stocker dans la mémoire de la machine les données et le programme. Celui-ci contient précisément la suite d'instructions et de données qui permettent de traiter l'information par la lecture qu'en fait l'ordinateur : au centre de la méthodologie du programme, il y a la notion d'algorithme, suite finie de règles qui mènent rigoureusement à la solution d'un problème. On parle de langage de programmation, comme l'algol (voir ce mot).

PROLÉGOMÈNES *n. m. pl.* Les prolégomènes d'une théorie philosophique ou scientifique constituent l'exposé des conditions préalables et nécessaires au développement de cette théorie. Ce qui revient le plus souvent à une introduction à l'œuvre même. Le terme fut repris du grec *prolegomena,* participe présent passif du verbe *prolegein,* « dire avant ».

PROLEPSE *n. f.* La prolepse est une figure de rhétorique consistant à exprimer plus tôt que prévu une idée. Ce procédé stylistique vise soit à mettre en relief l'idée énoncée, soit à réfuter, par avance, une possible objection.

PROMÉTHÉE (SUPPLICE DE) Le supplice de Prométhée représente dans la mythologie grecque le châtiment éternel infligé à la créature présomptueuse qui avait osé dérober une étincelle du feu divin, symbole de la connaissance. Afin de punir le géant Prométhée de son crime, Zeus le condamna à être attaché au sommet du mont Caucase, où jour après jour un aigle venait ronger son foie sans cesse renaissant. Héraclès, tuant l'aigle, mit fin au supplice.

PRONUNCIAMIENTO *n. m.* Les pronunciamientos ont tristement ponctué l'histoire de l'Espagne et des pays d'Amérique du Sud. Ce terme espagnol, qui signifie déclaration, désigna d'abord uniquement le discours-programme que prononçait le chef des rebelles lors d'un coup de force contre le gouvernement en place, puis, par extension, le coup d'État militaire au cours duquel était lue une telle allocution.

PROPENSION *n. f.* Qu'il est difficile et rare d'atteindre le juste milieu ! Les individus doués d'une quelconque propension le savent bien, qui malgré eux tendent, penchent, inclinent à la gourmandise, l'embonpoint, la paresse... Pourtant, que l'on se rassure, ce penchant n'est point défaut, mais simple oscillation de l'âme et des sens.

PROPHYLAXIE *n. f.* Les vaccins constituent la principale mesure de prophylaxie contre les épidémies, ou contre certaines maladies infectieuses. En grec, le verbe *prophulattein* voulait dire préserver, « veiller sur ». On essaie aujourd'hui de protéger les enfants par des mesures de prophylaxie systématiques (dans les centres de P.M.I., protection maternelle et infantile), et les adultes, par le dépistage.

PROSÉLYTISME *n. m.* Zèle, ferveur, acharnement à convaincre ou à persuader, tel est le prosélytisme. Volonté de faire des adeptes (du grec *prosêlutos,* « qui est venu s'ajouter »), le prosélytisme n'est plus seulement religieux, mais s'exerce en tout domaine, augmentant ainsi les chapelles, partis ou sectes de toute obédience.

PROTÉE On qualifie de protée un individu qui change sans cesse d'avis, d'opinion, ou d'humeur. Ce terme littéraire trouve son origine dans la mythologie grecque. Fils de Poséidon et d'Amphitrite, le dieu Protée, représenté avec un buste d'homme et une queue de poisson, avait reçu de son père le don de divination, et nombreux étaient ceux qui venaient le consulter. Mais ce « Vieillard de la mer », peu sociable, exécrait les visites et refusait de révéler ses prédictions. Pour l'y contraindre, il fallait le surprendre pendant sa sieste et l'enchaîner. Alors Protée tentait d'échapper à ses solliciteurs en usant de son don de métamorphose et revêtait les formes les plus monstrueuses. C'est Nicolas Rapin, lettré du XVIe siècle, qui le premier baptisa protées les êtres particulièrement versatiles.

PROTON *n. m.* Le proton est, avec le neutron (voir ce mot), l'un des éléments de base du noyau atomique. Cependant, contrairement au neutron, le proton est doué d'une charge électrique. Celle-ci est positive. Le proton est formé de trois quarks ou constituants élémentaires.

PROTOTHÉRIEN *n. m.* Les protothériens (du grec *prôtos,* premier, et *thêrion,* animal) sont les plus primitifs des mammifères. Ils ont des poils et des glandes lactéales, mais leur squelette s'apparente à celui des reptiles et, comme les oiseaux, ils pondent des œufs, ont un bec corné et un cloaque. Les seuls protothériens encore existants sont les échidnés et les ornithorynques, que l'on peut rencontrer en Nouvelle-Guinée, en Australie et en Tasmanie.

PROTOZOAIRE *n. m.* Les protozoaires sont des animaux microscopiques, inclus dans le vaste groupe des protistes, organismes unicellulaires végétaux ou animaux. Les protozoaires se distinguent par leur alimentation à base de substances organiques, contrairement aux organismes unicellulaires végétaux, qui tirent leur énergie de la photosynthèse (voir ce mot). Les protozoaires se reproduisent au sens strict de ce terme : chaque animal se divise en deux, communiquant toutes ses caractéristiques génétiques à chacun de ses deux « descendants ». Cependant, certains protozoaires bénéficient d'une reproduction sexuée (notamment par méiose). C'est le cas des sporozoaires. Le terme vient du grec *prôtos,* premier, et *zôon,* être vivant, animal.

PSAUME *n. m.* Les psaumes, qui occupent une grande place dans les diverses liturgies chrétiennes, sont tirés du psautier de l'Ancien Testament. Ce livre biblique, jadis recueil des chants du temple de Jérusalem, compte 150 méditations qui reflètent l'ensemble des attitudes religieuses de l'homme devant Dieu. La tradition veut que le roi David, poète et musicien, soit l'auteur du plus grand nombre. En fait, les psaumes ont été composés tout au long de l'histoire d'Israël.

PSITTACISME *n. m.* Le psittacisme (du grec *psittakos,* perroquet) consiste en la répétition mécanique de mots ou de phrases dont le sens échappe au locuteur. Cette pratique est propre aux enfants et à certaines personnes affectées de troubles mentaux.

PSYCHÉ Une psyché est une grande glace, ovale ou rectangulaire, montée sur un châssis pivotant. C'est en 1812 que *le Journal des dames* baptisa du nom de la belle héroïne grecque ce miroir inclinable. Personnification de l'âme et fille de roi, Psyché était d'une si grande beauté qu'Aphrodite, jalouse, avait ordonné à son fils Éros de punir la trop belle jeune fille. Le dieu de l'amour, contrariant la volonté de sa divine mère, s'éprit alors de la merveilleuse Psyché et s'unit à elle, lui demandant cependant de ne pas le regarder. Trop curieuse, la jeune femme désobéit et perdit, pour un temps, son époux. Mais le couple amoureux finit par triompher de toutes les épreuves et Psyché, symbole de l'âme purifiée par l'amour, reçut l'immortalité.

PSYCHODRAME *n. m.* Le psychodrame est une technique thérapeutique découverte par le psychologue américain d'origine roumaine Jacob Levy Moreno (1892-1974). Cette technique consiste à mettre au jour les réseaux conflictuels d'un individu à travers un jeu théâtral reposant sur une situation imaginaire dans laquelle le patient peut s'impliquer. Ainsi, face à un ou plusieurs partenaires, le sujet « pris au jeu » – encadré par le thérapeuthe – découvre peu à peu les points d'entrave. À partir de ce moment-là, le travail thérapeutique du patient peut se poursuivre.

PSYCHOPOMPE *n. et adj.* Psychopompe signifie « conducteur d'âme » (du grec *psukhê,* âme, et *pompos,* qui conduit). Dans la mythologie grecque, ce terme qualifia notamment Hermès, qui était chargé de conduire les âmes aux Enfers, et Charon, nocher des Enfers, qui passait les âmes sur l'autre rive du fleuve des morts, l'Achéron.

PSYCHOSE *n. f.* La psychose est un trouble affectant très profondément la personnalité d'un individu. Rompant le lien avec la réalité, elle implique pour le sujet des relations avec le monde extérieur échappant au système « commun ». À l'inverse du névrosé, le psychotique est souvent inconscient de son état. Aussi refuse-t-il l'aide ou les soins qui lui sont proposés ou bien les vit-il comme une contrainte, une violation. La psychiatrie distingue trois types de psychose : la psychose aiguë (bouffée délirante émanant d'un choc affectif violent), la psychose chronique (délire paranoïaque, schizophrénie), la psychose intermittente (psychose maniaco-dépressive). L'automutilation pouvant aller jusqu'à la mort n'est pas absente de la psychose. De même, l'autisme (psychose infantile) s'accompagne souvent de violences exercées par l'enfant sur lui-même. Traditionnellement, la psychose relève de la psychiatrie. Aujourd'hui, cependant, des expériences « non médicamenteuses » sont tentées (notamment certains types de thérapies psychanalytiques).

PSYCHOSOMATIQUE *adj.* Les mots grecs *psukhê* et *soma* signifient respectivement âme et corps, aussi un désordre psychosomatique est-il un désordre dans lequel l'esprit influence le corps. Plus précisément, c'est une affection physique véritable, causée, en totalité ou en partie, par des conflits émotionnels inconscients ou par d'autres facteurs psychologiques. La médecine psychosomatique, qui étudie ce type de troubles, a connu ces dernières années un vif essor et a contribué au traitement de certaines maladies « fonctionnelles », c'est-à-dire sans lésions apparentes.

PSYCHOTROPE *n. et adj.* Psychotrope, comme beaucoup de termes scientifiques, fut formé artificiellement, ici à partir de deux emprunts au grec classique : le préfixe psycho-, issu de *psukhê,* âme, esprit, activité mentale, et le suffixe -trope, issu de *tropos,* direction. Comme son étymologie le suggère, un psychotrope désigne tout type de drogue (médicament ou autre) agissant sur le psychisme en modifiant la perception de la réalité qu'a le sujet sous influence. Les principaux psychotropes sont soit calmants, soit stimulants ; ils peuvent aussi provoquer des troubles.

PUSILLANIME *n. et adj.* Qui tremble au moindre risque et se dérobe devant l'inconnu passe pour un être pusillanime. L'étymologie de ce terme, aujourd'hui littéraire, est explicite : il est composé des mots latins *pusillus,* tout petit, et *animus,* cœur, courage.

PUZZLE *n. m.* Jeu de patience et source d'impatience dont les fragments n'ont qu'une seule combinaison possible, le puzzle est un casse-tête anglais, dérivé du verbe *to puzzle,* embarrasser !

PYGMÉES Ce terme emprunté à la mythologie grecque désignait les peuples hauts d'une coudée (du grec *pugmaios*) qui habitaient la région du Nil. Ces peuples, effectivement petits, mais néanmoins plus grands que la légendaire coudée, se rencontrent aujourd'hui encore en Afrique, où les ethnies pygmées sont réputées pour leur aspect martial.

PYRRHONISME *n. m.* Scepticisme absolu, le pyrrhonisme découle de la doctrine du philosophe grec de la fin du IVe siècle avant J.-C. Pyrrhon. Affichant des positions très radicales, celui-ci poussait le doute et la contestation jusqu'à l'absence d'opinion. Tout n'étant qu'apparence, il était, selon lui, impossible de connaître la nature des choses. Suspendre son jugement lui paraissait donc être la seule attitude possible.

PYTHIE *n. f.* Personnage de l'Antiquité grecque, la pythie est la plus célèbre des prêtresses du temple d'Apollon, à Delphes. Cette jeune fille, à qui l'on accordait le don de prophétie, rendait les oracles du dieu lors de cérémonies rituelles. Ses paroles, incohérentes, étaient interprétées par les prêtres, qui délivraient les messages divins.

Q

QUASAR *n. m.* Les quasars, sources radioélectriques d'une brillance exceptionnelle dont le spectre lumineux s'accentue vers la couleur rouge, sont l'un des mystères visibles de notre univers. On qualifia de quasi stellaire ce phénomène énergétique intense, découvert en 1961, dont l'origine ne pouvait être qu'une étoile : d'où le terme quasar, abréviation de l'anglais QUAsi Stellar Astronomical Radiosource. On suppose aujourd'hui que les quasars sont l'émanation du noyau visible de galaxies extrêmement éloignées de la nôtre (leur couleur rouge est un signe d'éloignement). Ils proviennent en tout cas d'objets au moins cent fois plus petits que des galaxies ; leur incroyable luminosité demeure inexpliquée.

QUÉRULENCE *n. f.* La quérulence est une tendance pathologique à se quereller. Ce trouble, reconnu par la psychiatrie, est observé dans certaines psychoses, et notamment dans la paranoïa. L'attitude belliqueuse du sujet se double souvent de revendications délirantes induites par le sentiment d'avoir été trompé ou lésé.

QUIDAM *n. m.* Un quidam est un individu quelconque dont on ne connaît pas l'identité. Ce pronom latin qui signifiait « un certain » est entré dans la langue juridique au XIVe siècle : il pouvait être important, en effet, dans les actes de procédure de ne pas nommer les personnes concernées.

QUINAUD *adj.* Cet adjectif qualifiant une personne honteuse et confuse proviendrait du terme *quine* (grimace, en ancien français), qui était surtout employé dans l'expression *qui ne-mine,* désignant une grimace exécutée avec le pouce appuyé sur la joue, tandis que les autres doigts de la main sont agités.

QUININE *n. f.* Découverte en 1820 par Pelletier et Cavantou, la quinine est un alcaloïde extrait de l'écorce de quinina. Remède au goût désagréable, mais d'une efficacité à la mesure de son amertume, la quinine est utilisée avec succès dans le traitement des fièvres, et plus particulièrement des fièvres paludéennes.

QUINQUET Le quinquet est une ancienne lampe à double courant d'air, composée d'un réservoir d'huile alimentant une mèche tressée et d'un manchon en cristal pour la circulation de l'air. Cette lampe connut un vif succès jusqu'à l'invention de la lampe à pétrole ; elle avait, en effet, l'avantage de répandre une lumière homogène et de ne pas fumer. Le quinquet doit son nom au pharmacien Antoine Quinquet, qui le fabriqua et le commercialisa en 1785. La vogue de l'objet fut telle que l'on vit apparaître, au début du XIXe siècle, l'emploi argotique du terme quinquet pour désigner des yeux particulièrement vifs. Ainsi « allumait-on ses quinquets » si les circonstances le méritaient ou « les fermait-on » pour se préserver d'un spectacle déplaisant.

QUIPROQUO *n. m.* Quel étudiant en latin n'a jamais pris un *quid* pour un *quod* ? Cette faute grammaticale est à l'origine du mot quiproquo *(quid pro quod),* qui désigne aujourd'hui toute méprise.

QUIPU *n. m.* Le quipu, qui dans la langue quechua signifie nœud, se composait de cordes de couleurs et de longueurs différentes nouées diversement selon leur signification. Ce système antérieur à l'écriture fut utilisé chez les Incas pour calculer ou exprimer une pensée.

QUOLIBET *n. m.* Plaisanterie, raillerie de mauvais goût, voire offensante, ainsi définit-on aujourd'hui le quolibet. Il désigna aussi un morceau de musique d'un style comique. Cependant, le quolibet doit son origine à l'enseignement scolastique dans lequel un rôle important était donné à la dispute afin d'exercer l'esprit des étudiants. Pour cela étaient pratiquées tous les quinze jours les *disputationes ordinariae,* en lien étroit avec la leçon, et deux fois par an (avant Noël et pendant le carême) les *disputationes de quolibet,* ou disputes, discussions sur n'importe quoi (n'importe quel sujet). Les lanceurs de quolibets savent-ils qu'ils perpétuent une tradition rhétorique fameuse ?

R

RABOUGRI *adj.* Le mot bougre, qui signifiait au XIIe siècle bulgare, est à l'origine de ce qualificatif. Parce qu'on les accusait d'hérésie, les Bulgares avaient mauvaise réputation... Aussi l'adjectif bougre est-il devenu petit à petit une injure, d'où l'acception dépréciative de rabougri, qui qualifie une plante chétive, un individu gringalet, etc.

RABOUILLÈRE *n. f.* La rabouillière (de *rabotte,* lapin, dans certains patois du Centre) est le terrier que creuse la lapine pour mettre bas ses petits.

RABROUER *v. tr.* Il ne viendrait pas à l'esprit de rapprocher rabrouer et s'ébrouer : on rabroue quelqu'un que l'on traite avec rudesse alors que l'on s'ébroue lorsqu'on se secoue en sortant de l'eau. Ces deux verbes ont pourtant une origine commune : *brouer,* verbe de l'ancien français qui signifiait gronder, écumer. Ce verbe a disparu, restent les deux composés, qui se distribuent le sens propre et le sens figuré.

RACOLAGE *n. m.* « Faites l'amour, pas la guerre », tel semble être l'enseignement du mot racolage. En effet, ce terme désignait autrefois le recrutement frauduleux d'hommes pour le service militaire. Avec le temps, ce terme a fini par désigner une invite galante mais délictueuse lancée par la prostituée à l'adresse d'éventuels clients. L'appel aux hommes est donc demeuré, mais le dessein a bien changé !

RADAR *n. m.* Le radar est un émetteur-récepteur d'ondes ultracourtes fonctionnant en impulsion. Le principe de cet instrument, dont l'usage autrefois exclusivement militaire s'est répandu dans le civil, est le suivant : la réflexion des ondes électromagnétiques sur l'obstacle formé par l'objet à repérer. Le radar émet des ondes, le temps mis par l'écho indique alors la distance et la direction de l'objet recherché.

RADIESTHÉSIE *n. f.* Du latin *radius,* rayon, et du grec *aisthêsis,* sensation, la radiesthésie, originaire d'Asie, est un procédé divinatoire qui permettrait à certains individus de capter les radiations électromagnétiques émises par des corps vivants ou non. Utilisée originellement par les sourciers, cette méthode s'est ensuite étendue à la recherche des minerais, des trésors cachés. Elle trouve même à s'exercer dans l'agriculture, la médecine, les affaires policières... Le radiesthésiste se sert habituellement d'une baguette ou d'un pendule qui amplifie les radiations et peut aussi agir à longue distance sur une carte géographique ou une photographie.

RADIOACTIVITÉ *n. f.* La découverte des rayons X (baptisés ainsi parce qu'ils étaient inconnus), capables de traverser la matière, suscita celle de la radioactivité de l'uranium, par Henri Becquerel en 1896, juste avant celle du radium par Pierre et Marie Curie en 1898. La radioactivité de l'uranium est naturelle ; elle se fait par la transformation de certains éléments provoquée par l'émission des rayons alpha, bêta ou gamma.

RAGOT *n. m.* Ne jouons plus les sangliers, cessons de ragoter ! L'ancien verbe *ragoter* signifiait au XVIIe siècle « grogner comme un ragot », c'est-à-dire comme un sanglier.

RAGTIME *n. m.* Le ragtime, avec le spiritual et le blues, est l'un des genres fondateurs du jazz américain, plus bavard et savant que ces derniers. Empreint d'influences romantiques (Chopin, Liszt...) l'éloignant quelque peu des rythmes africains à la base du blues, le ragtime n'en est pas moins du « temps en lambeaux » : il doit son nom à la syncope, base rythmique de la musique afro-américaine. Musique originellement pianistique et urbaine, et non vocale, le ragtime demeure dans la préhistoire du jazz (il lui manque encore l'accentuation des temps faibles de la mesure à quatre temps), n'en déplaise à son brillant représentant, Jelly Roll Morton, qui fit inscrire dans les années 1920 sur sa carte de visite : « inventeur du jazz ».

RAMADAN *n. m.* Le ramadan est le neuvième mois de l'année islamique, consacré à un jeûne très strict. Le musulman a l'obligation religieuse de s'abstenir de manger, de boire, de fumer, et plus généralement de s'adonner à toute jouissance physique, de l'aube jusqu'au moment où l'on ne peut distinguer un fil noir d'un fil blanc, c'est-à-dire au coucher du soleil. Cette période d'abstinence est un ressourcement spirituel car elle apprend au croyant à se libérer des réalités matérielles pour s'élever vers les vérités divines. Elle a, par ailleurs, une portée sociale puisque pauvres et riches, soumis aux mêmes privations, sont à égalité. La nuit, les interdits du ramadan sont levés, et c'est alors l'occasion de réjouissances.

RAMEAU D'OLIVIER Dans la mythologie grecque, l'olivier est porteur de nombreux symboles : paix, force, purification, fécondité, récompense et victoire sur les forces du mal. Dans les traditions juive et chrétienne, l'olivier est symbole de paix. Ainsi, après le Déluge, la colombe (voir ce mot) apporta à Noé un rameau d'olivier indiquant la fin des troubles.

RAOUT *n. m.* Le mot raout fut formé sur le latin *ruptus* et emprunté par la langue anglaise à l'ancien français route. Ce mot avait à l'époque le sens de « bande, troupe ». Raout revint au français au début du XIXe siècle ; ce mot avait alors pris le sens d'« équipée, réunion mondaine, fête ».

RAPTUS *n. m.* Le raptus est cette impulsion violente et soudaine à commettre des actes dangereux – pour le sujet ou pour les gens qui l'entourent – tels que le suicide, la mutilation, le crime. Caractéristique des accès dits « de folie », ce mouvement est si violent qu'il arrache l'individu à lui-même, le laissant aux prises avec sa seule violence, hors de toute raison.

RAZZIA *n. f.* Une razzia est un raid, une attaque exécutée sur un territoire ennemi pour s'emparer des récoltes et des troupeaux d'une tribu, d'un douar. Ce terme, datant de la conquête de l'Algérie en 1841, provient de l'arabe *ghâzya* qui signifie attaque, incursion militaire.

RÉBARBATIF *adj.* Une mine rébarbative est aussi peu engageante qu'un visage portant une barbe dure et hérissée (de l'ancien français *se rebarber,* se mettre barbe contre barbe, s'affronter).

RÉBUS *n. m.* Dans son sens figuré, le rébus exprime une énigme difficile à résoudre. Mais il reste avant tout un jeu d'esprit fondé sur la similitude pictographique et homophonique. Le principe du rébus est le suivant : il s'agit de reconstituer le nom d'une personne ou d'un objet à partir d'une composition de dessins. Par exemple pour le mot anémone les dessins pourront être ceux d'un âne, d'un nez, d'un mot et d'un nœud.

RÉCALCITRANT *n. et adj.* Terreur de toute autorité, le récalcitrant s'affirme en résistant, en s'opposant avec opiniâtreté et constance. Refusant de suivre le mouvement prescrit, il se rebelle et regimbe.

RÉCRÉATION *n. f.* Cet instant attendu de tous les écoliers n'eut le sens de « récréation scolaire » qu'à partir du XVIIe siècle. Auparavant, chacun pouvait « prendre récréation », c'est-à-dire repos et délassement.

RECRUDESCENCE *n. f.* Si ce terme est devenu moins sanglant (en latin *recrudescere,* redevenir saignant), il n'est cependant pas de bon augure. En effet, la recrudescence n'est plus la réouverture d'une plaie, mais le redoublement d'intensité, de violence d'un phénomène généralement considéré comme nuisible. Ainsi parlera-t-on de la recrudescence du vol, de la criminalité, d'une épidémie.

RÉCURSIF *adj.* Emprunté à l'anglais *recursive,* cet adjectif dérivé du latin *recursio* caractérise un élément pouvant être utilisé à volonté en appliquant le même processus. Une règle récursive est une règle qui s'applique toujours de la même manière, quel que soit le contexte. Une règle de grammaire telle que l'accord en genre et nombre de l'adjectif au substantif est dite récursive.

RÉFRACTION *n. f.* Lorsqu'un rayon lumineux passe d'un milieu translucide ou transparent dans un autre, il subit une modification de sa direction : la réfraction (du bas latin *refractio,* renversement, renvoi, du verbe *refringere,* briser). L'atmosphère terrestre, par exemple, dévie les rayons lumineux provenant des astres ; sur terre, l'observateur situera une étoile en un point de l'espace différent de sa position réelle, à l'origine du rayon lumineux. On dénomme ce phénomène réfraction astronomique.

RÉFRINGENCE *n. f.* La réfringence est la capacité d'un milieu optique à réfracter la lumière, c'est-à-dire à la dévier à partir de la limite de ce milieu. Cette capacité se mesure selon un « indice de réfraction », qui dépend de la nature du milieu optique (opaque, translucide...) et de la longueur d'onde du rayon lumineux qui le traverse. Cet indice est égal au rapport de la vitesse de la lumière dans le vide (300 000 km/s) et de la vitesse de la lumière dans le milieu concerné : indice $n = c/v$. Certains phénomènes naturels sont provoqués par la réfraction de la lumière solaire dans des couches d'air (mirage) ou dans les gouttes de pluie (arc-en-ciel). Le terme fut formé sur le latin *refringere,* briser.

RÉFUTATION *n. f.* La réfutation n'est pas seulement un combat d'idées, c'est aussi une victoire. En effet, elle révèle le caractère erroné des allégations ou théories avancées, ruinant à tout jamais celles-ci.

REGAIN *n. m.* On peut retrouver aujourd'hui un regain de jeunesse, d'ardeur, d'intérêt, etc., mais à l'origine, regain, issu du francique *waida,* prairie, désignait la repousse de l'herbe après une première fauche. Il a conservé ce sens dans le vocabulaire agricole.

REGIMBER *v. intr.* Ruer comme le cheval sous l'éperon, résister, s'insurger, se rebiffer ; tels peuvent être les synonymes du verbe regimber, dérivé de l'ancien français *giber,* ruer, secouer.

RELIQUE *n. f.* Le terme *reliquiae,* restes, désignait dans l'Antiquité romaine la dépouille ou les cendres d'un défunt. Dès les premiers siècles de l'ère chrétienne, le culte des reliques fut autorisé. À partir du IVe siècle, ce culte connaît un développement considérable (chaque église doit avoir ses reliques) et les pèlerinages en Palestine se multiplient. Ossements d'un saint, d'un martyr, objets lui ayant appartenu ou objets de son supplice sont ainsi achetés et rapportés en Europe... Cette importation massive contraignit le concile de Lyon en 1274 à interdire la vénération des reliques tant qu'elles n'avaient pas été authentifiées.

RÉMÉRÉ *n. m.* Clause permettant à un vendeur le rachat d'une marchandise au prix où il l'a vendue, et ce dans un délai fixé.

RÉMINISCENCE *n. f.* Le terme de réminiscence (du bas latin *reminiscentia,* du latin *reminisci,* se souvenir) désigne, dans son sens le plus courant, un souvenir diffus et vague, difficile à situer dans le temps, lié cependant à l'affectivité. La réminiscence est aussi la théorie de Platon selon laquelle notre connaissance de la vérité est le souvenir d'un état ancien (celui où l'âme vivait au contact des Idées dans le monde intelligible). Connaître est donc toujours « reconnaître » et la maïeutique (voir ce mot) pratiquée par Socrate a pour dessein le re-souvenir, la réminiscence de ces connaissances oubliées que nous portons en nous.

REMUGLE *n. m.* Odeur désagréable, pour ne pas dire nauséabonde, fleurant l'humide et le moisi, le remugle s'exhale des lieux longtemps fermés et très peu ou très mal aérés.

RENÉGAT *n. m.* On traite péjorativement de renégat celui qui renie, en traître, ses opinions, abandonne ses convictions, son parti... Ce terme appartenait autrefois exclusivement au vocabulaire religieux. Dérivé de l'italien *rinnegare,* renier, il désignait tout individu qui abjurait.

REPLET *adj.* Cet adjectif, synonyme de grassouillet, dodu, date du XIIe siècle (du latin *repletus,* rempli) et qualifie une personne « bien en chair ».

REPRÉSAILLES *n. f. pl.* Les représailles sont des voies de fait exercées à titre de vengeance contre une personne ou une communauté. Sorte de mise en pratique de la loi du talion (voir ce mot), les représailles ne sont cependant point légitimes. En effet, nul n'a le droit ni le devoir de se substituer à la loi.

REQUIEM *n. m.* Dans la liturgie chrétienne, le requiem est la messe des morts. *Requiem* est en fait le premier mot de son introduction : *Requiem aeternam dona eis, Domine* (en français « Donnez-leur le repos éternel, Seigneur »). Dès le XVe siècle, les requiem sont chantés en polyphonie et écrits par de grands compositeurs tels Guillaume Dufay ou Palestrina. À partir du XVe siècle, on introduit un accompagnement orchestral. Au XVIIIe siècle, ils sont traités comme des symphonies, avec des chœurs et des parties purement orchestrales (Lully, Mozart). Enfin, le romantisme accentua les aspects dramatiques du requiem, en négligeant leur rôle religieux (Berlioz, Verdi). La dernière composition notable pour requiem est de Fauré.

RESCRIT *n. m.* Un rescrit est une lettre rédigée par le pape (ou un évêque) en réponse à une demande de dispense ou de privilège. Il faut un rescrit, par exemple, pour qu'un prêtre soit autorisé à quitter l'état clérical.

RÉTIF *adj.* Réaction et contestation sont les marques d'une personne rétive (du latin *restare,* rester, opposer de la résistance). Rebelle et indocile, l'individu ou l'animal rétif renâcle, rechigne, répugnant à faire ce qu'on exige de lui.

REVERDISSAGE *n. m.* En peausserie, on appelle reverdissage, ou trempe, la première phase du travail de rivière qui s'effectuait autrefois au bord d'un cours d'eau. Cette opération, aujourd'hui réalisée en cuve, en coudreuse ou au moulin à foulon, consiste à immerger les peaux brutes pour les nettoyer en profondeur et les réhydrater.

RÊVERIE *n. f.* Vagabondage de la pensée, songerie infinie dont d'aucuns disent qu'elle nous emmène « dans la lune », tant est insaisissable la rêverie (dérivé de l'ancien français *esver,* vagabonder, rêver). Nous devons à Montaigne (XVIe siècle) le sens actuel de ce mot qui, au cours des trois siècles précédents, avait signifié « délire fébrile ».

ROCAMBOLESQUE *adj.* Qualifiant une situation piquante, extraordinaire mais quelque peu incroyable et saugrenue, cet adjectif est dérivé du nom du célèbre aventurier Rocambole. Ce personnage, créé au siècle dernier par Ponson du Terrail, et dont les aventures ne manquent pas de piment..., doit lui-même son nom à l'ail d'Espagne : la rocambole !

RODOMONTADE *n. f.* Les fanfaronnades et autres bravades sont quelquefois appelées rodomontades, non pour la rime, mais par référence à un personnage haut en couleur du *Roland furieux,* de l'Arioste : Rodomont. Ce courageux roi d'Alger, dont le nom italien signifie littéralement « qui roule des montagnes », était d'une fierté, d'une insolence, d'une forfanterie sans pareilles. Il se glorifiait tant de ses exploits que la langue en a fait le roi de la vantardise.

ROGOMME *n. m.* Une voix de rogomme est très caractéristique : c'est celle, un peu éraillée, d'un ivrogne. L'origine de ce mot est inconnue, peut-être est-elle évocatrice ? Alors que rogomme désignait au XVIIIe siècle une liqueur forte, une eau-de-vie, il est aujourd'hui employé uniquement lorsque l'on parle du buveur.

ROMPRE LES CHIENS Appartenant au langage de la vénerie, cette expression désigne le rappel des chiens alors qu'ils suivent une piste. Le caractère de rupture n'a pas disparu au sens figuré puisque l'on rompt les chiens lorsque l'on interrompt une conversation avant qu'elle ne dégénère.

RONIN *n. m.* Le ronin – littéralement homme *(nin)* de la vague *(rô)* – était, dans le Japon féodal, un guerrier, un samouraï qui n'avait plus ni suzerain ni terre. Privé du maître qui assurait jusqu'alors sa subsistance, ce malheureux chevalier menait généralement une vie errante. Aujourd'hui, les Japonais qualifient ironiquement de ronin les étudiants qui repassent inlassablement les examens auxquels ils ont échoué.

RORSCHACH (TEST DE) Le test, ou psychodiagnostic, de Rorschach est un test projectif employé en psychologie et reposant sur l'interprétation de taches d'encre. Élaboré en 1921 par le psychiatre suisse Hermann Rorschach, ce test permet d'étudier la personnalité du patient. Le sujet est invité à dire ce qu'évoquent en lui les taches d'encre, de formes et de couleurs variées, qui lui sont présentées. Les réponses – qui porteront sur le contenu (animal, végétal, etc.), l'impression de mouvement, la forme et le type d'approche – seront analysées, et le psychologue pourra alors situer le sujet par rapport à une norme et définir les tendances de sa personnalité.

ROSAIRE *n. m.* Le rosaire est un grand chapelet de prière composé de grains gros et petits. Utilisé dans de nombreux cultes, il doit son nom aux gros grains, appelés roses, sur lesquels sont récités, dans la liturgie catholique, des Pater. Ainsi, si certains effeuillent la marguerite, d'autres égrènent les roses.

ROSE-CROIX Société secrète, la « fraternité de l'ordre de la Rose-Croix » apparaît en Allemagne au début du XVIIe siècle et s'étend rapidement sur toute l'Europe. Johann Valentin Andreä fonde une confrérie chargée de regrouper richesses et connaissances, et crée l'emblème qui donnera son nom à la fraternité en réunissant les symboles de la rose et de la croix. Exemple de l'ésotérisme chrétien, des associations rosicruciennes revendiquent aujourd'hui encore une filiation idéologique avec la Rose-Croix.

ROSETTE (PIERRE DE) La pierre de Rosette, aujourd'hui exposée au British Museum de Londres, est une stèle portant un décret du pharaon Ptolémée V en trois écritures : hiéroglyphique, démotique (écriture cursive égyptienne) et grecque. Elle fut mise au jour en 1799, près de la ville de Rosette, en Égypte, par un officier français du nom de Bouchard. Sa découverte fut à l'origine du déchiffrement des hiéroglyphes par l'égyptologue Jean-François Champollion.

ROSSIGNOL *n. m.* Les livres invendus doivent leur sobriquet au fait qu'ils restent, faute de succès, perchés en haut des rayonnages, comme l'oiseau sur sa branche.

ROUMI *n. m.* En arabe, *rumi* signifie byzantin et désigne par extension un « chrétien européen » en référence aux « pays soumis par Rome ».

RUDIMENT *n. m.* Les rudiments sont les premiers éléments, les principes d'une science ou d'un art. Notions assez grossières (du latin *rudis,* grossier, informe), les rudiments demandent à être complétés, enrichis, affinés pour prétendre devenir de véritables connaissances.

S

SABBAT *n. m.* Le sabbat (de l'hébreu *schabbat,* repos) est le repos rituel observé dans la religion juive le septième jour de la semaine hébraïque, soit le samedi de la semaine chrétienne. L'observance du sabbat fait l'objet de nombreuses prescriptions dans les textes juifs. Pour les individus les plus religieux, le sabbat est synonyme d'inactivité totale à l'exception des pratiques religieuses. Cuisiner, conduire un véhicule, allumer l'électricité sont ainsi au nombre des interdits du sabbat. Dans l'Ancien Testament, le sabbat symbolise l'achèvement de la création divine (Genèse II, 2-3) : le septième jour, Yahvé chôma et « bénit et sanctifia » ce jour.

SABLE *n. m.* Ce terme d'héraldique est trompeur... Sachant qu'il s'agit d'une couleur de blason, chacun s'attend à un beige grisé. Il n'en est rien, le sable est noir ! L'étymologie explique ce « phénomène ». Sable, dans cette acception précise, est dérivé du polonais *sabol,* zibeline. Or, cette fourrure recherchée se caractérise par sa teinte très sombre, brun bleuté, proche du noir.

SACERDOCE *n. m.* Si, aujourd'hui, le sacerdoce est la fonction que remplit le prêtre, dans la Rome antique le *sacerdos* (littéralement celui qui offre les *sacra,* c'est-à-dire les sacrifices) était le prêtre lui-même... comme si l'individu s'était effacé derrière sa responsabilité.

SADIQUE *n. et adj.* Ce mot, créé par le neurologue viennois Krafft-Ebing en 1886 et repris ensuite par Freud, est issu du nom du marquis de Sade (1740-1814). Tout en appartenant à la noblesse provençale, le marquis ne se priva pas de critiquer les systèmes politiques en vigueur. Ses débauches, son amoralité tout autant que ses romans le firent plusieurs fois condamner à des peines d'emprisonnement et donnèrent à son nom une postérité étonnante. De nos jours, une personne sadique est cruelle, violente et trouve sa jouissance dans la souffrance et l'humiliation d'autrui.

SAGACITÉ *n. f.* À l'origine qualité des sens (du latin *sagax,* qui a l'odorat subtil), la sagacité est devenue, avec le temps et l'usage, qualité de l'esprit. Véritable flair intellectuel, elle est pénétration, subtilité, perspicacité et permet à qui la possède de voir là où tout autre s'égarerait.

SAINT-OFFICE L'histoire du Saint-Office est liée à celle de l'Inquisition (voir ce mot). La congrégation romaine des Frères prêcheurs, appelée Saint-Office, fut un tribunal spécial, institué par Grégoire IX en 1233, pour veiller à la pureté de la foi. Son autorité s'exerça en France, en Espagne et en Italie où elle arrêta le protestantisme. Le Saint-Office fut associé en 1543 à la congrégation de l'Index, chargée d'établir des listes de livres interdits, mais il fut réorganisé à la fin du XVIe siècle par Sixte V, qui le jugeait trop sévère. De grands saints, comme Jean de la Croix et Thérèse d'Avila, s'élevèrent aussi contre ce pouvoir excessif.

SAISIE-BRANDON *n. f.* La saisie-brandon est la saisie mobilière des fruits « pendant par branches et racines » de la récolte d'un exploitant débiteur. Ceux-ci seront ensuite revendus aux enchères. Le nom de ce type de saisie vient probablement d'un usage régional. On avait autrefois coutume de placer aux extrémités du champ qui était saisi des bâtons, surmontés de paille disposée en faisceau, appelés brandons.

SALIQUE (LOI) Ce corps de lois doit son nom aux Saliens, tribu de Francs riverains de la *Sala* (ancien nom de l'Yssel, un des bras du Rhin). Rédigé entre le Ve et le VIIIe siècle, il contient des règles de procédure, de droit civil et de droit pénal. L'une de celles-ci stipule que la terre, source de richesses, doit revenir exclusivement aux héritiers mâles tandis que les femmes recevront les biens meubles. Au XIVe siècle, clercs et juristes tireront cette dernière règle de la loi salique de l'oubli pour légitimer l'exclusion des femmes de la succession à la couronne de France.

SALMIGONDIS *n. m.* Avant de désigner un assemblage confus d'objets hétéroclites, le salmigondis était un ragoût composé de divers morceaux de viande réchauffés. Or, curieusement, salmigondis vient du moyen français *salamine,* plat de plusieurs poissons, et de l'ancien français *condir,* assaisonner. Poissons, puis viandes, les ingrédients semblaient peu importer, tant et si bien que seule la notion de mélange perdure.

SALTATION *n. f.* Dans l'Antiquité romaine, la saltation désignait l'art des « mouvements réglés ». Cet art était composé de plusieurs disciplines : la danse, la pantomime, le théâtre et l'art oratoire.

SAMOURAÏ *n. m.* Dans son acception la plus large, le terme samouraï désigne tout guerrier japonais traditionnel, porteur de deux sabres. Cependant, au sens strict du mot, seuls les membres de la classe inférieure de l'ordre des bushi (voir ce mot), l'aristocratie guerrière féodale, portaient le nom de samouraïs – littéralement « ceux au service de ». C'étaient les hommes liges des grands seigneurs terriens, les daimyo, ou du général en chef des armées, le shogun.

SAMSON La vie de Samson est relatée dans le livre des Juges de l'Ancien Testament. Lié à Yahvé par le vœu de naziréat qui l'oblige à ne pas se couper les cheveux, ce personnage biblique est surtout connu pour sa force physique extraordinaire. Dans sa lutte contre les Philistins, il tue mille hommes avec une mâchoire d'âne. Mais il est trahi par une Judéenne, Dalila. Ayant réussi à savoir que le naziréen doit sa force divine à sa chevelure, elle le fait raser et le livre aux Philistins, qui lui crèvent les yeux. En prison, les cheveux de Samson repoussent et il retrouve en secret sa force, ce qui lui permet de se venger avant de mourir. Le jour où les Philistins se réunissent pour fêter leur victoire, Samson ébranle le temple de Dagon, qui s'abat sur lui et sur toute la foule.

SAPONAIRE *n. f.* Cette plante à jolies fleurs roses ou lilas possède une bien curieuse propriété. Elle contient une substance chimique, la saponine, qui possède les mêmes propriétés que le savon et mousse au contact de l'eau (d'où son autre nom de savonnière). Aujourd'hui, la saponine entre dans la composition des lessives, shampooings, etc. ; autrefois déjà, on faisait bouillir les feuilles de la saponaire pour laver étoffes, dentelles, lainages...

SARCASTIQUE *adj.* Des propos sarcastisques sont des propos railleurs, moqueurs, acerbes, dont l'ironie tranchante, acide blesse parfois comme une morsure. En effet, cet adjectif vient du grec *sarkazein,* mordre dans la chair.

SARCOPHAGE *n. m.* Tout d'abord adjectif, le terme sarcophage (du grec *sarkophagos,* carnivore) apparut au Ier siècle de l'Empire romain. Ce mot désignait une pierre constituée de chaux qui avait la propriété de consumer les chairs des cadavres en quarante jours, et dans laquelle furent taillés les sarcophages.

SARDONIQUE *adj.* Si cet adjectif se dit le plus souvent d'un rire ironique et méchant, il qualifiait autrefois un rictus nerveux et convulsif que les Grecs et les Latins croyaient provoqué par l'ingestion d'une renoncule de Sardaigne, la *sardonia.*

SATISFACTION *n. f.* Ce terme associé couramment au plaisir et à la joie a aussi une acception religieuse (du latin *satisfactio,* disculpation, réparation d'un dommage). En théologie, en effet, la satisfaction est synonyme de pénitence.

SATRAPE *n. m.* Gouverneurs de province de l'ancienne Perse, les satrapes (du vieux perse *khshatrapan,* seigneur du pays) jouissaient d'une autorité considérable et de nombreux pouvoirs. Possibilité leur était donnée de lever des troupes, de procurer des emplois civils ou militaires, de conclure la paix ou de déclarer la guerre... Véritables États dans l'État, les provinces étaient aussi quasi indépendantes. Le roi Darius (VIe siècle av. J.-C.), s'inquiétant de la puissance grandissante des satrapes, réduisit leurs pouvoirs à la seule administration civile et financière. Sans grand succès toutefois, puisque ses successeurs rétablirent les satrapes dans leurs anciennes prérogatives.

SATYAGRAHA *n. m.* Le satyagraha est cette disposition érigée en principe par Gandhi qui devint un des fondements essentiels de la résistance non violente. Attachement à la vérité, telle est la traduction de ce terme sanscrit (*satya,* vérité ; *agraha,* étreinte, saisie). Selon le mouvement gandhien, dépassant largement les bornes de la seule politique, le satyagraha est un principe moral incontournable pour tout militant de la liberté.

SATYRE *n. m.* Figure turbulente des mythologies grecque et romaine, où il personnifiait les instincts les plus primitifs en matière de plaisir, le satyre était un demi-dieu des forêts et des montagnes. Pour le Moyen Âge, il fut le démon obscène des légendes chrétiennes. À ce titre, il figurait sur les frontispices des églises et des cathédrales. Puis le satyre s'est humanisé. Devenu mortel, il est désormais cet homme de l'ombre enclin au vice et aux abus sexuels les plus divers.

SAUTE-RUISSEAU *n. m.* Ce terme désignait autrefois le clerc d'une étude d'huissier, de notaire ou d'avoué chargé d'exécuter les courses. La modernité et l'urbanisme ont entraîné sa disparition et lui ont substitué le coursier désormais motorisé.

SAVONNERIE *n. f.* Ce somptueux tapis français d'inspiration orientale doit son nom au local dans lequel fut aménagée, au XVIIe siècle, la célèbre manufacture chargée de sa fabrication : il était tissé, à Paris, dans une ancienne savonnerie de Chaillot.

SAVONNETTE *n. f.* Protégée par un couvercle de métal caractéristique, cette montre ancienne, qui s'ouvrait grâce à un ressort, doit peut-être son nom au fait qu'elle présentait, une fois fermée, une analogie de forme avec un petit savon de toilette !

SCARABÉE *n. m.* Le scarabée talismanique de l'Égypte antique était une pierre gravée portant l'empreinte ou la représentation sculptée du scarabée sacré égyptien. Souvent appelé dieu Khepri, le Soleil levant, le scarabée tenait une place importante dans le symbolisme des Anciens. En effet, l'insecte incarnait, par ses mœurs, le principe de la vie qui s'engendre elle-même ; il symbolisait ainsi la résurrection et l'immortalité.

SCARIFICATION *n. f.* Les scarifications sont des incisions cutanées provoquant des cicatrices qui forment des motifs significatifs. Après avoir esquissé un dessin, l'officiant enfonce une épine ou une aiguille pour soulever la peau, qu'il incise ensuite sur la longueur désirée. Les cicatrices, en relief ou en creux, forment ainsi la figure recherchée. Cette inscription rituelle des corps est très répandue dans les sociétés traditionnelles et notamment en Afrique où, du fait de la noirceur de la peau, les tatouages (voir ce mot) ne peuvent se déchiffrer. Centre ou élément d'un rituel, les scarifications ont toujours un caractère initiatique. Tout comme les tatouages, les scarifications expriment, très concrètement, la douloureuse mais nécessaire inscription sociale.

SCEAU *n. m.* Empreinte irréfutable, le sceau était autrefois employé pour authentifier des actes officiels émanant d'un souverain ou d'un État. Ainsi la fonction de garde des Sceaux (voir garde) était-elle de prévenir tout emploi abusif de ces cachets. Le terme latin *sigillum* est un diminutif de *signum,* qui signifie figurine. Un collectionneur de sceaux s'appelle un sigillophiliste.

SCHIBBOLETH *n. m.* À l'origine de ce terme, une épreuve de prononciation infligée aux gens de la tribu d'Éphraïm par les gens de la tribu rivale Galaad (Juges XII, 6). L'impossibilité pour les gens d'Éphraïm de prononcer correctement ce mot les faisait immédiatement reconnaître et exécuter. L'aspect implacable de cette épreuve a perduré à travers les siècles et schibboleth désigne aujourd'hui une épreuve décisive visant à apprécier les capacités d'une personne.

SCHOFAR *n. m.* Ce terme hébreu désigne la « corne de bélier ». L'usage du schofar se perpétue dans le rituel juif, notamment lors des fêtes du nouvel an, Rosh Haschana, et du Grand Pardon, Yom Kippour (voir ce mot). Son emploi en tant qu'instrument de musique (Lévitique XXV, 9-10 ; Juges III, 27) ou récipient (I Samuel XVI, 1) est très couramment décrit dans les textes bibliques. Ainsi le schofar émet-il le signal de la chute de Jéricho (Josué VI). La corne symbolise, dans les traditions juive et chrétienne, la puissance et la force divines, d'où son association avec le rayon de lumière.

SCIOGRAPHIE *n. f.* Qu'elle relève du domaine de la peinture ou de l'astronomie, la sciographie est un art. Art de peindre les ombres, dans le premier cas, art de déterminer l'heure au moyen des ombres projetées par la lumière de la Lune ou du Soleil, dans le second.

SCOLASTIQUE *n. f.* La scolastique était la philosophie enseignée au Moyen Âge. Ses caractéristiques étaient un respect excessif de la tradition, représentée par Aristote (384-322 avant J.-C.), et le refus de toute remise en question de la foi religieuse. En bref, la scolastique n'eut de cesse de préserver les dogmes, d'où son appellation de « philosophie dogmatique ».

SEICHE *n. f.* La seiche est le mouvement oscillatoire qui agite la surface des eaux d'un lac ou de toute autre étendue d'eau. Produite par le vent ou la pression atmosphérique, elle varie en fonction de l'intensité de ces facteurs, mais aussi suivant le relief des fonds et la physionomie de la rive.

SÉIDE À l'origine de ce terme, un homme nommé Séide et premier disciple du prophète Mahomet. Adepte très fervent et très dévoué, il mourut lors d'un combat contre les Byzantins. L'histoire occidentale ne lui rendit guère hommage. Son nom, devenu commun, désigne en effet un sectateur fanatique et aveugle, prêt à tous les crimes pour les besoins de sa cause.

SÉMANTIQUE *n. f.* La sémantique est la branche de la linguistique consacrée à l'étude du sens et de la signification. On peut considérer que la signification d'un énoncé (segment de parole produit par un sujet, à un moment et en un lieu donnés) est son sens pris dans l'instant de sa production ; autrement dit, on ne peut interpréter ou analyser le discours que dans la parole prise en acte, dans son contexte. Il existe une multitude de théories du sens dont certaines ignorent cette dimension essentielle des langues naturelles. Le terme (du grec *sêmantikos,* « qui indique, signifie ») est un néologisme formé par M. Bréal, qui, dans son *Essai de sémantique* (1893), visait en fait à une étude diachronique (historique) de l'évolution de la signification dans les langues. La sémantique est aujourd'hui surtout synchronique : elle considère un état donné, fixé d'une langue, contemporain à l'analyse.

SÉMASIOLOGIE *n. f.* La sémasiologie fut, jusqu'au milieu du XXe siècle, l'étude de la signification, au même titre que la sémantique. On l'oppose aujourd'hui à l'onomasiologie ; la sémasiologie étudie les signifiants (formes du signe) afin d'appréhender la pluralité de leurs significations (polysémie). À l'inverse, l'onomasiologie cherche à établir le lien, à partir d'un concept, avec les diverses formes (signifiants) qui peuvent le désigner.

SÉMIRAMIS Célèbre par sa beauté, son intelligence et ses exploits militaires, Sémiramis est la légendaire reine de Babylonie. Abandonnée à sa naissance dans la forêt, elle fut élevée par des colombes et devint, plus tard, l'épouse du roi assyrien Ninos. À la mort de celui-ci, elle accéda au trône et fonda Babylone, qu'elle dota de ses jardins suspendus. Par la suite, elle entreprit d'importantes guerres de conquête et domina une grande partie de l'Orient. Les historiens voient à l'origine de sa légende le personnage de Sammuramat, régente d'Assyrie au IXe siècle avant J.-C.

SEMONCE *n. f.* Ce n'est qu'au XVIIe siècle que ce mot prit le caractère désagréable que nous lui connaissons. Auparavant, une semonce (du latin *submonere,* « prévenir en secret ») n'avait rien d'un avertissement ni d'une remontrance... bien au contraire ! Il s'agissait en effet d'une invitation en bonne et due forme.

SÉPIA *n. f.* Ce colorant brun foncé utilisé pour exécuter un lavis est une substance naturelle. Comme son nom l'indique, il provient de la seiche (du latin *sepia,* seiche). Cet animal, en effet, est pourvu d'une glande ventrale remplie d'encre. Lorsqu'il est dérangé, il sécrète un épais nuage qui intimide ses prédateurs.

SEPPUKU *n. m.* Le seppuku, appelé hara-kiri (voir ce mot) par les Occidentaux, est le suicide rituel prévu par le code de l'honneur, au Japon. Considéré comme un privilège, le seppuku était réservé en particulier aux bushi (voir ce mot). À l'aide de son poignard, le chevalier exposé au déshonneur mettait fin à ses jours en s'ouvrant le ventre (centre des pensées secrètes) d'un geste précis ; un assistant charitable pouvait alors lui trancher la carotide ou le décapiter.

SERMENT D'HIPPOCRATE Depuis le XVe siècle, le serment d'Hippocrate est prêté par tous les futurs médecins français, lors de leur soutenance de thèse. Il édicte les règles éthiques auxquelles doit se soumettre tout médecin en exercice. Sa formulation compassée date de l'Antiquité : il fut rédigé par le Grec Hippocrate (460-377). Instigateur de l'observation clinique, ce médecin, qui préconisait des traitements simples mais pratiquait déjà la chirurgie, est à l'origine de la célèbre théorie des humeurs.

SÉSAME *n. m.* Grâce à la formule : « Sésame ouvre-toi », Ali Baba, célèbre personnage d'un conte des *Mille et Une Nuits,* parvint à s'introduire dans la caverne où quarante voleurs avaient entassé leur magot. Depuis, tout moyen qui permet de se faire ouvrir des portes et de surmonter des embûches s'appelle un sésame.

SHAMISEN *n. m.* Le shamisen est un instrument de musique japonais à trois cordes. Rappelant par sa forme la mandoline, il accompagne de ses notes mélancoliques les représentations de kabuki et de bunraku (voir ces mots).

SHINTOÏSME *n. m.* La « voie des dieux » ou shinto est la plus ancienne religion du Japon. Religion sans dogme, ni théologie, ni métaphysique, le shintoïsme est un panthéisme empreint d'animisme dont les divinités innombrables sont les forces naturelles habitant l'Univers. Célébration incessante de la vie, le shintoïsme ne rejette aucune pratique pour se concilier les divinités ou *kami.* Magie, ascèse, rites, offrandes sont ainsi abondamment pratiqués. Religion d'État jusqu'à l'écrasement du Japon en 1945, le shintoïsme est véritablement une religion nationale. Il est fondé sur la conviction que les dieux et les hommes, issus d'ancêtres communs, sont parents. La divinité principale est la déesse du Soleil, *Amatseru-ô-mikami,* qui est particulièrement vénérée par la famille impériale. L'empereur est, selon le shintoïsme, le fils du Soleil.

SIAMOIS Des sœurs ou des frères siamois sont des jumeaux rattachés l'un à l'autre par une partie de leur corps, comme l'étaient les célèbres jumeaux Chang et Eng (gauche et droite en thaï), nés en 1811 dans l'ancien royaume de Siam. Unis l'un à l'autre par le bas du sternum, ces deux Siamois vinrent à Paris, en 1835, dans l'espoir qu'une intervention permettrait de séparer leurs deux corps. L'opération fut malheureusement jugée impossible. Trente-trois ans plus tard le mot entrait dans le Larousse médical.

SIBYLLIN *adj.* Obscurs et énigmatiques, des propos sibyllins demandent à être interprétés et explicités. À l'origine de cet adjectif : les sibylles, prêtresses d'Apollon et incarnation de la science divinatoire. Leurs paroles étaient des oracles, prédictions sinon hermétiques du moins vagues et elliptiques.

SICAIRE *n. m.* Cet individu, engagé pour tuer, doit son nom au poignard (en latin *sica*) dont il était muni pour attaquer la victime qu'on lui avait désignée.

SIGISBÉE *n. m.* Accompagnateur galant, chevalier servant, tel est le sigisbée. Terme aujourd'hui ironique, le sigisbée était jadis l'homme choisi par la famille ou le mari pour escorter la jeune femme lors des mondanités. Substitut mondain du mari, le sigisbée fut l'objet de nombreuses plaisanteries et critiques et disparut à la fin du XVIIIe siècle.

SIMAGRÉE *n. f.* Qui cherche à parader et à attirer l'attention ne réussit bien souvent qu'à se voir reprocher ses simagrées... Il se retrouve ainsi rabaissé au rang du singe prêt à toutes les pitreries pour amuser la galerie, ou est raillé pour son obséquiosité. Simagrée vient, en effet, soit de *sime,* singe dans certains patois, soit de l'ancienne formule, empreinte d'afféterie : « Si m'agrée. »

SIMIESQUE *adj.* Jugement sans appel et sans humanité que celui concluant à un visage simiesque (du latin *simius,* singe). Et, à moins d'aimer les singes et de leur trouver quelque beauté, ce qualificatif est plutôt péjoratif.

SIMONIE *n. f.* Considéré par l'Église comme un sacrilège, ce trafic des choses saintes doit son nom à Simon le Magicien, qui chercha vainement à acheter les apôtres pour obtenir d'eux le don de communiquer le Saint-Esprit (Actes des Apôtres VIII, 19).

SIMULACRE *n. m.* Copie dont l'inauthenticité éclate et qui semble n'avoir avec l'original qu'un rapport des plus lointains, tel est le simulacre (du latin *simulacrum,* copie). Ainsi parlera-t-on du simulacre d'un rituel, d'une cérémonie.

SINÉCURE *n. f.* Un travail qui n'est pas de tout repos n'est pas une sinécure ! Ce terme qui désigne aujourd'hui un emploi lucratif ne nécessitant pas de tâches trop laborieuses est issu d'une locution latine, *beneficium sine cura* (bénéfice sans souci), que l'on utilisait pour qualifier les bénéfices ecclésiastiques dont les titulaires ne remplissaient guère les fonctions, se contentant de jouir des biens matériels inhérents à la charge.

SINOPLE *n. m.* En héraldique, le sinople désigne la couleur verte d'un blason. Or, curieusement, ce mot vient du latin *sinopis,* terre de Sinope, dont la principale caractéristique était d'être très rouge ! Rien n'explique cette confusion digne d'un daltonien...

SITUATIONNISME *n. m.* Mouvement inspiré du marxisme (bien que très critique de ce dernier), le situationnisme fut l'un des courants les plus influents des événements de mai 1968. Animé par Guy Debord, le situationnisme fonde son action sur une critique radicale de la société capitaliste et surtout des symboles que celle-ci produit pour asseoir ses mécanismes d'exploitation. Dans *la Société de spectacle* (1967), Debord analyse le fonctionnement de la société consumériste, postulant qu'elle « préfère l'image à la chose, la copie à l'original, l'apparence à l'être ».

SOBRIQUET *n. m.* Le sobriquet, surnom ou diminutif, est généralement donné à une personne par moquerie. Dans sa forme ancienne, datant du XIVe siècle, *soubriquet* signifiait « coup sous le menton » !

SOCINIANISME *n. m.* Cette doctrine théologique, née au XVIe siècle, considérée comme une hérésie, doit son nom à ses fondateurs italiens : Lélius Socin et son neveu Fauste Socin. Ces deux réformateurs, réfugiés en Pologne, récusèrent, leur vie durant, la divinité de Jésus-Christ tout en reconnaissant le caractère miraculeux de sa naissance, et nièrent le dogme de la Trinité.

SOLLICITUDE *n. f.* Sorte de voile de douceur, de prévenance entourant celui qui en est l'objet, la sollicitude est diversement appréciée. Certains en raffolent et s'y prêtent avec délectation, d'autres la refusent, effarouchés par de possibles entraves.

SOMMIER *n. m.* Sommier, dans l'une de ses acceptions, désigne un registre de comptabilité ou de documents juridiques. Certains ont attribué l'origine de ce mot au latin *summarium,* sommaire, abrégé. C'est en fait un emploi ironique qui vient du mot latin *sagmarium,* « bête de somme ». Le terme conserva le sens de « cheval de somme » puis désigna au XIVe siècle, par analogie, une poutre ou une pierre destinées à soutenir une construction ; il ne prit qu'au XVIIe siècle son sens le plus courant de sommier de lit.

SONAR *n. m.* Le sonar est un appareil de détection sous-marine. Tout comme le radar (voir ce mot), c'est un émetteur-récepteur d'ondes ultracourtes.

SOPHISME *n. m.* Pour Aristote, un sophisme (du grec *sophia,* habileté, sagesse) était un raisonnement en apparence solide, mais non concluant, et énoncé avec l'intention de faire illusion, pour le pur plaisir de raisonner. Par extension, on appelle sophisme, en logique, un raisonnement qui part de prémisses vraies, mais aboutit à une conclusion inadmissible bien que difficilement réfutable.

SOPHISTE *n.* Philosophes et maîtres de rhétorique dans l'Antiquité grecque, les sophistes eurent de nombreux détracteurs, parmi lesquels figurait Socrate, qui n'eut de cesse de les combattre en de brillants dialogues. Aux yeux de ce philosophe, les sophistes n'étaient qu'admirables faiseurs d'illusions, dispensateurs de non-être et individus avides d'argent ; en effet, ils se faisaient fort d'enseigner l'art de l'éloquence aux jeunes gens aisés. Mais plus que leur goût des richesses, Socrate reproche aux sophistes d'emprunter et de prôner le chemin aisé des apparences plutôt que de suivre la difficile voie de la vérité. Ce manquement à la vérité a traversé les siècles et, aujourd'hui, les sophistes sont des individus usant de la parole pour tromper et parvenir à leurs fins.

SOPHROLOGIE *n. f.* Créée en 1960 par le professeur A. Caycedo, médecin espagnol, la sophrologie (du grec *sôphrôn,* sensé, et *logos,* science) propose à tout un chacun de parvenir à une meilleure connaissance et maîtrise de lui-même grâce à différentes techniques de relaxation. Utilisée surtout comme thérapeutique, elle permet à un malade de participer activement à sa guérison et de mieux supporter la douleur. Mais cette « science de la conscience » s'adresse également à tous les gens en bonne santé qui cherchent à profiter au mieux de leur potentiel physique, psychologique et intellectuel...

SORTILÈGE *n. m.* Maléfice de sorcellerie, le sortilège (du latin *sortilegus,* devin, composé de *sors,* sort, et de *legere,* lire) fut d'abord, comme son étymologie le souligne, une prédiction de l'avenir.

SOSIE Le bon sens populaire veut que chacun ait son sosie quelque part dans le monde, il ne nous manque que de le rencontrer ! De quoi provoquer de l'intérêt ou parfois le vacillement d'une identité que l'on croyait unique. Tel fut le cas de Sosie, personnage de l'*Amphitryon,* de Plaute, repris par Molière. Dans cette pièce, Mercure prend l'apparence du valet d'Amphitryon, Sosie. Ce dernier, interloqué de rencontrer son double, en vient à douter de sa propre identité.

SOTTIE *n. f.* Pièce bouffonne qui fut en vogue du XIVe au XVIe siècle, la sottie se permettait une violente satire politique et sociale. Son comique, souvent très cru, reposait sur de nombreux jeux de mots. Elle devait son nom à l'intervention sur scène de différents types de fous, appelés sots.

SOUFISME *n. m.* Voie mystique de l'islam, le soufisme a pour maître mot l'amour. Au principe de cet amour : la séparation. L'expérience incessante du désir de cet amant qu'est Dieu est le chemin échu au soufi, qui aspire à l'union. Le soufisme a pour terme l'oubli total de soi dans l'amour de Dieu. Chemin initiatique, la voie requiert l'ascèse, la contemplation, l'invocation de Dieu. Pour ne point s'égarer, la présence d'un maître est nécessaire. Essentiel pour le disciple, le maître est le rôle autour duquel s'effectue l'ascension mystique ; lui-même n'est cependant que le maillon d'une chaîne qui le relie à Mahomet. Le soufisme s'organise en confréries regroupées autour d'un maître. Les voies suivies par ces confréries pour atteindre à l'union avec Dieu divergent selon le lieu et l'obédience. Pour certaines, le chant sera le moyen de l'extase, pour d'autres la danse – celle des derviches tourneurs par exemple –, pour d'autres encore le silence. Considéré parfois comme une hérésie, le soufisme eut à souffrir de nombreuses persécutions de la part des tenants du dogme dans l'islam.

SPAHI *n. m.* Le corps des spahis appartient à la cavalerie légère. Il fut constitué en 1841 par l'armée française en Afrique du Nord et était à cette époque composé d'autochtones au service de la France. Cette dénomination provient du turc (*sipahi,* cavalier) et désignait au XVIe siècle les « cavaliers turcs au service du sultan ».

SPARTIATE (À LA) *loc.* Une éducation à la spartiate, bien qu'empreinte de sévérité, n'a sans doute plus rien à voir aujourd'hui avec l'entraînement draconien que devaient subir les jeunes aristocrates de Sparte. La cryptie était un ensemble d'exercices qui les préparaient aux rudes conditions de la vie militaire et aux opérations d'embuscade. La nuit, ils se livraient à la chasse aux ilotes : ils utilisaient alors ces esclaves comme cibles vivantes.

SPÉCIMEN *n. m.* On appelle spécimen un individu qui est un représentant de l'espèce à laquelle il appartient, parce qu'il en donne une idée précise et totale ; spécimen est un mot fabriqué sur le latin *species,* qui désignait l'espèce tout entière.

SPLEEN *n. m.* Il est peu probable que vous songiez à soigner votre rate pour éviter tout vague à l'âme ! Et pourtant, le mot anglais *spleen* vient curieusement du grec *splên,* rate... Les Anciens croyaient en effet que la rate produisait l'humeur noire et ils considéraient cet organe comme le siège de la mélancolie.

SPORADIQUE *adj.* En médecine, une maladie sporadique (du grec *sporadikos,* dispersé) ne s'abat pas sur la totalité d'une population, mais sur quelques individus isolés. En cela, elle s'oppose aux maladies épidémiques et endémiques.

SQUATTER *n. m.* L'anglo-américain *to squat* signifie se blottir. De ce verbe est issu le substantif squatter. Les squatters sont les premiers pionniers à s'être installés sur les terres en friche lors de la fameuse « conquête de l'Ouest », au début du XIXe siècle. Ceux-ci prirent possession des terres, sans autres formalités juridiques, tout comme les squatters contemporains occupent sans titre ni droit des lieux d'habitation.

STAGNER *v. intr.* À l'origine de ce mot, un lieu symbole d'immobilité, un lieu où les eaux ne coulent pas : l'étang (en latin, *stagnum*). Si ce lieu peut inciter aux rêveries les plus fécondes, le verbe stagner, en revanche, a un goût plutôt saumâtre. En effet, il désigne un état navrant d'immobilité, jugé désolant dans une société où le mouvement est synonyme de vie et où le progrès est le mot d'ordre. Diagnostic affligeant que celui qui conclut à une économie qui stagne, le marasme n'est pas loin...

STALACTITE *n. f.* La stalactite (du grec *stalaktos,* qui coule goutte à goutte) est une concrétion pierreuse qui se forme à la voûte de certaines grottes. Elle résulte de l'écoulement de l'eau infiltrant la pierre.

STALAGMITE *n. f.* La stalagmite (du grec *stalagmos,* écoulement goutte à goutte), à la différence de la stalactite, se forme sur le sol et est due à l'écoulement se produisant au-dessus d'elle.

STANDARDISATION *n. f.* Lorsque des produits sont fabriqués en série, leur standardisation est nécessaire : ils doivent en effet répondre à des normes précises. Le mot standardisation a été formé sur l'adjectif anglais *standard,* lui même dérivé de l'ancien français *estandard,* dont le sens est passé d'étendard à signe distinctif, puis étalon, type. Le français a donc retrouvé un mot nouveau, fabriqué sur l'ancien français.

STEAMER *n. m.* Le bateau à vapeur, pourtant de conception française, adopta un nom anglais, le steamer (de *steam,* vapeur), à partir de 1829. En effet, si Claude-François de Jouffroy, un Français, expérimenta son premier bateau à vapeur sur le Doubs en 1776, c'est aux États-Unis, sur le fleuve Hudson, que le *Clermont,* bateau de 40 mètres de long et de 2,90 m de large, commença le premier service régulier de navigation fluviale à vapeur, entre New York et Albany. Ce steam-boat avait été construit sur les plans de l'Américain Rob Fulton, en 1807.

STEPPE *n. f.* La steppe (du russe *step*) est une vaste plaine herbacée couverte de graminées. Sous un climat tempéré, elle est semblable à une prairie naturelle (Europe occidentale). Sous un climat continental tempéré froid, la steppe a un aspect verdoyant et fleuri au printemps alors qu'elle est extrêmement sèche en été (Asie centrale, Amériques du Nord et du Sud). Les climats très arides des hauts plateaux du Maghreb et du Sud espagnol favorisent des steppes à alfa, dont le feuillage est utilisé pour fabriquer du papier.

STOÏQUE *n. et adj.* Si le mot stoïque évoque aujourd'hui le courage et l'endurance devant la souffrance ou l'adversité, c'est au terme de plus de vingt siècles d'interprétations approximatives, sinon erronées, d'une des grandes doctrines philosophiques grecques. La philosophie stoïcienne tire son nom du portique des Peintures (en grec *stoa,* portique), sous lequel enseignait Zénon de Citium. La morale stoïcienne professe notamment la recherche d'une sérénité intérieure permanente garantissant la liberté de l'homme face à la folie des passions.

STRATÈGE *n. m.* Qui mène à bien une entreprise, en organisant et coordonnant avec habileté tous ses enjeux, passe pour un fin stratège, par référence aux dix magistrats athéniens du même nom qui étaient chargés, dans l'Antiquité, de diriger les troupes en armes lors des opérations militaires (stratège est en effet composé des mots *stratos,* armée, et *agein,* conduire).

STRATOSPHÈRE *n. f.* La stratosphère est la couche de l'atmosphère au-dessus de la troposphère. Absorbant l'énergie du Soleil – et une grande partie du rayonnement ultraviolet –, elle voit sa température augmenter avec l'altitude pour atteindre 0 °C ou plus à sa limite supérieure (stratopause, 50 kilomètres d'altitude). Cette énergie provoque notamment l'apparition d'une couche d'ozone, fragile et extrêmement sensible aux pollutions, laquelle nous protège des ultraviolets.

STRIDULATION *n. f.* Bruit perçant, strident émis par certains insectes (cigale, criquet, grillon), telle est la stridulation. Signe de l'été, la stridulation est le chant nuptial « clamé » par les mâles à l'adresse des femelles. Cri d'appel, d'invite. Son intensité est égale à l'ardeur de l'insecte qui le produit. Sorte de troubadours déclinant l'aubade, ces insectes émettent leur appel grâce au frottement de leurs élytres.

STRIGE *n. f.* Sorte de vampire nocturne, la strige est censée s'attaquer aux hommes pendant leur sommeil. L'ancêtre de cette créature malfaisante est la *styx* romaine, femme à corps d'oiseau et à pattes de rapace qui passait pour sucer le sang des enfants.

STUPEUR *n. f.* Autrefois diagnostic médical compris comme un engourdissement des sens, la stupeur est désormais cet état d'hébétude, de fixité, qui fige, cloue sur place la personne en proie à une trop vive émotion. Réaction violente à un choc, la stupeur a ceci de « stupéfiant » qu'elle se manifeste par l'absence même de réaction, en bref par la stupidité.

STYX Comme l'Achéron, le Styx était dans la mythologie grecque un des fleuves des Enfers. Il entourait le royaume des morts sur lequel régnait le dieu Hadès. Les eaux noires de cette rivière souterraine d'Arcadie avaient des propriétés magiques. Ainsi, le héros légendaire Achille devint immortel après un bain dans ces flots mystérieux. Il garda cependant un point faible, le talon, par lequel sa mère, Thétis, l'avait tenu lorsqu'elle le plongea dans l'eau.

SUBREPTION *n. f.* Attitude peu honnête, la subreption consiste à utiliser des moyens subreptices, c'est-à-dire illicites et détournés, pour parvenir à ses fins. Acte de l'ombre, accompli à la dérobée, la subreption ne s'accorde guère avec la franchise, mais plutôt avec la dissimulation et la tromperie.

SUCCINCT *adj.* Recommander à quelqu'un d'être succinct dans ses propos pour laisser du temps de parole à d'autres est légitime. Mais le mot latin à l'origine de cet adjectif accordait l'idée de brièveté au domaine du vêtement : *succinctus* signifiait court vêtu, retroussé. Le sens du mot s'est déplacé de l'espace au temps.

SUCCUBE *n. m.* Au début du Moyen Âge, la « croyance au diable » fit naître l'idée des sorcières, c'est-à-dire des femmes possédées par le démon. Ainsi le terme succube (du latin *succuba,* concubine) désignait-il un démon ayant revêtu une apparence féminine dans le but de s'unir aux hommes pendant leur sommeil. Leurs semblables masculins sont les incubes (voir ce mot).

SUMO *n. m.* Cet art martial japonais fut codifié vers la fin du XIVe siècle. Il est pratiqué par des lutteurs appelés sumotoris qui pèsent souvent plus de 150 kilos ! L'objectif du sumotori est de projeter son adversaire hors du ring, appelé *dohyo,* en utilisant les techniques de préhension. Le combat est précédé d'un rituel très élaboré beaucoup plus long que le combat lui-même : les sumotoris exécutent une série de postures bien définies qui visent à prouver leur loyauté, à saluer leur adversaire et à chasser les esprits malfaisants.

SUNNITE *n. et adj.* Les sunnites, composante majoritaire de l'islam, sont séparés des chiites : ils représentent « les gens de la tradition et de la communauté ». Ils acceptent la tradition, adaptée aux exigences nouvelles des temps. Ils reconnaissent les quatre premiers califes comme les successeurs du Prophète et ont fondé quatre écoles juridiques, qui se différencient par les rites : hanafite, malékite, chafiite, hanbalite. Ils sont aujourd'hui très présents dans l'ancien Empire ottoman, et en Égypte, en Afrique, en Arabie.

SUPERFÉTATOIRE *adj.* Cet adjectif, aujourd'hui synonyme de superflu, est, à l'origine, tiré du domaine de la physiologie : superfétation est un terme utilisé par Ambroise Paré au XVIe siècle, et même encore par Buffon au XVIIIe siècle, pour la reproduction. Il désignait la fécondation de deux ovules lors de deux ovulations successives (du latin *superfetare,* concevoir de nouveau) ; d'où le sens d'addition inutile.

SUPPLICE *n. m.* Entaché de violence, de douleur, de cruauté, ce mot a une étymologie surprenante. Il est dérivé du latin *supplicium,* prière de supplication, offrande. Une coutume romaine explique cet étrange glissement de sens. Lors de l'exécution d'un condamné, le roi des sacrifices *(rex sacrorum)* offrait le coupable aux dieux en récitant une prière et en célébrant un sacrifice. Les rites semblent s'être effacés derrière la gravité des sévices et de la mise à mort...

SURANNÉ *adj.* Ce terme autrefois administratif désignait un document périmé, dont la période de validité était expirée. Puis le qualificatif s'est étendu à tout objet, toute pratique dont l'usage n'a plus cours. Ainsi dira-t-on d'un vêtement ou d'une coutume qu'ils sont surannés, soulignant par là leur caractère inactuel, mais non dénué de charme.

SUSTENTER *v. tr.* Se sustenter est un acte commun et nécessaire à tous les êtres vivants. Nourrir le corps, le soutenir (du latin *sustentare*) permet à la vie de se maintenir. Sans cela, l'étiolement, l'inanition et parfois même la mort guettent. Aujourd'hui, alors que la famine a disparu de nos contrées, ce mot ne s'emploie plus guère que dans un sens humoristique.

SWING *n. m.* L'âge du swing aux États-Unis, popularisé par le clarinettiste Benny Goodman, illumina la fin des années trente ; pourtant ce terme est inséparable de toute l'histoire du jazz. Le swing, on l'a ou on ne l'a pas. Est-il impossible d'apprendre à swinguer (« balancer », littéralement) ? L'usage musical du terme remonterait à une composition de Jelly Roll Morton, *Georgia Swing.* Le swing devient, de l'aveu même des musiciens afro-américains, lumière et essence vitales du jazz, partie intégrante de tous ses styles. Le swing n'en est pas pour autant un principe vague, un « esprit » : il naît de l'accentuation typique des temps faibles de la mesure à quatre temps (2 et 4). C'est au glissement subtil vers le temps fort du rythme que se reconnaît le secret du phrasé swing d'un musicien de jazz.

SYBARITE Celui qui, aujourd'hui, recherche les plaisirs sensuels, la volupté, en s'entourant de luxe et de raffinement, pourra être qualifié de sybarite. Fondée en 720 avant J.-C. sur le sol italien, la cité grecque de Sybaris fut renommée pour sa grande richesse ainsi que pour les mœurs très libres de ses habitants, les Sybarites.

SYCOPHANTE *n. m.* Méfiez-vous d'un sycophante ! Ce personnage sournois et fourbe est un espion, un délateur. L'étymologie du mot nous renseigne d'ailleurs sur son compte ! Du grec *sukon,* figue, et *phaineîn,* dénoncer, le sycophante était à l'origine l'individu dénonçant les voleurs qui se livraient à la contrebande des figues cueillies sur les figuiers sacrés des bois de l'Attique.

SYLLOGISME *n. m.* Un sullogisme (du grec *sullogismos,* calcul, raisonnement, dérivé de *sullogizesthai,* assembler par la pensée) est un raisonnement déductif composé à partir de deux arguments initiaux (ou prémisses) dont on tire une conclusion : « Tous les hommes sont mortels ; or Socrate est un homme ; donc Socrate est mortel. » On appellera ici « homme » le moyen terme du raisonnement, en ce qu'il sert d'intermédiaire entre le premier argument et la conclusion. On a reproché au modèle syllogistique d'être purement formel, c'est-à-dire de n'apporter aucune connaissance nouvelle ; il est, d'autre part, tout à fait possible de tirer une conclusion valide à partir de prémisses absurdes. Le syllogisme demeure cependant l'archétype du raisonnement déductif.

SYLPHIDE *n. f.* Une jolie jeune femme svelte est qualifiée de sylphide par référence aux créatures évanescentes de ce nom qui, selon les Celtes et les Germains, peuplaient le monde invisible des lutins et des fées. Ce mot d'origine gauloise (et son équivalent masculin sylphe) disparut au Moyen Âge pour réapparaître, au XVIe siècle, sous la plume du magicien Paracelse, qui désigna ainsi des génies de l'air et des bois.

SYLVE *n. f.* Dans l'Antiquité romaine, la sylve (du latin *sylva,* forêt, bois) était, lors des jeux du cirque, la reconstitution d'une chasse en forêt.

SYNALLAGMATIQUE *adj.* Le contrat synallagmatique est synonyme de contrat bilatéral : chacune des parties contractantes s'engage vis-à-vis de l'autre. Pour exemple, les contrats de louage, de vente ou d'échange sont dits synallagmatiques.

SYNDROME *n. m.* Un syndrome, du grec *sundromê,* réunion, est une association de plusieurs symptômes qui, combinés, vont constituer une affection particulière. Si un symptôme ne permet pas, à lui seul, de déterminer la cause d'une maladie ni sa nature, un syndrome permet, lui, d'orienter le diagnostic.

SYNOPSIS *n. m.* D'une manière générale, le synopsis est une vue d'ensemble, un survol. Plus particulièrement, et désormais plus couramment, le synopsis est le schéma d'un scénario comportant les principales indications scéniques.

SYSTÈME INTERNATIONAL Le système international d'unités est né du développement scientifique, technique et industriel, qui exige des mesures ayant même signification pour tous. Le SI a succédé au système métrique institué en France le 7 avril 1795 à partir de travaux de nombreux savants, parmi lesquels Condorcet, Lavoisier, Monge. Comme ce dernier, le SI rapporte toutes les mesures à un petit nombre d'unités de base : le mètre, le kilogramme, la seconde.

T

TABERNACLE *n. m.* Le terme vient du latin *tabernaculum,* tente, équivalent dans la Bible de l'hébreu *mishkan.* Le tabernacle est un symbole essentiel du sacré et d'Israël dans la religion hébraïque. Il s'agissait d'un sanctuaire portable, utilisé par les fils d'Israël pour protéger l'arche d'alliance avant que le Temple ne fût construit. *Mishkan* signifie littéralement résidence, et dans l'Ancien Testament il prend le sens du « lieu de résidence de Dieu parmi Israël ».

TABLETTE *n. f.* La tablette fut l'un des premiers supports de l'écrit. De taille variable, elle était aussi réalisée dans diverses matières (os, ivoire, ardoise, plomb...). La tablette d'argile fut découverte par les potiers et graveurs de sceaux égyptiens et mésopotamiens au VIe millénaire avant J.-C. Une fois gravée par les scribes avec un calame de roseau ou de bois, ou encore avec un stylet en os ou en ivoire, elle était séchée au soleil ou cuite au four. La tablette de pierre était gravée par le tailleur de pierre, qui suivait le contour des signes préalablement écrits à la craie par le scribe. La tablette de bois, recouverte d'une pellicule de cire, était gravée au poinçon, lequel avait une extrémité arrondie dont on se servait en guise de gomme. En Europe, malgré l'apparition du papier au XIVe siècle, le système des tablettes fut utilisé jusqu'au XVIIIe siècle. De format réduit et réunies entre elles à l'aide de ruban, elles avaient alors le rôle d'un calepin (voir ce mot).

TABOU *n et adj.* Au sens religieux, un objet tabou est consacré à Dieu. Il appartient à un domaine inviolable et il est interdit au profane. Le capitaine Cook (qui découvrit la Polynésie en 1773) créa le mot *taboo* pour transcrire la forme polynésienne *tapu,* qui signifiait « ce qui est soustrait à l'usage courant » et qui désignait, dans les cultes totémiques, un système d'interdictions religieuses.

TALION (LOI DU) La loi du talion (du latin *talis,* tel) est cette loi réputée pour le caractère systématique et implacable des châtiments. Son principe est le suivant : « œil pour œil, dent pour dent, main pour main ... ». Cette loi, attestée dans la Bible, puise ses origines à des sources plus anciennes encore. Elle fut d'abord connue sous le nom de « code d'Hammourabi ». Ce code est l'œuvre du prince Hammourabi, grand dirigeant et fameux législateur qui redonna à Babylone toute sa puissance (2003-1961 avant J.-C.). Ce code de l'équité aurait été dicté au prince par le dieu Shamash, dieu de la justice. C'est du moins ce qu'atteste une stèle trouvée en Iran au XIIe siècle et conservée aujourd'hui au Louvre. Au fil des siècles et des cultures, cette loi, jugée trop sévère et trop cruelle, fut abandonnée. Seule la charia, loi coranique révélée par Dieu à Mahomet, en a conservé les principes. Ainsi, dans certains pays musulmans, ces préceptes ancestraux sont encore en vigueur.

TALMUD Le *Talmud* (enseignement en hébreu) est un ensemble de textes donnant les prescriptions nécessaires à la réglementation de la vie religieuse, en respect des commandements de la Loi mosaïque contenus dans la Torah. Provenant de traditions orales censées remonter à l'époque de Moïse, un premier enseignement constitué de commentaires de la Torah, et appelé *Mishna,* fut émis par écrit autour de l'an 200 de notre ère. La Mishna, commentée à son tour, engendra la *Gemara.* La Mishna accompagnée de la Gemara, auxquelles s'ajoutent d'autres commentaires de la Loi appelés *baraïthot,* constituent le Talmud. Il existe en fait deux versions principales du Talmud : le Talmud de Jésuralem, qui fut rédigé par les docteurs (en hébreu, *rabbi*) de Palestine à la fin du IVe siècle, et le Talmud de Babylone, qui est la compilation des enseignements des écoles rabbiniques orientales (fin du Ve siècle). Ce dernier est le plus riche et le plus utilisé.

TAMPICO Extrait des feuilles d'un agave d'Amérique centrale, le tampico est une fibre végétale qui porte le nom d'une ville mexicaine. Élastique et résistant, il est utilisé pour fabriquer matelas et brosses.

TAM-TAM *n. m.* Désignant dans le langage courant, depuis la fin du XIXe siècle, un tambour en usage en Afrique noire, le tam-tam tire pourtant son origine de l'Inde. Cette onomatopée d'origine hindoustani, reproduisant le son d'une sorte de tambour, est parvenue jusqu'à nous par le biais des créoles de l'île de la Réunion.

TANGRAM *n. m.* Selon la légende, le seigneur Tan aurait, il y a plusieurs siècles, laissé tomber un carreau qui se brisa en sept morceaux. Désirant le reconstituer, Tan réalisa, à son grand étonnement, des milliers de figures. Ainsi est né le tangram, puzzle de sept morceaux de bois qu'il s'agit d'assembler pour obtenir différents personnages, animaux ou figures géométriques.

TANKA *n. m.* Le tanka est un poème japonais qui se caractérise par son extrême brièveté (il compte trente et une syllabes) et son rythme régulier. Traditionnel, il est attesté dès le début du IXe siècle : le premier recueil officiel de poésies japonaises, le *Manyo-shu,* ne compte pas moins de quatre mille tanka !

TAOÏSME *n. m.* Selon la légende, Lao Tseu aurait vécu au VIe siècle avant J.-C., ce qui en fait le contemporain de Confucius (voir ce mot). Il aurait rédigé les quatre-vingt-un chapitres composant le *Tao-tö-king,* c'est-à-dire la « Bible » du taoïsme. La mise en pratique du taoïsme réside dans le fait de ne pas intervenir dans le cours naturel des choses, afin de « cultiver sa personne ». Cette attitude vient de la conviction qu'en travaillant à son propre salut le taoïste œuvre non seulement pour le bien des hommes, mais également pour celui de la nature tout entière. Le tao, ou principe suprême, est conçu comme une entité féminine, et le taoïste, en quête d'une vie éternelle, n'aura de cesse de cultiver en lui les vertus féminines, équivalant, selon le taoïsme, à la « pure vacuité » ou « retour à la Mère ». Le taoïsme repose essentiellement sur la doctrine exposée par Lao Tseu et Tchouang Tseu dans les ouvrages qui leur sont attribués et dont l'influence fut prépondérante.

TAPON *n. m.* Ancêtre du mot tampon, le tapon désigne une petite boule souple que l'on utilise pour boucher un trou. Ce terme est devenu rare lorsque tampon s'est développé.

TARASQUE *n. f.* Animal fabuleux, la tarasque était un monstre amphibie vivant aux abords du Rhône. Les dommages provoqués par la tarasque étaient nombreux : naufrages des embarcations, incursions dans les terres, agressions contre les habitants... Bravant leur peur, seize personnes, dit une légende, décidèrent de la combattre. Huit en moururent, huit en réchappèrent, qui tuèrent la tarasque. Une autre légende attribue à la seule vaillance d'une femme, sainte Marthe, la disparition de la tarasque.

TARAUDANT *adj.* Une douleur taraudante est une douleur vive, aiguë, perçante, dont l'effet est semblable à celui du taraud dans le métal. Comme lui, s'insinuant avec force, elle s'incruste, profonde et pénétrante.

TARE *n. f.* Comment le mot tare, qui faisait partie de la langue des marchands, est-il devenu cette défectuosité héréditaire, porteuse de maladie et de souffrance ? Le mot arabe *tarha,* qui en est l'origine, signifie déduction : en ancien français, la *tare* était le poids de l'emballage à déduire par le commerçant, pour obtenir celui de la marchandise qui était pesée ; de là, le mot a glissé vers le sens de déchet dans le poids, puis dans la qualité de l'objet, d'où le sens actuel de défaut d'une personne, d'une société, etc.

TARLATANE *n. f.* La tarlatane est une étoffe de coton très légère et aérée, fortement empesée. Elle est utilisée pour la confection de patrons, de chapeaux et de travestis (déguisement destiné à un bal masqué). L'origine de ce mot provient des îles de Ternate, en Indonésie, où cette étoffe était fabriquée.

TARTARIN Tartarin est un quolibet familier signifiant fanfaron, bravache, fier-à-bras. Il tire son origine d'un roman d'Alphonse Daudet datant de 1872 : *les Aventures prodigieuses de Tartarin de Tarascon,* dont le protagoniste représente le comble de la vantardise.

TARTUFE Un imposteur est traité de tartufe par référence au très célèbre faux dévot de Molière. En baptisant ainsi le protagoniste de sa pièce, qui fut interdite pendant cinq ans avant de connaître un très vif succès en 1669, le dramaturge se souvint d'un personnage malveillant de la comédie italienne, Tartufo (contraction de *tartufolo,* truffe, c'est-à-dire tromperie en ancien français). Parce qu'il dénotait perversité et mauvaise foi, ce nom ne pouvait pas mieux convenir au héros moliéresque, incarnation même de l'hypocrisie.

TATOUAGE *n. m.* Qu'il orne le corps d'un chef polynésien, d'un guerrier indien, d'un samouraï ou d'un prisonnier français, le tatouage est, dans tous les cas, une inscription sociale gravée sur la peau. Empreinte rituelle et sacrée dans de nombreuses sociétés traditionnelles, le tatouage définit l'identité sociale de qui l'arbore. Armure symbolique pour le chef de tribu, expression de virilité pour le guerrier japonais, signes de haine à l'égard de la société pour le marginal, les tatouages embrassent un champ immense de signification. Souvent singuliers, les tatouages constituent un répertoire si vaste qu'il ne peut être recensé. C'est aux îles Marquises qu'ont cependant été observés le plus grand raffinement et la plus grande complexité dans la réalisation des tatouages. Il est vrai que, là-bas, le tatouage est un rituel auquel toute la communauté est associée.

TAUTOLOGIE *n. f.* Une tautologie (du grec *tauto,* « le même », et *logos,* « manière de parler ») est, dans le langage courant, l'affirmation d'une évidence. « Un verre à moitié vide est à moitié plein. » C'est en l'occurrence un truisme (voir ce mot), une manière de dire deux fois la même chose ; mais c'est aussi faire référence à la même chose de deux manières différentes. En logique, c'est l'affirmation fondamentale qu'un concept est identique à lui-même ; c'est, en ce sens, une proposition valide. Certaines expressions en forme de tautologie sont utilisées en rhétorique ; mais la proposition « un chat est un chat » exprime beaucoup plus qu'une identité.

TAXIDERMIE *n. f.* Plus connue sous le nom trivial d'empaillage, la taxidermie est l'art d'arranger les peaux (du grec *taxis*, arrangement, et *derma*, peau). Le terme d'art n'est pas trop fort puisqu'il s'agit de donner à l'animal empaillé le maximum de vie et de naturel. Pour ce faire, le taxidermiste recourt à deux opérations très minutieuses : la mise en peau, tout d'abord, étape où l'on écorche l'animal et conserve certains ossements, puis le montage, seconde étape où l'on bourre la peau, placée sur une structure de fer, de filasse ou de tout autre matériau adéquat. Les yeux d'émail sont enfin posés, qui achèvent de donner à l'ensemble le réalisme recherché.

TAYLORISME *n. m.* Cette méthode d'organisation scientifique du travail industriel, qui doit son nom à l'ingénieur américain Frederick Winslow Taylor, a pour but d'augmenter la production en évitant le gaspillage du temps. Mise en œuvre dès la fin du XIXe siècle, elle repose notamment sur le contrôle des temps d'exécution, la suppression des gestes inutiles, la spécialisation du personnel et l'utilisation maximale de la machine.

TCHADOR *n. m.* Voile noir dans lequel se drapent traditionnellement les Iraniennes musulmanes chiites, le tchador connut une célébrité inattendue au cours de l'année 1979. En effet, cette année-là, le port du tchador fut décrété obligatoire pour toutes les femmes iraniennes. À l'origine de cette décision, un homme : l'ayatollah Khomeyni, dirigeant religieux de l'Iran, désireux de lutter contre l'occidentalisation du pays et soucieux de revenir à une société musulmane traditionnelle. Par cette mesure, L'Iran rejoignait la majorité des pays musulmans, où les femmes avancent voilées.

TECTONIQUE *n. f.* Grâce à la géophysique, on sait aujourd'hui que la croûte terrestre superficielle est supportée par sept grandes plaques rigides de lithosphère (surface du manteau magmatique recouvrant le noyau de notre planète), d'une moyenne de 100 kilomètres d'épaisseur. Ces plaques se forment par remontée de magma le long de gigantesques chaînes volcaniques sous-marines, les dorsales, dont les plaques s'écartent au rythme de quelques centimètres par an. La croûte ancienne se détruit dans des fosses océaniques appelées zones de subduction. Ainsi, l'ensemble de la lithosphère se déplace, entraînant, avec les plaques, les continents. Ce qui explique les variations de positions relatives de ces derniers avec le temps, et confirme l'hypothèse de la dérive des continents. La tectonique (du grec *tektôn*, constructeur) des plaques étudie ces déplacements, et permet d'expliquer les phénomènes géologiques (souvent catastrophiques à l'échelle de l'homme) qui continuent de modeler la surface terrestre.

TÉLÉOBJECTIF *n. m.* Le téléobjectif est un objectif photographique de longue focale. Comme son nom l'indique (du grec *têle*, loin), il s'utilise pour les sujets éloignés. Réduisant la distance, il permet ainsi de faire de ces sujets des photos en gros plan.

TELLURISME *n. m.* Le mot tellurisme (du latin *tellus*, terre), attesté dès 1846, a désigné le magnétisme terrestre et l'influence du sol sur les êtres qui y vivent, spécialement sur les mœurs et les pratiques des individus vivant en société.

TEMPERA *n. f.* La peinture à la tempera emploie, sur un enduit sec, un mélange de pigments colorés, d'eau et de colle. Les couleurs sont appliquées en aplats cernés d'un trait plus sombre pour affirmer le dessin. C'est ainsi que furent peintes la plupart des tombes égyptiennes et les palais crétois. Ce procédé deviendra plus complexe au Moyen Âge avec l'emploi du jaune, ou du blanc, d'œuf qui permettra une certaine transparence des couleurs. Cette peinture pouvait s'appliquer aussi bien sur un mur que sur un panneau de bois ou un parchemin.

TÉNACITÉ *n. f.* « J'y tiens et m'y tiens », telle pourrait être la devise exprimant la ténacité (du latin *tenere*, tenir). En effet, la ténacité est l'attachement résolu, obstiné, d'un individu à une opinion ou à une idée.

TEOCALLI *n. m.* Un teocalli est une pyramide aztèque de plusieurs étages au sommet de laquelle s'élève la dalle où s'accomplissaient, jadis, les sacrifices rituels. L'accès à cet autel, flanqué d'un ou de deux temples abritant les images des divinités protectrices, se faisait par un escalier extérieur intégré à la pyramide. Le mot, d'origine nahuatl, est composé de *teotl*, dieu, et de *calli*, maison.

TÉRAPHIM *n. m. pl.* Les téraphims étaient des statuettes talismaniques utilisées, jadis, comme moyen divinatoire par les Hébreux. Ils faisaient tourner ces figurines sur elles-mêmes, et leur orientation, au moment où elles s'arrêtaient, indiquait la direction du danger éventuel.

TÉRÉBRANT *adj.* Qualifiant une douleur aiguë et profonde, cet adjectif vient du latin *terebrans*, dérivé de *terebrare*, qui signifie « percer avec une tarière ».

TERGIVERSER *v. intr.* Mieux vaut ne jamais user d'échappatoires et de faux-fuyants, ni prendre de détours pour éluder la conclusion d'une affaire. En bref, il faut toujours éviter de tergiverser, car c'est tourner le dos à une solution prompte et efficace. Tergiverser vient, en effet, du latin *tergiversari*, composé de *tergum*, dos, et *versare*, tourner.

TÉTRALOGIE *n. f.* La tétralogie est, dans le domaine musical, un ensemble de quatre opéras. La plus fameuse est la tétralogie de Wagner intitulée *l'Anneau des Nibelungen*. Les quatre opéras qui la composent sont : *l'Or du Rhin*, *la Walkyrie*, *Siegfried* et *le Crépuscule des dieux*. Cette tétralogie fut jouée pour la première fois en 1876, à Bayreuth, dans un théâtre construit à cet effet.

THÉBAÏDE *n. f.* Un endroit calme, propice à l'isolement et au recueillement, est appelé thébaïde par référence au désert égyptien situé aux alentours de Thèbes dans lequel vinrent se retirer quelques-uns des premiers chrétiens cherchant à fuir les persécutions et à mener une vie de prière dans la solitude et le silence.

THÉOMACHIE *n. f.* Le terme de théomachie fait référence à l'Antiquité grecque et romaine. Il désigne en effet les combats des dieux ou des divinités (du grec *theos,* dieu, et *makhê,* combat).

THÉORBE *n. m.* Couramment utilisé en France aux XVIIe et XVIIIe siècles, le théorbe est un instrument à cordes pincées de la famille des luths. Contrairement au luth à manche simple, le théorbe possède plusieurs cordes graves supplémentaires, fixées sur une prolongation du manche et toujours utilisées à vide. Le terme fut emprunté à l'italien *tiorba* (cet instrument serait, en effet, une invention italienne), lui-même d'étymologie inconnue.

THÉORÈME *n. m.* Un théorème est une proposition ou loi mathématique, obtenue par démonstration à partir d'autres propositions elles-mêmes démontrées ou d'axiomes admis. Un théorème peut, bien entendu, servir de prémisse à une nouvelle démonstration. Le mot provient du latin *theorama,* lui-même emprunté au grec *theôrêma,* « objet d'étude » et par extension principe.

THÉSAURISATION *n. f.* À l'opposé de la dilapidation, la thésaurisation est l'amassement, l'accumulation d'argent et de biens. Importante, elle constitue parfois un véritable trésor, fidèle en cela à son étymologie (du latin *thesaurus,* trésor).

THIASE *n. m.* Dans l'Antiquité grecque, le thiase (du grec *thiasos*) était une danse exécutée en l'honneur de Dionysos, dieu du vin. Cette danse avait lieu lors de processions fort tumultueuses au cours desquelles les génies de la terre et de la fécondité étaient symbolisés par des masques. De ces processions naquirent la tragédie ainsi que la comédie.

THOR Divinité redoutable de la mythologie scandinave, Thor est le fils d'Odin et de Jörd. Il est le maître du tonnerre, des éclairs et des pluies, et symbolise le combat, la force et le courage. Armé de son marteau magique, Mjolmer, il défend hommes et dieux contre les géants et les monstres. Dans la mythologie germanique, il est identifié au dieu Donar.

THRILLER *n. m.* Ce film ou ce roman à suspense doit son nom anglais, dérivé du verbe *to thrill,* frissonner, au fait qu'il donne aux spectateurs ou aux lecteurs bien des occasions de tressaillir !

THURIFÉRAIRE *n. m.* Se répandant en flatteries doucereuses et en louanges serviles, un flagorneur encense qui bon lui semble et se voit, de ce fait, attribuer le quolibet de thuriféraire. Ce mot (dérivé du latin *thus,* encens), autrefois réservé à la liturgie catholique, désignait le clerc ou le laïque chargé de manier l'encensoir au cours des cérémonies.

TIARE *n. f.* La tiare est un bonnet arrondi, surmonté d'une croix, autour duquel sont superposées trois couronnes, symbole du triple pouvoir spirituel, juridique et temporel du pape. Si la mitre est un insigne liturgique, la tiare n'est qu'une coiffure d'apparat. Elle était remise au Saint-Père le jour de son couronnement avec la formule : « Sachez que vous êtes le père, le prince et le roi. » Depuis Paul VI, les papes la refusent pour ne pas passer pour des monarques absolus.

TIERCELET *n. m.* Le tiercelet est le faucon mâle. Il doit son nom à sa taille. En effet, il est d'un tiers plus petit que la femelle, appelée forme.

TIERS EXCLU En logique véríconditionnelle, une proposition ne peut avoir que deux valeurs de vérité : vrai ou faux. Le principe du tiers exclu, dit aussi « du milieu exclu », est fondamental dans un tel système et, au-delà, dans la pensée rationaliste. Selon ce principe, deux propositions contradictoires (« Jean est bon » et « Jean n'est pas bon » : p et non p) ne peuvent être toutes deux vraies en même temps ; la valeur V de l'une implique la valeur F de l'autre. L'expression « milieu exclu » exprime bien la position fondamentale de la logique classique : la contradiction est impossible, bien plus, il ne peut y avoir de « ni V ni F »... ce qui est si souvent le cas dans le domaine de l'expérience !

TINTAMARRE *n. m.* Comme brouhaha ou tohu-bohu, ce mot qui désigne un bruit discordant semble être une onomatopée : il se rattache pour moitié à tinter, tandis que l'origine de sa deuxième partie reste obscure.

TITAN Devant un énorme chantier, on parle de travail de titan par référence aux douze Titans de la mythologie grecque, capables de soulever des montagnes. Nés d'Ouranos (le Ciel) et de Gaia (la Terre), ces géants belliqueux, doués d'une force extraordinaire, se révoltèrent contre leur père. Le plus jeune d'entre eux, Cronos, réussit à garder le pouvoir jusqu'à ce que, à son tour, son plus jeune fils, Zeus, devenu adulte, s'en empare au terme d'une lutte acharnée. Aidé des Cyclopes, il foudroya tous les Titans.

TOCSIN *n. m.* Le tocsin est le son d'une cloche que l'on frappe à coups pressés et redoublés pour donner l'alarme auprès de la population. Ce terme provient de l'ancien provençal *tocasenh,* touche-cloche, de *tocar,* toucher, et *senh,* cloche. Par extension, l'expression « sonner le toscin » désigne le bruit fait autour d'un événement ou le fait d'inciter une foule à la révolte.

TOHU-BOHU *n. m.* « La Terre était tohu-bohu », écrivait Voltaire en 1764 pour traduire la locution hébraïque de la Genèse (I, 2) *tohou oubohou,* désignant le chaos avant la création du monde. De l'idée de désordre et de chaos primitif, le sens du mot a glissé au XIXe vers celui, contemporain, de bruit confus ou de tumulte.

TOISER *v. tr.* Dans son sens figuré, ce verbe exprime la façon de regarder, de dévisager une personne, d'un air dédaigneux et hautain. Toiser est dérivé de la toise, tige à graduations verticales munie d'un index coulissant, employée pour mesurer la taille humaine.

TOISON D'OR La légendaire Toison d'or de la mythologie grecque était celle d'un bélier ailé offert par Hermès à Néphélé, l'épouse du roi de Béotie. Cet animal fabuleux sauva Phrixos, le fils de Néphélé, des persécutions de sa belle-mère en l'emportant dans les airs jusqu'en Colchide. Là, le bélier fut sacrifié à Zeus, qui fit de la précieuse dépouille le symbole de la richesse et de la puissance. Plus tard, sur l'ordre du roi Pélias, Jason partit avec les Argonautes conquérir la toison merveilleuse. Il réussit à la dérober grâce à la magicienne Médée.

TOMBEREAU *n. m.* Le tombereau est une charrette dont on peut faire basculer la caisse afin de la vider de son contenu. À ce mouvement de bascule, le tombereau doit son nom dérivé du verbe *tumber,* qui signifiait « culbuter, tomber à la renverse ».

TOPOGRAPHIE *n. f.* La topographie, science des lieux (du grec *topos,* lieu, et *graphein,* écrire), a défini les principes et les méthodes de la cartographie moderne. Elle permet d'établir des relevés de territoires entiers et de les reproduire à une échelle réduite, selon une projection plane (corrigeant la courbure de la planète). La topographie historique a, quant à elle, pour objectif d'identifier des sites historiques, en utilisant la cartographie moderne et des données archéologiques, historiques et toponymiques.

TORAH Dans la Bible hébraïque, la Torah est le premier sous-ensemble des vingt-quatre livres considérés comme inspirés par Dieu. Livre de la Loi, la Torah, composée des cinq livres qui contiennent la Révélation : la Genèse, l'Exode, le Lévitique, les Nombres, le Deutéronome, est aussi appelée le Pentateuque. C'est, pour les chrétiens, la première partie de l'Ancien Testament. La Torah a d'abord connu un enseignement purement oral (lecture et commentaires des textes à la synagogue). Mais les risques de déviation amenèrent les rabbins à fonder un conseil de docteurs de la Loi, le sanhédrin, qui pendant trois siècles a fixé par écrit la tradition orale de la Torah, ce qui a donné le Talmud, ou enseignement.

TOREUTIQUE *n. f.* La toreutique (du grec *toreutikê,* « art de graver ») désigne tout travail de gravure ou de ciselage pratiqué au ciseau, quel que soit le support : bois, métal, ivoire, pierre... On désigne également les ouvrages de toreutique sous le terme de sculptures chryséléphantines (or et ivoire).

TOUAREG *n.et adj.* « Fils du souffle et du vent », les Touareg sont des pasteurs berbères et nomades. Répartis en cinq pays (Algérie, Libye, Burkina, Mali, Niger), les Touareg, autrefois hommes libres du désert, sont aujourd'hui l'objet de tentatives d'assimilation. La sédentarisation forcée, les frontières vécues comme des prisons, l'appropriation du sol ressentie comme une atteinte faite à l'Univers, tout cela a conduit à l'effondrement des valeurs sociales et métaphysiques de la société touareg. Cette société matriarcale organisée selon une hiérarchie très stricte a perdu l'espace nécessaire à son déploiement. Mais, hommes d'un passé qui ne veut pas mourir, les Touareg s'efforcent aujourd'hui de préserver leur culture.

TOUR D'IVOIRE Cette expression est née dans un contexte littéraire : Montaigne avouait déjà qu'il aimait se retirer dans sa tour pour s'isoler et méditer, mais c'est Sainte-Beuve qui créa la fameuse image de la tour d'ivoire dans un recueil de poèmes de 1830, *les Consolations.* À propos du poète romantique Alfred de Vigny, connu pour son goût de la solitude, Sainte-Beuve écrit : « [...] et Vigny, plus secret, comme en sa tour d'ivoire, avant midi, rentrait. » L'expression a fait florès : s'enfermer dans sa tour d'ivoire représente un noble isolement favorable à la vie intérieure, ou une misanthropie éventuellement dangereuse.

TOURNEMAIN *n. m.*On ne trouve ce mot que dans l'expression « en un tournemain », qui signifie rapidement. Cette locution adverbiale qui a vieilli a été remplacée par « en un tour de main » dont l'emploi est d'ailleurs moins usité que « en un clin d'œil »... qui ne demande qu'à lui succéder.

TRAMONTANE *n. f.* La tramontane est un vent du nord-ouest qui balaie le Languedoc-Roussillon. Son nom, d'origine italienne (*tramontana,* vent du nord), a été formé sur le latin *trans montes,* « au-delà des montagnes ». En effet, pour les Italiens, ce qui vient du nord a dû traverser les Alpes.

TRANSIGER *v. intr.* « Concessions mutuelles » pour mettre fin à un différend ou conclure un arrangement, transiger (du latin juridique *transigere,* pousser à travers, achever ; de *trans,* au-delà, et *agere,* mener), signifie aussi « se désister ». Mais qui transige avec son devoir triche avec lui-même en se cherchant de fausses bonnes raisons pour s'autoriser une action allant à l'encontre de ce qu'il convient de faire.

TRANSMIGRATION *n. f.* La transmigration est une théorie, professée notamment par Platon, selon laquelle l'âme, après la mort, quitte le corps pour se réincarner dans un autre. Passage, étape transitoire, la transmigration est fondamentale car, fonction des mérites ou des démérites accumulés dans une vie antérieure, elle détermine l'évolution future de l'âme.

TRANSMUTATION *n. f.* La transmutation est le passage d'une espèce à une autre, d'une matière à une autre et concerne particulièrement la transformation du plomb en or. Opération chimique et non magique, elle fut recherchée par des générations d'alchimistes... et parfois obtenue. Afin de convaincre les incrédules et autres détracteurs de l'alchimie, des transmutations publiques furent opérées. Ainsi à Vienne en 1716, devant l'université de Prague en 1728, ou celle, plus ancienne, réalisée à La Haye en 1667, authentifiée par Spinoza. Les alchimistes ont disparu, la chimie a pris le pas sur l'alchimie. Pourtant, la transmutation reste, aujourd'hui encore, l'objet de nombreux débats et querelles.

TRANSSUBSTANTIATION *n. f.* La transsubstantiation (du latin *trans,* « au-delà » et *substare,* « se tenir dessous ») désigne la conversion d'une substance en une autre. Dans la théologie catholique, la transsubstantiation est au cœur du sacrement de l'eucharistie (voir ce mot), au cours duquel le pain et le vin deviennent substantiellement le corps et le sang de Jésus-Christ.

TRAUMATISME *n. m.* Le terme traumatisme (du grec *trauma,* blessure) désigne les conséquences, sur l'ensemble de l'organisme, d'une lésion physique et/ou psychologique résultant d'une violence externe. L'impossibilité d'apporter une réponse adéquate à l'intensité du choc subi est la cause profonde du traumatisme.

TRIBU *n. f.* Le terme de tribu désigne en ethnologie un groupement constitué de familles appartenant à un même peuple. L'origine de ce terme provient de l'Antiquité romaine. Une *tribus* était l'une des trois divisions du peuple romain (*tri-*, trois).

TRIBULATIONS *n. f. pl.* Épreuves, adversités, mésaventures lourdes de douleur et de tourments, telles sont les tribulations (du latin ecclésiastique *tribulatio*, détresse). Et, non contentes d'être plurielles, les tribulations sont imprévisibles, soumises au seul caprice de la fortune.

TRIBUNAL DE NUREMBERG Du 20 novembre 1945 au 1er octobre 1946 se déroula le procès intenté à vingt-quatre dirigeants du parti nazi et à six organisations du IIIe Reich. L'instance judiciaire était un tribunal militaire international. Il se composait de représentants des quatre puissances alliées (États-Unis, Grande-Bretagne, U.R.S.S., France). Les chefs d'accusation étaient les suivants : « crimes contre la paix », « crimes de guerre » et « crimes contre l'humanité ». Le 1er octobre 1946, douze des vingt-quatre accusés furent condamnés à la pendaison et furent exécutés quinze jours plus tard (à l'exception de Goering, qui s'était suicidé la veille dans sa cellule). Parmi les autres accusés, trois furent jugés non coupables et diverses peines d'emprisonnement furent prononcées. C'était la première fois qu'un haut tribunal international était ainsi constitué et statuait.

TROGLODYTIQUE *adj.* Les habitations troglodytiques (du grec *trôglê*, trou, et *dunein*, entrer) sont des habitations creusées à même le roc. Ainsi les maisons offrent-elles l'apparence de cavernes fermées par un ouvrage de maçonnerie ou de menuiserie. Très rares aujourd'hui, ces habitations n'ont cependant pas disparu. La Touraine, le Vendômois, l'ancienne Seine-et-Oise en conservent quelques beaux spécimens.

TROLL *n. m.* Petit gnome au grand nez, le troll est un personnage traditionnel du folklore scandinave. Taxé de malignité, il hante, selon la légende, les forêts et les montagnes, ou vit sous terre.

TROPISME *n. m.* Ce terme usité en biologie désigne la modification du comportement dans l'espace en regard des excitations extérieures. Ainsi parlera-t-on de tropisme à propos de l'hélianthe, ou tournesol. Cette plante, en effet, a la propriété de tourner en fonction du soleil.

TROPOSPHÈRE *n. f.* L'atmosphère terrestre est une composition chimique très stable les 100 premiers kilomètres de son épaisseur : c'est l'homosphère, constituée en moyenne d'azote (78 %), d'oxygène (21 %) et, dans une moindre quantité, d'ozone, d'argon, d'hydrogène et de divers gaz rares. Cependant la température, changeant avec l'altitude (elle décroît régulièrement avec la pression atmosphérique), définit des couches sphériques, ou strates, séparées par des zones de transition appelées pauses. La troposphère est la couche la plus basse, elle s'étend de la surface de la Terre jusqu'à une altitude variant de 8 kilomètres, au-dessus des pôles, à 18 kilomètres, au-dessus de l'Équateur. Elle absorbe le rayonnement infrarouge provenant du Soleil.

TROU NOIR Le trou noir doit son appellation à l'obscurité qui le caractérise. Du fait de l'effondrement de la matière survenu dans ce corps céleste, le champ de gravité est si intense et l'espace tellement courbé que ni la matière ni la lumière ne peuvent s'en échapper. Totalement invisible, le trou noir attire tout objet qui s'en approche de trop près.

TRUISME *n. m.* Le truisme, (de l'anglais *truisme*, dérivé de *true*, vrai) est une lapalissade (voir ce mot) ! En effet, il explicite une évidence. Par exemple : « S'il ne pleuvait pas, nous n'aurions nul besoin de parapluie », ou bien : « Il n'y a pas de fumée sans feu ».

TRUST *n. m.* Le trust est un groupe financier constitué par l'association de producteurs et de spéculateurs réunis sous une direction unique. L'objectif d'un trust est d'accaparer de façon systématique un produit en vue d'obtenir son monopole sur le marché financier. Le trust est une pratique financière typiquement américaine qui eut son âge d'or à la fin du XIXe siècle avec, notamment, la *Standard Oil Trust*, qui avait à sa tête le fameux Rockefeller. Ce terme est dérivé de l'anglo-américain *to trust*, « avoir confiance » ! La confiance, en effet, était à la base de ce groupement puisque chacun des trusteurs donnait les pleins pouvoirs à la direction du trust.

TSIGANE *n. et adj.* Les Tsiganes, comme les gitans (voir ce mot), sont des nomades venus de l'Inde et arrivés en Europe vers le XIIIe siècle. Tsiganes est le nom hongrois *czigany* donné à ces gens qui, ailleurs, sont appelés bohémiens, zingari...

TSUNAMI *n. m.* Le tsunami est, comme son nom japonais l'indique, une vague, qui peut atteindre jusqu'à 40 mètres près des côtes, mais passe souvent inaperçue au large, où elle dépasse rarement 90 centimètres. Sa longueur d'onde s'étend sur plusieurs centaines de kilomètres et sa vitesse de propagation frise les 800 km/h ! Pour essayer de prévenir les dégâts souvent considérables qu'engendre ce phénomène dû à un mouvement sismique, à un glissement de terrain ou à une éruption volcanique sous-marine, nombreuses sont les stations du Pacifique à s'être équipées de détecteurs.

TYMPANISER *v. tr.* Décrier, discréditer publiquement une personne, tel est le sens du verbe tympaniser (du grec *tumpanizein*, tambouriner). Cette acception datant du XVIIe siècle est dérivée du sens d'origine, « faire connaître à grand bruit ».

TYPHON Le mot typhon désigne une tempête tropicale des régions du Sud-Est asiatique. Ce mot a trois origines possibles : l'arabe *tufan*, tourbillon ; la prononciation du mot chinois *taifeng*, typhon ; ou encore Typhon, monstre de la mythologie grecque. Ce dernier, né de la Terre (Gaia), était d'une force gigantesque et d'une taille dépassant celle des montagnes. Pour assouvir le désir de vengeance de sa mère à l'égard de Zeus, il s'attaqua au ciel et un long combat s'ensuivit avec le dieu des dieux. Typhon s'enfuit en Sicile, où il fut écrasé par le mont Etna, que Zeus jeta sur lui. Depuis, les éruptions de l'Etna sont, dit-on, les flammes vomies par le monstre...

U

UBIQUITÉ *n. f.* L'ubiquité (du latin *ubique,* partout) est en théologie la faculté attribuée à Dieu de pouvoir être présent simultanément en plusieurs endroits. Ce terme est synonyme d'omniprésence.

UHLAN *n. m.* Dérivé du turc *öglän,* « jeune garçon, gaillard », le terme d'uhlan fut donné aux cavaliers armés de lances qui servirent dans plusieurs armées européennes jusqu'au début du XXe siècle. Porteurs d'un uniforme caractéristique, les ulhans étaient à l'origine des paysans tatars qui servirent d'unités auxiliaires, sous la conduite de leurs suzerains locaux, dans les armées polonaises au XVIIe siècle. La France engagea des ulhans de 1743 à 1762 ; il y en eut des régiments dans les armées allemande, polonaise, russe et autrichienne jusqu'en 1918.

ULTIMATUM *n. m.* Dans le langage diplomatique, l'ultimatum (du latin *ultimus,* dernier) désigne la dernière condition présentée comme une sommation par une puissance à une autre. Le rejet de l'ultimatum peut provoquer la guerre. La puissance qui le pose est persuadée de la valeur « dernière » de la condition qu'elle impose...

URBANITÉ *n. f.* Le mot urbanité a une étymologie fort peu courtoise... Il vient, en effet, du latin *urbs,* ville, comme si la politesse était l'apanage des citadins...

URTICAIRE *n. m.* Cette éruption, qui peut apparaître en n'importe quelle région du corps, doit son nom au fait qu'elle provoque un prurit analogue à celui que produisent les piqûres d'ortie (du latin *urtica,* ortie).

UTILITARISME *n. m.* Un individu aux préoccupations utilitaires est calculateur, dit la langue courante. Mais l'utilitarisme n'est pas qu'une attitude égoïste. C'est un principe philosophique selon lequel l'utilité est la norme de toute action (utilitarisme économique et social) et de toute connaissance (pragmatisme).

UTOPIE Non-lieu (du grec *ou,* non, et *topos,* lieu), l'utopie se situe du côté du rêve. Cependant, avant d'être une chimère, l'utopie fut un ouvrage, rédigé par le philosophe Thomas More et paru en 1515. *Utopie* décrivait une cité imaginaire où régnait une organisation idéale. La réalité l'emporta, l'utopie ne put jamais trouver lieu et Thomas More fut exécuté pour motifs politiques. Le pessimisme l'a emporté, qui désigne aujourd'hui par utopie tout projet irréalisable.

VACHES MAIGRES L'expression « les vaches maigres » représente une période de pénurie, voire de dénuement. Cette locution du langage courant est tirée d'un récit de la Genèse (XLI) : Pharaon avait fait un rêve dans lequel il avait vu sortir du Nil sept vaches grasses et fort belles, puis sept vaches laides et maigres qui avaient dévoré les premières ; inquiet, Pharaon avait demandé l'interprétation de ce rêve et c'est Joseph, fils de Jacob, qui la lui avait donnée : les vaches grasses annonçaient sept années d'abondance et les vaches maigres, sept années de disette.

VAE VICTIS *loc. lat.* Tirée de l'*Histoire de Rome* (V, 48) de Tite-Live (64 ou 59 avant J.-C. - 17 après J.-C.), l'exclamation « Vae victis », qui signifie « malheur aux vaincus », est attribuée au chef des Gaulois Brennus. Cet homme, après avoir pris Rome en 390 avant J.-C., exigea 1 000 livres des Romains pour quitter la ville. Tandis que l'on pesait l'or, il jeta ses armes en plus des poids dans la balance pour toucher une somme plus conséquente, en prononçant la phrase fatidique, devenue proverbiale.

VAIR *n. m.* La fourrure de petits-gris, appelée vair, doit son nom, dérivé du latin *varius,* bigarré, au fait qu'elle est bicolore. Elle est, en effet, fabriquée à partir des dos gris et des ventres blancs de ces écureuils. En héraldique, elle est représentée de façon stylisée par une alternance de pans blancs (dits d'argent) et bleus (dits d'azur) disposés en rangées horizontales.

VAL Le Val est le seul moyen de transport urbain à grande fréquence entièrement automatisé qui circule sans conducteur. Le premier modèle en France fut installé à Lille en 1983. Depuis, certaines autres municipalités l'ont adopté pour sa rapidité et sa fiabilité.

VASQUE *n. f.* Le mot vasque, qui désigne aujourd'hui un bassin d'ornement, est une adaptation de l'italien *vaschia,* qui s'appliquait à la cuve d'un pressoir. L'amour de la vigne explique-t-il qu'un récipient utilitaire soit devenu un objet de décoration après avoir passé une frontière linguistique ?

VAUDOU *adj. et n.* Du temps des colons, les sorciers noirs furent appelés des vaudous. Aujourd'hui, ce terme, qui viendrait du nom d'un dieu d'Afrique occidentale, désigne le culte animiste implanté aux Antilles et en Haïti par les esclaves noirs. Interdit par les colons, le vaudou se développa dans la clandestinité et, bien qu'empruntant des éléments au rituel catholique – souvent afin de les détourner –, il resta fortement hostile aux Blancs. Ainsi le sacrifice du chevreau blanc, qui se pratique encore, est-il le simulacre de l'immolation d'une jeune femme blanche.

VELLÉITÉ *n. f.* Intention peu affirmée de faire quelque chose ; ainsi définit-on la velléité. À ce titre, le désir, taxé de frivolité, est compris comme une simple lubie. En effet, le vouloir qui est au cœur de la velléité (du latin scolastique *velleitas,* dérivé de *vellem,* « je voudrais »), n'est cependant jamais réalisé...

VELOURS *n. m.* C'est faire un velours que de dire : « Elle était-z-à la campagne. » Ce pataquès (voir ce mot) doit sans doute son nom au fait que la liaison fautive paraît moins rude que la liaison attendue, le son [s] ou [z] étant plus doux que la dentale [t].

VÉNIEL *adj.* La violation des prescriptions du Décalogue (six sur dix sont des interdictions) constitue pour les chrétiens un péché, estimé à l'aune de la « gravité » de la transgression. Ainsi, le péché véniel (du latin *venialis,* excusable) est une faute légère, commise par ignorance, absoute par la confession et la pénitence.

VERTUGADIN *n. m.* Le vertugadin (ancien français *verdugade,* de l'espagnol *verdugados,* baguette) n'est plus comme autrefois le cerceau en fines baguettes qui faisait bouffer les robes, mais la disposition en espalier d'un glacis de gazon.

VERTUMNE Divinité étrusque adoptée par les Romains, Vertumne est le dieu des jardins, protecteur de la végétation, dont il favorise la croissance. La légende rapporte que, pour charmer la belle Pomone, nymphe des fleurs et des fruits, le dieu se fit le miroir des différentes saisons de l'année. Il prit l'apparence d'un laboureur, d'un moissonneur, puis celle d'un vigneron – symbolisant ainsi le cycle des saisons – et s'unit enfin à la nymphe sous les traits d'un séduisant jeune homme. Les jardiniers, qui vouaient à Vertumne un culte particulier, lui destinaient, chaque année, leurs premières fleurs et leurs premiers fruits.

VETO *n. m.* Aujourd'hui synonyme de refus catégorique dans la langue courante, veto était, à l'origine, une formule romaine (signifiant « je m'oppose ») employée par tout tribun de la plèbe qui souhaitait contrecarrer une décision du sénat. Ce mot a d'ailleurs gardé, par-delà les siècles, une acception juridique. Ainsi, en droit constitutionnel, il désigne l'acte par lequel une autorité peut s'opposer à l'entrée en vigueur d'une loi. Le veto définitif, dit absolu, est distingué du veto temporaire, dit suspensif.

VIATIQUE *n. m.* Le viatique (du latin *viaticum,* de *via,* route) était autrefois une somme d'argent donnée à un religieux pour couvrir ses frais de voyage. Par analogie, ce terme désigne le sacrement administré à une personne se trouvant à l'agonie afin de lui permettre d'entreprendre le « grand voyage ».

VICISSITUDE *n. f.* Succession de situations difficiles, montagnes russes, péripéties et parfois tribulations (voir ce mot), telles sont les vicissitudes. À l'origine de celles-ci, un mouvement impromptu, imprévisible, qui surprend et déroute le cours des choses et parfois de nos vies.

VIDIMUS *n. m.* Du XIIe au XVIe siècle, le vidimus (mot latin signifiant « nous avons vu ») désignait le sceau apposé sur des actes juridiques par le roi ou les juges royaux. Ce terme certifie actuellement l'authenticité de la copie d'un acte en regard de l'original, d'où le terme de « copie conforme ».

VIGOGNE *n. f.* Ce petit lama, proche parent du guanaco, est un animal élégant et élancé qui mesure de 70 centimètres à 1,10 m et pèse environ 50 kilos. Adapté aux hauteurs, il vit sur les plateaux des Andes entre 4 200 et 5 400 mètres. Il y a peu de temps encore, on rencontrait cet herbivore du sud de l'Équateur jusqu'au nord-ouest de l'Argentine. Mais il a aujourd'hui disparu de nombreuses régions car on l'a traqué pour son épaisse toison, qui fournit une laine fine et légère : la carméline. La vigogne fait heureusement désormais partie des espèces protégées.

VILIPENDER *v. tr.* Vilipender quelqu'un revient à le considérer comme un moins que rien. Ce verbe, d'un emploi aujourd'hui littéraire, vient en effet du latin *vilis,* « sans valeur » et *pendere,* estimer.

VILLANELLE *n. f.* La villanelle (de l'italien *villanella,* chanson ou danse villageoise) était autrefois une poésie pastorale divisée en couplets terminés par le même refrain. La villanelle était composée pour accompagner la danse du même nom.

VILLÉGIATURE *n. f.* La villégiature (de l'italien *villegiare,* « aller à la campagne », issu du mot latin *villa,* « maison de campagne, domaine rural ») est le lieu où l'on se rend à la belle saison pour se reposer et échapper à la vie citadine. Ce terme aujourd'hui suranné était considéré comme un néologisme par M. Littré en 1872 !

VINDICATIF *adj.* Il n'en veut point démordre, l'individu vindicatif. Au contraire, tout entier possédé par le désir de venger (en latin *vindicare*), il se montre plein de haine et d'agressivité, pressé d'en découdre.

VIOLON D'INGRES Dans vos moments perdus, vous vous adonnez à une activité qui vous passionne, à laquelle vous ne pouvez pas, malheureusement, consacrer l'essentiel de votre temps : c'est votre violon d'Ingres. L'artiste Ingres (1780-1867) est à l'origine de cette expression. Peintre français très célèbre, notamment pour ses portraits et ses nus, il était aussi musicien à ses heures. Ce second talent, beaucoup moins connu du public, lui valut une place de second violon dans l'orchestre du Capitole et lui permit à ses débuts de subsister.

VIRAGO *n. f.* Ce terme péjoratif (formé sur le latin *vir,* homme) se dit d'une femme dont l'allure et le tempérament sont jugés virils, à croire que certaines qualités, considérées traditionnellement comme l'apanage de l'homme, deviendraient défauts chez la femme...

VIZIR *n. m.* Le titre de vizir (de l'arabe *wazir,* ministre) apparaît sous la dynastie arabe des Omeyyades, qui régna de 661 à 750. Il est attribué aux principaux dignitaires de l'État. Au XVe siècle, l'un des vizirs est nommé grand vizir et se voit confier le sceau du sultan et les pleins pouvoirs. Les autres vizirs, qui n'ont plus qu'un rôle subalterne, sont appelés vizirs de la coupole. Leur fonction est supprimée au XVIIIe siècle. La charge de grand vizir durera, elle, jusqu'à la chute de l'Empire ottoman, en 1922.

VOLVATION *n. f.* Dès qu'il est inquiété, le hérisson se roule en boule, protégeant sa tête, ses pattes et son ventre des prédateurs. Cette réaction de défense et d'intimidation, appelée volvation (du latin *volvere,* rouler) est un mode de séclusion inné chez cet animal.

VOMITOIRE *n. m.* Dans l'Antiquité romaine, les vomitoires (en latin *vomitorium,* de *vomere,* vomir) étaient de larges issues pratiquées dans un amphithéâtre ou un théâtre pour faciliter la sortie du public.

VULGATE La Vulgate (du latin *vulgatus,* « accessible à tous ») est une traduction latine de la Bible qui date du IVe siècle. Établie à partir de l'original hébreu par saint Jérôme sur l'ordre du pape Damase, elle fut approuvée par le concile de Trente en 1546 et devint la version officielle de l'Église catholique.

W.X.Y.Z

WAHHABISME *n. m.* Le wahhabisme est une réforme de l'islam, propagée en Arabie au XVIIIe siècle par son inspirateur, Muhammad ibn Abd al-Wahhab (1703-1792). Après des études théologiques, Abd al-Wahhab, originaire d'une tribu du désert du Nedjd (Arabie), prêcha le retour aux sources traditionnelles coraniques et à la vie austère des premiers temps de l'islam, condamnant la vie pervertie de ses contemporains (tabac, alcool, musique...) et toute forme d'idolâtrie (culte des prophètes). Rejeté pour son rigorisme, il se réfugia vers 1740 dans une oasis du Nedjd, où régnait alors Muhammad ibn Sa'ud, dont il devint le gendre et le protégé. Le wahhabisme favorisa l'ascension fulgurante de la famille des Sa'ud, et est encore aujourd'hui de règle en Arabie Saoudite.

WALPURGIS (NUIT DE) Au Moyen Âge, le terme de sabbat servait à désigner les assemblées nocturnes de sorciers et de sorcières présidées par Satan. Selon la légende, la nuit de Walpurgis était l'un des sabbats les plus importants de l'année. Elle était célébrée dans la nuit du 30 avril au 1er mai. Son origine remonte au IXe siècle, en Allemagne : les sorciers avaient coutume de se donner rendez-vous sur la tombe d'une religieuse bénédictine, sainte Walpurgis.

WAYANG *n. m.* Originaire de Java où il est très populaire, ce théâtre d'ombres a gagné Bali et la Thaïlande. Au cours d'une repésentation de wayang, le récitant, appelé *doulang,* manie des figurines plates (en cuir de buffle ou en bois peint) devant un écran sur lequel se projettent des ombres. Un accompagnement musical souligne les péripéties de l'action.

WHIG *n. m.* Au milieu du XVIIe siècle, les royalistes anglais donnèrent le nom de whigs (abréviation de *whiggamores*) aux Écossais presbytériens opposés à la suprématie de l'anglicanisme. À la fin du XVIIe siècle, ce surnom fut réutilisé par les légitimistes anglais, eux-mêmes traités de *tories,* pour désigner les membres du parlement, protestants et antiabsolutistes, qui s'élevaient contre les privilèges de l'anglicanisme et l'autorité monarchique.

WIGWAM *n. m.* Les Indiens d'Amérique du Nord s'abritaient parfois sous des tentes en peau, mais ils préféraient le wigwam (de l'algonquin *wikiwam,* cabane), qu'ils fabriquaient avec de longues bandes d'écorce cousues les unes aux autres. Cette hutte, dont la charpente se composait de quatre jeunes arbres courbés vers le centre, était tapissée d'herbe. À l'intérieur, des branches de sapin recouvertes de peaux d'orignal leur servaient de tapis et de lits.

XÉNÉLASIE *n. f.* Dans l'Antiquité, la xénélasie (du grec *xenos,* étranger, et *elaunein,* chasser) consistait à expulser d'une cité tous les étrangers. Cette mesure draconienne, dont on attribuait l'institution au législateur mythique Lycurgue, était en vigueur à Sparte, où l'étranger, accusé d'espionnage et de corruption, était totalement déconsidéré. La mise à l'écart des nomades, ou leur rejet pur et simple des villes, constitue la xénélasie des temps modernes. Et, comme dans l'Antiquité, la défiance et la peur sont les motifs de cette pratique d'exclusion.

XÉROPHAGIE *n. f.* La xérophagie (du grec *xêros,* sec, et *phagein,* manger) est la privation à laquelle se soumettaient les premiers chrétiens, qui, pendant le carême, ne se nourrissaient que de pain et de fruits secs.

XYLOGRAPHIE *n. f.* Inventée par les Chinois au VIe siècle, la xylographie (du grec *xulon,* bois, et *graphein,* écrire) apparaît en Europe au XIIe siècle. Cependant, ce n'est qu'à partir du XIVe siècle que se développe ce procédé d'impression de textes et d'illustrations. L'utilisation de caractères en bois ou de planches gravées en relief permet la multiplication des images pieuses, des cartes à jouer, des livres illustrés, des estampes...

YANG *n. m.* Voir YIN.

YIN *n. m.* En chinois, le caractère yin symbolise le versant ombreux d'une vallée tandis que le caractère yang symbolise le versant ensoleillé. Bipolarité fondamentale de la philosophie et de l'énergétique chinoise, le yin-yang est l'expression du dualisme et du complémentarisme universel. Aucune opposition ne réside entre ces deux modalités qui ne sauraient exister l'une sans l'autre. De même, yin n'est ni l'inverse, ni le contraire de yang. Le symbolisme du yin-yang s'exprime au sein d'un cercle divisé en deux parties égales par une ligne sinueuse : une moitié noire (yin), l'autre rouge (yang) – souvent représentée à tort de couleur blanche. Ainsi, le mouvement et l'immobile, le plein et le vide, le tangible et l'intangible sont au cœur du Tai Ji, « faîte suprême », fondement originel de l'univers.

YOM KIPPOUR *n. m.* Le terme de Yom Kippour (de l'hébreu *yom,* jour, et *kippour,* expiation) désigne une fête essentielle dans le rituel hébraïque. Célébré le dixième jour du septième mois, le Yom Kippour clôt une période de pénitence de dix jours. Ce jour, consacré au jeûne et à la prière, est un temps d'expiation et de purification des péchés. Il a pour but ultime la réconciliation de Dieu avec la communauté. Les disparus ont aussi leur place, ils sont évoqués dans une prière du souvenir. Un texte, le *Livre de Jonas,* attestant la miséricorde divine, est lu. Puis, fait unique dans l'année, devant l'arche ouverte, les hommes adorent le nom « ineffable ». Vient ensuite la profession de foi énoncée par sept fois, puis le schofar sonne, annonçant la rupture du jeûne. Fête rituelle, le Yom Kippour était autrefois l'occasion d'un triple sacrifice, dont celui du très fameux bouc émissaire.

ZARZUELA Créée au XVIIe siècle par Calderón de la Barca, la zarzuela se caractérise par un mélange de déclamation et de chant. Ce drame lyrique, à l'origine en deux actes, doit son nom à la Zarzuela, résidence royale et théâtre de Madrid.

ZÉNITH *n. m.* Être au zénith signifie être au sommet, avoir atteint le plus haut degré du succès. Au sens littéral, le zénith désigne le point du ciel situé à la verticale au-dessus d'un observateur. Ce mot a une bien curieuse histoire : il est le fruit d'une altération de l'arabe *samt,* chemin, voie, vulgairement prononcé *semt* et lu par erreur par les scribes du Moyen Âge *senit* alors que l'expression *samt-ar-ras* signifiait « la voie au-dessus de la tête ».

ZIGGOURAT *n. f.* Élément essentiel de l'architecture mésopotamienne puis de tout le Moyen-Orient antique, la ziggourat était une tour à plusieurs étages surmontée d'un sanctuaire. D'origine sumérienne, puis adoptée par les Akkadiens sémites (Assyriens et Babyloniens), elle était consacrée à un dieu et servait également à l'observation des astres. Le nom ziggourat est un emprunt à l'assyrien *ziq-qur-ra-tu* (tour, temple). La ziggourat qui dominait Babylone, dédiée au dieu Bêl Marduck, n'était autre que la tour de Babel (voir ce mot).

ZIGZAG *n. m.* Ce terme onomatopéique désignait autrefois un jouet ! Celui-ci était constitué de tiges mobiles disposées en X sur lesquelles étaient fixées des figurines que les enfants rapprochaient ou éloignaient en les manœuvrant. Sur le même principe, le zigzag fut au XVIIe siècle un petit outil utilisé pour tisser.

ZINC *n. m.* Un zinc, en argot, peut être un comptoir de café (autrefois celui d'un marchand de vin), un avion ou un appareil métallique quelconque. La matière constitue le point commun de ces significations, le zinc étant couramment utilisé pour fabriquer ces objets, notamment au début du XXe siècle. On allait souvent, au temps heureux des guinguettes du bord de Marne, « tomber un zinc » (boire un verre).

ZOÏLE À l'opposé de l'aristarque (voir ce mot), le zoïle est un critique injuste, envieux, et dont les propos sont ravageurs. Ce mot perpétue le souvenir de Zoilos (Zoïle en français), sophiste grec du IVe siècle avant J.-C. qui, animé par la jalousie, dénigra Homère avec acharnement dans un traité de neuf livres.

REMERCIEMENTS

La plupart des illustrations proviennent des publications du Reader's Digest suivantes :

- ABC de la nature
- Atlas du monde
- la Cuisine au fil des saisons
- Énigmes et Secrets du passé
- le Grand Livre du monde
- Guide complet des travaux à l'aiguille
- Guide des animaux des champs et des bois
- Guide des champignons
- Guide des grandes villes de France
- les Inventions qui ont changé le monde
- Merveilles et Secrets du corps humain
- les Mots par l'image (dépliant)
- Reverse Dictionary

Sélection du Reader's Digest tient à remercier les personnes qui ont contribué à la préparation de cet ouvrage, et en particulier :

Pour leurs illustrations : *Christian KOCHER* (arbre p. 25 ; charrue p. 86 ; cheminée p. 90 ; cheval p. 91-92 ; escalier p. 164 ; fenêtre (parties d'une) p. 180 ; fenêtres p. 181 ; guitare p. 214 ; harnais : licol p. 217 ; harnais : filets et mors p. 218 ; pistolet p. 346 ; porte p. 359 ; toits p. 449 ; tronc p. 458 ; voûtes p. 484 ; *Didier PAVOIS* (héraldique p. 220).

Pour leurs conseils : *Béatrice CHEHU* (service d'étude du musée de la Marine, Paris), *Daniel LOMBART* (bijouterie l'Art Parure, Paris).

LE DICTIONNAIRE PLUS
publié par Sélection du Reader's Digest

Photocomposition : CRG, Paris
Photogravure : Station Graphique, Ivry-sur-Seine
Impression : Maury, Malesherbes
Reliure : Brun, Malesherbes

PREMIÈRE ÉDITION
Achevé d'imprimer : novembre 1991
Dépôt légal en France : décembre 1991
Dépôt légal en Belgique : D.1992.0621.29
Imprimé en France
Printed in France